VOX

Dicionário Essencial

Português-Espanhol
Español-Portugués

Diccionario Esencial

Dicionário Essencial

Português-Espanhol
Español-Portugués

Diccionario Esencial

Diseño de cubierta: B.C. y M

Primera edición
    Quinta reimpresión: marzo de 2005

© Porto Editora, Lda.
R. da Restauração, 365
4099-023 PORTO - PORTUGAL

© de esta edición:
SPES EDITORIAL, S.L.
Aribau, 197-199, 3ª planta
08021 BARCELONA
e-mail: vox@vox.es
www.vox.es

ISBN: 84-8332-050-9
Depósito legal: B. 9.560-2005

Impreso en España - Printed in Spain

Impreso por LITOGRAFÍA ROSÉS, S.A.
Progrés, 54-60, Políg. Ind. La Post
08850 Gavà (Barcelona)

PORTUGUÊS-ESPANHOL

ABREVIATURAS

abrev.	– abreviatura	*impes.*	– impessoal	*pref.*	– prefixo
(acad.)	– académico	*indef.*	– indefinido	*prep.*	– preposição
adj.	– adjectivo	*inf.*	– infinitivo		prepositivo
adv.	– advérbio	*interj.*	– interjeição	*pres.*	– presente
	adverbial	*interr.*	– interrogativo	*pron.*	– pronome
art.	– artigo	*intr.*	– intransitivo		pronominal
card.	– cardinal	*inv.*	– invariável	*refl.*	– reflexivo
comp.	– comparativo	*(irón.)*	– irónico	*rel.*	– relativo
conj.	– conjunção	*loc.*	– locução	*s.*	– substantivo
	conjuncional	*m.*	– masculino	*sing.*	– singular
contr.	– contracção	*num.*	– numeral	*suf.*	– sufixo
def.	– definido	*ord.*	– ordinal	*sup.*	– superioridade
dem.	– demonstrativo.	*pass.*	– passado	*superl.*	– superlativo
f.	– feminino	*(pej.)*	– pejorativo	*tr.*	– transitivo
(fam.)	– familiar	*pess.*	– pessoal	*v.*	– verbo
(fig.)	– figurado	*pl.*	– plural	*2 gén.*	– 2 géneros
imp.	– imperfeito	*poss.*	– possessivo	*2 núm.*	– 2 números

AGRIC.	agricultura	EST.	estatística	METEOR.	meteorologia
ANAT.	anatomia	FARM.	farmacologia	MIL.	militar
ARQ.	arquitectura	FIL.	filosofia	MIN.	mineralogia
ASTR.	astronomia	FÍS.	física	MIT.	mitologia
ASTROL.	astrologia	FISIOL.	fisiologia	MÚS.	música
AV.	aviação	FOT.	fotografia	NÁUT.	náutica
BIOL.	biologia	GEOG.	geografia	PATOL.	patologia
BOT.	botânica	GEOL.	geologia	PINT.	pintura
CARP.	carpintaria	GEOM.	geometria	POL.	política
CIN.	cinema	GRAM.	gramática	PSIC.	psicologia
CIR.	cirurgia	HERÁLD.	heráldica	QUÍM.	química
COM.	comércio	INFORM.	informática	RELIG.	religião
COST.	costura	JORN.	jornalismo	RET.	retórica
CUL.	culinária	LING.	linguística	SOCIOL.	sociologia
DESP.	desporto	LIT.	literatura	TAUR.	tauromaquia
DIR.	direito	LÓG.	lógica	TÉCN.	técnica
ECON.	economia	MAT.	matemática	TEOL.	teologia
EDUC.	educação	MEC.	mecânica	TIP.	tipografia
ELECT.	electrotecnia	MED.	medicina	TRIG.	trigonometria
ENG.	engenharia	METAL.	metalurgia	VET.	veterinária
				ZOOL.	zoologia

A

a, *art.*, *pron.* la.

a, *prep.* a.

à, *prep.* **a** + *art.* **a**.

aba, *s. f.* (*labita*) faldón; (*chapéu*) ala; (*telhado*) alero; borde; orilla; (*vestido*) orla; (*monte*) falda; *pl.* alrededores.

ababosar-se, *v. refl.* hacerse baboso.

abacá, *s. m.* BOT. abacá.

abaçanado, *adj.* moreno atezado, trigueño.

abaçanar, *v. tr.* embazar; obscurecer.

abacate, *s. m.* BOT. aguacate.

abacateira, *s. f.* aguacate.

abacateiro, *s. m.* BOT. aguacate.

abacaxi, *s. m.* BOT. abacaxí; abacaxís.

abacelar, *v. tr.* aporcar, cubrir con tierra ciertas plantas.

abacial, *adj. 2 gén.* abacial.

abacinar, *v. tr.* obscurecer; ennegrecer.

ábaco, *s. m.* ábaco; ARQ. ábaco; aparador.

abacto, *s. m.* abigeato.

abactor, *s. m.* abigeo.

abada, *s. f.* falda llena; gran cantidad.

abade, *s. m.* abad; cura; párroco.

abadejo, *s. m.* ZOOL. abadejo, bacalao.

abadengo, *adj.* abadengo.

abadernar, *v. tr.* NÁUT. abadernar.

abadessa, *s. f.* abadesa, priora.

abadessado, *s. m.* abadía.

abadia, *s. f.* abadía; monasterio.

abado, *adj.* alado.

abaetado, *adj.* abayetado.

abaetar, *v. tr.* cubrir con bayeta.

abafa!, *interj.* NÁUT. orden para recoger las velas.

abafação, *s. f.* sofocación.

abafado, *adj.* bochornoso.

abafador, *s. m.* apagador.

abafadela, *s. f.* vd. **abafação**.

abafadiço, *adj.* sofocante.

abafador, *s. m.* sofocador; apagador de luces.

abafadura, *s. f.* vd. **abafamento**, sofocación, falta de aire; ahoguío.

abafamento, *s. m.* sofocación.

abafante, *adj. 2 gén.* sofocante.

abafar, *v. tr. e intr.* sofocar; ahogar, asfixiar; extinguir; apagar, amortiguar (un sonido,

un golpe, etc.); disimular, ocultar; arropar; *abafar com o calor*, abochornar.

abafarete, *s. m.* bebida caliente.

abafas, *s. f. pl.* (*pop.*) fanfarronadas; baladronadas.

abafável, *adj. 2 gén.* que se puede sofocar.

abafeira, *s. f.* sofocación; albufera; charca; laguna; abrigo.

abafo, *s. m.* abrigo, cobertura que resguarda del frío; sofocación; (*fig.*) cariño, afecto.

abagaçar, *v. tr.* reducir a bagazo.

abaganhar, *v. intr.* criar cápsula, el lino; (*pop.*) vd. **angariar**.

abagoar, *v.* **1.** *intr.* criar bagos o granos (las plantas). **2.** *tr.* deshilar, soltar (cuentas).

abainhar, *v. tr.* repulgar; envainar, hacer dobladillo.

abaionetar, *v. tr.* abaionetar.

abairrar, *v. tr.* dividir en barrios.

abaixado, *adj.* humillado; oprimido.

abaixador, *adj. e s. m.* que baja o hace descender; depresor (músculo).

abaixamento, *s. m.* abajamiento; rebaja; descuento; abatimiento, humillación.

abaixante, *adj. e s.* vd. **abaixador**.

abaixar, *v. tr.* abajar; bajar, agachar; descender; NÁUT. arriar.

abaixável, *adj. 2 gén.* abatible.

abaixo, **I.** *adv.* abajo; inferiormente. **II.** *interj.* ¡muera!

abaixo-assinado, *s. m.* petición colectiva; solicitud; instancia.

abajoujar-se, *v. refl.* enamorarse en demasía; hacerse baboso.

abalada, *s. f.* partida, corrida.

abalado, *adj.* mal seguro; abatido; impresionado.

abalamento, *s. m.* estremecimiento; agitación.

abalançamento, *s. m.* abalanzamiento; audacia, atrevimiento.

abalançar, *v.* **1.** *tr.* abalanzar; pesar. **2.** *refl.* abalanzarse, arriesgarse, atreverse.

abalar, *v.* **1.** *tr.* estremecer; sacudir; (*fig.*) agitar; enternecer. **2.** *intr.* partir con prisa.

abalaustrado, *adj.* balaustrado.
abalaustramento, *s. m.* balaustramiento.
abalaustrar, *v. tr.* balaustrar.
abalienação, *s. f.* abalienación.
abalienar, *v. tr.* abalienar; enajenar.
abalistar, *v. tr.* acometer con ballesta.
abalizado, *adj.* abalizado, limitado; *(fig.)* célebre.
abalizador, *s. m.* abalizador, agrimensor.
abalizar, *v.* 1. *tr.* abalizar; demarcar; señalar. 2. *refl.* distinguirse.
abalo, *s. m.* terremoto, temblor (de tierra); partida; agitación; sufocón; *(fig.)* conmoción; surpresa.
abalofado, *adj.* hueco; blando; fofo.
abalofar, *v.* 1. *tr.* ablandar; esponjar; ahuecar. 2. *refl.* ahuecarse; hincharse.
abalroa, *s. f.* arpeo de abordaje.
abalroação, *s. f.* NÁUT. abordaje; *(fig.)* abordo; choque; acometida; ímpetu.
abalroador, *adj.* e *s. m.* abordador.
abalroamento, *s. m.* vd. **abalroação**.
abalroar, *v. tr.* e *intr.* abordar; acometer.
abalsar, *v. tr.* vd. **abalseirar**.
abalseirar, *v. tr.* encubar; envasar.
abaluartado, *adj.* MIL. abaluartado.
abaluartar, *v.* 1. *tr.* abaluartar; abastionar. 2. *refl.* atrincherarse.
abanação, *s. f.* abaniqueo.
abanão, *s. m.* sacudida.
abanadela, *s. f.* abaniqueo; sacudida.
abanado, *adj.* enfermo; fallido; fallido.
abanador, *s. m.* abanador, abanico; paipái, paipay; ventilador, soplillo.
abanadura, *s. f.* vd. **abanação**, sacudimiento.
abana-moscas, *s. m.* espantamoscas; mosquero; *(fig.)* bagatela.
abananar, *v. tr.* e *refl.* aturdir; atolondrar; atentar; anonadar.
abanar, *v. tr.* abanicar, abanar; sacudir; abalear; ahechar; *(fig.)* temblar.
abancar, *v.* 1. *tr.* sentar en la banca; guarnecer con bancos. 2. *intr.* e *refl.* sentarse a la banca o a la mesa.
abandalhado, *adj.* relajado; envilecido.
abandalhamento, *s. m.* envilecimiento.
abandalhar, *v. tr.* avillanar, envilecer.
abandar, *v. tr.* abanderizar.
abandeirar, *v. tr.* vd. **embandeirar**.
abandoar, *v. tr.* abanderizar.
abandonado, *adj.* abandonado; cunero.
abandonamento, *s. m.* abandonamiento; abandono.

abandonar, *v. tr.* e *refl.* abandonar; dejar; desamparar; desasistir; renunciar; desertar; confiarse.
abandonável, *adj.* 2 *gén.* abandonable.
abandono, *s. m.* abandono; renuncia; desamparo; desprecio; desaliño.
abanga, *s. f.* BOT. abanga.
abanicar, *v. tr.* e *intr.* abanicar.
abanico, *s. m.* vd. **leque**; *(fig.)* galantaria.
abano, *s. m.* abano; abanico; paipái, paipay; soplillo, aventador (para el fuego).
abantesma, *s. m.* espectro; fantasma.
abar, *v. tr.* poner el ala; armar los bordes (al sombrero); levantar las alas.
abaratar, *v. tr.* abaratar; diminuir.
abarbado, *adj.* lleno; sobrecargado.
abarbar, *v.* 1. *tr.* tocar con la barba; alcanzar; igualar. 2. *refl.* sobrecargarse.
abarbarizar, *v. tr.* e *refl.* barbarizar.
abarbetar, *v. tr.* abarbetar.
abarbilhar, *v. tr.* poner bozal en el hocico de los animales.
abarca, *s. f.* abarca.
abarcador, *adj.* e *s. m.* abarcador; *(fig.)* monopolista; acaparador.
abarcamento, *s. m.* abarcadura; acaparamiento; monopolio.
abarcar, *v. tr.* abarcar; ceñir, rodear; comprender; contener; monopolizar.
abargantar-se, *v. refl.* hacerse libertino; relajarse; viciarse.
abaritonar, *v. tr.* abaritonar.
abarqueiro, *s. m.* abarquero.
abarracado, *adj.* abarracado.
abarracamento, *s. m.* abarracamiento.
abarracar, *v. tr.* abarracar.
abarrancamento, *s. m.* abarrancamiento.
abarrancar, *v. tr.* e *intr.* abarrancar.
abarregar-se, *v. refl.* amancebarse; abarraganarse.
abarreirar, *v. tr.* atrincherar; fortificar.
abarretar, *v. tr.* cubrir con el bonete o capucha.
abarricar, *v. tr.* dar forma de barrica a.
abarrigar, *v. tr.* e *intr.* abarrigar.
abarrilar, *v. tr.* abarrilar.
abarroado, *adj.* testarudo; obstinado; cabezudo.
abarrotado, *adj.* abarrotado, repleto.
abarrotamento, *s. m.* abarrotamiento.
abarrotar, *v. tr.* abarrotar; llenar; cubrir de barrotes; atestar; llenar demasiado.
abasbacar-se, *v. refl.* pasmarse; asombrarse.

abasia, s. f. MED. abasia.
abásico, adj. abásico.
abastado, adj. abastado; sobrado; rico; abastecido; abundante; acaudalado; harto.
abastamento, s. m. abastanza; abundancia, copia.
abastança, s. f. abastanza.
abastar, v. tr. e refl. abastar, abastecer.
abastardado, adj. abastardado; degenerado.
abastardamento, s. m. abastardamiento; degeneración.
abastardar, v. 1. tr. e intr. abastardar, bastardear; falsificar, viciar. 2. refl. corromperse.
abastecedor, adj. e s. m. abastecedor; fornecedor.
abastecer, v. tr. abastecer, abastar; proveer, suministrar; surtir.
abastecimento, s. m. abastecimiento, abasto; forrajes, municiones; *avião de abastecimento*, avión nodriza.
abastimento, s. m. aviamiento, avío, apresto; ejecución.
abasto, s. m. abundancia, copia.
abastonar, v. tr. dar forma de bastón; pegar con bastón.
abate, s. m. rebaja en el precio; disminución, baja; *abate de árvores*, apeo.
abatedor, adj. abatidor; *abatedor de gado*, matarife; destruidor.
abater, v. tr. abatir; descontar; abismar; hundir; bajar; envilecer; aballar; derribar; talar; desalentar; matar; enflaquecer.
abatido, adj. abatido; humillado; muerto; desalentado; enflaquecido; disminuido; postrado; cabisbajo; deshecho.
abatimento, s. m. abatimiento; depresión; postración; agobio; matanza de ganado; rebaja, descuento.
abatinado, adj. en forma de levita.
abatível, adj. 2 gén. abatível.
abatocar, v. 1. tr. entaponar, poner tapones. 2. intr. callarse.
abatufado, adj. que tiene gordura fofa.
abaulado, adj. abarquillado; curvado; convexo; abombado; curvo.
abaulamento, s. m. encurvamiento; convexidad; abarquillamiento.
abaular, v. tr. abarquillar; abombar; combar; encurvar.
abaunilhar, v. tr. dar el sabor de vainilla.
abc, s. m. abc; el abecedario; el alfabeto.
abcesso, s. m. MED. absceso.

abcisão, s. f. abscisión.
abcissa, s. f. abscisa.
abdicação, s. intr. abdicación.
abdicador, adj. e s. m. abdicador.
abdicar, v. tr. e intr. abdicar; renunciar.
abdicativo, adj. abdicativo.
abdicável, adj. 2 gén. abdicable; renunciable.
ábdito, adj. oculto; alejado; retirado.
abdome, s. m. vd. **abdómen**.
abdómen, s. m. ANAT. abdomen; barriga, vientre; panza (en algunos animales).
abdominal, adj. 2 gén. abdominal.
abdominia, s. f. MED. abdominia, adefagía.
abdominoscopia, s. f. MED. abdominoscopia.
abdominoso, adj. panzudo, panzón; barrigón; barrigudo.
abdução, s. f. ANAT. abducción.
abducente, adj. 2 gén. abductor.
abdutor, s. m. abductor.
abduzir, v. tr. abducir; alejar, separar; eliminar.
abêbera, s. f. BOT. breva *(fruto)*; higuera breval.
abeberar, v. tr. abrevar, dar de beber; impregnar, ensopar.
abebereira, s. f. BOT. higuera breval.
abebra, s. f. BOT. breva *(fruto)*; higuera breval.
a-bê-cê, s. m. abecé, alfabeto, abecedario.
abecedar, v. tr. alfabetizar.
abecedário, s. m. abecedario, abecé.
abegão, s. m. aperador.
abeiramento, s. m. aproximación.
abeirar, v. tr. aproximar, arrimar, acercar.
abelha, s. f. ZOOL. abeja.
abelhal, s. m. colmenar; enjambre de abejas
abelha-mestra, s. f. abeja reina.
abelhão, s. m. ZOOL. abejón; zángano; moscardón.
abelharuco, s m. abejaruco, azulejo (ave).
abelheira, s. f. abejera; enjambre; colmenar; abejar; BOT. abejera, toronjil, melisa.
abelheiro, s. m. enjambre, abejar; colmenar; ZOOL. abejaruco, abejero; apicultor.
abelhuco, s. m. abejaruco.
abelhudo, adj. e s. m. entremetido; curioso; diligente; activo.
abelidar-se, v. refl. llenarse de nubes o cataratas (los ojos).
abelmosco, s. m. BOT. abelmosco.

abemolado, *adj.* abemolado; *(fig.)* armonioso, suave.

abemolar, *v. tr.* MÚS. abemolar.

abencerragem, *s. m.* abencerraje.

abençoado, *adj.* bendecido; bendito.

abençoador, *adj.* e *s. m.* bendecidor.

abençoar, *v. tr.* bendecir.

abendiçoar, *v. tr.* vd. **abençoar.**

aberingelado, *adj.* aberenjenado.

aberração, *s. f.* aberración.

aberrante, *adj.* 2 *gén.* aberrante; anormal; excepcional.

aberrar, *v. intr.* aberrar, equivocarse.

aberta, *s. f.* hendidura; agujera; grieta; abertura; escampada; *(fig.)* oportunidad.

abertiço, *adj.* abertal.

aberto, *adj.* abierto; desembarazado; público; desabonado; fatigado; libre; desvergonzado; abierto; rasgado; sincero; esparcido.

abertura, *s. f.* apertura; abertura; abrimiento; quiebra; grieta; agujero; diámetro; anchura; entrada; boca salida; comienzo; MÚS. obertura; *(fig.)* franqueza.

abesoirar, *v. tr.* vd. **abesourar.**

abesourar, *v. tr.* importunar con palabras desagradables.

abespinhar-se, *v. refl.* irritarse; enfurecerse; ofenderse.

abetarda, *s. f.* avutarda, avetarda.

abetardinha, *s. f.* sisón, (ave).

abeto, *s. m.* BOT. abeto.

abetoira, *s. f.* avetoro.

abetumado, *adj.* abetunado; engradado; enmasillado; mal cocido, hablando del pan; *(fig.)* tristón; aburrido; melancólico.

abetumar, *v. tr.* abetunar, embetunar; engrudar; encubrir; ocultar.

abexigar, *v. tr.* vejar; ridiculizar; escarnecer.

abexim, *adj.* e *s.* 2 *gén.* abisinio.

abezerrado, *adj.* parecido al becerro; testarudo, terco.

abicar, *v.* 1. *tr.* e *intr.* aguzar, el pico; llegar con el pico; echar anclas, anclar. 2. *refl.* acercarse, arrimarse.

abichar, *v.* 1. *intr.* embrutecerse, animalizarse; agusanarse; pudrirse (los frutos). 2. *tr.* conseguir; lograr.

abieiro, *s. m.* BOT. caimito.

abiético, *adj.* abiético.

abietina, *s. f.* abietino.

abietíneas, *s. f. pl.* BOT. abietíneas, abetíneas.

abietíneo, *adj.* abetíneo.

abíeto, *s. m.* BOT. abeto.

abigeato, *s. m.* abigeato.

abígeo, *s. m.* abígeo.

abigodado, *adj.* abigotado, bigotudo.

abio, *s. m.* BOT. caimito (fruto).

abiose, *s. f.* MED. abiosis.

abiótico, *adj.* abiótico.

abioto, *s. m.* BOT. abioto.

abirritação, *s. f.* MED. abirritación; atonía.

abirritar, *v. tr.* MED. abirritar.

abiscoitado, *adj.* abizcochado.

abiscoitar, *v.* 1. *t.* abizcochar. 2. *refl.* gobernarse.

abiscoutado, *adj.* vd. **abiscoitado.**

abiscoutar, *v. tr.* vd. **abiscoitar.**

abismal, *adj.* 2 *gén.* abismal, abisal.

abismar, *v. tr.* e *refl.* abismar; sumergir; sumir; *(fig.)* confundir; maravillar.

abismo, *s. m.* abismo; sima, precipicio; *(fig.)* misterio.

abispamento, *s. m.* prudencia, astucia.

abispar, *v. tr.* conseguir.

abissal, *adj.* 2 *gén.* abisal, abismal.

abíssico, *adj.* abismal.

abissínio, *adj.* e *s. m.* abisinio.

abita, *s. f.* NÁUT. abitón; bita.

abitar, *v. tr.* NÁUT. amarrar en la bita.

abjecção, *s. f.* abyección, bajeza; infamia.

abjecto, *adj.* abyecto; vil; abatido; despreciable; infame.

abjudicação, *s. f.* abjudicación.

abjudicador, *adj.* e *s.* abjudicador.

abjudicar, *v. tr.* abjudicar.

abjudicável, *adj.* 2 *gén.* abjudicable.

abjugar, *v. tr.* desyugar, desuncir, soltar, libertar.

abjuração, *s. f.* abjuración; retractación.

abjurador, *adj.* e *s. m.* abjurador.

abjuramento, *s. m.* abjuración.

abjurante, *adj.* e *s.* 2 *gén.* abjurante.

abjurar, *v. tr.* abjurar; apostatar; renegar.

abjuratório, *adj.* abjuratorio.

abjurável, *adj.* 2 *gén.* abjurable.

ablação, *s. f.* ablación; extracción.

ablactação, *s. f.* MED. ablactación.

ablactar, *v. tr.* ablactar, destetar.

ablaqueação, *s. f.* AGRIC. ablaqueación.

ablaquear, *v. tr.* AGRIC. ablaquear.

ablativo, *s. m.* ablativo.

ablator, *s. m.* ablator.

ablefaria, *s. f.* MED. ablefaria.

ablegação, *s. f.* ablegación; destierro.

ablegado, s. m. ablegado.

ablegar, v. tr. ablegar, desterrar.

ablepsia, s. f. MED. ablepsia, ceguera.

ablução, s. f. ablución; loción.

abluente, adj. 2 gén. e s. m. abluente, diluente, diluyente.

abluir, v. tr. abluir, diluir, aclarar; purificar.

ablutor, s. m. e adj. abluente.

abnegação, s. f. abnegación; caridad; desinterés, altruísmo.

abnegado, adj. abnegado; desinteresado; desprendido.

abnegador, adj. e s. m. el que revela abnegación.

abnegar, v. tr. abnegar.

abnodar, v. tr. cortar los nudos a los árboles.

aboar, v. intr. aclarar.

abóbada, s. f. ARQ. bóveda; *abóbada palatina,* bóveda palatina.

abobadado, adj. abovedado.

abobadar, v. tr. abovedar.

abobadilha, s. f. bovedilha.

abobado, adj. abobado; atontado; idiota.

abobar-se, v. refl. abobarse, hacerse bobo.

abóbeda, s. f. vd. **abóbeda.**

abóbora, s. f. abobra; calabaza.

aboborado, adj. maduro; ablandado.

aboboral, s. m. calabazar.

aboborar, v. tr. reblandecer; ablandar; empapar; impregnar.

aboboreira, s. f. BOT. calabacera.

aboca!, interj. incitación hecha a los perros.

abocadura, s. f. MIL. saetera.

aboçamento, s. m. abozamiento.

abocanhar, v. tr. morder; abocar; abocadear; (fig.) difamar; censurar.

abocar, v. tr. abocar, asir, coger con la boca; abocar (verter un líquido de un vaso a otro); (fig.) apuntar; obtener.

aboçar, v. tr. NÁUT. abozar.

abochornado, adj. bochornoso, caliente.

abochornar, v. 1. tr. abochornar, sufocar; calentar; avergonzar. 2. intr. tornarse bochornoso.

abodegar, v. intr. vd. **embodegar;** aburrir.

aboio, s. m. aboyado.

aboiz, s. m. trampa, luzo (para pájaros).

abolar, v. tr. abollar.

aboldriar, v. 1. intr. MIL. poner la bandolera. 2. tr. dar forma de bandolera.

aboleimado, adj. chuto; (fig.) atentado; grosero.

aboletamento, s. m. MIL. alojamiento.

aboletar, v. tr. MIL. aposentar; alojar; acantonar, acuartelar.

abolição, s. f. abolición; anulación. suspensión; indulto.

abolicionismo, s. m. abolicionismo.

abolicionista, adj. e s. 2 gén. abolicionista.

abolidor, adj. e s. m. abolidor,

abolimento, s. m. abolición.

abolinar, v. intr. NÁUT. bolinear.

abolir, v. tr. abolir, suprimir; anular; derogar; extinguir.

abolorecer, v. intr. enmohecer; pudrir.

abolorecimento, s. m. enmohecimiento.

abolorentar, v. tr. vd. **abolorecer.**

abolsar, v. intr. abolsar, formar bolsa o bolsos; formar arrugas.

abominação, s. f. abominación; repulsión; odio; rencor; aversión.

abominador, adj. e s. m. abominador.

abominando, adj. abominable; detestable.

abominar, v. tr. abominar; detestar; aborrecer; tediar; odiar; renegar.

abominável, adj. 2 gén. abominable; detestable; execrable; odioso.

abonado, adj. rico; acaudalado; abonado.

abonação, s. f. abonamiento; fianza.

abonador, adj. e s. m. abonador; fiador.

abonamento, s. m. abonamiento; abono; fianza.

abonançar, v. 1. tr. abonanzar; calmar; apaciguar; aquietar. 2. intr. calmar (la tormenta), encalmarse.

abonar, v. tr. abonar; garantizar; afianzar; fiar; anticipar, adelantar (dinero).

abonatório, adj. abonador.

abonável, adj. 2 gén. abonable.

abonecar, v. tr. dar forma de muñeca.

abono, s. m. abono, fianza, garantía.

aboquejar, v. tr. vd. **abocanhar;** (fig.) criticar, murmurar.

aborbulhar, v. intr. ampollar.

aborcionista, s. 2 gén. abortista.

abordada, s. f. NÁUT. abordada; abordaje.

abordador, adj. e s. m. NÁUT. abordador.

abordagem, s. f. NÁUT. abordaje; abordo; abordaje de guerra.

abordar, v. tr. e intr. NÁUT. abordar; tratar; abarloar; arribar; atracar; acercarse; rozar.

abordável, adj. 2 gén. abordable accesible.

abordo, s. m. abordo, abordaje; entrada; acceso; llegada.

abordoar, v. tr. abordonar.

aborígene, adj. e s. 2 gén. aborigen; indígena; nativo; autóctono.

aborrascar-se, v. refl. aborrascarse; amenazar borrasca; enfurecerse.

aborrecedor, adj. e s. m. aborrecedor; aburrido; impertinente; enfadoso.

aborrecer, v. 1. tr. aborrecer; aburrir; disgustar, detestar; atediar; hastiar; fastidiar, amuermar; tediar; molestar; chinchar; incondiar. 2. refl. aburrirse.

aborrecido, adj. aborrecido; aburrido; enfadado; hastiado; fastidioso; tedioso; chinchoso; empalagoso.

aborrecimento, s. m. aborrecimiento, cansancio, fastidio, tedio, aburrimiento; muermo; aversión; chingada; mosqueo.

aborrecível, adj. 2 gén. aborrecible; detestable; fastidioso; enojoso.

aborregado, adj. aborregado.

aborregar, v. tr. aborregar.

aborrir, v. tr. vd. **aborrecer.**

abortadeira, s. f. abortadora.

abortar, v. intr. abortar; malograrse.

abortício, adj. abortivo.

abortista, s. 2 gén. abortista.

abortivo, adj. e s. m. abortivo.

aborto, s. m. aborto; monstruosidad; engendro; muévedo.

abotinado, adj. abotinado; subido.

abotinar, v. tr. abotinar.

abotoação, s. f. abotonamiento; bot. brotadura.

abotoadeira, s. f. botonera, mujer que hace botones o los pone; abotonador; abrochador.

abotoado, adj. abotonado; abrochado.

abotoador, adj. e s. m. abotonador; abrochador.

abotoadura, s. f. abotonamiento; botonadura (juego de botones).

abotoamento, s. m. abrochamiento.

abotoar, v. tr. abotonar; brotar; abrochar.

abra, s. f. abra, bahía poco extensa; ensenada; puerto.

abracadabra, s. m. abracadabra.

abracadabrante, adj. 2 gén. abracadabrante, macabro.

abraçadeira, s. f. abrazadera; pl. abrazaderas, corchetes.

abraçado, adj. abrazado.

abraçador, adj. e s. m. abrazador.

abraçamento, s. m. abrazamiento; abrazo.

abraçar, v. tr. abrazar; (fig.) rodear; ceñir; achuchar; admitir; aceptar; adoptar.

abraço, s. m. abrazo; abrazamiento; bot. abrazo.

abrancaçado, adj. emblanquecido.

abrandamento, s. m. ablandamiento; aflojamiento; amortiguamiento; reblandecimiento.

abrandar, v. tr. e intr. ablandar; suavizar; mullir; aliviar; serenar, aflojar; amortiguar; enternecer.

abrandecer, v. tr. e intr. ablandecer; ablandar.

abranger, v. tr. abrazar; ceñir; abarcar; contener; comprender; alcanzar; incluir.

abraquia, s. f. ANAT. abraquia

abráquio, s. m. MED. abraquio.

abrasado, adj. abrasado; quemado; (fig.) encendido, inflamado; sonrojado; exaltado.

abrasador, adj. abrasador; ardiente; inflamado.

abrasamento, s. m. abrasamiento; ardor; combustión; (fig.) entusiasmo.

abrasante, adj. 2 gén. abrasante; abrasador.

abrasão, s. f. CIR. e GEOL. abrasión.

abrasar, v. tr. e intr. abrasar; quemar; arder; (fig.) exaltar; entusiasmar.

abraseamento, s. m. abrasamiento.

abrasear, v. tr. abrasar; ruborizar.

abrasileirado, adj. abrasileñado, abrasilado.

abrasileirar, v. tr. abrasileñar; abrasilar.

abrasivo, adj. e s. m. abrasivo.

abrasoar, v. tr. vd. **abrasonar.**

abrasonar, v. tr. blasonar.

abrastol, s. m. QUÍM. abrastol.

abraxas, s. m. abraxas.

abre-boca, s. m. CIR. abrebocas.

abre-cápsulas, s. m. abridor, descapsulador.

abre-cartas, s. m. abrecartas.

abre-cu, s. m. ZOOL. luciérnaga.

ábrego, s. m. ábrego.

abre-ilhós, s. m. sacabocados; punzón.

abrejeirado, adj. maleante; tunante; pícaro; malicioso.

abre-latas, a. m. abrelatas.

abrenhar-se, v. refl. embreñarse.

abrenunciação, s. f. renunciación, renuncia; abrenunciación.

abrenunciar, v. tr. renunciar; renegar.

ab-reptício, adj. exaltado; arrebatado.

abrevar, v. tr. abrevar.

abreviação, s. f. abreviación, abreviatura; resumen; sumario.

abreviado, I. *adj.* abreviado, resumido; sumario. II. *s. m.* resumen.

abreviador, *adj. e s. m.* abreviador.

abreviamento, *s. m.* abreviamiento, abreviación.

abreviar, *v. tr.* abreviar; acortar; reducir; resumir; aligerar; sincopar.

abreviativo, *adj.* abreviativo.

abreviatura, *s. f.* abreviatura; abreviación.

abridela, *s. f.* abertura, apertura; abrimiento.

abridor, *adj. e s. m.* abridor; grabador.

abrigada, *s. f.* abrigada, abrigadero; asilo; refugio.

abrigado, *adj.* abrigado; defendido; resguardado; arropado.

abrigadoiro, *s. m.* abrigada, abrigadero; abrigaño.

abrigador, *adj. e s. m.* abrigador; defensor; protector.

abrigadouro, *s. m.* abrigadero; abrigo; abrigaño; resguardo.

abrigar, *v. tr.* abrigar; albergar; proteger; defender; acoger.

abrigo, *s. m.* abrigo; abrigadero; resguardo; protección; refugio; asilo; guarida; amparo.

abrigoso, *adj.* abrigoso.

Abril, *s. m.* abril.

abrilada, *s. f.* abrileño.

abrilhantar, *v. tr.* abrillantar; *(fig.)* honrar.

abrilino, *adj.* abrileño.

abrimento, *s. m.* abrimiento; abertura, apertura.

abrir, *v.* 1. *tr.* abrir; perforar; destapar; comenzar; inaugurar; grabar; establecer crédito; *abrir caminho,* abrir pase; *abrir fogo,* abrir fuego. 2. *intr.* abrir; desabrochar (la flor); romper; aclarar. 3. *refl.* declararse; sincerarse.

abrocadar, *v. tr.* imitar al brocado.

abrochador, *s. m.* abrochador, abotonador.

abrochadura, *s. f.* abrochadura; abrochamiento; abotonadura.

abrochar, *v. tr.* abrochar, abotonar; apretar.

ab-rogação, *s. f.* abrogación; revocación; extorsión; casación.

ab-rogador, *adj. e s. m.* abrogador; abrogatorio.

ab-rogar, *v. tr.* abrogar; abolir; anular.

abrolhal, *s. m.* abrojal.

abrolhar, *v tr.* abollonar.

abrolho, *s. m.* BOT. abrojo; espino; *(fig.)* escollos.

abrolhoso, *adj.* abrojoso; espinoso.

abroma, *s. m.* BOT. abroma.

abronzeado, *adj.* bronceado.

abronzear, *v. tr.* broncear.

abroquelado, *adj.* MIL. abroquelado.

abroquelar, *v. tr.* abroquelar.

abrotal, *s. m.* lugar donde nacen abrótanos.

abrótano, *s. m.* BOT. abrótano.

abrumar, *v. tr.* abrumar.

abrunheiro, *s. m.* BOT. abruñero, endrino, ciruelo silvestre.

abrunho, *s. m.* BOT. abruñero; bruño; endrino; ciruela.

abrupto, *adj.* abrupto, escarpado; inopinado.

abrutado, *adj.* abrutado.

abrutalhado, *adj.* grosero, abrutado; zopenco.

abrutalhar, *v. tr. e refl.* abrutar, embrutecer.

abscesso, *s. m.* MED. absceso.

absentismo, *s. m.* absentismo, ausentismo.

absentista, *adj. 2 gén.* absentista.

absidal, *adj. 2 gén.* absidal.

abside, *s. f.* ARQ. abside.

absíntico, *adj.* absíntico.

absíntio, *s. m.* vd. **absinto.**

absintismo, *s. m.* MED. absintismo.

absinto, *s. m.* BOT. absintio, ajenjo, alosna.

absolto, *adj.* absuelto.

absolução, *s. f.* absolución; liberación; perdón; gracia.

absolutismo, *s. m.* absolutismo.

absolutista, *adj. s. 2 gén.* absolutista.

absoluto, *adj.* absoluto, independiente; arbitrario, despótico; supino.

absolutório, *adj.* absolutorio.

absolvedor, *adj.* absolvente.

absolvente, *adj. 2 gén.* absolvente.

absolver, *v. tr.* absolver; perdonar; eximir; declarar inocente.

absolvição, *s. f.* absolución; perdón; indulgencia; indulto.

absolvido, *adj.* absuelto.

absorção, *s. f.* absorción, absorbencia.

absorciómetro, *s. m.* absorciómetro.

absorto, *adj.* absorto; abstraído; arrobado; extasiado.

absorvedouro, *s. m.* sumidero.
absorvência, *s. f.* absorbencia.
absorvente, *adj.* 2 *gén.* c e *s. m.* absorbente.
absorver, *v. tr.* absorber, embeber; sorber; aspirar; chupar; enjugar; estancar; consumir, enfrascar.
absorvido, *adj.* absorto; concentrado.
absorvível, *adj.* 2 *gén.* absorbible.
abstemia, *s. f.* abstemia; abstinencia.
abstémico, *adj.* abstémico.
abstémio, *adj.* abstemio; sobrio; moderado.
abstenção, *s. f.* abstención; renuncia; privación; abstinencia.
abstencionismo, *s. m.* abstencionismo.
abstencionista, *adj.* e s 2 *gén.* abstencionista.
abster, *v.* **1.** *tr.* desviar; impedir. **2.** *refl.* abstenerse, contenerse, refrenarse.
abstergente, *adj.* 2 *gén.* e *s. m.* abstergente; abstersivo.
absterger, *v. tr.* MED. absterger.
abstersão, *s. f.* abstersión.
abstersivo, *adj.* e *s. m.* abstersivo, abstergente.
abstinência, *s. f.* abstinencia; templanza; ayuno; abstención.
abstinente, *adj.* 2 *gén.* abstinente.
abstracção, *s. f.* abstracción, distracción.
abstractivo, *adj.* abstractivo.
abstracto, *adj.* abstracto, extasiado; distraído.
abstraído, *adj.* abstraído.
abstrair, *v.* **1.** *tr.* abstraer; omitir; prescindir. **2.** *refl.* abstraerse, distraerse.
abstruso, *adj.* abstruso; incomprensible; obscuro.
absurdez, *s. f.* absurdidad.
absurdo, **I.** *adj.* absurdo; desrazonable; contradictorio. **II.** *s. f.* absurdo.
abular, *v.* **1.** *tr.* sellar con sello de plomo. **2.** *refl.* tomar bula.
abulia, *s. f.* MED. abulia, apatía.
abúlico, *adj.* abúlico, apático; desganado.
abundância, *s. f.* abundancia; afluencia; abastanza; hartura; raudal; abundamiento; copia; riqueza.
abundante, *adj.* 2 *gén.* abundante, copioso, opulento; rico; fecundo.
abundar, *v. intr.* abondar; abundar; bastar; redundar.
aburacar, *v. tr.* agujerear; horadar.
aburelado, *adj.* aburelado.
aburguesado, *adj.* aburguesado.

aburguesamento, *s. m.* aburguesamiento.
aburguesar-se, *v. refl.* aburguesarse.
abusador, *s. m.* abusón.
abusão, *s. f.* abuso; error.
abusar, *v. intr.* abusar; exorbitar; causar daño; ultrajar el pudor; excederse.
abusivo, *adj.* abusivo; impropio.
abuso, *s. m.* abuso; exceso; desaforo; engaño; error.
abutre, *s. m.* ZOOL. buitre.
abuzinar, *v. intr.* bocinar; aturdir.
acabaçar, *v. tr.* dar forma de calabaza.
acabado, *adj.* acabado, concluído; terminado; completo; gastado; avejentado; consumado.
acabadote, *adj.* un tanto acabado; debilitado.
acabamento, *s. m.* acabamiento; ultimación; consunción; fin; acabado; confección.
acabanar, *v. tr.* construir en forma de cabana.
acabar, *v.* **1.** *tr.* acabar; concluir; perfeccionar; terminar; consumar; extinguir. **2.** *intr.* rematar, finalizar; perecer. **3.** *refl.* acabar, faltar; agotarse.
acabável, *adj.* 2 *gén.* acabable.
acabelar, *v. intr.* encabellecerse, criar cabello.
acaboclado, *adj.* azambado.
acabrunhado, *adj.* encogido.
acabrunhar, *v. tr.* agobiar, fastidiar, oprimir, abrumar.
açacal, *s. m.* aguador.
açacalado, *adj.* acicalado.
açacalador, *s. m.* acicalador.
açacaladura, *s. f.* acicaladura; corrección.
açacalar, *v. tr.* acicalar, limpiar; pulir, repulir, bruñir.
acaçapado, *adj.* agazapado, achaparrado; encogido.
acaçapar, *v. tr.* e *refl.* agazapar, agachar; encoger.
acachoar, *v. intr.* borbotar; hervir a borbotones.
acácia, *s. f.* BOT. acacia.
acácia-bastarda, *s. f.* robinia.
academia, *s. f.* academia.
académia, *s. f.* academia.
academial, *adj.* 2 *gén.* académico.
academiar, *v. intr.* actuar como académico.
academicismo, *s. m.* academicismo.

académico, I. *adj.* académico. **II.** *s. m.* académico.

academista, *s.* 2 *gén.* alumno o alumna de una academia.

acadimar, *v.* **1.** *tr.* volver. **2.** *intr.* sosegar. **3.** *refl.* acostumbrarse.

açafata, *s. f.* azafata, dama de la reina, menina.

açafate, *s. m.* azafate.

acafelar, *v. tr.* acafelar, revocar una pared con cal o yeso; encubrir, ocultar.

açaflor, *s. m.* BOT. azafrán.

açafrão, *s. m.* BOT. azafrán.

açafroado, *adj.* azafranado.

açafroar, *v.* **1.** *tr.* azafranar. **2.** *refl.* palidecer de miedo, de ira.

açafroeira, *s. f.* BOT. azafrán, planta.

açaimar, *v. tr.* embozalar, abozalar; embozar, poner bocal; refrenar; amordazar.

açaime, *s. m.* bozal.

acairelado, *adj.* acairelado, cairelado.

acairelador, *adj.* e *s. m.* acairelador.

acairelar, *v. tr.* acairelar, cairelar.

acaju, *s. m.* BOT. vd. **caju.**

acajueiro, *s. m.* vd. **caju.**

acalcanhar, *v. tr.* destalonar; calcar; *(fig.)* pisotear, humillar.

acalefas, *s. f. pl.* ZOOL. acalefos.

acalentador, *adj.* que adormece, arrulla, consuela.

acalentar, *v.* **1.** *tr.* adormecer, mecer; arrullar; calentar. **2.** *refl.* calmarse; callarse.

acálice, *adj.* BOT. acalíceo.

acalmação, *s. f.* tranquilidad; sosiego; quietud; calma; temperación.

acalmar, *v.* **1.** *tr.* calmar; apaciguar; serenar; tranquilizar; aplacar; sedar; sosegar acalhar; adormecer. **2.** *refl.* encalmarse.

acalmia, *s. f.* acalmia; calma, suspensión.

acalorado, *adj.* acalorado, sofocado; irritado; ardente; fogoso.

acaloramento, *s. m.* acaloramiento.

acalorar, *v. tr.* e *refl.* acalorar; excitar; animar; dar calor; acalentarse.

acamar, *v.* **1.** *tr.* acamar, hablando de las mieses; colocar en camadas. **2.** *intr.* enfermar.

açamar, *v. tr.* embozar; abozalar; embozalar; *(fig.)* refrenar.

acamaradar, *v. intr.* andar con camaradas.

açambarcador, *adj.* e *s. m.* acaparador.

açambarcamento, *s. m.* acaparamiento; monopolio.

açambarcar, *v. tr.* monopolizar; acaparar.

acambraiado, *adj.* acambrayado.

açame, *s. m.* bozal que se pone en la boca de los animales.

acamelado, *adj.* acamellado.

açamo, *s. m.* bozal.

acampainhado, *adj.* con forma o sonido de campanilla.

acampamento, *s. m.* acampada, camp, camping.

acampar, *v. tr.* acampar; *vamos acampar,* nos vamos de acampada.

acampsia, *s. f.* MED. acampsia.

acampto, *adj.* opaco.

acamurçado, *adj.* agamuzado; gamuzado.

acamurçar, *v. tr.* agamuzar.

acanalado, *adj.* acanalado.

acanaladura, *s. f.* acanaladura, canaladura; acanalamiento.

acanalar, *v. tr.* acanalar.

acanalhado, *adj.* acanallado, encanallado; abribonado.

acanalhar, *v.* **1.** *tr.* encanallar; envilecer. **2.** *refl.* abribonarse, encanallarse.

acanastrar, *v. tr.* encanastar.

acanaveado, *adj.* acañavereado; *(fig.)* abatido; delgado

acanavear, *v. tr.* acanaverear; atormentar.

acanelar, *v. tr.* acanelar.

acanhado, *adj.* tímido, encogido; enteco; apretado; estrecho; mezquino; avaro; humilde; atado.

acanhamento, *s. m.* cortedad, encogimiento; timidez; mezquindad.

acanhar, *v. tr.* apocar, acortar; estrechar; apretar; avergonzar.

acanhonear, *v. tr.* acanonear; cañonear.

acantáceo, *adj.* acantáceo.

acanteirar, *v. tr.* dar forma de macizos (huertas y jardines).

acanto, *s. m.* BOT. acanto, planta espinosa; ARQ. acanto, ornato; acanto, espinho.

acantoado, *adj.* arrinconado; separado; aculado.

acantoamento, *s. m.* acantonamiento.

acantoar, *v. tr.* arrinconar, esconder; acantonar.

acantocarpo, *adj.* BOT. aeantocarpo.

acantocéfalo, I. *adj.* acantocéfalo. **II.** *s. m. pl.* ZOOL. acantocéfalos.

acantófago, *adj.* ZOOL. acantófago.

acantonamento, *s. m.* acantonamiento.

acantonar, *v. tr.* e *intr.* acantonar, acuartelar.

acantopterígio, *adj.* acantopterigio.

acapachar, *v.* **1.** *tr.* cubrir con capacho. **2.** *refl.* humillarse.

acapelar, *v. tr.* cubrir con capelo; zozobrar.

acapitular, *v. tr.* dividir en capítulos; amonestar.

acapna, *s. f.* acapna.

acaramelar, *v. tr.* acaramelar.

acarapinhar, *v. tr.* vd. **encarapinhar.**

acarapuçar, *v. tr.* acapuchar.

acardia, *s. f.* MED. acardia.

acareação, *s. f.* acareamiento; careo, de testigos.

acareamento, *s. m.* acareamiento.

acarear, *v. intr.* acarear, carear; (*fig.*) carear, cotejar.

acaríase, *s. f.* MED. acariasis.

acariciador, *adj.* e *s. m.* acariciador; halagüento.

acariciante, *adj.* acariciador; halagador.

acariciar, *v. tr.* acariciar; halagar; mimar.

acaridar-se, *v. refl.* compadecerse; apiadarse.

acarídeos, *s. m. pl.* ZOOL. acáridos, ácaros, acarinos.

acarima, *s. m.* ZOOL. acarima.

acarinhar, *v. tr.* acariciar; halagar.

acarneirado, *adj.* acarnerado.

acaro, *s. m.* ZOOL. ácaro.

acarofobia, *s. f.* acarofobia.

acarpia, *s. f.* BOT. acarpia.

acárpico, *adj.* acarpo.

acarpo, *adj.* BOT. acarpo.

acarrar-se, *v. refl.* acarrarse.

acarrear, *v. tr.* acarrear, transportar en carro o carreta; ocasionar.

acarretadeira, *s. f.* acarreadora.

acarretador, *adj.* e *s. m.* acarreador.

acarretamento, *s. m.* acarreo.

acarretar, *v. tr.* acarrear, transportar; traher; ocasionar.

acarretável, *adj. 2 gén.* acarreadizo.

acasalar, *v. tr.* e *refl.* aparear; emparejar; acoplar.

acasamatado, *adj.* acasamatado.

acasmurrar, *v. tr.* e *intr.* tornar o tornarse terco, obstinado.

acaso, *s. m.* acaso; eventualidad; azar; *por acaso*, acaso.

acastanhado, *adj.* acastañado.

acastelar, *v.* **1.** *tr.* acastillar, encastillar.

2. *refl.* fortificar; amontonar; amontonarse.

acastelhanar, *v. tr.* acastellanar.

acastoar, *v. tr.* vd. **encastoar.**

acastorado, *adj. 2 gén.* acatable.

acatador, *s. m.* acatador.

acatalepsia, *s. f.* MED. acatalepsia.

acataléptico, *adj.* e *s. m.* acataléptico.

acatamento, *s. m.* acatamiento; acato; sumisión; respeto; veneración.

acatar, *v. tr.* acatar; respetar; venerar.

acatarrado, *adj.* acatarrado, constipado.

acatarroado, *adj.* vd. **acatarrado.**

acatastático, *adj.* MED. acatástico; inestable.

acatável, *adj. 2 gén.* acatable, digno de acatamiento o respeto.

acato, *s. m.* acato, respeto.

acatólico, *adj.* acatólico; no católico; hereje.

acaudilhador, *s. m.* acaudillador.

acaudilhar, *v. tr.* acaudillar.

acaule, *adj. 2 gén.* BOT. acaule.

acautelar, *v.* **1.** *tr.* acautelar, prevenir; precaver; recaudar. **2.** *refl.* resguardarse.

acavalado, *adj.* acaballado.

acavalar, *v. tr.* acaballar.

acavaletado, *adj.* acaballetado.

acaveirado, *adj.* descarnado, enflaquecido.

acção, *s. f.* acción; movimiento; movida; energía, demanda; acto combate; gesto; hecho.

accionado, *s.* **1.** *m.* accionado. **2.** *adj.* demandado.

accionamento, *s. m.* accionamiento.

accionar, *v. tr.* accionar; activar.

accionista, *s. 2 gén.* accionista; socio; *os accionistas*, accionariado.

acedência, *s. f.* accedencia; aquiescencia; asenso.

acedente, *adj. 2 gén.* accedente.

aceder, *v. intr.* acceder; aquiescer.

acédia, *s. f.* MED. acedía, acidia, dispepsia.

acefalia, *s. f.* acefalía.

acéfalo, *adj.* acéfalo.

acefalópode, *adj. 2 gén.* e *s. m.* acefalopodo.

acefalopodia, *s. f.* acefalopodia.

aceiramento, *s. m.* aceramiento.

aceirar, *v. tr.* acerar, fortalecer con acero; ajustar; proteger.

aceiraria, *s. f.* acerería.

aceiro, *s. m.* trabajador en acero.

aceitação, *s. f.* aceptación; acogimiento, acogida.

aceitador, *adj. e s. m.* aceptador.

aceitante, *adj. e s. 2 gén.* aceptante, aceptador.

aceitar, *v. tr.* aceptar; admitir; aprobar; abrazar.

aceitável, *adj. 2 gén.* aceptable.

aceite, **I.** *s. m.* aceptación. **II.** *adj.* vd. aceito.

aceito *adj.* acepto, bien recibido, agradable.

aceleração, *s. f.* aceleración; frequencia.

acelerador, *adj. e s. m.* acelerador.

aceleramento, *s. m.* aceleración.

acelerante, *adj. 2 gén.* acelerante; acelerador.

acelerar, *v. tr.* acelerar; adelantar; abreviar.

acelga, *s. f.* BOT. acelga.

acém, *s. m.* solomillo.

acenar, *v. intr.* hacer senas o ademanes.

acendalha, *s. f.* encendaja; encendedor.

acendedor, *s. m.* encendedor; mechero.

acender, *v. tr.* encender; incendiar; *(fig.)* incitar; instigar; enardecer.

acendimento, *s. m.* encendimiento; irritación, inflamación.

acendível, *adj. 2 gén.* que puede ser encendido.

acendrado, *adj.* acendrado, purificado.

acendrar, *v. tr.* acendrar; pulir; purificar. acrisolar.

aceno, *s. m.* seña, ademán, gesto.

acento, *s. m.* acento; virgulilla; *(sotaque)* dejo.

acentuação, *s. f.* acentuación; tono.

acentuado, *adj.* acentuado.

acentuar, *v. tr.* acentuar.

acepção, *s. f.* acepción.

acepilhadura, *s. f.* acepilladura; viruta.

acepilhar, *v. tr.* acepillar; *(fig.)* pulir, adornar; afinar.

acepipe, *s. m.* entremés.

acéquia, *s. f.* acequia, zanja.

acequiar, *v. tr.* acequiar.

ácer, *s. m.* arce.

Aceráceas, *s. f. pl.* BOT. aceráceas.

acerado, *adj.* acerado.

acerar, *v. tr.* acerar; afilar; aguzar.

aceraria, *s. f.* acerería.

acerbar, *v. tr.* exacerbar; irritar.

acerbidade, *s. f.* acerbidad; *(fig.)* crueldad.

acerbo, *adj.* acerbo; áspero; ácido; *(fig.)* cruel; doloroso.

acerca, *adv.* acerca de; relativamente a.

acercar, *v. tr. e refl.* acercar; aproximar, cercar; unir.

acérrimo, *adj.* acérrimo; pertinaz; insistente.

acertado, *adj.* acertado; *(fig.)* prudente.

acertador, *s. m.* acertador.

acertamento, *s. m.* acertamiento, acierto.

acertante, *adj. e s. 2 gén.* acertante.

acertar, *v. tr. e intr.* acertar; atinar; igualar, ajustar; concordar; concertar; contratar.

acerto, *s. m.* acierto; tino, perícia; acaso, suerte.

acervo, *s. m.* acervo; cantidad.

acescência, *s. f.* acescencia, acidismo.

acescente, *adj. 2 gén.* acescente.

aceso, *adj.* ardiente; encendido; *(discussão)* enconado.

acessão, *s. f.* accesión.

acessibilidade, *s. f.* accesibilidad.

acessível, *adj. 2 gén.* accesible; tratable; abordable; asequible.

acesso, *s. m.* acceso; llegada; ingreso; aproximación; MED. acceso, accesión; arrebato.

acessório, *adj. e s. m.* accesorio; apendice.

acetábulo, *s. m.* acetábulo.

acetato, *s. m.* QUÍM. acetato.

acético, *adj.* acético.

acetificação, *s. f.* acetificación.

acetificar, *v. tr.* acetificar; acedar.

acetileno, *s. m.* QUÍM. acetileno.

acetilo, *s. m.* QUÍM. acetilo.

acetímetro, *s. m.* QUÍM. acetímetro.

acetinado, *adj.* satinado, lustroso, pulido; arrasado.

acetinar, *v. tr.* satinar, poner lustroso como el satén; alisar; aterciopelar, suavizar.

acetomel, *s. m.* acetomiel.

acetona, *s. f.* QUÍM. acetona.

acetonemia, *s. f.* MED. acetonemia.

acetonúria, *s. f.* MED. acetonuria.

acetoso, *adj.* acetoso.

acevadar, *v. tr.* acebadar, encebadar.

achacadiço, *adj.* achacadizo; enfadadizo.

achacar, *v.* **1.** *tr.* achacar; encontrar achaques o defectos en. **2.** *refl.* enfermar.

achacoso, *adj.* achacoso, achaquiento; enfermizo.

achada, *s. f.* hallazgo, hallada.

achado, *s. m.* hallado; hallazgo; ganga; momio.

achamboar, *v. tr.* hacer grosero, tosco.

achanar, *v. tr.* allanar; alisar; igualar.
achaparrado, *adj.* achaparrado.
achaparrar, *v. tr.* achaparrar.
achaque, *s. m.* achaque, enfermedad crónica; defecto moral; pretexto; vicio.
achaquento, *adj.* achaquiento; achacoso.
achar, *v.* 1. *tr.* hallar, encontrar; inventar; suponer. 2. *refl.* aparecer.
acharoado, *adj.* acharolado; charolado.
acharoar, *v. tr.* acharolar; charolar.
achatado, *adj.* achatado.
achatar, *v. tr.* achatar.
achatadela, *s. f.* achatamiento.
achatar, *v. tr.* achatar; derrotar con argumentos; aplanar; apachurrar; aplastar; atortujar.
achavascado, *adj.* rústico, grosero, basto; chapucero.
achavascar, *v. tr.* hacer tosco, grosero.
achega, *s. f.* añadidura; subsidio; *pl.* materiales; apuntes.
achegadeira, *s. f.* alcahueta; chismosa.
achegado, *adj. e s. m.* allegado; próximo; pariente.
achegador, *s. m.* alcahuete, chismoso.
achegamento, *s. m.* allegamiento; aproximación.
achegar, *v.* 1. *tr.* allegar, aproximar; unir. 2. *refl.* recostarse.
achincalhamento, *s. m.* mofa, ridiculización; escarnio.
achincalhar, *v. tr.* ridiculizar; rebajar; morar.
achinesado, *adj.* achinado.
achinesar, *v. tr.* achinescar.
achocolatar, *v. tr.* achocolatar.
achumaçar, *v. tr.* poner hombreras; tapizar, acolchar, acolchonar.
acicatar, *v. tr.* estimular con acicate; (*fig.*) excitar.
acicate, *s. m.* acicate, aguijón; (*fig.*) incitación; estímulo.
acicular, *adj.* 2 *gén.* acicular.
acidentado, *adj.* accidentado; abrupto.
acidental, *adj.* 2 *gén.* accidental; casual; eventual.
acidentar, *v. tr.* accidentar.
acidente, *s. m.* accidente.
acidez, *s. f.* acidez.
acidia, *s. f.* acidia; pereza.
acidífero, *adj.* acidífero, que contiene ácido.
acidificação, *s. f.* acidificación.

acidificar, *v. tr.* acidificar.
acidificável, *adj.* 2 *gén.* acidificable.
acidimetria, *s. f.* acidimetría.
acidímetro, *s. m.* acidímetro.
acidioso, *adj.* acidioso.
acidismo, *s. m.* acidismo.
ácido, *s.* 1. *m.* QUÍM. ácido. 2. *adj.* ácido, acre.
acidulado, *adj.* acidulado.
acidular, *v. tr.* acidular.
acídulo, *adj.* acídulo.
aciforme, *adj.* 2 *gén.* acicular.
aciganado, *adj.* agitanado; bellaco, avaro.
aciganar *v. tr. e intr.* agitanar.
acima, *adv.* encima; arriba; en la parte superior; *acima mencionado*, susodicho.
acincho, *s. m.* cincho, encella.
acinesia, *s. f.* MED. acinesia, acinesis.
acinte, *s. m.* terquedad; *de acinte*, de propósito.
acintoso, *adj.* obstinado; terco.
acinzeirado, *adj.* acenicerado; amenizado.
acinzelar, *v. tr.* cincelar.
acinzentado, *adj.* ceniciento; gris; agrisado.
acinzentar, *v. tr.* acenizar.
acirandar, *v. tr.* cribar, zarandear.
acirologia, *s. f.* acirología.
acirrado, *adj.* intransigente.
acirrar, *v. tr.* incitar, irritar, estimular.
acistia, *s. f.* acistia.
acitrinado, *adj.* cetrino; alimonado.
aclamação, *s. f.* aclamación; ovación, vítor.
aclamador, *s. m.* aclamador.
aclamar, *v. tr.* aclamar, ovacionar; saludar, aplaudir, aprobar.
aclamativo, *adj.* aclamativo.
aclaração, *s. f.* aclaración.
aclarar, *v. tr.* aclarar; explicar; dilucidar.
aclimação, *s. f.* aclimatación.
aclimado, *adj.* aclimatado; conformado; acostumbrado.
aclimar, *v. tr. e intr.* vd. **aclimatar**.
aclimatação, *s. f.* aclimatación.
aclimatar, *v.* 1. *tr.* aclimatar. 2. *refl.* aclimatarse.
aclive, *s. m.* declive; cuesta; ladera.
acloridria, *s. f.* aclorhidria.
acme, *s. f.* acme.
acne, *s. f.* acné.
aço, *s. m.* acero.
acobardamento, *s. m.* acobardamiento, apoltronamiento.

acobardar, v. 1. tr. acobardar; achantar. 2. refl. aplotronarse.

acobertar, v. tr. tapar con cubierta; encubrir; ocultar; cubrir; tapar.

acobilhar, v. tr. acobijar.

acobreado, adj. acobrado, cobrizo.

acobrear, v. tr. volver cobrizo; dar el color del cobre.

acochar, v. 1. tr. apretar; calcar; oprimir, comprimir. 2. refl. acocharse.

acochichar, v. tr. arrugar.

acocorar, v. 1. tr. poner en cuclillas; bajar. 2. refl. acocharse, agacharse.

açodamento, s. m. apresuramiento, apresuración.

açodar, v. tr. instigar; apresurar.

açofeifa, s. f. azufaifa.

açofeifeira, s. f. azufaifo.

acogular, v. tr. colmar; acumular.

acoimar, v. tr. multar; imputar, acusar; censurar.

açoitador, adj. e s. m. azotador; verdugo.

açoitamento, s. m. azotamiento; castigo; fustigación; vapuleo.

acoitar, v. 1. tr. dar asilo; acoger. 2. refl. acogerse.

açoitar, v. tr. azotar, fustigar; baquetear; hostigar; vapulear; varear.

açoite, s. m. látigo; castigo; hostigo; azote, azotazo.

acolá, adv. allá, acullá; allende.

acolchetamento, s. m. abrochamiento, acorchetamiento.

acolchetar, v. tr. acorchetar, abrochar.

acolchoadeira, s. f. acolchadora.

acolchoamento, s. m. acolchamiento.

acolchoado, adj. acolchado; capitoné.

acolchoar, v. tr. acolchar; algodonar; atiborrar; bastear; embustar; gatear.

acolhedor, adj. e s. m. acogedor.

acolher, v. tr. acoger; abrigar; amadrigar; hospedar; proteger; guarecer.

acolhida, s. f. acogida, acogimiento; recibimiento.

acolhimento, s. m. acogimiento; hospitalidad; recibimiento.

acolitar, v. tr. acolitar; acompañar, ayudar.

acólito, s. m. acólito; misario.

acometedor, adj. e s. m. acometedor.

acometer, v. tr. acometer; arremeter, embestir; tentar; insultar; apechugar; atacar; enristar.

acometida, s. f. acometida, asalto, agresión.

acometimento, s. m. acometimiento; acometida.

acomodação, s. f. acomodación; acomodamiento; acomodo; adaptación; atemperación.

acomodadiço, adj. acomodadizo.

acomodado, adj. acomodado; quieto; sosegado; adaptado.

acomodador, adj. acomodador.

acomodamento, s. m. acomodamiento, acomodación.

acomodar, v. 1. tr. acomodar; ordenar; instalar, adaptar; acondicionar; hospedar. 2. refl. adaptarse, acomodarse.

acomodatício, adj. acomodadizo, amoldable.

acomodável, adj. 2 gén. acomodable.

acompanhado, adj. acompañado.

acompanhamento, s. m. acompañamiento; comparsa.

acompanhante, adj. e s. 2 gén. acompañante.

acompanhar, v. tr. acompañar; escoltar; guarnecer; seguir; MÚS. acompañar.

acompleicionado, adj. acomplexionado.

aconchegar, v. tr. acercar, arcimar; agasajar; acoger; aconchar.

aconchego, s. m. comodidad; bienestar; conforte.

acondicionador, adj. acondicionador.

acondicionamento, s. m. acondicionamiento.

acondicionar, v. tr. acondicionar.

acónito, s. m. BOT. acónito.

aconselhar, v. tr. aconsejar; avisar; preconizar; recetar.

aconselhável, adj. 2 gén. aconsejable.

acontecer, v. intr. acontecer, acaecer, suceder, ocurrir; sobrevenir; avenir; resultar.

acontecimento, s. m. acontecimiento; acaecimiento; ocurrencia, suceso; caso; evento.

acoplamento, s. m. acoplamiento; acopladura; atraque.

acoplar, v. tr. acoplar.

açor, s. m ZOOL. azor, alcotán.

açorda, s. f. sopa de ajo.

acordado, adj. despierto; despabilado; vigilante; acordado; concertado.

acórdão, s. m. acuerdo.

acordar, v. tr. acordar; sentenciar; concertar; despertar.

acorde, I. *s. m.* MÚS. acorde. **II.** *adj. 2 gén.* conforme, acorde.

acordeão, *s. m.* MÚS. acordeón; armónica.

acordeonista, *s. 2 gén.* acordeonista.

acordo, *s. m.* acuerdo; concertación; entente; reflexión; consejo; dictamen; memória; asiento; avenencia; avenimiento; componenda.

acordoar, *v. tr.* acordonar.

acores, *s. m.* MED. acores.

açoriano, *adj. e s. m.* azoreano.

ácoro, *s. m.* BOT. ácoro.

acoroçoar, *v. tr.* atentar, esforçar; encorajar.

acorrentar, *v. tr.* encadenar.

acorrer, *v.* **1.** *intr.* acorrer; acudir; recurrir. **2.** *tr.* amparar, socorrer.

acossador, *adj. e s. m.* acosador.

acossamento, *s. m.* acoso.

acossar, *v. tr.* acosar; perseguir; importunar.

acostagem, *s. f.* aterraje.

acostar, *v. tr. e intr.* NÁUT. acostar; arrimar; juntar; reunir; atracar.

acostumado, *adj.* acostumbrado.

acostumar, *v. tr.* acostumbrar; habituar; avezar.

açoteia, *s. f.* azotea, terrado; mirador; terraza.

acotiar, *v. tr.* frecuentar; usar cotidianamente.

acotilédone, *adj. 2 gén.* BOT. acotiledóneo.

acotovelado, *adj.* acodado.

acotovelamento, *s. m.* acodadura.

acotovelar, *v. tr.* codear.

açougue, *s. m.* carnicería; matadero.

açougueiro, *s. m.* carnicero; matarife.

açoute, *s. m.* azote; golpe.

acovardar, *v. tr. e refl.* acobardar, amedrontar.

acracia, *s. f.* acracia, anarquía.

acrânio, *adj.* acranio.

acrata, *adj. e s. 2 gén.* acrata; anarquista.

acre, I. *adj. 2 gén.* acre; ácido; agrio; amargo; áspero; desabrido; acetoso. **II.** *s. m.* acre.

acreditado, *adj.* acreditado.

acreditar, *v. tr.* acreditar.

acreditável, *adj. 2 gén.* acreditable.

acrescência, *s. f.* acrecencia, aumento.

acrescentamento, *s. m.* acrecentamiento; apéndice.

acrescentar, *v. tr.* acrecentar; añadir; adicionar; untar; aumentar; sobreponer.

acrescento, *s. m.* añadidura.

acrescer, *v. tr. e intr.* acrecer; acrecentar; aumentar; acrecer, crecer.

acrescimento, *s. m.* acrecentamiento.

acréscimo, *s. m.* acrecentamiento; añadidura; ribete.

acriançado, *adj.* amuchachado; aniñado.

acriançar-se, *v. refl.* aniñarse.

acribologia, *s. f.* acribologia.

acridez, *s. f.* acritud, acrimonia.

acrílico, *adj.* acrílico.

acrimónia, *s. f.* acrimonia; aspereza.

acrimonioso, *adj.* acrimonioso.

acrisolado, *adj.* acrisolado; acendrado; puro.

acrisolar, *v. tr.* acrisolar, acendrar; purificar; depurar.

acritude, *s. f.* acritud, acrimonia.

acrobacia, *s. f.* acrobacia.

acrobata, *s. 2 gén.* acróbata; volatín.

acrobático, *adj.* acrobático; volatinero.

acrodinia, *s. f.* acrodinia.

acrofobia, *s. m.* MED. acrofobia.

acromático, *adj.* acromático.

acromatina, *s. f.* QUÍM. acromatina.

acromatismo, *s. m.* acromatismo.

acromatizar, *v. tr.* acromatizar.

acromatopsia, *s. f.* acromatopsia.

acromegalia, *s. f.* acromegalia.

acromial, *adj. 2 gén.* acromial.

acrómio, *s. m.* acromion.

acrónico, *adj.* acrónico.

acropódio, *s. m.* ARQ. acropodio.

acrópole, *s. f.* acrópolis.

acróstico, *s. m.* acróstico.

acrotério, *s. m.* ARQ. acrotera.

acta, *s. f.* acta, registro, relato.

actínia, *s. f.* anémona.

actinoscopia, *s. f.* MED. actinoscopia.

activação, *s. f.* activación; accionamiento.

activante, *adj. 2 gén.* activante; estimulante.

activar, *v. tr.* activar; impulsar; dar prisa; excitar.

actividade, *s. f.* actividad; energia, eficácia; prontitud; movimiento.

activo, I. *adj.* activo, expedito; fervoroso; movido; diligente. **II.** *s. m.* activo; *voz activa,* activa.

acto, *s. m.* acto; acción; declaración.

actor, *s. m.* actor; comediante, representante.

actriz, s. f. actriz; comediante, representante.

actuação, s. f. actuación.

actual, adj. 2 gén. actual; efectivo; existente; presente.

actualidade, s. f. actualidad.

actualização, s. f. actualización.

actualizar, v. tr. actualizar; modernizar.

actuar, v. intr. actuar; activar.

actuário, s. m. actuario.

acuar, v. intr. acular, arrinconar, retroceder.

açúcar, s. m. azúcar; cubo de açúcar, azucarillo.

açucarado, adj. azucarado; dulzaino.

açucarar, v. tr. azucarar.

açucareiro, adj. e s. m. azucarero.

açucena, s. f. BOT. azucena.

açucenal, s. m. azucenal.

açude, s. m. azud, presa, acequia; charca.

acudir, v. intr. acudir; acorrer; subvenir; ir o venir en socorro de otro.

acuidade, s. f. acuidad, agudeza, sutileza.

açulador, adj. e s. m. azuzador; azuzón; instigador.

açulamento, s. m. azuzamiento.

açular, v. tr. azuzar, instigar; achuchar; incitar, jalear (a los perros); (fig.) irritar; excitar.

acúleo, s. m. ZOOL. aguijón, acúleo; BOT. espina.

acume, s. m. acumen.

acuminado, adj. acuminado.

acuminoso, adj. acuminado.

acumulação, s. f. acumulación; montón; cúmulo.

acumulador, adj. e s. m. acumulador.

acumular, v. tr. acumular, cumular, amontonar, aglomerar, juntar; acopiar.

acumulativo, adj. acumulativo.

acumulável, adj. 2 gén. acumulable.

acunhar, v. tr. acuñar.

acupunctura, s. f. acupuntura.

acurado, adj. perfeccionado; apurado; acurado.

acurar, v. tr. perfeccionar, apurar.

acurralar, v. tr. acorralar.

acurvar, v. tr. acurvar, encorvar, torcer, combar.

acurvilhar, v. intr. arrodillar, la cabalgadura.

acusação, s. f. acusación, denuncia; imputación; inculpación; acuse.

acusado, adj. e s. m. acusado, reo; procesado.

acusador, s. m. acusador.

acusar, v. tr. acusar, atribuir, imputar; inculpar; denunciar; argüir; culpar.

acusativo, s m. acusativo.

acusável, adj. 2 gén. acusable.

acústica, s. f. acústica.

acústico, adj. acústico.

acutângulo, adj. acutángulo.

acutilador, adj. acuchillador; espadachín.

acutilamento, s. m. acuchillamiento.

acutilar, v. tr. acuchillar.

adáctilo, adj. adáctilo, sin dedos.

adaga, s. f. daga; cachetero.

adagial, adj. 2 gén. adagial.

adagiário, s. m. refranero.

adágio, s. m. adagio, proverbio, sentencia, aforismo, refrán; MÚS. adagio.

adail, s. m. adalid.

adamado, adj. adamado; afeminado.

adamantino, adj. adamantino, diamantino.

adamar-se, v. refl. adamarse, afeminarse.

adamascado, adj. adamascado.

adamascar, v. tr. adamascar.

adâmico, adj. adámico; primitivo.

adamítico, adj. adámico.

adaptação, s. f. adaptación; acomodación; atemperación.

adaptado, adj. adaptado, apropiado, acomodado.

adaptador, adj. e s. m. adaptador.

adaptar, v. 1. tr. adaptar, apropiar, ajustar; aplicar; acomodar, amoldar. 2. refl. acomodarse, adaptarse.

adaptável, adj. 2 gén. adaptable.

adarga, s. f. adarga.

adarve, s. m. FORTIF. adarve; muralla.

adefagia, s. f. adefagía.

adéfago, adj. adéfago.

adega, s. f. bodega, despensa; taberna.

adejar, v. intr. aletear; revolotear; volitar; agitar.

adejo, s. m. aleteo, vuelo; revoloteo.

adela, s. f. ropavejera.

adelfa, s. f. BOT. adelfa.

adelfal, s. m. adelfal.

adelfeira, s. f. adelfa.

adelgaçamento, s. m. adelgazamiento.

adelgaçar, v. tr. adelgazar; desbastar; chiflar.

adelo, s. m. ropavejero; *loja de adelo*, trapería.

ademane, s. m. ademán; pl. ademanes.

adenalgia, s. f. adenalgia.

adenda, s. f. suplemento, apêndice; sumando.

adenia, s. f. adenia.

adenite, s. f. MED. adenitis.

adenóide, adj. 2 gén. adenoideo.

adenologia, s. f. adenologia.

adenoma, s. m. adenoma.

adenopatia, s. f. adenopatía.

adentar, v. tr. e intr. adentar; adentillar.

adentro, adv. adentro; en lo interior.

adepto, s. m. adepto; *adepto do futebol*, futbolero.

adequação, s. f. adecuación.

adequado, adj. adecuado.

adequar, v. tr. adecuar, acomodar, apropiar; emparejar.

adereçar, v. tr. aderezar, adornar; endereçar, dirigir; dedicar; remitir.

adereço, s. m. aderezo, adorno, atavio.

aderência, s. f. adherencia; adhesión; agarre.

aderente, adj. e s. 2 gén. adherente, anexo; adicto; partidário.

aderir, v. intr. adherir; asentir; (fig.) dar adhesión.

adesão, s. f. adhesión, unión, ligación, acuerdo.

adesivo, I. adj. adhesivo. II. s. m. emplasto; esparadrapo.

adestrador, s. m. adiestrador, entrenador.

adestramento, s. m. adiestramiento.

adestrar, v. tr. adiestrar, enseñar, instruir; amaestrar; agilizar.

adeus, I. interj. adiós!, agur! II. s. m. adiós, despedida.

adiado, adj. adiado.

adiafa, s. f. adiafa.

adiaforese, s. f. MED. adiaforesis.

adiamantado, adj. adiamantado.

adiamento, s. m. aplazamiento, postergación; dilatoria; espera.

adiantadamente, adv. por adelantado, por anticipado.

adiantado, adj. adelantado; anticipado; (pop.) atrevido.

adiantamento, s. m. adelantamiento, adelanto, anticipación; mejora, progreso; (de dinheiro) avance.

adiantar, v. 1. tr. adelantar, anticipar; avantajar; acelerar. 2. refl. avanzar.

adiante, I. adv. adelante, avante; arriba. II. interj. ¡adelante!

adiar, v. tr. aplazar, retrasar, diferir, adiar; tardar; postergar.

adiatermia, s. f. FÍS. adiatermancia.

adiável, adj. 2 gén. aplazable.

adição, s. f. adición, apéndice; suma.

adicional, adj. 2 gén. e s. m. adicional.

adicionar, v. tr. adicionar, acrecentar; sumar.

adictício, adj. adicto.

adictivo, adj. adictivo.

adicto, adj. adicto, adherido; afecto; fiel; leal.

adido, s. m. adido; adicto; agregado.

adietar, v. tr. adietar.

adipoma, s. m. MED. adipoma.

adiposidade, s. f. adiposidad; adiposis; gordura.

adiposo, adj. adiposo.

adipsia, s. f. MED. adipsia.

adir, v. tr. adir, aceptar; adicionar; añadir, adscribir.

aditamento, s. m. aditamento, nota; adición.

aditar, v. tr. acrecentar; aumentar; añadir.

aditivo, s. m. aditivo.

adivinha, s. f. adivina; pitonisa.

adivinhação, s. f. adivinación; acertijo.

adivinhadeira, s. f. adivina.

adivinhador, s. m. adivinador; adivino.

adivinhar, v. tr. adivinar, predecir, descifrar.

adivinho, s. m. adivino, adivinador; augur; zahorí.

adjacência, s. f. adyacencia; próximo.

adjacente, adj. 2 gén. adyacente.

adjectivação, s. f. adjectivación.

adjectivado, adj. adjectivado.

adjectivar, v. tr. adjectivar.

adjectivo, adj. e s. m. adjectivo.

adjudicação, s. f. adjudicación; remate.

adjudicador, s. m. adjudicador.

adjudicar, v. tr. adjudicar.

adjudicatário, s. m. adjudicatario.

adjudicativo, adj. adjudicativo.

adjunção, s. f. adjunción.

adjunto, adj. e s. m. adjunto; agregado.

adjuração, s. f. adjuración.

adjurar, v. tr. adjurar.

adjutor, adj. e s. m. adjutor.

adjuvante, adj. e s. 2 gén. coadyuvante.

adjuvar, *v. tr.* coadyuvar, ayudar.
adminicular, *v. tr.* adminicular.
adminículo, *s. m.* adminículo.
administração, *s. f.* administración; gerencia.
administrador, *s. m.* administrador; gerente.
administrar, *v. tr.* administrar; dirigir.
administrativo, *adj.* administrativo.
admiração, *s. f.* admiración, asombro; surpresa; anonadamiento; entusiasmo.
admirador, *s. m.* admirador.
admirar, *v.* 1. *tr.* admirar; contemplar. 2. *refl.* admirarse, espantarse.
admirativo, *adj.* admirativo.
admirável, *adj.* 2 *gén.* admirable; estupendo; mirífico.
admissão, *s. f.* admisión; recepción.
admissibilidade, *s. f.* admisibilidad.
admissível, *adj.* 2 *gén.* admisible; acceptable.
admitido, *adj.* acepto.
admitir, *v. tr.* admitir; aceptar, aceger; inciar.
admoestação, *s. f.* amonestación; amonición; advertência.
admoestador, *s. m.* amonestador.
admoestar, *v. tr.* amonestar; advertir; censurar.
admonição, *s. f.* admonición.
admonitório, *adj.* admonitório.
adnato, *adj.* adnato.
adnotação, *s. f.* adnotação.
adobe, *s. m.* adobe, tapia.
adoçar, *v. tr.* endulzar; azucarar; (ferro) adulzar.
adocicado, *adj.* dulzaino; algo dulce.
adocicar, *v. tr.* endulzar.
adoecer, *v. intr.* e *tr.* enfermar.
adoentado, *adj.* algo enfermo, enclenque.
adoentar, *v. intr.* enfermar ligeramente.
adolescência, *s. f.* adolescencia; juventud.
adolescente, *adj.* e *s* 2 *gén.* adolescente; púber.
adopção, *s. f.* adopción; ahijamiento.
adoptante, *adj.* 2 *gén.* adoptante, adoptivo, adoptador.
adoptar, *v. tr.* adoptar; prohijar; ahijar; arrogar.
adoptivo, *adj.* adoptivo.
adoração, *s. f.* adoración.
adorador, *adj.* e *s* 2 *gén.* adorador.
adorar, *v. tr.* adorar; pirrarse por.

adorável, *adj.* 2 *gén.* adorable.
adormecedor, *adj.* adormecedor.
adormecer , *v. tr.* e *intr.* adormecer; dormir; (fig.) calmar; mitigar; arrulhar.
adormecimento, *s. m.* adorrnecimiento; somnolencia; letargo.
adormentador, *s. m.* adormeciente; calmante.
adornar, *v.* 1. *tr.* adornar; ataviar; exornar; embellecer; ornar; aderezar; pulir. 2. *intr.* NÁUT. escorar.
adorno, *s. m.* adorno; ornamentación; adornamiento; festón; aliño; ornato; adereço; arreo.
adossado, *adj.* adosado.
adossar, *v. tr.* adosar.
adquirente, *adj.* e *s* 2 *gén.* adquirente; adquiridor.
adquirição, *s. f.* adquisición.
adquiridor, *s. m.* adquiridor, adquirente.
adquirir, *v. tr.* adquirir.
adrede, *adv.* adrede; de propósito.
adregar, *v. intr.* acontecer por acaso.
adrenalina, *s. f.* MED. adrenalina.
adriça, *s. f.* NÁUT. driza.
adro, *s. m.* atrio.
adscrever, *v. tr.* adscribir.
adscrição, *v. tr.* adscribir.
adscrito, *adj.* adscrito; inscrito.
adsorção, *s. f.* adsorción.
adsorvente, *adj.* 2 *gén.* e *s. m.* adsorbente.
adsorver, *v. tr.* adsorber.
adstringência, *s. f.* astringencia.
adstringente, *adj.* 2 *gén.* astringente.
adstringir, *v. tr.* astringir.
adstritivo, *adj.* astringente.
adstrito, *adj.* unido, apretado.
aduana, *s. f.* aduana.
aduaneiro, *adj.* e *s. m.* aduanero, arancelario.
aduar, *s. m.* aduar, poblado beduíno.
adubação, *s. f.* abono.
adubar, *v. tr.* adobar; guisar; abonar; estercolar; curtir; algemar.
adubo, *s. m.* abono; estiércol; adobo, caldo, salsa.
adução, *s. f.* aducción.
aduchar, *v. tr.* NÁUT. adujar.
adueiro, *s. m.* pastor; explorador.
aduela, *s. f.* duela.
adufe, *s. m*, adufe.
adulação, *s. f.* adulación; halago; lisonja; (fam.) candongo.

adulador, *adj. e s. m.* adulador; *(fam.)* adutón; ganzúa; halagador; halagüento; alabancero.

adular, *v. tr.* adular; lisonjear; halagar.

adulçorar, *v. tr.* adulzorar.

adulteração, *s. f.* adulteración; falsificación; adulterio.

adulterado, *adj.* adulterado.

adulterador, *s. m.* adulterador; falsificador.

adulterar, *v.* 1. *tr.* adulterar, corromper, falsar; falsificar; *(vinho)* bautizar. 2. *intr.* cometer adulterio.

adulterino, *adj.* adulterino.

adultério, *s. m.* adulterio; *cometer adultério*, adulterar.

adúltero, *adj.* adúltero.

adulto, *adj. e s. m.* adulto; *idade adulta,* adultez.

adumbrar, *v. tr.* adumbrar.

adunco, *adj.* adunco.

adustez, *s. f.* adustez.

adustão, *s. f.* adustión.

adusto, *adj.* adusto.

adutor, *adj. e s. m.* ANAT. aductor.

aduzir, *v. tr.* aducir, presentar pruebas; conducir; traer.

adventício, *adj.* adventicio; advenedizo.

adventismo, *s. m.* adventismo.

adventista, *adj. e s. 2 gén.* adventista.

advento, *s. m.* advenimiento, llegada, venida; adviento.

adverbial, *adj 2 gén.* adverbial.

advérbio, *s. m.* adverbio.

adversário, *s. m.* adversário.

adversativo, *adj.* adversativo.

adversidade, *s. f.* adversidad; tribulación.

adverso, *adj.* adverso; contrario; opuesto; hostil.

advertência, *s. f.* advertencia; aviso; amonestación; reparo.

advertido, *adj.* advertido, avisado.

advertir, *v. tr.* advertir, amonestar; prevenir.

advir, *v. intr.* sobrevenir; suceder; acaecer.

advocacia, *s. f.* abogacía.

advogado, *s. m.* abogado; causídico; *advogado de defesa,* abogado defensor; *advogado do Diabo,* abogado del diablo.

advogar, *v. tr.* abogar; preconizar.

aedo, *s. m.* aedo.

aeração, *s. f.* aeración.

aeragem, *s. f.* aeración.

aeremia, *s. f.* MED. aeremotoxia, embolia de aire.

aéreo, *adj.* aéreo.

aerícola, *adj. 2 gén.* aerícola.

aerífero, *adj.* aerífero, que conduce el aire.

aerificação, *s. f.* aerificación.

aerificar, *v. tr.* aerificar.

aeróbica, *s. f.* aerobic, aeróbica.

aeróbio, *adj.* aerobio.

aeroclube, *s. m.* aeroclub.

aerodeslizador, *s. m.* aerodeslizador.

aerodinâmica, *s. f.* aerodinámica.

aerodinâmico, *adj.* aerodinámico.

aeródromo, *s. m.* aeródromo; aeropuerto.

aerofagia, *s. f.* aerofagia.

aerógrafo, *s. m.* aerógrafo.

aerograma, *s. m.* aerograma.

aerólito, *s. m.* aerolito.

aerometria, *s. f.* aerometria.

aerómetro, *s. m.* aerómetro.

aeromodelismo, *s. m.* aeromodelismo.

aeromodelista, *adj. e s. 2 gén.* aeromodelista.

aeromodelo, *s. m.* aeromodelo.

aeromotor, *s. m.* aeromotor.

aeronauta, *s. 2 gén.* aeronauta, aviador.

aeronáutica, *s. f.* aeronáutica.

aeronáutico, *adj.* aeronáutico.

aeronaval, *adj. 2 gén.* aeronaval.

aeronave, *s. f.* aeronave; avión; aeroplano.

aeronavegação, *s. f.* aeronáutica; navegación aérea.

aeroplano, *s. m.* aeroplano; avión.

aeroporto, *s. m.* aeropuerto, aeródromo.

aeropostal, *adj. 2 gén.* aeropostal.

aeroscopio, *s. m.* aeróscopo.

aerosfera, *s. f.* aerosfera; atmosfera.

aerospacial, *adj. 2 gén.* aerospacial.

aerossol, *s. m.* aerosol.

aerostação, *s. f.* aerostación.

aerostática, *s. f.* aerostática.

aerostático, *adj.* aerostático.

aeróstato, *s. m.* aeróstato.

aerotransportado, *adj.* aerotransportado.

afã, *s. m.* afán; ansia.

afabilidade, *s. f.* afabilidad; agrado; apacibilidad.

afadigar, *v.* 1. *tr.* fatigar; cansar; molestar. 2. *refl.* ajetrearse; atarearse; afanarse.

afadistado, *adj.* achulado.

afagador, *adj. e s. m.* halagüeño; halaguero; halagador.

afagar, *v. tr.* acariciar; mimar; halagar; lisonjear; acariñar.

afago, *s. m.* halago; mimo; agasajo; caricia; *(fam.)* arrumaco.

afamado, *adj.* afamado; famoso; notable; mentado; sonado.

afamar, *v. tr.* e *refl.* afamar; dar fama.

afanado, *adj.* afanado.

afanar, *v.* 1. *tr.* afanar. 2. *refl.* afanarse.

afanoso, *adj.* afanoso, penoso, traballoso; bullicioso.

afasia, *s. f.* MED. afasia.

afásico, *adj.* afásico.

afastado, *adj.* distante; retirado; apartado.

afastamento, *s. m.* alejamiento; arredramiento; ausencia; distancia.

afastar, *v.* 1. *tr.* alejar; desviar; rechazar; apartar; ahuyentar; separar; alongar, arredar; ausentarse. 2. *refl.* salir, abarse, aberrar.

afável, *adj.* 2 *gén.* afable, amable; apacible; cortés; urbano.

afazer, *v. tr.* habituar, acostumbrar.

afear, *v. tr.* afear.

afecção, *s. f.* afección.

afectação, *s. f.* afectación; amaneramiento; gasmoñada; pedantismo; ampulosidad; cursilada; énfasis.

afectadamente, *adv.* amaneradamente.

afectado, *adj.* afectado; pretencioso; rebuscado; artificioso; *(fam.)* finolis; pedante; presumido, amanerado; ampuloso; encopetado.

afectar, *v.* 1. *tr.* afectar; amanerar; fingir; perjudicar; subordinar. 2. *refl.* afectarse, amanerarse.

afectivo, *adj.* afectivo; afectuoso.

afectividade, *s. f.* afectividad.

afecto, I. *s. m.* afecto, afección; dilección; amistad; simpatía. II. *adj.* afecto.

afectuosidade, *s. f.* afectuosidad.

afectuoso, *adj.* afectuoso; tierno; amigable; benévolo; cariñoso.

afegã, *adj.* e *s.* 2 *gén.* afgana.

afegane, *adj.* e *s.* 2 *gén.* afgano.

afeição, *s. f.* afección, afecto; afición; cariño; dilección.

afeiçoado, *adj.* afecto; aficionado; apegado; encariñado; *(alvenaria)* atizonado.

afeiçoar, *v.* 1. *tr.* e *intr.* aficionar; inducir; encariñar; enamorar; *(alvenaria)* atizonar. 2. *refl.* apegarse; empicarse.

afeito, *adj.* acostumbrado; habituado.

afélio, *s. m.* afelio.

afemia, *s. f.* afasia.

afeminado, *adj.* afeminado.

afeminar, *v. tr.* afeminar.

aferente, *adj.* 2 *gén.* aferente.

aférese, *s. f.* GRAM. aféresis.

aferição, *s. f.* aferición, aforo.

aferido, *adj.* aferido, contrastado.

aferidor, *adj.* e *s. m.* aferidor, fiel.

aferimento, *s. m.* vd. **aferição.**

aferir, *v. tr.* aferir; contrastar.

aferrado, *adj.* aferrado; pertinaz; asiduo.

aferramento, *s. m.* aferramiento.

aferrar, *v. tr.* aferrar; agarrar; anelar; aportar.

aferro, *s. m.* terquedad; obstinación; aferramiento.

aferroar, *v. tr.* ferir, picar, aguijonar.

aferrolhar, *v. tr.* acerrojar.

aferventar, *v. tr.* herventar; afervorar.

afervorar, *v. tr.* enfervorizar.

afestoado, *adj.* festoneado.

afestoar, *v. tr.* afestonar, festonear.

afiação, *s. f.* afiladura.

afiadeira, *s. f.* afiladera.

afiado, *adj.* e *s. m.* afilado, amolado; agudo.

afiador, *adj.* e *s. m.* afilador.

afiançado, *adj.* afianzado, acreditado; afirmado.

afiançar, *v. tr.* afianzar; abonar, fiar; garantizar; acreditar.

afiar, *v. tr.* afilar; aguzar; atacar; disponer; ejercitar.

aficionado, *adj.* aficionado.

afidalgado, *adj.* ahidalgado.

afidalgar, *v. tr.* ennoblecer.

afiguração, *s. f.* imaginación; idea.

afigurar, *v. tr.* figurar.

afilamento, *s. m.* afilamiento.

afilar, *v. tr.* aguzar, afilar.

afilhada, *s. f.* ahijada.

afilhado, *s. m.* ahijado.

afiliação, *s. f.* afiliación.

afiliar, *v. tr.* afiliar; asociar.

afim, *adj.* e *s.* 2 *gén.* afín; pariente por afinidad.

afinação, *s. f.* afinación; afinar; armonía; purificación; MÚS. temple.

afinado, *adj.* afinado; acrisolado; listo; experto; MÚS. templado.

afinador, *s. m.* afinador.

afinal, *adv.* finalmente; por fin.

afinamento, *s. m.* afinación.

afinar, *v. tr. e intr.* MÚS. afinar, templar; pulir; aguzar; adelgazar.

afincado, *adj.* ahincado.

afincar, *v.* **1.** *tr.* fincar; ahincar; clavar. **2.** *intr.* aferrarse.

afinco, *s. m.* ahínco, insistencia, tenacidad; afición.

afinidade, *s. f.* afinidad; analogia, semejanza.

afirmação, *s. f.* afirmación, afirmativa; aserción; aserto.

afirmado, *adj.* afirmado.

afirmador, *adj. e s. m.* afirmador.

afirmante, *adj. 2 gén.* afirmado.

afirmar, *v. tr.* afirmar; asegurar; aseverar, certificar; consolidar, afianzar.

afirmativa, *s. f.* afirmativa, afirmación.

afirmativo, *adj.* afirmativo.

afistular, *v. tr. e intr.* MED. afistular.

afitar, *v. tr.* clavar los ojos; hacer mal de ojo.

afito, *s. m.* ahito; diarrea.

afixação, *s. f.* fijación.

afixador, *s. m., afixador de cartazes,* fijacarteles.

afixar, *v. tr.* fijar, asegurar.

afixo, **I.** *s. m.* afijo. **II.** *adj.* fijado.

aflautado, *adj.* aflautado.

aflautar, *v. tr.* atiplar.

aflição, *s. f.* tribulación; angustia, ansia; apuro; pesar; congoja, aflicción; agonía; ahogo; amargura; zozobra.

afligir, *v. tr.* afligir; acongojar; acorar, acuitar, angustiar; contristar; mortificar; apenar; aquejar.

aflitivo, *adj.* aflitivo.

aflito, *adj.* afligido, angustiado.

afloração, *s. f.* afloramiento.

afloramento, *s. m.* afloramiento.

aflorar, *v. intr.* aflorar; razar.

afluência, *s. f.* afluencia; animación, avenida.

afluente, *adj. 2 gén. e s. m.* afluente.

afluir, *v. intr.* afluir; desembocar.

afluxo, *s. m.* aflujo; afluencia.

afocinhar, *v.* **1.** *tr.* hocicar. **2.** *intr.* abocinar; hocicar, venirse abajo; caer.

afofar, *v. tr.* afofar; ablandar; mullir.

afogadilho, *s. m.* precipitación, prisa.

afogado, *adj.* ahogado; asfixiado.

afogador, **I.** *adj.* ahogador, que ahoga; *s. m.* ahogador, el que ahoga. **II.** especie de collar.

afogar, *v.* **1.** *tr.* ahogar, impedir la respiración; estrangular; sumergir; disimular. **2.** *refl.* ahogarse, anegarse.

afogo, *s. m.* ahogo.

afogueado, *adj.* tostado; abochornado, bochornoso; calmoso.

afogueamento, *s. m.* sofoquina.

afoguear, *v.* **1.** *tr.* abrasar; quemar. **2.** *refl.* abochornarse.

afoitar, *v. tr.* enardecer; encorajar.

afoiteza, *s. f.* audacia, osadía; valor.

afolhamento, *s. m.* amelgamiento.

afolhar, *v. tr.* foliar.

afonia, *s. f.* afonia.

afónico, *adj.* afónico.

áfono, *adj.* afónico.

aforado, *adj.* aforado.

aforador, *s. m.* aforador.

aforamento, *s. m.* aforamiento.

aforar, *v.* **1.** *tr.* aforar. **2.** *refl.* atribuirse, arrogarse.

aforçurar, *v. tr.* apresurar, dar prisa.

aforismo, *s. m.* aforismo.

aforístico, *adj.* aforístico.

aformoseamento, *s. m.* hermoseamiento; embeleso; embellecimiento.

aformosear, *v. tr.* hermosear, embellecer; alindar.

aforquilhar, *v. tr.* ahorquillar.

aforrado, *adj.* forrado; ahorrado; borro.

aforrador, *adj. e s. m.* ahorrador.

aforrar, *v. tr.* ahorrar.

aforro, *s. m.* ahorro.

afortunado, *adj.* afortunado; favorecido; próspero; venturoso.

afortunar, *v. tr.* afortunar.

afoutar, *v. tr. vd.* **afoitar**.

afrancesado, *adj.* afrancesado.

afrancesar, *v. tr.* afrancesar.

afreguesar, *v. tr.* aparroquiar.

áfrica, *s. f.* proeza, hazaña.

africada, *s. f.* GRAM. africada.

africado, *adj.* africado.

africanismo, *s. m.* africanismo.

africanista, *adj. e s 2 gén.* africanista.

africano, *adj.* africano.

afrodisíaco, *adj. e s. m.* afrodisíaco.

afroixamento, *s. m.* aflojamiento.

afroixar, *v. tr. e intr.* aflojar.

afronta, *s. f.* afrenta; ultraje; indignidad; injuria; insulto; vejamen.

afrontado, *adj.* afrentado; sofocado.

afrontador, *adj. e s. m.* afrentador.

afrontamento, *s. m.* afrenta; cansancio; aflicción.

afrontar, *v. tr.* afrentar; molestar; vejar; afrontar; arrostrar, atreverse.

afrontoso, *adj.* afrentoso; ignominioso; injurioso; ultrajante.

afrouxamento, *s. m.* aflojamiento.

afrouxar, *v. tr. e intr.* aflojar, ablandar; cejar; laxar; relajar.

afta, *s. f.* afta.

aftoso, *adj.* aftoso.

afugentar, *v. tr.* ahuyentar; expulsar.

afundamento, *s. m.* hundimiento.

afundar, *v.* 1. *tr.* ahondar; afondar; hundir; sumergir. 2. *refl.* zozobrar; *(fig.)* arruinarse; perderse.

afundir, *v. tr.* vd. **afundar.**

afunilado, *adj.* infundibuliforme.

afunilar, *v. tr.* dar a una cosa forma de embudo; estrechar; apretar.

afuselado, *adj.* ahusado.

agacanto, *s. m.* alquitira.

agachar, *v.* 1. *tr.* agachar, bajar; inclinar. 2. *refl. (fig.)* acocharse, agacharse, humillarse.

agadanhar, *v. tr.* arañar, rasguñar.

agaiatado, *adj.* aniñado.

agaiatar-se, *v. refl.* aniñarse.

agalanar, *v. tr.* engalanar.

agalegado, *adj.* agallegado.

agalegar, *v. tr.* expresar a la manera de los gallegos.

agaloadura, *s. f.* galoneadura; pasamano; alamar.

agaloar, *v. tr.* galonear.

ágape, *s. m.* ágape.

agareno, *adj. e s. m.* agareno.

agárico, *s. m.* BOT. agárico, almuérdago, amanita.

agarotar-se, *v. refl.* hacerse travieso, haragán, holgazán.

agarrado, *adj.* agarrado; asido; cogido; preso, ahorrado; apegado; *(fig.)* agarrado, avaro; *agarrado às saias da mãe,* enmadrado.

agarrar, *v. tr.* agarrar, asir; coger; arrebatar; apresar; alcançar; entrecoger.

agarrochar, *v. tr.* agarrochar, herir con garrocha; *(fig.)* estimular; afligir.

agarrotar, *v. tr.* agarrotar, estrangular.

agasalhado, I. *adj.* abrigado; resguardado; protegido. II. *s. m.* hospedaje.

agasalhar, *v. tr.* abrigar, agasajar; defender; hospedar; alojar; acoger; arropar.

agasalho, *s. m.* abrigo, agasajo; buen acogimiento; hospedaje.

agastadiço, *s. m.* irascible.

agastamento, *s. m.* enfado; pesar; ira.

agastar, *v. tr.* encolerizar; enfadar; aburrir; enojar.

ágata, *s. m.* ágata.

agatanhadura, *s. f.* arañamiento.

agatanhar, *v. tr.* arañar; garfear; gatear; gatuñar.

agave, *s. m.* agave.

agência, *s. f.* agencia, diligencia; solicitud; gestión; sucursal.

agenciador, *s. m.* agenciador; activo; trabajador; busca-vidas.

agenciar, *v. tr.* agenciar; conseguir, alcançar.

agenda, *s. f.* agenda.

agenesia, *s. f.* MED. agenesia.

agente, *adj. e s. 2 gén.* agente, solicitador.

agerasia, *s. f.* agerasia.

agigantado, *adj.* agigantado; enorme; colosal.

agigantar, *v. tr.* agigantar; engrandecer, exagerar.

ágil, *adj. 2 gén.* agil; ligero; expedito; leve; suelto; arriscado.

agilidade, *s. f.* agilidad, ligereza, vivacidad; desembarazo; soltura.

agilização, *s. f.* agilización.

agilizar, *v. tr.* agilizar.

agilmente, *adv.* ágilmente.

ágio, *s. m.* ágio.

agiota, *s. 2 gén.* agiotista; usurero; prestamista.

agiotagem, *s. f.* agiotaje.

agiotar, *v. intr.* agiotar.

agir, *v. tr.* obrar; proceder; actuar; agir.

agitação, *s. f.* agitación; movimiento; movida; perturbación; motín; tempestad.

agitado, *adj.* agitado, excitado, perturbado; turbio; turbulento.

agitador, *s. m.* agitador.

agitar, *v.* 1. *tr.* agitar; revolver; conmocionar; champurrar; cumbrear. 2. *refl.* bullir.

aglomeração, *s. f.* aglomeración; acumulación.

aglomerado, *s. m.* aglomerado.

aglomerante, *adj. 2 gén. e s. m.* aglomerante.

aglomerar, *v.* **1.** *tr.* aglomerar; acumular, amontonar. **2.** *refl.* aglomerarse; agolparse; arrimellinarse.

aglutinação, *s. f.* aglutinación.

aglutinamento, *s. m.* aglutinación.

aglutinante, *adj.* 2 *gén.* e *s. m.* aglutinante.

aglutinar, *v.* *tr.* aglutinar.

agnação, *s. f.* agnación.

agnado, *adj.* e *s. m.* agnado.

ágnato, *adj.* e *s. m.* agnato.

agnome, *s. m.* agnombre.

agnosia, *s. f.* agnosia.

agnosticismo, *s. m.* agnosticismo.

agnosticista, *adj.* e *s.* 2 *gén.* agnóstico.

agnóstico, *adj.* e *s. m.* agnóstico.

agoirar, *v.* *tr.* vaticinar, agorar, presagiar.

agoireiro, *adj.* agorero.

agoirento, *adj.* adivino.

agoiro, *s. m.* agüero, presagio.

agomia, *s. f.* gunía.

agonia, *s. f.* agonía.

agoniado, *adj.* ansiado; acongojado.

agoniar, *v.* *tr.* agonizar; acongojar; mortificar; afligir.

agónico, *adj.* agónico.

agonizante, *adj.* e *s.* 2 *gén.* agonizante; moribundo.

agonizar, *v.* **1.** *tr.* causar agonía. **2.** *intr.* agonizar, estar moribundo.

agora, *adv.* e *conj.* ahora; en el presente; hoy en día.

ágora, *s. f.* ágora.

agorafobia, *s. f.* agorafobia.

Agosto, *s. m.* agosto.

agourar, *v.* *tr.* vaticinar, agorar; augurar; presagiar.

agoureiro, *adj.* e *s. m.* agorero.

agourento, *adj.* agorero; adivino.

agouro, *s. m.* agüero, presagio; adivinación; augurio; auspicio.

agraço, *s. m.* BOT. agracejo, agraz.

agraciar, *v.* *tr.* agraciar, favorecer, condecorar; amnistiar.

agradado, *adj.* agradado; deleitado; satisfecho.

agradar, *v.* **1.** *intr.* agradar; parecer bien. **2.** *refl.* gostar de.

agradável, *adj.* 2 *gén.* agradable; apacible; jocundo; amable; suave.

agradecer, *v.* *tr.* e *intr.* agradecer; rendir gracias; mostrar gratitud.

agradecido, *adj.* agradecido; reconocido.

agradecimento, *s. m.* agradecimiento; gratitud; reconocimiento.

agrado, *s. m.* agrado, afabilidad; satisfacción; amistad.

agrário, *adj.* agrario.

agraudar, *v.* *tr.* agraudar.

agravação, *s. f.* agravamiento.

agravado, *adj.* agraviado.

agravo, *s. m.* agravio.

agravante, **I.** *adj.* 2 *gén.* agravante; exacerbante; agravador. **II.** *s. f.* agravante.

agravar, *v.* **1.** *tr.* agravar; agraviar; aumentar; empeorar; agraviar, ofender. **2.** *refl.* agravarse; recrudecer.

agredir, *v.* *tr.* agredir.

agregação, *s. f.* agregación.

agregado, *s. m.* agregado; asociado.

agregar, *v.* *tr.* agregar; unir; juntar; añadir; colegiarse.

agremiar, *v.* *tr.* agremiar, reunir, asociar.

agressão, *s. f.* agresión.

agressividade, *s. f.* agresividad.

agressivo, *adj.* agresivo; ofensivo.

agressor, *s. m.* agresor; provocador.

agreste, *adj.* 2 *gén.* agreste; cerril.

agrião, *s. m.* BOT. berro; VET. agrion.

agrícola, *adj.* 2 *gén.* agrícola.

agricultar, *v.* *tr.* labrar, cultivar la tierra.

agricultor, *s. m.* agricultor; labrador.

agricultura, *s. f.* agricultura; *agricultura mecanizada,* motocultivo.

agridoce, *adj.* 2 *gén.* agridulce.

agrilhoar *v.* *tr.* agrillar, engrillar, encadenar; *(fig.)* esclavizar.

agrimensor, *s. m.* agrimensor; apeador.

agrimensura, *s. f.* agrimensura; apeo.

agrimónia, *s. f.* acrimónia.

agro, *adj.* agrio.

agronomia, *s. f.* agronomia.

agronómico, *adj.* agronómico.

agrónomo, *s. m.* agrónomo.

agropecuário, *adj.* agropecuario.

agrumar-se, *v.* *refl.* agrumarse.

agrumelar-se, *v.* *refl.* agrumarse.

agrupado, *adj.* atropado, agrupado.

agrupamento, *s. m.* agrupamiento, agrupación.

agrupar, *v.* *tr.* agrupar, atropar, combinar.

agrura, *s. f.* agrura; aspereza; *(fig.)* amargura, disgusto.

água, *s. f.* agua; lluvia; mar, lago, río, arroyo; *água potável,* agua potable, água bebedera.

aguaçal, *s. m.* aguazal.

aguaceiro, s. m. aguacero; chaparrada; chaparrón; chubasco.

agua-chilra, s. f. agua chirle.

aguada, s. f. aguada, provisión de água; PINT. aguada.

água-de-colónia, s. f. agua de colonia.

aguadeiro, s. m. aguador, aguatero.

aguadilha, s. f. aguaza, agüilla, aguadilla.

aguado, adj. aguado; (fig.) frustrado; imperfecto.

água-forte, s. f. aguafuerte.

água-oxigenada, s. f. agua oxigenada.

água-fortista, s. 2 gén. aguafuertista.

água-marinha, s. f. aguamarina; berilo.

água-mel, s. f. agua miel.

água-pé, s. f. aguapié.

aguar, v. tr. aguar, disolver en agua; regar; pintar con aguada.

aguardar, v. tr. aguardar; esperar; atender, respetar.

aguardente, s. f. aguardiente; cachaza.

aguarela, s. f. acuarela.

aguarelar, v. tr. pintar a la acuarela.

aguarelista, s. 2 gén. acuarelista.

águarrás, s. f. aguarrás.

águas-furtadas, s. f. pl. buharda; sotabanco.

aguazil, s. m. alguacil.

aguça, s. m. afilalápices.

aguçadeira, s. f. aguzadera; asperón.

aguçado, adj. afilado; acuminado.

aguçador, adj. e s. m. aguzador, afilador.

aguçadura, s. f. aguzadura.

aguçamento, s. m. aguzadura.

aguçar, v. tr. aguzar; amolar; afilar; adelgazar; (fig.) incitar.

agudeza, s. f. agudeza, acerado; delgadez; sutileza; cacumen.

agudização, s. f. agudización.

agudizar, v. tr. agudizar.

agudo, adj. agudo; sutil; atilado; picante.

aguentar, v. tr. e intr. aguantar; soportar; resistir.

agueiro, s. m. agüero.

aguerrido, adj. aguerrido, ejercitado; (fig.) valiente.

aguerrir, v. tr. aguerrir.

águia, s. f. ZOOL. aguila.

aguilhada, s. f. aguijada.

aguilhão, s. m. aguijón; aguijada; espigon; pincho; puya; puya.

aguilhoada, s. f. aguijonada, aguijonazo; puyazo.

aguilhoadela, s. f. aguijadura.

aguilhoar, v. tr. aguijar, aguijonear; avispar; (fig.) estimular, incitar.

aguioto, s. m. aguilucho.

agulha, s. f. aguja; pincho; brújula.

agulheta, s. f. agujeta.

agulheiro, s. m. alfiletero; agujero; guardagujas; ARQ. machinal.

agulheta, s. f. herrete.

agustia, s. f. agustia.

ah!, interj. ah! (alegria, espanto o admiración).

ai, s. m. ay, suspiro, quejido.

aí, adv. ahí.

aia, s. f. aya, niñera; doncella; menina; dama de compañia.

ailanto, s. m. BOT. ailanto.

ainda, adv. aún, todavia, también, hasta; otra vez; ainda que, aunque; cuando.

aio, s. m. aio.

aipo, s. m. BOT. apio.

airbus, s. m. aereobús.

airbag, s. m. airbag.

airoso, adj. airoso; garboso, gentil; decoroso, digno.

aiveca, s. f. orejera del arado; vertedera.

ajaezar, v. tr. enjaezar; (fig.) aderezar, adornar.

ajanotar, v. 1. tr. dar modos de currutaco. 2. refl. vestirse como currutaco.

ajardinar, v. tr. ajardinar, poner como un jardín.

ajeitar, v. tr. acomodar; adaptar; adecuar.

ajoelhamento, s. m. arrodillamiento.

ajoelhar, v. intr. e refl. arrodillarse.

ajornalar, v. tr. ajornalar; ajustar a jornal.

ajoujar, v. tr. atraillar; uncir; emparejar; unir; juntar; sobrecargar.

ajuda, s. f. ayuda; socorro, auxilio, asistencia.

ajudante, adj. e s. 2 gén. ayudante; adjunto; ajudante de cozinha, sollastre.

ajudar, v. tr. ayudar, auxiliar; secundar; cooperar; favorecer; socorrer; asistir; conllevar; subvenir.

ajuizado, adj. ajuiciado; juicioso, sensato.

ajuizar, v. tr. julgar, enjuiciar; apreciar; valuar.

ajuntador, adj. e s. m. juntador; allegador.

ajuntamento, s. m. juntamiento; agrupamiento; aglomeración; agrupación; reunión; ayuntamiento.

ajuntar, v. 1. tr. juntar, ayuntar; reunir, aproximar; acrecentar; economizar. 2. refl. ayuntarse, amancebarse.

ajuramentar, *v. tr.* juramentar.
ajustado, *adj.* acomodado.
ajustador, *adj.* e *s. m.* ajustador.
ajustamento, *s. m.* ajustamiento; reglaje.
ajustar, *v.* 1. *tr.* ajustar, apretar; adaptar; acoplar; concertar, apalabrar; avenir. 2. *refl.* adaptarse.
ajustável, *adj.* 2 *gén.* ajustable; ajustado; adaptable.
ajuste, *s. m.* ajuste, negociación, contrato, trato; pacto; composición; iguala; transacción.
ajustiçar, *v. tr.* ajusticiar, cumplir una sentencia de pena capital.
ala, I. *s. f.* ala, hilera, fila; flanco. II. *interj.* hala!; marcha!; vete!; anda.
alabandina, *s. f.* alabandina.
alabandite, *s. f.* alabandina.
alabarda, *s. f.* alabarda, archa.
alabardada, *s. f.* alabardazo, golpe de alabarda.
alabardeiro, *s. m.* alabardero.
alabástrico, *adj.* alabastrino.
alabastrino, *adj.* alabastrino.
alabastrite, *s. f.* alabastrita.
alabastro, *s. m.* alabastro.
alabregado, *adj.* grosero; rústico.
álacre, *adj.* 2 *gén.* alegre; risueño; vivo; inteligente.
alacridade, *s. f.* alacridad, alegría, entusiasmo.
alado, *adj.* alado, leve, aéreo.
alagadiço, *adj.* alagadizo, anegadizo, alagado.
alagamento, *s. m.* aluvión; crecida; avenida.
alagar, *v. tr.* alagar; anegar; inundar; sumergir; encharcar; *(fig.)* derrochar; disipar.
alamar, *s. m.* alamar.
alambazado, *adj.* grosero; pesado; glotón; comilón; grueso.
alambazar-se, *v. refl.* hartarse; comer como un glotón; hacerse rudo.
alambicado, *adj.* alambicado; *(fig.)* afectado.
alambicar, *v. tr.* alambicar, destilar.
alambique, *s. m.* alambique, alquitara; alcatara; destilador.
alambor, *s. m.* alambor.
alambrar, *v. tr.* alambrar.
alameda, *s. f.* alameda; arboleda; ambulacro, avenida; vial.
alamiré, *s. m.* MÚS. alamirré; diapasón.

álamo, *s. m.* BOT. álamo; carpe.
alanceador, *adj.* alanceador.
alanceamento, *s. m.* alanceamiento.
alancear, *v. tr.* alanzar, alancear; *(fig.)* mortificar.
alano, *adj.* e *s. m.* alano.
alão, *s. m.* ZOOL. álano, perro corpulento.
alapado, *adj.* agazapado; escondido.
alapar, *v.* 1. *tr.* esconder, ocultar 2. *refl.* agazaparse, agacharse.
alapardar-se, *v. refl.* agazaparse; esconderse.
alaranjado, *adj.* anaranjado.
alar, *v. tr.* halar.
alarde, *s. m.* alarde; ostentación; vanidad; alardeo.
alardeador, *adj.* alardoso.
alardear, *v. tr.* alardear, ostentar.
alargamento, *s. m.* alargamiento; ensanche.
alargado, *adj.* alongado; ensanchado.
alargar, *v. tr.* ensanchar; alargar; laxar; extender, ampliar, abocardar; aumentar; ensanchar; explayar.
alarida, *s. f.* vd. **alarido**.
alarido, *s. m.* alarido; clamor general; algazara (de moro).
alarmante, *adj.* 2 *gén.* alarmante.
alarmar, *v. tr.* alarmar; asustar, sobresaltar.
alarme, *s. m.* alarma.
alarmismo, *s. m.* alarmismo.
alarmista, *s.* 2 *gén.* alarmista.
alarve, *s. m.* árabe; hombre rude; salvaje.
alastrar, *v. tr.* lastrar; derramar.
alatoar, *v. tr.* alatonar.
alaúde, *s. m.* MÚS. laúd.
alavanca, *s. f.* palanca; alzaprima; barra.
alaza, *s. f.* alazana.
alazão, *adj.* e *s. m.* alazán.
albacora, *s. f.* albacora.
albanês, *adj.* e *s. m.* albanés, de Albania.
albarda, *s. f.* albarda.
albardado, *adj.* albardado.
albardão, *s. m.* albardón.
albardar, *v. tr.* albardar, cubrir con huevos una fritura; *(pop.)* vestir mal.
albardeiro, *s. m.* albardero; *(fig.)* mal sastre.
albardilha, *s. f.* albardilla.
albarrã, *adj.*, *torre albarrã*, torre albarrana; *cebola albarrã*, albarranilla.
albatroz, *s. m.* albatros.
albergar, *v. tr.* albergar; abrigar; hospedar.

albergaria, s. f. hospedería, albergaría; posada, abrigo, asilo.

albergue, s. m. albergue; abrigo; cubil; refugio; cotarro.

albergueiro, adj. e s. m. albergador; alberguero.

albinismo, s. m. albinismo.

albino, adj. e s. m. albino.

albogue, s. m. albogue.

alborcar, v. tr. trocar, permutar.

albornoz, s. m. albornoz.

alborque, s. m. permutación, cambio.

albricoque, s. m. albricoque.

albricoqueiro, s. m. albricoquero.

albufeira, s. f. albufera; albuhera; embalse; albina.

albugíneo, adj. albugíneo.

albugem, s. f. albugo.

álbum, s. m. álbum.

albumina, s. f. albúmina.

albuminímetro, s. m. albuminímetro.

albuminóide, adj. e s. m. albuminoideo.

albuminúria, s. f. albuminuria.

alburno, s. m. BOT. alburno, albur.

alburnoso, adj. alburnoso.

alça, s. f. alza.

alcácer, s. m. alcázar; alcácel; castillo.

alcáçova, s. f. alcazaba.

alcachofra, s. f. BOT. alcachofa; *alcachofra silvestre*, alcaucil.

alcachofral, s. m. alcachofal.

alcaçuz, s. m. BOT. alcazuz, orozuz.

alçada, s. f. alzada; jurisdicción, competencia.

alcadafe, s. m. alcadafe.

alçado, s. m. alzado; proyección vertical; trazado.

alcaide, s. m. alcaide.

alcaidesa, s. f. alcaldesa.

alcalescência, s. f. alcalescencia.

alcali, s. m. alcali.

álcali, s. m. alcali.

alcalimetria, s. f. alcalimetría.

alcalímetro, s. m. alcalímetro.

alcalinidade, s. f. alcalinidad.

alcalinizar, v. tr. alcalinizar.

alcalino, adj. alcalino.

alcalóide, s. m. alcaloide.

alcançadiço, adj. alcanzadizo.

alcançado, adj. alcanzado; cogido.

alcançar, v. 1. tr. alcanzar; coger; llegar; conseguir; adquirir; recadar; obtener; abarcar. 2. intr. entender; prever; concebir; abrasar.

alcançável, adj. 2 gén. alcanzable.

alcance, s. m. alcance; (fig.) talento; déficit.

alcandorar-se, v. tr. percharse; (fig.) elevarse, guindarse, subir.

alcantil, s. m. cantil; escarpa; despeñadero.

alcantilado, adj. alcantilado.

alcantilar, v. tr. escarpar.

alçapão, s. m. trampa, trampilla; puerta en el suelo; TEAT. escotillón.

alcaparra, s. f. BOT. alcaparra, alcaparrón.

alcaparral, s. m. alcaparral.

alcaparreira, s. f. alcaparra.

alçaprema, s. f. alzaprima.

alçar, v. tr. alzar; levantar; edificar; erguir; erguir; ordenar los pliegos.

alcaravão, s. m. alcaraván.

alcarraza, s. f. alcarraza.

alcaría, s. f. alquería.

alcateia, s. f. manada de lobos.

alcatifa, s. f. alcatifa, moqueta; alfombra, tapete, tapiz.

alcatifar, v. tr. alfombrar; enmoquetar; tapizar.

alcatifeiro, s. m. alfombrero, tapicero.

alcatira, s. f. alquitira.

alcatrão, s. m. alquitrán.

alcatraz, s. m. alcatraz, albatros, pelicano.

alcatroamento, s. m. alquitranamiento.

alcatroar, v. tr. alquitranar.

alcatroeiro, s. m. alquitranador.

alcatruz, s. m. arcaduz, cangilón de noria.

alcavala, s. f. alcabala; tributo; impuesto forzado.

alce, s. m. ZOOL. alce.

alcião, s. m. alción.

alcofa, s. 1. f. alcofa, espuerta; capazo. 2. 2 gén. alcahuete, alcahueta.

álcool, s. m. alcohol.

alcoolato, s. m. alcoholato.

alcoolemia, s. f. alcoholemia; *taxa de alcoolemia*, tasa de alcoholemia.

alcoólico, adj. alcohólico.

alcoolismo, s. m. alcoholismo.

alcoolização, s. f. alcoholización.

alcoolizado, adj. alcoholizado.

alcoolizar, v. tr. alcoholizar, alcoholar.

alcoómetro, s. m. alcohómetro, alcoholímetro.

Alcorão, s. m. alcorán.

alcorque, s. m. alcorque.

alcouce, s. m. lupanar.

alcova, s. f. alcoba, dormitorio.

alcovitar, v. 1. tr. alcahuetear. 2. intr. servir de alcahuete; intrigar.

alcoviteira, s. f. alcahueta, celestina.
alcoviteiro, s. m. alcahuete.
alcovitice, s. f. chisme; alcahuetismo; alcahuetería.
alcunha, s. f. apodo; sobrenombre; epíteto, alcuño, alias; mote; remoquete.
alcunhar, v. tr. alcuniar; apodar; motejar; (fam.) bautizar.
aldeão, adj. e s. m. aldeano; campesino; rústico; lugareño.
aldeia, s. f. aldea; campo.
aldeído, s. m. aldehido.
aldeola, s. f. aldehuela; aldehorrio.
aldraba, s. f. aldaba, picaporte.
aldrabada, s. f. aldabada, aldabazo.
aldrabão, s. m. trapacero.
aldrabar, v. tr. vd. **aldravar**.
aldrava, s. f. aldaba, picaporte.
aldravada, s. f. aldabada, aldabazo.
aldravar, v. tr. e intr. aldabear; engañar; mentir.
álea, s. f. vd. **aleia**.
aleatório, adj. aleatorio.
alecrim, s. m. BOT. romero.
alectória, s. f. alectoria.
alefriz, s. m. NÁUT. alefriz.
alegação, s. f. alegación; alegato.
alegadamente, adv. presuntivamente.
alegado, adj. presuntivo, presunto.
alegar, v. tr. alegar; probar; exponer, citar.
alegoria, s. f. alegoría.
alegórico, adj. alegórico.
alegorizar, v. tr. alegorizar.
alegrão, s. m. alegrón.
alegrar, v. tr. alegrar; divertir.
alegre, I. adj. 2 gén. alegre; jovial; vivo, vistoso (color); (fig.) alegre, medio embriagado. II. s. m. arriate.
alegrete, I. adj. 2 gén. alegrete, un tanto alegre, un poco borracho. II. s. m. macizo para plantas de adorno.
alegreto, adv. MÚS. alegreto.
alegria, s. f. alegría; BOT. alegría; alacridad; contento; esparcimiento; gozo; hilaridad.
alegro, s. m. MÚS. allegro.
alegrote, adj. vd. **alegrete**.
aleia, s. f. hilera de árboles.
aleijado, adj. lastimado; herido; contusionado.
aleijão, s. m. lesión o herida en un miembro; (fig.) deformidad física o moral; vicio.
aleijar, v. tr. lastimar; estropiar; causar daño.
aleirar, v. tr. amelgar.

aleitação, s. f. amamantamiento.
aleitar, v. tr. amamantar; aletar.
aleive, s. m. calumnia; alevosía; traición.
aleivosia, s. f. alevosía, traición.
aleivoso, adj. alevoso.
aleli, s. m. BOT. alhelí.
aleluia, s. f. aleluya; BOT. aleluya, acederilla.
além, I. adv. alén; allá; acullá; allende; en aquel lugar; después; além disso, además, asimismo; além de, amén de. II. s. m. (fig.) la otra vida.
alemã, adj. e s. f. alemana.
alemão, adj. e s. m. alemán.
além-mar, I. loc. adv. en ultramar. II. s. m. ultramar.
além-mundo, s. m. la otra vida; la eternidad.
além-túmulo, s. m. ultratumba.
alentado, adj. valiente, esforzado; corpulento; alentado.
alentar, v. tr. alentar, confortar; dar aliento, ánimo.
alento, s. m. aliento; respiración; hálito; alentada; huelgo; vaho; fuerza; ánimo.
alergia, s. f. MED. alergia.
alérgico, adj. alérgico.
alerta, I. adv. alerta, atentamente. II. s. m. alerta, señal para estar vigilante. III. interj. ¡alerta!
alertar, v. tr. alertar.
aleta, s. f. aleta.
aletargado, adj. aletargado.
aletargar, v. tr. aletargar.
aletria, s. f. aletría; fideos.
alevim, s. m. alevín.
alevantar, v. tr. levantar.
alexandrino, adj. e s. m. alexandrino.
alfa, s. m. alfa.
alfabetar, v. tr. alfabetizar.
alfabético, adj. alfabético.
alfabetização, s. f. alfabetización; abecedario.
alfabetizar, v. tr. alfabetizar.
alfabeto, s. m. alfabeto; abecedario, abecé.
alface, s. f. BOT. lechuga.
alfageme, s. m. fabricante de armas blancas; armero.
alfaia, s. f. utensilio doméstico o agrícola; ornamento de iglesia; arreo; joya; vajilla.
alfaiar, v. tr. adornar, ornamentar; amueblar.
alfaiataria, s. f. sastrería.
alfaiate, s. m. sastre.
alfama, s. f. aljama.
alfândega, s. f. aduana.

alfandegar, *v. tr.* aduanar.
alfandegário, *adj.* aduanero.
alfange, *s. m.* alfanje.
alfarrábio, *s. m.* libro antiguo, cartapacio.
alfarrabista, *s.* 2 *gén.* persona que tiene negocio de libros viejos.
alfarroba, *s. f.* BOT. algarroba.
alfarrobeira, *s. t.* BOT. algarrobo, algarroba.
alfavaca, *s. f.* BOT. alfahaca.
alfazema, *s. f.* BOT. alhucema, espliego; lavanda.
alfeizar, *s. m.* alfézar.
alféloa, *s. f.* almíbar para usar en confitería.
alfena, *s. f.* BOT. alfena.
alfenim, *s. m* alfeñique, pasta de azúcar; (*fig.*) alfeñique, persona débil.
alferes, *s. m.* alférez.
alfil, *s. m.* (xadrez) alfil.
alfinetada, *s. f.* alfilerazo.
alfinetar, *v. tr.* pinchar con alfiler; (*fig.*) censurar; criticar.
alfinete, *s. m.* alfiler.
alfineteira, *s. f.* acerico, acerillo, canutero.
alfineteiro, *s. f.* alfiletero.
alfobre, *s. m.* semillero; reguera; vivero.
alfombra, *s. f.* alfombra, alcatifa; macizo, porción de terreno.
alfombrado, *adj.* alfombrado.
alfombrar, *v. tr.* alfombrar; alcatifar.
alforge, *s. m.* alforja.
alforreca, *s. f.* ZOOL. acalefo.
alforria, *s. f.* alforria, emancipación, manumisión.
alforriar, *v. tr.* ahorrar; manumitir; libertar.
alfoz, *s. m.* alfoz; terreno llano; alrededores.
alga, *s. f.* BOT. alga.
algália, *s. f.* algalia.
algara, *s. f.* aceifa, algara.
algaravia, *s. f.* algarabía; greguería; (*fig.*) griterío, confusión.
algaraviada, *s. f.* chapurreo; gingay.
algaraviar, *v. intr.* chapurrar, chapurrear.
algarismo, *s. m.* guarismo.
algazarra, *s. f.* algazara; alarida; clamor; griterío; cantaleta; chunga; greguería; mogollón; jaleo; pitote; trulla.
algebra, *s. f.* álgebra.
algébrico, *adj.* algebraico.
algebrista, *s.* 2 *gén.* algebraico.
algemar, *v. tr.* esposar; (*fig.*) prender; oprimir.
algemas, *s. f. pl.* esposas; cadenas.

algeroz, *s. m.* canal o canalón de tejado; alero, parte saliente del tejado.
algibeira, *s. f.* faldriquera, faltriquera; bolsillo.
algidez, *s. f.* algidez; frialdad; aterimiento.
álgido, *adj.* álgido, helado; muy frío.
algo, I. *pron.* algo. II. *adv.* algo.
algodão, *s. m.* algodón; *algodão hidrófilo,* algodón hidrófilo.
algodão-doce, *s. m.* algodón dulce, algodón de azúcar.
algodão-em-rama, *s. m.* algodón en rama.
algodoal, *s. m.* algodonal.
algodoeiro, *adj. e s. m.* BOT. algodonero, algodón.
algoritmo, *s. m.* algoritmo.
algoso, *adj.* algoso.
algoz, *s. m.* verdugo.
alguém, *pron. ind.* alguien.
alguergue, *s. m.* alquerque.
alguidar, *s. m.* lebrillo.
algum, *pron. indef.* alguno, algún.
algures, *adv.* en algún lugar; dondequiera; en alguna parte.
alhada, *s. f.* ajada, porción de ajos; salsa de ajo; (*fig.*) intriga, enredo.
alhal, *s. m.* ajar.
alhanar, *v. tr.* allanar.
alhear, *v. tr.* enajenar; alejar; separar; entorpecer.
alheio, *adj. e s. m.* ajeno; extraño; diferente; (*fig.*) distraído; abstracto; meter-se na vida alheia, meterse en lo ajeno.
alheira, *s. f.* embutido de miga de pan y otros ingredientes.
alho, *s. m.* BOT. ajo; *frito com alho,* al ajillo.
alho-porro, *s. m.* alho-porro.
ali, *adv.* ali, en aquel lugar; a la sazón.
Aliáceas, *s. f. pl.* BOT. aliáceas.
aliáceo, *adj.* aliáceo.
aliado, I. *adj.* aliado, confederado, coligado. II. *s. m.* partidario secuaz.
aliança *s. f.* alianza; unibir.
aliar *v. tr.* aliar; confederar, unir, coligar.
aliás, *adv.* alias, de otro modo; mejor dicho.
álibi, *s. m.* alibi.
alicate, *s. m.* alicates.
alicerçar, *v. tr.* cimentar; (*fig.*) fundar, basar, cimentar.
alicerce, *s. m.* cimiento; zanja; cimentación; fundación; (*fig.*) apoyo, sostén, base.
aliciação, *s. f.* seducción; soborno, sobornación.

aliciador, *s. m.* seductor, sobornador.

aliciante, *adj.* 2 *gén.* aliciente.

aliciar, *v. tr.* persuadir, seducir; solicitar; sobornar.

alidade, *s. f.* alidada.

alienação, *s. f.* alienación; enajenación; locura, alucinación; alienismo.

alienado, *adj. e s. m.* alienado; enajenado; *(fig.)* loco, maníaco.

alienante, *adj.* 2 *gén.* alienante; alienador.

alienar, *v. tr.* alienar; transmitir; desviar; alucinar; enajenar, enloquecer.

alienável, *adj.* 2 *gén.* alienable; enajenable.

alienígena, *adj. e s.* 2 *gén.* alienígena, alienígeno.

alienista, *s.* 2 *gén.* alienista.

aligátor, *s. m.* aligátor.

aligeiramento, *s. m.* aligeramiento.

aligeirar, *v. tr.* aligerar; apresar; aliviar; abreviar.

alígero, *adj.* alígero, alado.

alijamento, *s. m.* alijo; descarga; alivio.

alijar, *v.* 1. *tr.* alijar. 2. *intr.* aliviarse.

alimária, *s. f.* alimaña.

alimentação *s. f.* alimentación; sustento.

alimentar, I. *v. tr.* alimentar; nutrir; sustentar; cargar; mantener. II. *adj.* 2 *gén.* alimentario.

alimentício, *adj.* alimenticio; nutritivo; alimentario; alimentoso.

alimento, *s. m.* alimento, mantenimiento; vianda; sustento; comer; comida; subsistencia.

alimpa, *s. f.* limpia, poda, monda; mondaduras; *pl.* abaleadura; ahechaduras, residuos, desperdicios.

alimpaduras, *s. f. pl.* abaleadura; ahechaduras.

alimpar, *v. tr.* limpiar; mondar; podar.

alindar, *v. tr.* alindar; adornar; aderezar, hermosear.

alinhado, *adj.* alineado; *países não alinhados*, países no alineados.

alinhamento, *s. m.* alineamiento, alineación.

alinhar, *v. tr.* alinear; aliñar.

alinhavar, *v. tr.* hilvanar; puntear; sobrehilar.

alinhavo, *s. m.* hilván; basta; sobrehilado; *(fig.)* remiendo ligero.

alinho, *s. m.* alineación; aliño; aseo.

alíquota, *adj.* 2 *gén.* alícuota.

alisado, I. *adj.* alisado; liso; desarrugado. II. *s. m. pl.* alisios.

alisador, *adj. e s. m.* alisador.

alisamento, *s. m.* allanamiento, alisadura, alisamiento.

alisar, *v. tr.* alisar, poner liso; allanar; peinar; acicalar.

alísios, *s. m. pl.* alísios.

alisma, *s. f.* BOT. alisma.

alistador, *s. m.* alistador.

alistamento, *s. m.* alistamiento; inscripción; enganche.

alistar, *v.* 1. *tr.* alistar, enrolar; empadronar. 2. *refl.* engancharse; enrolarse.

alistridente, *adj.* 2 *gén.* que hace ruido con las alas.

aliteração, *s. f.* aliteración.

aliviar, *v. tr.* aliviar; descargar; atenuar; suavizar; aligerar; desahogar; exonerar.

alívio, *s. m.* alivio; descanso; desahogo; *(fig.)* refrigerio.

alizar, *s. m.* alizar, alicer, friso.

aljava, *s. f.* aljaba, carcaj.

aljôfar, *s. m.* aljófar, perla pequeña.

aljofarar, *v. tr.* aljofarar, rociar; cubrir de aljófar.

aljofrar, *v. tr.* aljofarar; rociar.

aljuba, *s. f.* aljuba, vestidura morisca, chupa, jubón.

aljube, *s. m.* prisión obscura; calabozo; cárcel.

alma, *s. f.* alma; entusiasmo; valentía; sentimiento; generosidad; aliento.

almacave, *s. m.* almacabra.

almácega, *s. f.* cisterna; pilón que recibe el agua de la noria.

almádena, *s. f.* minarete, alminar.

almadia, *s. f.* almadía.

almadra, *s. f.* almadrava.

almadrava, *s. f.* almadrava.

almagre, *s. m.* almagre.

almanaque, *s. m.* almanaque; calendario.

almécega, *s. f.* almáciga, almástiga.

almecegar, *v. tr.* almacigar.

almecegueira, *s. f.* almácigo.

almedina, *s. f.* acrópolis.

almejar, *v. tr.* anhelar; suspirar; desear; ansiar.

almenara, *s. f.* almenara, alminar, ahumada.

almiranta, *s. m.* almiranta.

almirantado, *s. m.* almirantazgo.

almirante, *s. m.* almirante.

almíscar, s. m. almizcle; algalia.
almiscarar, v. tr. almisclar.
almiscareira, s. f. BOT. almizcleña.
almiscareiro, adj. e s. m. almizclero.
almo, adj. almo.
almóada, adj. e s. 2 gén. almohade.
almoçadeira, s. f. taza para desayuno.
almocadém, s. m. almocadém.
almocafre, s. m. almocafre.
almoçar, v. tr. almorzar.
almoço, s. m. almuerzo.
almocreve, s. m. almocrebe; arriero; acemilero; recadero.
almoeda, s. f. almoneda; subasta.
almofaça, s. f. almohaza.
almofaçador, s. m. almohazador.
almofaçar, v. tr. almohazar.
almofada, s. f. almohada; almofada para alfinetes, acerico, acerillo; almofada de carimbo, tampón.
almofadão, s. m. almohadón; almohada.
almofadar, v. tr. almohadillar; acolchar, acolchonar, acojinar, tapizar.
almofadilha, s. f. almohadilla, almohadita; acerico; canutero.
almofadinha, s. f. cabezalejo.
almofariz, s. m. almirez.
almofia, s. f. almofía.
almogávar, s. m. almogávar.
almôndega, s. f. albóndiga, almóndiga, albondiguilla.
almorávida, adj. e s. 2 gén. almorávide.
almotolia, s. f. alcuza, aceitera.
almoxarife, s. m. almojarife.
almuadem, s. m. almuadem.
almude, s. m. almud.
alocução, s. f. alocución.
alodial, adj. 2 gén. alodial.
alódio, s. m. alódio.
aloés, s. m. BOT. aloe, acíbar.
aloético, adj. aloético.
aloína, s. f. aloína.
aloísia, s. f. aloisia.
alojamento, s. m. alojamiento; fonda; cuartel; cuarto.
alojado, adj. alojado.
alojar, v. 1. tr. alojar; hospedar, almacenar; contener; acuartelar. 2. refl. posar.
alomórfico, adj. alomorfo.
alongamento, s. m. alongamiento; separación; distancia, prolongación.
alongado, adj. alongado.
alongar, v. tr. alongar, alargar; alejar.
alopata, s. 2 gén. alópata.

alopatia, s. f. alopatía; homeopatía.
alopático, adj. alópata.
alopecia, s. f. alopecia; calvicie.
aloquete, s. m. candado; cerrojo.
alosna, s. f. alosna.
alotropia, s. f. alotropía.
alotrópico, adj. alotrópico.
alótropo, s. m. alótropo.
alourar, v. tr. teñir de rubio o blondo; tostar.
alpaca, s. f. ZOOL. alpaca; alpaca, tejido; alpaca, metal branco.
alparcata, s. f. vd. **alpercata**.
alparcateiro, s. m. alparcatero.
alpargata s. f. alpargata, alpargate.
alpargateiro, s. m. alpargatero.
alpendre, s. m. alpendre; cobertizo; alero; sobradillo; tinglado.
alpercata, s. f. alpargata.
alperce, s. m. vd. **alperche**.
alperceiro, s. m. vd. **alpercheiro**.
alperche, s. m. albérchigo, albérchiga; damasco.
alpercheiro, s. m. BOT. alberchiguero, árbol; damasco.
alpestre, adj. 2 gén. alpestre, alpino.
alpinismo, s. m. alpinismo.
alpinista, s. 2 gén. alpinista; ascensionista; escalador.
alpino, adj. alpino.
alpista, s. f. BOT. alpiste.
alpiste, s. m. alpiste.
alporca, s. f. AGRIC. acodadura; pl. MED. escrófulas, en el cuello.
alporcar, v. tr. AGRIC. acodar, meter debajo de la tierra el vástago de una planta.
alporque, s. m. AGRIC. acodadura, acodamiento, acodo.
alporquento, adj. MED. escrofuloso; AGRIC. que tiene acodadura.
alquebrado, adj. exhausto; cansado; quebrantado; aliquebrado.
alquebramento, s. m. quebrantamiento, quebranto.
alquebrar, v. 1. tr. quebrar; quebrantar; debilitar; aliquebrar. 2. intr. sufrir curvatura en la espina dorsal.
alqueire, s. m. alqueire, alqueira.
alqueivar, v. tr. barbechar; cohechar.
alqueive, s. m. barbecho.
alquerque, s. m. alquerque.
alquilador, s. m. alquilador.
alquilar, v. tr. alquilar.

alquimia, s. f. alquimia.
alquimista, s. 2 gén. alquimista.
alquitara, s. f. alcatara, alquitara.
alsaciano, adj. e s. m. alsaciano.
alta, s. f. (preços) alza; (sociedade) alta; (médicos) alta; dar alta, dar el alta.
altanaria, s. f. altanería; volatería; altivez; soberbia.
altaneiro, adj. altanero; (fig.) altivo, arrogante.
altania, s. f. altanería, altivez, soberbia.
altar, s. m. altar, ara.
altear, v. tr. levantar, alzar; elevar.
alteia, s. f. BOT. altea.
alterabilidade, s. f. alterabilidad.
alteração, s. f. alteración; descomposición; inquietud; desorden.
alterado, adj. alterado; turbado.
alterar, v. tr. alterar, cambiar; perturbar; turbar; falsificar; desfigurar; corromper; (fig.) excitar; confundir.
alterável, adj. 2 gén. alterable.
altercação, s. f. altercación; (fam.) agarrada; cisco.
altercador, s. m. altercador.
altercar, v. intr. altercar; porfiar.
alternação, s. f. alternación.
alternado, adj. alternativo, alterno.
alternador, adj. e s. m. alternador.
alternar, v. tr. alternar; turnar.
alternativa, s. f. alternativa.
alternativo, adj. alternativo.
alterno, adj. alterno.
alteroso, adj. alteroso; elevado, alto.
alteza, s. f. alteza; nobreza.
altifalante, s. m. altoparlante, altavoz.
altiloquência, s. f. altilocuencia.
altiloquente, adj. 2 gén. altilocuente.
altimetria, s. f. altimetria.
altímetro, s. m. altímetro.
altíssimo, I. adj. altísimo; supremo. II. s. m. el altísimo, dios, el ser supremo.
altissonante, adj. 2 gén. altisonante; pomposo; altísono.
altíssono, adj. altisonante; altísono.
altista, adj. e s. 2 gén. alcista.
altitude, s. f. altitud.
altivez, s. f. altivez; arrogancia; imperio; desdén.
altivo, adj. altivo; altanero; elevado; arrogante; soberbio; impetuoso.
alto, I. adj. alto; elevado; profundo; hondo; célebre; difícil; subido. II. s. m. alto; altura; cima; pináculo, cumbre, el cielo; MIL. etapa.

alto-falante, s. m. altavoz; altoparlante.
altruísmo, s. m. altruísmo.
altruísta, s. 2 gén. altruísta.
altura, s. f. altura; elevación; altura; eminencia; altitud; profundidad.
aluado, adj. alunado; lunático.
alucinação, s. f. alucinación, alucinamiento.
alucinado, adj. alucinado; ciego.
alucinante, adj. 2 gén. alucinante, que alucina.
alucinar, v. tr. alucinar; enajenar.
alucinogénio, s. m. alucinógeno.
alude, s. m. alud, avalancha.
aludir, v. tr. e intr. aludir; mencionar; referir.
alugador, s. m. alquilador; arrendador, arrendatário.
alugar, v. 1. tr. alquilar; arrendar; (embarcação) fletar. 2. refl. asalariar; alugam-se apartamentos, pisos en alquiler.
aluguer, s. m. alquiler; locación; renta; arriendo; carro de aluguer, coche de alquiler; (embarcação) flete.
aluir, v. tr. derrocar; abatir; derribar.
alúmen, s. m. alumbre.
alumiar, v. tr. alumbrar; iluminar; guiar; esclarecer; inspirar.
alumina, s. f. alúmina.
aluminar, v. tr. mezclar com alumbre.
aluminato, s. m. aluminato.
alumínio, s. m. aluminio.
aluminose, s. f. aluminosis.
aluminoso, adj. aluminoso.
aluna, s. f. alumna; pupila.
alunagem, s. f. alunizaje.
alunar, v. intr. alunizar.
aluno, s. m. alumno; educando; aprendiz; pupilo.
alusão, s. f. alusión.
aluvial, adj. 2 gén. aluvial.
aluvião, s. f. aluvión.
alva, s. f. alba; albor.
alvacento, adj. blanquecino; blancuzco.
alvadio, adj. blanquecino; gris claro.
alvado, s. m. alvéolo de los dientes.
alvaiade, s. m. albayalde.
alvaiado, s. m. albayalde.
alvanel, s. m. albañil; pedrero.
alvar, adj. albar; blanco; (fig.) estúpido.
alvará, s. m. albalá; patente, edicto.
alvedrio, s. m. albedrío; arbitrio.
alveitar, s. m. albéitar; herrador.
alveitaria, s. f. albeitaría, veterinaria.

alvejar, *v. tr.* albear; blanquear; disparar al blanco.

alvéloa, *s. f.* aguzanieves; chirrivia.

alvenaria, *s. f.* albañilería; mampostería.

álveo, *s. m.* álveo.

alvéola, *s. f.* aguzanieves.

alveolar, *adj.* 2 *gén.* alveolar.

alvéolo, *s. m.* alvéolo.

alverca, *s. f.* alberca.

alvião, *s. m.* alcotana, picachón; azadón.

alvíssaras, *s. f. pl.* albricias; premio; propina; recompensa.

alvitrador, *s. m.* arbitrista.

alvitrista, *s.* 2 *gén.* arbitrista.

alvitrar, *v. tr.* arbitrar; proponer; sugerir.

alvitre, *s. m.* propuesta, sugestión.

alvo, I. *adj.* albo; albar; blanco; cándido. **II.** *s. m.* blancura; esclerótica; blanco, hito; objectivo.

alvor, *s. m.* albor, albura.

alvorada, *s. f.* alborada, crepúsculo matutino; canto; MIL. diana.

alvorear, *v. intr.* alborcar.

alvorecer, *v. intr.* alborear; amanecer o rayar el día.

alvorejar, *v. intr.* alborear.

alvoroçado, *adj.* alborozado; alborotado; sobresaltado.

alvoroçamento, *s. m.* alborozo.

alvoroçar, *v. tr.* alborozar; alborotar; amotinar; inquietar.

alvoroço, *s. m.* alborozo; alboroto; desorden, emoción; rebujiña; tumulto; motín; mogoflón; pitote.

alvura, *s. f.* albura; albor; blancor; blancura; (fig.) pureza; limpidez.

ama, *s. f.* ama, aya; nodriza; niñera; chacha.

amabilidade, *s. f.* amabilidad; delicadeza.

amacacado, *adj.* monesco.

amachucar, *v. tr.* aplastar; abollar; importunar; apachurrar; arrebujar.

amaciador, *s. m.* suavizante.

amaciar, *v. tr.* ablandar; endulzar; suavizar.

amada, *s. f.* amada; querida; novia.

ama-de-leite, *s. f.* ama de leche, ama de cría.

amado, *adj.* e *s. m.* amado; preferido; caro.

amador, *s. m.* amador, el que ama; enamorado; amante; aficionado; amateur.

amadrinhar, *v. tr.* amadrinar.

amadurecer, *v. tr.* e *intr.* sazonar, hacer maduro.

amadurecido, *adj.* sazonado.

âmago, *s. m.* medula; centro; fondo; seno; alma; esencia.

amainar, *v. tr.* e *intr.* amainar; sosegar; aflojar; disminuir; (fig.) serenar.

amaldiçoado, *adj.* maldecido; maldito.

amaldiçoar, *v. tr.* maldecir; execrar.

amálgama, *s. m.* e *f.* amalgama; (fig.) mezcla; confusión.

amalgamação, *s. f.* amalgamación.

amalgamar, *v. tr.* amalgamar; mezclar; azogar.

amalhar, *v. tr.* amajadar.

amalucado, *adj.* tonto, maniático.

amamentação, *s. f.* amamantamiento; crianza.

amamentado, *adj.* atetado.

amamentar, *v. tr.* amamantar; nutrir; atetar.

amancebado, I. *adj.* amancebado. **II.** *s. m.* amigo.

amancebamento, *s. m.* abarraganamiento; amancebamiento; concubinato; mancebía.

amancebar-se, *v. refl.* abarraganarse; amancebarse.

amaneirado, *adj.* amanerado; afectado; presumido; rebuscado.

amaneirar-se, *v. refl.* amanerarse; asemejar-se.

amanhã, *adv.* e *s. m.* mañana.

amanhado, *adj.* amañado.

amanhar, *v. tr.* amañar; ordenar; concertar; preparar.

amanhecer, *v. intr.* amanecer.

amanho, *s. m.* preparación, disposición; cultivo.

amanita, *s. f.* amanita.

amansar, *v. tr.* amansar; sosegar; mitigar; refrenar; aplacar; domar; domesticar; desembravecer.

amante, *s.* 2 *gén.* amante; amador; enamorado; (fam.) amiguito.

amanteigado, *adj.* mantecoso; (fig.) suave, tierno.

amantelar, *v. tr.* amurallar.

amantilhar, *v. tr.* NÁUT. amantilhar.

amantilho, *s. m.* NÁUT. amantillo.

amanuense, *s.* 2 *gén.* amanuense.

amar, *v. tr.* amar.

amaragem, *s. f.* amaraje, amarizaje.

Amarantáceas, *s. f. pl.* BOT. amarantáceas.

amaranto, *s. m.* BOT. amaranto.

amarar, *v. tr.* NÁUT. amarar; amarizar.

amarelado, *adj.* amarillento, citrino.
amarelecer, *v. intr.* amarillecer, amarillear.
amarelecimento, *s. m.* amarilleo.
amarelejar, *v. intr.* amarillear, amarillecer.
amarelento, *adj.* amarillento; pálido.
amarelidão, *s. f.* amarillez; palidez; color amarillo.
amarelidez, *s. f.* amarillez.
amarelo, *adj.* e *s. m.* amarillo.
amarelo-esverdeado, *adj.* citrino.
amarelo-dourado, *adj.* gualdo.
amarfanhar, *v. tr.* arrugar; machacar; maltratar; arrebujar.
amargar, *v. tr.* e *intr.* amargar; (*fig.*) acibarar; causar aflicción o disgusto; tornar amargo.
amargo, I. *adj.* amargo; agriado; sinsabor. **II.** *s. m.* amargor; aflicción; acíbar.
amargor, *s. m.* amargor; amaritud; (*fig.*) angustia, aflicción.
amargueira, *s. f.* BOT. amarguera.
amargura, *s. f.* amargura; amaritud; (*fig.*) tristeza; aflicción; acíbar.
amargurar, *v. tr.* amargar; afligir; (*fig.*) acibarar.
amaricado, *adj.* amaricado, afeminado.
amaricar-se, *v. refl.* afeminarse.
Amarilidáceas, *s. f. pl.* BOT. amarilidáceas.
amarílide, *s. f.* BOT. amarilis.
amarilis, *s. f.* vd. **amarílide.**
amarinhar, *v.* **1.** *tr.* NÁUT. marinar; equipar. **2.** *refl.* amarinarse.
amarra, *s. f.* amarra; cable, protección.
amarração, *s. f.* amarraje; amarre; amarradura; amarradero.
amarradouro, *s. m.* amarradero.
amarrar, *v.* **1.** *tr.* NÁUT. amarrar; atar; coger; embragar. **2.** *intr.* amarrar; ondear; atracar.
amarrotadela, *s. f.* raboseada.
amarrotar, *v. tr.* aplastar; estrujar; arrugar; rabosear; sobajar; machucar; arrebujar; confundir.
amartelar, *v. tr.* amartillar.
ama-seca, *s. f.* niñera.
amassadeira, *s. f.* amasadera; panadera.
amassadela, *s. f.* amasamiento, amasadura.
amassador, *s. m.* amasador.
amassadouro, *s. m.* amasadera, amassadero; artesa.
amassadura, *s. f.* amasadura; amasijo.
amassar, *v. tr.* amasar; confundir; aplastar; sobar.

amassilho, *s. m.* amasijo.
amatividade, *s. f.* amatividad.
amativo, *adj.* amativo.
amatório, *adj.* amatorio.
amaurose, *s. f.* amaurosis.
amável, *adj.* 2 *gén.* amable, afable; acogedor.
amavios, *s. m. pl.* filtro.
amazona, *s. f.* amazona.
amazónico, *adj.* amazónico.
amazonite, *s. f.* amazonita.
ambages, *s. m. pl.* ambages; evasivas.
âmbar, *s. m.* ámbar.
ambarino, *adj.* ambarino.
ambição, *s. f.* ambición; aspiración.
ambicionar, *v. tr.* ambicionar; codiciar; aspirar.
ambicioso, *adj.* e *s. m.* ambicioso.
ambidestro, *adj.* ambidextro, ambidiestro.
ambidextro, *adj.* vd. **ambidestro.**
ambiente, I. *adj.* 2 *gén.* ambiente; *temperatura ambiente,* temperatura ambiente; *meio ambiente,* medio ambiente; *do meio ambiente,* medio ambiental. **II.** *s. m.* ambiente, ambientación; atmósfera; mundillai; *um bom ambiente,* un ambiente bueno.
ambiguidade, *s. f.* ambigüedad; anfibología.
ambíguo, *adj.* ambiguo, equívoco; anfibológico.
âmbito, *s. m.* ámbito; recinto; contorno.
ambivalência, *s. f.* ambivalencia.
aambivalente, *adj.* 2 *gén.* ambivalente.
ambliopia, *s. f.* ambliopia.
ambos, *adj. pl.* ambos, entrambos.
ambrosia, *s. f.* ambrosía.
ambrósia, *s. f.* ambrosía.
ambrosíaco, *adj.* ambrosíaco; aromático.
âmbula, *s. f.* especie de redoma donde se guardan los santos óleos, oliera.
ambulacro, *s. m.* ambulacro.
ambulância, *s. f.* ambulancia.
ambulante, *adj.* 2 *gén.* ambulante.
ambulatório, *adj.* ambulatorio; ambulante; mudable.
ameaça, *s. f.* amenaza, amago.
ameaçador, *adj.* amenazador; conminador.
ameaçante, *adj.* 2 *gén.* amenazante, amenazador.
ameaçar, *v. tr.* amenazar, amagar; conminar.

ameaço, *s. m.* amenaza.

amealhar, *v. tr.* juntar; economizar; ahorrar.

amear, *v. tr.* almenar.

ameba, *s. f.* ameba, amiba.

amebóide, *adj. 2 gén.* amiboideo.

amedrontamento, *s. m.* amedrentamiento.

amedrontar, *v. tr.* amedrentar, atemorizar; acobardar; acoquinar.

ameia, *s. f.* almena; barbacana; tronera.

ameigar, *v. tr.* halagar, mimar, acariciar.

amêijoa, *s. f.* ZOOL. almeja; berberecho; *viveiro de amêijoas,* almejar.

ameixa, *s. f.* ciruela.

ameixeira, *s. f.* BOT. ciruelo.

ameixieira, *s. f.* BOT. ciruelo.

amelado, *adj.* del color de la miel.

amelopia, *s. f.* ambliopía.

amém, *interj.* amén, así sea; así es; acuerdo.

amêndoa, *s. f.* BOT. almendra; *amêndoa verde,* almendruco; *amêndoa coberta de açúcar,* peladilla.

amendoado, *adj.* almendrado.

amendoal, *s. m.* almendral.

amendoeira, *s. f.* BOT. almendro; *amendoeira brava,* allozo.

amendoim, *s. m.* BOT. cacahuete; *amendoim torrado,* panchito.

amenidade, *s. f.* amenidad; *(clima)* templanza.

ameninado, *adj.* aniñado.

ameninar-se, *v. refl.* aniñarse.

amenizar, *v. tr.* amenizar; suavizar.

ameno, *adj.* ameno; grato; placentero; templado.

amenorreia, *s. f.* amenorrea.

amercear, *v. tr.* compadecer; perdonar, tener piedad.

americanizar, *v. tr.* americanizar.

americano, *adj. e s. m.* americano.

amerício, *s. m.* americio.

ameríndio, *s. m.* amerindio.

amesquinhado, *adj.* mezcuino; humillado; apocado.

amesquinhador, *adj. e s. m.* apocador; humillador.

amesquinhar, *v. tr.* apocar; despreciar, abatir; humillar.

amestrado, *adj.* enceñado, educado, diestro.

amestrador, *s. m.* maestro.

amestramento, *s. m.* amestramiento.

amestrar, *v. tr.* amaestrar; enseñar; instruir.

ametista, *s. f.* amatista.

ametropia, *s. f.* MED. ametropia.

amial, *s. m.* sitio poblado de abedules.

amianto, *s. m.* amianto, asbesto.

amiba, *s. f.* amiba, ameba.

amicto, *s. m.* amito.

amida, *s. f.* amida.

amido, *s. m.* almidón; fécula.

amidoado, *adj.* amidonado.

amidoar, *v. tr.* amidonar.

amieiro, *s. m.* BOT. aliso.

amiga, *s. f.* amiga.

amigalhote, *s. m.* amigote, amiguete.

amigar-se, *v. refl.* amistarse; amancebarse.

amigável, *adj. 2 gén.* amigable, propio de amigo.

amígdala, *s. f.* ANAT. amígdala.

Amigdaláceas, *s. f. pl.* BOT. amigdaláceas.

amigdalite, *s. f.* amigdalitis.

amigo, *s. m.* amigo; amancebado.

amiguismo, *s. m.* amiguismo.

amiláceo, *adj.* amiláceo.

amilo, *s. m.* amilo.

amiloidose, *s. f.* amilose.

amilose, *s. f.* amilosis.

amimar, *v. tr.* mimar; halagar; acariciar.

amimia, *s. f.* amimia.

amina, *s. f.* amina.

amino, *s. m.* amino.

aminoácido, *s. m.* aminoácido.

amir, *s. m.* amir.

amistoso, *adj.* amistoso; amigable.

amiudado, *adj.* frecuente, menudeado.

amiudar, *v. tr.* reiterar; menudear.

amiúde, *adv.* a menudo, frecuentemente.

amixorreia, *s. f.* amixia.

amizade, *s. f.* amistad.

amnésia, *s. f.* amnesia.

amnésico, *adj.* amnésico.

amnícola, *adj. 2 gén.* amnícola.

âmnio, *s. m.* amnios.

amniótico, *adj.* amniótico.

amnistia, *s. f.* amnistía.

amnistiar, *v. tr.* amnistiar.

amo, *s. m.* amo; patrón; señor.

amodorrado, *adj.* aletargado; amodorrado; somnoliento; soñoliento.

amodorrar, *v.* **1.** *tr.* amodorrar. **2.** *intr. e refl.* amodorrarse, quedar soñoliento.

amoedar, *v. tr.* amonedar; acuñar; trequelar.

amofinação, *s. f.* aburrimiento; disgusto; pena.

amofinar, *v. tr. e refl.* amohinar.

amolação, *s. f.* amoladura; aguzadura; molestia; aburrimiento.

amoladeira, *s. f.* afiladera; amoladera.

amoladela, *s. f.* vd. **amolação**.

amolado, *adj.* amolado, afilado.

amolador, *adj. e s. m.* amolador, afilador; chaira.

amoladura, *s. f.* amoladura; afiladura.

amolar, *v. tr.* amolar; afilar; aguzar; importunar.

amoldamento, *s. m.* amoldamiento.

amoldar, *v. tr.* amoldar; moldar; adaptar.

amoldável, *adj. 2 gén.* amoldable.

amolecedor, *adj.* ablandador.

amolecer, *v.* **1.** *tr.* ablandar; resplandecer; ablandecer; molificar; mollear; mullir. **2.** *refl.* ablandecerse, ponerse blanda; (*fig.*) conmover.

amolecimento, *s. m.* ablandamiento, brandura; reblandecimiento.

amolgadura, *s. f.* abolladura, abollón.

amolgamento, *s. m.* abolladura, abollón.

amolgar, *v. tr.* abollar; aplastar; embotar.

amomo, *s. m.* amomo.

amoniacal, *adj. 2 gén.* amoniacal.

amoníaco, *s. m.* QUÍM. amoníaco.

amonímetro, *s. m.* AGRIC. amonímetro.

amónio, *s. m.* QUÍM. amonio.

amonite, *s. f.* amonite.

amontoar, *v.* **1.** *tr.* amontonar; aglomerar; colmar; acumular; acopiar; hacinar. **2.** *refl.* amontonarse, agolparse.

amor, *s. m.* amor; afecto; pasión; entusiasmo.

amora, *s. f.* BOT. mora.

amoral, *adj. 2 gén.* amoral.

amoralidade, *s. f.* amoralidade.

amorável, *adj. 2 gén.* amoroso; amable; afable; amigable.

amordaçar, *v. tr.* amordazar.

amoreira, *s. f.* BOT. morera, moral.

amoreiral, *s. m.* moreral.

amorenado, *adj.* que tira a moreno.

amorfia, *s. f.* amorfia.

amorfismo, *s. m.* amorfia.

amorfo, *adj.* amorfo.

amoricos, *s. m. pl.* amoríos.

amornar, *v. tr.* entibiar; templar.

amoroso, *adj.* amoroso; cariñoso; tierno; idílico.

amor-perfeito, *s. m.* BOT. trinitaria.

amortalhar, *v. tr.* amortajar.

amortecedor, *adj. e s. m.* amortiguador.

amortecer, *v. tr.* amortecer; amortiguar; (*fig.*) abrandar; calmar.

amortecimento, *s. m.* amortiguamiento.

amortização, *s. f.* amortización.

amortizar, *v. tr.* amortizar.

amortizável, *adj. 2 gén.* amortizable.

amostra, *s. f.* muestra; calaña; espécimen; muestra.

amostragem, *s. f.* amuestreo.

amotinação, *s. f.* amotinamiento; motín; tumulto.

amotinado, *adj. e s. m.* amotinado.

amotinador, *adj. e s. m.* amotinador.

amotinar, *v. tr.* amotinar; sublevar; levantar; revolucionar.

amover, *v. intr.* amover; alejar; desorientar.

amovível, *adj. 2 gén.* amovible.

amparador, *adj. e s. m.* amparador.

amparar, *v. tr.* amparar; favorecer; sustentar; apoyar; defender; proteger; guarecer.

amparo, *s. m.* amparo; auxílio; refúgio; sustentación; protección; abrigo; defensa.

amperagem, *s. f.* amperaje.

ampere, *s. m.* ampere; amperio.

amperímetro, *s. m.* amperímetro.

amplexo, *s. m.* abrazo apretado.

ampliação, *s. f.* ampliación; ensanche; aumento.

ampliador, *s. m.* ampliadora.

ampliar, *v. tr.* ampliar; aumentar; desenvolver; abocardar; ensanchar.

ampliável, *adj. 2 gén.* ampliable.

amplificação, *s. f.* amplificación; aumento.

amplificador, *s. m.* altavoz, amplificador.

amplificar, *v. tr.* amplificar; ampliar; extender; aumentar.

amplidão, *s. f.* amplitud; vastedad.

amplitude, *s. f.* amplitud.

amplo, *adj.* amplio; ancho; extenso; espacioso; vasto.

ampola, *s. f.* ampolla.

ampulheta, *s. f.* ampolleta.

amputação, *s. f.* amputación; ablación.

amputado, *adj.* amputado.

amputar, *v. tr.* amputar.

amuado, *adj.* enfadado; enfurruñado.

amuar, *v.* **1.** *tr.* amorrar; enojar; enfadar. **2.** *intr.* (*crianças*) emberrincharse; emberrenchinarse.

amulatado, *adj.* amulatado.

amuleto, *s. m.* amuleto; higa.

amuo, s. m. enojo; mal humor; enfado; rabieta.

amura, s. f. NÁUT. amura.

amurada, s. f. NÁUT. amurada, muralla.

amuralhado, adj. amuralhado.

amuralhar, v. tr. amurallar.

anã, s. f. enana.

anabaptismo, s. m. anabaptismo.

anabaptista, adj. e s. 2 gén. anabaptista.

anabólico, adj. anabólico, anabolizante.

anabolismo, s. m. anabolismo.

anabolizante, adj. e s. 2 gén. anabolizante.

anacarado, adj. anacarado, nacarado; sonrojado.

anacardo, s. m. BOT. anacardo.

anacoreta, s. 2 gén. anacoreta; asceta; cenobita; monje.

anacoluto, s. m. anacoluto.

anacrónico, adj. anacrónico.

anacronismo, s. m. anacronismo.

anaeróbio, s. m. anaerobio.

anafar, v. tr. engordar; cebar.

anafia, s. f. anafia.

anafil, s. m. anafil.

anafilaxia, s. f. anafilaxia.

anáfora, s. f. RET. anáfora.

anagrama, s. m. anagrama.

anais, s. m. pl. anales.

anal, adj. 2 gén. anal.

analfabetismo, s. m. analfabetismo.

analfabeto, adj. e s. m. analfabeto.

analgesia s. f. MED. analgesia.

analgésico, adj. analgésico.

analgia, s. f. analgesia.

analisador, s. m. analizador.

analisar, tr. analizar.

analisável, adj. 2 gén. analizable.

análise, s. f. análisis; comentario.

analista, adj. e s. 2 gén. analizador; analista.

analítica, s. f. analítica.

analítico, adj. analítico.

analogia, s. f. analogia; afinidad; símil.

analógico, adj. analógico.

analogismo, s. m. analogismo.

analogista, s. 2 gén. analogista.

análogo, adj. análogo, analógico.

ananás, s. m. BOT. piña, ananás.

ananaseiro, s. m. BOT. ananás.

anandria, s. f. anandria.

anão, s. m. enano.

anarco-sindicalismo, s. m. anarcosindicalismo.

anarquia, s. f. anarquía.

anárquico, adj. anárquico.

anarquismo, s. m. anarquismo.

anarquista, adj. e s. 2 gén. anarquista; (fam.) anarco.

anarquizante, adj. 2 gén. anarquizante.

anarquizar, v. tr. sublevar; anarquizar.

anarreia, s. f. anarrea.

anasarca, s. f. anasarca.

anastigmatismo, s. m. anastigmatismo.

anastomosar-se, v. refl. anastomosarse.

anastomose, s. f. anastomosis.

anástrofe, s. f. anástrofe.

anatar, v. tr. cubrir de nata.

anate, s. m. anade.

anátema, s. m. anatema.

anatematização, s. f. anatematización.

anatematizar, v. tr. anatematizar; excomulgar.

anatomia, s. f. anatomía.

anatómico, adj. anatómico.

anatomista, s. 2 gén. anatomista.

anavalhado, adj. acuchillado.

anavalhar, v. tr. acuchillar; dar navajazos.

anca, s. f. anca; cuadril; nalga, grupa.

ancestral, adj. 2 gén. ancestral.

ancho, adj. ancho; amplio; dilatado; (fig.) engreído; vanidoso.

anchova, s. f. anchoa.

anchura, s. f. anchura, anchor.

anciania, s. f. ancianía, ancianidad; vejez.

ancião, I. s. m. anciano. II. adj. antiguo, viejo.

ancila, s. f. ancila, esclava, sierva.

ancilosado, adj. anquilosado.

ancilosar, v. tr. anquilosar; osificar.

ancilose, s. f. anquilosis.

ancilóstomo, s. m. anquilostoma.

ancinho, s. m. AGRIC. rastrillo; rastra; aviento.

âncora, s. f. ancla.

ancoradoiro, s. m. vd. **ancoradouro.**

ancoradouro, s. m. amarradero, abra; fondeadero.

ancoragem, s. f. anclaje; fondeo.

ancorar, v. tr. anclar; fondear; aferrar.

ancoreta, s. f. ancoreta.

ancorote, s. m. anclota.

andaço, s. m. epidemia de poca importancia; contagio.

andadeiras, s. f. pl. andaderas.

andadeiro, *adj.* andador, andariego.

andado, *adj.* andado.

andador, *s. m.* andador; *andador de confraria*, muñidor.

andadura, *s. f.* andar; andadura.

andaimaria, *s. f.* andamiaje.

andaime, *s. m.* andamio; *pl.* andamiaje.

andaina, *s. f.* andana.

andaluz, *adj.* e *s.* andaluz.

andamento, *s. m.* andamiento; MÚS. tempo.

andança, *s. f.* andadura; jornada; (*fig.*) fama; andanza; *pl.* andanzas.

andante, *adj.* 2 *gén.* andante; errante; vagabundo.

andantesco, *adj.* andantesco.

andantino, *adj.* andantino.

andar, I. *v. intr.* andar; caminar; recorrer; (*fig.*) comportarse; proceder; *andar de um lado para o outro*, trastear. II. *s. m.* piso; andadura; estrado.

andarilho, *s. m.* andarín, tragaleguas; zanqueador.

andas, *s. f. pl.* andas; zanco.

andebol, *s. m.* balonmano.

andebolista, *s.* 2 *gén.* balonmanista.

andeiro, *s. m.* andero.

andícola, *adj.* 2 *gén.* andino.

andino, *adj.* andino.

andiroba, *s. f.* BOT. andiroba.

andor, *s. m.* andas.

andorinha, *s. f.* golondrina.

andorinhão, *s. m.* vencejo.

andrajo, *s.m.* andrajo; harapo; harrapiezo.

andrajoso, *adj.* andrajoso, harapiento, haraposo; desharapado; estropajoso; zarrapastroso.

androceu, *s. m.* BOT. androceo.

androfobia, *s. f.* androfobia.

androginia, *s. f.* androginia; hermafroditismo.

andrógino, *adj.* andrógino; hermafrodita.

andróide, *s. m.* androide.

androma, *s. m.* androma, andrum.

andurrial, *s. m.* andurrial.

anediar, *v. tr.* alisar; bruñir; suavizar.

anedota, *s. f.* anécdota; chascarrillo.

anedotário, *s. m.* anecdotario.

anedótico, *adj.* anecdótico.

anejo, *adj.* añal.

anel, *s. m.* anillo; sortija; anilla; argolla; *anel do cabelo*, bucle.

anelante, *adj.* 2 *gén.* anhelante, anheloso.

anelar, I. *v.* 1. *tr.* ensortijar. 2. *intr.* anhelar; ansiar; respirar con dificultad. II. *adj.* 2 *gén.* anular.

anelídeo, *adj.* ZOOL. anélido; anillado.

anélito, *s. m.* anhélito.

anelo, *s. m.* anhelo; deseo vehemente; ansia.

aneloso, *adj.* anuloso.

anemia, *s. f.* anemia; astenia.

anemiar, *v. tr. vd.* anemizar.

anemizar, *v. tr.* causar anemia; debilitar.

anémico, *adj.* anémico.

anemofilia, *s. f.* BOT. anemofilia.

anemografia, *s. f.* anemografía.

anemógrafo, *s. m.* anemógrafo.

anemometria, *s. f.* anemometría.

anemómetro, *s. m.* anemómetro.

anémona, *s. f.* BOT. anémona.

anemoscopio, *s. m.* anemoscopio.

aneróide, *adj.* 2 *gén.* e *s. m.* aneroide.

anesia, *s. f.* anesia.

anestesia, *s. f.* anestesia.

anestesiante, *adj.* 2 *gén.* e *s. m.* anestésico.

anestesiar, *v. tr.* MED. anestesiar; narcotizar.

anestésico, *adj.* e *s. m. vd.* anestesiante.

anestesista, *adj.* e *s.* 2 *gén.* anestesista.

aneurisma, *s. m.* MED. aneurisma.

anexação, *s. f.* anexión; agregación.

anexar, *v. tr.* anexar; anexionar; agregar.

anexim, *s. m.* anejín; refrán; proverbio.

anexionismo, *s. m.* anexionismo.

anexionista, *adj.* e *s.* 2 *gén.* anexionista.

anexo, I. *adj.* anexo; anejo; agregado. II. *s. m.* anejo, anexo.

anfíbio, *adj.* e *s. m.* ZOOL. anfibio.

anfibiologia, *s. f.* ZOOL. anfibiología.

anfíbola, *s. f.* anfíbol.

anfibolito, *s. m.* anfibolita.

anfibologia, *s. f.* anfibología; ambigüidad.

anfibológico, *adj.* anfibológico.

anfíscios, *s. m. pl.* anfiscios; ascios.

anfiteatro, *s. m.* anfiteatro; circo.

anfitrião, *s. m.* anfitrión.

ânfora, *s. f.* ánfora.

anfractuosidade, *s. f.* anfractuosidad; vericueto.

anfractuoso, *adj.* anfractuoso.

angariar, *v. tr.* atraer; cautivar; solicitar; adquirir.

angélica, *s. f.* BOT. angélica.

angelical, *adj.* 2 *gén.* angelical.

angélico, *adj.* angélico.

angelus, *s. m.* ángelus.
angiforme, *adj. 2 gén.* anguiforme.
angina, *s. f.* angina; amigdalitis; *angina de peito,* angina de pecho.
angiografia, *s. f.* angiografía.
angiologia, *s. f.* angiología.
angioscopia, *s. f.* ANAT. angioscopia.
angiospérmico, *adj.* angiospermo.
anglicanismo, *s. m.* anglicanismo.
anglicano, *adj. e s. m.* anglicano.
anglicismo, *s. m.* anglicismo.
anglo, *adj.* anglo.
anglo-americano, *adj.* angloamericano.
anglo-árabe, *adj. 2 gén.* angloárabe.
anglófilo, *adj.* anglófilo.
anglófono, *adj.* anglofono.
anglomania, *s. f.* anglomanía.
angolano, *adj. e s. m.* angoleño.
angora, *adj. e s. m.* angora.
angra, *s. f.* angra; bahía; abra.
angulado, *adj.* anguloso.
angular, *adj. 2 gén.* angular.
ângulo, *s. m.* ángulo; recodo.
angulómetro, *s. m.* angulómetro.
anguloso, *adj.* anguloso.
angústia, *s. f.* angustia; aflicción; agobio; agonía; ahojo; zozobra; congoja.
angustiado, *adj.* angustiado; tránsito.
angustiante, *adj. 2 gén.* angustiante; agobiante.
angustiar, *v. tr.* angustiar; atribular; afligir; acongojar; acorar.
angustioso, *adj.* angustioso; *(fig.)* amargo.
anião, *s. m.* FÍS. anión.
anichar, *v.* **1.** *tr.* colocar en nicho. **2.** *refl.* esconderse; emplearse.
anídrico, *adj.* anhidro.
anidrido, *s. m.* anhídrido.
anidrite, *s. f.* anidrite.
anidro, *adj.* anhidro.
anidrose, *s. f.* anidrose.
anilado, *adj.* azulino.
anil, *s. m.* añil.
anilar, *v. tr.* añilar, azular; teñir con añil.
anileira, *s. f.* BOT. añil.
anilha, *s. f.* anilla.
anilhado, *adj.* anilhado.
anilhar, *v. tr.* anillar.
anilho, *s. m.* anillo; argolla; anilla; aro.
anilina, *s. f.* anilina.
animação, *s. f.* animación; jaleo; movida.
animado, *adj.* animado; movido; *(fam.)* alegre.
animador, *adj. e s. m.* animador.

animadversão, *s. f.* animadversión.
animal, **I.** *s. m.* animal. **II.** *adj. 2 gén.* animal; brutal; sensual.
animalejo, *s. m.* animalejo.
animalidade, *s. f.* animalidad.
animalizar, *v. tr.* animalizar.
animar, *v. tr.* animar, alentar; confortar; avivar; jalear; dar ánimo, valor, alegría.
anímico, *adj.* anímico.
animismo, *s. m.* animismo.
animista, *adj. e s. 2 gén.* animismo.
ânimo, *s. m.* ánimo; espíritu; valor; coraje.
animosidade, *s. f.* animosidad; aversión; ojeriza; rencor; odio; inquina.
animoso, *adj.* animoso; audaz; brioso.
aninhar, *v. tr.* anidar; *(fig.)* abrigar; acoger.
aniquilação, *s. f.* aniquilación; aniquilamento.
aniquilado, *adj.* destrozado, aniquilado.
aniquilador, *adj.* aniquilador.
aniquilamento, *s. m.* aniquilación; aniquilamiento.
aniquilar, *v. tr.* aniquilar; destruir; arruinar; abatir.
aniquilável, *adj. 2 gén.* aniquilable.
anis, *s. m.* anís.
anisado, *adj.* anisado.
anisar, *v. tr.* anisar.
aniseira, *s. f.* BOT. anis.
aniseta, *s. f.* vd. **anisete.**
anisete, *s. m.* anisete; anís; aguardiente anisada.
aniversário, *s. m.* aniversario; cumpleaños.
anjinho, *s. m.* angelito; *(fam.)* angelote.
anjo, *s. m.* ángel.
ano, *s. m.* año; *pl.* cumpleaños, aniversario natalicio.
anódino, *adj.* anodino.
ânodo, *s. m.* ánodo.
anoitecer, **I.** *v. intr.* anochecer. **II.** *s. m.* anochecer; *ao anoitecer,* al anochecer.
anojado, *adj.* enojado; disgustado; triste; enlutado.
anojar, *v.* **1.** *tr.* enojar; marear; enfadar; enlutar. **2.** *refl.* tener luto.
anomalia, *s. f.* anomalía.
anómalo, *adj.* anómalo.
anona, *s. f.* chirimoya.
anoneira, *s. f.* chirimoyo.
anonimato, *s. m.* anonimato.
anónimo, *s. m.* anónimo.
anopsia, *s. f.* anopsia.
anoraque, *s. m.* anorak.

anoréctico, adj. anorexico.

anorexia, s. f. anorexia.

anormal, adj. e s. 2 gén. anormal; anómalo; irregular; avieso.

anormalidade, s. f. anormalidad.

anosmia, s. f. anosmia.

anoso, adj. añoso; añejo; viejo.

anotação, s. f. anotación; notación, apunte; nota; acotación; asiento.

anotado, adj. anotado, con anotaciones.

anotador, s. m. anotador.

anotar, v. tr. anotar; apuntar; asentar.

anovelar, v. tr. dar forma de ovillo.

anoxemia, s. f. vd. **anoxiemia.**

anoxiemia, s. f. anoxemia.

anquilosado, adj. anquilosado.

anseio, s. m. ansiedad; anhelo; aflicción.

anserina, s. f. asarina.

ânsia, s. f. ansiar; afán; fatiga; angustia; basca; codicia.

ansiar, v. tr. ansiar; afligir; acongojar; alampar; anhelo; desear ardientemente.

ansiedade, s. f. ansiedad; incerteza; deseo ardiente; expectación; opresión; angustia; desasosiego.

ansioso, adj. ansioso, ansiado, inquieto; agitado; anheloso; desasosegado.

anta, s. f. ZOOL. anta, tapir; ARQUEOL. anta.

antagónico, adj. antagónico.

antagonismo, 2 gén. antagonismo.

antagonista, s. 2 gén. antagonista.

antanho, adv. antaño.

antar, v. tr. preparar con piel de anta.

antárctico, adj. antártico.

ante, prep. antes; ante; delante de; antes de.

antebraço, s. m. antebrazo.

antecâmara, s. f. antecâmara; TEAT. antepalco.

antecedência, s. f. antecedencia; anticipación; antecedente.

antecedente, adj. 2 gén. e s. m. antecedente; precedente; anterior; pl. historial.

anteceder, v. tr. e intr. anteceder; preceder.

antecessor, s. m. antecesor, predecesor.

antecipação, s. f. anticipación; por antecipação, anticipadamente; por anticipado.

antecipadamente, adv. por adelantado; por anticipado; de antemano.

antecipado, adj. adelantado; anticipado; precoz.

antecipar, v. 1. tr. anticipar. 2. refl. anticiparse, adelantarse.

anteco, s. m. anteco.

antedata, s. f. antedata.

antedatar, v. tr. antedatar.

antediluviano, adj. antediluviano.

antedizer, v. tr. antedecir, vaticinar, predecir.

antelóquio, s. m. anteloquio; prefacio; prólogo.

antemanhã, adv. antes de amanecer.

antemão, adv. anticipadamente; previamente; de antemão, de antemano, por adelantado.

antemeridiano, adj. antemeridiano.

antena, s. f. ZOOL. antena.

antenome, s. m. antenombre.

antenupcial, adj. 2 gén. antenupcial.

anteontem, adv. anteayer; anteontem à noite, anteanoche.

antepara, s. f. antipara; mampara; biombo.

anteparar, v. tr. cubrir; resguardar; proteger; defender; embarazar.

anteparo, s. m. resguardo; biombo; defensa; antecapilla.

antepassado, I. adj. antepasado. II. s. m. antepasado, ascendiente.

antepátio, s. m. antipatio.

antepenúltimo, adj. antepenúltimo.

antepor, v. tr. anteponer.

anteposição, s. f. anteposición.

anteposto, adj. antepuesto.

anteprojecto, s. m. anteprojecto.

antera, s. f. BOT. antera.

anterior, adj. 2 gén. anterior.

anterioridade, s. f. anterioridad; prioridad.

anteriormente, adv. anteriormente.

anterrosto, s. m. anteportada; contraportada.

antes, adv. antes; mejor; con preferencia; por el contrario.

antessala, s. f. antesala; antecámara; recibidor; recibimiento.

antevéspera, s. f. antevíspera.

antevisão, s. f. antevisión.

antevisto, adj. antevisto.

antiaborcionista, adj. e s. 2 gén. antiabortista.

antiabortista, adj. e s. 2 gén. antiabortista.

antiácido, adj. antiácido.

antiaderente, adj. e s. 2 gén. antiadherente.

antiaéreo, adj. antiaéreo.

antialcoólico, adj. antialcohólico.

antialcoolismo, s. m. antialcoholismo.

antiasmático, *adj.* antiasmático.
antiatómico, *adj.* antiatómico.
antibala, *adj. 2 gén.* antibala.
antibiótico, *adj. e s. m.* antibiótico.
anticanceroso, *adj.* anticanceroso.
anticarro, *adj. 2 gén.* anticarro.
anticatarral, *adj. 2 gén.* anticatarral.
anticiclone, *s. m.* anticiclón.
anticiclónico, *adj.* anticiclónico.
anticlerical, *adj. 2 gén.* anticlerical.
anticlericalismo, *s. m.* anticlericalismo.
anticlinal, *s. m.* anticlinal.
anticoagulante, *adj. 2 gén.* anticoagulante.
anticomunismo, *s. m.* anticomunismo.
anticomunista, *adj. e s. 2 gén.* anticomunista.
anticoncepção, *s. f.* anticoncepción.
anticoncepcional, *adj. 2 gén.* anticonceptivo.
anticonceptivo, *adj.* anticonceptivo.
anticonformismo, *s. m.* anticonformismo.
anticonformista, *adj. e s. 2 gén.* anticonformista.
anticongelante, *adj. 2 gén. e s. m.* anticongelante.
anticonstitucional, *adj. 2 gén.* anticonstitucional.
anticorpo, *s. m.* anticorpo.
anticorrosivo, *adj.* anticorrosivo.
anticristão, *adj.* anticristiano.
antidemocrático, *adj.* antidemocrático.
antidepressivo, *adj.* antidepressivo.
antiderrapante, *adj. 2 gén.* antideslizante.
antideslizante, *adj. 2 gén.* antideslizante.
antidesportivo, *adj.* antideportivo.
antidetonante, *adj. 2 gén.* antidetonante.
antidiabético, *adj.* antidiabético.
antidoping, *adj. 2 gén.* antidoping.
antídoto, *s. m.* antídoto; contraveneno.
antidroga, *adj. 2 gén.* antidoping.
antieconómico, *adj.* antieconómico.
antiespasmódico, *adj.* antiespasmódico.
antiestético, *adj.* antiestético.
antifascismo, *s. m.* antifascismo.
antifascista, *adj. 2 gén.* antifascista.
antifebril, *adj. 2 gén.* antifebril.
antifederal, *adj. 2 gén.* antifederal.
antifeminismo, *s. m.* antifeminismo.
antifeminista, *adj. 2 gén.* antifeminista.
antiflogístico, *adj. e s. m.* antiflogístico.

antífona, *s. f.* antífona.
antigalha, *s. f.* antigualla.
antigás, *adj. 2 gén.* antigás; *máscara antigás*, careta/máscara antigás.
antigripal, *adj. 2 gén.* antigripal.
antiguidade, *s. f.* antigüedad, antigualha.
anti-herói, *s. m.* antihéroe.
anti-higiénico, *adj.* antihigiénico.
anti-histamínico, *adj.* antihistamínico.
anti-imperialismo, *s. m.* antiimperialismo.
anti-inflacionista, *adj. 2 gén.* antiinflacionista.
anti-inflamatório, *adj.* antiinflamatório.
antilogaritmo, *s. m.* antilogaritmo.
antílope, *s. m.* ZOOL. antílope.
antimagnético, *adj.* antimagnético.
antimatéria, *s. f.* antimateria.
antimilitarismo, *s. m.* antimilitarismo.
antimilitarista, *adj. 2 gén.* antimilitarista.
antimíssil, *adj. 2 gén. e s. m.* antimísil.
antimonárquico, *adj.* antimonárquico.
antimónio, *s. m.* QUÍM. antimonio.
antinatural, *adj. 2 gén.* antinatural.
antinevoeiro, *s. m.* antiniebla.
antinomia, *s. f.* antinomia.
antinómico, *adj.* antinómico.
antinuclear, *adj. 2 gén.* antinuclear.
antioxidante, *adj. 2 gén. e s. m.* antioxidante.
antipapa, *s. m.* antipapa.
antiparlamentar, *adj. 2 gén.* antiparlamentar.
antipatia, *s. f.* antipatía; inquina; ojeriza.
antipático, *adj.* antipático.
antipatizar, *v. intr.* antipatizar.
antipatriota, *s. 2 gén.* antipatriota.
antipatriótico, *adj.* antipatriótico.
antipedagógico, *adj.* antipedagógico.
antipirético, *adj.* antipirético.
antípoda, *s. 2 gén.* antípoda.
antiprogressista, *adj. e s. 2 gén.* antiprogressista.
antiquado, *adj.* anticuado; desusado; superado; antiguo; arcaico; carca; *(fam.)* fósil.
antiquar, *v. tr.* anticuar.
antiquário, *s. m.* anticuario.
anti-rábico, *adj.* antirrábico.
anti-regulamentar, *adj. 2 gén.* antirreglamentario.
anti-religioso, *adj.* antirreligioso.
anti-republicano, *adj.* antirrepublicano.

anti-reumático, adj. antirreumático.
anti-revolucioniário, adj. antirrevolucionario.
anti-roubo, adj. antirrobo.
anti-semita, adj. 2 gén. antisemita.
anti-semítico, adj. antisemítico.
anti-semitismo, s. m. antisemitismo.
anti-sepsia, s. f. antisepsia.
anti-séptico, adj. e s. m. antiséptico.
anti-sísmico, adj. antisísmico.
anti-social, adj. 2 gén. antisocial.
antiste, s. m. vd. **antístite.**
antístite, s. m. antiste, pontífice, prelado, obispo.
antístrofe, s. f. antístrofa.
antitanque, adj. 2 gén. antitanque.
antiterrorista, adj. 2 gén. antiterrorista; contraterrorista.
antitese, s. f. antítesis.
antitético, adj. antitético.
antitóxico, I. adj. antitóxico. **II.** s. m. antídoto.
antitoxina, s. f. antitoxina.
antituberculoso, adj. antituberculoso.
antivenéreo, adj. antivenéreo.
antiverminoso, adj. antiverminoso; vermífugo.
antivírus, s. m. antivirus.
antolhar, v. tr. antojar; ofrecer, figurar.
antolho, s. m. antojo; pl. antejeras.
antologia, s. f. antología.
antológico, adj. antológico.
antologista, s. 2 gén. antologista.
antonímia, s. f. antonimia.
antónimo, s. m. antónimo.
antonomásia, s. f. antonomasia.
antraceno, s. m. antraceno.
antracite, s. f. antracita, carbunco.
antraz, s. m. ántrax.
antro, s. m. antro, cueva profunda, caverna.
antropocêntrico, adj. antropocéntrico.
antropocentrismo, s. m. antropocentrismo.
antropofagia, s. f. antropofagía.
antropofagismo, s. m. antropofagía.
antropófago, s. m. antropófago.
antropóide, adj. 2 gén. ZOOL. antropoide.
antropólito, s. m. antropolita.
antropologia, s. f. antropología.
antropológico, adj. antropológico.
antropologista, s. 2 gén. antropologista.
antropólogo, s. m. antropólogo.
antropometria, s. f. antropometría.
antropométrico, adj. antropométrico.

antropomórfico, adj. antropomórfico.
antropomorfismo, s. m. antropomorfismo.
antropomorfo, adj. antropomorfo.
antroponímia, s. f.. antroponimia.
antropónimo, s. m. antropónimo.
anual, adj. 2 gén. anual; añal.
anualidade, s. f. anualidad.
anualmente, adv. anualmente.
anuário, s. m. anuario.
anuência, s. f. anuencia; aquiescencia; avenencia; consentimiento.
anuente, s. 2 gén. anuente.
anuidade, s. f. anualidad.
anuir, v. intr. anuir; asentir; acceder; deferir.
anulação, s. f. anulación; casación; derogación.
anulador, s. m. anulador.
anulante, adj. 2 gén. anulador.
anular, I. v. tr. anular, abolir; abrogar; cancelar; casar; eliminar; revocar; derogar. **II.** adj. 2 gén. anular.
anulativo, adj. anulativo.
anulável, adj. 2 gén. anulable; derogable.
anunciação, s. f. anunciación.
anunciador, adj. e s. m. anunciador.
anunciante, adj. e s. 2 gén. anunciante.
anunciar, v. tr. anunciar; pregonar; presagiar; avisar.
anúncio, s. m. anuncio; aviso; publicación; indicio.
anúria, s. f. anuria, anuresia.
anuros, s. m. pl. ZOOL. anuros.
ânus, s. m. ano; culo.
anuviado, adj. anubarrado.
anuviar, v. **1.** tr. nublar, anublar; (fig.) entristecer. **2.** refl. nublarse, emborrascarse; entoldarse.
anverso, s. m. anverso.
anzol, s. m. anzuelo; hamo.
ao, contr. da prep. **a** e do art. **o:** al.
aonde, adv. adonde, adondequiera.
aorta, s. f. aorta.
aortalgia, s. f. aortalgia.
aorteurisma, s. m. aorteurisma.
aórtico, adj. aórtico.
aortite, s. f. MED. aortitis.
apache, adj. e s. 2 gén. apache.
apachorrar-se, v. refl. llenarse de paciencia.
apadrinhador, s. m. apadrinador.
apadrinhamento, s. m. apadrinamiento; padrinazgo.

apadrinhar, *v. tr.* apadrinar.

apadroar, *v. tr.* ser patrón de una iglesia.

apagado, *adj.* apagado; extinto; apocado; mortecino.

apagador, *adj. e s. m.* apagador.

apagamento, *s. m.* apagamiento.

apagar, *v.* **1.** *tr.* apagar (el fuego o la luz); sumir; disipar; extinguir; borrar. **2.** *refl.* apagarse, disiparse; desdibujarse.

apagogia, *s. f.* apagogia.

apainelado, *adj. e s. m.* artesonado.

apainelar, *v. tr.* artesonar.

apaixonado, *adj.* apasionado; parcial; colado; enconado; exaltado.

apaixonar, *v.* **1.** *tr.* apasionar. **2.** *refl.* enamorarse.

apalaçado, *adj.* palaciego.

apalaçar, *v. tr.* dar forma de palacio a.

apalancar, *v. tr.* apalancar, trancar.

apalavrar, *v. tr.* apalabrar.

apaleamento, *s. m.* apaleamiento.

apalear, *v. tr.* apalear.

apalermado, *adj.* tonto, estúpido.

apalermar-se, *v. refl.* atontarse.

apalpação, *s. f.* palpación, palpamiento.

apalpadeira, *s. f.* revisora (en las aduanas).

apalpadela, *s. f.* palpamiento; palpación.

apalpar, *v. tr.* palpar; tentar.

apanágio, *s. m.* atributo; propiedad característica.

apancado, *adj.* idiota, atontado.

apandilhar-se, *v. refl.* apandillarse.

apanha, *s. f.* cosecha; apaño.

apanha-bolas, *s. 2 gén.* recogepelotas.

apanhadeira, *s. f.* cogedor.

apanhado, **I.** *adj.* apañado, cogido; recogido; enganchado; (*fam.*) zumbado. **II.** *s. m.* apañadura; resumen.

apanhador, *s. m.* cogedor; recogedor.

apanha-moscas, *s. m.* atrapamoscas.

apanhar, *v. tr.* apañar; atrapar; entrampar; coger; asir; recoger; enganchar; pescar; guardar; interceptar; prender, agarrar.

apaniguado, *s. m.* paniaguado; sectario; favorito; protegido.

apaniguar, *v. tr.* proteger; sustentar; apaniguar.

apantufado, *adj.* apantuflado.

apantufar, *v.* **1.** *tr.* apantuflar. **2.** *refl.* calzar pantuflas.

apaparicar, *v. tr.* dar mimos, mimar.

apara, *s. f.* viruta; *pl.* recortes; desperdicios; alisaduras; *aparas de metal,* cizalla.

aparador, *s. m.* aparador; bufete; trinchero.

aparafusar, *v. tr.* atornillar.

apara-lápis, *s. m.* afilalápices, cortalápices.

aparamentar, *v. tr.* paramentar.

aparar, *v. tr.* cortar; recortar; aguzar; alisar; cepillar, la madera; cercenar; (*fig.*) aguantar, tolerar.

aparato, *s. m.* aparato; alarde; fausto; apresto; adorno; atuendo; estropicio.

aparatoso, *adj.* aparatoso; pomposo; aspaventero; aspaventoso.

aparcamento, *s. m.* aparcamiento.

aparcar, *v. tr.* aparcar.

aparceirar, *v. tr.* asociar.

aparcelado, *adj.* lleno de bajos o escollos; dividido en parcelas.

aparecer, *v.* **1.** *intr.* aparecer; surgir; aflorar; asomar. **2.** *refl.* presentarse.

aparecido, *adj. e s. m.* aparecido.

aparecimento, *s. m.* aparecimiento; aparición; principio.

aparelhado, *adj.* aparejado.

aparelhador, *adj. e s. m.* aparejador.

aparelhamento, *s. m.* apareamiento.

aparelhar, *v. tr.* aparejar, prevenir, aprontar, aprestar; aparejar (las caballerías), atizonar; dar aparejo (primera pintura); disponer; armar; arrear; esquifar.

aparelho, *s. m.* aparejo; preparación para algo; aparato; apresto.

aparência, *s. f.* apariencia; aire; exterior; aspecto; viso; vitola; figura; forma.

aparentado, *adj.* emparentado.

aparentar, *v. tr.* aparentar, emparentar, contraer parentesco; representar, afectar.

aparente, *adj. 2 gén.* aparente; superficial.

aparição, *s. f.* aparición; aparecido; aparecimiento; asomada; visión sobrenatural; fantasma; sombra.

aparo, *s. m.* pluma (para escribir).

aparrado, *adj.* semejante a la parra.

aparrar, *v. intr.* criar parras; cubrirse de follaje.

aparreirar, *v. tr.* emparrar.

aparta, *s. f.* aparta; separación.

apartado, *adj.* apartado.

apartador, *adj. e s. m.* apartador.

apartamento, *s. m.* apartamiento; habitación; aposento; *apartamento dúplex,* dúplex.

apartar, v. 1. tr. apartar; separar; alongar; retirar; relegar; destetar. 2. refl. abarse.

aparte, s. m. aparte (en la escena); interrupción que se hace al orador.

à parte, loc. adv. separadamente; afuera; aparte.

aparvalhado, adj. atontado; atolondrado; estúpido.

aparvalhar, v. tr. alelar.

apascentador, adj. e s. m. apacentador; pastor.

apascentamento, s. m. apacentamiento; pastoreo.

apascentar, v. tr. apacentar; pastorear.

apassamanar, v. tr. guarnecer de pasamano.

apassivar, v. tr. poner en la voz pasiva.

apatetado, adj. melado; atontado; imbécil.

apatetar, v. tr. atolondrar, alelar, volver imbécil.

apatia, s. f. apatía; indolencia, abulia, aplatanamiento; ataraxia; atonía.

apático, adj. apático, abúlico, aplatanado; desgarrado.

apatite, s. f. MIN. apatita.

apaular, v. tr. apantanar; encharcar.

apavonar, v. tr. vd. **empavonar**.

apavorado, adj. aterrado; aterrorizado; espavorido.

apavorante, adj. 2 gén. despeluznante; pavoroso.

apavorar, v. 1. tr. aterrar; aterrorizar; horrorizar. 2. refl. despavorirse.

apaziguador, adj. e s. m. apaciguador.

apaziguamento, s. m. apaciguamiento.

apaziguar, v. tr. e intr. apaciguar; sosegar; serenar.

apeadeira, s. f. apeadero.

apeadeiro, s. m. apeadero (de tren).

apeanhar, v. tr. colocar en peana.

apear, v. 1. tr. apear; desmontar; demolir. 2. refl. apearse de un carruaje.

apeçonhar, v. tr. emponzoñar, envenenar.

apeçonhentar, v. tr. emponzoñar, envenenar.

apedicelado, adj. que tiene pedúnculo.

apedrejamento, s. m. apedreamiento; pedrea.

apedrejar, v. tr. apedrear; lapidar.

apegadiço, adj. contagioso; viscoso, pegajoso.

apegamento, s. m. adherencia; adhesión.

apegado, adj. apegado.

apegar, v. 1. tr. apegar; transmitir; contagiar. 2. refl. apegarse.

apego, s. m. cariño; interés; apego; porfía.

apeiragem, s. f. aperos para labrar con animales.

apeirar, v. tr. uncir los bueyes al carro o al arado.

apeiria, s. f. apero.

apeiro, s. m. apero (instrumento para la labranza).

apejar-se, v. refl. avergonzarse.

apelação, s. f. apelación; recurso.

apelado, adj. apelado.

apelante, adj. e s. 2 gén. apelante; recurrente.

apelar v. tr. apelar; recurrir; suplicar.

apelativo, adj. e s. 2 gén. apelativo.

apelável, adj. 2 gén. apelable.

apelidar, v. tr. apellidar; nombrar, calificar; llamar.

apelido, s. m. apellido, nombre de familia; sobrenombre; apodo.

apelo, s. m. apelación; llamamiento; convocación.

apenas, I. adv. sólo, solamente; únicamente; simplemente; apenas, casi no. II. conj. luego que.

apêndice, s. m. apéndice.

apendicectomia, s. f. apendicectomía.

apendicite, s. f. MED. apendicitis.

apendicular, adj. 2 gén. apendicular.

apendículo, s. m. pequeño apéndice, apendículo.

apendoar, v. tr. embanderar.

apenhascado, adj. peñascoso.

apeninsulado, adj. con forma de península.

apensar, v. tr. juntar, unir; anexar.

apensionado, adj. muy ocupado; pensionado, con pensión.

apenso, I. s. m. documento unido a los autos de un proceso. II. adj. anejo, unido.

apepinar, v. tr. (pop.) ridiculizar.

apepsia, s. f. MED. apepsia.

apéptico, adj. apéptico.

apequenado, adj. achicado; empequeñecido.

apequenar, v. tr. empequeñecer.

aperaltar, v. 1. tr. tornar elegante. 2. refl. embonecarse, encorbatarse.

aperceber, v. tr. apercibir; notar; ver; comprender; conocer; preparar; (fam.) guipar.

apercebido, *adj.* dispuesto; prevenido.

apercebimento, *s. m.* apercibimiento; prevención; preparativo.

aperfeiçoador, *adj.* e *s. m.* perfeccionador.

aperfeiçoamento, *s. m.* perfeccionamiento; acabamiento; perfecto.

aperfeiçoar, *v. tr.* perfeccionar; mejorar; refinar.

apergaminhado, *adj.* apergaminado.

apergaminhar-se, *v. refl.* apergaminarse; acartonarse; empergaminarse.

aperiente, *adj.* 2 *gén.* e *s. m.* aperitivo.

aperitivo, *adj.* e *s. m.* aperitivo; *pl.* entremés.

aperolar, *v. tr.* dar a una cosa la forma, el color o el oriente de perla.

aperrar, *v. tr.* amartillar (un arma de fuego).

aperreação, *s. f.* vd. **aperreamento**.

aperreado, *adj.* aperreado; oprimido; triste, aburrido.

aperreador, *adj.* e *s. m.* aperreador; opresor; inoportuno.

aperreamento, *s. m.* aperreo, aperreamiento, opresión.

aperrear, *v. tr.* aperrear; molestar; importunar; oprimir; vejar.

apertadela, *s. f.* apretadura; leve compresión.

apertado, *adj.* apretado; acopado; achuchado; aperreado; apretujado; estrecho.

apertador, *s. m.* apretador.

apertão, *s. m.* apretón; aprieto; opresión.

apertar, *v. tr.* apretar; agarrotar; comprimir; encajonar; ajustar; abotonar; arreciar; ahorrar; estrechar; achuchar; aperrear; apretujar; atortujar; estrujar; astringir; restringir.

aperto, *s. m.* aprieto; agarrotamiento; conflicto; apuro; rigor; pobreza; aflicción; angustia; ahogo; constreñimiento; apremio; apretura; *(fig.)* urgencia.

apesar de, *loc. prep.* no obstante, a pesar de; contra la voluntad.

apessoado, *adj.* apersonado, bien apersonado.

apestanado, *adj.* pestanoso.

apestar, *v. tr.* e *intr.* inficcionar; apestar; corromper.

apétalo, *adj.* BOT. apétalo.

apetecedor, *adj.* apetecedor, apetecible.

apetecer, *v. tr.* apetecer; ambicionar; desear.

apetecível, *adj.* 2 *gén.* apetecible, apetecedor.

apetência, *s. f.* apetencia; apetito.

apetite, *s. m.* apetito; predilección; gana; hambre; apetencia; *sem apetite*, desganado; *perder o apetite*, desganarse.

apetitoso, *adj.* apetitoso.

apetrechar, *v. tr.* pertrechar, proveer de municiones, armas, víveres, etc.; equipar.

apetrechos, *s. m. pl.* pertrechos; equipaje; aparejo.

apical, *adj.* 2 *gén.* apical.

ápice, *s. m.* ápice; vértice; auge.

apiciforme, *adj.* 2 *gén.* en forma de ápice.

apicoar, *v. tr.* trabajar con picachón.

apícola, *adj.* e *s.* 2 *gén.* apícola.

apículo, *s. m.* BOT. apículo.

apicultor, *s. m.* apicultor, abejero.

apicultura, *s. f.* apicultura.

apiedar-se, *v. refl.* apiadarse, condolerse.

apimentado, *adj.* condimentado con pimienta; picante.

apimentar, *v. tr.* sazonar con pimienta.

apincelar, *v. tr.* dar forma de pincel.

apingentar, *v. tr.* dar forma de colgante.

apinhado, *adj.* apiñado.

apinhamento, *s. m.* apiñamiento.

apinhar, *v. tr.* apiñar; agrupar; unir como piñones; apilar.

apirético, *adj.* MED. apirético.

apirexia, *s. f.* MED. apirexia.

apirina, *s. f.* QUÍM. apirina.

apisoar, *v. tr.* apisonar; abatanar.

apisteiro, *s. m.* MED. pistero; vaso para beber.

apitadela, *s. f.* pita, pitada.

apitar, *v. intr.* pitar, tocar el pito; chiflar; silbar.

apito, *s. m.* pito; silbato; chifla.

aplacação, *s. f.* aplacamiento.

aplacar, *v. tr.* e *intr.* aplacar; amansar; calmar; sosegar; aliviar; apagar.

aplacável, *adj.* 2 *gén.* aplacable.

aplainador, *s. m.* cepillador.

aplainamento, *s. m.* aplanamiento; alisamiento; cepillado.

aplainar, *v. tr.* aplanar; acepillar; igualar; pulir.

aplanação, *s. f.* aplanación; nivelación.

aplanador, *s. m.* aplanador; allanador.

aplanamento, *s. m.* aplanamiento; allanamiento.

aplanar, *v. tr.* aplanar; allanar; arrasar; nivelar; *(fig.)* facilitar.

aplasia, s. f. aplasia.
aplaudidor, s. m. aplaudidor.
aplaudir, v. 1. tr. e intr. aplaudir; vitoriar; jalear; aclamar; celebrar; apoyar; elogiar. 2. refl. aplaudirse; presumir.
aplausível, adj. 2 gén. plausible.
aplauso, s. m. aplauso; ovación; aprobación; elogio.
aplebear, v. tr. aplebeyar; hacer plebeyo.
aplestia, s. f. MED. aplestia.
apleuria, s. f. apleuria.
aplicação, s. f. aplicación; destino; empleo; concentración en el estudio; adorno.
aplicado, adj. aplicado.
aplicar, v. tr. aplicar; adaptar; emplear; recetar; administrar; (capitais) invertir.
aplicativo, adj. aplicativo.
aplicável, adj. 2 gén. aplicable; aplicativo.
aplique, s. m. aplique.
aplotomia, s. f. aplotomía.
apneia, s. f. apnea.
apocalipse, s. m. apocalipsis.
apocalíptico, adj. apocalíptico.
apocopado, adj. apocopado.
apocopar, v. tr. apocopar.
apócope, s. f. apócope.
apócrifo, adj. apócrifo.
apocrisia, s. f. apocrisia.
apodador, s. m. apodador; escarnecedor.
apodar, v. tr. apodar; adjectivar; comparar; computar.
ápode, adj. 2 gén. ápodo.
apoderado, s. m. apoderado.
apoderar-se, v. refl. apoderarse; adveñarse; usurpar; conquistar.
apodia, s. f. apodia.
apodo, s. m. apodo; alcuño; remoquete; mote; alias.
apódose, s. f. apódosis.
apodrecer, v. tr. e intr. repudrir; pudrir; podrecer; corromper.
apodrecimento, s. m. putrefacción; pudrimiento; (fig.) corrupción.
apófise, s. f. ANAT. apófisis.
apogeu, s. m. apogeo; cumbre.
apogiatura, s. f. MÚS. apoyatura.
apógrafo, s. m. apógrafo.
apoiado, s. m. aplauso; aprobación.
apoiar, v. 1. tr. apoyar; arrimar; hincar; (fig.) ayudar; amparar; patrocinar. 2. refl. estribar; acodarse.

apoio, s. m. apoyo; sustentación; puntal; columna; arrimadero; arrimo; sostén; atrezo; basa; descanso; fulcro; (fig.) protección; apoio da cabeça, reposacabezas.
apojar, v. intr. llenarse de líquido.
apolainado, adj. apolainado.
apolear, v. tr. supliciar en el tronco.
apólice, s. f. póliza; cédula.
apolíneo, adj. apolíneo.
apolisina, s. f. QUÍM. apolisina.
apoliticismo, s. m. apoliticismo.
apolítico, adj. apolítico.
apologal, adj. 2 gén. apológico.
apologética, s. f. apologética.
apologético, adj. apologético.
apologia, s. f. apología; alabamiento; alabanza.
apologista, s. 2 gén. apologista.
apólogo, s. m. apólogo, fábula.
apoltronar-se, v. refl. apoltronarse; hacerse poltrón; acomodarse; sentarse en poltrona.
apolvilhar, v. tr. espolvorear.
apomorfina, s. f. QUÍM. apomorfina.
aponeurose, s. f. aponeurose.
aponevrose, s. f. aporeurose.
apontado, adj. apuntado; indicado; señalado; designado.
apontador, s. m. traspunte; apuntador.
apontamento, s. m. apuntación, apunte; asiento; anotación; minuta.
apontar, v. tr. apuntar; asentar; anotar; señalar; asestar; encañonar.
apontoar, v. tr. apuntalar; apoyar sostener; hilvanar.
apopléctico, adj. apoplético.
apoplexia, s. f. MED. apoplejía.
apoquentação, s. f. importunación; incomodidad; aflicción.
apoquentar, v. tr. apocar; afligir; incomodar.
apor, v. tr. yustaponer; aplicar.
aporfiar, v. intr. porfiar; disputar.
aporreado, adj. aporreado.
aporrear, v. tr. aporrear.
aportamento, s. m. aportamiento.
aportar, v. intr. NÁUT. aportar; tomar puerto.
aportuguesar, v. tr. aportuguesar.
após, prep. después de.
aposentação, s. f. aposentamiento; retiro; jubilación.
aposentado, adj. aposentado; emérito.
aposentador, s. m. aposentador.

aposentar, *v. tr.* aposentar; hospedar; alojar; jubilar.

aposento, *s. m.* aposento; estancia; cuarto; residencia.

após-guerra, *s. m.* posguerra.

aposia, *s. f.* aposia.

aposição, *s. f.* aposición.

apositivo, *adj.* e *s. m.* apositivo.

apósito, *s. m.* MED. apósito.

apossar-se, *v. refl.* adueñarse; posesionar; tomar posesión.

aposta, *s. f.* apuesta; puesta; envite.

apostado, *adj.* apuesto; apostado; determinado.

apostador, *s. m.* apostador.

apostar, *v. tr.* apuntar; jugar; apostar.

apostasia, *s. f.* apostasía.

apóstata, *s. 2 gén.* apóstata.

apostatar, *v. tr.* apostatar; abjurar.

apostema, *s. m.* MED. apostema.

apostemar, *v.* **1.** *tr.* apostemar; corromper; estragar. **2.** *intr.* criar absceso; **3.** *refl.* supurar.

apostila, *s. f.* apostilla.

apostilador, *s. m.* apostillador.

apostilar, *v. tr.* apostillar.

aposto, *adj.* anadido; anexado; acrecentado.

apostolado, *adj.* apostolado.

apostolar, *v. tr.* predicar una doctrina; evangelizar; doctrinar.

apostolicidade, *s. f.* apostolicidad.

apostólico, *adj.* apostólico.

apostolizar, *v. tr.* predicar como apóstol; evangelizar.

apóstolo, *s. m.* apóstol.

apostrofar, *v. tr.* apostrofar.

apóstrofe, *s. f.* apóstrofe.

apóstrofo, *s. m.* apóstrofo; virgulilla.

apostura, *s. f.* apostura.

apotegma, *s. f.* apotegma.

apótema, *s. m.* apótema.

apoteose, *s. f.* apoteosis.

apoteótico, *adj.* apoteótico.

apótese, *s. f.* apótesis.

apoucado, *adj.* apocado; mezquino; tímido; (*fig.*) vil; ruin.

apoucamento, *s. m.* apocamiento; abatimiento.

apoucar, *v. tr.* apocar.

apózema, *s. f.* apócema; pócima; poción.

apraxia, *s. f.* apraxia.

aprazado, *adj.* aprazado.

aprazamento, *s. m.* aplazamiento; citación.

aprazar, *v. tr.* aplazar; citar; llamar, fijando fecha y sitio.

aprazer, *v. intr.* placer a, aplacer; agradar.

aprazibilidade, *s. f.* aplacibilidad.

aprazimento, *s. m.* aplacimiento; agrado; placer.

aprazível, *adj. 2 gén.* aplacible; agradable; placentero; ameno; suave; deleitoso.

apre!, *interj.* ¡arre! ¡anda!; ¡fuera!; ¡vete!

apreçador, *s. m.* apreciador; valuador.

apreçamento, *s. m.* aprecio.

apreçar, *v. tr.* apreciar (valuar, tasar, poner precio).

apreciação, *s. f.* apreciación; crítica.

apreciado, *adj.* apreciado.

apreciador, *adj.* e *s. m.* apreciador; amador.

apreciar, *v. tr.* apreciar; valuar; avaluar; evaluar; criticar.

apreciativo, *adj.* apreciativo.

apreciável, *adj. 2 gén.* apreciable.

apreço, *s. m.* aprecio; apreciación; estima; estimación; valor; precio.

apreender, *v. tr.* aprehender; asir; coger; prender; atrapar.

apreensão, *s. f.* aprehensión; aprensión; comprensión; recelo; sospecha; imaginación; fantasía.

apreensível, *adj. 2 gén.* aprehensible.

apreensivo, *adj.* aprehensivo; aprensivo.

apreensor, *adj.* e *s. m.* aprehensor.

apregoador, *adj.* e *s. m.* pregonador.

apregoar, *v. tr.* pregonar; publicar; divulgar; proclamar.

aprender, *v.* **1.** *tr.* aprender. **2.** *intr.* tomar algo en la memoria; estudiar; instruirse.

aprendiz, *s. m.* aprendiz; principiante.

aprendizado, *s. m.* aprendizaje.

aprendizagem, *s. f.* aprendizaje.

apresador, *s. m.* apresador; captor.

apresamento, *s. m.* apresamiento.

apresar, *v. tr.* apresar; aprisionar; agarrar; capturar.

apresentação, *s. f.* presentación, porte; aspecto.

apresentador, *adj.* e *s. m.* presentador.

apresentante, *adj.* e *s. 2 gén.* presentante.

apresentar, *v. tr.* presentar; mostrar.

apresentável, *adj. 2 gén.* presentable.

apresilhar, *v. tr.* prender o asegurar con presilla; proveer de presilla.

apressado, *adj.* apresurado; acelerado; diligente.

apressador, *s. m.* apresurador.

apressar, *v. tr.* apresurar; adelantar; acelerar; estimular; agilizar; instar; abreviar; acuciar; apremiar.

apressurado, *adj.* apresurado; diligente.

apressuramento, *s. m.* apresuramiento; prontitud.

apressurar, *v. tr.* apresurar; acelerar; apremiar.

aprestador, *adj.* e *s. m.* aquél que apresta.

aprestamento, *s. m.* aprestamiento.

aprestar, *v. tr.* aprestar; preparar; disponer; aparejar; aprontar.

apresto, *s. m.* apresto, aparejo; pertrecho; municiones; aparato.

aprilino, *adj.* abrileño.

aprimorado, *adj.* primoroso; completo; perfecto.

aprimorar, *v. tr.* hacer primoroso; perfeccionar.

apriorismo, *s. m.* apriorismo.

apriorista, *s.* 2 *gén.* apriorista.

apriorístico, *adj.* apriorístico.

aprisco, *s. m.* aprisco; caverna; madriguera; cabana; corral.

aprisionador, *adj.* e *s. m.* aprisionador.

aprisionamento, *s. m.* aprisionamiento.

aprisionar, *v. tr.* aprisionar; capturar.

aproar, *v. tr.* e *intr.* NÁUT. aproar.

aprobatório, *adj.* aprobatorio.

aprofundar, *v. tr.* profundizar; ahondar; cavar.

aprontação, *s. f.* vd. **aprontamento**.

aprontamento, *s. m.* aprontamiento.

aprontar, *v. tr.* aprontar; preparar; disponer.

apropinquação, *s. f.* apropinquación; aproximación.

apropinquar, *v. tr.* apropincuar; aproximar; acercar.

apropositado, *adj.* oportuno, proporcionado.

apropriação, *s. f.* apropiación.

apropriado, *adj.* adecuado; apropiado, correspondiente.

apropriar, *v.* 1. *tr.* apropiar; adaptar; asimilar; acomodar. 2. *refl.* arrogarse.

aprosexia, *s. f.* aprosexia, imposibilidad de fijar la atención.

aprovação, *s. f.* aprobación; consentimiento; asentimiento; beneplácito.

aprovado, *adj.* aprobado.

aprovador, *adj.* e *s. m.* aprobador.

aprovar, *v. tr.* aprobar; aplaudir; consentir; aceptar.

aprovativo, *adj.* aprobativo,

aprovável, *adj.* 2 *gén.* digno de aprobación.

aproveitado, *adj.* aprovechado; laborioso; económico.

aproveitador, *adj.* e *s. m.* aprovechador; (*fam.*) aprovechón.

aproveitamento, *s. m.* aprovechamiento; provecho; explotación.

aproveitar, *v.* 1. *tr.* aprovechar; utilizar; aplicar; sacar o dar provecho. 2. *refl.* prevalerse.

aproveitável, *adj.* 2 *gén.* aprovechable.

aprovisionamento, *s. m.* aprovisionamiento; avituallamiento.

aprovisionar, *v. tr.* aprovisionar; abastecer; avituallar.

aproximação, *s. f.* aproximación, acercamiento; arrimo.

aproximadamente, *adv.* aproximadamente.

aproximado, *adj.* aproximado.

aproximar, *v. tr.* aproximar; aconchar; arrimar; acercar; allegar.

aproximativo, *adj.* aproximativo.

aprumado, *adj.* aplomado.

aprumar, *v. tr.* aplomar; proceder con corrección; desinclinar; empinar.

aprumo, *s. m.* aplomamiento; aplomo; altivez.

apside, *s. f.* ápside.

apsiquia, *s. f.* MED. apsiquia; síncope.

apsitiria, *s. f.* apsitiria.

áptero, *adj.* e *s. m.* ZOOL. áptero.

aptidão, *s. f.* aptitud; facultad; capacidad; competencia.

apto, *adj.* apto; idóneo; capaz; hábil; competente.

apuar, *v. tr.* pinchar con púas; apuar.

apunhalar, *v. tr.* apuñalar.

apupada, *s. f.* burla; mofa; vaya; rechifla.

apupar, *v. tr.* abuchear; escarnecer; chiflar.

apupo, *s. m.* rechifla; burla; vaya; abucheo; cantaleta.

apuração, *s. f.* apuración; selección.

apurado, *adj.* apurado, purificado; elegante.

apurador, *s. m.* apurador.

apuramento, *s. m.* apuramiento; averiguación; examen; escrutinio; recuento.

apurar, *v. tr.* apurar; afinar; extremar; purificar; escoger; averiguar.

apuro, *s. m.* apuro; aprieto; estrechez; aflicción; elegancia; esmero; brete; *ver-se em apuros,* estar en un brete.

apurpurado, *adj.* purpurado.

aquarela, *s. f.* acuarela.

aquarelista, *s. f.* acuarelista.

aquário, *s. m.* acuario; ASTR. acuario, constelación.

aquartelado, *adj.* acuartelado.

aquartelamento, *s. m.* acuartelamiento.

aquartelar, *v. tr.* acuartelar, alojar.

aquático, *adj.* acuático.

aquatinta, *s. f.* acuatinta.

aquecedela, *s. f.* calentón.

aquecedor, *s. m.* estufa; calentador; brasero.

aquecer, *v. tr.* calentar.

aquecimento, *s. m.* calentamiento; calefacción.

aquedar, *v. tr. e intr.* sosegar; aquietar.

aqueduto, *s. m.* acueducto; arcaduz; cañería; encañado.

aquela, I. *adj. e pron.* aquella, la que. II. *s. f.* manía; idea; ceremonia.

aquele, I. *adj. e pron.* aquel, aquél, aquello, el que, lo que. II. *s. m.* aquel.

aqueloutro, *contr. del adj. o pron.* **aquele** e **outro:** aquel otro.

aquém, *adv.* aquende, de la parte de acá.

aquénio, *s. m.* BOT. aquenio.

aquentamento, *s. m.* calentamiento.

aquentar, *v. tr.* calentar; (fig.) excitar; animar.

áqueo, *adj.* acuoso, ácueo.

aqui, *adv.* aquí; acá.

aquiescência, *s. f.* aquiescencia.

aquiescente, *adj. 2 gén.* que consiente; condescendiente.

aquiescer, *v. intr.* aquiescer; condescender; acceder.

aquietação, *s. f.* aquietación; sosiego; tranquilidad.

aquietador, *adj. e s. m.* aquietador.

aquietar, *v. tr.* aquietar; tranquilizar; calmar; sosegar; acallar.

aquilão, *s. m.* aquilón.

aquilatação, *s. f.* aquilatamiento.

aquilatador, *adj. e s. m.* aquilatador.

aquilatar, *v. tr.* aquilatar; examinar los quilates del oro y piedras preciosas; (fig.) apreciar.

aquilino, *adj.* aquilino; aguileño; aquileño; *nariz aquilino,* nariz aguileña; afilado.

aquilo, *pron.* aquello, aquella cosa.

aquinhoamento, *s. m.* distribución en quiñones; partición; reparto.

aquinhoar, *v. tr.* partir; repartir; distribuir.

aquisição, *s. f.* adquisición; obtención.

aquisitivo, *adj.* adquisitivo.

aquosidade, *s. f.* acuosidad; serosidad.

aquoso, *adj.* acuoso; ácueo, aguoso; caldoso.

ar, *s. m.* aire; viento; (fig.) aspecto; apariencia; *ar fresco,* fresco; *ao ar livre,* tomar al aire libre; *tomar ar,* el aire; *dar-se ares,* darse aires, darse pisto; *viver de ar e vento,* vivir del aire.

ara, *s. f.* ara; altar.

árabe, I. *adj. e s. 2 gén.* árabe, agareno; II. *s. m.* árabe, arábigo (idioma) sarraceno.

arabesco, I. *adj.* arábigo. II. *s. m.* arabesco.

arábico, *adj.* arábigo.

arabismo, *s. m.* arabismo.

arabista, *s. 2 gén.* arabista.

arabizar, *v. tr. e intr.* arabizar.

aracnídeo, *adj. e s. m.* ZOOL. arácnido.

arada, *s. f.* AGR. arada, tierra labrada con el arado.

arado, *s. m.* AGR. arado.

arador, *s. m.* arador; labrador.

aradura, *s. f.* AGR. aradura; arada.

aragem, *s. f.* aires, brisa; fresco; fresco.

aragonês, *adj. e s. m.* aragonés.

aralha, *s. f.* novilla de dos años.

aramaico, *adj. e s. m.* arameo.

arame, *s. m.* alambre; *cerca de arame,* alambrada.

arameiro, *s. m.* alambrero.

arameu, *adj. e s. m.* arameo.

arandela, *s. f.* arandela (de candelero, de lanza).

arando, *s. m.* arándano.

aranha, *s. f.* ZOOL. araña.

aranhão, *s. m.* arañón.

aranhol, *s. m.* agujero donde la araña se mete; arañuelo.

aranhoso, *adj.* arañoso.

arar, *v. tr.* AGR. arar; surcar; aladrar; labrar; abrir; (fig.) navegar.

arara, *s. f.* arara; guacamayo.

araucária, *s. f.* araucaria.

arauto, *s. m.* heraldo.

arável, *adj. 2 gén.* arable; labrantío; laborable.

aravela, *s. f.* AGR. mancera del arado.

aravia, *s. f.* algarabía.

arbitragem, *s. f.* arbitraje.

arbitral, *adj.* 2 *gén.* arbitral.
arbitrar, *v. tr.* arbitrar.
arbitrariedade, *s. f.* arbitrariedad.
arbitrário, *adj.* arbitrario.
arbítrio, *s. m.* arbitrio, albedrío; *livre arbítrio*, livre albedrío.
árbitro, *adj.* e *s. m.* árbitro; juez.
arbóreo, *adj.* arbóreo.
arborescência, *s. f.* arborescencia.
arborescente, *adj.* 2 *gén.* BOT. arborescente.
arborescer, *v. intr.* arborecer.
arboricida, *adj.* e *s.* 2 *gén.* arboricida.
arborícola, *adj.* 2 *gén.* arborícola.
arboricultor, *s. m.* arboricultor, arbolista.
arboricultura, *s. f.* arboricultura.
arboriforme, *adj.* 2 *gén.* arboriforme.
arborista, *s.* 2 *gén.* arbolista.
arborizado, *adj.* arbolado; boscoso.
arbúsculo, *s. m.* pequeño arbusto.
arbustiforme, *adj.* 2 *gén.* BOT. arbustiforme.
arbustivo, *adj.* arbustivo.
arbusto, *s. m.* arbusto.
arca, *s. f.* arca; baul; cofre; hucha.
arcabuz, *s. m.* arcabuz.
arcabuzar, *v. tr.* arcabucear.
arcabuzeiro, *s. m.* arcabucero.
arcada, *s. f.* arcada; arquena; MÚS. arqueada.
árcade, *s.* 2 *gén.* árcade.
arcadura, *s. f.* arqueadura.
arcaico, *adj.* arcaico.
arcaísmo, *s. m.* arcaísmo.
arcaizante, *adj.* 2 *gén.* arcaizante.
arcangélica, *s. f.* arcangélica.
arcanjo, *s. m.* arcángel.
arcano, *s. m.* arcano, misterio.
arção, *s. m.* arzón.
arcar, *v. tr.* arcar; arquear.
arcaria, *s. f.* arquería; arcada.
arcaz, *s. m.* arcaz.
arcebispado, *s. m.* arzobispado.
arcebispo, *s. m.* arzobispo.
arcediagado, *s. m.* arcedianato.
arcediago, *s. m.* arcediano.
archa, *s. f.* archa.
archeiro, *s. m.* archero; arquero; alabardero.
archote, *s. m.* antorcha; hacha.
arciprestado, *s. m.* arciprestazgo.
arcipreste, *s. m.* arcipreste.
arco, *s. m.* arco.
arcobotante, *s. m.* ARQ. arbotante.

arco-da-velha, *s. m.* iris, arco iris.
arco-íris, *s. m.* iris, arco iris.
árctico, *adj.* ártico.
ardência, *s. f.* ardor; fuego; sabor acre; escozor.
ardente, *adj.* 2 *gén.* ardiente; acre; vivo; férvido; hirviente; (*fig.*) vehemente; impetuoso; acalorado; ardoroso; caluroso; fogoso.
ardentemente, *adv.* ardientemente.
ardentia, *s. f.* NÁUT. ardentía.
ardentoso, *adj.* ardiente; ardoroso.
arder, *v. intr.* arder; quemarse; inflamarse; llamear; fermentar.
ardidez, *s. f.* vd. **ardileza.**
ardideza, *s. f.* coraje; osadia; intrepidez.
ardido, *adj.* ardido; quemado; valiente; fermentado.
ardil, *s. m.* ardid; maña; astucia; subterfúgio; trampa; trápala; truco.
ardiloso, *adj.* astucioso; sagaz; ardidoso.
ardor, *s. m.* ardor, calor; acaloramiento; escozor; hervor; fervor; fuego; llama.
ardoroso, *adj.* ardoroso; febril.
ardósia, *s. f.* pizarra.
árduo, *adj.* arduo; escarpado; difícil; costoso, espinoso; ímprobo; insano.
área, *s. f.* área; superficie.
areado, *adj.* enarenado; refinado.
areal, *s. m.* arenal; playa.
areão, *s. m.* asperón.
arear, *v. tr.* enarenar; limpiar fregando con arena; refinar (azúcar).
areeiro, *s. m.* arenal; arenero; salvadera.
areento, *adj.* arenoso.
areia, *s. f.* arena; *pl.* arenillas, cálculos; *areia fina*, arenilla.
arejado, *adj.* airoso.
arejamento, *s. m.* aireo; aireamiento.
arejar, *v. tr.* airear; ventilar.
arejo, *s. m.* aireo; aireamiento; ventilación.
arena, *s. f.* arena; coso; palestra; ruedo.
arenga, *s. f.* arenga; perorata; (*fam.*) disputa.
arengador, *adj.* e *s. m.* arengador; (*fig.*) altercador.
arengar, *v. intr.* arengar; (*fig.*) altercar; disputar.
arenífero, *adj.* arenífero.
areniforme, *adj.* 2 *gén.* areniforme.
arenito, *s. m.* arenisca.
arenoso, *adj.* arenoso.
arenque, *s. m.* ZOOL. arenque.

arensar, *v.* **1.** *intr.* graznar el cisne. **2.** *s. m.* graznido, voz del cisne.

aréola, *s. f.* aréola.

areolar, *adj.* 2 *gén.* areolar.

areometría, *s. f.* areometría.

areómetro, *s. m.* areómetro.

areopagita, *s. m.* areopagita.

areópago, *s. m.* areópago.

areoso, *adj.* arenoso.

aresta, *s. f.* arista; espina; púa; raspa.

arfante, *adj.* 2 *gén.* que arfa; palpitante; jadeante.

arfar, *v. intr.* jadear; palpitar; NÁUT. arfar; resollar.

argamassa, *s. f.* argamasa; lechada.

argamassador, *s. m.* argamasador.

argamassar, *v. tr.* argamasar.

arganaz, *s. m.* ZOOL. lirón; campañol; (*fig.*) hombre muy alto.

argelino, *adj.* e *s. m.* argelino.

argentado, *adj.* argentado.

argentão, *s. m.* argentán.

argentar, *v. tr.* argentar; platear.

argentaria, *s. f.* argentería.

argentário, *s. m.* argentario; gran capitalista.

argênteo, *adj.* argénteo; plateado.

argentífero, *adj.* argentífero.

argentina, *s. f.* BOT. argentina.

argentino, 1. *adj.* e *s. m.* argentino. **2.** *adj.* argénteo.

argila, *s. f.* arcilla, argila.

argileira, *s. f.* arcillera; barrera.

argilífero, *adj.* arcilloso.

argiloso, *adj.* arcilloso.

argola, *s. f.* argolla, abrazadera, anilla; atadero; aro, anillo; *pl.* (*aparelho de ginástica*) anillas; (*brincos*) aretes; zarcillo; *argola de guardanapo,* servilletero.

argolada, *s. f.* golpe de argolla o aldaba; (*fig.*) vd. **calinada.**

argolar, *v. tr.* argollar.

argoleiro, *s. m.* el que fabrica o vende argollas.

árgon, *s. m.* argón.

argonauta, *s. m.* argonauta.

argúcia, *s. f.* argucia; sutileza.

argucioso, *adj.* argucioso; ardidoso.

argueireiro, *adj.* (*fig.*) meticuloso; minucioso.

argueiro, *s. m.* arista; (*fig.*) insignificancia.

arguente, *adj.* e *s.* 2 *gén.* argüidor.

arguidor, *s. m.* argüidor.

arguir *v. tr.* e *intr.* argüir; censurar; acusar.

argumentação, *s. f.* argumentación; razonamiento.

argumentante, *adj.* e *s.* 2 *gén.* argumentante.

argumentar, *v. tr.* argumentar.

argumentativo, *adj.* argumentativo.

argumentista, *s.* 2 *gén.* argumentista.

argumento, *s. m.* argumento; argumentación; prueba; sumario; resumen; contexto.

arguto, *adj.* agudo, de espíritu vivo; sutil.

ária, *s. f.* aria; círculo; aria, aire; canto, melodía.

arianismo, *s. m.* arrianismo.

ariano, *s. m.* arriano; ario.

aridez, *s. f.* aridez; esquivez; sequedad.

aridificar, *v. tr.* aridecer.

árido, *adj.* árido; estéril; seco.

Áries, *s. m.* aries, constelación.

aríete, *s. m.* ariete; palanca.

arilado, *adj.* BOT. arilado.

arilo, *s. m.* BOT. arilo; *arilo da noz-moscada,* macio.

arisco, *adj.* arenisco, arenoso; (*fig.*) arisco, áspero, intratable.

arista, *s. f.* arista.

aristado, *adj.* aristado, que tiene aristas.

aristarco, *s. m.* aristarco.

aristocracia, *s. f.* aristocracia.

aristocrata, *s.* 2 *gén.* aristócrata.

aristocrático, *adj.* aristocrático.

aritmética, *s. f.* aritmética.

aritmético, *adj.* aritmético.

aritmómetro, *s. m.* aritmómetro.

arlequim, *s. m.* arlequín; payaso; saltimbanqui.

arlequinada, *s. f.* arlequinada.

arlequinesco, *adj.* arlequinesco.

arma, *s. f.* arma; escopeta; *arma branca,* acero; arma blanca; *arma de dois gumes,* arma de doble filo.

armação, *s. f.* armazón; cuernos; andamio; entramado; armadura; carcasa; cartelera; casco; cuerna.

armada, *s. f.* armada; escuadra; flota.

armadilha, *s. f.* trampa; armadijo; lazo; red; artimaña; asechanza.

armado, *adj.* armado; acautelado; preparado; montado; hastado.

armador, *s. m.* armador; ornamentador.

armadura, *s. f.* armadura; defensa; arnés.

armamentismo, *s. m.* armamentismo.

armamentista, *adj.* e *s.* 2 *gén.* armamentista.

armamento, *s. m.* armamento.

armão, *s. m.* armón; avantrén.

armar, *v. tr.* armar; equipar; montar; tramar; fortalecer; adornar (un templo).

armaria, *s. f.* armería; arsenal.

armário, *s. m.* armario; *armário embutido*, abcena.

armazém, *s. m.* almacén; *armazém de sal*, alfolí.

armazenagem, *s. f.* almacenaje.

armazenamento, *s. m.* almacenamiento.

armazenar, *v. tr.* almacenar.

armazenista, *s.* 2 *gén.* almacenista.

armeiro, *s. m.* armero.

armela, *s. f.* armella.

armelina, *s. f.* armelina.

arménio, *adj.* e *s. m.* armenio.

armento, *s. m.* armento; rebaño; ganado.

armífero, **I.** *adj.* armífero, armígero. **II.** *s. m.* paje; escudero.

armila, *s. f.* armilla; armella.

armilar, *adj.* 2 *gén.* armilar.

arminhado, *adj.* arminado.

arminho, *s. m.* ZOOL. armiño.

armistício, *s. m.* armisticio.

armorial, *s. m.* armorial.

arnado, *s. m.* páramo, terreno estéril.

arneiro, *s. m.* terreno estéril.

arnês, *s. m.* arnés, armadura.

arnica, *s. f.* BOT. árnica.

aro, *s. m.* aro; cincho; (*de pipa*) fleje.

aroeira, *s. f.* lentisco.

aroma, *s. m.* aroma, perfume; olor; fragancia; sazón.

aromático, *adj.* aromático, oloroso; aromatizante; fragante.

aromatização, *s. f.* aromatización.

aromatizado, *adj.* aromatizado.

aromatizante, *adj.* 2 *gén.* aromatizante, aromatizador.

aromatizar, *v. tr.* aromatizar.

arpado, *adj.* arpado.

arpão, *s. m.* arpón; fisga.

arpear, *v.* **1.** *tr.* arponar, arponear. **2.** *intr.* levantar ancla.

arpéu, *s. m.* arpón; arpeo.

arpoador, *s. m.* arponero.

arpoar, *v. tr.* arponar, arponear; (*fig.*) agarrar.

arpoeira, *s. f.* cuerda del arpón.

arqueação, *s. f.* arqueo; capacidad de un navío.

arqueado, *adj.* arqueado, corvo.

arqueador, *s. m.* arqueador.

arqueadura, *s. f.* arqueo; curvatura.

arqueamento, *s. m.* arqueamiento, arqueo; curvatura.

arquear, *v. tr.* arquear; encorvar; curvar; enarcar; abarquillar; cimbrar; aladear; combar.

arqueio, *s. m.* arqueo; abarquillamiento.

arqueiro, *s. m.* arquero.

arquejante, *adj.* 2 *gén.* jadeante; acezoso.

arquejar, *v. intr.* jadear; ansiar; arquear; hipar.

arquejo, *s. m.* respiración difícil; ansia; jadeo; opresión.

arqueografia, *s. f.* arqueografía.

arqueógrafo, *s. m.* arqueógrafo.

arqueologia, *s. f.* arqueología.

arqueológico, *adj.* arqueológico.

arqueólogo, *s. m.* arqueólogo.

arqueta, *s. f.* arqueta; alcancía.

arquétipo, *s. m.* arquetipo; patrón; modelo; original.

arquiconfraria, *s. f.* archicofradía.

arquidiácono, *s. m.* archidiácono; arcediano.

arquidiocesano, *adj.* archidiocesano, arquidiocesano.

arquidiocese, *s. f.* archidiócesis; arzobispado.

arquiducado, *s. m.* archiducado.

arquiduque, *s. m.* archiduque.

arquiduquesa, *s. f.* archiduquesa.

arquiepiscopado, *s. m.* arzobispado.

arquiepiscopal, *adj.* 2 *gén.* arzobispal.

arquimandrita, *s. m.* archimandrita.

arquipélago, *s. m.* archipiélago.

arquitectar, *v. tr.* construir; edificar; (*fig.*) imaginar.

arquitecto, *s. m.* arquitecto.

arquitectónica, *s. f.* arquitectura.

arquitectónico, *adj.* arquitectónico.

arquitectura, *s. f.* arquitectura.

arquitectural, *adj.* 2 *gén.* arquitectónico.

arquitrave, *s. f.* arquitrabe.

arquivador, *s. m.* archivador, archivero.

arquivar, *v. tr.* archivar, encarpetar.

arquivista, *s.* 2 *gén.* archivero, archivador.

arquivo, *s. m.* archivo, archivador; fichero.

arquivolta, *s. f.* archivolta; arquivolta.

arrabalde, *s. m.* arrabal; barrio; suburbio; *pl.* cercanías; alrededores; afueras.

arrabaldeiro, *s. m.* arrabalero.
arrabaldino, *adj.* arrabalero.
arrabil, *s. m.* rabel.
arracimar-se, *v. refl.* arracimarse.
arraçoamento, *s. m.* racionamiento.
arraçoar, *v. tr.* racionar; alimentar.
arraia, *s. f.* ZOOL. raya, pez; frontera; término; populacho.
arraiada, *s. f.* aurora; alborada.
arraiado, *adj.* listado; rayado.
arraial, *s. m.* MIL. campamento; feria; verbena; quermés.
arraiano, *adj.* e *s. m.* rayano.
arraiar, *v. intr.* alborear el día; rayar.
arraigamento, *s. m.* arraigo.
arraigar, *v. tr.* arraigar; entrañar.
arrais, *s. m.* NÁUT. arráez.
arramalhar, *v. intr.* murmurar (el viento en las hojas).
arramar, *v.* **1.** *tr.* enramar; esparcir; derramar. **2.** *refl.* cubrirse de rama.
arranca, *s. f.* vd. **arrancada**.
arrancada, *s. f.* arranque; arrancada.
arrancado, *adj.* arrancado.
arrancador, *s. m.* arrancador.
arrancadura, *s. f.* arrancadura. arranque.
arrancão, *s. m.* impulso violento.
arrancar, *v. tr.* arrancar; sacar violentamente; arrebatar; extirpar.
arranchar, *v. tr.* e *intr.* juntar o dividir en ranchos; comer del rancho (soldado); alojar.
arranco, *s. m.* arranque; ímpetu; arrebato; arrancada.
arranha-céus, *s. m.* rascacielos.
arranhadela, *s. f.* arañazo; rasguño; uñada; gatada.
arranhador, *s. m.* arañador.
arranhadura, *s. f.* arañamiento; arañadura; arañazo.
arranhão, *s. m.* arañazo.
arranhar, *v. tr.* arañar; gatear; gatuñar; rascar; rasguñar; (*um idioma*) chamullar.
arranjadeiro, *adj.* cuidadoso; diligente.
arranjadela, *s. f.* arreglo ligero.
arranjado, *adj.* arreglado; atildado; dispuesto; ordenado; económico.
arranjamento, *s. m.* orden; disposición; arreglo.
arranjar, *v. tr.* arreglar; componer; concertar; disponer; conseguir; lograr; adornar; adecentar; aderezar; atildar.
arranjista, *s. 2 gén.* abusón, abusona.

arranjo, *s. m.* arreglo; avío; componenda; regla; orden; coordinación; (*fam.*) apaño; *autor de arranjo musical*, arreglista.
arranque, *s. m.* arranque.
arrapazado, *adj.* amuchachado.
arrapazar-se, *v. tr.* aniñar-se.
arraposado, *adj.* azorrado.
arras, *s. f. pl.* arras.
arrasador, *s. m.* arrasador; destructor.
arrasamento, *s. m.* arrasamiento.
arrasar, *v. tr.* arrasar; desfruir; rasar; asolar; desmantelar; (*fig.*) fatigar; humillar.
arrastado, *adj.* arrastrado; rastrero; pobre; lento.
arrastamento, *s. m.* arrastramiento.
arrastar, *v.* **1.** *tr.* arrastrar; arrojar; abocar; arramblar; (*fig.*) comprar o vender a bajo precio. **2.** *refl.* arrastrarse; alastrarse.
arrasto, *s. m.* arrastre; arrastramiento; (*fig.*) desgracia; miseria.
arrazoado, **I.** *adj.* razonable; proporcionado. **II.** *s. m.* razonamiento.
arrazoador, *s. m.* razonador.
arrazoamento, *s. m.* razonamiento.
arrazoar, *v. tr.* razonar; alegar; discurrir; discutir.
arre!, *interj.* ¡arre!
arrear, *v. tr.* arrear; enjaezar; adornar; hermosear; engalanar; aparejar.
arreata, *s. f.* reata, cabestro, riendas.
arreaz, *s. m.* hebilla de los estribos.
arrebanhar, *v. tr.* juntar en rebaño, reunir; arrebañar; cabildar.
arrebatado, *adj.* arrebatado; impetuoso; violento.
arrebatador, **I.** *s. m.* arrebatador. **II.** *adj.* encantador.
arrebatamento, *s. m.* arrebatamiento; éxtasis; arrebato; entusiasmo; ímpetu; embausamiento.
arrebatar, *v.* **1.** *tr.* arrebatar; enajenar; extorsionar; quitar. **2.** *refl.* encolerizarse.
arrebentação, *s. f.* reventazón.
arrebentamento, *s. m.* reventón.
arrebentar, *v.* **1.** *tr.* reventar; estallar; supurar. **2.** *intr.* quebrar; echar retoños; *arrebentar de riso*, desternillarse.
arrebento, *s. m.* BOT. retoño.
arrebicar, *v. tr.* adornar exageradamente; repulir.
arrebique, *s. m.* arrebol; cosmético; adorno; atavío; rebuscamiento.

arrebitado, *adj.* arregazado; atrevido; sagaz; soberbio; petulante.

arrebitar, *v.* **1.** *tr.* arregazar; alzar; rebotar. **2.** *refl.* (*fig.*) mostrarse insolente, ensoberbecerse.

arrebito, *s. m.* (*fig.*) petulancia; descaro; soberbia.

arrebol, *s. m.* arrebol.

arrebolar, *v. tr.* arrebolar; arredondear.

arre-burrinho, *s. m.* juego infantil.

arrecadas, *s. f. pl.* arracadas; pendientes; aretes; zarcillo.

arrecadação, *s. f.* recaudación, cobro de rentas, derechos, etc.; depósito; cárcel.

arrecadador, *s. m.* recaudador; cobrador; tesorero.

arrecadamento, *s. m.* recaudamiento, recaudación.

arrecadar, *v. tr.* recaudar; depositar asegurar; cobrar; recibir en pago; guardar.

arrecear, *v. tr.* recelar.

arreda!, *interj.* ¡desvía!; ¡fuera!; ¡para atrás!

arredamento, *s. m.* arredramiento.

arredar, *v. tr.* arredrar; apartar; desviar; separar.

arredio, *adj.* apartado; desviado; esquivo; retraído.

arredondamento, *s. m.* redondeamiento; redondeo.

arredondar, *v. tr.* redondear.

arredor, *adv.* alrededor.

arredores, *s. m. pl.* alrededores; suburbios; inmediaciones.

arrefanhar, *v. tr.* arrebatar de las manos de otro con violencia.

arrefecer, *v.* **1.** *tr.* enfriar; allojar. **2.** *intr.* resfriar; enfriar, entibiar, hacerse frío.

arrefecimento, *s. m.* enfriamiento.

arrefentar, *v. tr.* enfriar alguna cosa levemente.

arregaçada, *s. f.* regazo lleno; cantidad, porción grande.

arregaçar, *v. tr.* regazar; arregazar; arremangar.

arregacha, *s. f.* vd. *narceja,* ave.

arregalar, *v. tr.* desencajar; abrir mucho los ojos con admiración o espanto.

arreganhar, *v.* **1.** *tr.* mostrar los dientes. **2.** *intr.* agrietar, la fruta.

arreganho, *s. m.* regaño; amenaza; mal modo; altivez.

arregimentar, *v. tr.* regimentar.

arregoar, *v.* **1.** *tr.* surcar, hacer surcos; mojar; inundar. **2.** *intr.* agrietarse; hendirse.

arregueirar, *v. tr.* AGRIC. abrir regueros; canalizar.

arreigar, *v. tr.* arraigar.

arreio, *s. m.* arreo; jaez; arnés; atelage.

arrelia, *s. f.* disgusto; enfado; antipatia; contrariedad.

arreliação, *s. f.* vd. *arrelia.*

arreliador, *adj. e s. m.* enfadador; molestador; vacilón.

arreliar, *v. tr.* enfadar, impacientar, fastidiar.

arremangar, *v. tr.* arregazar; remangar; arremangar.

arremansar-se, *v. refl.* estancar; quedar en remanso.

arrematação, *s. f.* rematamiento; remate; acabamiento; remate (en subasta).

arrematador, *adj. e s. m.* rematante; subastador.

arrematante, *adj. e s. 2 gén.* rematante; subastador.

arrematar, *v. tr. e intr.* rematar; acabar; concluir; terminar; hacer remate en la subasta.

arremate, *s. m.* remate; fin; extremidad.

arremedador, *s. m.* remedador; imitador.

arremedar, *v. tr.* remedar; imitar.

arremedo, *s. m.* remedo; imitación; mofa; chanza.

arremessador, *adj. e s. m.* arrojador.

arremessão, *s. m.* impulso de arrojar o lanzar.

arremessar, *v.* **1.** *tr.* arrojar; lanzar; tirar; proyectar; aventar; achocar. **2.** *refl.* arrojarse; precipitarse.

arremesso, *s. m.* arrojamiento; lanzamiento; ímpetu; tirada; amenaza.

arremetedor, *s. m.* arremetedor.

arremetedura, *s. f.* arremetedura; arremetida.

arremetente, *adj. e s. 2 gén.* arremetedor.

arremeter, *v.* **1.** *tr.* arremeter; embestir; azuzar; impeler; apechugar. **2.** *intr.* arrojarse.

arremetida, *s. f.* arremetida; embestida; arranque.

arremetimento, *s. m.* arremetimiento.

arrenda, *s. f.* renda, bina, segunda sacha o escarda de la tierra.

arrendamento, *s. m.* arrendamiento; arriendo; locación.

arrendar, *v. tr.* arrendar; adornar con encajes o randas; alenguar; alquilar.

arrendatário, *s. m.* arrendatario, arrendador; inquilino.

arrendável, *adj. 2 gén.* arrendable.

arrenegação, *s. f.* renegación; abjuración; apostasía.

arrenegada, *s. f.* enfado, riña; juego de naipes entre dos personas.

arrenegado, *adj.* renegado; irritado.

arrenegador, *s. m.* renegador.

arrenegar, *v. tr.* renegar, apostatar; detestar; abominar; blasfemar.

arrenego, *s. m.* incómodo; gesto colérico; enfado.

arrepanhar, *v. tr.* arrugar; encoger; robar; rapiñar; arrebatar; atrapar.

arrepelar, *v. tr.* repelar; desgreñar.

arrepender-se, *v. refl.* arrepentirse; retractarse; desdecirse.

arrependido, *adj.* arrepentido; contrito; compungido.

arrependimento, *s. m.* arrepentimiento; pesar.

arrepia-cabelo, **I.** *s. 2 gén.* persona intratable. **II.** *a arrepia-cabelo, loc. adv.* contrapelo.

arrepiado, *adj.* erizado.

arrepiante, *adj. 2 gén.* despeluznante; escalafriante.

arrepiar, *v. tr.* erizar; horrorizar; despeluznar; encrespar; escalofriar.

arrepio, *s. m.* calofrío, escalofrio; tiritona; tiritera; *ao arrepio*, al revés; al contrario.

arrepique, *s. m.* repique.

arrepolhado, *adj.* arrepollado; alechugado; repolludo.

arrequifar, *v. tr.* proveer de arrequifes.

arrequife, *s. m.* arrequife.

arrestante, *adj. m.* embargador.

arrestar, *v. tr.* arrestar, embargar; confiscar; capturar.

arresto, *s. m.* arresto; embargo judicial; decomiso; captura.

arrevesado, *adj.* enrevesado; revesado; arrevesado; revelado; intrincado.

arrevesar, *v. tr.* poner al revés; revelar, vomitar.

arrevessado, *s. m.* revesado; vómito, lo que se vomitó.

arrevessar, *v. tr.* revesar, vomitar lo contenido en el estómago; *(fig.)* detestar; odiar.

arriar, *v. tr.* NÁUT. arriar; calar.

arriba, **I.** *adv.* arriba, encima, para encima, para adelante. **II.** *s. f.* riba; despeñadero.

arribação, *s. f.* arribo; llegada; arribada.

arribada, *s. f.* arribada.

arribana, *s. f.* choza; cabana.

arribar, *v. intr.* arribar; llegar; aproar.

arrieirada, *s. f.* obscenidad; chorizada.

arrieiro, *s. m.* arriero; alquilador; acemilero.

arrijar, *v. tr. e intr.* convalecer.

arrimadiço, *adj.* arrimadizo.

arrimador, *s. m.* arrimador.

arrimar, *v. tr.* arrirnar; acercar; añadir; agregar; amparar; apoyar; acostar.

arrimo, *s. m.* arrimo; apoyo; amparo; arrimadero; sostén.

arrincoar, *v. tr.* arrinconar.

arriosca, *s. f.* trampa; ardid; celada; intriga.

arriscado, *adj.* arriscado; arriesgado; azaroso; atrevido; peligroso; audaz; osado; aventurado.

arriscar, *v.* **1.** *tr.* arriesgar, aventurar; comprometer; exponer **2.** *refl.* atreverse.

arritmia, *s. f.* MED. arritmia.

arrivismo, *s. m.* arribismo.

arrivista, *s. 2 gén.* arribista.

arroba, *s. f.* arroba.

arrobar, *v. tr.* arrobar, pesar por arrobas.

arrobe, *s. m.* arrope; rob.

arrocado, *adj.* arrocado.

arrochada, *s. f.* garrotazo; bastonazo.

arrochar, *v. tr.* agarrotar; apresar con garrote; apretar mucho.

arrocho, *s. m.* garrote; *(fig.)* rigor.

arrodilhar-se, *v. refl.* arrodillarse.

arrogação, *s. f.* arrogación.

arrogância, *s. f.* arrogancia; jactancia; soberbia.

arrogante, *adj. 2 gén.* arrogante; creído; engolado, entonado; soberbio; engallado.

arrogar, *v. tr.* arrogar.

arroio, *s. m.* arroyo; regato.

arrojadiço, *adj.* arrojadizo; arrojado; intrépido.

arrojado, *adj.* arrojado; resuelto; osado; intrépido; ahigadado.

arrojador, *s. m.* arrojador, el que arroja.

arrojamento, *s. m.* arrojamiento; arrojo.

arrojão, *s. m.* tirón; empujón.

arrojar, *v.* **1.** *tr.* arrastrar; arrojar; echar; botar; lanzar; tirar; abarrar; achocar. **2.** *refl.* arrestarse.

arrojo, *s. m.* arrojo; intrepidez; osadía; audacia; arrosto.

arrolamento, s. m. alistamiento; inventario.

arrolar, v. tr. alistar; inscribir; enrolar.

arrolhar, v. tr. encorchar; taponar; tapar.

arrolho, s. m. encorchamiento.

arrolo, s. m. arrullo.

arromanar, v. tr. pesar con balanza romana.

arromba, s. f. canción muy ruidosa para guitarra.

arrombador, adj. e s. m. el que rompe o despedaza.

arrombamento, s. m. rompimiento; rotura; fractura; abertura forzada.

arrombar, v. tr. romper; despedazar; derrumbar; destrozar; vencer; humillar.

arrostar, v. tr. e intr. arrostrar; soportar; encarar.

arrotador, adj. e s. m. regoldador; eructador; (fig.) fanfarrón.

arrotar, v. intr. regoldar; rotar; arutar; eructar; (fig.) jactarse.

arroteamento, s. m. roturación.

arrotear, v. tr. romper; roturar (la tierra inculta); labrar; (fig.) educar.

arroto, s. m. regüeldo; eructo.

arroubamento, s. m. arrobamiento; arrobo; éxtasis.

arroubar, v. tr. arrobar; embelesar; extasiar.

arroubo, s. m. arrobo; éxtasis; rapto; encanto.

arroupar, v. tr. arropar.

arroxeado, adj. amoratado; violado; lívido.

arroz, s. m. BOT. arroz; *arroz à valenciana*, paella; *arroz com feijão*, empedrado.

arrozal, s. m. arrozal.

arroz-doce, s. m. CUL. arroz con leche.

arrozeiro, adj. e s. m. arrocero; plantador de arroz.

arruaça, s. f. alboroto; motin; tumulto.

arruaçar, v. intr. formar tumulto; amotinar.

arruaceiro, adj. e s. m. amotinador; camorrista; callejero.

arruamento, s. m. alineamiento o disposición de calles.

arruar, v. tr. dividir en calles; alinear calles o aceras.

arruçar, v. tr. e intr. tornar o tornarse parduzco; descolorar.

arruda, s. f. BOT. ruda; *arruda silvestre*, alharma.

arrufada, s. f. bizcocho de harina, huevos y azucar.

arrufadiço, adj. enojadizo.

arrufar, v. tr. irritar; enfadar; atufar.

arrufianado, adj. arrufianado.

arrufo, s. m. enfado obstinado; enojo; ira pasajera.

arrugamento, s. m. arrugamiento.

arrugar, v. tr. e intr. arrugar; encrespar.

arruído, s. m. ruido; estruendo; rumor; jaleo; alboroto.

arruinado, adj. arruinado; quebrado; perdido; destruido.

arruinador, adj. e s. m. arruinador.

arruinamento, s. m. arruinamiento; ruina.

arruinar v. tr. arruinar; destruir; desbaratar; destrozar; derribar; demoler; hundir; danar.

arruivado, adj. que tira a rubio.

arrulhar, v. intr. arrullar; zurear.

arrulho, s. m. arrullo; zureo.

arrumação, s. f. buena disposición; aseo; método; orden; NÁUT. arruma; arrumaje; arrumazón.

arrumadela, s. f. arreglo; limpieza; aseo ligero.

arrumador, adj. e s. m. arreglador; TEAT. acomodador; camarero; aparcacoches; ujier; guardacoches.

arrumar, v. tr. arreglar, arrumbar; NÁUT. arrumar.

arrumo, s. m. arreglo; orden; (fig.) empleo; *quarto de arrumos*, trastera; trastero.

arsenal, s. m. arsenal; armería; atarazana.

arseniado, adj. arseniado.

arseniato, s. m. QUÍM. arseniato.

arsenicado, adj. arseniado.

arsenical, adj. 2 gén. arsenical.

arsénico, s. m. QUÍM. arsénico.

arsénio, s. m. QUÍM. arsénico.

arte, s. f. arte; oficio; industria; profesión; cautela; *arte mágica*, tropelía.

artefacto, s. m. artefacto.

arteirice, s. f. astucia; maña; ardid; habilidad; artería.

arteiro, adj. astuto; mañoso; artero; sagaz; habilidoso.

artelho, s. m tobillo.

artemísia, s. f. BOT. artemisia.

artéria, s. f. ANAT. arteria.

arterial, adj. 2 gén. arterial.

arterialização, s. f. arterialización.

arterializar, v. tr. arterializar.

arteriografia, s. f. ANAT. arteriografía.

arteríola, s. f. arteriola.

arteriopatia, s. f. arteriopatía.

arteriosclerose, s. f. MED. arterioesclerosis.

arteriosclerótico, adj. arterioesclerósico, arterioesclerótico.

arterioso, adj. arterioso.

arterite, s. f. MED. arteritis.

artesanal, adj. 2 gén. artesanal.

artesa, s. f. artesa.

artesanato, s. m. artesanato; artesanía.

artesão, s. m. artesonado; artesano; ARQ. artesón.

artesiano, adj. artesiano.

artesoado, adj. artesonado.

artesoar, v. tr. artesonar.

artesonar, v. tr. artesonar.

articulação, s. f. articulación; juntura.

articulado, adj. e s. m. articulado.

articular, I. v. tr. articular. II. adj. 2 gén. articular; articulado.

articulista, s. 2 gén. articulista.

artículo, s. m. artículo.

artifice, s. m. artífice.

artificial, adj. 2 gén. artificial; factício.

artificio, s. m. artificio; arte; trama; primor; habilidad; (fig.) añagasa; artilugio; cancamusa; martingala.

artificioso, adj. artificioso; ingenioso; fingido; falso.

artigo, s. m. artículo; coyuntura; (imprensa) suelto; pl. mercancías.

artiguelho, s. m. pequeño artículo.

artilhar, v. tr. artillar.

artilharia, s. f. artillería.

artilheiro, s. m. artillero.

artimanha, s. f. artimaña, trampa; martingala; chicana; ardid; artificio.

artiodáctilos, s. m. pl. ZOOL. artiodáctilos.

artiozoários, s. m. pl. ZOOL. artiozoarios.

artista, adj. e s. 2 gén. artista; artífice; (fig.) ingenioso; (circo) excéntrico.

artístico, adj. artístico; primoroso.

artralgia, s. f. artralgia; artritis.

artrite, s. f. artritis.

artrítico, adj. e s. m. MED. artrítico.

artritismo, s. m. MED. artritismo.

artrografia, s. f. artrografía.

artrópodes, s. m. pl. ZOOL. artrópodos.

artrose, s. f. ANAT. artrosis.

árula, s. f. árula; pequeño altar.

arúspice, s. m. arúspice.

aruspício, s. m. augurio; pronóstico.

arval, s. m. campo cultivado; arvo.

arvense, adj. 2 gén. arvense; campestre; silvestre.

arvícola, I. s. 2 gén. arvícola; labrador. II. adj. 2 gén. arvense.

arvicultor, s. m. agricultor.

arvicultura, s. f. agricultura.

arvorado, s. m. soldado que ejerce provisionalmente funciones de cabo.

arvoragem, s. f. enarbolamiento.

arvorar, v. 1. tr. arbolar; enarbolar. 2. intr. huir; hacerse a la vela.

árvore, s. f. BOT. árbol; árvore de fruto, frutal.

árvore-da-borracha, s. f. ficus.

arvoredo, s. m. arbolado, arboleda, arboledo.

arvorescência, s. f. arborescencia.

arvorescente, adj. 2 gén. BOT. arborescente.

arvorescer, v. intr. arborecer.

arvoriforme, adj. 2 gén. arboriforme.

arzota, s. f. alboza.

as, I. art. las. II. pron. dem. aquellas. III. pron. pess. ellas.

ás, s. m. as (de la baraja); as (del dado); (fig.) crack; ás de paus, basto.

às, contr. de la prep. **a** con el articulo **as**: a las.

asa, s. f. (de ave) ala; (de utensílios) asa, agarradera, agarradero.

asado, I. s. m. vasija con asas. II. adj. que tiene asas.

asar, v. tr. guarnecer de asas o alas.

asbesto, s. m. asbesto, amianto.

asca, s. f. vd. **asco**.

ascendência, s. f. ascendencia; alcurnia.

ascendente, adj. 2 gén. e s. m. ascendiente; prestigio; ascendente; influencia; pl. ascendencia.

ascender, v. intr. ascender; subir; elevarse; totalizar.

ascensão, s. f. ascensión; subida; elevación; ascenso; remonte.

ascensional, adj. 2 gén. ascensional.

ascensionista, s. 2 gén. ascensionista.

ascensor, s. m. ascensor; remonte.

ascensorista, s. 2 gén. ascensionista.

asceta, s. 2 gén. asceta.

ascética, s. f. ascética.

ascético, adj. ascético.

ascetismo, s. m. ascetismo.

áscio, adj. e s. m. ascio.

ascite, *s. f.* ascitis.

asco, *s. m.* asco; *causar asco,* dar asco.

áscua, *s. f.* ascua.

aselha, *s.* **1.** *f.* corcheta. **2.** 2 *gén.* persona inhábil.

asfaltado, *adj.* asfaltado.

asfaltar, *v. tr.* asfaltar.

asfalto, *s. m.* asfalto.

asfixia, *s. f.* asfixia, ahogo, agobio.

asfixiado, *adj.* asfixiado, agobiado.

asfixiador, *adj.* asfixiante, agobiante, agobiador.

asfixiante, *adj.* 2 *gén.* asfixiante, agobiante.

asfixiar, *v. tr. e intr.* asfixiar, agobiar, atufar.

asiático, *adj. e s. m.* asiático.

asilado, *adj.* asilado.

asilar, *v. tr.* asilar.

asilo, *s. m.* asilo; refugio.

asinino, *adj.* asnal.

asma, *s. f.* asma.

asmático, *adj. e s. m.* asmático.

asna, *s. f.* asna.

asnal, *adj.* 2 *gén.* asnal.

asnático, *adj.* asnal.

asnear, *v. intr.* asnear.

asneira, *s. f.* burrada; gansada; majadería; cantada.

asneirada, *s. f.* vd. **asneira.**

asnice, *s. f.* vd. **asneira.**

asno, *s. m.* asno.

aspa, *s. f.* aspa, instrumento de suplicio; *pl.* aspas, comillas; dos comas.

aspar, *v. tr.* aspar.

aspecto, *s. m.* aspecto; semblante; apariencia; viso; cariz; punto de vista; lado.

aspereza, *s. f.* aspereza; rudeza; escabrosidad; acrimonia; bastedad; basteza.

asperges, *s. m.* asperges; hisopo; rociadura; aspersión.

aspergimento, *s. m.* vd. **aspersão.**

aspergir, *v. tr.* asperjar.

aspermia, *s. f.* aspermia.

áspero, *adj.* áspero; rasposo; rude; cascado; acerbo; acre; cerril; seco; fragoso; agreste; estropagoso; escabroso; *(fig.)* agrio; austero; desabrido; crudo.

aspersão, *s. f.* aspersión.

asperso, *adj.* asperjado.

aspersor, *s. m.* aspersor.

aspersório, *s. m.* aspersorio; hisopo.

áspide, *s. f.* ZOOL. áspide; áspid.

aspidistra, *s. f.* BOT. aspidistra.

aspiração, *s. f.* aspiración; desiderátum.

aspirado, *adj.* aspirado.

aspirador, *adj. e s. m.* aspirador.

aspirante, *adj. e s. m.* aspirante.

aspirar, *v. tr.* aspirar, inhalar; aspirar, ambicionar; desear; sorber; absorber; chupar.

aspirina, *s. f.* aspirina.

asquerosidade, *s. f.* asquerosidade.

asqueroso, *adj.* asqueroso; inmundo; *(fig.)* vil; soez; sueto.

assacador, *adj. e s. m.* calumniador; chismoso.

assacar, *v. tr.* achacar; asacar; atribuir.

assadeira, *s. f.* mujer que asa castanas; utensilio para hacer asados; asador.

assado, *adj. e s. m.* asado.

assador, *s. m.* asador.

assadura, *s. f.* asado.

assa-fétida, *s. f.* BOT. asafétida.

assalariado, *adj.* asalariado.

assalariar, *v. tr.* asalariar.

assalmonado, *adj.* asalmonado.

assaloiado, *adj.* rudo; tosco; descortés.

assaltada, *s. f.* asalto; acometimiento.

assaltante, *adj. e s* 2 *gén.* asaltante; atracador.

assaltar, *v. tr.* asaltar; saltear; atracar.

assaltear, *v. tr.* vd. **assaltar.**

assalto, *s. m.* asalto; ataque; atraco; acometimiento; embestida; *tomar de assalto,* tomar por assalto.

assanhadiço, *adj.* irritable.

assanhado, *adj.* sañoso; sañudo; irritado.

assanhamento, *s. m.* ensañamiento; enfurecimiento; irritación; saña.

assanhar, *v. tr.* ensañar; irritar; enfurecer.

assapar, *v. intr. e refl.* agazaparse, agacharse.

assar, *v. tr.* asar; tostar; quemar.

assarapantar, *v. tr.* espantar; asustar; confundir; embarazar.

assarapanto, *s. m.* espanto; confusión.

assarina, *s. f.* asarina.

assassinar, *v. tr.* asesinar; *(fam.)* acochinar.

assassínio, *s. m.* asesinato.

assassino, *adj. e s. m.* asesino.

assativo, *adj.* propio para asar, asadero.

assaz, *adv.* asaz; bastante; harto.

assazonar, *v. tr. e intr.* vd. **amadurecer;** vd. **sazonar.**

asseado, *adj.* aseado; limpio; elegante; bien vestido; pulcro.

assear, *v. tr.* asear; adornar; limpiar; adecentar.

assedadeira, *s. f.* rastrilladora.

assedado, *adj.* asedado, suave o brillante como la seda.

assedador, *s. m.* aquel que aseda el lino.

assedar, *v. tr.* asedar.

assedentado, *adj.* sediento.

assediador, **I.** *s. m.* asediador, *adj.* sitiante. **II.** (*fig.*) importuno.

assediar, *v. tr.* asediar; sitiar; acosar; (*fig.*) importunar.

assédio, *s. m.* asedio; cerco.

assegurar, *v.* **1.** *tr.* asegurar; certificar; confirmar; aseverar. **2.** *refl.* cercionarse.

asseio, *s. m.* aseo, limpieza; perfección; elegancia; *falta de asseio,* desaseo.

asselvajado, *adj.* salvaje; brutal.

assembleia, *s. f.* asamblea; club; parlamento; sociedad; *membro de assembleia,* asambleísta.

assemelhar, *v.* **1.** *tr.* semejar; asemejar. **2.** *refl.* semejarse.

assenhorear-se, *v. refl.* adueñarse; apoderarse, enseñorearse.

assenso, *s. m.* asentimiento.

assentada, *s. f.* vez, ocasión; *de uma assentada,* de una sentada.

assentado, *adj.* asentado, sentado.

assentador, *s. m.* asentador; chaira.

assentamento, *s. m.* asentamiento; base; acuerdo; consentimiento.

assentar, *v.* **1.** *tr.* asentar; sentar; estribar; registrar; establecer; resolver; *assentar telha,* asolapar. **2.** *refl.* asentarse, sentarse; tomar asiento; ganar juicio.

assente, *adj.* 2 gén. asentado; firme; combinado; resuelto.

assentimento, *s. m.* asentimiento, anuencia; adhesión; asenso.

assentir, *v. intr.* asentir; anuir; concordar; consentir, adherir.

assento, *s. m.* asiento; banco; silla; (*no parlamento*) escaño; (*fam.*) las nalgas; base.

assépalo, *adj.* asépalo.

assepsia, *s. f.* asepsia.

asséptico, *adj.* aséptico.

asserção, *s. f.* aserción; afirmación; alegación; aserto; aseveración.

assertivo, *adj.* afirmativo; asertivo.

asserto, *s. m.* aserta.

assessor, *s. m.* asesor; adjunto; auxiliar.

assessoramento, *s. m.* asesoramiento.

assessorar, *v. tr.* asesorar.

assestar, *v. tr.* asestar; disparar.

assesto, *s. m.* puntería; acto de *assestar.*

asseteado, *adj.* asaetado.

assetear, *v. tr.* asaetar.

asseveração, *s. f.* aseveracción, certeza; afirmación.

asseverado, *adj.* afirmado.

asseverar, *v. tr.* aseverar; afirmar; asegurar.

asseverativo, *adj.* aseverativo.

assexuado, *adj.* BOT. e ZOOL. asexual, asexuado.

assibilar, *v. tr.* asibilar.

assiduidade, *s. f.* asiduidad.

assíduo, *adj.* asiduo; frecuente; continuo; puntual, aplicado.

assim, *adv.* así; de esta, de esa o de aquella manera; *assim seja!,* amén, así sea!; *assim que,* como.

assim-assim, *adv.* así así; ni fu ni fa.

assimetria, *s. f.* asimetría.

assimétrico, *adj.* asimétrico.

assimilação, *s. f.* asimilación.

assimilar, *v. tr.* asimilar, asemejar; comparar.

assimilável, *adj.* 2 gén. asimilable.

assimptota, *s. f.* asíntota.

assimptótico, *adj.* asintótico.

assinação, *s. f.* notificación; citación aplazamiento.

assinado, *adj. e s. m.* firmado; rubricado; subscrito.

assinalado, *adj.* señalado; (*fig.*) célebre; ilustre.

assinalar, *v. tr.* señalar; fijar; marcar; designar; distinguir; asignar.

assinante, *s.* 2 gén. firmante; subscriptor o subscriptora; abonado.

assinar, *v.* **1.** *tr.* firmar; rubricar; signar; distinguir; designar; marcar. **2.** *refl.* subscribirse.

assinatura, *s. f.* firma; signatura; subscripción; abono.

assinável, *adj.* 2 gén. firmable.

assindético, *adj.* asindético.

assíndeto, *s. m.* asíndeton.

assírio, *adj. e s. m.* asirio.

assisado, *adj.* juicioso; prudente; sensato; acertado; sentado.

assistência, *s. f.* asistencia; presencia; amparo; auxilio; compañía.

assistente, *adj. e s.* 2 gén. asistente; adjunto; auxiliar.

assistido, *adj.* asistido.

assistir, *v. intr.* asistir; patrocinar; presenciar; hacer compañía; auxiliar.

assoalhado, 1. *adj.* solado; asoleado; *(fig.)* divulgado. **2.** *s. m.* suelo.

assoalhamento, *s. m.* asoleo.

assoalhar, *v. tr.* asolear; solar.

assoante, *adj. 2 gén.* asonante.

assoar, *v.* **1.** *tr.* sonar, limpiar la nariz. **2.** *refl.* expirar con fuerza por la nariz.

assoberbado, *adj.* soberbio; altivo; lleno; repleto.

assoberbar, *v. tr.* tratar con soberbia; dominar; humillar; oprimir.

assobiadela, *s. f.* chiflido; pita; pitada; silba.

assobiar, *v. tr. e intr.* silbar; pitar; abuchear; chiflar; patear.

assobio, *s. m.* silbido; silbida; pitido; silbato; chifla; pito; *pl.* abucheo.

assobradar, *v. tr.* entablar

associação, *s. f.* asociación; mancomunidad; peña; *associação criminosa,* banda.

associado, *adj. e s. m.* asociado, socio.

associar, *v.* **1.** *tr.* asociar; juntar; agregar; agremiar. **2.** *intr.* convivir.

associativo, *adj.* asociativo.

assolação, *s. f.* asolación; asolamiento; destrucción; devastación.

assolador, *adj. e s. m.* asolador; devastador; destruidor.

assolapar, *v. tr.* solapar; agazapar.

assolar, *v. tr.* asolar; arrasar; destruir; devastar; infestar; talar.

assoldadar, *v. tr.* vd. **assoldar.**

assoldar, *v. tr.* asoldar; asalariar.

assomada *s. f.* asomada; aparición; altura; auge.

assomadiço, *adj.* irritable; arrebatado; irascible; alborotadizo.

assomado, *adj.* irritado; irritable; colérico; irascible.

asomar, *v. intr.* asomar; aparecer a lo lejos; subir a la cumbre.

assombrado, *adj.* asombrado; embrujado; encantado.

assombramento, *s. m.* asombramiento; admiración; susto; sombra.

assombrar, *v. tr.* sombrar; sombrear; asombrar; pasmar; obscurecer; embrujar; helar.

assombro, *s. m.* asombro; alucine; espanto; pasmo; maravilla; terror; estupor; estupefacción.

assombroso, *adj.* asombroso; admirable; prodigioso; espantoso.

assomo, *s. m.* asomo; indicio; sospecha; recuerdo.

assonância, *s. f.* asonancia.

assonante, *adj. 2 gén.* asonante.

assopradela, *s. f.* soplo.

assoprado, *adj.* soplado; lleno; hinchado; rechoncho.

assoprador, *s. m.* soplador.

assopradura, *s. f.* vd. **assopro.**

assoprar, *v. tr. e intr.* soplar; *(fig.)* instigar; recordar; denunciar.

assopro, *s. m.* soplido; sopro; *(fig.)* denuncia.

assoreamento, *s. m.* aluvión de tierras o arenas.

assorear, *v. tr.* causar aluviones de tierras o arenas.

assotado, *adj.* abuhardillado.

assovelar, *v. tr.* alesnar; *(fig.)* incitar; estimular.

assuada, *s. f.* asonada; cantaleta; motín; vocerío; algazara (de moros).

assumir, *v. tr.* asumir; atribuirse; arrogar; encargarse de.

assumptivo, *adj.* que se asume o se adopta; adoptivo.

assunção, *s. f.* asunción.

assunto, *s. m.* asunto; tema; objeto; capítulo; motivo; caso; *assunto banal,* maría.

assurgente, *adj.* que se yergue; que surge.

assustadiço, *adj.* asustadizo.

assustado, *adj.* asustado.

assustador, *adj. e s. m.* asustador.

assustar, *v. tr.* asustar; intimidar; alarmar; despatarrar; aspaventar; atemorizar; aterrorizar; estremecer.

astasia, *s. f.* astasia.

ástato, *s. m.* QUÍM. ástato.

asteca, *adj. e s. 2 gén.* azteca.

astenia, *s. f.* MED. astenia.

asténico, *adj.* asténico.

asterisco, *s. m.* asterisco.

asteróide, *s. m.* asteroide.

astigmático, *adj.* astigmático.

astigmatismo, *s. m.* astigmatismo.

astigmómetro, *s. m.* MED. astigmómetro.

astracã, *s. f.* astracán.

astrágalo, *s. m.* ANAT. astrágalo; chita; taba; ARQ. astrálago.

astral, *adj. 2 gén.* astral.

ástreo, *adj.* ástreo.

astro, *s. m.* astro.

astróide, *s. m.* asteroide.

astrolábio, *s. m.* astrolabio.
astrólatra, *s. 2 gén.* astrólatra.
astrolatria, *s. f.* astrolatría.
astrologia, *s. f.* astrología.
astrológico, *adj.* astrológico.
astrólogo, *s. m.* astrólogo.
astromancia, *s. f.* astromancia.
astronauta, *s. 2 gén.* astronauta.
astronáutica, *s. f.* astronáutica.
astronáutico, *adj.* astronáutico.
astronave, *s. f.* astronave.
astronomia, *s. f.* astronomía.
astronómico, *adj.* astronómico.
astrónomo, *s. m.* astrónomo.
astroscopia, *s. f.* astroscopia.
astúcia, *s. f.* astucia; sagacidad; maña; malicia; socarronería; zorrena; artería; finura; estratagema.
astucioso, *adj.* astucioso; artero; astuto; industrioso.
astuto, *adj.* astuto; chuzón; despabilado; fino; ladino.
atabafar, *v. tr.* sofocar; amortiguar; *(fig.)* encubrir.
atabale, *s. m.* atabal; tímpano; tabal; timbal.
atabalhoado, *adj.* desordenado; confuso; chapucero; farfullero; fulero.
atabalhoar, *v. tr.* atrabancar; embarazar; embrollar; atrabancar; hilvanar.
atacado, *adj.* atacado; acometido (de enfermedades, pragas, etc.); atado; abrochado; lleno.
atacador, *s. m.* atacador, cintilla, correa para atar; agujeta.
atacante, *adj. 2 gén.* atacante; agresor, atacador.
atacar, *v. tr.* atacar; acometer; arremeter; cargar; opugnar; hostilizar; agredir, acusar; roer; ejecutar; atacar, atar, abochar.
atadinho, *adj.* muy tímido; apocado.
atado, **I.** *s. m.* atado; lío; fajo; paquete; bala. **II.** *adj.* atado, unido, ligado; *(fig.)* apocado.
atador, *adj. e s. m.* atador; anudador.
atadura, *s. f.* atadura; ligadura; anudadura.
atafal, *s. m.* atafarra; ataharre.
atafegar, *v. tr.* atafagar.
atafona, *s. f.* tahona, atahona; molino.
atafoneiro, *s. m.* tahonero; atahonero; molinero.
atafular-se, *v. refl.* hacerse elegante o coquetón.

atafulhar, *v.* **1.** *tr.* atestar. **2.** *refl.* llenarse; hartarse.
atalaia, *s. f.* atalaya; centinela.
atalaiar, *v. tr.* atalayar; *(fig.)* espiar; acechar.
atalhado, *adj.* atajado; cortado; interrumpido; *(fig.)* embarazado; confuso.
atalhar, *v. tr.* atajar; cortar; impedir; detener; acortar; atrochar; evitar.
atalho, *s. m.* atajo; vereda; senda; acortamiento; *quem se mete por atalhos, mete-se em trabalhos,* no hay atajo sín trabajo.
atamancar, *v. tr.* chapucear; chafallar; atrabancar; trabajar sin primor.
atamento, *s. m.* anudadura, anudamiento.
atanado, *s. m.* cueros o pieles curtidas con corteza de roble, encina, etc.; de la encina y del roble, etc.
atapetar, *v. tr.* alfombrar; tapizar.
ataque, *s. m.* ataque; ofensiva; acusación; pendeneia; disputa; ramalazo.
atar, *v. tr.* atar; unir; liar; ligar; anudar; uncir; embarazar; embragar; encordar; encordelar; encordonar; *atar em molhos,* engarbillar.
atarantação, *s. f.* atarantamiento; confusión.
atarantado, *adj.* atarantado.
atarantar, *v. tr.* atarantar; aturdir; atolondrar.
ataraxia, *s. f.* ataraxia; calma.
atarefado *adj.* atareado, ajetreado; enfaenado.
atarefar, *v.* **1.** *tr.* atarear. **2.** *refl.* atarearse.
atarracado *adj.* bajo; grueso; achaparrado.
atarracar, *v. tr.* atarragar; abotargar.
atarraxar, *v. tr.* atornillar; aterrajar; empernar.
atascadeiro, *s. m.* atascadero.
atascar, *v. tr.* atascar; atollar.
atassalhado, *adj.* atasajado.
atassalhar, *v. tr.* atasajar; *(fig.)* difamar.
ataúde, *s. m.* ataúd; féretro; tumba.
ataviar, *v. tr.* ataviar; componer; adornar; asear.
atávico, *adj.* atávico.
atavio, *s. m.* atavío; adorno; asco; ornamento.
atavismo *s. m.* atavismo; aliño.
até, **I.** *prep.* hasta. **II.** *adv.* también; mismo; aun.
atear, *v. tr.* atizar; encender.
atediar, *v. tr.* atediar; aburrir; disgustar.
ateimar, *v. intr.* insistir; obstinar; instar.

ateiró, *s. m.* clavija del arado.

ateísmo, *s. m.* ateísmo.

ateísta, *s. 2 gén.* ateísta.

atemorizado, *adj.* atemorizado; asustado.

atemorizador *adj. e s. m.* atemorizador; amedrentador.

atemorizar, *v. tr.* atemorizar; amedrentar; asustar; aterrorizar; achantar; acobardar.

atenazar, *v. tr.* atenazar; atenacear; *(fig.)* apresar; oprimir.

atenção, **I.** *s. f.* atención; circunspección. **II.** *interj.* ¡atención!.

atencioso *adj.* atento; cortés; afable; urbano.

atendedor, *s. m. (telefone)* contestador.

atender, *v. tr. e intr.* atender; acatar; deferir; oír.

atendível, *adj. 2 gén.* atendible.

ateneu, *s. m.* ateneo.

ateniense, *adj. e s. 2 gén.* ateniense.

atenrar, *v. tr.* ablandar; enternecer.

atentado, *s. m.* atentado; atentación.

atentamente, *adv.* atentamente.

atentar, *v. tr. e intr.* atentar; atender; considerar; reparar.

atentatório, *adj.* atentatorio.

atento, *adj.* atento; aplicado; advertido; cuidadoso; estudioso; cortés.

atenuação, *s. f.* atenuación; alívio.

atenuante, *adj. 2 gén. e s.* atenuante.

atenuar, *v.* **1.** *tr.* atenuar; conmutar; laxar; disminuir. **2.** *refl.* disminuirse; ablandarse.

aterrador, *adj.* aterrador.

aterragem, *s. f.* aterraje; aterrizaje; *aterragem forçada*, aterrizaje forzoso.

aterrar, *v. tr. e intr.* aterrar; aterrizar; aterrar, aterrorizar; acoquinar; terraplenar.

aterro, *s. m.* aterramiento.

aterrorizante, *adj. 2 gén.* espeluznante.

aterrorizar *v. tr.* aterrorizar; aterrar; espeluznar; amedrentar.

ater- e, *v. refl.* atener-se; arrimarse.

atesar, *v. tr.* atesar.

atestação, *s. f.* atestación; atestamiento; atestiguación; atestado.

atestado, **I.** *s. m.* atestado, declaración firmada. **II.** *adj.* abarrotado; atestado; lleno.

atestamento, *s. m.* atestamiento.

atestar, *v. tr.* atestar; testificar; certificar; demostrar; abarrotar; ataruzar; llenar hasta los bordes.

ateu, *s. m.* ateo.

atiçador, *s. m.* atizador; instigador; hurgón.

atiçamento, *s. m.* atizamiento.

atiçar, *v. tr.* atizar; achuchar; avivar; azuzar; enardecer; *(fig.)* instigar.

aticismo, *s. m.* aticismo.

aticista, *s. 2 gén.* aticista.

ático, *adj. e s. m.* ático.

atigado, *adj.* atigado.

atilado, *adj.* atilado; atinado; acertado; sagaz; perfecto.

atilar, *v. tr.* atildar; *(fig.)* perfeccionar.

atilho, *s. m.* atadura; ligadura; guita; atadero; legadura.

atinado, *adj.* discreto; sagaz.

atinente, *adj. 2 gén.* concerniente; relativo.

atinar, *v. intr.* atinar.

atingir, *v. tr.* alcanzar; tocar; atañer; conseguir; acertar; entender.

atípico, *adj.* atípico.

atirado, *adj.* tirado.

atirador, *s. m.* tirador.

atirar, *v.* **1.** *tr.* tirar; arrojar; botar; achocar; lanzar; alijar; echar; jalar. **2.** *refl.* lanzarse; arrojarse; batirse.

atitude *s. f.* actitud.

atlântico, *adj.* atlántico.

atlas, *s. m.* atlas.

atleta, **I.** *s. 2 gén.* atleta; gladiador. **II.** *adj.* *2 gén.* robusto.

atlético, *adj.* atlético.

atletismo, *s. m.* atletismo.

atmosfera, *s. f.* atmósfera; cielo.

atmosférico, *adj.* atmosférico.

à-toa, *adj. 2 gén.* vil; despreciable.

atoalhado, **I.** *adj.* adamascado. **II.** *s. m.* mantel para la mesa de comer.

atoar, *v. tr.* atoar.

atoarda, *s. f.* noticia vaga; rumor; *(fam.)* paparrucha.

atocaiar, *v. tr.* acechar; asaltar.

atochar, *v. tr.* atochar; atasear; empujar; apresar.

atol, *s. m.* atollón.

atolado, *adj.* enlodado; atascado.

atolambado, *adj.* atontado; zonzo.

atolambar, *v.* **1.** *tr.* atontar. **2.** *refl.* atontarse.

atolar, *v. tr.* atascar; atollar; atontar; idiotizar; *(fig.)* degradarse.

atoleimado, *adj.* atontado; embobado.

atoleimar, *v. tr.* embobar; hacer un poco tonto.

atoleiro, *s. m.* atolladero; atascadero; lodazal; tembladal; abarrancadero; embalsadero; cenagal.

atómico, *adj.* atómico.

atomismo, *s. m.* atomismo.

atomização, *s. f.* atomización.

atomizador, *s. m.* atomizador; vaporizador.

atomizar, *v. tr.* atomizar.

átomo, *s. m.* átomo.

atonal, *adj.* 2 *gén.* MÚS. atonal.

atonia, *s. f.* atonía; abirritación.

atónico, *adj.* atónico; átono.

atónito, *adj.* atónito; espantado; estupefacto; cuajado.

atonizar, *v. tr.* causar atonía; debilitar.

átono, *adj.* átono.

atontar, *v. tr.* atontar; aturdir, entontecer.

atordoado, *adj.* aturdido; perturbado; atortolado; tolondro; *(fam.)* bombo.

atordoamento, *s. m.* aturdimiento; atontamiento.

atordoar, *v.* 1. *tr.* aturdir; atontar; atolondrar; abombar; atafagar; turbar; atortolar; atronar. 2. *refl.* azorrarse; emborricarse.

atormentador, *adj. e s. m.* atormentador.

atormentar, *v. tr.* atormentar; torturar; martillar; *(fig.)* atenazar; mortificar; acuitar; *(com ciúmes)* amartelar; *(fig.)* apelmazar.

atoucinhado, *adj.* atocinado.

atrabiliário, *adj.* MED. atrabiliario.

atrabile, *s. f.* atrabilis.

atrabilioso, *adj.* atrabiliario.

atrabílis, *s. f.* atrabilis.

atracação, *s. f.* atracada; atraque.

atracadela, *s. f.* vd. **atração**; vd. **atracação**.

atracadouro, *s. m.* atracadero.

atracagem, *s. f.* atraque.

atracão, *s. m.* *(fam.)* encontrón; apretón; *(fig.)* impertinencia.

atracar, *v. tr.* NÁUT. abarloar; acostar; arribar; atracar; recallar.

atracção, *s. f.* atracción; embrujo.

atractivo, I. *adj.* atractivo; aliciente; *(fig.)* encantador. II. *s. m.* atractivo; gracia; hermosura.

atraente, *adj.* 2 *gén.* atrayente; aliciente; encantador; atractivo; llamativo.

atrafegar-se, *v. tr.* atrafagarse; afanarse.

atraiçoado, *adj.* traicionado.

atraiçoar, *v. tr.* traicionar; engañar; denunciar; falsear.

atrair, *v. tr.* atraer; captar; interesar; jalar; arrastrar; cautivar; tentar; convidar; *(fig.)* enganchar; atravesarse.

atrancar, *v.* 1. *tr.* atrancar. 2. *refl.* atravesarse.

atrapalhação, *s. f.* confusión; embarazo; aturdimiento.

atrapalhar, *v. tr.* confundir; aturdir; perturbar; trabucar; atarantar; embrullar.

atrás, *adv.* atrás; detrás.

atrasado, I. *adj.* atrasado, retrasado. II. *s. m.* retrasado; subnormal.

atrasar, *v.* 1. *tr.* atrasar; retardar; retrasar; rezagar; tardar; *(fig.)* perjudicar. 2. *refl.* rezagarse.

atraso, *s. m.* atraso; decadencia.

atravancamento, *s. m.* atrancamiento; obstáculo.

atravancar, *v. tr.* atrabancar; atrancar; estorbar; impedir.

através, *adv., através de*, a través de, de lado a lado; por medio de.

atravessado, *adj.* atravesado; transversal.

atravessar, *v. tr.* atravesar; cruzar; cortar; espetar; pasar; terciar; *(fig.)* soportar; sufrir.

atreguar, *v. intr.* atreguar, ajustar treguas.

atreito, *adj.* propenso; inclinado.

atrelado, I. *adj.* atraillado; remolcado; enganchado. II. *s. m.* caravana.

atrelagem, *s. f.* enganchamiento; enganche.

atrelar, *v. tr.* atraillar; prender; remolcar; engatar; enganchar; *(fig.)* dominar.

atrever-se, *v. refl.* atreverse; aventurarse; desaforar; descocarse.

atrevidaço, *adj.* muy atrevido; insolente.

atrevido, *adj. e s. m.* atrevido; osado; petulante; insolente; descarado; adelantado; arriscado; aventurado; descocado; libre.

atrevimento, *s. m.* atrevimiento; insolencia; copete.

atribuição, *s. f.* atribución, asignación.

atribuidor, *s. m.* atribuidor.

atribuir, *v. tr.* atribuir; imputar; adscribir; referir; achacar; asignar.

atribuível, *adj.* 2 *gén.* atribuible, asignable.

atribulação, *s. f.* atribulación.

atribulado, *adj.* atribulado; atormentado; angustiado.

atribulador, *adj. e s. m.* atribulador.

atribular, *v. tr.* atribular; angustiar; maltratar; afligir.

atributivo, *adj.* atributivo.

atributo, *s. m.* atributo.

atrição, *s. f.* atrición; desgaste; rozamiento; arrepentimiento.

atrigar-se, *v. refl.* atrafagarse; apresurarse; amedrentarse.

atrigueirado, *adj.* tirando a trigueño; moreno.

átrio, *s. m.* atrio; patio; vestíbulo.

atristar, *v.* **1.** *tr.* entristecer. **2.** *refl.* entristecerse.

atrito, *s. m.* fricción; rozamiento; atrito; roce; frote.

atroador, *adj.* e *s. m.* atronador.

atroamento, *s. m.* atronamiento.

atroar, *v. tr.* atronar; aturdir; atontar.

atrocidade, *s. f.* atrocidad.

atrofia, *s. f.* atrofia.

atrofiar, *v. tr.* atrofiar.

atropelação, *s. f.* atropellamiento.

atropelamento, *s. m.* atropellamiento, atropello.

atropelar, *v. tr.* atropellar; *(fig.)* postergar; menospreciar.

atropelo, *s. m.* atropello; tropel.

atropina, *s. f.* atropina.

atroz, *adj.* 2 *gén.* atroz; cruel; inhumano; feroz; truculento.

atufar, *v. tr.* atufar; inflar; trinchar; llenar; sumergir.

atulhar, *v. tr.* llenar de escombros; atarugar, aterrar; colmar; amontonar.

atum, *s. m.* ZOOL. atun.

atuneiro, *adj.* atuneiro.

aturado, *adj.* constante; persistente.

aturar, *v. tr.* aguantar; soportar; sufrir; resistir.

aturdido, *adj.* aturdido; perturbado; atolondrado; atontado.

aturdimento, *s. m.* aturdimiento; atolondramiento; atontamiento; mareo.

aturdir, *v.* **1.** *tr.* aturdir; atronar; atolondrar; atontar; asombrar; adarvar. **2.** *refl.* aturdirse, emborricarse.

audácia, *s. f.* audacia; osadía; atrevimiento; intrepidez; arrojo; arresto.

audacioso, *adj.* audaz; osado; atrevido; intrépido; confiado.

audaz, *adj.* 2 *gén.* audaz; osado.

audição, *s. f.* audición.

audiência, *s. f.* audiencia.

audiofone, *s. m.* audiófono.

audiometria, *s. f.* audiometría.

audiómetro, *s. m.* audiómetro.

audiovisual, *adj.* 2 *gén.* e *s. m.* audiovisual.

auditar, *v. tr.* auditar.

auditivo, *adj.* auditivo.

auditor, *s. m.* auditor; asesor; oyente.

auditoria, *s. f.* auditoría; asesor; oyente.

auditório, *s. m.* auditorio; auditórium.

audível, *adj.* 2 *gén.* audible; oíble.

auferir, *v. tr.* obtener; coger; ganar; lucrar.

auge, *s. m.* auge; apogeo; cumbre.

augite, *s. f.* augita.

augural, *adj.* 2 *gén.* augural.

augurar, *v. tr.* augurar; agorar; presagiar; predecir.

áugure, *s. m.* augur.

augúrio, *s. m.* augurio.

augusto, *adj.* augusto, digno de respeto y veneración.

aula, *s. f.* aula; lección; clase; cátedra.

áulico, *adj.* áulico.

aumentação, *s. f.* aumento.

aumentar, *v.* **1.** *tr.* aumentar; *(preço)* subir; acrecentar; acrecer; crecer; ampliar; agrandar; añadir. **2.** *intr.* arreciar; recrudecer.

aumentativo, *adj.* aumentativo.

aumento, *s. m.* aumento; subida; acrecentamiento, aditamento, agendamiento; ampliación; añadidura; ribete; creces.

aunar, *v. tr.* aunar.

aura, *s. f.* aura; brisa.

áureo, *adj.* áureo; áurico; dorado.

auréola, *s. f.* aureola; aréola; halo.

aureolar, *v. tr.* aureolar; glorificar.

aureomicina, *s. f.* aureomicina.

aurícula, *s. f.* aurícula.

auricular, *adj.* 2 *gén.* auricular.

aurífero, *adj.* aurífero.

auriga, *s. m.* auriga.

auroque, *s. m.* uro.

aurora, *s. f.* aurora; alba; madrugada.

auscultação, *s. f.* MED. auscultación.

auscultador, *adj.* e *s. m.* auscultador; fonendoscópio; estetoscopio; *(telefone)* auditivo.

auscultar, *v. tr.* auscultar.

ausência, *s. f.* ausencia.

ausentar-se, *v. refl.* ausentarse; apartarse; partir.

ausente, *adj.* 2 *gén.* ausente; alejado, distante.

auspiciar, *v. tr.* auspiciar
auspício, *s. m.* auspicio.
auspicioso, *adj.* prometedor, de buen agüero; propicio.
austeridade, *s. f.* austeridad; rigor.
austero, *adj.* austero; áspero; puritano.
austral, *adj.* 2 *gén.* austral.
australiano, *adj.* e *s. m.* australiano.
australopiteco, *s. m.* australopiteco.
austríaco, *adj.* e *s. m.* austríaco.
autarquia, *s. f.* autarquía.
autárquico, *adj.* autárquico.
autêntica, *s. f.* auténtica.
autenticação, *s. f.* autenticación; convalidación.
autenticar, *v. tr.* autenticar; legalizar; firmar; convalidar.
autenticidade, *s. f.* autenticidad.
autêntico, *adj.* auténtico; verdadero; legalizado.
autismo, *s. m.* autismo.
autista, I. *s.* 2 *gén.* autista. II. *adj.* 2 *gén.* autistic.
auto, *s. m.* auto; taxímetro.
autobiografia, *s. f.* autobiografía.
autobiográfico, *adj.* autobiográfico.
autobomba, *s. f.* autobomba.
autobus, *s. m.* autobús.
autocarro, *s. m.* autobús, autocar.
autoclave, *s. f.* autoclave.
autocolante, *s. m.* pegatina.
autocontrole, *s. m.* autocontrol; autodominio.
autocopiadora, *s. f.* autocopista.
autocracia, *s. f.* autocracia.
autocrata, *s.* 2 *gén.* autócrata.
autocrático, *adj.* autocrático.
autocrítica, *s. f.* autocrítica.
autóctone, *adj.* e *s.* 2 *gén.* autóctono; aborigen; indígena.
auto-estrada, *s. f.* autopista, autovía.
auto-de-fé, *s. m.* auto de fé.
autodidacta, I. *adj.* autodidacto. II. *s.* 2 *gén.* autodidacta.
autodisciplina, *s. f.* autodisciplina.
autodomínio, *s. m.* autodominio, autocontrol.
autódromo, *s. m.* autódromo.
autofinanciamento, *s. m.* autofinanciación.
autogéneo, *adj.* autógeno.
autógeno, *adj.* vd. **autogéneo.**
autogestão, *s. f.* autogestión.

autogiro, *s. m.* autogiro.
autogoverno, *s. m.* autogobierno.
autografar, *v. tr.* autografiar.
autografia, *s. f.* autografía.
autográfico, *adj.* autógrafo.
autógrafo, *s. m.* autógrafo.
auto-hipnose, *s. f.* autohipnosis.
auto-inculpação, *s. f.* autoinculpación.
auto-indução, *s. f.* autoinducción.
auto-infecção, *s. f.* autoinfección.
autolesão, *s. f.* autolesión.
automático, *adj.* automático; *piloto automático,* autodirección; autopiloto.
automatismo, *s. m.* automatismo.
automatização, *s. f.* automatización.
automatizar, *v. tr.* automatizar.
autómato, *s. m.* autómata.
automobilismo, *s. m.* automovilismo, automoción.
automobilista, *s.* 2 *gén.* automovilista.
automobilístico, *adj.* automovilístico.
automotor, *adj.* automotor.
automotora, *s. f.* automotor.
automóvel, *s. m.* automóvil; carro.
automutilação, *s. f.* automutilación.
autónimo, *adj.* autónimo.
autonomia, *s. f.* autonomía; independencia.
autonómico, *adj.* autonómico.
autonomista, *adj.* 2 *gén.* autonomista.
autónomo, *adj.* autónomo; independente.
autopolinização, *s. f.* autopolinización.
autopropulsão, *s. f.* autopropulsión.
autopropulsionado, *adj.* autopropulsado.
autópsia, *s. f.* autopsia.
autor, *s. m.* autor; causador; creador.
auto-retrato, *s. m.* autorretrato.
autoria, *s. f.* autoría.
autoridade, *s. f.* autoridad; imperio; importancia.
autoritário, *s. m.* autoritario, autoritativo.
autoritarismo, *s. m.* autoritarismo.
autorização, *s. f.* autorización.
autorizar, *v. tr.* autorizar; habilitar; acreditar.
auto-serviço, *s. m.* autoservicio.
auto-suficiência, *s. f.* autosuficiencia.
auto-suficiente, *adj.* 2 *gén.* autosuficiente.
auto-sugestão, *s. f.* autosugestión.
autovacina, *s. f.* autovacuna.
auxiliar, I. *v. tr.* auxiliar; socorrer; ayudar; secundar; subvenir. II. *adj.* 2 *gén.* auxiliar. III. *s.* 2 *gén.* auxiliar; ayudante; adjunto.

auxilio, *s. m.* auxilio; ayuda; socorro; amparo; remedio.

aval, *s. m.* aval.

avalancha, *s. f.* avalancha; alud.

avaliação, *s. f.* valuación; evaluación; valoración; cómputo; apreciación; justipreciación; aquilatamiento.

avaliado, *adj.* evaluado; apreciado; estimado.

avaliador, *s. m.* evaluador; tasador; apreciador.

avaliar, *v. tr.* evaluar; valuar; arbitrar; estimar; valorar; valorizar; apreciar; aquilatar; conceptuar; reputar.

avalista, *s. 2 gén.* avalista.

avalizar, *v. tr.* avalar; refrendar.

avançado, *adj.* e *s. m.* avanzado; entrado.

avançado-centro, *s. m.* DESP. aríete.

avançar, *v. tr.* e *intr.* avanzar; adelantar; exceder; plantear; proponer.

avanço, *s. m.* adelanto; avance; anticipo; progreso; provecho; ganancia.

avantajado, *adj.* aventajado.

avantajar, *v. tr.* aventajar; exceder; pasar; sobrepasar; adelantar; mejorar.

avante, *adv.* avante; adelante.

avarento, *adj.* e *s. m.* avariento; avaricioso; mezquino, avaro; cicatero.

avareza, *s. f.* avaricia, cicatería.

avaria, *s. f.* avería, daño.

avariado, *adj.* averiado.

avariar, *v.* **1.** *tr.* averiar; maltratar; descacharrar, **2.** *intr.* fallar.

avariose, *s. f.* MED. avariosis, sífilis.

avaro, *adj.* e *s. m.* vd. **avarento.**

avascongado, *adj.* parecido con el vascuence; ininteligible.

avassalador, *adj.* e *s. m.* avasallador.

avassalamento, *s. m.* avasallamiento.

avassalar, *v. tr.* avasallar; sujetar; rendir; cometer.

ave, *s. f.* ave.

ave (*è*), *interj.* ¡salve!

ave-fria, *s. f.* avefría.

aveia, *s. f.* BOT. avena.

avejão, *s. m.* fantasma; avechucho.

avelã, *s. f.* avellana.

avelanal, *s. m.* avellanal; avellanedo.

avelaneira, *s. f.* avellano.

avelar, *s. m.* avellanar.

aveleira, *s. f.* BOT. avellano.

aveleiral, *s. m.* avellanal; avellanedo.

avelhacado, *adj.* abellacado, abribonado.

avelhacar, *v. tr.* e *refl.* abellacar; abribonar.

avelhado, *adj.* aviejado; avejentado; envejecido.

avelhentar, *v. tr.* e *refl.* avejentar; envejecer; aviejar.

avelórios, *s. m. pl.* abalorio.

aveludado, *adj.* aterciopelado, afelpado.

aveludar, *v. tr.* aterciopelar; *(fig.)* abrandar.

ave-maria, *s. f.* avemaría.

avena, *s. f.* avena.

avenca, *s. f.* BOT. capilaria; asplenio.

avença, *s. f.* ajuste; pacto; acuerdo; iguala; concordia.

avençal, *s. 2 gén.* obrero; trabajador por salario fijo.

avençar-se, *v. refl.* ajustarse; subscribirse; abonarse.

avenida, *s. f.* avenida; camino; alameda; vial.

aventador, *s. m.* aventador.

avental, *s. m.* delantal; mandil.

aventar, *v. tr.* aventar; exponer; apalear; *(fig.)* prever; sospechar.

aventura, *s. f.* aventura; acaecimiento; *pl.* andanzas.

aventurado, *adj.* aventurado; osado.

aventurar, *v.* **1.** *tr.* aventurar; arriesgar. **2.** *refl.* abalanzarse, arriesgarse; aventurarse.

aventureiro, *s. m.* aventurero.

averbamento, *s. m.* nota (al margen de un título o registro).

averbar, *v. tr.* anotar; declarar; registrar.

avergoar, *v. tr.* producir verdugones con el verdugo, vara o azote.

averiguação, *s. f.* averiguación; indagación; investigación, encuesta.

averiguar, *v. tr.* averiguar; examinar; inquirir; investigar; enterarse; escudriñar.

averiguável, *adj. 2 gén.* averiguable.

avermelhado, *adj.* vermejizo; rojizo.

avermelhar, *v. tr.* bermejear; rojear; enrojecer.

aversão, *s. f.* aversión; antipatía; aborrecimiento; ojeriza; animosidad; inquina; enemistad; hastío; fastidio.

avessado, *adj.* hecho al revés; enrevesado.

avessas, *s. f. pl.* cosas contrarias u opuestas; *às avessas,* al revés.

avesso, *adj.* avieso; envés.

avestruz, *s. m.* e *f.* avestruz.

avezado, *adj.* avezado.

avezar, *v. tr.* avezar; acostumbrar.

aviação, *s. f.* aviación.

aviado, *adj.* listo; despachado; aviado.

aviador, *s. m.* aviador.

aviamento, *s. m.* avío; expedición.

avião, *s. m.* avión; aeroplano; aeronave; *avião de carga*, carguero.

aviar, *v. tr.* rematar; concluir; ejecutar; despachar; atender; apresurar.

aviário, *s. m.* averío; pajarera.

avícola, *adj.* 2 *gén.* avícola.

avicultor, *s. m.* avicultor.

avicultura, *s. f.* avicultura.

avidez, *s. f.* avidez, ansia, codicia.

ávido, *adj.* ávido; ansioso; voraz.

avigorar, *v. tr.* avigorar, vigorizar.

avilanado, *adj.* avillanado; grosero; rústico.

aviltamento, *s. m.* envilecimiento; vileza; abyección.

aviltante, *adj.* 2 *gén.* que envilece o degrada; deshonroso.

aviltar, *v.* 1. *tr.* envilecer; deshonrar; descalificar; humillar; abellacar. 2. *refl.* encanallarse; encenagarse.

avinagrado, *adj.* avinagrado.

avinagrar, *v. tr.* avinagrar; envinagrar; agriar.

avindo, *adj.* avenido.

avindor, *adj.* mediador.

avinhado, *adj.* avinado.

avinhar, *v. tr.* avinar; plantar de viñas.

avioneta, *s. f.* avioneta.

avir, *v. tr.* ajustar; combinar; suceder; avenir.

avisado, *adj.* avisado; advertido; prevenido, prudente; discreto.

avisar, *v. tr.* avisar; prevenir; advertir, aconsejar; informar; notificar.

aviso, *s. m.* aviso; noticia; advertencia; amonestación; consejo; comunicación; opinión; señal; NÁUT. aviso.

avistar, *v.* 1. *tr.* avistar; (*fam.*) guipar; 2. *refl.* avistarse; personarse; entrevistarse.

avitaminose, *s. f.* avitaminose.

avitualhar, *v. tr.* avituallar; abastecer.

avivar, *v. tr.* avivar; excitar; animar; estimular; atizar; realzar.

aviventador, *adj.* e *s. m.* vivificador.

aviventar, *v. tr.* vivificar; reanimar.

avizinhar, *v.* 1. *tr.* avecinar. 2. *refl.* avecinarse; aproximarse; confinar; avecindarse.

avô, *s. m.* abuelo; antepasado; yayo; *avô torto*, abuelastro.

avó, *s. f.* abuela; yaya; *avó torta*, abuelastra.

avoceta, *s. f.* avoceta.

avoengo, I. *adj.* abolengo. II. *s. m. pl.* antepasados.

avolumar, *v. tr.* aumentar el volumen de; llenar.

avonde, *adv.* abundantemente.

avulso, *adj.* separado; aislado; suelto; a granel.

avultado, *adj.* abultado; corpulento; voluminoso; quantioso.

avultar, *v. tr.* abultar; aumentar.

axadrezado, *adj.* escaqueado; ajedrezado.

axial, *adj.* 2 *gén.* axil, axial.

axila, *s. f.* ANAT. axila, sobaco.

axilar, *adj.* 2 *gén.* axilar.

axiología, *s. f.* axiologia.

axioma, *s. m.* axioma.

axiomático, *adj.* axiomático.

áxis, *s. m.* axis.

axóide, *adj.* 2 *gén.* axoideo.

azabumbado, *adj.* atolondrado; aturdido.

azado, *adj.* habilidoso; favorable; propicio.

azáfama, *s. f.* trajín, afán.

azafamado, *adj.* atareado; ocupado; afanoso.

azafamar, *v.* 1. *tr.* atarear; afanar. 2. *refl.* atarearse, afanarse.

azagaia, *s. f.* azagaya.

azálea, *s. f.* BOT. azalea.

azamboado, *adj.* áspero; insípido.

azambujeiro, *s. m.* acebuche.

azar, *s. m.* azar, mala suerte; desgracia; albur.

azarado, *adj.* azarado.

azarar, *v. tr.* azarar.

azarola, *s. f.* acerola.

azaroleiro, *s. m.* acerolo.

azebre, *s. m.* verdete de cobre; áloe; cadenillo.

azebuado, *adj.* parecido al bisonte.

azeda, *s. f.* BOT. acedera.

azedar, *v.* 1. *tr.* acedar, avinagrar; hacer ácido; (*fig.*) causar mal humor. 2. *intr.* avinagrarse; agriarse; (*fig.*) enconarse.

azedas, *s. f. pl.* acedera.

azedeira, *s. f.* acedera.

azedo, *adj.* ácido, acerbo; acetoso; agriado, agrio; (*fig.*) enconado, acre.

azedume, *s. m.* acedía; amargor; acrimonia.

azeitador, *s. m.* encargado de lubrificar las máquinas (en las fábricas).

azeitar, *v. tr.* aceitar.

azeite, *s. m.* aceite; óleo; *azeite queimado*, aceitazo.

azeiteira, *s. f.* aceitera, alcuza.
azeiteiro, *s. m.* aceitero.
azeitona, *s. f.* BOT. aceituna; oliva.
azeitonado, *adj.* aceitunado.
azeitoneiro, *s. m.* aceitunero.
azemel, *s. m.* arriero; mulero; acemilero.
azemeleiro, *s. m.* acemilero.
azémola, *s. f.* acémila; mula o macho de carga; mula vieja y cansada.
azenha, *s. f.* aceña; acequia; atorona; molino; azud; almazara.
azenheiro, *s. m.* aceñero.
azevia, *s. f.* ZOOL. acedía.
azeviche, *s. m.* azabache; ámbar.
azevinhal, *s. m.* acebeda.
azevinheiro, *s. m.* acebo.
azevinho, *s. m.* acebo; muérdago.
azia, *s. f.* acedía; dispepsia.
aziago, *adj.* aciago; funesto; siniestro.
aziar, *s. m.* acial.
ázimo, *adj.* ázimo, ácimo.
azimutal, *adj. 2 gén.* azimutal.
azimute, *s. m.* azimute.
azinhaga, *s. f.* camino estrecho en el campo; sendero; senda; vereda.

azinheira, *s. f.* BOT. encina; alcornoque; quejigo.
azinheiral, *s. m.* encinal; encinar.
azinho, *s. m.* encina; quejigo.
azinhoso, *adj.* abundante en encinas.
aziumar, *v. tr.* acidificar; acedar.
azo, *s. m.* oportunidad; ocasión.
azoar, *v. tr.* aturdir, enfadar.
azoinar, *v. tr.* importunar; aturdir.
azorragada, *s. f.* zorriagazo.
azorrague, *s. m.* flagelo; tralla; verdugo; zurriago.
azotato, *s. m.* azoato.
azoto, *s. m.* azoto; ázoe.
azougado, *adj.* azogado.
azougar, *v. tr.* azogar.
azul, *adj. 2 gén.* e *s. m.* azul.
azulado, *adj.* azulado; azulenco; lívido.
azular, *v. tr.* azular.
azul-celeste, *adj. 2 gén.* e *s. m.* celeste.
azulejador, *s. m.* azulejero.
azulejo, *s. m.* azulejo; baldosín.
azul-escuro, *adj.* e *s. m.* azur.
azulino, *adj.* azulenco; azulino.
azurina, *s. f.* azurina.
azurite, *s. f.* azurite.

B

baba, *s. f.* baba.

babadinho, *adj.* codicioso; apasionado.

babado, *adj.* babado; chocho; (*fig.*) apasionado.

babadoiro, *s. m.* babero, babadero.

babadouro, *s. m.* vd. **babadoiro.**

babadura, *s. f.* baboseo.

babão, *adj. e s. m.* baboso; (*fig.*) atontado.

babar-se, *v. refl.* babear.

babau!, *interj.* ¡se acabó!; ¡no tiene remedio!

babeira, *s. f.* baberol, babera de la armadura.

babeiro, *s. m.* babero; babador; delantal.

babel, *s. f.* babel, confusión.

babélico, *adj.* babélico; desordenado; confuso.

babilónico, *adj. e s. m.* babilónico.

baboca, *adj. e s. 2 gén.* babieca.

baboseira, *s. f.* disparate; tontería; majadería.

babosice, *s. f.* vd. **baboseira.**

baboso, *adj.* baboso; (*fig.*) estúpido; necio; apasionado.

babucha, *s. f.* babucha; mocasín.

babugem, *s. f.* espumarajo, baba; (*fig.*) bagatelas; restos.

babuíno, *s. m.* babuino.

babujar, *v. tr.* babosear; (*fig.*) adular servilmente.

bacalhau, *s. m.* ZOOL. bacalao; abadejo; *bacalhau seco*, bacalada.

bacalhoeiro, *adj. e s. m.* bacaladero.

bacamartada, *s. f.* trabucazo.

bacamarte, *s. m.* trabuco, arma de fuego.

bacanal, *s. f.* bacanal; orgía.

bacante, *s. f.* bacante.

bacará, *s. f.* bacará, baccarrá.

baceira, *s. f.* VETER. bacera.

baceiro, *adj.* esplénico.

bacelada, *s. f.* bacelar; parral.

bacelador, *s. m.* el que planta o cuida del viñedo nuevo.

bacelar, *v. tr.* plantar *bacelos.*

bacelo, *s. m.* majuelo; cepa nueva; sarmiento.

bacharel, *s. m.* bachiller.

bacharela, *s. f.* bachillera; (*fig.*) mujer parlanchina y sabihonda.

bacharelada, *s. f.* bachillería, verbosidad impertinente.

bacharelado, *s. m.* bachillerato.

bacharelato, *s. m.* vd. **bacharelado.**

bacia, *s. f.* bacía; vasija; servicio; palangana; jofaina; aljofaina; almofía; (*hidrográfica*) cuenca; dársena.

baciada, *s. f.* contenido de una jofaina o bacía; bacinada, contenido de un orinal o bacín.

baciado, *adj.* sin brillo; opaco; bazo; moreno empanado.

bacilar, *adj. 2 gén.* bacilar.

bacilo, *s. m.* bacilo.

bacio, *s. m.* bacín, orinal; vaso.

baco, *s. m.* variedad de uva.

baço, I. *s. m.* ANAT. bazo; melsa. II. *adj.* bazo, empañado.

bacoco, *adj. e s. m.* tonto; ingenuo.

bácora, *s. f.* lechona, cochinita, puerca pequeña.

bacorejar, *v.* 1. *intr.* gruñir (el lechón); parecer. 2. *tr.* presentir; prever.

bacorejo, *s. m.* presentimiento; corazonada.

bácoro, *s. m.* lechón, cochinillo; gorrino; cerdo joven.

bactéria, *s. f.* bacteria.

bacteriano, *adj.* bacteriano.

bactericida, *adj. 2 gén.* bactericida.

bacteriologia, *s. f.* bacteriología.

bacteriológico, *adj.* bacteriológico.

bacteriologista, *s. 2 gén.* bacteriólogo.

bacteriólogo, *s. m.* bacteriólogo.

báculo, *s. m.* báculo; bastón; cayado.

badalada, *s. f.* badajada.

badalado, *adj.* (*fig.*) sonado.

badalar, *v. tr. e intr.* badajear; sonar; (*fig.*) hablar mucho.

badaleira, *s. f.* argolla de la campana que suspende el badajo; (*fig.*) mujer lenguaraz.

badalejar, *v. intr.* badajear.

badalo, *s. m.* badajo.

badana, *s. f.* (oveja; piel colgante) badana; (*de livro*) solapa.

badanal, s. m. (fam.) babel, confusión, desorden, barullo.

badejo, s. m. ZOOL. abadejo.

badiana, s. f. BOT. badiana.

badil, s. m. badil.

badmínton, s. m. bádminton.

badulaque, s. m. (fam.) badulaque; chanfaina, guisado.

baeta, s. f. bayeta; muletón.

baetão, s. m. bayeta gruesa.

baetilha, s. f. bayeta fina.

bafagem, s. f. vahaje, viento suave, brisa.

bafejador, adj. e s. m. que o el que sopra blandamente.

bafejar, v. tr. soplar blandamente; (fig.) favorecer.

bafejo, s. m. vaharada; aliento; (fig.) auxilio; protección.

bafiento, adj. mohoso.

bafio, s. m. moho.

bafo, s. m. vaho; hálito; aliento.

baforada, s. f. vaharada, alentada; bocanada; tufarada.

baforar, v. intr. vahar; vahear; soprar; eructar.

baforeira, s. f. BOT. higuera loca, cabrahigo.

baga, s. f. baya; (fig.) gota (de sudor); *baga de zimbro*, enebrina; *baga de pilriteiro*, majoleta.

bagaceira, s. f. bagacera.

bagaceiro, s. m. el que cuida del bagazo en los molinos.

bagaço, s. m. bagazo; orujo.

bagageira, s. f. baca.

bagageiro, s. m. bagajero; vagon de equipajes; bagajero, el que conduce el bagage.

bagagem, s. f. bagaje.

bagalhoça, s. f. (fam.) mucho dinero; riqueza.

baganha, s. f. baga; bagullo; hollejo; bagazo de la uva, aceituna, etc.

bagatela, s. f. bagatela; chirinola; friolera; frustrería; futesa; nadería; pelillo; quisquilla; *pl.* zarandajas.

bago, s. m. grano; (fam.) dinero.

bagulhento, adj. pepitoso.

bagulho, s. m. pepitas.

bagunça, s. f. barahunda; disloque.

bah!, interj. bah!

baía, s. f. bahía; encenada; apostadero.

bailadeira, s. f. bailarina.

bailado, s. m. baile.

bailador, adj. e s. m. bailador; bailarín; danzante.

bailão, adj. bailón, bailarín.

bailar, v. intr. bailar; danzar.

bailaricar, v. intr. bailotear.

bailarico, s. m. bailoteo.

bailarina, s. f. bailarina; danzarina; (oriental) almea.

bailarino, s. m. bailarín.

bailável, adj. 2 gén. bailable.

baile, s. m. baile; danza.

bailete, s. m. bailete; pantomima.

bailéu, s. m. andamio.

bailio, s. m. bailío.

bainha, s. f. vaina; dobladillo; bastilla; jareta.

bainhar, v. tr. vd. **embainhar.**

bainheiro, s. m. vainero.

baio, adj. e s. m. bayo; albazano.

baioneta, s. f. bayoneta.

baionetada, s. f. bayonetazo.

bairrista, adj. e s. 2 gén. defensor de los intereses de su barrio o de su tierra.

bairro, s. m. barrio; barriada; suburbio; *bairro chinês*, barrio chino; *bairro de lata*, barrio de chabolas, chabolismo; *habitante de bairro de lata*, chabolista.

baiuca, s. f. bayuca, taberna, bodegón, figón.

baiuqueiro, s. m. frecuentador de bayuca; tabernero.

baixa, s. f. baja; bajón; (fig.) decadencia.

baixada, s. f. abajadero; bajada.

baixa-mar, s. f. bajamar.

baixar, v. tr. bajar, apear; bajar; declinar; rebajar; abajar; abalhar; (rios) avadar; (fig.) abatir; disminuir; inclinar.

baixel, s. m. bajel; embarcación.

baixela, s. f. servicio; vajilla.

baixeza, s. f. bajeza.

baixinho, adv. en secreto, en voz baja.

baixio, s. m. bajío; alfaque; cantil; sirte; cabezo.

baixista, s. 2 gén. bajista; bajonista.

baixo, I. adj. bajo; bajero; vil; humilde; servil; (voz) quedo. II. s. m. MÚS. bajo, bajón. III. adv. en voz baja.

baixo-império, s. m. bajo imperio; sociedad corrupta.

baixo-relevo, s. m. bajorrelieve.

baixote, I. adj. bajito, bajete. II. s. m. (cães) basset.

baixo-ventre, s. m. empeine.

bajoujar, v. tr. adular, lisonjear.

bajoujo, *adj.* bragazas.

bajulação, *s. f.* adulación; lisonja; coba.

bajulador, *adj.* e *s. m.* adulador; lisonjeador; zamalero; adulón; cobista; pelota.

bajular, *v. tr.* adular, lisonjear servilmente; engatusar; hacer la pelota, hacer la pelotilla.

bajulice, *s. f.* vd. **bajulação**.

bala, *s. f.* bala; proyectil; *à prova de bala,* a prueba de balas, blindado.

balaço, *s. m.* balazo.

balada, *s. f.* balada; cántiga.

balaio, *s. m.* cesto redondo.

balalaica, *s. f.* balalaica.

balança, *s. f.* balanza; *(fig.)* equilíbrio.

balançar, *v.* **1.** *tr.* balancear; abalanzar; columpiar; pesar. **2.** *intr.* balancear; oscilar.

balancé, *s. m.* balancín (máquina); balancé, paso de danza; columpio.

balanceamento, *s. m.* balanceo.

balancear, *v. intr.* balancear; oscilar.

balanceiro, *s. m.* balancín.

balancete, *s. m.* balance parcial.

balancim, *s. m.* balancín.

balanço, *s. m.* balanceo; balance; vaivén; columpio; COM. balance.

balandra, *s. f.* NÁUT. balandra.

balandrau, *s. m.* balandrán.

bálano, *s. m.* ANAT. bálano.

balante, *adj.* 2 *gén.* balante.

balão, *s. m.* aeróstato; balón; *(de papel)* farolilla.

balar, *v. intr.* balar.

balastragem, *s. f.* balastaje.

balastrar, *v. tr.* balastar.

balastro, *s. m.* balasto; lastre.

balata, *s. f.* balada.

balaustrada, *s. f.* balaustrada, baranda, barandilla.

balaustrar, *v. tr.* balaustrar, poner balaustres.

balaústre, *s. m.* balaústre, balaustre.

balázio, *s. m.* balazo.

balboa, *s. f.* balboa.

balbuciação, *s. f.* balbuceo.

balbuciamento, *s. m.* balbuceo; borboteo.

balbuciante, *adj.* 2 *gén.* balbuciente; tartamudo; farfalhador.

balbuciar, *v. tr.* balbucear; balbucir; farfullar; barbotar.

balbúcie, *s. f.* balbucencia; farfulla.

balbuciente, *adj.* 2 *gén.* vd. **balbuciante**.

balbúrdia, *s. f.* barullo, bronca, jaleo, tole; confusión, asonada; desorden; trápala; trapisoada; zapatiesta; zarabanda.

balça, *s. f.* bosque; ramales del coral.

balcânico, *adj.* balcánico.

balcão, *s. m.* balcón; mostrador; tabla.

balda, *s. f.* manía; defecto habitual; carta falla, la que no es del naipe que se juega.

baldado, *adj.* baldado; frustrado; vano; inutilizado.

baldão, *s. m.* baldón; injuria; contratiempo.

baldaquim, *s. m.* baldaquín, baldaquino.

baldaquino, *s. m.* baldaquino, baldaquín, dosel.

baldar, *v. tr.* baldar; frustrar; emplear inutilmente.

balde, *s. m.* balde; acetre; cubo; *balde do lixo,* cubo de la basura; *balde de madeira,* herrada.

baldeação, *s. f.* baldeo; transbordo.

baldear, *v.* **1.** *tr.* baldear; trasegar; transbordar. **2.** *refl.* balancearse.

baldio, I. *adj.* baldío; inculto; inútil. **II.** *m.* baldío; ejido.

baldo, *adj.* baldo; inútil; fallido; fallo.

baldoar, *v. tr.* baldonar; insultar; injuriar.

baldroca, *s. f.* embuste; fraude; engaño; dolo.

baldrocar, *v.* **1.** *tr.* engañar; usar de embustes. **2.** *intr.* trapalear.

balear, *adj.* 2 *gén.* balear, baleárico.

baleato, *s. m.* ZOOL. ballenato.

baleeira, *s. f.* NÁUT. ballenera.

baleeiro, *s. m.* ballenero.

baleia, *s. f.* ZOOL. ballena; rorcual.

balela, *s. f.* noticia falsa; mentira; patraña; hablilla.

baleote, *s. m.* ZOOL. ballenato; cachalote.

balestra, *s. f.* ballesta.

balha, *s. f.* mención de varias cosas; conversación sobre varios asuntos.

balido, *s. m.* balido; berrido.

balim, *s. m.* balín.

balir, *v. intr.* balar.

balista, *s. f.* ballesta.

balística, *s. f.* balística.

balístico, *adj.* balístico.

baliza, *s. f.* baliza; límite; acirate; mojón; pilar.

balizador, *s. m.* el que pone balizas.

balizagem, *s. f.* balizamiento; abalizamiento.

balizar, *v. tr.* balizar; abalizar; acotar; jalonar; poner lindes.

balnear, *adj.* 2 *gén.* balneario.
balneário, *s. m.* balneario.
balofice, *s. f.* impostura.
balofo, *adj.* fofo; hueco; *(fig.)* vano.
baloiçamento, *s. m.* balanceo.
baloiçar, *v. tr.* e *intr.* balancear, columpiar; mecer; NÁUT. arfar.
baloiço, *s. m.* balance (movimiento), columpio; mecedura.
balote, *s. f.* balita; fardo de algodón; lío grande de ropa; abarrote.
balsa, *s. f.* balsa; tina; NÁUT. balsa, almadía.
balsâmico, *adj.* balsámico; aromático.
balsamífero, *adj.* que produce bálsamo.
balsamificar, *v. tr.* balsamificar; *(fig.)* aliviar; perfumar.
balsamina, *s. f.* BOT. balsamina.
balsamizar, *v. tr.* aromatizar; suavizar; *(fig.)* aliviar.
bálsamo, *s. m.* bálsamo; almea; *(fig.)* consuelo; alivio.
balsedo, *s. m.* bosque.
balseiro, *s. m.* cuba para pisar la uva; balsero, el que conduce o guia una balsa.
balso, *s. m.* NÁUT. balso.
báltico, *adj.* báltico.
baluarte, *s. m.* baluarte; bastión; reducto; fortaleza; lugar seguro.
bambaleadura, *s. f.* bamboleamiento.
bambaleante, *adj.* 2 *gén.* bamboleante.
bambalear, *v. intr.* bambolear, bambalear; bambonear; oscilar.
bambaleio, *s. m.* bambaleo; bamboleo.
bambalhão, *adj.* flojo; suelto.
bambão, *s. m.* cuerda floja.
bambear, *v. tr.* aflojar; hacer flojo.
bambinela, *s. f.* cortina para adorno de las ventanas; cenefa.
bambo, *adj.* flojo; vacilante; irresoluto.
bamboleante, *adj.* 2 *gén.* bamboleante.
bambolear, *v. tr.* e *refl.* bambolear; columpiarse, contonearse; jinglar; oscilar.
bamboleio, *s. m.* bamboleo, contoneo.
bambolim, *s. m.* guarnición de cortinas; bambalina.
bambolina, *s. f.* bambalina.
bambu, *s. m.* BOT. bambú.
bambúrrio, *s. m.* *(fam.)* bambarria; chiripa; buena suerte; chollo.
bamburrista, *s.* 2 *gén.* jugador de chiripa.
bambuzal, *s. m.* lugar donde crecen bambúes.

banabóia, *s.* 2 *gén.* inerte, abúlico, imbécil.
banal, *adj.* 2 *gén.* banal, trivial; común; vulgar.
banalidade, *s. f.* banalidad; trivialidad; pijada; pijotena.
banalização, *s. f.* banalización.
banalizar, *v.* 1. *tr.* banalizar. 2. *refl.* vulgarizarse.
banana, *s. f.* BOT. plátano; banana.
bananal, *s. m.* platanal; platanar.
bananeira, *s. f.* BOT. platanero; bananero; banano.
bananeiro, *adj.* bananero; platanero.
banazola, *s.* 2 *gén.* imbécil; persona inútil.
banca, *s. f.* banca, tabla; pupitre; papelera; bufete, estudio o despacho; banca, en un juego; cantidad que el banquero expone en el juego; *(de cozinha)* fregadero.
bancada, *s. f.* bancada; *pl.* grada.
bancal, *s. m.* bancal.
bancário, *adj.* bancario.
bancarrota, *s. f.* bancarrota, quiebra.
banco, *s. m.* banco; banca; asiento; escabel; *(de pedra)* poyo; *(estabelecimento)* banco; *(do réu)* banquillo; *banco de areia,* alfaque, bajío.
banda, *s. f.* banda; lado; lista; faja; tira; MÚS. banda; *banda desenhada,* cómic; MÚS. *banda desafinada, (fam.)* murga.
bandada, *s. f.* bandada.
bandalheira, *s. f.* pillada; pillería; tunantada; bribonada; indignidad.
bandalhice, *s. f.* vd. **bandalheira.**
bandalho, *s. m.* pícaro; granuja; pillo; bribón; rufián.
bandar, *v. tr.* poner bandas al vestido.
bandarilha, *s. f.* banderilla; palitroque; rehilete.
bandarilhar, *v. tr.* banderillear.
bandarilheiro, *s. m.* banderillero.
bandarra, *s. m.* holgazan; haragan; farsante; profeta.
bandear, *v.* 1. *tr.* abanderizar; reunir en bando; guiar, conducir. 2. *refl.* bandear, contrapasar; bandearse; mudar de partido.
bandeira, *s. f.* bandera; estandarte; pabellón; enseña; pendón.
bandeirinha, *s. f.* banderita, banderola.
bandeiro, *adj.* e *s. m.* banderizo; faccioso.
bandeirola, *s. f.* banderola; banderita; bandereta.
bandeja, *s. f.* bandeja; batea; AGRIC. aventador; NÁUT. gaveta.

bandejar, *v. tr.* AGRIC. aventar la mies trillada.

bandido, *s. m.* bandido; bandolero; salteador; ladrón.

banditismo, *s. m.* bandidaje; bandolerismo.

bando, *s. m.* bando; (*de perus*) pavada; facción; bandada; horda; hatajo; parcialidad; banda; bando, edicto.

bandó, *s. m.* crencha.

bandola, *s. f.* canana; NÁUT. bandola; MÚS. bandola.

bandoleira, *s. f.* bandolera.

bandoleirismo, *s. m.* bandolerismo.

bandoleiro, *s. m.* bandolero, salteador.

bandolim, *s. m.* MÚS. bandolín, bandola; mandolina.

bandolinada, *s. f.* MÚS. concierto de bandolín.

bandolinista, *s. 2 gén.* MÚS. bandolinista.

bandulho, *s. m.* (*fam.*) barriga; panza.

bandurra, *s. f.* MÚS. bandurria.

bandurrear, *v. intr.* bandurriar; (*fig.*) festejar; vagabundear.

bandurrilha, *s.* **1.** *f.* MÚS. bandurria pequeña. **2.** *s. m.* bandurrista; mareante.

bangaló, *s. m.* bungulow.

banha, *s. f.* unto; enjundia; pingue; grasa; churre; pomada.

banhar, *v. tr. e refl.* bañar; mojar; regar; tomar baño; inundar; cercar; impregnar; correr junto de (río); bañarse; nadar.

banheira, *s. f.* bañera; tina; bañera, mujer que prepara el baño.

banheiro, *s. m.* bañero; bañador.

banhista, *s. 2 gén.* bañista; agüista.

banho, *s. m.* baño; *pl.* establecimiento balneario; proclamas del casamiento católico.

banho-maria, *s. m.* baño maría.

banidor, *s. m.* el que decreta el destierro.

banimento, *s. m.* destierro; exilio; proscripción.

banir, *v. tr.* desterrar; exilar; deportar; proscribir; encantar.

banjo, *s. m.* banjo.

banqueiro, *s. m.* banquero; (*fig.*) hombre rico.

banqueta, *s. f.* banqueta.

banquete, *s. m.* banquete; festín; convite.

banqueteador, *adj. e s. m.* banqueteador.

banquetear, *v. tr.* banquetear, dar banquetes en honor a.

banquinho, *s. m.* banquillo.

banquisa, *s. f.* banquisa.

banto, *adj. e s. m.* bantú.

banza, *s. f.* banza; vihuela.

banzar, *v. tr.* asombrar; espantar; pasmar.

banzé, *s. m.* (*fam.*) barullo; desorden; camorra; *armar banzé,* armar camorra.

banzear, *v. tr.* balancear; columpiar.

banzeiro, *adj.* un poco revuelto (el mar).

banzo, *s. m.* nostalgia de los negros de África.

baptismal, *adj. 2 gén.* bautismal.

baptismo, *s. m.* bautismo.

baptista, *s. 2 gén.* bautista, baptista.

baptistério, *s. m.* bautisterio, baptisterio.

baptizado, *s. m.* bautizo; bautismo.

baptizar, *v. tr.* bautizar; cristianar.

baque, *s. m.* baque; batacazo; fracaso; queda.

baquear, *v. intr.* caer con violencia o estrépito; desplomar; arruinarse; desmoronarse.

baquelite, *s. f.* baquelita.

baqueta, *s. f.* baqueta; macillo; patillo.

báquico, *adj.* báquico; orgíaco.

baquio, *s. m.* baquio.

bar, *s. m.* bar, taberna; tasca; FÍS. bar.

baraga, *s. f.* correa; bramante; guita.

barago, *s. m.* cuerda; lazo; soga para ahorcar.

barafunda, *s. f.* barahunda; baraúnda; disloque; algazara; tumulto; *numa barafunda,* al retortero.

barafustar, *v. intr.* bregar; forcejear; resistirse con violencia; bracear; protestar.

baralha, *s. f.* baraja; (*fig.*) motín; (*pl.*) enredos.

baralhada, *s. f.* pisto.

baralhador, *adj. e s. m.* barajador.

baralhar, *v. tr.* barajar (en el juego de naipes).

baralho, *s. m.* baraja; naipe.

barão, *s. m.* barón.

barata, *s. f.* ZOOL. cucaracha.

barataria, *s. f.* baratería; engaño en compras, ventas o trueques; permuta.

baratear, *v. tr.* baratear; abaratar; rebajar; regatear.

barateira, *s. f.* cucarachera.

barateiro, *adj.* baratero; baratillero.

barateza, *s. f.* baratura, bajo precio.

barato, *adj.* barato; *muito barato,* regalado; tirado.

báratro, *s. m.* báratro, abismo.

barba, s. f. barba; *corte de barba*, rape.
barbacã, s. f. barbacana.
barbadão, s. m. vd. barbaçana.
barbaçana, s. m. barbón, barbudo, barbado.
barbaçudo, adj. barbudo.
barbada, s. f. belfo; quijada inferior de las caballerías, barbada.
barba-de-baleia, s. f. barba de ballena.
barbado, adj. barbado.
barbalhoste, adj. barbilampiño.
barbante, s. m. bramante, cordel, guita; traílla.
barbar, v. intr. barbar; comenzar a tener barba; criar raíces.
barbaresco, adj. bárbaro.
barbaria, s. f. barbaridad; grosería; multitud de bárbaros; tierra de bárbaros.
barbárico, adj. barbárico.
barbaridade, s. f. barbaridad; crueldad; salvajada; disparate.
barbárie, s. f. barbarie; multitud de bárbaros; rusticidad; incultura; crueldad.
barbarismo, s. m. barbarismo; barbaridad.
barbarizar, v. tr. barbarizar; cometer barbaridades.
bárbaro, adj. bárbaro; rudo, inculto.
barbasco, s. m. BOT. barbasco; verbasco.
barbatana, s. f. aleta.
barbear, v. tr. e refl. afeitar; rapar; rasurar.
barbearia, s. f. barbería; peluquería.
barbechar, v. tr. barbechar.
barbecho, s. m. barbecho, cohecho.
barbeiro, s. m. barbero; peluquero.
barbeito, s. m. barbecho, cohecho.
barbela, s. f. barbada; papada.
barbeta, s. f. barbeta.
barbicacho, s. m. barbicacho; barboquejo; barbiquejo; cabestro.
barbilha, s. f. barbilha.
barbilho, s. m. bozal; frenillo.
barbiteso, adj. barbiespeso.
barbitúrico, s. m. barbitúrico.
barbo, s. m. ZOOL. barbo.
barbudo, adj. barbudo; barbiespeso.
barca, s. f. barca.
barça, s. f. envoltura de paja para las botellas.
barcaça, s. f. barcaza, gabarra.
barcada, s. f. barcada.
barcagem, s. f. barcaje.
barcarola, s. f. MÚS. barcarola.
barco, s. m. barco; bote.

barda, s. f. barda; empalizada de corral; armadura antigua para los caballos; montón de cosas.
bardana, s. f. BOT. bardana.
bardar, v. tr. bardar.
bardo, s. m. bardo; aedo.
barganha, s. f. cambio; trueque o cambalache; trapaza.
barganhar, v. tr. cambiar; cambalachear; negociar con dolo.
bargantaria, s. f. bellaquería; picardía.
bargante, s. m. bribón; pícaro; ruín; libertino; bergante.
baricentro, s. m. baricentro.
bário, s. m QUÍM. bario.
barisfera, s. f. barisfera.
barite, s. f. QUÍM. barita.
barítono, s. m. MÚS. barítono.
barjuleta, s. f. barjoleta; barjuleta; mochila.
barlaventear, v. intr. NÁUT. barloventear.
barlavento, s. m. NÁUT. barlovento.
barman, s. m. barman.
baroco, adj. baroco.
barógrafo, s. m. barógrafo; barómetro.
barométrico, adj. barométrico
barómetro, s. m. barómetro.
barometrógrafo, s. m. barometrógrafo.
baronato, s. m. baronía.
baronesa, s. f. baronesa.
baronia, s. f. baronía.
baroscópio, s. m. baroscopio.
barquear, v. intr. barquear.
barqueiro, s. m. barquero.
barquejar, v. intr. vd. barquear.
barqueta, s. f. barqueta.
barquilha, s. f. barquilla.
barquilheiro, s. m. barquillero.
barquilho, s. m. barquillo.
barquinha, s. f. barqueta.
barra, s. f. barra; borde; orilla; entrada de un puerto; vigueta; DESP. barra; *(futebol)* travesaño; friso; *(tribunal)* curia; tableta.
barraca, s. f. barraca; chabola; choza; habitación rústica; tienda de campaña.
barracão, s. m. barracón; cobertizo.
barracuda, s. f. barracuda.
barragem, s. f. barrera; obstrucción; obstáculo; embalse; vallado.
barral, s. m. barrizal.
barranco, s. m. barranco; abarrancadero; despeñadero; embarazo.
barrancoso, adj. barrancoso.
barranhão, s. m. barreño.

barranqueiro, s. m. barranquero.

barranquim, s. m. barraquita.

barrar, v. tr. barretear; guarnecer con barras; embarrar, cubrir con barro; impedir el peso.

barregã, adj. e s. f. barragana; concubina.

barregana, s. f. barragana.

barregão, s. m. hombre amancebado.

barregar, v. intr. berrar.

barreguice, s. f. barraganería; concubinato.

barreira, s. f. barrera; parapeto; DESP. valla; (fig.) obstáculo; embarazo; límite.

barreirar, v. tr. cercar; atrincherar.

barreirista, s. 2 gén. DESP. vallista.

barreiro, s. m. barrizal; barrera.

barrela, s. f. colada, almarjo; legía; recuelo; (fig.) limpieza; engaño.

barreleiro, s. m. ceniza para hacer la colada; paño que cubre la ropa.

barrenhão, s. m. barreño; bacía.

barrento, adj. barroso; barrero; embarrado; arcilloso; gredoso.

barreta, s. f. barreta.

barretada, s. f. sombrerazo; bonetada.

barrete, s. m. bonete; birrete; birreta; gorra.

barreteiro, s. m. bonetero.

barretina, s. f. birretina, gorra de pelo.

barrica, s. f. barril; barrica; bocoy.

barricada, s. f. barricada.

barricar, v. tr. construir barricadas.

barriga, s. f. barriga; vientre; abdomen; camba; panza.

barrigada, s. f. hartazgo; panzada; (fam.) cachillada; preñez de los animales; (na água) planchazo.

barrigudo, adj. barrigudo, barrigón; tripón, tripudo; ventrudo.

barril, s. m. barril; candiota; bocoy.

barrilada, s. f. el contenido de un barril; barrilada, conjunto de barriles.

barrileira, s. f. recipiente donde se lavan las formas tipográficas.

barrilete, s. m. barrilete, barril pequeño; instrumento de carpintero.

barrilha, s. f. vd. **barrilheira.**

barrilheira, s. f. BOT. algazul; almarjo; sosa.

barrinha, s. f. barreta.

barrir, v. intr. barritar (el elefante).

barrisco, s. m. barrizal.

barrista, s. 2 gén. barrista.

barrito, s. m. barrito.

barro, s. m. barro; arcilla, lodo.

barroca, s. f. barranco; barrizal; barrero.

barrocal, s. m. barrancal.

barroco, adj. e s. m. ARQ. barroco; abarrocado.

barroquismo, s. m. barroquismo.

barroso, adj. barroso.

barrotar, v. tr. abarrotar.

barrote, s. m. barrote (barra gruesa y corta); vigueta cerdo no castrado.

barruntar, v. tr. barruntar.

barrunto, s. m. barrunto.

barulhar, v. tr. e intr. amotinar; confundir; desordenar.

barulheira, s. f. bochinche; estropicio.

barulhento, adj. turbulento; rumoroso.

barulho, s. m. barullo; ruido; confusión; mogollón; trápala; barbulla; gresca; desorden; rija; trapisonda; trulla; zamba.

basáltico, adj. basáltico.

basalto, s. m. basalto.

basbaque, s. m. tonto; necio; bausán; babieca.

basco, s. m. vd. **vasconço.**

báscula, s. f. báscula.

basculhador, s. m. deshollinador.

basculhar, v. tr. deshollinar (fechos y paredes).

basculho, s. m. deshollinador, deshollinadora, escoba de mango muy largo.

base, s. f. basa; fundamento; asiento; apoyo; suelo; origen; pedestal; dato; INFORM. base de dados, soporte de datos.

basear, v. tr. basar; establecer bases; fundar; fundamentar; apoyar.

basebol, s. m. beisbol.

basebolista, s. 2 gén. beisbolero.

basicidade, s. f. QUÍM. basicidad.

básico, adj. básico; essencial; fundamental.

basilar, adj. 2 gén. básico; basilar; (fig.) fundamental; esencial.

basílica, s. f. basílica.

basilisco, s. m. ZOOL. basilisco (reptil).

basquetebol, s. m. baloncesto; básquet, basket.

basquetebolista, s. 2 gén. baloncestista.

basta, I. s. f. basta (de colchón); orilla (del vestido). II. interj. ¡basta!; ¡no más!

bastante, adj. 2 gén. e adv. bastante; suficientemente; no poco; asaz; mogollón.

bastão, s. m. bordón; báculo; bastón; bengala; cayado.

bastar, v. intr. bastar; llegar; dar abasto;

satisfacer; *basta uma gota,* basta con una gota.

bastardear, *v. tr.* abastardar, bastardear.

bastardia, *s. f.* bastardía; degeneración.

bastardinho, *s. m.* bastardillo.

bastardo, *adj. e s. 2 gén.* bastardo; borde; ilegítimo.

bastear, *v. tr.* bastear; acolchonar; acolchoar.

bastecer, *v. tr.* abastecer; surtir.

bastião, *s. m.* bastión; baluarte.

bastida, *s. f.* palizada; cerca; máquina de guerra, sobre ruedas.

bastidão, *s. f.* calidad de basto; multitud; espesura.

bastidor, *s. m.* bastidor; *pl.* bastidores, de teatro.

bastilha, *s. f.* bastilla; fortaleza.

bastimento, *s. m.* bastimento.

bastir, *v. tr.* meter los arcos en una vasija; forrar, acolchonar; colocar el pano de un paraguas.

basto, I. *adj.* basto; espeso; numeroso; apretado. **II.** *s. m.* basto.

bastonada, *s. f.* bastonazo.

bastonete, *s. m.* bastoncillo.

bata, *s. f.* bata.

batalha, *s. f.* batalla; combate.

batalhação, *s. f.* porfía; persistencia; terquedad.

batalhador, *adj. e s. m.* batallador.

batalhão, *s. m.* batallón; *(fig.)* multitud.

batalhar, *v. intr.* batallar; esforzarse.

batão, *s. m.* pintalabios.

batata, *s. f.* BOT. patata; criadilla.

batatada, *s. f.* patatada.

batata-doce, *s. f.* batata, boniata.

batatal, *s. m.* patatar; patatal.

batateira, *s. f.* BOT. patata, planta herbácea.

batateiral, *s. m.* vd. **batatal,** campo de patatas.

batateiro, *s. m. e adj.* patatero.

batatudo, *adj.* grueso como una patata.

bateada, *s. f.* el contenido de una batea o artesilla.

bate-cu, *s. m.* culada, nalgada.

batedeira, *s. f.* batidora; batidor.

batedela, *s. f.* batimiento.

batedor, *adj. e s. m.* batidor; DESP. bateador.

batedouro, *s. m.* batidero.

batedura, *s. f.* batimiento.

bate-estacas, *s. m.* maza o aparato para clavar estacas; martinete.

bate-folhas, *s. m.* batihoja.

bátega, *s. f.* jofaina; fuente para poner frutas; aguacero; chaparrón.

bateia, *s. f.* batea; dornajo.

bateira, *s. f.* NÁUT. batea; canoa de fondo chato.

batel, *s. m.* NÁUT. batel; bajel; bote, canoa.

batelada, *s. f.* batelada.

batelão, *s. m.* NÁUT. gabarra; barcaza; lanchón.

bateleiro, *s. m.* batelero.

batente, *s. m.* batiente, llamador; picaporte; aldaba; tope.

bater, *v. tr.* batir; golpear; sobar; derrotar; acuñar; agitar (las alas); *(caça)* ojear; *(os tacões)* taconear; DESP. batear; *bater as teclas,* teclear; *bater os dentes,* dentellar; *bater palmas,* palmear.

bateria, *s. f.* batería; *carregar as baterias,* recargar las baterías.

batibarba, *s. m.* golpe dado en la barba; *(fig.)* reprimenda.

batida, *s. f.* batida; golpe; batimiento; *(caça)* ojeo.

batido, I. *adj.* batido; vulgar; desgastado; manido; usado. **II.** *s. m.* batido.

batimento, *s. m.* batida; batimiento; *(de porta)* portazo.

batina, *s. f.* sotana.

batíscafo, *s. m.* batiscafo.

batocar, *v. tr.* tapar con botana; taponar; atarugar.

batoque, *s. m.* bitoque; botana, tapón de tonel o pipa.

batota, *s. f.* trapaza en el juego; juego ilícito; marrullería; tongo; trapicheo; *fazer batota,* trapichear.

batotar, *v. intr.* trapacear, trampear en el juego.

batotear, *v. intr.* vd. batotar.

batoteiro, *s. m.* fullero; trapaceador; tramposo; marrullero.

batotice, *s. f.* vd. **batota.**

batráquio, *s. m.* ZOOL. batracio.

batucar, *v. intr.* martillar; golpear; batir; bailar el *batuque.*

batuque, *s. m.* cierta danza y especie de tambor de los negros de África.

batuta, *s. f.* MÚS. batuta.

baú, *s. m.* baúl, cofre.

bauleiro, *s. m.* baulero.

baunilha, *s. f.* BOT. vainilla.

bauxite, *s. f.* bauxita.
bávaro, *adj.* bávaro.
bazar, *s. m.* bazar; mercado oriental; juguetería; gran centro de comercio; quermés.
bazófia, *s.* **1.** *f.* bazofia; *(fig.)* jactancia; soberbia; vanidad. **2.** *s. m.* fanfarrón.
bazofiar, *v. intr.* demostrar jactancia; alabarse; alardear.
bazófias, *s. m. vd.* **bazófia**.
bazófio, *adj. e s. m.* jactancioso; vanidoso.
bazuca, *s. f.* bazuca.
bazulaque, *s. m.* badulaque, hombre grueso y bajo; guisado de menudos.
beata, *s. f.* beata; mujer excesivamente devota; *(fam.)* colilla.
beatão, *s. m.* beatón; *(fig.)* hipócrita; santurrón.
beataria, *s. f.* beatería; beaterio.
beateiro, *adj. e s. m.* santurrón.
beatério, *s. m.* beaterio.
beatice, *s. f.* beatería; santería; hipocresía; santurronería.
beático, *adj.* propio de beato; hipócrita.
beatificação, *s. f.* beatificación.
beatificar, *v. tr.* beatificar.
beatífico, *adj.* beatífico; dichoso; místico.
beatilha, *s. f.* toca, prenda de vestir de las religiosas.
beatíssimo, *adj.* beatísimo.
beatitude, *s. f.* beatitud.
beato, *adj. e s. m.* beato; devoto; santero; *(pej.)* chupacirios.
beatorro, *s. m. vd.* **beatão**.
bebé, *s. m.* bebé; criatura; *saco de bebé*, nana.
bebedeira, *s. f.* borrachera, embriaguez; toña; trompa; turca; curda; jumera; moña; *(fam.)* pedo; rasca; tablón.
bebedice, *s. f.* vicio de emborracharse; borrachera.
bêbedo, **I.** *s. m.* borracho. **II.** *adj.* embriagado, bebido; beodo; bolinga; tararira.
bebedoiro, *s. m.* bebedero; abrevedero.
bebedolas, *s. m.* borrachón; beberrón.
bebedor, *adj. e s. m.* bebedor.
bebedouro, *s. m.* abrevadero; bebedero; canal.
bebé-proveta, *s. m.* bebé probeta.
beber, *v. tr. e intr.* beber; absorber; chupar; sorbir; sufrir; soportar; *(bebidas alcoólicas)* trincar; *beber uns copos*, chiquitear, copear.
bêbera, *s. f. bot.* breva.
beberagem, *s. f.* brebaje; bebida; *(fam.)* bebistrajo; poción; potingue; pócima.

beberete, *s. m.* refresco.
bebericar, *v. tr. e intr.* sorbetear; beborrotear; chingar; chiquitear; pimplar.
beberrão, *adj. e s. m.* beberrón.
beberronia, *s. f.* exceso de beber; reunión de beberrones.
bebes, *s. m. pl.* bebidas.
bebida, *s. f.* bebida.
bebido, *adj.* bebido.
bebível, *adj. 2 gén.* bebible; potable.
beca, *s. f.* beca; toga; garnacha.
bechamel, *s. m.* bechamel.
beco, *s. m.* callejón sin salida.
bedel, *s. m.* bedel.
bedelho, *s. m.* pestillo; pasador de una cerradura.
bedém, *s. m.* túnica morisca.
beduíno, *s. m.* beduíno.
bege, *adj. 2 gén.* beige, agarbanzado.
begónia, *s. f. bot.* begonia.
beguino, *s. m.* beguino, begardo; fraile mendicante.
bei, *s. m.* bey.
beiça, *s. f. (fam.)* labio inferior; labio caído; morro; labio belfo.
beiçada, *s. f.* labios belfos; bezo.
beiçana, *s. vd.* **beiçada**.
beicinha, *s. f.* labio pequeño.
beicinho, *s. m.* puchero.
beiço, *s. m.* bezo; labio; borde saliente.
beiçudo, *adj.* bezudo; bembón; befo; belfo; jetudo; morrudo.
beija-flor, *s. m.* colibrí; picaflor.
beija-mão, *s. m.* besamanos.
beijar, *v.* **1.** *tr.* besar; oscular; tocar; bañar. **2.** *refl.* besarse.
beijinho, *s. m.* besito.
beijo, *s. m.* beso; ósculo.
beijoca, *s. f.* beso ruidoso.
beijocador, *adj. e s. m.* besucón.
beijocar, *v. tr.* besuquear.
beijoqueiro, *adj.* besuqueador; besucón.
beira, *s. f.* margen; borde; orilla; vera; proximidad; orla; alero del tejado; *à minha beira*, a mi vera.
beirada, *s. f.* alero; desplome.
beirado, *s. m. arq.* alero desplome.
beiral, *s. m.* alero.
beira-mar, *s. f.* orilla del mar; playa; litoral.
beirar, *v. intr.* bordear.
bel, **I.** *adj.* bello. **II.** *s. m.* bel, belio.
bela, *s. f.* mujer bella.
beladona, *s. f. bot.* belladona.
belas-artes, *s. f. pl.* bellas artes.

bélbute, s. m. terciopelo de algodón.
beldade, s. f. beldad; belleza.
beldroega, s. f. BOT. verdolaga.
beleguim, s. m. bellerife; esbirro; alguacil.
beleza, s. f. belleza; beldad; perfección; guapura; hermosura.
belfo, adj. befo; belfo; (fam.) que habla confusamente.
belga, s. 1. f. era; a melga; campo cultivado; vd. **courela. 2.** adj. e s. 2 gén. belga.
beliche, s. m. camarote; litera; camilla o catre a bordo de los buques.
belicismo, s. m. belicismo.
belicista, adj. e s. 2 gén. belicista.
bélico, adj. bélico; belicoso; marcial.
belicosidade, s. f. belicosidad, cualidad de lo que es belicoso o guerrero.
belicoso, adj. belicoso; guerrero; aguerrido.
belida, s. f. MED. leucoma.
beligerância, s. f. beligerancia.
beligerante, adj. e s. 2 gén. beligerante.
belígero, adj. belígero; belicoso; guerrero
beliscadura, s. f. pellizco.
beliscão, s. m. pellizco.
beliscar, v. tr. pellizcar.
belo, 1. adj. bello; hermoso; guapo, lindo; guapetón; guaperas; lucido; gentil; feliz. **2.** s. m. perfección.
bel-prazer, s. m. voluntad propia; albedrío; a seu bel-prazer, a su voluntad, a su albedrío.
beltrano, s. m. zutano, indivíduo indeterminado.
beltrão, s. m. vd. **beltrano.**
beluário, s. m. beluario.
beluíno, adj. salvaje; bestial; brutal; feroz.
belvedere, s. m. belvedere; mirador; terraza.
belver, s. m. vd. **belveder.**
belzebu, s. m. belcebú, demonio.
bem, I. s. m. bien; agradable; útil; felicidad; pl. bienes, habere; substancia; propriedades; capital. **II.** adv. bien; con salud; **III.** interj. ¡bravo!; ¡bien!
bem-afortunado, adj. e s. m. feliz; dichoso.
bem-amado, adj. bienamado.
bem-andante, adj. feliz, afortunado.
bem-aventurado, adj. e s. m. bienaventurado; feliz; dichoso; santo.
bem-aventurança, s. f. bienaventuranza, el cielo, la gloria.
bem-aventurar, v. tr. bienaventurar.

bem-cheiroso, adj. bienoliente.
bem-criado, adj. bien educado; cortés; pulido.
bem-educado, adj. bien educado; cortés; pulido.
bem-encarado, adj. bien encarado.
bem-estar, s. m. bienestar, confort.
bem-fadado, adj. afortunado, feliz, bienhadado.
bem-falante, adj. 2 gén. elocuente; purista; bien-hablado; decidor.
bem-fazer, v. 1. intr. bien hacer; beneficiar. **2.** s. m. beneficio; caridad.
bem-humorado, adj. bien humorado.
bem-intencionado, adj. bien-intencionado.
bem-me-quer, s. m. BOT. margarita.
bem-nado, adj. bien nacido; noble; afortunado.
bem-nascido, adj. vd. **bem-nado.**
bemol, s. m. MÚS. bemol.
bemolar, v. tr. MÚS. bemolar.
bem-parecido, adj. bien parecido; bien fachado; bonito; apuesto; guapetón; guaperas.
bem-posto, adj. airoso, elegante, bien vestido.
bem-querer, v. 1. tr. bienquerer. **2.** s. m. inclinación; amistad.
bem-soante, adj. 2 gén. bien sonante; armonioso.
bem-vindo, adj. bienvenido.
bem-visto, adj. bien visto; estimado.
bênção, s. f. bendición; favor divino; dar a bênção, impartir la bendición.
bendito, adj. bendito; feliz; glorificado.
bendizer, v. tr. bendecir; alabar; glorificar.
beneditino, adj. e s. m. benedictino.
beneficência, s. f. beneficencia; caridad; beneficiación.
beneficente, adj. 2 gén. beneficiador; benefactor; caritativo.
beneficiação, s. f. beneficiación; bonificación.
beneficiado, adj. e s. m. beneficiado.
beneficiador, adj. e s. m. beneficiador.
beneficial, adj. 2 gén. beneficial.
beneficiar, v. tr. beneficiar; hacer beneficio a; mejorar; arreglar.
beneficiário, adj. e s. m. beneficiario.
beneficiável, adj. 2 gén. beneficiable.
benefício, s. m. beneficio; servicio; gracia; lucro; provecho; ventaja; mejoramiento.

benéfico, *adj.* benéfico; favorable; saludable.

benemerência, s. *f.* cualidad de benemérito.

benemérito, *adj.* e *s. m.* benemérito; ilustre; digno.

beneplácito, *s. m.* beneplácito; consentimiento; aprobación.

benesse, s. *f.* sinecura; donación.

benevolência, s. *f.* benevolencia; estima; complacencia; bondad.

benevolente, *adj.* 2 *gén.* benevolente; benévolo.

benévolo, *adj.* benévolo; benevolente; indulgente; bondadoso.

benfazejo, *adj.* caritativo.

benfeitor, *adj.* e *s. m.* bienhechor; benefactor.

benfeitoria, s. *f.* mejora (hecha en una propiedad); beneficiación.

bengala, s. *f.* bastón; bengala.

bengalada, s. *f.* bastonazo.

bengalão, *s. m.* bastón grande y pesado.

bengaleiro, *s. m.* paragüero; percha; (*móvel*) bastonera; (*pessoa*) bastonero, perchero; guardarropas.

benignidade, s. *f.* benignidad; clemencia; bondad.

benigno, *adj.* benigno, bondadoso; indulgente; benévolo.

benjamim, *s. m.* benjamín.

benjoim, *s. m.* benjuí.

benquerença, s. *f.* bienquerencia; benevolencia.

benquisto, *adj.* benquisto.

bentinhos, *s. m. pl.* escapularios.

bento, 1. *adj.* bendecido; bendito; consagrado. **2.** *s. m.* fraile benedictino.

benzedeira, s. *f.* hechicera.

benzedeiro, *s. m.* hechicero.

benzeduras, *s. f. pl.* ensalmo.

benzeno, *s. m.* benceno.

benzer, *v.* **1.** *tr.* bendecir. **2.** *refl.* persignarse; (*fig.*) espantarse.

benzina, s. *f.* QUÍM. bencina.

benzoato, *s. m.* QUÍM. benzoato.

benzonaftol, *s. m.* QUÍM. benzonaftol.

bequadro, *s. m.* MÚS. becuadro.

beque, *s. m.* NÁUT. beque; (*fam.*) nariz.

berbequim, *s. m.* berbiquí.

berbere, *adj.* e *s* 2 *gén.* bereber; beréber; berebere.

berbigão, *s. m.* ZOOL. berberecho; verderón; coquina.

berça, s. *f.* berza, col.

berço, *s. m.* cuna; (*fig.*) infancia; origen; *pôr no berço*, encurvar.

bergamota, s. *f.* bergamota.

bergantim, *s. m.* NÁUT. bergantín.

beribéri, *s. m.* beriberi.

berílio, *s. m.* QUÍM. berilio.

berilo, *s. m.* MIN. berilo.

berimbau, *s. m.* birimbao.

beringela, s. *f.* BOT. berenjena.

berlinda, s. *f.* berlina.

berlinde, *s. m.* carica.

berliques, *s. m. pl.*, *berliques e berloques*, birlibirloque.

berloque, *s. m.* pinjante; pulsera; bagatela.

berma, s. *f.* berma; foso; cuneta; orla.

bernarda, s. *f.* motín; revuelta.

bernardice, s. *f.* disparate.

bernardo, *s. m.* bernardo, fraile de la orden de san bernardo.

bernardo-eremita, *s. m.* ZOOL. argonauta.

berra, s. *f.* berrido; berreo; celo de los ciervos; *estar na berra*, estar en voga.

berrador, *adj.* e *s. m.* gritador.

berrante, *adj.* gayo; garrido; galano.

berrão, *s. m.* gritón; chillón.

berrar, *v. intr.* berrear; gritar; chillar; vociferar; desgañitarse.

berraria, s. *f.* vd. **berreiro**.

berrata, s. *f.* vd. **berreiro**.

berregar, *v. intr.* gritar; berrear; chillar mucho, con frecuencia.

berreiro, *s. m.* berrinche (de los niños); berridos; gritos; bramidos; chillería; chillido; guirigay; florera; llantina.

berro, *s. m.* berrido; bramido; rugido; alarido; grito.

bertoldo, *s. m.* tonto; brutote; rústico.

besoiro, *s. m.* abejorro; abejarrón.

besta(*ê*), *s.* **1.** *f.* bestia; cuadrúpedo; (*de carga*) acémila. **2.** *adj.* zopenco; estúpido.

besta(*é*), s. *f.* ballesta.

besta-fera, s. *f.* animal feroz

besteira, s. *f.* ballestera.

besteiro, *s. m.* ballestero.

bestiaga, s. *f.* bestia; (*fig.*) persona estúpida.

bestiagem, s. *f.* bestiaje.

bestial, *adj.* 2 *gén.* bestial; brutal; asnal; estúpido.

bestialidade, s. *f.* bestialidad; estupidez; brutalidad.

bestializar, *v.* **1.** *tr.* hacer bestial. **2.** *refl.* bestializarse; abestiarse.

bestiário, s. m. bestiario.
bestunto, s. m. (fam.) cabeza de chorlito; espíritu limitado; cacaseno; samarugo.
besugo, s. m. ZOOL. besugo.
besuntado, adj. churrietoso, churriento.
besuntão, s. m. bisunto; sucio; sobado; grasiento.
besuntar, v. tr. bisuntar; untar; pringar; enmugrar; enmugrecer.
beta, s. 1. m. beta. 2. f. (lista) veta.
betado, adj. abigarrado; avetado.
betão, s. m. hormigón.
betar, v. tr. vetear; abigarrar; rayar; mosquear; matizar.
beterraba, s. f. BOT. remolacha.
betesga, s. f. callejón sin salida; calle angosta, calleja.
betilho, s. m. bozal.
betoneira, s. f. hormigonera.
bétula, s. f. BOT. abedul.
Betuláceas, s. f. pl. BOT. betuláceas.
betumar, v. tr. embetunar; abetunar, enmasillar cristales.
betume, s. m. betun; masilla.
betuminoso, adj. bituminoso; abetunado.
bexiga, s. f. ANAT. vejiga; ampolla, burbuja (de la piel); (fam.) burla, chanza; pl. viruela; picado das bexigas, picado de viruelas.
bexigoso, adj. vejigoso; hoyoso.
bexigueiro, adj. divertido; juerguista; bromista.
bezerra, s. f. ZOOL. becerra, ternera.
bezerro, s. m. ZOOL. becerro.
bianual, adj. 2 gén. bianual.
bibe, s. m. babero.
biberão, s. m. biberón; chupador, chupete.
bíblia, s. f. biblia; la sagrada escritura.
bíblico, adj. bíblico.
bibliófilo, s. m. bibliófilo.
bibliografia, s. f. bibliografía.
bibliográfico, adj. bibliográfico.
bibliógrafo, s. m. bibliógrafo.
bibliomania, s. f. bibliomanía.
bibliomaníaco, adj. e s. m. bibliómano.
biblioteca, s. f. biblioteca; librería; biblioteca itinerante, bibliobús.
bibliotecário, s. m. bibliotecario.
bibliotecologia, s. f. bibliotecología.
biblioteconomia, s. f. biblioteconomía.
bica, s. f. cañón, cañuto de la fuente; conducto por donde pasan los líquidos; ZOOL. bica (pez).
bicada, s. f. picotazo; picada; picadura.
bical, adj. e s. 2 gén. que tiene pico, picudo.
bicanca, s. 1. f. (fam.) narigón. 2. adj. narigudo.
bicanço, s. m. (fam.) pico grande; vd. **bicanca**.
bicar, v. tr. e intr. picar, picotear; dar picotazos; quedar ebrio.
bicarbonato, s. m. QUÍM. bicarbonato.
bicéfalo, adj. bicéfalo.
bicentenário, adj. e s. m. bicentenario.
bíceps, s. m. bíceps.
bicha, s. f. lombriz intestinal; sanguijuela; bicha, culebra; gata; perra; (fig.) hilera, cola (de personas en fila); persona muy irritada.
bicha-cadela, s. f. tijereta.
bicha-de-rabear, s. f. buscapiés.
bichano, s. m. (fam.) gato; gato pequeño.
bichar, v. intr. agusanarse.
bicharada, s. f. multitud de animales terrestres; (fam.) multitud de personas.
bicharia, s. f. vd. **bicharada**.
bicharoco, s. m. bicharraco.
bicharrão, s. m. gatazo.
bichar-se, v. refl. (fruta) acocarse.
bicha-solitária, s. f. solitaria, tenia.
bicheiro, s. m. NÁUT. bichero; vasija que sirve para guardar sanguijuelas.
bichento, adj. agusanado.
bichinha, s. f. gatita; pl. caricias.
bichinho, s. m. (fig.) gusanillo.
bicho, s. m. bicho; gusano; gusarapo; insecto; fiera.
bichoca, s. f. (fam.) lombriz; vd. **minhoca**; forúnculo.
bicho-carpinteiro, s. m. ZOOL. carcoma.
bicho-da-seda, s. m. ZOOL. gusano de seda.
bicho-de-conta, s. m. ZOOL. cochinilla.
bichoso, adj. agusanado.
bichoso, adj. lleno de bichos; podrido; carcomido; apolillado.
bicicleta, s. f. bicicleta; velocípedo; bici.
bicípite, s. m. bíceps.
bico, s. m. pico (de las aves); pico, punta; (aparo) pluma, plumín, plumilla.
bicolor, adj. 2 gén. bicolor.
bicôncavo, adj. bicóncavo.
biconvexo, adj. biconvexo.
bicorne, adj. 2 gén. e s. m. bicornio.

bicórneo, *adj.* vd. **bicorne**.

bicudo, **1.** *adj.* picudo; *(fig.)* difícil. **2.** *s. m.* ZOOL. sargo.

bidão, *s. m.* bidón.

bidé, *s. m.* bidé.

bidigitado, *adj.* bidigitado.

bidimensional, *adj.* 2 gén. bidimensional.

bíduo, *s. m.* espacio que media entre dos días.

biela, *s. f.* biela.

bienal, *adj.* 2 gén. bienal.

biénio, *s. m.* bienio.

bifacial, *adj.* 2 gén. bifacial.

bifalhada, *s. f.* gran cantidad de bistecs.

bifar, *v. tr.* hurtar; vd. **surripiar**.

bifásico, *adj.* bifásico.

bife, *s. m.* bistec, bisté.

bifendido, *adj.* bífido.

bífido, *adj.* bífido.

bifocal, *adj.* 2 gén. bifocal.

bifoliado, *adj.* que tiene dos hojas.

bifólio, *adj.* vd. **bifolado**.

biforme, *adj.* 2 gén. biforme.

bifronte, *adj.* 2 gén. bifronte.

bifurcação, *s. f.* bifurcación; vértice.

bifurcado, *adj.* bifurcado.

bifurcar-se, *v. refl.* bifurcarse.

biga, *s. f.* biga.

bigamia, *s. f.* bigamia.

bígamo, *adj.* bígamo.

bigode, *s. m.* bigote; mostacho.

bigodear, *v. tr.* escarnecer; engañar.

bigodeira, *s. f.* bigotera, bigote grande.

bigodi, *s. m.* bigudí.

bigodinho, *s. m.* bozo.

bigorna, *s. f.* bigornia; yunque.

bigorrilha, *s. m.* hombre vil y despreciable.

bigúmeo, *adj.* que tiene dos filos.

bijutaria, *s. f.* bisutería; quincallería.

bilabiado, *adj.* bilabiado.

bilabial, *adj.* 2 gén. bilabial.

bilaminado, *adj.* que tiene dos láminas.

bilateral, *adj.* 2 gén. bilateral.

bile, *s. f.* vd. **bílis**.

bilénio, *s. m.* bilenio.

bilha, *s. f.* cántaro; cuarta.

bilhar, *s. m.* billar.

bilharda, *s. f.* billarda, tala (juego de muchachos).

bilhardeiro, *s. m.* jugador de billar o de billarda.

bilharista, *s.* 2 gén. billarista.

bilhete, *s. m.* billete; tarjeta de visita; *(de entrada)* tique, tiket, tiquete; boleta; boleto; bono; bonobú; bonotrén; *pl.* billetage; *bilhete de identidade,* carné de identidad.

bilheteira, *s. f.* billetera; ventanilla; billetaje; boletería; billetero; taquilla.

bilheteiro, *s. m.* billetero; boletero; taquillero.

bilhete-postal, *s. m.* tarjeta postal.

bilião, *s. m.* billón.

biliar, *adj.* 2 gén. biliar, biliario.

biliário, *adj.* biliar, biliario.

bilingue, *adj.* 2 gén. bilingüe.

bilinguismo, *s. m.* bilingüismo.

bilioso, *adj.* bilioso.

bílis, *s. f.* bilis; hiel; *bílis negra,* atrabilis.

bilobado, *adj.* bilobulado.

bilontra, *s. m.* bellaco; despreciable.

bilontragem, *s. f.* bellacada; ruindad; picardía.

bilontrar, *v. intr.* practicar actos de bilontra.

bilrar, *v. intr.* trabajar con bolillos.

bilro, *s. m.* bolillo.

biltre, *adj.* e *s. m.* pícaro; infame; bellaco; bergante.

bímano, *adj.* e *s. m.* ZOOL. bímano.

bimbalhada, *s. f.* campaneo.

bimbalhar, *v. intr.* repicar, tocar las campanas.

bimembre, *adj.* 2 gén. bimembre.

bimensal, *adj.* 2 gén. bimensual; quincenal.

bimestral, *adj.* 2 gén. bimestral.

bimestre, *s. m.* bimestre.

bimetalismo, *s. m.* bimetalismo.

bimotor, *adj.* e *s. m.* bimotor.

binação, *s. f.* vd. **binágio**.

binágio, *s. m.* binación.

binar, *v. intr.* binar, dar segunda reja a las tierras de labor.

binário, *adj.* binario; MÚS. binario.

bingo, *s. m.* bingo.

binocular, *adj.* 2 gén. binocular.

binóculo, *s. m.* binóculo, gemelo.

binómio, *s. m.* binomio.

bínubo, *adj.* bínubo.

biobibliografia, *s. f.* biobibliografía.

bioco, *s. m.* velo; mantilla; tapujo; *(fig.)* hipocresía; afectación.

biodegradável, *adj.* 2 gén. biodegradable.

biodinâmica, *s. f.* biodinámica.

biofilia, s. f. biofilia.
biofísica, s. f. biofísica.
biofísico, adj. biofísico.
biofobia, s. f. biofobia; misantropía.
biogeografia, s. f. biogeografía.
biografia, s. f. biografía.
biográfico, adj. biográfico.
biógrafo, s. m. biógrafo.
biologia, s. f. biología.
biológico, adj. biológico.
biólogo, s. m. biólogo.
biologista, s. 2 gén. biólogo.
biomassa, s. f. biomasa.
biombo, s. m. biombo; cancel.
biomecânica, s. f. biomecánica.
biometria, s. f. biometría.
biométrico, adj. biométrico.
biónica, s. f. biónica.
biónico, s. f. biónico.
biopsia, s. f. biopsia.
bioquice, s. f. pudor falso; afectación de pudor.
bioquímica, s. f. bioquímica.
bioquímico, adj. e s. m. bioquímico.
biorritmo, s. m. biorritmo.
biosfera, s. f. biosfera.
biotaxia, s. f. biotaxia; taxonomía.
bióxido, s. m. vd. **dióxido**.
bipartição, s. f. bipartición.
bipartidismo, s. m. bipartidismo.
bipartidista, adj. 2 gén. bipartidista.
bipartido, adj. bipartido.
bipartir, v. tr. bipartir.
bípede, adj. e s. 2 gén. bípedo.
bipene, I. adj. 2 gén. díptero. II. s. f. bipenna, hacha de dos filos.
biplano, s. m. biplano.
bipolar, adj. 2 gén. bipolar.
biquadrado, s. m. bicuadrado.
biqueira, s. f. puntera; canalón; canal; gotera.
biqueirão, s. m. ZOOL. boquerón; anchoa; haleche.
biqueiro, adj. desganado, que come poco o con poca gana.
biquíni, s. m. biquini; bikini.
birbante, s. m. (fam.) bribón; pillo; truhán.
birra, s. f. capricho; obstinación; tirria; antipatía.
birrefringência, s. f. birrefringencia.
birreme, adj. NÁUT. birreme.
birrento, adj. obstinado; terco; pertinaz.
bis, I. s. m. bis, duplicación. II. interj. ¡bis!. III. adv. dos veces.

bisagra, s. f. bisagra.
bisanual, adj. vd. **bienal**.
bisão, s. m. ZOOL. bisonte.
bisar, v. tr. bisar; pedir repetición.
bisarma, s. f. bisarma.
bisavô, s. m. bisabuelo.
bisavó, s. f. bisabuela.
bisbilhotar, v. intr. chismear; enredar; intrigar; fisgar; fisgonear.
bisbilhoteiro, s. m. chismoso; enredador; intrigante; chinchorrero; fisgón; hurón.
bisbilhotice, s. f. chisme; enredo; intriga; chinchorrería; fisgoneo.
bisbórria, s. m. hombre despreciable o ridículo.
bisbórrias, s. m. 2 núm. vd. **bisbórria**.
bisca, s. f. brisca; (fig.) broma; sarcasmo.
biscato, s. m. lo que para sus hijuelos llevan las aves en el pico; chapuz, chapuza.
biscoitaria, s. f. bizcochería; dulcería.
biscoito, s. m. bizcocho; (fig.) galleta; bofetada.
bisegre, s. m. bisagra.
bisel, s. m. bisel; chaflán.
biselado, adj. biselado.
biselar, v. tr. biselar.
bisesdrúxulo, adj. sobresdrújulo.
bismuto, s. m. QUÍM. bismuto.
bisnaga, s. f. tubo de hoja de plomo; tubo lleno de substancias medicinales.
bisnagar, v. tr. asperjar con bisnaga.
bisnau, adj. e s. 2 gén. martagón; marrajo; astuto.
bisneta, s. f. biznieta.
bisneto, s. m. bisnieto, biznieto.
bisonharia, s. f. bisoñada; novatada; ignorancia.
bisonho, I. adj. bisoño; novato; tímido; encogido. II. s. m. recluta.
bisonte, s. m. ZOOL. bisonte.
bispado, s. m. obispado; episcopado.
bispal, adj. 2 gén. obispal; episcopal.
bispar, v. 1. tr. avistar, descubrir muy lejos alguna cosa o persona. 2. refl. evadirse.
bispo, s. m. obispo; prelado.
bispote, s. m. bacín, vaso.
bissecção, s. f. bisección.
bissector, adj. e s. m. bisector.
bissectriz, s. f. bisectriz.
bissemanal, adj. 2 gén. bisemanal.
bissexto, adj. bisiesto.
bissexuado, adj. hermafrodita.

bissexual, *adj. 2 gén.* bisexual; hermafrodita.

bissilábico, *adj.* bisilábico.

bissílabo, *adj.* e *s. m.* bisílabo, disílabo.

bissulfito, *s. m.* QUÍM. bisulfito.

bistorta, *s. f.* BOT. bistorta.

bistre, *s. m.* bistre.

bisturi, *s. m.* bisturí, escalpelo.

bitácula, *s. f.* bitácora.

bitola, *s. f.* modelo, patrón; vitola.

biunívoco, *adj.* biunívoco.

bivacar, *v. intr.* vivaquear.

bivalente, *adj. 2 gén.* QUÍM. bivalente.

bivalve, *adj. 2 gén.* bivalvo.

bivaque, *s. m.* vivac, vivaque; bicornio.

bizantinice, *s. f.* bizantinismo; futilidad.

bizantino, *adj.* bizantino.

bizarria, *s. f.* bizarría; gallardía; gentileza; brío.

bizarro, *adj.* bizarro; ostentoso; exquisito, singular; jactancioso; noble; valiente.

blandícia, *.s. f.* adulación; halago; lisonja; blandura; mimo.

blandicioso, *adj.* adulador; lisonjero; halagüeño; cariñoso.

blandífluo, *adj.* que corre o desliza suavemente.

blasfemador, *s. m.* blasfemador; renegón.

blasfemar, *v. intr.* blasfemar; vituperar; maldecir; renegar.

blasfematório, *adj.* blasfematorio.

blasfémia, *s. f.* blasfemia.

blasfemo, *adj.* e *s. m.* blasfemo.

blasonador, *adj.* e *s. m.* blasonador.

blasonar, *v. tr.* e *intr.* blasonar; ostentar; jactarse.

blástula, *s. f.* blástula.

blefarite, *s. f.* blefaritis.

blenda, *s. f.* blenda.

blenorragia, *s. f.* MED. blenorragia.

blenorrágico, *adj.* blenorrágico.

blenorreia, *s. f.* MED. blenorrea.

blindado, I. *adj.* acorazado, blindado. **II.** *s. m.* tanque; blindado ligero, tanqueta.

blindagem, *s. f.* blindaje.

blindar, *v. tr.* blindar; acorazar.

blocar, *v. tr.* blocar.

bloco, *s. m.* bloque, bloc; *(de notas)* taco.

bloqueador, *adj.* e *s. m.* bloqueador.

bloquear, *v. tr.* bloquear; asediar; sitiar.

bloqueio, *s. m.* bloqueo.

blusa, *s. f.* blusa.

blusão, *s. m.* blusón; MIL. guerrera.

boa, *s. f.* ZOOL. boa.

boa-fé, *s. f.* *(fam., fig.)* tragaderas.

boamente, *adv.* buenamente, de buena voluntad.

boas-noites, *s. f. pl.* BOT. buenas tardes, dondiego de noche.

boas-vindas, *s. f. pl.* bienvenida.

boateiro, *s. m.* rumoreador; alarmista.

boato, *s. m.* rumor; hablilla; runrún.

bobagem, *s. f.* bobería, bobada, tontería.

bobalhão, *s. m.* *(fam.)* bobalicón.

bobear, *v. intr.* bobear.

bobice, *s. f.* bobería; tontería; bobada.

bobina, *s. f.* carrete; bobina; canilla; canutillo.

bobinado, *adj.* bobinado, embobinado.

bobinar, *v. tr.* bobinar; embobinar.

bobo, 1. *adj.* e *s. m.* bufón; truhán; albardán; arlequín. **2.** *adj.* bobo; hazmerreír; lila; merluzo; *fazer de bobo,* abobar.

boca, *s. f.* boca; entrada; abertura; principio; labios; entrada o salida de una calle o camino; desembocadura; mella; *(de fogão a gás)* quemador; MÚS. boquilla, embocadura; *fazer bocas,* mellar.

boça, *s. f.* NÁUT. boza.

boca-aberta, *s. 2 gén.* boca abierta.

bocaça, *s. f.* bocaza, boca muy grande.

bocadinho, *s. m.* pizca.

bocado, *s. m.* bocado; cacho; comida muy ligera; bocado, parte del freno; pedazo; rato, espacio de tiempo.

bocadura, *s. f.* embocadura.

bocal, *s. m.* bocal, boquilla; MÚS. embocadura; *(para animais)* bozal; brocal.

boçal, *adj. 2 gén.* bozal; necio; obtuso; idiota; gaznápiro.

boçalidade, *s. f.* idiotez; necedad; estupidez.

bocarra, *s. f.* bocaza.

bocejador, *s. m.* bostezador.

bocejar, *v. intr.* bostezar; boquear.

bocejo, *s. m.* bostezo; boqueada.

boceta, *s. f.* bujeta.

boche, *s. m.* bofe; pulmón.

bochecha, *s. f.* moflete; buchete; cachete; mejilla; carrillo.

bochechada, *s. f.* bofetada; buchada.

bochechão. *s. m. vd.* **bochechada.**

bochechar, *v. tr.* e *intr.* enjuagar; gargarizar.

bochecho, *s. m.* enjuague; buchada; bocanada; buche; enjuagadientes.

bochechudo, *adj.* mofletudo.

bochornal, *adj. 2 gén.* bochornoso.

bochorno, *s. m.* bochorno.

bócio, *s. m.* MED. bocio; papera.

boda, *s. f.* boda; casamiento; banquete.

bode, *s. m.* ZOOL. bode; (*fig.*) barbón, hombre muy feo.

bodega, *s. f.* bodega, taberna; tasca; (*fig.*) comida grosera o mal hecha; casa sucia; inmundicia.

bodegão, *s. m.* bodegonero; frondio; bisunto; mantillón; sucio.

bodeguice, *s. f.* cosa sucia, porquería.

bodelha, *s. f.* BOT. sargazo.

bodo *s. m.* regalo; obsequio; distribución de obsequios a los pobres; comida.

bodoque, *s. m.* bodoque.

bodum, *s. m.* olor característico del bode; mal olor de la loza mal lavada; mal olor del sebo.

boeiro, *s. m.* respiradero; canal; aguajero; tronera.

boémia, *s. f.* (*fig.*) bohemia, vida de bohemio; vagabundez.

boémio, *adj. e s. m.* bohemio; gitano; (*fig.*) juerguista.

bóer, *s. m.* bóer.

bofar, *v. tr. e intr.* lanzar de los bofes; regoldar; eructar.

bofes, *s. m. pl.* pulmones, bofes; (*fig.*) índole, carácter.

bofetada, *s. f.* bofetada; derechazo; galleta; sopapo; guantada, guantazo; manotada, manotazo; morrada, torta; tortazo.

bofetão, *s. m.* bofetón; sopapo, sopetón; soplamocos.

bofete, *s. m.* (*fam.*) bofetada pequeña.

boga, *s. f.* ZOOL. boga, albur.

bogueira, *s. f.* cueva donde van a desovar las bogas.

bogueiro, *s. m.* red para pescar bogas o pez menudo.

boi, *s. m.* ZOOL. buey, rumiante.

bóia, *s. f.* NÁUT. boya; (*de pesca*) corcho.

boiada, *s. f.* boyada, bueyada, manada de bueyes.

boiante, *adj. 2 gén.* boyante; (*fig.*) vacilante.

boião, *s. m.* bote; tarro.

boiar, *v. intr.* boyar; aboyar; sobrenadar; flotar; (*fig.*) vacilar.

boiardo, *s. m.* boyardo.

boicotagem, *s. f.* boicoteo.

boicotar, *v. tr.* boicotear.

boicote, *s. m.* boicot.

boieira, *s. f.* boyeriza; ASTR. boyero (constelación).

boieiro, *s. m.* boyero, boyerizo; ASTR. boyero (constelación); cayado.

boina, *s. f.* boina; barretina.

bojador, *adj. e s. m.* que o aquél que hace saliencia curva.

bojar, *v. tr. e intr.* hacer barrigudo (un objeto); curvar; arquear; hinchar, inflar.

bojo, *s. m.* barriga, panza (parte saliente y curva de algunas cosas); capacidad.

bojudo, *adj.* barrigudo; panzudo; orondo.

bola, *s. f.* bola; balón; pelota; esfera; globo; (*fam.*) cabeza; *bola de algodão*, copo; (*futebol*) *treinar com bola*, pelotear; *treino com bola*, peloteo; *bolas de sabão*, pompas de jabón.

bola(ô), *s. f.* empanada; *bola de carne*, empanada de carne.

bolacha, *s. f.* galleta; andada; (*fam.*) bofetada.

bolachada, *s. f.* bofetada, galleta.

bolacheiro, *s. m.* galletero.

bolachudo, *adj.* mofletudo.

bolada, *s. f.* bolazo; pelotazo.

bolandas, *s. f. pl.* tumbos.

bolandeira, *s. f.* gran rueda dentada del ingenio de azúcar.

bolar, *v. tr.* tocar con la bola; acertar; pedir carta en el juego.

bolas, I. *s. m.* hombre sin valor; panoli; idiota. II. *interj.* designativa de enfado o contrariedad.

bolbo, *s. m.* bulbo; *bolbo raquidiano*, bulbo raquídeo.

bolboso, *adj.* BOT. bulboso.

bolçar, *v. tr.* vomitar; lanzar fuera.

bolchevique, *adj. e s. 2 gén.* bolchevique.

bolcheviquismo, *s. m.* bolchevismo.

bolchevismo, *s. m.* bolchevismo.

bolchevista, *adj. e s. 2 gén.* bolchevista.

boldrié, *s. m.* tahalí; cinturón; talabarte.

boleado, *adj.* redondeado.

bolear, *v. tr.* redondear; tornear; corregir.

boleeiro, *s. m.* cochero; postillón; delantero.

boleia, *s. f.* pescante (de coche); asiento del cochero; conducción gratuita en vehículo.

boleima, *s. f.* bollo grosero.

boleio, *s. m.* redondeo; perfeccionamiento.

bolero, *s. m.* MÚS. bolero.

boletim, s. m. boletín; (totoloto) boleto.

boletineiro, s. m. distribuidor de telegramas.

boletinista, s. 2 gén. persona que escribe boletines.

boleto, s. m. boleto; billete; boleta.

boléu, s. m. caída; baque.

bolha, s. f. ampolla; burbuja; vesícula; (fam.) manía.

bolhar, v. tr. e intr. burbujear, borbotonear, salir a borbotones; hacer o criar ampollas o vejigas.

boliche, s. m. boliche; chirinola.

bólide, s. m. bólido.

bólido, s. m. bólido.

bolina, s. f. NÁUT. bolina; orza.

bolinar, v. intr. NÁUT. bolinar.

bolineiro, adj. NÁUT. bolinero.

bolinete, s. m. NÁUT. bolinete; batea.

bolinha, s. f. pelotilla.

bolinho, s. m. buñuelo; bolinhos de bacalhau, buñuelos de bacalao.

bolívar, s. m. bolívar.

boliviano, adj. e s. m. boliviano.

bolo, s. m. bollo, pastel; tarta; (fam.) palmetazo; bolo alimentar, bolo alimenticio; bolo de frutas, plumcake.

bolonhês, s. m. boloñés.

bolónio, adj. e s. m. bolonio, estúpido, tonto.

bolor, s. m. moho.

bolo-rei, s. m. rosca de Reyes.

bolorento, adj. mohoso; (fig.) decadente.

bolota, s. f. BOT. bellota.

bolotada, s. f. bellotada.

bolsa, s. f. bolsa; bolsillo; talega; bolso; cartera; dinero; beca; (de pastor, de cabedal) zurrón; conseguir uma bolsa (de estudos), becar; bolsa de mão (masculina), mariconera.

bolsar, v. 1. tr. bolsear, hacer bolsas (al vestido). 2. intr. arrugarse.

bolseiro, s. m. bolsero; tesorero; becario.

bolsista, s. 2 gén. bolsista.

bolso, s. m. bolso; bolsillo; bolso postiço, faltriquera.

bom, I. adj. bueno; buen; hábil; delicado; feliz; lucrativo; benigno, indulgente; sano; muito bom, pistonado. **II.** s. m. hombre bueno. **III.** interj. bueno!

bomba, s. f. bomba, proyectil; bomba, máquina para elevar líquidos.

bombachas, s. f. pl. bombachos.

bombacho, s. m. bomba pequeña para elevar agua.

bombarda, s. f. bombarda.

bombardada, s. f. bombardada.

bombardeamento, s. m. bombardeo; cañoneo.

bombardear, v. tr. bombardear; bombear; cañonear.

bombardeio, s. m. bombardeo.

bombardeira, s. f. NÁUT. cañonero.

bombardeiro, s. m. bombardero; caza-bombardero.

bombardino, s. m. MÚS. bombardino; barítono.

bombástico, adj. bombástico; retumbante.

bombazina, s. f. pana (tejido).

bombeamento, s. m. bombeo.

bombear, v. tr. bombear.

bombeiro, s. m. bombero.

bombice, s. m. gusano de seda.

bombista, s. 2 gén. bombista; dinamitero.

bombo, s. m. bombo; zambomba.

bombom, s. m. bombón.

bomboneira, s. f. bombonera.

bombordo, s. m. NÁUT. babor.

bom-serás, s. m. hombre bueno, pacífico; buen juan, ingenuo.

bom-tom, s. m. buen tono; delicadeza; distinción.

bonachão, adj. e s. m. bonachón, buenazo, bonazo.

bonacheirão, adj. e s. m. bonachón, guapote; panoli; pacoto.

bonança, s. f. bonanza; calma; sosiego.

bonançoso, adj. bonanzoso; bonancible; tranquilo; sereno.

bonapartismo, s. m. bonapartismo.

bonapartista, s. 2 gén. bonapartista.

bonda!, interj. ¡basta!; chega!

bondade, s. f. bondad; benevolencia; buena índole.

bondoso, adj. bondadoso; benévolo.

boné, s. m. bonete; capilla.

boneca, s. f. muñeca; chupete; boneca de trapos, pelele.

boneco, s. m. muñeco; pepona.

bongo, s. m. MÚS. bongó.

bonificação, s. f. bonificación; beneficiación.

bonificar, v. tr. bonificar; beneficiar; mejorar.

bonifrate, s. m. fantoche; presumido; afectado; melindroso.

bonina, *s. f.* BOT. bonina, manzanilla loca, (planta y flor); margarita de los prados.

boníssimo, *adj.* buenísimo; bonísimo.

boniteza, *s. f.* cualidad de bonito; belleza.

bonito, I. *adj.* bonito; hermoso; bello; mono; molón; bueno; noble; ventajoso. **II.** *s. m.* juguete de niño; ZOOL. bonito.

bonitote, *adj.* barbilindo.

bonomia, *s. f.* bonhomía.

bons-dias, *s. m. pl.* BOT. dondiego; *dar os bons-dias*, dar los buenos días.

bónus, *s. m.* premio; extra; plus; sobresueldo; rebaja; descuento; *(de seguro)* prima.

bonzo, *s. m.* bonzo.

boqueada, *s. f.* boqueada.

boquear, *v. intr.* boquear; bostezar.

boqueira, *s. f.* boquera.

boqueirão, *s. m.* boquerón.

boquejar *v. tr. e intr.* bostezar; *(fig.)* hablar bajo; refunfuñar.

boquiaberto, *adj.* boquiabierto; pasmado.

boquilha, *s. f.* boquilla; MÚS. boquilla, embocadura.

boquim, *s. m.* MÚS. embocadura; boquilla.

boquinha, *s. f.* boquita; besito de niño.

boracite, *s. f.* boracita.

borato, *s. m.* QUÍM. borato.

bórax, *s. m.* QUÍM. bórax.

borboleta, *s. f.* mariposa; *(fig.)* inconstante, voluble.

borboletear, *v. intr.* mariposear; vaguear; devanear.

borbónico, *adj.* borbónico.

borborigmo, *s. m.* borborigmo.

borbotão, *s. m.* borbotón, borbollón, chorro.

borbotar, *v. intr.* borbotar; borbotear; borbollar; burbujear.

borboto, *s. m.* pelotilla.

borbulha, *s. f.* burbuja; espinilla; grano; yema (plantas).

borbulhação, *s. f.* burbujeo.

borbulhagem, *s. f.* burbujeo; erupción cutánea.

borbulhamento, *s. m.* borboteo; burbujeo.

borbulhão, *s. m.* borbollón, borbotón.

borbulhar, *v. intr.* borbollar, borbotar, borbotear; burbujear.

borco, *s. m.*, *de borco*, de bruces; de boca para abajo.

borda, *s. f.* borde; vera; orla; margen; orilla; playa; arcen; NÁUT. borda; bordada.

bordada, *s. f.* NÁUT. bordada, borda, bordo.

borda-d'água, 1. *s. f.* orilla del mar; margen de río o lago. **2.** *s. m.* zaragozano; repertorio.

bordadeira, *s. f.* bordadora; labrandera.

bordado, *adj. e s. m.* bordado; *(nas mangas)* puñeta.

bordador, *s. m.* bordador.

bordadura, *s. f.* bordadura.

bordão, *s. m.* bordón; apoyo; cayado; amparo; ZOOL. abejarrón; MÚS. bordón; estribillo; *bordão episcopal*, báculo.

bordar, *v.* **1.** *tr.* bordar, adornar; entremezclar; imaginar. **2.** *intr.* ejecutar bordados; *(em relevo)* realzar.

bordear, *v. intr.* bordear.

bordejar, *v. intr.* bordear, navegar mudando con frecuencia de rumbo; bordear, andar por los bordes; *(fig.)* tambalear.

bordel, *s. m.* burdel; casa de citas; prostíbulo.

bordo, *s. m.* NÁUT. bordo; borda; paseo; BOT. arce.

bordoada, *s. f.* bordonazo; golpetazo; leñazo; gresca, riña; andanada.

boreal, *adj.* 2 gén. boreal.

borga, *s. f.* rugeo.

borgonhês, *adj. e s. m.* borgoñón, borgoñés.

borguinhão, *adj. e s. m.* vd. **borgonhês**.

borguista, *adj.* e *s.* 2 gén. bullanguero, marchoso.

bórico, *adj.* QUÍM. bórico.

borla, *s. f.* borla; birrete; guagua; bellota; *borla de pó-de-arroz*, polvera.

borlista, *s.* 2 gén. aprovechón.

bornal, *s. m.* mochila; morral; macuto.

borne, *s. m.* borne.

boro, *s. m.* QUÍM. boro.

boroa, *s. f.* borona.

borra, *s. f.* borra; heces; poso; sarro; zupia; zurrapa; pelusa del capullo de seda; escurriduras; *(do vinho)* solera.

borra-botas, *s. m.* mal limpiabotas; embadurna botas; *(fam.)* belitre.

borraçal, *s. m.* barrizal con pastos para ganado; pantano; atolladero.

borraceiro, *s.* **1.** *m.* llovizna. **2.** *adj.* lluvioso; borroso.

borracha, *s. f.* goma; caucho; borracha,

bouça

bota (para vino); goma elástica, caucho; *árvore da borracha*, ficus.

borrachão, s. m. beberrón, borrachín; *(fig., fam.)* odre.

borracheira, s. f. borrachera; cogorza; pea; pítima; embriaguez, *(fam.)* tajada, trompa; turca; *(fig.)* merluza; cosa sin arte.

borrachice, s. f. vicio de borracho.

borracho, I. adj. borracho; *(fam.)* tajado; ebrio. **II.** s. m. palomino; pichón; *(fam.)* cachas.

borrachola, s. 2 gén. borrachín.

borrado, adj. cagado.

borrador, s. m. borrador; embadurnador; pintamonas.

borradura, s. f. borradura; mácula.

borrada, s. f. guarrada; cagada; certada; marranada.

borragem, s. f. BOT. borraja.

Borraginàceas, s. f. pl. BOT. borragináceas.

borralheiro, adj. que le gusta estar al calor del rescoldo; casero.

borralho, s. m. borrajo; rescoldo cubierto con la propia ceniza; *(fam.)* hogar, lar; lumbre.

borrão, s. m. borrón; borrador; gota o mancha de tinta; chafarrinada; chafarrinón; tachón.

borrar, v. **1.** tr. ensuciar; manchar; rayar; emborronar; pintorrear; embadurnar. **2.** intr. *(fam.)* defecar. **3.** refl. ensuciarse; deslustrarse.

borrasca, s. f. borrasca; tempestad; tormenta; huracán.

borrascoso, adj. borrascoso; tempestuoso.

borratada, I. s. f. gran borrón de tinta. **II.** adj. pandilla.

borratar, v. tr. chafarrinar.

borrega, s. f. borrega; ampolla en las manos o en los pies.

borregada, s. f. borregada.

borrego, s. m. borrego.

borregueiro, s. m. borreguero.

borrento, adj. borroso.

borrifador, s. m. rociadera; rociador.

borrifar, v. tr. rociar; aspergear; asperjar; chapalear; espurrear; espurriar; salpicar.

borrifo, s. m. rociada; rociadura; llovizna; chapaleo.

borzeguim, s. m. borceguí.

boscagem, s. f. boscaje.

boscarejo, adj. selvático.

bosque, s. m. bosque; algaida; arboleda;

arboledo; soto; boscaje; *com bosques,* boscoso.

bosquejar, v. tr. bosquejar; resumir.

bosquejo, s. m. bosquejo; esbozo; boceto.

bosquímano, adj. e s. m. bosquimán, bosquimano.

bossa, s. f. bollo, hinchazón; chichón; joroba; *(fig.)* aptitud; vocación.

bossagem, s. f. saliencia (en obra de construcción).

bosta, s. f. boñiga, boñigo.

bosteira, s. f. vd. **bosteiro.**

bosteiro, s. m. ZOOL. escarabajo que se cría en la bosta.

bostela, s. f. postilla; pústula; costra.

bostelento, adj. postilloso; pustulento.

bota, s. f. bota, calzado; *(fig.)* persona estúpida; dificultad.

bota-fogo, s. m. botafuego.

bota-fora, s. m. despedida; NÁUT. botadura.

botalós, s. m. pl. NÁUT. botalón.

botânica, s. f. botánica.

botânico, adj. e s. m. botánico.

botão, s. m. botón, BOT. botón; yema; verruga; pendiente de oreja; botón, de timbre; *(de espada)* pomo.

botão-de-ouro, s. m. BOT. botón de oro.

botar, v. tr. arrojar; boyar; embotar; despintar; verter; lanzar; poner.

botaréu, s. m. ARQ. botarel; pilastra; arbotante; contrafuerte.

bota-selas, s. m. botasilla, toque de clarín.

bote, s. m. NÁUT. bote, barca; cachucha; golpe con arma branca, cuchillada; *(fig.)* censura.

botelha, s. f. botella, frasco; especie de calabaza.

botequim, s. m. bar, taberna, cafetín, café.

botequineiro, s. m. tabernero, cafetero.

botica, s. f. botica; farmacia.

boticão, s. m. CIR. botador; gatillo.

boticário, s. m. boticario; farmacéutico.

botifarra, s. f. bota grande y grosera.

botija, s. f. botija; caneca; porrón.

botim, s. m. botín; botina; zapata.

botina, s. f. botina.

boto, I. adj. romo, embotado; *(fig.)* obtuso. **II.** s. m. ZOOL. vd. **toninha.**

botoaria, s. f. botonería.

botoeira, s. f. botonera; ojal.

botoeiro, s. m. botonero.

botulismo, s. m. botulismo.

bouça, s. f. matorral; maleza; dehesa; pasto; terreno inculto.

boutique, s. m. boutique.
Bóvidas, s. m. pl. vd. **Bovídeos**.
Bovídeos, s. m. pl. ZOOL. bóvidos.
bovino, adj. e s. m. bovino.
boxe, s. m. boxeo; pugilismo; (automobilismo) box; jogar boxe, boxear.
boxeador, s. m. boxeador; pugilista.
bóxer, s. m. (cão) bóxer.
boximane, adj. e s. 2 gén. bosquimán, bosquimano.
boxista, s. m. vd. **boxeador**.
braça, s. f. braza.
braçada, s. f. brazada; brazado; fajo; NAT. braza, brazada.
braçadeira, s. f. abrazadera; abarcón; braceral; brazal; argolla.
braçado, s. m. brazado, brazada.
braçagem, s. f. trabajo hecho a brazo.
braçal, I. s. m. brazal; braceral; bracil. II. adj. 2 gén., trabalhador braçal, bracero.
bracarense, adj. e s. 2 gén. bracarense.
braçaria, s. f. arte de arrojar proyectiles con el brazo.
braceagem, s. f. trabajo de brazos.
bracear, v. intr. bracear.
braceiro, 1. adj. bracero, que tiene fuerza en los brazos. 2. s. m. bracero, peón, jornalero de campo.
bracejar, v. intr. bracear; agitarse; moverse.
bracelete, s. m. brazalete; pulsera.
braço, s. m. ANAT. brazo; (rio, mar, árvore) ramificación, brazo; (fig.) coraje; de braço dado, de bracete, cogidos del brazo.
bráctea, s. f. BOT. bráctea.
bractéola, s. f. BOT. bracteola.
braçudo, adj. brazudo.
bradar, v. tr. e intr. clamar; vociferar; bramar; pregonar; publicar.
brado, s. m. clamor; grito; queja; bramido.
braga, s. f. pl. bragas; zaragüelles.
bragada, s. f. bragadura.
bragadura, s. f. bragadura.
braguilha, s. f. pretina; bragueta.
braille, s. m. braille.
bramador, adj. bramador.
brâmane, s. m. brahmán; bracmán.
bramânico, adj. brahmánico.
bramanismo, s. m. brahmanismo.
bramante, adj. 2 gén. vd. **bramador**.
bramar, v. intr. bramar; rugir; ulular; gritar alto; retumbar.
bramido, s. m. bramido, rugido.
bramir, v. intr. bramar.
branca, s. f. blanca (moneda); cana; cabello branco; grillete.

brancacento, adj. blanquecino; blancuzco.
branco, I. adj. blanco; albo; cándido; albero; lívido; albar; cano; canoso. II. s. m. blanco; ficar em branco, quedarse em blanco; a preto e branco, en blanco y negro; o branco do olho, blanco del ojo.
brancura, s. f. blancura; blancor; albura.
brandal, s. m. NÁUT. brandal.
brandão, s. m. blandón; hacha; hachón; cirio; antorcha.
brande, s. m. brandi, brandy.
brandir, v. 1. tr. blandir (un arma). 2. intr. vibrar; oscilar.
brando, adj. blando; flexible; flojo; muelle; lento; dulce; suave; branduzco; manso.
brandura, s. f. blandura; suavidad; lenidad; molicie.
branqueação, s. f. blanqueación; blanqueo.
branqueado, adj. blanqueado, vuelto blanco; nevado.
branqueador, adj. e s. m. blanqueador; lejía; decolorante.
branqueadura, s. f. blanqueo.
branqueamento, s. m. blanqueo.
branquear, v. tr. blanquear; emblanquecer; encalar; enjalbegar; decolorar.
branquearia, s. f. blanquería.
branquejar, v. intr. blanquear.
branqueta, s. f. blanqueta.
brânquia, s. f. ZOOL. branquia; agalla.
branquiado, adj. branquiado, que tiene branquias.
branquial, adj. 2 gén. branquial.
branquidão, s. f. blancor; blancura; albura.
braquialgia, s. f. MED. braquialgia.
braquicéfalo, adj. braquicéfalo.
brasa, s. f. brasa; ascua; ahogamiento; inflamación; ardor; ansiedad; em brasa, candente; estar sobre brasas, estar en/sobre ascua; puxar a brasa para a sua sardinha, arrimar el ascua a su sardina.
brasão, s. m. blasón; escudo; armería; insignia de nobreza; (fig.) honor; gloria.
braseira, s. f. brasero; camilla; chofeta.
braseiro, s. m. brasero; hornillo; chofeta.
brasido, s. m. porción de brasas encendidas; quemazón.
brasil, s. m. BOT. brasil, palo brasil.
brasileirismo, s. m. brasilismo.
brasileiro, adj. e s. m. brasileño.
brasilina, s. f. BOT. brasil.

brasonar, v. tr. blasonar.

bravata, s. f. bravata, bravuconada; valentonada; fanfarronada; fanfarronería; fanfarria; jactancia.

bravatão, adj. e s. m. vd. **bravateador**.

bravateador, adj. e s. m. valentón; bravucón; fanfarrón; farolero.

bravatear, v. intr. decir bravatas; fanfarronear; farolear, fachendear.

bravear, v. intr. vd. **bravejar**.

bravejar, v. intr. clamar; emitir las palabras con vehemencia.

braveza, s. f. braveza; bravura; fiereza; valor.

bravio, adj. bravío; feroz; salvaje; silvestre; bruto, áspero.

bravo, adj. bravo; valiente; intrépido; feroz; silvestre; zurano.

bravura, s. f. bravura; valentía.

brear, v. tr. embrear; brear.

breca, s. f. calambre.

brecha, s. f. brecha; quiebra; boquete; laguna; (fig.) daño, afrenta.

bredo, s. m. bledo.

brejeirada, s. f. bribonada; tunantada.

brejeiral, adj. 2 gén. propio de tunante.

brejeirar, v. intr. vagabundear.

brejeirice, s. f. chuscada; chuzanada.

brejeiro, adj. bribón; vago; pillo; belitre; chusco.

brejo, s. m. zarzal; matorral; gándara.

brejoso, adj. agreste.

brema, s. f. ZOOL. brema; sargo.

brenha, s. f. breña; mato; breñal; breñar; fraga.

brenhoso, adj. breñoso.

bretanha, s. f. tejido blanco de algodón o lino muy fino.

bretão, adj. e s. m. bretón.

breu, s. m. brea; pez.

breve, I. adj. 2 gén. breve; pequeño; corto; sucinto; lacónico. II. s. 1. m. breve (pontificio). 2. f. MÚS. breve.

breviário, s. m. breviario.

brevidade, s. f. brevedad; corta duración; rapidez.

brial, s. m. brial.

bricolagem, s. f. bricolage.

brida, s. f. brida.

bridão, s. m. brida grande.

bridge, s. m. bridge.

briga, s. f. lucha; pugna; disputa; pelea; pelitera; rija; trapisonda; riña; pendencia; brega; bronca; (fam.) cisco; zipizape.

brigada, s. f. brigada; agarrada.

brigadeiro, s. m. brigadier.

brigador, adj. e s. m. pendenciero; camorrista; altercador.

brigão, adj. e s. m. pendenciero; camorrista; matón; altercador; rijoso.

brigar, v. intr. bregar; reñir; pelear; pugnar; luchar, disputar.

brigue, s. m. NÁUT. bergantín.

briguento, adj. peleón.

brilhante, I. adj. brillante; fúlgido; flamante; lustre; excelente; magnífico. II. s. m. brilhante; pl. confeti.

brilhantina, s. f. brillantina.

brilhantismo, s. m. brillantez; esplendor; lucimiento.

brilhar, v. intr. brillar; resplandecer, lucir; rutilar.

brilho, s. m. brillo; esplendor; brillantez; viso; vivacidad; cintilación; esmalte.

brincadeira, s. f. entretenimiento; juego; jugueteo; pufo; retozo; broma; burla, chanza; candonga; chasco; tomadura, chirigota.

brincado, adj. con adornos caprichosos; floreado.

brincalhão, adj. e s. m. bromista; chancero; juguetón; burlón; chirigotero; churuguero; chusco; vacilón.

brincar, v. 1. intr. jugar; juguetear; chancear; holgar; retozar; hacer gracias; chufletear; bromear; meio a sério meio a brincar, entre bromas e veras. 2. tr. ataviar.

brinco, s. m. bollón; pendiente; arete; arracada; juguete.

brindar, v. 1. intr. brindar, beber augurando felicidad; (fam.) hacer chinchín. 2. tr. regalar; obsequiar.

brinde, s. m. brindis; regalo; convite; obsequio.

brinquedo, s. m. juguete; juego; broma; entretenimiento.

brio, s. m. brío; pujanza; pundonor; decisión; valor; decoro; honradez.

brioche, s. m. brioche.

briol, s. m. NÁUT. briol; (fam.) vino.

brioso, adj. brioso; valeroso; altivo.

briquete, s. m. carbón combustible en forma de bola, amasado con alquitrán.

brisa, s. f. brisa; orilla.

brita, s. f. morrillo; balasto; cascajo.

britadeira, s. f. trituradora de piedras.

britador, s. m. picapedrero; trituradora de piedras.

britânico, adj. e s. m. británico.

brita-ossos, s. m. ZOOL. quebrantahuesos.

britar, v. tr. quebrar, partir piedra; quebrantar; machacar.

broa, s. f. borona, pan de maíz.

broca, s. f. broca; brócula; barrena; taladro; berbiquí; (de dentista) fresa; eje de la cerradura; púa; cavidad; fístula; mentira.

brocado, I. s. m. brocado, brocatel. **II.** adj. barrenado.

brocal, s. m. brocal.

brocar, v. tr. taladrar; barrenar; fresar.

brocatel, s. m. brocatel.

brocha, s. f. especie de clavo corto de zapatero; clavija.

brochado, adj. encuadernado en rústica.

brochador, adj. e s. m. encuadernador.

brochagem, s. f. encuadernación en rústica.

brochar, v. tr. encuadernar en rústica; clavar con clavos de zapatero.

broche, s. m. broche; corchete; hebilla de las ligas; cierre metálico.

brochura, s. f. arte de encuadernar en rústica; libro encuadernado en rústica; folleto.

brócolos, s. m. pl. BOT. bróculi.

brocos, s. m. pl. vd. **brócolos.**

bródio, s. m. francachela; cuchipanda; banquete alegre.

brodista, s. 2 gén. juerguista; fiestero; jacarista.

broma, s. f. ZOOL. broma.

bromatologia, s. f. bromatología.

brometo, s. m. QUÍM. bromuro.

bromo, s. m. QUÍM. bromo.

bromofórmio, s. m. QUÍM. bromoformo.

bromoquinina, s. f. QUÍM. bromoquinina.

bronco, adj. bronco; tosco; grosero; ignorante; zopenco.

broncopneumonia, s. f. bronconeumonía.

broncopulmonar, adj. 2 gén. broncopulmonar.

broncorragia, s. f. MED. broncorragia.

broncoscópio, s. m. broncoscopio.

bronquial, adj. 2 gén. bronquial.

brônquico, adj. bronquial.

brônquio, s. m. bronquio.

bronquite, s. f. bronquitis.

bronquítico, adj. bronquítico.

brontossauro, s. m. brontosaurio.

bronzagem, s. f. bronceo, operación de broncear.

bronze, s. m. bronce.

bronzeado, adj. e s. m. bronceado, tostado.

bronzeador, adj. e s. m. bronceador.

bronzear, v. **1.** tr. broncear. **2.** refl. broncearse; achicharrarse.

brônzeo, adj. broncíneo.

bronzista, s. 2 gén. broncista.

broque, s. m. tubería de los ventiladores en los hornos de fundir metales.

broquel, s. m. broquel; llana, tabla de albañil.

broqueleiro, s. m. broquelero.

broquento, adj. lleno de brocas o agujeros; (fig.) llagado; fistuloso.

brossa, s. f. bruza; almohaza; estregadera.

brossar, v. tr. bruzar.

brotar, v. intr. e tr. brotar; nacer; lanzar; abroteñar; arroyar; abollonar; prenunciar; manar; dimanar; irrumpir; germinar, producir.

brotoeja, s. f. especie de erupción cutánea.

broxa, s. f. brocha, pincel; sedea.

broxadela, s. f. brochada, brochazo.

bruços, s. m. pl. bruces; de bruços, de bruces, de vientre para abajo; cair de bruços, caerse de bruces.

brulote, s. m. NÁUT. brulote.

bruma, s. f. bruma; niebla; (fig.) incertidumbre.

brumaceiro, adj. abromado.

brumal, adj. 2 gén. brumal, brumoso.

brumário, s. m. brumario.

brumoso, adj. brumoso; nebuloso.

brunideira, s. f. planchadora de cuellos y camisas almidonadas; mujer que plancha.

brunidela, s. f. planchado.

brunido, adj. planchado; pulido; bruñido.

brunidor, s. m. bruñidor; (de sapateiro) costa.

brunidura, s. f. bruñidura.

brunir, v. tr. bruñir; pulir; pulimentar, alisar.

brusco, adj. brusco; áspero; desabrido; atropellado; súbito.

brusquidão, s. f. brusquedad.

brutal, adj. 2 gén. brutal; asnal; bestial; violento; salvaje; ser brutal, ensañar.

brutalidade, s. f. brutalidad; violencia; bestialidad.

brutalizar, v. tr. brutalizar; bestializar.

brutamontes, s. m. hombre asalvajado, grosero.

brutesco, 1. *adj.* brutesco; grotesco; tosco. **2.** *s. m.* grutesco.

bruteza, *s. f.* brutalidad.

brutidade, *s. f.* brutalidade.

brutificar, *v. tr.* embrutecer; bestializar.

bruto, *adj.* bruto; irracional; necio; estúpido; violento; salvaje; grosero.

bruxa, *s. f.* bruja; hechicera; mágica; vidente.

bruxaria, *s. f.* brujería; hechicería, sortilegio; ensalmo.

bruxedo, *s. m.* brujería; hechicería; hechizo; sortilegio.

bruxo, *s. m.* brujo; curandero; hechicero.

bruxuleante, *adj.* 2 *gén.* temblante; oscilante; mortocino.

bruxulear, *v. intr.* brillar débilmente; oscilar; chisporrotear; rielar.

bubão, *s. m.* ZOOL. bubón.

bubónico, *adj.* bubónico.

bucal, *adj.* 2 *gén.* bucal.

bucéfalo, *s. m.* bucéfalo.

bucha, *s. f.* bocado; tapón; taco.

buchada, *s. f.* buche, estómago de animales; (*fig.*) hartazgo.

buchela, *s. f.* bruselas, tenacita, alicates (para joyeros).

bucho, *s. m.* buche; panza; vientre o barriga.

bucle, *s. m.* bucle; tirabuzón.

buco, *s. m.* bucosidad; capacidad, anchura del navío.

buço, *s. m.* bozo; bigotito.

bucólica, *s. f.* bucólica; égloga.

bucólico, *adj.* bucólico; campestre; pastoril; inocente; gracioso.

bucolismo, *s. m.* bucolismo; poesía bucólica.

búdico, *adj.* búdico.

budismo, *s. m.* budismo.

budista, *s.* 2 *gén.* budista.

bueiro, *s. m.* acometida del alcantarillado; respiradero de horno; tajea.

bufa, *s. t.* (*fam.*) pedo; follón; zullón; ventosidad.

búfalo, *s. m.* ZOOL. búfalo.

bufão, *s. m.* bufón; bufe; fanfarrón; bobo; truhán; albardán.

bufar, *v.* **1.** *intr.* soplar; resoplar; bufar. **2.** *tr.* alardear; blasonar.

bufarinha *s. f.* cosmético; buhonería; bujiganga; quincalla.

bufarinheiro, *s. m.* buhonero; quinquillero; quincallero.

bufete, *s. m.* bufete; bufé; buffet; aparador, cantina; ambigú.

bufido, *s. m.* bufido.

bufo, 1. *s. m.* soplo, resoplo, resoplido; ZOOL. buho; avaro; policía secreto. **2.** *adj.* burlesco; jovial.

bufonaria, *s. f.* bufonería; fanfarronaría; albardanería.

bufonear, *v. intr.* bufonear; fanfarronear.

bugalho, *s. m.* especie de nuez; cuenta grande del rosario.

bugalhudo, *adj.* grande y rasgado (hablando de los ojos).

buganvília, *s. f.* BOT. buganvilla.

bugia, *s. f.* bujía, vela.

bugiada, *s. f.* monería.

bugiar, *v. intr.* monear, hacer monadas.

bugiaria, *s. f.* monada; visaje; monería; bagatela.

bugiganga, *s. f.* quincalla; bagatela, baratija, sacacuartos; *pl.* baratillo.

buinho, *s. m.* mimbre.

buir, *v. tr.* pulir; alisar.

buitre, *s. m.* ZOOL. buitre.

bujarrona, *s. f.* NÁUT. bujarrona; foque; (*fig.*) insulto.

bula, *s. f.* bula.

bulbífero, *adj.* bulbífero; bulboso.

bulboso, *adj.* vd. **bolboso**.

bulcão, *s. m.* niebla o nubarrones; tinieblas; humarada.

buldogue, *s. m.* buldog.

bule, *s. m.* tetera.

bulevar, *s. m.* bulevar.

búlgaro, *adj.* e *s. m.* búlgaro.

bulha, *s. f.* bulla; batahola; tremolina; estruendo; desorden; trisca; (*festiva*) chunga.

bulhão, I. *adj.* ruidoso; bullanguero. **II.** *s. m.* puñal antiguo; medallón.

bulhar, *v. intr.* alborotar; reñir; bregar.

bulhento, *adj.* camorrista; bullanguero; alborotador.

bulício, *s. m.* bullicio; murmullo; susurro.

buliçoso, *adj.* bullicioso, alborotador.

bulimia, *s. f.* bulimia.

bulir, *v.* **1.** *intr.* bullir; menearse; agitarse; oscilar. **2.** *tr.* tocar; menear.

bumba!, *interj.* ¡zas!

bumbum, *s. m.* estruendo; zumbido; golpes repetidos.

bumerangue, s. m. bumerán, boomerang.

bundo, s. m. la lengua bunda; negro de angola; (fig.) lenguaje incorrecto.

búnquer, s. m. bunker.

buque, s. m. NÁUT. buque, embarcación.

buqué, s. m. buqué.

bur, s. 2 gén. bóer.

buraca, s. f. agujerazo; caverna.

buraco, s. m. agujero; orificio; cueva; madriguera; (golfe) hoyo; bache, badén; boquete; cavidad; hueco; socavón.

burburinho, s. m. susurro; rumor; movida; (fig.) tumulto; desordem.

burel, s. m. cordellate; buriel; sayal; jerga.

burela, s. f. burel.

bureta, s. f. bureta.

burgalhão, s. m. banco de conchas, piedras, etc. debajo del agua.

burgau, s. m. caracol de cuya concha se obtiene buen nácar.

burgo, s. m. burgo; arrabal de ciudad; villa; monasterio; pazo.

burgomestre, s. m. burgomaestre.

burguês, 1. s. m. burgués. **2.** adj. ordinario; sin arte.

burguesia, s. f. burguesía.

buril, s. m. buril; cincel; punzón.

burilada, s. f. burilada.

burilador, s. m. tallador; escultor; grabador.

burilar, v. tr. burilar; adornar.

burjaca, s. f. burjaca, saco de cuero; (fam.) chaquetón largo y ancho.

burla, s. f. burla; fraude; trapaza; trapacería; mohatra; timo; camelo; engañifa; estafa.

burlador, adj. e s. m. vd. **burlão.**

burlão, adj. burlón; socarrón; burlador; trapacero; embustero; estafador; mohatrero; timador.

burlar, v. tr. burlar; estafar; timar.

burlesco, adj. burlesco; grotesco.

burlesquear, v. intr. bufonear, decir bufonadas; hablar burlescamente.

burlista, adj. e s. 2 gén. vd. **burlão.**

burocracia, s. f. burocracia; (fam.) papaleo.

burocrata, s. m. burócrata.

burocrático, adj. burocrático.

burocratizar, v. tr. burocratizar.

burra, s. f. ZOOL. burra, borrica.

burricada, s. f. borricada; burrada.

burrical, adj. 2 gén. borriqueño; borrical; burral; asnal; bestial.

burrice, s. f. necedad; asnería; mal humor; terquedad.

burrico, s. m. borrico; pollino.

burrificar, v. tr. volver burro.

burriqueiro, s. m. borriquero; arriero.

burro, s. m. ZOOL. burro; asno; pollino; borrico, jumento; (serrador) borriquete; cabrilla.

burundanga, s. f. palabrería confusa; algarabía.

bus s. **1.** m. AUTO bus. **2.** nem chus nem bus, sin hablar una palabra.

busardo, s. m. ZOOL. busardo.

busca, s. f. busca; búsqueda; pesquisa; investigación; busca policial, cacheo.

buscador, adj. buscador.

busca-pé, s. m. buscapiés, cohete rastrero.

buscar, v. tr. buscar; examinar; investigar; procurar.

busca-vida, s. m. buscavidas.

busca-vidas, s. m. escarbaorejas.

busílis, s. m. busilis.

bússola, s. f. brújula; guía; aguja.

busto, s. m. busto.

bustuário, s. m. artista que hace bustos.

butano, s. m. butano.

bute, s. m. calzado grosero para soldados y trabajadores.

butirina, s. f. butirina.

butirómetro, s. m. butirómetro.

buxal, s. m. bojedal.

buxo, s. m. BOT. boj.

buzarate, adj. botarate; badulaque; fanfarrón.

buzina, s. f. bocina; portavoz.

buzinada, s. f. bocinazo.

buzinadela, s. f. pitido.

buzinar, v. intr. bocinar; (fig.) hablar impertinentemente.

búzio, s. m. ZOOL. cauri; abrojín; bígaro; buzo; caracola; trompeta; bocina.

C

cá, *adv.* aquí; acá.

cã, *s. f.* cana, cabello branco.

cabaça, *s. f.* calabaza; BOT. calabacera (fruto y planta).

cabaçal, *s. m.* calabazar.

cabaceira, *s. f.* BOT. calabacera.

cabaço, *s. m.* calabacino; calabaza.

cabal, *adj. 2 gén.* cabal, completo; perfecto; entero.

cabala, *s. f.* cábala; intriga; cabildeo; complot.

cabalar, *v. intr.* cabildear, intrigar.

cabaleta, *s. f.* MÚS. cabaleta.

cabalista, *s. 2 gén.* cabalista.

cabalístico, *adj.* cabalístico; misterioso.

cabana, *s. f.* cabaña; bohío; choza; casa rústica; choro; *construir cabanas*, acabañar.

cabanal, *s. m.* cabañal.

cabaneira, *s. f.* mujer que, vive en cabaña.

cabaneiro, *s. m.* hombre que vive en cabaña.

cabaré, *s. m.* cabaret; *mulher de cabaré*, cabaretera.

cabaz, *s. m.* cabás; cesta; cofín; canasto; capacho; *cabaz de Natal*, cesta de Natividad.

cabazada, *s. f.* canasto lleno.

cabazeiro, *s. m.* canastero.

cabear, *v. intr.* colear, mover con frecuencia la cola (el caballo).

cabeça, *s. f.* cabeza *(fam.)* coco, cocorota; *(fig.)* caporal; cabecilla; jefe; dirigente; capital; metrópoli; inteligencia; tino; *cabeça de gado*, res.

cabeçada, *s. f.* cabezada; topetazo; cabezazo; testarazo; topetada; calabazada; cabezonada; morrada; mona; cabezada, cabestro *(fig.)* disparate.

cabeça-de-casal, *s. 2 gén.* cabezalero.

cabeçal, *s. m.* cabezal; camal; almohada; almohadilla.

cabeçalho, *s. m.* cabezal; lanza de coche; cabecera; encabezamiento; portada; titulillo.

cabeça-no-ar, *adj. e s. 2 gén.* cascabelero.

cabeção, *s. m.* cabezón; serreta; collarín; golilla; tirilla; cuello; titulillo; cabestro.

cabeceamento, *s. m.* cabeceo.

cabecear, *v. intr.* cabecear; inclinarse.

cabeceira, *s. f.* cabecera (de la cama); lomo de un libro; almohada.

cabecilha, *s. m.* cabecilla; caudillo; caporal.

cabecinha, *s. f. (farinha)* cabezuela.

cabeço, *s. m.* cabeza, cerro alto; otero.

cabeçorra, *s. f.* cabezorro.

cabeçudo, *adj. e s. m.* cabezón; cabezorro; cabezudo; testarudo; terco.

cabedal, *s. m.* caudal; hacienda; bienes; dinero; cuero.

cabedelo, *s. m.* cabo de arena en la desembocadura de un río.

cabeladura, *s. f.* cabellera, cabelladura.

cabelame, *s. m.* pelambre.

cabeleira, *s. f.* cabellera; pelambrera; cabelladura; crin; bisoñé; cola; *cabeleira postiça*, cairel; casquete.

cabeleireira, *s. f.* peluquera.

cabeleireiro, *s. m.* peluquero; *salão de cabeleireira*, peluquería.

cabelinho, *s. m.* cabello pequeño.

cabelo, *s. m.* cabello; pelo; muelle del reloj; *cabelo branco*, cana; *cortar o cabelo a*, cortar o cabelo, pelarse, se cortar el pelo; pelar; *por um cabelo*, por un pelillo.

cabeludo, *adj.* cabelludo; peludo; melenudo; velloso.

caber, *v. intr.* caber; contener; convenir; comprender; entender; caer, caber en suerte; poder entrar.

cabida, *s. f.* cabida; cabimiento.

cabide, *s. m.* percha; perchero; paragüero.

cabidela, *s. f.* guisado de menudos y sangre de aves.

cabido, *s. m.* cabildo; capítulo.

cabila, *s. f.* cabila.

cabilda, *s. f.* cabila.

cabimento, *s. m.* cabida, lugar; aceptación; oportunidad; conveniencia; cabimiento.

cabina, *s. f.* cabina; camarote; amareta; *(de avião)* carlinga.

cabisbaixo, *adj.* cabizbajo; *(fig.)* abatido; vejado; avergonzado.

cabo, *s. m.* cabo; punta; extremidad, fin, cola; mango; manija; cable telegráfico; cablegrama; cuerda gruesa; GEOG. cabo;

MIL. cabo, caporal; jefe; *com cabo de chi-fre*, cachicuerno; *cabo de cebolas*, ristra.

cabograma, s. m. cablegrama; cable; *transmitir um cabograma*, cablegrafiar.

cabotagem, s. f. cabotaje.

cabotar, v. intr. hacer cabotaje.

cabotino, s. m. cómico ambulante; títere; fantoche.

caboucar, v. tr. e intr. excavar; abrir zanjas.

cabouco, s. m. excavación; foso; zanja.

cabouqueiro, s. m. zapador, cavador.

cabra, s. f. ZOOL. cabra; *pele de cabra*, cabruna.

cabra-cega, s. f. gallina ciega.

cabramo, s. m. apea, soga.

cabra-montês, s. f. íbice.

cabrão, s. m. cabrón, cabronazo.

cabrazar, v. tr. cabrear.

cábrea, s. f. cabria.

cabreado, adj. cabreado, encabritado.

cabrear, v. intr. cabrear, encabritar.

cabreira, s. f. cabrera.

cabreiro, s. m. cabrero.

cabrestante, s. m. cabrestante.

cabresteiro, s. m. cabestrero.

cabrestilho, s. m. cabestrillo.

cabresto, s. m. cabestro; camal; dogal; ronzal; *pl.* cabestraje.

cabril, s. m. cabrería, corral de cabras; sitio escarpado.

cabrilha, s. f. cabrita; pieza del cabrestante.

cabrim, s. m. cabritilla.

cabriola, s. f. cabriola; pirueta; retozo.

cabriolar, v. intr. cabriolar; brincar; retozar.

cabriolé, s. m. cabriolé.

cabrita, s. f. cabrita, ceaja; cabra, máquina militar antigua para tirar piedras.

cabritar, v. intr. saltar, cabriolar, brincar.

cabriteiro, s. m. cabritero.

cabritinho, s. m. choto.

cabrito, s. m. cabrito, chivo.

cabrito-montês, s. m. corzo.

cabro, s. m. cabro, cabrón, macho cabrío.

cabrum, adj. 2 gén. cabruno; caprino.

cabuchão, s. m. cabuchón; cabujón.

cabucho, s. m. extremidad cónica del pilón de azúcar.

cábula, s. 2 gén. novillero; estudiante que hace novillos o poco aplicado.

cabular, v. intr. hacer rabonas o novillos un estudiante; trapacear en las clases.

caca, s. f. (fam.) caca.

caça, s. **1.** f. caza; persecución; batida. **2.** (avião) caza.

caçada, s. f. batida; caza; cacería.

caçadeira, s. f. escopeta de caza.

caçado, adj. cazado; (fig.) perito.

caçador, adj. e s. m. cazador.

caça-minas, s. m. barreminas.

cação, s. m. ZOOL. cazón.

caçapo, s. m. gazapo, conejillo.

caçar, v. tr. e intr. cazar; atrapar; alcanzar; coger; conseguir; *caçar com negaça*, señolear; *caçar com armadilhas*, chuchear.

cacaracá, s. m., *de cacaracá*, cacareado.

cacarejado, adj. cacareado.

cacarejador, adj. cacareador; parlanchín; hablador.

cacarejar, I. v. intr. cacarear; cloquear. II. s. m. cacareo; cloqueo.

cacarejo, s. m. cacareo; cloqueo.

cacaréus, s. m. pl. tarecos; trebejos, trastos viejos.

cacaria, s. f. montón de añicos de lozas o de tarecos, trastos o trebejos.

caçarola, s. f. cacerola; cazo; cazuela; *na caçarola*, a la cazuela.

cacatua, s. f. cacatúa.

cacau, s. m. BOT. cacao.

cacaual, s. m. cacahual.

cacear, v. intr. NÁUT. ir inclinándose, el navío; garrear; ir a la deriva.

cacetada, s. f. bastonazo; porrada; porrazo; cachiporrazo; trastazo.

cacete, s. m. porra; cachiporra; taco; tranca; bordón; pan de trigo alargado para hacer torrijas.

cacetear, v. tr. aporrear, dar porrazos; importunar.

caceteiro, s. m. el que da porrazos o garrotazos.

cachaça, s. f. cachaza.

cachaçada, s. f. cacharrazo; morrón; pescozón.

cachação, s. m. moquete, mojicón; puñetazo; cachorrazo; cogotazo; pescozón.

cachaceira, s. f. cerviguillo.

cachaço, s. m. cerviguillo; morrillo; cerviz, pescuezo grueso; (fam.) cacharrazo; pescozón.

cachaçudo, adj. pescozudo; cachazudo; arrogante.

cachalote, s. m. ZOOL. cachalote.

cachamorra, s. f. cachiporra, porra; garrote; garrota; estaca.

cachamorrada, *s. f.* cachiporrazo.
cachão, *s. m.* borbotón del agua hirviendo.
cachaporra, *s. f.* cachiporra.
cachaporrada, *s. f.* cachiporrazo.
cachar, *v. tr.* esconder, tapar.
cacharolete, *s. m.* cóctel.
cachear, *v. intr.* llenarse, cubrirse de racimos las viñas.
cachecol, *s. m.* bufanda.
cacheira, *s. f.* porra, cachiporra; estaca, palo tosco; cayado.
cacheirada, *s. f.* porrazo; cachiporrazo.
cacheiro, *adj.* que se oculta.
cachené, *s. m.* bufanda.
cachimbada, *s. f.* porción de tabaco que se mete en la pipa.
cachimbar, *v. intr.* fumar en pipa; cachimbo; *cachimbo turco*, narguile.
cachimbo, *s. m.* pipa.
cachimónia, *s. f.* cabeza; juicio; memoria; capacidad.
cachinada, *s. f.* carcajada sarcástica.
cachinar, *v. intr.* carcajear.
cacho, *s. m.* racimo; tirabuzón de cabello.
cachoante, *adj.* chorreante; burbujeante.
cachoar, *v. intr.* borbotar, hervir a borbotones.
cachoeira, *s. f.* catarata; cascada; salto.
cachola, *s. f.* cabeza; juicio, sensatez; molleja de aves.
cacholeta, *s. f.* tantarán, tantarantán; coscorrón; soplamocos; *(fig.)* ofensa.
cachopa, *s. f.* muchacha, moza.
cachopice, *s. f.* muchachada; travesura.
cachopo, *s. m.* muchacho, mozo; escollo; bajío cayo.
cachorra, *s. f.* cachorra, perra joven.
cachorrada, *s. f.* cachorrada; perrería.
cachorro, *s. m.* cachorro, perro; ARQ. escora.
cachorro-quente, *s. m.* perrito.
cachucha, *s. f.* cachucha, baile español.
cachuchar, *v. intr.* bailar la cachucha.
cachucho, *s. m.* ZOOL. breca; anillo grueso.
cacifo, *s. m.* cofre; caja; cajón; cesto para cosas de poco valor; esquina; escondite.
cacifro, *s. m.* cacifo.
cacimba, *s. f.* rocío; relente; cacimba.
cacique, *s. m.* cacique.
caciquismo, *s. m.* caciquismo.
caco, *s. m.* tiesto; trebejo, tareco; casco, cabeza; cascajo.
caço, *s. m.* cazo; concha; cuchara.
caçoada, *s. f.* motejo; broma; chacota; zumba; vaya; pitorreo.

caçoador, *adj. e s. m.* burlón; zumbón; chacotero; chancero.
caçoar, *v. tr. e intr.* burlar; escarnecer; zumbar; bromear; chancear; chupar; chulear; chunguearse; pitorrearse.
cacodilato, *s. m.* QUÍM. cacodilato.
cacofagia, *s. f.* cacofagia.
cacófato, *s. m.* cacófato.
cacófaton, *s. m.* cacofonía.
cacofonia, *s. f.* cacofonía.
cacofónico, *adj.* cacofónico; disonante.
cacografia, *s. f.* cacografía.
cacográfico, *adj.* cacográfico.
caçoila, *s. f.* cazuela; cazoleta.
caçoleta, *s. f.* cazoleta.
cacosma, *s. f.* cacosmía.
caçoula, *s. f.* cacerola, vasija; cazuela.
caçoulada, *s. f.* cacerolada.
Cactáceas, *s. f. pl.* BOT. cactáceas, cácteas.
cacto, *s. m.* BOT. cacto; cactus.
cada, *pron. e adj. indef.* cada; todo.
cadafalso, *s. m.* cadalso; castillejo.
cadarço, *s. m.* cadarzo; galón; cinta estrecha; crisol.
cadaste, *s. m.* codaste.
cadastragem, *s. f.* organización del catastro o registro.
cadastral, *adj.* 2 *gén.* catastral; censual.
cadastrar, *v. tr.* catastrar.
cadastro, *s. m.* catastro; registro de los criminales.
cadáver, *s. m.* cadáver.
cadavérico, *adj.* cadavérico.
cadaveroso, *adj.* cadaveroso, cadavérico.
cadeado, *s. m.* candado; cafela, cerrojo; *fechar a cadeado*, candar; *(fam.)* chirona.
cadeia, *s. f.* cadena; cárcel; calabozo; cautiverio; esposas; atadero; *ponto de cadeia*, cadeneta.
cadeira, *s. f.* silla, asiento; cátedra; asignatura; *(de bordo)* hamaca; tumbona; *pl.* caderas, nalgas; *cadeira de braços*, orejero; tumbona; *cadeira de descanso*, butacón; *cadeira de baloiço*, mecedora.
cadeiral, *s. m.* sillería.
cadeirão, *s. m.* butacón; sillon.
cadeireiro, *s. m.* sillero.
cadeirinha, *s. f.* sillita; litera.
cadeixo, *s. m.* mechón de pelo.
cadela, *s. f.* ZOOL. perra.
cadelinha, *s. f.* perrita.
cadência, *s. f.* cadencia.
cadenciado, *adj.* cadencioso; pausado.
cadenciar, *v. tr.* acompasar; compasar.

cadencioso, *adj.* cadencioso, acompasado.

cadeneta, *s. f.* cadeneta.

cadente, *adj. 2 gén.* cadente; decadente; cayente; cadencioso.

cadernal, *s. m.* NÁUT. cuaderna.

caderneta, *s. f.* cuadernillo; cartilla; libreta; *caderneta militar,* cartilla militar.

caderno, *s. m.* cuaderno; fascículo; libreta.

cadete, *s. m.* MIL. cadete.

cadilhos, *s. m. pl.* cadillos; guarnición; *pl.* cuidados.

cadimo, *adj.* diestro; experto; usual.

cadinho, *s. m.* crisol, copela; cubilote.

cadmia, *s. f.* QUÍM. cadmia.

cádmio, *s. f.* QUÍM. cadmio.

cado, *s. m.* cado.

cadoz, *s. m.* cadozo; guarida, madriguera; cubo de la basura.

caducado, *adj.* caducado.

caducante, *adj. 2 gén.* caducante; decadente.

caducar, *v. intr.* caducar; envejecer; volverse nulo; perder las fuerzas.

caduceu, *s. m.* caduceo.

caducidade, *s. f.* caducidad; vejez; decadencia.

caduco, *adj.* caduco; viejo; nulo; decrépito; chocho; clueco.

café, *s. m.* café; *café com cheirinho,* carajillo.

cafeeiro, *s. m.* BOT. cafeto.

cafeína, *s. f.* cafeína.

cafeteira, *s. f.* cafetera.

cafetã, *s. m.* caftán.

cafetal, *s. m.* cafetal.

cafezal, *s. m.* cafetal.

cafezeiro, *s. m.* cafeto, café, planta.

cafezista, *s. 2 gén.* persona que toma mucho café. **2.** *s. m.* cafetaísta.

cáfila, *s. f.* cáfila; caravana.

cafraria, *s. f.* cafrería.

cafre, *s. m.* cafre.

cafreal, *adj. 2 gén.* salvaje.

cafua, *s. f.* cafúa; cueva; lugar obscuro; antro.

cágado, **1.** *s. m.* ZOOL. tortuga; **2.** *s. m.* pícaro.

caga-lume, *s. m.* vd. **pirilampo.**

caganeira, *s. m.* (fam.) cagalera.

cagar, *v. tr. e intr.* (fam.) cagar.

cagão, *adj.* cagón.

caiação, *s. f.* blanqueo; disfraz; encalado; encalo.

caiadela, *s. f.* encalado, blanqueo ligero; mano de cal.

caiador, *s. m.* blanqueador.

caiadura, *s. f.* blanqueamiento, blanqueo, blanqueadura.

caiaque, *s. m.* kayak.

caiar, *v. tr.* blanquear; encalar; enjalbegar; albegar.

cãibra, *s. f.* calambre; *ficar com cãibras,* acalambrarse.

caibro, *s. m.* ARQ. viguetas; cabrio.

caída, *s. f.* caída; declive; bajón; (fig.) decadencia; ruina.

caideiro, *adj.* (fam.) caduco, viejo.

caído, *adj.* caído; abatido; triste.

caieira, *s. f.* calera.

caieiro, *s. m.* blanqueador.

caimão, *s. m.* ZOOL. caimán.

caimento, *s. m.* caimiento, caída; (fig.) postración; ruina.

cainhar, *v. intr.* aullar o latir dolorosamente.

cainheza, *s. f.* avaricia; mezquindad.

cainho, *adj.* canino; (fig.) mezquino.

caipora, *adj. 2 gén.* infeliz.

caiporismo, *s. m.* infelicidad, mala suerte.

cair, *v.* **I.** *intr.* caer; pender; acontecer; incurrir; bajar; ser engañado o sorprendido; practicar; llegar; acontecer; (vestuário) sentar (bien, mal); *cair numa armadilha,* atramparse. **II.** *s. m., o cair da noite,* anochecida.

cairel, *s. m.* cairel.

cairelar, *v. tr.* poner caireles; ornar.

cairo, *s. m.* fibra o filamento de coco.

cais, *s. m.* andén; *cais de atracagem,* atraque; embarcadero.

caixa, *s.* **1.** *f.* caja; arca; estuche; cofre; tambor; receptáculo postal; noticia que sólo un periódico publica; parte del teatro; TIP. recuadro; *caixa económica,* caja de ahorros; *caixa de velocidades,* caja de cambios; *caixa de derivação,* caja de empalmes; *caixa de fósforos,* cajetilla; cerillera; fosforera; *caixa das esmolas,* cepillo. **2.** *s. m.* recaudador; cajero.

caixa-de-óculos, *s. 2 gén.* (fam.) cuatrojos.

caixão, *s. m.* cajón; ataúd.

caixaria, *s. f.* cajería.

caixeirada, *s. f.* conjunto de dependientes de comercio.

caixeiro, *s. m.* cajero.

caixeiro-viajante, *s. m.* viajante.

caixeta, s. f. cajetín; cajita.
caixilhame, s. m. vd. **caixilharia**.
caixilharia, s. f. conjunto de *caixilhos*.
caixilho, s. m. marco de puerta o ventana; moldura, marco, cuadro; cerco.
caixinha, s. f. cajita.
caixista, s. m. TIP. cajista.
caixotaria, s. f. cajería.
caixote, s. m. cajón.
caixoteiro, s. m. cajero.
caixotim, s. m. cajetín.
cajadada, s. f. cayadazo; bastonazo.
cajado, s. m. cayado; bordón; bastón; báculo; amparo.
caju, s. m. BOT. acajú; caoba.
cal, s. f. cal, óxido de cal; *forno de cal*, calera.
cala, s. f. cala.
calaboiço, s. m. vd. **calabouço**.
calabouço, s. m. calabozo; cárcel; prisión subterránea.
calabre, s. m. NÁUT. calabrote; cable; amarra; calabre; camello; maroma; tarabita.
calabrear, v. tr. abonar las tierras; adulterar (vinos); confundir.
calabrês, adj. e s. m. calabrés.
calaça, s. f. pereza.
calaçaria, s. f. holgazanería; ociosidad.
calacear, v. intr. vd. **calaceirar**.
calaceirar, v. intr. haraganear; vivir en la ociosidad.
calaceiro, s. m. perezoso; holgazán; vagabundo.
calacice, s. f. cualidad de holgazán.
calada, s. f. callada; silencio.
calado, I. adj. callado; silencioso; mudo; discreto; sigiloso; sosegado (fig.) cerrado. II. s. m. NÁUT. calado; *calcular o calado*, arquear.
caladura, s. f. silencio; cala, caladura de una fruta.
calafate, s. m. calafate.
calafetação, s. f. calafateo.
calafetador, s. m. calador.
calafetagem, s. f. calafateo.
calafetamento, s. m. calafateo.
calafetar, v. tr. calafatear, tapar (agujeros o grietas); atascar.
calafrio, s. m. escalofrío; calofrío; repelús; repeluzno.
calagem, s. f. enmienda de la tierra por la cal.
calamar, s. m. ZOOL. calamar.

calamidade, s. f. calamidad; desgracia; plaga; flagelo; (fig.) azote.
calamina, s. f. calamina.
calamistrar, v. tr. ondular; rizar; encrespar.
calamitoso, adj. calamitoso; desgraciado.
cálamo, s. m. (*das penas*) cálamo; BOT. caña; bálago; (fig.) estilo.
calamocada, s. f. coscorrón; cabezazo; (fig.) perjuicio.
calamocar, v. tr. dar coscorrones; damnificar.
calandra, s. f. máquina, calandria.
calandrado, s. m. calandrado.
calandragem, s. f. calandrado.
calandrar, v. tr. calandrar; satinar.
calandreiro, s. m. calandrero.
calão, s. m. caló, jerga; germanía; gerigonza.
calar, v. 1. tr. callar; acallar; silenciar; enmudecer; atravesar; ocultar; reprimir; convencer; (*baioneta*) calar; *fazer calar*, acallar; atarugar. 2. refl. callar; achantarse, atarugarse, enmudecer.
calçada, s. f. calzada; ladera; arrecife; costanilla.
calçadeira, s. f. calzador; calza; tirabotas.
calçadela, s. f. pisotón.
calçado, 1. adj. empedrado; calzado. 2. s. m. calzado, zapato, alpargata.
calcadoiro, s. m. sitio de la era donde se trillan las mieses.
calcador, adj. e s. m. calcador; prensatelas.
calcanhar, s. m. calcañar; talón.
calção, s. m. calzón; pantalón corto.
calcar, v. tr. calcar; esmagar; pisar; comprimir.
calçar, 1. v. tr. calzar; empedrar; meter un calzo o cuña en; revestir de acero la herramienta; AGRIC. acollar. 2. intr. (*sapatos*) calzar; (*luvas*) enguantarse.
calcário, adj. e s. m. calcar; calcáreo; calizo; *pedreira de calcário*, calar.
calças, s. f. pl. pantalones.
calceiro, adj. e s. m. pantalonero.
calceta, 1. s. f. grillete. 2. s. m. forzado.
calcetamento, s. m. empedrado.
calcetar, v. tr. empedrar; adoquinar; enchinar.
calceteiro, s. m. empedrador.
calcificação, s. f. calcificación.
calcificar, v. tr. calcificar.
calcinação, s. f. calcinación.
calcinar, v. tr. calcinar; abrasar.

cálcio, s. m. QUÍM. calcio.
calcite, s. f. calcita.
calco, s. m. calco.
calço, s. m. calzo; traba.
calções, s. m. pl. zaragüelles.
calcografia, s. f. calcografía.
calcógrafo, s. m. calcógrafo.
calcopirite, s. f. calcopirita.
calcorreada, s. f. caminata a pie.
calcorrear, v. intr. calcorrear.
calçudo, adj. (aves) calzado.
calculador, adj. e s. m. calculador; máquina calculadora.
calcular, v. tr. e intr. calcular; computar; contar; valorar; apreciar; presumir; prever; regular, compasar; tantear.
calculável, adj. 2 gén. calculable.
calculista, adj. e s. 2 gén. proyectista; calculista; calculador.
cálculo, s. m. cálculo; valoración; cómputo; conteo; pl. MED. arenas, arenillas.
calda, s. f. almíbar; jarabe; pl. caldas; termas; calda de açúcar, alcorza.
caldeação, s. f. caldeamiento.
caldear, v. tr. caldear; templar; mezclar.
caldeira, s. f. caldera.
caldeirada, s. f. calderada; bullabesa, caldereta; potaje.
caldeirão, s. m. calderón; caldera; MÚS. calderón.
caldeirar, v. tr. meter en caldera.
caldeiraria, s. f. calderería.
caldeireiro, s. m. calderero.
caldeirinha, s. f. caldereta; (de água benta) acetre.
caldeiro, s. m. caldero; tacho.
caldeu, adj. e s. m. caldeo.
caldo, s. m. caldo; potaje.
caldoso, adj. caldoso.
cale, s. f. riego hecho en pieza larga de macera; calera; canal.
caleça, s. f. calesa.
caleceiro, s. m. calesero.
caleche, s. f. calesa.
calefacção, s. f. calefacción.
calefactor, s. m. calefactor.
caleidoscópico, adj. caleidoscópico.
caleidoscópio, s. m. FÍS. caleidoscopio.
caleira, s. f. alero; canalería; canal; canalón; teja; calera; canelón.
caleiro, s. m. calero.
caleja, s. f. calleja, calle pequeña.
calejado, adj. calloso; (fig.) insensible.

calejar, v. tr. e intr. encallecer; (fig.) hacerse insensible; habituarse.
calembur, s. m. calambur.
calendário, s. m. calendario; almanaque.
calendarista, s. 2 gén. calendarista.
calendas, s. f. pl. calendas.
calepino, s. m. calepino.
calfe, s. m. calf, cuero curtido.
calha, s. f. reguera; carril de ferrocarril.
calhamaço, s. m. tocho; librote.
calhambeque, s. m. cacharro.
calhandra, s. f. ZOOL. calandria; bisbita; copetuda.
calhar, v. intr. venir a tiempo, ser oportuno; acontecer; quedar bien; acertar.
calhau, s. m. callao; guijarro; canto; guija; china; adoquín; peladilla.
calheta, s. f. cala, caleta.
calibração, s. f. calibración.
calibrador, s. m. calibrador.
calibragem, s. f. calibración; calibrado; tamización.
calibrar, v. tr. calibrar.
calibre, s. m. calibre; dimensión; marca; valor.
caliça, s. f. caliza; yeso.
cálice, s. m. cáliz, copa; BOT. cáliz.
calicida, s. m. callicida.
caliciforme, adj. 2 gén. caliciforme.
calicular, adj. 2 gén. calicular.
cálido, adj. cálido; caliente.
calidoscópico, adj. calidoscópico, caleidoscópico.
calidoscópio, s. m. calidoscopio; caleidoscopio.
califa, s. m. califa.
califado, s. m. califato.
caligem, s. f. calígine; calima; calina; oscuridad.
caliginoso, adj. caliginoso; calimoso; denso; tenebroso.
caligrafar, v. tr. e intr. caligrafiar.
caligrafia, s. f. caligrafía.
caligráfico, adj. caligráfico.
calígrafo, s. m. calígrafo.
calinada, s. f. tontería; estupidez; perogrullada.
calino, adj. e s. m. estúpido; necio; bobo.
calista, s. 2 gén. callista; pedicuro.
calistenia, s. f. calistenia.
cálix, s. m. vd. cálice.
calma, s. f. calma; flema; serenidad; calor; perder a calma, enfurecerse.

calmante, *adj. 2 gén.* e *s. m.* calmante; sedante; temperante.

calmar, *v. tr.* e *intr.* calmar; templar; sosegar.

calmaria, *s. f.* calma; bonanza; *(fig.)* tranquilidad.

calmo, *adj.* calmo; pachón; calmoso; sosegado; sereno.

calmoso, *adj.* calmoso; canicular; sosegado; tranquilo.

calo, *s. m.* callo; callosidad; *(fig.)* insensibilidad.

caloiro, *s. m.* novato; changüi.

calomelanos, *s. m. pl.* calomelanos.

calor, *s. m.* calor; ardor; *(abafado)* bochorno; *(fig.)* animación; entusiasmo.

caloria, *s. f.* FÍS. caloría.

calórico, *s. m.* FÍS. calórico.

calorífero, *adj.* e *s. m.* calorífero.

calorífico, *adj.* e *s. m.* calorífico.

calorífugo, *adj.* calorífugo.

calorimetria, *s. f.* FÍS. calorimetría.

calorimétrico, *adj.* FÍS. calorimétrico.

calorímetro, *s. m.* FÍS. calorímetro.

caloroso, *adj.* caluroso; calmoso; enérgico.

calosidade, *s. f.* callosidad; dureza.

caloso, *adj.* calloso.

calota, *s. f.* vd. **calote.**

calote, *s. f.* callosa; casquete; solideo; superficie curva.

calote, *s. m.* deuda no pagada; estafa; petardo; sablazo.

calotear, *v. tr.* e *intr.* no pagar lo que se debe; trampear; petardear.

caloteiro, *s. m.* estafador; engañador; petardista; sableador; tramposo; timador.

calta, *s. f.* BOT. calta.

caludа!, *interj.* ¡chis!, ¡chitón!.

calúnia, *s. f.* calumnia; difamación; falsedad.

caluniador, *adj.* e *s. m.* calumniador; difamador; sicofanta.

caluniar, *v. tr.* calumniar.

calunioso, *adj.* calumnioso.

calva, *s. f.* calva.

calvário, *s. m.* calvario.

calvejar, *v. tr.* e *intr.* encalvecer.

calvez, *s. f.* vd. **calvície.**

calvície, *s. f.* calvicie, calvez; alopecia.

calvinismo, *s. m.* calvinismo.

calvinista, *adj.* e *s. 2 gén.* calvinista.

calvo, *adj.* e *s. m.* calvo; pelón.

cama, *s. f.* cama; colchón; lecho; tálamo; *(fam.)* piltra.

camada, *s. f.* capa; baño; camada; tongada; *(fig.)* clase; condición; categoría.

camafeu, *s. m.* camafeo; loro; *(fig.)* mujer muy fea.

camal, *s. m.* camal.

camaleão, *s. m.* ZOOL. camaleón.

camaleónico, *adj.* camaleónico.

camalhão, *s. m.* caballón.

camândulas, *s. f. pl.* rosario de cuentas gruesas; camándula.

câmara, *s. f.* cámara; cuarto de dormir; asamblea legislativa; *câmara de vídeo,* videocámara; *câmara municipal,* ayuntamiento.

câmara-ardente, *s. f.* capilla ardiente.

camarada, *s. 2 gén.* camarada; colega; condiscípulo; compañero; compincha.

camaradagem, *s. f.* camaradería; compañerismo.

câmara-de-ar, *s. f.* neumático.

camarão, *s. m.* ZOOL. camarón; quisquilla; cámaro; cáncamo; gancho, escarpia; esquila.

camarário, *adj.* relativo a cámara.

camarata, *s. f.* dormitorio; cuadra.

camarço, *s. m.* *(fam.)* desgracia; enfermedad; infortunio.

camareira, *s. f.* camarera.

camareiro, *s. m.* camarero; sumiller.

camarilha, *s. f.* camarilla.

camarim, *s. m.* camarín; camerino.

camarinha, *s. f.* BOT. artina; aljófar.

camarinheira, *s. f.* BOT. cambronera.

camarista, **1.** *s. m.* concejal; **2.** *s. 2 gén.* camarero, camarera; *(do rei)* chambelán.

camarlengo, *s. m.* camarlengo.

camaroeiro, *s. m.* red para pescar camarones; camaronero, pescador de camarones; señal para indicar temporal.

camarote, *s. m.* palco (de teatro); NÁUT. camarote.

camaroteiro, *s. m.* acomodador (de teatro).

camartelo, *s. m.* escoda, trinchante; martillo de albañil; pico; picachón.

camba, *s. f.* camba, cama del freno; pina de la rueda.

cambada, *s. f.* sarta; *(fig.)* canalla.

cambadela, *s. f.* vd. **cambalhota.**

cambado, *adj.* cambado; patizambo; encorvado; estevado.

cambaio, *adj.* vd. **cambado.**

cambalacho, *s. m.* cambalache; prendería; *fazer cambalacho,* cambalachear.

cambaleante, *adj.* 2 *gén.* tambaleante.

cambalear, *v. intr.* cambalear; tambalearse; *(fig.)* vacilar.

cambaleio, *s. m.* cambalada; titubeo.

cambalhota, *s. f.* voltereta, cabriola; pirueta; revolcón.

cambão, *s. m.* cigüeña (de la noria); palo para coger fruta, cogedera; cuerda con que se atan dos yuntas de bueyes al mismo carro.

cambapé, *s. m.* zancadilla; *(fig.)* emboscada; trampa.

cambar, *v. intr.* encorvar; tambalear; entortar las piernas.

cambeta, *adj.* 2 *gén.* vd. **cambaio.**

cambial, **1.** *adj.* 2 *gén.* cambial. **2.** *s. f.* letra de cambio.

cambiante, **I.** *adj.* 2 *gén.* cambiante; tornasolado. **II.** *s. m.* cambiante.

cambiar, *v. tr.* cambiar (monedas), trocar.

cambiável, *adj.* 2 *gén.* canjeable.

câmbio, *s. m.* cambio; permuta; agio; cambiazo.

cambista, *s.* 2 *gén.* cambista; banquero; cambiante.

cambo, *adj.* zambo.

cambota, *s. f.* cimbra; pina; gambota; cigüeñal.

cambraia, *s. f.* cambray.

câmbrico, *s. m.* cámbrico.

cambroeira, *s. f.* BOT. cambronera.

cambulhada, *s. f.* sarta; enfilada.

cameleira, *s. f.* BOT. camelia (árbol).

cameleiro, *s. m.* camellero.

camélia, *s. f.* BOT. camelia.

Cameliáceas, *s. f. pl.* BOT. cameliáceas.

camelice, *s. f. (fam.)* estupidez, tontería.

camelo, *s. m.* ZOOL. camello.

camerlengo, *s. m.* camarlengo; chambelan.

camião, *s. m.* camión; autocamión; *camião basculante,* volqueto; *camião de mudanças,* capitoné.

camião-cisterna, *s. m.* tanque.

camilha, *s. f.* camilla, catre.

caminhada, *s. f.* caminata; jornada.

caminhador, *adj. e s. m.* caminante; caminador.

caminhante, *s.* 2 *gén.* caminante; viandante; transeunte.

caminhão, *s. m.* vd. **camião.**

caminhar, *v.* **1.** *intr.* caminar; andar; seguir; marchar. **2.** *tr.* recorrer andando.

caminheiro, **I.** *adj.* caminante; caminador, caminero. **II.** *s. m.* viandante; correo.

caminheta, *s. f.* vd. **camioneta.**

caminho, *s. m.* camino; distancia; paso; recorrido; dirección; carrera; arriata; atajo; *(fig.)* camino; vía; medio; *caminho de cabras,* cañada.

caminho-de-ferro, *s. m.* ferrocarril.

camionagem, *s. f.* camionaje.

camioneta, *s. f.* camioneta; autocar.

camisa, *s. f.* camisa; camisola; involucro; envoltorio; *camisa de dormir,* camisón; *ficar sem camisa,* perder hasta la camisa.

camisa-de-forças, *s. f.* camisa de fuerza.

camisa-de-onze-varas, *s. f.* camisa de once varas; dificultad.

camisão, *s. m.* camisón.

camisaria, *s. f.* camisería.

camiseira, *s. f.* camisera.

camiseiro, *s. m.* camisero.

camiseta, *s. f.* camiseta; camisola.

camisola, *s. f.* camiseta.

camoeca, *s. f. (fam.)* embriaguez; somnolencia; gripe.

camoesa, *s. f.* BOT. camueso; camuesa.

camomila, *s. f.* BOT. camomila, manzanilla, manzanillo.

camomilha, *s. f.* vd. **camomila.**

campa, *s. f.* túmulo, losa sepulcral; campanilla de iglesia.

campainha, *s. f.* campanilla; timbre; esquila; *(fam.)* úvula; *pl.* BOT. campanilla; farolilla.

campainhada, *s. f.* campanillazo; timbrazo.

campainhão, *s. m.* vd. **campainheiro.**

campainheiro, *s. m.* campanillero.

campal, *adj.* 2 *gén.* campal; *missa campal,* misa de campaña.

campana, *s. f.* campana.

campanário, *s. m.* campanario; *(fig.)* parroquia; aldea.

campanha, *s. f.* campaña; campo llano; *tenda de campanha,* barraca.

canpaniforme, *adj.* 2 *gén.* campaniforme.

campanólogo, *s. m.* campanólogo.

campanudo, *adj.* campanudo; campaniforme.

campânula, *s. f.* BOT. campanilla; campánula, fundillo; campana de vidrio.

Campanuláceas, *s. f. pl.* BOT. campanuláceas.

campanulado, *adj.* campanudo.

campanular, *adj. 2 gén.* campanudo, campaniforme.

campar, *v. intr.* ostentar; campar; acampar; brillar, jactarse.

campeador, *adj. e s. m.* campeador; campeón; guerrero.

campeão, *s. m.* campeón; campeador;
defensor; paladín.

campear, *v. intr.* campear; vivir en el
campo; estar en campaña.

campeche, *s. m.* BOT. campeche.

campeiro, *adj.* campero.

campeonato, *s. m.* campeonato.

campesinho, *adj.* vd. campesino.

campesino, *adj. e s. m.* campesino; rústico; campestre; paisano.

campestre, *adj. 2 gén.* vd. **campesinho,**
campesino.

campina, *s. f.* campiña; campaña, llanura; descampado.

campino, 1. *adj.* campesino; campestre.
2. *s. m.* zagal; aldeano; vaquero; boyero;
pastor.

campo, *s. m.* campo; terreno; DESP. cancha; *campo semeado,* sembrado.

camponês, I. *s. m.* campesino; rústico.
II. *adj.* campestre; aldeano.

campónio, *s. m. (fam.)* patén; rústico.

campo-santo, *s. m.* camposanto.

camuflagem, *s. f.* camuflaje.

camuflar, *v. tr.* camuflar.

camurça, *s. f.* ZOOL. gamuza; rebeco.

camurçado, *adj.* gamuzado.

cana, *s. f.* BOT. caña; flauta; *(de pesca)* caña;
bastón.

cana-da-índia, *s. f.* bambú.

cana-de-açúcar, *s. f.* caña de azúcar.

canadense, *adj. e s. 2 gén.* canadiense.

canadiano, *adj. e s. m.* canadiense.

canado, *s. m.* vasija de cuello ancho.

canafístula, *s. f.* cañafístula, cañafístola.

canal, *s. m.* canal, caz; azarbe; badén; *(de
rega)* regata; cacera; reguera; reguero;
caño; *(fig.)* cauce; medio; modo; vía.

canalha, *s. f.* gente vil; canalla; sinvergüenza, mal nacido; rufán.

canalhada, *s. f.* canallada; marranada.

canalhesco, *s. m.* canallesco.

canalhice, *s. f.* canallada.

canalização, *s. f.* canalización; encauzamiento; fontanería; toma.

canalizador, *adj. e s. m.* que o aquel que
trabaja en canalizaciones.

canalizar, *v. tr.* canalizar; encañonar;
encauzar.

canalizável, *adj. 2 gén.* canalizable.

canana, *s. f.* canana.

canapé, *s. m.* canapé.

canária, *s. f.* ZOOL. canaria.

canário, *s. m.* ZOOL. canario.

canasta, *s. f.* canasta.

canastra, *s. f.* canasta.

canastrada, *s. f.* canastada.

canastrão, *s. m.* canastón.

canastreiro, *s. m.* canastero.

canastrel, *s. m.* canastillo.

canastro, *s. m.* canasto; *(fam.)* cuerpo humano.

canavial, *s. m.* cañaveral; cañizal; cañizar.

cancã, *s. f.* cancán.

canção, *s. f.* canción; cantiga; cantar; *canção popular,* cante; *canção de music-hall,*
cuplé.

cancela, *s. f.* cancela, cancilla.

cancelado, *adj.* cancelado, estancado.

canceladura, *s. f.* canceladura; cancela-
miento.

cancelamento, *s. m.* cancelación.

cancelar, *v. tr.* cancelar; anular; borrar;
concluir.

cancelário, *s. m.* canciller.

cancelo, *s. m.* pequeña puerta enrejada;
adrales.

câncer, *s. m.* ASTR. câncer.

cancerar, *v. tr. e intr.* cancerar.

cancerígeno, *adj.* cancerígeno.

canceroso, *adj.* canceroso.

cancioneiro, *s. m.* cancionero.

cancionista, *s. 2 gén.* cancionista.

cançoneta, *s. f.* cancioneta.

cançonetista, *s. 2 gén.* cancionista.

cancro, *s. m.* MED. câncer; carcinoma;
chancro.

candeeiro, *s. m.* candil; lamparilla; velón;
candelero; farola.

candeia, *s. f.* candela; candil; candileja,
candileja; luminaria; velón.

candeio, *s. m.* candelero (para pescar).

candela, *s. f.* candela.

candelabro, *s. m.* candelabro; lucerna;
candelero; araña, lámpara de cristal.

candelária, *s. f.* candelaria.

candência, *s. f.* candencia.

candente, *adj. 2 gén.* candente.

cândi, *adj. 2 gén.* candi; candi.

candial, *adj. 2 gén.* candeal.

candidatar-se, *v. refl.* ponerse como candidato.

candidato, s. m. candidato.

candidatura, s. f. candidatura.

candidez, s. f. candidez; blancura; (fig.) inocencia; simplicidad.

cândido, adj. cándido; blanco; (fig.) ingenuo; sincero; puro; inocente.

candil, s. m. candil.

candonga, s. f. contrabando de géneros alimenticios; mercado negro; estraperlo; *fazer candonga*, estraperlar.

candongueiro, s. m. aquél que hace *candonga*; contrabandista, estraperlista.

candonguice, s. f. ocupación de contrabandista o estraperlista; (fig.) lisonja fingida.

candor, s. m. candor.

candura, s. f. candor, albura; inocencia; ingenuidad; simplicidad; pureza.

caneca, s. f. especie de vaso con asa, jarro.

caneco, s. m. especie de barril, con una o dos asas.

caneiro, s. m. cañaveral; pequeño canal; dique; brazo de mar entre rocas.

canejo, adj. relativo al perro, perruno.

canela, s. f. BOT. canela; canelo; ANAT. tibia; canilla; *pau de canela*, chocho.

canelada, s. f. canillazo.

canelado, adj. acanalado.

canelão, s. m. vd. **canelada**.

canelar, v. tr. estriar.

caneleira, s. f. BOT. canelo; canillera; espinillera.

canelo, s. m. herradura de buey; hueso largo.

canelura, s. f. canelón; estría; mediacaña.

caneta, s. f. portaplumas; estilográfica.

cânfora, s. f. alcanfor.

canforar, v. tr. alcanforar.

canforeira, s. f. BOT. alcanforero.

canga, s. f. yugo; canga; (fig.) opresión; dominio.

cangaço, s. m. bagazo o escobajo de las uvas.

cangalhas, s. f. pl. angarillas, albardas (para las cabalgaduras); (fam.) gafas.

cangalheiro, s. m. angarillero; acemilero; empresario de entierros o funerales.

cangalho, s. m. palo del yugo; (fig.) cachivache; trasto.

cangar, v. tr. enyugar, uncir el yugo; acoyundar.

cangosta, s. f. vd. **congosta**.

cangote, s. m. cogote.

canguinhas, s. m. hombre apocado, avaro; mezquino.

canguru, a. m. ZOOL. canguro.

canha, s. f. la mano izquierda.

canhada, s. f. cañada.

canhamaço, s. m. BOT. cáñamo; cannabis, cañamazo.

cânhamo, s. m. BOT. cáñamo; *semente de cânhamo*, cañamón.

canhão, s. m. cañón; (de manga) bocamanga.

canhenho, s. m. agenda; cuaderno de apuntes.

canho, adj. (fam.) vd. **canhoto**.

canhonaço, s. m. cañonazo.

canhonada, s. f. cañoneo.

canhonear, v. tr. MIL. cañonear; bombardear.

canhoneio, s. m. cañoneo.

canhoneira, s. f. MIL. cañonera, cañonero; tronera.

canhoneiro, adj. cañonero.

canhota, s. f. (fam.) la mano izquierda.

canhoto, I. adj. izquierdo; zurdo; zocato; (fig.) poco diestro. II. s. m. (recibos, talões) talón.

canibal, s. m. caníbal, antropófago; (fig.) hombre feroz.

canibalesco, adj. canibalesco.

canibalismo, s. m. canibalismo; antropofagia.

caniçada, s. f. cañizo; encañado; encañizada.

caniçal, s. m. cañaveral.

caniche, s. f. caniche.

canície, s. f. canicie.

caniço, s. m. caña delgada; cañizo; cañuela.

canícula, s. f. canícula; quemazón.

canicular, adj. 2 gén. canicular.

canicultura, s. f. canicultura.

canil, s. m. perrera.

canino, I. adj. canino; *fome canina*, (fam.) hambre canina. II. s. m. colmillo, diente.

canivetada, s. f. navajada; navajazo.

canivete, s. m. cortaplumas.

canja, s. f. sopa de gallina con arroz.

canjirão, s. m. cangilón.

cano, s. m. caño, tubo, cañón; (de arma) caño; atanor; (da bota) caña; alcantarilla; albollón.

canoa, s. f. NÁUT. canoa; bañera; batel.

canoagem, s. f. piragüismo.

canoísta, s. 2 gén. piragüista.

cânon, s. m. vd. **cânone**.

cânone, s. m. canon, regla; relación; tarifa; foro.

canonical, adj. 2 gén. canonical.

canonicato, s. m. canonjía; canoniento.

canonicidade, s. f. canonicidad.

canónico, adj. canónico.

canonista, s. 2 gén. canonista.

canonização, s. f. canonización.

canonizador, adj. e s. m. canonizador.

canonizar, v. tr. canonizar.

canonizável, adj. 2 gén. canonizable.

canoro, adj. canoro; armonioso.

canoura, s. f. tolva.

cansaço, s. m. cansancio; fatiga; ajetreo; lasitude.

cansado, adj. cansado; ajetreado; baldado; cansino; gastado.

cansar, v. 1. tr. cansar; fatigar; importunar. 2. refl. ajetrearse.

cansativo, adj. chinchoso.

canseira, s. f. cansera; afán; cansancio; moledera.

canseiroso, adj. que tiene cansera; afanoso.

cantadeira, s. f. cantadera, cantadora; cantarina.

cantadela, s. f. (fam.) vd. **cantiga**.

cantador, adj. e s. m. cantador; cantarín; tornadillero.

cantante, adj. 2 gén. cantante.

cantão, s. m. cantón; región; trozo de carretera.

cantar, I. v. 1. tr. cantar; entonar; alabar. 2. intr. cantar; gorjear; (o galo) cacarear; (fam.) replicar; II. s. m. cantar; cántico; trova; canción.

cântara, s. f. cántara.

cantareira, s. f. cantarera; vasar.

cantarela, s. f. cantarela.

cantaria, s. f. cantería.

cantárida, s. f. ZOOL. cantárida.

cantáride, s. f. cantárida.

cântaro, s. m. cántaro; cántara.

cantarola, s. f. tarareo; canturreo.

cantarolar, v. tr. e intr. canturrear; canturriar; cantusar.

cantata, s. f. cantata.

cantável, adj. 2 gén. cantable.

canteira, s. f. cantera.

canteiro, s. m. cantero; arriate; picapedrero; bancal; (jardim) parterre; dividir em canteiros, tablear.

cântico, s. m. cántico; canto; himno; canción; oda.

cantiga, s. f. cantiga; canción; cante.

cantil, s. m. cantimplora.

cantilena, s. f. cantilena; cantinela; cantar; copla; gorigore; soniquete.

cantimplora, s. f. cantimplora.

cantina, s. f. cantina.

cantineira, s. f. cantinera.

cantineiro, s. m. cantinero.

cantinho, s. m. rinconcito; sitio escondido; pedacito.

canto, s. m. canto; cante; himno; canción; cántico; composición lírica; canto; rincón; rinconada; esquina; DESP. córner; canto fúnebre, gorigore.

cantochão, s. m. cantollano.

cantoneira, s. f. cantonera; esquinal; rinconera.

cantoneiro, s. m. caminero.

cantor, s. m. cantor; cantador; cantor de flamenco, cantaor; cantora de flamenco, folclórica; cantor profissional, cantante; cantor compositor, cantautor; cantor de music-hall, cupletista.

cantoria, s. f. canto.

canudo, s. m. tubo; cañuto; caño; tirabuzón (del cabello); pliegue almidonado formando cañón; contrariedad; canudo de papel, alcatraz.

cânula, s. f. MED. cánula.

canutilho, s. m. canutillo; cañutillo.

canzarrão, s. m. perrazo.

canzeiro, adj. e s. m. petardista; sablista; estafador, tramposo.

canzoada, s. f. jauría; perrada; perrería; (fig.) pandilla; gentuza.

cão, s. m. ZOOL. perro, cachorro; can; (fam.) chucho; (de arma) can; (chefe tártaro) kan.

caos, s. m. caos; confusión; desmadre; disloque; (fig.) perturbación.

caótico, adj. caótico.

capa, s. f. capa; (com capuz) capisayo; cubierta; carátula; funda; pretexto; favor; (de livro) cubierta; capa de borracha, impermeable.

capação, s. f. castración.

capacete, s. m. capacete; casco; casquete; chichonera.

capacheiro, s. m. el que hace o vende capachos.

capachinho, s. m. peluquín.

capacho, s. m. ruedo; estera; baleo; felpudo; (fig.) hombre servil, rastrero.

capacidade, *s. f.* capacidad; buque; envergadura; potencial; suficiencia; felpudo; *(fig.)* inteligencia; ciencia.

capacitado, *adj.* capacitado.

capacitar, *v. tr.* capacitar; persuadir.

capadeira, *s. f.* navaja para capar.

capado, *adj.* capado; castrado.

capador, *s. m.* capador; castrador.

capadura, *s. f.* castración; capadura.

capão, *s. m.* capón.

capar, *v. tr.* capar; castrar.

caparrosa, *s. f.* caparrosa.

capatão, *s. m.* ZOOL. pargo.

capataz, *s. m.* capataz; contramestre; sobrestante.

capaz, *adj.* 2 *gén.* capaz; amplio; espacioso; apto; suficiente.

capcioso, *adj.* capcioso; engañoso.

capeador, *s. m.* torero; capeador.

capear, *v. tr.* capear; revestir; disfrazar; TAUR. capotear; trastear.

capela, *s. f.* capilla; *capela funerária,* tanatorio.

capelania, *s. f.* capellanía.

capelão, *s. m.* capellán.

capelista, *s.* 2 *gén.* persona que vende en una quincallería; quincallero.

capelo, *s. m.* capuchón; capucho; capilla; bonete; caperuza; capelo.

capeludo, *adj.* encapuchado; capilludo.

capicua, *s. f.* capicúa.

capilar, *adj.* 2 *gén.* e *s. m.* capilar.

capilária, *s. f.* BOT. capilera, helecho.

capilaridade, *s. f.* capilaridad.

capilé, *s. m.* jarabe o caldo hecho con el jugo de la capilera.

capim, *s. m.* BOT. capín.

capindó, *s. m.* capingo.

capinha, *s.* 1. *f.* capita; TAUR. capote. 2. *m.* capeador.

capirote, *s. m.* capirote.

capitação, *s. f.* capitación; cupo.

capital, I. *adj.* 2 *gén.* capital. II. *s.* 1. *m.* capital; caudal; hacienda. 2. *f.* capital.

capitalismo, *s. m.* capitalismo.

capitalista, *s.* 2 *gén.* capitalista.

capitalização, *s. f.* capitalización.

capitalizar, *v. tr.* capitalizar; acaudalar.

capitalizável, *adj.* 2 *gén.* capitalizable.

capitanear, *v. tr.* capitanear.

capitania, *s. f.* capitanía.

capitânia, *adj.* e *s. f.* NÁUT. capitana (buque principal de una escuadra).

capitão, *s. m.* capitán; comandante; jefe.

capitel, *s. m.* ARQ. capitel; chapitel; capacete del alambique.

capitólio, *s. m.* capitolio; *(fig.)* gloria; triunfo.

capitoso, *adj.* caprichoso; terco; obstinado; embriagador.

capitulação, *s. f.* capitulación.

capitular, I. *adj.* 2 *gén.* capitular; mayúsculo. II. *v.* 1. *tr.* capitular; combinar; clasificar; acusar. 2. *intr.* rendirse.

capítulo, *s. m.* capítulo: cabildo; capítulo (de libro); colegiata.

capoeira, *s.* 1. *f.* gallinero; caponera. 2. *m.* salteador.

capoeirão, *s. m.* hombre bueno y viejo.

capoeiro, *s. m.* ladrón de gallinas; ladrón; vd. **capoeira.**

caporal, *s. m.* caporal.

capota, *s. f.* capota.

capotar, *v. intr.* capotar.

capote, *s. m.* capote; abrigo; gabán; TAUR. capote.

capotinho, *s. m.* capotilho.

caprichar, *v. intr.* tener un capricho; porfiar, obstinarse.

capricho, *s. m.* capricho; manía; pundonor; antojo; obstinación; veleidad; ventolera; rareza.

caprichoso, *adj.* caprichoso; caprichudo; extravagante; antojadizo; consentido.

capricórnio, *s. m.* capricornio.

caprificar, *v. tr.* caprahigar.

caprino, *adj.* cabruno; caprino.

cápsula, *s. f.* cápsula; *cápsula fulminante,* cápsula, pistón.

captação, *s. f.* captación.

captador, *adj.* e *s. m.* captador.

captar, *v. tr.* captar; obtener; atraer; interceptar; intuir.

captor, *adj.* e *s. m.* capturador; captor; aprehensor.

captura, *s. f.* captura; prisión; apresamiento; prendimiento.

capturar, *v. tr.* capturar; prender; aprehender; apresar; atrapar; cautivar.

capucha, *s. f.* capucha; capuchón.

capuchinho, *s. m.* capuchino.

capucho, *s. m.* capuchino.

capuz, *s. m.* capucha; capuzo; caperuza; capilla; capillo; *(de penitente)* capirote.

caquéctico, *adj.* caquéctico.

caqueirada, *s. f.* vd. **cacaria.**

caqueiro, *s. m.* vd. **caco.**

caquexia, s. f. MED. caquexia.
caqui, s. m. (tecido e árvore) caqui.
cara, s. f. cara; semblante; haz; faz; figura; jeta; (fam.) careto; facha; na cara, a la cara; atirar à cara, echar en cara; cara de caso, cara de circunstancias.
carabina, s. f. carabina.
carabineiro, s. m. carabinero.
caraça, s. f. caraza; careta; antifaz; carantoña; carátula.
caracol, s. m. ANAT./ZOOL. caracol; (escada) caracol; (de cabelo) caracol; rizo; sortija; tirabuzón.
caracolar, v. intr. caracolear; zigzaguear.
caracolear, v. intr. caracolear.
carácter, s. m. carácter; cuño; calidad; cualidad; índole; joez; temple; genio; dignidad; (fig.) cãna; TIP. tipo.
característica, s. f. característica.
característico, adj. e s. característico; sintomático; típico.
caracterização, s. f. caracterización.
caracterizado, adj. caracterizado.
caracterizador, adj. e s. m. caracterizador.
caracterizante, adj. 2 gén. caracterizante, propio para caracterizar.
caracterizar, v. 1. tr. caracterizar; encasilhar; representar, determinar. 2. tr. distinguirse; TEATRO vestirse; arreglarse.
caracterologia, s. f. caracterologia.
caracterológico, adj. caracterológico.
caramanchão, s. m. caramanchel; enramada; pérgola; cenador.
caramanchel, s. m. vd. **caramanchão**.
caramba!, interj. ¡caramba!
carambano, s. m. carámbano.
carambola, s. f. carambola; (fig.) enredo, embuste.
carambolar, v. intr. carambolear.
caramboleiro, adj. e s. m. enredador, trapacero; intrigante.
carambolice, s. f. carambola; trampa; embuste; trapaza.
carambolim, s. m. (fig.) gran perjuicio.
caramelo, s. m. caramelo; carámbano; tofe.
caraminholas, s. f. pl. mentiras, engaños, patrañas.
caramujo, s. m. ZOOL. caramujo.
caramunha, s. f. lloriqueo; puchero.
caramunhar, v. intr. lloriquear; gimotear; llorar; lamentarse.
carango, s. m. caranga, piojo.
carangueja, s. f. NÁUT. cangreja; ZOOL. centolla.

caranguejar, v. intr. andar como el cangrejo; retroceder.
caranguejeiro, s. m. carangrejero.
caranguejo, s. m. ZOOL. cangrejo; ASTROL. cáncer; caranguejo de água doce, cámbaro.
caranguejola, s. f. ZOOL. centolla.
carantonha, s. f. carantoña, carantamaula.
carão, s. m. caraza.
carapaça, s. f. caparazón; carapacho; (de tartaruga) carey.
carapau, s. m. ZOOL. jurel; chicharro, pez; (fig.) persona delgada.
carapeta, s. f. peón; peonza; (fig.) broma; mentira inofensiva.
carapetão, s. m. gran mentira.
carapeteiro, adj. e s. m. mentiroso, embustero.
carapim, s. m. escarpín; patuco.
carapinhada, s. f. garapiña; refrescante; fazer carapinhada, garapiñar.
carapinho, adj. crespo, rizado.
carapuça, s. f. caperuza; capuz; capuchón; gorra; gorro; montera.
carapuceiro, s. m. gorrero; bonetero.
carapuço, s. m. vd. **carapuça**.
caravana, s. f. caravana.
caravançarai, s. m. caravansar; caravasar.
caravaneiro, s. m. caravanero.
caravela, s. f. NÁUT. carabela.
caraveleiro, s. m. tripulante de la carabela.
carbólico, adj. QUÍM. carbólico, fénico (ácido).
carbonado, adj. carbonado.
carbonar, v. tr. carburar.
carbonária, s. f. carbonaria.
carbonário, s. m. carbonario.
carbonatar, v. tr. QUÍM. carbonatar.
carbonato, s. m. QUÍM. carbonato.
carbóneo, adj. carbónico.
carboneto, s. m. QUÍM. carburo.
carbónico, adj. QUÍM. carbónico.
carbonífero, adj. carbonífero; carbonero.
carbonização, s. f. carbonización.
carbonizar, v. tr. carbonizar.
carbono, s. m. carbono.
carbonoso, adj. carbonoso.
carborundo, s. m. QUÍM. carborundo.
carbuncular, adj. 2 gén. carbuncal.
carbúnculo, s. m. carbunco.
carbunculoso, adj. carbuncoso.
carburação, s. f. carburación.
carburador, s. m. carburador.
carburante, adj. 2 gén. e s. m. carburante.
carburar, v. tr. carburar.

carbureto, *s. m.* carburo.
carcaça, *s. f.* caparazón; esqueleto; *(de ave)* corpachón; osamenta, armazón; casco viejo; carcasa; carraca.
carcás, *s. m.* carcaj; aljaba.
carcel, *s. m.* lámpara de suspensión.
carcela, *s. f.* manera; bragueta.
carceragem, *s. f.* carceraje; carcelaje.
carcerário, *adj.* carcelario.
cárcere, *s. m.* cárcel; prisión; calabozo; reclusión.
carcereiro, *s. m.* carcelero; encarcelador.
carcinoma, *s. m.* MED. carcinoma; cáncer.
carcinomatoso, *adj.* canceroso; carcinomatoso.
carcoma, *s. m.* ZOOL. carcoma; coso.
carcomer, *v. tr.* carcomer; corroer.
carcomido, *adj.* carcomido; corroído; gastado; apolillado.
carcunda, *s. f.* vd. **corcunda**.
carda, *s. f.* carda; cascarria; cazcarria; cardencha.
cardação, *s. f.* carda; cardado.
cardada, *s. f.* cardada.
cardadeira, *s. f.* cardadora.
cardado, *adj.* cardado.
cardador, *s. m.* cardador.
cardadura, *s. f.* cardado.
cardagem, *s. f.* cardería; carda.
cardal, *s. m.* cardal; cardizal; cardenchal.
cardamomo, *s. m.* BOT. cardamomo.
cardar, *v. tr.* cardar; desenredar; rebotar.
cardeal, I. *s. m.* RELIG. cardenal; ZOOL. cardario, pez; GEOG. cardinal. II. *adj.* 2 gén. cardinal.
cardenho, *s. m.* choza, casa miserable.
cardenilho, *s. m.* cardenilho.
cárdia, *s. f.* ANAT. cardias.
cardíaco, *adj.* e *s. m.* cardíaco.
cardialgia, *s. f.* MED. cardialgia.
cardina, *s. f.* cascarria; cazcarria; porquería; *(fam.)* borrachera.
cardinal, *adj.* 2 gén. e *s. m.* cardinal; principal.
cardinalado, *s. m.* vd. **cardinalato**.
cardinalato, *s. m.* cardenalato.
cardinalício, *adj.* cardenalicio.
cardiografia, *s. f.* cardiografía.
cardiógrafo, *s. m.* cardiógrafo.
cardiograma, *s. m.* cardiograma.
cardiologia, *s. f.* cardiología.
cardiologista, *s. 2 gén.* cardiólogo.
cardiómetro, *s. m.* cardiómetro, esfigmomanómetro.

cardiopatia, *s. f.* cardiopatía.
cardiovascular, *adj. 2 gén.* cardiovascular.
cardite, *s. f.* *(pat.)* carditis.
cardo, *s. m.* BOT. cardo.
cardo-de-ouro, *s. m.* BOT. cardillo.
cardo-penteador, *s. m.* cardencha.
cardume, *s. m.* cardumen; cardume; banco; bandada; bando.
carear, *v. tr.* acarear; carear.
careca, I. *s.* 1. *f.* calva. 2. *2 gén.* persona calva; pelón. II. *adj.* calvo, sin pelo.
carecente, *adj. 2 gén.* careciente; necesitado.
carecer, *v. intr.* carecer; necesitar.
carecimento, *s. m.* carecimiento; carencia.
careiro, *adj.* carero.
carência, *s. f.* carencia; necesidad; fallo.
carenciado, *adj.* desherdado.
carente, *adj. 2 gén.* carente.
carepa, *s. f.* lanosidad; capa; felpa; aspereza cutánea; sarna.
carestia, *s. f.* carestía.
careta, *s. f.* mueca; visaje; careta; alcocarra; carátula; morisqueta.
caretear, *v. intr.* cocar; momear; visajear.
careza, *s. f.* vd. **carestia**.
carga, *s. f.* carga; carregamento; cargazón; cargo; carro; *carga de água*, chaparrada, chaparrón.
cargo, *s. m.* cargo; carga; fardo; peso; función; empleo; acómodo; obligación; gasto.
cargueiro, *adj.* e *s. m.* carguero; arriero; acemilero; almocrebe.
cariado, *adj.* cariado.
cariar, *v.* 1. *tr.* cariar. 2. *intr.* cariarse; corromperse.
cariátide, *s. f.* ARQ. cariátide.
caribu, *s. m.* ZOOL. caribú.
caricato, *adj.* caricato; ridículo; burlesco; grotesco.
caricatura, *s. f.* caricatura.
caricatural, *adj. 2 gén.* caricato.
caricaturar, *v. tr.* caricaturizar.
caricaturista, *s. 2 gén.* caricaturista.
carícia, *s. f.* caricia; halago; mimo; *pl.* carantoñas; cucamonas; toqueteo; *falsas caricias*, candonga.
caricioso, *adj.* caricioso; cariñoso.
caridade, *s. f.* caridad; compasión.
caridoso, *adj.* caritativo; caridoso.
cárie, *s. f.* caries; caroncho; carcoma; polilla.
caril, *s. m.* caril.
carimbagem, *s. f.* selladura; estampilhado.

carimbar, *v. tr.* sellar; estampar; timbrar.

carimbo, *s. m.* sello; *(correios)* matasellos.

carinho, *s. m.* cariño; amor; ternura; mimo; halago; caricia.

carinhoso, *adj.* cariñoso; afectuoso, afable; amoroso; caricioso; extremoso; tierno.

cariopse, *s. f.* BOT. cariópside.

carioso, *adj.* carioso; cariado.

carisma, *s. m.* carisma.

caritativo, *adj.* caritativo.

cariz, *s. m.* semblante; aspecto; cariz.

carlinga, *s. f.* carlinga.

carme, *s. m.* carmen; verso.

carmelina, *s. f.* carmelina.

carmelita, *s. 2 gén.* carmelita.

carmesim, *adj. e s. m.* carmesí; cármeso; grana.

carmim, *s. m.* carmín; colorete.

carminar, *v. tr.* teñir con carmín.

carminativo, *adj.* MED. carminativo.

carmíneo, *adj.* carmíneo.

carmona, *s. f.* falleba.

carnaça, *s. f.* carnaza; mucha carne; prominencia carnosa.

carnação, *s. f.* carnación.

carnadura, *s. f.* carnadura; musculatura.

carnagem, *s. f.* mortandad; matanza de animales.

carnal, *adj. 2 gén.* carnal; sensual; cosanguíneo.

carnalidade, *s. f.* carnalidad; sensualidad.

Carnaval, *s. m.* carnaval; carnestolendas.

carnavalesco, *adj.* carnavalesco.

carnaz, *s. m.* carnaza.

carne, *s. f.* carne; *(fam.)* chicha; sensualidad; pulpa de los frutos; consanguinidad; *da carne, relativo à carne,* cárnico; *carne em decomposição,* carroña; *carne fumada,* cecina; chacina.

carneira, *s. f.* badana.

carneirada, *s. f.* carnerada.

carneireiro, *s. m.* carnerero.

carneiro, *s. m.* ZOOL. carnero; ASTR. carnero; aries; bomba hidráulica; carnero, osario; sepultura, sepulcro.

cárneo, *adj.* cárneo.

carniça, *s. f.* carniza; carroña.

carnicão, *s. m.* parte dura de un tumor.

carniçaria, *s. f.* carnicería; mortandad de gente; carnicería, tienda.

carniceiro, I. *adj.* carnicero; carnívoro; II. *s. m.* carnicero, cortador, matarife.

carnífice, 1. *s. 2 gén.* carnífice; verdugo. 2. *adj. 2 gén.* cruel.

carnificina, *s. f.* carnificina; exterminio; matanza; carnicería.

carnívoro, I. *adj.* carnívoro; carnicero; *pl.* ZOOL. carniceros. II. *s. m.* carnívoro, carnicero.

carnosidade, *s. f.* carnosidad.

carnoso, *adj.* carnoso; carnudo.

carnudo, *adj.* carnudo; carnoso.

caro, 1. *adj.* caro, costoso; *(fig.)* caro, amado; querido. 2. *adv.* caro.

caroável, *adj. 2 gén.* cariñoso; amable; afectuoso.

carocha, *s. f.* ZOOL. escarabajo, coroza; *(fam.)* capirote de papel.

carocho, *adj.* obscuro; trigueño; negro.

caroço, *s. m.* carozo; cuesco; glándula hinchada y dura; *(fam.)* dinero.

carola, I. *adj. 2 gén.* fanático. II. *s.* 1. *m.* devoto; sacerdote. 2. *f. (fam.)* cabeza.

carolo, *s. m.* espiga de maíz después de desgranada; coca, coscorrón, cabezazo; capón; chichón.

caroteno, *s. m.* carotina.

carótide, *s. f.* ANAT. carótida.

carpa, *s. f.* ZOOL. carpa.

carpelo, *s. m.* BOT. carpelo.

carpideira, *s. f.* plañidera.

carpido, *s. m.* quejido; lloro; llanto; plañido.

carpintaria, *s. f.* carpintería.

carpinteirar, *v. tr. e intr.* carpintear.

carpinteiro, *s. m.* carpintero.

carpintejar, *v. tr. e intr.* carpintear.

carpir, *v. tr.* coger; mondar; carpir; plañir.

carpo, *s. m.* ANAT. carpo; pulso; puño; BOT. carpo, fruto.

carpologia, *s. f.* BOT. carpología.

carqueja, *s. f.* BOT. carquexia, carquesia; chamiza.

carquilha, *s. f.* arruga; pliegue.

carraca, *s. f.* NÁUT. carraca.

carraça, *s. f.* ZOOL. garrapata.

carrada, *s. f.* carrada; carretada.

carranca, *s. f.* semblante enfurruñado; mascarón; careta; carátula; carlanca; carranca; cara de piedra, madera o metal.

carranchas, *s. f. pl., levàs às carranchas,* llevar a horcajadas.

carrancudo, *adj.* ceñudo; malhumorado; rostrituerto; torvo; fosco.

carrão, *s. m.* carreta.

carrapata, *s. f.* herida que se agravó; *(fig.)* dificultad.

carrapateiro, s. m. BOT. ricino, planta y fruto.

carrapato, s. m. ZOOL. garrapata.

carrapicho, s. m. moño, pequeña porción de cabello atado en lo alto de la cabeza.

carrapito, s. m. cuerno; moñito de cabellos en la parte alta de la cabeza.

carrascal, s. m. carrascal.

carrascão, adj. e s. m. carraspante; rascón.

carrasco, s. m. BOT. carrasca; roble; caramillo, arbusto silvestre; verdugo.

carrasqueiro, s. m. carrasca; quejigueta.

carreação, s. f. acarreo.

carreamento, s. m. carreo.

carrear, v. tr. acarrear; acarretar; carretear.

carregação, s. f. carga; cargamento; ajobo.

carregado, adj. cargado.

carregador, s. m. faquín; ganapán; esportillero; porteador; cargador; ajobero; maletero; fletador; (de municiones) cargador.

carregamento, s. m. cargamento; carga; cargazón.

carregar, v. tr. cargar; portear; ajobar; trajinar; exagerar; vejar; imputar; meter proyectiles en; (bateria) acumular; (botão, tecla) pulsar; carregar-se de nuvens, emborrascarse.

carrego, s. m. carga; cargazón; peso.

carreira, s. f. camino carretero; carrera; colada; curso; carrerilla, línea de puntos; crencha, raya que divide el pelo; profesión de las armas, ciencias, letras, etc.; ruta; carreira aérea, aerolínea; carreira diplomática, carrera diplomática.

carreiro, s. m. carrero; carretero; coladero; camino estrecho.

carrejão, s. m. cargador; ajobero.

carrejar, v. tr. e intr. vd. **carrear**.

carreta, s. f. carreta; carretón; carroza; ASTR. osa mayor.

carretagem, s. f. carretaje.

carretão, s. m. vd. **carreteiro**.

carrete, s. m. carrete; carretel; canilla.

carreteiro, s. m. carretero; mandadero; demandadero; cargador.

carretel, s. m. carrete; bobina; canutillo.

carretilha, s. f. carretilla.

carreto, s. m. carreteo, acarreo; (fig.) encargo; carro.

carriça, s. f. ZOOL. reyezuelo; curruca; chachín.

carriçal, s. m. carrizal.

carriço, s. m. BOT. carrizo; carricera; ZOOL. reyezuelo.

carril, s. m. carril; rail; riel; carro del arado.

carrilar, v. tr. e intr. encarrilar.

carrilhão, s. m. reloj de música; carillón.

carrilho, s. m. carrillo.

carrinho, s. m. carrito; canutilho; carrete; (de supermercado) carro de la compra; (brinquedo) carretón; carrinho de mão, carretilla; carrinho de amolador, carretón.

carriola, s. f. carro pequeño; carreta, carro ordinario.

carripana, s. f. carricoche.

carro, s. m. carro; carreta; coche; carruaje; carro eléctrico, tranvia; carro velho, carraca; carro de combate, carro; carro fúnebre, carroza.

carroça, s. f. carreta; carro; carretón; carroza.

carroçada, s. f. carrada; carretada.

carroçador, s. m. carretero.

carroçar, v. tr. carenar.

carroçaria, s. f. carena, chasis.

carroceiro, s. m. carretero; falar como um carroceiro, hablo como un carretero.

carrocim, s. m. cochecito; carrucho; carretilla; silla volante.

carrossel, s. m. tiovivo; caballitos; carrusel.

carruagem, s. f. carruaje; carro.

carruagem-cama, s. f. vagon cama.

carta, s. f. carta; epístola; escrito; pliego; naipe; mapa; carta de condução, carné de conducir, permiso de condución.

cartabuxa, s. f. cepillo de alambre (que usan los plateros).

carta-circular, s. f. circular.

cartada, s. f. jugada (acción de jugar un naipe); lance.

carta-de-prego, s. f. plica.

cartão, s. m. cartón; tarjeta de visita; cartilla; papelón; cartão de seguro, cartilla del seguro; cartão amarelo, tarjeta amarilla; cartão vermelho, tarjeta roja.

cartão-de-visita, s. f. tarjeta.

cartapácio, s. m. libraco antiguo; cartapacio.

cartaxo, s. m ZOOL. chasco; pájaro.

cartaz, s. m. cartel; anuncio; letrero; pancarta; afixador de cartazes, fijacarteles.

carteamento, s. m. carteo.

cartear-se, v. refl. cartearse.

carteo, s. m. carteo.

carteira, s. f. cartera; bolsa; carpeta; pupitre.

carteirista, s. 2 gén. carterista; descuidero; randa.

carteiro, s. m. cartero; correo.
cartel, s. m. cartel; provocación; dístico; rótulo; categoría.
cartesianismo, s. m. cartesianismo.
cartilagem, s. f. ANAT. cartílago; ternilla.
cartilagíneo, adj. ANAT. cartilaginoso; ternilloso.
cartilaginoso, adj. cartilaginoso; ternilloso.
cartilha, s. f. cartilla; cartón; catecismo.
cartografia, s. f. cartografía.
cartográfico, adj. cartográfico.
cartógrafo, s. m. cartógrafo.
cartola, s. f. chistera.
cartolina, s. f. cartulina.
cartomancia, s. f. cartomancia, cartomancía.
cartomante, s. 2 gén. cartomántico.
cartonado, adj. cartoné, encartonado.
cartonagem, s. f. cartonaje.
cartonar, v. tr. encuadernar; encartonar.
cartorário, s. m. cartulario; escribano.
cartório, s. m. archivo de documentos públicos; notaría.
cartuchame, s. m. provisión de cartuchos para armas de fuego.
cartucheira, s. f. cartuchera.
cartucheiro, s. m. cartuchero.
cartucho, s. m. cartucho; *cartucho (cónico) de papel*, cucurucho.
cartuxa, s. f. cartuja.
cartuxo, adj. e s. m. cartujo.
caruma, s. f. tamuja; chamiza; borrajo; alhumajo.
carumba, s. f. vd. **caruma**.
carunchar, v. intr. carcomerse; enmohecerse; apodrecer.
carunchento, adj. carcomido.
caruncho, s. m. ZOOL. polilla; carcoma; comején; podredumbre; *(fig.)* vejez,
carunchoso, adj. apolillado; carcomido; *(fig.)* viejo.
carúncula, s. f. carúncula.
carvalha, s. f. roble pequeño.
carvalhal, s. m. robledal; robledo.
carvalheira, s. f. robledal.
carvalheiro, s. m. BOT. roble joven; bordón de roble.
carvalhinha, s. f. BOT. carvallita.
carvalho, s. m. BOT. roble; encina.
carvão, s. m. carbón; *pó de carvão*, carbonilla; *(para desenho)* carboncillo; *carvão em brasa*, ascua; *transformar em carvão*, carbonear.

carvoaria, s. f. carbonería.
carvoeira, s. f. carbonera.
carvoeiro, adj. e s. m. carbonero.
casa, s. f. casa; vivenda; familia; bienes; casa (militar o civil del Jefe del Estado); *(damas e xadrez)* casilla, escaque; *casa de campo*, masía; *casa de colmo*, chamizo; *casa rústica*, caseta; *casa de lavoura*, alguería; *casa humilde*, barraca; *casa de doidos*, la casa de Tócame Roque; *casa comercial*, firma.
casaca, s. f. casaca, frac.
casacão, s. m. gabán; sobretodo; abrigo; chaquetón.
casaco, s. m. chaqueta; chaquetón; *(de peles)* coleto.
casado, adj. casado.
casadoiro, adj. casadero; núbil.
casal, s. m. matrimonio; pareja; par; casa de campo; casar.
casaleiro, adj. arrendatario.
casalejo, s. m. casita de campo; vd. **casebre**.
casamata, s. f. casamata.
casamenteiro, adj. casamentero.
casamento, s. m. casamiento; matrimonio; consorcio; nupcias; connubio; desposorio; enlace; *casamento por dinheiro*, braguetazo.
casão, s. m. casona; caserón, casarón.
casar, v. tr. e intr. casar; desposar; DIR. casar.
casarão, s. m. caserón.
casaria, s. f. caserío.
casario, s. m. caserío.
casca, s. f. cáscara; corteza; hollejo; casco; costra; afrecho; carapacho; corcho; *casca de ovo*, cascarón.
cascabulho, s. m. cascabillo.
cascalhada, s. f. cascajar.
cascalhar, v. intr. carcajear, reír a carcajadas.
cascalheira, s. f. cascajar; lugar donde hay mucho cascajo; *(fig.)* respiración ruidosa, jadeo.
cascalho, s. m. cascajo; almendrilla; rocalla; guijo; morrillo; grava; escombro; cascote.
cascalhoso, adj. cascajoso.
cascalhudo, adj. vd. **cascalhoso**.
cascão, s. m. costra; postilla; cascarria, cazcarria; roña.
cascar, v. tr. e intr. descascarar; descascar; descortezar; *(fig.)* cascar; censurar.
cascaria, s. f. conjunto de barriles para el vino; cascos de los animales.

cascarrão, *s. m.* cascarada; riña.

cascata, *s. f.* cascada, catarata; *(fam.)* mujer vieja y pretenciosa; pesebre.

cascavel, *s. m.* cascabel, sonajero; ZOOL. serpiente de cascabel.

casco, *s. m.* casco, cráneo; NÁUT. casco; *(unha)* casco; *(pipa)* casco.

cascudo, *s. m.* coca (golpe en la cabeza), coscorrón; cabezazo; *cascos de Rolha,* quimbambas.

caseação, *s. f.* caseación.

caseadeira, *s. f.* ojaladera; ojaladora.

casear, *v. tr. e intr.* ojalar, hacer ojales; hacer casas para vivienda.

casebre, *s. m.* casucha; tugurio; cuchitril.

caseína, *s. f.* caseína.

caseiro, **I.** *adj.* casero; casariego; hogareño. **II.** *s. m.* inquilino; casero (de una finca); capataz.

caserna, *s. f.* cuartel; dormitorio para soldados.

caserneiro, *s. m.* cuartelero.

casimira, *s. f.* casimir.

casinha, *s. f.* casita; *(fam.)* letrina; puesto de carabineros.

casinhola, *s. f.* vd. **casinhola**.

casinholo, *s. m.* casa pequeña, pobre y de construcción ligera.

casinhota, *s. f.* vd. **casinhoto**.

casinhoto, *s. m* cuartucho; cuchitril.

casino, *s. m.* casino; círculo.

casmurrice, *s. f.* cazurrería; terquedad; antipatía.

casmurro, *adj. e s. m.* terco, testarudo, tozudo, cazurro.

caso, *s. m.* caso; acontecimiento; suceso; lance; paso; ocasión; casualidad; coyuntura; andanza; GRAM. caso; *nesse caso,* entonces.

casório, *s. m. (fam.)* casamiento; casorio; bodijo; bodorrio.

caspa, *s. f.* caspa.

caspento, *adj.* casposo.

cáspite!, *interj.* ¡cáspita!

casposo, *adj.* casposo.

casqueiro, *s. m.* desbastador de madera; corteza de pan.

casquejar, *v. intr.* criar casco nuevo (el caballo); cicatrizar.

casquento, *adj.* cascarudo.

casquete, *s. m.* casquete; sombrero viejo.

casquilharia, *s. f.* trajes o adornos de petrimetre.

casquilho, **I.** *adj. 2 gén.* elegante; petime-

tre. **II.** *s. m.* pisaverde; casquillo, aro de metal.

casquinada, *s. f.* carcajada.

casquinar, *v. intr.* carcajear, reír a carcajadas.

casquinha, *s. f.* cáscara fina; madera de pino de flandes; hoja fina de un metal precioso.

cassa, *s. f.* gasa; muselina; etamina.

cassação, *s. f.* casación; anulación.

cassar, *v. tr.* casar, abrogar, anular.

cassete, *s. f.* casete, cassette; loro.

cassineta, *s. f.* casinete.

cassino, *s. m.* cierto juego de naipes, con 52 cartas.

Cassiopeia, *s. f.* ASTR. Casiopea.

cassiterite, *s. f.* casiterita.

casta, *s. f.* casta; raza; generación; sangre; especie; variedad; cualidad.

castanha, *s. f.* castaña; *(pancada)* castaña; *vendedor de castanhas,* castañero; *castanha pilada,* castaña pilonga.

castanhal, *s. m.* vd. **castanhedo**.

castanhedo, *s. m.* castañar; castañal; castañeda; castañedo.

castanheira, *s. f.* castañera.

castanheiro, *s. m.* BOT. castaño; *(vendedor)* castañero.

castanheta, *s. f* castañeta; *pl.* castañetas, castañuelas.

castanho, *adj. e s. m.* castaño; marrón.

castanho-escuro, *adj.* bruno.

castanhola, *s. f.* ZOOL. chirla; *pl.* castañuelas, castañetas; *toque de castanholas,* castañeteo.

castanholar, *v. tr.* castañetear.

castão, *s. m.* puño, de bastón y otros utensilios.

castelã, *s. f.* castellana.

castelania, *s. f.* castellanía; castillería.

castelão, *s. m.* castellano.

castelhano, *adj. e s. m.* castellano; español.

castelo, *s. m.* castillo; alcazata.

castiçal, *s. m.* candela, andelero; candelabro; velón; cirial; palmatoria.

castiçar, *v. tr.* castizar.

casticismo, *s. m.* casticismo.

casticista, *s. 2 gén.* casticista.

castiço, *adj.* castizo; puro; genuino.

castidade, *s. f.* castidad; continencia; pureza.

castificar, *v. tr.* castificar.

castigador, *adj. e s. m.* castigador.

castigar, *v. tr.* castigar; mortificar, afligir; corregir; escarmentar; penar.

castigável, *adj.* 2 *gén.* castigable.
castigo, *s. m.* castigo; punición; pena; suplicio; represión; escarmiento.
castinçal, *s. m.* castañar (de castaños silvestres).
castinceira, *s. f.* vd. **castinceiro**.
castinceiro, *s. m.* BOT. castaño silvestre.
casto, *adj.* casto; puro; inocente; púdico.
castor, *s. m.* ZOOL. castor.
castorina, *s. f.* castorina.
castração, *s. f.* castración; emasculacion.
castrado, *adj.* castrado.
castramento, *s. m.* castración.
castrar, *v. tr.* castrar; capar; emascular.
castrense, *adj.* 2 *gén.* castrense.
castro, *s. m.* castro, castillo romano.
casual, *adj.* 2 *gén.* casual; accidental; fortuito; adventicio; eventual.
casualidade, *s. f.* casualidad; eventualidad; acaso; accidente; chiripa.
casuar, *s. m.* ZOOL. casuario.
casuísta, *s. m.* casuísta.
casuística, *s. f.* casuística.
casuístico, *adj.* casuístico.
casula, *s. f.* casulla; cogulla.
casulo, *s. m.* capullo; BOT. cápsula.
casuloso, *adj.* lleno de cápsulas o capullos.
cata, *s. f.* busca; búsqueda; pesquisa.
catabólico, *adj.* catabólico.
catabolismo, *s. m.* catabolismo.
cataclismo, *s. m.* cataclismo; inundación.
catacumbas, *s. f. pl.* catacumbas; criptas.
catadupa, *s. f.* catadupa; catarata; salto.
catadura, *s. f.* catadura; semblante; aspecto.
catafalco, *s. m.* catafalco; tumba.
catalão, *adj.* e *s. m.* catalán.
catalepsia, *s. f.* catalepsia.
cataléptico, *adj.* cataléptico.
catalisador, *adj.* e *s. m.* QUÍM. catalizador.
catalisar, *v. tr.* catalizar.
catálise, *s. f.* QUÍM. catálisis.
catalítico, *adj.* catalizador.
catalogação, *s. m.* catalogación.
catalogador, *adj.* e *s. m.* catalogador.
catalogal, *adj.* 2 *gén.* relativo a catálogo.
catalogar, *v. tr.* catalogar.
catálogo, *s. m.* catálogo; lista; rol; índice.
catamarã, *s. m.* catamarán.
catana, *s. f.* catana, espada corta.
catanada, *s. f.* catanada; sablazo; (*fig.*) represión; reprimenda.

catão, *s. m.* (*fig.*) catón.
cataplasma, *s. f.* cataplasma.
cataplasmado, *adj.* cubierto de cataplasma.
catapulta, *s. f.* catapulta; tirachinas.
catapultar, *v. tr.* catapultar.
catar, *v. tr.* catar; buscar; procurar; solicitar; despiojar; espulgar; ver; examinar.
catarata, *s. f.* catarata.
catarina, *s. f.* catalina; rueda del volante de ciertas clases de relojes.
catarral, 1. *adj.* 2 *gén.* catarral. 2. *s. m.* bronquitis aguda.
catarreira, *s. f.* catarreuma; catarro.
catarrento, *adj.* catarroso.
catarro, *s. m.* catarro; bronquitis.
catarroso, *adj.* catarroso.
catarse, *s. f.* catársis.
catártico, *adj.* catártico.
catástrofe, *s. f.* catástrote; desgracia grande.
catastrófico, *adj.* catastófrico.
catastrofismo, *s. m.* catastrofismo.
catatonia, *s. f.* catatonía.
catatua, *s. f.* catatúa.
cata-vento, *s. m.* cataviento, veleta, grímpola; giralda.
catecismo, *s. m.* catecismo; catequismo.
catecumenato, *s. m.* catecumenado.
catecúmeno, *s. m.* catecúmeno.
cátedra, *s. f.* cátedra.
catedral, *adj.* 2 *gén.* e *s. f.* catedral.
catedrático, *s. m.* catedrático.
categoria, *s. f.* categoría; clase; graduación; rango.
categórico, *adj.* categórico.
categorização, *s. f.* categorización.
categorizado, *adj.* categorizado.
categorizar, *v. tr.* categorizar; calificar; clasificar.
catenária, *s. f.* catenaria.
catequese, *s. f.* catequesis.
catequético, *adj.* catequético.
catequista, *s.* 2 *gén.* catequista.
catequização, *s. f.* catequizamiento.
catequizador, *s. m.* catequizador, catequista.
catequizar, *v. tr.* catequizar.
caterva, *s. f.* caterva.
cateter, *s. m.* catéter.
cateterismo, *s. m.* cateterismo.
cateto, *s. m.* cateto.
catetómetro, *s. m.* catetómetro.

catião, *s. m.* catión.
catilinária, *s. f.* catilinaria; (*fig.*) reprensión.
catinga, *s. f.* catinga.
catingar, *v. intr.* mostrarse miserable o mezquino; despedir mal olor.
catingoso, *adj.* catingoso.
catita, *adj. e s. 2 gén.* persona elegante; coquetón; acicalado; peripuesto.
catitismo, *s. m.* acicalamiento; elegancia, dandismo.
cativação, *s. f.* acción de cautivar.
cativante, *adj. 2 gén.* cautivador; cautivante.
cativar, *v. tr.* cautivar; ganar; seducir; atraer; embobar.
cativeiro, *s. m.* cautiverio; cadena.
cativo, *adj. e s. m.* cautivo; sometido; encarcelado; prisionero; seducido.
catódico, *adj.* catódico.
cátodo, *s. m.* cátodo.
catolicidade, *s. f.* catolicidad.
catolicismo, *s. m.* catolicismo.
catolicização, *s. f.* catolización.
catolicizar, *v. tr.* catolizar, hacer católico.
católico, *adj. e s. m.* católico; *não católico*, acatólico.
catóptrica, *s. f.* catóptrica.
catorze, *num. card.* catorce.
catrafilar, *v. tr.* encarcelar; trincar; agarrar fuertemente.
catraia, *s. f.* balsa; bote.
catraio, *s. m.* niño, chiquillo.
catrapiscar, *v. tr.* guiñar los ojos al enamorar.
catrapus, *s. m.* el galopar del caballo.
catre, *s. m.* catre; camilla; camastro.
caturra, *s. 2 gén.* persona terca; pertinaz; tozudo.
caturrar, *v. intr.* porfiar, obstinarse; emperrarse.
caturrice, *s. f.* emperramiento.
caução, *s. f.* caución; cautela; fianza; garantía.
caucasiano, *adj. e s. m.* caucásico.
caucásico, *adj. e s. m.* caucásico; caucásico.
caucho, *s. m.* caucho.
cauchutar, *v. tr.* encauchar.
caucionante, *adj. e s. 2 gén.* caucionero.
caucionar, *v. tr.* caucionar; fiar.
caucionário, **1.** *adj.* relativo a caución. **2.** *s. m.* caucionero.

cauda, *s. f.* cola; rabo; (*vestido*) cola, fralda; el fin; la cola; retaguardia; (*de cometa*) estela.
caudal, **1.** *s. m.* caudal; corriente; raudal; capital. **2.** *adj. 2 gén.* caudal.
caudaloso, *adj.* caudaloso; copioso.
caudatário, *s. m.* caudatario.
caudato, *adj.* caudato.
caudelaria, *s. f.* vd. **coudelaria**.
caudilhar, *v. tr.* acaudillar.
caudilho, *s. m.* caudillo; cabecilha; cabeza.
caule, *s. m.* BOT. caule; tallo; tronco.
caulescente, *adj. 2 gén.* BOT. caulescente; caulífero.
caulícola, *adj. 2 gén.* BOT. caulícola.
caulículo, *s. m.* BOT. caulículo.
caulim, *s. m.* caolín.
caulinar, *adj. 2 gén.* caulinar.
caulino, **1.** *adj.* BOT. caulino; caulinario. **2.** *s. m.* caolín.
caurim, *s. m.* ZOOL. caurí.
caurineiro, *s. m.* tramposo, sablista, timador.
causa, *s. f.* causa; motivo; razón; agente; móvil; origen; partido.
causador, *adj. e s. m.* causador.
causal, **1.** *adj. 2 gén.* causal. **2.** *s. f.* razón; motivo.
causalidade, *s. f.* causalidad; causa; origen.
causar, *v. tr.* causar; motivar; producir; originar; aportar; ocasionar; traer.
causativo, *adj.* causativo; causal; causador.
causídico, *s. m.* abogado; causídico.
causticação, *s. f.* causticación.
causticante, *adj. 2 gén.* cáustico; (*fig.*) importuno; enojante.
causticar, *v. tr.* causticar; satirizar.
causticidade, *s. f.* causticidad.
cáustico, **I.** *adj.* cáustico. **II.** *s. m.* cáustico.
cautela, **I.** *s. f.* cautela; cuidado; precaución; prudencia; recato. **II.** *interj.* tate!
cauteleiro, *s. m.* lotero.
cauteloso, *adj.* cauteloso; cauto; cuidadoso.
cautério, *s. m.* cauterizador; cauterización.
cauterização, *s. f.* cauterización.
cauterizante, *adj. 2 gén.* cauterizador; cauterizante.
cauterizar, *v. tr.* cauterizar.
cauto, *adj.* cauto; prudente.

cava, I. s. f. cava; (decote) escotadura; sisa; sobaquera; bodega. II. adj., veia cava, cava.

cavaca, s. f. leña menuda; astillas de madera.

cavaco, s. m. astillas de madera; tamuja; borrajo; (fam.) conversación; palique.

cavadela, s. f. cavadura.

cavadiço, adj. cavadizo.

cavado, adj. excavado; hondo; cóncavo.

cavador, s. m. cavador; cavaril; azadonero; sachador.

cavadora, s. f. máquina agrícola para desterronar.

cavala, s. f. ZOOL. caballa; jurel.

cavalada, s. f. caballada; disparate; barbaridad.

cavalagem, s. f. caballaje.

cavalão, s. m. caballazo; alfana; caballo corpulento.

cavalar, adj. 2 gén. caballar; caballuno.

cavalaria, s. 1. f. MIL. caballería; equitación; hazaña. 2. m. soldado a caballo.

cavalariça, s. f. caballeriza; cuadra.

cavalariço, s. m. caballerizo.

cavaleira, s. f. amazona, mujer que monta a caballo.

cavaleiro, s. m. caballero; jinete; noble; palatino; montador.

cavaleiroso, adj. caballeroso; esforzado; andantesco.

cavalete, s. m. caballete (para pintar); MÚS. caja, caballete; potro de tortura; (de carpinteiro) burro.

cavalgada, s. f. cabalgata.

cavalgadura, s. f. cabalgadura; montura; caballería; bestia de carga.

cavalgante, adj. e s. 2 gén. cabalgante.

cavalgar, v. 1. intr. cabalgar, montar a caballo, ginetear. 2. tr. montar sobre.

cavalhadas, s. f. pl. torneo de lidiadores a caballo.

cavalhariça, s. f. caballeriza; cuadra.

cavalheirescamente, adv. caballerosamente.

cavalheiresco, adj. caballeresco, caballeroso; acaballerado.

cavalheirismo, s. m. caballerosidad; hidalguía.

cavalheiro, s. m. caballero, hombre noble; hombre de buenas acciones.

calheiroso, adj. caballeroso; acaballerado.

cavalicoque, s. m. caballejo; jamelgo.

cavalinha, s. f. ZOOL. caballa pequeña (pez).

cavalinho, s. m. caballito; roda de cavalinhos, caballitos.

cavalino, adj. caballuno.

cavalo, s. m. ZOOL. caballo; solípedo; PAT. cáncer sifilítico; pieza de ajedrez; a cavalo, a caballo; cavalo pequeno, jaba; cavalo de tiro, caballo de tiro; cavalo de corridas, caballo de carreras; cavalo selvagem, mustango; (ginástica) potro; a cavalo dado não se olha o dente, a caballo regalado no le mires el dentado.

cavalo-marinho, s. m. hipocampo.

cavaqueador, s. m. charlador; conversador.

cavaquear, v. intr. charlar; conversar.

cavaqueira, s. f. charla.

cavaquinho, s. m. especie de pequeña guitarra.

cavar, v. tr. cavar; excavar; ahondar; penetrar; cortar las sisas en los vestidos; hacer cóncavo.

cavatina, s. f. MÚS. cavatina.

cave, s. f. cava; sótano.

cavear, v. tr. sisar.

caveira, s. f. calavera; cránea.

caverna, s. f. caverna; gruta; cavidad; antro; cueva; cripta; MED. caverna.

cavernal, adj. 2 gén. cavernario.

cavername, s. m. NÁUT. armazón del navío; carcasa; (fam.) esqueleto; osamenta.

cavernícola, adj. e s. 2 gén. cavernícola.

cavernoso, adj. cavernoso; ronco y profundo; lóbrego.

caveto, s. m. ARQ. caveto.

caviar, s. m. caviar.

cavidade, s. f. cavidad; cueva.

cavilação, s. f. cavilación; sofisma; sutileza.

cavilador, s. m. fraudulento; engañador.

cavilar, v. intr. cavilar; escarnecer.

cavilha, s. f. clavija; estaquilla; perno; chaveta.

cavilhar, v. tr. enclavijar.

caviloso, adj. capcioso; sofístico.

cavo, adj. hueco; hondo; profundo; cóncavo; ronco.

cavoucar, v. tr. cavar, excavar.

cavouco, s. m. vd. **cabouco**.

caxemira, s. f. cachemir, casemir.

cear, v. tr. cenar.

cebola, s. f. BOT. cebolla; esquila; (semente) cebollino; cebola albarrã, amormío.

cebolada, s. f. cebollada; encebollado; *fazer de cebolada,* encebollar.

cebolal, s. m. cebollar.

ceboleira, s. f. cebollera.

cebolinha, s. f. cebollino; cebolleta.

cebolinho, s. m. cebollino, simiente.

cecear, v. intr. cecear.

ceceio, s. m. ceceo.

cecém, s. f. BOT. azucena.

cecídea, s. f. agalla, cecidia.

ceco, s. m. ANAT. ciego.

cecografia, s. f. cecografía.

cedência, s. f. cedencia; cesión.

cedente, s. 2 gén. cesionista.

ceder, v. 1. tr. ceder; pasar; dar. 2. intr. transigir; rendirse, aflojarse; desistir.

cediço, adj. reposado; corrupto; avejentado.

cedilha, s. f. cedilla.

cedilhar, v. tr. poner zedilla a la c.

cedinho, adv. tempranito; muy temprano.

cedível, adj. 2 gén. cedible.

cedo, adv. temprano; de prisa; pronto.

cedro, s. m. BOT. cedro.

cédula, s. f. cédula; billete.

cefalalgia, s. f. MED. cefalalgia; cefalea.

cefalálgico, adj. cefalálgico.

cefaleia, s. f. cefalea; jaqueca.

cefálico, adj. cefálico.

cefalópodes, s. m. pl. ZOOL. cefalópodos.

cefalotórax, s. m. ZOOL. cefalotórax.

cegar, v. 1. tr. cegar; (fig.) deslumbrar; obcecar; quitar el filo; embotar. 2. intr. cegar, enceguecer.

cegarrega, s. f. carraca.

cego, I. adj. ciego; ofuscado; alucinado. II. s. m. ANAT. ciego; invidente.

cegonha, s. f. ZOOL. cigüeña; (picota) cigoñal.

cegonho, s. m. cigoñino.

cegude, s. f. BOT. cicuta.

cegueira, s. f. ceguera; ablepsia; ceguedad; tiniebla; ignorancia; fanatismo.

ceia, s. f. cena.

ceifa, s. f. siega; mies; recolection.

ceifadora, s. f. cosechadora.

ceifar, v. tr. segar; esquilmar; guadañar.

ceifeira, s. f. segadora; cosechadora.

ceifeiro, s. m. segador; cosechador.

ceitil, s. m. cuatrín, antigua moneda.

cela, s. f. celda; cámara; alcoba; celdilla; calabozo.

celada, s. f. celada.

celebérrimo, adj. celebérrimo.

celebração, s. f. celebración.

celebrante, adj. 2 gén. e s. m. celebrante.

celebrar, v. 1. tr. celebrar; festejar; efectuar; exaltar; aplaudir; conmemorar; decantar. 2. intr. misar, decir misa.

celebrável, adj. 2 gén. celebrable; memorable.

célebre, adj. 2 gén. célebre, famoso; notable; ilustre; insigne; nombrado.

celebridade, s. f. celebridad.

celebrizar, v. tr. hacer célebre; festejar; conmemorar.

celeireiro, s. m. guarda, celador de un granero.

celeiro, s. m. granero; silo; hórreo; alfolí; algorfa; alhóndiga.

celenterados, s. m. pl. ZOOL. celentereados.

celerado, adj. e s. m. malvado; criminal; perverso.

célere, adj. 2 gén. célere; veloz; ligero.

celeridade, s. f. celeridad; rapidez.

celerímetro, s. m. celerímetro; taxímetro; taquímetro.

celeste, adj. 2 gén. celeste; (fig.) perfecto; delicioso.

celestial, adj. 2 gén. celestial, celeste; (fig.) delicioso.

celestina, s. f. MINER. celestina.

celestino, adj. celeste.

celeuma, s. f. gritería; vocerío; algazara.

celga, s. f. BOT. acelga.

celha, s. f. pestaña.

celhas, s. f. pl. pestaña (de los párpados); pelos que crian al borde de las hojas algunas plantas.

celíaco, adj. celíaco.

celibatário, s. m. célibe; soltero; solterón.

celibato, s. m. celibato; soltería.

célico, adj. célico.

celidónia, s. f. BOT. celidonia.

celofane, s. m. celofán.

celsitude, s. f. celsitud; elevación.

celso, adj. excelso; elevado; sublime; alto.

celta, adj. e s. 2 gén. celta, céltico.

celtibérico, adj. celtibérico.

celtibero, I. adj. celtíbero, celtibérico. II. s. m. celtíbero.

célula, s. f. célula; cavidad, hueco; (dos favos) celda, celdilla.

celular, adj. 2 gén. celular.

celulite, s. f. celulitis.

celulóide, s f. QUÍM. celuloide.

celulose, s. f. QUÍM. celulosa.

cem, num. card. cien; ciento; centena.

cementação, *s. f.* cementación.
cementar, *v. tr.* cementar.
cemento, *s. m.* cemento.
cemitério, *s. m.* cementerio; camposanto; necrópolis.
cena, *s. f.* escena; escenario; cuadro.
cenáculo, *s. m.* cenáculo.
cenagal, *s. m.* cenagal.
cenário, *s. m.* escenario; decoración; decorado.
cendal, *s. m.* cendal.
cendrado, *adj.* acendrado; ceniciento.
cenestesia, *s. f.* cenestesia.
cenho, *s. m.* ceño; entrecejo.
cenhoso, *adj.* ceñudo.
cénico, *adj.* escénico; teatral.
cenismo, *s. m.* cenismo.
cenóbio, *s. m.* cenobio.
cenobita, *s. 2 gén.* cenobita.
cenografia, *s. f.* escenografía.
cenógrafo, *s. m.* escenógrafo.
cenoso, *adj.* cenagoso.
cenotáfio, *s. m.* cenotafio.
cenoura, *s. f.* BOT. zanahoria.
cenozóico, *adj.* cenozoico.
cenrada, *s. f.* lejía; colada (para lavar la ropa).
cenreira, *s. f.* *(fam.)* terquedad; tozudez; antipatía.
censatário, *adj. e s. m.* vd. **censitário**.
censitário, *adj. e s. m.* censatario.
censo, *s. m.* censo; catastro; padrón.
censor, *s. m.* censor; crítico.
censório, *adj.* censorio.
censual, *adj. 2 gén.* censual.
censura, *s. f.* censura; crítica; descompostura; reprimenda; reproche; *(fig.)* dardo.
censurador, *adj. e s. m.* censurador; reprochador; crítico.
censurar, *v. tr.* censurar; vituperar; recriminar; reprender; reprochar; reprobar; condenar; criticar; corrigir; arguir.
censurável, *adj. 2 gén.* censurable; reprochable; condenable; reprensible.
centão, *s. m.* centón.
centáurea, *s. f.* centaura; gencianea.
centauro, *s. m.* centauro.
centavo, *s. m.* centavo; centésimo; centavo (moneda).
centeal, *s. m.* centenal.
centeio, *s. m.* BOT. centeno.
centelha, *s. f.* centella; chispa.
centelhar, *v. intr.* centellar; centellear.
centena, *s. f.* centena; cien; ciento; centenar; centuria.

centenar, *s. m.* centena, centenar, ciento; centuria.
centenário, *adj. e s. m.* centenário; secular.
centesimal, *adj. 2 gén.* centesimal.
centésimo, *adj. e s. m.* centésimo, centeno.
centiare, *s. m.* centiárea; metro cuadrado.
centifólio, *adj.* que tiene cien hojas.
centígrado, *adj.* centígrado.
centigrama, *s. m.* centigramo.
centilitro, *s. m.* centilitro.
centímetro, *s. m.* centímetro.
cêntimo, *s. m.* céntimo; centavo.
centípede, *adj. 2 gén.* que tiene cien pies o patas.
cento, *s. m.* ciento; cien.
centola, *s. f.* ZOOL. centolla; centollo.
centopeia, *s. f.* ZOOL. ciempiés; escolopendra.
centrado, *adj.* centrado.
central, 1. *adj. 2 gén.* central; céntrico. 2. *s. f.* central; central telefónica, centralita.
centralismo, *s. m.* centralismo.
centralista, *adj. e s. 2 gén.* centralista.
centralização, *s. f.* centralización.
centralizador, *adj.* centralizador.
centralizar, *v. tr.* centralizar.
centrar, *v. tr.* centrar; centralizar.
centrifugação, *s. f.* QUÍM. centrifugación.
centrifugador, *s. m.* centrifugador.
centrifugar, *v. tr.* centrifugar.
centrífugo, *adj.* centrífugo.
contrípeto, *adj.* centrípeto.
centro, *s. m.* centro; núcleo; eje; pivot; *centro da cidade*, casco urbano.
centroafricano, *adj.* centroafricano.
centroamericano, *adj.* centroamericano.
centrocampista, *s. 2 gén.* centrocampista; mediocampista.
centroeuropeu, *adj.* centroeuropeo.
centuplicar, *v. tr.* centuplicar.
cêntuplo, *adj. e s. m.* céntuplo.
centúria, *s. f.* centuria; centena; centenar.
centurião, *s. m.* centurión.
cepa, *s. f.* cepa; parra.
cepilho, *s. m.* cepillo de carpintero; especie de lima; parte anterior y elevada de la silla de montar.
cepo, *s. m.* cepo, tarugo; cepo (trampa, armadilla); instrumento de carpintero; tocón.
cepticismo, *s. m.* escepticismo.
céptico, *adj.* escéptico.
ceptro, *s. m.* cetro; realeza.
cepudo, *adj.* grueso; tosco; informe.

cera, s. f. cera; vela de cera; *de cera,* céreo; *fósforo de cera,* cerilla; *cera dos ouvidos,* cerilla.

ceráceo, *adj.* ceráceo; céreo.

cerâmica, s. f. cerámica.

cerâmico, *adj.* cerámico.

ceramista, s. 2 *gén.* ceramista; alfarero.

cerasta, s. f. ZOOL. cerasta; ceraste.

ceratina, s. f. queratina.

cerato, s. *m.* FARM. cerato.

cérbero, s. *m.* cancerbero; cerbero.

cerca, I. s. f. cerca; vallado; cercado; tapia. II. *adv.* cerca; *cerca de,* casi.

cercado, I. s. *m.* cerca, cercado; coso. II. *adj.* sitiado.

cercador, s. *m.* cercador.

cercadura, s. f. cerca; orla; orilla; ARQ. recuadro.

cercania, s. f. cercanía; derredor.

cercão, *adj.* cercano.

cercar, *v. tr.* cercar; vallar; ceñir; sitiar; asediar; bloquear; circundar; rodear; MIL. copar.

cerce, *adv. e adj.* 2 *gén.* a raíz; cercén.

cércea, s. f. gálibo.

cerceador, s. *m.* cercenador.

cerceadura, s. f. cercenadura.

cerceamento, s. *m.* cercenamiento; cercenadura.

cercear, *v. tr.* cercenar; (*fig.*) disminuir; acortar.

cerceio, s. *m.* cercenamiento; cercenadura.

cérceo, *adj.* cortado a cercén, a raíz.

cerceta, s. f. ZOOL. cerceta.

cerco, s. *m.* cerco; asedio; bloqueo; sitio; círculo; cerca; vallado; *armar cerco,* asediar.

cerda, s. f. cerda; seda.

cerdo, s. *m.* ZOOL. cerdo; cebón; puerco; marrano.

cerdoso, *adj.* cerdoso; cerdudo.

cereal, *adj.* 2 *gén.* e s. *m.* cereal.

cerealífero, *adj.* cerealífero.

cerebelo, s. *m.* ANAT. cerebelo.

cerebeloso, *adj.* cerebeloso.

cerebral, *adj.* 2 *gén.* cerebral.

cérebro, s. *m.* ANAT. cerebro.

cerebrospinal, *adj.* 2 *gén.* cerebroespinal.

cerefolho, s. *m.* BOT. vd. **cerefólio**.

cerefólio, s. *m.* BOT. perifollo.

cereja, s. f. cereza; *cor de cereja,* cereza.

cerejal, s. *m.* cerezal.

cerejeira, s. f. BOT. cerezo.

ceres, s. f. MIT. Ceres; (*fig.*) la agricultura; el campo.

ceriaria, s. f. cerería.

cerieiro, s. *m.* cerero.

cerífero, *adj.* cerífero.

cerimónia, s. f. ceremonia; pompa; cortesía; *pl.* ceremonial.

cerimonial, *adj.* 2 *gén.* e s. *m.* ceremonial.

cerimoniar, *v. tr.* celebrar o tratar ceremoniosamente.

cerimonioso, *adj.* ceremonioso; ceremonial.

cério, s. *m.* MINER. cerio.

cerne, s. *m.* cerne; coraznada.

cernelha, s. f. parte del cuerpo de algunos animales donde se juntan las espaldas; lomo.

cerol, s. *m.* cerote.

ceroplástica, s. f. ceroplástica.

ceroulas, s. f. *pl.* calzoncillos.

cerqueiro, 1. *adj.* que cerca o circunda; cercador. 2. s. *m.* jardinero.

cerração, s. f. cerrazón; niebla espesa.

cerrado, I. s. *m.* cerrado; cercado. II. *adj.* copudo; espeso.

cerradoiro, s. *m.* vd. **cervadouro**.

cerradouro, s. *m.* cerradero.

cerra-fila, s. *m.* soldado que sigue al jefe de fila.

cerrar, *v. tr.* cerrar; tapar; vedar; juntar; ocultar; terminar; pelear.

cerro, s. *m.* cerro; otero.

certa, s. f. certeza.

certame, s. *m.* certamen; lucha, debate; discusión.

certamente, *adv.* cierto.

certeiro, *adj.* certero; exacto; cierto.

certeza, s. f. certeza; acierto; convicción; certidumbre.

certidão, s. f. certificado; certificación; (*registo civil*) partida.

certificação, s. f. certificación; certificado.

certificado, 1. s. *m.* certificado, certificación; título. 2. *adj.* aseverado; certificado.

certificador, *adj.* e s. *m.* certitificador.

certificar, *v.* 1. *tr.* certificar; afirmar; confirmar; atestiguar. 2. *refl.* cercionarse.

certo, I. *adj.* cierto; correcto; verdadero; exacto; claro; infalible; impepinable; certero; corriente; fijado; atinado. II. *adv.* cierto.

cerúleo, *adj.* cerúleo, azulado.

cerume, s. *m.* cerumen.

ceruminoso, adj. ceruminoso.

cerusa, s. f. MIN. cerusa, albayalde; cerusita.

cerusite, s. f. MIN. cerusita.

cerva, s. f. ZOOL. cierva.

cerval, adj. 2 gén. cerval; cervuno.

cervantesco, adj. vd. **cervantino**.

cervantino, adj. cervantesco, cervántico, cervantino.

cervato, s. m. cervato.

cerveja, s. f. cerveza.

cervejaria, s. f. cervecería.

cervejeiro, adj. e s. m. cervecero.

cervical, adj. 2 gén. cervical.

cervídeo, adj. e s. m. cérvido.

cervino, adj. cerval, cervuno.

cerviz, s. f. cerviz; cabeza; nuca.

cervo, s. m. ZOOL. ciervo; venado.

cerzideira, s. f. zurcidera; aguja de zurcir.

cerzido, adj. e s. m. zurcido.

cerzidura, s. f. zurcidura.

cerzir, v. tr. zurcir; intercalar.

césar, s. m. (fig.). césar, emperador.

cesáreo, adj. cesáreo.

cesariana, s. f. cesárea.

cesariano, adj. cesáreo.

césio, s. m. QUÍM. cesio.

céspede, s. m. césped, céspede.

cessação, s. f. cesación; fin; interrupción; *cessação de funções*, cese.

cessante, adj. 2 gén. cesante; saliente.

cessão, s. f. cesión; dejación; *cessão de bens*, enajenación, enajenamiento.

cessar, v. **1.** intr. cesar; parar; desistir; acabar; **2.** tr. dejar de hacer.

cessibilidade, s. f. cesibilidad.

cessionário, s. m. cesionario.

cessível, adj. 2 gén. cesible.

cesta, s. f. cesta.

cestada, s. f. cestada.

cestão, s. m. cestón.

cestaria, s. f. cestería.

cesteiro, adj. e s. m. cestero; canastero.

cestinha, s. f. canastilla.

cesto, s. m. cesto; canacho; cuévano; DESP. canasta; *cesto da gávea*, NÁUT. cofa; *cesto dos papéis*, papelera, cesto de los papeles.

cestode, s. m. cestodo.

cesura, s. f. cesura; CIR. cisura; cisión; rotura; incisión; cicatriz.

cesurar, v. tr. hacer una herida, incisión o corte.

cetáceo, s. m. ZOOL. cetáceo.

cetim, s. m. satén.

cetinoso, adj. suave como el satén.

cetraria, s. f. cetrería.

céu, s. m. cielo; firmamento; atmósfera; clima; paraíso.

ceva, s. f. cebo; cebadura; cerdo cebado.

cevada, s. f. BOT. cebada.

cevadal, s. m. cebadal.

cevadeira, s. f. cebadera.

cevadeiro, s. m. cebadero; caponera.

cevadilha, s. f. BOT. cebadilla.

cevadinha, s. f. BOT. cebada.

cevado, **I.** adj. cebón. **II.** s. m. cebado, cebón; cerdo; marrano.

cevadoiro, s. m. cebadero; caponera.

cevador, s. m. cebador.

cevadura, s. f. cebadura; cebamiento; ceba.

cevar, v. tr. cebar; engordar; alimentar; hartar; fomentar; enriquecer.

cevo, s. m. cebo, carnada.

chá, s. m. BOT. té; chá; (fig.). represión; reprimenda; *chá de parreira*, vino; *não tomar chá em pequeno*, ser mal educado.

chã, s. f. llanura; planicie; carne del muslo.

chacal, s. m. ZOOL. chacal; adive.

chachachá, s. m. chachachá.

chacina, s. f. chacina; matanza; cecina; carnicería.

chacinador, s. m. chacinero.

chacinar, v. tr. chacinar; acecinar; amojomar.

chaço, s. m. chazo; tojino; cuña.

chacota, s. f. chacota; choteo; burla; vaya; chanza; pitorreo; guasa; tomadura de pelo; *fazer chacota*, guasearse.

chacoteador, s. m. chacotero; zumbón; guasón.

chacotear, v. tr. chacotear; chancear; zumbar.

chador, s. m. chador.

chafarica, s. f. logia masónica; (fam.) taberna; abacería.

chafariqueiro, s. m. abacero; masón.

chafurda, s. f. pocilga; porqueriza; chiquero; zahurda.

chafurdar, v. intr. enlodarse; revolcarse en el fango; (fig.) atollarse (en el vicio); atascarse.

chafurdeiro, s. m. vd. **chafurda**.

chaga, s. f. llaga, herida; incisión; VET. matadura; (fig.) cataplasma.

chagar, v. tr. llagar; ulcerar; herir.

chagrém, s. m. vd. **chagren**.

chagrim, s. m. chagren.

chaguento, *adj.* llagado; ulcerado.
chalaça, *s. f.* burla; befa; chanza; cuchufleta; bronca; guasa.
chaladice, *s. f.* chaladura.
chalado, *adj.* chalado.
chalana, *s. f.* NÁUT. chalana.
chalandra, *s. f.* NÁUT. chalana.
chalar, *v. tr.* chalarse.
chalacear, *v. intr.* bromear; chancear; cuchufletear.
chalé, *s. m.* chalet, chalé.
chaleira, *s. f.* tetera.
chalotas, *s. f. pl.* BOT. chalota.
chalrar, *v. intr.* chirlar; chirriar; chillar (los pájaros); charlar; parlar.
chalreada, *s. f.* chillería; vocerío; chirrido, chillido.
chalreador, *s. m.* chillador; chacharero.
chalrote, *s. m.* toza, pedazo de corteza del pino.
chalupa, *s. f.* NÁUT. chalupa, bote.
chama, *s. f.* llamarada; llama; luz; (*fig.*) ardor; pasión.
chamada, *s. f.* llamada; llamamiento; convocatoria.
chamamento, *s. m.* llamamiento; llamada.
chamar, *v. tr. e intr.* llamar; convocar; apellidar; invocar; atraer; mandar venir; dar nombre a; denominar, nombrar; titular.
chamariz, *s. m.* reclamo, para cazar; cebo; reclamo, ave; chamariz; señuelo; cancamusa.
chá-mate, *s. m.* té mate.
chambão, **1.** *s. m.* carne de mala clase; contrapeso de la carne. **2.** *adj.* chambón; chapucero; grosero.
chambre, *s. m.* chambra.
chamejante, *adj. 2 gén.* llameante; ardiente.
chamejar, *v.* **1.** *intr.* llamear, arder; (*fig.*) encolerizarse; irarse. **2.** *tr.* chamuscar.
chamelote, *s. m.* camelote, tejido.
chamiça, *s. f.* chamiza.
chamiço, *s. m.* chamizo; chámara; chamiza; chamarasca; pinocha.
chaminé, *s. f.* chimenea; campana; cañón.
chamorro, *adj.* chamorro.
champanha, *s. f.* vd. **champanhe**.
champanhe, *s. m.* champaña; champán.
chamusca, *s. f.* chamusquina; chamusco.
chamuscado, *adj.* chamuscado; churrascado.
chamuscar, *v. tr.* chamuscar.

chamusco, *s. m.* chamusquina.
chanca, *s. f.* chanca; chancla; zueco.
chança, *s. f.* chanza; dicho burlón; vanidad.
chancela, *s. f.* sello; rúbrica.
chancelar, *v. tr.* sellar; rubricar; firmar.
chancelaria, *s. f.* chancillería; cancillería.
chanceler, *s. m.* chanciller; canciller.
chanfalhada, *s. f.* chafarotazo.
chanfalhão, *s. m.* chafarote grande.
chanfalho, *s. m.* chafarote, espada vieja y oxidada.
chanfana, *s. f.* chanfaina; guisote.
chanfaneiro, *s. m.* tripicallero, vendedor de callos; bodeguero; tabernero.
chanfrado, *adj.* chaflanado; biselado.
chanfrador, *s. m.* achaflanador.
chanfradura, *s. f.* chaflán, chaflanada; bisel.
chanfrar, *v. tr.* chaflanar; achaflanar; biselar; escotar; ARQ. aboquillar.
chanqueta, *s. f.* chancleta.
chantagem, *s. f.* chantaje.
chantagista, *s. 2 gén.* chantajista.
chantajear, *v. tr.* chantajear.
chantili, *s. m.* chantilly, chantillí.
chantre, *s. m.* chantre.
chão, **1.** *adj.* llano, plano; allanado, liso; conforme; sencillo; accesible; **2.** *s. m.* suelo, superfície de la tierra; terreno; pavimento.
chapa, *s. f.* chapa; plancha; placa.
chapada, *s. f.* tortazo.
chapado, *adj.* chapado; (*fam.*) igual; perfecto; entero.
chapão, *s. m.* chapuzón.
chapar, *v. tr.* chapear; chapar; acuñar; estampar; marcar, señalar.
chaparia, *s. f.* chapería.
chaparral, *s. m.* chaparral.
chaparreiro, *s. m.* vd. **chaparro**.
chaparro, *s. m.* BOT. chaparro.
chapeado, *adj.* chapado.
chapear, *v. tr.* chapear; chapar; enchapar; acuñar; estampar.
chapeirão, *s. m.* chaperón; sombrerazo.
chapeiro, *s. m.* chapista.
chapelada, *s. f.* sombrerada; sombrerazo; bonetada.
chapelaria, *s. f.* sombrerería.
chapeleira, *s. f.* sombrerera.
chapeleiro, *s. m.* sombrerero.
chapeleta, *s. f.* sombrerillo; sombrerito; chapeleta; chapeta.

chapelinho, *s. m.* sombrerito.

chapéu, *s. m.* sombrero; *chapéu de aba larga*, chambergo; *chapéu cónico*, cucurucho.

chapéu-de-chuva, *s. m.* paraguas.

chapéu-de-sol, *s. m.* sombrillo, guardasol, quitasol.

chapim, *s. m.* chapín; chanclo; patín.

chapinar, *v. tr. e intr.* vd. **chapinhar**.

chapinheiro, *s. m.* vd. **chapinheiro**.

chapinhar, *v. tr. e intr.* chapotear, chapuzar; salpicar; asperjar.

chapinheiro, *s. m.* charco; atolladero.

chapodar, *v. tr.* chapodar.

chapotar, *v. tr.* chapodar.

chapuz, *s. m.* taco, tarugo, tojino (embutido en la pared).

charabã, *s. m.* charabán.

charada, *s. f.* charada; enigma; adivinanza.

charadista, *s. 2 gén.* charadista.

charamela, *s. f.* MÚS. chirimía; charamella; churumbela dulzaina; flauta rústica.

charameleiro, *s. m.* chirimía, tocador de chirimía.

charanga, *s. f.* charanga, cobla.

charão, *s. m.* charol.

charco, *s. m.* charco; charca; poza; aguazal; balsa; embalsadero; llama; regato; lodazal; cilanco; fangal.

charcutaria, *s. f.* chacinería, charcutería.

charivari, *s. m.* desorden; zaragata; alboroto.

charla, *s. f.* charla; parla; parloteo.

charlador, *s. m.* charlador.

charlar, *v. intr.* charlar; parlar.

charlatanaria, *s. f.* charlatanería.

charlatanear, *v. intr.* charlatanear; charlar.

charlatanice, *s. f.* charlatanería.

charlatanismo, *s. m.* charlatanería; curanderismo.

charlatão, *s. m.* charlatán; curandero; trápala; embaidor.

charlateira, *s. f.* dragona, charretera.

charneca, *s. f.* erial; gándara; landa.

charneira, *s. f.* charnela; charneta; bisagra de puerta.

charoado, *adj.* charolado.

charoar, *v. tr.* charolar.

charola, *s. f.* andas, para conducir efigies; nicho.

charpa, *s. f.* charpa, tahalí.

charrete, *s. f.* charrete.

charro, **I.** *adj.* charro; tosco; basto, de mal gusto. **II.** *s. m.* porro.

charrua, *s. f.* arado; (*fig.*) agricultura.

chárter, *s. m.* chárter.

charuteira, *s. f.* cigarrera; petaca; purera.

charuteiro, *s. m.* cigarrero; estanquero.

charuto, *s. m.* cigarro; puro; chicote; (*fraco*) caliqueño.

chasco, *s. m.* chacota; chanza; zumba; chasco, broma, engaño.

chasqueador, *adj. e s. m.* chasqueador, bromista, zumbón.

chasquear, *v. tr. e intr.* chasquear; burlarse; cachifollar; chulear.

chassis, *s. m.* chasis.

chateza, *s. f.* calidad de chato, plano, aplastado.

chatice, *s. f.* majadería; bajeza; impertinencia; peñazo; plomo.

chatim, *s. m.* vd. **chatinador**.

chatinador, *s. m.* bellaco, tunante.

chatinar, *v. intr.* traficar; sobornar.

chato, *adj.* chato; achatado; plano; aplastado; liso; cinche; pelma.

chauvinismo, *s. m.* chauvinismo; machismo.

chauvinista, *adj. e s. 2 gén.* chauvinista; machista.

chavão, *s. m.* llave grande; modelo; patrón; fórmula usual.

chavascal, *s. m.* lugar asqueroso; chapatal; lodazal; ciénaga; pocilga.

chavascar, *v. tr.* chapucear.

chavasco, **1.** *adj.* chanflón; grosero; rudo; chapucero. **2.** *s. m.* ducha.

chavasqueira, *s. f.* tierra mala, estéril, erial, gándara.

chave, *s. f.* llave; clave; cúpula; (*de parafusos*) desatornillador; grifo metálico para toneles; MÚS. pistón, (*fig.*) solución; explicación.

chaveiro, *s. m.* llavero; carcelero; despensero.

chaveiroso, *adj.* (*fam.*) delgado; flaco.

chavelha, *s. f.* chaveta, clavija; timón (del arado).

chavelhão, *s. m.* clavija grande de hierro (en los carros tirados por cuatro bueyes).

chavelho, *s. m.* cuerno.

chávena, *s. f.* taza; jícara.

chaveta, *s. f.* chaveta; clavija; lengüeta; señal gráfico.

chavetar, *v. tr.* asegurar con chavetas o clavijas.

chavo, *s. m.* chavo.

checo, *adj. e s. m.* checo.

chefe, s. 2 gén. jefe, jefa; comandante.

chefia, s. f. jefatura.

chefiar, v. tr. dirigir, comandar; gobernar; encabezar.

chega, s. f. (fam.) censura, reprimenda.

chegada, s. f. llegada; venida; advenimiento; adviento; aproximación; acceso.

chegadeira, s. f. tenaza para acercar el carbón a la fragua; alcahueta.

chegadela, s. f. acercamiento; llegada rápida; (fig.) represión.

chegado, adj. e s. m. allegado; pariente; deudo; cercano; próximo.

chegador, s. m. el que llega; fogonero.

chegamento, s. m. llegada.

chegança, s. m. (fam.) represión; censura.

chegar, v. tr. e intr. llegar; venir; acceder; sobrevenir; pegar; maltratar; dar entrada en; regresar; tocar; bastar, dar abasto.

cheia, s. f. llena; avenida; crecida; riada; inundación.

cheio, adj. lleno; henchido; colmado; grávido; ocupado cubierto; rico; harto; completo; cansado.

cheirar, v. 1. tr. oler; olfatear; meter la nariz; pesquisar. 2. intr. oler, tener olor; exhalar olor; tener semejanza; cheirar mal, atufar.

cheirete, s. m. mal olor; hedor.

cheirinho, s. m. fragancia; perfume agradable.

cheiro, s. m. olor; olfato; fragancia; hedor; (fig.) fama; rastro; indicio.

cheiroso, adj. oloroso; fragante; perfumado.

cheirum, s. m. hedor; pestilencia.

cheque, s. m. cheque; jaque (lance del ajedrez); (fig.) peligro, riesgo; bohemio, checo.

cherivia, s. f. chirrivia.

cherne, s. m. ZOOL. mero; cherna.

cheviote, s. m. cheviot, chevió.

chi, s. m. abrazo.

chiada, s. f. gritería; chillería; chillido; chirrido.

chiadeira, s. f. vd. **chiada**.

chiar, v. intr. chillar; rechinar; chirriar.

chiba, s. f. chiva, cabra joven; cabrita; borrachera; indigestión.

chibança, s. f. jactancia; baladronada; fanfarronería.

chibantaria, s. f. fanfarronada; jactancia; farfantonada.

chibante, adj. 2 gén. orgulloso; bravucón; valentón; fanfarrón.

chibantear, v. intr. baladronar, fanfarronear.

chibantice, s. f. fanfarronería.

chibarrada, s. f. rebaño de chivos o cabritos jóvenes.

chibarreiro, s. m. cabrero.

chibarro, s. m. bode o macho cabrío joven, chivato.

chibata, s. f. vara, para castigar, látigo; vergajo; azote.

chibatada, s. f. varazo; vergajazo; porrazo.

chibatar, v. tr. pegar; castigar; varar; azotar.

chibato, s. m. chivato, cabrito.

chibo, s. m. chivo.

chicana, s. f. sofisma; chicana; chicane; trapacería.

chicanar, v. intr. chicanear.

chicaneiro, s. m. chicanero; trapacero; tramposo.

chicanice, s. f. vd. **chicana**.

chicha, s. f. (fam.) chicha, carne comestible (hablando a los niños).

chícharo, s. m. alcarceña; arvejo.

chicharro, s. m. ZOOL. jurel, chicharro.

chichi, s. m. pipí; pis.

chichisbéu, s. m. cortejador, chichisbeo.

chiclete, s. m. chicle; mascar chicletes, chiclear.

chicória, s. f. BOT. chicoria; escarola.

chicotada, s. f. azote; latigazo, chicotazo; hostigo; trallazo.

chicotar, v. tr. vd. **chicotear**.

chicote, s. m. NÁUT. chicote; verdugo; rebenque; chicote; azotar; vapulear azote; flagelo.

chicotear, v. tr. chicotear; látigo; zurriago.

chieira, s. f. (fam.) vanidad, presunción.

chifarote, s. m. chafarote.

chifra, s. f. raedera, chifla; chaira, cuchilla de zapatero.

chifrar, v. tr. raer; raspar; chiflar.

chifre, s. m. cuerno; asta; (raspador) chifla; pl. cuerna.

chileno, adj. e s. m. chileno.

chíli, s. m. ñora.

chilindró, s. m. chirona.

chilique, s. m. (fam.) desmayo; síncope; vahido; mareo; patatús.

chilrada, s. f. chillido, chirrido (de los pájaros).

chilrar, v. intr. chirriar, chirrear; chillar (los pájaros).

chilreada, s. f. chirrido, chirrío.

chilreador, adj. e s. m. chillador; chirriador.

chilreante, adj. 2 gén. chirriante; gárrulo.

chilrear, v. intr. chirriar; chirrear.

chilreio, s. m. chirrido.

chim, s. m. vd. **chinês.**

chimarra, s. f. roquete; chamarra.

chimpanzé, s. m. ZOOL. chimpancé.

chimpar, v. tr. (fam.) pegar; dar; aplicar.

chincar, v. tr. gozar; atrapar; lucrar; lograr; titubear.

chinchila, s. f. chinchilla.

chinchona, s. f. BOT. chinchona; cincona.

chinchorro, s. m. chinchorro.

chinela, s. f. chinela; chancleta; andar de chinelas, chancletear.

chinelada, s. f. chinelazo.

chineleiro, s. m. fabricante o vendedor de chinelas.

chinelo, s. m. chinela; escarpín; zapato viejo, chancla; zapatilla.

chinês, adj. e s. m. chino; chinesco.

chinesismo, s. m. chinesismo.

chinfrim, s. m. (fam.) barullo; alboroto, bulla.

chinfrinada, s. f. alboroto; cosa ridícula u ordinaria; gazapina.

chinfrinar, v. intr. alborotar; embullar; camorrear.

chinfrineira, s. f. murga.

chino, I. adj. vd. **chinês.** II. s. m. juego popular; cobaya.

chinó, s. m. peluca, cabellera postiza; peluquín; bisoñé.

chinquilho, s. m. (fam.) cinquillo; cinqueño; tejo.

chio, s. m. chillido; chirrido.

chique, 1. adj. 2 gén. chic, acicalado; hermoso; elegante; **2.** s. m. chic.

chiqueiro, s. m. chiquero; cochiquera; pocilga, zahurda.

chiquismo, s. m. rigor de la moda; elegancia.

chirinola, s. f. (fam.) confusión; enredo; embrollo; trampa.

chisnar, v. tr. tostar; torrar; quemar.

chispa, s. f. centella; chispa; chiribita; (fig.) agudeza; talento.

chispar, v. intr. chispear; chisporretear.

chispe, s. m. pezuña del cerdo.

chiste, s. m. chiste; broma; burla; chanza; gracejo; picante; sal.

chistoso, adj. chistoso; gracioso; salado.

chita, s. f. (tecido) algodón estampado; ZOOL. chita.

chitada, s. f. pérdida del juego de cartas sin hacer una baza.

chitão, interj. ¡chitón!, ¡silencio!, ¡chito!

choca, s. f. zumbón; cencerro; cazcarria; vaca.

choça, s. f. cabaña; casucha; cabana; choza; carbón de leña.

chocadeira, s. f. incubadora.

chocalhada, s. f. tableteo; sacudidura, sacudimiento, cencerreo; cencerrada.

chocalhar, v. **1.** tr. agitar, sacudir. **2.** intr. cencerrear; (fig.) chismear.

chocalheiro, adj. que sacude o agita; que lleva cencerro; (fig.) chismero.

chocalhice, s. f. chismería; habladuría.

chocalho, s. m. cencerro; arrancadera; esquilo; esquilón; sonajero; (fig.) chismero, chismoso.

chocante, adj. 2 gén. chocante.

chocar, 1. v. intr. aclocar; encoclar; encoclarse; encobar; fermentar; podrirse; chocar; achocar; colisionar. **2.** tr. empollar, incubar (calentar el ave los huevos).

chocarrear, v. intr. chocarrear.

chocarreiro, adj. e s. m. chocarrero; zumbón; truhán; bobo; albardán; bujón, fufo; bufonesco.

chocarrice, s. f. chocarrería; truhanería; albardanería; bufonada; frescura.

chochice, s. f. insipidez; pl. estupideces.

chochinha, s. 2 gén. estúpido; tacaño.

chocho, adj. seco, vacío (algunos frutos); huero (hablando de huevo); (fig.) insípido; caduco.

choco, 1. adj. clueco; empollado; (ovo) huero; (fig.) podrido; galinha choca, clueca. **2.** s. m. incubación; ZOOL. choco.

chocolate, s. m. chocolate; barra de chocolate, chocolatín, chocolatina.

chocolateira, s. f. chocolatera.

chocolateiro, s. m. chocolatero.

chofrada, s. f. golpe repentino.

chofrar, v. tr. herir de improviso; tirar de súbito; dar; (fig.) herir, vejar.

chofre, s. m. tacazo; golpe repentino; choque.

chofreiro, adj. que hace las cosas repentinamente.

choldra, s. f. (*pop*.) cosa inútil; gente ordinaria; chusma.

choque, s. m. choque; topetón, topetazo; choc; colisión; golpe; achocadura; castaña; chischás; (*fig.*) contienda; oposición; disputa, riña; sacudimiento; conmoción; susto.

choquento, *adj.* clueco; lleno de salpicones de barro; (*fig.*) débil; flaco.

choquice, s. f. tiempo en que la gallina está clueca; (*fig.*) abatimiento; debilidad.

choradeira, s. f. llorona; plañidera; llorera; lloriqueo; gimoteo; llantina.

choradinho, *adj.* tocado o cantado en tono plañidero.

choramingar, v. intr. lloriquear; gimotear; plañir.

chorão, I. s. m. BOT. llorón, sauce llorón. II. adj. e s. m. llorón.

chorar, v. 1. tr. e intr. llorar; lastimar; plañir; derramar lágrimas. 2. *refl.* quejarse; chorar de riso, desternillarse.

chorinca, adj. e s 2 gén. llorón, llorona; quejicoso.

choro, s. m. llanto, lloro; desgarramiento; desgarrón.

choroso, *adj.* lloroso; lacrimoso; lagrimoso; lastimero.

chorrilho, s. m. chorrillo; serie; sarta.

chorudo, *adj.* (*fam.*) gordo; importante; ventajoso; suculento.

chorume, s. m. manteca; grasa; unto; churre; (*fig.*) abundancia; opulencia.

choupa, s. f. chuzo; hierro de dos filos para abatir reses.

choupal, s. m. chopera; cachetero.

choupana, s. f. choza; cabaña; bohío; chozo; casucha; chamizo.

choupo, s. m. BOT. chopo; álamo.

choura, s. f. cada uno de los dos cestos de los pescadores.

chouriça, s. f. especie de chorizo hecho con carne de cerdo y especias.

chouriçada, s. f. cantidad grande de chorizos.

chouriceiro, s. m. choricero.

chouriço, s. m. chorizo; embutido.

choutador, *adj.* dícese del caballo que anda con trote menudo.

choutar, v. intr. andar a trote menudo o gorrinero; pisotear.

chouteiro, *adj.* vd. **choutador**.

chovediço, *adj.* lluvioso, llovedizo.

chover, v. intr. llover; *chover a potes*, chaparrear.

chuçada, s. f. golpe con *chuço*.

chucha, s. f. en el lenguaje infantil, mama.

chuchadeira, s. f. chupada; chupadera; broma.

chuchado, *adj.* chupado; esmirriado; consumido.

chuchar, v. tr. chupar; mamar; mofar.

chuchurrear, v. tr. beber a tragos; beborrotear; chupar.

chuço, s. m. chuzo; paraguas; pl. zuecos.

chué(s), *adj.* flaco; abatido; magro; ordinario; maltrapillo.

chufa, s. f. chufla; cuchufleta; escarnio; superchería; dicterio; dicho picante.

chufar, v. tr. e intr. chufar; chufletear; mofar; escarnecer.

chula, s. f. baile popular.

chulada, s. f. chulada.

chularia, s. f. chulería.

chulé, s. m. (*fam.*) mal olor o sudor de pies.

chulear, v. tr. sobrehilar.

chuleio, s. m. sobrehilo, sobrehilado.

chulice, s. f. chulada; chulería.

chulipa, s. f. (*dos carris*) traviesa; puntapié, zapatazo.

chulista, s. 2 gén. persona que baila o toca la *chula*.

chulo, I. adj. grosero; bajo; chulo; achulado; soez; lascivo. I. s. m. macarra.

chumaçar, v. tr. almohadar; estofar.

chumaceira, s. f. chumacera; MEC. cojinete.

chumaço, s. m. almohadilla; plumón; compresa; hombrera; guata.

chumbada, s. f. plomada; plomo; perdigonada; suspenso (en exámen).

chumbado, *adj.* emplomado, soldado con plomo; tapado, obturado, empastado (diente); suspenso, cateado (en exámen).

chumbagem, s. f. emplomado; soldadura; empaste.

chumbar, v. tr. emplomar; cubrir, asegurar o soldar una cosa con plomo; (*reprovar*) catear.

chúmbeas, s. f. pl. NÁUT. rodelas, piezas con que se aguantan los mástiles hendidos.

chumbeira, s. f. plomada; tarrafa.

chumbeiro, s. m. plomero; perdigón; perdigonera.

chumbo, s. m. plomo, metal; perdigones, granos de plomo; plomada; (*reprovação*) cate; suspensión; *selo de chumbo*, emplomado.

chupa-chupa, *s. m.* chupachups; piruleta; pirulí.

chupadeira, *s. f.* chupador; chupadero; biberón.

chupadela, *s. f.* chupada, chupeteo.

chupado, *adj.* chupado; muy delgado; seco.

chupadoiro, *s. m.* chupadero.

chupador, *adj. e s. m.* chupador.

chupadura, *s. f.* chupadura.

chupa-flor, *s. m.* ZOOL. colibrí, chupamirto.

chupa-mel, *s. m.* BOT. chupamiel.

chupamento, *s. m.* chupamiento.

chupão, *s. m.* (*fam.*) chupetón.

chupar, *v. tr.* chupar; mamar; chupetear; embeber; empapar; absorber; libar; sorber.

chupeta, *s. f.* pipeta; chupete; chupador; tetina; tetilla; pézon, del biberón; *de chupeta*, (*fig.*) de rechupete.

chupista, *s. 2 gén.* chupón; parásito; gorrón; sableador; sablista.

churdo, 1. *adj.* churro; sucio. 2. *s. m.* hombre vil; charrán.

churrascado, *adj.* churrascado, chamuscado.

churrascar, *v. intr.* amoragar.

churrascaria, *s. f.* parrilla.

churrasco, *s. m.* barbacoa; parrilla; churrasco; *fazer churrasco*, amoragar.

churrião, *s. m.* carroza; chirrión; carruaje pesado.

churro, I. *adj.* churro; sucio. II. *s. m.* roña; churre; churrete; porquería en la piel.

chusma, *s. f.* chusma; chusmaje; muchedumbre de gente baja; multitud; morralla.

chuta!, *interj.* ¡chitón!; ¡silencio!

chutar, *v.* 1. *tr.* DESP. chutar. 2. *refl.* (*droga*) chutarse.

chuto, *s. m.* chuto; (*droga*) calada, chute, puntapie.

chuva, *s. f.* lluvia; *chuva molha-tolos*, calabobos, chirimiri.

chuvada, *s. f.* aguacero; chubascada; chubasco.

chuveirada, *s. f.* chaparrada; chubascada; chubasco.

chuveiro, *s. m.* chubasco; chaparrón; aguacero.

chuvinha, *s. f.* llovizna; cilampa; calabobos.

chuviscar, *v. intr.* llovizcar; chispear.

chuvisco, *s. m.* llovizna; cernidillo; chirimiri; sirimiri; cilampa; (*fam.*) calabobos.

chuvisqueiro, *s. m.* llovisna.

chuvoso, *adj.* lluvioso.

cianato, *s. m.* QUÍM. cianato.

cianeto, *s. m.* QUÍM. cianuro.

ciânico, *adj.* QUÍM. ciánico.

cianídrico, *adj.* QUÍM. cianhídrico.

cianite, *s. f.* cianita.

cianose, *s. f.* cianosis.

cianureto, *s. m.* QUÍM. cianuro.

cianúria, *s. f.* cianuria.

ciar, *v. intr.* NÁUT. ciar; cejar; celar, tener celos de.

ciática, *s. f.* MED. ciática.

ciático, *adj.* ANAT. ciático.

cia-voga, *s. f.* NÁUT. ciaboga.

cibalho, *s. m.* alimento, cebo que buscan las aves libres.

cibar, *v. tr.* alimentar; cebar; sustentar; sostener.

cibernética, *s. f.* cibernética.

cibernético, *adj.* cibernético.

cibório, *s. m.* ciborio, copón; píxide; baldaquino.

cicatrícula, *s. f.* cicatriz pequeña; cicatrícula.

cicatriz, *s. f.* cicatriz; señal; chirlo; costurón; lacra.

cicatrização, *s. f.* cicatrización; curación.

cicatrizante, *adj. 2 gén.* cicatrizante.

cicatrizar, *v.* 1. *tr.* cicatrizar; 2. *intr.* cicatrizarse; (*fig.*) desvanecer.

cicatrizável, *adj. 2 gén.* cicatrizable.

cícero, *s. m.* TIP. cícero.

cicerone, *s. m.* cicerone.

ciciar, *v. tr. e intr.* chichear; sisear; cecear; susurrar.

cicio, *s. m.* ceceo; susurro; chicheo; sisco.

cíclame, *s. m.* BOT. ciclamen; artánita.

ciclamino, *s. m.* vd. **cíclame**.

cíclico, *adj. e s. m.* cíclico.

ciclismo, *s. m.* ciclismo.

ciclista, *adj. e s. 2 gén.* ciclista.

ciclo, *s. m.* ciclo.

ciclocrosse, *s. m.* ciclocross.

cicloidal, *adj. 2 gén.* cicloidal.

clóide, *s. f.* cicloide.

ciclomotor, *s. m.* ciclomotor.

ciclone, *s. m.* ciclón; huracán.

ciclónico, *adj.* ciclónico; huracanado.

ciclope, *s. m.* cíclope.

ciclópico, *adj.* ciclópeo.

ciclostilo, s. m. ciclostil, ciclostilo.

ciclóstomos, s. m. pl. ZOOL. ciclóstomos.

cicloturismo, s. m. cicloturismo.

cicnóide, adj. 2 gén.semejante al cisne.

cicuta, s. f. BOT. cicuta.

cicutária, s. f. BOT. cicutaria.

cidadania, s. f. ciudadanía.

cidadão, s. m. ciudadano.

cidade, s. f. ciudad; burgo; urbe.

cidadela, s. f. ciudadela.

cidra, s. f. cidra, fruto del cidro.

cidrada, s. f. cidrada.

cidrão, s. m. acitrón.

cidreira, s. f. BOT. cidro; cidrero.

cieiro, s. m. grieta; paspadura.

ciência, s. f. ciencia; erudición.

ciente, adj. 2 gén. sabedor; sabio; docto; concienciado; *tornar ciente,* concienciar.

científico, adj. científico.

cientismo, s. m. cientismo.

cientista, s. 2 gén. científico; sabio.

cifa, s. f. arena de platero.

cifose, s. f. cifosis.

cifra, s. f. cifra; número, guarismo; escritura secreta; clave; *em cifra,* cifrado.

cifrado, adj. cifrado.

cifrar, v. tr. cifrar; (fig.) resumir; reducir.

ciganada, s. f. gitanería; gitanada.

ciganagem, s. f. gitanería; gitanada.

ciganar, v. intr. proceder como gitano; vd. **trapacear**.

ciganaria, s. f. gitanería.

ciganice, s. f. gitanería; negocio fraudulento; cambalache.

cigano, s. 1. m. gitano; cíngaro; zíngaro. 2. adj. gitano, calé; cañí; romaní; bellaco; embustero, trapacero; ladino.

cigarra, s. f. ZOOL. cigarra, chicharra.

cigarrada, s. f. porción de cigarros; acción de fumar un cigarro.

cigarrar, v. intr. fumar o hacer cigarrillos.

cigarreira, s. f. cigarrera; petaca; pitillera.

cigarreiro, s. m. cigarrero.

cigarrilha, s. f. cigarro pequeño.

cigarro, s. m. cigarrillo; pitillo; pito.

cila, s. f. BOT. cebolla albarrana.

cilada, s. f. celada; emboscada; maquinación; trampa; insidia; asechanza; *armar ciladas,* asechar.

cilha, s. f. cincha, de las caballerías.

cilhão, s. m. cinchón, cincha grande.

cilhar, v. tr. cinchar; ceñir; apretar.

ciliar, adj. 2 gén. ciliar.

ciliciar, v. 1. tr. mortificar con cilicio. 2. refl. mortificarse con cilicio.

cilício, s. m. cilicio; tormento; (fig.) mortificación.

cilindrada, s. f. cilindrada.

cilindrar, v. tr. cilindrar.

cilíndrico, adj. cilíndrico.

cilindro, s. m. cilindro; rodillo; rulo.

cilindro-eixo, s. m. cilindroeje.

cílio, s. m. cilio; pestaña; ceja.

cima, s. f. cima; cumbre; alto; *de cima a baixo,* de arriba a bajo; *em cima,* encima.

cimácio, s. m. ARQ. cimacio.

cimalha, s. f. ARQ. cimacio.

cimba, s. f. ARQUEOL. cimba.

címbalo, s. m. MÚS. címbalo.

cimbre, s. m. ARQ. cimbra, cerchón.

cimeira, s. f. cimera; yelmo; BOT. tipo de inflorescencia.

cimeiro, adj. cimero.

cimentar, v. tr. mezclar o cubrir con cemento; (fig.) cimentar, consolidar; fundamentar.

cimento, s. m. cimento; cemento; *cimento armado,* ferro hormigón; hormigón armado.

cimitarra, s. f. cimitarra; alfanje.

cimo, s. m. cima; cumbre; alto; copete.

cimógrafo, s. m. cimógrafo; kimógrafo; manómetro.

cinabre, s. m. vd. **cinábrio**.

cinábrio s. m. cinabrio; almazarrón; bermellón.

cinamomo, s. m. cinamomo; alcanfor; alcanforero.

cinca, s. f. cinca; (fig.) falta; yerro; descuido.

cincar, v. intr. dar cincas; errar; equivocarse.

cincha, s. f. cincha.

cinchar, v. tr. cinchar.

cincho, s. m. cincho.

cinco, num. card. e s. m. cinco.

Cinderela, s. f. Cenicienta.

cindir, v. tr. escindir; cortar; separar; dividir; (fig.) desavenir.

cindível, adj. 2 gén. escindible.

cine, s. m. vd. **cinema**.

cineasta, s. 2 gén. cineasta.

cineclube, s. m. cineclub.

cinéfilo, adj. e s. m. cinéfilo.

cinegética, s. f. cinegética.

cinegético, adj. cinegético.

cinema, s. m. cine; cinema; cinematógrafo.
cinemascópio, s. m. cinemascope.
cinemateca, s. f. cinemateca; filmoteca.
cinemática, s. f. cinemática.
cinematografia, s. f. cinematografía.
cinematográfico, adj. cinematográfico.
cinematógrafo, s. m. cinematógrafo.
cineração, s. f. cineración; incineración; cremación.
cinerama, s. m. cinerama.
cinerar, v. tr. incinerar; cremar.
cineraria, s. f. BOT. cineraria.
cinerário, adj. cinerario; cinéreo; fúnebre.
cinéreo, adj. cinéreo; cineríceo.
cinestesia, s. f. cinestesia.
cinética, s. f. cinética.
cinético, adj. cinético.
cingel, s. m. yunta de bueyes.
cingelada, s. f. vd. **cingel.**
cingidouro, s. m. ceñidor, cinto; faja; cinturón.
cingir, v. 1. tr. cingir; ceñir; encintar; apretar; ligar; rodear. 2. refl. limitarse.
cíngulo, s. m. cíngulo.
cínico, adj. cínico; desfachatado.
cinismo, s. m. cinismo; desfachatez.
cinofagia, s. f. cinofagia.
cinofilia, s. f. cinofilia.
cinorexia, s. f. MED. cinorexia.
cinquenta, num. card. cincuenta.
cinquentena, s. f. cincuentena.
cinquentenário, s. m. cincuentenario.
cinta, s. f. cinta; cinto; precinto; cinturón; ceñidor; cincho; faja; talle; cintura; (de livro) cadeneta; (de charuto) vitola.
cintar, v. tr. cintar; precintar; fajar; ceñir; encintar; precintar; entallar.
cinteiro, s. m. cintero.
cintel, s. m. cintel; cintrel; cintra.
cintilação, s. f. centelleo; fulguración; destello; parpadeo.
cintilante, adj. 2 gén. centelleante; fulgurante; vivo; luminoso.
cintilar, v. 1. intr. centellear; centellar; destellar; parpadear; resplandecer. 2. tr. irradiar.
cintilho, s. m. cintillo.
cinto, s. m. cinto; cinturón; ceñidor; zona; cerca.
cintura, s. f. talle; cintura; cerca; zona.
cinturão, s. m. cinturón; talabarte.
cinza, I. s. f. ceniza. II. adj. 2 gén. cenizo.
cinzeiro, s. m. cenicero.
cinzel, s. m. cincel; cortafrío.

cinzelado, adj. cincelado.
cinzelador, s. m. cincelador; escultor; grabador.
cinzeladura, s. f. cinceladura.
cinzelar v. tr. cincelar; esculpir; celar; (fig.) esmerar.
cinzento, adj. ceniciento; gris; cenizo; cinereo.
cio, s. m. celo; brama.
cioso, adj. celoso; puntilloso; envidioso.
cipo, s. m. ARQ. cipo, trozo de columna; hito, mojón.
cipó, s. m. BOT. cipó, isipó; aguinaldo; bejuco; porra; cipión; palo.
cipoal, s. m. bejucal.
cipreste, s. m. BOT. ciprés.
ciprino, s. m. aceite obtenido de la alfenia.
cipriota, adj. e s. 2 gén. chipriota.
ciranda, s. f. zaranda; criba; cedazo; danza popular.
cirandagem, s. f. zarandeo.
cirandar, v. 1. tr. zarandear; zarandar; desgranar; cribar; bailar la ciranda. 2. intr. corretear.
circassiano, s. m. circasiano.
circense, 1. adj. 2 gén. circense. 2. s. m. pl. circenses.
circo, s. m. circo; coliseo.
circuitar, v. tr. e intr. circular; rodear; cercar; girar.
circuito, s. m. circuito; circunferencia; círculo; vuelta; rodeo; corro; contorno; ámbito.
circulação, s. f. circulación; tránsito; (de letras, cheques) giro; tiraje.
circulante, adj. 2 gén. circulante.
circular, I. v. tr. circular; rodear; girar; andar; transitar. II. s. f. carta circular. III. adj. 2 gén. circular.
circulatório, adj. circulatorio; giratorio; aparelho circulatório, aparato circulatorio.
círculo, s. m. círculo; circo; anillo; arco; área; corro; redondel; (fig.) asamblea.
circum-navegação, s. f. circunnavegación.
circum-navegar, v. tr. e intr. circunnavegar.
circumpolar, adj. 2 gén. alrededor del polo.
circuncidado, adj. circunciso.
circuncidar, v. tr. circuncidar.
circuncisão, s. f. circuncisión.
circunciso, adj. e s. m. circunciso.

circundação, s. f. circundación; circunducción.

circundante, adj. 2 gén. circundante.

circundar, v. tr. circundar; rodear; ceñir; arranchar.

circunferência, s. f. circunferencia.

circunflexo, adj. circunflejo; acento circunflejo, circunflejo.

circunfluência, s. f. movimiento circular de un líquido o flúido.

circunfluente, adj. 2 gén. que corre o se mueve alrededor de.

circunfluir, v. tr. e intr. correr en derredor de.

circunfuso, adj. circunfuso.

circunjacente, adj. 2 gén. circunyacente.

circunlocução, s. f. circunlocución; perífrasis.

circunlóquio, s. m. pl. circunlocución; pl. ambages.

circunscrever, v. tr. circunscribir, localizar; limitar.

circunscrição, s. f. circunscripción.

circunspecção, s. f. circunspección; aplomo.

circunspecto, adj. circunspecto; prudente, cuerdo.

circunstância, s. f. circunstancia; condición; requisito; motivo; caso.

circunstancial, adj. 2 gén. circunstancial.

circunstanciar, v. tr. circunstanciar; detallar.

circunstante, adj. e s. 2 gén. circunstante; pl. espectadores, auditorio.

circunvagante, adj. 2 gén. que gira alrededor; que divaga; errante.

circunvagar, v. tr. e intr. andar alrededor; mover alrededor; vagar, errar.

circunvalação, s. f. circunvalación.

circunvalar, v. tr. circunvalar.

circunvizinhança, s. f. cercanía; alrededor; arrabal; proximidad.

circunvizinho, adj. circunvecino; próximo; cercano.

circunvolução, s. f. circunvolución.

circunvoar, v. tr. e intr. circunvolar.

cireneu, s. m. cirenaico; cireneo.

cirial, s. m. cirial.

cirieiro, s. m. fabricante o vendedor de cirios o velas; velero.

círio, s. m. cirio, vela grande de cera; romería a algún santuario.

cirrípede, s. m. ZOOL. cirrópodo.

cirro, s. m. BOT. cirro; ZOOL. cirro; tentáculos; MED. cirro, cáncer; chancro; cirros, nubes.

cirrose, s. f. cirrosis.

cirroso, adj. cirroso.

cirrótico, adj. cirrótico.

cirurgia, s. f. cirugía.

cirurgião, s. m. cirujano.

cirúrgico, adj. cirúrgico; quirúrgico.

cisalha, s. f. cizalha.

cisalpino, adj. cisalpino.

cisão, s. f. cisión; escisião; cisura; incisión; fisión; separación; corte.

cisbordo, s. m. estribor.

cisca, s. f. cisca.

ciscalhada, s. f. cisco; barreduras; basura.

cisco, s. m. cisco; carbón muy menudo; basura; barreduras.

cisma, s. 1. f. cisma; devaneo; opinión errada; manía. 2. m. REL. cisma.

cismador, adj. e s. m. cismático.

cismar, v. 1. tr. cavilar; reflexionar; meditar. 2. intr. preocuparse; barruntar.

cismático, adj. cismático; maniático.

cismontano, adj. cismontano.

cisne, s. m. ZOOL. cisne.

cissiparidade, s. f. fisiparidad.

cissíparo, adj. fisíparo.

cissura, s. f. ANAT. cisura.

cistalgia, s. f. cistalgia.

cisterciense, adj. e s. 2 gén. cisterciense.

cisterna, s. f. cisterna.

cisticerco, s. m. ZOOL. cisticerco.

cístico, adj. ANAT. cístico.

cistite, s. f. cistitis.

cisto, s. m. bobanillo.

citação, s. f. cita, citación.

citadino, adj. e s. m. ciudadano.

citar, v. tr. citar; mencionar; llamar; transcribir; emplazar, aplazar, convocar.

cítara, s. f. MÚS. cítara.

citaredo, s. m. citaredo; citarista.

citarista, s. 2 gén. MÚS. citarista.

citatório, adj. citatorio.

citerior, adj. 2 gén. citerior.

cítola, s. f. cítola.

citoplasma, s. m. citoplasma.

citrato, s. m. QUÍM. citrato.

citreiro, adj. cetrero.

cítreo, adj. cítrico.

cítrico, adj. QUÍM. cítrico.

citrino, adj. citrino; alimonado.

ciúme, s. m. celos envidia; emulación; achares; com ciúmes, celosamente; encelado.

ciumeira, *s. f.* *(fam.)* celos amorosos excesivos.

ciumento, *adj.* celoso; envidioso.

cível, **1.** *adj.* 2 *gén.* civil. **2.** *s. m.* jurisdicción de los tribunales que juzgan causas civiles.

civeta, *s. f.* civeta.

cívico, **1.** *adj.* cívico; patriótico. **2.** *s. m.* guardia civil.

civil, *adj.* 2 *gén.* civil.

civilidade, *s. f.* civilidad; urbanidad; cortesía; etiqueta.

civilista, *adj.* 2 *gén.* civilista.

civilização, *s. f.* civilización.

civilizado, *adj.* civilizado; bien educado; culto; progresivo.

civilizador, *adj.* e *s. m.* civilizador.

civilizar, *v. tr.* civilizar; desasnar; pulir; urbanizar.

civilizável, *adj.* 2 *gén.* civilizable.

civilmente, *adv.* civilmente.

civismo, *s. m.* civismo.

cizânia, *s. f.* cizaña; discordia; *semear cizânia*, *(fig.)* encizañar.

clã, *s. m.* clán; grey.

clamador, *adj.* e *s.* 2 *gén.* clamador.

clamar, *v.* **1.** *tr.* clamar; implorar; exigir; reclamar. **2.** *intr.* gritar; protestar.

clâmide, *s. f.* clámide.

clamor, *s. m.* clamor; grito; voz pública; algara; apellido.

clamoroso, *adj.* clamoroso; lloroso; quejoso.

clandestinidade, *s. f.* clandestinidade.

clandestino, *adj.* clandestino; secreto.

clangor, *s. m.* clangor.

claque, *s. f.* claque; *(chapéu alto)* clac.

clara, *s. f.* clara, esclerótica.

clarabela, *s. f.* MÚS. organillo.

clarabóia, *s. f.* claraboya, tragaluz; linterna; lucera; lucerna.

clarão, *s. m.* clarón; resplandor; rayo; destello; fogonazo; relumbrón.

clarear, *v. tr.* e *intr.* blanquear; aclarar; aclararse; clarear; *(tempo)* escampar.

clareira, *s. f.* claro; calva; calvero; *(vinhas, olivais)* marra.

clarete, *adj.* 2 *gén.* clarete.

clareza, *s. f.* claridad; limpidez; pureza.

claridade, *s. f.* claridad; brillo; esplendor; albura; lumbre.

clarificação, *s. f.* clarificación; blanqueo.

clarificador, *adj.* clarificador.

clarificar, *v. tr.* clarificar; branquear; aclarar.

clarificativo, *adj.* clarificativo.

clarim, *s. m.* MÚS. clarín; clarinero.

clarinete, *s. m.* MÚS. clarinete.

clarinetista, *s.* 2 *gén.* clarinetista.

clarista, *adj.* e *s. f.* clarisa.

clarividência, *s. f.* clarividencia.

clarividente, *adj.* 2 *gén.* clarividente.

claro, **1.** *adj.* claro; iluminado; brillante; neto; evidente; patente; obvio; explícito; manifesto; netista; límpido; lúcido; meridiano; transparente; cierto **2.** *s. m.* espacio en blanco.

claro-escuro, *s. m.* claroscuro.

classe, *s. f.* clase; género; rango; graduación; categoría; cualidad; orden; aula; cátedra; estamento; *de classe*, fardón.

clássicas, *s. f. pl.* clásicas.

classicismo, *s. m.* clasicismo.

clássico, *adj.* clásico.

classificação, *s. f.* clasificación; calificación.

classificador, *s. m.* calificador; classificador; *(móvel)* casillero.

classificar, *v. tr.* clasificar; calificar; catalogar.

classismo, *s. m.* clasismo.

classista, *adj.* e *s.* 2 *gén.* clasista.

clástico, *adj.* clástico.

claudicação, *s. f.* claudicación.

claudicante, *adj.* 2 *gén.* claudicante.

claudicar, *v. intr.* claudicar; cojear.

claustral, *adj.* 2 *gén.* claustral.

claustro, *s. m.* claustro.

claustrofobia, *s. f.* claustrofobia.

cláusula, *s. f.* cláusula; artículo.

clausular, **1.** *adj.* 2 *gén.* relativo a la cláusula. **2.** *tr.* clausurar; enclaustrar.

clausura, *s. f.* clausura; encierro; claustro; convento.

clausurar, *v. tr.* e *refl.* enclaustrar; clausurar.

clava, *s. f.* clava (arma); porra, cachiporra; maza.

clave, *s. f.* MÚS. clave; llave.

clavecino, *s. m.* MÚS. clave, clavicordio, clavecímbano; clavecino.

claveiro, *s. m.* clavero, llavero, clavario.

clavicímbalo, *s. m.* MÚS. clavicémbalo.

clavicórdio, *s. m.* MÚS. clavicordio.

clavícula, *s. f.* ANAT. clavícula.

claviculário, *s. m.* vd. **chaveiro.**

clavina, *s. f.* carabina.

cláxon, s. m. claxon.
clematite, s. f. BOT. clemátide.
clemência, s. f. clemencia; indulgencia; amenidad.
clemente, adj. 2 gén. clemente; indulgente.
clementina, s. f. clementina.
clepsidra, s. f. clepsidra (reloj de agua).
cleptomania, s. f. cleptomanía.
cleptómano, s. m. cleptómano.
clerezia, s. f. clerecía, clase clerical.
clerical, adj. 2 gén. clerical.
clericalismo, s. m. clericalismo.
clericato, s. m. clericato; sacerdocio.
clérigo, s. m. clérigo, sacerdote.
clero, s. m. clero.
cliché, s. m. clisé; triz; cliché.
cliente, s. 2 gén. cliente; parroquiano.
clientela, s. f. clientela.
clima, s. m. clima; ciclo.
climatérico, adj. climatérico.
climático, adj. climático.
climatização, s. f. climatización.
climatizado, adj. climatizado.
climatizar, v. tr. climatizar.
climatologia, s. f. climatología.
climatológico, adj. climatológico.
clímax, s. m. climax.
clínica, s. f. clínica; consultorio médico.
clínico, adj. e s. m. médico, clínico.
clinómetro, s. m. clinómetro.
clipe, s. m. clip.
clister, s. m. ayuda; lavativa; clister; clistel; enema.
clítoris, s. m. ANAT. clítoris.
clivagem, s. f. propiedad que tienen ciertos minerales de dividirse.
clivar, v. tr. dividir un mineral según ciertos planos.
clivoso, adj. inclinado; escarpado; pendiente; clivoso.
cloaca, s. f. cloaca; letrina; retrete; cavidad terminal del intestino.
clonar, v. tr. clonar.
clone, s. m. clon.
cloral, s. m. QUÍM. cloral.
clorato, s. m. QUÍM. clorato.
cloremia, s. f. presencia de cloro en la sangre.
cloreto, s. m. QUÍM. cloruro.
clórico, adj. QUÍM. clórico.
cloridrato, s. m. QUÍM. clorhidrato.
clorídrico, adj. QUÍM. clorhídrico.
cloro, s. m. QUÍM. cloro.

clorofila, s. f. clorofila.
clorofilino, adj. clorofílico.
clorofórmico, adj. QUÍM. clorofórmico.
clorofórmio, s. m. QUÍM. cloroformo.
cloroformização, s. f. cloroformización.
cloroformizar, v. tr. cloroformizar.
cloromicetina, s. f. cloromicetina.
cloroplasta, s. m. cloroplasto.
cloroplasto, s. m. cloroplasto.
clorose, s. f. MED. clorosis; anemia.
clube, s. m. club; asamblea; círculo; casino.
clubista, adj. e s. 2 gén. clubista.
côa, s. f. colada.
coabitação, s. f. cohabitación.
coabitar, v. tr. cohabitar; convivir.
coação, s. f. coladura.
coacção, s. f. coacción; coerción.
coacto, adj. constreñido; coactado; coaccionado.
co-acusado, s. m. coacusado.
coada, s. f. colada; coladura.
coadjutor, adj. e s. m. coadjutor.
coadjuvação, s. f. auxilio; ayuda; cooperación.
coadjuvante, adj. e s. 2 gén. coadyuvante.
coadjuvar, v. tr. coadyuvar; ayudar; cooperar.
co-administrar, v. tr. administrar juntamente con otro.
coado, adj. colado.
coador, s. m. colador, coladero; pasador; escurridor; espumadera; filtro.
coadquirir, v. tr. coadquirir.
coadunação, s. f. coadunamiento, coadunación.
coadunar, v. tr. coadunar; adaptar; cuadrar.
coadura, s. f. coladura.
coagir, v. tr. coactar; coartar; coaccionar; coercer.
coagulação, s. f. coagulación.
coagulado, adj. coagulado; cuajado.
coagulador, 1. adj. coagulador. **2.** s. m. cuajar.
coagulante, adj. 2 gén. e s. m. coagulante.
coagular, v. tr. e intr. coagular; solidificar; cuajar; llenar; engrumecerse.
coagulável, adj. 2 gén. coagulable.
coágulo, s. m. coágulo; cuajarón; cuajo; grumo.
coala, s. m. coala.
coalescência, s. f. coalescencia.
coalescente, adj. 2 gén. coalescente; adherente; aglutinante.

coalhada, *s. f.* cuajada.
coalhado, *adj.* cuajado; coagulado.
coalhadura, *s. f.* cuajo.
coalhar, *v. tr. e intr.* cuajar; coagular; engrumecerse.
coalheira, *s. f.* cuajo; cuajar; collera.
coalho, *s. m.* cuajarón; coágulo; cuajo.
coalizão, *s. f.* coalición.
coalizar-se, *v. refl.* coalizarse.
coar, *v. tr.* colar, filtrar; despumar; espumar.
coarctação, *s. f.* coartación.
coarctada, *s. f.* coartada; coartación.
coarctar, *v. tr.* coartar; coercer; restringir; limitar.
co-associado, *s. m.* coasociado.
co-autor, *s. m.* coautor.
coaxar, *v. intr.* croar.
coaxial, *adj. 2 gén.* coaxial.
coaxo, *s. m.* el canto de la rana.
cobaia, *s. f.* ZOOL. cobaya, conejillo de Indias.
cobalto, *s. m.* cobalto.
cobarde, *adj. 2 gén.* cobarde; pusilánime; medroso; amilanado; menguado.
cobardia, *s. f.* cobardía; pusilanimidad.
cobardice, *s. f.* vd. **cobardia**.
coberta, *s. f.* cubierta; funda; (*fig.*) protección; NÁUT. cubierta.
coberto (*ê*), *s. m.* cobertizo; cubierto.
coberto, *adj.* cubierto, abrigado, tapado, defendido.
cobertor, *s. m.* cobertor, cubrecama; manta; colcha.
cobertura, *s. f.* cubierta; tapadera; cobertura; revestimiento; techo; tejado; techumbre; capa; capuchón; velo; tapa; *cobertura de circo*, carpa; *cobertura de secretária*, carpeta; *cobertura de chumbo*, emplomado.
cobiça, *s. f.* codicia; ansia; avidez.
cobiçado, *adj.* codiciado.
cobiçar, *v. tr.* codiciar; ambicionar.
cobiçável, *adj. 2 gén.* codiciable, apetecible.
cobiçoso, *adj.* codicioso; ávido; deseoso.
cobra, *s. f.* ZOOL. culebra; cobra; serpiente; bicha; boa.
cobrador, *s. m.* cobrador; recaudador.
cobrança, *s. f.* cobro.
cobrar, *v. tr.* cobrar; recuperar; recaudar; recibir; ganar.
cobrável, *adj. 2 gén.* cobrable.
cobre, *s. m.* cobre; *pl.* (*fam.*) perra.

cobreado, *adj.* cobrizo.
cobrear, *v. tr.* dar el aspecto o color del cobre.
cobre-nuca, *s. f.* cogotera; cubrenuca.
cobrição, *s. f.* cubrición; cubrimiento.
cobrir, *v.* **1.** *tr.* cubrir; tapar; ocultar; cobijar; revestir; alfombrar; proteger; ahogar; padrear (animales). **2.** *refl.* ponerse el sombrero; entoldarse; *cobrir de areia*, arramblar; *cobrir com manta*, amantar; *cobrir-se de pequenas nuvens*, aborregarse.
cobro, *s. m.* cobro, término, fin.
coca, *s. f.* BOT. coca; hayo.
coça, *s. f.* rascamiento; (*fig.*) tunda, soba; zurra; paliza.
cocada, *s. f.* cocada, dulce de coco.
coçado, *adj.* gastado; raspado; tronado.
coçadura, *s. f.* raseadura.
cocaína, *s. f.* QUÍM. cocaína.
cocainómano, *adj. e s. m.* cocainómano.
cocanha, *s. f.* cucaña.
cocar, **I.** *v. tr.* acechar, espiar. **II.** *s. m.* penacho de sombrero; lazo en la cabeza; distintivo.
coçar, *v. tr.* rascar; (*fam.*) sobar; pegar, batir.
cocção, *s. f.* cocción; digestión de los alimentos en el estómago.
coccige, *s. m.* ANAT. cóccix; cóxis.
cóccix, *s. m.* ANAT. cóccix; coxis.
cócegas, *s. f. pl.* cosquillas, (*fig.*) desavenencia; tentación; *fazer cócegas*, cosquillear.
coceguento, *adj.* cosquilloso.
coceira, *s. f.* comezón; picazón; rascazón; prurito.
cocha, *s. f.* NÁUT. ramal (de un cable); corcha; empeño.
coche, *s. m.* coche.
cocheira, *s. f.* cochera; cuadra; caballeriza; box.
cocheiro, *s. m.* cochero; ASTR. auriga.
cochichada, *s. f.* cuchicheo, machucamiento.
cochichar, *v. tr. e intr.* cuchichear; bisbisear; musitar; secretear.
cochicho, *s. m.* cuchicheo; bisbiseo; secreteo.
cochilar, *v. intr.* dormitar.
cochinada, *s. f.* cochinería.
cochinilha, *s. f.* ZOOL. cochinilla; grana; púrpura.

cochino, s. m. puerco; cerdo; cochino; gorrino; marrano.

cocho, s. m. batea.

cochonilha, s. f. vd. **cochinilha.**

cóclea, s. f. caracol.

cociente, s. m. cociente.

coco, s. m. coco (fruto); (bactéria) coco; coco verde, laña.

cócoras, s. f. pl., de cócoras, en cuclillas.

cocote, s. f. cocote; ramera.

cocuruto, s. m. coronilla; cocorota; (fig.) pináculo; cima; cumbre.

coda, s. f. MÚS. coda.

códão, s. m. carámbano.

côdea, s. f. corteza; cáscara; corrusco; coscurro; costra; cuscurro; (fig.) mendrugo.

côdeas, s. m. pringoso; mugriento; sucio.

codeína, s. f. QUÍM. codeína.

côdeo, s. m. mugre.

codessal, s. m. codesera; jijallar.

codesso, s. m. BOT. codeso; jijallo.

codeúdo, adj. cortezudo; cascarudo.

códex, s. m. códice.

códice, s. m. códice.

codícia, s. f. codicia.

codicilar, adj. 2 gén. codicilar.

codicilo, s. m. codicilo.

codicioso, adj. codicioso.

codificação, s. f. codificación.

codificador, adj. e s. m. codificador.

codificar, v. tr. codificar.

código, s. m. código; cifra; em código, cifrado.

codilhar, v. tr. ganar el codillo (en el juego del tresillo); (fig.) lograr; perjudicar.

codilho, s. m. codillo.

co-director, s. m. codirector.

codorniz, s. f. ZOOL. codorniz.

coeducação, s. f. coeducación.

coeficiente, s. m. coeficiente.

coelha, s. f. coneja.

coelheira, s. f. conejera; conejar; vivar; collera, collar (del caballo).

coelheiro, adj. conejero.

coelho, s. m. conejo.

coempção, s. f. compra en común.

coentro, s. m. BOT. cilantro.

coerção, s. f. coerción; represión; coacción.

coercibilidade, s. f. coercibilidad.

coercível, adj. 2 gén. coercible.

coercivo, adj. coercitivo; coactivo.

coerência, s. f. coherencia; nexo; congruencia.

coerente, adj. 2 gén. coherente; conexo; congruente.

coesão, s. f. cohesión.

coesivo, adj. cohesivo.

coetâneo, adj. coetáneo; coevo; contemporáneo.

co-eternidade, s. f. coeternidad.

co-eterno, adj. coeterno.

coevo, adj. coetáneo; coevo.

coexistência, s. f. coexistencia.

coexistente, adj. 2 gén. coexistente.

coexistir, v. intr. coexistir.

cofiar, v. tr. atusar; alisar con la mano (la barba o el bigote).

cofragem, s. f. encofrado.

cofrar, v. tr. encofrar.

cofre, s. m. caja de caudales; cofre; arca; cofres do Estado, arcas públicas.

cofre-forte, s. m. caja fuerte.

co-gestão, s. f. cogestión.

cogitabundo, adj. cabizbajo; cogitabundo.

cogitação, s. f. cogitación; meditación.

cogitar, v. tr. e intr. cogitar, meditar; reflexionar.

cogitativo, adj. cogitativo.

cognação, s. f. cognación.

cognato, adj. e s. m. cognato; pariente.

cognição, s. f. cognición.

cognitivo, adj. cognoscitivo.

cognome, s. m. apellido; sobrenombre; epíteto; apodo.

cognominação, s. f. cognominación.

cognominar, v. tr. cognominar; apodar.

cognoscitivo, adj. cognoscitivo.

cognoscível, adj. 2 gén. cognoscible.

cogombro, s. m. BOT. cohombro.

cogote, s. m. ANAT. cogote.

cogula, s. f. cogulla; cuculla; casulla.

cogulado, adj. colmado.

cogular, v. tr. colmar.

cogulo, s. m. colmo; exceso.

cogumelo, s. m. BOT. hongo; champiñón; níscalo; seta.

co-herdar, v. tr. e intr. coheredar.

co-herdeiro, s. m. coheredero.

coibição, s. f. cohibición; abstención.

coibir, v. 1. tr. cohibir; reprimir. 2. refl. contenerse.

coice, s. m. coz, retaguardia; culatazo.

coicear, v. intr. cocear, dar coces.

coiceira, s. f. quicial.

coifa, s. f. cofia; talega.

coima, s. f. coima; multa.

coimar, v. tr. aplicar la coima; multar.

coinar, *v. tr.* abalear.
coincidência, *s. f.* coincidencia.
coincidente, *adj. 2 gén.* coincidente.
coincidir, *v. intr.* coincidir; concurrir.
coiote, *s. m.* coyote.
coirmão, *adj.* cohermano.
coiro, *s. m.* vd. couro.
coisa, *s. f.* cosa.
coitado, *adj.* cuitado; afligido; apenado.
coito, *s. m.* coito; cópula carnal.
cola, *s. f.* cola; engrudo; engomado.
colaboração, *s. f.* colaboración; concurso.
colaborador, *adj. e s. m.* colaborador.
colaborar, *v. intr.* colaborar.
colação, *s. f.* colación; comparación; pequeña comida fuera de horas.
colacia, *s. f.* relación entre hermanos de leche.
colacionar, *v. tr.* colacionar.
colaço, *adj. e s. m.* colactáneo.
colada, *s. f.* collado; desfiladero; cañada; garganta.
colador, *s. m.* aquél que cola; aparato para colar; *colador de cartazes*, fijacarteles.
colagem, *s. f.* colada; coladura; pegadura; *(quadro)* collage.
colagénio, *s. m.* colágeno.
colagogo, *adj.* MED. colagogo.
colalgia, *s. f.* MED. colalgia.
colapsar, *v. tr.* colapsar.
colapso, *s. m.* colapso; desplome; quiebra.
colar, I. *v. tr.* colar, encolar; engomar; engrudar; conglutinar; pegar; unir; clarificar; depurar (los vinos). II. *s. m.* collar, gargantilla; cuello; solapa.
colareja, *s. f.* verdulera.
colarinho, *s. m.* cabezón; cuello; collarín; gola; alzacuello; collar; ARQ. collarino.
colateral, *adj. 2 gén.* colateral.
colativo, *adj.* colativo.
colcha, *s. f.* colcha; colgadura; cobertor; cubrecama.
colchão, *s. m.* colchón; jerga; somier.
colcheia, *s. f.* MÚS. corchea.
colcheta, *s. f.* corcheta.
colchete, *s. m.* corchete; gafete.
colchoaria, *s. f.* colchonería.
colchoeiro, *s. m.* colchonero.
coldre, *s. m.* pistolera; goldre; aljaba; carcaj.
coleado, *adj.* en forma de regazo; sinuoso; serpenteado.
colecção, *s. f.* colección; compilación; conjunto; *colecção de amostras*, muestrario.

coleccionador, *s. m.* coleccionista.
coleccionar, *v. tr.* coleccionar.
coleccionista, *s. 2 gén.* coleccionista.
colecistite, *s. f.* colecistitis.
colecta, *s. f.* colecta.
colectânea, *s. f.* colectánea.
colectar, *v. tr.* colectar; tributar.
colectável, *adj. 2 gén.* tributable; imponible.
colectividade, *s. f.* colectividad.
colectivismo, *s. m.* colectivismo.
colectivista, *s. 2 gén.* colectivista.
colectivização, *s. f.* colectivización.
colectivizar, *v. tr.* colectivizar.
colectivo, *adj. e s. m.* colectivo.
colector, 1. *adj.* colector; coleccionador. 2. *s. m.* colectador (el que colecta), recaudador.
colega, *s. 2 gén.* colega; compañero, compañera.
co-legatário, *s. m.* colegatario.
colegiada, *s. f.* colegiata.
colegial, *adj. e s. 2 gén.* colegial.
colégio, *s. m.* colegio.
coleira, *s. f.* carlanca; collar; collera.
coleirado, *adj.* que trae collar (hablando de animales).
coleóptero, *adj. e s. m.* ZOOL. coleóptero.
cólera, *s. f.* cólera; enojo; ira; enfado; furia; rabia; saña.
cólera-morbo, *s. m. e f.* MED. cólera.
colérico, *adj.* colérico; irascible; irritable; iracundo; corajudo.
coleriforme, *adj. 2 gén.* coleriforme.
colerina, *s. f.* colerina.
colesterol, *s. m.* colesterol.
coleta, *s. f.* coleta.
colete (*ê*), *s. m.* chaleco; coletillo; chupa.
colgadura, *s. f.* colgadura; tapicería; albenda; cobertor.
colgar, *v. tr.* colgar; suspender.
colhedor, *adj. e s. m.* cogedor.
colheita, *s. f.* cosecha; recolección; *(fam.)* cogida.
colheiteiro, *s. m.* cosechero; guillote.
colher, *s. f.* cuchara; cucharada; *(de pedreiro)* paleta; trulla.
colher (*ê*), *v. tr.* cosechar; coger; recolectar; agarrar; asir; tomar; obtener; extraer; apañar; esquilmar.
colherada, *s. f.* cucharada.
colherão, *s. m.* cucharón.
colhereiro, *s. m.* cucharero.

colherzinha, *s. f.* cucharilla.
colhida, *s. f.* cogida.
colhido, *adj.* cogido; apañado.
colibri, *s. m.* ZOOL. colibrí; picaflor.
cólica, *s. f.* cólico; retortijón.
colidir, *v. tr. e intr.* colidir; colisionar; ludir; frotar.
coligado, *adj.* coligado; combinado.
coligação, *s. f.* coligación; alianza; confederación; cártel.
coligar, *v.* **1.** *tr.* coligar; deducir; reunir; concluir. **2.** *refl.* coligarse.
coligir, *v. tr.* colegir.
colimação, *s. f.* colimación.
colimador, *s. m.* colimador.
colina, *s. f.* colina; otero; alcor; collado.
colinoso, *adj.* lleno de colinas.
colírio, *s. m.* colirio.
colisão, *s. f.* colisión; lucha; choque, choc; chischás.
coliseu, *s. m.* coliseo.
colite, *s. f.* MED. colitis.
colmar, *v. tr.* cubrir con rastrojos; elevar; sublimar; llenar.
colmatagem, *s. f.* colmataje.
colmatar, *v. tr.* colmatar; colmar; tupir.
colmeal, *s. m.* colmenar.
colmeeiro, *s. m.* colmenero.
colmeia, *s. f.* colmena; enjambre.
colmilho, *s. m.* colmillo.
colmo, *s. m.* rastrojo; *casa de colmo,* chamizo.
colo, *s. m.* cuello, regazo; desfiladero; garganta; paso estrecho; gollete, de una vasija; ANAT. colon, parte del intestino grueso; vd. **cólon.**
colocação, *s. f.* colocación; empleo; situación, venta; puesta.
colocado, *adj.* colocado; puesto; sito.
colocar, *v.* **1.** *tr.* colocar; poner; emplear; situar; disponer. **2.** *refl.* emplearse.
colódio, *s. m.* QUÍM. colodión.
cólofon, *s. m.* colofón.
colofónia, *s. f.* colofonia.
coloidal, *adj. 2 gén.* coloidal.
colóide, *s. m.* QUÍM. coloide.
cólon, *s. m.* ANAT. colon.
colónia, *s. f.* colonia.
colonial, *adj. 2 gén.* colonial.
colonialismo, *s. m.* colonialismo.
colonialista, *adj. e s. 2 gén.* colonialista.
colonização, *s. f.* colonización.
colonizador, *adj. e s. m.* colonizador.
colonizar, *v. tr.* colonizar.

colonizável, *adj. 2 gén.* colonizable.
colono, *s. m.* colono.
coloquial, *adj. 2 gén.* coloquial.
coloquialismo, *s. m.* coloquialismo.
colóquio, *s. m.* coloquio.
coloração, *s. f.* coloración.
colorar, *v. tr.* colorar.
colorau, *s. m.* pimiento molido.
colorido, **I.** *adj.* colorido, colorado. **II.** *s. m.* colorido, brillo; (fig.) color; pretexto.
colorir, *v. tr.* colorir; colorar; colorear.
colorista, *s. 2 gén.* colorista.
colossal, *adj. 2 gén.* colosal.
colosso, *s. m.* coloso.
colostro, *s. m.* calostro.
cólquico, *s. m.* BOT. cólquico.
colubrina, *s. f.* MIL. culebrina.
columbofilia, *s. f.* columbofilia.
coluna, *s. f.* columna; *coluna vertebral,* espina, espinazo.
colunar, *adj. 2 gén.* en forma de columna.
colunata, *s. f.* columnata.
colunelo, *s. m.* columnita; marco.
coluneta, *s. f.* columnita.
colunista, *s. 2 gén.* columnista.
coluro, *s. m.* coluro.
colutório, *s. m.* colutorio.
colza, *s. f.* colza.
com, *prep.* con; de.
coma, *s.* **1.** *f.* cabellera; crines; copa; penacho; *pl.* comillas. **2.** *s. m.* MED. coma; MÚS. coma.
comadre, *s. f.* comadre.
comandante, *s. m.* comandante.
comandar, *v. tr.* comandar; capitanear.
comandita, *s. f.* comandita.
comanditar, *v. tr.* comanditar.
comanditário, *s. m.* comanditario.
comando, *s. m.* comando; capitanía; comandancia; mando.
comarca, *s. f.* comarca; región; país.
comatoso, *adj.* comatoso.
combalido, *adj.* abatido; enfermizo; encleque.
combalir, *v. tr.* deteriorar; debilitar; abatir.
combate, *s. m.* combate; batalla; lid; liza.
combatente, *adj. e s. 2 gén.* combatiente.
combater, *v. intr.* combatir; pelear; luchar; batallar; contender; lidiar.
combatível, *adj. 2 gén.* combatible.
combatividade, *s. f.* combatividad; acometividad.
combativo, *adj.* combativo.

combinação, s. f. combinación; acuerdo, contrato; (vestuário) enagua.

combinado, I. adj. combinado; conjugado; convenido. II. s. m. combinado; compuesto; misto; cóctel.

combinar, v. tr. combinar; disponer; agrupar; ajustar; contratar; apalabrar; concertar; mancomunar.

combinável, adj. 2 gén. combinable; ajustable; pactable.

comboiar, v. tr. convoyar; escoltar.

comboieiro, adj. e s. 2 gén. convoyador.

comboio, s. m. convoy; tren.

comburente, adj. 2 gén. QUÍM. comburente.

combustão, s. f. combustión.

combustibilidade, s. f. combustibilidad.

combustível, adj. 2 gén. e s. m. combustible.

começar, v. tr. comenzar; empezar; iniciar; inaugurar; decentar.

começo, s. m. comienzo; inicio; apertura; principio; empiece; origen; raíz; brote; inicio; causa; (fig.) aurora.

comédia, s. f. comedia; (fig.) hipocresía; disimulación.

comediante, s. 2 gén. comediante.

comedido, adj. comedido; moderado; compasado; prudente; respetuoso.

comedimento, s. m. comedimiento; cortesía; moderación.

comediógrafo, s. m. comediógrafo.

comedir, v. 1. tr. comedir; disponer; regular; moderar. 2. refl. comedirse.

comedoiro, s. m. comedero.

comedor, adj. e s. m. comedor.

comedorias, s. f. pl. ración; sustento; alimentos.

comedouro, s. m. comedero.

comemoração, s. f. conmemoración; fiesta.

comemorar, v. tr. conmemorar.

comemorativo, adj. conmemorativo.

comemorável, adj. 2 gén. conmemorable.

comenda, s. f. encomienda; dignidad; insignia.

comendadeira, s. f. comendadora.

comendador, s. m. comendador.

comendadoria, s. f. comendadoría.

comensal, s. 2 gén. comensal.

comensurabilidade, s. f. conmensurabilidad.

comensuração, s. f. conmensuración.

comensurar, v. tr. conmensurar.

comensurável, adj. 2 gén. conmensurable.

comentador, adj. e s. m. comentador.

comentar, v. tr. comentar; glosar.

comentário, s. m. comentario; crítica; glosa.

comentarista, s. 2 gén. comentarista, persona que comenta.

comentista, s. 2 gén. comentador; comentarista.

comento, s. m. comento; comentario.

comer, I. v. tr. comer; papar; tomar; (fam.) jamar; manducar; comer gulosamente, glotonear. II. s. m. comer; alimento; comida.

comercial, adj. 2 gén. comercial.

comercialização, s. f. comercialización.

comercializar, v. tr. comercializar.

comerciante, adj. e s. 2 gén. comerciante; negociante; mercader; comerciante de objectos em segunda mão, chamarilero, chamarillero.

comerciar, v. tr. comerciar; mercadear; negociar; traficar.

comércio, s. m. comercio; tráfico; negocio; trato; negociación; comércio bancário, banca; comércio por grosso, comercio al por mayor; comércio a retalho, comercio al por menor; comércio de miudezas, mercería.

comes-e-bebes, s. m. pl. gaudeamus; comidas y bebidas.

comestibilidade, s. f. comestibilidad, calidad de lo que es comestible.

comestível, I. adj. 2 gén. comestible; comedero; não comestível, incomible. II. s. m. comestible.

cometa, s. m. cometa.

cometar, v. tr. cometar.

cometário, adj. ASTR. cometar.

cometedor, adj. e s. m. cometedor; acometedor.

cometer, v. 1. tr. cometer; realizar; perpetrar; emprender; (falta) incurrir (en error). 2. refl. confiar; aventurarse.

cometida, s. f. cometida; ataque.

cometimento, s. m. cometimiento; empresa; hazaña.

comezaina, s. f. francachela; comilona; merendona.

comezinho, adj. comedero; fácil de comer; (fig.) fácil de entenderse; sencillo.

comichão, s. f. comezón; hormigueo; escozor; picazón; prurito; quemazón.

comichoso, adj. que tiene comezón.

comicial, adj. 2 gén. comicial.

comicidade, s. f. comicidad.

comício, s. m. comicio; motín.

cómico, I. *adj.* cómico; jocoso; bufo; ridículo; bufonesco. II. *s. m.* cómico, bufón, comediante; farandulero.

comida, *s. f.* comida; alimento; manjar; sustento; manducar; *comida requintada*, exquisitez.

comido, *adj.* comido; alimentado; (*fam.*) engañado.

comigo, *prep.* **com** e *pron. pess.* **migo:** conmigo.

comilança, *s. f.* vd. **ladroeira.**

comilão, *adj.* e *s. m.* comedor; comilón; glotón; zampabollos.

cominação, *s. f.* conminación.

cominador, *adj.* e *s. m.* conminador.

cominar, *v. tr.* conminar.

cominativo, *adj.* conminativo, conminatorio.

cominatório, *adj.* conminativo, conminatorio.

cominho, *s. m.* BOT. comino.

comiscar, *v. intr.* comiscar.

comiseração, *s. f.* conmiseración.

comiserador, *adj.* que inspira compasión.

comiserar, *v. tr.* inspirar conmiseración.

comissão, *s. f.* comisión; encargo; incumbencia; junta; comité; porcentaje.

comissariado, *s. m.* comisariado.

comissário, *s. m.* comisario; comisaría.

comissionado, *adj.* e *s. m.* comisionado.

comissionar, *v. tr.* comisionar.

comissionista, *s. 2 gén.* comisionista.

comisso, *s. m.* comiso.

comissório, *adj.* comisorio.

comissura, *s. f.* comisura; pintura.

comité, *s. m.* comité.

comitente, *s. 2 gén.* comitente.

comitiva, *s. f.* comitiva; acompañamiento; corte; séquito; compañía; comparsa.

comível, *adj. 2 gén.* comestible; (*fam.*) comible.

como, I. *conj.* como, así como; qual; lo mismo que; *como quer que seja*, como quiera que sea. II. *adv.* cómo? III. *interj.* ¡como! IV. *s. m.* el como, la manera.

comoção, *s. f.* conmoción; emoción; moción.

comocionar, *v. tr.* conmover; emocionar.

cómoda, *s. f.* cómoda.

comodato, *s. m.* comodato.

comodidade, *s. f.* comodidad; bienestar; regalo.

comodista, *adj.* e *s. 2 gén.* comodista; comodón; egoísta.

cómodo, *adj.* cómodo; útil; fácil; favorable; proporcionado, conveniente.

cômoro, *s. m.* montículo; otero; cerro; collado.

comodoro, *s. m.* comodoro

comovedor, *adj.* conmovedor.

comovente, *adj. 2 gén.* conmovedor.

comover, *v.* 1. *tr.* conmover; emocionar; impresionar; compungir; agitar; enternecer; concitar. 2. *refl.* comoverse; enternecerse.

comovido, *adj.* conmovido; emocionado; avivado.

compactar, *v. tr.* compactar.

compacto, *adj.* compacto; denso; espeso; macizo; amazcotado.

compadecedor, *adj.* e *s. m.* compadeciente.

compadecer, *v.* 1. *tr.* compadecer; conmover. 2. *intr.* consentir; sufrir. 3. *refl.* compadecerse; condolerse.

compadecido, *adj.* compadecido; compasivo.

compadrado, *s. m.* compadrado; compadrazgo.

compadrar, *v. tr.* compadrar.

compadre, *s. m.* compadre, amigo íntimo.

compadrice, *s. f.* compadraje, amiguismo.

compadrio, *s. m.* compadrería.

compaginação, *s. f.* compaginación.

compaginar, *v. tr.* compaginar.

compaixão, *s. f.* compasión; piedad; dolor, lástima; misericordia.

companha, *s. f.* tripulación de barco; compañía.

companheira, *s. f.* compañera; esposa.

companheirismo, *s. m.* compañerismo.

companheiro, I. *adj.* compañero. II. *s. m.* compañero; marido; camarada; socio; *companheiro inseparável*, lazarillo.

companhia, *s. f.* compañía; comitiva; acompañamiento; sociedad; aparcería.

comparação, *s. f.* comparación; equiparación; parangón.

comparado, *adj.* comparado.

comparador, *s. m.* comparador.

comparar, *v. tr.* comparar; cotejar; contraponer; confrontar; equiparar; asemejar; parangonar.

comparativo, *adj.* comparativo, comparado.

comparável, *adj. 2 gén.* comparable; cotejable; equiparable.

comparecer, *v. intr.* comparecer; conferir.

comparecimento, *s. m.* comparecimiento.

comparência, *s. f.* comparecencia; *não comparência/falta de comparência,* incomparência.

comparsa, *s. 2 gén.* comparsa; figurante.

comparsaria, *s. f.* comparsa.

comparte, *adj. e s. 2 gén.* comparte; participante.

compartição, *s. f. vd.* **compartimento.**

comparticipação, *s. f.* contingente.

compartilhar, *v. tr.* compartir; dividir.

compartimentado, *adj.* compartimentado.

compartimento, *s. m.* compartimiento; compartimento; habitación; cuarto.

compartir, *v. tr.* compartir; repartir; dividir; partir con otro.

compassado, *adj.* compasado; acompasado.

compassar, *v. tr.* compasar; calcular; moderar.

compassível, *adj. 2 gén.* compasible.

compassivo, *adj.* compasivo.

compasso, *s. m.* compás; cadencia; MÚS. compás; visita pascual; *(fig.)* regla; medida.

compatibilidade, *s. f.* compatibilidad.

compatível, *adj. 2 gén.* compatible; hermanable.

compatrício, *s. m.* compatricio.

compatriota, *adj. 2 gén.* compatriota.

compelir, *v. tr.* compeler; obligar; apremiar.

compendiador, *adj. e s. m.* compendiador.

compendiar, *v. tr.* compendiar; abreviar; recopilar.

compêndio, *s. m.* compendio; resumen; síntesis; sumario.

compendioso, *adj.* compendioso; abreviado.

compenetração, *s. f.* compenetración.

compenetrar, *v.* 1. *tr.* convencer. 2. *refl.* compenetrarse.

compensação, *s. f.* compensación; desquite; indemnización.

compensador, *adj. e s. m.* compensador.

compensar, *v.* 1. *tr.* compensar; substituir; desquitar; indemnizar. 2. *refl.* indemnizarse.

compensatório, *adj.* compensatorio.

compensável, *adj. 2 gén.* compensable.

competência, *s. f.* competencia.

competente, *adj. 2 gén.* competente; apto; capacitado; legal; autoritativo.

competição, *s. f.* competición; certamen; concurso; justa.

competidor, *adj. e s. m.* competidor; contrincante; rival; adversario; concursante; opositor.

competir, *v. intr.* competir; concursar; rivalizar; competer; cumplir; apostar.

competitividade, *s. f.* competitividad.

competitivo, *adj.* competitivo.

compilação, *s. f.* compilación; colección.

compilador, *s. m.* compilador.

compilar, *s. f.* compilar; colegir.

compincha, *s. 2 gén.* compinche.

compita, *s. f.* competencia.

complacência, *s. f.* complacencia; condescendencia.

complacente, *adj. 2 gén.* complaciente; condescendiente.

complanar, 1. *v. tr.* igualar; nivelar; allanar. 2. *adj. 2 gén.* dícese de una figura que existe con otras en el mismo plano.

compleição, *s. f.* complexión; temperamento.

complementar, *adj. 2 gén.* complementar.

complemento, *s. m.* complemento; accesorio.

completar, *v. tr.* completar; acabar; concluir; consumar; cumplir; integrar.

completas, *s. f. pl.* completas.

completivo, *adj.* completivo.

completo, *adj.* completo; lleno; pleno; acabado; terminado; concluido; cabal; integral; cumplido; íntegro; plenario.

complexão, *s. f.* encadenamiento de cosas; conjunto; unión.

complexidade, *s. f.* complejidad.

complexo, I. *adj.* complejo, complicado. II. *s. m.* complejo.

complicação, *s. f.* complicación; intríngulis; *(fig.)* labirinto; *pl.* azaramento.

complicado, *adj.* complicado; embarazado; intrincado; revesado; jaleoso; peliagudo.

complicar, *v. tr.* complicar; dificultar; intrincar; embarazar; azarar.

componedor, *s. m.* componedor.

componenda, *s. f.* componenda.

componente, *adj. 2 gén. e s. m.* componente; constituyente.

compor, v. tr. componer; arreglar; mejorar; armonizar; aliñar; constar; coordenar; escribir (versos o música); tejer.

comporta, s. f. compuerta; esclusa; rastrillo; represa.

comportado, adj. que procede bien o mal; contenido.

comportamento, s. m. comportamiento; conducta; proceder.

comportar, v. tr. comportar; soportar; admitir contener en sí; sufrir.

comportável, adj. 2 gén. admisible; tolerable; sufrible; compatible.

composição, s. f. composición; constitución; estructura; ajuste; convenio; arreglo; combinación; acuerdo.

compósita, adj. ARQ. compósita.

compositor, s. m. compositor; maestro.

composto, adj. compuesto; (fig.) modesto; recatado; serio.

compostura, s. f. compostura; aliño; modestia; mesura; ajuste; reparación; actitud.

compota, s. f. compota.

compoteira, s. f. compotera; confitera.

compra, s. f. compra; adquisición; soborno; compra e venda de objectos em segunda mão, chamarileo.

comprador, adj. e s. m. comprador; cliente.

comprar, v. tr. comprar.

comprável, adj. 2 gén. comprable.

comprazedor, adj. e s. m. complacedor; complacedero; condescendiente.

comprazer, v. refl. complacer; condescender; transigir; gloriarse.

comprazido, adj. complacido.

comprazimento, s. m. complacencia.

compreender, v. tr. comprender; sobrentender; ceñir; rodear; abrazar; contener; incluir; entender; concebir.

compreensão, s. f. comprensión; entendimiento; percepción; avenimiento; (fam.) entendederas.

compreensível, adj. 2 gén. comprensible; accesible; asequible.

compreensivo, adj. comprensivo.

compressa, s. f. compresa.

compressão, s. f. compresión; aplastamiento; aprieto; presión.

compressibilidade, s. f. conpresibilidad.

compressível, adj. 2 gén. compresible, comprimible.

compressivo, adj. compresivo.

compressor, adj. e s. m. compresor.

comprido, adj. largo; extenso; continuado; crecido.

comprimente, adj. 2 gén. compresivo; compresor.

comprimento, s. m. extensión; metraje.

comprimido, 1. adj. comprimido; compreso; apretado. **2.** s. m. comprimido; pastilla.

comprimir, v. tr. comprimir; compactar; reducir; achatar; apelmazar; encajonar.

comprobatório, adj. comprobatorio; comprobante.

comprometedor, adj. comprometedor.

comprometer, 1. v. tr. comprometer. **2.** refl. colocarse mal; revelarse.

comprometido, adj. comprometido; (fig.) culpado; avergonzado.

compromissário, s. m. compromisario.

compromisso, s. m. compromiso.

comprovação, s. f. comprobación.

comprovador, adj. comprobador.

comprovar, v. tr. comprobar; verificar; corroborar.

comprovativo, adj. comprobador; comprobante.

comprovável, adj. 2 gén. comprobable.

compulsão, s. f. compulsión; constreñimiento.

compulsar, v. tr. compulsar.

compulsivo, adj. compulsivo; preceptivo.

compunção, s. f. compunción.

compungido, adj. compungido; dolorido.

compungimento, s. m. compunción.

compungir, v. tr. compungir; punzar.

compungitivo, adj. compungitivo.

computação, s. f. computación; cómputo.

computador, s. m. computador; computadora.

computadorizar, v. tr. computadorizar.

computar, v. tr. computar; contar; calcular.

computável, adj. 2 gén. computable.

cômputo, s. m. cómputo; cálculo; cuenta.

comum, adj. 2 gén. común; general; genérico; ordinario.

comummente, adv. comunmente.

comuna, s. f. comuna.

comunal, adj. 2 gén. comunal.

comunalismo, s. m. sistema social que preconiza la autonomia de los municipios; municipalismo.

comungante, adj. e s. 2 gén. comulgante.

comungar, v. tr. e intr. comulgar.

comungatório, *s. m.* comulgatorio.
comunhão, *s. f.* comunión; eucaristía.
comunial, *adj. 2 gén.* relativo o perteneciente a la comunión.
comunicabilidade, *s. f.* comunicabilidad.
comunicação, *s. f.* comunicación; pasaje; participación; mensaje; comunicado; *falta de comunicação,* incomunicación; *cortar as comunicações,* incomunicar; *sem comunicações,* incomunicado.
comunicado, I. *adj.* comunicado. **II.** *s. m.* comunicado; aviso; comunicación.
comunicador, *adj. e s. m.* comunicador.
comunicante, *adj. 2 gén.* comunicante; comulgante.
comunicar, *v. tr.* comunicar; informar; participar; noticiar; transmitir; ligar.
comunicativo, *adj.* comunicativo; expansivo.
comunicável, *adj. 2 gén.* comunicable; franco; expansivo.
comunidade, *s. f.* comunidad.
comunismo, *s. m.* comunismo.
comunista, *adj. e s. 2 gén.* comunista.
comunitário, *s. m.* comunitario.
comutabilidade, *s. f.* conmutabilidad.
comutação, *s. f.* conmutación; indulto.
comutador, *adj. e s. m.* conmutador; pulsador.
comutar, *v. tr.* conmutar; permutar; atenuar; substituir; aminorar; indultar.
comutativo, *adj.* conmutativo.
comutável, *adj. 2 gén.* conmutable.
conato, I. *adj.* connato; gemelo. **II.** *s. m.* DIR. conato.
conatural, *adj. 2 gén.* connatural.
conca, *s. f.* pabellón del oído.
concatenação, *s. f.* concatenación; encadenamiento.
concatenado, *adj.* concatenado; encadenado; eslabonado.
concatenar, *v. tr.* concatenar, concadear.
concavidade, *s. f.* concavidad; caverna; gruta.
côncavo, 1. *adj.* cóncavo; excavado. **2.** *s. m.* cóncavo, hueco; concavidad.
côncavo-convexo, *adj.* concavoconvexo.
conceber, *v. tr.* concebir; engendrar; imaginar; inventar.
concebimento, *s. m.* concepción; generación; engendro.
concebível, *adj. 2 gén.* concebible.
conceder, *v. tr.* conceder; otorgar; confe-

rir; deferir; dar; dispensar; convenir; asentir; franquear; atribuir; admitir hipótesis.
Conceição, *s. f.* Concepción.
conceito, *s. m.* concepto; decir; opinión; reputación.
conceituar, *v. tr.* conceptuar; valorar; formar opinión; analizar.
conceituoso, *adj.* conceptuoso; sentencioso; espirituoso.
concelebrar, *v. tr.* concelebrar.
concelhio, *adj.* concejil.
concelho, *s. m.* concejo; ayuntamiento; municipio.
concentração, *s. f.* concentración; acumulación.
concentrado, I. *adj.* concentrado; centrado; (fig.) absorto. **II.** *s. m.* concentrado.
concentrar, *v.* **1.** *tr.* concentrar; centralizar. **2.** *refl.* abstraerse; ensimismarse.
concêntrico, *v. tr.* concéntrico.
concepção, *s. f.* concepción.
conceptáculo, *s. m.* BOT. conceptáculo; receptáculo.
conceptibilidade, *s. f.* conceptibilidad.
conceptismo, *s. m.* conceptismo.
conceptível, *adj. 2 gén.* conceptible; concebible; comprensible.
conceptivo, *adj.* conceptivo.
conceptual, *adj. 2 gén.* conceptual.
conceptualismo, *s. m.* conceptualismo.
conceptualizar, *v. tr.* conceptualizar.
concernente, *adj. 2 gén.* concerniente; relativo; referente; pertinente.
concernir, *v. intr.* concernir; atañer; referirse a.
concertação, *s. f.* concertación.
concertado, *adj.* concertado; ajustado; tratado; sereno; equilibrado.
concertante, *adj. e s. 2 gén.* concertante.
concertar, *v. tr.* MÚS. concertar; conciliar; ajustar; combinar; apalabrar; componer; arreglar algo.
concertina, *s. f.* MÚS. concertina; acordeón.
concertino, *s. m.* concertino.
concertista, *adj. e s. 2 gén.* concertista.
concerto, *s. m.* MÚS. concierto; audición; arreglo; buen orden; ajuste.
concessão, *s. f.* concesión; autorización; permiso; privilegio.
concessionário, *adj. e s. m.* concesionario.
concessível, *adj. 2 gén.* concesible.
concessivo, *adj.* concesivo.
concessor, *s. m.* cesionista; otorgante.

concha, *s. f.* concha; coraza; carapacho; cucharón.

concharia, *s. f.* multitud de conchas.

conchavar, *v. tr.* conchabar; asociar; ligar; encajar; unir.

conchavo, *s. m.* conchabo; confabulación.

conchegar, *v. tr.* acercar; acoger con cariño; componer; aproximar.

conchego, *s. m.* acogimiento cordial; comodidad; conchabanza; amparo; protección.

concho, *adj.* vanidoso; fatuo; engreído.

concidadão, *s. m.* conciudadano.

conciliábulo, *s. m.* conciliábulo.

conciliação, *s. f.* conciliación; arreglo; armonización; conventículo.

conciliador, *adj.* conciliador.

conciliante, *adj. 2 gén.* conciliante.

conciliar, I. *v. tr.* conciliar; acordar; concordar poner de acuerdo; convenir reconciliar; armonizar; captar; acomodar. **II.** *adj. 2 gén.* conciliar.

conciliatório, *adj.* conciliatorio.

conciliável, *adj. 2 gén.* conciliable.

concílio, *s. m.* concilio.

concional, *adj. 2 gén.* concional.

concisão, *s. f.* concisión; brevedad; laconismo.

conciso, *adj.* conciso; sucinto; preciso; lacónico; breve.

concitação, *s. f.* concitación; instigación.

concitador, *adj. e s. m.* concitador; instigador.

concitar, *v. tr.* concitar; instigar; incitar; excitar; provocar.

conclamação, *s. f.* conclamación; aclamación; gritería, clamoreo.

conclamar, *v. tr.* conclamar.

conclave, *s. m.* conclave; cónclave.

conclavista, *s. m.* conclavista.

concludente, *adj. 2 gén.* concluyente.

concluído, *adj.* concluido; acabado; rematado.

concluir, *v. tr.* concluir; acabar; completar; rematar; ajustar; deducir; inferir.

conclusão, *s. f.* conclusión; término; remate; terminación; deducción; ilación; consecuencia; solución.

conclusivo, *adj.* conclusivo.

concluso, *adj.* concluso; terminado.

concoidal, *adj. 2 gén.* concoidal.

concóide, *adj. 2 gén.* concoidal, concoide.

concomitância, *s. f.* concomitancia.

concomitante, *adj. 2 gén.* concomitante.

concordância, *s. f.* concordancia; consonancia; avenimiento.

concordante, *adj. 2 gén.* concordante.

concordar, *v.* **1.** *tr.* concordar; acordar; aprobar; asentir; avenir; convenir; concertar; ajustar. **2.** *intr.* concordar, estar de acuerdo; pactar.

concordata, *s. f.* concordata; convención.

concorde, *adj. 2 gén.* concorde; acorde; armónico; avenido.

concórdia, *s. f.* concordia; armonía; paz.

concorrência, *s. f.* concurrencia; afluencia; competencia; concurso.

concorrente, I. *adj. 2 gén.* concurrente. **II.** *s. 2 gén.* concurrente; concursante; competidor; rival.

concorrer, *v. intr.* concurrir; competir; afluir; contribuir; opositar; converger; convergir.

concorrido, *adj.* movido concurrido; (*fam.*) acompañado.

concreção, *s. f.* concreción.

concrecionado, *adj.* concrecionado.

concretização, *s. f.* concretización.

concretizar, *v. tr.* concretar; formalizar.

concreto, *adj. e s. m.* concreto.

concriar, *v. tr.* criar simultáneamente.

concubina, *s. f.* concubina; amiga.

concubinato, *s. m.* concubinato; amancebamiento.

concubinário, *adj. e s. m.* concubinario.

conculcador, *adj. e s. m.* conculcador.

conculcar, *v. tr.* conculcar; despreciar; hollar; pisotear; humillar.

concunhado, *s. m.* concuñado.

concupiscência, *s. f.* concupiscencia.

concupiscente, *adj. 2 gén.* concupiscente.

concupiscível, *adj. 2 gén.* concupiscible.

concursista, *s. 2 gén.* concursante.

concurso, *s. m.* concurrencia; cooperación; certamen.

concussão, *s. f.* concusión; desfalco; extorsión.

concussionário, *adj. e s. m.* concusionario.

condado, *s. m.* condado.

condal, *adj. 2 gén.* condal.

condão, *s. m.* don, prerrogativa; virtud especial.

conde, *s. m.* conde.

condecoração, *s. f.* condecoración; laureada; placa.

condecorar, *v. tr.* condecorar.

condenação, s. f. condenación; reprobación; condena, sentencia condenatoria.

condenado, I. adj. condenado; réprobo; perverso. II. s. m. condenado; penado.

condenar, v. tr. condenar; castigar; penar; sentenciar; (fig.) reprobar; censurar.

condenatório, adj. condenatorio.

condenável, adj. 2 gén. condenable.

condensação, s. f. condensación.

condensado, adj. condensado.

condensador, adj. e s. m. condensador.

condensante, adj. 2 gén. condensante.

condensar, v. tr. condensar; apelmazar; espesar.

condensável, adj. 2 gén. condensable.

condescendência, s. f. condescendencia; transigencia.

condescendente, adj. 2 gén. condescendiente; convenible; transigente.

condescender, v. intr. condescender; capitular; transigir.

condessa, s. f. condesa, esposa del conde; pequeña cesta de mimbre con tapadera.

condestabre, s. m. vd. **condestável**.

condestável, s. m. condestable.

condição, s. f. condición; circunstancia; requisito; situación; suerte; clase social; modo; carácter; cláusula; categoría.

condicionado, adj. condicionado.

condicional, I. adj. 2 gén. condicional. II. s. m. GRAM. potencial.

condicionamento, s. m. condicionamento.

condicionar, v. tr. condicionar.

condignidade, s. f. condignidad.

condigno, adj. condigno.

côndilo, s. m. cóndilo.

condimentação, s. f. condimentación.

condimentar, v. tr. condimentar, adobar; salpimentar.

condimentício, adj. condimenticio.

condimento, s. m. condimento; guiso; salsa; aderezo; sazón.

condir, v. tr. condir; condimentar; preparar medicamentos.

condiscípulo, s. m. condiscípulo.

condizente, adj. 2 gén. condicente; ajustado.

condizer, v. intr. condecir; concordar; corresponder.

condoação, s. f. condonación.

condoar, v. tr. condonar.

condoer, v. 1. tr. compadecer; inspirar compasión. 2. refl. condolerse, compadecerse.

condoído, adj. condolido; compadecido; apiadado.

condoimento, s. m. condolencia.

condolência, s. f. condolencia; compasión; pl. pésames; condolencias.

condomínio, s. m. condominio.

condómino, s. m. condómino.

condor, s. m. ZOOL. cóndor.

condrila, s. f. BOT. condrila.

condução, s. f. conducción, conducta; pilotaje.

conducente, adj. 2 gén. conducente.

conduta, s. f. conducta; conducción; porte; procedimiento; conducto.

condutância, s. f. FÍS. conductancia.

condutibilidade, s. f. conductibilidad.

condutível, adj. 2 gén. conductible.

condutividade, s. f. conductividad.

conduto, s. m. (canal) conducto; (presigo) condumio.

condutor, adj. e s. m. conductor; guia; piloto; FÍS. conductor.

conduzir, v. tr. conducir; guiar; pilotar; llevar; portear; transmitir; transportar; dirigir; encaminar.

cone, s. m. cono.

conector, s. m. conector.

conectar, v. tr. conectar; conexionar.

conectivo, adj. e s. m. conectivo.

cónego, s. m. canónigo.

conexão, s. f. conexión; nexo; engarce; analogía; relación, afinidad; semejanza; TÉC. encadenamiento.

conexo, adj. conexo.

conezia, s. f. canonjía.

confabulação, s. f. confabulación; trama.

confabulador, s. m. confabulador.

confabular, v. tr. confabular.

confecção, s. f. confección.

confeccionador, s. m. confeccionado; confeccionista.

confeccionar, v. tr. confeccionar.

confederação, s. f. confederación; liga.

confederado, adj. confederado.

confederar, v. tr. confederar; federar; ligar.

confederativo, adj. confederativo.

confeição, s. f. confección.

confeiçoar, v. tr. confeccionar.

confeitado, adj. confitado.

confeitar, v. tr. confitar.

confeitaria, s. f. confitería; dulcería; pastelería; repostería.

confeiteiro, *s. m.* confitero; repostero.
confeito, *s. m.* confite.
conferência, *s. f.* conferencia.
conferencial, *adj.* 2 *gén.* conferencial.
conferenciar, *v. intr.* conferenciar.
conferencista, *s.* 2 *gén.* conferenciante, persona que pronuncia conferencias.
conferente, **1.** *adj.* 2 *gén.* conferidor; comprobador. **2.** *s.* 2 *gén.* conferenciante, orador u oradora.
conferir, *v.* **1.** *tr.* conferir; cotejar; comparar; otorgar; colacionar; ordenar; dar. **2.** *intr.* conferir, estar conforme.
confessado, *adj.* e *s. m.* confesado.
confessar, *v.* **1.** *tr.* confesar; declarar en confesión; oir la confesión de. **2.** *refl.* confesarse; declarar.
confessional, *adj.* 2 *gén.* confesional.
confessionário, *s. m.* confesionario.
confesso, **1.** *adj.* confeso, confesado; declarado. **2.** *s. m.* confeso; fraile.
confessor, *s. m.* confesor.
confiado, *adj.* confiado; atrevido.
confiança, *s. f.* confianza; esperanza; fe; crédito; atrevimiento; familiaridad.
confiante, *adj.* 2 *gén.* confiante; atrevido.
confiar, *v.* **1.** *tr.* confiar, comunicar; fiar; depositar. **2.** *intr.* esperar; tener confianza; creer.
confidência, *s. f.* confidencia; secreto.
confidencial, *adj.* 2 *gén.* confidencial.
confidenciar, *v. tr.* secretear.
confidente, *adj.* e *s.* 2 *gén.* confidente.
configuração, *s. f.* configuración.
configurar, *v. tr.* configurar.
confim, **I.** *adj.* 2 *gén.* confín; confinante. **II.** *s. m. pl.* confines, términos; límites, fronteras.
confinação, *s. f.* confinación, confinamiento.
confinante, *adj.* 2 *gén.* confinante; colindante; lindante; limítrofe; aledaño; rayano.
confinar, *v. tr.* confinar; colindar; lindar; limitar; circunscribir; rayar.
confirmação, *s. f.* confirmación; ratificación; corraboración.
confirmador, *adj.* e *s. m.* confirmador.
confirmar, *v. tr.* confirmar; corroborar, ratificar; sustentar; revalidar.
confirmativo, *adj.* confirmatorio; asseverativo.
confirmatório, *adj.* confirmatorio.
confiscação, *s. f.* confiscación; comiso; decomiso.

confiscar, *v. tr.* confiscar; decomisar.
confiscável, *adj.* 2 *gén.* confiscable.
confissão, *s. f.* confesión; oración de la iglesia; profesión de fe.
conflagração, *s. f.* conflagración.
conflagrar, *v. tr.* conflagrar; agitar; abrasar.
conflito, *s. m.* conflicto; embate; lucha, antagonismo; colisión, choque; *conflitos laborais*, conflictividad laboral.
conflituosidade, *s. f.* conflictividade.
conflituoso, *adj.* conflictivo; pendenciero; camorrista.
confluência, *s. f.* confluencia.
confluente, **1.** *adj.* 2 *gén.* confluente. **2.** *s. m.* afluente.
confluir, *v. intr.* confluir.
conformação, *s. f.* conformación.
conformador, *s. m.* conformador.
conformar, *v.* **1.** *tr.* conformar; configurar. **2.** *intr.* e *refl.* estar conforme; resignarse; ahormarse.
conforme, **I.** *adj.* 2 *gén.* conforme; semejante; idéntico; concorde; proporcionado; avenido; (*fig.*) resignado. **II.** *conj.* conforme; como; según.
conformidade, *s. f.* conformidad; analogía; semejanza; resignación.
conformismo, *s. m.* conformismo.
conformista, *adj.* e *s.* 2 *gén.* conformista.
confortação, *s. f.* confortación.
confortador, *adj.* confortador.
confortante, *adj.* 2 *gén.* confortante.
confortar, *v. tr.* confortar; robustecer; fortalecer; (*fig.*) consolar; animar.
confortativo, *adj.* e *s. m.* confortativo.
confortável, *adj.* 2 *gén.* confortable; holgado.
conforto, *s. m.* confortamiento; confortación; comodidad; conforte.
confrade, *s. m.* cofrade; colega; compañero.
confrangedor, *adj.* angustioso; agobiante.
confranger, *v. tr.* apretar; oprimir; angustiar; vejar.
confrangimento, *s. m.* contracción dolorosa; constreñimiento; congoja; angustia.
confraria, *s. f.* cofradía; congregación; hermandad.
confraternal, *adj.* 2 *gén.* confraternal.
confraternidade, *s. f.* confraternidad.
confraternização, *s. f.* fraternización; confraternidad.

confraternizar, v. tr. confraternizar; confraternar.

confrontação, s. f. confrontación; cotejo; careo; afrontamiento; enfrentamiento.

confrontar, v. 1. tr. confrontar; enfrentar; contraponer; cotejar; comparar; carear. 2. intr. confinar; confrontar.

confronto, s. m. confrontación; cotejo; careo.

confundir, v. tr. confundir; revolver; mezclar; atolondrar; embarullar; (fig.) barajar; humillar; avergonzar.

confundível, adj. 2 gén. confundible.

confusão, s. f. confusión; barahunda; caos; estropicio; revoltijo; revoltillo; zarabanda; perturbación; confusionismo; desbarajuste; maguladura; mareo; pisto; vergüenza; (fig.) babel; cajón de sastre.

confuso, adj. confuso; amazacotado; chapado; mezclado; aturdido; desorientado; embrollado; farragoso; indistinto; turbado; borroso; dudoso; obscuro; avergonzado; (fig.) babélico.

confutação, s. f. confutación.

confutar, v. tr. confutar; refutar; impugnar.

confutável, adj. 2 gén. confutable.

congo, s. f. conga.

congelação, s. f. congelación.

congelado, adj. congelado.

congelador, s. m. congelador.

congelar, v. tr. e intr. congelar.

congelável, adj. 2 gén. congelable.

congeminação, s. f. meditación.

congeminar, v. tr. meditar; multiplicar; redobrar; hermanar; fraternizar.

congeminência, s. f. coyuntura; meditación.

congénere, adj. 2 gén. congénere.

congenial, adj. 2 gén. congenial.

congénito, adj. congénito; connatural.

congérie, s. f. congerie.

congestão, s. f. MED. congestión.

congestionar, v. tr. congestionar.

congestivo, adj. congestivo.

conglobação, s. f. conglobación.

conglobar, v. tr. conglobar; concentrar; acumular.

conglomeração, s. f. conglomeración.

conglomerado, s. m. conglomerado.

conglomerar, v. tr. conglomerar; aglomerar.

conglutinação, s. f. conglutinación.

conglutinar, v. tr. conglutinar.

congorsa, s. f. vd. **congossa**.

congossa, s. f. BOT. brusela; pervinca.

congosta, s. f. callejuela angosta; camino estrecho.

congoxa, s. f. congoja; aflicción; tristeza.

congraçador, adj. congraciador.

congraçar, v. tr. congraciar; apaciguar; armonizar; reconciliar; (fig.) acoplar.

congratulação, s. f. congratulación; felicitación.

congratulador, adj. e s. m. congratulador.

congratulante, adj. 2 gén. congratulante.

congratular, v. tr. congratular; felicitar.

congratulatório, adj. congratulatorio.

congregação, s. f. congregación.

congregado, adj. agregado.

congreganista, adj. e s. 2 gén. congregante.

congregante, s. 2 gén. congregante; congregado.

congregar, v. tr. congregar; reunir; juntar.

congressista, s. 2 gén. congresista.

congresso, s. m. congreso; cortes.

congro, s. m. ZOOL. congrio.

côngrua, s. f. congrua.

congruência, s. f. congruencia; coherencia; conveniencia.

congruente, adj. 2 gén. congruente; congruo.

côngruo, adj. congruo.

conguês, adj. e s. m. congolés.

conhaque, s. m. coñac.

conhecedor, adj. e s. m. conocedor; sabedor.

conhecer, v. tr. conocer; entender; saber; avaluar; distinguir; apreciar.

conhecido, I. adj. conocido; noto; ilustre; perito; distinguido; manifiesto. II. s. m. conocido.

conhecimento, s. m. conocimiento; cognición; noción; noticia; idea; conciencia; (documento) conocimiento; tomar conhecimento, enterarse; saber; com conhecimento, a sabiendas.

conhecível, adj. 2 gén. conocible.

cónica, s. f. cónica.

cónico, adj. cónico.

coníferas, s. f. pl. BOT. coníferas.

conivência, s. f. connivencia; complicidad.

conivente, adj. 2 gén. connivente; cómplice; ser convivente, pringar.

conjectura, s. f. conjetura; suposición; presunción; cálculo.

conjecturador, adj. e s. m. conjeturador.

conjectural, *adj. 2 gén.* conjetural.
conjecturar, *v. tr.* conjeturar; presumir; suponer; sospechar.
conjecturável, *adj. 2 gén.* conjeturable.
conjugação, *s. f.* conjugación; ligación; junción.
conjugado, *adj.* conjugado.
conjugal, *adj. 2 gén.* conjugal; conyugal.
conjugar, *v. tr.* conjugar; ligar; unir.
conjugável, *adj. 2 gén.* conjugable.
cônjuge, *s. m.* cónyuge; *pl.* matrimonio.
conjunção, *s. f.* conjunción; unión; oportunidad.
conjuntar, *v. tr.* conjuntar.
conjuntiva, *s. f.* conjuntiva.
conjuntivite, *s. f.* conjuntivitis.
conjuntivo, *adj.* conjuntivo; subjuntivo.
conjunto, I. *adj.* conjunto, contiguo; cercano; próximo. II. *s. m.* conjunto; colección; corpus; equipo; plantel; *(vestuário)* coordinado.
conjuntura, *s. f.* conjuntura; coyuntura.
conjura, *s. f.* conjura; conjuración; complot.
conjuração, *s. f.* vd. **conjura**.
conjurado, *adj. e s. m.* conjurado.
conjurador, *s. m.* conjurador.
conjurar, *v. tr.* conjurar; fraguar; exorcizar.
conjuro, *s. m.* conjuro; invocación; exorcismo.
conluiado, *adj.* confabulado, convertido para hacer mal por colusión; combinado.
conluiar, *v.* 1. *tr.* combinar. 2. *refl.* confabularse; compincharse.
conluio, *s. m.* colusión; connivencia; conspiración; complot.
connosco, combinación de la *prep.* **com** y el *pron. pers.* **nosco**: con nosotros.
conóide, *s. m.* conoide.
conotação, *s. f.* connotación.
conotar, *v. tr.* connotar.
conquanto, *conj.* si bien que; puesto que; no obstante; conque.
conquiliologia, *s. f.* conquiliología.
conquiliologista, *s. 2 gén.* conquiliologista.
conquista, *s. f.* conquista, toma.
conquistador, *s. m.* conquistador.
conquistar, *v. tr.* conquistar; tomar; vencer.
consabido, *adj.* consabido.
consagração, *s. f.* consagración.

consagrar, *v. tr.* consagrar; dedicar.
consanguinidade, *s. f.* carne, carnalidad.
consanguíneo, *adj.* consanguineo; carnal.
consciência, *s. f.* consciencia; conciencia.
consciencioso, *adj.* conscienzudo, conscienciado.
consciente, *adj. 2 gén.* consciente, conscienciado.
consecução, *s. f.* consecución.
consecutivo, *adj.* consecutivo.
conseguido, *adj.* seguido.
conseguimento, *s. m.* conseguimiento; consecución; obtención.
conseguinte, *adj. 2 gén.* consiguiente; consecuente; consecutivo; *por conseguinte*, consiguientemente.
conseguir, *v. tr.* conseguir; obtener; lograr; alcanzar; acceder.
conselheiro, *s. m.* consejal; consejero; consejador.
conselho, *s. m.* consejo; consulta; parecer; asesoramiento; dirección; enseñanza; acuerdo; aviso; *conselho directivo*, directorio.
consenso, *s. m.* consenso; asenso; anuencia; *obter consenso*, consensuar.
consensual, *adj. 2 gén.* consensual.
consentâneo, *adj.* consentáneo; conforme.
consentido, *adj.* consentido.
consentidor, *adj. e s. m.* consentidor.
consentimento, *s. m.* consentimiento; consenso; anuencia; aprobación; asenso.
consentir, *v. tr.* consentir; transigir; permitir; sufrir, admitir; acceder; asentir; tolerar.
consequência, *s. f.* consecuencia; ilación; deducción; efecto; corolario; conclusión; resultado; secuela.
consequente, *adj. 2 gén.* consecuente.
consertador, *s. m.* concertador.
consertar, *v. tr.* concertar; componer; aparejar; arreglar; rehacer.
conserto, *s. m.* concierto; compostura; arreglo; reparación; remiendo; apaño.
conserva, *s. f.* conserva; *fábrica de conservas*, conservaría.
conservação, *s. f.* conservación.
conservador, *adj. e s. m.* conservador.
conservadorismo, *s. m.* conservadurismo.
conservantismo, *s. m.* conservadurismo.
conservar, *v. tr.* conservar; guardar; mantener; retener; detener; preservar.

conservaria, s. f. conservería.
conservatória, s. f. oficina del conservador.
conservatório, adj. e s. m. conservatorio.
conservável, adj. 2 gén. conservable.
conserveiro, adj. e s. m. conservero; indústria conserveira, conservaría.
consideração s. f. consideración; motivo; respeto; aprecio; reflexión.
considerado, adj. considerado; reputado.
considerando, s. m. considerando; motivo.
considerar, v. tr. considerar; apreciar; reputar; respetar; ponderar; deliberar; calcular.
considerável, adj. 2 gén. considerable; notable; importante.
consignação, s. f. consignación.
consignador, s. m. consignador.
consignante, adj. 2 gén. consignante.
consignar, v. tr. consignar.
consignatário, s. m. consignatario.
consigo, prep. com e pron. **sigo**: cònsigo.
consistência, s. f. consistencia; estabilidad; solidez; rigidez; cuerpo.
consistente, adj. 2 gén. consistente.
consistir, v. intr. consistir; constar; cifrarse.
consistorial, adj. 2 gén. consistorial.
consistório, s. m. consistorio.
consoada, s. f. aguinaldo; aguilando; banquete familiar en la nochebuena.
consoante, I. adj. 2 gén. consonante. **II.** s. f. (letra) consonante. **III.** prep. conforme, según.
consoar, v. 1. intr. consonar, rimar. 2. tr. e intr. comer en la consoada.
consócio, s. m. consocio.
consogro, s. m. consuegro.
consola, s. f. consola.
consolação, s. f. consolación; consuelo; confortación; refrigerio; solaz.
consolador, adj. e s. m. consolador.
consolar, v. tr. consolar; confortar; suavizar.
consolatório, adj. consolatorio; consolador.
consolável, adj. 2 gén. consolable.
consolda, s. f. BOT. consuelda.
consolidação, s. f. consolidación.
consolidado, s. m. consolidado.
consolidar, v. tr. consolidar; fortificar; cimentar.
consolidativo, adj. consolidativo.

consolo, s. m. consola.
consolo, s. m. consuelo; consolación; placer.
consonância, s. f. consonancia; armonía; rima; acuerdo.
consonante, adj. 2 gén. consonante; consone.
consonântico, adj. consonántico.
consonantismo, s. m. consonantismo.
cônsono, adj. cónsono.
consorciado, adj. casado.
consorciar, v. 1. tr. unir; asociar; ligar.
consórcio, s. m. consorcio; participación matrimonio; casamiento; compañia.
consorte, s. 2 gén. consorte; cónyuge.
conspecto, s. m. visión; presencia; observación; conspecto.
conspicuidade, s. f. calidad de conspicuo; nobleza; fama; distinción.
conspícuo, adj. conspicuo; visible; ilustre; insigne; grave.
conspiração, s. f. conspiración; conjuración; confabulación; conjura.
conspirador, adj. e s. m. conspirador; confabulador; conjurado.
conspirar, v. intr. conspirar; confabular; conjurar; compincharse.
conspirata, s. f. conspiración.
conspurcação, s. f. saburra.
conspurcar, v. tr. emporcar; mancillar; ensuciar; manchar; corromper.
constância, s. f. constancia; firmeza y perseverancia.
constante, adj. 2 gén. constante; estable; firme; sostenido; cierto; indudable.
constar, v. tr. constar; consistir; deducirse; decirse; rumorearse.
constatação, s. f. constatación.
constatar, v. tr. constatar.
constelação, s. f. constelación.
constelar, v. tr. constelar, cubrir de estrellas.
consternação, s. f. consternación, desolación.
consternar, v. intr. consternar; enlutar.
constipação, s. f. constipación, constipado; estreñimiento; catarro; resfriado.
constipado, adj. constipado.
constipar-se, v. refl. constiparse; enfriarse.
constitucional, adj. 2 gén. constitucional.
constitucionalidade, s. f. constitucionalidad.
constitucionalismo, s. m. constitucionalismo.

constitucionalista, s. 2 gén. constitucionalista.

constitucionalizar, v. tr. hacer constitucional.

constituição, s. f. constitución; formación; complexión (física); estatuto; organización.

constituidor, adj. e s. m. constituidor.

constituinte, adj. e s. 2 gén. constituyente.

constituir, v. tr. constituir; componer; dar poder a; organizar; fundar.

constitutivo, adj. constitutivo; característico.

constrangedor, adj. que constriñe; constrictivo; incómodo.

constranger, v. tr. constreñir; apretar; compeler; obligar; forzar; constringir.

constrangido, adj. constringido.

constrangimento, s. m. constreñimiento; apremio; coacción.

constrição, s. f. constricción.

constringir, v. tr. constreñir; ceñir; apretar alrededor de.

constritivo, adj. constrictivo.

constritor, adj. constrictor.

construção, s. f. construcción; edificio; ARQ. fábrica; *terreno para construção*, terreno edificable.

construir, v. tr. construir; fabricar; edificar; erigir; formar; fundar; hacer.

construtivo, adj. constructivo.

construtor, adj. e s. m. constructor.

construtura, s. f. plano de construcción; forma; estructura.

consubstanciação, s. f. consubstanciación.

consubstancial, adj. 2 gén. consubstancial, consustancial.

consubstanciar, v. tr. lsubstanciar; ligar; unir; aunar.

consuetudinário, adj. consuetudinario; habitual.

cônsul, s. m. cónsul.

consulado, s. m. consulado.

consular, adj. 2 gén. consular.

consulente, adj. e s. 2 gén. consultante.

consulesa, s. f. la mujer del cónsul.

consulta, s. f. consulta; consejo; parecer; conferencia.

consultação, s. f. consulta; consultación.

consultadoria, s. f. asesoría; consultoría.

consultante, adj. e s. 2 gén. consultante; consultador.

consultar, v. tr. consultar; examinar; pedir parecer a; observar; interrogar.

consultivo, adj. consultivo.

consultor, s. m. consultor; consultante.

consultoria, s. f. consultoría.

consultório, s. m. consultorio.

consumação, s. f. consumación; conclusión.

consumado, adj. consumado.

consumar, v. tr. consumar; acabar, completar; terminar.

consumição, s. f. consumo, consumición; mortificación; disgusto; aflicción.

consumido, adj. consumido; carcomido; desmirriado.

consumidor, 1. adj. consumidor. 2. s. m. (fam.) gastador; disipador.

consumir, v. 1. tr. consumir; destruir; gastar; extinguir; absorver; (fig.) afligir. 2. refl. concomerse; demacrarse.

consumismo, s. m. consumismo.

consumista, adj. e s. 2 gén. consumista.

consumível, adj. 2 gén. consumible.

consumo, s. m. consumo; gasto; venta; extravío; uso; empleo.

consumpção, s. f. consunción; extenuación.

consumptivo, adj. consuntivo.

conta, s. f. cuenta; cómputo; factura; razón; cuidado; cargo; incumbencia; cautela; *ter em conta*, atender.

contabilidade, s. f. contabilidad; contaduría.

contabilista, s. 2 gén. contable; contador.

contabilizar, v. tr. contabilizar.

contactar, v. tr. contactar.

contacto, s. m. contacto, toque; convivencia, proximidad; influencia.

contactologia, s. f. contactología.

contactólogo, s. m. contactólogo.

contado, adj. contado; contante.

contador, adj. e s. m. contador; taquillón.

contadoria, s. f. contaduría.

conta-fios, s. m. cuentahilos.

contagem, s. f. cuenta; enumeración; conteo; recuento; *contagem decrescente*, retrocuenta.

contagiante, adj. 2 gén. contagiante, que contagia; epidémico.

contagiar, v. tr. contagiar; infectar; pegar; (fig.) pervertir.

contagífero, adj. contagioso, que trae contagio.

contágio, s. m. contagio; contaminación; infección; (fig.) perversion; corrupción.

contagional, *adj. 2 gén.* contagioso, referente al contagio.

contagiosidade, *s. f.* contagiosidad.

contagioso, *adj.* contagioso; pegajoso.

conta-gotas, *s. m.* cuentagotas.

contaminação, *s. f.* contaminación; contagio; infección; corrupción; impureza.

contaminado, *adj.* contaminado; corrupto; viciado.

contaminador, *adj.* e *s. m.* contaminador.

contaminante, *adj. 2 gén.* contaminante.

contaminar, *v. tr.* contaminar; inficionar; manchar; ensuciar; viciar; corromper; contagiar.

contaminável, *adj. 2 gén.* contaminable.

contanto que, *loc. conj.* con la condición que, una vez que.

conta-passos, *s. m.* podómetro; cuentapasos.

conta-quilómetros, *s. m.* cuentakilómetros.

contar, *v. tr.* contar; calcular; computar; relatar; narrar; referir; incluir; considerar; reputar.

contarelo, *s. m.* cuento; historieta inventada; chufa, bola, mentira, patraña.

contaria, *s. f.* fábrica de cuentas (para rosarios y collares).

conta-rotações, *s. m.* contarrevoluciones.

contas, *s. f. pl.* cuentas del rosario o de collar; abalorios.

contável, *adj. 2 gén.* contable.

conta-voltas, *s. m.* cuentavueltas.

conteira, *s. f.* contera.

conteirar, *v. tr.* mover la contera de.

conteiro, *s. m.* fabricante o vendedor de cuentas de rosarios o collares; indiscreto; chismoso.

contemplação, *s. f.* contemplación.

contemplador, *s. f.* contemplador.

contemplar, *v. tr.* contemplar.

contemplativa, *s. f.* facultad de contemplar; contemplativa.

contemplatividade, *s. f.* cualidad de contemplativo.

contemplativo, *adj.* contemplativo.

contemplável, *adj. 2 gén.* contemplable, digno de ser contemplado; considerable.

contemporaneidade, *s. f.* contemporaneidad.

contemporâneo, *adj.* contemporáneo; coetáneo; actual.

contemporização, *s. f.* contemporización.

contemporizador, *adj.* e *s. m.* contemporizador.

contemporizante, *adj. 2 gén.* contemporizante; contemporizador.

contemporizar, *v. intr.* contemporizar; temporizar; transigir.

contemptível, *adj. 2 gén.* contemptible; despreciable.

contenção, *s. f.* contención; contienda.

contencioso, *adj.* e *s. m.* contencioso.

contenda, *s. f.* contienda; altercación; resyerta; riña; lucha; disputa, debate; pelea; desaguisado; escaramuza; marimorena; zipizape.

contendedor, *s. m.* contendedor, contendiente.

contender, *v. intr.* contender; pleitear; debatir; altercar; luchar; lidiar; batallar; oponerse.

contendível, *adj. 2 gén.* susceptible de ser contendido, discutido.

contendor, *s. m.* contendedor; contendiente; contricante.

contentamento, *s. m.* contentamiento; alegría; placer.

contentar, *v. tr.* contentar; satisfazer; *fácil de contentar,* contentadizo.

contente, *adj. 2 gén.* contento; alegre; satisfecho; gozoso; ledo.

contento, *s. m.* contento; contentamiento.

contentor, *s. m.* contáiner; contenedor; continente.

conter, *v. tr.* contener; encerrar; llevar; traer; comprender; reprimir; cohibir; dominar; moderar.

conterrâneo, *adj.* e *s. m.* conterráneo.

contestação, *s. f.* contestación; impugnación; objección.

contestante, *adj.* e *s. 2 gén.* contestante.

contestar, *v. tr.* contestar; impugnar; responder; cuestionar; altercar.

contestatário, *s. m.* contestatário.

contestável, *adj. 2 gén.* contestable.

conteúdo, I. *adj.* contenido. **II.** *s. m.* contenido; *com conteúdo,* (fig.) sustancioso.

contexto, *s. m.* contexto.

contextualizar, *v. tr.* contextualizar.

contextura, *s. f.* contexto, contextura.

contigo, *pron.* contigo; en tu compañía.

contiguidade, *s. f.* contiguidad.

contíguo, *adj.* contiguo; colindante; inmediato; adosado; afín; conjunto.

continência, *s. f.* continencia; moderación; abstinencia.

continental, *adj. 2 gén.* continental.

continente, I. s. m. continente. II. adj.
2 gén. contenedor; casto; moderado.
contingência, s. f. contingencia; eventualidad; peligro (fig.) albur.
contingente, adj. 2 gén. e s. m. contingente.
continuação, s. f. continuación; curso.
continuado, adj. continuo; frequente.
continuador, adj. e s. m. continuador.
continuar, v. tr. continuar; proseguir; prolongar.
continuativo, adj. continuativo.
continuidade, s. f. continuidad.
contínuo, I. adj. continuo; seguido. II. s.
m. continuo; portero; conserje.
contista, s. 2 gén. cuentista.
conto, s. m. cuento; fábula; história; novela;
rondalla; conseja; mil escudos; contera;
regatón.
conto-do-vigário, s. m. timo.
contorção, s. f. contorción; torcedura; contorsión.
contorcer-se, v. refl. contorsionarse.
contorcionista, s. 2 gén. contorsionista.
contornar, v. tr. contornar, contornear;
perfilar.
contorno, s. m. circuito; periferia; ruedo;
perímetro; perfil.
contra, prep. contra; enfrente; hacia; en
contra.
contra-alísios, s. m. pl. contraalisios.
contra-almirante, s. m. contraalmirante;
contralmirante.
contra-atacar, v. tr. contraatacar.
contra-ataque, s. m. contraataque; contragolpe.
contra-aviso, s. m. aviso contrario, contraaviso.
contrabaixo, s. m. MÚS. contrabajo; figle;
violon.
contrabalançar, v. tr. contrabalancear;
contrapesar.
contrabandear, v. intr. contrabandear.
contrabandista, s. 2 gén. contrabandista.
contrabando, s. m. contrabando; matute;
de contrabando, de matute.
contrabater, v. tr. contrabatir.
contrabateria, s. f. contrabatería.
contracção, s. f. contracción; crispación.
contracepção, s. f. contracepción.
contraceptivo, adj. contraceptivo.
contracifra, s. f. contracifra.

contracorrente, s. f. contracorriente.
contráctil, adj. 2 gén. contráctil.
contractilidade, s. f. contractilidad.
contractual, adj. 2 gén. contractual.
contractura, s. f. contractura.
contracultura, s. f. contracultura.
contradança, s. f. contradanza.
contradição, s. f. contradicción; disensión.
contradita, s. f. réplica; contestación.
contraditar, v. tr. contradecir, impugnar,
refutar.
contraditor, adj. e s. m. contradictor.
contraditório, adj. contradictorio.
contradizer, v. tr. e intr. contradecir, contestar; contrariar; desmentir; opugnar.
contra-emboscada, s. f. contraemboscada.
contraente, adj. e s. 2 gén. contrayente.
contra-espionagem, s. f. contraespionaje.
contrafacção, s. f. contrafacción; contrahechura.
contrafactor, s. m. contrafactor.
contrafazer, v. tr. contrahacer; falsificar;
adulterar; imitar, remedar.
contrafeito, adj. contrahecho; imitado;
falsificado; constreñido; compelido.
contrafogo, s. m. contrafuego.
contraforte, s. m. contrafuerte; ARQ. encadenado.
contragolpe, s. m. contragolpe.
contra-indicação, s. f. contraindicación.
contra-indicar, v. tr. contraindicar.
contrair, v. tr. contraer; estrechar; condensar; astringir; reducir; encoger; adquirir; contraer, crispar.
contraível, adj. 2 gén. contractible; contráctil.
contraliga, s. f. liga formada en oposición a otra.
contralto, s. m. MÚS. contralto.
contraluz, s. f. contraluz.
contramarca, s. f. contramarca.
contramarcar, v. tr. contramarcar.
contramarcha, s. f. contramarcha.
contramarchar, v. intr. contramarchar.
contramaré, s. f. contramarea.
contramestra, s. f. oficiala.
contramestre, s. m. NÁUT. contramaestre.
contramina, s. f. contramina.
contra-ofensiva, s. f. contraofensiva.
contra-ordem, s. f. contraorden.
contra-ordenar, v. tr. contraordenar.

contrapasso, s. m. contrapaso (en la danza); MIL. medio paso.

contrapelo, s. m. contrapelo; *a contrapelo*, a contrapelo.

contrapesar, v. tr. e intr. contrapesar; igualar; equilibrar.

contrapeso, s. m. contrapeso.

contraplacado, s. m. contrachapado.

contrapontista, s. 2 gén. contrapuntista.

contraponto, s. m. MÚS. contrapunto.

contrapor, v. tr. contraponer; confrontar; oponer.

contraporta, s. f. contrapuerta.

contraposição, s. f. contraposición; contraste; resistencia.

contraposto, adj. contrapuesto.

contraproposta, s. f. contrapropuesta, contraproposición.

contraproducente, adj. 2 gén. contraproducente.

contraprova, s. f. contraprueba.

contraprovar, v. tr. contraprobar.

contra-reforma, s. f. contrarreforma.

contra-regra, s. m. traspunte, el empleado que marca la entrada de los actores en escena.

contra-relógio, adj. e s. m. contrarreloj.

contra-réplica, s. f. contrarréplica.

contra-restar, v. tr. contrarrestar.

contra-revolução, s. f. contrarrevolución.

contrariado, adj. contrariado.

contrariante, adj. 2 gén. contrariante.

contrariar, v. tr. contrariar; contradecir; desfavorecer; resistir.

contrariedade, s. f. contrariedad; trastorno.

contrário, I. adj. contrario; enemigo; opuesto; disconforme; perjudicial; dañoso; nocivo. II. s. m. enemigo; adversario.

contra-senha, s. f. contraseña.

contra-senso, s. m. contrasentido.

contra-sinal, s. m. contraseña.

contrastador, s. m. contraste.

contrastar, v. tr. contrastar; arrostrar, examinar; valorar.

contrastaria, s. f. contrastador; contraste.

contrastável, adj. 2 gén. contrastable.

contraste, s. m. contraste; oposición; verificación o aprecio del oro o prata.

contrata, s. f. contrata; contrato.

contratação, s. f. contratación.

contratador, adj. e s. m. contratista.

contratar, v. tr. contratar; estipular; ajustar.

contratempo, s. m. contratiempo; accidente perjudicial, inesperado; MÚS. compás musical.

contrato, s. m. contrato; contrata; ajuste; convenio; pacto; estipulación; transacción; avenencia; *contrato de compra e venda*, compraventa.

contratorpedeiro, s. m. NÁUT. contratorpedero; cazatorpedero.

contratual, adj. 2 gén. contractual.

contravapor, s. m. contravapor.

contravenção, s. f. contravención; infracción.

contraveneno, s. m. contraveneno; antídoto.

contraventor, adj. e s. m. contraventor, infractor.

contraversão, s. f. versión contraria; contravención; inversión.

contraverter, v. tr. invertir.

contravir, v. tr. contravenir; infringir; transgredir.

contribuição, s. f. contribución; impuesto; tributo; aportación; aporte; repartimiento.

contribuinte, adj. e s. 2 gén. contribuyente.

contribuir, v. intr. contribuir; pagar; ayudar; cooperar.

contributivo, adj. contributivo.

contrição, s. f. contrición; arrepentimiento.

contristação, s. f. contristación; pesadumbre; pesar; aflicción.

contristar, v. tr. contristar; apesadumbrar; afligir.

contrito, adj. contrito; atrito; triste; afligido.

controlador, s. m. controlador.

controlar, v. 1. tr. atraillar. 2. refl. vencerse.

controlo, s. m. control.

controvérsia, s. f. controversia; debate; polémica.

controversista, s. 2 gén. controversista.

controverso, adj. controvertido; polémico; impugnado.

controverter, v. tr. controvertir.

controvertido, adj. controvertido.

controvertível, adj. 2 gén. controvertible; discutible.

contubérnio, s. m. contubernio; familiaridad; camaradería.

contudo, *conj.* mas, todavía; con todo; con todo eso; no obstante; sin embargo.

contumácia, *s. f.* contumacia; obstinación; rebeldía.

contumaz, *adj. 2 gén.* contumaz; obstinado; terco.

contumélia, *s. f.* contumelia; ofensa; injuria; *(fam.)* zalamería; zalema.

contumelioso, *adj.* contumelioso; injurioso.

contundência, *s. f.* contundencia.

contundente, *adj. 2 gén.* contundente; aplastante.

contundir, *v. tr. e intr.* contundir; golpear; contusionar; lesionar.

conturbação, *s. f.* conturbación; inquietud; agitacion; motín.

conturbar, *v. tr.* conturbar; turbar; inquietar; consternar; perturbar; *(fig.)* azorar.

contusão, *s. f.* contusión; magulladura; equimosis.

contuso, *adj.* contuso; contundido.

conúbio, *s. m.* connubio.

conurbação, *s. f.* conurbación.

convalária, *s. f.* BOT. convalaria.

convalescença, *s. f.* convalecencia.

convalescente, *adj. e s.* 2 *gén.* convaleciente.

convalescer, *v. tr.* convalecer.

convecção, *s. f.* convección.

convector, *s. m.* convector.

convenção, *s. f.* convención; acuerdo; convenio; pacto.

convencer, *v. tr.* convencer; persuadir; ablandar.

convencido, I. *adj.* convicto; creído. **II.** *s. m.* gallito.

convencimento, *s. m.* convencimiento.

convencionado, *adj.* convencionado; convenido.

convencional, *adj. 2 gén.* convencional.

convencionalismo, *s. m.* convencionalismo.

convencionar, *v. tr.* combinar; convenir; ajustar.

convencível, *adj. 2 gén.* convencible.

conveniência, *s. f.* conveniencia; acomodo.

conveniente, *adj. 2 gén.* conveniente; oportuno; útil; cómodo; prudencial.

convénio, *s. m.* convenio; acuerdo; ajuste; trato; entente; avenencia; composición; transacción.

conventicular, *adj. 2 gén.* secreto; ilícito; clandestino de conventículo.

conventículo, *s. m.* conventículo.

convento, *s. m.* convento; cenobio; monasterio.

conventual, *adj. 2 gén.* conventual.

convergência, *s. f.* convergencia.

convergente, *adj. 2 gén.* convergente.

convergir, *v. intr.* converger; convergir; concurrir; afluir.

conversa, *s. f.* conversa; conversación; charla; plática; chirinola; *(fam.)* palique; *conversa longa,* parrafada.

conversação, *s. f.* conversación.

conversada, *s. f. (fam.)* novia; enamorada.

conversadeira, I. *s. f.* confidente, silla doble con assientos opuestos; **II.** *adj.* conversadora.

conversado, *s. m. (fam.)* novio; enamorado.

conversador, *s. m.* conversador.

conversão, *s. f.* conversión; transformación.

conversar, *v.* **1.** *intr.* conversar; platicar. **2.** *tr.* tratar íntimamente.

conversível, *adj. 2 gén.* convertible.

converso, I. *s. m.* converso; confeso; lego. **II.** *adj.* converso, confeso; convertido.

conversor, *adj. e s. m.* convertidor.

convertedor, *s. m.* convertidor.

converter, *v. tr.* convertir; mudar; cambiar; transformar.

convertibilidade, *s. f.* convertibilidad.

convertido, *adj. e s. m.* convertido.

convertível, *adj. 2 gén.* convertible; *(auto)* descapotable.

convés, *s. m.* NÁUT. combés.

convexidade, *s. f.* convexidad.

convexo, *adj.* convexo.

convicção, *s. f.* convicción.

convício, *s. m.* convicio; injuria.

convicto, *adj.* convicto; persuadido.

convidado, *adj. e s. m.* convidado; invitado.

convidar, *v. tr.* convidar; invitar; convocar; envidar.

convidativo, *adj.* atrayente; apetecible.

convincente, *adj. 2 gén.* convincente; persuasivo; concluyente.

convir, *v. intr.* convenir; estar acorde; corresponder; pertenecer; concordar.

convite, *s. m.* invitación; convite.

conviva, *s.* 2 *gén.* convidado; invitado.

convivência, *s. f.* convivencia; frecuencia.

convivente, adj. e s. 2 gén. conviviente.
conviver, v. tr. convivir; vivir en común; frequentar; tener intimidad.
convívio, s. m. convivencia; familiaridad.
convizinho, s. m. e adj. convecino; (fig.) contiguo.
convocação, s. f. convocatoria; apellido.
convocador, adj. e s. m. convocador.
convocar, v. tr. convocar; llamar; apellidar; aplazar.
convocatória, s. f. convocatoria.
convólvulo, s. m. convólvula.
convosco, pron. con vosotros.
convulsão, s. f. convulsión.
convulsionar, v. tr. convulsionar.
convulsionário, adj. e s. m. que tiene o finge convulsiones.
convulsivo, adj. convulsivo.
convulso, adj. convulso; tembloroso; agitado; *tosse convulsa*, coqueluche, tos ferina.
cooperação, s. f. cooperación.
cooperador, adj. e s. m. cooperador.
cooperante, adj. 2 gén. cooperador.
cooperar, v. intr. cooperar; colaborar; contribuir.
cooperativa, s. f. cooperativa.
cooperativismo, s. m. cooperativismo.
cooperativista, adj. e s. 2 gén. cooperativista.
cooperativo, adj. cooperativo.
cooptar, v. tr. agregar.
coordenação, s. f. coordinación; arreglo.
coordenada, s. f. coordenada.
coordenado, adj. coordinado; conjuntado.
coordenador, adj. e s. m. coordinador.
coordenar, v. tr. coordinar; conjuntar; organizar; arreglar.
coorte, s. f. cohorte.
copa, s. f. copa; despensa; aparador; (do *chapéu*) copa; copa, cima (ramaje); pl. copas, corazones.
copado, adj. acopado; frondoso.
copar, v. tr. dar forma de copa; hacer convexo; redondear la copa de un árbol.
co-participação, s. f. coparticipación.
co-participante, s. 2 gén. copartícipe.
copázio, s. m. vasazo; vaso grande para beber.
copeira, s. f. aparador; copera.
copeiro, s. m. despensero; repostero; copero; escanciador; copera, mueble.
copel, s. m. copo, bolsa de las redes de arrastre.

copela, s. f. copela.
copelação, s. f. copelación.
copelar, v. tr. copelar.
cópia, s. f. copia; traslado; multitud; abundancia; afluencia; calco.
copiador, s. m. copiador, copista; multicopista; copión.
copiadora, s. f. copiadora.
copiar, v. tr. copiar; trascribir; trasladar; reproducir; imitar; extraer.
co-piloto, s. m. copiloto.
copiografar, v. tr. reproducir por multicopiador.
copiosidade, s. f. copiosidad; copia.
copioso, adj. copioso; abundante, exuberante; fecundo; opíparo.
copista, s. 2 gén. copista; copiante; escribiente.
copito, s. m. chupito.
copla, s. f. copla; saeta; *dizer/cantar coplas*, coplear.
copo, s. m. vaso; pl. (da espada) arriaz; cazoleta; *copo de cerveja*, bock, caña; *copo baixo e largo*, chato; *copo de dados*, cubilete.
copra, s. f. copra.
co-produção, s. f. coproducción.
co-produtor, s. m. coproductor.
coprólito, s. m. coprólito.
co-propriedade, s. f. copropiedad.
co-proprietário, s. m. copropietario.
copta, adj. e s. 2 gén. copto.
cópula, s. f. cópula; coito.
copular, v. tr. copular; juntar; unir.
copulativo, adj. copulativo.
coque, s. m. coscorrón; coca; tabanazo en la cabeza; coque, combustible.
coqueiral, s. m. cocotal.
coqueiro, s. m. BOT. coco; cocotero.
coqueluche, s. f. MED. coqueluche; tos ferina.
coquete, I. s. f. coqueta. II. adj. coqueto.
coquetel, s. m. cóctel.
coquetismo, s. m. coquetismo.
cor (ô), s. f. color; colorido; coloración; pintura; apariencia; *cor viva/cor berrante*, colorín.
cor (ô), de cor, loc. adv. de memoria.
cora, s. f. blanqueamiento.
coração, s. m. ANAT. corazón; (couve) cogollo.
corado, adj. colorado.
coradoiro, s. m. vd. **coradouro**.
coradouro, s. m. tendedero.
coragem, I. s. f. coraje; valor; denuedo;

corajoso, *adj.* corajoso; arrojado; valiente; bravo; animoso.

coral, **I.** *adj. 2 gén.* coral, perteneciente al coro. **II.** *s. m.* coro, coral; ZOOL. coral.

coraliários, *s. m. pl.* ZOOL. coraliarios, pólipos.

coralina, *s. f.* BOT. coralina.

coralino, *adj.* coralino.

coramina, *s. f.* FARM. coramina, tónico cardíaco.

corânico, *adj.* coránico.

corante, *adj. 2 gén. e s. m.* colorante.

Corão, *s. m.* Corán, Alcorán.

corar, *v.* **1.** *tr.* colorar; tenir; asolear, branquear la ropa al sol. **2.** *intr.* sonrojar, sonrojear; sonrosarse.

corbelha, *s. f.* canastillo para dulces, frutas, etc.

corça, *s. f.* ZOOL. cerva.

corcel, *s. m.* corcel.

corcho, *s. m.* corcho.

corço, *s. m.* ZOOL. corzo.

corcova, *s. f.* corcova; joroba; giba; chepa.

corcovado, *adj.* corcovado; giboso; jorobado; contrachecho.

corcovar, *v. tr.* corcovar; gibar; jorobar.

corcunda, **I.** *s. f.* corcova; giba; joroba. **II.** *adj. e s. 2 gén.* jorobado; giboso.

corda, *s. f.* cuerda; cordada; atadero; soga, *pl.* cordaje; cordelería, *corda grossa*, cabo; maroma; *corda de enforcado*, dogal.

cordame, *s. m.* NÁUT. cordaje; cabuyería; cordelería.

cordão, *s. m.* cordón; cíngulo; entorchado; *(da espada)* fiador; cordel; hilera; agujeta; *cordão de polícia*, cerco policíaco.

cordato, *adj.* cuerdo; juicioso; prudente; sensato; atentado.

cordeação, *s. f.* acción de *cordear*.

cordear, *v. tr.* acordelar; medir con cuerda; alinear.

cordeiro, *s. m.* cordero; *cordeiro de mama*, lechazo.

cordel, *s. m.* cordel; guita; bramante; traílla.

cordelinhos, *s. m. pl. (fig.)* maquinaciones; trampa; ardid.

cor-de-rosa, *adj. 2 gén.* sonrosado.

cordial, **I.** *adj. 2 gén.* cordial, afectuoso. **II.** *s. m.* cordial.

cordialidade, *s. f.* cordialidad.

cordiforme, *adj. 2 gén.* cordiforme; acorazonado.

cordilha, *s. f.* cordila.

cordilheira, *s. f.* cordillera; serranía.

cordoada, *s f.* cordonazo.

cordoaria, *s. f.* cordería; cordelería.

cordoeiro, *s. m.* cordelero.

cordovaneiro, *s. m.* cordobanero.

cordovão, *s. m.* cordobán.

cordoveias, *s. f. pl. (fam.)* cordones venosos y tendones muy pronunciados, sobre todo en el cuello.

cordura, *s. f.* cordura; prudencia; sensatez.

co-ré, *s. f.* correo, coacusado.

coreano, *adj. e s. m.* coreano.

coreia, *s. f.* corea; baile de san vito.

coreico, *adj. e s. m.* coreico.

coreografia, *s. f.* coreografía.

coreógrafo, *s. m.* coreógrafo.

coreto, *s. m.* coro pequeño; tablado; templete.

co-réu, *s. m* correo, coacusado.

coriáceo, *adj.* coriáceo.

coriambo, *s. m.* coriambo.

coricida, *s. m.* collicida.

corifeu, *s. m.* corifeo.

corimbo, *s. m.* corimbo.

corindo, *s. m.* corindón.

coríndon, *s. m.* vd. **corindo**.

coríntio, **I.** *adj.* corintio, coríntico. **II.** *s. m.* corintio.

cório, *s. m.* corion.

corióide, *s. f.* coroides.

córion, *s. m.* vd. **cório**.

coriscante, *adj. 2 gén.* relampagueante; coruscante.

coriscar, *v. intr.* relampaguear; fulgurar; coruscar.

corisco, *s. m.* relámpago; chispa eléctrica; rayo.

corista, *s. 2 gén.* corista.

coriza, *s. f.* coriza; maquita.

corja, *s. f.* canalla; pandilla; chusma.

cornaca, *s. m.* cornac; cornaca.

cornada, *s. f.* cornada; derrote.

cornadura, *s. f.* cornadura, cornamenta.

cornalina, *s. f.* cornalina.

cornamenta, *s. f.* cornamenta, cornadura.

cornamusa, *s. f.* MÚS. cornamusa.

cornar, *v. tr.* cornear; acornear.

córnea, *s. f.* ANAT. córnea.

cornear, *v. tr.* cornear.

córneo, *adj.* córneo.

corneta, *s. f.* corneta; trompeta; *corneta acústica*, trompetilla.

cornetada, s. f. trompetazo.
corneteiro, s. m. corneta.
cornetim, s. m. cornetín.
corneto, s. m. ANAT. cornete; *(gelado)* cucurucho; cornete.
cornicho, s. m. cornezuelo; tentáculo del caracol.
cornífero, adj. cornífero; cornígero.
cornígero, adj. cornígero
cornija, s. f. cornisa; cornija.
corno, s. m. cuerno.
cornucópia, s. f. cornucopia.
cornudo, adj. cornudo; astado.
cornúpeto, adj. cornúpeto; cornúpeta.
coro (ô), s. m. coro; escolanía; *menino de coro,* escolano.
coroa, s. f. corona; diadema; guirnalda (de flores); coronilla, tonsura; GEOM. corona.
coroação, s. f. coronación.
coroamento, s. m. coronamiento; coronación; coronamento.
coroar, v. tr. coronar; rematar; premiar.
corografia, s. f. corografía.
corográfico, adj. corográfico.
corógrafo, s. m. corógrafo.
coróide, s. f. ANAT. coroides.
corola, s. f. BOT. corola.
corolário, s. m. corolario.
coronal, I. adj. 2 gén. coronal. II. s. m. ANAT. coronal.
coronária, s. f. ANAT. coronaria, arteria.
coronário, adj. coronario.
coronel, s. m. MIL. coronel.
coronha, s. f. culata; cacha.
coronhada, s. f. corpachón; culatazo.
corpanzil, s. m. *(fam.)* corpanchón; corpazo.
corpete, s. m. justillo; corpiño; corsé.
corpo, s. m. cuerpo; cadáver; corporación; corpus; *corpo docente,* profesorado; *corpo discente,* alumnado; *corpo celeste,* astro.
corporação, s. f. corporación; colegio; gremio.
corporal, adj. 2 gén. e s. m. corporal.
corporalizar, v. tr. corporificar; materializar.
corporativismo, s. m. corporativismo.
corporativo, adj. corporativo.
corporatura, s. f. estatura.
corpóreo, adj. corpóreo; corporal.
corporificação, s. f. corporificación.
corporificar, v. tr. corporificar; solidificar.
corporização, s. f. corporificación.
corporizar, v. tr. corporificar; solidificar.

corpulência, s. f. corpulencia; grosor.
corpulento, adj. corpulento; grueso.
corpuscular, adj. 2 gén. corpuscular.
corpúsculo, s. m. corpúsculo.
correada, s. f. correazo.
correame, s. m. correaje.
correaria, s. f. correería; guarnicionería.
correcção, s. f. corrección; enmienda; exactitud.
correccional, adj. 2 gén. correccional.
correctivo, adj. e s. m. correctivo; castigo.
correcto, adj. correcto; exacto; atinado.
corrector, s. m. corrector.
correctoria, s. f. cargo u oficio de corrector; corregiduría.
correctório, I. adj. corrector. II. s. m. libro de registro de los castigos y correcciones.
corrediça, s. f. corredera.
corrediço, adj. corredizo.
corredio, adj. corredizo.
corredoiro, s. m. corredera.
corredor, I. adj. corredor. II. s. m. corredor, pasadizo, pasillo; galería; NÁUT. arrumbada; DESP. corredor.
corredoras, s. f. pl. ZOOL. corredoras.
corredoura, s. f. corredera.
corredouro, s. m. corredera; corrida.
corredura, s. f. corredura; corrida; carrera.
correeiro, s. m. correero; acionero; guarnicionero.
correento, adj. coriáceo.
corregedor, s. m. corregidor.
corregedoria, s. f. corregidoría, corregimiento.
córrego, s. m. barranco; arroyo; reguera; carril.
correia, s. f. correa; soga; tirante.
correio, s. m. correo; estafeta.
correlação, s. f. correlación; analogía; semejanza.
correlacionar, v. tr. correlacionar; relacionar entre sí dos o más objetos.
correlativo, adj. correlativo.
correligionário, s. m. correligionario.
corrente, I. adj. 2 gén. corriente; fácil; habitual; cierto; común. II. s. f. curso de agua; cadena; viento; ELECTR. corriente; LIT. corriente.
correnteza, s. f. *(de água)* corriente; *(de casas)* hilera.
correntio, adj. correntío; *(fig.)* común; usual.
correr, v. 1. intr. correr; *correr de um lado*

para o outro, corretear; *correr o boato,* rumorearse. **2.** *tr.* recorrer; hacer andar; lidiar (toros); expulsar. **3.** *refl.* avergonzarse; circular.

correria, s. f. correría; corrida; incursión.

correspondência, s. f. correspondencia, correlación, comunicación; simetría; correo; correspondencia.

correspondente, *adj.* e s. 2 *gén.* correspondiente; corresponsal.

corresponder, v. **1.** *intr.* caer; corresponder; pertenecer; tocar; atañer. **2.** *refl.* cartearse; comunicar; corresponderse.

corretã, s. f. roldana.

corretagem, s. f. corretaje, correduría.

corretor, s. m. corredor.

corre-vai-di-lo, s. m. correvedile, correveidile.

corrida, s. f. corrida; carrera; *corrida de obstáculos,* carrera de vallas; *corrida de estafetas,* carrera de relevos; *corrida aos armamentos,* carrera armamentística.

corrido, *adj.* corrido; avergonzado; perseguido; usual; común.

corrigenda, s. f. erratas; yerros a corregir.

corrigir, v. *tr.* corregir; enmendar; rectificar; rehacer; remediar; reprender; castigar.

corrigível, *adj.* 2 *gén.* corregible.

corrilheiro, s. m. corrillero.

corrilho, s. m. corrillo; conciliábulo.

corrimaça, s. f. cencerrada; grita; pita; zumba.

corrimão, s. m. pasamano, pasamanos; barandal; baranda; barandilla.

corrimento, s. m. corrimiento; fluxión; secreción.

corriola, s. f. BOT. correguela.

corriqueiro, *adj.* ordinario; corriente; vulgar; trivial; cacareado; ramplón.

corro, s. m. corro.

corroboração, s. f. corroboración; confirmación.

corroborar, v. *tr.* corroborar; confirmar; comprobar.

corroer, v. *tr.* corroer; sobornar; consumir; desgastar; roer; destruir.

corromper, v. **1.** *tr.* corromper; alterar; cariar; contaminar; enviciar; viciar; podrir; dañar; estragar; apestar; cohechar; depravar; desmoralizar. **2.** *refl.* corromperse; cariarse.

corrompido, *adj.* corrompido; cariado; corrupto; putrefacto; pútrido.

corrompimento, s. m. corrompimiento; corrupción.

corrosão, s. f. corrosión; erosión.

corrosivo, *adj.* corrosivo.

corrupção, s. f. corrupción; seducción; depravación; perversión.

corrupixel, s. m. cogedera.

corruptela, s. f. corruptela; corrupcción.

corruptibilidade, s. f. corruptibilidad.

corruptível, *adj.* 2 *gén.* corruptible.

corrupto, *adj.* corrupto; venable; dañado; viciado; pútrido; putrefacto.

corruptor, s. m. corruptor.

corsário, s. m. corsario.

corselete, s. m. corsé; corselete.

corso, s. m. corso, campaña marítima; piratería; enjambre de sardinas.

corta-arame, s. m. cortaalambres.

corta-circuitos, s. m. cortacircuitos.

corta-charutos, s. m. cortapuros.

cortadela, s. f. cortadura; cisura; herida.

cortado, *adj.* cortado; taiado; tallado.

cortador, I. *adj.* cortador. **II.** s. m. cortador; carnicero; tablajero; vendimiador; máquina de cortar; *cortador de relva,* cortacésped.

cortadura, s. f. cortadura; cisura; herida.

corta-fogo, s. m. corta-fuego.

cortagem, s. f. corte; cortadura.

cortante, *adj.* 2 *gén.* cortante; tájante; acerado; afilado.

cortar, v. **1.** *tr.* cortar; tajar; tallar; interceptar; interrumpir; hendir; *(cartas)* fallar; *cortar o cabelo,* cortarse el pelo. **2.** *refl.* cortarse.

corta-unhas, s. m. cortauñas.

corte, s. **1.** s. m. corte; filo; cisión; cortadura; sangradura; incisión; sección; tajada; tajo; robo; interrupción de corriente eléctrica; reducción; *(roupa, diamantes)* talle; *(cartas)* fallo; *(pedra)* tallado; *corte de árvores,* tala; *corte de barba,* afeitado. **2.** s. f. cuadra; corral.

corte *(ô),* **I.** s. f. corte; *(fig.)* círculo de aduladores; galanteo. **II.** *pl.* parlamento.

cortejador, *adj.* e s. cortejador; cortejante; galanteador.

cortejar, v. *tr.* cortejar; requebrar; galantear.

cortejo, s. m. cortejo; cortesía; séquito; comitiva; acompañamiento.

cortês, *adj.* cortés; afable; atento; delicado; urbano; amable; bienhablado.

cortesã, s. f. cortesana; favorita; hetaira.

cortesania, s. f. cortesanía.

cortesão, s. m. cortesano; áulico.

cortesia, *s. f.* cortesía; mesura; afecto; respeto; afabilidad; urbanidad; finura; saludo.

córtex, *s. m.* súber, corteza; tegumento exterior; ANAT. subcórtex; cortical.

cortiça, *s. f.* corcho; súber; corteza.

cortiçada, *s. f.* encorchada.

cortical, *adj.* 2 *gén.* cortical.

córtice, *s. m. vd.* **córtex.**

corticeira, *s. f.* corchera.

corticeiro, *adj. e s. m.* corchero.

corticento, *adj.* corchoso.

corticite, *s. f.* conglomerado de corcho.

cortiço, *s. m.* corcho; corcha; corchera; colmena; *(fig.)* casucha miserable; cochitril.

cortilha, *s. f.* cortadera.

cortina, *s. f.* cortina; cortinaje; lienzo; telón; visillo.

cortinado, *s. m.* cortinaje.

cortinar, *v. tr.* adornar con cortinas.

cortisona, *s. f.* cortisona.

coruchéu, *s. m.* cima de una torre; cimborio; cúpula.

coruja, *s. f.* ZOOL. coruja; curuja; lechuza.

coruscação, *s. f.* coruscación.

coruscante, *adj.* 2 *gén.* coruscante; fulgurante; brillante.

coruscar *v. intr.* coruscar; brillar; fulgurar.

corusco, *s. m.* relámpago, corusco.

coruto, *s. m.* penacho del maíz; pináculo; cumbre; cabeza; cima; copa.

corvejar, *v. intr.* graznar; crascitar.

corveta, *s. f.* NÁUT. corbeta.

corvídeo, **I.** *adj.* corvino. **II.** *s. m. pl.* ZOOL. córvidos.

corvina, *s. f.* corvina.

corvo, *s. m.* ZOOL. cuervo.

corvo-marinho, *s. m.* correjón; cormorán; *corvo-marinho de crista,* cor-morán moñudo.

cós, *s. m.* pretina; cinturilla.

coscorão, *s. m.* coscorrón; fillós.

coscorrinho, *s. m. (fam.)* peculio; alcancía; hucha.

coscuvilhar, *v. intr.* murmurar; intrigar.

coscuvilheira, *s. f.* murmuradora; mujer intrigante.

coscuvilhice, *s. f.* murmuración; intriga.

co-secante, *s. f.* cosecante.

cosedor, *s. m.* aparato para coser libros (los encuadernadores).

cosedura, *s. f.* cosido; costura.

co-seno, *s. m.* coseno.

coser, **I.** *v. tr.* coser. **II.** *intr.* concertar; repasar, remendar.

cosmética, *s. f.* cosmética.

cosmético, *adj. e s. m.* cosmético; *pl.* potingue.

cósmico, *adj.* cósmico.

cosmogonia, *s. f.* cosmogonía.

cosmogónico, *adj.* cosmogónico.

cosmografia, *s. f.* cosmografía.

cosmográfico, *adj.* cosmográfico.

cosmógrafo, *s. m.* cosmógrafo.

cosmologia, *s. f.* cosmología.

cosmológico, *adj.* cosmológico.

cosmonauta, *s.* 2 *gén.* cosmonauta.

cosmonave, *s. f.* cosmonave.

cosmopolita, *s.* 2 *gén.* cosmopolita.

cosmopolitismo, *s. m.* cosmopolitismo.

cosmorama, *s. m.* cosmorama.

cosmos, *s. m.* cosmos.

cossaco, *s. m.* cosaco.

cossoiro, *s. m.* apoyo de un mástil; roseta de espuela.

costa, *s. f.* costa; orilla del río, mar, lago, etc.; cuesta, costa; *pl.* espalda; lomo; costado; revés; reverso; *(natação)* espalda; *(de madeira)* respaldo; *costas com costas,* adosado; *carregar às costas,* ajobar.

costado, *s. m.* costado; NÁUT. bordo.

costal, **I.** *adj.* costal; dorsal. **II.** *s. m.* carga que un hombre puede llevar a las espaldas.

costaneira, *s. f.* costero.

costaneiro, **I.** *adj.* costero. **II.** *s. m.* espalda; lomo; dorso.

costear, **I.** *v. tr.* NÁUT. costear; rodear. **II.** *intr.* bordear.

costeiro, *adj.* costero; costanero; *barco costeiro,* transbordador.

costela, *s. f.* ANAT. costilla; ZOOL. arista ósea de algunos peces; NÁUT. costilla; BOT. costilla; *pl.* costillas.

costeleta, *s. f.* chuleta; costilleta; costilla.

costumado, *adj.* acostumbrado; habitual; usado; sólito.

costumar, *v.* **1.** *tr.* acostumbrar; habituar; estilar. **2.** *intr.* soler.

costumário, *adj.* consuetudinario.

costume, *s. m.* costumbre; hábito; habituación; práctica; uso, usanza; moda; estilo; *ser costume,* soler.

costumeira, *s. f.* rutina.

costura, *s. f.* costura; cosido; *(fig.)* costurón; cicatriz.

costurado, *adj.* cosido.

costurar, v. tr. e intr. coser.

costureira, s. f. costurera; (*mesinha, cesta*) costurero; modista; TEAT. sastra.

costureiro, s. m. modisto.

cota, s. f. cuota; cota; acotación; cota, vestidura antigua.

cotação, s. f. cotizacion; (*fam.*) estima; aprecio.

co-tangente, s. f. cotangente.

cotanilho, s. m. BOT. vello, pelusa.

cotão, s. m. vello; pelusa; borra.

cotar, v. tr. cotizar.

cote, I. s. m. NÁUT. cote, afiladera; nudo en la manguera de una bomba; II. *loc. adv.*, *de cote diário,* de uso diario.

cotejar, v. tr. cotejar; comparar; colacionar; confrontar.

cotejável, adj. 2. gén. cotejable.

cotejo, s. m. cotejo; comparacion.

cotilédone, s. f. BOT. cotiledón.

cotilhão, s. m. cotillón.

cotim, s. m. cotí; cutí; tejido de algodón.

cotio, s. m. uso cotidiano; *a cotio,* todos los dias, diariamente.

cotização, s. f. cotización.

cotizar, v. tr. cotizar.

coto, s. m. muñón; tocón.

cotonaria, s. f. algodonal.

cotovelada, s. f. codazo; mangonada.

cotovelo, s. m. codo; recodo; codillo; *formar cotovelo,* recodar, recodarse.

cotovia, s. f. ZOOL. alondra; bisbita.

coturno, s. m. coturno; calcetín.

couce, s. m. coz; coce; retaguardia, parte posterior; talón.

couceira s. f. quicial.

coudelaria, s. f. acaballadero.

coulomb, s. m. coulomb.

couraça, s. f. coraza; loriga.

couraçado, I. adj. acorazado; blindado. II. s. m. acorazado.

couraçar, v. tr. acorazar.

couraceiro, s. m. coracero.

courama, s. f. corambre; pelambre.

courela, s. f. amelga; bancal.

couro, s. m. suela; cuero; *pl.* corambre; *couro fino,* tafilate.

coutada, s. f. acotada; coto; concia.

coutar, v. tr. acotar; vedar; prohibir.

couteiro, s. m. montero.

couto, s. m. coto; terreno acotado; (*fig.*) refúgio; abrigo.

couval, s. m. berzal.

couve, s. f. BOT. col; berza.

couve-flor, s. f. BOT. coliflor.

couve-nabiça, s. f. colinabo.

cova, s. f. cueva; fosa; caverna; cárcava; agujero; hoyo; hoya; hoyada; bache; badén; cachulera; madriguera; cavidad; sepultura; alvéolo de dientes.

covacho, s. m. covacha, cueva pequeña.

covagem, s. f. acto de abrir sepulturas.

coval, s. m. parte del cementerio en el cual se pueden abrir sepulturas.

covarde, adj. e s. 2 gén. cobarde; poltrón; pusilánime.

covardia, s. f. cobardía.

coveiro, s. m. sepulturero; cuevero; enterrador.

covil, s. m. guarida, cubil; cubilar; madriguera; cueva; caverna; (*de ursos*) osera.

covilhete, s. m. cubilete.

covinha, s. f. covacha; (*do rosto*) hoyelo.

covo, adj. cóncavo; hueco; hondo.

coxa, s. f. ANAT. muslo; fémur; (*fam.*) cacha; *pl.* muslamen.

coxal, adj. 2 gén. ANAT. coxal.

coxalgia, s. f. coxalgia.

coxálgico, adj. coxálgico.

coxame, s. m. (*fam.*) muslamen.

coxeadura, s. f. cojera.

coxear, v. intr. cojear.

coxia, s. f. NÁUT. crujía; pasillo por medio de bancos en un teatro, etc.

coxim, s. m. cojín, almohadón; cojinete.

coxo, adj. e s. m. cojo; (*fig.*) incompleto.

coxote, s. m. quijote, pieza de la armadura antigua.

cozedura, s. f. cocedura; cocción.

cozer, v. tr. cocer; guisar.

cozido, adj. e s. m. cocido; puchero.

cozimento, s. m. cocimiento; cocción; infusión; digestión.

cozinha, s. f. cocina; *moço de cozinha,* pinche.

cozinhado, s. m. guisado.

cozinhar, v. tr. e intr. cocinar; guisar; cocer.

cozinheira, s. f. cocinera.

cozinheiro, s. m. cocinero.

crachá, s. m. condecoración.

craniano, adj. craneano; craneal.

crânio, s. m. cráneo; casco.

craniologia, s. f. craniología.

craniológico, adj. craniológico.

cranioscopia, s. f. cranioscopia.

crápula, s. **1.** f. *(bebedeira/libertinagem)* crápula. **2.** m. *(libertino)* crápula.
crapuloso, adj. crapuloso.
craque, s. m. *(falência)* crac; DESP. crack; *(droga)* crack.
crase, s. f. crasis.
crasso, adj. craso; grueso; gordo; espeso.
Crassuláceas, s. f. pl. BOT. crasuláceas.
crástino, adj. del día siguiente.
cratera, s. f. cráter.
crava, s. m. clavelito; sableador; sablista.
cravação, s. f. clavadura.
cravado, adj. clavado; empotrado.
cravador, s. m. clavador; engastador; punzón de zapatero.
cravagem, s. f. tizón, cornezuelo.
cravar, v. tr. clavar; enclavar; clavetear; fijar; espetar; hincar; chantar; poner; engastar; empotrar; *(fam.)* gorrear; garronear; sablear.
craveira, s. f. molde; marco; patrón; clavera.
craveiro, s. m. BOT. clavel, planta.
craveiro-da-índia, s. m. clavero.
cravejado, adj. clavado.
cravejar, v. tr. clavetear; clavar; engastar.
cravelha, s. f. clavija; pl. clavijero.
cravelho, s. m. tarabilla.
cravete, s. m. clavillo.
cravina, s. f. BOT. clavellina.
cravista, s. 2 gén. clavicordista.
cravo, s. m. clavo; estaquilla; BOT. clavel; clavo; clavillo; comedón; alcayata; MÚS. clavicordio.
cré, s. m. creta; greda; tiza.
crebro, adj. frecuente; repetido.
creche, s. f. guardería infantil.
credência, s. f. credencia.
credencial, I. adj. 2 gén. credencial. **II.** s. f. credencial.
credibilidade, s. f. credibilidad.
creditar, v. tr. acreditar.
creditício, adj. crediticio.
crédito, s. m. crédito; fe; creencia; autoridad; reputación.
credo, s. m. credo.
credor, adj. e s. m. acreedor.
credulidade, s. f. credulidad.
crédulo, adj. crédulo; ingenuo; confiado; sencillo.
cremação, s. m. cremación; incineración.
cremalheira, s. f. cremallera.
cremar, v. tr. cremar; incinerar.

crematística, s. f. crematística.
crematístico, adj. crematístico.
crematório, adj. crematorio
creme, s. m. crema; nata; natillas; *creme de bronzear,* bronceador; *creme do cabelo,* gomina.
cremor, s. m. cremor.
cremoso, adj. cremoso.
crenátula, s. f. crenátula, concha bivalva.
crença, s. f. creencia; fe.
crendeirice, s. f. creencia popular, superstición.
crendeiro adj. e s. m. simple; bobalicón; supersticioso.
crendice, s. f. creencia popular, superstición.
crente, adj. e s. 2 gén. creyente.
creosote, s. m. vd. **creosoto.**
creosoto, s. m. QUÍM. creosota.
crepe, s. m. crespón; *(doce)* crêpe.
crepitação, s. f. crepitación; chasquido; crujido.
crepitante, adj. 2 gén. crepitante.
crepitar, v. intr. crepitar; decrepitar; chasquear; crujir.
crepuscular, adj. 2 gén. crepuscular.
crepúsculo, s. m. crepúsculo; anochecer.
crer, v. **1.** tr. creer; pensar. **2.** intr. creer; tener fe. **3.** refl. juzgarse.
crescença, s. f. crecimiento; aumento.
crescendo, s. m. MÚS. crescendo; *(fig.)* progresión.
crescente, I. adj. 2 gén. creciente. **II.** s. f. creciente, crecida. **III.** s. m. creciente (fase de la luna); alfanje; bandera turca; fermento.
crescer, v. intr. crecer; aumentar; sobrar; hinchar; desarrollarse; subir; *crescer gradualmente,* arreciar.
crescido, adj. crecido; desarrollado; alto; talludo; considerable; grande; maduro.
crescimento, s. m. crecimiento.
crespão, s. m. crespón.
crespar, v. tr. encrespar; ensortijar; rizar.
crespidão, s. f. aspereza, escabrosidad.
crespo, adj. crespo; encrespado; estropajoso; ensortijado; rizado; retorcido; escabroso.
cresta, s. f. castración de las colmenas; *(fig.)* rapiña, robo, saqueo; soba; paliza.
crestadeira, s. f. castradera; cortadera; tostadera.
crestado, adj. chamuscado.

crestadura, s. f. quemadura ligera; tostadura.

crestar, v. tr. chamuscar; tostar; abrasar; asolanar; quemar; requemar; (colmeias) castrar, desmelar.

crestomatia, s. f. crestomatia.

cretáceo, adj. cretáceo; gredoso.

cretaico, adj. cretáceo.

cretense, adj. e s. 2 gén. cretense

cretinismo, s. m. cretinismo.

cretino, s. m. cretino.

cretone, s. m. cretona.

cria, s. f. cría.

criação, s. f. creación; crianza; cría; educación; ganadaría.

criada, s. f. criada; sirviente; moza; sierva; asistenta; camarera; chacha.

criadagem, s. f. servidumbre.

criado, s. m. criado; sirviente; mozo; siervo; camarero; servidor.

criador, I. adj. criador; almo; inventor. II. s. m. criadero para animares; creador, criador. III. s. m. pl. creador, dios.

criadouro, s. m. criadero.

criança, s. f. niño, niña; (fam.) crío; párvulo, párvula; criança exposta, echadillo.

criançada, s. f. niñería; muchachada; (fam.) chiquillería.

criancice, s. f. niñería; niñez; puerilidad; chiquillada, chiquillería; niñada.

criancinha, s. f. nene.

criançola, s. m. aniñado.

criar, v. tr. crear; criar; producir; hacer; instituir; formar; fundar; alimentar; educar.

criatividade, s. f. creatividad.

criativo, adj. criativo.

criatura, s. f. criatura; hombre; individuo; persona; ser.

criceto, s. m. hámster; campañol.

crime, s. m. crimen; delito.

criminação, s. f. criminación; acusación.

criminal, adj. 2 gén. criminal; penal.

criminalidade, s. f. criminalidad.

criminalista, adj. e s. 2 gén. criminalista.

criminar, v. tr. criminar; acriminar

criminologia, s. f. criminología.

criminoso, s. m. criminoso; criminal; delincuente; maleante; reo.

crina, s. f. crin; cerda.

crinolina, s. f. crinolina; miriñaque.

crioulo, s. m. criollo.

cripta, s. f. cripta.

crípto, adj. críptico.

criptogamia, s. f. BOT. criptogamia.

criptogâmicas, s. f. pl. BOT. criptógamas.

criptogâmico, adj. BOT. criptógamo.

criptografia, s. f. criptografía.

criptograma, s. m. criptograma.

crípton, s. m. criptón.

críquete, s. m. cricquet, críquet.

crisálida, s. f. crisálida.

crisântemo, s. m. BOT. crisantemo.

crise, s. f. crisis.

crisma, s. m. crisma.

crismar, v. tr. crismar.

crisol, s. m. crisol; (fig.) crisol, prueba.

crisólito, s. m. crisólito.

crisópraso, s. m. crisoprasa.

crispação, s. f. crispación; contracción.

crispar, v. tr. crispar; rizar; encrespar, fruncir.

crista, s. f. cresta; penacho; crista; copete.

cristal, s. m. cristal.

cristaleira, s. f. cristalera.

cristalino, I. adj. cristalino. II. s. m. ANAT. cristalino.

cristalização, s. f. cristalización.

cristalizado, adj. candi.

cristalizar, v. tr. cristalizar.

cristalografia, s. f. cristalografía.

cristalográfico, adj. cristalográfico.

cristalóide, adj. 2 gén. cristaloide.

cristandade, s. f. cristandad.

cristão, adj. e s. m. cristiano.

cristianismo, s. m. cristianismo.

cristianizar, v. tr. cristianizar; acristianar.

cristo, s. m. cristo.

critério, s. m. criterio; raciocinio; discernimiento.

criterioso, adj. sensato.

crítica, s. f. crítica; recensión.

criticador, adj. e s. m. (fam.) criticón.

criticar, v. tr. criticar; censurar; reseñar.

criticastro, s. m. criticastro.

criticável, adj. 2 gén. criticable; censuralle.

criticismo, s. m. criticismo.

crítico, I. adj. crítico; criticón; contestatario; peligroso; decisivo. II. s. m. crítico; criticador.

crivação, s. f. cribación; cribado; acribadura.

crivar, v. tr. cribar, zarandear; cerner; agujerear; acribillar; clavetear.

crível, adj. 2 gén. creíble; verosímil.

crivo, s. m. criba; cedazo; hannero; colador; (costura) calado.

cró, *s. m.* cierto juego de naipes.
croata, *adj. e s. 2 gén.* croata.
cróceo, *adj.* crocino; cróceo.
croché, *s. m.* croché; ganchillo.
crocitar, *v. intr.* crascitar; croar.
crocito, *s. m.* crocito; graznido.
crocodilo, *s. m.* ZOOL. cocodrilo.
croissant, *s. m.* cruasán.
cromático, *adj.* cromático.
cromatina, *s. f.* cromatina.
cromatismo, *s. m.* cromatismo.
crómico, *adj.* crómico.
crómio, *s. m.* QUÍM. cromo.
cromo, *s. m. (gravura)* cromo.
cromossoma, *s. m.* cromosona.
crónica, *s. f.* crónica.
cronicão, *s. m.* cronicón
crónico, *adj.* MED. crónico.
cronista, *s. 2 gén.* cronista
cronologia, *s. f.* cronología.
cronológico, *adj.* cronológico.
cronometragem, *s. f.* cronometraje.
cronometrar, *v. tr.* cronometrar.
cronometria, *s. f.* cronometría.
cronométrico, *adj.* cronométrico.
cronómetro, *s. m.* cronómetro; crono.
croque, *s. m.* NÁUT. cloque; regatón; bichero; asta; pértiga.
croquete, *s. m.* croqueta; croquet.
crossa, *s. f.* cayado; báculo; apoyo; bastón episcopal.
crosse, *s. m.* DESP. cros.
crosta, *s. f.* costra; corteza; cáscara; carapacho; costra, postilla; lentor.
crótalo, *s. m.* ZOOL. crótalo.
cru, *adj.* crudo; *(fig.)* cruel; despiadado; duro.
crucial, *adj. 2 gén.* crucial.
cruciante, *adj. 2 gén.* cruciante; lancinante.
cruciferário, *s. m.* cruciferario.
Cruciferas, *s. f. pl.* BOT. crucíferas.
crucificação, *s. f.* crucifixión.
crucificado, *adj. e s. m.* crucificado.
crucificar, *v. tr.* crucificar; *(fig.)* martirizar.
crucifixão, *s. m.* crucifixión.
crucifixo, *s. m.* crucifijo.
cruciforme, *adj. 2 gén.* cruciforme.
crucigrama, *s. m.* crucigrama.
cruel, *adj. 2 gén.* cruel; sangriento; truculento; duro, atroz; inhumano; desalmado; ferino; impío.
crueldade, *s. f.* crueldad; rudeza; ensañamiento; ferocidad; impiedad; atrocidad; barbarie; rigor.
cruento, *adj.* cruento; sangriento; amargo.
crueza, *s. f.* crudeza; *(fig.)* rigor.
cruor, *s. m.* crúor.
crupe, *s. m.* crup; difteria; garrotillo.
crural, *adj. 2 gén.* ANAT. crural.
crusta, *s. f.* corteza (de la tierra), costra.
crustáceos, *s. m. pl.* ZOOL. crustáceos.
cruz, *s. f.* cruz; crucero; tortura; insignia.
cruzada, *s. f.* cruzada.
cruzado, I. *adj.* cruzado, dispuesto en cruz. II. *s. m.* cruzado.
cruzador, *s. m.* NÁUT. crucero.
cruzamento, *s. m.* cruzamiento; cruce; cruzada, encrucijada; interpretación; mestizaje de razas.
cruzar, *v. tr.* cruzar; atravesar.
cruzeiro, *s. m.* crucero.
cruzeta, *s. f.* crucecita; pequeña cruz; percha, colgador de ropa.
cu, *s. m. (fam.)* culo; pompi(s).
cuada, *s. f. (fam.)* culada.
cuba, *s. f.* cuba; tonel, tina.
cubagem, *s. f.* cubaje; cubicación; capacidad.
cuba-livre, *s. m.* cubalibre; cubata.
cubano, *adj. e s. m.* cubano.
cubar, *v. tr.* cubar, cubicar.
cubata, *s. f.* choza de negros.
cubatura, *s. f.* cubatura.
cubeba, *s. f.* BOT. cubeba.
cubelo, *s. m.* torreón; albacara de las antiguas fortalezas.
cubicar, *v. tr.* cubicar; cubar.
cúbico, *adj.* cúbico.
cubículo, *s. m.* cubículo; cuchitril; chiscón; cuartucho.
cubiforme, *adj. 2 gén.* cubiforme, cuboideo.
cubismo, *s. m.* cubismo.
cubista, *adj. e s. 2 gén.* cubista.
cubital, *adj. 2 gén.* cubital.
cúbito, *s. m.* ANAT. cúbito.
cubo, *s. m.* cubo; arcaduz de noria; cuba, estanque de molino; *elevar ao cubo,* cubicar.
cuco, *s. m.* ZOOL. cuclillo, cuco; *(relógio)* cuco; *canto do cuco,* cucú; *relógio de cuco,* cucú, cuco.
Cucurbitáceas, *s. f. pl.* BOT. cucurbitáceas.
cuecas, *s. f. pl.* calzoncillos.
cueiro, *s. m.* culero; pañal, mantilla.

cuidado, I. s. m. cuidado, precaución, cautela; desvelo. II. interj. tate!

cuidadoso, adj. cuidadoso; acurado; esmerado; alerto; atentado; detenido, diligente; solícito.

cuidar, v. tr. cuidar; imaginar; meditar, pensar; reflexionar; atentar; preocupar.

cujo, pron. cuyo.

culatra, s. f. culata.

culinária, s. f. culinaria.

culinário, adj. culinario.

culminação, s. f. culminación.

culminância, s. f. culminância; cenit; auge; apogeo.

culminante, adj. 2 gén. culminante.

culminar, intr. culminar.

culômbio, s. m. culombio.

culpa, s. f. culpa; falta; error; pecado; delito; crimen.

culpabilidade, s. f. culpabilidad.

culpado, adj. e s. m. culpado; culpable.

culpar, v. tr. culpar; imputar; atribuir; acusar.

culteranismo, s. m. culteranismo.

culteranista, s. 2 gén. culterano.

cultismo, s. m. cultismo.

cultivação, s. f. cultivación; cultura.

cultivado, adj. cultivado; fertilizado.

cultivador, s. m. cultivador; agricultor.

cultivar, v. tr. cultivar; plantar; (fig.) educar, instruir.

cultivável, adj. 2 gén. cultivable; laborable.

cultivo, s. m. cultivo; cultura.

culto, I. s. m. culto; adoración; veneración; (fig.) altar. II. adj. cultivado; culto; civilizado; instruido.

cultor, s. m. cultor; cultivador.

cultura, s. f. cultura; cultivo; sabiduría; esmero.

cultural, adj. 2 gén. cultural.

culturismo, s. m. culturismo.

culturista, s. 2 gén. culturista.

cume, s. m. cumbre; ápice; altura; cabeza; cresta.

cumeada, s. f. cumbrera; cumbre; cima; asomada.

cúmplice, s. 2 gén. cómplice; conivente.

cumplicidade, s. f. complicidad; connivencia.

cumpridor, I. adj. cumplidor. II. s. m. ejecutor.

cumprimentador, adj. cumplimentador.

cumprimentar, v. tr. e intr. cumplimentar; felicitar; saludar.

cumprimento, I. s. m. cumplimiento; cumplido; cortesía; saludo; não cumprimento, incumplimiento. II. pl. cumplimientos; felicitaciones.

cumprir, v. 1. tr. cumplir; ejecutar; realizar; desempeñar; observar; atender; não cumprir, incumplir. 2. intr. convenir, importar.

cumular, v. tr. cumular; acumular; llenar; amontonar.

cumulativo, adj. cumulativo; acumulativo.

cúmulo, s. m. cúmulo; cumbre; summum; colmo; montón; acumulación; pl. cúmulos, nubes; ser o cúmulo, ser la caraba.

cuneiforme, adj. 2 gén. cuneiforme.

cunha, s. f. cuña; alzaprima; calzo; coda.

cunhada, s. f. cuñada.

cunhado, s. m. cuñado.

cunhador, adj. e s. m. acuñador.

cunhagem, s. f. acuñación; amonedación.

cunhal, s. m. esquina.

cunhar, v. tr. acuñar; amonedar; batir.

cunhete, s. m. cuñete.

cunho, s. m. cuño; sello; carácter; troquel.

cunicultor, s. m. cunicultor.

cunicultura, s. f. cunicultura.

cupão, s. m. cupón.

cupé, s. m. cupé; berlina.

cupidez, s. f. codicia; avidez.

cupido, s. m. cupido.

cúpido, adj. ávido; ambicioso.

cupim, s. m. comején.

cúprico, adj. cúprico.

cuprífero, adj. cuprífero.

cuprite, s. f. cuprita; ziguelin, cobre rojo.

cúpula, s. f. cúpula; cimborio.

Cupuláceas, s. f. pl. BOT. cupulíferas.

cupulado, adj. cupulado.

Cupulíferas, s. f. pl. BOT. cupulíferas.

cura, I. s. f. cura; curativo. II. s. m. cura, abad; párroco.

curabilidade, s. f. curabilidad.

curaçau, s. m. curazao; curasao (licor).

curado, adj. curado.

curador, s. m. curador.

curadoria, s. f. curaduría.

curandeirismo, s. m. curanderismo.

curandeiro, s. m. curandero; charlatán; ensalmador; medicastro.

curandice, s. f. charlatanería.

curar, v. tr. curar; sanar.

curare, *s. m.* curare.

curativo, *s. m.* curativo; cura; curación.

curato, *s. m.* curato.

curável, *adj.* 2 *gén.* curable; sanable.

curdo, *adj.* e *s. m.* kurdo.

curetar, *v. tr.* CIR. legrar.

cúria, *s. f.* curia.

curial, *adj.* 2 *gén.* curial; conveniente.

curiosidade, *s. f.* curiosidad; gusanillo; *curiosidade mórbida*, morbo.

curioso, *adj.* curioso; fisgón; indiscreto; *ser curioso*, curiosear.

curral, *s. m.* corral; establo; redil; aprisco; corte; corte; encerradero.

currículo, *s. m.* currículum; historial.

curro, *s. m.* toril; *meter no curro*, encajonar; encierro; majado.

cursar, *v. tr.* cursar; alcanzar; frecuentar; concurrir; correr.

cursivo, *adj.* e *s. m.* cursivo.

curso, *s. m.* curso; carrera; corrida; dirección; trazado; evolución; *curso de aperfeiçoamento*, cursillo; *curso após-graduação*, postgrado.

cursor, *s. m.* cursor.

curta-metragem, *s. f.* cortometraje.

curteza, *s. f.* cortedad; *(fig.)* rudeza; escasez.

curtido, *adj.* curtido; curado; *coiro curtido*, curtido.

curtidor, *s. m.* curtidor.

curtidouro, *s. m.* curtiduría.

curtimenta, *s. f.* curtiduría; alberca.

curtimento, *s. m.* curtido.

curtir, *v. tr.* curtir; encurtir; aderezar; adobar; encallecer; *(linho)* enriar; *(peles)* zurrar.

curto, *adj.* corto; *(de vista)* estrecho, tupido.

curto-circuito, *s. m.* corto-circuito.

curtume, *s. m.* curtido; *fábrica de curtumes*, curtidura.

curul, *adj.* 2 *gén.* curul.

curva, *s. f.* curva; corva; curvatura; arco; comba; recodo.

curvado, *adj.* curvo; combo; doblado; gacho.

curvar, *v.* 1. *tr.* curvar; corvar; encorvar; corcovar; arquear; enarcar; doblar; combar; inclinar. 2. *intr.* e *refl.* plegarse; resignarse.

curvatura, *s. f.* curvatura; corvadura; redondez; arqueamiento; agobio; flexión.

curvejão, *s. m.* jarrete.

curveta, *s. f.* corveta, corcovo.

curvetear, *v. intr.* caracolear.

curvilíneo, *adj.* curvilíneo.

curvímetro, *s. m.* curvímetro.

curvo, *adj.* curvo; adunco; combo; corvo; redondo; torcido.

cuscuz, *s. m.* cuscús; alcuzcuz.

cúspide, *s. f.* cúspide.

cuspideira, *s. f.* escupidera.

cuspidela, *s. f.* escupitajo, escupitinajo; salivazo.

cuspidor, *s. m.* escupidor, escupidera.

cuspilhar, *v. intr.* escupir muy a menudo.

cuspinhar, *v. intr.* escupir con mucha frecuencia.

cuspir, *v. tr.* escupir; salivar; esputar.

cuspo, *s. m.* escupidura; saliva; escupo, esputo.

custa, *s. f.* costa; esfuerzo; trabajo.

custar, *v.* 1. *tr.* costar; valer; causar. 2. *intr.* ser difícil.

custeamento, *s. m.* coste; relación de gastos.

custear, *v. tr.* costear; subvencionar; sufragar.

custeio, *s. m.* costeo; coste; importe.

custo, *s. m.* coste; costa; costo; costeo; esfuerzo; dificuldad; *pl.* gajes.

custódia, *s. f.* custodia; guardia; salvaguardia; protección; RELIG. custodia.

custodiar, *v. tr.* custodiar; guardar.

custódio, *adj.* custodio.

custoso, *adj.* costoso; *(fig.)* difícil; penoso.

cutâneo, *adj.* cutáneo.

cute, *s. f.* cutis.

cutelaria, *s. f.* cuchillería

cuteleiro, *s. m.* cuchillero.

cutelo, *s. m.* cuchillo; cuchilla; machete; podadera; NÁUT. boneta.

cúter, *s. m.* NÁUT. cúter.

cutícula, *s. f.* cutícula; epidermis.

cuticular, *adj.* 2 *gén.* cuticular.

cutilada, *s. f.* cuchillada; cuchillazo; tajo.

cútis, *s. f.* cutis, epidermis; tez.

czar, *s. m.* czar, zar.

czardas, *s. f.* czardas, baile húngaro.

czarina, *s. f.* czarina, zarina.

czarismo, *s. m.* zarismo.

D

d, s. m. abrev. de **don** o **doña**.

da, contr. de la prep. **de** y el art. o pron. dem. **a**: de la.

dação, s. f. dación.

dactilar, adj. 2 gén. dactilar.

dactílico, adj. dactílico; esdrújulo.

dáctilo, s. m. dáctilo.

dactilografar, v. tr. dactilografiar; mecanografiar.

dactilografia, s. f. dactilografía, mecanografía.

dactilográfico, adj. dactilográfico.

dactilógrafo, s. m. dactilógrafo; mecanógrafo.

dactilologia, s. f. dactilología.

dactiloscopia, s. f. dactiloscopia; dactilomancia.

dadaísmo, s. m. dadaismo.

dadaísta, s. 2 gén. dadaista.

dádiva, s. f. dádiva; regalo; prenda; donativo; don; oferta.

dadivar, v. tr. dadivar; regalar; obsequiar.

dadivoso, adj. dadivoso; generoso; espléndido; dadero.

dado, I. s. m. dado; dato; indicio; precedente. II. adj. dado; gratuito; afable; permitido; propenso.

dador, s. m. dador; donante.

daguerreótipo, s. m. daguerrotipo.

daí, contr. de la prep. **de** y del adv. **aí**: de ahí.

dáimio, s. m. daimio.

dala, s. f. NÁUT. dala.

dalém, contr. de la prep. **de** y del adv. **além**: de allá; de la otra parte.

dali, contr. de la prep. **de** y del adv. **ali**: de ali.

dália, s. f. BOT. dalia.

dálmata, I. adj. 2 gén. dálmata. II. s. 2 gén. dálmata.

dalmática, s. f. dalmática.

daltónico, adj. e s. m. daltoniano.

daltonismo, s. m. MED. daltonismo; acromatopsia.

dama, s. f. dama; (cartas) dama, sota; pl. (jogo) damas.

damasco, s. m. (tecido) damasco; BOT. damasco, albérchiga, albérchigo.

damasqueiro, s. m. BOT. damasco; alberchiguero.

damasquinagem, s. f. damasquinado.

damasquinar, v. tr. damasquinar, taracear, embutir.

damasquinaria, s. f. damasquinado.

damasquino, adj. damasquino.

damice, s. f. damería; delicadeza mujeril afeminación.

danação, s. f. damnación; hidrofobia rabia.

danado, adj. dañado; hidrófobo; rabioso (pop.) inteligente.

danador, adj. e s. m. dañador, que o aqué que daña; dañoso, instigador.

danaide, s. f. danaide.

danar, v. tr. dañar; volver rabioso; viciar condenar; (fig.) irritar.

dança, s. f. danza; baile.

dançadeira, s. f. danzarina; danzadora.

dançador, adj. e s. m. danzador; danzante; danzarín; bailarín.

dançante, adj. e s. 2 gén. danzante.

dançável, adj. 2 gén. bailable.

dançar, v. intr. danzar; bailar.

dançarina, s. f. danzarina; danzadora bailarina.

dançarino, s. m. danzarín; danzador bailarín; bailador.

dândi, s. m. dandi, dandy.

danificação, s. f. damnificación; ruina daño.

danificado, adj. danificado; deshecho.

danificador, adj. e s. m. damnificador dañoso.

danificar, v. tr. damnificar; deteriorar dañar; perjudicar; ajar; malear.

daninho, adj. dañino; dañoso; nocivo.

dano, s. m. daño; perjuicio; perdido; quebranto; avería; desaguisado.

danoso, adj. dañoso; nocivo; lesivo.

danubiano, adj. danubiano.

daquele, contr. de la prep. **de** y el pron. o adj. dem. **aquele**: de aquél.

daqui, contr. de la prep. **de** y el adv. **aqui** de aqui.

daquilo, contr. de la prep. **de** y el pron. dem. **aquilo**: de aquello.

dar, *v.* 1. *tr.* dar; donar; ofrecer; regalar; entregar; conceder; dispensar; causar; manifestar; aplicar; exhalar; atribuir; proferir; reportar; participar. 2. *intr.* pegar; zurrar; herir; encontrarse; atender.

dardejante, *adj.* 2 *gén.* que dardea; cintilante; *(fig.)* colérico; irascible.

dardejar, *v.* 1. *intr.* dardear; arrojar dardos; centellear; chispear; irradiar. 2. *tr.* arrojar; lanzar; vibrar.

dardo, *s. m.* dardo; vira.

dares, *s. m. pl., dares e tomares,* desavenencia; riña; altercado.

dartro, *s. m.* dartros; herpes.

dartroso, *adv.* dartroso; herpético; dermatoso.

data, *s. f.* data; fecha; era; *(fig.)* dosis; cantidad; paliza; tunda.

datar, *v. tr.* datar; adatar; calendar; fechar.

dataria, *s. f.* dataría

dátil, *s. m.* BOT. dátil.

datileira, *s. f.* BOT. datilera.

dativo, *adj. e s. m.* dativo.

de, *prep.* de (expresa relación, origen, posesión o pertenencia, estado, circunstancia, etc.).

deado, *s. m.* deanato; deanazgo.

dealbação, *s. f.* dealbación.

dealbar, *v. tr.* blanquear; *(fig.)* purificar.

deambulação, *s. f.* deambulación.

deambulatório, *s. m.* deambulatorio.

deambular, *v. intr.* deambular.

deão, *s. m.* deán.

dearticulação, *s. f.* pronunciación clara de las palabras.

dearticular, *v. tr.* pronunciar con claridad; hablar correctamente.

debaga, *s. f.* desgranamiento.

debagar, *v. tr.* desgranar.

debaixo, *adv.* debajo; por debajo; abajo; inferiormente.

debalde, *adv.* en vano.

debandada, *s. f.* desbandada; estampida.

debandar, *v. intr.* desbandarse.

debate, *s. m.* debate; discusión; altercación.

debater, *v. tr.* debatir; discutir; ventilar; contestar; altercar; cuestionar; polemizar.

debelação, *s. f.* debelación; derrota de un ejército, conquista de un país, etc.; destrucción.

debelador, *s. m.* debelador; dominador.

debelar, *v. tr.* debelar; combatir; curar; hacer desaparecer.

debicar, *v. intr. e tr.* comiscar.

débil, *adj.* 2 *gén.* débil; flaco; hábil; frágil;

(fam.) canijo; *(voz)* ahilado; decaído; flácido; flojo; *(fig.)* alicaído, aliquebrado; enclenque; enteco; escuchimizado; feble; endeble; lánguido.

debilidade, *s. f.* debilidad; flaqueza; decaimento; extenuación; endeblez; *(fam.)* flojera.

debilitação, *s. f.* debilitación; arguello, depauperación; quebrantamiento.

debilitado, *adj.* extenuado; gastado; quebrado; quebrantado; *(fig.)* alicaído.

debilitador, *adj.* debilitador.

debilitamento, *s. m.* debilitación.

debilitante, *adj. e s.* 2 *gén.* debilitador.

debilitar, *v. intr.* debilitar; enflaquecer; depauperar.

debique, *s. m. e s.* acción de *debicar*; *(fig.)* burla; escarnio; vaya.

debiqueiro, *adj. e s. m.* que come poco.

debitar, *v. tr.* adeudar; cargar; debitar.

débito, *s. m.* débito; deuda; debe; *em débito,* retrasado.

deblaterar, *v. intr.* clamar; gritar; reclamar; imprecar.

debochado, *adj.* corrupto; libertino.

debochar, *v. tr.* corromper; viciar.

deboche, *s. m.* libertinaje; corrupción.

debotar, *v. intr.* descolorar; decolorar; desteñir; desmayar.

debruado, *adj.* ribeteado.

debruar, *v. tr.* bastillar; orlar; galonear; repulgar; ribetear.

debruçar, *v. tr.* echar de bruces; poner o tender boca abajo; inclinar; asomar.

debrum, *s. m.* repulgo; orla; bastilla; dobladillo; ribete.

debulha, *s. f.* trilla; desgranamiento; desgranadura.

debulhada, *s. f.* vd. **debulha.**

debulhador, *s. m.* AGR. desgranador; trillador; trilladora; trillo.

debulhadora, *s. f.* AGR. desgranadora; trilladora; trillo.

debulhar, *v. tr.* descascar; descascarar; trillar, desvainar; desgranar.

debulho, *s. m.* desgrane; paja; residuo del grano trillado.

debutar, *v. intr.* debutar.

debute, *s. m.* debut.

debuxador, *s. m.* delineante; dibujante; dibujador.

debuxar, *v. tr.* dibujar; diseñar; esbozar; delinear.

debuxo, *s. m.* dibujo; diseño; delineamiento; plano.

década, s. f. década.
decadência, s. f. decadencia; declinación; declive; menoscabo.
decadente, adj. 2 gén. decadente.
decaedro, s. m. decaedro.
decagonal, adj. 2 gén. decagonal.
decágono, s. m. decágono.
decagrama, s. m. decagramo.
decaído, adj. decaído; arruinado; decrépito; (fig.) alicaído.
decaimento, s. m. decaimiento; decadencia.
decair, v. intr. decaer; declinar; (fig.) enflaquecer; empobrecer.
decalcar, v. tr. calcar un dibujo; imitar servilmente.
decalcomania, s. f. calcomanía.
decalitro, s. m. decalitro.
decálogo, s. m. decálogo.
decalque, s. m. decalco; calco.
decâmetro, s. m. decámetro.
decampar, v. intr. mudar de campo o campamento.
decanado, s. m. decanato.
decano, s. m. decano.
decantação, s. f. decantación.
decantar, v. tr. decantar, transvasar, trasegar; celebrar, ensalzar.
decapitar, v. tr. decapar.
decapitação, s. f. decapitación; degollación.
decapitar, v. tr. decapitar; degollar; descabezar.
decápode, adj. 2 gén. e s. m. ZOOL. decápodo.
decassílabo, adj. e s. m. decasílabo.
decenal, adj. 2 gén. decenal.
decência, s. f. decencia; decoro; recato; aseo.
decénio, s. m. decenio.
decente, adj. 2 gén. decente; honesto; justo.
decentralizar, v. tr. descentralizar.
decepador, s. m. descepador.
decepamento, s. m. descepamiento; mutilación.
decepar, v. tr. descepar; desmembrar; mutilar; amputar; cortar.
decepção, s. f. decepción; desilusión; desengaño; (fig.) chasco.
decepcionante, adj. 2 gén. decepcionante.
decepcionar, v. tr. decepcionar.
decerto, adv. con certeza; ciertamente.

decesso, s. m. deceso, óbito.
decibel, s. m. Fís. decibel, decibelio.
decidido, adj. decidido; resuelto; resoluto.
decidir, v. tr. decidir; resolver; determinar; definir; dirimir; fallar.
decifração, s. f. desciframiento.
decifrador, adj. e s. m. descifrador.
decifrar, v. tr. descifrar; adivinar.
decifrável, adj. 2 gén. descifrable.
decigrama, s. m. decigramo.
decilitrar, v. intr. beber vino por decilitros; emborracharse; beborrotear.
decilitro, s. m. decilitro.
décima, s. f. décima; impuesto; tributo.
decimal, adj. 2 gén. decimal.
decímetro, s. m. decímetro.
décimo, I. adj. décimo; décimo milésimo, diez milésimo. II. s. m. décimo; diezmo.
decisão, s. f. decisión; determinación; resolución; despacho; fallo; sentencia.
decisivo, adj. decisivo; terminante; determinante; dirimente.
decisório, adj. decisorio; decisivo.
declamação, s. f. declamación.
declamador, adj. e s. m. declamador.
declamar, v. tr. declamar; recitar.
declamativo, adj. vd. declamatório.
declamatório, adj. declamatorio; enfático.
declaração, s. f. declaración; anunciación; confesión.
declarado, adj. declarado.
declarante, adj. e s. 2 gén. declarante.
declarar, v. tr. declarar; manifestar; deponer; exponer; enunciar; confesar; contestar.
declarativo, adj. declarativo; enunciativo.
declaratório, adj. declaratorio.
declinação, s. f. declinación; decadencia.
declinante, adj. 2 gén. declinante.
declinar, v. intr. declinar; decaer.
declinatória, s. f. declinatoria.
declinatório, adj. declinatório.
declinável, adj. 2 gén. declinable.
declínio, s. m. declinación; decadencia; declive.
declivar, v. intr. estar en declive; formar declive.
declividade, s. f. declividad.
declive, s. m. declive; pendiente; cuesta; rampa, ladera, declivio; abajadero; caída; em declive, inclinado.
declivoso, adj. con declive, con pendiente; costanero.
decoada, s. f. recuelo.

decocção, s. f. decocción.

decocto, s. m. decocto.

decomponível, adj. 2 gén. descomponible.

decompor, v. 1. tr. descomponer; corromper. 2. refl. descomponerse; corromperse.

decomposição, s. f. descomposición; corrupción; putrefacción.

decoração, s. f. decoración, ornamentación; decorado.

decorador, s. m. decorador; ornamentador; adornista.

decorar, v. tr. decorar, aprender de memoria; decorar, ornamentar, adornar.

decorativo, adj. decorativo.

decoro, s. m. decoro; decencia; decor; pundonor.

decoroso, adj. decoroso; decente; honesto.

decorrente, adj. 2 gén. decurrente; transcurrente; resultante; subsiguiente.

decorrer, v. intr. correr el tiempo; transcurrir; trascurrir; pasar; suceder.

decorrido, adj. transcurrido; pasado; sucedido.

decorticação, s. f. descorchamiento de los árboles.

decorticar, v. tr. descorchar.

decotado, adj. escotado; despechugado.

decotador, s. m. el que escota; podador.

decotar, v. tr. escotar, despechugar; podar; limpiar.

decote, s. m. escote; escotadura; poda.

decremento, s. m. decremento; decrecimiento; disminución.

decrepidez, s. f. decrepitud; senectud; caducidad.

decrepitar, v. intr. decrepitar.

decrépito, adj. decrépito; caduco; (fam.) clueco.

decrepitude, s. f. decrepitude; senectud; caducidade.

decrescente, adj. 2 gén. decreciente.

decrescer, v. intr. decrecer; disminuir.

decrescimento, s. m. decrecimiento; disminución; decremento.

decréscimo, s. m. aminoración; decrecimiento.

decretação, s. f. acción de decretar; determinación; ordenanza.

decretal, s. f. decretal.

decretalista, s. m. decretalista.

decretar, v. tr. decretar; determinar; establecer; resolver.

decreto, s. m. decreto; decisión.

decretório, adj. decretorio; decisivo; definitivo.

decrua, s. f. arado, primer arreglo de un terreno antes de sembrarlo.

decruar, v. tr. lavar la seda cruda; labrar por primera vez un terreno; sancochar.

decúbito, s. m. decúbito.

decuplicar, v. tr. decuplicar.

décuplo, adj. e s. m. décuplo.

decúria, s. f. decuria.

decuriado, s. m. decuriato.

decurião, s. m. decurión.

decurso, s. m. decurso; transcurso; trascurso; continuación; duración.

dedada, s. f. dedada.

dedal, s. m. dedal; (fig.) pequeña porción de líquido.

dedaleira, s. f. BOT. dedalera; estuche de dedal.

dedáleo, adj. dedáleo.

dédalo, s. m. dédalo; laberinto.

dedeira, s. f. dedil; dedal.

dedicação, s. f. dedicación; adicción; entrega.

dedicado, adj. dedicado; devotado; adicto; afecto; apegado.

dedicar, v. 1. tr. dedicar; consagrar. 2. refl. apegarse.

dedicatória, s. f. dedicatoria.

dedilhação, s. f. MÚS. punteo.

dedilhar, v. tr. MÚS. puntear; (instrumento de corda) rasguear, toquetear.

dedo, s. m. ANAT. dedo; aptitud; (fig.) destreza; habilidad; dedo mínimo, meñique.

dedução, s. f. deducción; descuento; sustracción; inferencia; ilación; (nos impostos) desgravación.

dedutível, adj. 2 gén. (nos impostos) desgravable.

dedutivo, adj. deductivo.

deduzido, adj. deducido; derivado.

deduzir, v. tr. deducir; disminuir; descontar; desgravar; rebajar; inferir; colegir; concluir; sobreentender, sobrentender.

defecação, s. f. defecación; devección.

defecar, v. intr. defecar; evacuar; obrar; (fam.) cagar.

defecatório, adj. que hace defecar; purgativo.

defecção, s. f. defección; apostasía; rebelión.

defectibilidade, s. f. defectibilidad.

defectível, adj. 2 gén. defectible.

defectivo, *adj.* defectivo.
defeito, *s. m.* defecto; falta; imperfección, deformidad; tara; deficiencia; desperfecto; fallo; pero; verruga.
defeituoso, *adj.* defectuoso; falto.
defendente, I. *adj.* 2 *gén.* defensor, que defiende. **II.** *s.* 2 *gén.* defensor.
defender, *v. tr.* defender; amparar; proteger; resguardar; abrigar; preservar; rechazar; librar; mantener.
defendível, *adj.* 2 *gén.* defendible.
defenestração, *s. f.* defenestración.
defenestrar, *v. tr.* defenestrar.
defensa, *s. f.* defensa.
defensável, *adj.* 2 *gén.* defendible; sustentable.
defensiva, *s. f.* defensiva.
defensivo, I. *adj.* defensivo; vincativo. **II.** *s. m.* preservativo.
defensor, *s. m.* defensor; abogado; patrón; paladín.
defensório, *adj.* defensório.
deferência, *s. f.* deferencia; *(fig.)* agasajo.
deferente, *adj.* 2 *gén.* deferente.
deferimento, *s. m.* acción o efecto de deferir; anuencia.
deferir, *v. tr.* deferir; conceder; anuir; acceder.
defesa, *s. f.* defensa; guardia; rechace; vindicación; prohibición; preservativo; apología.
defeso, I. *s. m.* veda. **II.** *adj.* defeso; vedado; prohibido.
defesso, *adj.* cansado.
défice, *s. m.* déficit.
deficiência, *s. f.* deficiencia; falta; defecto.
deficiente, *adj.* 2 *gén.* deficiente; insuficiente; disminuído; minusválido.
deficit, *s. m.* déficit.
deficitário, *adj.* deficitario.
definhado, *adj.* delgado; debilitado.
definhamento, *s. m.* enflaquecimiento; decaimiento; demacración.
definhar, *v.* **1.** *tr.* enflaquecer; debilitar; extenuar. **2.** *intr.* desmedrar; extenuarse. **3.** *refl.* ahilarse; encanijarse.
definição, *s. f.* definición.
definido, *s. m.* definido.
definidor, *adj. e s. m.* definidor.
definir, *v. tr.* definir; fijar; determinar.
definitivo, *adj.* definitivo; decisivo.
definitório, *s. m.* definitorio.
definível, *adj.* 2 *gén.* definible.
deflação, *s. f.* deflación.

deflacionário, *adj.* deflacionista.
deflacionista, *adj. e s.* 2 *gén.* deflagración.
deflagração, *s. f.* deflagración.
deflagrante, *adj.* 2 *gén.* deflagrante.
deflagrar, *v. intr.* deflagrar.
deflector, *s. m.* deflector.
deflexão, *s. f.* deflexión.
defloração, *s. f.* desfloración.
deflorar, *v. tr.* desflorar; deshonrar; desvirgar; ajar; quitar la flor.
defluir, *v. intr.* manar; correr (los líquidos); fluir; derivar.
deflúvio, *s. m.* derrame de las aguas; desagüe.
defluxão, *s. f.* fluxión.
defluxeira, *s. f.* fluxión.
defluxo, *s. m.* flujo nasal; coriza copiosa y abundante.
deformação, *s. f.* deformación.
deformado, *adj.* deformado; contrahecho.
deformador, *adj. e s. m.* deformador.
deformar, *v. tr.* deformar; desfigurar; estropear; afear.
deformatório, *adj.* deformatorio.
deforme, *adj.* 2 *gén.* deforme; feo.
deformidade, *s. f.* deformidad.
defraudação, *s. f.* defraudación.
defraudado, *adj.* defraudado.
defraudador, *s. m.* defraudador.
defraudar, *v. tr.* defraudar; desfalcar.
defraudável, *adj.* 2 *gén.* defraudable.
defrontação, *s. f.* confrontación.
defrontante, *adj.* 2 *gén.* confrontante.
defrontar, *v.* **I.** *tr.* confrontar; enfrentar; carear una persona o cosa con otra. **II.** *intr.* estar situado de frente.
defronte, *adv.* delante; enfrente; frente a frente; *defronte de,* de frente de; enfrente de.
defumação, *s. f.* ahumación.
defumado, *adj.* amojamado; ahumado.
defumador, *adj. e s. m.* ahumador; perfumador; pebetero.
defumadouro, *s. m.* substancia que se ahuma; sahumador; perfumador; pebetero; ahumadero; sahumerio; shaúmo.
defumar, *v. tr.* ahumar; amojamar; sahumar; perfumar.
defunção, *s. f.* difunción.
defunto, *adj.* difunto, muerto; fallecido; extinto; finado.
degelar, *v. tr.* deshelar; *(fig.)* dar ánimo.
degelo, *s. m.* deshielo.
degeneração, *s. f.* degeneración.

degenerado, *adj.* degenerado; depravado.
degenerar, *v. intr.* degenerar; corromperse.
degenerativo, *adj.* degenerativo.
degenerescência, *s. f.* degeneración; disminución de vitalidad o actividad.
degenerescente, *adj. 2 gén.* degenerante.
deglutição, *s. f.* deglución.
deglutir, *v. tr.* deglutir.
degola, *s. f.* degollación; decapitación; degüello.
degolação, *s. f.* degollación; decapitación; degüello.
degolador, *adj. e s. m.* degollador.
degoladouro, *s. m.* degolladero; matadero.
degolar, *v. tr.* degollar; decapitar.
degradação, *s. f.* degradación.
degradante, *adj. 2 gén.* degradante.
degradar, *v.* **1.** *tr.* degradar; *2 gén.* (*fig.*) rebajar; humillar. **2.** *refl.* envilecer.
degranadeira, *s. f.* criva, tamiz o zaranda para desgranar uvas.
degranar, *v. tr.* desgranar.
degranhar, *v. tr.* vd. **degranar**.
degrau, *s. m.* peldaño; escalón; grado; grada.
degredado, *adj. e s. m.* deportado; desterrado; exilado.
degredar, *v. tr.* desterrar; deportar; exilar.
degredo, *s. m.* destierro; relegación; exilio; proscripción.
degressivo, *adj.* degresivo; decreciente.
degustação, *s. f.* degustación.
degustar, *v. tr.* degustar; saborear.
deicida, *adj. e s. 2 gén.* deicida.
deicídio, *s. m.* deicidio.
deícola, *adj. 2 gén.* deícola; deísta.
deidade, *s. f.* deidad; divinidad; (*fig.*) deidad; beldad.
deificação, *s. f.* deificación.
deificar, *v. tr.* deificar.
deiscência, *s. f.* BOT. dehiscencia.
deiscente, *adj. 2 gén.* BOT. dehiscente.
deísmo, *s. m.* deísmo.
deísta, *s. 2 gén.* deísta.
deitar, *v.* **1.** *tr.* echar; tender; inclinar; recostar; acostar; entornar; exhalar; ostentar. **2.** *intr.* ponerse. **3.** *refl.* acostarse; retreparse.
deixa, *s. f.* dejación; legado; herencia; echar en el teatro.
deixado, *adj.* dejado; negligente.
deixá-lo!, *interj.* no importa!; designación de indiferencia.

deixar, *v.* **1.** *tr.* dejar; abandonar; largar; deshabitar; desistir de; omitir; ceder; legar; *deixar para trás*, rezagar. **2.** *intr.* cesar; no oponerse.
dejarretar, *v. tr.* dejarretar; desjarretar.
dejecção, *s. f.* deyección.
dejectar, *v.* **1.** *tr.* deyectar. **2.** *intr.* defecar.
dejejuar, *v. intr.* desayunar.
dejungir, *v. tr.* AGR. desyugar; desuncir.
dejúrio, *s. m.* juramento solemne.
dela, *prep.* **de** + *pron.* **ela**: suya.
delação, *s. f.* delación; denuncia.
delamber-se, *v. refl.* lamerse; relamerse; (*fig.*) pavonearse.
delambido, *adj. e s. m.* afectado; amanerado; relamido; melindroso; inexpresivo.
delapidação, *s. f.* dilapidación.
delapidador, *s. m.* dilapidador.
delapidar, *v. tr.* dilapidar; disipar.
delatar, *v. tr.* delatar; denunciar; acusar; soplar.
delatável, *adj. 2 gén.* delatable.
delator, *adj. e s. m.* delator; denunciador; denunciante; soplón.
delatório, *adj.* acusatorio.
dele, *contr.* de la *prep.* **de** con el *pron. pess.* **ele**: de él.
delegação, *s. f.* delegación.
delegacia, *s. f.* delegación; comisaría.
delegado, *s. m.* delegado; comisario.
delegante, *adj. 2 gén.* delegante.
delegar, *v. tr.* delegar; incumbir; investir.
delegatório, *adj.* delegatorio.
deleitação, *s. f.* delectación; placer.
deleitante, *adj. 2 gén.* deleitante.
deleitar, *v.* **1.** *intr.* deleitar; regalar; complacer. **2.** *refl.* tener placer en; recrearse; regodearse.
deleitável, *adj. 2 gén.* delectable.
deleite, *s. m.* deleite; delectación; voluptuosidad; amenidad.
deleitoso, *adj.* deleitoso; delectable; delicioso; ameno.
deletério, *adj.* deletéreo; (*fig.*) que corrompe o desmoraliza.
deletrear, *v. tr.* deletrear, leer mal.
delével, *adj. 2 gén.* deleble.
delfim, *s. m.* ZOOL. delfín; (*príncipe*) delfín.
delgadeza, *s. f.* delgadez; (*fig.*) delicadeza.
delgado, *adj.* delgado; fino; afilado; tenue; delicado; sutil.
deliberação, *s. f.* deliberación; decisión; resolución.
deliberado, *adj.* deliberado; intencionado.

deliberante, adj. 2 gén. deliberante, deliberativo.

deliberar, v. tr. deliberar; resolver; decidir; juzgar.

deliberativo, adj. deliberativo; deliberante.

delicadeza, s. f. delicadeza; cortesía; gentileza; franqueza; primor; atención; exquisiteza.

delicadinho, adj. (pej.) delicaducho.

delicado, adj. delicado; cortés; pulido; urbano; fino; débil; elegante; refinado; subtil; tenue; sensible; exquisito; grácil.

delícia, s. f. delicia; placer; voluptuosidad; regodeo.

deliciado, adj. encantado.

deliciar, v. 1. tr. deleitar. 2. intr. encantar.

delicioso, adj. delicioso; perfecto; excelente; adorable; rico.

delimitação, s. f. delimitación; amojonamiento; demarcación; deslinde.

delimitador, adj. delimitador; amojonador.

delimitar, v. tr. delimitar; acotar; amojonar.

delimitativo, adj. delimitador.

delineação, s. f. delineación.

delineador, adj. e s. m. delineador.

delineamento, s. m. delineamiento.

delinear, v. intr. delinear; describir; dibujar; trazar; delimitar.

delinquencia, s. f. delincuencia.

delinquente, adj. e s. 2 gén. delincuente; delinquente juvenil, quinqui.

delinquir, v. intr. delinquir.

deliquescência, s. f. delicuescencia.

deliquescente, adj. 2 gén. delicuescente.

delíquio, s. m. desmayo.

delir, v. tr. desleír; disolver.

delirante, adj. 2 gén. delirante; desvariado.

delirar, v. intr. delirar; desvariar.

delírio, s. m. delirio; desvario; devaneo; frenesí.

delito, s. m. delito; crimen; culpa; violación de la ley.

delituoso, adj. delictivo.

delonga, s. f. retardo; tardanza; dilación.

delongador, adj. e s. m. prolongador, que o el que prolonga o retarda.

delongar, v. tr. prolongar; retardar; alargar.

delta, s. m. delta.

deltaico, adj. deltaico.

deltóide, adj. 2 gén. e s. m. deltoides.

delusório, adj. delusorio.

deluzir-se, v. refl. deslucirse; apagarse.

demagogia, s. f. demagogía.

demagógico, adj. demagógico.

demagogo, s. m. demagogo.

demais, adv. además; ultra.

demanda, s. f. demanda.

demandador, s. m. demandador.

demandante, adj. 2 gén. demandante.

demandar, v. tr. demandar; pleitear.

demandista, s. 2 gén. demandador.

demão, s. f. mano, capa, pasada.

demarcação, s. f. demarcación; limitación; amojonamiento; deslinde.

demarcador, adj. e s. m. demarcador; amojonador.

demarcar, v. tr. demarcar; limitar; fijar; limitar; balizar, abalizar; alindar; amojonar.

demasia, s. f. demasía; exceso; sobra; temeridad; desafuero.

demasiado, I. adj. demasiado. II. adv. excesivo.

demasiar-se, v. refl. demasiarse; excederse.

demência, s. f. demencia; locura; alienación; vesania.

demencial, adj. 2 gén. demencial.

dementação, s. f. demencia; olvido.

dementado, adj. demente; loco; insensato.

dementar, v. tr. dementar; enloquecer.

demente, adj. e s. 2 gén. demente; loco; alienado; insano; insensato.

demérito, adj. e s. m. demérito; desmerecimiento.

demissão, s. f. demisión; exoneración; despido; destitución; sobreseimiento.

demissionário, adj. demisionario.

demissório, adj. demisorio.

demitente, adj. 2 gén. demisionario.

demitir, v. tr. dimitir; exonerar; destituir; sobreseer.

demiurgo, s. m. demiurgo.

demo (é), s. m. demo, demonio; diablo (fig.) persona turbulenta.

democracia, s. f. democracia.

democrata, s. 2 gén. demócrata.

democrata-cristão, adj. e s. 2 gén. democratacristiano; democristiano.

democraticamente, adv. democráticamente.

democrático, adj. democrático.

democratismo, s. m. democratismo.

democratização, *s. f.* democratización.
democratizar, *v. tr.* democratizar.
demografia, *s. f.* demografía.
demográfico, *adj.* demográfico.
demolhado, *adj.* remojado, empapado; calado; desalado.
demolhar, *v. tr.* remojar, empapar; calar; desalar.
demolição, *s. f.* demolición; arrasamiento; voladura.
demolidor, *adj. e s. m.* demoledor; destructor.
demolir, *v. tr.* demoler; arrasar; derrocar; desmoronar; destruir; aniquilar; apear.
demolitório, *adj.* que contiene orden de demolición.
demonete, *s. m.* diablillo.
demonetização, *s. f.* desmonetización.
demonetizar, *v. tr.* desmonetizar.
demoníaco, I. *adj.* demoníaco; endemoniado. II. *s. m.* poseso.
demónio, *s. m.* demonio, diablo, demo.
demonismo, *s. m.* demonismo.
demonstrabilidade, *s. f.* demostrabilidad.
demonstração, *s. f.* demostración; prueba; señal; testimonio.
demonstrador, *adj. e s. m.* demostrador.
demonstrar, *v. tr.* demostrar; probar; manifestar; enseñar.
demonstrativo, *adj.* demostrativo.
demonstrável, *adj. 2 gén.* demostrable.
demora, *s. f.* tardanza; demora; retardo; retraso; dilación; retención; dilatoria, tardanza.
demorado, *adj.* lento; interminable; retrasado; retardado; demorado; moroso.
demorar, *v.* 1. *tr.* demorar; retardar; atrasar; retrasar; diferir; pausar; detener; entrener; entretener; dilatar. 2. *intr.* tardar; detenerse.
demoroso, *adj.* moroso; tardo; demorado.
demótico, *adj.* demótico.
demover, I. *v. tr.* disuadir; mover; conmover. II. *refl.* dislocarse.
demudado, *adj.* demudado.
demudar, *v. tr.* demudar; alterar; desfigurar.
denário, *s. m.* denario.
dendrite, *s. f.* dendrita.
denegação, *s. f.* denegación.
denegar, *v. tr.* denegar; desmentir.
denegrido, *adj.* denegrido, renegrido.
denegrir, *v. tr.* denegrir; (*fig.*) denigrar; detraer.

dengoso, *adj.* dengoso; delicado; melindroso.
dengue, *adj. 2 gén.* dengoso; vanidoso; afeminado; MED. dengue.
denguice, *s. f.* dengue.
denigração, *s. f.* denigración.
denodado, *adj.* denodado; intrépido.
denodo, *s. m.* denuedo; esfuerzo; intrepidez; valor.
denominação, *s. f.* denominación; designación.
denominado, *adj.* denominado.
denominador, *s. m.* denominador.
denominar, *v. tr.* denominar; llamar; nombrar; designar.
denominativo, *adj.* denominativo, denominador.
denotação, *s. f.* denotación.
denotador, *adj. e s. m.* que denota.
denotar, *v. tr.* denotar; indicar; señalar; significar.
densar, *v. tr.* hacer o tornar denso; vd. **adensar**.
densidade, *s. f.* densidad.
densidão, *s. f.* espesura; densidad.
densificar, *v. tr.* densificar.
densimetria, *s. f.* densimetría.
densímetro, *s. m.* densímetro.
denso, *adj.* denso; compacto; tupido; espeso; (*pano*) acipado; amazacotado.
dentada, *s. f.* dentellada; tarascada; *ferir à dentada*, abocadear.
dentado, *adj.* dentado; dentellado; abocadeado, mordido o cortado con los dientes.
dentadura, *s. f.* dentadura.
dental, *adj. 2 gén.* dental; dentario.
dentar, *v. tr.* dentar; dentellear; morder; endentecer.
dentário, *adj.* dentario; dental.
dente, *s. m.* ZOOL. diente; *dente canino*, colmillo.
denteação, *s. f.* dentición.
dentear, *v. tr.* dentar.
dentição, *s. f.* dentición.
denticulado, *adj.* denticulado.
denticular, I. *adj. 2 gén.* denticular. II. *tr.* recortar.
dentículo, *s. m.* dentículo.
dentiforme, *adj. 2 gén.* denticular.
dentífrico, *adj. e s. m.* dentífrico.
dentilhão, *s. m.* diente grande; dentellón.
dentina, *s. f.* dentina.
dentista, *s. 2 gén.* dentista; (*pej.*) sacamuelas.

dentre, *prep.* de + *prep.* entre: de entre.

dentro, *adv.* dentro; adentro.

dentuça, *s. f. (fam.)* dientes salientes.

dentudo, *adj.* dentón; dentudo.

denudação, *s. f.* denudación.

denudar, *v. tr.* desnudar.

denúncia, *s. f.* denuncia; delación; acusación; chivatazo.

denunciador, *adj.* e *s. m.* denunciador.

denunciante, *adj.* e *s.* 2 *gén.* denunciante; chivato; soplón.

denunciar, *v. tr.* denunciar; delatar; acusar; soplar.

denunciativo, *adj.* que denuncia.

denunciatório, *adj.* denunciatorio.

denunciável, *adj.* 2 *gén.* denunciable.

deontologia, *s. f.* deontología.

deontológico, *adj.* deontológico.

deparar, *v. tr.* deparar; suministrar, proporcionar.

departamental, *adj.* 2 *gén.* departamental.

departamento, *s. m.* departamento.

departir, *v. intr.* departir.

depauperação, *s. f.* depauperación.

depauperar, *v. tr.* depauperar; debilitar.

depenado, *adj.* desplumado, *(fig.)* sin dinero.

depenador, *s. m.* desplumador.

depenar, *v. tr.* desplumar; pelar.

dependência, *s. f.* dependencia.

dependente, *adj.* 2 *gén.* dependiente; *(de drogas)* adicto.

depender, *v. intr.* depender; pender; resultar.

dependura, *s. f.* cuelga; colgamiento; colgadura; cosa colgada.

dependurado, *adj.* colgado; pendiente.

dependurar, *v. tr.* colgar.

depenicar, *v. tr.* desplumar; comiscar; golosinear, golosear.

deperecer, *v. intr.* perecer poco a poco; enflaquecer.

deperecimento, *s. m.* consunción; desfallecimiento gradual.

depilação, *s. f.* depilación.

depilar, *v. tr.* depilar.

depilatório, *adj.* e *s. m.* depilatorio.

deplorable, *adj.* 2 *gén.* deplorable.

deploração, *s. f.* deploración.

deplorando, *adj.* deplorable.

deplorar, *v. tr.* deplorar; lamentar; lastimar; plañir.

deplorativo, *adj.* vd. **deploratório**.

deplorável, *adj.* 2 *gén.* deplorable; lastimoso; lastimero.

deplumar, *v. tr.* desplumar.

depoente, *adj.* e *s.* 2 *gén.* deponente.

depoimento, *s. m.* declaración; narración; afirmación.

depois, *adv.* después; detrás; *depois de,* desde, tras.

deponente, *adj.* e *s.* 2 *gén.* ponente.

depopulação, *s. f.* depopulación, despoblación.

depor, *v. tr.* deponer; destituir.

deportação, *s. f.* deportación; exilio.

deportado, *adj.* e *s. m.* deportado; desterrado; exilado.

deportar, *v. tr.* deportar; confinar; desterrar.

deposição, *s. f.* deposición; abdicación; destitución.

depositador, *s. m.* depositador, depositante.

depositante, *adj.* 2 *gén.* depositante; depositador.

depositar, *v.* 1. *tr.* depositar; poner en depósito; dar a guardar; confiar; colocar. 2. *intr.* reposar.

depositário, *adj.* e *s. m.* depositario; *(fig.)* confidente.

depósito, *s. m.* depósito; estanco; fianza; *depósito de lenha,* leñera; *depósito de munições,* depósito de municiones; *depósito de bagagens,* consigna.

deposto, *adj.* depuesto.

depravação, *s. f.* depravación; corrupción.

depravado, *adj.* depravado; corrompido.

depravador, *adj.* e *s. m.* depravador; corruptor.

depravar, *v. tr.* depravar; pervertir; corromper; enviciar; relajar.

deprecação, *s. f.* deprecación.

deprecada, *s. f.* exhorto; requisitoria.

deprecante, *adj.* e *s.* 2 *gén.* que o la persona que depreca.

deprecar, *v. tr.* deprecar; rogar; suplicar.

deprecativo, *adj.* deprecativo.

deprecatório, *adj.* vd. **deprecativo**.

depreciação, *s. f.* depreciación; *(fig.)* rebajamiento; menosprecio; minusvalía.

depreciador, *adj.* e *s. m.* depreciador, que deprecia.

depreciar, *v. tr.* depreciar; rebajar; subvalorar; menoscabar; menospreciar.

depreciativo, *adj.* despreciativo; despectivo.

depreciável, *adj.* 2 *gén.* depreciable.

depredação, *s. f.* depredación; *(fig.)* rebajamiento.

depredador, *s. m.* depredador.
depredar, *v. tr.* depredar; saquear; devastar; expoliar.
depredatório, *adj.* depredatorio.
depreender, *v. tr.* deprehender; percibir; inferir; deducir.
depressa, *adv.* aprisa; deprisa; pronto.
depressão, *s. f.* depresión; quebradura; bajón; (*fam.*) depre.
depressivo, *adj.* depresivo; deprimente.
depressor, *adj. e s. m.* depresor.
deprimente, *adj. 2 gén.* deprimente; depresivo.
deprimido, *adj.* deprimido; desmarrido; (*fam.*) depre; derrotado; amuermado.
deprimir, *v. tr.* deprimir; abatir; humillar; amuermar.
depuração, *s. f.* depuración.
depurador, *adj. e s. m.* depurador.
depurar, *v. tr.* depurar; limpiar; tamizar.
depurativo, *adj. e s. m.* depurativo; depurador.
depuratório, *adj.* depuratorio.
deputação, *s. f.* diputación.
deputado, *s. m.* diputado.
deputar, *v. tr.* delegar; incumbir.
derisão, *s. f.* derrisión; risa burlona; irrisión.
derisório, *adj.* irrisorio; ridículo.
deriva, *s. f.* deriva.
derivação, *s. f.* derivación; ramal.
derivada, *s. f.* derivada.
derivado, *adj. e s. m.* derivado.
derivante, *adj. 2 gén.* derivante.
derivar, *v.* 1. *tr.* derivar; separar; hacer venir. 2. *intr.* derivar; provenir; correr (río o regato); distender.
derivativo, *adj. e s. m.* derivativo.
derivável, *adj. 2 gén.* derivable.
derma, *s. f.* dermis.
dermatite, *s. f.* dermatitis.
dermatol, *s. m.* dermatol.
dermatologia, *s. f.* MED. dermatología.
dermatológico, *adj.* dermatológico.
dermatologista, *s. 2 gén.* dermatologista.
dermatose, *s. f.* MED. dermatosis.
derme, *s. f.* ANAT. dermis.
dérmico, *adj.* ANAT. dérmico.
derrabar, *v. tr.* derrabar.
derradeiro, *adj.* postrero; último.
derrama, *s. f.* derrama; tributo local.
derramado, *adj.* desramado; derramado; esparcido, dilatado.
derramador, *s. m.* derramador.

derramamento, *s. m.* derramamiento; derrame.
derramar, *v. tr.* derramar; verter; desparramar; esparcir; difundir; transfundir; repartir un impuesto; desramar.
derrame, *s. m.* derrame; derramamiento; pérdida.
derrancado, *adj.* estropeado; corrupto.
derrancar, *v. tr.* alterar; corromper.
derrapagem, *s. f.* derrape.
derrapar, *v. intr.* derrapar.
derreado, *adj.* desmadejado; renco.
derreamento, *s. m.* derrengadura.
derrear, *v. tr.* derrengar; descaderar; desmadejar; deslomar; desriñonar; torcer; extenuar.
derredor, *adv.* derredor; contorno.
derregar, *v. tr.* AGRIC. desrayar.
derrengar, *v. tr.* derrear.
derretedura, *s. f.* derretimiento.
derreter, *v. tr.* derretir; licuefacer; fundir; disolver; (*fig.*) consumir, gastar.
derretido, *adj.* derretido; deshecho.
derretimento, *s. m.* derretimiento.
derribador, *adj. e s. m.* derribador.
derribamento, *s. m.* derribo.
derribar, *v. tr.* derribar; derruir; arruinar; abatir; demoler.
derriçador, *s. m.* el que enamora, enamorado; burlador.
derriçar, *v.* 1. *tr.* desgarrar con los dientes; dentellear; hacer en tiras. 2. *intr.* contender.
derriço, *s. m.* (*pop.*) enamorado; escarnio; impertinencia.
derrocada, *s. f.* derrocamiento; desmoronamiento; destrucción; ruina; cataclismo.
derrocador, *adj. e s. m.* derrocador.
derrocar, *v. tr.* derrocar; destruir; desmoronar; arrasar.
derrogação, *s. f.* derogación.
derrogador, *s. m.* derogador.
derrogar, *v. tr.* derogar; abolir; revocar; anular.
derrogatório, *adj.* derogatorio.
derrogável, *adj. 2 gén.* derogable.
derrota, *s. f.* derrota; (*rota*) derrota; rumbo; flota; camino; guía; viaje.
derrotado, *adj.* derrotado; vencido; desbaratado.
derrotar, *v. tr.* derrotar; vencer; romper; deshacer; destrozar; desbaratar; destruir.
derrotismo, *s. m.* derrotismo.
derrotista, *adj. e s. 2 gén.* derrotista.

derrubado, *adj.* abatido.
derrubador, *adj.* e s. m. que o aquél que abate, derrumbador.
derrubamento, s. m. derrumbamiento.
derrubar, *v. tr.* derrumbar, desmoronar; revolcar; abatir; atropellar; tumbar; derribar; demoler; *derrubar pelo cachaço,* acogotar.
derruimento, s. m. desmoronamiento.
derruir, *v.* **1.** *tr.* derruir; derribar. **2.** *intr.* caer; derrocar; desmoronarse.
dervis, s. m. derviche.
dervixe, s. m. derviche.
dês, *prep.* *(pop.)* desde.
desabado, *adj.* dícese del sombrero que tiene muy ancha el ala y caída.
desabafado, *adj.* desahogado; tranquilo (el espíritu); *(fig.)* libre.
desabafar, *v.* **1.** *tr.* desahogar; desfogar; expandir. **2.** *intr.* abrirse; sincerarse; desenconar; expansionarse; explayarse.
desabafo, s. m. desahogo; expansión.
desabalado, *adj.* *(pop.)* desmesurado; descomunal; excesivo; *(fig.)* precipitado.
desabalroar, *v. tr.* desatracar; desprender.
desabamento, s. m. hundimiento; caída; ruina; desmoronamiento; desprendimiento.
desabar, *v.* **1.** *tr.* bajar el ala del sombrero. **2.** *intr.* caer; desmoronarse; desplomar; *(fig.)* arruinar.
desabastecido, *adj.* desabastecido.
desabe, s. m. desmoronamiento.
desabitado, *adj.* deshabitado; inhabitado; desierto.
desabitar, *v. tr.* deshabitar.
desabituado, *adj.* deshabituado; desacostumbrado.
desabituar, *v. tr.* deshabituar; desacostumbrar.
desabonado, *adj.* desabonado; desacreditado.
desabonador, *adj.* e s. m. que desabona, que desacredita.
desabonar, *v. tr.* desacreditar; despreciar.
desabono, s. m. desabono; depreciación; descrédito.
desabordar, *v. tr.* MAR. desabordar; desatracar.
desabotoadura, s. f. desabotonadura.
desabotoamento, s. m. desabotonadura.
desabotoar, *v.* **1.** *tr.* desabotonar; desabrochar; sacar; soltar; abrir; aflojar. **2.** *intr.* BOT. desabotonar (las flores).

desabraçar, *v. tr.* desabrazar; librarse; deshacerse de.
desabrido, *adj.* desabrido.
desabrigado, *adj.* desabrigado.
desabrigar, *v. tr.* desabrigar; desamparar; destapar.
desabrigo, s. m. desabrigo; *(fig.)* desamparo; abandono.
desabrimento, s. m. desabrimiento.
desabrochamento, s. m. desabrochamiento.
desabrochar, *v. intr.* BOT. desabrochar; abrotoñar; germinar; crecer.
desabusado, *adj.* atrevido; petulante.
desabusar, **1.** *v. tr.* librar de errores o preocupaciones; desengañar. **2.** *refl.* desilusionarse.
desacamar, *v. tr.* levantar, hacer que no se esté en cama; desacomodar; deshacer las camadas de.
desacanhar, **I.** *v. tr.* quitar el encogimiento. **II.** *refl.* perder la timidez.
desacasalar, *v. tr.* separar (animales emparejados).
desacatamento, s. m. desacato; irreverencia.
desacatar, *v. tr.* desacatar; despreciar; profanar.
desacato, s. m. desacato; irreverencia.
desacautelado, *adj.* desprevenido; descuidado.
desacautelar, *v. tr.* no tener cautela con; descuidarse; no guardar.
desacavalar, *v. tr.* separar lo que estaba acaballado o sobrepuesto.
desaceleração, s. f. desaceleración.
desacelerar, *v. tr.* desacelerar.
desacerbar, *v. tr.* desacerbar; templar; endulzar.
desacertado, *adj.* desacertado.
desacertar, *v. tr.* desacertar; fallar; desordenar.
desacerto, s. m. desacierto; erro; tontería; chambonada.
desaclimar, *v. tr.* vd. **desaclimatar.**
desaclimatar, *v. tr.* desaclimatar.
desacoitar, *v. tr.* desacotar.
desacolchetar, *v. tr.* desabrochar.
desacolchoar, *v. tr.* deshacer el acolchado.
desacomodar, *v. tr.* desacomodar; inquietar; incomodar.
desacompanhado, *adj.* desacompañado; abandonado; sólo; aislado.

desacompanhar, *v. tr.* desasistir; dejar de acompañar.

desaconchegar, *v. tr.* privar de la protección de; desacomodar.

desaconselhado, *adj.* desaconsejado.

desaconselhar, *v. tr.* desaconsejar.

desacorçoar, *v. tr. e intr.* descorazonar; desanimar; desalentar.

desacordante, *adj. 2 gén.* desacordante.

desacordar, *v.* 1. *tr.* desacordar. 2. *intr.* discordar.

desacorde, *adj. 2 gén.* desacorde; disonante; discordante.

desacordo, *s. m.* desacuerdo; desconformidad; divergencia; *em desacordo*, desavenido.

desacoroçoar, *v. tr. e intr.* descorazonar; desanimar; desalentar.

desacorrentar, *v. tr.* desconectar; soltar.

desacostumado, *adj.* desacostumbrado.

desacostumar, *v. tr.* desacostumbrar.

desacreditado, *adj.* desacreditado.

desacreditador, *adj. e s. m.* desacreditador

desacreditar, *v. tr.* desacreditar; descalificar; desconceptuar; infamar; difamar; depreciar, arruinar.

desactivar, *v. tr.* desactivar.

desacumular, *v. tr.* separar lo que estaba acumulado; desamontonar.

desadoração, *s. f.* falta de adoración; desadoración.

desadorar, *v. tr.* desadorar; detestar.

desadornar, *v. tr.* desadornar.

desadorno, *s. m.* desadorno; desaliño; simplicidad.

desadunado, *adj.* desunido; separado.

desafamar, *v. tr.* desacreditar; difamar.

desafazer, *v. tr.* desacostumbrar.

desafectação, *s. f.* naturalidad; simplicidad; sinceridad.

desafectado, *adj.* natural; sincero; llano.

desafecto, I. *adj.* desafecto; hostil. II. *s. m.* desafecto; desafición.

desafeição, *s. f.* desafecto; desafección; desamor; descariño.

desafeiçoado, *adj.* falto de afecto; enemigo; disforme.

desafeiçoamento, *s. m.* desafección; desamor.

desafeiçoar, *v. tr.* desinclinar; desaficionar; desfigurar; alterar.

desafeito, *adj.* desacostumbrado; deshabituado.

desaferrar, *v. tr.* desaferrar; desprender; soltar; disuadir.

desaferrolhar, *v. tr.* correr el cerrojo para abrir; desaherrojar; soltar.

desafervorar, *v. tr.* disminuir el fervor de; ablandar los ímpetus; entibiar.

desafiador, *adj. e s. m.* retador.

desafiar, *v. tr.* desafiar, embotar; desafiar, retar; excitar; tentar.

desafinação, *s. f.* desafinación; disonancia.

desafinado, *adj.* desafinado.

desafinamento, *s. m.* desafinamiento.

desafinar, *v. tr. e intr.* MÚS. desafinar; desentonar; disonar.

desafio, *s. m.* desafío; partido; provocación, lucha; duelo; certamen; reto.

desafivelar, *v. tr.* desapretar, desabrochar; deshebillar.

desafogado, *adj.* desahogado; amplio; desembarazado, aliviado.

desafogar, *v. intr.* desahogar; desfogar; expandir; desapretar; despicar.

desafogo, *s. m.* desahogo; alivio; descanso.

desafoguear, *v. tr.* refrescar, refrigerar; desfobar.

desaforado, *adj.* desaforado; insolente; inconveniente.

desaforar, *v.* 1. *tr.* desaforar; hacer atrevido. 2. *intr. e refl.* insolentarse.

desaforo, *s. m.* desafuero; descaro.

desafortunado, *adj.* desafortunado; infortunado.

desafreguesar, *v. tr.* quitar los clientes a; desaparroquiar.

desafronta, *s. f.* desagravio; desahogo.

desafrontado, *adj.* desagraviado; aliviado; desahogado.

desafrontador, *adj e s. m.* desagraviador.

desafrontar, *v. tr.* desagraviar.

desagaloar, *v. tr.* quitar los galones a; desguarnecer.

desagarrar, *v. tr.* desagarrar; desprender.

desagasalhar, *v.* 1. *tr.* desabrigar. 2. *refl.* descubrirse.

desagasalho, *s. m.* desabrigo.

desagastamento, *s. m.* desenfado; alivio; desenojo.

desagastar, *v. tr.* desenojar; apaciguar; desenfadar.

desaglomerar, *v. tr.* desaglomerar.

desagradar, *v. intr.* desagradar; aborrecer; descontentar.

desagradável, *adj. 2 gén.* desagradable; desapacible; repugnante; feo.

desagradecer, v. intr. desagradecer.

desagradecido, adj. desagradecido; ingrato.

desagradecimento, s. m. desagradecimiento

desagrado, s. m. desagrado; rudeza; repugnancia.

desagravador, adj. e s. m. desagraviador.

desagravante, adj. 2 gén. desagraviador.

desagravar, v. tr. desagraviar; suavizar; vengar; desgravar; reparar.

desagravo, s. m. desagravio.

desagregação, s. f. disgregación; desmembración; disociación.

desagregado, adj. suelto.

desagregador, adj. vd. **desagregante.**

desagregante, adj. 2 gén. desagregante.

desagregar, v. 1. tr. disgregar; disolver; disociar. 2. refl. desunirse.

desagregável, adj. 2 gén. desagregable.

desagrilhoamento, s. m. desencadenamiento.

desagrilhoar, v. tr. desencadenar.

desaguador, adj. desaguador.

desaguadouro, s. m. desaguadero; vertedero.

desaguamento, s. m. desagüe; avenamiento.

desaguar, v. tr. desaguar; desembocar.

desaguisado, s. m. desaguisado; disputa; desavenencia; contienda.

desaire, s. m. desaire; inconveniencia; defecto; falta de garbo; vergüenza.

desairoso, adj. desairado; indecoroso; inconveniente.

desajeitado, adj. desastrado; torpe; desarreglado; chamblón; desgabilado; desgarbado; maleta; patoso.

desajeitar, v. tr. desarreglar; deformar.

desajoujar, v. tr. desatraillar (a los perros); soltar; desunir; desoprimir.

desajuizado, adj. desjuiciado; insensato.

desajuizar, v. tr. hacer perder el juicio; entontecer.

desajuntar, v. tr. desajustar; desunir; separar; apartar.

desajustar, v. tr. desajustar.

desajuste, s. m. desajuste.

desalagar, v. tr. desaguar; avenar; desaguazar; desalagar; desecar; agotar.

desalastrar, v. tr. deslastrar.

desalbardar, v. tr. desalbardar.

desalegrar, v. tr. entristecer.

desaleitar, v. tr. desmamar; destetar.

desalentado, adj. desalentado.

desalentador, adj. e s. m. desalentador.

desalentar, v. tr. desalentar; desanimar; descorazonar.

desalento, s. m. desaliento; desánimo; quebranto; morriña.

desalgemar, v. tr. desherrar, quitar las esposas o grillos; soltar.

desaliança, s. f. rotura, quiebra de una alianza.

desaliar, v. tr. desaliar, separar aliados.

desalijar, v. tr. alijar; aliviar; aligerar.

desalinhado, adj. desaliñado; descompuesto; desordenado; desaseado; desgalichado; desgarbado.

desalinhar, v. tr. desaliñar; desalinear; desordenar.

desalinhavado, adj. deshilvanado.

desalinhavar, v. tr. deshilvanar.

desalinho, s. m. desaliño; desaseo; desatavío; desgaire; sencillez; (fig.) negligencia; em desalinho, desaliñado.

desalistar, v. tr. sacar de la lista; rebajar.

desalmado, adj. desalmado; cruel; perverso; inhumano.

desalmamento, s. m. maldad; desalmamiento; crueldad.

desalojamento, s. m. desalojamiento; desalojo.

desalojar, v. 1. tr. desalojar; echar; expulsar. 2. refl. levantar el campamento.

desalterar, v. tr. desalterar; sosegar; calmar; apaciguar.

desamabilidade, s. f. descortesia; indelicadeza.

desamalgamar, v. tr. separar lo que está amalgamado o unido.

desamamentar, v. tr. destetar, desmamar.

desamanhar, v. tr. dasarreglar; desconcertar; desaliñar.

desamão, s. f. desmano; à desamão, a desmano.

desamar, v. tr. desamar; aborrecer; odiar.

desamarrar, v. 1. tr. desamarrar; desatar; desatracar. 2. intr. NÁUT. soltar amarras; zarpar.

desamarrotar, v. tr. alisar; desarrugar; desabollar.

desamável, adj. 2 gén. desamable; indelicado; descortés.

desambição, s. f. falta de ambición; desinterés.

desambicioso, adj. modesto; desinteresado.

desambientado, adj. desambientado.

desamodorrar, *v. tr.* desamodorrar; animar; excitar.

desamoedação, *s. f.* desmonetización.

desamoedar, *v. tr.* desmonetizar.

desamolgar, *v. tr.* allanar, alisar; desabollar.

desamontoar, *v. tr.* desamontonar.

desamor, *s. m.* desamor; indiferencia; desdén.

desamorável, *adj. 2 gén.* desdeñoso; rudo; grosero.

desamoroso, *adj.* desamoroso.

desamortalhar, *v. tr.* desamortajar.

desamortização, *s. f.* desamortización.

desamortizar, *v. tr.* desamortizar.

desamotinar, *v. tr.* desamotinar; pacificar.

desamparado, *adj.* desamparado; abandonado; yermo; solitario.

desamparar, *v. tr.* desamparar; abandonar; desasistir.

desamparo, *s. m.* desamparo; desabrigo; abandono; penuria.

desamuar, *v. tr.* desenojar; desamorrar; desagriar; desenfadar.

desancador, *s. m.* el que desloma o derrenga.

desancamento, *s. m.* deslomadura; zurra; paliza.

desancar, *v. tr.* derrengar a golpes; deslomar.

desancorar, *v. tr.* NÁUT. desancorar, desanclar.

desanda, *s. f. (pop.)* reprimenda; reprensión; rapapolvo; paliza.

desandadela, *s. f. (pop.)* vd. **desanda**.

desandador, *s. m.* destornillador; desatornillador.

desandar, *v. 1. tr.* desandar, retroceder; descorrer; destornillar; desatornillar; deshacer. **2.** *intr.* empeorar; resultar.

desanelar, *v. tr.* desrizar.

desanexação, *s. f.* desunión; desmembramiento.

desanexar, *v. tr.* desmembrar; desunir; desligar.

desanichar, *v. tr.* desalojar; *(fig.)* descubrir; desemplear.

desanimação, *s. f.* desanimación; desaliento; frialdad.

desanimado, *adj.* desanimado; abatido; amilanado; cariacontecido; decaído; desmarrido.

desanimador, *adj.* desalentador.

desanimar, *v. 1. tr.* desanimar; desalentar; desahuciar. **2.** *refl.* desalentarse.

desânimo, *s. m.* desánimo; desanimación; abatimiento; desaliento; amilanamiento; decaimiento.

desaninhar, *v. tr.* desanidar; desalojar.

desanojar, *v. tr.* quitar el asco o repugnancia; dar los pésames a alguien.

desanuviado, *adj.* límpido; sin nubes; desahogado.

desanuviar, *v. tr. e intr.* desanublar; serenar; despejar; aclarar.

desapaixonado, *adj.* desapasionado.

desapaixonar, *v. tr.* desapasionar; distraer; confortar; sosegar el ánimo.

desaparafusar, *v. tr.* destornillar.

desaparecer, *v. intr.* desaparecer; morir; esconderse; perderse.

desaparecido, *adj. e s. m.* desaparecido.

desaparecimento, *s. m.* desaparición.

desaparelhar, *v. tr.* desaparejar; desarmar; desguarnecer.

desaparição, *s. f.* desaparición.

desapartar, *v. tr. (pop.)* apartar; desapartar.

desapegamento, *s. m.* despego; desapego.

desapegar, *v. 1. tr.* desapegar; despegar. **2.** *refl.* perder el afecto a.

desapego, *s. m.* desapego; despego; desprendimiento; indiferencia; desafección; abandono.

desaperceber, *v. 1. tr.* desapercibir; descuidar. **2.** *refl.* quedar sin provisiones; desprevenirse.

desapercebido, *adj.* desapercibido; desprevenido.

desapercebimento, *s. m.* desapercibimiento.

desaperrar, *v. tr.* desengatillar.

desapertado, *adj.* suelto.

desapertar, *v. tr.* desapretar; soltar; desabotonar; aliviar; abrir.

desaperto, *s. m.* desahogo; holgura.

desapiedado, *adj.* despiadado; desapiadado; inhumano; cruel.

desapiedar, *v. tr.* desapiadar; endurecer el corazón; insensibilizar.

desaplaudir, *v. tr.* desaprobar; reprobar.

desaplauso, *s. m.* desaprobación; reprobación.

desaplicação, *s. f.* desaplicación; negligencia.

desaplicado, *adj.* desaplicado.

desaplicar, *v. tr.* desaplicar; distraer a alguno del estudio o aplicación.

desapoiar, *v. tr.* desapoyar; discordar de; reprobar; ARQ. desapuntalar.

desapoio, *s. m.* desamparo; falta de apoyo.

desapontado, *adj.* decepcionado; desilusionado.

desapontamento, *s. m.* desilusión; despecho; decepción; sorpresa.

desapontar, *v. tr.* despuntar, quitar la punta a un objeto pontiagudo; quitar o hacer perder la puntería; apuntar mal; desilusionar; decepcionar; chafar.

desapoquentar, *v. tr.* tranquilizar; serenar; apaciguar; sosegar.

desapossar, *v. tr.* desposeer; desapoderar; desapropriar.

desaprazer, *v. intr.* desagradar; disgustar.

desaprazível, *adj. 2 gén.* desapacible.

desapreciar, *v. tr.* desapreciar; depreciar.

desapreço, *s. m.* desaprecio; menosprecio.

desaprender, *v. tr. e refl.* desaprender.

desapropositado, *adj.* despropositado; inoportuno.

desapropósito, *s. m.* despropósito; disparate; desatino.

desapropriação, *s. f.* desapropiación; expropiación.

desapropriar, *v. tr.* desapropiar; expropiar.

desaprovação, *s. f.* desaprobación.

desaprovador, *adj.* desaprobador.

desaprovar, *v. tr.* desaprobar; reprobar; reprochar.

desaproveitado, *adj.* desaprovechado.

desaproveitamento, *s. m.* desaprovechamiento.

desaproveitar, *v. tr.* desaprovechar; desperdiciar.

desaproximar, *v. tr.* distanciar; separar; alejar.

desaprumar, *v. tr.* desplomar.

desaquartelar, *v. tr.* desacuartelar.

desar, *s. m.* desaire; falta, mancha; infelicidad; deselegancia.

desaranhar, *v. tr. (pop.)* quitar las telarañas; *(fig.)* esclarecer.

desarar, *v.* 1. *intr.* despegarse los cascos a las caballerías por enfermedad. 2. *tr.* quitar los aros a los toneles.

desarborizar, *v. tr.* talar, arrancar los árboles a un terreno.

desarcar, *v. tr.* quitar los aros de las pipas, barriles, etc.

desarmado, *adj.* desarmado.

desarmamento, *s. m.* desarmamiento; desarme.

desarmar, *v.* 1. *tr.* desarmar; desaparejar; aplacar; frustrar. 2. *intr.* rendir las armas.

desarmável, *adj. 2 gén.* desarmavel.

desarmonia, *s. f.* desarmonía, discordancia; disonancia; desafinación.

desarmónico, *adj.* desarmónico.

desarmonioso, *adj.* desarmonioso.

desarmonizar, *v. tr.* desarmonizar; desentonar; desafinar; *(fig.)* perturbar.

desaromatizar, *v. tr.* hacer perder el aroma o perfume.

desarraigado, *adj.* desarraigado.

desarraigamento, *s. m.* desarraigo.

desarraigar, *v. tr.* desarraigar.

desarrancar, *v. tr. (pop.)* embestir con ímpetu.

desarranchado, *adj.* desranchado; desbandado.

desarranchar, *v. tr.* desranchar; desalojar.

desarranjado, *adj.* desarreglado; desordenado; desconcertado; descuidado.

desarranjar, *v. tr.* desarreglar; desordenar; desconcertar; perturbar.

desarranjo, *s. m.* desarreglo; contratiempo; perturbación.

desarrazoado, *adj.* desrazonable; disparatado.

desarrazoamento, *s. m.* sin razón; despropósito.

desarrazoar, *v. intr.* desrazonar; disparatar.

desarrear, *v. tr.* desaparejar; desenjaezar.

desarredondar, *v. tr.* quitar la forma redonda a.

desarregaçar, *v. tr.* soltar; bajar; dejar caer la ropa, la cola, falda del vestido, etc.

desarreigar, *v. tr.* desarraigar; destruir; extirpar.

desarrenegar-se, *v. refl. (fam.)* desenojarse, desenfadarse.

desarrimar, *v. tr.* desarrimar; apartar; desamparar.

desarrimo, *s. m.* desarrimo; abandono; desamparo.

desarrisca, *s. f.* cumplimiento del deber cuaresmal; confesión.

desarriscar, *v. tr.* desobligar; librar; exonerar; absolver.

desarrochar, *v. tr.* desabrochar; desapretar.

desarrolhar, *v. tr.* destaponar; desapretar.

desarrufar, *v. tr.* reconciliar; apaciguar.
desarrufo, *s. m.* desenfado; reconciliación.
desarrugar, *v. tr.* desarrugar; alisar.
desarrumação, *s. f.* desarreglo; desaliño; confusión.
desarrumar, *v. tr.* desarreglar; desordenar; transtornar; desconcertar.
desarticulação, *s. f.* desarticulación; dislocación.
desarticulado, *adj.* desarticulado.
desarticular, *v. tr.* desarticular; descoyuntar.
desartificioso, *adj.* natural; modesto; simple.
desartilhar, *v. tr.* MIL. desartillar.
desarvorado, *adj.* NÁUT. desarbolado.
desarvoramento, *s. m.* NÁUT. desarbolo.
desarvorar, *v. tr.* NÁUT. desarbolar.
desasado, *adj.* desalado; desasado; derrengado.
desasar, *v. tr.* desalar; desasar; deslomar.
desasseado, *adj.* desaseado.
desassear, *v. tr.* desasear; ensuciar.
desasseio, *s. m.* desaseo; desaliño.
desasselvajar, *v. tr.* civilizar.
desassemelhar, *v. tr.* desemejar; desfigurar.
desassenhorear, *v. tr.* desapoderar; desposeer.
desassestar, *v. tr.* remover, alterar lo que estaba asestado.
desassimilação, *s. f.* desasimilación.
desassimilar, *v. tr.* desasimilar.
desassisado, *adj.* desjuiciado; loco; díscolo; demente.
desassisar, *v. tr.* desatinar; entontecer.
desassistir, *v. tr.* desasistir.
desassociar, *v. tr.* desasociar.
desassombrado, *adj.* sin sombra; expuesto al sol; *(fig.)* franco; abierto; llano.
desassombrar, *v. tr.* quitar lo que hace sombra; iluminar; *(fig.)* sosegar.
desassossegado, *adj.* desasosegado; inquieto; perturbado; receloso.
desassossegar, *v. tr.* desasosegar.
desassossego, *s. m.* desasosiego.
desassustar, *v. tr.* serenar; tranquilizar; quitar el susto.
desastrado, *adj.* desastrado; desdichado; infeliz; astroso.
desastre, *s. m.* desastre; desgracia; fatalidad; siniestro; tragedia.
desastroso, *adj.* desastroso.
desatabafar, *v. tr.* aliviar; desahogar.

desatacar, *v. tr.* descargar; desatar; desabrochar; soltar.
desatado, *adj.* suelto.
desatamento, *s. m.* acción o efecto de *desatar*.
desatar, *v.* **1.** *tr.* desatar; soltar; *(nó)* desprender, desliar; explicar. **2.** *intr.* decidir.
desatarraxar, *v. tr.* destornillar; desatornillar; desenroscar; desligar.
desatascar, *v. tr.* desatascar; desatollar.
desataviar, *v. tr.* desataviar.
desatavio, *s. m.* desatavío; simplicidad.
desatemorizar, *v. tr.* quitar el temor.
desatenção, *s. f.* desatención; descortesía; distracción.
desatencioso, *adj.* desatento; descuidado; descortés.
desatender, *v. tr.* desatender; desoír.
desatendível, *adj. 2 gén.* desatendible.
desatentar, *v. intr.* desatender; distraerse.
desatento, *adj.* desatento; distraído; desaplicado.
desaterrar, *v. tr.* desaterrar.
desaterro, *s. m.* acción y efecto de *desaterrar*.
desatilado, *adj.* inexperiente; torpe.
desatinação, *s. f.* confusión; desatino; desordem.
desatinado, *adj.* desatinado; disparatado; loco.
desatinar, *v.* **1.** *tr.* desatinar; trastornar. **2.** *intr.* perder el tino; hacer desatinos.
desatino, *s. m.* desatino; disparate.
desatolar, *v. tr.* desatollar; desatascar.
desatordoar, *v. intr.* desatolondrar.
desatracação, *s. f.* NÁUT. desatraque.
desatracar, **I.** *v. tr.* NÁUT. desatracar; desprender. **II.** *intr.* levar ancla.
desatrancar, *v. tr.* desatrancar; desembarazar.
desatravancar, *v. tr.* desatascar.
desatravessar, *v. tr.* desatravesar.
desatrelar, *v. tr.* desatraillar; soltar.
desatremar, *v. intr.* desatinar; perder el tino; perder el buen camino.
desaturdir, *v. tr.* desatolondrar.
desaustinado, *adj. (fam.)* inquieto; sin tino; turbulento.
desautoração, *s. f.* desautorización; degradación.
desautorar, *v. tr.* desautorizar; quitar los honores.
desautorização, *s. f.* desautorización.
desautorizado, *adj.* desautorizado.

desautorizar, v. tr. desautorizar; desprestigiar; desacreditar.

desavença, s. f. desavenencia; discordia; enemistad; contienda; ruptura.

desavergonhado, adj. desvergonzado; rabanero; descarado; deslenguado; marrano.

desavergonhamento, s. m. desvergüenza; descaro.

desavergonhar, v. tr. hacer perder la vergüenza; tornar insolente.

desavezar, v. tr. desavezar, desacostumbrar.

desavindo, adj. desavenido; indispuesto; malavenido.

desavir, v. 1. tr. desavenir; indisponer a una persona con otra. 2. refl. desavenirse; reñir.

desaviso, s. m. contraaviso.

desavistar, v. tr. perder de vista.

desazo, s. m. negligencia; descuido.

desbagulhar, v. tr. despepitar.

desbalizar, v. tr. quitar los mojones o los marcos.

desbancar, v. tr. desbancar; (fig.) suplantar.

desbaratador, adj. e s. m. desbaratador; manirroto.

desbaratamento, s. m. desbaratamiento.

desbaratar, v. tr. desbaratar; destrozar; poner en fuga; arruinar; malgastar.

desbarate, s. m. vd. **desbarato**.

desbarato, s. m. desbarate; derrota; desperdicio; ruina; disipación; *vender ao desbarato*, malvender.

desbarbado, adj. desbarbado; imberbe.

desbarbador, s. m. AGRIC. desbarbador.

desbarbar, v. tr. desbarbar; afeitar; rasurar.

desbarretar, v. 1. tr. descubrir, quitar el gorro o la montera para saludar. 2. refl. descubrirse, saludar.

desbarrigado, adj. (pop.) desbarrigado, que tiene poca barriga.

desbarrigar, v. tr. desbaste; corte; monda.

desbastação, s. f. desbaste; corte; monda.

desbastador, adj. e s. desbastador.

desbastamento, s. m. desbaste; corte; monda.

desbastar, v. tr. desbastar; raspar; descortezar; desguazar; despatillar; adelgazar una cosa; perfeccionar; lapidar.

desbastardar, v. tr. legitimar.

desbaste, s. m. desbaste; corte; monda.

desbatocar, v. tr. destaponar; destapar.

desbeiçar, v. tr. desgolletar; desbocar; desportillar.

desbloquear, v. tr. desbloquear.

desbloqueio, s. m. desbloqueo.

desbocado, adj. desbocado; desenfrenado; (fig.) obsceno en las palabras; desaforado; deslenguado.

desbocamento, s. m. empleo de lenguaje obsceno.

desbocar-se, v. refl. desbocarse; (fig.) no obedecer al freno (caballo); desbocarse, volverse indecente; deslenguarse.

desbordamento, s. m. desbordamiento.

desbordante, adj. 2 gén. desbordante; rebordante.

desbordar, v. intr. desbordar; rebosar; derramar.

desboroar, v. 1. tr. esboroar. 2. intr. pulverizarse.

desbotado, adj. descolorado; desmayado; lacio.

desbotar, v. intr. descolorar; decolorar; desteñir; deslavar; desmayar.

desbragado, adj. desbragado; disoluto; indecoroso.

desbragamento, s. m. desvergüenza; descaro.

desbragar, v. tr. desvergonzar; pervertir.

desbravar, v. tr. desbravar; amansar; rizar; roturar; escardar.

desbridar, v. tr. desbridar; desembridar.

desbulhar, v. tr. descascar; descascarar; desgravar.

descabeçamento, s. m. descabezamiento; decapitación.

descabeçar, v. tr. degollar; decapitar; descabezar.

descabelado, adj. descabellado, sin cabello, calvo; (fig.) irritado.

descabelar, v. 1. tr. arrancar, quitar los cabellos a; desmechar; descabellar; despeinar, desgreñar. 2. refl. irritarse.

descabido, adj. descabido; inoportuno.

descafeinado, adj. descafeinado.

descafeinar, v. tr. descafeinar.

descaída, s. f. decaimiento; caída; ruina; descuido; indiscreción.

descaimento, s. m. decaimiento; decadencia.

descair, v. 1. tr. dejar caer. 2. intr. bajar; declinar; menguar; curvarse; debilitar.

descalabro, s. m. descalabro; ruina; pérdida.

descalçadeira, s. f. calzador.

descalçadela, *s. f.* descompostura; reprimenda; rapapolvo.

descalçador, *s. m.* calzador.

descalçar, *v. tr.* descalzar; desempedrar.

descalcificação, *s. f.* descalcificación.

descalcificar, *v. tr.* descalcificar.

descalço, *adj.* descalzo; no empedrado; *(fig.)* desprevenido.

descamação, *s. f.* descamación.

descambar, *v. intr.* resbalar, caer para un lado; derivar; redundar; *(fig.)* decir inconveniencias.

descaminhar, *v. tr.* desencaminar; descaminar; extraviar; descarriar; pervertir.

descaminho, *s. m.* descamino; fraude; contrabando; descarrío.

descamisa, *s. f.* vd. **descamisada**.

descamisada, *s. f.* espinocha; deshojada; descamisada.

descamisado, *adj. (fam.)* descamisado.

descamisar, *v. tr.* descamisar, quitar la camisa a; quitar las hojas al maíz.

descampado, *adj.* e *s. m.* descampado.

descangar, *v. tr.* desuncir; desyugar, desyuncir.

descansado, *adj.* descansado; tranquilo; vagaroso.

descansar, *v.* 1. *tr.* descansar; tranquilizar; sosegar; apoyar. 2. *intr.* reposar; sentarse; dormir; holgar.

descanso, *s. m.* descanso; tregua; reposo; solaz; quietud; sosiego; respiro; paz; vacaciones; apoyo; *descanso para os pés*, reposapiés.

descantar, *v. tr.* e *intr.* cantar al son de un instrumento.

descante, *s. m.* concierto popular de voces e instrumentos.

descantear, *v. tr.* descantar, quitar las esquinas, cantos o ángulos a.

descapacitar-se, *v. refl.* disuadirse.

descaracterizar, *v. tr.* descaracterizar; desfigurar; disfrazar.

descarado, *adj.* descarado; deslavado; atrevido; insolente; caradura; descocado.

descaramento, *s. m.* descaramiento; descaro; desfachatez; desparpajo; insolencia; chulería; rostro.

descarapuçar, *v. tr.* descaperuzar, quitar de la cabeza la caperuza.

descarar-se, *v. refl.* descararse; descocarse.

descarbonatar, *v. tr.* QUÍM. descarbonatar.

descarbonizar, *v. tr.* descarburar.

descarga, *s. f.* descarga; disparo; conjunto de tiros disparados al mismo tiempo.

descargo, *s. m.* descargo; satisfacción; alivio.

descaridoso, *adj.* insensible; duro.

descarinho, *s. m.* descariño; malos tratos; crueldad.

descarnado, *adj.* descarnado.

descarnador, *adj.* e *s. m.* descarnador; descalzador, (para descarnar los dientes).

descarnadura, *s. f.* descarnadura.

descarnar, *v. tr.* descarnar; deshuesar; *(fig.)* despegar la encía del diente.

descaro, *s. m*, descaramiento; descaro; insolencia.

descaroável, *adj. 2 gén.* insensible; duro.

descaroçar, *v. tr.* despepitar; deshuesar; desgranar.

descarregador, *s. m.* descargador.

descarregadouro, *s. m.* descargadero.

descarregamento, *s. m.* descargamento; descarga.

descarregar, *v. tr.* descargar; *(fig.)* excluir; aliviar; desahogar expandir; evacuar; disparar (un arma); NÁUT. hondear.

descarrego, *s. m.* descargo.

descarreirar, *v. tr.* descaminar, descarriar.

descarrilamento, *s. m.* descarrilamiento.

descarrilar, *v. tr.* e *intr.* descarrilar; *(fig.)* perder el tino.

descartar, *v.* 1. *tr.* descartar; baldarse; descartarse. 2. *refl.* libertarse de lo que es incómodo.

descarte, *s. m.* descarte.

descasar, *v. tr.* divorciar; descasar.

descascadora, *s. f.* deshuesadora.

descascar, *v. tr.* descascar, pelar; descortezar; desvainar; mondar.

descaspar, *v. tr.* descaspar, quitar la caspa; *(pintura)* desconchar.

descasque, *s. m.* descasque; descortezamiento.

descaudado, *adj.* sin cola; desrabado.

descaudar, *v. tr.* desrabar; desrabotar.

descavalgar, *v. tr.* descabalgar; apear; desmontar.

descendência, *s. f.* descendencia; posteridad; filiación; estirpe; vástago.

descendente, *adj. 2 gén.* descendiente.

descender, *v. intr.* descender; derivarse.

descensão, *s. f.* descenso.

descenso, *s. m.* descenso, bajada.

descente, *adj. 2 gén.* descendente; inclinado.

descentrado, *adj.* descentrado.

descentralização, *s. f.* descentralización.
descentralizador, *adj. e s. m.* descentralizador.
descentralizar, *v. tr.* descentralizar.
descentralizável, *adj. 2 gén.* descentralizable.
descentrar, *v. tr.* descentrar.
descer, *v.* **1.** *tr.* descender; abajar; bajar; apear. **2.** *intr.* bajar; apearse.
descercar, *v. tr.* descercar, levantar un cerco.
descerco, *s. m.* descerco.
descerebrado, *adj.* (*fig.*) ignorante; cretino.
descerebrar, *v. tr.* descerebrar.
descerrar, *v. tr.* descerrar; abrir; reabrir; manifestar.
deschancelar, *v. tr.* desellar.
descida, *s. f.* descenso; bajada; abajadero; declive; caída.
descimentar, *v. tr.* descimentar, quitar el cemento a; arruinar.
descimento, *s. m.* descendimiento; bajada.
descingir, *v. tr.* desceñir.
desclassificação, *s. f.* desclasificación.
desclassificado, *adj.* desclasificado.
desclassificar, *v. tr.* desacreditar; desclasifiar.
descoagulação, *s. f.* descoagulación.
descoagulante, *adj. 2 gén.* descoagulante.
descoagular, *v. tr.* descoagular.
descoalhar, *v. tr.* descoagular.
descoberta, *s. f.* descubrimiento; descubierta.
descoberto, *adj.* descubierto; destapado; divulgado; encontrado; inventado.
descobridor, *adj. e s. m.* descubridor; explorador; revelador.
descobrimento, *s. m.* descubrimiento.
descobrir, *v.* **1.** *tr.* descubrir; hallar; denunciar; reconocer. **2.** *intr.* clarear (la atmósfera); romper (el sol).
descocado, *adj.* descocado; atrevido.
descocar-se, *v. refl.* descocarse; ser insolente.
descoco, *s. m.* (*fam.*) descoco; descaro; audacia.
descodear, *v. tr.* descortezar.
descodificação, *s. f.* decodificación.
descodificador, *s. m.* decodificador.
descodificar, *v. tr.* decodificar.
descolado, *adj.* despegado.
descolagem, *s. f.* (*avião*) despegue.
descolar, *v. tr. e intr.* descolar, desencolar; desligar; arrancar; separar; (*avião, nave espacial*) despegar.

descolonização, *s. f.* descolonización.
descolonizar, *v. tr.* descolonizar.
descoloração, *s. f.* decoloración.
descolorante, *adj. 2 gén.* decolorante.
descolorar, *v.* **1.** *tr.* descolorar; desteñir; decolorar; despintar. **2.** *intr.* perder el color.
descolorir, *v. tr.* descolorir.
descomedido, *adj.* descomedido; disparatado; inmoderado.
descomedimento, *s. m.* descomedimiento; desmesura.
descomedir-se, *v. refl.* descomedirse; desmedirse; desmesurarse; descompasarse; desentonarse; disparatar.
descompassado, *adj.* descompasado; descomedido; enorme; desmedido.
descompassar, *v. tr. e intr.* descompasar; descompasarse; desproporcionar.
descompensado, *adj.* descompensado.
descompensar, *v. tr.* descompensar.
descompor, *v. intr.* descomponer; desordenar; alterar; desfigurar; reprender; desnudar; insultar.
descomposto, *adj.* descompuesto.
descompostura, *s. f.* descompostura.
descomprazer, *v. intr.* no complacer; no condescender.
descompressão, *s. f.* descompresión.
descompressor, *s. m.* descompresor.
descomprimir, *v. tr.* descomprimir; despresurizar.
descomunal, *adj. 2 gén.* descomunal; excesivo.
desconceituar, *v. tr.* desconceptuar.
desconcertado, *adj.* desconcertado; turbado.
desconcertante, *adj. 2 gén.* desconcertante; despampanante; turbador.
desconcertar, *v.* **1.** *tr.* desconcertar; desarreglar; desarmonizar; desavenir. **2.** *intr.* discordar; disparatar.
desconcerto, *s. m.* desconcierto; desorden; confusión; disonancia; discordia.
desconchavar, *v.* **1.** *tr.* desencajar; desligar; separar; (*fig.*) malquistar. **2.** *intr.* disparatar.
desconchavo, *s. m.* disparate; tontería.
desconciliar, *v. tr.* desconciliar.
desconexão, *s. f.* desconexión; inconexión.
desconexo, *adj.* inconexo; incoherente; farragoso.
desconfiado, *adj.* desconfiado; malpen-

sado; suspicaz; receloso; quisquilloso escamado; *tornar desconfiado*, escamar.

desconfiança, s. f. desconfianza; sospecha; suspicacia; recelo; celos.

desconfiar, v. intr. desconfiar; sospechar recelar; conjeturar; barruntar; maliciar.

desconforme, adj. 2 gén. disconforme desigual; descomunal.

desconformidade, s. f. disconformidad divergencia; discordância.

desconfortar, v. tr. quitar la comodidad a; desalentar; desanimar.

desconfortável, adj. 2 gén. inconfortable.

desconforto, s. m. falta de comodidad; desánimo; desaliento.

descongelação, s. f. descongelación; deshielo.

descongelar, v. tr. descongelar; deshelar; FIN. desbloquear.

descongestionar, v. tr. descongestionar; desentumecer; desembarazar; desacumular.

desconhecedor, adj. e s. desconocedor; ignorante; desagradecido.

desconhecer, v. tr. desconocer; ignorar; no reconocer.

desconhecido, adj. e s. m. desconocido; ignorado.

desconhecimento, s. m. desconocimiento; ingratitud; ignorancia.

desconjunção, s. f. desconyuntamiento; desunión; hendidura; oquedad.

desconjuntamento, s. m. vd. **desconjunção**.

desconjuntar, v. tr. descoyuntar; desencajar; desensamblar; dislocar; desunir.

desconsagrar, v. tr. profanar.

desconsideração, s. f. desconsideración.

desconsiderar, v. tr. desconsiderar; desatender.

desconsolação, s. f. desconsolación; tristeza; malestar.

desconsolado, adj. desconsolado; triste.

desconsolador, adj. desconsolador.

desconsolar, v. tr. desconsolar; entristecer.

desconsolo, s. m. desconsuelo; desconsolación.

descontaminação, s. f. descontaminación.

descontaminar, v. tr. descontaminar.

descontar, v. tr. descontar; rebajar un precio o cuenta; deducir.

descontentadiço, adj. descontentadizo.

descontentamento, s. m. descontentamiento; descontento; desagrado.

descontentar, v. tr. descontentar; disgustar; desagradar.

descontente, adj. 2 gén. descontento.

descontinuação, s. f. descontinuación.

descontinuar, v. tr. e intr. discontinuar; romper; interrumpir.

descontinuidade, s. f. discontinuidad.

descontínuo, adj. discontinuo.

desconto, s. m. descuento; agio; compensación.

descontrolado, adj. descontrolado; desenfrenado.

descontrolar-se, v. refl. descontrolarse; desenfrenarse.

descontrolo, s. m. descontrol; desenfreno.

desconveniência, s. f. desconveniencia.

desconveniente, adj. 2 gén. desconveniente.

desconverter, v. tr. deshacer la conversión de; hacer irreligioso.

desconvir, v. **1**. intr. desconvenir; no concordar. **2**. tr. desavenir.

descoordenação, s. f. falta de coordinación.

descoordenar, v. tr. deshacer la coordinación; desorganizar.

descorado (ô), adj. descolorido; pálido.

descoramento, s. m. descoloramiento.

descorante, adj. 2 gén. e s. m. decolorante.

descorar, v. **1**. tr. decolorar; descolorir. **2**. intr. palidecer.

descorçoamento, s. m. descorazonamiento, desánimo.

descorçoar, v. tr. e intr. descorazonar; desanimar.

descornar, v. tr. descornar.

descoroar, v. tr. descoronar; destronar.

descoroçoado, adj. desalentado, descorazonado, desanimado.

descoroçoamento, s. m. descorazonamiento, desánimo.

descoroçoar, v. tr. descorazonar; desanimar; desalentar.

descorolado, adj. BOT. descolorado.

descortejar, v. tr. no cortejar; desconsiderar; negar el saludo.

descortês, adj. descortés; desatento; desmesurado; incivil; rudo; villano.

descortesia, s. f. descortesía; indelicadeza; desatención.

descorticação, s. f. descorche.

descortiçamento, s. m. descorche.

descorticar, *v. tr.* macerar la corteza para quitarla.

descortiçar, *v. tr.* descortezar; descorchar.

descortinar, *v. tr.* descortinar; divisar; (*fig.*) entrever; escrutar.

descosedura, *s. f.* descosedura; descosido.

descoser, *v. tr.* descoser; desabrochar; soltar; cortar.

descosido, *adj.* descosido.

descravar, *v. tr.* desenclavar; desclavar.

descravejar, *v. tr.* desengastar; desclavar.

descrédito, *s. m.* descrédito; deshonra; deslustre; mala fama; desdoro.

descrença, *s. f.* descreimiento; descreencia; impiedad.

descrente, *adj.* e *s. 2 gén.* descreído; incrédulo; irreligioso.

descrer, *v. tr.* descreer; faltar a la fé, dejar de creer.

descrever, *v. tr.* describir; trazar; pormenorizar; caracterizar; trazar.

descrição, *s. f.* descripción; reseña.

descrido, *adj.* e *s. m.* descreído; incrédulo.

descristianização, *s. f.* descristianización.

descristianizar, *v. tr.* descristianizar.

descritível, *adj. 2 gén.* descriptible.

descritivo, *adj.* descriptivo.

descrito, *adj.* descrito.

descritor, *adj.* e *s.* descriptor.

descruzar, *v. tr.* descruzar.

descuidado, *adj.* descuidado; negligente; despreocupado; farfullero; remiso.

descuidar, *v. 1. tr.* descuidar. *2. refl.* olvidarse; distraerse.

descuido, *s. m.* descuido; descura; omisión; negligencia; lapsus.

descuidoso, *adj.* descuidado; despreocupado.

desculpa, *s. f.* disculpa; excusa; venia; (*fig.*) agarradero; asidero.

desculpar, *v. 1. tr.* disculpar; perdonar; dispensar; excusar; subsanar. *2. refl.* sincerarse.

desculpável, *adj. 2 gén.* disculpable.

descurar, *v. tr.* descuidar; olvidar.

descurvar, *v. tr.* enderezar; desencorvar.

desdar, *v. tr.* desdar; deshacer; desatar.

desde, *prep.* desde, de, a partir de; a contar de.

desdém, *s. m.* desdén; desprecio; menosprecio; orgullo; indiferencia.

desdenhar, *v. tr.* e *intr.* desdeñar; no dignarse; despreciar; motejar.

desdenhativo, *adj.* despreciativo.

desdenhável, *adj. 2 gén.* desdeñable.

desdenho, *s. m.* desdén.

desdenhoso, *adj.* desdeñoso.

desdentado, *adj.* desdentado.

desdentar, *v. tr.* desdentar.

desdita, *s. f.* desdicha; infelicidad, desgracia.

desditado, *adj.* desdichado; desastroso.

desditoso, *adj.* infeliz; desgraciado; desdichado; malhadado.

desdizer, *v. 1. tr.* desdecir; desmentir; negar; retirar. *2. refl.* retractarse.

desdobramento, *s. m.* desdoblamiento; despliegue.

desdobrar, *v. tr.* desdoblar; desarrolar; desplegar; tender.

desdoirar, *v. tr. vd.* **desdourar**.

desdoiro, *s. m.* **desdouro**.

desdourar, *v. tr.* desdorar; (*fig.*) deslustrar; manchar.

desdouro, *s. m.* desdoro, deslustre; desaire; (*fig.*) descrédito; mancha; mancilla.

desdramatizar, *v. tr.* desdramatizar.

desedificação, *s. f.* desmoralización; escándalo.

desedificante, *adj. 2 gén.* desmoralizador.

desedificar, *v. tr.* escandalizar; desmoralizar.

desejado, *adj.* deseado.

desejar, *v. tr.* e *intr.* desear, apetecer; ambicionar; querer; anhelar; aspirar; suspirar (por); codiciar.

desejável, *adj. 2 gén.* deseable; apetecible; codiciable.

desejo, *s. m.* deseo; apetito; aspiración; ambición; sed; talante.

desejoso, *adj.* deseoso; ansioso.

deselectrizar, *v. tr.* deselectrizar.

deselegância, *s. f.* falta de elegancia; incorrección; desaire.

deselegante, *adj.* desairado; desgalichado; sin elegancia.

desemaçar *v. tr.* desempaquetar, separar lo que estaba reunido en mazo.

desemalar, *v. tr.* quitar de la maleta.

desemaranhar, *v. tr.* desenmarañar; desenredar; desarrebujar; desenhebrar.

desembaciar, *v. tr.* desempañar.

desembainhar, *v. tr.* desenvainar; desprender; descoser la bastilla o dobladillo.

desembalagem, *s. f.* desembalaje.

desembalar, *v. tr.* desembalar; desenfardar; desempaquetar.

desembaraçado, *adj.* desembarazado; desenvuelto; expedito; desimpedido; despejado; escueto; libre.

desembaraçar, *v. tr.* desembarazar; desenredar; evacuar; desocupar; *desembaraçar-se de*, alijar.

desembaraço, *s. m.* desembarazo; desenvoltura; desparpajo; despeje; expediente; agilidad; presteza; resolución.

desembaralhar, *v. tr.* desenredar; desenmarañar.

desembarcadoiro, *s. m.* vd. **desembarcadouro**.

desembarcadouro, *s. m.* desembarcadero.

desembarcar, *v. tr. e intr.* desembarcar; desaguar.

desembargador, *s. m.* desembargador.

desembargar, *v. tr.* desembargar.

desembargo, *s. m.* desembargo; sentencia.

desembarque, *s. m.* desembarque; desembarco.

desembarrancar, *v. tr.* desembarrancar.

desembebedar, *v. tr.* desemborrachar; desembriagar.

desembestadamente, *adv.* desenfrenadamente; a rienda suelta.

desembestar, *v. tr. e intr.* desemballestar; lanzar; disparar (flecha o saeta).

desembezerrar, *v. tr.* desenojar; desamorrar; desagriar; desenfadar.

desembirrar, *v. tr. e intr.* desencaprichar; desimpresionar.

desembocadura, *s. f.* desembocadura.

desembocar, *v. tr.* desembocar; desaguar; afluir.

desembolado, *adj.* desembolado.

desembolar, *v. tr.* quitar el embolado a los toros.

desembolsar, *v. tr.* desembolsar, gastar; apoquinar, soltar dinero.

desembolso, *s. m.* desembolso; gasto; préstamo; dispendio.

desemborcar, *v. tr.* volver para arriba lo que estaba volcado.

desemborrachar, *v. tr.* desemborrachar; desembriagar.

desemboscar, *v. tr.* desemboscar.

desembotar, *v. tr.* desembotar; afilar; aguzar.

desembraiagem, *s. f.* desembrague.

desembraiar, *v. tr.* desembragar.

desembravecer, *v. tr. e intr.* desembravecer, amansar; domesticar; apaciguar.

desembrechar, *v. tr.* quitar las incrustaciones de conchas, fragmentos de vidrios, etc.

desembrenhar, *v. tr.* quitar de las breñas.

desembriagar, *v. tr.* desemborrachar; desembriagar.

desembridar, *v. tr.* desembridar.

desembrulhar, *v. tr.* desempaquetar; desdoblar; desarrollar.

desembrulho, *s. m.* desembalaje.

desembrutecer, *v. tr.* desembrutecer; civilizar; instruir.

desembruxar, *v. tr.* deshechizar; desembrujar.

desembuçar, *v. tr.* desembozar; desenmascarar; desarrebozar.

desembuchar, *v. tr.* desembuchar.

desemburrar, *v. tr.* desembrutecer; desentorpecer.

desemoldurar, *v. tr.* quitar la moldura o marco a.

desempachar, *v. tr.* desempachar; aliviar; despejar.

desempacho, *s. m.* desempacho.

desempacotamento, *s. m.* desempaquetamiento, desembalaje.

desempacotar, *v. tr.* desempaquetar; desembalar; desempacar.

desempalhar, *v. tr.* quitar de la paja; desempajar.

desempanar, *v. tr.* desempañar.

desempanturrar, *v. tr.* desempachar.

desempapar, *v. tr.* desempapar.

desempapelar, *v. tr.* desempapelar.

desempar, *v. tr.* desrodrigar.

desemparceirado, *adj.* desparejado.

desemparceirar, *v. tr.* desemparejar; descasar; desparejar.

desemparelhado, *adj.* desemparejado; descabalado; desparejado; suelto.

desemparelhar, *v. tr.* desemparejar; deshermanar; desparejar; descabalar.

desempatar, *v. tr.* desempatar; quitar el empate.

desempate, *s. m.* desempate.

desempavesar, *v. tr.* despabilar; despavesar.

desempecer, *v. tr.* desembarazar; librar; destrabar; desenredar.

desempecilhar, *v. tr.* desembarazar; desobstruir; desatrancar.

desempeçonhar, v. tr. desemponzoñar.
desempedrar, v. tr. desempedrar.
desempegar, v. tr. desabarrancar; desatollar; desatascar.
desempenado, adj. derecho; airoso; ágil; desembarazado.
desempenhar, v. 1. tr. desempeñar; cumplir; librar de deudas; desempeñar; TEAT./CIN. representar, hacer un papel. 2. refl. descolgarse.
desempenho, s. m. desempeño; cumplimiento.
desempeno, s. m. enderezamiento; desalabeo; corrección; regla de carpintero.
desemperrar, v. tr. aflojar; desapretar; ensanchar.
desempestar, v. tr. desinfectar.
desempilhar, v. tr. desamontonar.
desemplumar, v. tr. desemplumar, desplumar.
desempoado, adj. desempolvado, sin polvo; (fig.) tratable, sin prejuicios; llano.
desempoar, v. tr. desempolvar, desempolvorar; sacudir; (fig.) modesto.
desempobrecer, v. 1. tr. quitar de la pobreza. 2. intr. enriquecer.
desempoçar, v. tr. desempozar; agotar.
desempoeirado, adj. desempolvado.
desempoeirar, v. tr. desempolvar, desempolvorar.
desempoleirar, v. tr. quitar del aseladero (un ave); (fig.) descender, rebajar, (de una posición elevada).
desempolgar, v. tr. aflojar; soltar; desagarrar; quitar de las garras; despedir.
desempossar, v. tr. desposuir; desapoderar.
desempregado, adj. desempleado; desacomodado.
desempregar, v. tr. desemplear; destituir.
desemprego, s. m. desempleo.
desemprenhar, v. tr. desembarazar, dar a luz; abortar; (fig.) desembuchar.
desemproar, v. tr. humillar; desencumbrar.
desempunhar, v. tr. soltar del puño o de la mano; desasir.
desemudecer, v. tr. desenmudecer.
desenamorar-se, v. refl. desenamorarse.
desenastrar, v. intr. soltar la cinta de los cabellos; desatar; desentrenzar.
desencabar, v. tr. desmangar; desenastrar.
desencabrestar, v. tr. desencabrestar.

desencadeamento, s. m. desencadenamiento.
desencadear, v. tr. desencadenar.
desencadernar, v. tr. desencuadernar; descuadernar.
desencaixado, adj. desencajado.
desencaixar, v. tr. desencajar; desensamblar; desarticular.
desencaixe, s. m. desencaje.
desencaixilhar, v. tr. quitar del marco el cuadro.
desencaixotar, v. tr. desencajonar.
desencalacrar, v. tr. libertar a uno de las deudas que había contraído; desentrampar.
desencalhar, v. 1. tr. desencallar, desembarrancar. 2. intr. salir del encallamiento.
desencalhe, s. m. acción y efecto de desencallar.
desencalmar, v. tr. quitar la calma; refrescar.
desencaminhador, adj. e s. m. corruptor; pervertidor.
desencaminhar, v. tr. desencaminar; descaminar; extraviar; malmeter; pervertir.
desencanastrar, v. tr. desencanastrar.
desencantamento, s. m. desencantamiento, desencanto.
desencantar, v. tr. desencantar.
desencanto, s. m. desencanto.
desencantoar, v. tr. desarrinconar; descubrir.
desencapar, v. tr. desenfundar.
desencapelar, v. tr. desencapillar; desencapuchar.
desencapotar, v. tr. desencapotar.
desencaracolar, v. tr. desrizar el pelo; desencrespar, desenrizar.
desencarcerar, v. tr. desencarcelar.
desencardir, v. tr. blanquear; escamondar; limpiar.
desencarecer, v. tr. desencarecer, disminuir en el precio; rebajar.
desencarquilhar, v. tr. desarrugar.
desencarregar, v. tr. descargar; desobligar; desencargar.
desencarretar, v. tr. desmontar el cañón de artillería del armón, desencabalgar.
desencarrilar, v. tr. vd. **desencarrilhar**.
desencarrilhar, v. tr. e intr. descarrilar; (fig.) perder el tino.
desencartar, v. tr. desencartar; destituir del empleo.

desencasacar-se, *v. refl.* quitarse el frac; ponerse cómodo.

desencasquetar, *v. tr.* (*fam.*) disuadir; quitar de la cabeza (terquedad, manía).

desencastelar, *v. tr.* desencastillar.

desencastoar, *v. tr.* desengastar.

desencatarrar, *v. tr. e refl.* curar del catarro; curarse del catarro.

desencerar, *v. tr.* quitar la cera a lo que está encerado.

desencher, *v. tr.* vaciar; dejar vacía alguna cosa.

desencilhar, *v. tr.* descinchar; desenjaezar; desaparejar; desensillar (los animales).

desenclaustrar, *v. tr.* sacar del claustro.

desenclavinhar, *v. tr.* desenclavijar.

desencolerizar, *v. tr.* desencolerizar; serenar; amansar.

desencolher, *v. tr.* desencoger; estirar; extender.

desencolhimento, *s. m.* desencogimiento.

desencomendar, *v. tr.* revocar una orden; contramandar.

desenconchar, *v. tr.* sacar de la concha.

desencontrado, *adj.* contrario; opuesto; discordante.

desencontrar-se, *v. refl.* fallar un encuentro; no encontrarse.

desencontro, *s. m.* encuentro fallado.

desencorajado, *adj.* desanimado.

desencorajador, *adj.* desalentador.

desencorajamento, *s. m.* desanimación; desaliento.

desencorajar, *v. tr.* desalentar; desanimar.

desencordoar, *v. tr.* desencordar; quitar las cuerdas a un instrumento.

desencorpar, *v. tr.* adelgazar.

desencostar, *v. tr.* desviar del apoyo, desapoyar.

desencovar, *v. tr.* desencovar; desenterrar.

desencravar, *v. tr.* desenclavar; (*fam.*) desentrampar.

desencravilhar, *v. tr.* desclavar; desenganchar; desapretar; (*fam.*) desentrampar.

desencrencar, *v. tr.* (*fam.*) desentrampar.

desencrespar, *v. tr.* desencrespar; desarrugar; desrizar.

desencurralar, *v. tr.* soltar del corral; libertar; desalojar.

desencurvar, *v. tr.* desencorvar; allanar; aplanar.

desendemoninhar, *v. tr.* desendemoniar, desendiablar; exorcizar.

desendividar, *v. tr.* librar de deudas a alguien; desobligar.

desenegrecer, *v. tr.* desennegrecer; aclarar; blanquear.

desenevoar, *v. tr.* desnublar; aclarar.

desenfadadiço, *adj.* que desenfada; divertido; recreativo.

desenfadado, *adj.* desenfadado; divertido; despreocupado.

desenfadar, *v. tr.* desenfadar; desenojar; alegrar; distraer.

desenfado, *s. m.* desenfado; distracción; diversión.

desenfaixar, *v. tr.* desenfajar; desceñir.

desenfaixe, *s. m.* desceñidura.

desenfardamento, *s. m.* desembalaje.

desenfardar, *v. tr.* desembalar; desempaquetar.

desenfardelar, *v. tr.* vd. **desenfardar.**

desenfarruscar, *v. tr.* deshollinar; desennegrecer; aclarar.

desenfartar, *v. tr.* desempachar.

desenfastiar, *v. tr.* desenhastiar; quitar el hastío; desempalagar; causar apetito; (*fig.*) divertir, distraer.

desenfeitar, *v. tr.* desadornar; desataviar; desguarnecer.

desenfeitiçar, *v. tr.* deshechizar; desencantar; desembrujar.

desenfeixar, *v. tr.* desatar un manojo o haz; desliar; desamarrar.

desenferrujar, *v. tr.* desenmohecer; desherrumbrar; (*fig.*) desbastar; instruir; pulir.

desenfezar, *v. tr.* quitar el raquitismo; desarrollar; robustecer.

desenfiar, *v. tr.* desenhebrar; desensartar.

desenfileirar, *v. tr.* quitar de las filas.

desenfornar, *v. tr.* deshornar; desenhornar.

desenfreado, *adj.* desenfrenado; (*fig.*) desmandado; descomedido.

desenfreamento, *s. m.* desenfrenamiento; desenfreno.

desenfrear, *v.* 1. *tr.* desenfrenar. 2. *refl.* desenfrenarse.

desenfreio, *s. m.* desenfreno.

desenfronhar, *v. tr.* desenfundar.

desenfueirar, *v. tr.* sacar los tentemozos o estacas a una carreta.

desenfurecer, *v. tr.* desenfurecer; calmar; desencolerizar.

desengaçador, *s. m.* instrumento para desgranzar.

desengaçar, v. 1. tr. descobajar; desgranar; escobajar. 2. intr. (fam.) glotonear.

desengace, s. m. vd. **desengaço**.

desengaço, s. m. desgranamiento de la uva.

desengaiolar, v. tr. desenjaular; soltar.

desengalfinhar, v. tr. desengañilar, apartar.

desenganado, adj. desengañado; (doente) desilusionado, desahuciado; verdadero, sincero.

desenganador, adj. e s. m. desengañador.

desenganar, v. tr. desengañar; desilusionar; desahuciar.

desenganchar, v. tr. desenganchar; desprender.

desengano, s. m. desengaño; desilusión; franqueza.

desengarrafar, v. tr. desembotellar.

desengasgar, v. tr. desahogar.

desengastar, v. tr. desengastar; desclavar.

desengatar, v. tr. desengastar; soltar; desenganchar.

desengate, s. m. desengaste.

desengatilhar, v. tr. disparar un arma de fuego; desarmar el gatillo.

desengenhoso, adj. desmañado; estúpido; inhábil.

desenglobar, v. tr. desenglobar; desaglomerar.

desengodar, v. tr. quitar el cebo (en la pesca); (fig.) desilusionar.

desengolfar, v. tr. sacar de un abismo.

desengomar, v. tr. desalmidonar; desengomar; desgomar.

desengonçado, adj. desquiciado; descoyuntado.

desengonçar, v. tr. desquiciar; descoyuntar.

desengonço, s. m. acción y efecto de desengonçar.

desengordar, v. tr. enflaquecer; desengrosar; desengrasar.

desengordurar, v. tr. desengrasar.

desengorgitar, v. tr. desobstruir (un vaso o conducto excretor); deshinchar; desinflamar.

desengraçado, adj. desagraciado; desairado; sin gracia; desgabilado; soso; insípido.

desengraçar, v. tr. desengraciar.

desengrandecer, v. tr. apocar; estrechar; abatir; humillar.

desengranzar, v. tr. desengarzar; desensartar, deshacer la sarta.

desengraxar, v. tr. deslustrar.

desengrossar, v. tr. desengrosar; adelgazar; desbastar.

desenguiçar, v. tr. quitar la mala suerte; desenhechizar; desembrujar.

desenhador, s. m. diseñador; delineante; dibujador; dibujante.

desenhar, v. tr. dibujar; diseñar; delinear; trazar.

desenhista, s. diseñador; dibujador; dibujante.

desenho, s. m. dibujo; diseño.

desenjaular, v. tr. desenjaular.

desenjoar, v. tr. quitar las náuseas, hacer pasar el mareo; desempalagar.

desenjoativo, I. adj. que desempalaga; que quita las náuseas o el mareo. II. s. m. aperitivo.

desenlaçamento, s. m. desenlace.

desenlaçar, v. tr. desenlazar.

desenlace, s. m. desenlace; (fig.) solución.

desenlamear, v. tr. deslamar; desembarrar; desenlodar.

desenleado, adj. desliado; desatado; desenredado.

desenlear, v. tr. desenlazar; desliar; desatar; desenredar.

desenleio, s. m. acción y efecto de desenlear o desenlear-se.

desenlodar, v. tr. desenlodar.

desenlutar, v. tr. desenlutar; (fig.) alegrar.

desenobrecer, v. tr. hacer perder la nobleza; avillanar.

desenodoar, v. tr. limpiar, quitar las manchas.

desenojar, v. tr. quitar el asco o repugnancia; dar los pésames a alguien.

desenovelar, v. tr. desovillar; desenredar.

desenquadrar, v. tr. desenmarcar.

desenraiar, v. tr. destrabar.

desenraivar, v. tr. vd. **desenraivecer**.

desenraivecer, v. tr. aplacar la ira o rabia; sosegar.

desenraizado, adj. desarraigado.

desenraizar, v. tr. desarraigar.

desenramar, v. tr. desmondar; desramar.

desenrascar, v. tr. desembarazar; desatrancar; (fig.) librar de apuros.

desenredar, v. tr. desenredar; desovillar; desenmarañar; desarrebujar; desenhebrar; explicar; solucionar.

desenredo, s. m. desenredo; solución.
desenregelar, v. tr. descongelar; calentar; ·deshelar.
desenriçar, v. tr. desencrespar.
desenrijar, v. tr. ablandar; emblandecer.
desenristar, v. tr. sacar del ristre; dejar de apuntar.
desenrodilhar, v. tr. extender; desenroscar.
desenrolar, v. tr. desenrollar; tender; desenvolver; desarrollar; explicar.
desenroscar, v. tr. desenroscar; desenrollar; desatornillar.
desenroupar, v. tr. desarropar; desarrebujar.
desenrouquecer, v. 1. tr. curar la ronquera. 2. intr. perder la ronquera.
desenrugar, v. 1. tr. desarrugar; alisar. 2. intr. desarrugarse.
desensacar, v. tr. desalforjar.
desensebar, v. tr. desensebar; desengrasar.
desensinar, v. tr. desenseñar.
desensoberbecer, v. tr. desensoberbecer.
desensombrar, v. tr. quitar aquello que hace sombra.
desensopar, v. tr. vd. **enxugar**.
desensurdecer, v. 1. tr. desensordecer. 2. intr. recobrar el oído.
desentabuar, v. tr. desentablar.
desentaipar, v. tr. destapiar.
desentalar, v. tr. desentablillar; librar.
desentaramelar, v. tr. desembarasar; desatar; soltar la lengua hablando mucho; parlotear.
desentediar, v. tr. quitar el tedio; distraer.
desentender, v. I. tr. desentender, fingir que no se entiende. II. refl. desentenderse.
desentendido, adj. desentendido, ignorante.
desentendimento, s. m. desentendimiento.
desentenebrecer, v. tr. desentenebrecer.
desenterramento, s. m. desenterramiento; exhumación.
desenterrar, v. tr. desenterrar; exhumar; descubrir.
desentesar, v. tr. desapretar; aflojar.
desentoação, s. f. desentonación, desentono; MÚS. desafinación.
desentoar, v. tr. desentonar; MÚS. desafinar.

desentolher, v. tr. desentumecer; desentorpecer.
desentonar, v. tr. desentonar.
desentorpecer, v. tr. desentorpecer; desentumecer.
desentortar, v. tr. destorcer; enderezar.
desentrançar, v. tr. destrenzar; desenredar.
desentranhar, v. tr. desentrañar; sacar, revelar.
desentravar, v. tr. destrabar; librar; soltar.
desentrincheirar, v. tr. romper o desalojar una trinchera.
desentristecer, v. tr. desentristecer, alegrar.
desentroixar, v. tr. desliar; deshacer o desatar el lío de la ropa.
desentulhar, v. tr. escombrar; descombrar; desaterrar; desobstruir.
desentulho, s. m. descombro.
desentumecer, v. tr. descongestionar.
desentupir, v. tr. desatascar; desobstruir; desatascar.
desenvasar, v. tr. sacar del lodo; desenlodar; sacar a flote; poner a nado.
desenvasilhar, v. tr. sacar de la vasija.
desenvencelhar, v. tr. vd. **desenvencilhar**.
desenvencilhado, adj. desenvencijado.
desenvencilhar, v. tr. desenvencijar; desprender; separar.
desenvenenar, v. tr. desemponzoñar.
desenvernizar, v. tr. desbarnizar.
desenvolto, adj. desenvuelto; desembarazado; travieso.
desenvoltura, s. f. desenvoltura; desembarazo; agilidad; desparpajo.
desenvolvente, adj. 2 gén. desenvolvente.
desenvolver, v. tr. desenvolver; desarrollar; desplegar; extender; hacer crecer; agilizar; alargar.
desenvolvido, adj. desenvuelto; desarrollado; crecido.
desenvolvimento, s. m. desenvolvimiento; desarrollo; progreso; ECON. despegue.
desenxabido, adj. insípido; desaborido; insulso.
desenxamear, v. tr. desenjambrar; destruir un enjambre.
desenxofrar, v. tr. limpiar de azufre.
desenxovalhado, adj. limpio; aseado; desarrugado; planchado.

desenxovalhar, v. tr. limpiar; asear; lavar; (fig.) desagraviar; rehabilitar.

desequilibrado, adj. e s. m. desequilibrado; descompensado.

desequilibrar, v. tr. desequilibrar.

desequilíbrio, s. m. desequilibrio.

deserção, s. f. deserción; defección; desasistencia.

deserdado, adj. desheredado.

deserdar, v. tr. desheredar; exheredar.

desertar, v. tr. desertar.

desértico, adj. desértico.

desertificação, s. f. desertización.

deserto, s. m. desierto; lugar despoblado; yermo; solitario.

desertor, adj. e s. m. desertor; tránsfuga; trásfuga; prófugo.

desesperação, s. f. desesperación; desespero.

desesperado, I. adj. desesperado; obstinado; alocado. II. s. m. individuo alucinado.

desesperador, adj. desesperador.

desesperança, s. f. desesperanza; desesperación.

desesperançar, v. tr. desesperanzar; desahuciar.

desesperante, adj. 2 gén. desesperante.

desesperar, v. 1. tr. desesperar; desahuciar. 2. intr. desesperanzar.

desespero, s. m. desespero; desesperación; desesperanza.

desestabilização, s. f. desestabilización.

desestabilizar, v. tr. desestabilizar.

desestima, s. f. desestimación; desestima.

desestimação, s. f. desestimación.

desestimar, v. tr. desestimar; despreciar.

desfaçado, adj. desfachatado.

desfaçar-se, v. refl. descararse; desvergonzarse.

desfaçatez, s. f. desfachatez; desvergüenza; sinverguncería.

desfalcamento, s. m. desfalco.

desfalcar, v. tr. desfalcar.

desfalecer, v. 1. tr. desfallecer; desalentar. 2. intr. desfallecer; esmayar.

desfalecido, adj. desmayado; exánime.

desfalecimento, s. m. desmayo; desfallecimiento.

desfalque, s. m. desfalco; desvío.

desfanatizar, v. tr. desfanatizar.

desfarelar, v. tr. vd. **esfarelar**.

desfasamento, s. m. desfase.

desfasar, v. tr. desfasar.

desfastio, s. m. apetito; (fig.) buen humor.

desfavor, s. m. disfavor; desfavor; repulsa.

desfavorável, adj. 2 gén. desfavorable; desventajoso; perjudicial.

desfavorecedor, adj. desfavorecedor.

desfavorecer, v. tr. desfavorecer; desairar; desestimar.

desfavorecido, adj. desheredado.

desfazer, v. tr. deshacer; destruir; (nós) desanudar; descomponer; desbaratar; derrubiar; desterrar; disolver; revocar; anular; desfazer-se de, desasir.

desfear, v. tr. afear; desfigurar; deformar.

desfechar, v. tr. despedir; vibrar; descargar, disparar.

desfecho, s. m. desenlace; remate; conclusión; solución; resultado.

desfeita, s. f. deshecha; afrenta; ofensa; insulto; injuria; desaire.

desfeiteador, s. m. el que afrenta, agravia o insulta.

desfeitear, v. tr. insultar; injuriar; afrentar; desairar.

desfeito, adj. deshecho; desfigurado; disuelto; menguado; destrozado.

desferir, v. tr. soltar; desaferrar; desplegar; blandir un arma; hacer vibrar las cuerdas de un instrumento músico; lanzar; despedir.

desferrar, v. tr. desherrar; NÁUT. desaferrar.

desferrolhar, v. tr. correr el cerrojo para abrir; desaherrojar; soltar.

desfiado, I. adj. deshilachado, deshilado; desmenuzado. II. s. m. pl. deshilado.

desfiadura, s. f. deshiladura.

desfiar, v. tr. deshilar; deshebrar; deshilachar; desmenuzar; desliar.

desfibrar, v. tr. desfibrar; deshebrar.

desfiguração, s. f. desfiguración.

desfigurado, adj. desfigurado.

desfigurar, v. intr. desfigurar; estropear.

desfilada, s. f. desfile.

desfiladeiro, s. m. desfiladero; colada; encañada.

desfilar, v. intr. desfilar.

desfile, s. m. desfile.

desfilhar, v. tr. desfollonar; deshijar.

desfitar, v. tr. apartar la vista; no fijar; desviar los ojos.

desfloração, s. f. desfloración; desfloración.

desflorador, adj. e s. m. desflorador.

desfloramento, s. m. desfloramiento.

desflorar, v. tr. desflorar; desvirgar; estuprar; (fig.) desflorar, deshonrar.

desflorescer, v. intr. desflorar; desflorecer.

desflorescimento, s. m. desflorecimiento.

desflorestação, s. f. deforestación.

desflorestar, v. tr. deforestar.

desfocado, adj. desenfocado; velado.

desfocagem, s. f. desenfoque.

desfocar, v. tr. desenfocar; velar.

desfolha, s. f. deshojamiento; deshoje.

desfolhação, s. f. vd. **desfolha.**

desfolhada, s. f. deshojada; descamisada.

desfolhar, v. tr. deshojar; descamisar.

desfolho, s. m. deshojada; descamisada.

desfoliação, s. f. defoliación.

desforçador, adj. e s. m. vengador; desagraviador.

desforçar, v. tr. desagraviar; vengar.

desforço, s. m. desagravio; venganza.

desforra, s. f. vd. **desforço.**

desforrar, v. 1. tr. desforrar; despicar; vengar. 2. refl. vengarse.

desfortalecer, v. tr. desfortalecer; desguarnecer.

desfortuna, s. f. infortunio; desgracia.

desfraldar, v. tr. soltar, desplegar; quitar o disminuir la falda; NÁUT. desaferrar; soltar; enarbolar.

desfranjar, v. tr. desflecar.

desfranzir, v. tr. desarrugar; desdoblar; desplegar; desfruncir.

desfrechar, v. tr. arrojar, disparar, tirar saetas o flechas.

desfrisar, v. tr. desrizar; carmenar; alisar.

desfrutação, s. f. disfrute.

desfrutador, adj. e s. m. disfrutador; gorrista; gorrón.

desfrutar, v. tr. disfrutar; gozar; poseer; apreciar.

desfrute, s. m. disfrute.

desfundamento, s. m. desfonde.

desfundar, v. tr. desfondar.

desgabar, v. tr. denostar; vituperar; injuriar.

desgabo, s. m. vituperio; desprecio.

desgadelhar, v. tr. desgreñar; despeinar; descabellar; desmelenar; despeluzar.

desgalgar, v. 1. tr. desgalgar; despeñar; precipitar. 2. intr. despeñarse; precipitarse.

desgalhar, v. tr. desgajar; desramar.

desgarrada, s. f. canto de desafío.

desgarrado, adj. desgarrado.

desgarrar, v. tr. NÁUT. garrar, garrear; (fig.) pervertir; extraviar.

desgarre, v. m. vd. **desgarro.**

desgarro, s. m. descarrío; descamino; desgarro; descaro; audacia.

desgastado, adj. sobado.

desgastar, v. tr. desgastar; gastar; consumir.

desgaste, s. m. desgaste.

desgelar, v. tr. deshelar; (fig.) dar ánimo.

desgelo, s. m. deshielo.

desgorjado, adj. escotado; despechugado.

desgostado, adj. disgustado.

desgostar, v. 1. tr. disgustar; desazonar; desplacer; mortificar; asquear; aborrecer; assaetar. 2. intr. tener disgusto.

desgosto, s. m. disgusto; sinsabor; desavenencia; displicencia; sofoquina; desagrado; desazón; desplacer; resquemor; sentimiento.

desgostoso, adj. disgustado; desazonado; enfadoso; mohino.

desgovernado, adj. desgobernado; gastador; desordenado.

desgovernar, v. tr. desgobernar; gobernar mal; desperdiciar; despilfarrar.

desgoverno, s. m. desgobierno.

desgraça, s. f. desgracia; infortunio; infelicidad; fatalidad; miseria; calamidad; desastre; desmán; revés; través.

desgraçado, adj. desgraciado; infeliz; infausto; miserable.

desgraçar, v. tr. desgraciar.

desgracioso, adj. desgracioso; desgarbado; deslucido.

desgrenhado, adj. desgreñado; despeinado; descabellado; desmelenado; (fig.) desordenado.

desgrenhar, v. tr. desgreñar; despeinar; descabellar; desmelenar; despeluzar.

desgrudar, v. tr. desengrudar; despegar; descolar.

desguarnecer, v. tr. desguarnecer; desadornar.

desguedelhar, v. tr. desgreñar; despeinar; descabellar; desmelenar los cabelos.

desiderativo, adj. desiderativo.

desiderato, s. m. desiderátum.

desídia, s. f. desidia.

desidioso, adj. desidioso.

desidratação, s. f. deshidratación.

desidratado, adj. deshidratado.

desidratar, v. tr. deshidratar.

desidrogenar, v. tr. deshidrogenar.

designação, *s. f.* designación; denominación.

designar, *v. tr.* designar; denominar; denotar; indicar; mostrar.

designativo, *adj.* designativo.

desígnio, *s. m.* designio; intento; plano; empresa.

desigual, *adj. 2 gén.* desigual; diferente; dispar; disparejo; variable; irregular; injusto.

desigualar, *v. 1. tr.* desigualar; divergir. *2. refl.* distinguirse.

desigualdade, *s. f.* desigualdad.

desiludido, *adj.* desilusionado.

desiludir, *v. tr.* desilusionar; desengañar; decepcionar.

desilusão, *s. f.* desilusión; desengaño; decepción.

desimaginar, *v. tr.* desimaginar; disuadir.

desimanar, *v. tr.* desimanar; desimantar.

desimpedimento, *s. m.* desembarazo; desobstrucción; desatasco.

desimpedir, *v. tr.* desobstruir; desembarazar.

desimprensar, *v. tr.* desaprensar; deslustrar (quitar el lustre a los tejidos).

desimpressionar, *v. tr.* desimpresionar.

desinçar, *v. tr.* desinfectar; desinficionar; purificar.

desinchação, *s. f.* deshinchadura.

desinchado, *adj.* deshinchado.

desinchar, *v. tr.* deshinchar.

desinclinação, *s. f.* desinclinación.

desinclinar, *v. tr.* desinclinar.

desincrustar, *v. tr.* desincrustar.

desinência, *s. f.* desinencia.

desinfamar, *v. tr.* rehabilitar moralmente, deshumillar.

desinfecção, *s. f.* desinfección.

desinfectante, *adj. 2 gén. e s. m.* desinfectante.

desinfectar, *v. tr.* desinfectar.

desinflamação, *s. f.* desinflamación; desenconamiento.

desinflamar, *v. tr.* desinflamar; desenconar.

desinformação, *s. f.* desinformación.

desinformar, *v. tr.* desinformar.

desingurgitar, *v. tr.* desobstruir (un vaso o conducto excretor); deshinchar; desinflamar.

desinquietação, *s. f. (fam.)* desinquietud; inquietud; ansiedad.

desinquietador, *adj. e s. m. (fam.)* desinquietador.

desinquietar, *v. tr. (fam.)* desinquietar; inquietar; importunar, incomodar.

desinquieto, *adj. (fam.)* desinquieto, inquieto, turbulento; bullicioso.

desintegração, *s. f.* desintegración.

desintegrar, *v. 1. tr.* desintegrar; separar. *2. refl.* desagregarse.

desinteligência, *s. f.* desinteligencia; desavenencia.

desinteressado, *adj.* desinteresado; desprendido; abnegado.

desinteressar-se, *v. refl.* despreocuparse; desentenderse; desganarse.

desinteresse, *s. m.* desinterés; desprendimiento; desapego; abulía; abnegación.

desinteresseiro, *adj.* desinteresado; generoso.

desintoxicação, *s. f.* desintoxicación.

desintoxicar, *v. tr.* desintoxicar.

desintrincar, *v. tr.* desenmarañar; desenredar.

desintumescer, *v. tr. e intr.* desentumecer; deshinchar.

desinvernar, *v. tr.* desinvernar.

desinvestir, *v. tr.* quitar la investidura a; dimitir; exonerar.

desipotecar, *v. tr.* deshipotecar.

desirmanado, *adj.* deshermanado; desparejado; desemparejado.

desirmanar, *v. tr.* deshermanar; desemparejar; desparejar.

desiscar, *v. tr.* desencebar.

desistência, *s. f.* desistencia; DESP. abandono.

desistente, *adj. 2 gén.* desistente.

desistir, *v. intr.* desistir; abstenerse; renunciar; abandonar; abandonarse; amollar; rajar.

desjarretar, *v. tr.* desjarretar.

desjeitoso, *adj.* sin habilidad; desgalichado.

desjejuar, *v. intr.* desayunar.

desjuizar, *v. tr.* enloquecer.

desjejum, *s. m.* desayuno.

desjungir, *v. tr.* desuncir; desyugar.

deslaçar, *v. tr.* deslazar; desenlazar.

deslacrar, *v. tr.* quitar el lacre a; desellar.

desladrilhar, *v. tr.* desladrillar; desenladrillar; desembaldosar.

deslajear, *v. tr.* desembaldosar; desenlosar; desladrillar; desempedrar.

deslassar, *v. tr.* tornar a hacer liso; desmadejar; anchar; ensanchar.

delastrador, *s. m.* NÁUT. deslastrador.

deslastrar, *v. tr.* NÁUT. deslastrar.

deslavado, *adj.* deslavado; descolorido; petulante; sin gracia.

deslavamento, *s. m.* deslavamiento, falta de color; insolencia.

deslavar, *v. tr.* deslavar, descolorar; *(fig.)* hacer descarado; tornar insípido.

deslavrar, *v. tr.* deslabrar; labrar el terreno que ya estaba labrado.

desleal, *adj.* 2 *gén.* desleal; traidor.

deslealdade, *s. f.* deslealtad; infidelidad; traición; perfidia.

desleitar, *v. tr.* destetar; desmamar.

desleixação, *s. f.* descuido; negligencia.

desleixado, I. *adj.* desaliñado; abandonado; dejado; negligente. **II.** *s. m.* adan.

desleixar, *v.* **1.** *tr.* descuidar; desatender. **2.** *refl.* abandonarse.

desleixo, *s. m.* descuido; negligencia; abandono; dejadez; desaliño.

desligação, *s. f.* desligadura.

desligamento, *s. m.* desligamiento; desligadura.

desligar, *v.* **1.** *tr.* desligar; desliar; destituir; desatrancar; desconectar; desenchufar. **2.** *refl.* despreocuparse.

deslindamento, *s. m.* deslindamiento; deslinde.

deslindar, *v. tr.* deslindar; averiguar; desenredar.

deslinde, *s. m.* deslinde.

deslinguado, *adj.* deslenguado; desvergonzado.

deslinguar, *v. tr.* deslenguar; quitar a uno la lengua.

deslizamento, *s. m.* deslizamiento.

deslizante, *adj.* 2 *gén.* deslizante.

deslizar, *v. intr.* deslizar; resbalar.

deslize, *s. m.* desliz, deslizamiento; equívoco; yerro; tropiezo.

deslocação, *s. f.* dislocación, desplazamiento; mudanza de lugar; desvio.

deslocado, *adj.* dislocado; desplazado; mudado de lugar; deshecho; desarticulado.

deslocar, *v. tr.* dislocar; desplazar; mover; mudar; desacomodar; desviar; transferir; separar; descoyuntar.

deslombar, *v. tr. (fam.)* deslomar, desriñonar.

deslouvar, *v. tr.* desloar; despreciar.

deslouvor, *s. m.* desalabanza; menosprecio.

deslumbrado, *adj.* encandilado.

deslumbramento, *s. m.* deslumbramiento.

deslumbrante, *adj.* 2 *gén.* deslumbrante; deslumbador; fascinador; alucinante.

deslumbrar, *v. tr.* deslumbrar; ofuscar; encandilar; fascinar.

deslustrado, *adj.* deslucido.

deslustrador, *adj.* deslustrador; deshonroso.

deslustrar, *v. tr.* deslustrar; deslucir; desdorar; manchar.

deslustre, *s. m.* vd. **deslustro.**

deslustro, *s. m.* deslustre; desdoro; descrédito.

deslustroso, *adj.* deslustroso; deslucido, indecoroso.

desluzido, *adj.* deslucido; deslustrado; sin lucimiento; desacreditado.

desluzimento, *s. m.* deslucimiento.

desluzir, *v. tr.* deslucir; deslustrar; ofuscar.

desmagnetização, *s. f.* desmagnetización.

desmagnetizar, *v. tr.* desmagnetizar; desimanar; desimantar.

desmaiado, *adj.* desmayado; pálido; exánime.

desmaiar, *v. intr.* desmayar; palidecer; amortecerse; *fazer desmaiar,* desmayar.

desmaio, *s. m.* desmayo; vértigo; congoja; patatus; soponcio; vahido; desfallecimiento; síncope; *provocar desmaio,* desmaiar.

desmalhar, *v. tr.* desmallar.

desmama, *s. f.* destete; desmame.

desmamar, *v. tr.* desmamar; destetar; desahijar; desmadrar.

desmame, *s. m.* destete, desmame.

desmanar-se, *v. refl.* desmanarse.

desmanchadão, *s. m. (fam.)* desgarbado, sin gracia.

desmancha-prazeres, *s.* 2 *gén.* aguafiestas.

desmanchar, *v. tr.* deshacer; descoser; desarreglar; desarticular; inutilizar; descuartizar; provocar aborto.

desmancho, *s. m.* desarreglo; *(fam.)* aborto.

desmandado, *adj.* desmandado.

desmandar, *v.* **1.** *tr.* desmandar. **2.** *refl.* desmandarse; descomedirse.

desmando, *s. m.* desmán; abuso; exceso.
desmantelado, *adj.* desmantelado.
desmantelamento, *s. m.* desmantelamiento.
desmantelar, *v.* 1. *tr.* desmantelar; derribar; demoler; deshacer. 2. *refl.* descoyuntarse.
desmaquilhado, *adj.* desmaquillado.
desmaquilhar, *v. tr.* desmaquillar.
desmarcado, *adj.* fuera de la marca o del marco; excesivo; enorme.
desmarcar, *v.* 1. *tr.* desmarcar. 2. *refl.* desmarcarse.
desmascarar, *v. tr.* desenmascarar; *desmascarar alguém*, quitarle la careta a alguién.
desmastrar, *v. tr.* NÁUT. desarbolar.
desmastreado, *adj.* NÁUT. desarbolado; desmantelado.
desmastreamento, *s. m.* NÁUT. desarbolamiento; desmantelamiento.
desmastrear, *v. tr.* desarbolar; desmantelar.
desmaterializar, *v. tr.* desmaterializar.
desmazelado, *adj.* descuidado; negligente; dejado.
desmazelar, *v. tr.* no cuidar de; descuidar; dejar.
desmazelo, *s. m.* negligencia; descuido; desaliño; dejadez.
desmedido, *adj.* desmedido; excesivo; enorme.
desmedir-se, *v. refl.* desmedirse.
desmedrado, *adj.* desmedrado.
desmedrar, *v. intr.* desmedrar; deteriorarse; enflaquecer.
desmelhorar, *v. tr.* desmejorar.
desmembração, *s. f.* desmembración.
desmembramento, *s. m.* desmembración, desmembramiento.
desmembrar, *v. tr.* desmembrar; separar, dividir.
desmemoriado, *adj.* desmemoriado.
desmemoriar-se, *v. refl.* desmemoriarse.
desmentido, *s. m.* desmentido; mentís.
desmentir, *v. tr.* desmentir; contradecir; refutar.
desmerecedor, *adj.* desmerecedor.
desmerecer, *v.* 1. *tr.* desmerecer; ser indigno de. 2. *intr.* descolorar.
desmerecido, *adj.* desmerecido; indigno.
desmerecimento, *s. m.* desmerecimiento; demérito; descoloramiento.
desmérito, *s. m.* demérito.

desmesura, *s. f.* desmesura; descortesía.
desmesurado, *adj.* desmesurado; desmedido.
desmesurar, *v.* 1. *tr.* desmesurar, exceder las medidas de. 2. *refl.* desmesurarse.
desmilitarização, *s. f.* desmilitarización.
desmilitarizar, *v. tr.* desmilitarizar.
desmineralização, *s. f.* desmineralización.
desmineralizar, *v. tr.* desmineralizar.
desmiolado, *adj.* desmigado; desmigajado; (fig.) desmemoriado; loco; imprudente.
desmiolar, *v. tr.* desmigar; desmeollar; (fig.) enloquecer.
desmitificar, *v. tr.* desmitificar.
desmobilado, *adj.* desamueblado.
desmobilar, *v. tr.* desamueblar.
desmobilização, *s. f.* desmovilización.
desmobilizar, *v. tr.* desmovilizar.
desmochado, *adj.* mocho.
desmochar, *v. tr.* desmochar.
desmoderado, *adj.* desmoderado.
desmoita, *s. f.* desmonte; desbrozo; escarda.
desmoitador, *adj. e s. m.* que o aquél que *desmoita.*
desmoitar, *v. tr.* desmontar, cortar en un monte todos o parte de los árboles o matas; desbrozar; desbreñar; desbravar; amansar; sizar; roturar; escardar.
desmonetização, *s. f.* desmonetización.
desmonetizar, *v. tr.* desmonetizar.
desmonopolizar, *v. tr.* separar o librar del monopolio.
desmontada, *s. f.* desmontada; desmonte.
desmontagem, *s. f.* desarme.
dosmontar, *v.* 1. *tr.* (fig.) abatir; desmontar; apear; descabalgar; desarmar una máquina. 2. *intr.* apearse.
desmontável, *adj.* 2 *gén.* desmontable.
desmonte, *s. m.* desmonte.
desmoralização, *s. f.* desmoralización.
desmoralizado, *adj.* desmoralizado; pervertido.
desmoralizador, *adj. e s. m.* desmoralizador.
desmoralizar, *v. tr.* desmoralizar; depravar.
desmoronadiço, *adj.* desmoronadizo.
desmoronamento, *s. m.* desmoronamiento.
desmoronar, *v.* 1. *tr.* desmoronar; derrumbar; demoler; arrasar. 2. *refl.* des-

desmurar, v. tr. derrumbar; derribar; desmurar.

desnacionalização, s. f. desnacionalización.

desnacionalizar, v. tr. desnacionalizar.

desnalgado, adj. que tiene las nalgas pequeñas; bamboleado; contoneado.

desnarigado, adj. desnarigado.

desnarigar, v. tr. desnarigar.

desnasalação, s. f. transformación de un sonido nasal en oral.

desnasalar, v. tr. quitar el sonido nasal de.

desnastrar, v. tr. desentrenzar; destrenzar; desenmarañar.

desnatação, s. f. desnatación.

desnatadeira, s. f. desnatadora.

desnatado, adj. descremado, desnatado.

desnatar, v. tr. desnatar; descremar.

desnaturação, s. f. desnaturalización.

desnaturado, adj. desnaturalizado.

desnaturalização, s. f. desnaturalización.

desnaturalizar, v. tr. desnaturalizar.

desnaturar, v. tr. desnaturalizar.

desnecessário, adj. desnecesario; superfluo; innecesario; inútil.

desnecessidade, s. f. inutilidad.

desnevada, s. f. desnevada; deshielo.

desnevar, I. v. tr. desnevar. II. intr. deshelar.

desnível, s. m. desnivel.

desnivelado, adj. desnivelado.

desnivelamento, s. m. desnivelación.

desnivelar, v. tr. desnivelar.

desnodoar, v. tr. limpiar, quitar las manchas.

desnodoso, adj. que no tiene nudos; desanudado.

desnorteado, adj. desorientado; atontado; desconcertado.

desnorteamento, s. m. desorientación.

desnortear, v. tr. desorientar; descarriar; desviar.

desnotar, v. tr. quitar la nota o caracteres.

desnovelar, v. tr. desovillar; desenredar.

desnublar, v. tr. desanublar; despejar; aclarar (las nubes).

desnucar, v. tr. desnucar.

desnudação, s. f. desnudamiento; despelote.

desnudar, v. tr. desnudar, quitar la ropa.

desnudez, s. f. desnudez.

desnudo, adj. desnudo.

desnutrição, s. f. desnutrición.

desnutrido, adj. desnutrido.

desnutrir-se, v. refl. desnutrirse.

desobedecer, v. intr. desobedecer.

desobediência, s. f. desobediencia.

desobediente, adj. 2 gén. desobediente; malmandado; rebelde.

desobriga, s. f. confesión.

desobrigação, s. f. exoneración; descargo.

desobrigar, v. tr. desobligar; librar; liberar; exonerar; absolver; quitar.

desobrigatório, adj. que desobliga, desobligatorio.

desobscurecer, v. tr. aclarar; desentenebrecer.

desobstrução, s. f. desobstrucción.

desobstruir, v. tr. desobstruir; desembarazar; desatrancar; descombrar.

desocupação, s. f. desocupación.

desocupado, adj. desocupado; ocioso; desempleado; deshabitado; vago.

desocupar, v. tr. desocupar; desembarazar; despejar.

desodorante, adj. 2 gén. e s. m. desodorante.

desodorizante, adj. 2 gén. e s. m. desodorante.

desodorizar, v. tr. desodorar.

desofuscar, v. tr. desanublar; aclarar; despejar.

desolação, s. f. desolación; ruina.

desolado, adj. desolado.

desolador, adj. e s. m. desolador.

desolar, v. tr. desolar; desvastar; arruinar.

desolhado, adj. que tiene grandes ojeras, ojerudo, ojeroso.

desolhar, v. tr. desojar; desyemar; criar ojeras.

desonerar, v. tr. vd. **exonerar.**

desonestar, v. tr. deshonestar; deshonrar; infamar.

desonestidade, s. f. deshonestidad.

desonesto, adj. deshonesto; impúdico; indigno; sucio; torpe; inmoral.

desonra, s. f. deshonra; desonor; infamia; oprobio; ofensa grave; mancilla.

desonrar, v. tr. deshonrar; infamar; profanar; mancillar; amenguar; amancillar; desgraciar.

desonroso, adj. deshonroso.

desopilação, s. f. MED. desopilación.

desopilante, adj. 2 gén. desopilativo.

desopilar, v. tr. desopilar; desaparecer la opilación.

desopressão, s. f. desopresión; alivio; desahogo.

desoprimir, *v. tr.* desoprimir; aliviar; desahogar.

desoras, *s. f. pl.* deshoras.

desordeiro, *adj. e s. m.* díscolo; follonero; rencilloso; gallito.

desordem, *s. f.* desorden; desarreglo; turbación; confusión; desbarajuste; desgobierno; desaliño; follón; bullanga; rencilla; *(fig.)* cajón de sastre; caos; desmadre; *em desordem,* al retortero.

desordenado, *adj.* desordenado; desarreglado; confuso; desaliñado.

desordenador, *adj. e s. m.* desordenador.

desordenar, *v. tr.* desordenar; desarreglar; desasear; desaliñar; desajustar; desbarajustar; embarullar; descomponer; desorganizar; revolver.

desorelhamento, *s. m.* desorejamiento.

desorelhar, *v. tr.* desorejar; quitar los pendientes de las orejas.

desorganização, *s. f.* desorganización.

desorganizado, *adj.* desordenado.

desorganizador, *adj.* desorganizador.

desorganizar, *v. tr.* desorganizar.

desorientação, *s. f.* desorientación; *(fig.)* insensatez.

desorientado, *adj.* desorientado; desequilibrado.

desorientar, *v. tr.* desorientar; despistar.

desornar, *v. tr.* desadornar; desguarnecer.

desossadora, *s. f.* deshuesadora.

desossamento, *s. m.* deshuesamiento.

desossar, *v. tr.* deshuesar; desosar; descargar.

desougar, *v. tr.* desaguar.

desova, *s. f.* desove; postura.

desovamento, *s. m.* vd. **desova.**

desovar, *v. intr.* desovar; aovar.

desoxidação, *s. f.* desoxidación.

desoxidante, *adj. 2 gén. e s. m.* desoxidante.

desoxidar, *v. tr.* QUÍM. desoxidar; desoxigenar.

desoxigenar, *v. tr.* QUÍM. desoxigenar; desoxidar.

despachado, *adj.* despachado; expedito; espabilado; enviado; cursado.

despachador, *adj.* despachador.

despachante, *s. m.* despachante.

despachar, *v.* 1. *tr.* despachar; enviar; vender; expedir; tramitar. 2. *refl.* espabilarse.

despacho, *s. m.* despacho; sentencia.

despadrar, *v. tr.* quitar la cualidad de padre a.

despalhar, *v. tr.* despajar; desempajar.

despalmar, *v. tr.* despalmar.

despalmilhar *v. tr.* quitar las plantillas a.

despampanar, *v. tr.* despampanar.

despampar, *v. tr.* despampanar.

despapar, *v. tr.* despapar.

desparafusar, *v. tr.* desatornillar; destornillar.

desparamentar, *v. tr.* quitar los paramentos a.

desparrar, *v. tr.* desparrar; despampanar.

desparzir, *v. tr.* vd. **esparzir.**

despear, *v. tr.* desmanear; desapear; destrabar.

despedaçador, *adj.* despedazador.

despedaçamento, *s. m.* despedazamiento.

despedaçar, *v. tr.* despedazar; partir; dilacerar; derrochar; destrozar; tronzar.

despedida, *s. f.* despedida; separación; conclusión; fin.

despedido, *adj.* despedido.

despedimento, *s. m.* despido; sobreseimiento.

despedir, *v.* 1. *tr.* despedir; demitir; sobreseer; licenciar; desacomodar; enviar despachar; soltar; desviar; exhalar. 2. *refl.* partir; retirar; agonizar.

despegado, *adj.* despegado.

despegar, *v.* 1. *tr.* despegar; desapegar; desencolar; descolar. 2. *intr.* cesar (un trabajo).

despego, *s. m.* despego; desinterés.

despeitado, *adj.* despechado.

despeitar, *v. tr.* despechar; irritar.

despeito, *s. m.* despecho; resentimiento.

despeitorado, *adj.* despechugado; descotado.

despeitorar, *v. tr.* descubrir el pecho; descotar.

despeitoso, *adj.* despechoso.

despejado, *adj.* despejado; vacío; desocupado; desalojado; *(inquilino)* desahuciado; *(fig.)* descarado; insolente.

despejar, *v. tr.* despejar; verter; desocupar; vaciar; evacuar; *(inquilino)* desahuciar; desalojar.

despejo, *s. m.* despejo; evacuación; deyecciones; basura; *(de inquilino)* desahucio, desalojamiento; *(fig.)* impudor; desvergüenza.

despenalização, s. f. despenalización.
despenalizar, v. tr. despenalizar.
despenar, v. intr. despenar; consolar; desplumar.
despender, v. tr. despender; desembolsar; gastar; prodigalizar.
despenhadeiro, s. m. despeñadero; precipicio; derrumbadero; derrumbe; vericueto.
despenhamento, s. m. despeñamiento, despeño.
despenhar, v. tr. despeñar; arrojar; precipitar.
despenho, s. m. despeño; despeñamiento.
despensa, s. f. despensa.
despenseiro, s. m. despensero.
despenteado, adj. despeinado; descabellado; desgreñado; desmelenado.
despentear, v. tr. despeinar; desgreñar; desmelenar.
desperceber, v. tr. desapercibir.
despercebido, adj. desapercibido; desatendido.
desperdiçado, I. adj. desperdiciado; malbaratado; desaprovechado. II. s. m. desperdiciador.
desperdiçar, v. tr. desperdiciar; disipar; malbaratar; desaprovechar; despilfarrar.
desperdício, s. m. desperdicio; desperdiciadura; derroche.
desperfilar v. tr. desperfilar.
despersonalizar, v. tr. despersonalizar.
despersuadir, v. tr. disuadir.
despersuasão, s. f. disuasión.
despertado, adj. avivador.
despertador, s. m. despertador.
despertar, I. v. tr. despertar. II. s. m. despertar.
desperto, adj. despierto; espabilado.
despesa, s. f. gasto; dispendio; consumo; costo; pl. expensas.
despetalar, v. tr. vd. **despetalear**.
despetalear, v. tr. quitar los pétalos a.
despicador, adj. e s. m. vengador; despicador.
despicar, v. tr. despicar; vengar; satisfacer; desagraviar.
despiciendo, adj. despreciable.
despido, adj. desnudo; despelotado; libre; desprovisto.
despiedade, s. f. inhumanidad; insensibilidad.
despiedado, adj. despiadado; inhumano; desapiadado.

despiedar, v. tr. desapiedar; endurecer el corazón; insensibilizar.
despiedoso, adj. despiadado.
despimento, s. m. desnudamiento.
despintar, v. tr. despintar; borrar; descolorar; descolorir.
despiolhar, v. tr. despiojar.
despique, s. m. despique; desafío.
despir, v. 1. tr. desnudar; desvestir; desarropar; encuerar; despojar; desarrebujar; desguarnecer; abandonar. 2. refl. desnudarse, despelotarse.
despistado, adj. despistado; ido.
despistar, v. tr. despistar.
despiste, s. m. despiste.
desplantar, v. tr. desplantar.
desplante, s. m. desplante; (fig.) atrevimiento.
desplumar, v. tr. desplumar.
despoetizar, v. tr. despoetizar.
despojador, adj. e s. m. despojador.
despojamento, s. m. despojamiento; despojo.
despojar, v. tr. despojar; desnudar; privar; robar; desvalijar; (fig.) desplumar.
despojo, s. m. despojo; presa; pl. botín.
despolarização, s. f. despolarización.
despolarizar, v. tr. despolarizar.
despolidez, s. f. descortesía.
despolir, v. tr. despulir.
despolitização, s. f. despolitización.
despolitizar, v. tr. despolitizar.
despolpar, v. tr. despulpar.
despontar, I. v. tr. despuntar; embotar. II. intr. amanecer; nacer; surgir.
desporte, s. m. deporte.
desportista, s. 2 gén. deportista.
desportivismo, s. m. deportividad.
desportivo, adj. deportivo.
desporto, s. m. deporte.
desposado, adj. desposado.
desposar, v. tr. desposar; casar con.
desposório, s. m. desposorio, esponsales; casamiento.
déspota, s. 2 gén. déspota, tirano.
despótico, adj. despótico.
despotismo, s. m. despotismo; autoritarismo.
despovoação, s. f. despoblación.
despovoado, I. adj. despoblado. II. s. m. yermo; soledad.
despovoador, adj. e s. m. despoblador.
despovoamento, s. m. despoblación.

despovoar, *v. tr.* despoblar; deshabitar; desolar.

despratear, *v. tr.* desplatar.

desprazer, I. *s. m.* desplacer; disgusto; descontentamiento. **II.** *v. tr.* desplacer.

desprazimento, *s. m.* desplacer; pena; disgusto.

desprazível, *adj.* 2 *gén.* desapacible; desagradable.

desprecatado, *adj.* incauto; desprevenido.

desprecatar-se, *v. refl.* distraerse; olvidarse.

desprecaver, *v. tr.* desprevenir.

despregar, *v. tr.* separar; desclavar, arrancar; desplegar.

desprender, *v. tr.* desprender; soltar; desaferrar; desligar; desunir.

desprendido, *adj.* desprendido; desinteressado.

desprendimento, *s. m.* desprendimiento.

despreocupação, *s. f.* despreocupación.

despreocupado, *adj.* despreocupado; *(fam.)* campante.

despreocupar, *v.* **1.** *tr.* despreocupar. **2.** *refl.* despreocuparse.

desprestigiar, *v. tr.* desprestigiar; desacreditar.

desprestígio, *s. m.* desprestigio.

despretensioso, *adj.* desafectado.

desprevenção, *s. f.* desprevención.

desprevenido, *adj.* desprevenido; desapercibido; desprovisto; desabastecido.

desprevenir, *v. tr.* desprevenir.

desprezador, *adj.* e *s. m.* despreciador.

desprezar, *v. tr.* despreciar; menospreciar; desairar; desdeñar; desechar; repulsar.

desprezável, *adj.* 2 *gén.* despreciable.

desprezível, *adj.* 2 *gén.* vil; despreciable; menospreciable; deleznable; zurriburri; miserable; astroso; desdeñable; indigno; innoble; malnacido; rastrero.

desprezo, *s. m.* desprecio; menosprecio; vilipendio; desconsideración; menoscabo; desdén.

desprimor, *s. m.* indelicadeza; descortesía.

desprimorar, *v. tr.* deslustrar; despreciar.

desprimoroso, *adj.* imperfecto; descortés.

despronúncia, *s. f.* DIR. absolución de la instancia.

despronunciar, *v. tr.* DIR. absolver de la instancia.

desproporção, *s. f.* desproporción.

desproporcionado, *adj.* desproporcionado.

desproporcionar, *v. tr.* desproporcionar.

despropositado, *adj.* despropositado; *(fig)* descabellado; irrazonable; impertinente.

despropositar, *v. tr.* desatinar; disparatar.

despropósito, *s. m.* despropósito; disparate; absurdo; desatino; enormidad; monserga; pamplina; patochada.

desprotecção, *s. f.* desvalimiento.

desproteger, *v. tr.* desamparar; abandonar.

desprotegido, *adj.* desamparado; desvalido.

desproveito, *s. m.* desperdicio; desaprovechamiento.

desprover, *v. tr.* desproveer.

desprovido, *adj.* desprovisto.

desprovimento, *s. m.* falta de provisiones.

despudor, *s. m.* impudor.

desqualificação, *s. f.* descalificación; inhabilitación.

desqualificado, *adj.* descalificado.

desqualificar, *v. tr.* descalificar; inhabilitar.

desqueixar, *v. tr.* desquijarar.

desquerer, *v. tr.* desquerer; desamar.

desquiciar, *v. tr.* desquiciar.

desquitação, *s. f.* desquite; separación.

desquitar, *v.* **1.** *tr.* divorciar, descasar; separar; *(fam.)* despechar. **2.** *refl.* desquitarse, vengarse.

desquite, *s. m.* separación; divorcio; desquite.

desramar, *v. tr.* desramar.

desratização, *s. f.* desratización.

desratizar, *v. tr.* desratizar.

desregrado, *adj.* desarreglado; desordenado; desmandado; destemplado; disoluto.

desregramento, *s. m.* desarreglo; inmoralidad; abuso.

desregrar, *v. tr.* desarreglar.

desrespeitar, *v. tr.* desacatar; irrespetar; desconsiderar.

desrespeito, *s. m.* irreverencia; irrespeto.

desrevestir-se, *v. refl.* quitarse las vestiduras sagradas (hablándose del sacerdote).

desriçar, *v. tr.* desrizar; desencrespar.

desrolhar, *v. tr.* destaponar.

desrugar, *v. tr.* desarrugar.

dessabor, *s. m.* desabor; insipidez.
dessaborar, *v. tr.* vd. **dessaborear**.
dessaborear, *v. tr.* desaborar.
dessaboroso, *adj.* desaborido; insípido.
dessalar, *v. tr.* desalar.
dessalgado, *adj.* desalado.
dessalgar, *v. tr.* desalar; desaborar.
dessangrar, *v. tr.* desangrar.
desse, *contr.* de la *prep.* **de** con el *pron.* o *adj.* **esse**: de ese.
dessecar, *v. tr.* desecar.
dessedentar, *v. tr.* saciar la sed; refrescar; saciar.
desselar, *v. tr.* desensillar; desellar.
dessemelhança, *s. f.* desemejanza.
dessemelhante, *adj. 2 gén.* desemejante.
dessemelhar, *v. intr.* desemejar.
desserviço, *s. m.* deservicio; perjuicio.
desservir, *v. tr.* deservir.
dessexuado, *adj.* asexuado; asexual.
dessimetria, *s. f.* vd. **assimetria**.
dessimétrico, *adj.* vd. **assimétrico**.
dessitiar, *v. tr.* descercar.
dessoante, *adj. 2 gén.* disonante.
dessoldar, *v. tr.* desoldar.
dessorado, *adj.* convertido en suero (la sangre); enflaquecido.
dessorar, *v. tr.* desuerar; enflaquecer.
dessoterrar, *v. tr.* desenterrar; exhumar; descubrir.
dessoutro, *contr.* de **desse** con el *adj.* o *pron. ind.* **outro**: de ese otro.
dessulfurar, *v. tr.* QUÍM. desulfurar.
destacado, *adj.* destacado.
destacamento, *s. m.* destacamento.
destacar, *v. tr.* destacar; quitar; separar; escalonar.
destampar, *v. tr.* destapar; destaponar.
destaninizar, *v. tr.* quitar el tanino a.
destapar, *v. tr.* destapar; descubrir; abrir.
deste, *contr.* de la *prep.* **de** con el *pron. dem.* o *adj.* **este**: del que está aquí, a mi lado; de éste.
destecer, *v. tr.* destejer; (*fig.*) desenredar.
destelhar, *v. tr.* destechar; destejar.
destemer, *v. tr.* no temer.
destemido, *adj.* intrépido; valiente; arrojado.
destemor, *s. m.* intrepidez.
destemperado, *adj.* destemplado; disparatado.
destemperar, *v. tr.* destemplar; templar; disminuir la fuerza o temperatura; desafinar.

destempero, *s. m.* destemplanza; destemple; desarreglo; (*fig.*) disparate.
desterrado, *adj.* desterrado.
desterrar, *v. tr.* desterrar; expatriar; proscribir; entrañar; relegar.
desterro, *s. m.* destierro; exilio; expatriación; deportación; extrañamiento; relegación.
desterroar, *v. tr.* desterronar.
destilação, *s. f.* destilación.
destilador, I. *adj.* destilador. II. *s. m.* destilatorio; destiladera; filtro; alambique.
destilar, *v. tr.* destilar.
destilaria, *s. f.* destilería; alcoholera.
destilatório, *adj.* destilatorio.
destinação, *s. f.* destinación; destino.
destinar, *v. tr.* destinar; consignar; designar; reservar.
destinatário, *s. m.* destinatario.
destingir, *v. tr.* desteñir; despintar.
destino, *s. m.* destino; fatalidad; suerte; sino; empleo.
destituição, *s. f.* destitución; deposición; devalimiento; exoneración.
destituir, *v. tr.* destituir; exonerar; deponer; separar.
destoante, *adj. 2 gén.* desentonado; destemplado, desafinado.
destoar, *v. intr.* desentonar, desafinar; disonar; discordar.
destocar, *v. tr.* descepar; destoconar.
destoldar, *v. tr.* desentoldar; descubrir; alegrar.
destolher, *v. tr.* desentorpecer; desentullir.
destonar, *v. tr.* descascar, quitar la cáscara.
destorcer, *v. tr.* destorcer.
destorroamento, *s. m.* desterronamiento.
destorroar, *v. tr.* desterronar; desaterrar.
destoucar, *v. tr.* destocar.
destra, *s. f.* diestra.
destramar, *v. tr.* destramar; desenredar.
destrambelhado, *adj.* disparatado; desorientado; destartalado.
destrambelhar, *v. intr.* desarreglar; disparatar.
destrambelho, *s. m.* disparate, desarreglo.
destrancar, *v. tr.* desatrancar.
destrançar, *v. tr.* destrenzar; desentrenzar.
destravado, *adj.* desenfrenado, sin freno; destrabado.
destravamento, *s. m.* desenfreno.
destravar, *v. tr.* desenfrenar; destrabar.

destreinado, *adj.* desentrenado.

destreza, *s. f.* destreza; habilidad; arte; acierto; tejemaneje.

destribar-se, *v. refl.* perder los estribos o el apoyo.

destrinça, *s. f.* separación minuciosa; desenredo.

destrinçar, *v. tr.* desenredar; separar; discriminar; deslindar.

destripular, *v. tr.* destripular.

destro, *adj.* diestro; ágil, sagaz; derecho.

destroca, *s. f.* cambio.

destroçado, *adj.* destrozado.

destroçador, *adj. e s. m.* destrozador; castrador, individuo que castra las colmenas.

destroçar, *v. tr.* destrozar; tronzar; desbaratar; derrotar; desgarrar; dividir; dispersar.

destroçar, *v. tr.* cambiar.

destroço, *s. m.* destrozo; derrota; desolación; *pl.* restos, ruinas.

destronamento, *s. m.* destronamiento.

destronar, *v. tr.* destronar.

destroncar, *v. tr.* destroncar; desmembrar; descoyuntar.

destronização, *s. f.* destronamiento.

destronizar, *v. tr.* destronar.

destruição, *s. f.* destrucción; eliminación; ruina; asolación; exterminio; razzia; extinción; subversión.

destruído, *adj.* arruinado; deshecho.

destruidor, *adj. e s. m.* destruidor; destructor.

destruir, *v. tr.* destruir; deshacer; exterminar; arruinar; demoler; aniquilar.

destrunfar, *v. tr.* destriunfar.

destrutibilidade, *s. f.* destructibilidad.

destrutível, *adj. 2 gén.* destructible.

destrutivo, *adj.* destructivo.

destrutor, *adj. e s. m.* destructor.

desumanidade, *s. f.* inhumanidad; crueldad.

desumanização, *s. f.* deshumanización.

desumanizado, *adj.* deshumanizado.

desumanizar, *v. tr.* deshumanizar.

desumano, *adj.* inhumano; cruel; impío.

desunhar, *v. tr.* desuñar; fatigar.

desunião, *s. f.* desunión; separación; desajuste; división.

desunir, *v. tr.* desunir; separar; apartar; desencadenar; desencajar; despegar; desprender.

desurdir, *v. tr.* desurdir.

desusado, *adj.* desusado; antiquado; inusitado.

desusar, *v. tr.* estar fuera de uso.

desuso, *s. m.* desuso.

desvairado, *adj.* desvariado, desorientado; discrepante; exaltado.

desvairamento, *s. m.* desvarío; alucinación, exaltación; delirio.

desvairar, *v. tr.* desvariar; alucinar; obcecar; hacer enloquecer; delirar.

desvairo, *s. m.* desvarío.

desvalia, *s. f.* desvalimiento; desamparo.

desvalido, *adj.* desvalido.

desvalimento, *s. m.* desvalimiento desamparo; abandono.

desvalioso, *adj.* sin valor; sin valía.

desvalor, *s. m.* depreciación; desvaloración.

desvalorização, *s. f.* desvalorización; depreciación; devaluación.

desvalorizar, *v. tr.* desvalorizar, desvalorar; devaluar.

desvanecedor, *adj. e s. m.* desvanecedor.

desvanecer, *v.* 1. *tr.* desvanecer; disipar. 2. *intr. e refl.* desvanecerse; desmayar; enorgullecerse; desdibujarse; disiparse.

desvanecido, *adj.* desvanecido; vanidoso; borrado; desmayado.

desvanecimento, *s. m.* desvanecimiento; vanidad.

desvantagem, *s. f.* desventaja; inconveniente.

desvantajoso, *adj.* desventajoso; que tiene desventaja.

desvão, *s. m.* desván; sobrado.

desvariar, *v. tr. e intr.* desvariar.

desvario, *s. m.* desvarío; delirio; locura; desatino.

desvelado, *adj.* desvelado; cuidadoso; extremoso.

desvelar, *v.* 1. *tr.* desvelar; descubrir. 2. *refl.* desvelarse, desvivirse.

desvelo, *s. m.* desvelo; insomnio; cuidado.

desvendar, *v. tr.* desvendar.

desventrar, *v. tr.* desbarrigar; destripar.

desventura, *s. f.* desventura; infortunio.

desventurado, *adj.* desgraciado; desventurado; infeliz.

desventurar, *v. tr.* desgraciar.

desventuroso, *adj.* infeliz; infortunado.

desvergonha, *s. f.* desvergüenza; torpeza.

desvergonhado, *adj.* desvergonzado; desfachatado.

desvestir, *v. tr.* desvestir.

desviacionismo, *s. m.* desviacionismo.

desviacionista, *adj. e s. 2 gén.* desviacionista.

desviado, *adj.* desviado, descarriado.

desviar, *v.* 1. *tr.* desviar; descaminar; alejar; impedir; evitar; apartar; detraer; distorcer. 2. *refl.* desviarse; salir.

desvinculação, *s. f.* desvinculación.

desvincular, *v. tr.* desvincular.

desvio, *s. m.* desvio, desavío; descarrío; declinación; deviación; ramal; sesgo.

desvirtuação, *s. f.* depreciación.

desvirtuar, *v. tr.* desvirtuar; depreciar; desmerecer; deshonestar.

desvitrificar, *v. tr.* desvitrificar.

deszelar, *v. tr.* descuidar; no tener celo.

detalhar, *v. tr.* detallar.

detalhe, *s. m.* detalle.

detecção, *s. f.* detección; rastro.

detectar, *v. tr.* detectar; rastrear.

detectiva, *s. f.* detectiva.

detective, *s. m.* detective.

detector, *s. m.* detector; rastreador.

detenção, *s. f.* detención.

detentor, *adj. e s. m.* detentador; detentor; titular.

deter, *v. tr.* detener; suspender; impedir; estancar; estorbar; encarcelar; embargar; arrestar; parar; paralizar; DIR. detentar.

detergente, *adj. 2 gén. e s. m.* detergente.

detergir, *v. tr.* MED. deterger.

deterioração, *s. f.* deterioro.

deteriorar, *v. tr.* deteriorar; desmedrar; damnificar.

deteriorável, *adj. 2 gén.* deteriorable.

determinação, *s. f.* determinación; resolución; ordenamiento; tesón.

determinado, *adj.* determinado; decidido; definido; ordenado; cierto; tal.

determinador, *adj. e s. m.* determinador.

determinante, *adj. 2 gén.* determinante.

determinar, *v. tr.* determinar; decidir; definir.

determinativo, *adj.* determinativo.

determinismo, *s. m.* determinismo.

determinista, *adj. e s. 2 gén.* determinista.

detersão, *s. f.* detersión.

detersivo, *adj.* detergente.

detestação, *s. f.* detestación.

detestar, *v. tr.* detestar; abominar; aborrecer.

detestável, *adj. 2 gén.* detestable; abominable; ominoso.

detido, *adj.* detenido; encarcelado; detallado.

detonação, *s. f.* detonación; bombazo.

detonador, *s. m.* detonador.

detonante, *adj. 2 gén.* detonante.

detonar, *v. intr.* detonar; tronar.

detracção, *s. f.* detracción; maledicencia.

detractar, *v. tr.* detractar.

detractivo, *adj.* despreciativo.

detractor, *adj. e s. m.* detractor; maldiciente.

detrair, *v. tr.* detraer; denigrar; difamar.

detrás, *adv.* tras; detrás; después.

detrimento, *s. m.* detrimento.

detrito, *s. m.* detrito; detritus.

deturbar, *v. tr.* agitar, perturbar; expedir.

deturpação, *s. f.* desfiguración; alteración.

deturpador, *adj. e s. m.* desfigurador; alterador.

deturpar, *v. tr.* desfigurar; estropear.

deus, *s. m.* dios.

deusa, *s. f.* diosa; diva.

devagar, *adv.* despacio; lentamente.

devagarinho, *adv.* muy despacio.

devaneador, *adj. e s. m.* soñador; utopista.

devanear, *v. intr.* devanear; fantasear; vaguear.

devaneio, *s. m.* devaneo, sueño; ensoñación; fantasía; quimera.

devassa, *s. f.* inquisición; indagación; prueba judicial.

devassado, *adj.* procesado; investigado.

devassador, *adj. e s. m.* inquisidor; inquiridor.

devassamento. *s. m.* inquisición; indagación; prueba judicial.

devassar, *v. tr.* invadir lo que está defendido; indagar; averiguar.

devassidão, *s. f.* libertinaje; disolución; corrupción; prostitución.

devasso, *adj. e s. m.* libertino; disoluto; corrupto; salaz.

devastação, *s. f.* devastación; ruina; asolación; asolamiento; destrucción.

devastado, *adj.* devastado, desolado.

devastador, *adj.* devastador.

devastar, *v. tr.* devastar; desolar; arruinar; asolar; infestar.

deve, *s. m.* debe.

devedor, *adj.* e *s. m.* deudor.

dever, I. *v. tr.* e *intr.* deber; poder. **II.** *s. m.* deber; obligación; oficio.

devesa, *s. f.* dehesa; tierra acotada o murada.

devido, *s. m.* debido; lo justo; lo razonable.

dévio, *adj.* desviado del camino recto; intransitable.

devitrificar, *v. tr.* desvitriticar.

devoção, *s. f.* devoción; piedad; unción; *pl.* devociones.

devocionário, *s. m.* devocionario.

devolução, *s. f.* devolución.

devolutivo, *adj.* devolutivo.

devoluto, *adj.* desocupado; vacío; deshabitado; dealquilado; *ficar devoluto,* dealquilarse.

devolver, *v. tr.* devolver, restituir; transferir; reenviar; volver; retornar; recambiar; *(bola)* restar.

devoniano, *adj.* GEOL. vd. **devónico.**

devónico, *adj.* GEOL. devónico, devoniano.

devoração, *s. f.* acción de devorar.

devorador, *adj.* e *s. m.* devorador; tragador; insaciable; devorante.

devorar, *v. tr.* devorar; tragar; zampar; corroer; consumir, destruir.

devotado, *adj.* ofrecido o consagrado.

devotamento, *s. m.* dedicación.

devotar, *v. tr.* dedicar; consagrar.

devoto, I. *adj.* devoto. **II.** *s. m.* admirador.

dextra, *s. f.* diestra, derecha.

dextrina, *s. f.* QUÍM. dextrina.

dextrogiro, *adj.* dextrógiro.

dextrorso, *adj.* dextrorso.

dextrose, *s. f.* dextrosa.

dez, *num.* diez.

dezanove, *num.* diecinueve.

dezasseis, *num.* dieciséis.

dezassete, *num.* diecisiete.

Dezembro, *s. m.* diciembre.

dezena, *s. f.* decena; década.

dezoito, *num.* dieciocho.

dia, *s. m.* día; *dia natalício/dia de anos,* natalicio.

diaba, *s. f.* diablesa.

diábase, *s. f.* GEOL. diabasa; diorita.

diabásio, *s. m.* vd. **diábase.**

diabetes, *s. f.* MED. diabetes.

diabético, *adj.* e *s. m.* diabético.

diabo, I. *s. m.* diablo; satanás; demonio. **II.** *interj.* ¡demontre!

diabólico, *adj.* diabólico; satánico.

diábolo, *s. m.* diábolo.

diabrete, *s. m.* diablillo; rasgo; niño travieso.

diabrura, *s. f.* diablura; travesura; chuzonada; *fazer diabruras,* diablear.

diacho, I. *s. m. (fam.)* diablo. **II.** *interj.* ¡demontre!, ¡diantre!.

diacódio, *s. m.* diacodión.

diaconado, *s. m.* diaconado; diaconato.

diaconal, *adj.* 2 gén. diaconal.

diaconato, *s. m.* diaconato; diaconado.

diaconisa, *s. f.* diaconisa.

diácono, *s. m.* diácono; levita.

diacrítico, *adj.* diacrítico.

diacrónico, *adj.* diacrónico.

diacústica, *s. f.* diacústica.

diadelfia, *s. f.* BOT. diadelfia.

diadelfo, *adj.* BOT. diadelfo.

diadema, *s. m.* diadema; corona.

diafanidade, *s. f.* diafanidad; transparencia; trasparencia.

diáfano, *adj.* diáfano; transparente; trasparente.

diaforético, *adj.* diaforético.

diafragma, *s. m.* ANAT. diafragma; FÍS. diafragma (óptico).

diafragmático, *adj.* diafragmático.

diafragmite, *s. f.* MED. diafragmitis.

diagnose, *s. f.* diagnosis.

diagnosticar, *v. tr.* diagnosticar.

diagnóstico, *s. m.* diagnóstico.

diagonal, *adj.* 2 gén. e *s. f.* diagonal.

diágrafo, *s. m.* diágrafo.

diagrama, *s. m.* diagrama.

dial, *adj.* 2 gén. dial; diario; cotidiano.

dialectal, *adj.* 2 gén. dialectal.

dialéctica, *s. f.* dialéctica.

dialéctico, *adj.* e *s. m.* dialéctico.

dialecto, *s. m.* dialecto.

dialectologia, *s. f.* dialectologia.

dialipétalo, *adj.* BOT. dialipétala.

dialisador, *s. m.* QUÍM. dializador.

dialisar, *v. tr.* dializar.

diálise, *s. f.* QUÍM. diálisis.

dialogado, *adj.* dialogado.

dialogal, *adj.* 2 gén. dialogal.

dialogante, *adj.* 2 gén. dialogador.

dialogar, *v. tr.* dialogar.

dialógico, *adj.* dialogístico; dialogal.

dialogismo, *s. m.* dialogismo.

diálogo, *s. m.* diálogo.
diamagnético, *adj.* diamagnético.
diamagnetismo, *s. m.* diamagnetismo.
diamante, *s. m.* diamante.
diamantífero, *adj.* diamantífero.
diamantino, *adj.* diamantado; adiamantado; diamantino.
diamantista, *s. 2 gén.* diamantista.
diametral, *adj. 2 gén.* diametral.
diâmetro, *s. m.* diámetro.
dianho, *s. m. (fam.)* diablo; demonio; diantre.
diante, *adv.* ante; delante; enfrente.
dianteira, *s. f.* delantera; vanguardia.
dianteiro, *adj.* delantero.
diapasão, *s. m.* MÚS. diapasón.
diapedese, *s. f.* MED. diapédesis.
diapositivo, *s. m.* diapositiva; filmina.
diária, *s. f.* diaria; ración diaria.
diário, **I.** *adj.* diario; cotidiano, cuotidiano. **II.** *s. m.* diario; periódico.
diarquia, *s. f.* diarquía.
diarreia, *s. f.* MED. diarrea; correncia; *(fam.)* cagalera; *com diarreia,* suelto.
diarreico, *adj.* diarreico.
diartrose, *s. f.* ANAT. diartrosis.
diáspora, *s. f.* diáspora.
diástase, *s. f.* diastasis.
diástole, *s. f.* diástole.
diatermia, *s f.* MED. diatermia.
diatérmico, *adj.* diatérmico.
diátese, *s. f.* diátesis.
diatómico, *adj.* QUÍM. diatómico.
diatónico, *adj.* MÚS. diatónico.
diatribe, *s. f.* diatriba.
diávolo, *s. m.* diávolo.
dicacidade, *s. f.* dicacidad; mordacidad.
dicaz, *adj. 2 gén.* dicaz; mordaz.
dicção, *s. f.* dicción; expresión; palabra.
dichote, *s. m.* dicho picante; puya; dicterio; escarnio.
dicionário, *s. m.* diccionario; léxico.
dicionarista, *s. 2 gén.* diccionarista; lexicógrafo.
diclinismo, *s. m.* BOT. diclinismo.
diclino, *adj.* BOT. diclino.
dicotiledóneas, *s. f. pl.* BOT. dicotiledóneas.
dicotomia, *s. f.* dicotomía.
dicotómico, *adj.* dicotómico.
dicótomo, *adj.* dicótomo; bifurcado.
dicróico, *adj.* dicroico.
dicroísmo, *s. m.* dicroísmo.

dicromático, *adj.* dicromático.
dicromatismo, *s. m.* dicromatismo.
dictafone, *s. m.* dictáfono.
didáctica, *s. f.* didáctica.
didáctico, *adj.* didáctico.
didáctilo, *adj.* didáctilo.
didactologia, *s. f.* didactología.
didascália, *s. f.* didascalia.
diedro, *adj.* diedro.
dieléctrico, *s. m.* dieléctrico.
diérese, *s. f.* diéresis.
diestro, *s. m.* TAUR. diestro.
dieta, *s. f.* dieta; régimen.
dietética, *s. f.* dietética.
dietético, *adj.* dietético.
dietista, *s. 2 gén.* dietista.
difamação, *s. f.* difamación; calumnia; amenguamiento.
difamador, *adj.* difamador; calumniador; detractor; amenguador.
difamar, *v. tr.* difamar; calumniar; amenguar; deslustrar; detractar; infamar; ultrajar.
difamante, *adj. 2 gén.* calumnioso.
difamatório, *adj.* difamatorio; calumnioso.
diferença, *s. f.* diferencia; alteración; divergencia; distinción; trastorno; *pl.* desavenencias.
diferençar, *v. tr.* diferenciar; variar; distinguir; notar.
diferenciação, *s. f.* diferenciación.
diferencial, *adj. 2 gén. e s. m.* diferencial.
diferenciar, *v. tr.* diferenciar; desemejar.
diferente, *adj. 2 gén.* diferente; desigual; variado; vazio; disparejo; distinto.
diferido, *adj.* diferido.
diferir, *v. tr.* diferir; dilatar; aplazar; retardar.
difícil *adj. 2 gén.* difícil; penoso; achuchado; arduo; espinoso; trabajoso; conflictivo; *ser difícil,* custar.
dificuldade, *s. f.* dificultad; obstáculo; impedimento; pega; *(fig.)* hondura; *pl.* trabajos.
dificultar, *v. tr.* dificultar; estorbar; embarazar; complicar; obstaculizar.
dificultoso, *adj.* dificultoso; difícil; engorroso.
difidência, *s. f.* difidencia; falta de fe.
difidente, *adj. 2 gén.* difidente.
difluir, *v. intr.* difluir; difundirse.
difracção, *s. f.* difracción.

difractar, v. tr. difractar.
difractivo, adj. difractivo.
difringente, adj. 2 gén. difringente.
difteria, s. f. difteria.
diftérico, adj. MED. diftérico.
difundido, adj. difuso; extendido.
difundir, v. tr. difundir; transfundir; derramar; diseminar; propagar; sembrar.
difusão, s. f. difusión; divulgación; irradiación.
difusível, adj. 2 gén. difusible.
difusivo, adj. difusivo.
difuso, adj. difuso; (fig.) prolijo.
difusor, adj. e s. m. difusor.
digerir, v. tr. digerir; cocer.
digerível, adj. 2 gén. digerible.
digestão, s. f. digestión
digestível, adj. 2 gén. digerible.
digestivo, adj. digestivo.
digesto, I. s. m. digesto. II. adj. digerido.
digestor, s. m. digestor.
digitação, s. f. digitación.
digitado, adj. digitado.
digital, I. adj. 2 gén. digital; dactilar. II. s. f. BOT. digital; dedalera.
digitalina, s. f. QUÍM. digitalina.
digitalizar, v. tr. digitalizar.
digitiforme, adj. 2 gén. digitado; digitiforme.
dígito, adj. dígito.
digladiador, adj. e s. m. gladiador; digladiador.
digladiar, v. intr. digladiar.
dignar-se, v. refl. dignarse; servirse.
dignidade, s. f. dignidad; título; honor; respetabilidad; honra.
dignificação, s. f. dignificación.
dignificante, adj. 2 gén. dignificante.
dignificar, v. tr. dignificar; honrar; ennoblecer.
dignitário, s. m. dignatario.
digno, adj. digno; merecedor; noble; decoroso; honesto; *digno de veneração*, almo.
dígono, adj. dígono.
digressão, s. f. digresión; paseo; excursión.
digressivo, adj. digresivo.
dilação, s. f. dilación; demora; dilactoria; espera.
dilaceração, s. f. dilaceración; laceración; desgarramiento; desgarro.
dilacerante, adj. 2 gén. dilacerante; (fig.) pungente; desgarrador.

dilacerar, v. tr. dilacerar; lacerar; desgarrar; (fig.) mortificar.
dilapidação, s. f. dilapidación.
dilapidador, adj. dilapidador.
dilapidar, v. tr. dilapidar; disipar; despilfarrar; derrochar; malversar.
dilatabilidade, s. f. dilatabilidad.
dilatação, s. f. dilatación.
dilatado, adj. dilatado; aumentado; amplio; alongado.
dilatador, adj. e s. m. dilatador.
dilatar, v. tr. dilatar; diferir; retardar; divulgar; prolongar; alargar; ensanchar; alongar; ampliar; amplificar; expandir; extender.
dilatante, adj. 2 gén. dilatante.
dilatável, adj. 2 gén. dilatable; ampliable.
dilatório, adj. dilatorio.
dilecto, adj. dilecto.
dilema, s. m. dilema.
diletante, adj. e s. 2 gén. diletante.
diletantismo, s. m. diletantismo.
diligência, s. f. diligencia; celo; cuidado; solicitud; prontitud; agilidad.
diligenciador, s. m. diligenciero; diligente, activo.
diligenciar, v. tr. diligenciar; gestionar.
diligente, adj. 2 gén. diligente; activo; celoso; solícito; cuidadoso; expedito; asiduo.
dilobulado, adj. que tiene dos lóbulos.
dilucidação, s. f. dilucidación; explicación; elucidación.
dilucidar, v. tr. dilucidar; esclarecer; explicar.
dilúcido, adj. dilúcido; claro; evidente.
dilúculo, s. m. dilúculo; aurora; alba.
diluente, adj. 2 gén. diluyente.
diluimento, s. m. dilución; desleimiento.
diluir, v. tr. QUÍM. diluir; desleír; destemplar.
diluto, adj. disuelto; diluído.
diluvial, adj. 2 gén. diluvial.
diluviano, adj. diluvial.
diluviar, v. intr. diluviar.
dilúvio, s. m. diluvio.
diluvioso, adj. torrencial.
dimanação, s. f. dimanación.
dimanante, adj. 2 gén. dimanante.
dimanar, v. intr. dimanar; fluir.
dimensão, s. f. dimensión; extensión; altura, largura, anchura.
dimensional, adj. 2 gén. dimensional.
dimensionar, v. tr. dimensionar.

dimidiar, *v. tr.* dimidiar.

diminuendo, *s. m.* minuendo; aditivo.

diminuente, *adj. 2 gén.* diminuente; subtracción; substrair; decaer; decentar; decrecer; desvanecer; sustraer.

diminuição, *s. f.* disminución; acortamiento; decrecimiento; resta.

diminuidor, *s. m.* substraendo.

diminuído, *adj.* disminuído.

diminuir, *v. tr.* disminuir; encoger; bajar; abajar; achicar; acostar; reducir; deducir; aliviar; menguar; amenguar; apocar; restar.

diminutivo, *adj.* diminutivo.

diminuto, *adj.* diminuto.

dimorfia, *s. f.* dimorfismo.

dimorfismo, *s. m.* dimorfismo.

dimorfo, *adj.* dimorfo.

dinamarquês, *adj. e s. m.* dinamarqués, danés.

dinâmica, *s. f.* dinámica.

dinâmico, *adj.* dinámico.

dinamismo, *s. m.* dinamismo.

dinamitar, *v. tr.* dinamitar.

dinamite, *s. f.* dinamita.

dinamitista, *adj. e s. 2 gén.* dinamitero.

dínamo, *s. m.* dínamo, dinamo.

dinamoeléctrico, *adj.* dinamoeléctrico.

dinamógrafo, *s. m.* dinamógrafo.

dinamometria, *s. f.* dinamometría.

dinamómetro, *s. m.* dinamómetro.

dinar, *s. m.* dinar.

dinasta, *s. 2 gén.* dinasta.

dinastia, *s. f.* dinastía.

dinástico, *adj.* dinástico.

dine, *s. m.* dina.

dinheirama, *s. f.* dineral.

dinheirão, *s. m.* dineral.

dinheirinho, *s. m.* dinerillo.

dinheiro, *s. m.* dinero; plata; cuantía; cantidad *(fig.)* riqueza; caudal; bienes; *a dinheiro,* a tocateja.

dinossauro, *s. m.* dinosaurio.

dintel, *s. m.* dintel.

diocesano, *adj.* diocesano.

diocese, *s. f.* diócesis; diócesi.

diodo, *s. m.* diodo.

dióico, *adj.* dioico.

dionisíaco, *adj.* dionisíaco, dionisiaco.

dioptria, *s. f.* dioptría.

dióptrica, *s. f.* dióptrica.

dióptrico, *adj.* dióptrico.

diorama, *s. m.* diorama.

diorâmico, *adj.* relativo al diorama.

diorite, *s. f.* diorita.

diorito, *s. m.* diorita.

dióxido, *s. m.* QUÍM. bióxido; dióxido.

dipétalo, *adj.* BOT. dipétalo.

diplegia, *s. f.* diplejía.

diplodoco, *s. m.* diplodoco.

diploma, *s. m.* diploma; título; merced.

diplomacia, *s. f.* diplomacia (ciencia y carrera); *(fig.)* finura de trato.

diplomado, *adj.* diplomado; titulado.

diplomar, *v.* 1. *tr.* diplomar. 2. *refl.* titularse.

diplomata, *s. 2 gén.* diplomático.

diplomática, *s. f.* diplomática.

diplomático, *adj.* diplomático.

diplopia, *s. f.* MED. diplopía.

dipnóico, *adj.* ZOOL. dipnoico.

díptero, *adj. e s. m.* díptero.

díptico, *adj.* díptico.

dique, *s. m.* dique; ataguía; escollera; maleón.

direcção, *s. f.* dirección; conducta; derrotero; enderezamiento; orientación; dirección; directorio; rumbo; *direcção assistida,* MEC. servodirección.

directiva, *s. f.* directiva; directriz.

directivo, *adj.* directivo; directorio; dirigente.

directo, *adj.* directo; inmediato.

director, *adj. e s. m.* director; dirigente; *director de prisão,* alcaide.

directora, *s. f.* jefa.

directorado, *s. m.* funciones de director.

directoria, *s. f.* directoría.

directorial, *adj. 2 gén.* directorio.

directório, I. *s. m.* directorio. II. *adj.* directivo, directório.

directriz, *s. f.* directriz.

direita, *s. f.* derecha, diestra.

direitista, *adj. e s. 2 gén.* derechista.

direito, I. *adj.* derecho; engallado; recto; directo; plano; íntegro. II. *s. m.* derecho; justo; *adquirir direito,* devengar.

direitura, *s. f.* derechura; rectitud; entereza.

dirigente, *adj. e s. 2 gén.* dirigente; caporal.

dirigir, *v. tr.* dirigir; administrar; conducir; llevar; enderezar; enfilar; enviar; guiar; orientar; pautar; governar; regir; asestar; *(leme)* timonear.

dirigismo, *s. m.* dirigismo.

dirigível, *adj. 2 gén. e s. m.* dirigible.

dirimente, *adj. 2 gén.* dirimente.
dirimir, *v. tr.* dirimir; anular; decidir.
discernente, *adj. 2 gén.* discerniente.
discernimento, *s. m.* discernimiento.
discernir, *v. tr.* discernir; juzgar; ver.
discernível, *adj. 2 gén.* discernible.
disciplina, *s. f.* disciplina; enseñanza; asignatura; orden; reglamentación; observancia; *pl.* disciplinas, cilicios.
disciplinado, *adj.* disciplinado.
disciplinador, *s. m.* disciplinador.
disciplinante, *adj. 2 gén.* disciplinante.
disciplinar, I. *v. tr.* disciplinar; azotar; corregir; castigar. **II.** *adj. 2 gén.* disciplinario.
disciplinável, *adj. 2 gén.* disciplinable.
discípulo, *s. m.* discípulo; pupilo; apóstol; sectario.
disco, *s. m.* disco; *disco voador,* platillo volante/volador.
discóbolo, *s. m.* discóbolo.
discográfica, *s. f.* discográfica; gravadora.
discográfico, *adj.* discográfico.
discoidal, *adj. 2 gén.* discoidal.
discóide, *adj. 2 gén.* discoideo.
díscolo, *adj. e s. m.* díscolo; indócil; perturbador.
discordância, *s. f.* discordancia; disonancia; divergencia; desacuerdo.
discordante, *adj. 2 gén.* discordante.
discordar, *v. intr.* discordar; discrepar; desavenir; desconvenir; divergir.
discorde, *adj. 2 gén.* discorde; desacorde; discrepante.
discórdia, *s. f.* discordia; desacuerdo; desavenencia; desarmonía; disención; cisma; cizaña.
discorrer, *v. intr.* discurrir; caminar; viajar; vagar; *(fig.)* pensar; meditar.
discoteca, *s. f.* discoteca.
discrasia, *s. f.* discrasia.
discrepância, *s. f.* discrepancia.
discrepante, *adj. 2 gén.* discrepante.
discrepar, *v. intr.* discrepar, discordar; disentir.
discretear, *v. intr.* discretear.
discreto, *adj.* discreto; modesto; prudente; comedido.
discrição, *s. f.* discreción; reserva; secreto; prudencia; *à descrição,* discrecionalmente.
discricionário, *adj.* discrecional.
discriminação, *s. f.* discriminación.
discriminante, *adj. 2 gén.* discriminante.

discriminar, *v. tr.* discriminar; distinguir; separar; discernir.
discriminatório, *adj.* discriminatorio.
discromia, *s. f.* discromia.
discursador, *adj. e s. m.* discursador; discursante.
discursar, *v. tr. e intr.* discursar; discutir; hablar.
discursista, *s. 2 gén.* discursista.
discursivo, *adj.* discursivo.
discurso, *s. m.* discurso; RET. oración; cuestión; *(fig.)* tempestad.
discussão, *s. f.* discusión; controversia; altercado; pelotera; trifulca.
discutido, *adj.* discutido.
discutir, *v. tr.* discutir; debatir; ventilar; altercar; argumentar; tratar.
discutível, *adj. 2 gén.* discutible.
disemia, *s. f.* MED. disemia.
disenteria, *s. f.* MED. disentería.
disentérico, *adj.* disentérico.
diserto, *adj.* diserto; elocuente.
disestesia, *s. f.* MED. disestesia.
disfagia, *s. f.* MED. disfagia.
disfarçado, *adj.* disfrazado.
disfarçar, *v.* **1.** *tr.* disfrazar; enmascarar; disimular; embozar; *(fig.)* colorear. **2.** *refl.* travestirse.
disfarce, *s. m.* disfraz; embozo; reboca; tapadera.
disfasia, *s. f.* MED. disfasia.
disforme, *adj. 2 gén.* disforme; deformado; deforme; feo; monstruoso.
disformidade, *s. f.* disformidad.
disfunção, *s. f.* disfunción.
disjunção, *s. f.* disyunción; desunyón.
disjungir, *v. tr.* separar; desunir; disyuncir.
disjuntiva, *s. f.* disyuntiva.
disjuntivo, *adj.* disyuntivo.
disjunto, *adj.* separado; distinto, disyuntivo.
dislate, *s. m.* dislate; disparate.
dislexia, *s. f.* dislexia.
disopia, *s. f.* disopía.
disorexia, *s. f.* anorexia; inapetencia.
disosmia, *s. f.* MED. disosmia.
díspar, *adj. 2 gén.* dispar; desparejo.
disparado, *adj.* disparado; escopeteado.
disparador, *s. m.* disparador.
disparar, *v. tr.* disparar; arrojar; despedir; tirar; descerrajar; escopetear.

disparatado, *adj.* disparatado; absurdo; desmesurado; *(fig.)* descabellado.

disparatar, *v. intr.* disparatar; desvariar; desbarrar; despotricar; fontear.

disparate, *s. m.* disparate; desatino; dislate; absurdo; barbaridad; necedad; pijada, pijotada.

disparidade, *s. f.* disparidad.

disparo, *s. m.* disparo; tiro; estampido; balacera.

dispêndio, *s. m.* dispendio; desembolso.

dispendioso, *adj.* dispendioso.

dispensa, *s. f.* dispensa; licencia; exención; excedencia; *dispensa de recolher,* pase de pernocta.

dispensação, *s. f.* dispensación.

dispensado, *adj.* dispensado; excedente; libre.

dispensar, *v. tr.* dispensar; ceder; prestar.

dispensário, *s. m.* dispensario.

dispensativo, *adj.* dispensativo.

dispensatório, *s. m.* dispensario.

dispensável, *adj. 2 gén.* dispensable; innecesario.

dispepsia, *s. m.* MED. dispepsia.

dispéptico, *adj.* dispéptico.

dispersão, *s. f.* dispersión; desperdigamiento.

dispersar, *v. tr.* dispersar; ahuyentar; destrozar; desperdigar.

dispersivo, *adj.* dispersivo, que produce dispersión.

disperso, *adj.* disperso, dispersado; *(fig.)* dividido.

displasia, *s. f.* displasia.

displicência, *s. f.* displicencia; tedio.

displicente, *adj. 2 gén.* displicente.

dispneia, *s. f.* MED. disnea.

disponente, *adj. 2 gén.* disponente.

disponibilidade, *s. f.* disponibilidad.

disponível, *adj. 2 gén.* disponible.

dispor, *v. tr.* disponer; colocar; ordenar; coordenar; determinar; acondicionar; aprestar; preparar; proveer.

disposição, *s. f.* disposición; tendencia; aptitud; vocación.

dispositivo, *s. m.* dispositivo.

disposto, *adj.* dispuesto; ordenado; establecido; aliñado; colocado.

disputa, *s. f.* disputa; altercación; altercado; contestación; regañina.

disputador, *s. m.* disputador.

disputar, *v. tr.* disputar; altercar; batalhar.

disputável, *adj. 2 gén.* disputable.

disquete, *s. f.* disquete.

dissabor, *s. m.* desabor; sinsabor; insipidez.

dissaborear, *v. tr.* causar sinsabor, desplacer.

dissaboroso, *adj.* desaborido.

dissecação, *s. f.* disecación; disección.

dissecar, *v. tr.* disecar; resecar.

dissecção, *s. f.* disección; disecación.

dissector, *s. m.* disecador; disector; escalpelo.

dissemelhança, *s. f.* desemejanza.

dissemelhante, *adj. 2 gén.* desemejante.

dissemelhar, *v. tr. e intr.* desemejar.

disseminação, *s. f.* diseminación.

disseminar, *v. tr.* diseminar; sembrar; esparcir; dispersar.

dissensão, *s. f.* disensión; oposición; divergencia; discordia; cizaña.

dissentimento, *s. m.* disentimiento.

dissentir, *v. intr.* disentir; discutir.

dissertação, *s. f.* disertación.

dissertador, *s. m.* disertador.

dissertar, *v. intr.* disertar; discurrir; discursar.

dissidência, *s. f.* disidencia; cisma; escisión.

dissidente, *adj. 2 gén.* disidente.

dissídio, *s. m.* disidio.

dissidir, *v. intr.* disidir.

dissilábico, *adj.* disilábico.

dissílabo, *adj. e s. m.* disílabo.

dissimetria, *s. f.* disimetría; asimetría.

dissimétrico, *adj.* disimétrico, asimétrico.

dissimilação, *s. f.* disimilación.

dissimilar, *v. tr.* disimilar.

dissimilitude, *s. f.* disimilitud.

dissimulação, *s. f.* disimulación; disimulo; fingimiento; mojigatería.

dissimulado, *adj.* disimulado; disfrazado; solapado.

dissimulador, *adj. e s. m.* disimulador.

dissimular, *v. tr. e intr.* disimular; encubrir; ocultar; embozar; disfrazar; despistar; solapar.

dissimulável, *adj. 2 gén.* disimulable.

dissipação, *s. f.* disipación; dilapidación; derroche; desperdicio; despilfarro.

dissipado, *adj.* disipado.

dissipador, adj. e s. m. disipador; malgastador; pródigo; derrochador; derrochón.

dissipar, v. **1.** tr. disipar; derretir; extinguir; desperdiciar; malgastar; malbaratar; perder; dilapidar; derrochar; desbaratar; desfalcar; espilfarrar. **2.** refl. disiparse.

dissipável, adj. 2 gén. disipable.

disso contr. de la prep. **de** y el pron. **isso:** de eso.

dissociabilidade, s. f. disociabilidad.

dissociação, s. f. disociación.

dissociar, v. tr. disociar; disolver.

dissociável, adj. 2 gén. disociable.

dissolubilidade, s. f. disolubilidad.

dissolução, s. f. disolución; dilución; desagregación; (fig.) ruina.

dissolutivo, adj. disolutivo.

dissoluto, adj. disoluto; disuelto; licencioso; (fig.) vicioso; desgarrado; gamberro.

dissolúvel, adj. 2 gén. disoluble; soluble.

dissolvência, s. f. disolución; desagregación; (fig.) ruina.

dissolvente, adj. 2 gén. e s. m. disolvente; diluyente; disolutivo.

dissolver, v. tr. disolver; diluir; desleír; desagregar; descoagular; derretir; desmembrar corromper; anular.

dissolvido, adj. disuelto.

dissonância, s. f. disonancia; desarmonía.

dissonante, adj. 2 gén. disonante; desacorde; discordante; discorde.

dissonar, v. intr. disonar.

dissuadido, adj. disuadido.

dissuadir, v. tr. disuadir; desaconsejar; desviar; (fam.) apear.

dissuasão, s. f. disuasión.

dissuasivo, adj. disuasivo.

dissuasório, adj. disuasorio.

distância, s. f. distancia; alejamiento; alcance.

distanciado, adj. distanciado.

distanciamento, s. m. distanciamiento.

distanciar, v. tr. distanciar; alejar; alongar.

distante, I. adj. 2 gén. distanciado; distante; lejano; remoto; (fig.) despegado. II. adv. lejos.

distar, v. intr. distar.

distender, v. tr. distender; dilatar; desenvolver.

distensão, s. f. distensión; esguince.

distenso, adj. distenso.

dístico, s. m. dístico; título; letrero; rótulo; divisa de un escudo.

distinção, s. f. distinción; sobresaliente; educación; prerrogativa; diferencia.

distinguido, adj. distinguido; distinto.

distinguir, v. tr. distinguir; diferenciar; caracterizar; singularizar; oir; notar; ennoblecer.

distintivo, I. adj. distintivo. II. s. m. distinto; señal; emblema.

distinto, adj. distinto; distinguido; notable; sobresaliente; claro; diferente; señorial.

disto, contr. de la prep. **de** con el pron. dem. **isto:** de esto.

distorção, s. f. distorsión.

distorcer, v. tr. destorcer; distorsionar; torcer.

distorto, adj. torcido en diversos sentidos.

distracção, s. f. distracción; desatención; despiste; diversión; divertimiento; entretenimiento; solaz; deporte; desenfado; embabiamiento; abstracción.

distractivo, adj. distractivo.

distraído, adj. distraído; abstraído; entretenido; desatento; despistado; ido.

distrair, v. tr. distraer; divertir; recrear; desenfadar; entretener; desviar.

distratar, v. tr. anular (contrato); deshacer (pacto); rescindir.

distrate, s. m. anulación de contrato.

distrato, s. m. vd. **distrate.**

distribuição, s. f. distribución; tiraje.

distribuidor, I. adj. distribuidor. II. s. m. MEC. distribuidor; repartidor; cartero; (empresa) distribuidora.

distribuir, v. tr. distribuir; repartir; erogar; dividir; ordenar.

distributivo, adj. distributivo.

distrital, adj. 2 gén. distrital.

distrito, s. m. distrito.

distrofia, s. f. distrofia.

disturbar, v. tr. disturbar; perturbar.

distúrbio, s. m. disturbio; desorden; motín.

disúria, s. f. MED.. disuria.

disúrico, adj. disúrico.

dita, s. f. dicha; felicidad.

ditado, s. m. dictado; proverbio; adagio; refrán.

ditador, s. m. dictador.

ditadura, s. f. dictadura.

ditame s. m. dictamen; sentencia; veredicto; pl. dictados; (fig.) impulso; inspiración.

ditar, *v. tr.* dictar; *(fig.)* inspirar; prescribir; imponer.

ditatorial, *adj. 2 gén.* dictatorial.

ditério, *s. m.* dicterio; broma; mofa.

ditinho, *s. m.* murmuración; intriga, cuento.

ditirâmbico, *adj.* ditirámbico.

ditirambo, *s. m.* ditirambo.

dito, I. *s. m.* dicho; máxima; refrán; cuento; puya. II. *adj.* mencionado.

ditongação, *s. f.* diptongación.

ditongar, *v. tr.* diptongar.

ditongo, *s. m.* diptongo.

ditoso, *adj.* dichoso; feliz; venturoso.

diurese, *s. f.* MED. diuresis.

diurético, *adj.* diurético.

diurnal, *adj. 2 gén.* diurnal; diurno; cotidiano.

diurno, *adj.* diurno.

diuturnidade, *s. f.* diuturnidad.

diuturno, *adj.* diuturno.

diva, *s. f.* diva, diosa.

divã, *s. m.* diván.

divagação, *s. f.* divagación.

divagador, *adj.* divagador.

divagante, *adj. 2 gén.* divagante.

divagar, *v. intr.* divagar; vaguear; vagar; errar.

divergência, *s. f.* divergencia; discrepancia.

divergente, *adj. 2 gén.* divergente.

divergir, *v. intr.* divergir; disentir; distar.

diversão, *s. f.* diversión; distracción; divertimiento; entretenimiento; fiesta; esparcimiento; recreo.

diversidade, *s. f.* diversidad.

diversificação, *s. f.* diversificación.

diversificar, *v. tr.* diversificar.

diverso, *adj.* diverso; diferente; desemejante.

divertido, *adj.* divertido; alegre; festivo; entretenido; chungón; chusco; esparcido; marchoso.

divertimento, *s. m.* divertimiento; entretenimiento; distracción; diversión; recreo; solaz.

divertir, *v.* 1. *tr.* divertir; distraer; desviar; entretener; desenfadar; esparcir; solazar. 2. *refl.* recrearse, explayarse, expansionarse, entretenerse; holgar; jugar.

dívida, *s. f.* deuda; obligación; *dívida pública*, renta; *dívida atrasada*, trampa.

dividendo, *s. m.* dividendo.

dividir, *v.* 1. *tr.* dividir; partir; compartir; cortar; demarcar, limitar; *(despesas)* desglosar; desmembrar; fraccionar; tajar; fraccionar. 2. *refl.* ramificarse.

divinação, *s. f.* adivinación.

divinal, *adj. 2 gén.* divinal; divino.

divinatório, *adj.* adivinatorio.

divindade, *s. f.* divinidad; deidad; dios; *(fig.)* mujer muy hermosa.

divinização, *s. f.* divinización.

divinizar, *v. tr.* divinizar.

divino, *adj.* divino, de dios; sobrenatural; *(fig.)* sublime; perfecto.

divisa, *s. f.* divisa; lema; emblema; consigna.

divisão, *s. f.* división; partición; desunión; separación; partija; compartimiento, pieza; desglose; rateo.

divisar, *v. tr.* divisar; ver; distinguir; columbrar, vislumbrar.

divisibilidade, *s. f.* divisibilidad.

divisional, *adj. 2 gén.* divisional.

divisionário, *adj.* divisionario.

divisível, *adj. 2 gén.* divisible; escindible; partible.

diviso, *adj.* diviso, dividido.

divisor, *adj. e s. m.* divisor; *máximo divisor comum*, máximo común divisor.

divisória, *s. f.* divisoria; tabique.

divisório, *adj.* divisorio; medianero; *parede divisória*, pared medianera; tabique.

divo, I. *adj.* divo, divino. II. *s. m.* dios.

divorciar, *v. tr. e refl.* divorciar; descasar; separar.

divórcio, *s. m.* divorcio.

divulgação, *s. f.* divulgación; difusión; pregón.

divulgador, *adj. e s. m.* divulgador.

divulgar, *v.* 1. *tr.* divulgar; publicar; difundir; esparcir. 2. *refl.* esparcirse; expandirse.

divulsão, *s. f.* divulsión.

dixe, *s. m.* dije, adorno femenino.

dizer, I. *v.* 1. *tr.* decir; exponer; proferir; recitar; declamar; afirmar; *dizer respeito*, respectar, concernir. 2. *refl.* rumorearse. II. *s. m.* decir; dicho; máxima.

dízima, *s. f.* décima parte.

dizimar, *v. tr.* diezmar; asolar; destruir.

dizimeiro, *s. m.* cobrador de diezmos.

dízimo, *s. m.* décimo, décima parte; diezmo.

do, *prep. de + art.* o: del; *prep. de + pron.* o: dél.

dó, *s. m.* dolor; compasión; MÚS. do.

doação, s. f. donación.

doador, s. m. donante.

doar, v. tr. donar.

dobadeira, s. f. devanadora.

dobadoura, s. f. devanador.

dobar, v. tr. devanar; ovillar.

doble adj. 2 gén. doble; doblado; duplicado.

doblez, s. f. doblez; duplicidad.

dobra, s. f. pliegue; (do lençol) embozo; arruga; doble; doblez; plegamiento.

dobrada, s. f. callos; menudos; guiso hecho con esas vísceras.

dobradeira, s. f. plegadera; doblador; dobladora.

dobradiça, s. f. bisagra; charnela; gozne; pernio.

dobradiço, adj. plegable; flexible.

dobrado, adj. doblado; arrugado; doble; duplicado.

dobradura, s. f. doblegamiento; dobladura; pliegue; arruga.

dobragem, s. f. doblaje.

dobrão, s. m. doblón.

dobrável, adj. 2 gén. plegable.

dobrar, v. 1. tr. doblar; curvar; combar; corcovar; doblegar; plegar, enrollar; volver; (filme) doblar; (fig.) (sinos) doblar, tocar; dobrar em cotovelo, acodillar. 2. refl. doblarse; torcerse.

dobre, I. adj. 2 gén. doble; duplo; simulado. II. s. m. (sinos) doble.

dobrez, s. f. doblez; simulación.

dobro, s. m. e num. duplo.

doca, s. f. NÁUT. dique; dársena; muelle; astillero.

doçaina, s. f. dulzaina.

doçaria, s. f. dulcería; confitería; repostería; pl. chochos.

doce, I. adj. dulce; meloso. II. s. m. dulce, confitura.

doceira, s. f. dulcera.

doceiro, s. m. dulcero.

docência, s. f. docencia.

docente, adj. e s. 2 gén. docente.

dócil, adj. 2 gén. dócil; obediente; convenible; manso.

docilidade, s. f. docilidad.

docimasia, s. f. docimasia.

docimástico, adj. docimástico.

documentação, s. f. documentación.

documentado, adj. documentado.

documental, adj. 2 gén. documental.

documentar, v. tr. documentar.

documentarista, s. 2 gén. documentalista.

documento, s. m. documento; escrito; pliego; pl. papeles.

doçura, s. f. dulzura; dulzor; amenidad.

dodecaedro, s. m. dodecaedro.

dodecagonal, adj. 2 gén. dodecagonal.

dodecágono, s. m. dodecágono.

dodecassílabo, adj. e s. m. dodecasílabo.

doença, s. f. enfermedad; dolencia; afección; morbo; (fig.) manía.

doente, adj. e s. 2 gén. enfermo; achacoso.

doentio, adj. enfermizo; morboso; mórbido; insalubre; malsano; (fam.) canijo.

doer, v. 1. intr. doler, causar dolor. 2. refl. dolerse, arrepentirse.

doestador, s. m. injuriador.

doestar, v. tr. injuriar; insultar; denostar.

doesto, s. m. denuesto; injuria.

dogado, s. m. dignidad del dux.

doge, s. m. dux.

dogma, s. m. dogma

dogmática, s. f. dogmática.

dogmático, adj. dogmático.

dogmatismo, s. m. dogmatismo.

dogmatista, s. 2 gén. dogmatista.

dogmatizador, s. m. dogmatizador.

dogmatizar, v. tr. dogmatizar.

dogue, s. m. dogo, alano, perro de guarda.

doidejar, v. intr. disparatar; loquear.

doidice, s. f. locura; disparate; tontería.

doidivanas, s. 2 gén. persona liviana o alocada; insensata.

doido adj. loco; liviano; insensato; chiflado; majara; doido varrido, majara perdido; ser doido por, pirrarse por.

doído adj. dolorido; dolido; quejoso; lastimado.

dois, adj. e num. card. dos; segundo.

dólar, s. m. dólar.

dolente, adj. 2 gén. doliente.

dolicocefalia, s. f. dolicocefalia.

dolicocéfalo adj. e s. m. dolicocéfalo.

dólmen, s. m. dolmen; anta.

dolo, s. m. dolo; mala fe; fraude; superchería; trapacería.

dolomito, s. m. dolomita.

dolomítico, adj. dolomítico.

dolorido, adj. dolorido; dolido.

doloroso, adj. doloroso; lastimoso; sensible.

doloso, adj. doloso; fraudulento.

dom, *s. m.* don; título honorífico; dádiva; dote natural.

doma, *s. f.* doma.

domação, *s. f.* doma.

domador, *s. m.* domador; amansador.

domar, *v. tr.* domar; amansar; domesticar.

domável, *adj. 2 gén.* domable; domesticable.

domesticação, *s. f.* domesticación.

domesticado, *adj.* domesticado; domado.

domesticador, *s. m.* domesticador.

domesticar, *v. tr.* domesticar; domar; amansar; desembravecer.

domesticável, *adj. 2 gén.* domesticable.

domesticidade, *s. f.* domesticidad.

doméstico, *adj.* doméstico.

domiciliado, *adj.* domiciliado.

domiciliar, 1. *v.* 1. *tr.* domiciliar. 2. *refl.* domiciliarse.

domiciliário, *adj.* domiciliario.

domicílio, *s. m.* domicilio; habitación; residencia.

dominação, *s. f.* dominación; mando; imperio; soberanía; predominio.

dominado, *adj.* dominado; sujeto; ocupado.

dominador, *adj. e s. m.* dominador.

dominante, *adj. 2 gén.* dominante.

dominar, *v.* 1. *tr.* dominar; señorear; influenciar; sujetar; vencer; refrenar; sofocar; (*fig.*) fascinar. 2. *refl.* dominarse; vencerse.

domingo, *s. m.* domingo.

domingueiro, *adj.* dominguero.

dominical, *adj. 2 gén.* dominical.

dominicano, *adj. e s. m.* dominicano.

domínico, *adj. e s. m.* dominico.

domínio, *s. m.* dominio; dominación; señorío; soberanía; (*fig.*) imperio; poder; autoridad.

dominó, *s. m.* dominó; (*disfrace*) capuchón.

dom-joão, *s. m.* donjuán.

dom-joanesco, *adj.* donjuanesco.

dom-joanismo, *s. m.* donjuanismo.

domo, *s. m.* domo; cúpula.

dona, *s. f.* doña; dueña; señora; propietaria; *dona de casa*, ama de casa, (*fam.*) maría.

donaire, *s. m.* donosura; donaire; gentileza; sabero.

donairoso, *adj.* donairoso; saleroso.

donatário, *s. m.* donatario.

donativo, *s. m.* donativo.

donato, *s. m.* lego que servía en un convento.

donde, *contr.* de la prep. **de** y el adv. **onde**: de donde.

doninha, *s. f.* ZOOL. comadreja; donecilla; mofeta.

dono, *s. m.* dueño; señor; propietario.

donzel, I. *adj.* doncel; ingenuo; puro; dócil. II. *s. m.* joven.

donzela, *s. f.* doncella; virgen; ZOOL. doncella, pez.

donzelice, *s. f.* doncellez.

donzelinha, *s. f.* ZOOL. libélula, caballito del diablo.

donzelona, *s. f.* doncellueca; (*fam.*) solterona.

dopagem, *s. f.* dopaje.

doping, *s. f.* doping.

dor, *s. f.* dolor; sufrimiento; tormento; lástima; duelo; pena; sentimiento; *dor forte*, punzada.

doravante, *adv.* de aquí para el futuro.

dórico, *adj.* dórico.

dorido, I. *adj.* dolorido; dolido; consternado, compadecido. II. *s. m.* doliente, enlutado.

dório, *s. m.* dorio; dórico.

dormente, I. *adj. 2 gén.* durmiente; adormecido. II. *s. m.* traviesa del ferrocarril.

dormida, *s. f.* dormida; posada.

dormideira, *s. f.* BOT. adormidera.

dormidor, *adj. e s. m.* dormilón.

dorminhoco, *adj. e s. m.* dormilón.

dormir, I. *v. intr.* dormir; acostarse; *dormir a sesta*, sestear. II. *s. m.* sueño.

dormitar, *v. intr.* dormitar; adormilarse.

dormitivo, *adj.* dormidero.

dormitório, *s. m.* dormitorio; cuadra.

dorna, *s. f.* duerna; cuba; lagar; tina; tinaja.

dorsal, *adj. 2 gén.* dorsal.

dorso, *s. m.* dorso; lomo.

dosagem, *s. f.* dosificación.

dosar, *v. tr.* dosificar.

dose, *s. f.* dosis; porción; toma.

doseamento, *s. m.* dosificación.

dosear, *v. tr.* dosificar.

dosificar, *v. tr.* dosificar.

dosimetria, *s. f.* dosimetría.

dosimétrico, *adj.* dosimétrico.

dossel, *s. m.* dosel; conopeo.

dotação, *s. f.* dotación; asignación.

dotado, *adj.* dotado.
dotador, *s. m.* dotador.
dotal, *adj.* 2 *gén.* dotal.
dotar, *v. tr.* dotar.
dote, *s. m.* dote; talento; *(fig.)* dote, don natural.
dourada, *s. f.* ZOOL. dorada.
dourado, *adj. e s. m.* dorado.
dourador, *s. m.* dorador.
dourar, *v. tr.* dorar.
douto, *adj.* docto; erudito; sabio; letrado.
doutor, *s. m.* doctor.
doutora, *s. f.* doctora.
doutorado, *adj. e s. m.* doctorado.
doutoral, *adj.* 2 *gén.* doctoral.
doutoramento, *s. m.* doctoramiento.
doutorando, *s. m.* doctorando.
doutorar, *v. tr.* doctorar.
doutrina, *s. f.* doctrina; catequesis.
doutrinação, *s. f.* doctrinamiento; catequismo.
doutrinador, *s. m.* doctrinador; catequista.
doutrinal, *adj.* 2 *gén.* doctrinal.
doutrinamento, *s. m.* doctrinamiento.
doutrinar, *v. tr.* doctrinar; enseñar; catequizar.
doutrinário, *adj.* doctrinario.
doutro, *contr.* de la *prep.* **de** con el *adj.* o *pron. indef.* **outro**: de otro.
doze, *num.* doce.
dracma, *s. f.* dracma.
draconiano, *adj.* draconiano.
draga, *s. f.* draga.
dragador, *s. m.* dragador.
dragagem, *s. f.* dragado.
draga-minas, *s. m.* dragaminas.
dragão, *s. m.* dragón.
dragar, *v. tr.* dragar.
drageia, *s. f.* gragea.
drago, *s. m.* dragón; BOT. drago (árbol).
dragoeiro, *s. m.* BOT.. drago.
dragona, *s. f.* dragona.
drainador, *s. m.* drenador.
drainagem, *s. f.* drenaje.
drainar, *v. tr.* drenar; avenar.
draino, *s. m.* dreno.
drama, *s. m.* drama.
dramalhão, *s. m.* dramón.
dramática, *s. f.* dramaturgia.
dramático, *adj.* dramático; sobrecogedor.
dramatismo, *s. m.* dramatismo.

dramatização, *s. f.* dramatización.
dramatizar, *v. tr.* dramatizar: teatralizar.
dramaturgia, *s. f.* dramaturgia.
dramaturgo, *s. m.* dramaturgo; dramático.
drapeado, *adj. e s. m.* drapeado.
drapear, *v. tr.* drapear.
drástico, *adj.* drástico.
drenador, *adj. e s. m.* drenador.
drenagem, *s. m.* drenaje; avenamiento; desagüe.
drenar, *v. tr.* drenar, avenar; desaguar.
dreno, *s. m.* dreno.
dríada, *s. f.* vd. **dríade**.
dríade, *s. f.* MIT. dríada.
driblagem, *s. f.* driblaje.
driblar, *v. tr.* driblar (la pelota).
driça, *s. f.* driza.
droga, *s. f.* droga.
drogado, *adj. e s. m.* drogado; enganchado; flipado.
drogar, *v.* **1.** *tr.* drogar. **2.** *refl.* drogarse, fliparse.
drogaria, *s. f.* droguería.
droguista, *s.* droguista; droguero.
dromedário, *s. m.* ZOOL. dromedario.
Droseráceas, *s. f. pl.* BOT. droseráceas.
druida, *s.* 2 *gén.* druida.
druídico, *adj.* druídico.
druidismo, *s. m.* druidismo.
drupa, *s. f.* BOT. drupa.
drupáceo, *adj.* drupáceo.
drusa, *s. f.* drusa.
dual, *adj.* 2 *gén. e s. m.* dual.
dualidade, *s. f.* dualidad.
dualismo, *s. m.* dualismo.
dualista, *adj.* 2 *gén.* dualista.
dualístico, *adj.* dualístico.
duas, *adj. e num.* feminino de *dois*: dos.
dubiedade, *s. f.* vd. **dubiez**.
dubiez, *s. f.* duda; incertidumbre.
dubitativo, *adj.* dubitativo.
ducado, *s. m.* ducado.
ducal, *adj.* 2 *gén.* ducal.
ducentésimo, *adj. num. ord.* ducentesimo; doscientos.
ducha, *s. f.* vd. **duche**.
duchar, *v. tr.* duchar.
duche, *s. m.* ducha.
dúctil, *adj.* 2 *gén.* dúctil; maleable; plástico.
ductilidade, *s. f.* ductilidad.
ducto, *s. m.* canal en el organismo animal; ductor.

duelista, *s. 2 gén.* duelista, espadachín.
duelo, *s. m.* duelo.
duende, *s. m.* duende; trasgo.
dueto, *s. m.* MÚS. dueto, dúo.
dulçaína, *s. f.* dulzaina.
dulcificação, *s. f.* dulcificación.
dulcificador, *adj.* dulcificador.
dulcificante, *adj. 2 gén.* dulcificante.
dulcificar, *v. tr.* dulcificar; endulzar; adulzorar.
dulcífico, *adj.* dulcificante; azucarado.
dulcineia, *s. f.* (*fig.*) enamorada; dulcinea.
dulçor, *s. m.* dulzura; dulzor.
dulçoroso, *adj.* dulce; dulzón.
dulia, *s. f.* dulía.
dum, *contr.* de la *prep.* **de** y el *art.* **um**: de un.
duma, *contr.* de la *prep.* **de** y el *art.* **uma**: de una.
duna, *s. f.* duna; algaida; médano.
dundum, *s. m.* dumdum, bala explosiva.
duneta, *s. f.* NÁUT. toldilla; duneta.
duo, *s. m.* dúo, dueto.
duodecimal, *adj. 2 gén.* duodecimal.
duodécimo, *num. e adj.* duodécimo.
duodenal, *adj. 2 gén.* duodenal.
duodenite, *s. f.* MED. duodenitis.
duodeno, *s. m.* ANAT. duodeno.
dúplex, *adj.* dúplex.
duplicação, *s. f.* duplicación.
duplicado, **I.** *s. m.* duplicado; copia; doble; duplo. **II.** *adj.* doblado; repetido.
duplicador, *s. m.* autocopista.
duplicar, *v. tr.* duplicar; repetir; multiplicar; doblar; (*fig.*) aumentar.
duplicativo, *adj.* duplicativo.
duplicatura, *s. f.* duplicatura; dobladura.
duplicável, *adj. 2 gén.* duplicable.
dúplice, *adj.* duplo; dúplex.

duplicidade, *s. f.* duplicidad; doblez.
duplo, **I.** *adj.* duplo; doblado, doble. **II.** *s. m.* duplo, doble; dúplice.
duque, *s. m.* duque.
duquesa, *s. f.* duquesa.
dura, *s. f.* dura; duración.
durabilidade, *s. f.* durabilidad.
duração, *s. f.* duración; durabilidad.
duradoiro, *adj.* duradero.
duradouro, *adj.* duradero; durativo.
dura-máter, *s. f.* ANAT. duramáter.
durame, *s. m.* vd. **durâmen**.
durâmen, *s. m.* BOT. duramen.
durante, *prep.* durante.
durar, *v. intr.* durar; resistir; subsistir; continuar.
durável, *adj. 2 gén.* durativo.
durázio, *adj.* duro; durillo; (*mulher*) jamona.
dureza, *s. f.* dureza; descariño; rigor.
durindana, *s. f.* (*fam.*) espada; durindana.
duro, **I.** *adj.* duro; sólido, consistente; tieso; achuchado; férreo; roblizo; (*fig.*) áspero; acerbo; penoso; cruel; violento. **II.** *s. m.* duro, moneda.
duunvirado, *s. m.* duunvirato.
duunviral, *adj. 2 gén.* duunviral.
duunvirato, *s. m.* duunvirato.
duúnviro, *s. m.* duunviro.
dúvida, *s. f.* duda; incertidumbre; sospecha; objección; indeterminación; *tirar as dúvidas*, desambiguar.
duvidar, *v. tr. e intr.* dudar; desconfiar; sospechar.
duvidoso, *adj.* dudoso; incierto; indeciso; ambiguo; problemático; turbio; turbulento.
duzentos, *num. e adj.* doscientos.
dúzia, *s. f. e num. colect.* docena.

E

e, *conj. cop.* y, e.
ebanista, *s. 2 gén.* ebanista.
ebanizar, *v. tr.* ebanizar.
ébano, *s. m.* BOT. ébano.
ebonite, *s. f.* ebonita.
eborário, *s. m.* eborario.
ebriático, *adj.* embriagador.
ebriedade, *s. f.* ebriedad; embriaguez.
ébrio, *adj. e s. m.* ebrio; borracho.
ebrioso, *adj.* ebrioso.
ebulição, *s. f.* ebullición; (*fig.*) efervescencia; agitación.
ebuliometria, *s. f.* ebulliometría.
ebuliómetro, *s. m.* ebuliómetro.
eburina, *s. f.* eburina.
ebúrneo, *adj.* ebúrneo.
echarpe, *adj.* echarpe.
eclampsia, *s. f.* eclampsia.
ecleticismo, *s. m.* eclecticismo.
ecléctico, *adj.* ecléctico.
eclesiástico, I. *adj.* eclesiástico; eclesial.
II. *s. m.* eclesiástica.
eclímetro, *s. m.* eclímetro.
eclinómetro, *s. m.* eclímetro.
eclipsar, *v. tr.* eclipsar.
eclipse, *s. m.* eclipse.
eclíptica, *s. f.* eclíptica.
eclíptico, *adj.* eclíptico.
eclodir, *v. intr.* eclosionar.
écloga, *s. f.* égloga.
eclosão, *s. f.* eclosión.
eclusa, *s. f.* eclusa.
eco, *s. m.* eco.
ecoar, *v. intr.* hacer eco; retumbar; resonar; sonar.
ecografia, *s. f.* ecografía.
ecográfico, *adj.* ecográfico.
ecologia, *s. f.* ecología.
ecológico, *adj.* ecológico.
ecologismo, *s. m.* ecologismo.
ecologista, I. *adj. 2 gén.* ecologista. II. *s. 2 gén.* ecologista; ecólogo.
ecólogo, *s. m.* ecólogo, ecologista.
ecómetro, *s. m.* ecómetro.
economato, *s. m.* economato.
econometria *s. f.* econometría.

economia *s. f.* economía; ahorro; *pl.* economías, dinero ahorrado.
economicamente *adv.* económicamente.
económico, *adj.* económico; ahorrativo; *caixa económica*, caja de ahorros.
economista, *s. 2 gén.* economista, rentista.
economizar, *v. tr. e intr.* economizar; ahorrar; entalegar.
ecrã, *s. m.* monitor; pantalla.
ecossistema, *s. m.* ecosistema.
ectoplasma, *s. m.* ectoplasma.
ecónomo, *s. m.* ecónomo.
ecúleo, *s. m.* ecúleo; potro de tortura; tortura; (*fig.*) tormento.
ecuménico, *adj.* ecuménico.
ecumenismo, *s. m.* ecumenismo.
eczema, *s. m.* MED. eczema; eccema
eczematoso, *adj.* MED. eczematoso.
edacidade, *s. f.* edacidad.
edema, *s. m.* edema.
edematoso, *adj.* edematoso.
Éden, *s. m.* edén.
edénico, *adj.* edénico.
edição, *s. f.* edición.
edicto, *s. m.* edicto.
edícula, *s. f.* edícula.
edificação, *s. f.* edificación; edificio; obra; (*fig.*) perfeccionamiento moral.
edificador, *adj.* edificador; edificante.
edificante, *adj. 2 gén.* edificante.
edificar, *v. tr. e intr.* edificar; construir; fundar; alzar; levantar; cimentar; (*fig.*) dar buen ejemplo.
edifício, *s. m.* edificio; casa.
edil, *s. m.* edil.
edilidade, *s. f.* edilidad.
edital, *s. m.* edicto.
editar, *v. tr.* editar.
édito, *s. m.* edicto; bando.
editor, *s. m.* editor; INFORM. editor.
editora, *s. f.* editorial.
editorar, *v. tr.* editar.
editorial, I. *adj. 2 gén.* editorial. II. *s. f.* editorial (empresa).
editorialista, *s. 2 gén.* editorialista.
edredão, *s. m.* edredón; cubrecama.

educabilidade, s. f. educabilidad.

educação, s. f. educación; creación; crianza.

educado, adj. educado; comedido; correcto.

educador, adj. e s. m. educador.

educando, s. m. educando; discípulo; alumno; colegial.

educar, v. tr. educar.

educativo, adj. educativo.

educável, adj. 2 gén. educable.

edulcorante, s. m. edulcorante.

edulcorar, v. tr. edulcorar.

eduzir, v. tr. educir; deducir; inferir.

efebo, s. m. efebo.

efectivar, v. tr. hacer efectivo; realizar; efectuar.

efectividade, s. f. efectividad.

efectivo, adj. efectivo; verdadero.

efectuação, s. f. efectuación; ejecución; realización.

efectuar, v. tr. efectuar; realizar.

efeito, s. m. efecto; realización; daño; perjuicio; producto; fin; ejecución.

eféméride, s. f. eféméride.

efémero, adj. efímero.

efeminação, s. f. afeminación, afeminamiento.

efeminado, adj. adamado; afeminado; amujerado; amaricado.

efeminar, v. tr. e refl. afeminar, adamarse, cominear; alfeñicarse; amanerarse.

eferente, adj. 2 gén. ANAT./FISIOL. eferente.

efervescência, s. f. efervescencia; ebullición

efervescente, adj. 2 gén. efervescente.

eficácia, s. f. eficacia; ahinco.

eficaz, adj. 2 gén. eficaz; vivaz; útil; ahincado; valeroso.

eficiência, s. f. eficiencia.

eficiente, adj. 2 gén. eficiente; ahincado.

efidrose, s. f. efidrosis.

efígie, s. f. efigie.

eflorescência, s. f. eflorescencia.

eflorescente, adj. 2 gén. eflorescente; floreciente.

eflorescer, v. intr. eflorescer; brotar; florecer.

efluência, s. f. efluencia.

efluente, adj. 2 gén. e s. m. efluente

eflúvio, s. m. efluvio, emanación; (fig.) perfume.

efluxão, s. f. MED. efluxión.

éforo, s. m. éforo.

efusão, s. f. efusión; expansión.

efusividade, s. f. efusividad.

efusivo, adj. efusivo.

égide, s. f. égida; (fig.) protección.

egípcio, adj. e s. m. egipcio.

egiptologia, s. f. egiptología.

egiptólogo, s. m. egiptólogo.

égloga, s. f. égloga.

egocêntrico, adj. egocéntrico.

egocentrismo, s. m. egocentrismo.

egocentrista, adj. 2 gén. egocentrista.

egoísmo, s. m. egoísmo.

egoísta, adj. 2 gén. egoísta.

ególatra, adj. 2 gén.ególatra.

egolatria, s. f. egolatría.

egotismo, s. m. egotismo.

egotista, adj. e s. 2 gén. egotista.

egrégio, adj. egregio; insigne; ilustre; noble; ínclito.

egressão, s. f. egresión.

egresso, adj. e s. m. egreso.

égua, s. f. ZOOL. yegua; égua pequena, jaca.

eguada, s. f. yeguada.

eguariço, I. adj. yeguar. II. s. m. ygüero.

¡eh!, interj. eh!

êider, s. m. ZOOL. eider.

eido, s. m. patio, huerta; patinín, patinillo.

einstéinio, s. m. QUÍM. einstenio.

eira, s. f. era; alhóndiga.

eiró, s. f. angula.

eis, adv. he aquí; aquí está.

eito, s. m. serie; orden.

eiva, s. f. hendidura; grieta; mancha en una fruta.

eivar, v. tr. contaminar; viciar; corromper.

eixo, s. m. eje; pivote, pivot; (fig.) punto de apoyo; sustentáculo.

ejaculação, s. f. eyaculación.

ejaculador, adj. e s. m. eyaculador.

ejacular, v. tr. eyacular.

ejecção, s. f. eyección, deyección.

ejectar, v. tr. eyectar.

ejectável, adj. 2 gén. eyectable.

ejector, s. m. eyector; deyector.

el, art. el, forma ant. del art. **o**.

ela, pron. fem. de **ele**: ella.

elaboração, s. f. elaboración.

elaborado, adj. elaborado; depurado; trabajado.

elaborador, adj. elaborador.

elaborar, *v. tr.* elaborar, preparar.
elanguescer, *v. intr.* languidecer; debilitar.
elasticidade, *s. f.* elasticidad; doblez.
elástico, **I.** *adj.* elástico; flexible. **II.** *s. m.* elástico.
elastina, *s. f.* elastina.
elatério, *s. m.* BOT. elaterio.
eldorado, *s. m.* eldorado.
ele (*ê*), *pron. pess.* él.
electividade, *s. f.* electividad.
electivo, *adj.* electivo.
electo, *adj.* electo.
electrão, *s. m.* FÍS. electrón.
electricidade, *s. f.* electricidad.
electricista, *adj. e s. 2 gén.* electricista.
eléctrico, **I.** *adj.* eléctrico; (*fig.*) vertiginoso; **II.** *s. m.* tranvía eléctrico.
electrificação, *s. f.* electrificación.
electrificar, *v. tr.* electrificar.
electrização, *s. f.* electrización.
electrizador, *adj.* electrizador.
electrizante, *adj. 2 gén.* electrizante.
electrizar, *v.* **1.** *tr.* electrizar; (*fig.*) excitar. **2.** *refl.* electrizarse.
electrizável, *adj. 2 gén.* electrizable.
electro, *s. m.* electro.
electroacústica, *s. f.* electroacústica.
electrobomba, *s. f.* electrobomba.
electrocardiografia, *s. f.* electrocardiografía.
electrocardiograma, *s. m.* electrocardiograma.
electrochoque, *s. m.* electrochoque.
electrocussão, *s. f.* electrocución.
electrocutar, *v. tr.* electrocutar.
electrocutor, *s. m.* electrocutor.
electrodinâmica, *s. f.* electrodinámica.
electrodinâmico, *s. f.* electrodinámico.
electrodinanismo, *s. m.* FÍS. electrodinamismo.
electrodinamómetro, *s. m.* FÍS. electrodinamómetro.
eléctrodo, *s. m.* electrodo.
electrodoméstico, *s. m.* electrodoméstico.
electroencefalografia, *s. f.* electroencefalografia.
electroencefalógrafo, *s. m.* electroencefalógrafo.
electroencefalograma, *s. m.* electroencefalograma.
electróforo, *s. m.* FÍS. electróforo.

electrogalvânico, *adj.* FÍS. electrogalvánico.
electrogéneo, *adj.* FÍS. electrógeno.
electroíman, *s. m.* FÍS. electroimán.
electrolisação, *s. f.* electrolización.
electrolisar, *v. tr.* FÍS. electrolizar.
electrólise, *s. f.* FÍS. e QUÍM.) electrólisis.
electrólito, *s. m.* FÍS. electrólito, electrolito.
electrologia, *s. f.* FÍS. electrología.
electromagnético, *adj.* FÍS. electromagnético.
electromagnetismo, *s. m.* FÍS. electromagnetismo.
electromecânica, *s. f.* electromecánica.
electromeopatia, *s. f.* MED. electromeopatía.
electrometalurgia, *s. f.* electrometalurgia.
electrometria, *s. f.* FÍS. electrometría.
electrómetro, *s. m.* FÍS. electrómetro.
electromotor, *adj. e s. m.* FÍS. electromotor.
electromotriz, *adj. f.* electromotriz.
electronegativo, *adj.* FÍS. electronegativo.
electrónico, *adj.* electrónico.
electropositivo, *adj.* FÍS. electropositivo.
electroquímica, *s. f.* FÍS./QUÍM. electroquímica.
electroquímico, *adj.* electroquímico.
electroscopia, *s. f.* FÍS. electroscopia.
electroscópico, *adj.* electroscópico.
electroscópio, *s. m.* FÍS. electroscopio.
electrossemáforo, *s. m.* electrosemáforo.
electrostática, *s. f.* electrostática.
electrostático, *adj.* electrostático.
electrotecnia, *s. f.* FÍS. electrotecnia.
electrotécnico, *adj.* electrotécnico.
electroterapêutica, *s. f.* MED. electroterapéutica.
electroterapia, *s. f.* electroterapia.
electrotermia, *s. f.* electrotermia.
electrotipia, *s. f.* electrotipia
electuário, *s. m.* electuario.
elefante, *s. m.* ZOOL. elefante.
elefantíaco, *adj.* elefancíaco.
elefantíase, *s. f.* MED. elefantíasis, elefancía.
elefântico, *adj.* elefantino.
elegância, *s. f.* elegancia; distinción; gracia; trapío; atildamiento; galanura; garbo; guapura.
elegante, *adj. 2 gén.* elegante; esbelto; guapo; lechuguino; pijo; distinguido; airoso; atildado; guaperas; guapetón.
eleger, *v. tr.* elegir; escoger; preferir; seleccionar.

elegia, *s. f.* elegía.

elegíaco, *adj.* elegíaco.

elegibilidade, *s. f.* elegibilidad.

elegível, *adj.* 2 *gén.* elegible.

eleição, *s. f.* elección; *pl.* elecciones; comicios.

eleito, *adj.* e *s. m.* electo, elegido, escogido.

eleitor, *s. m.* elector.

eleitorado, *s. m.* electorado.

eleitoral, *adj.* 2 *gén.* electoral; *fraude eleitoral,* pucherazo.

eleitoralismo, *s. m.* electoralismo.

eleitoralista, *adj.* 2 *gén.* electoralista; *(pej.)* electorero.

elementar, *adj.* 2 *gén.* elemental, rudimentario.

elementário, *adj.* vd. **elementar.**

elemento, *s. m.* elemento; dato; QUÍM. elemento; ambiente; medio.

elenco, *s. m.* elenco; catálogo; índice; lista; súmula.

elevação, *s. m.* elevación; altura; alteza; encumbramiento; aumento; descuello; *(fig.)* nobleza; distinción.

elevado, *adj.* elevado; eminente; extremo; subido.

elevador, *adj.* e *s. m.* elevador; ascensor.

elevar, *v.* **1.** *tr.* elevar; alzar; aumentar; aventajar; encumbrar; levantar; promover; subir; edificar. **2.** *refl.* ascender.

elidir, *v. tr.* elidir; suprimir; eliminar; omitir.

eliminação, *s. f.* eliminación; supresión; omisión.

eliminador, *adj.* e *s. m.* eliminador.

eliminar, *v. tr.* eliminar; exterminar; descartar; suprimir; excluir; tachar.

eliminatória, *s. f.* eliminatoria.

eliminatório, *adj.* eliminatorio.

elipse, *s. f.* elipsis, elipse.

elipsógrafo, *s. m.* elipsógrafo.

elipsoidal, *adj.* 2 *gén.* elipsoidal.

elipsóide, *s. m.* elipsoide.

elíptico, *adj.* elíptico.

elisão, *s. f.* elisión; supresión.

elite, *s. f.* élite.

elitismo, *s. m.* elitismo.

elitista, *adj.* 2 *gén.* elitista.

élitro, *s. m.* ZOOL. élitro.

elixir, *s. m.* elixir, elíxir.

elmo, *s. m.* elmo; yelmo; almete; celada.

elo, *s. m.* aro; argolla de cadena, eslabón.

elocução, *s. f.* elocución, estilo.

elogiador, *adj.* elogiador.

elogiar, *v. tr.* elogiar; alabar; loar; encaramar; ensalzar.

elogio, *s. m.* elogio; alabanza; loor; encomio; alabamiento; ensalzamiento; coba.

elogioso, *adj.* elogioso.

elogista, *s.* 2 *gén.* elogista.

elongação, *s. f.* elongación.

eloquência, *s. f.* elocuencia; facundia; oratoria; *(fig.)* tribuna.

eloquente, *adj.* 2 *gén.* elocuente; decidor; diserto; facundo.

elucidação, *s. f.* elucidación.

elucidar, *v. tr.* elucidar; dilucidar; aclarar, esclarecer; comentar; ilustrar.

elucidário, *s. m.* elucidario; comentario.

elucidativo, *adj.* elucidativo; explicativo.

elucubração, *s. f.* elucubración.

eludir, *v. tr.* eludir.

elusivo, *adj.* elusivo.

elzevir, *s. m.* elzevirio.

em, *prep.* en.

ema, *s. f.* emú.

emaçar, *v. tr.* empaquetar.

emaciação, *s. f.* MED. emaciación.

emaciado, *adj.* emaciado.

emaciar, *v. tr.* e *intr.* enmagrecer.

emadeiramento, *s. m.* enmaderamiento.

emadeirar, *v. tr.* enmaderar.

emadeixar, *v. tr.* enmadejar; entrenzar el cabello.

emagotar, *v. tr.* agrupar; amontonar.

emagrecer, *v. tr.* e *intr.* enmagrecer; adelgazar; ahilarse; demacrarse; desengrasar; enflaquecer.

emagrecimento, *s. m.* enmagrecimiento; adelgazamiento; afilamiento; demacración; desnutrición; enflaquecimiento; flaqueza.

emalar, *v. tr.* embaular.

emalhar, *v. tr.* e *intr.* enmallar.

emalhetar, *v. tr.* ensamblar; machiembrar.

emanação, *s. f.* emanación; efluvio.

emanador, *adj.* 2 *gén.* emanante, emanador.

emanante, *adj.* emanador.

emanar, *v. intr.* emanar; proceder; nacer; brotar.

emancipação, *s. f.* emancipación; independencia; liberación.

emancipado, *adj.* emancipado; independiente; libre.

emancipar, *v. tr.* emancipar; liberar.
emanquecer, *v. tr.* cojear.
emantar, *v. tr.* enmantar, cubrir con manta.
emaranhado, *adj.* rebujado.
emaranhamento, *s. m.* enmarañamiento; maraña.
emaranhar, *v. tr.* enmarañar; enredar.
emasculação, *s. f.* emasculación.
emascular, *s. f.* emascular.
emassar, *v. intr.* amasar; empastar.
emastrear, *v. tr.* NÁUT. vd. **mastrear.**
embaçadela, *s. f.* estafa, engaño, timo.
embaçado, *adj.* pálido; engañado; avergonzado.
embaçar, *v.* 1. *tr.* embazar; empañar; deslucir; dejar admirado. 2. *intr.* confundirse.
embacelar, *v. tr.* plantar vides en.
embaciado, *adj.* embazado, mate.
embaciar, *v. tr.* e *intr.* embazar; empañar; deslustrar; engañar; avergonzar.
embaidor, *adj.* e *s. m.* embaidor; embustero; seductor.
embaimento, *s. m.* embaimiento; impostura; seducción.
embainhar, *v. tr.* embastillar; dobladillar; (*espada*) envainar; enfundar.
embair, *v. tr.* embair; embelesar; seducir.
embaixada, *s. f.* embajada; (*fig.*) mensaje; comisión.
embaixador, *s. m.* embajador; emisario.
embaixatriz, *s. f.* embajadora, embajatriz.
embaladeira, *s. f.* empacadora; *pl.* piezas curvas en la cuna.
embalador, *s. m.* embalador.
embalagem, *s. f.* embalaje; empaque; paquetería; tara.
embalançar, *v. tr.* balancear, oscilar, mecer.
embalar, *v. tr.* acunar; mecer; embair, encantar; arrullar; brizar; embalar, empaquetar, empacar, enfardar; embalar, ganar velocidad.
embalçar, *v. tr.* e *intr.* embreñar; emboscarse.
embalo, *s. m.* balanceo; cuneo; mecedura; arrullo.
embalsamação, *s. f.* embalsamación.
embalsamador, *adj.* embalsamador.
embalsamamento, *s. m.* embalsamamiento; embalsamación.
embalsamar, *s. f.* embalsamar.
embalsamento, *s. m.* embalsamiento.

embalsar, *v. tr.* embalsar.
embandeiramento, *s. m.* abanderamiento; empavesado.
embandeirar, *v. tr.* abanderar; empavesar.
embaraçado, *adj.* embarazado; avergonzado; azarado; (*grávida*) encinta.
embaraçador, *adj.* embarazador.
embaraçar, *v.* 1. *tr.* embarazar; avergonzar; impedir; obstruir; empachar; intrincar; complicar; estorbar; azarar. 2. *refl.* atarugarse; atramparse.
embaraço, *s. m.* embarazo; obstáculo; dificultad; impedimento; empacho; engorro; lacha; quite; azaramiento; pejigoera; (*fig.*) barrera; bochorno.
embaraçoso, *adj.* embarazoso; dificultoso; engorroso.
embaralhação, *s. f.* vd. **baralhada.**
embarcação, *s. f.* embarcación; barco; buque; navío; bastimento.
embarcadiço, *adj.* e *s. m.* marinero que, o el que acostumbra a ir embarcado.
embarcadoiro, *s. m.* embarcadero.
embarcador, *s. m.* embarcador.
embarcamento, *s. m.* embarque; embarco; embarcadero.
embarcar, *v.* 1. *tr.* embarcar. 2. *intr.* embarcarse.
embargador, *adj.* e *s. m.* embargador.
embargamento, *s. m.* embargamiento; embargo.
embargante, *adj.* 2 gén. embargante.
embargar, *v. tr.* embargar; impedir; embarazar; dificultar.
embargo, *s. m.* embargo; impedimento; obstáculo; requisa.
embarque, *s. m.* embarque; embarco; embarcadero.
embarrador, *adj.* embarrador.
embarrancar, *v.* 1. *tr.* embarrancar. 2. *intr.* encallar, varar. 3. *refl.* atascarse.
embarrar, *v. tr.* embarrar, manchar o untar con barro; rebocar; (*fam.*) tocar levemente; rozar.
embarreirar, *v. tr.* meter en barrera.
embarrelar, *v. tr.* colar, meter en lejía.
embarricar, *v. tr.* embarricar.
embarrilado, *adj.* embarrilado.
embarrilagem, *s. f.* embarrilamiento.
embarrilar, *v. tr.* embarrilar.
embasbacado, *adj.* embobado, pasmado.
embasbacamento, *s. m.* anonadamiento; anonadación.

embasbacar, *v.* **1.** *tr.* embobar; embazar; pasmar; anonadar. **2.** *intr.* quedar pasmado.

embastar, *v.* *tr.* embastar; acolchonar; hilvanar.

embastecer, *v.* *tr.* embastecer; embarnecer, engrosar.

embate, *s. m.* embate; encuentro; choque; encontrón; abarramiento; chischás; topetada; topetón; *(fig.)* oposición; resistencia.

embater, *v.* *tr.* chocar; topar; topetar.

embatocar, *v.* *tr.* espitar; taponar.

embatucar, *v.* **1.** *tr.* confundir; hacer callar. **2.** *intr.* callarse; embarbascarse.

embaular, *v.* *tr.* embaular.

embebedar, *v.* **1.** *tr.* emborrachar, embriagar. **2.** *refl.* emborracharse; *(fig.)* ahumarse; ajumarse.

embeber, *v.* **1.** *tr.* embeber; empapar; remojar; ensopar; impregnar; recalar; infiltrar. **2.** *refl.* embeberse; enfrascarse; *(fig.)* embebecerse.

embebição, *s. f.* embebimiento.

embebido, *adj.* embebido, empapado; enfrascado; *(fig.)* embebecido.

embeiçado, *adj.* *(fam.)* apasionado; amartelado; *(fig.)* derretido.

embeiçamento, *s. m.* embeleso; embebecimiento.

embeiçar, *v.* **1.** *tr.* *(fam.)* encantar, cautivar. **2.** *refl.* empicarse.

embelecador, *adj.* embelecador; embaucador; seductor.

embelecar, *v.* *tr.* embelecar; embaucar; seducir.

embelecer, *v.* *tr.* embellecer, embelesar; hermosear.

embeleco, *s. m.* embeleco, engaño, embuste.

embelezamento, *s. m.* embellecimiento; embeleso.

embelezar, *v.* *tr.* embellecer, hermosear; adornar.

embelgar, *v.* *tr.* amelgar.

embevecer, *v.* *tr.* embebecer, embelesar, cautivar; embobar.

embevecido, *adj.* embebecido; embobado.

embevecimento, *s. m.* embobamiento.

embezerrar, *v.* *intr.* *(fam.)* enfurruñar; obstinarse; emberrincharse.

embicar, *v.* *tr.* dar forma de pico a alguna cosa; implicar.

embirração, *s. f.* capricho; terquedad; obstinación.

embirrante, *adj.* 2 *gén.* terco, tozudo.

embirrar, *v.* *tr.* obstinar, terquear; implicar.

embirrento, *adj.* obstinado, terco; antipático.

emblema, *s. m.* emblema; símbolo; divisa.

emblemático, *adj.* emblemático.

emboçador, *adj.* revocador, blanqueador.

embocadura, *s. f.* embocadura; bocacalle; bocana; MÚS. boquilla; *pôr embocadura em,* aboquillar.

emboçamento, *s. m.* revoque.

embocar, *v.* *tr.* embocar; abocar.

emboçar, *v.* *tr.* revocar (paredes).

emboço, *s. m.* revoque de una pared.

embodalhar, *v.* *tr.* emporcar, ensuciar.

embodegar, *v.* *tr. vd.* **embodalhar.**

embófia, *s. f.* impostura; baladronada; soberbia, vanidad.

embolar, *v.* *tr.* embolar (los toros) .

embolia, *s. f.* MED. embolia.

embolismal, *adj.* 2 *gén.* embolismal.

embolísmico, *adj. vd.* **embolismal.**

embolismo, *s. m.* embolismo.

êmbolo, *s. m.* émbolo; pistón.

embolorecer, *v. intr.* amohecer.

embolsar, *v.* *tr.* embolsar, meter en la bolsa; recibir; pagar a.

embolso, *s. m.* embolso; pago.

embonecar-se, *v. refl.* emperijilarse; emperifollarse.

embora, **I.** *conj.* aunque; aun mismo; no obstante; sin embargo; quando. **II.** *interj.* ¡no importa!; hala!. **III.** *s. m. pl.* felicitaciones.

emborcação, *s. f.* embrocación.

emborcar, *v.* *tr.* embrocar; volcar; *(fam.)* beber con avidez.

emborrachar, *v.* *tr.* emborrachar, embriagar.

emborrar, *v.* *tr.* emborrar.

emborrascar-se, *v. refl.* emborrascarse.

emboscada, *s. f.* emboscada; trampa; armadilla; traición; *(fig.)* celada.

emboscar, *v.* *tr.* emboscar; esconder.

embostar, *v.* *tr.* embostar, emboñigar.

embostelar, *v.* *tr.* llenar de pústulas; *(fig.)* ensuciar.

embotado, *adj.* embotado.

embotador, *adj.* embotador.

embotamento, s. m. embotadura.

embotar, v. tr. embotar; entorpecer.

embraçadura, s. f. embrague.

embraiagem, s. f. embrague.

embraiar, v. tr. embragar.

embrandecer, v. tr. emblandecer, ablandar.

embranquecer, v. tr. emblanquecer, blanquear.

embravecer, v. tr. e intr. embravar, embravecer; enfurecer.

embravecimento, s. m. embravecimiento; furor; furia; irritación.

embreadura, s. f. embreadura.

embrear, v. tr. embrear; brear; alquitranar.

embrechado, s. m. incrustaciones de conchas, fragmentos de vidrios, etc., con que se adornan paredes.

embrenhar, v. tr. embreñar; esconder entre breñas.

embriagado, adj. embriagado, ebrio, borracho; (fam.) piripi; (fig.) extasiado.

embriagador, adj. embriagador.

embriagar, v. 1. tr. embriagar; emborrachar. 2. refl. embriagarse; emborracharse; chisparse; marearse.

embriaguez, s. f. embriaguez; borrachera; crápula; ebriedad.

embrião, s. m. embrión; feto; gérmen.

embridar, I. v. tr. embridar. II. intr. e refl. levantar bien la cabeça (los caballos).

embriogenista, s. 2 gén. embriogenista.

embriogenia, s. f. embriogenia.

embriogénico, adj. embriogénico.

embriologia, s. f. embriología.

embrionário, adj. embrionario.

embrulhada, s. f. embrollo, confusión; mareo; desorden; revoltijo; revoltillo; enredo; maraña; ilío.

embrulhado, adj. arrollador; embrollado; faleoso.

embrulhador, adj. e s. m. embrollador; embustero.

embrulhar, v. tr. empaquetar, envolver, entardar, embalar; empapelar; involucrar; (fig.) complicar, embrollar; mezclar.

embrulho, s. m. paquete, atadijo; farda; lío; envoltorio; embrollo; confusión; desorden.

embrutecedor, adj. embrutecedor.

embrutecer, v. tr. embrutecer.

embrutecimento, s. m. embrutecimiento.

embruxar, v. tr. embrujar; hechizar; encantar; seducir.

embuçar, v. tr. embozar, rebozar; disfrazar; encubrir.

embuchar, v. tr. embuchar; aliburrar.

embuço, s. m. embozo; tapujo; (fig.) disfraz.

emburrar, v. 1. tr. embrutecer. 2. intr. e refl. abestiarse.

embuste, s. m. embuste; mentira; ardid; camuma; impostura; superchería; trapala.

embustear, v. tr. embustear, mentir; falsear.

embusteiro, adj. e s. m. embustero, tramposo; aranero; hipócrita impostor; sacamuelas.

embutido, adj. e s. m. embutido; empotrado; calado; incrustación; chacina; fazer embutidos, calar.

embutidor, adj. embutidor.

embutidura, s. f. embutido.

embutir, v. tr. embutir; entallar; incrustar; marquetear; encajar; ensamblar; acoplar; empotrar.

emenda s. f. enmienda, corrección; remiendo; remedio; regeneración; castigo.

emendar, v. tr. enmendar; corregir, modificar; reformar; subsanar.

emendável, adj. 2 gén. enmendable.

ementa, s. f. resumen; apunte; memoria; sumario; menú.

ementar, v. tr. ementar, apuntar, mencionar.

ementário, s. m. agenda.

emergência, s. f. emergencia; urgencia; ocurrencia.

emergente, adj. 2 gén. emergente.

emergir, v. intr. emerger, sobresalir; asom; aflorar.

emérito, adj. emérito.

emersão, s. f. emersión.

emético, adj. e s. m. emético.

emetizar, v. tr. emetizar.

emigração, s. f. emigración; éxodo; migración.

emigrado, adj. e s. m. emigrado.

emigrante, adj. e s. 2 gén. emigrante.

emigrar, v. intr. emigrar; (aves) portearse.

emigratório, s. m. emigratorio.

eminência, s. f. eminencia, altura; alteza; excelencia.

eminente, adj. 2 gén. eminente, alto, superior; excelso; excelente; eximio; insigne; encumbrado.

eminentíssimo, *adj.* eminentísimo.

emir, *s. m.* emir, amir.

emirado, *s. m.* emirato.

emirato, *s. m.* emirato.

emissão, *s. f.* emisión.

emissário, *adj. e s. m.* emisario; mensajero.

emissivo, *adj.* emisivo.

emissor, *adj. e s. m.* emisor; hablante.

emissora, *s. f.* emisor; emisora.

emitir, *v. tr.* emitir.

emoção, *s. f.* emoción, agitación, congoja; pasión; sensación.

emocionado, *adj.* emocionado.

emocionar, *v. tr.* emocionar; conmocionar; inmutar; comover.

emoldurar, *v. tr.* encuadrar.

emoliente, *adj. 2 gén. e s. m.* MED. emoliente.

emolir, *v. tr.* MED. enmollecer, ablandar.

emolumento, *s. m.* emolumento.

emotividade, *s. f.* emotividad.

emotivo, *adj.* emotivo.

emouquecer, *v. tr. e intr.* vd. **ensurdecer**.

empa, *s. f.* rodrigón.

empachado, *adj.* empachado, indigesto; obstruido.

empachamento, *s. m.* empacho.

empachar, *v. tr.* empachar, ahitar, causar indigestión; embarazar; obstruir.

empacho, *s. m.* empacho.

empachoso, *adj.* empachoso.

empacotado, *adj.* empaquetado; envasado.

empacotador, *adj. e s. m.* empaquetador.

empacotamento, *s. m.* empaquetadura; envasado; paquetería.

empacotar, *v. tr.* empaquetar; envasar; embalar; empacar; enfardar.

empada, *s. f.* empanada.

empadão, *s. m.* pastelón.

empáfia, *s. f.* altivez, vanidad, soberbia.

empalação, *s. f.* empalamiento.

empalamado, *adj.* cubierto de emplastos, emplastado; achacoso.

empalar, *v. tr.* empalar.

empalhação, *s. f.* empaje.

empalhador, *s. m.* empajador.

empalhar, *v. tr.* empajar; (*fig.*) demorar; entretener.

empalidecer, *v. intr.* empalidecer; palidecer; demudarse.

empalmação, *s. f.* hurto; escamoteamiento.

empalmador, *adj. e s. m.* escamoteador.

empalmar, *v. tr.* escamotear; empalmar; (*fig.*) robar.

empanada, *s. f.* vd. **empada**.

empanar, *v. tr.* empañar; deslustrar.

empandeirar, *v. tr.* NÁUT. hinchar las velas; (*fig.*) enviar para lejos.

empantanar, *v. tr.* empantanar; apantanar; encharcar; alagar.

empanturrado, *adj.* empapuciado; empachado.

empanturramento, *s. m.* empanturramiento.

empanturrar, *v. tr. e refl.* empapuciar; hartar; zampar; empachar; encharcar; saciar.

empanzinar, *v. tr.* empachar, empapuciar; hartar, ahitar, saciar.

empapado, *adj.* empapado.

empapar, *v. tr.* empapar, embeber; ensopar; remojar.

empapelado, *adj.* empapelado.

empapelamento, *s. m.* empapelamiento.

empapelar, *v. tr.* empapelar.

empar, *v. tr.* rodrigar; amorillar.

emparceirar, *v. tr.* emparejar; asociar; (*fig.*) igualar.

emparedamento, *s. m.* emparedamiento.

emparedar, *v. tr.* emparedar, encerrar entre paredes; clausurar.

emparelhamento, *s. m.* emparejadura.

emparelhar, *v. tr.* emparejar, aparear; unir; igualar; asociar; (*cavalos, bois*) amadrinar.

emparreirar, *v. tr.* emparrar.

emparvoamento, *s. m.* alelamiento.

emparvecer, *v. tr. e intr.* entontecer, atontar; alelar.

emparvoecer, *v. tr. e intr.* vd. **emparvecer**.

empastamento, *s. m.* empaste.

empastar, *v. tr.* empastar, reducir a pasta; ligar con pasta; encuadernar; PINT. empastar.

empaste, *s. m.* empaste.

empastelar, *v. tr.* empastelar.

empatar, *v. tr.* empatar, igualar; impedir, estorbar, embargar.

empate, *s. m.* empate; igualdad de votos o de puntos.

empatia, *s. f.* empatia.

empavesamento, *s. m.* empavesado.

empavesar, v. tr. NÁUT. empavesar; engalanar.

empavoar, v. tr. e refl. pavonear, ensoberbecer.

empavonar, v. tr. e refl. vd. **empavonar**.

empeçar, v. tr. embarazar, enredar, dificultar.

empecer, v. tr. e intr. empecer, estorbar; impedir.

empecilho, s. m. obstáculo; estorbo; dificultad; chisme; pijequera; (fig.) paquete.

empecimento, s. m. impedimiento; estorbo.

empeçonhar, v. tr. emponzoñar; envenenar.

empedernido, adj. empedernido; endurecido.

empedernir, v. tr. e intr. empedernir, endurecer; empedernecer.

empedrado, adj. e s. m. empedrado; adoquinado; enguijarrado.

empedrador, s. m. empedrador.

empedramento, s. m. empedramiento.

empedrar, v. 1. tr. empedrar; pavimentar; adoquinar; enchinar. 2. intr. empedernirse.

empegar, v. tr. meter en el pozo de un río.

empena, s. f. sustentante, cada una de las partes laterales de un edificio; alabeo de la madera cuando es verde.

empenachar, v. tr. empenachar.

empenado, adj. abarquillado.

empenamento, s. m. abarquillamiento; alabeo; comba; combadura.

empenar, v. tr. e intr. alabear, torcer; combar; emplumar.

empenha, s. m. material de cuero para un zapato; remiendo lateral de un zapato.

empenhador, adj. e s. m. empeñador.

empenhamento, s. m. empeñamiento; empeño; hipoteca.

empenhar, v. 1. tr. empeñar; comprometer; interesar; obligar; prendar. 2. refl. diligenciar, interesarse; endeudarse.

empenho, s. m. empeño; ahínco; encarecimiento; interés; protección; promesa; obligación; ardor, lesón.

empenhoca, s. f. recomendación.

empenhorar, v. tr. empeñar.

empeno, s. m. alabeo, abarquillamiento; comba, combaduta; obstáculo.

emperlar, v. tr. emperlar.

emperramento, s. m. dificultad de moverse; (fig.) emperramiento, obstinación.

emperrar, v. 1. tr. causar dificultad en el movimiento; atorar. 2. intr. emperrarse; encasquillarse.

empertigado, adj. aplomado; tieso; vanidoso; fatuo.

empertigar, v. tr. e refl. empinar, atiesar; enfatuar.

empesgar, v. tr. empecinar; apretar; apiolar.

empestado, adj. empestado, apestado.

empestar, v. tr. empestar, apestar; infectar; infestar.

empezar, v. tr. empecinar.

empicotar, v. tr. empicotar; encumbrar.

empiema, s. m. empiema.

empilhamento, s. m. empilamiento, apilamiento; dopiñamiento; hacinamiento.

empilhar, v. tr. empilar, apilar, amontonar; apiñar; hacinar.

empinado, adj. empinado.

empinar, v. tr. empinar; (estudo) empollar.

empino, s. m. empino; encumbramiento.

empiorar, v. tr. empeorar.

empíreo, s. m. empíreo.

empireuma, s. m. QUÍM. empireuma.

empireumático, adj. QUÍM. empireumático.

empírico, adj. empírico.

empirismo, s. m. empirismo.

empirista, s. 2 gén. empírico.

empiteirar, v. tr. e refl. embriagar.

emplasmado, adj. emplastado, cubierto de emplastos; achacoso.

emplasmar, v. tr. emplastar.

emplastar, v. tr. vd. **emplastrar**.

emplasto, s. m. vd. **emplastro**.

emplastração, s. f. emplastación.

emplastrado, adj. emplastado.

emplastramento, s. m. emplastamiento.

emplastrar, v. tr. emplastar.

emplastro, s. m. emplasto; parche; pegote.

emplumar, v. 1. tr. emplumar. 2. intr. emplumar, emplumecer.

empoado, adj. empolvado.

empoamento, s. m. empolvamiento.

empoar, v. tr. empolvar, empolvorizar; espolvorecer; jalbegar.

empobrecer, v. 1. tr. empobrecer; arruinar. 2. intr. caer en la pobreza.

empobrecimento, s. m. empobrecimiento.

empoçar, *v. tr.* empozar; *(linho)* arriazar.

empocilgar, *v. tr.* meter en pocilga; acorralar.

empoeirado, *adj.* empolvado, polvoriento; polvoroso.

empoeirar, *v. tr.* empolvar, empolvorizar.

empola, *s. f.* ampolla, vejiga en la piel; haba.

empolado, *adj.* cubierto de ampollas; hinchado; empollado; encrespado, el mar; *(fig.)* pomposo; afectado; ampuloso; enfático; engolado.

empolar, *v. tr.* ampollar.

empoleirar, *v.* **1.** *tr.* poner en el aseladero; encaramar. **2.** *refl.* elevarse, ensoberbecerse.

empolgante, *adj. 2 gén.* que arrebata; emocionante.

empolgar, *v. tr.* agarrar; apresar; asegurar; asir; entusiasmar.

emporcalhar, *v. tr.* emporcar, ensuciar.

empório, *s. m.* emporio.

empossar, *v.* **1.** *tr.* posesionar; investir. **2.** *refl.* apoderarse.

emprazado, *adj.* e *s. m.* emplazador.

emprazamento, *s. m.* emplazamiento; aplazamiento.

emprazar, *v. tr.* emplazar, aplazar; citar, intimar.

empreendedor, *adj.* e *s. m.* emprendedor.

empreender, *v. tr.* emprender; intentar; decidir.

empregada, *s. f.* doncella; moza.

empregado, **I.** *s. m.* empleado. **II.** *adj.* empleado; aplicado; ocupado; colocado.

empregar, *v. tr.* emplear; usar, utilizar.

emprego, *s. m.* empleo; cargo; puesto; lugar; aplicación; uso; función; colocación; acomodo.

empreita, *s. f.* tejido de esparto o junco; chincha.

empreitada, *s. f.* destajo; contrata; tarea.

empreiteiro, *s. m.* contratista; destajista.

emprenhar, *v. tr.* empreñar.

empresa, *s. f.* empresa; intento, designio; *empresa naval,* naviera.

empresariado, *s. m.* empresariado.

empresarial, *adj. 2 gén.* empresarial.

empresário, *s. m.* empresario.

emprestado, *adj.* prestado.

emprestar, *v. tr.* prestar.

empréstimo, *s. m.* empréstito; cosa prestada; préstamo; prestación.

emproado, *adj.* aproado; orgulloso; altivo; insolente.

emproar, *v.* **1.** *intr.* NÁUT. aproar; abordar. **2.** *refl.* ensoberbecerse.

empubescer, *v. intr.* entrar en la pubertad; criar vello; crecer.

empulhar, *v. tr.* *(fam.)* empullar; bromear; chancear.

empunhadura, *s. f.* empuñadura.

empunhar, *v. tr.* empuñar; *(fam.)* apuñar.

empurrão, *s. m.* empujón; empuje; empellón; encontrón.

empurrar, *v. tr.* empujar, empellar; empeller; impeler; achuchar; *(com o peito)* apechugar; atropellar.

empuxão, *s. m.* empujón, empuje; sacudida.

empuxar, *v. tr.* repeler, impeler; empujar.

emudecer, *v.* **1.** *tr.* enmudecer. **2.** *intr.* quedar mudo.

emudecimento, *s. m.* enmudecimiento.

emulação, *s. f.* emulación; rivalidad; envidia.

emular, *v. intr.* emular; rivalizar; competir; imitar.

emulgente, *adj. 2 gén.* emulgente.

émulo, *adj.* e *s. m.* émulo; competidor.

emulsão, *s. f.* emulsión.

emulsionar, *v. tr.* emulsionar.

emulsivo, *adj.* emulsivo.

emundação, *s. f.* emundación; limpieza; purificación.

emundar, *v. tr.* purificar; limpiar.

emurchecer, *v. tr.* e *intr.* mustiar; marchitar; enmustiar; alimonarse.

enágua, *s. f.* enagua.

enaipar, *v. tr.* arrinflar.

enálage, *s. f.* enálage.

enaltecer, *v. tr.* enaltecer; elevar; ensalzar.

enamorado, *adj.* enamorado; apasionado; amartelado; derretido.

enamorar, *v. tr.* e *refl.* enamorar, apasionar, encantar, hechizar; apasionar; amartelar; encalabrinarse.

enastrar, *v. tr.* encintar; entrelazar; entrenzar.

enatar, *v. tr.* cubrir con nata o *nateiro.*

encabar, *v. tr.* encabar, enmangar; enastar.

encabeçar, *v.* **1.** *tr.* encabezar; acrecentar; acaudillar. **2.** *intr.* confinar.

encabelado, *adj.* encabellado.

encabelar, *v. intr.* encabellar, encabellecer.

encabrestamento, s. m. encabestramiento.

encabrestar, v. tr. encabestrar; cabestrar; subyugar.

encabritar-se, v. refl. encabritarse; trepar; empinar-se.

encadeamento, s. m. encadenamiento.

encadear, v. tr. encadenar; encarcelar; unir; concatenar; engarzar.

encadernação, s. f. encuadernación; (fig.) vestuario.

encadernador, s. m. encuadernador.

encadernar, v. tr. encuadernar; (fig.) vestir con traje nuevo.

encafuar, v. tr. meter en cueva; ocultar.

encaixado, adj. encajado; enchufado.

encaixar, v. tr. encajar; ensamblar; embutir; ajustar; enchufado.

encaixe, s. m. encajadura, encaje; juntura; enchufe; muesca; ranura.

encaixilhar, v. tr. encuadrar.

encaixotamento, s. m. encajonamiento.

encaixotar, v. tr. encajonar; embalar; empacar.

encalacração, s. f. embarazo, empresa perjudicial; dificultad o vicio.

encalacrado, adj. pringado.

encalacrar, v. tr. e refl. encalfurnar; pringar; adeudarse; empeñarse.

encalço, s. m. pista, rastro.

encalecer, v. intr. encallecer, criar callos.

encalhação, s. f. vd. **encalhamento.**

encalhamento, s. m. encalladura.

encalhado, adj. callado; varado.

encalhar, v. **1.** tr. NÁUT. encallar; abarrancar. **2.** intr. NÁUT. varar; (fig.) encontrar obstáculo; parar.

encalhe, s. f. encallamiento; abarrancamiento.

encalho, s. m. encalladero.

encaliçar, v. tr. cubrir con una capa de argamasa.

encalir, v. tr. asar, herventar, hervir ligeramente.

encalistar, v. tr. e intr. causar mal agüero.

encalmadiço, adj. que se encalma fácilmente.

encalmar, v. tr. encalmar; calentar, causar calor a; causar calma.

encalvecer, v. intr. encalvecer, quedar calvo.

encamar, v. **1.** tr. disponer en tongadas o capas. **2.** intr. encamar, caer en cama.

encambar, v. tr. ensartar; entrenzar, enhilar.

encambulhar, v. tr. (fam.) ensartar, enhilar; enhebrar; trabar.

encame, s. m. guarida del jabalí.

encaminhador, adj. e s. m. encaminador.

encaminhamento, s. m. encaminamiento; canalización.

encaminhar, v. tr. encaminar; canalizar; encarrilar; aconsejar; conduzir.

encamisar, v. tr. encamizar.

encampação, s. f. casación; abolición; anulación de un acto.

encampar, v. tr. rescindir; anular; invalidar.

encanamento, s. m. canalización, cañería; encañado.

encanar, v. tr. encañar; encanalar, encanalizar; canalizar; entablillar; enyesar; encasar.

encanastrado, s. m. encanastado, entretejido o trenzado.

encanastrar, v. tr. encanastar; entrelazar; entrenzar; embanastrar.

encandeado, adj. encandilado.

encandear, v. tr. encandilar.

encandecer, v. tr. encandecer; enrojecer.

encanecer, v. intr. encanecer.

encanelar, v. tr. encanillar.

encangar, v. tr. enyugar, enyuntar, uncir.

encaniçar, v. tr. encañar, cubrir con cañas.

encantado, adj. encantado.

encantador, adj. encantador, que encanta; agradable; seductor; hechicero.

encantamento, s. m. encantamiento; seducción; hechizo.

encantar, v. tr. encantar; seducir; cautivar; hechizar; embebecer; magnetizar.

encanto, s. m. encanto, encantamiento; hechizo; embrujo; ensalmo, magia.

encantoar, v. tr. arrinconar.

encanudar, v. tr. encanudar; encañutar; abarquillar; encaracolar.

encanzinar, v. **1.** tr. irritar, enfadar; enfurecer. **2.** refl. obstinarse.

encapar, v. tr. encapar; envolver; revestir; enfundar.

encapelado, adj. encrespado, agitado (el mar); alterado.

encapelar-se, v. refl. encresparse; enfurecerse.

encapoeirar, v. tr. meter en el gallinero.

encapotado, adj. encapotado.

encapotar, *v. tr.* encapotar, cubrir con el capote; encapar; *(fig.)* disfrazar, esconder.

encaprichar-se, *v. refl.* encapricharse; empecinarse.

encapuchado, *adj.* encapuchado.

encapuzado, *adj.* encaperuzado; encapirotado; encapuchado.

encaracolado, *adj.* ensortijado; acaracolado; rizado.

encaracolar, *v. tr.* encaracolar, enroscar; enrollar; rizar.

encarado, *adj.* encarado.

encaramonar, *v. tr.* *(fam.)* entristecer enfoscar; compungir.

encarangar, *v.* **1.** *intr.* aterirse. **2.** *refl.* tullirse de frío; arrecirse.

encarapinhar, *v. tr.* caracolear, encrespar, rizar; hacer congelar.

encarapuçado, *v. tr.* encaperuzado, encapuchado.

encarar, *v. tr.* encarar; arrostrar; considerar, estudiar, analizar.

encarceração, *s. f.* vd. **encarceramento.**

encarceramento, *s. m.* encarcelación, encarcelamiento; prisión, reclusión.

encarcerar, *v. tr.* encarcelar; prender; acerrojar; *(fam.)* enchironar.

encardir, *v. tr.* ennegrecer, ensuciar; lavar mal.

encarecer, *v.* **1.** *tr.* encarecer, aumentar el precio de; *(fig.)* exagerar, abultar; alabar. **2.** *intr.* encarecerse.

encarecidamente, *adv.* encarecidamente.

encarecimento, *s. m.* encarecimiento.

encargo, *s. m.* encargo; cometido; ocupación; comisión; incumbencia; obligación.

encarnação, *s. f.* encarnación.

encarnado, *adj.* encarnado; escarlata; rubro; colorado.

encarnar, *v.* **1.** *tr.* encarnar, dar color de carne a; TEAT. representar, hacer de. **2.** *intr.* encarnar.

encarneirar, *v. intr. e refl.* aborregarse, el cielo; encresparse (el mar).

encarniçado, *adj.* encarnizado.

encarniçamento, *s. m.* encarnizamiento.

encarniçar, *v.* **1.** *tr.* encarnizar; excitar; azuzar. **2.** *refl.* encarnizarse.

encarquilhado, *adj.* arrugado; rugoso.

encarquilhar, *v. tr. e intr.* arrugar.

encarrancar, *v. tr. e intr.* mostrar mala cara; enfurruñarse.

encarrapitar, *v. tr.* encaramar, elevar.

encarrascar-se, *v. refl.* *(fam.)* emborracharse.

encarregado, *adj. e s. m.* encargado.

encarregar, *v. tr.* encargar, incumbir; cargar; cometer; comissionar; *encarregar-se de,* hacerse cargo de.

encarrego, *s. m.* encargo, ocupación; incumbencia.

encarreirar, *v. tr. e intr.* encarrilar, encaminar, dirigir.

encarretar, *v. tr.* poner en carreta.

encarrilar, *v. tr. e intr.* encarrilar.

encartar, *v.* **1.** *tr.* dar cargo o diploma de empleo privilegiado a. **2.** *intr.* encartar.

encartuchar, *v. tr.* encartuchar.

encarvoar, *v. tr.* ensuciar con carbón.

encasacar, *v. tr. e refl.* vestir o vestirse con frac.

encasquetar, *v. tr.* encasquetar.

encasquilhar, *v. tr.* plaquear, chapear; encasquillar.

encastelamento, *s. m.* encastillamiento.

encastelar, *v. tr.* encastillar; amontonar.

encastoamento, *s. m.* engaste, engarce.

encastoar, *v. tr.* engastar, encajar; engarzar.

encastrar, *v. tr.* encastrar.

encasular, *v. tr. e refl.* meter dentro del capullo o cápsula; aislarse.

encatarrado, *adj.* acatarrado.

encatarrar-se, *v. refl.* acatarrarse; constiparse.

encáustico, *adj.* encáustico.

encausto, *s. m.* encáustico.

encavacar, *v. intr.* enfurruñarse, enfadarse; avergonzarse.

encavar, *v. tr.* encajar; excavar.

encavilhar, *v. tr.* encabillar, meter cabillas en; enclavijar.

encefalalgia, *s. f.* MED. encefalalgia.

encefálico, *adj.* encefálico.

encefalite, *s. f.* encefalitis.

encéfalo, *s. m.* encéfalo.

encefalografia, *s. f.* encefalografía.

encefalograma, *s. m.* encefalograma.

enceleirar, *v. tr.* engranerar; amontonar; atesorar.

encenação, *s. f.* escenificación.

encenador, *adj. e s. m.* escenificador.

encenar, *v. tr.* escenificar, poner en escena.

encerado, *s. m.* encerado; hule; empavesada.

enceramento, *s. m.* enceramiento.

encerar, *v. tr.* encerar; alquitranar (lonas).

encerramento, *s. m.* encerramiento; cerramiento; cierre; clausura.

encerrar, *v. tr.* encerrar; contener; encuadrar; clausurar; rematar; resumir; comprender.

encerro, *s. m.* encierro.

encetar, *v. tr.* encetar; decentar; comenzar; empezar; estrenar.

encharcadiço, *adj.* encharcadizo.

encharcado, *adj.* encharcado; imojado; *ficar encharcado*, calarse.

encharcar, *v. tr.* encharcar; inundar; alagar; ahogar; apantanar.

enchedeira, *s. f.* embudo para hacer chorizos; embuchadora, choricera.

enchente, *s. f.* llenura, hartura, inundación; henchidura; abundancia grande; gran concurrencia; avenida.

encher, *v.* 1. *tr.* llenar; atestar; atracar; henchir, hinchar, saciar; abarrotar; atarugar; cubrir; ocupar; cargar; sobrellenar. 2. *intr.* e *refl.* llenarse, atiparse.

enchido, *s. m.* relleno; hombrera; chorizo; embuchado, embutido.

enchimento, *s. m.* relleno; henchidura.

enchouriçar, *v. tr.* dar forma de chorizo; encarnecer, engordar.

enchova, *s. f.* boquerón; haleche.

enchumaçar, *v. tr.* rellenar; henchir; tapizar; almohadillar; guatear.

encíclica, *s. f.* encíclica.

enciclopédia, *s. f.* enciclopedia.

enciclopédico, *adj.* enciclopédico.

enciclopedismo, *s. m.* enciclopedismo.

enciclopedista, *s. 2 gén.* enciclopedista.

encilhar, *v. tr.* encinchar; ensillar, aparejar.

encimado, *adj.* encimado; coronado; encimero.

encimar, *v. tr.* encimar, coronar; rematar; elevar; alzar.

encintar, *v. tr.* encintar; ceñir.

encinzar, *v. tr.* encenizar.

enciumado, *adj.* amartelado; encelado.

enciumar, *v. tr.* amartelar; encelar.

enclaustrar, *v. tr.* enclaustrar, enclausurar.

enclausurar, *v.* 1. *tr.* enclaustrar; prender. 2. *refl.* encerrarse, recogerse.

enclave, *s. m.* enclave.

enclavinhar *v. tr.* entrelazar.

enclítico, *adj.* enclítico.

encoberta, *s. f.* encubierta, escondrijo; abrigo; pretexto.

encoberto, *adj.* encubierto; disfrazado; oculto; disimulado; travestido.

encobrideira, *s. f.* encubridora.

encobridor, *adj.* e *s. m.* encubridor; (*fig.*) capa.

encobrimento, *s. m.* encubrimiento.

encobrir, *v. tr.* encubrir; ocultar; tapar; celar; receptar; disimular; asolapar.

encodeamento, *s. m.* encostramiento.

encodear, *v.* 1. *tr.* encostrar; cubrir de costras. 2. criar corteza.

encoifar, *v. tr.* poner cofia en.

encoimar, *v. tr.* multar.

encolamento, *s. m.* encolamiento; encoladura.

encolar, *v. tr.* encolar.

encoleirar, *v. tr.* acollarar.

encolerizar, *v. tr.* encolerizar, irritar mucho; amostazar; endemoniar.

encolha, *s. f.* encogimiento; timidez.

encolher, *v.* 1. *tr.* e *intr.* encoger, menguar; disminuir; decrecer. 2. *refl.* encogerse; encurrucarse; agacharse; aovillarse, ovillarse.

encolhido, *adj.* encogido, apocado, tímido.

encolhimento, *s. m.* encogimiento

encomenda, I. *s. f.* encomienda; encargo; incumbencia. II. *pl.* compras.

encomendação, *s. f.* encomienda; encargo; recomendación.

encomendado, *adj.* encomendado.

encomendar, *v. tr.* encomendar, encargar; confiar.

encomendeiro, *s. m.* encomendero; mandadero, recovero.

encomiar, *v. tr.* encomiar, alabar, elogiar.

encomiasta, *s. 2 gén.* encomiasta, panegirista.

encomiástico, *adj.* encomiástico; laudatorio.

encómio, *s. m.* encomio, alabanza; aplauso.

enconchar, *v. tr.* enconchar; aconchar, abrigar.

encontradiço, *adj.* encontradizo.

encontrado, *adj.* encontrado; opuesto; contrario.

encontrão, *s. m.* encontrón; encontronazo; manporro; trompazo; empujón; choque; colisión.

encontrar, *v.* 1. *tr.* encontrar, descubrir; hallar. 2. *refl.* avistarse.

encontro, *s. m.* encuentro; choque; avenida; disputa; compensación; *(namoro)* ligue; reunión, mitin.

encorajador, *adj.* alentador.

encorajar, *v. tr.* encorajar; alentar; envalentonar; vigorizar.

encordoação, *s. f.* encordadura.

encordoamento, *s. m.* vd. **encordoação**.

encordoar, *v.* 1. *tr.* encordar, poner cuerdas en; endurecer. 2. *intr.* desconfiar.

encorpado, *adj.* corpulento; consistente, grueso.

encorpadura, *s. f.* espesor; corpulencia; consistencia.

encorpar, *v. tr.* engruesar; encarnecer.

encorrear, *v. tr.* encorrear, ceñir y sujetar con correas.

encorrilhar, *v. tr. e intr.* arrugar.

encortelhar, *v. tr.* encorralar.

encortiçado, *adj.* acorchado.

encortiçar, *v.* 1. *tr.* encorchar. 2. *refl.* acorcharse.

encoscorar, *v. tr.* encrespar, rizar; arrugar; abarquillar.

encosta, *s. f.* cuesta; declive; ladera; vertiente; repecho.

encostadela, *s. f.* importunación para obtener dinero con habilidad.

encostar, *v.* 1. *tr.* arrimar, apoyar; acostar; reclinar. 2. *intr. e refl.* apoyarse a; atenerse.

encosto, *s. m.* sostén, apoyo; respaldar, respaldo; almohada; arrimo; arrimadero; *(fig.)* amparo.

encovado, *adj.* encovado; hondo, hundido (hablando de los ojos).

encovar, *v. tr.* encovar; esconder; enterrar; ocultar.

encravado, *adj.* enclavado; embutido; empotrado.

encravamento, *s. m.* enclavación.

encravar, *v.* 1. *tr.* enclavar, clavar; empotrar. 2. *intr.* atorar; encasquillarse.

encrave, *s. m.* enclave.

encravilhar, *v.* 1. *tr.* colocar en situación difícil. 2. *refl.* comprometerse.

encrespado, *adj.* encrespado; irizado; rizoso; irritado; NÁUT. agitado, encrespado.

encrespador, *adj.* encrespador.

encrespamento, *s. m.* encrespamiento.

encrespar, *v. tr.* encrespar; erizar; ensortijar; frisar.

encristado, *adj.* encrestado.

encristar-se, *v. refl.* encrestarse, levantar la cresta; *(fig.)* ensoberbecerse.

encrostar, *v. intr.* encostrar, formar costra.

encruado, *adj.* mal cocido, casi crudo; indigesto.

encruar, *v. tr. e intr.* encrudecer, encallecer; endurecer; *(fig.)* encruelecer, hacer cruel.

encruecer, *v. tr. e intr.* vd. **encruar**.

encruzar, *v. tr.* encruzar; atravesar; cruzar.

encruzilhada, *s. f.* encrucijada; cruce; cruzada.

encruzilhar, *v. tr.* encruzar; atravesar; cruzar.

encubar, *v. tr.* encubar.

encumear, *v. tr.* encumbrar.

encurralar, *v. tr.* encorralar, acorralar, acubilar.

encurtador, *adj. e s. m.* que encorta o acorta; abreviador; observador.

encurtamento, *s. m.* encortamiento, acortamiento.

encurtar, *v. tr.* encortar, acortar, disminuir; abreviar; atajar; cercenar; sincopar.

encurvado, *adj.* encorvado; gacho.

encurvamento, *s. m.* encorvadura; encorvamento; arqueamiento, curvatura.

encurvar, *v. tr.* encorvar; arquear; alabear.

endefluxar-se, *v. refl.* constiparse; acatarrarse.

endemia, *s. f.* endemia.

endemoninhado, *adj.* endemoniado, endiablado.

endemoninhar, *v. tr.* endemoniar, endiablar; espiritar.

endentação, *s. f.* endentamiento.

endentar, *v. tr.* endentar; encastrar; engranar.

endentecer, *v. intr.* endentecer.

endereçar, *v. tr.* enderezar; dirigir, dedicar.

endereço, *s. m.* enderezamiento, dirección; membrete.

endeusado, *adj.* endiosado; divinizado.

endeusamento, s. m. endiosamiento.

endeusar, v. **1**. tr. endiosar. **2**. refl. endiosarse, ensoberbecerse.

endiabrado adj. endemoniado; endiablado; travieso.

endiabrar, v. tr. endiablar.

endinheirado, adj. adinerado, acaudalado.

endireita, s. m. (fam.) algebrista, algébrico; curandero.

endireitar, v. tr. enderezar; acertar; desencorvar; erguir; (fig.) corregir; acertar.

endividamento, s. m. endeudamiento.

endividar, v. **1**. tr. endeudar, adeudar, cargar de deudas; empeñar. **2**. refl. endeusarse; entramparse.

endocárdio, s. m. (anat.) endocardio.

endocarpo, s. m. BOT. endocarpio.

endócrino, adj. endócrino.

endocrinologia, s. f. endocrinologia.

endocrinologista, s. 2 gén. endocrinólogo.

endogamia, s. f. endogamia.

endoidecer, v. tr. e intr. enloquecer; guillarse.

endoidecimento, s. m. enloquecimiento.

endomingado, adj. (fam.) endomingado.

endomingar-se, v. refl. endomingarse.

endoplasma, s. m. endoplasma.

endoscopia, s. f. endoscopia.

endoscópio, s. m. endoscópio.

endosfera, s. f. endosfera.

endosmómetro, adj. endosmómetro.

endosmose, s. f. FÍS. e FISIOL. endósmosis, ósmosis.

endossado, adj. endosado.

endossante, adj. e s. 2 gén. endosante.

endossar, v. tr. endosar.

endosso, s. m. endoso.

endotérmico, adj. endotérmico.

endovenoso, adj. endovenoso.

endrão, s. m. BOT. eneldo.

endro, s. m. vd. **endrão**.

endrómina, s. f. (fam.) andrómina, embuste, artimaña.

endurar, v. tr. endurecer.

endurecer, v. tr. endurecer; fortalecer; robustecer; emperdenir.

endurecido, adj. empedernido.

endurecimento, s. m. endurecimiento; fraguado.

eneagonal, adj. 2 gén. eneagonal, eneágono.

eneágono, s. m. eneágono.

enegrecer, v. tr. e intr. ennegrecer; ahumar; tiznar.

enegrecido, adj. ahumado; atezado; renegrido.

enegrecimento, s. m. ennegrecimiento.

éneo, adj. éneo.

energética, s. f. energética.

energético, adj. energético.

energia, s. f. energía; espíritu; vigor; actividad; tesón; fibra; nérvio; savia.

enérgico, adj. enérgico; activo; eficaz; intenso.

energúmeno, s. m. energúmeno.

enervação, s. f. MED. enervación; extenuación.

enervamento, s. m. enervación.

enervante, adj. 2 gén. enervante.

enervar, v. tr. enervar, debilitar; excitar los nervios a; irritar.

enésimo, adj. enésimo.

enevoado, adj. abromado; anubarrado.

enevoar, v. tr. aneblar, anublar, nublar, cubrir de niebla.

enfadadiço, adj. enfadadizo; cascarrabias.

enfadado, adj. aborrecido; aburrido; atufado.

enfadamento, s. m. enfado; aborrecimiento; aburrimiento.

enfadar, v. tr. e refl. enfadar; fastidiar; molestar; incomodar, importunar; disgustar; aborrecer; aburrir; atufar; chocar; enfurruñarse.

enfado, s. m. enfado; fastidio; enojo; atufo; enfurruñamiento.

enfadonho, adj. enfadoso; enojoso; chinchoso; fastidioso; aborrecido; importuno; sobón; molesto; pijotero; cargante; desapacible.

enfaixar, v. tr. fajar; vendar; (crianças) empañar; fajar.

enfardadeira, s. f. empacadora; agavilladora.

enfardador, adj. e s. m. enfardador, enfardelador; empaquetador.

enfardamento, s. m. enfardeladura; empaquetadura.

enfardar, v. tr. embalar; empacar; enfardar, empaquetar.

enfardelar, v. tr. enfardar.

enfarelar, v. tr. cubrir de salvado, mezclar con salvado.

enfarinhar, *v. tr.* enharinar; empolvar.

enfarpelado, *adj.* endomingado; emperejilado.

enfarpelar, *v. tr. e refl. (fam.)* vestir traje nuevo; endomingarse; emperejilarse; vestirse.

enfarrapar, *v. tr.* envolver en harapos vestir con harapos.

enfarruscar, *v. tr.* tiznar.

enfartado, *adj.* empapuciado; empapujado.

enfartamento, *s. m.* hartura; hartazgo; obstrucción; atracón; panzada.

enfartar, *v. tr.* hartar, llenar; empapuciar; empapujar; obstruir.

enfarte, *s. m.* infarto.

ênfase, *s. f.* énfasis.

enfastiado, *adj.* hastiado; desganado; fastidiado.

enfastiar, *v.* 1. *tr.* fastidiar, hastiar; empalagar; enfadar; desganar; aburrir; aborrecer. 2. *refl.* disgustarse; cansarse.

enfastioso, *adj.* hastiado, fastidioso.

enfático, *adj.* enfático; afectado; pomposo; tajante.

enfatizar, *v. tr.* enfatizar; subrayar; destacar.

enfatuado, *adj.* enfatuado, vanidoso; arrogante; hinchado.

enfatuar, *v. tr.* infaturar, engreír.

enfebrecer, I. *v. tr.* causar fiebre a. II. *intr.* adquirir fiebre.

enfeirar, *v. tr.* poner a la venta en la feria.

enfeitador, *adj. e s. m.* ornamentador.

enfeitar, *v.* 1. *tr.* adornar, exornar; hermosear, asear; empavesar; componer, ataviar; aderezar; adobar; aliñar. 2. *refl.* acicalarse.

enfeite, *s. m.* adorno, atavío, aderezo; arreo; ornamentación; perifollo; ringorrango.

enfeitiçar, *v. tr.* hechizar, embrujar, maleficiar; aojar; *(fig.)* encantar, seducir.

enfeixar, *v. tr.* hacinar; engavillar, agavillar; agarbillar; amanojar; enfardar.

enfermar, *v. intr.* enfermar, contraer enfermedad.

enfermaria, *s. f.* enfermería.

enfermeira, *s. f.* enfermera; practicante.

enfermeiro, *s. m.* enfermero; practicante.

enfermiço, *adj.* enfermizo; achacoso; enteco; pachucho.

enfermidade, *s. f.* enfermedad; morbo.

enfermo, *adj. e s. m.* enfermo.

enferrujado, *adj.* herrumbroso; roñoso; ruginoso.

enferrujar, *v. tr. e intr.* herrumbrar.

enfesta, *s. f.* cumbre; cima.

enfestar, *v. tr.* doblar por el medio a lo largo una pieza de tela.

enfeudado, *adj.* enfeudado; comprometido.

enfeudar, *v. tr.* enfeudar.

enfezado, *adj.* raquítico, enclenque; avergonzado.

enfezar, *v. tr.* encanijar, impedir el desarrollo de.

enfiada, *s. f.* fila; ringlera; hilera; serie; engarce; retahíla; ringlera; *(fig.)* rosario; *de enfiada*, de carrerilla.

enfiado, *adj.* enfilado; *(fig.)* trémulo, asustado.

enfiadura, *s. f.* hebra, trozo de hilo que se enhebra de una vez.

enfiamento *s. m.* enfilamiento; dirección rectilínea; engarce.

enfiar, *v.* 1. *tr.* enfilar, ensartar, engarzar; enhilar; enhebrar; vestir; calzar. 2. *intr.* turbarse.

enfileirar, *v. tr.* enfilar; alinear.

enfim, *adv.* en fin, finalmente.

enfisema, *s. m.* enfisema.

enfitar, *v. tr.* encintar.

enfiteuse, *s. f.* enfiteusis.

enfiteuta, *s. 2 gén.* enfiteuta.

enfitêutico, *adj.* enfitéutico.

enfivelar, *v. tr.* enhebillar.

enflorar, *v. tr. e intr.* enflorar, florear; florecer.

enflorescer, *v. intr.* florecer.

enfolar, *v. intr. e tr.* formar fuelle; hacer arrugas el vestido.

enfolhar, *v.* 1. *intr.* cubrirse de hojas. 2. *tr.* poner volantes a un vestido.

enforcado, *adj. e s. m.* enforcado, ahorcado.

enforcamento, *s. m.* ahorcamiento.

enforcar, *v. tr.* enforcar, enhorcar; ahorcar; estrangular.

enformar, *v. tr.* enhormar; ahormar.

enfornar, *v. tr.* enhornar; anhornar.

enfortir, *v. tr.* abatanar.

enfraquecer, *v. tr. e intr.* enflaquecer, debilitar; amortecer; amortiguar; flaquear; languidecer.

enfraquecido, *adj. (pessoa)* cascado.

enfraquecimento, s. m. enflaquecimiento; debilidad; anemia; astenia; atenuación.

enfrascar, v. tr. enfrascar.

enfreador, s. m. enfrenador; refrenador; domador.

enfreamento, s. m. enfrenamiento, refrenamiento.

enfrear, v. tr. enfrenar, refrenar; contener; domar; reprimir.

enfrentar, v. tr. enfrentar, afrontar, encarar; arrostrar.

enfriar, v. tr. enfriar.

enfronhado, adj. enfundado; (fig.) instruido.

enfronhar, v. tr. enfundar.

enfunar, v. tr. e intr. llenar, inflar, henchir.

enfurecer, v. 1. tr. enfurecer, embravecer, encrespar; irritar; ensañar. 2. refl. enfurecerse; amurriarse.

enfurecido, adj. furioso.

enfurecimento, s. m. enfurecimiento.

enfuscar, v. tr. obscurecer.

engaçar, v. tr. desterronar.

engaço, s. m. escobajo; rastrillo; aviento.

engaiolar, v. tr. enjaular.

engajado, adj. comprometido.

engajador, s. m. contratador, alistador; enganchador.

engajamento, s. m. contrato; alistamiento; enganchamiento.

engajar, v. tr. contratar, enganchar.

engalanado, adj. engalanado.

engalanar, v. tr. engalanar, adornar, ornamentar; empavesar.

engalfinhar, v. 1. tr. prender; agarrar; 2. refl. reñir, luchando cuerpo a cuerpo; envedijarse.

enganadiço, adj. engañadizo.

enganado, adj. engañado; equivocado.

enganador, adj. e s. m. engañador; embaucador; trapacero; petardista.

enganar, v. 1. tr. engañar; eludir; embaucar; embelecar; mangar; embromar; trampear; engaitar; escatimar; timar; lograr; birlar; bobear; camelar; camelear; seducir. 2. refl. enganarse; equivocarse.

enganável, adj. 2 gén. eludible.

enganchado, adj. enganchado.

enganchar, v. tr. enganchar.

engano, s. m. engaño; embuste; trápala; fraude; dolo; embeleco; timo; camelo; changüí; trola; equivocación; equívoco.

enganoso, adj. engañoso; ilusorio; escatimoso; falaz; retrechero.

engarrafado, adj. embotellado; envasado.

engarrafamento, s. m. embotellamiento; embotellado; envasado; (de trânsito) tapón.

engarrafar, v. tr. embotellar; envasar.

engarupar-se, v. refl. montar a la grupa.

engasgamento, s. m. atragantamiento.

engasgar, v. 1. tr. atragantar; sofocar, ahogar, estrangular. 2. refl. atarugarse; atragantarse.

engastador, adj. e s. m. engastador.

engastar, v. tr. engastar; embutir, engarzar.

engaste, s. m. engaste; engarce.

engatar, v. tr. engatillar; enganchar.

engate, s. m. enganche; grapa, laña; grapón; gatillo.

engatilhar, v. tr. engatillar (un arma de fuego); (fig.) apretar; preparar.

engatinhar, v. intr. gatear, andar a gatas.

engavelar, v. tr. engavillar, agavillar; agarbillar.

engazupar, v. tr. (fam.) engañar; engorgoritar.

engelha, s. f. arruga; pliegue; frunce.

engelhado, adj. arrugado; plegado; avellanado; chafado.

engelhar, v. tr. e intr. arrugar; abarquillar; marchita; chafar.

engendrar, v. tr. engendrar; generar; criar; (fig.) producir, inventar.

engenhar, v. tr. ingeniar; inventar, maquinar.

engenharia, s. f. ingeniería.

engenheiro, s. m. ingeniero.

engenho, s. m. ingenio; espíritu.

engenhoso, adj. ingenioso; chuzón.

engessamento, s. m. inyesado.

engessar, v. tr. inyesar; enhucir.

englobar, v. tr. englobar; reunir; incluir; juntar.

engodador, s. m. embaucador; engatusador.

engodar, v. tr. cebar (para atraer); engañar; entruchar; enlabiar; engatusar.

engodilhar, v. tr. llenar de grumo o nudos.

engodo, s. m. cebo; carnada; (fig.) artificio, engaño; adulación.

engoiado, adj. vd. **enfezado**.

engoiar-se, *v. refl.* debilitarse; enflaquecerse.

engolfado, *adj.* engolfado; enfrascado.

engolfar, *v. tr.* engolfar; *refl.* engolfarse, enfrascarse.

engolir, *v. tr.* engullir, tragar; deglutir; devorar; embocar; absorber; sorber; beber; creer.

engomadeira, *s. f.* planchadora.

engomadela, *s. f.* almidonamiento; planchado.

engomado, *adj.* engomado; almidonado.

engomagem, *s. f.* engomadura; almidonamiento; encolamiento (de los vinos).

engomar, *v. tr.* engomar; almidonar; planchar.

engonçar, *v. tr.* engoznar; asegurar; engranar.

engonço, *s. m.* gozne; articulación.

engorda, *s. f.* cebadura; engorde.

engordar, *v.* **1.** *tr.* engordar, engrosar; cebar, nutrir. **2.** *intr.* encarnecer; criar grasas; embastecer.

engordurar, *v. tr.* engrasar; ensebar; untar.

engraçado, *adj.* gracioso; bonito; jovial; agraciado; saleroso; chistoso.

engraçar, *v.* **1.** *tr.* dar gracia; hacer gracioso; realzar. **2.** *intr.* hacerse agradable; simpatizar.

engradar, *v. tr.* enrejar.

engrampar, *v. tr.* engrapar, sujetar con grapas; *(fig.)* engañar.

engramponar-se, *v. refl.* envanecerse, ensoberbecerse.

engrandecer, *v. tr.* engrandecer; encumbrar; exaltar; magnificar; dignificar; sublimar.

engrandecimento, *s. m.* engrandecimiento.

engranzar, *v. tr.* vd. **endentar.**

engravatado, *adj.* encorbatado *(fig.)* emperejilado.

engravatar-se, *v. refl.* encorbatarse; *(fig.)* emperejilarse; emperifollarse.

engravidar, *v.* **1.** *tr.* preñar, empreñar; embarazar. **2.** *intr.* quedar encinta, preñada.

engravidecer, *v. intr.* vd. **engravidar.**

engravitar-se, *v. refl.* engarabitarse, enderezarse.

engraxa, *s. m. (fam.)* vd. **engraxador.**

engraxadela, *s. f. (fig.)* adulación.

engraxador, *s. m.* limpiabotas; *(fig.)* cobista.

engraxar, *v. tr.* engrasar, limpiar, lustrar el calzado; *(fig.)* adular.

engrenagem, *s. f.* engranaje; engarce.

engrenar, *v. tr. e intr.* engranar; embragar; encastrar; endentar; engarzar.

engrimanço, *s. m.* discurso ininteligible.

engrimpar-se, *v. refl.* encumbrarse.

engrinaldar, *v. tr.* enguirnaldar, adornar con guirnaldas.

engripado, *adj.* atacado o enfermo con la gripe.

engripar, *v.* **1.** *tr.* causar gripe a. **2.** *intr. e refl.* enfermarse con la gripe.

engrolador, *adj. e s. m.* chapucero; embustero.

engrolar, *v. tr.* cocinar mal; *(fig.)* chapucear.

engrossar, *v.* **1.** *tr.* engrosar, engruesar; reforzar; adobar. **2.** *intr.* engordar.

engrumar, *v. tr. e intr.* vd. **grumar.**

engrumecer, *v. tr. e intr.* engrumecer; coagular.

enguia, *s. f.* ZOOL. anguila; *viveiro de enguias,* anguilera; *enguia jovem,* angula.

enguiçado, *adj.* debilitado; raquítico; azaroso.

enguiçador, *adj.* azaroso.

enguiçar, *v. tr.* desgraciar, causar desgracia; aojar; azarar.

enguiço, *s. m.* aojo, mal de ojo, mal agüero; azar.

engulhar, *v. tr. e refl.* nausear.

engulho, *s. m.* náusea, gana de vomitar.

engulosinar, *v. tr.* engolosinar.

enigma, *s. m.* enigma; misterio; acertijo; quisicosa; charada.

enigmático, *adj.* enigmático.

enjaular, *v. tr.* enjaular; prender.

enjeitado, *adj.* expósito; abandonado; cuncro; echadillo.

enjeitar, *v. tr.* abandonar; recusar; repudiar; exponer.

enjerido, *adj.* aterido de frío.

enjerir-se, *v. refl.* aterirse, tullirse, agarrotarse con frío.

enjoar, *v. tr. e intr.* nausear; aborrecer; hastiar; empalagar; *(fig.)* encabritarse; marearse.

enjoativo, *adj.* nauseativo; nsuseabundo; empalagoso.

enjoiar, *v. tr.* enjoyar.

enjoo, *s. m.* náusea; empalago; empalagamiento; mareo; asco; tedio; mareo.

enlaçamento, *s. m.* enlazamiento, enlace.

enlaçar, v. tr. enlazar; lacear; abrazar; enramar.

enlace, s. m. enlace; conexión; trabazón.

enladeirado, adj. que hace pendiente; inclinado.

enlaivar, v. tr. mancilar, ensuciar.

enlambuzar, v. tr. embadurnar.

enlameado, adj. embarrado; encenagado.

enlameadura, s. f. enlodadura.

enlamear, v. 1. tr. enlodar, enlodazar; embarrar; enfangar. 2. refl. alegamarse; encenagarse; enfangarse.

enlanguescer, v. intr. enlanguidecer.

enlapar, v. tr. ocultar, esconder.

enlatado, adj. enlatado; envasado.

enlatamento, s. m. envasado.

enlatar, v. tr. enlatar; envasar; emparrar.

enlear, v. tr. ligar, atar, enlazar; abrazar.

enleio, s. m. (fig.) duda; timidez; perplejidad; pasmo; confusión.

enlerdar, v. tr. enlerdar.

enlevado, adj. absorto.

enlevar, v. 1. tr. embelesar, extasiar; arrobar; embobar. 2. refl. extasiarse; trasportarse.

enlevo, s. m. embeleso; éxtasis; encanto; embobamiento; arrobamiento.

enliçar, v. tr. enlizar; engañar, intrigar.

enliço, s. m. mala urdimbre; enredo.

enlodar, v. tr. enlodar; enlodazar.

enlouquecer, v. tr. e intr. enloquecer, aloquecerse; chalar, chalarse; chiflar.

enlouquecimento, s. m. enloquecimiento.

enlousado, adj. losado; enpizarrado.

enlousar, v. tr. enlosar; empizarrar.

enluvado, adj. enguantado.

enlutar, v. tr. enlutar; afligir; entristecer; consternar.

enobrecer, v. tr. ennoblecer.

enobrecimento, s. m. ennoblecimiento.

enodoar, v. tr. manchar; mancillar; difamar; chafarrinar.

enoitecer, v. 1. tr. tornar oscuro. 2. intr. anochecer.

enojadiço, adj. enojadizo; enojoso.

enojar, v. tr. e intr. enojar; enfadar; ofender; nausear; asquear.

enojo, s. m. enojo; trabajo; duelo; pena; náusea; luto.

enologia, s. f. enología.

enologista, s. 2 gén. enólogo.

enólogo, s. m. enólogo.

enometria, s. f. enometría

enómetro, s. m. enómetro.

enorme, adj. 2 gén. enorme; desmedido; abismal; descomunal; agigantado; bestial.

enormidade, s. f. enormidad; exceso; aberración; bestialidade.

enovelar, v. 1. tr. devanar. 2. refl. aovillarse.

enquadramento, s. m. encuadre.

enquadrar, v. tr. encuadrar; enmarcar; encasillar.

enquanto, conj. durante el tiempo en que; al paso que; mientras que; entretanto.

enqueijar, v. tr. cuajar, hacer cuajo.

enquistamento, s. m. enquistamiento.

enquistar-se, v. refl. enquistarse.

enraiar, v. tr. enrayar.

enraivar, v. tr. enrabiar; encolerizar.

enraivecer, v. 1. tr. e intr. enrabiar; encolerizar. 2. refl. enrabiarse.

enraizado, adj. enraizado; arraigado.

enraizamento, s. m. arraigo.

enraizar, v. 1. intr. arraigar, criar raíces. 2. tr. enraizar; fijar. 3. refl. enraizarse.

enramada, s. f. enramada.

enramalhetar, v. tr. adornar con ramilletes.

enramar, v. tr. enramar.

enrançar, v. tr. enranciar, ranciar.

enrarecer, v. tr. e intr. enrarecer, encarecerse.

enrascada, s. f. celada; lazo; acechanza.

enrascadela, s. f. vd. **enrascada.**

enrascar, v. tr. coger con la red; enredar, engañar; coger en armadilla.

enredado, adj. embrollado; inextricable; jaleoso; rebujado.

enredador, adj. enredador; embrollador; lioso; intrigante; tramoyista.

enredar, v. tr. enredar; enmarañar; intrincar; tramar; embrollar; enzarzar; implicar.

enrediça, s. f. enredadera.

enredo, s. m. enredo; intriga; tramoya; embrollo; farsa; trampa; (fig.) laberinto; maraña; tejemaneje; tejido, tela.

enredoso, adj. enredoso.

enregelamento, s. m. congelamiento.

enregelar, v. tr. e intr. aterir, congelar, helar, resfriar.

enrestar, v. tr. enristrar.

enriar, v. tr. (linho) enriar; arriazar.

enriçar, v. tr. e intr. enmarañar, rizar; enredar.

enrijar, v. tr. endurecer, fortalecer.

enrijecer, v. tr. vd. **enrijar.**

enrilhar, *v. tr. e intr.* endurecer (hablando de la carne); estreñirse, tener estreñimiento.

enriquecer, *v.* 1. *tr.* enriquecer. 2. *intr.* enriquecer; adinerarse.

enriquecimento, *s. m.* enriquecimiento.

enristar, *v. tr.* enristrar; embestir.

enrocar, *v. tr. (xadrez)* rocar; enrolar.

enrodilhar, *v. tr.* enrollar; torcer; enroscar; intrigar.

enrolado, *adj.* arrollado.

enrolamento, *s. m.* enrollamiento; arrollamiento.

enrolar, *v. tr.* enrollar, arrollar, rollar; doblar; plegar.

enroscamento, *s. m.* enroscadura, enroscamiento.

enroscar, *v. tr.* enroscar; retorcer, enrollar, arrollar.

enroupamento, *s. m.* arropamiento.

enroupar, *v. tr.* arropar; abrigar; proveer de ropa.

enrouquecer, *v. tr. e intr.* enronquecer.

enrouquecido, *adj.* carrasposo.

enrouquecimento, *s. m.* enronquecimiento.

enroxar, *v. tr. e intr.* amoratar.

enrubescer, *v. tr. e intr.* enrubescer; sonrojar.

enrubescimento, *s. m.* enrubescimiento.

enruçar, *v. tr. e intr.* enrubiar.

enrudecer, *v. tr. e intr.* enrudecer.

enrugado, *adj.* chafado; pilorugo; *(rosto)* surcado.

enrugamento, *s. m.* arrugamiento; fruncimiento; plegamiento.

enrugar, *v. tr.* arrugar; plegar; chafar; crispar; encrespar; fruncir; surcar.

ensaboadela, *s. f.* enjabonadura, jabonada.

ensaboado, I. *adj.* enjabonado; jabonado. II. *s. m.* jabonada.

ensaboamento, *s. m.* jabonada; enjabonadura.

ensaboar, *v. tr.* enjabonar, jabonar.

ensaburrar, *v. tr.* causar saburra; ensuciar.

ensacar, *v. tr.* ensacar.

ensaiador, *adj. e s. m.* ensayador.

ensaiar, *v. tr.* ensayar; experimentar; preparar, adiestrar; entrenar; tantear.

ensaibrar, *v. tr.* enarenar.

ensaio, *s. m.* ensayo, entrenamiento; experimento, experiencia; prueba; cata; reconocimiento.

ensaísta, *s. 2 gén.* ensayista.

ensalmador, *s. m.* ensalmador.

ensalmar, *v. tr.* ensalmar.

ensalmo, *s. m.* ensalmo.

ensalmourar, *v. tr.* meter en salmuera.

ensamblador, *adj. e s. m.* ensamblador.

ensambladura, *s. f.* ensambladura, ensamblaje.

ensamblagem, *s. f.* acoplamiento.

ensamblar, *v. tr.* ensamblar; embutir; entallar; acoplar; almbatar.

ensancha, *s. f.* ensanche.

ensanchar, *v. tr.* ensanchar, ampliar; aumentar.

ensandecer, *v. tr. e intr.* ensandecer; enloquecer.

ensanguentado, *adj.* ensangrentado; sangriento.

ensanguentar, *v. tr.* ensangrentar.

ensaque, *s. m.* ensacamiento.

ensarilhar, *v. tr.* devanar; enmarañar, enredar.

ensartar, *v. tr.* ensartar, enfilar (cuentas o perlas).

enseada, *s. f.* ensenada; abra; bahía; rada; seno.

ensebado, *adj.* grasiento; mugriento; pringoso.

ensebar, *v. tr.* ensebar.

ensejo, *s. m.* oportunidad; motivo; ocasión.

ensiforme, *adj. 2 gén.* ensiforme.

ensilagem, *s. f.* ensilaje.

ensilar, *v. tr.* ensilar.

ensimesmarse, *v. refl.* ensimismarse; abstraerse.

ensinadela, *s. f. (fam.)* reprensión; correctivo.

ensinamento, *s. m.* enseñamiento; enseñanza; instrucción; ejemplo; precepto.

ensinar, *v. tr.* enseñar, instruir; indicar; educar; dirigir, guiar; aleccionar; explicar; adiestrar; amaestrar.

ensino, *s. m.* enseñanza; adestramiento; amaestramiento; *ensino secundário*, secundaria.

ensoberbecer, *v.* 1. *tr.* ensoberbecer; enorgullecer. 2. *refl.* ensoberbecerse, engallarse.

ensobradar, *v. tr.* vd. **sobradar**; pavimentar.

ensombrar, *v. tr.* ensombrecer; asombrar.

ensopado, I. *adj.* ensopado, embebido, empapado, encharcado; calado. **II.** *s. m.* guisado.

ensopar, *v. tr.* ensopar; embeber; calar; sopear; sopar.

ensosso, *adj.* insípido, soso, insulso.

ensurdecedor, *adj.* ensordecedor; atronador.

ensurdecer, *v. tr.* ensordecer, ensordar.

ensurdecimento, *s. m.* ensordecimiento; sordera.

entablamento, *s. m.* ARQ. entablamiento; cornisamento; cornisamento.

entabuar, *v. tr.* entablar; entarimar.

entabular, *v. tr.* entablar, entarimar; empezar; comenzar.

entaipar, *v. tr.* entapiar, tapiar, emparedar.

entalação, *s. f.* entablillamiento; aprieto, embarazo; (*fig.*) situación crítica.

entalado, *adj.* achuchado.

entalar, *v. tr.* entablar, entablillar; embarazar; achuchar.

entalecer, *v. intr.* entallecer.

entaleigar, *v. tr.* entalegar.

entalha, *s. f.* vd. **entalhe.**

entalhado, *adj.* tallado.

entalhador, *s. m.* escultor, entallador, tallista; ebanista; ensamblador; tallador.

entalhadura, *s. f.* vd. **entalhamento.**

entalhamento, *s. m.* entallamiento; grabado; calado; cinceladura; escultura.

entalhar, *v. tr. e intr.* entallar; escoplear; cincelar; esculpir; acoplar; encajar; ensamblar; tallar.

entalhe, *s. m.* cinceladura, escultura; entalle; almarbate; ensambladura; muesca; ranura.

entalho, *s. m.* vd. **entalhe.**

entalir, *v. tr.* CUL. salcochar.

entanguecer, *v. intr.* aterirse con el frío.

entanguido, *adj.* aterido; hirto; enclenque.

entanto, *adv.* en tanto; entanto; entretanto; mientras.

então, *adv.* entonces; en tal caso.

entaramelado, *adj.* estropajoso.

entaramelar, *v. tr. e refl.* (*fam.*) hacer tartamudear; titubear.

entardecer, I. *v. intr.* atardecer; hacerse tarde. **II.** *s. m.* atardear..

ente, *s. m.* ente; criatura; ser; entidad.

enteada, *s. f.* entenada, hijastra, alnada.

enteado, *s. m.* entenado, hijastro, alnado.

entediar, *v. tr.* tediar, causar tedio; fastidiar; aburrir; atediar.

enteléquia, *s. f.* entelequia.

entendedor, *adj. e s. m.* entendedor.

entender, *v. tr.* entender; comprender; alcanzar; juzgar; conocer; interpretar; *entender-se pelo olhar,* timar.

entendido, I. *adj.* entendido, docto, perito, versado; combinado. **II.** *s. m.* entendido, perito, conocedor.

entendimento, *s. m.* entendimiento, inteligencia; conocimiento; intelecto; talento; razón; acuerdo; (*fam.*) entendederas; mollera.

entenebrecer, *v. tr. e intr.* entenebrecer.

entenrecer, *v. tr.* enternecer, ablandar para poder comer.

entente, *s. f.* entente.

entérico, *adj.* entérico.

enterite, *s. f.* MED. enteritis.

enternecedor, *s. m.* enternecedor.

enternecer, *v.* **1.** *tr.* enternecer; conmover; ablandar. **2.** *refl.* enternecerse; conmoverse.

enternecimento, *s. m.* enternecimiento; ternura.

enterocolite, *s. f.* enterocolitis.

enterrado, *adj.* soterrado.

enterrador, *adj. e s. m.* enterrador, sepulturero.

enterramento, *s. m.* enterramiento; inhumación; entierro; sepelio.

enterrar, *v. tr.* enterrar; sepultar; inhumar; ocultar; soterrar; (*chapéu*) calar.

enterro, *s. m.* entierro; inhumación; enterramiento; sepelio.

entesadura, *s. f.* entesadura; tensión.

entesar, *v. tr.* entesar, atiesar; estirar; enderezar; endurecer.

entesoiramento, *s. m.* atesoramiento.

entesoirar, *v. tr.* atesorar, amontonar; entalegar.

entestar, *v. intr.* entestar; confinar; lindar; confrontar.

entibiamento, *s. m.* entibiamiento.

entibiar, *v. tr.* entibiar; moderar; suavizar.

entidade, *s. f.* entidad; individualidad.

entijolar, *v. tr.* enladrilhar.

entimema, *s. m.* entimema.

entisicar, *v. tr.* tuberculizar.

entoação, *s. f.* MÚS. modulación; entonación; inflexión.

entoar, *v. tr.* entonar.

entomologia, *s. f.* ZOOL. entomología.

entomológico, *adj.* ZOOL. entomológico.
entomologista, *s. 2 gén.* entomólogo.
entomólogo, *s. m.* entomólogo.
entonação, *s. f.* entonación.
entonar, *v. tr. e refl.* entonar.
entono, *s. m.* entono; orgullo; altivez.
entontecer, *v. tr. e intr.* entontecer; desvariar; atortolar; embobecer; encalabrinar.
entontecido, *adj.* atortolado.
entontecimento, *s. m.* entontecimiento; atontamiento.
entornar, *v. tr.* entornar, derramar, volcar; verter; desperdiciar.
entorpecer, *v.* 1. *tr.* entorpecer; (*fig.*) embrutecer. 1. *intr. e refl.* entorpecerse, acorcharse; arrecirse; entumirse.
entorpecimento, *s. m.* entorpecimiento; torpor.
entorroar, *v. tr.* aterronar, formar terrones.
entorse, *s. f.* torcedura, esguince, distensión; *fazer entorse*, torcer.
entortadura, *s. f.* torcedura; contorsión.
entortar, *v. tr.* entortar; encorvar; curvar.
entrada, *s. f.* entrada; acceso; ingreso; alta; (*fig.*) boca; (*de rua*) bocacalle; bocana; TAUR. paseíllo.
entrado, *adj.* entrado.
entrajar, *v. tr.* vestir; abrigar; arropar.
entrançado, *s. m.* trenzado, entrenzado.
entrançador, *s. m.* entrenzador.
entrançadura, *s. f.* entrenzamiento.
entrançamento, *s. m.* vd. **entrançadura**.
entrançar, *v. tr.* entrenzar; trenzar; entrelazar.
entranhas, *s. f. pl.* entrañas; vísceras.
entranhado, *adj.* entrañado; inveterado.
entranhar, *v.* 1. *tr.* entrañar; penetrar. 2. *refl.* introducirse.
entranhável, *adj. 2 gén.* entrañable; (*fig.*) íntimo; profundo.
entranqueirar, *v. tr.* atrancar; entrincherar.
entrapar, *v. tr.* entrapajar; emplastar.
entrar, *v. intr.* entrar; introducirse; penetrar; acceder; ingressar; invadir; ser incluido; (*barco*) abocar.
entravar, *v. tr.* impedir; trabar; embarazar.
entrave, *s. m.* traba, obstáculo; dificultad.
entre, *prep.* entre.
entreaberto, *adj.* entreabierto.
entreabrir, *v. tr.* entreabrir.
entreacto, *s. m.* entreacto; entremés.
entrecasca, *s. f.* entrecasco, entrecorteza; líber.

entrecerrar, *v. tr.* entrecerrar.
entrecho, *s. m.* enredo; urdidura; argumento.
entrechocar-se, *v. refl.* entrechocarse; embatir.
entrecoberta, *s. f.* NÁUT. entrecubiertas.
entrecortado, *adj.* entrecortado.
entrecortar, *v. tr.* entrecortar.
entrecosto, *s. m.* entrecó; espinazo.
entrecruzar, *v.* 1. *tr.* entrecruzar. 2. *refl.* entrecruzarse.
entrega, *s. f.* entrega; rendición; traición.
entregador, *s. m.* entregador; denunciante; traidor.
entregar, *v.* 1. *tr.* entregar; otorgar; render; dar confiar; adjudicar; traicionar. 2. *refl.* entregarse; rendirse; abandonarse.
entregue, *adj.* entregado.
entrelaçamento, *s. m.* entrelazamiento.
entrelaçar, *v. tr.* entrelazar, entretejer; enzamar.
entrelinha, *s. f.* entrelínea; TIP. regleta.
entrelinhar, *v. tr.* entrelinhar.
entreluzir, *v. tr.* entrelucir.
entremeado, *adj.* entreverado.
entremear, *v. tr.* entreverar, intercalar; interpolar; entretejer.
entremeio, *s. m.* entredós.
entrementes, *adv.* interín, entretanto; entremedias.
entremesa, *s. f.* tiempo de una comida.
entremeter, *v. tr.* entremeter; intercalar; interponer.
entremez, *s. m.* entremés; farsa.
entremostrar, *v. tr.* entremostrar.
entrenó, *s. m.* BOT. entrenudo.
entreouvir, *v. tr.* entreoír.
entrepano, *s. m.* entrepaño.
entrepassar, *v. tr.* pasar por medio.
entrepausa, *s. f.* pausa intermedia; interrupción.
entrepernas, *s. m.* entrepierna.
entreponte, *s. f.* NÁUT. entrecubiertas.
entreposto, *s. m.* depósito grande de mercancías; almacén.
entressachar, *v. tr.* intermediar; intercalar; entremezclar.
entresseio, *s. m.* sinuosidad, cavidad, intervalo; hueco entre dos elevaciones.
entressonhar, *v. tr.* soñar vagamente; imaginar.
entretalhar, *v. tr. e intr.* entretallar; esculpir.
entretalho, *s. m.* entretalla, entretalladura.

entretanto, *adv.* entretanto; mientras, ínterin; entremedias.

entretecer, *v. tr.* entretejer; entrelazar.

entretela, *s. f.* entretela.

entretelar, *v. tr.* entretelar.

entretenimiento, *s. m.* vd. **entretimento**.

entreter, *v. tr.* entretener; demorar; retardar; divertir; recrear; distraer; embelecer.

entretimento, *s. m.* entretenimiento; distracción; divertimiento; pasatiempo.

entreturbar, *v. tr.* turbar ligeramente.

entrevação, *s. f.* parálisis.

entrevado, *adj.* e *s. m.* entenebrado; contrahecho, contrecho, tullido, paralítico.

entrevamento, *s. m.* vd. **entrevação**.

entrevar, *v.* **1.** *tr.* entenebrecer; entullecer, tullir, paralizar; envarar; volver paralítico. **2.** *v. intr.* e *refl.* tullirse; quedar paralítico.

entrevecer, *v. tr.* e *intr.* entenebrecer.

entrever, *v. tr.* entrever, divisar; prever; presentir.

entrevia, *s. f.* entrevía.

entrevista, *s. f.* entrevista; cita; interviú.

entrevistador, *s. m.* entrevistador.

entrevistar, *v. tr.* entrevistar.

entrincheiramento, *s. m.* atrincheramiento.

entrincheirar, *v. tr.* atrincherar.

entristecedor, *adj.* entristecedor.

entristecer, *v. tr.* e *intr.* entristecer; apenar; desconsolar.

entristecimento, *s. m.* entristecimiento; tristeza.

entronar, *v. tr.* entronar; entronizar.

entroncado, *adj.* corpulento, espalduddo; entroncado.

entroncamento, *s. m.* entroncamiento; entronque; articulación; empalme; entronque.

entroncar, *v. tr.* entroncar; empalmar una vía a otra; engrosar.

entronização, *s. f.* entronización.

entronizar, *v. tr.* entronizar.

entropia, *s. f.* entropía.

entrouxar, *v. tr.* empaquetar, liar.

entroviscado, *adj.* embarbascado, atontado.

entroviscar, *v. tr.* enverbascar, envenenar, atontar los peces con verbasco.

entrudada, *s. f.* antruejada; carnavalada.

entrudar, *v. tr.* e *intr.* antruejar.

Entrudo, *s. m.* carnaval.

entufar, *v. tr.* entumecer, hinchar; (*fig.*) engreír.

entulhar, *v. tr.* entrojar; enronar; abarrotar; escombrar; atiborrar; (*mina*) atribar.

entulheira, *s. f.* escombrera.

entulho, *s. m.* escombro; desecho; enrona; atasco; cascote.

entumecer, *v. intr.* intumecerse.

entumecimento, *s. m.* intumecimiento.

entunicado, *adj.* entunicado.

entupimento, *s. m.* entupimiento; atasco.

entupir, *v.* **1.** *tr.* entupir, tapar; obstruir; azolvar. **1.** *intr.* atiparse.

entusiasmante, *adj.* 2 *gén.* apasionante, enardecedor.

entusiasmar, *v. tr.* entusiasmar; animar; apasionar; enardecer; flipar.

entusiasmo, *s. m.* entusiasmo; alacridad; alborozo; apasionamiento; enardecimiento; encaprichamiento; furor.

entusiasta, *adj.* e *s.* 2 *gén.* entusiasta; animador.

entusiástico, *adj.* entusiástico.

enublarse, *v. refl.* nublarse, obscurecerse.

énula, *s. f.* BOT. énula.

énula-campana, *s. f.* vd. **énula**.

enumeração, *s. f.* enumeración.

enumerador, *s. m.* enumerador.

enumerar, *v. tr.* enumerar, numerar.

enunciação, *s. f.* enunciación.

enunciado, *s. m.* enunciado; enunciación.

enunciar, *v. tr.* enunciar, exponer; enumerar.

enunciativo, *adj.* enunciativo.

envaidecer, *v. tr.* e *refl.* envanecer; empingorotarse; endiosarse; esponjarse; engreír; preciarse; (*fig.*) ahuecarse.

envaidecimento, *s. m.* envanecimiento; (*fig.*) ahuecamiento.

envasamento, *s. m.* ARQ. emvasamiento; zócalo.

envasar, *v. tr.* envasar; envasijar; embotellar.

envasilhar, *v. tr.* embudar; encubar.

envasilhamento, *s. m.* envase.

envelhecer, *v. tr.* e *intr.* envejecer; añegar; encanecer; avejentarse; caducar.

envelhecido, *adj.* envejecido.

envelhecimento, *s. m.* envejecimiento.

envelope, *s. m.* sobre, sobrecarta.

envencilhar-se, *v. refl.* envedijarse.

envenenador, *adj.* e *s. m.* envenenador.

envenenamento, *s. m.* envenenamiento; atosigamiento; emponzoñamiento; intoxicación.

envenenar, v. tr. envenenar; emponzoñar; entosigar; intoxicar.

enverdecer, v. tr. e intr. enverdecer, reverdecer, verdear.

enveredar, v. **1.** intr. encaminarse. **2.** tr. enveredar, encaminar.

envergadura, s. f. NÁUT. envergadura; talla.

envergar, v. tr. NÁUT. envergar; encorvar.

envergonhado, adj. avergonzado; vergonzante; vergonzoso.

envergonhar, v. **1.** tr. avergonzar; confundir; humillar; vejar; abochornar; sonrojar; sonrojear. **2.** refl. atarugarse.

envernizado, adj. acharolado; charolado.

envernizador, adj. e s. m. barnizador.

envernizar, v. tr. embarnizar; charolar.

enverrugar, v. tr. e intr. llenar de verrugas; arrugar.

envés, s. m. revés; reverso.

envesgar, v. **1.** tr. sesgar; torcer. **2.** intr. torcer los ojos.

envessar, v. tr. poner al revés.

enviado, I. s. m. enviado, mensajero. **II.** adj. mandado, expedido.

enviamento, s. m. envío; expedición; remesa.

enviar, v. tr. enviar; expedir; mandar; dirigir; remitir; transmitir; *enviar junto,* adjuntar.

envidar, v. tr. envidar.

envidraçar, v. tr. acristalar, encristalar; envidrar, envidriar.

enviesadamente, adv. oblicuamente; al bies.

enviesado, adj. sesgado.

enviesar, v. tr. sesgar, poner al sesgo; albies u oblicuamente.

envilecer, v. tr. envilecer; deslustrar; abellacar.

envilecimento, s. m. envilecimiento.

envinagrar, v. tr. e intr. envinagrar, avinagrar; agriarse; (fig.) irritar.

envincilhar, v. tr. vd. **envencilhar.**

envio, s. m. envío; remesa; expedición.

enviscar, v. tr. enviscar.

envisgar, v. tr. vd. **enviscar.**

enviuvar, v. intr. enviudar.

envolta, s. f. ligadura; pañal; mezcla; *de envolta,* de mezcla.

envolto, adj. envuelto; mezclado; turbia (el agua).

envoltório, s. m. envoltorio; envoltura; envoltijo; camisa; capa; paquete; envase.

envoltura, s. f. envoltura.

envolver, v. tr. envolver; enrollar; arrollar; encartar; involucrar; incluir; cercar; intrigar.

envolvido, adj. envuelto.

envolvimento, s. m. envolvimiento.

enxada, s. m. azada.

enxadada, s. f. azadada.

enxadão, s. m. azadón; arpón.

enxadrezar, v. tr. ajedrezar.

enxaguadela, s. f. enjuagamiento.

enxaguadura, s. f. enjuagadura.

enxaguar, v. tr. enjuagar.

enxaimel, s. m. ARQ. armazón de madera que después de rebocada hace pared.

enxame, s. m. enjambre; colmena; bando.

enxamear, v. tr. e intr. enjambrar; escamochear; jabardear.

enxaqueca, s. f. jaqueca, cefalalgia; migraña.

enxárcia, s. f. NÁUT. jarcia; cordaje.

enxarciar, v. tr. jarcia; enxarciar.

enxerga, s. f. jergón pequeño de paja; cama pobre, catre.

enxergão, s. m. jerga; jergón.

enxergar, v. tr. entrever; divisar; descubrir; ver de lejos.

enxertadeira, s. f. navaja propia para injertar.

enxertador, adj. e s. m. injertador.

enxertar, v. tr. injertar, insertar.

enxertia, s. f. injertación; injerto.

enxerto, s. m. injerto, esqueje; púa; planta injertada; CIR. injerto; (fig.) paliza.

enxó, s. f. azuela.

enxofra, s. f. vd. **enxofração.**

enxofração, s. f. azuframiento.

enxofradeira, s. f. azufrador.

enxofrador, adj. 2 gén. azufrador.

enxoframento, s. m. azuframiento.

enxofrar, v. **1.** tr. azufrar. **2.** refl. irritarse.

enxofre, s. m. QUIM. azufre.

enxofreira, s. f. solfatara.

enxofrento, adj. azufroso.

enxota-cães, s. m. azotaperros.

enxota-diabos, s. m. exorcista.

enxotador, s. m. ahuyentador.

enxotar, v. tr. ahuyentar.

enxoval, s. m. ajuar.

enxovalhar, v. tr. manchar, ensuciar; marchitar; sobajar; (fig.) injuriar.

enxovalho, s. m. mancha; suciedad; injuria.

enxovia, s. f. cárcel; calabozo; cagarrón; (fig.) cochitril, pocilga.
enxugador, s. m. secador.
enxugadouro, s. m. secadero.
enxugar, v. tr. e intr. secar, enjugar; escurrir.
enxugo, s. m. secamiento.
enxúndia, s. f. enjundia; unto, pella.
enxundioso, adj. enjundioso.
enxurdeiro, s. m. lamazal, lodazal.
enxurrada, s. f. torrentada, venida; chorro; aluvión; (fig.) abundancia.
enxurro, s. m. vd. **enxurrada;** (fig.) escoria; plebe.
enxuto, adj. seco; enjuto.
enzima, s. f. enzima.
eocénico, adj. eoceno.
eoceno, s. m. eoceno.
eólico, adj. e s. m. eólico; eolio.
eólio, adj. e s. m. eólico, eolio.
eólito, s. m. eólito.
epacta, s. f. epacta.
epêntese, s. f. epéntesis.
epentético, adj. epentético.
epicárpio, s. m. BOT. epicarpio.
epicarpo, s. m. BOT. epicarpio.
epiceno, adj. epiceno.
epicentro, s. m. epicentro.
épico, adj. e s. m. épico.
epicrânio, s. m. ANAT. epicráneo.
epicurismo, s. m. epicureismo.
epicurista, adj. 2 gén. epicúreo.
epidemia, s. f. epidemia.
epidémico, adj. epidémico.
epiderme, s. f. epidermis.
epidérmico, adj. epidérmico.
epidídimo, s. m. ANAT. epidídimo.
epifania, s. f. epifanía.
epifitia, s. f. epifitia.
epífito, adj. epifita.
epifonema, s. m. epifonema.
epigastralgia, s. f. epigastralgia; gastralgia.
epigastro, s. m. ANAT. epigastrio.
epiglote, s. f. ZOOL. epiglotis.
epígono, adj. e s. m. epígono.
epígrafe, s. f. epígrafe.
epigrafia, s. f. epigrafía.
epigráfico, adj. epigráfico.
epigrafista, s. 2 gén. epigrafista.
epigrama, s. m. epigrama.
epigramatista, s. 2 gén. epigramatista.
epilação, s. f. depilación.
epilatório, adj. depilatorio.

epilepsia, s. f. epilepsia.
epiléptico, adj. MED. epiléptico.
epilogar, v. tr. epilogar.
epílogo, s. m. epílogo.
episcopado, s. m. episcopado.
episcopal, adj. 2 gén. episcopal, obispal.
episódico, adj. episódico.
episódio, s. m. episodio.
episperma, s. m. BOT. epispermo.
epistaxe, s. f. epistaxis.
epístola, s. f. epístola.
epistolar, adj. 2 gén. epistolar.
epistolário, s. m. epistolario.
epistolografia, s. f. epistolografía.
epistológrafo, s. m. epistológrafo.
epitáfio, s. m. epitafio
epitalâmio, s. m. epitalamio.
epitelial, adj. 2 gén. epitelial.
epitélio, s. m. ANAT. epitelio.
epíteto, s. m. epíteto.
epítome, s. m. epítome.
epizootia, s. f. epizootia.
epizoótico, adj. epizoótico.
época, s. f. época; era; tiempo.
epodo, s. m. epodo.
epónimo, adj. e s. m. epónimo.
epopeia, s. f. epopeya; épica.
épsilon, s. m. épsilon.
epsomita, s. f. epsomita.
equação, s. f. ecuación.
equador, s. m. ecuador.
equalizador, s. m. ecualizador.
equânime, adj. 2 gén. ecuánime; imparcial.
equanimidade, s. f. ecuanimidad; serenidad.
equatorial, adj. 2 gén. ecuatorial.
equatoriano, adj. e s. m. ecuatoriano.
equestre, adj. 2 gén. ecuestre.
equiângulo, adj. equiángulo.
equidade, s. f. equidad.
equídeo, I. adj. equino. II. s. m. equino, caballo.
equidistância, s. f. equidistancia.
equidistante, adj. 2 gén. equidistante.
equidistar, v. intr. equidistar.
equilateral, adj. 2 gén. equilateral.
equilátero, adj. equilátero.
equilibrado adj. equilibrado, armónico; cadencioso; centrado.
equilibrante, adj. 2 gén. que equilibra, equilibrante.
equilibrar, v. tr. equilibrar; contrabalan-

cear; abalanzar; ponderar; *(fig.)* compensar.

equilíbrio, s. m. equilibrio; temple.

equilibrismo, s. m. equilibrismo.

equilibrista, s. 2 gén. equilibrista; acróbata; funámbulo.

equimose, s. f. MED. equimosis; moratón, moretón; roncha.

equinocial, adj. 2 gén. equinoccial.

equino, adj. equino.

equino, s. m. equino.

equinócio, s. m. equinoccio.

equinoderme, adj. 2 gén. e s. m. ZOOL. equinodermo.

equipa, s. f. equipo.

equipado, adj. aparejado; dotado.

equipagem, s. f. equipaje; tripulación; bagaje.

equipamento, s. m. equipo; equipaje; surtido.

equipar, v. 1. tr. equipar; pertrechar; aparejar; dotar; enjarciar.

equiparação, s. f. equiparación.

equiparar, v. tr. equiparar; comparar. 2. refl. equipararse.

equiparável, adj. 2 gén. equiparable.

equipe, s. f. equipo.

equipendência, s. f. igualdad de peso; equilibrio.

equipendente, adj. 2 gén. equilibrado.

equipolência, s. f. equipolencia; equivalencia.

equipolente, adj. 2 gén. equipolente, equivalente.

equiponderância, s. f. equiponderancia.

equiponderante, adj. 2 gén. equiponderante.

equiponderar, v. tr. equiponderar.

equitação, s. f. equitación.

equitativo, adj. equitativo, recto, justo.

equivalência, s. f. equivalencia.

equivalente, adj. 2 gén. equivalente.

equivaler, v. intr. equivaler, valer.

equivocação, s. f. equivocación, equívoco; error.

equivocado, adj. equivocado; mendoso.

equivocar, v. 1. tr. equivocar. 2. refl. equivocarse, engañarse.

equívoco, I. adj. equívoco; ambiguo; confuso; dudoso; sospechoso. **II.** s. m. equívoco; lapsus; equivocación; error; planchazo.

era, s. f. era; época.

erário, s. m. erario; fisco; *erário público,* tesoro.

érbio, s. m. QUÍM. erbio.

érebo, s. m. erebo.

erecção, s. f. erección; edificación; fundación.

eréctil, adj. 2 gén. eréctil.

erecto, adj. erecto, levantado, erguido; enhiesto.

erector, adj. e s. m. erector, instituidor, fundador.

eremita, s. m. eremita, ermitaño.

eremitério, s. m. eremiterio.

eremítico, adj. eremítico.

éreo, adj. éreo.

ergastulário, s. m. ergastulario, carcelero.

ergástulo, s. m. ergástulo.

ergonomia, s. f. ergonomía.

ergonómico, adj. ergonómico.

ergotina, s. f. FARM. ergotina.

erguer, v. tr. erguir, levantar, empinar; izar; construir, erigir; fundar.

erguida, s. f. erguimiento.

erguido, adj. enhiesto.

eriçado, adj. erizado.

eriçar, v. tr. encrespar; erizar.

erigir, v. tr. erigir; levantar; construir, edificar; *(fig.)* fundar; crear.

erisipela, s. f. MED. erisipela.

erisipelar, v. intr. erisipelar.

erisipeloso, adj. erisipelatoso, erisipeloso.

eritema, s. m. eritema.

ermamento, s. m. despoblación, despueble.

ermida, s. f. ermita, iglesia pequeña; capilla fuera del poblado.

ermita, s. m. vd. **eremita.**

ermitania, s. f. ermitanía.

ermitão, s. m. eremita; ermitaño.

ermitério, s. m. vd. **eremitério.**

ermitoa, s. f. ermitaña.

ermo, adj. yermo, despoblado, inhabitado, desierto.

erodir, v. tr. erosionar.

erógeno, adj. erógeno.

erosão, s. f. erosión; derrubio; *provocar erosão,* erosionar.

erosivo, adj. erosivo.

erótico, adj. erótico; amatorio, sicalíptico.

erotismo, s. m. erotismo.

erotizar, v. tr. erotizar.

erotómano, adj. e s. m. erotómano.

errabundo, *adj.* errabundo, errante.
erradicação, *s. f.* erradicación; desarraigo.
erradicado, *adj.* erradicado; desarraigado.
erradicar, *v. tr.* erradicar; desarraigar.
erradio, *adj.* errante, erráneo.
errado, *adj.* errado; incorrecto.
errante, *adj. 2 gén.* errante, vagabundo.
errar, *v.* 1. *tr.* errar; engañar. 2. *intr.* vaguear; aberrar; cometer yerro en; engañarse; claudicar; fallar.
errata, *s. f.* errata
errático, *adj.* errático.
erro, *s. m.* error; lapso, lapsus; inexactitud, incorrección; engaño; despiste; tropezón; claudicación; gazapo; planchazo; *erro de principiante*, novatada.
errôneo, *adj.* erroneo.
erubescência, *s. f.* erubescencia, rubor.
erubescente, *adj. 2 gén.* erubescente.
erubescer, *v. intr.* vd. **enrubescer**.
eructação, *s. f.* eructo; regüeldo.
eructar, *v. intr.* eructar, regoldar; rotar.
erudição, *s. f.* erudición.
erudito, *adj.* erudito.
erupção, *s. f.* erupción; *erupção cutânea*, galga, salpullido; *erupção nos lábios*, pupa.
eruptivo, *adj.* eruptivo.
erva, *s. f.* BOT. hierba, yerba; herbage; *erva daninha*, hierbajo.
ervaçal, *s. m.* herbazal.
erva-doce, *s. f.* hinojo.
ervagem, *s. f.* herbaje.
erva-moira, *s. f.* solano.
ervanário, *s. m.* herbolario.
ervanço, *s. m.* garbanzo.
ervar, *v. tr.* envenenar con el jugo de hierbas venenosas.
ervário, *s. m.* herbario.
ervilha, *s. f.* BOT. guisante, chícharo.
ervilhaca, *s. f.* BOT. algarroba; arveja.
ervilhal, *s. m.* BOT. guisantal; arvejal.
ervoso, *adj.* herboso.
esbaforido, *adj.* jadeante, anhelante.
esbaforir-se, *v. refl.* jadear, anhelar.
esbagoar, *v. tr. e intr.* desgranar.
esbandalhar, *v. tr.* dividir en bandos; deshacer, desbaratar lo que está hecho; destrozar; desparramar.
esbanjador, *adj.* gastador, disipador, derrochador; derrochón; despilfarrador.
esbanjamento, *s. m.* derrochamiento; disipación; despilfarro; desbaratamiento; desperdicio.

esbanjar, *v. tr.* disipar, derrochar, despilfarrar; derretir.
esbarbar, *v. tr.* desbarbar.
esbarrar, *v. intr.* chocar, encontrarse, tropezar; topar; *(fig.)* tirar.
esbarrocar, *v. intr.* desmoronarse, hundirse.
esbarrondadeiro, *s. m.* barranco, precipicio.
esbarrondar, *v. tr.* desmoronar tierras. *intr.* desmoronarse; *refl.* precipitarse.
esbater, *v. tr.* PINT. esbatimentar; esfumar; templar.
esbatido, *adj.* valado; esfumado.
esbatimento, *s. m.* PINT. esbatimento; veladura.
esbeltar, *v. tr.* hacer esbelto.
esbeltez, *s. f.* esbeltez.
esbelteza, *s. f.* esbeltez; garbo, elegancia.
esbelto, *adj.* esbelto, elegante; gentil; guapo.
esbirro, *s. m.* esbirro; alguacil.
esboçar, *v. tr.* esbozar, delinear, trazar; abocetar; apuntar; bosquejar; rasguñar.
esboceto, *s. m.* bosquejo, boceto.
esboço, *s. m.* esbozo, bosquejo; apunte; boceto; croquis; diseño; mota; rasguño.
esbofar, *v. tr.* cansar, fatigar.
esbofetear, *v. tr.* abofetear; acachetear.
esborcelar, *v. tr.* descantillar, desportillar.
esborcinar, *v. tr.* descantillar, desportillar.
esbordar, *v. intr.* vd. **trasbordar**.
esboroamento, *s. m.* rastrilleo, molienda, pulverización; ruina.
esboroar, *v. tr.* pulverizar, moler, machacar; derrubiar.
esboroo, *s. m.* vd. **esboroamento**.
esborrachar, *v. tr.* aplastar; escachar; reventar; pisar.
esborralhar, *v.* 1. *tr.* desparramar o esparcir las cenizas del hogar; dispersar. 2. *refl.* desplomarse, hundirse.
esbotenar, *v. tr.* descantillar, desportillar.
esbracejar, *v. intr.* bracear; menearse.
esbranquiçado, *adj.* blanquecino; blancuzco; albicante.
esbrasear, *v.* 1. *tr.* calentar, poner en ascua o brasa; ruborizar. 2. *refl.* estar en brasa.
esbravear, *v. intr.* vociferar, vocear; enfurecerse.
esbravejar, *v. intr.* embravecerse; irritarse, enfurecerse.

esbugalhar, *v. tr.* quitar las agallas; desencajar, abrir mucho (los ojos).

esbulhar, *v. tr.* desposeer, despojar, expoliar.

esbulho, *s. m.* desposeimiento; expoliación.

esburacar, *v. tr.* agujerear, horadar; perforar.

esburgar, *v. tr.* descortezar, pelar, descascarar; descarnar; deshuesar.

escabecear, *v. tr.* vd. **cabecear**.

escabechar, *v. tr.* escabechar.

escabeche, *s. m.* escabeche; (*fig.*) artificio; algazara; *de escabeche*, escabechado; *pôr de escabeche*, escabechar.

escabelar, *v. tr.* (*fig.*) descabellar; despeinar; desgreñar.

escabelo, *s. m.* escabel; banca; banquillo; escañuelo.

escabichador, *adj. e s. m.* investigador; indagador.

escabichar, *v. tr.* investigar, indagar, escudriñar.

escabiosa, *s. f.* escabiosa.

escabreação, *s. f.* irritación; revuelta.

escabrear, *v.* **1.** *intr.* encabritarse. **2.** *tr.* molestar, incomodar, irritar.

escabrosidade, *s. f.* escabrosidad; aspereza.

escabroso, *adj.* escabroso, áspero; pedregoso; fragoso.

escabujar, *v. intr.* patalear; bracear.

escabulhar, *v. tr.* escabullar, descortezar, mondar; descascar.

escabulho, *s. m.* cascarilla; cascabillo.

escacar, *v. tr.* destrozar; romper; partir; escacharrar.

escachado, *adj.* despatarrado.

escachar, *v.* **1.** *tr.* hender, partir, dividir; abrir de arriba abajo; rajar; desgajar; escachar. **2.** *refl.* despatarrarse.

escada, *s. f.* escalera; (*espiral*) caracol; escala; martellina.

escadaria, *s. f.* escalinata; gradería.

escádea, *s. f.* gajo.

escadeirar, *v. tr.* descaderar, hacer a uno grave daño en las caderas.

escadinha, *s. f.* (*cabelo*) *às escadinhas*, escalonado; *cortar às escadinhas*, escalonar.

escadório, *s. m.* escalinata.

escadote, *s. m.* escalera pequeña móvil o portátil.

escafandrismo, *s. m.* submarinismo.

escafandrista, *s. 2 gén.* escafandrista; submarinista.

escafandro, *s. m.* escafandro, escafandra.

escafóide, *s. m.* ANAT. escafoides.

escala, *s. f.* escala, medida graduada; baremo; NÁUT. escala (de buques); escala, graduación; MÚS. escala, gama; vez; registro de servicios.

escalada, *s. f.* escalada; subida.

escalador, *adj. e s. m.* escalador.

escalafriante, *adj. 2 gén.* escalofriante.

escalafriar, *v. tr.* escalofriar.

escalamento, *s. m.* escalamiento.

escalão, *s. m.* escalón, peldaño; MIL. disposición en las maniobras.

escalar, *v. tr.* escalar; asaltar; subir; trepar a; destripar, robar; designar (por escala).

escalavrado, *adj.* descalabrado.

escalavradura, *s. f.* rozadura, escoriación hecha en la piel.

escalavramento, *s. m.* vd. **escalavrar**.

escalavrar, *v. tr.* desollar, arañar, escalabrar; descalabrar; arruinar.

escaldadela, *s. f.* escaldadura.

escaldado, *adj.* escaldado.

escaldadura, *s. f.* escaldadura.

escaldar, *v. tr.* escaldar, quemar con agua muy caliente u otro líquido.

escaleno, *adj.* escaleno.

escaler, *s. m.* NÁUT. chalupa, bote, lancha de un buque.

escalfador, *s. m.* escalfador.

escalfar, *v. tr.* escalfar.

escalfeta, *s. f.* escalfeta, calientapiés.

escalonado, *adj.* escalonado.

escalonar, *v. tr.* escalonar.

escalope, *s. m.* escalope.

escalpamento, *s. m.* escalpación.

escalpar, *v. tr.* escalpar.

escalpelar, *v. tr.* escalpar; disecar.

escalpelizar, *v. tr.* escalpar.

escalpelo, *s. m.* CIR. escalpelo.

escalvado, *adj.* calvo, sin cabello.

escalvar, *v. tr.* hacer calvo o estéril.

escama, *s. f.* escama.

escamação, *s. m.* escamadura; (*fam.*) riña; irritación.

escamadura, *s. f.* escamadura.

escamar, *v. tr. e refl.* escamar; (*fig.*) irritarse.

escambar, *v. tr.* cambiar, trocar.

escambo, *s. m.* troca, cambio.

escamoso, *adj.* escamoso.

escamoteação, *s. f.* escamoteo.

escamoteador, *s. m.* escamoteador.

escamotear, *v. tr.* escamotear.

escampado, I. *s. m.* escampado; descampado. **II.** *adj.* escampado, dícese del tiempo.

escampar, *v. intr.* escampar (el tiempo); escaparse, huir.

escamudo, *adj.* escamudo, escamoso.

escanção, *s. m.* escanciador.

escançar, *v. tr.* escanciar.

escâncara, *s. f., às escâncaras,* al descubierto, abiertamente.

escancarado, *adj.* abierto de de par en par.

escancarar, *v. tr.* abrir completamente; *refl.* abrirse de par en par.

escanchar, *v.* **1.** *tr.* escarranchar, despatarrar. **2.** *refl.* despatarrarse, esparrancarse.

escandaleira, *s. f.* escandalera.

escandalizador, *s. m.* escandalizador.

escandalizar, *v.* **1.** *tr.* escandalizar; maltratar, injuriar; ofender. **2.** *intr.* hacer escándalo. **3.** *refl.* escandalizarse.

escândalo, *s. m.* escándalo; espectáculo; bochinche; *(fig.)* campanada.

escandaloso, *adj.* escandaloso; desgarrado.

escandecência, *s. f.* escandecencia.

escandecente, *adj. 2 gén.* escandecente.

escandecer, *v. intr.* escandecer.

escandinavo, *adj. e s. m.* escandinavo.

escândio, *s. m.* QUÍM. escandio.

escandir, *v. tr.* escandir.

escangalhar, *v. tr.* destruir; estropear; desarreglar; romper; chingar; descacharrar.

escanho, *s. m.* escaño.

escanhoador, *s. m.* barbero.

escanhoar, *v. tr.* afeitar, rasurar, rapar mucho la barba.

escanifrado, *adj. (fam.)* descarnado, raquítico.

escano, *s. m.* vd. **escanho.**

escantear, *v. tr.* descantillar.

escantilhão, *s. m.* escantillón.

escantudo, *adj.* que tiene grandes cantos.

escapada, *s. f.* escapada.

escapadela, *s. f.* escapatoria; escapada.

escapar, *v. intr. e refl.* escapar, huir, eva-

dirse; zafarse; escabullirse; escaquarse; fugarse.

escaparate, *s. m.* escaparate, vidriera; vitrina.

escapatória, *s. f.* escapatoria, disculpa; excusa; regate; subterfugio.

escapatório, *adj.* escapable; tolerable.

escape, *s. m.* escape; fuga, evasión.

escapelada, *s. f.* vd. **descamisada.**

escapelar, *v. tr.* esfoyar, deshojar, el maíz.

escapo, *s. m.* ARQ. escapo.

escápula, *s. f.* escarpia; ANAT. escápula; omoplato; apoyo; alzapáno; estaquilla.

escapular, *adj. 2 gén.* escapular.

escapulário, *s. m.* escapulario; sambenito.

escapulir-se, *v. refl.* escabullirse, huir, escaparse.

escaqueirar, *v. tr.* despedazar; quebrar.

escara, *s. f.* escara.

escarafunchar, *v. tr.* escarabajear, garrapatear (escribir mal); escarbar; rebuscar.

escaramuça, *s. f.* escaramuza; disputa.

escaramuçador, *adj. e s. m.* escaramuzador.

escaramuçar, *v.* **1.** *intr.* escaramuzar, trabar escaramuzas. **2.** *tr.* escarcear, obligar al caballo a dar vueltas repetidas.

escarapela, *s. f.* escarapela, riña.

escarapelar, *v.* **1.** *tr.* escarapelar, contender, reñir. **2.** *intr.* esfoyar (el maíz).

escaravelho, *s. m.* ZOOL. escarabajo; cárabo.

escarcela, *s. f.* escarcela.

escarcéu, *s. m.* escarceo; riña doméstica; alharaca; *fazer escarcéu,* hacer alharacos.

escarcha, *s. f.* escarcha, nieve, rocío congelado.

escarchado, *adj.* escarchado.

escarchar, *v. tr.* escarchar, cubrir de nieve.

escarduçar, *v. tr.* carduzar.

escarear, *v. tr.* escariar.

escarificar, *v. tr.* escarificar; sajar.

escarlata, *s. f.* escarlata.

escarlate, *s. m.* escarlata, encarnado; grana.

escarlatina, *s. f.* escarlatina, fiebre eruptiva.

escarmentado, *adj.* escaldado.

escarmentar, *v. tr. e intr.* escarmentar; castigar, corregir.

escarmento, *s. m.* escarmiento, desengaño; castigo.

escarnador, *s. m.* descarnador.

escarnar, *v. tr.* CIR. descarnar.

escarnecedor, *s. m.* escarnecedor.

escarnecer, *v. tr. e intr.* escarnecer; ridiculizar; apodar; befar; chufletear; guasearse; mofara.

escarnecimento, *s. m.* escarnecimiento.

escarnecível, *adj. 2 gén.* escarnecible.

escarnicador, *s. m.* escarnecedor.

escarnicar, *v. tr.* escarnecer mucho.

escarninho, *adj.* que hace escarnio; escarnecedor; sarcástico.

escárnio, *s. m.* escarnio, burla, ludibrio; mofa; befa; recochino.

escarola, *s. f.* escarola.

escarolado, *adj.* escarolado.

escarolador, *s. m.* desgranadora.

escarolar, *v. tr.* desgranar, limpiar.

escarpa, *s. f.* escarpa.

escarpado, *adj.* escarpardo; abrupto; acantilado; accidentado; enriscado.

escarpadura, *s. f.* escarpadura, escarpa.

escarpamento, *s. m.* vd. **escarpadura.**

escarpar, *v. tr.* escarpar.

escarpes, *s. m. pl.* zapatos de hierro.

escarpim, *s. m.* escarpín; patruco.

escarradeira, *s. f.* escupidera.

escarrador, *s. m.* escupidera.

escarradura, *s. f.* escupidura; gargajo.

escarranchado, *adj.* despatarrado; a horcajadas.

escarranchar, *v.* 1. *tr.* escarranchar; espatarrar; despatarrar. 2. *refl.* ahorcajarse; espatarrarse; despatarrarse.

escarrar, *v. tr. e intr.* escupir, esputar, expectorar; gargajear.

escarro, *s. m.* escupidura; escupitajo; escupitanajo; esputo; gargajo.

escarvar, *v. tr.* escarbar; (*fig.*) corroer.

escarvoar, *v. tr.* bosquejar o dibujar a carbón.

escasquear, *v. tr.* limpiar o lavar pipas vacías.

escassear, *v. intr.* escasear; faltar; disminuir; rarear; enrarecer.

escassez, *s. f.* escasez, mezquindad; estrechez; falta; carestía; mengula.

escasso, *adj.* escaso; estrechez; raro; falto; menguado; parco; parvo; poco.

escatimar, *v. tr.* escatimar; regatear.

escatologia, *s. f.* escatologia.

escatológico, *adj.* escatalógico.

escavação, *s. f.* excavación; ahuecamiento; socavón.

escavacar, *v. tr.* trizar, destrizar; quebrar; partir.

escavado, *adj. e s. m.* excavado; cóncavo.

escavador, *adj. e s. m.* excavador; ahuecador.

escavadora, *s. f.* excavadora.

escavar, *v. tr.* excavar; cavar; descarnar; ahondar; ahuecar.

escaveirado, *adj.* cadavérico; descarnado.

escaveirar, *v. tr.* descarnar, enflaquecer.

esclarecer, *v. tr.* esclarecer; ennoblecer; aclarar; dilucidar; desambiguar; desenmarañar; (*fig.*) desovillar.

esclarecido, *adj.* esclarecido.

esclarecimento, *s. m.* esclarecimiento; explicación; dilucidación.

esclavina, *s. f.* esclavina.

esclerodermes, *s. m. pl.* ZOOL. esclerodermos.

esclerose, *s. m.* MED. esclerosis.

esclerótica, *s. f.* ANAT. esclerótica.

escoadouro, *s. m.* escurridero, sumidero, albañal; batidero, abatidero; albollón.

escoamento, *s. m.* acción y efecto de **escoar.**

escoar, *v.* 1. *tr.* escurrir; colar; filtrar; agotar. 2. *refl.* derramarse.

escocês, *adj. e s. m.* escocés.

escodear, *v. tr.* descortezar; mondar; raspar; descascar.

escoiceador, *adj. e s. m.* coceador; acoceador.

escoicear, *v. tr. e intr.* cocear; acocear; respingar.

escoicinhador, *adj. e s. m.* vd. **escoiceador.**

escoicinhar, *v. tr. e intr.* vd. **escoicear.**

escol, *s. m.* la flor y nata; lo más selecto o escogido.

escola, *s. f.* escuela; clase; liceo; colegio; *escola de condução,* autoescuela.

escolar, I. *adj. 2 gén.* escolar. **II.** *s. 2 gén.* estudiante.

escolaridade, *s. f.* escolaridad.

escolarizar, *v. tr.* escolarizar.

escolástica, *s. f.* escolástica.

escolástico, *adj.* escolástico.

escolha, *s. f.* escogimiento, elección; selección.

escolher, *v. tr.* escoger; elegir; seleccionar; optar; apartar; entresacar.

escolhido, *adj.* escogido.

escolhimento, *s. m.* escogimiento.

escolho, *s. m.* escollo; arrecife; cantil; farallón; rompiente; (*fig.*) obstáculo; peligro.

escólio, s. m. escolio.

escoliose, s. f. MED. escoliose.

escolmar, v. tr. descolmar.

escolopendra, s. f. ZOOL. escolopendra, ciempiés.

escolta, s. f. escolta.

escoltar, v. tr. escoltar.

escombros, s. m. pl. escombros; ruinas; destrozos.

escondedor, s. m. escondedor; receptador.

escondedouro, s. m. escondedero, escondrijo.

esconde-esconde, s. m. escondite.

esconder, v. tr. esconder; encubrir; refugiar; ocultar; asolapar; emboscar; callar; recatar; sepultar.

esconderijo, s. m. escondrijo, escondedero; escondite; secreto; *(na caça)* aguardo.

escondidas, s. f. pl. escondite; *às escondidas, loc. adv.* a escondidas, a hurtillas, de tapadillo; ocultamente; de extranjis.

escondido, adj. escondido; velado; soterrado.

esconjuração, s. f. vd. **esconjuro**.

esconjurador, adj. e s. m. exorcista.

esconjurar, v. tr. exorcisar; conjurar.

esconjuro, s. m. esconjuro; conjuro; exorcismo.

esconso, I. adj. esconzado. II. s. m. escondrijo; desván.

escopeta, s. f. escopeta.

escopetada, s. f. escopetazo.

escopo, s. m. escopo, fin, propósito, intento.

escopro, s. m. escoplo; cincel; cortafrío.

escora, s. f. escora; estaquilla; *(fig.)* apoyo; amparo.

escoramento, s. m. escoramiento; apuntalamiento.

escorar, v. tr. escorar, apuntalar; entibar, estantalar, ademar; encofrar.

escorbútico, adj. escorbútico.

escorbuto, s. m. escorbuto.

escorçar, v. tr. escorzar.

escorchador, s. m. descortezador; descorchador.

escorchamento, s. m. desolladura; descorche.

escorchar, v. tr. desollar; descortezar; descorchar (las colmenas).

escorço, s. m. PINT. escorzo.

escória, s. f. escoria; cagafierro.

escoriação, s. f. escoriación, excoriación.

escoriar, v. tr. escoriar; excoriar; purificar.

escorificar, v. tr. escorificar.

escornada, s. f. cornada.

escornar, v. tr. e intr. cornear, acornear, dar cornadas.

escornear, v. tr. e intr. vd. **escornar**.

escorpião, s. m. ZOOL. escorpión; alacrán; *(signo)* escorpio.

escorraçar, v. tr. ahuyentar, despreciar.

escorralhas, s. f. pl. escurriduras; posos; escurrimbres; sedimento o borras.

escorredor, s. m. escurridor.

escorreduras, s. f. pl. escurriduras.

escorregadela, s. f. tropezón, resbalón, traspié.

escorregadio, adj. resbaladizo, resbaloso; escurridizo; lúbrico.

escorregadoiro, s. m. deslizadero, resbaladero.

escorregadura, s. f. vd. **escorregadela**.

escorregão, s. m. resbalón.

escorregamento, s. m. resbalamiento, deslizamiento; *(fig.)* desliz.

escorregar, v. intr. resbalar, deslizar; *(fig.)* tener un desliz.

escorregável, adj. 2 gén. lábil.

escorreito, adj. que no tiene defecto; perfecto.

escorrer, v. tr. e intr. escurrir; secar; enjugar; deslizar, verter.

escorrido, adj. *(cabelo)* lacio.

escorrimento, s. m. escurrimiento.

escorripicha-galhetas, s. m. *(fam.)* sacristán.

escorripichar, v. tr. *(fam.)* agotar, vaciar, beber hasta la última gota.

escorva, s. f. estopín; cebador; cebo.

escorvador, s. m. cebador; escarbador.

escorvar, v. tr. cebar (las armas de chispa); escarbar.

escota, s. f. NÁUT. escota.

escote, s. m. escote.

escoteira, s. f. escotera.

escoteiro, s. m. escotero; explorador.

escotilha, s. f. NÁUT. escotilla.

escotilhão, s. m. escotillón.

escoucear, v. tr. e intr. vd. **escoicear**.

escova (ô), s. f. cepillo; escoba; escobilla.

escovadela, s. f. cepilladura; acepilladura.

escovalho, s. m. escobajo.

escovar, *v. tr.* cepillar, acepillar; *(fig.)* reprender.

escoveira, *s. f.* cepillera.

escoveiro, *s. m.* cepillero; brucero.

escovilha, *s. f.* escobilla.

escovinha, *s. f.* cepillito; sedera.

escrava, *s. f.* esclava, mujer cautiva; esclava, pulsera gruesa y lisa.

escravaria, *s. f.* esclavatura.

escravatura, *s. f.* esclavitud.

escravidão, *s. f.* esclavitud; *(fig.)* cautiverio.

escravista, *adj.* e *s.* 2 *gén.* esclavista.

escravizar, *v. tr.* esclavizar; subyugar; sujetar.

escravo, *adj. s. m.* esclavo; *tráfico de escravos*, trata.

escrevente, *s.* 2 *gén.* escribiente; copista; amanuense.

escrever, *v.* 1. *tr.* escribir; componer; redactar. 2. *refl.* cartearse; corresponderse.

escrevinhar, *v. tr.* escribir mal; garabatear; borronear; garrapatear; borrajear.

escriba, *s. m.* escriba.

escrínio, *s. m.* secretaria, escritorio; escriño, cofre pequeño.

escrita, *s. f.* escritura; caligrafía; contabilidad comercial.

escrito, *adj.* e *s. m.* escrito; gravado; carta; albarán.

escritor, *s. m.* escritor.

escritório, *s. m.* oficina, escritorio; buró; despacho; escribanía; *funcionário de escritório*, oficinista.

escritura, *s. f.* escritura.

escrituração, *s. f.* contabilidad, teneduría de libros.

escriturar, *v. tr.* escriturar.

escriturário, *s. m.* escriturario.

escrivã, *s. f.* escribana.

escrivaninha, *s. f.* secretaria, escritorio; escribanía.

escrivão, *s. m.* escribano.

escrófula, *s. f.* escrófula.

escrofulose, *s. f.* MED. escrofulosis.

escrofuloso, *adj.* escrofuloso.

escroto, *adj.* 2 *gén.* escrotal.

escrotal, *s. m.* escroto.

escrupulizar, *v. tr.* escrupulizar.

escrúpulo, *s. m.* escrúpulo; conciencia.

escrupulosidade, *s. f.* escrupulosidad.

escrupuloso, *adj.* escrupuloso; exacto; minucioso; concienzudo; meticuloso; puntiloso.

escrutador, *adj.* e *s. m.* escrutador.

escrutar, *v. tr.* escrutar; investigar.

escrutinador, *s. m.* escrutinador, escrutador.

escrutinar, *v. tr.* e *intr.* escrutinar.

escrutínio, *s. m.* escrutinio; votada.

escudar, *v. tr.* escudar; resguardar, defender.

escudeirar, *v. tr.* e *intr.* escuderear, acompañar o servir como escudero.

escudeiro, *s. m.* escudero.

escudela, *s. f.* escudilla, gábata, hortera.

escudelada, *s. f.* contenido de una escudilla.

escudelar, *v. tr.* escudillar.

escudete, *s. m.* escudete; escudo, chapa de la cerradura.

escudo, *s. m.* escudo, adarga; escudo, moneda.

esculápio, *s. m.* esculapio, médico.

esculca, *s. f.* esculca, escucha.

esculpir, *v. tr.* esculpir; grabar, cincelar; entallar; entretallar.

escultor, *s. m.* escultor; estatuário.

escultórico, *adj.* escultórico.

escultura, *s. f.* escultura; estatuaria; *(de madeira)* talla.

escultural, *adj.* 2 *gén.* escultural.

esculturar, *v. tr.* esculturar; esculpir.

escuma, *s. f.* espuma, baba; escoria; sudor de los caballos; giste.

escumadeira, *s. f.* espumadera.

escumador, *adj.* espumoso.

escumalha, *s. f.* escoria; cagafierro; *(fig.)* populacho, ralea; carroña.

escumalho, *s. m.* escoria de los metales.

escumante, *adj.* 2 *gén.* espumoso, espumante.

escumar, *v. intr.* espumar.

escumoso, *adj.* espumoso.

escuna, *s. f.* NÁUT. escuna, goleta.

escupir, *v. intr.* *(fam.)* escupir.

escuras, *s. f. pl.*, *às escuras*, a oscuras.

escurecer, *v. tr.* oscurecer, obscurecer; ennegrecer; ensombrecer; entenebrecer; anublar; eclipsar.

escureza, *s. f.* vd. **escuridão**; obscuridad.

escuridade, *s. f.* vd. **escuridão**.

escuridão, *s. f.* oscuridad, obscuridad; tinieblas; cerrazón; tenebrosidad.

escuro, *adj.* oscuro, obscuro, sombrío, umbroso, tenebroso; lóbrego.

escusa, *s. f.* excusa; disculpa, dispensa.

escusado, *adj.* excusado, inútil; exento.

escusar, v. tr. excusar, dispensar, disculpar; evitar; subsanar.

escusável, adj. 2 gén. excusable.

escuso, adj. dispensado; escondido.

escuta, s. f. escucha.

escutador, adj. e s. m. escuchador.

escutar, v. tr. escuchar; oír.

escuteiro, s. m. explorador; scout.

esdruxularia, s. f. cosa extravagante; rareza.

esdruxulizar, v. tr. esdrujulizar; tornar extravagante.

esdrúxulo, adj. e s. m. esdrújulo.

esfacelamento, s. m. despedazamiento, destrozo, estrujamiento.

esfacelar, v. intr. despedazar; deshacer; estropear.

esfacelo, s. m. destrucción; ruina; destrozo.

esfaimado, adj. hambriento; famélico.

esfaimar, v. tr. hambrear.

esfalfamento, s. m. extenuación; agotamiento.

esfalfar, v. 1. tr. debilitar; cansar. 2. refl. extenuarse.

esfanicar, v. tr. despedazar; desmigajar.

esfaqueador, adj. e s. m. acuchillador.

esfaquear, v. tr. acuchillar.

esfarelar, v. tr. reducir a salvado; pulverizar; desmenuzar; migar.

esfarpar, v. tr. despedazar, astillar; deshilar.

esfarrapado, adj. desharrapado; desarrapado; andrajoso; astroso; harapiento; roto; trapajoso; zarrapastroso.

esfarrapamento, s. m. desgarrón.

esfarrapar, v. tr. desgarrar, rasgar, romper.

esfarripar, v. tr. desgreñar; deshacer; deshilar.

esfatiar, v. tr. tajar, dividir en tajadas o rebanadas.

esfera, s. f. esfera, globo.

esfericidade, s. f. esfericidad.

esférico, adj. esférico.

esferográfica, s. f. bolígrafo; (fam.) boli.

esferoidal, adj. 2 gén. esferoidal.

esferóide, s. f. esferoide.

esferómetro, s. m. esferómetro.

esfervilhar, v. tr. resolverse; escarabajear.

esfíncter, s. m. esfínter; esfínter anal, sieso.

esfinge, s. f. esfinge.

esfíngico, adj. misterioso, enigmático.

esflorar, v. tr. vd. desflorar.

esfola, s. f. (fam.) prestamista.

esfoladela, s. f. desolladura, desollamiento (fig.) trampa.

esfolador, adj. e s. m. desollador; (fig.) gorrón.

esfoladura, s. f. desolladura; excoriación; arañadura.

esfolamento, s. m. vd. esfoladura.

esfolar, v. tr. desollar; despellejar; arañar; excoriar; (fig.) explotar.

esfolhada, s. f. deshojadura; deshoja; esfoyada.

esfolhador, adj. e s. m. deshojador.

esfolhar, v. tr. deshojar.

esfoliação, s. m. exfoliación.

esfoliar, v. tr. exfoliar; hojear un libro.

esfomeado, adj. hambriento.

esfomear, v. tr. hambrear.

esforçado, adj. esforzado, animoso, alentado; gallardo; valeroso; valiente.

esforçar, v. 1. tr. esforzar; tener valor. 2. refl. esforzarse; afanarse; forcejear.

esforço, s. m. esfuerzo; forcejeo.

esfrançar, v. quitar las ramas más altas a los árboles, desramar.

esfrangalhado, adj. desharrapado; topajoso.

esfrangalhar, v. tr. rasgar, reducir a guiñapos o jirones; desharrapar.

esfrega, s. f. fregadura, fregado, estregamiento, friega; fricción; frotamiento; reprimenda.

esfregação, s. f. esfregadura; fregado; fricción; frotación; frotamiento; frote.

esfregadela, s. f. fregoteo; dar uma esfregadela a, esfregotear.

esfregador, s. m. fregador.

esfregalho, s. m. estropajo; fregador.

estregamento, s. m. vd. esfregação.

esfregão, s. m. aljofifa; estropajo; rodilla; (da louça) albero.

esfregar, v. tr. fregar; frotar; estregar; refregar, restregar.

esfriador, adj. enfriador; enfriadero, enfriador.

esfriamento, s. m. enfriamiento; resfriamiento; pasmo.

esfriar, v. tr. e intr. enfriar, resfriar; pasmar.

esfumação, s. f. esfumación.

esfumado, adj. e s. m. PINT. esfumado; ahumado.

esfumar, v. tr. difuminar; esfumar; esfuminar.

esfuminhar, *v. tr.* esfuminar; esfumar; difuminar.

esfuracar, *v. tr.* agujerear, perforar.

esfuziada, *s. f.* descarga, serie de tiros; carcajada; golpe de viento.

esfuziar, *v. intr.* silbar, dar silbidos (el viento, proyectiles, etc.).

esgaçar, *v. tr. vd.* **esgarçar**.

esgadanhar, *v. tr.* arañar, rasguñar; herir.

esgadelhar, *v. tr. vd.* **esguedelhar**.

esgalgado, *adj.* delgado como un galgo; hambriento; famélico.

esgalgar, *v. tr.* enflaquecer, adelgazar.

esforçar-se, *v. refl.* pujar.

esforço, *s. m.* esfuerzo; vigor, brío, valor.

esgalha, *s. f.* gajo de uva, racimo; pedazo de rama de árbol.

esgalhado, *adj.* dividido en gajos; ramificado; desgajado.

esgalhar, *v. tr.* cortar los gajos a.

esgalho, *s. m.* vástago, renuevo.

esgana, *s. f.* estrangulación; coqueluche; moquillo.

esganação, *s. f.* estrangulación; *(fig.)* avidez.

esganado, *adj. e s. m.* estrangulado; *(fig.)* avaro.

esganiçado, *adj.* atiplado.

esganiçar, *v.* **1.** *tr.* atiplar. **2.** *refl.* desgargantarse; desgañitarse.

esgar, *s. m.* gesto, mueca, expresión del rostro; momo; tic; alcocarra.

esgaratujar, *v. tr. e intr.* garrapatear, garabatear.

esgaravatar, *v. tr.* escarbar; hurgar; *(fig.)* pesquisar.

esgarçar, *v. tr.* rasgar, desgajar.

esgardunhar, *v. tr.* arañar; *vd.* **arrepelar**.

esgargalar, *v. tr.* escotar mucho.

esgarrar, *v. tr. e intr. NÁUT.* desgaritar; descaminar.

esgatanhar, *v. tr.* rasguñar a; arañar.

esgazeado, *adj.* desmayado; desorbitado.

esgazear, *v. tr.* poner (los ojos) en blanco; desorbitar, desencajar.

esgorjar, *v. tr. e intr.* tener gran deseo de; desgolletar, escotar.

esgotado, *adj.* exhausto; agotado; consumido.

esgotadouro, *s. m.* albañal; alcantarilla.

esgotamento, *s. m.* agotamiento, exinanición; surmenaje.

esgotante, *adj. 2 gén.* agotador.

esgotar, *v. tr.* agotar; esquilmar, vaciar;

enyugar, gastar; apurar; desangrar; empobrecer.

esgotável, *adj. 2 gén.* agotable.

esgoto, *s. m.* albañal, sumidero, husillo; alcantarilla; desaguadera; vaciadero; *prover de esgotos*, alcantarillar.

esgravanar, *v. intr.* granizar, caer granizos.

esgravatar, *v. tr. vd.* **esgaravatar**.

esgrima, *s. f.* esgrima.

esgrimidor, *s. m.* esgrimidor.

esgrimir, *v. tr. e intr.* esgrimir; luchar.

esgrimista, *s. 2 gén.* esgrimidor.

esgrouviado, *adj.* desgarbado; desgreñado; larguirucho.

esgrouviar, *v. tr.* despeinar, desgreñar.

esguedelhar, *v. tr.* despeinar, desgreñar.

esgueirar-se, *v. refl.* pirarse; darse el piro.

esguelha, *s. f.* oblicuidad, sesgo, sesgadura; torcimiento; diagonal.

esguelhado, *adj.* torcido, sesgado, soslayado, soslayo.

esguelhar, *v. tr.* sesgar; soslayar.

esguichadela, *s. f.* chorro, surtidor; surtido; chorreo.

esguichar, *v. tr. e intr.* surtir, chorrear.

esguicho, *s. m.* chorro; chorretada; surtido, surtidor.

esguio, *adj.* larguirucho.

esladroar, *v. tr. AGRIC.* deschuponar, esforrocinar, destallar.

eslagartador, *adj. e s. m.* descocador.

eslagartar, *v. tr. AGRIC.* descocar.

eslavismo, *s. m.* eslavismo.

eslavo, *adj. e s. m.* eslavo.

eslovaco, *adj. e s. m.* eslovaco.

esmaecer, *v. intr.* debilitar; desmayar; desvanecerse.

esmaecimento, *s. m.* descoloramiento; desmayo; desvanecimiento.

esmagação, *s. f. vd.* **esmagamento**.

esmagachar, *v. tr. vd.* **esmagar**.

esmagadela, *s. f. vd.* **esmagamento**.

esmagador, *adj. e s. m.* aplastante; punzante, pungente, abrumador; apabullante.

esmagadura, *s. f. vd.* **esmagamento**.

esmagamento, *s. m.* aplastamiento; compresión; trituración; apabullo.

esmagar, *v. tr.* aplastar; reventar; machacar; afligir; abrumar; apabullar; atortujar; escachar; moler.

esmaltado, *adj. e s. m.* esmaltado.

esmaltador, *adj. e s. m.* esmaltador.

esmaltar, v. tr. esmaltar; (fig.) matizar; adornar.

esmalte, s. m. esmalte; (de ourives) porcelana; (fig.) brillo; realce.

esmaltina, s. f. esmaltina.

esmar, v. tr. calcular, estimar, avaluar.

esmechada, s. f. (fam.) calamorrazo, cabezazo.

esmechar, v. tr. herir en la beza; estar muy caliente.

esméctico, adj. esméctico; detersorio.

esmerado, adj. esmerado; primoroso; perfecto; acurado; apurado.

esmeralda, s. f. esmeralda; berilo.

esmeraldino, adj. esmeraldino; verde.

esmerar, v. **1**. tr. esmerar; perfeccionar. **2**. refl. esmerarse.

esmeril, s. m. esmeril.

esmerilar, v. tr. esmerilar; (fig.) perfeccionar; pesquisar, investigar.

esmerilhador, adj. e s. m. esmerilador.

esmerilhão, s. m. ZOOL. esmerejón, azor; esmeril.

esmerilhar, v. tr. esmerilar.

esmero, s. m. esmero; corrección; perfección; refinamiento; celo; asco.

esmigalhamento, s. m. estrujamiento; aplastamiento.

esmigalhar, v. tr. desmigar; desmigajar; triturar; fragmentar; desmenuzar; aplastar; despachurrar.

esmiolado, adj. vd. **esmiolado**.

esmiolar, v. tr. vd. **desmiolar**.

esmirrar-se, v. refl. marchitarse; mustiar; secar.

esmiuçador, adj. e s. m. desmenuzador.

esmiuçar, v. tr. desmenuzar; pulverizar; menudear (contar menudencias).

esmo, s. m. cálculo, conjetura; a esmo, al azar, a la ventura.

esmocar, v. tr. (fam.) aporrear; lastimar con un porrazo.

esmochar, v. tr. descornar a; desmochar a.

esmoer, v. tr. triturar con los dientes; moler; digerir.

esmola, s. f. limosna; caridad.

esmolador, adj. e s. m. limosnero; vd. **esmoler**.

esmolar, v. tr. e intr. pedir limosna; mendigar, pordiosear; pedir.

esmolaria, s. f. casa donde se reparten limosnas.

esmoleira, s. f. limosnera.

esmoleiro, s. m. limosnero.

esmoler, adj. caritativo, limosnero.

esmorecer, v. tr. e intr. esmorecer, entibiar, desanimar.

esmorecido, adj. esmorecido, triste, desanimado.

esmorecimento, s. m. desánimo, descorazonamiento; desaliento.

esmoucado, adj. mogón.

esmoucar, v. tr. descantillar; damnificar.

esmurraçar, v. tr. vd. **esmurrar.**

esmurradela, s. f. desconchón.

esmurrado, adj. desconchado.

esmurrar, v. tr. apuñar, apuñear; desconchar.

esofágico, adj. esofágico.

esófago, s. m. ANAT. esófago.

esotérico, adj. esotérico.

esoterismo, s. m. esoterismo.

espaçado, adj. espaciado, separado, escalonado; tardo, lento.

espaçamento, s. m. esparcimiento, extensión.

espaçar, v. tr. espaciar, escalonar; dilatar; tardar.

espacear, v. tr. vd. **espaçar.**

espacejar, v. tr. TIP. espaciar.

espacial, adj. 2 gén. espacial.

espaço, s. m. espacio; ámbito; campo; lugar; intervalo; trecho; área; continente; TIP. regleta.

espaçoso, adj. espacioso; dilatado; amplio; vasto; desahogado.

espada, s. **1**. f. espada. **2**. s. m. espada, matador; esgrimista; ZOOL. pez espada.

espadachim, s. m. espadachín; acuchilladizo.

espadagão, s. m. espadón.

espadana, s. f. BOT. espadaña; (fig.) espadañada; cola.

espadão, s. m. espadón.

espadarte, s. m. ZOOL. espadarte.

espadaúdo, adj. espaldudo.

espadeirada, s. f. espadazo.

espadeiro, s. m. espadero.

espadela, s. f. espadilla, agramadera.

espadelada, s. f. velada en que se espada el lino.

espadelador, s. m. espadador.

espadelar, v. tr. espadar, espadillar (el lino).

espadilha, s. f. espadilla, ás de espadas.

espadim, s. m. espadín.

espádua, s. f. espalda; espaldilla, omoplato; hombro.

espairecer, v. tr. e intr. distraer; recrearse, divertirse.

espairecimento, s. m. entretenimiento, distracción, recreo.

espalda, s. f. espalda.

espaldão, s. m. espaldón.

espaldar, s. m. espaldar; respaldar; pl. espalderas.

espaldear, v. tr. NÁUT. espaldear.

espaldeira, s. f. espaldera, espaldar, funda de silla.

espalhadeira, s. f. AGRIC. instrumento para extender la paja.

espalhafato, s. m. aparato; ostentación; barullo.

espalhafatoso, adj. aspaventero; teatral.

espalhamento, s. m. esparcimiento; despaje; divulgación.

espalhar, v. **1.** tr. esparcir, divulgar, difundir, diseminar, propagar; sembrar; infundir; espajar, separar; derramar; desparramar. **2.** refl. derramarse; esparcirse; susurrarse.

espalmado, adj. chato; achatado; raso.

espampanante, adj. 2 gén. despampanante.

espanadela, s. f. limpieza (de polvo).

espanador, s. m. plumero, sacudidor, zorro.

espanar, v. tr. desempolvar.

espancado, adj. apaleado; aporreado.

espancador, s. m. pendenciero, apaleador; bravucón.

espancamento, s. m. apaleamiento.

espancar, v. tr. pegar, golpear, apalear; aporrear; tundir.

espanejador, s. m. plumero, sacudidor, zorro.

espanejar, v. tr. vd. **espanar;** refl. sacudir las plumas, volitar.

espanhol, adj. e s. m. español.

espanholada, s. f. españolada; fanfarronada.

espanholar, v. tr. españolar, españolizar.

espanholismo, s. m. españolismo.

espanholizar, v. tr. españolizar, castellanizar.

espantadiço, adj. espantadizo; arisco; asustadizo.

espantado, adj. espantado; asustado; pasmado; assombrado; atónito; chafado.

espantador, s. m. espantador.

espantalho, s. m. espantajo; adefesio; esperpento.

espantar, v. tr. espantar; asustar, asombrar, pasmar; atemorizar; aspavetitar; chafar.

espanto, s. m. espanto, terror; susto; sorpresa; asombro; pasmo; admiración

espantoso, adj. espantoso; maravilloso; pasmoso.

espapaçado, adj. blando como gachas; hecho gachas sin salero.

espapaçar, v. tr. extender como gachas; ablandar; reducir a gachas.

esparadrapo, s. m. FARM. esparadrapo.

esparavel, s. m. esparavel.

espargido, adj. esparcido.

espargimento, s. m. esparcimiento; derrame; difusión; aspersión.

espargir, v. tr. aspergear; esparcir, derramar; desparramar; regar; divulgar.

espargo, s. m. BOT. espárrago; esparraguera.

esparramar, v. tr. desparramar, extender; diseminar por el suelo.

esparregado, s. m. guisado de hortalizas cocidas y menudamente cortadas.

esparrela, s. f. trampa, lazo para cazar pájaros; garlito; (fam.) engaño, ardid; cair na esparrela, caer en el garlito.

esparrinhar, v. intr. aspergear; salir en chorro, brotar; chapalear.

esparso, adj. diseminado, esparcido, suelto; disperso.

espartano, adj. e s. m. espartano.

espartaria, s. f. espartería.

esparteína, s. f. QUÍM. esparteína.

espartilhado, adj. encorsetado; apretujado.

espartilhar, v. tr. encorsetar; apretujar.

espartilheiro, s. m. corsetero.

espartilho, s. m. corsé; cotilla.

esparto, s. m. BOT. esparto; atocha.

esparzir, v. tr. esparcir; derramar; asperjar.

espasmar, v. tr. pasmar, causar espasmo o pasmo.

espasmo, s. m. espasmo; (fig.) éxtasis.

espasmódico, adj. espasmódico.

espástico, adj. espástico.

espata, s. f. espata.

espatela, s. f. tablita para bajar la lengua.

espatifar, v. tr. (fam.) despedazar, hacer pedazos o añicos.

espato, s. m. espato.

espátula, s. f. espátula.

espaventar, v. **1.** tr. asustar, espantar,

amedrentar; aspaventar. **2.** *refl.* engalanarse.

espavento, *s. m.* aspaviento; espanto; alharaca; *(fig.)* ostentación.

espaventoso, *adj.* aspaventero; vanidoso; ostentoso; charro.

espavorido, *adj.* despavorido.

espavorir, *v.* **1.** *tr.* asustar, aterrorizar, espantar. **2.** *refl.* despavorirse.

especar, *v.* **1.** *tr.* apuntalar; amparar; ademar. **2.** *intr. e refl.* parar; estacarse.

especial, *adj.* 2 *gén.* especial, singular, particular; aparte.

especialidade, *s. f.* especialidad, particularidad; ramo.

especialista, *adj. e s.* 2 *gén.* especialista.

especialização, *s. f.* especialización.

especializado, *adj.* especializado.

especializar, *v.* **1.** *tr.* especializar, especificar; singularizar. **2.** *refl.* especializarse.

especialmente, *adv.* especialmente; particularmente.

especiaria, *s. f.* especiería; especia.

espécie, *s. f.* especie; cualidad; calidad; categoría; índole; suerte; naturaleza; laya.

especieiro, *s. m.* especiero.

especificação, *s. f.* especificación.

especificar, *v. tr.* especificar; concretar; precisar; puntualizar.

especificativo, *adj.* especificativo.

específico, *adj.* específico.

espécime, *s. m.* espécimen, muestra, modelo.

espécimen, *s. m.* vd. **espécime.**

especioso, *adj.* especioso.

espectacular, *adj.* 2 *gén.* espectacular.

espectacularidade, *s. f.* espectacularidad.

espectáculo, *s. m.* espectáculo; atuación; función; *(fam.)* escándalo.

espectaculoso, *adj.* ostentoso, pomposo.

espectador, *adj. e s. m.* espectador.

espectral *adj.* 2 *gén.* espectral.

espectro, *s. m.* espectro; fantasma; aparecido; sombra.

espectroscopia, *s. f.* espectroscopia.

espectroscópio, *s. m.* espectroscopio.

especulação, *s. f.* especulación.

especulador, *adj. e s. m.* especulador.

especular, **I.** *v. tr. e intr.* especular; explotar. **II.** *adj.* 2 *gén.* relativo al espejo o a ciertos minerales.

especulativo, *adj.* especulativo.

espéculo, *s. m.* CIR. espéculo.

espedaçar, *v. tr.* espedazar, despedazar.

espeleologia, *s. f.* espeleología.

espeleólogo, *s. m.* espeleólogo.

espelhar, *v.* **1.** *tr.* limpiar, pulir. **2.** *intr.* espejar. **3.** *refl.* reflejarse.

espelharia, *s. f.* espejería.

espelheiro, *s. m.* espejero.

espelhento, *adj.* espejado, pulido; cristalino; brillante.

espelho, *s. m.* espejo; ejemplo; modelo; *(de fechadura)* bocallave.

espelunca, *s. f.* espelunca, cueva; antro; garito.

espenejar, *v. tr.* vd. **espanejar.**

espenicar, *v. tr.* desplumar.

espeque, *s. m.* espeque; escora; puntal; *(fig.)* apoyo.

espera, *s. f.* espera; tardanza; emboscada; aguardo; plantón.

esperança, *s. f.* esperanza; *ter esperança,* esperar; confiar.

esperançado, *adj.* esperanzado.

esperançar, *v. tr.* esperanzar; animar.

esperançoso, *adj.* esperanzoso; prometedor.

esperantista, *s.* 2 *gén.* esperantista.

esperanto, *s. m.* esperanto.

esperar, *v. tr. e intr.* esperar; contar; confiar; aguardar; atender; suponer.

esperdiçar, *v. tr.* vd. **desperdiçar.**

esperdício, *s. m.* esperdicio; desperdicio.

esperma, *s. m.* esperma.

espermacete, *s. m.* espermaceti.

espermático, *adj.* espermático.

espermatografia, *s. f.* BOT. espermatografía.

espermatozóide, *s. m.* espermatozoide.

espermicida, *adj.* 2 *gén.* espermaticida.

espernear, *v. intr.* patalear.

espertador, *adj. e s. m.* despertador.

espertalhaço, *s. m.* hombre muy astuto, embustero o malicioso, vivo.

espertalhão, *s. m.* vd. **espertalhaço.**

espertar, *v.* **1.** *tr.* hacer experto; avivar; excitar; animar. **2.** *intr.* perder el sueño.

esperteza, *s. f.* vivacidad; listeza; sagacidad; listura; perspicacia; agudeza; tienta.

espertina, *s. f.* desvelo, insomnio.

esperto, *adj.* despierto; vivo, vívido; sagaz; listo, astuto, perspicaz; despejado; avispado; chuzón; *(fam.)* cuco.

espessar, *v. tr. e intr.* espesar; condensar.

espessidão, *s. f.* vd. **espessura.**

espesso, *adj.* espeso, craso, condensado, denso; copudo; tupido.

espessura, *s. f.* espesor; grosar.

espetadela, *s. f.* espetada; punzada.

espetanço *s. m.* *(fam.)* pérdida, daño, perjuicio.

espetar, *v. tr.* espetar; atravesar; *(fig.)* perjudicar.

espeto, *s. m.* espeto, espetón, asador; broqueta.

espevitadeira, *s. f.* despabiladeras, despabilador.

espevitado, *adj.* despabilado.

espevitador, *s. m.* despabilador, despabiladeras; atizador; hurgón; tenacillas.

espevitar, *v. tr.* despabilar; atizar; despavesar; espabilar.

espezinhar, *v. tr.* pisotear; conculcar.

espia, *s.* **1.** *f.* NÁUT. espía, cabo, calabrote. **2.** *2 gén.* espía; espión.

espião, *s. m.* espión; espía.

espiar, *v.* **1.** *tr.* espiar, espionar; esculcar; mirar; acechar. **2.** *intr.* NÁUT. espiar.

espicaçado, *adj.* avispado; avivado.

espicaçar, *v. tr.* avispar.

espicha, *s. f.* sarta de peces menudos; punta de hueso, o madera.

espichar, *v. tr.* ensartar; espichar; espitar; *(fam.)* espichar, morir.

espiche, *s. m.* espiche, espita; discurso.

espículo, *s. m.* punta, aguijón.

espiga, *s. f.* BOT. espiga; mazorca; *(malhete)* espiga.

espigado, *adj.* espigado.

espigão, *s. m.* espigón (aguijón); macizo saliente; estaquilla; *(nas unhas)* padrastro.

espigar, *v. intr.* criar espigas; crecer, espigar; amacollar.

espigueiro, *s. m.* hórreo; canasto.

espigueta, *s. f.* BOT. espiguilla.

espiguilha, *s. f.* espiguilla; *(renda)* puntilla.

espiguilhar, *v. tr.* guarnecer o adornar con espiguilla.

espinafre, *s. m.* BOT. espinaca.

espinal, *adj.* *2 gén.* espinal; medula espinal, médula espinal.

espinalgia, *s. f.* espinalgia.

espineta, *s. f.* MÚS. espineta.

espingarda, *s. f.* espingarda; escopeta; *(de canos serrados)* retaco; rifle.

espingardada, *s. f.* espingardada.

espingardaria, *s. f.* espingardería.

espingardear, *v. tr.* matar o herir con espingarda; fusilar.

espingardeiro, *s. m.* espingardero; armero.

espinha, *s. f.* espina; espinazo; barro; columna vertebral, espinilla, espinazo; *(de peixe)* raspa.

espinhaço, *s. m.* ANAT. espinazo; espina dorsal; las espaldas.

espinhal, **I.** *adj.* *2 gén.* espinal. **II.** *s. m.* espinar; brezal; maraña.

espinhar, *v. tr.* espinar, punzar, herir con espinas; *(fig.)* irritar, ofender.

espinheira, *s. f.* BOT. espino.

espinheiro, *s. m.* BOT. espino.

espinheiro-alvar, *s. m.* majoleto, majuelo.

espinhela, *s. f.* ZOOL. xifoides.

espinho, *s. m.* BOT. espina; cerda dura; *(fig.)* dificultad; sospecha.

espinhoso, *adj.* espinoso.

espinotar, *v. intr.* vd. **espinotear**.

espinotear, *intr.* encabritarse (el caballo).

espiolhar, *v. tr.* despiojar, espulgar; *(fig.)* escudriñar.

espionagem, *s. f.* espionaje.

espionar, *v. tr.* e *intr.* espionar, espiar; atisbar.

espipar, *v. tr.* e *intr.* extraer; chorrear; surtir.

espique, *s. m.* tronco leñoso de algunas plantas.

espira, *s. f.* espira; espiral.

espiráculo, *s. m.* espiráculo, respiradero.

espiral, **I.** *adj.* *2 gén.* espiral. **II.** *s. f.* espiral; *(encadernação)* gusanillo.

espiralado, *adj.* espiriforme.

espirante, *adj.* *2 gén.* espirante.

espirar, *v. intr.* espirar, respirar; exhalar; estar vivo.

espirícula, *s. f.* espira, filete en espiral.

espírita, *adj.* e *s* *2 gén.* espiritista.

espiritar, *v. tr.* espiritar; endemoniar.

espiritismo, *s. m.* espiritismo.

espiritista, *adj.* e *s* *2 gén.* espiritista.

espírito, *s. m.* espíritu; alma; ánimo; gracia; imaginación; opinión; *espírito celeste,* ángel.

espiritual *adj.* *2 gén.* espiritual.

espiritualidade, *s. f.* espiritualidad.

espiritualismo, *s. m.* espiritualismo.

espiritualista, *adj.* *2 gén.* espiritualista.

espiritualização, *s. f.* espiritualización.

espiritualizar, *v. tr.* espiritualizar.

espirituoso, *adj.* espiritoso; (*mulher*) pispireta.

espirra-canivetes, *s. 2 gén.* cascarrabias; pulguillas.

espirrador, *adj. e s. m.* estornudador.

espirrar, *v. intr.* estornudar.

espirro, *s. m.* estornudo.

esplanada, *s. f.* explanada; terraza.

esplendente, *adj. 2 gén.* esplendente; brillante.

esplender, *v. intr.* esplendor.

esplendidez, *s. f.* esplendidez; esplendor.

esplêndido, *adj.* espléndido, brillante, luciente; sublime.

esplendor, *s. m.* esplendor, fulgor, resplandor; gloria.

esplendoroso, *adj.* esplendoroso, espléndido.

esplenectomia, *s. f.* (*cir.*) esplenectomía.

esplénico, *adj.* ANAT. esplénico.

espoar, *v. tr.* desempolvar; tamizar.

espojar, *v. tr. e refl.* revolcar, echar al suelo; hacer caer; revolcarse.

espoleta, *s. f.* espoleta; cebador; cebo.

espoliação, *s. f.* expoliación; depredación; expolio.

espoliador, *adj. e s. m.* expoliador.

espoliar, *v. tr.* expoliar; despojar; depredar.

espolinhar-se, *v. refl.* revolcarse (el ave).

espólio, *s. m.* espolio.

espondaico, *adj.* espondaico.

espondeu, *s. m.* espondeo.

espongiários, *s. m. pl.* espongiarios.

esponja, *s. f.* esponja; (*fam.*) borrachón.

esponjeira, *s. f.* esponjera.

esponjoso, *adj.* esponjoso.

esponsais, *s. m. pl.* esponsales, desposorios.

esponsal, *adj. 2 gén.* esponsal; esponsalicio.

espontaneidade, *s. f.* espontaneidad.

espontâneo, *adj.* espontáneo; instintivo.

espontar, *v. tr.* despuntar, cortar las puntas a; dejar ver.

espora, *s. f.* espuela.

esporada, *s. f.* espolazo, espolada.

esporádico, *adj.* esporádico.

esporão, *s. m.* (*de galo*) espolón, corvejón; contrafuerte; espolón; machón.

esporar, *v. tr.* vd. esporear.

esporear, *v. tr.* espolear; avispar; picar.

esporim, *s. m.* espolín.

esporo, *s. m.* espora.

esporta, *s. f.* espuerta; alcofa.

espórtula, *s. f.* espórtula; propina; gratificación.

esportular, *v. tr.* dar espórtula, gratificar.

esposa, *s. f.* esposa; señora.

esposar, *v. tr.* desposar.

esposo, *s. m.* esposo.

esposório, *s. m.* esponsales.

espostejar, *v. tr.* tajar, dividir en tajadas; descuartizar.

espraiar, *v.* **1.** *tr.* echar, lanzar, aplayar; derramar; explayar. **2.** *refl.* explayarse.

espreguiçadeira, *s. f.* camilla para dormir la siesta, otomana, canapé, diván.

espreguiçamento, *s. m.* desperezo.

espreguiçar-se, *v. tr.* desperezarse.

espreita, *s. f.* acecho; vigilancia; atisbo.

espreitadela, *s. f.* ojeada.

espreitador, *adj. e s. m.* acechador; atisbador; avizor.

espreitar, *v. tr.* acechar, observar; atisbar; avizorar; cerner; cernir; ojear; espiar; asomar; *espreitar à janela*, asomarse a la ventana.

espremedor, *adj. e s. m.* exprimidera, exprimidero; licuadora.

espremedura, *s. f.* exprimidura; prensadura; estrujón.

espremer, *v. tr.* exprimir; estrujar.

espulgar, *v. tr.* espulgar.

espuma, *s. f.* espuma; *espuma de borracha*, gomaespuma.

espumadeira, *s. f.* espumadera.

espumante, **I.** *adj. 2 gén.* espumante. **II.** *s. m.* espumante; cava.

espumar, *v. intr.* espumar; espumear; (*cão*) babear.

espumejar, *v. intr.* espumear.

espumoso, *adj.* espumoso.

espúrio, *adj.* espurio, ilegítimo; mancer; (*fig.*) falso.

esputar, *v. tr.* esputar.

esquadra, *s. f.* escuadra; comisaría; sección de una compañía de infantería; *esquadra naval*, armada.

esquadrão, *s. m.* MIL. escuadrón.

esquadrar, *v. tr.* escuadrar; esquinar; ARQ. acodalar; MIL. escuadronar.

esquadrejar, *v. tr.* escuadrar.

esquadria, *s. f.* escuadría; norma.

esquadriar, *v. tr.* escuadrar; acodalar.

esquadrilha, *s. f.* escuadrilla.

esquadrinhar, v. tr. escudriñar; pesquisar; escrutar; rebuscar.

esquadro, s. m. escuadra, cartabón.

esqualidez, s. f. escualidez; suciedad.

esquálido, adj. escuálido; sucio.

esqualo, s. m. ZOOL. escualo.

esquartejamento, s. m. despiece; descuartizamiento.

esquartejar, v. tr. descuartizar; despedazar.

esquecediço, adj. olvidadizo.

esquecedor, adj. que hace olvidar.

esquecer, v. 1. tr. olvidar, omitir; despreciar. 2. intr. e refl. desmemoriarse.

esquecediço, adj. olvidadizo.

esquecido, adj. olvidado, olvidadizo; insensible.

esquecimento, s. m. olvido; entorpecimiento; omisión.

esquelético, adj. esquelético.

esqueleto, s. m. esqueleto.

esquema, s. m. esquema.

esquemático, adj. esquemático.

esquematizar, v. tr. esquematizar.

esquentadiço, adj. calentón.

esquentado, adj. exaltado; irritado.

esquentador, s. m. calentador.

esquentar, v. 1. tr. calentar. 2. refl. (fig.) irritarse.

esquerda, s. f. izquierda.

esquerdino, adj. e s. m. vd. **esquerdo**.

esquerdista, adj. e s 2 gén. izquierdista.

esquerdo, adj. e s. m. izquierdo, siniestro; zocato; mão esquerda, siniestra.

esqui, s. m. esquí.

esquiar, v. intr. esquiar.

esquiça, s. f. espita.

esquife, s. m. ataúd, tumba; esquife.

esquilo, s. m. ZOOL. esquilo, ardilla.

esquimó, s. 2 gén. esquimal.

esquina, s. f. esquina, ángulo; canto; esquinazo; rinconada; punta.

esquinado, adj. esquinado; anguloso.

esquinar, v. tr. esquinar.

esquipação, s. f. vd. **esquipamento**.

esquipamento, s. m. NÁUT. esquipazón.

esquipático, adj. extravagante, raro.

esquírola, s. f. esquirla; desportilladura.

esquisitice, s. f. excentricidad; extravagancia.

esquisito, adj. excéntrico, maníaco, raro; delicado; exquisito; exótico; extraño.

esquiva, s. f. esquivez.

esquivança, s. f. desdén; indiferencia.

esquivar, v. 1. tr. esquivar, rehusar. 2. intr. e refl. retirarse; eximirse; escaquearse.

esquivez, s. m. esquivez; despego.

esquivo, s. m. esquivo, intratable, arisco; huidizo.

essa, s. f. catafalco; tumba; túmulo.

esse, I. adj. dem. ese. II. pron. dem. ése.

essência, s. f. esencia; alma; ser; sustancia; vida.

essencial, adj. 2 gén. esencial; básico; fundamental; indispensable; intrínseco.

essoutro, pron. esotro.

esta, I. adj. dem. esta. II. pron. dem. ésta.

estabelecer, v. tr. establecer, estatuir; formar; fundar; fijar, asentar; instalar; instituir; levantar.

estabelecido, adj. establecido; convenido.

estabelecimento, s. m. establecimiento; fundación; institución; asentamiento.

estabilidade, s. f. estabilidad.

estabilização, s. f. estabilización.

estabilizador, adj. e s. m. estabilizador.

estabilizar, v. tr. estabilizar.

estabulação, s. f. estabulación.

estabular, v. tr. estabular.

estábulo, s. m. establo; corte; pesebre; encerradero.

estaca, s. f. estaca; jalón; pilote; rodrigón; (fig.) varado.

estacada, s. f. estacada; empalizada; palanquera; palanque; tranquera; valladar; MIL. vallado.

estacamento, s. m. apuntamiento.

estacão, s. m. estacón, estaca grande; jirón, rasgón.

estação, s. f. estación; meia estação, entretiempo.

estacar, v. 1. tr. estacar; acodalar; empalizar; encañar. 2. intr. parar de repente.

estacaria, s. f. estacada; empalizada; emparrillado.

estacional, adj. 2 gén. estacional; estacionário.

estacionamento, s. m. estacionamiento, aparcamiento; parking; parada; tardanza; retraso.

estacionar, v. intr. estacionar; aparcar; parar; no progresar; frecuentar.

estacionário, adj. estacionario.

estada, s. f. estadía; permanencia; demora; estancia.

estadão, s. m. lujo, fausto, pompa.

estadear, v. tr. ostentar, alardear.

estadia, s. f. estadía.

estádia, s. f. estadía.

estádio, s. m. estadio, fase, período, estación; DESP. estadio.

estadista, s. 2 gén. estadista.

estado, s. m. estado; situación; profesión; condición; potencia.

estado-unidense, adj. e s. 2 gén. estadounidense.

estadual, adj. 2 gén. estatal.

estadulho, s. m. estaca que se fija en la lanza de un carro.

estafa, s. f. cansancio; trabajo penoso.

estafado, adj. cansado; gastado; reventado; trillado.

estafador, adj. estafador, que estafa; bellaco, timador.

estafar, v. tr. fatigar, cansar; atormentar; enganar.

estafermo, s. m. estafermo; zascandil, mequetrefe, ridículo, necio.

estafeta, s. f. estafeta

estafilococo, s. m. estafilococo.

estagiário, adj. e s. m. praticante; (de advogado) pasante.

estágio, s. m. aprendizaje, práctica.

estagnação, s. f. estagnación; embalse; remanso; COM. paralización.

estagnar, v. tr. estagnar, estancar; represar.

estai, s. m. NÁUT. estay.

estalactite, s. f. estalactita.

estalada, s. f. estallido; (fam.) bofetada.

estaladiço, adj. crujiente.

estalagem, s. f. mesón, hostería, hospedería, parador, posada, hostal, fonda; albergería; alojamiento.

estalagmite, s. f. estalagmita.

estalajadeiro, s. m. hostelero, mesonero, posadero; ventero.

estalão, s. m. marca.

estalar, v. tr. e intr. partir, romper, hender, estallar; crujir; (chicote) restallar; chascar; chasquear, traquetear; chisporretear; fazer estalar, cuscurrear.

estaleiro, s. m. astillero.

estalido, s. m. estallido, estrépito; crepitación; chasquido; crujido; traquido.

estalo, s. m. estallo, estallido; crujido; crepitación; (de rolha) taponazo; (de chicote) trallazo; (de foguete) traqueteo; (fam.) bofetada.

estambre, s. m. estambre.

estame, s. m. BOT. estambre.

estamenha, s. f. estameña.

estampa, s. f. estampa, imagen; lámina.

estampado, adj. e s. m. estampado.

estampador, s. m. estampador; impresor.

estampagem, s. f. estampación; impresión.

estampar, v. tr. estampar; grabar; marcar; imprimir; sellar.

estamparia, s. f. fábrica de estampar.

estampeiro, s. m. estampero.

estampido s. m. estampido, detonación; estruendo; tiro; traquido; tromido.

estampilha, s. f. estampilla; sello; (fam.) bofetada.

estampilhar, v. tr. estampillar; sellar.

estancado, adj. estancado.

estancamento, s. m. estancamiento.

estancar, v. tr. restañar; estancar; vedar; agotar; (fig.) monopolizar.

estanceiro, s. m. maderero.

estância, s. f. estancia; mansión; almacén de maderas; estrofa; estadía.

estanciar, v. intr. residir, morar; detenerse; descansar.

estanco, s. m. estanco; tabaquería.

estandardização, s. f. estandarización, standardización.

estandardizado, adj. estándar, standard.

estandardizar, v. tr. estandarizar, standardizar.

estandarte, s. m. estandarte, bandera; guión; pendón.

estanhado, adj. estañado.

estanhador, adj. e s. m. estañador.

estanhadura, s. f. vd. **estanhagem.**

estanhagem, s. f. estañadura, estañado.

estanhar, v. tr. estañar.

estanho, s. m. QUÍM. estaño.

estanque, s. m. estancamiento, estancación; estanco; monopolio; interrupción.

estanqueiro, s. m. estanquero.

estanquidade, s. f. estanquidad.

estante, s. f. estante, estantería; taquilla; facistol, atril; pupitre.

estapafúrdio, adj. excéntrico; extravagante.

estar, v. intr. estar, existir; andar; quedar; radicar.

estardalhaço, s. m. ruido grande, estruendo; ostentación.

estarrecer, v. tr. e intr. aterrar, atemorizar.

estarrecido, *adj.* apavorado; espantado; aterrorizado.

estatal, *adj.* 2 *gén.* estatal.

estatelar, *v.* **1.** *tr.* extender en el suelo. **2.** *refl.* caerse en el suelo; ahocicar.

estática, *s. f.* estática.

estático, *adj.* estático; inmóvil.

estatismo, *s. m.* estatismo.

statística, *s. f.* estadística.

statístico, *adj.* estadístico.

estátua, *s. f.* estatua.

estatuária, *s. f.* estatuaria; imaginería.

estatuário, *s. m.* estatuario.

estatueta, *s. f.* estatuilla.

estatuir, *v. tr.* estatuir, instituir, determinar.

estatura, *s. f.* estatura; talle; (*de cavalo*) alzada.

estatutário, *s. m.* estatutario.

estatuto, *s. m.* estatuto; establecimiento; ordenanzia.

estavanado, *adj.* alocado, imprudente.

estável, *adj.* 2 *gén.* estable, permanente; consistente; firme; durable; asentado.

este, *s. m.* este, oriente.

este (*ê*), **I.** *adj. dem.* este. **II.** *pron. dem.* éste.

estear, *v. tr.* estantalar, apuntalar; sustentar; amparar.

esteárico, *adj.* QUÍM. esteárico.

estearina, *s. f.* QUÍM. estearina.

esteio, *s. m.* columna, puntal, espeque, escora; arrimadero; sostén; (*fig.*) amparo.

esteira, *s. f.* estera; panero; petate; surco; huella, vestigio, rastro.

esteirar, *v.* **1.** *tr.* esterar. **2.** *intr.* navegar con algún rumbo.

esteiraria, *s. f.* esterería.

esteiro, *s. m.* estero; estuario; albina.

estela, *s. f.* estela, monolito, marco; columna.

estelar, *adj.* 2 *gén.* estelar.

estendal, *s. m.* tendal; tendedero; colgador; (*fig.*) exposición: tendalera.

estendedouro, *s. m.* tendedero; enjugador, colgadero; tendal.

estendedura, *s. f.* extensión.

estender, *v.* **1.** *tr.* extender, tender; tirar; desarrollar; desencoger; dilatar; propagar, prolongar. **2.** *refl.* cundir.

estenderete, *s. m.* mala lección; cosa desairada; tenderete; topezón.

estendido, *adj.* extendido; tendido.

estenocardia, *s. f.* estenocardia.

estenografar, *v. tr.* estenografiar; taquigrafiar.

estenografia, *s. f.* estenografía, taquigrafía.

estenógrafo, *s. m.* estenógrafo; taquígrafo.

estenotipia, *s. f.* estenotipia.

estentor, *s. m.* estentor.

estentóreo, *adj.* estentóreo.

estentórico, *adj.* estentóreo.

estepe, *s. f.* estepa.

estercar, *v.* **1.** *tr.* estercolar; abonar. **2.** *intr.* expeler excrementos.

esterco, *s. m.* estiércol; basura; boñija.

estercoral, *adj.* 2 *gén.* estercóreo.

estercorário, *adj.* estercorario.

estere, *s. m.* estéreo.

estereofonia, *s. f.* estereofonía.

estereofónico, *adj.* estereofónico.

estereografia, *s. f.* estereografía.

estereográfico, *adj.* estereográfico.

estereógrafo, *s. m.* estereógrafo.

estereograma, *s. m.* estereograma.

estereometria, *s. f.* estereometría.

estereoscopia, *s. f.* estereoscopia.

estereoscópico, *adj.* estereoscópico.

estereoscópio, *s. m.* estereoscopio.

estereotipado, *adj.* estereotipado; manido.

estereotipar, *v. tr.* estereotipar; clisar.

estereotipia, *s. f.* estereotipia.

estereótipo, *s. m.* estereotipo.

estereotomia, *s. f.* estereotomía.

estéril, *adj.* 2 *gén.* estéril; infecundo; árido; improductivo.

esterilete, *s. m.* esterilete.

esterilidade, *s. f.* esterilidad; aridez; frialdad; infecundidad.

esterilização, *s. f.* esterilización.

esterilizador, *adj. e s. m.* esterilizador.

esterilizar, *v. tr.* esterilizar.

esterlino, *adj. e s. m.* esterlina.

esternal, *adj.* 2 *gén.* ANAT. esternal.

esternalgia, *s. f.* MED. esternalgia; angina de pecho.

esterno, *s. m.* ANAT. esternón.

esternutação, *s. f.* estornudo.

esternutar, *v. intr.* estornudar.

esternutatório, *adj. e s. m.* estornutatorio.

esteróide, *adj.* 2 *gén. e s. m.* estornutatorio.

esterqueira, *s. f.* estercolero; esterquero; mulador.

esterquilínio, *s. m.* estercolero, esterquero.

esterroador, *s. m.* desterronador.

esterroar, v. tr. desterronar; AGRIC. escavanar; gradar; rastrillar.

estertor, s. m. MED. estertor.

estertorar, v. intr. estar con estertor; agonizar.

estertoroso, adj. estertoroso.

esteta, s. 2 gén. esteta.

estética, s. f. estética.

estético, adj. estético.

estetómetro, s. m. ANAT. estetómetro.

estetoscopia, s. f. estetoscopia.

estetoscópio, s. m. MED. estetoscopio.

esteva, s. f. (do arado) esteva, estepa; BOT. estepa, cisto, jara.

esteval, s. m. jaral.

estiagem, s. f. estiaje; sequía.

estiar, v. intr. dejar de llover; escampar.

estibina, s. f. estibina.

estibordo, s. m. NÁUT. estribor.

esticado, adj. estirado, tenso.

esticador, adj. e s. m. retesador.

esticão, s. m. estirón; tirón.

esticar, v. tr. estirar; atiesar, entesar; desencoger; atirantar; extender.

estigma, s. m. estigma; cicatriz; (fig.) sambenito; BOT. estigma; ZOOL. estigma; (fig.) desdoro.

estigmatizar, v. tr. estigmatizar; (fig.) condenar.

estilar, v. tr. vd. **destilar**.

estilete, s. m. estilete; BOT. estilo.

estilha, s. f. astilla; lasca; vd. **farpa**.

estilhaçar, v. tr. astillar.

estilhaço, s. m. astillazo, astilla, lasca.

estilista, adj. e s. 2 gén. estilista.

estilística, s. f. estilística.

estilístico, adj. estilístico.

estilização, s. f. estilización.

estilizar, v. tr. estilizar.

estilo, s. m. estilo; estilo livre (natação), crawl, crol.

estilográfica, s. f. estilográfica.

estilográfico, adj. estilográfico.

estilometria, s. f. estilometría.

estima, s. f, estima; estimación; aprecio; amistad; avaluación.

estimação, s. f. estimación, amor, cariño, aprecio; cálculo.

estimado, adj. estimado, apreciado; preciado.

estimar, v. tr. e intr. estimar; apreciar; valorar; avaluar.

estimativa, s. f. estimativa; cálculo; valoración; estimación; aprecio; tanteo.

estimativo, adj. estimativo.

estimável, adj. 2 gén. estimable.

estimulação, s. f. estimulación.

estimulante, adj. 2 gén. e s. m. estimulante; excitar; aguijar.

estimular, v. tr. estimular, excitante; aguijonear, despertar; incitar; reavivar; activar; acuciar; aguzar; azuzar; enfervorizar.

estímulo, s. m. estímulo, incitación; aguijón; emulación; incentivo; impulso.

Estio, s. m. estío; (fig.) edad madura.

estiolamento, s. m. acción y efecto de estiolar; (fig.) debilidad.

estiolar, v. 1. tr. debilitar, enflaquecer. 2. intr. e refl. marchitarse; desfallecer; agostar.

estipendiar, v. tr. estipendiar; asalariar.

estipendiário, adj. estipendiario.

estipêndio, s. m. estipendio; salário; sueldo; paga; soldada.

estípula, s. f. BOT. estípula.

estipulação, s. f. estipulación; convenio; contrato; cláusula.

estipular, v. tr. estipular.

estiraçar, v. tr. estirazar, estirar.

estirada, s. f. estirón; estirada.

estirador, s. m. estirador.

estirão, s. m. estirón, tirón, caminata.

estirar, v. tr. estirar, extender; alargar; ensanchar; atirantar.

estirpe, s. m. estirpe; cepa; raíz; (fig.) ascendencia; raza; linaje.

estiva, s. f. NÁUT. estiba; arrumaje.

estivação, s. f. arrumazón.

estivador, s. m. estibador; equipa de estivadores, cola.

estival, adj. 2 gén. estival; veraniego.

estivar, v. tr. NÁUT. estibar.

estivo, adj. estival; veraniego.

esto, s. m. NÁUT. pleamar; (fig.) calor, ardor.

estocada, s. f. estocada.

estofa, s. f. estofa, calidad, condición.

estofado, adj. estofado.

estofador, s. m. estofador, tapicero.

estofar, v. tr. estofar, tapizar, algodonar; acolchar, acolchonar; atiborrar.

estofo, s. m. tejido; paño; estofo; estofa, laya; condición; cualidad.

estoicismo, s. m. estoicismo.

estóico, s. m. estoico.

estoirar, *v. tr.* e *intr.* vd. **estourar**.

estoiro, *s. m.* vd. **estouro**.

estojeiro, *s. m.* estuchista.

estojo, *s. m.* estuche.

estola, *s. f.* estola.

estolão, *s. m.* estolón, estola grande.

estolho, *s. m.* BOT. estolón.

estolhoso, *adj.* BOT. que tiene o echa estolones.

estolidez, *s. f.* estolidez; estupidez; necedad; tontería.

estólido, *adj.* estólido, estúpido; disparatado.

estoma, *s. m.* estoma.

estomacal, *adj. 2 gén.* estomacal.

estomagar, *v. tr.* estomagar, enfadar.

estômago, *s. m.* ZOOL. estómago.

estomatite, *s. f.* MED. estomatitis.

estómato, *s. m.* BOT. estómato.

estomatologia, *s. f.* MED. estomatología.

estomatologista, *s. 2 gén.* estomatólogo.

estomentar, *v. tr.* espadillar el lino o cáñamo.

estonar, *v. tr.* descascarar; mondar; descascar.

estónio, *adj.* e *s. 2 gén.* estonio.

estonteado, *adj.* amuermado; grogui; turulato; atarantado.

estonteador, *adj.* entontecedor.

estontear, *v. tr.* aturdir, atolondrar; perturbar; deslumbrar; atontar; amuermar; atarantar.

estopa, *s. f.* estopa.

estopada, *s. f.* estopada, porción de estopa; *(fig.)* impertinencia; chingada.

estopar, *v. tr.* estopear, llenar con estopa; *(fig.)* importunar.

estopento, *adj.* estoposo; estopeño.

estopetar, *v. tr.* deshacer el copete o tupé de; despeinar; desgreñar.

estopim, *s. m.* estopín.

estopinha, *s. f.* estopilla.

estoque, *s. m.* estoque; verduguillo; stock.

estoquear, *v. tr.* estoquear.

estoraque, *s. m.* BOT. estoraque.

estorcegão, *s. m.* torcedura violenta y rápida.

estorcegar, *v. tr.* torcer con fuerza; pellizcar torciendo.

estorcer, *v.* **1.** *tr.* torcer violentamente. **2.** *intr.* desorientarse.

estorcimento, *s. m.* contorsión.

estorço, *s. m.* postura contrahecha.

estore, *s. m.* estor.

estorga, *s. f.* BOT. vd. **urze**.

estornar, *v. tr.* pasar de una cuenta acreedora a una deudora o viceversa.

estorninho, *s. m.* ZOOL. estornino, zorral.

estorno, *s. m.* rectificación de una cuenta.

estorricar, *v. tr.* secar excesivamente; torrar, tostar.

estortegar, *v. tr.* torcer; pellizcar.

estorvador, *adj.* e *s. m.* estorbador; importuno.

estorvar, *v. tr.* estorbar; embarazar; empachar; impedir; contrariar; obstar; importunar; interrumpir.

estorvo, *s. m.* estorbo, embarazo, empacho; quite; traba; obstáculo; atasco; contrariedad; engorro; tropiezo.

estourada, *s. f.* ruido, estruendo; explosión.

estouradinho, *s. m.* currutaco; presumido.

estourar, *v.* **1.** *tr.* reventar; estallar; matar con arma. **2.** *intr.* dar estallidos; explotar.

estoura-vergas, *s. m.* pendenciero, camorrista, reñidor.

estouro, *s. m.* explosión; estruendo; detonación; *(de foguete)* traques, traqueteo.

estoutro, *adj.* e *pron. dem.* *(fig.)* este otro; éste otro.

estouvado, I. *adj.* atolondrado; tolondro; alocado; descabezado. II. *s. m.* calavera.

estouvamento, *s. m.* liviandad; travesura.

estrábico, *adj.* estrábico; bizco, bisojo.

estrabismo, *s. m.* MED. estrabismo.

estrabo, *s. m.* excremento animal.

estracinhar, *v. tr.* retazar, cortar en pedacitos; desmigajar.

estrada, *s. f.* carretera, camino; *(fig.)* vía, medio; *estrada nacional*, carretera nacional; *estrada municipal*, carretera comarcal.

estradar, *v. tr.* construir estrada o camino; entarimar; cubrir con estrados.

estrado, *s. m.* estrado.

estrafalário, *adj.* estrafalário.

estraga-albardas, *s. 2 gén.* persorna disipadora.

estragação, *s. f.* estragamiento; estrago; disipación.

estragado, *adj.* estragado; estropeado; fastidiado; pasado.

estragão, *s. m.* BOT. estragón.

estragar, *v.* **1.** *tr.* estragar, corromper; deteriorar; malear; dañar, arruinar; reventar; desperdiciar; chingar. **2.** *refl.* degenerar.

estrago, s. m. estrago, daño, avería; desperfecto; deterioro; ruina; disipación.

estralejar, v. intr. dar estallidos, estallar; explotar; chisporretear; traquetear.

estrambote, s. m. estrambote.

estrambótico, adj. estrambótico; extravagante.

estramónio, s. m. BOT. estramonio.

estrangeirado, adj. extranjerizado.

estrangeirar, v. tr. extranjerizar.

estrangeirice, s. f. extranjerismo.

estrangeirismo, s. m. extranjerismo.

estrangeiro, adj. e s. m. extranjero; gringo; advenedizo; adventicio; exótico; condição de estrangeiro, extranjería.

estrangulação, s. f. estrangulación; aprieto.

estrangulador, adj. e s. m. estrangulador.

estrangulamento, s. m. estrangulación.

estrangular, v. tr. estrangular; ahorcar.

estrangúria, s. f. MED. estranguria.

estranhão, adj. esquivo, huraño, bravío.

estranhar, v. tr. estrañar; admirar.

estranhável, adj. 2 gén. censurable, reprensible.

estranheza, s. f. extrañeza; extrañamiento, admiración; sorpresa.

estranho, adj. extraño; esquivo; ajeno; foráneo; forastero; raro; singular; anómalo.

estranja, s. f. (fam.) extranjería.

estratagema, s. m. estratagema; subterfugio.

estratega, s. 2 gén. estratega.

estratégia, s. f. estrategia.

estratégico, adj. estratégico.

estrategista, s. estratega, estratego.

estratego, s. m. estratega.

estratificação, s. f. GEOL. estratificación.

estratificar, v. tr. GEOL. estratificar.

estratiforme, adj. 2 gén. dispuesto en camadas sucesivas y paralelas.

estratigrafia, s. f. GEOL. estratigrafía.

estrato, s. m. METEOR. estrato; estrato social, estamento.

estratografia, s. f. estratografía.

estratosfera, s. f. estratosfera.

estrear, v. tr. estrenar; debutar.

estrebaria, s. f. caballeriza, cuadra; box.

estrebuchamento, s. m. pataleo; convulsión.

estrebuchar, v. intr. contorcerse, patalear.

estreia, s. f. estreno.

estreitamento, s. m. estrechamiento; aprieto.

estreitar, v. tr. estrechar, angostar, apretar, contraer; restringir; astringir; reducir; abrazar.

estreiteza, s. f. estrechez; angostura; estrechura.

estreito, I. adj. estrecho, delgado, apretado. II. s. m. GEOG. estrecho; desfiladero.

estreitura, s. f. vd. **estreiteza**; estrechura.

estrela, s. f. estrella; lucero; (fig.) vedette; astro; estrela de cinema, de cine.

estrela-cadente, s. f. estrella errante; estrella fugaz.

estrelado, adj. estrellado; tachonado; (céu) constelado.

estrela-do-mar, s. f. estrella de mar.

estrelante, adj. 2 gén. estrellado; brillante.

estrelar, v. tr. estrellar; (ovos) abuñolar.

estrelário, adj. estrellado.

estrelato, s. m. estrellato.

estrelejar, v. 1. fulgurar. 2. refl. estrellarse.

estrelinha, s. f. TIP. asterisco; estrellita; estrelluela.

estrema, s. f. linde, mojón, mojonera.

estremadura, s. f. extremadura, frontera; raya; límite.

estremar, v. tr. amojonar; apartar; separar; dividir.

estreme, adj. 2 gén. puro, genuino, sin mescla.

estremeção, s. m. estremecimiento; temblor.

estremecer, v. 1. tr. estremecer, conmover, asustar; amar mucho. 2. intr. estremecer; retemblar.

estremecimento, s. m. estremecimiento; temblor; amor íntimo.

estremenho, adj. e s. m. extremeño.

estremunhado, adj. somnoliento, mal despierto.

estremunhar, v. tr. e intr. despertar de repente a uno.

estrénuo, adj. estrenuo, esforzado.

estrepar, v. tr. guarnecer o herir con espinas.

estrepe, s. m. espino, púa de hierro, abrojo, etc.; fragmentos de vidrio que se ponen sobre los muros.

estrepitante, adj. 2 gén. estrepitoso, estruendoso.

estrepitar, v. intr. estrepitar.

estrépito, s. m. estrépito; fragor; estruendo; trápala.

estrepitoso, *adj.* estrepitoso; estruendoso.
estreptococo, *s. m.* estreptococo.
estressado, *adj.* estrezado.
estresse, *s. m.* estrés.
estria, *s. f.* ARQ. estría; acanaladura; canal; canaladura.
estriado, *s. f.* estriado; acanalado.
estriamento, *s. m.* estriamiento.
estriar, *v. tr.* ARQ. estriar; acanalar.
estribarse, *v. refl.* estribar; consistir.
estribeira, *s. f.* estribo; estribera.
estribeiro, *s. m.* caballerizo.
estribilho, *s. m.* estribillo.
estribo, *s. m.* estribo, estribera; ANAT. estribo, hueso del oído medio; (*fig.*) apoyo.
estricnina, *s. f.* QUÍM. estricnina.
estridência, *s. f.* estridencia, estridor.
estridente, *adj.* 2 gén. estridente; chillón.
estridor, *s. m.* vd. **estridência.**
estridulação, *s. f.* estridulación.
estridulante, *adj.* 2 gén. estridulante.
estrídulo, *adj.* vd. **estridente.**
estriduloso, *adj.* estriduloso.
estriga, *s. f.* estriga.
estrigar, *v. tr.* asedar, separar en estrigas (el lino).
estripação, *s. f.* estripamiento.
estripar, *v. tr.* estripar, destripar; desentrañar; despanzurrar; (*peixe*) escalar.
estrito, *adj.* estricto; exacto; preciso.
estro, *s. m.* estro.
estrofe, *s. f.* estrofa; copla; estancia.
estrógeno, *s. m.* estrógeno.
estroina, *adj.* e *s.* 2 gén. juerguista; extravagante; calavera.
estroinar, *v. intr.* parrandear; farrear; derrochar.
estroinice, *s. f.* juerga; extravagancia, locura; derroche, calaverada.
estroncar, *v. tr.* destroncar; deshacer; desmembrar.
estrôncio, *s. m.* QUÍM. estroncio.
estrondear, *v. intr.* hacer estruendo; retumbar; (*fig.*) causar sensación.
estrondo, *s. m.* estruendo, fragor; atronamiento; estampido; estrépito; (*fig.*) ostentación.
estrondoso, *adj.* estruendoso; ruidoso, estrepitoso; atronador; (*fig.*) pomposo.
estropeada, *s. f.* tropel; pataleo; pateamiento; estrépito.
estropear, *v.* 1. *intr.* hacer tropel. 2. *tr.* atropellar.

estropiar, *v. tr.* estropear; lastimar; mutilar; desfigurar.
estrugido, *s. m.* rustrido; rehogado.
estrugir, *v. tr.* e *intr.* atronar; achillar; resonar; rehogar.
estruir, *v. tr.* destruir.
estruma, *s. f.* vd. **estrumação;** MED. estruma; *pl.* escrófulas; bocio.
estrumação, *s. f.* abono, estercoladura de las tierras.
estrumar, *v. tr.* abonar; estercolar.
estrume, *s. m.* abono, estiércol vegetal o animal.
estrumeira, *s. f.* estercolero, esterquilino; pocilga.
estrupido, *s. m.* estrépito.
estrutura, *s. f.* estructura; armazón; carcasa; textura; ARQ. estructura; contextura.
estruturação, *s. f.* estructuración.
estrutural, *adj.* 2 gén. estructural.
estruturalismo, *s. m.* estructuralismo.
estruturar, *v. tr.* estructurar.
estuação, *s. f.* agitación, ardor; náuseas.
estuante, *adj.* 2 gén. estuante; agitado.
estuar, *v. intr.* hervir; agitarse.
estuário, *s. m.* estuario, estero.
estucador, *s. m.* estucador, estuquista.
estucar, *v. tr.* estucar; enlucir.
estucha, *s. f.* cuña; (*fig.*) recomendación.
estudantada, *s. f.* reunión o calavera de estudiantes.
estudante, *s.* 2 gén. estudiante; alumno; discípulo; colegial; cursante; escolar.
estudantil, *adj.* 2 gén. estudantil.
estudantina, *s. f.* estudiantina.
estudar, *v. tr.* estudiar, cursar; observar.
estúdio, *s. m.* estudio.
estudioso, *adj.* estudioso; aplicado.
estudo, *s. m.* estudio; aplicación; cultura.
estufa, *s. f.* invernadero; invernáculo.
estufado, *adj.* estofado.
estufar, *v. tr.* estufar, calentar; estofar, guisar.
estufim, *s. m.* campana de vidrio.
estugar, *v. tr.* aligerar el paso; andar de prisa; incitar.
estultícia, *s. f.* estulticia, imbecilidad; fatuidad.
estulto, *adj.* estulto; necio; imbécil; fátuo.
estuoso, *adj.* estuoso, caluroso.
estupefacção, *s. f.* estupefacción.
estupefaciente, *adj.* 2 gén. e *s. m.* estupefaciente.
estupefacto, *adj.* estupefacto.

estupeficar, *v. tr.* entorpecer; causar pasmo; asombrar.

estupendo, *adj.* estupendo; admirable; chanchi; guay.

estupidarrão, *s. m.* hombre muy estúpido; mentecato.

estupidez, *s. f.* estupidez; tontería; animalada; necedad.

estupidificar, *v. tr.* e *refl.* hacer estúpido, hacerse estúpido; embrutecer.

estúpido, *adj.* e *s. m.* estúpido; necio; bruto; inepto; memo; merluzo.

estupor, *s. m.* MED. estupor.

estuporado, *adj.* atacado de estupor.

estuprar, *v. tr.* estuprar.

estupro, *s. m.* estupro.

estuque, *s. m.* estuco, estuque; enlucido; escayola.

estúrdia, *s. f.* picardía; travesura; bohemia; parvande; farra.

esturdiar, *v. intr.* parrandear, farrear; calaverear.

estúrdio, *s. m.* extravagante; juerguista.

esturjão, *s. m.* ZOOL. esturión.

esturrado, *adj.* muy tostado, casi quemado; *(fig.)* exaltado, fanático.

esturrar, *v. tr.* asurar, tostar mucho; achicharrar; quemar.

esturro, *s. m.* estado de cosa quemada o tostada; quemadura; torrefacción.

esturvinhado, *adj.* atolondrado.

esvaecer, *v. tr.* e *intr.* desvanecer, disipar, desmayar.

esvaecimento, *s. m.* desmayo; desvanecimiento.

esvaído, *adj.* exangüe.

esvaimento, *s. m.* evaporación; desvanecimiento; desmayo.

esvair, *v. tr.* evaporar; disipar, desvanecer; desmayar.

esvaziamento, *s. m.* agotamiento; vaciado.

esvaziar, *v. tr.* vaciar; agotar; verter; desalojar.

esverdeado, *adj.* verdoso.

esverdear, *v. tr.* e *intr.* verdear, verdeguear; verdecer.

esverdinhado, *adj.* verdoso.

esverdinhar, *v. tr.* e *intr.* dar color verde claro.

esviscerar, *v. tr.* eviscerar; destripar.

esvoaçar, *v. intr.* aletear; revolotear.

esvurmar, *v. tr.* estrujar, exprimir apretando (pústulas o tumores).

etapa, *s. f.* etapa.

éter, *s. m* QUÍM. éter.

etéreo, *adj.* etéreo; *(fig.)* celeste.

eterificação, *s. f.* QUÍM. eterificación.

eterificar, *v. tr.* QUÍM. eterificar.

eterismo, *s. m.* eterismo.

eterização, *s. f.* eterización.

eterizar, *v. tr.* eterizar.

eternal, *adj.* 2 *gén.* eternal.

eternidade, *s. f.* eternidad.

eternizar, *v. tr.* eternizar; perpetuar.

eterno, *adj.* eterno; inmortal.

etésios, *adj.* etesios.

ética, *s. f.* ética.

ético, *adj.* ético.

etileno, *s. m.* etileno.

etílico, *adj.* QUÍM. etílico.

etilismo, *s. m.* etilismo.

etilo, *s. m.* etilo.

étimo, *s. m.* étimo; etimología.

etimologia, *s. f.* etimología.

etimológico, *adj.* etimológico.

etimologista, *s.* 2 *gén.* etimologista.

etimólogo, *s. m.* etimólogo; etimologista.

etiologia, *s. f.* etiología.

etiológico, *adj.* etiológico.

etíope, I. *adj.* e *s.* 2 *gén.* etiope; etíope. II. *s. m. (idioma)* etíope, etiope.

etiópico, *adj.* etiópico.

etiqueta, *s. f.* etiqueta, rótulo; marbete; etiqueta, formalidad; *cheio de etiqueta*, etiquetero.

etiquetar, *v. tr.* etiquetar, rotular.

etmóide, *s. m.* ANAT. etmoides.

etnia, *s. f.* etnia.

étnico, *adj.* étnico; *grupo étnico*, etnia.

etnografia, *s. f.* etnografía.

etnográfico, *adj.* etnográfico.

etnógrafo, *s. m.* etnógrafo.

etnologia, *s. f.* etnología.

etnológico, *adj.* etnológico.

etnologista, *s.* 2 *gén.* etnólogo.

etnólogo, *s. m.* etnólogo.

etrusco, *adj.* e *s. m.* etrusco.

eu, I. *pron. pess.* yo. II. *s. m.* yo, la conciencia.

eucalipto, *s. m.* BOT. eucalipto.

eucaliptol, *s. m.* QUÍM. eucaliptol.

eucaristia, *s. f.* eucaristía.

eucarístico, *adj.* eucarístico.

eudiometria, *s. f.* eudiometría.

eudiómetro, *s. m.* eudiómetro.

eufémico, *adj.* eufémico.

eufemismo, *s. m.* eufemismo.

eufonia, s. f. eufonía.
eufónico, adj. eufónico.
êufono, adj. eufónico.
eufórbio, s. m. BOT. euforbio.
euforia, s. f. euforia.
eufórico, adj. eufórico.
eugenia, s. f. eugenia, eugénica.
eugénico, adj. eugénico.
eugenismo, s. m. eugenia.
euménides, s. f. pl. euménidas.
eunuco, s. m. eunuco; castrado.
eupepsia, s. f. eupepsia.
euritmia, s. f. euritmia.
eurítmico, adj. eurítmico.
euro, s. m. euro.
euro-africano, adj. e s. m. euroafricano.
euro-asiático, adj. e s. m. euroasiático.
eurocomunismo, s. m. eurocomunismo.
eurocomunista, adj. e s. 2 gén. eurocomunista.
eurodeputado, adj. eurodiputado.
eurodivisa, s. f. eurodivisa.
europeísmo, s. m. europeísmo.
europeísta, adj. e s. 2 gén. europeísta.
europeização, s. f. europeización.
europeizar, v. tr. europeizar.
europeu, adj. e s. m. europeo.
eurovisão, s. f. eurovisión.
êuscaro, s. m. éuscaro, vascongado; vascuence.
eutanásia, s. f. eutanasia.
evacuação, s. f. evacuación.
evacuante, adj. 2 gén. evacuante.
evacuar, v. **1.** tr. evacuar, desocupar; desalojar; deshabitar; expeler purgar; despejar. **2.** intr. defecar. **3.** refl. quedar vacío.
evadido, e s. m. evadido.
evadir, v. **1.** tr. evadir; escapar; evitar; (fig.) eludir. **2.** refl. evadirse.
evangelho, s. m. evangelio.
evangeliário, s. m. evangeliario.
evangélico, adj. evangélico.
evangelismo, s. m. evangelismo.
evangelista, s. m. evangelista; evangelizador.
evangelização, s. f. evangelización.
evangelizador, adj. e s. m. evangelizador.
evangelizar, v. tr. evangelizar.
evaporação, s. f. evaporación.
evaporar, v. tr. evaporar; secar.
evaporatório, adj. evaporativo, evaporatorio.
evaporável, adj. 2 gén. evaporable.

evasão, s. f. evasión.
evasiva, s. f. evasiva; subterfugio; socapa; triquiñuela; pl. ambages.
evasivo, adj. evasivo; elusivo.
evecção, s. f. evección.
evento, s. m. evento, acontecimiento.
eventração, s. f. eventración.
eventual, adj. 2 gén. eventual.
eventualidade, s. f. eventualidad; contingencia.
eversão, s. f. eversión.
eversivo, adj. eversivo.
evicção, s. f. evicción.
evidência, s. f. evidencia; pôr em evidência, resaltar.
evidenciar, v. **1.** tr. evidenciar; desarrebozar, patentizar. **2.** refl. campear.
evidente, adj. 2 gén. evidente; indudable; inequívoco; innegable; marcado; patente; paladino; (fig.) sangrante.
evisceração, s. f. evisceración.
eviscerar, v. tr. eviscerar.
evitar, v. tr. evitar; eludir; excusar; impedir; obviar.
evitável, adj. 2 gén. evitable; eludible.
evo, s. m. evo; eternidad.
evocação, s. f. evocación.
evocador, s. m. evocador.
evocar, s. m. evocar, invocar.
evocativo, adj. evocador.
evocável, adj. 2 gén. evocable.
evoé!, interj. evohé.
evolar-se, v. refl. evaporarse.
evolução, s. f. evolución.
evolucionar, v. intr. evolucionar.
evolucionismo, s. m. evolucionismo.
evolucionista, adj. e s. 2 gén. evolucionista.
evoluta, s. f. evoluta.
evolutivo, adj. evolutivo.
evolvente, s. f. evolvente.
evolver, v. intr. vd. **evolucionar.**
evulsivo, adj. que facilita la evulsão.
exabundância, s. f. superabundancia.
exabundante, adj. 2 gén. superabundante.
exabundar, v. intr. superabundar.
exacção, s. f. exacción; (fig.) exactitud.
exacerbação, s. f. exacerbación; exasperación.
exacerbante, adj. 2 gén. exacerbante.
exacerbar, v. tr. exacerbar; exasperar; reagravar; irritar.

exactidão, *s. f.* exactitud; formalidad; precisión.

exacto, *adj.* exacto; cierto; estricto; preciso; cabal, fiel, verdadero; puntual; atinado; clavado.

exactor, *s. m.* exactor.

exageração, *s. f.* exageración.

exagerado, *adj.* exagerado; excesivo; descomedido; inmoderado; desproporcionado; aspaventero; aspaventoso.

exagerador, *adj.* e *s. m.* exagerador.

exagerar, *v.* **1.** *tr.* exagerar; encarecer; agigantar; (*fig., fam.*) cacarear. **2.** *intr.* exagerar, descomedirse.

exagerativo, *adj.* exagerado.

exagero, *s. m.* exageración; alharaca; aparatosidad; descomedimiento; pasada.

exalação, *s. f.* exhalación; espiración; tufo; vaho.

exalar, *v. tr.* exhalar; espirar; emitir; evaporar.

exalçação, *s. f.* ensalzamiento; exaltación.

exalçar, *v. tr.* vd. **exaltar.**

exaltação, *s. f.* exaltación; ensalzamiento; (*fig.*) fiebre.

exaltado, *adj.* exaltado, exagerado; irritado; febril.

exaltar, *v.* **1.** *tr.* exaltar; alabar; enaltecer; encumbrar; entronizar; magnificar; sublimar; encarecer. **2.** *refl.* acalorarse; exaltarse; (*fig.*) hervir.

exame, *s. m.* examen, análisis; acto; observación; inspección; evaluación; ACAD. *exame de parte de uma cadeira,* parcial; *exame final,* revalida; ensalzar.

examinador, *adj.* e *s. m.* examinador.

examinando, *s. m.* examinando.

examinar, *v. tr.* examinar; interrogar; observar; catar; inspeccionar; ver; verificar.

exangue, *adj.* 2 *gén.* exangüe.

exanimação, *s. f.* exanimación.

exânime, *adj.* 2 *gén.* exánime.

exantema, *s. m.* exantema.

exantemático, *adj.* exantemático.

exantematoso, *adj.* vd. **exantemático.**

exarar, *v. tr.* grabar; registrar.

exarca, *s. m.* exarca.

exasperação, *s. f.* exasperación; exarcebación.

exasperante, *adj.* 2 *gén.* exasperante.

exasperar, *v. tr.* exasperar; enconar; (*fig.*) irritar, enfurecer.

exaspero, *s. m.* vd. **exasperação.**

exaurir, *v. tr.* agotar.

exaustão, *s. f.* agotamiento; inanición.

exaustar, *v. tr.* agotar.

exaustivo, *adj.* exhaustivo.

exausto, *adj.* exhausto; exinanido; agotado; deshecho; doblado; exangue; reventado.

exautoração, *s. f.* desautorización.

exautorar, *v. tr.* desautorizar.

excedente, **I.** *adj.* 2 *gén.* excedente. **II.** *s. m.* exceso.

exceder, *v.* **1.** *tr.* exceder; ultrapasar; sobrepasar; superar; aventajar; vencer; sobrar. **2.** *refl.* excederse; superarse; desenfrenarse; desmandarse; desmedirse; desmesurarse; extralimitarse.

excelência, *s. f.* excelencia.

excelente, *adj.* 2 *gén.* exquisito; excelente; almo; eminente; óptimo; primo; primoroso; magnífico; precioso; prodigioso.

excelentíssimo, *adj.* excelentísimo.

excelsitude, *s. f.* excelsitud.

excelso, *adj.* excelso; alto; eminente; ilustre; sublime.

excentricidade, *s. f.* excentricidad.

excêntrico, *adj.* excéntrico; original.

excepção, *s. f.* excepción; exceptuación; salvedad.

excepcional, *adj.* 2 *gén.* excepcional.

excepto, *prep.* excepto; menos.

exceptuado, *adj.* salvo.

exceptuar, *v. tr.* exceptuar.

excerto, *s. m.* jirón.

excessivo, *adj.* excesivo; exagerado; exuberante; redundante; demasiado; exorbitante; descomedido; desmedido; descomunal; enorme.

excesso, *s. m.* exceso; creces; diferencia; sobra; demasía; desmán; exorbitancia; extralimitación; profusión; destemplanza; intemperancia; disparate; *excesso de peso,* sobrepeso.

excídio, *s. m.* destrucción, subversión.

excipiente, *s. m.* excipiente.

excisão, *s. f.* excisión.

excitabilidade, *s. f.* excitabilidad.

excitação, *s. f.* excitación; exaltacion; acaloramiente; apetencia; enardecimiento; morbosidade.

excitado, *adj.* acalorado; alborotado.

excitante, *adj.* 2 *gén.* e *s. m.* excitante; enardecedor.

excitar, *v.* **1.** *tr.* excitar; enardecer; estimular, animar; avivar; irritar; agitar. **2.** *refl.* excitarse; exaltarse.

excitativo, *adj.* excitativo.

excitável, *adj. 2 gén.* excitable; alborotadizo.

exclamação, *s. f.* exclamación.

exclamar, *v. intr.* exclamar.

exclamativo, *adj.* exclamativo.

exclamatório, *adj.* exclamatorio.

excluir, *v. tr.* excluir; omitir; reprobar; desechar.

excluível, *adj. 2 gén.* excluíble.

exclusão, *s. f.* exclusión; exceptuación.

exclusive, *adv.* exclusive.

exclusividade, *s. f.* exclusividad.

exclusivismo, *s. m.* exclusivismo.

exclusivista, *adj. e 2 gén.* exclusivista.

exclusivo, I. *adj.* exclusivo. **II.** *s. m.* exclusiva, monopolio.

excluso, *adj.* excluso, excluido.

excogitador, *s. m.* excogitador.

excogitar, *v. tr.* excogitar; pensar; investigar.

ex-combatente, *s. m.* excombatiente.

excomungação, *s. f.* excomunión.

excomungado, *s. m.* excomulgado.

excomungar, *v. tr.* excomulgar; anatematizar.

excomunhão, *s. f.* excomunión; anatema.

excreção, *s. f.* excreción; avacuación.

excrementício, *adj.* excrementicio; fecal.

excremento, *s. m.* excremento; *(de aves de rapina)* tullidura.

excrescência, *s. f.* excrecencia.

excrescente, *adj. 2 gén.* excrecente.

excrescer, *v. intr.* crecer mucho; formar excrescencia o excrecencia.

excretar, *v. tr.* excretar; excrementar; *(aves de rapina)* tullir.

excretício, *adj. vd.* **excreto;** excreto.

excreto, I. *adj.* excreto. **II.** *s. m.* excreción.

excretor, *adj.* excretor.

excretório, *adj.* excretorio, excretor.

excruciante, *adj. 2 gén.* doloroso; pungente.

excruciar, *v. tr.* atormentar, martirizar.

excursão, *s. f.* excursión; gira.

excursionismo, *s. m.* excursionismo.

excursionista, *s. 2 gén.* excursionista.

execração, *s. f.* execración.

execrando, *adj.* execrando, execrable.

execrar, *v. tr.* execrar.

execrável, *adj. 2 gén.* execrable.

execução, *s. f.* ejecución; efecto; hechura; suplicio; ajusticiamiento.

executado, *adj.* ejecutado; ajusticiado.

executante, *adj. e s. 2 gén.* ejecutante.

executar, *v. tr.* ejecutar; realizar; efectuar; hacer; obrar; amaestrar; cumplir; ajusticiar.

executável, *adj. 2 gén.* ejecutable.

executivo, *adj.* ejecutivo.

executor, *s. m.* ejecutor.

executório, *adj.* ejecutorio.

exegese, *s. f.* exégesis.

exegeta, *s. 2 gén.* exegeta.

exegética, *s. f.* exegética.

exegético, *adj.* exegético.

exemplar, *adj. 2 gén.* ejemplar.

exemplaridade, *s. f.* ejemplaridad.

exemplificação, *s. f.* ejemplificación.

exemplificar, *v. tr.* ejemplificar, ejemplarizar.

exemplificativo, *adj.* ejemplificativo.

exemplo, *s. m.* ejemplo; dechado; lección.

exequente, *adj. 2 gén.* ejecutante, persona que ejecuta judicialmente.

exéquias, *s. f. pl.* exequias.

exequível, *adj. 2 gén.* ejecutable; accesible; asequible.

exérase, *s. f.* CIR. exérasis.

exercer, *v. tr.* ejercer, ejercitar, desempeñar; profesar; cumplir.

exercício, *s. m.* ejercicio; *exercício espiritual,* retiro.

exercitação, *s. f. vd.* **exercício.**

exercitado, *adj.* ejercitado; visado.

exercitador, *s. m.* ejercitador.

exercitar, *v.* **1.** *tr.* ejercitar; ejercer; practicar; ensayar. **2.** *refl.* ejercitarse; practicar.

exército, *s. m.* ejército.

exergo, *s. m.* exergo.

exibição, *s. f.* exhibición; exposición; fardada.

exibicionismo, *s. m.* exhibicionismo.

exibicionista, *s. 2 gén.* exhibicionista.

exibir, *v.* **1.** *tr.* exhibir, mostrar, ostentar; presentar; exponer. **2.** *refl. (fazer fitas)* chulear; fachendear, fardar; gallear.

exicial, *adj. 2 gén.* exicial.

exício, *s. m.* destrucción, ruina.

exigência, *s. f.* exigencia.

exigente, *adj. 2 gén.* exigente.

exigibilidade, *s. f.* calidad de lo que es exigible.

exigir, *v. tr.* exigir; necesitar; reclamar; requerir.

exigível, *adj. 2 gén.* exigible.

exiguidade, *s. f.* exigüidad.

exíguo, *adj.* exiguo; escaso.

exilado, *adj. e s. m.* exilado, exiliado.

exilar, *v.* 1. *tr.* exilar; exiliar; extrañar; deportar. 2. *refl.* exilarse, exiliarse; extrañarse.

exílio, *s. m.* exilio; expatriación; extrañamiento.

eximição, *s. f.* exención.

eximido, *adj.* exento.

exímio, *adj.* eximio, excelente; eminente.

eximir, *v.* 1. *tr.* eximir; dispensar; exentar. 2. *refl.* eximirse.

exinanição, *s. f.* exinanición.

existência, *s. f.* existencia; vida.

existencial, *adj. 2 gén.* existencial.

existencialismo, *s. m.* existencialismo.

existencialista, *adj. e s. 2 gén.* existencialista.

existente, *adj. 2 gén.* existente.

existir, *v. intr.* existir; vivir; ser; estar.

êxito, *s. m.* éxito; sucedido.

exocardite, *s. f.* MED. exocarditis.

exócrino, *adj.* exocrino.

êxodo, *s. m.* éxodo; emigración.

exogamia, *s. f.* exogamia.

exogâmico, *adj.* exogámico.

exógeno, *adj.* exógeno.

exoneração, *s. f.* exoneracinón; dimisión; destitución.

exonerar, *v. tr.* exonerar; desobligar; dimitir; destituir.

exorar, *v. tr.* exorar; suplicar.

exorável, *adj. 2 gén.* exorable.

exorbitância, *s. f.* exorbitancia.

exorbitante, *adj. 2 gén.* exorbitante; desorbitado; exagerado.

exorbitar, *v. intr.* exorbitar; desorbitar; extralimitarse.

exorcismar, *v. tr.* exorcizar.

exorcismo, *s. m.* exorcismo; conjuro.

exorcista, *s.* exorcista.

exorcizar, *v. tr.* exorcizar.

exordial, *adj. 2 gén.* relativo al exordio.

exórdio, *s. m.* exordio; preámbulo.

exornação, *s. f.* exornación.

exornar, *v. tr.* exornar, adornar, hermosear.

exortação, *s. f.* exhortación.

exortador, *s. m.* exhortador.

exortar, *v. tr.* exhortar.

exortativo, *adj.* exhortativo.

exosmose, *s. f.* exósmosis.

exotérico, *adj.* exotérico.

exotérmico, *adj.* exotérmico.

exótico, *adj.* exótico; grotesco.

exotismo, *s. m.* exotismo.

expandir, *v.* 1. *tr.* expandir, dilatar; difundir. 2. *refl.* expansionarse.

expansão, *s. f.* expansión.

expansibilidade, *s. f.* expansibilidad.

expansionismo, *s. m.* expansionismo.

expansivo, *adj.* expansivo.

expansível, *adj. 2 gén.* expansible.

expansivo, *adj.* expansivo.

expatriação, *s. f.* expatriación.

expatriar, *v. tr.* expatriar.

expectação, *s. f.* expectación.

expectante, *adj. 2 gén.* expectante.

expectar, *v. tr.* estar en expectativa.

expectativa, *s. f.* expectativa; espera; suspense.

expectoração, *s. f.* expectoración.

expectorante, *adj. 2 gén.* expectorante.

expectorar, *v. tr.* expectorar; esputar; gargarejar.

expedição, *s. f.* expedición; MIL. campaña.

expedicionário, *adj. e s. m.* expedicionario.

expedidor, *adj. e s. m.* expedidor.

expediente, *s. m.* expediente; actividad, iniciativa; recurso; trámite.

expedimento, *s. m.* expedición.

expedir, *v. tr.* expedir, despachar; enviar; librar; transmitir.

expeditivo, *adj.* expeditivo.

expedito, *adj.* expedito; despachado; activo; diligente.

expelir, *v. tr.* expeler; lanzar fuera; expulsar.

expender, *v. tr.* expender, gastar; exponer, explicar.

expensas, *s. f. pl.* expensas, gastos.

experiência, *s. f.* experiencia; experimento; ensayo; prueba; (*fig.*) escuela; pericia.

experiente, *adj. 2 gén.* práctico; entendido; experimentado.

experimentação, *s. f.* experimentación; experiencia.

experimentado, *adj.* experimentado; avezado; baqueteado; cursado; experto; práctico; (*fig.*) rodado.

experimentador, *adj.* e s. *m.* experimentador.

experimental, *adj.* 2 *gén.* experimental.

experimentar, *v. tr.* experimentar, probar, ensayar; catar.

experto, *adj.* e s. *m.* experto, experimentado.

expiação, s. *f.* expiación.

expiar, *v. tr.* expiar; purgar.

expiatório, *adj.* expiatorio.

expiável, *adj.* 2 *gén.* expiable.

expiração, s. *f.* expiración, espiración.

expirador, *adj.* expirante.

expirante, *adj.* 2 *gén.* vd. **expirador.**

expirar, *v. intr.* espirar; expirar; morir; *(prazo)* vencer.

explanação, s. *f.* explanación; desdoblamiento.

explanar, *v. tr.* explanar; explicar.

expletiva, s. *f.* expletiva.

expletivo, *adj.* expletivo.

explicação, s. *f.* explicación; aclaración; aleccionamiento.

explicador, *adj.* e s. *m.* explicador; glosador; repetidor.

explicar, *v. tr.* explicar; explanar; aclarar; declarar; exponer, interpretar.

explicativo, *adj.* explicativo.

explicável, *adj.* 2 *gén.* explicable.

explicitar, *v. tr.* explicitar; precisar.

explícito, *adj.* explícito; expreso.

explodir, *v. intr.* e intr. explotar; explosionar.

exploração, s. *f.* exploración; especulación; explotación; MIN. calicata.

explorador, I. s. *m.* explorador; descubridor; explotador. II. *adj.* embaucador; aventurero; gorrón.

explorar, *v. tr.* explorar; explotar; *(fig.)* desollar; otear.

exploratório, I. s. *m.* CIR. algalia. II. *adj.* exploratorio.

explorável, *adj.* 2 *gén.* explorable.

explosão, s. *f.* explosión; tiro; voladura.

explosiva, s. *f.* explosiva.

explosível, *adj.* 2 *gén.* explosible.

explosivo, *adj.* e s. *m.* explosivo.

expoente, *adj.* 2 *gén.* e s. *m.* exponente.

exponencial, *adj.* 2 *gén.* exponencial.

exponente, *adj.* 2 *gén.* e s. *m.* exponente.

expor, *v.* **1.** *tr.* exponer; aducir; formular; mencionar; mostrar; plantear; historias. **2.** *refl.* exponerse.

exportação, s. *f.* exportación.

exportador, s. *m.* exportador.

exportar, *v. tr.* exportar.

exportável, *adj.* 2 *gén.* exportable.

exposição, s. *f.* exposición; exhibición; muestra; *(de uma teoria)* plantamiento; ponencia.

expositivo, *adj.* expositivo; narrativo.

expositor, s. *m.* expositor.

exposto, *adj.* expuesto; abocado; *(enjeitado)* expósito; cunero.

expressamente, *adv.* adrede.

expressão, s. *f.* expresión; dicción; dicho; enunciación; término.

expressar, *v. tr.* expresar; exprimir.

expressionismo, s. *m.* expresionismo.

expressionista, *adj.* e s 2 *gén.* expresionista.

expressivo, *adj.* expresivo.

expresso, I. s. *m.* exprés. II. *adj.* expreso, explícito; *(correio)* urgente.

exprimir, *v. tr.* expresar, exprimir; manifestar; emitir.

exprimível, *adj.* 2 *gén.* exprimible.

exprobração, s. *f.* vituperación, reprobación.

exprobrador, s. *m.* exprobador.

exprobrar, *v. tr.* exprobar, vituperar, desaprobar; reprochar.

exprobratório, *adj.* que contiene exprobación.

expropriação, s. *f.* expropiación.

expropriar, *v. tr.* expropiar.

expugnação, s. *f.* expugnación; tomada por asalto; conquista.

expugnador, s. *m.* expugnador.

expugnar, *v. tr.* expugnar; conquistar.

expugnável, *adj.* 2 *gén.* expugnable.

expulsão, s. *f.* expulsión; evacuación; secreción.

expulsar, *v. tr.* expulsar, expeler, rechazar; aventar.

expulsivo, *adj.* expulsivo.

expulso, *adj.* expulso, expelido; puesto fuera.

expulsor, s. *m.* expulsor.

expunção, s. *f.* acción de **expungir.**

expungir, *v. tr.* expungir; eliminar; sumir.

expurgação, s. *f.* expurgación.

expurgador, *adj.* e s. *m.* expurgador.

expurgar, *v. tr.* expurgar, limpiar de impurezas; purgar; corregir.

expurgatório, s. *m.* expurgatorio.

expurgo, s. *m.* expurgación.

exsicante, *adj.* 2 *gén.* desecativo.

exsicar, *v. tr.* desecar, secar; resecar.

exsudação, *s. f.* exudación.

exsudado, *adj.* exudado.

exsudar, *v. tr.* e *intr.* exudar; sudar; transpirar.

êxtase, *s. m.* êxtasis; enajenamiento; rapto; embobamiento; *(fig.)* embriaguez.

extasiado, *adj.* extasiado, absorto; embolado; arrebatado.

extasiar, *v.* 1. *tr.* extasiar, encantar, embebecer, arrobar; arrebatar; enajenar. 2. *refl.* extasiarse.

extático, *adj.* extático; arrobado; absorto.

extemporaneidade, *s. f.* extemporaneidad.

extemporâneo, *adj.* extemporáneo.

extensão, *s. f.* extensión; dimensión; amplitud; línea; tirantez.

extensibilidade, *s. f.* extensibilidad.

extensível, *adj.* 2 *gén.* extensible.

extensivo, *adj.* extensivo.

extenso, *adj.* extenso; espacioso, amplio; largo.

extensor, *adj.* extensor; tensor.

extenuação, *s. f.* extenuación; agotamiento; consunción.

extenuado, *adj.* extenuado.

extenuante, *adj.* 2 *gén.* extenuante; extenuativo.

extenuar, *v.* 1. *tr.* extenuar. 2. *refl.* extenuarse; demacrarse.

exterior, I. *adj.* externo, exterior. II. *s. m.* exterior; aspecto, apariencia; *do exterior*, externo.

exterioridade, *s. f.* exterioridad; apariencia.

exteriorização, *s. f.* exteriorización.

exteriorizar, *v. tr.* exteriorizar.

exterminação, *s. f.* exterminación.

exterminador, *adj.* e *s. m.* exterminador.

exterminar, *v. tr.* exterminar; eliminar; destruir.

exterminável, *adj.* 2 *gén.* exterminable.

extermínio, *s. m.* exterminio; extinción.

externato, *s. m.* externado.

externo, I. *adj.* externo; exterior. II. *s. m.* externo.

exterritorialidade, *s. f.* exterritorialidad.

extinção, *s. f.* extinción; fin; disolución; abolición; prescripción.

extinguir, *v.* 1. *tr.* extinguir; consumir; abolir; anular; sofocar; destruir; *(incên-*

dio) ahogar; apagar. 2. *refl.* extinguirse; prescribir.

extinguível, *adj.* 2 *gén.* extinguible.

extinto, I. *adj.* extinto; apagado; muerto. II. *s. m.* extinto, difunto.

extintor, *adj.* e *s. m.* extintor.

extirpação, *s. f.* extirpación.

extirpador, I. *s. m.* AGR. extirpador. II. *adj.* extirpador, que extirpa.

extirpar, *v. tr.* extirpar, desarraigar; extraer; destruir; descepar.

extirpável, *adj.* 2 *gén.* extirpable.

extorquir, *v. tr.* extorsionar; expoliar.

extorsão, *s. f.* extorsión.

extorsionário, *adj.* extorsionario.

extra, *adj* e *s. m.* extra.

extracção, *s. f.* extracción.

extractar, *v. tr.* extractar.

extractivo, *adj.* extractivo.

extracto, *s. m.* extracto.

extractor, *s. m.* extractor; *(fam.)* campana.

extradição, *s. f.* extradición.

extraditar, *v. tr.* extraditar; extradir.

extradorso, *s. m.* extradós.

extra-escolar, *adj.* 2 *gén.* extraescolar.

extrafino, *adj.* extrafino.

extrair, *v. intr.* extraer; sacar.

extrajudicial, *adj.* 2 *gén.* extrajudicial.

extralegal, *adj.* 2 *gén.* extralegal.

extramuros, *adv.* extramuros.

extranatural, *adj.* 2 *gén.* sobrenatural.

extra-oficial, *adj.* 2 *gén.* extraoficial.

extraordinário, *adj.* extraordinario; fantástico; bestial; flipante; insólito; terrible.

extraterrestre, *adj.* e *s.* 2 *gén.* extraterrestre; alienígeno; alienígena.

extraterritorial, *adj.* 2 *gén.* extraterritorial.

extraterritorialidade, *s. f.* extraterritorialidad.

extravagância, *s. f.* extravagancia; rareza.

extravaganciar, *v. tr.* e *intr.* hacer extravagancias; disipar; derrochar.

extravagante, *adj.* 2 *gén.* extravagante; excéntrico; raro, extraño; estrafalario; estrambótico.

extravasação, *s. f.* extravasión.

extravasamento, *s. m.* vd. **extravasação**.

extravasante, *adj.* extravasante.

extravasar, *v.* 1. *tr.* extravasar. 2. *intr.* extravasarse, extravenarse.

extraversão, *s. f.* extraversión.

extraviado, *adj.* extraviado.

extraviar, *v.* 1. *tr.* extraviar, descaminar,

desencaminar; hacer desaparecer. **2.** *refl.*
extraviarse; *(fig.)* descarriarse.
extravio, *s. m.* extravío; desavío; descarrío.
extremado, *adj.* extremado; excelente;
distinguido.
extremar, *v. tr.* extremar; ensalzar; hacer
separación de; apurar.
extrema-unção, *s. f.* extremaunción;
unción.
extremidade, *s. f.* extremidad; punta;
limite; fin; orla.
extremismo, *s. m.* extremismo.
extremista, *adj. 2 gén.* extremista; exaltado.
extremo, I. *adj.* extremo; remoto; último,
final. **II.** *s. m.* extremo.
extremoso, *adj.* extremoso; cariñoso.
extrovertido, *adj. e s. m.* extrovertido,
extrovertida.

extrínseco, *adj.* extrínseco.
exuberância, *s. f.* exuberancia; superabundancia.
exuberante, *adj. 2 gén.* exuberante.
exuberar, *v. tr.* exuberar.
exúbere, *adj.* exúbere.
êxul, *adj. e s. 2 gén.* expatriado, exilado.
exular, *v. intr.* expatriarse.
exulceração, *s. f.* MED. exulceración.
exulcerante, *adj. 2 gén.* exulcerante.
exulcerar, *v. tr.* MED. exulcerar, ulcerar.
exulcerativo, *adj.* exulcerativo.
exultação, *s. f.* exultación.
exultante, *adj. 2 gén.* exultante.
exultar, *v. intr.* exultar, alegrarse.
exumação, *s. f.* exhumación.
exumar, *v. tr.* exhumar; desenterrar.
exutório, *s. m.* exutorio.
ex-voto, *s. m.* exvoto.

F

fá, s. m. MÚS. fá.

fã, s. 2 gén. fan, forofo.

fabela, s. f. fabulilla.

fabordão, s. m. MÚS. fabordón.

fábrica, s. f. fábrica.

fabricação, s. f. fabricación.

fabricador, adj. fabricador.

fabricante, adj. e s. 2 gén. fabricante.

fabricar, v. tr. fabricar; manufacturar; hacer.

fabricário, adj. vd. **fabriqueiro.**

fabricável, adj. 2 gén. fabricable.

fabrico, s. m. fabricación; fábrica.

fabril, adj. 2 gén. fabril.

fabriqueiro, adj. fabriquero.

fábula, s. f. fábula; cuento; historia; ficción; invención; mito, mitología; apólogo; conseja.

fabulação, s. f. composición fabulosa.

fabulador, adj. e s. m. fabulista.

fabular, v. 1. tr. fabular; inventar. 2. intr. fabular, contar fábulas; mentir.

fabulário, s. m. fabulario.

fabulista, s. 2 gén. fabulista.

fabuloso, adj. fabuloso; mítico; quimérico.

faca, s. f. cuchillo, cuchilla; navaja; faca, jaca o jaco pequeño; cortapapeles; *faca de dois gumes,* arma de doble filo; *faca de mato,* machete.

facada, s. f. cuchillada; cuchillazo; tajada.

facalhão, s. m. faca; cuchillón.

façanha, s. f. hazaña; proeza; gesta.

façanheiro, adj. e s. m. hazañoso, hazañero; (fig.) fanfarrón.

façanhudo, adj. hazañoso; facineroso.

facão, s. m. vd. **facalhão.**

facção, s. f. facción; bando; taifa; partido político; acción de guerra.

faccionar, v. tr. faccionar; amotinar.

faccionário, I. s. m. faccionario. II. adj. partidario.

faccioso, adj. e s. m. faccioso, parcial, sectario.

face, s. f. faz, haz; mojilla, rostro, cara, aspecto, figura; faceta; lado.

facear, v. tr. hacer los lados de; escuadrar.

facécia, s. f. jocosidad, chiste, gracejo.

faceira, s. m. pisaverde, presumido.

faceirice, s. f. aire o aspecto presuntuoso.

faceiro, adj. currutaco, lechugino; vistoso, garrido.

facejar, v. tr. vd. **facear.**

faceta, s. f. faceta.

facetar, v. tr. facetar; abrillantar; achaflanar.

faceto, adj. chistoso, jocoso, gracioso.

facha, s. f. hacha (arma); antorcha.

fachada, s. f. fachada; frente; frontespicio; portada.

facheira, s. f. antorcha.

facheiro, s. m. antorchero.

facho, s. m. antorcha; farol; fanal; linterna; blandón; hacho.

facial, adj. 2 gén. facial.

fácies, s. f. MED. facies.

fácil, adj. 2 gén. fácil; claro; sencillo.

facílimo, adj. facilísimo.

facilidade, s. f. facilidad; aptitud; espontaneidad; soltura.

facílimo, adj. facilísimo.

facilitação, s. f. facilitación.

facilitador, adj. e s. m. facilitador.

facilitar, v. tr. facilitar.

facilmente, adv. fácilmente.

facínora, s. 2 gén. malhechor.

facinoroso, adj. e s. m. facineroso.

facistol, s. m. facistol.

façoila, s. f. (fam.) cara ancha.

fac-símile, s. m. facsímile, facsímil.

factício, adj. facticio.

factível, adj. 2 gén. factible; haceroso.

facto, s. m. hecho; acto; acción, acontecimiento; caso.

factor, s. m. factor.

factótum, s. m. factótum.

factual, adj. 2 gén. fáctico.

factura, s. f. factura.

facturação, s. f. facturación.

facturar, v. tr. facturar.

façudo, adj. mofletudo.

fácula, s. f. fácula.

faculdade, s. f. facultad; derecho.

facultar, v. tr. facultar; conceder; permitir; ofrecer.

facultativo, I. *adj.* facultativo. **II.** *s. m.* (*médico*) facultativo.

facultoso, *adj.* rico; opulento.

facúndia, *s. f.* facundia, elocuencia.

facundo, *adj.* facundo, elocuente.

fada, *s. f.* hada.

fadado, *adj.* hadado; predestinado.

fadar, *v. tr.* predestinar, hadar, encantar.

fadário, *s. m.* hado; suerte; destino; fatiga, desdicha.

fadejar, *v. intr.* cumplir su hado o destino.

fadiga, *s. f.* fatiga, cansancio; cangoja; pesadez; trabajo arduo.

fadigar, *v. tr.* fatigar.

fadigoso, *adj.* fatigoso; fatigante.

fadista, *s. 2 gén.* persona que canta o toca fados; rufián.

fadistagem, *s. f.* vida, clase o grupo de *fadistas.*

fadistice, *s. f.* vida o modos de *fadista.*

fadistona, *s. f.* mujer con modos de *fadista.*

fado, *s. m.* fado, hado, sino, fatalidad; suerte.

fagócito, *s. m.* fagocito.

fagocitose, *s. f.* fagocitosis.

fagote, *s. m.* MÚS. fagot, bajón; sordón.

fagotista, *s. 2 gén.* MÚS. fagot, bajonista.

fagueiro, *adj.* cariñoso, acariciador; halagüeño.

faguice, *s. f.* halago, cariño, mimo.

fagulha, *s. f.* chispa, centella; pavesa.

fagulhar, *v. intr.* centellear; chispear.

fagulharia, *s. f.* gran cantidad de chispas.

fagulhento, *adj.* que lanza chispas; entremetido.

faia, *s. f.* BOT. haya; TIP. regleta; *fruto da faia,* hayuco.

faial, *s. m.* hayal, hayedo.

faiança, *s. f.* mayólica.

faina, *s. f.* faena; quehacer; labor; tarea; trajín; fatiga.

faisão, *s. m.* ZOOL. faisán.

faísca, *s. f.* centella; morcella; chispa; chispazo; pavesa; rayo.

faiscante, *adj. 2 gén.* chispeante; centelleante.

faiscar, *v. intr.* chispear; centellear; destellar; chisporretear.

faixa, *s. f.* faja; fajín; tira; liga; cinta; banda; cincho; cinto; *pl.* envoltura.

faixar, *v. tr.* fajar, rodear, ceñir.

fajardice, *s. f.* latrocinio; burla.

fajardo, *s. m.* ladrón hábil; rufián.

fala, *s. f.* habla; lenguaje; palabra; *ficar sem fala,* (*fig.*) atorarse.

falácia, *s. f.* falacia, fraude, engaño; ruido de muchas voces.

falacidade, *s. f.* falacia.

falacioso, *adj.* falaz; parlador, hablador.

faladeira, *s. f.* mujer habladora, parlanchina.

falado, *adj.* hablado; sonado; notable; famoso.

falador, *adj.* e *s. m.* hablador; loquaz; rollista; (*fig.*) bachiller; descosido.

falange, *s. f.* falange; artículo.

falangeta, *s. f.* falangeta.

falanginha, *s. f.* falangina.

falangismo, *s. m.* falangismo.

falangista, *adj.* e *s. 2 gén.* falangista.

falante, *adj. 2 gén.* hablante.

falar, *v.* **1.** *tr.* hablar; decir; proferir. **2.** *intr.* discursear, conversar; *falar alto,* chacolotear; *falar um pouco,* chamullar; *fazer menção de falar,* chistar.

falatório, *s. m.* murmullo; barullo; algazara; habladorías; parlatório.

falaz, *adj. 2 gén.* falaz; falso; engañoso.

falcão, *s. m.* ZOOL. halcón.

falcatrua, *s. f.* ardid, trampa, fraude, engañifa.

falcatruar, *v. tr.* e *intr.* engañar; defraudar; timar.

falciforme, *adj. 2 gén.* falciforme.

falcoada, *s. f.* halconería.

falcoado, *adj.* perseguido por halcón.

falcoaria, *s. f.* halconería; cetrería.

falcoeiro, *s. m.* halconero.

falda, *s. f.* falda; *pl.* estribación; halda; pollera.

falecer, *v. intr.* fallecer; fenecer; morrir; faltar.

falecido, *adj.* fallecido.

falecimento, *s. m.* fallecimiento; muerte; defunción.

falena, *s. f.* ZOOL. falena.

falência, *s. f.* quiebra; insolvencia; bancarrota; crac.

falerno, *s. m.* falerno.

falésia, *s. f.* acantilado; cantil.

falha, *s. f.* falla; raja; grieta; mella; revolcón.

falhado, *adj.* hendido; rajado; (*fig.*) fracasado; frustrado.

falhar, v. 1. tr. rajar, hender. 2. intr. faltar; frustrarse; errar; marrar; no acertar; meter el cuezo.

falho, adj. fallo; faltoso; carecido; falto; baldo.

falibilidade, s. f. falibilidad.

fálico, adj. fálico.

falido, adj. e s. m. fallido; quebrado, insolvente.

falir, v. intr. quebrar, suspender pagos.

falisco, s. m. falisco.

falível, adj. 2 gén. falible.

falo, s. m. falo.

falquear, v. tr. desbastar, un tronco; acuñar.

falripas, s. f. pl. (fam.) cabellos raros y cortos.

falsa-acácia, s. f. robinia.

falsar, v. tr. e intr. falsear; falsificar; engañar.

falsário, s. m. falsario, falsificador, perjuro.

falsear, v. tr. falsear; adulterar; corromper.

falsete, s. m. MÚS. falsete.

falsetear, v. intr. hablar o cantar en falsete.

falsidade, s. f. falsedad; deslealtad; perfidia; mentira; duplicidad; falsía.

falsídico, adj. mentiroso.

falsificação, s. f. falsificación, falseamiento; adulterio.

falsificado, adj. falsificado; adulterino.

falsificador, s. m. falsificador; falsario.

falsificar, v. tr. falsificar; falsear; adulterar.

falsificável, adj. 2 gén. falsificable.

falso, adj. falso; fingido, pérfido; infundado; desleal; rajado; traidor; zaino; mentiroso; falsificado; adulterino; ilusorio.

falta, s. f. falta; carencia; deficiencia; tilde; defecto; claudicación; error; desvío; culpa, cargo; pecado; *falta de asseio,* abandono; desaseo; *falta de escrúpulos,* desaprensión.

faltar, v. intr. faltar; no haber; no comparecer; morir.

falto, adj. falto; necesitado; desprovisto; desabastecido.

faltoso, adj. faltante.

falua, s. f. NÁUT. falúa.

falucho, s. m. falucho.

falueiro, s. m. faluchero, arraez.

fama, s. f. fama; renombre; nombre; notoriedad; nombradía; reputación; gloria; *dar fama,* afamar.

famélico, adj. famélico; hambriento.

famigerado, adj. famoso.

família, s. f. familia; linaje; descendencia; raza; estirpe.

familiar, I. adj. 2 gén. familiar, doméstico; habitual. II. s. 2 gén. familiar.

familiaridade, s. f. familiaridad.

familiarizar, v. tr. familiarizar.

faminto, adj. hambriento; famélico.

famoso, adj. famoso; célebre; renombrado; sonado; mentado; notable; acreditado; muy bueno; excelente; cimero; *tornar famoso,* afamar.

fâmula, s. f. fámula, criada.

famulagem, s. f. famulicio, famulato.

famulento, adj. famélico.

fâmulo, s. m. fámulo.

fanal, s. m. fanal; faro; antorcha.

fanar, v. tr. mustiar; amputar; circuncidar.

fanático, adj. fanático; exaltado; sectario.

fanatismo, s. m. fanatismo.

fanatizador, adj. e s. m. fanatizador.

fanatizar, v. tr. fanatizar.

fancaria, s. f. lencería.

fandango, s. m. fandango.

fandangueiro, s. m. fandanguero.

fandanguilho, s. m. fandanguillo.

faneca, s. f. ZOOL. faneca.

fanerogâmica, s. f. fanerógamo.

fanerogâmicas, s. f. pl. BOT. fanerógamas.

fanfar, v. intr. fanfarrear.

fanfarra, s. f. charanga.

fanfarrão, adj. e s. m. fanfarrón; valentón; impostor; perdonavidas.

fanfarrice, s. f. fanfarronería.

fanfarronada, s. f. fanfarronada; bravata; fanfarronería; valentonada.

fanfarronar, v. intr. fanfarronear.

fanfarronice, s. f. fanfarria.

fanga, s. f. fanega.

fanhosear, v. intr. ganguear.

fanhosice, s. f. gangueo.

fanhoso, adj. gangoso.

fanicar, v. intr. andar buscando pequeños lucros.

fanico, s. m. (fam.) desmayo; soponcio; desvanecimiento; pl. añicos.

faniqueira, s. f. hilo de pesca; cuerda del peón.

faniquito, s. m. (fam.) patatús.

fanqueiro, s. m. lencero, comerciante de tejidos.

fantasia, s. f. fantasía; antojo; devaneo; ensoñación; imaginación.

fantasiador, s. m. fantaseador.

fantasiar v. tr. e intr. fantasear; idear; imaginar; ensoñar; soñar; planear; antojarse.

fantasioso, adj. fantasioso; imaginativo; antojadizo.

fantasista, adj. e s. m. fantasioso.

fantasma, s. m. fantasma; aparecido; visión.

fantasmagoria, s. f. fantasmagoría.

fantasmagórico, adj. fantasmagórico.

fantástico, adj. fantástico, feérico; quimérico, imaginario; fingido; bestial.

fantochada, s. f. fantochada; payasada.

fantoche, s. m. fantoche, títere; teatro de fantoches, guiñol.

faqueiro, s. m. estuche de cubiertos.

faquir, s. m. faquir.

faquista, s. persona que usa navaja como arma ofensiva.

farade, s. m. farad, faradio.

farádio, s. m. faradio, farad.

faradização, s. f. faradización.

faramalha, s. f. faramalla.

farândola, s. f. farándula, danza provenzal; pandilla.

farandoleiro, s. m. farandulero.

faraó, s. m. faraón.

faraónico, adj. faraónico.

farda, s. f. uniforme (militar o de una corporación).

fardagem, s. f. fardería.

fardamento, s. m. ropaje; uniforme completo.

fardar, v. tr. uniformar, vestir con uniforme.

fardel, s. m. fardel; morral, saco de provisiones; merienda.

fardelagem, s. f. fardería.

fardeta, s. f. uniforme de los soldados.

fardete, s. m. fardito, pequeño fardo.

fardo, s. m. fardo; carga; pequete, abarrote; bala; bulto; fardo de papel, balón de papel.

farejador, adj. e s. m. husmeador.

farejar, v. 1. tr. oler, olfatear, olisquear. 2. intr. husmear.

farejo, s. m. olfateo.

fareláceo, adj. que se deshace en salvado.

farelada, s. f. cantidad de salvado o afrecho; agua con salvado.

farelento, adj. abundante en salvado.

farelhão, s. m. farallón, farellón, islote escarpado.

farelice, s. f. fanfarronada, arrogancia.

farelo, s. m. afrecho, bren, salvado; serrín; (fig.) friolera, bagatela.

farelório, s. m. (fam.) bagatela; baratija, niñería.

farfalha, s. f. pl. limaduras, limallas, virutas; (fig.) bagatelas.

farfalhada, s. f. susurro (de las hojas o de las virutas); ruido semejante.

farfalhador, s. m. hablador, chocarrero.

farfalhar, v. intr. susurrar; farfullar; charlar; trapisondear.

farfalhice, s. f. farfantonada.

farfalho, s. m. susurro, rozamiento; enfermedad de los ninos. ronquera; pl. tropezones (en el caldo).

farfante, adj. 2 gén. farfantón, jactancioso.

farináceo, adj. farináceo; harinoso.

farinar, v. tr. moler, reducir a harina.

faringe, s. f. ANAT. faringe; canal.

faríngeo, adj. faríngeo.

faríngico, adj. faríngeo.

faringite, s. f. faringitis.

faringotomia, s. f. CIR. faringotomía.

farinha, s. f. harina; (grossa) cabezuela.

farinheira, s. f. morcilla; harinera, mujer que vende harina.

farinheiro, s. m. harinero.

farinhento, adj. farináceo; harinoso.

farisaico, adj. farisaico.

farisaísmo, s. m. farisaísmo.

fariscar, v. tr. e intr. olfatear u oliscar; husmear; oler.

fariseu, s. m. fariseo.

farmacêutica, s. f. boticaria.

farmacêutico, I. adj. farmacéutico. **II.** s. m. farmacêutico, boticário.

farmácia, s. f. farmacia; (de primeiros socorros) botequín.

fármaco, s. m. f. fármaco.

farmacologia, s. f. farmacología.

farmacológico, adj. farmacológico.

farmacologista, s. 2 gén. farmacólogo.

farmacopeia, s. f. farmacopea.

farnel, s. m. viático.

faro, s. m. viento (olfato de ciertos animales); (fig.) olfato; olor; perspicacia.

farofeiro, adj. e s. m. jactancioso.

farófia s. f. merengue (dulce); jactancia.

farol, s. m. faro; fanal; farol; faróis de nevoeiro, luces antiniebla.

farolar, v. intr. farolear.

faroleiro, I. adj. farolero. **II.** s. m. farolero; tonero.

farolim, s. m. farolilla.

farpa, s. f. farpa, garrocha; púa; rehilete; desgarrón; rasgón (en la ropa); rejón, banderilla; astilla.

farpado, adj. farpado; arpado; ahorquillado; bifurcado.

farpão, s. m. arpón, farpa grande; burbuja en la córnea del ojo; flecha de hierro.

farpar, v. tr. banderillear; rasgar; desgarrar; hacer tiras.

farpear, v. tr. banderillear.

farpela, s. f. (fam.) ropas de uso, traje, vestido, vestuario.

farra, s. f. farra.

farrapada, s. f. montón o porción de harapos.

farrapagem, s. f. vd. **farrapada.**

farrapão, s. m. desharrapado; andrajoso.

farraparia, s. f. montón de harapos; chamarilería, establecimiento de ropavejero.

farrapeira, s. f. trapera.

farrapeiro, s. m. trapero; ropavejero.

farrapilha, s. harapiento; miserable.

farrapo, s. m. harapo, guiñapo, trapo, colgajo; desgarrón; andrajo; pingajo; pingo; arrapiezo; estraza; jirón.

farripas, s. f. pl. cabellos raros y cortos.

farroba, s. f. BOT. algarroba.

farrobeira, s. f. vd. **alfarrobeira.**

farronqueiro, adj. fanfarrón.

farroupilha, s. m. harapiento, andrajoso.

farrusca, s. f. tiznón.

farrusco, adj. sucio de carbón, tiznado.

farsa, s. f. farsa; (fig.) pantomima; impostura.

farsante, s. 2 gén. farsante; embustero; comediante; arlequín.

farsantear, v. intr. farsantear.

farsista, s. 2 gén. farsante; histrión; juglar.

farsola, s. 2 gén. fanfarrón; valentón.

farsolar, v. intr. fanfarronear; jactarse.

fartadela, s. f. hartada, hartazgo, hartura; (fam.) atracón.

fartança, s. f. hartura, hartazgo, hartada.

fartar, v. tr. hartar; saciar; atracar; empachar; saturar; (fig.) fastidiar, cansar.

fartável, adj. 2 gén. saciable.

farto, adj. harto, lleno, repleto; saciado; gordo; cansado.

fartote, s. m. (fam.) atracón; hartazgo; hartura.

fartum, s. m. hedor, rancio; cochambre.

fartura, s. f. hartura; abundancia; copia; pl. churros; loja de farturas, churrería; vendedor de farturas, churrero.

fascal, s. m. fascal.

fasciculado, adj. fasciculado.

fascicular, adj. 2 gén. fascicular.

fascículo, s. m. fascículo.

fascinação, s. f. fascinación; embrujo; hechizo.

fascinado, adj. fascinado; deslumbrado; embotado.

fascinador, adj. 2 gén. fascinador; deslumbramiento.

fascinante, adj. 2 gén. fascinante.

fascinar, v. tr. fascinar; seducir; deslumbrar; aojar.

fascínio, s. m. prestigio.

fascismo, s. m. fascismo.

fascista, s. 2 gén. fascista.

fase, s. f. fase; estadio.

fasquia, s. f. lata, listón delgado.

fasquiar v. tr. clavar las latas o listones de madera a las vigas de un techo.

fasquio, s. m. porción de listones de madera.

fastidioso, adj. fastidioso; importuno.

fastiento, adj. fastidioso.

fastigiado, adj. BOT. fastigiado, frondoso.

fastígio, s. m. fastigio; cumbre.

fastigioso, adj. que está en la cumbre; elevado.

fastio, s. m. hastío, fastidio; aburrimiento; tedio; desgana; empalago.

fastoso, adj. fastidioso; tedioso.

fastos, s. m. pl. fastos; anales.

fastoso, adj. faustoso, fastoso, pomposo.

fastuoso, adj. vd. **fastoso.**

fatacaz, s. m. pedazo grande; (fam.) afecto vehemente; gran pasión.

fatal, adj. 2 gén. fatal; inevitable; funesto; siniestro.

fatalidade, s. f. fatalidad; través.

fatalismo, s. m. fatalismo.

fatalista, adj. e s. 2 gén. fatalista.

fateixa, s. f. garabato; NÁUT. arpeo; especie de ancla; garfio; gancho, arpón.

fatia, s. f. tajada, rebanada; loncha; lonja; raja; roncha; (fam.) ganancia; gran quiñón; fatia de pão frita, picatoste.

fatiar, v. tr. cortar en lonchas o tajadas delgadas.

fatídico, adj. fatídico.

fatigado, adj. cansado.

fatigante, *adj. 2 gén.* fatigoso.

fatigoso, *adj.* fatigoso.

fatigar, *v.* **1.** *tr.* fatigar; cansar; aquejar; encocorar; vejar; molestar. **2.** *refl.* ajetrearse; atrafagar; encocorarse.

fatiota, *s. f. (fam.)* traje, vestido, ropa.

fato, *s. m.* hato; ropa; vestido; vestuario; traje; hato, *(rebanho)* manada, piara, rebaño; *(de bodes)* machada.

fatuidade, *s. f.* fatuidad.

fátuo, *adj.* fatuo, presumido, pretencioso; lelo.

fauces, *s. f. pl.* ANAT. fauces.

faúla, *s. f.* vd. **faúlha**.

faular, *v. intr.* centellear.

faúlha, *s. f.* chispa; centella; pavesa.

fauna, *s. f.* fauna.

fauno, *s. m.* fauno.

fausto, **I.** *adj.* fausto, dichoso, próspero, feliz. **II.** *s. m.* fausto, fasto; fastuosidad, pompa, lujo, magnificencia; opulencia.

faustoso, *adj.* fastuoso; rumboso.

fautor, *s. m.* fautor.

fautoria, *s. f.* fautoria; favor.

fautorizar, *v. tr.* favorecer, auxiliar.

fava, *s. f.* BOT. haba.

faval, *s. m.* habar.

faviforme, *adj. 2 gén.* alveolar.

favila, *s. f.* favila.

favo, *s. m.* panal de miel, alvéolo; bresca.

favonear, *v. tr.* favorecer.

favónio, **I.** *s. m.* favonio. **II.** *adj.* propicio.

favor, *s. m.* favor; gracia; ayuda; socorro; obsequio; *(fig.)* aura; auspicio.

favorável, *adj. 2 gén.* favorable.

favorecedor, *adj. e s. m.* favorecedor.

favorecer, *v. tr.* favorecer; beneficiar; ayudar; amparar; secundar; socorrer; elogiar.

favorecido, *adj.* favorecido.

favorita, *s. f.* favorita.

favoritismo, *s. m.* favoritismo.

favorito, *adj. e s. m.* favorito; preferido; valido.

fax, *s.m.* telefax.

faxa, *s. f.* vd. **faixa**.

faxina, *s. f.* fajina, leña menuda; haz de leña; MIL. fajina, limpieza de cuartel; soldado encargado de la limpieza del cuartel.

faxinar, *v. tr.* formar haces o gavillas; amanojar; MIL. limpiar los cuarteles.

fazedor, *adj. e s. m.* hacedor, factor.

fazenda, *s. f.* hacienda, finca; fundo; habe-res; hacienda pública; pano o tejido de lana; tela; lienzo.

fazendário, *adj.* financiero; hacendista.

fazendeiro, *s. m.* finquero, hacendado, estanciero.

fazer, *v.* **1.** *tr.* hacer; producir; obrar; crear; fabricar; inventar; realizar; arreglar; concluir; servir de. **2.** *intr.* trabajar; proceder.

faz-tudo, *s. m.* factótum; *(fig.)* remendón.

fé, *s. f.* fe; creencia; crédito.

fealdade, *s. f.* fealdad; deformidad; torpeza.

febra, *s. f.* hebra; *(fig.)* coraje.

febrão, *s. m.* calenturón, fiebre violenta.

febre, *s. f.* MED. fiebre; calentura.

febricitante, *adj. 2 gén.* febricitante; calenturiento.

febrífugo, *adj. e s. m.* MED. febrífugo; antifebril; antipirético.

febril, *adj. 2 gén.* febril; calenturiento.

febrilidade, *s. f.* febrilidad.

fecal, *adj. 2 gén.* fecal.

fecalóide, *adj. 2 gén.* fecaloide.

fechado, *adj.* cerrado; cercado; clausurado; encerrado.

fechadura, *s. f.* cerradura.

fechamento, *s. m.* cerramiento, cerradura.

fechar, *v.* **1.** *tr.* cerrar; encerrar; lacrar; sellar; tapiar; rematar; cicatrizar. **2.** *intr.* acabar; concluir; unirse. **3.** *refl.* callarse.

fecharia, *s. f.* precursor, percutor.

fecho, *s. m.* cerrojo, cerradura, aldaba, pestillo; *(de contas)* finiquito; sello; *(fig.)* remate, conclusión; *fecho de segurança*, cerradura de seguridad.

fécula, *s. f.* fécula.

feculento, *adj.* feculento.

feculoso, *adj.* feculento.

feculista, *s. 2 gén.* feculista.

fecundação, *s. f.* fecundación; fertilización.

fecundador, *adj.* fecondador; fecundante; fertilizador; creador.

fecundante, *adj. 2 gén.* fecundante.

fecundar, *v. tr.* fecundar, fecundizar; fertilizar.

fecundável, *adj. 2 gén.* fecundable.

fecundidade, *s. f.* fecundidad.

fecundizar, *v. tr.* vd. **fecundar**.

fecundo, *adj.* fecundo; fértil; feroz.

fedelhice, *s. f. (fam.)* dicho o hecho de *fedelho*.

fedelho, *s. m.* chico, inuchacho pequeño, zagal, mocosuelo, mozalbete.

fedentina, *s. f.* hedentina, hedor.
fedentinha, *s. f.* vd. **fedentina.**
feder, *v. intr.* heder; *(fig.)* enfadar.
federação, *s. f.* federación; alianza; unión; asociación.
federado, *adj.* federado; aliado; asociado.
federal, *adj.* 2 *gén.* federativo, federal.
federalismo, *s. m.* federalismo.
federalista, *adj. e s.* 2 *gén.* federalista.
federar, *v.* **1.** *tr.* federar; confederar, unir, ligar. **2.** *refl.* federarse.
federativo, *adj.* federativo.
fedor, *s. m.* hedor; fetidez; hedentina.
fedorento, *adj.* hediondo; fétido; maloliente.
feérico, *adj.* feérico.
feiarrão, *adj. (fam.)* feúcho.
feição, *s. f.* facción; fisonomía; aspecto; manera.
feijão, *s. m.* BOT. judía; habichuela; alubia; frijol, fríjol.
feijoada, *s. f.* plato de judías.
feijoal, *s. m.* sitio sembrado de judías.
feijoca, *s. f.* judión.
feijoeiro, *s. m.* BOT. judía.
feio, *adj.* feo; grosero; vergonzoso.
feioso, *adj. (fam.)* feúcho.
feira, *s. f.* feria; mercado; *(fig.)* confusión; algazara; *feira da ladra,* rastro.
feirante, *adj. e s.* 2 *gén.* feriante.
feirar, *v. intr.* feriar, comprar o vender en la feria.
feita, *s. f.* vez; ocasión.
feitiçaria, *s. f.* hechicería; sortilegio; seducción.
feiticeira, *s. f.* hechicera; bruja.
feiticeiro, *s. m.* hechicero; brujo; mago; encantador.
feiticismo, *s. m.* fetichismo.
feiticista, *adj.* 2 *gén.* fetichista.
feitiço, *s. m.* hechizo; fetiche; encantamiento; embrujo; encanto; magia; amuleto.
feitio, *s. m.* hechura; forma; compostura; manera; talle; *(fig.)* carácter.
feito, **I.** *adj.* hecho; perfecto; realizado. **II.** *s. m.* hecho; empresa, hazaña; lance; gesta.
feitor, *s. m.* administrador; factor; hacedor; intendente; capataz.
feitoria, *s. f.* factoría.
feitura, *s. f.* hechura; obra, trabajo, ejecución.
feixe, *s. m.* haz, manojo, mostela, gavilla; fajo; *(de lenha)* fajina; *(fig.)* puñado; porción.

fel, *s. m.* hiel, bilis.
felá, *s. m.* campesino egipcio.
feldspato, *s. m.* feldespato.
felicidade, *s. f.* felicidad; dicha.
felicitação, *s. f.* felicitación; *pl.* enhorabuena; parabién.
felicitar, *v. tr.* felicitar.
felídeo, *adj. e s. m.* félido.
felino, *adj. e s. m.* felino.
feliz, *adj.* 2 *gén.* feliz; fausto.
felizão, *s. m. (fam.)* hombre muy feliz.
felizardo, *s. m. (fam.)* individuo muy dichoso y feliz; afortunado.
felonia, *s. f.* felonía, traición.
felpa, *s. f.* felpa; vello.
felpo, *s. m.* rizo.
felpudo, *adj.* afelpado, felpudo; velloso.
feltradoira, *s. f.* mujer o máquina que corta los pelos de pieles.
feltrar, *v. tr. e intr.* fieltrar; tapizar.
feltro, *s. m.* fieltro.
fêmea, *s. f.* hembra; *(de colchete)* corcheta.
femeal, *adj.* 2 *gén.* femenil.
femeeiro, *adj.* mujeriego.
fementido, *adj.* fementido.
feminal, *adj.* 2 *gén.* femenino, feminal, femenil.
feminidade, *s. f.* feminidad, femineidad.
feminilidade, *s. f.* feminidad.
feminino, *adj.* femenino.
feminismo, *s. m.* feminismo.
feminista, *adj. e s.* 2 *gén.* feminista.
feminizar, *v. tr.* afeminar.
femoral, *adj.* 2 *gén.* femoral.
fémur, *s. m.* ANAT. fémur.
fenação, *s. f.* cosecha del heno.
fenacetina, *s. f.* QUÍM. fenacetina.
fenda, *s. f.* fenda; grieta; raja; raza; abertura; fisura; hendidura; rendija; intersticio.
fendedor, *adj.* hendedor.
fendeleira, *s. f.* cuña de hierro para rajar o hender.
fender, *v.* **1.** *tr.* hender; rajar; cascar; dividir; separar; surcar. **2.** *refl.* henderse; reventar.
fenecer, *v. intr.* fenecer; morir; acabar; marchitarse.
fenecimento, *s. m.* fenecimiento; fin; muerte; extinción.
fenestrado, *adj.* fenestrado.
fenício, *s. m.* fenicio.
fénico, *adj.* QUÍM. fénico.
fénix, *s. f.* fénix.
feno, *s. m.* BOT. heno.

fenol, *s. m.* QUÍM. fenol.
fenomenal, *adj. 2 gén.* fenomenal.
fenómeno, *s. m.* fenómeno.
fera, *s. f.* fiera.
feracidade, *s. f.* fertilidad; feracidad; fecundidad.
feracíssimo, *adj.* feracísimo.
feral, *adj. 2 gén.* lúgubre, fúnebre.
feraz, *adj. 2 gén.* feraz; fértil.
féretro, *s. m.* féretro, ataúd, tumba; sarcófago.
fereza, *s. f.* fiereza, crueldad; ferocidad.
féria, *s. f.* feria; jornal, salario; (fig.) semana, semanada; *pl.* vacaciones; huelga.
feriado, I. *adj.* feriado, en que hay fiesta. **II.** *s. m.* vacación; feriado.
ferial, *adj. 2 gén.* festivo; ferial.
feriar, *v. intr.* estar en vacaciones, holgar, descansar; no trabajar.
ferida, *s. f.* herida; golpe; llaga; úlcera; (fig.) ofensa; dolor.
ferido, *adj.* herido; lastimado; (fig.) ofendido.
ferimento, *s. m.* herimiento; herida.
ferino, *adj.* ferino; feroz.
ferir, *v. tr.* herir; lesionar; golpear; lacerar; vulnerar; acribillar; pinchar; hender; rasgar; trabar combate; alancear; picar; (fig.) ofender; zaherir; pringar.
fermentação, *s. f.* fermentación.
fermentar *v. tr.* fermentar.
fermentativo, *adj.* fermentativo.
fermentável, *adj. 2 gén.* fermentable.
fermentescente, *adj. 2 gén.* fermentescible.
fermentescibilidade, *s. f.* fermentescibilidad.
fermentescível, *adj. 2 gén.* fermentescible.
fermento, *s. m.* fermento; levadura; enzima; diastasa; QUÍM. fermio.
fero, *adj.* feroz; fiero.
ferocidade, *s. f.* ferocidad; fiereza; braveza; bravura.
férodo, *s. m.* ferodo.
feroz, *adj. 2 gén.* feroz; salvaje; ferino.
ferra, *s. f.* ferrada; herradero; badil, badila, paleta para mover y recoger la lumbre.
ferrã, *s. f.* herrén, pasto, forraje.
ferrabrás, *s. m.* valentón, fanfarrón, fierabrás; matón.
ferradela, *s. f.* mordisco; mordedura; picotazo.
ferrado, I. *adj.* ferrado, guarnecido con hierro; herrado, que se herró. **II.** *s. m.* acción de herrar, de ferrar.

ferrador, *s. m.* herrador.
ferradura, *s. m.* herradura.
ferrageiro, *s. m.* ferretero.
ferragem, *s. f.* herraje; *loja de ferragens,* ferretería.
ferragista, *s. 2 gén.* ferretero.
ferrajaria, *s. f.* ferretería, ferrería.
ferral, *adj. 2 gén.* férreo.
ferramenta, *s. f.* herramienta; trebejo.
ferrão, *s. m.* aguijón, herrón, pincho; punta de hierro; espigón.
ferrar, *v. tr.* herrar, poner hierros en; herrar, poner herraduras; marcar con hierro al rojo; morder; dentellear; NÁUT. aferrar (las velas).
ferraria, *s. f.* siderurgia; herrería, ferrería; forja.
ferregial, *s. m.* herrenal.
ferreiro, *s. m.* herrero; metalúrgico; siderúrgico; ferretero.
ferrejar, *v. intr.* cortar herrén, segarlo.
ferrejo, *s. m. vd.* **ferrã**.
ferrenho, *adj.* férreo; (fig.) pertinaz; inflexible.
férreo, *adj.* férreo, de hierro; ferruginoso; (fig.) duro; inflexible.
ferrete, *s. m.* ferrete; sambenito; (fig.) estigma.
ferretear, *v. tr.* ferretear; (fig.) manchar la reputación de.
ferretoada, *s. f.* aguijonada; picada.
ferretoar, *v. tr.* dar picadas en; aguijar, aguijonear; picar.
férrico, *adj.* QUÍM. férrico.
ferrífero, *adj.* ferrífero.
ferrificação, *s. f.* formación del *ferro.*
ferrinhos, *s. m. pl.* MÚS. triángulo, instrumento musical.
ferrite, *s. f.* ferrita.
ferro, *s. m.* hierro; áncora; banderilla; (de encadernador) botalono; *ferro velho,* chatarra; *ferro de marcar,* ferrete; *ferro de soldar,* soldador; *ferro de engomar,* plancha; *passar a ferro,* planchar; *passagem a ferro,* planchado.
ferroada, *s. f.* aguijonazo.
ferroar, *v. tr.* dar picadas o aguijonazos; aguijonear.
ferrolhar, *v. tr. vd.* **aferrolhar**.
ferrolho, *s. m.* cerrojo.
ferroso, *adj.* ferroso.
ferro-velho, *s. m.* ropavejero, chamarilero; cachivache; chatarrería.
ferroviário, I. *adj.* ferroviario; ferrovial; tranviario. **II.** *s. m.* ferroviario.

ferrugem, s. f. herrumbre; herrín; orín.

ferrugento, adj. herrumbroso; (fig.) viejo.

ferrugíneo, adj. ferruginoso.

ferruginoso, adj. ferruginoso.

fértil, adj. 2 gén. fértil, fecundo; productivo; rico; abundante; feraz.

fertilidade, s. f. fertilidad; fecundidad; feracidad.

fertilização, s. f. fertilización.

fertilizador, adj. fertilizante.

fertilizante, adj. e s. m. fertilizante.

fertilizar, v. tr. fertilizar; fecundar; fecundizar.

fertilizável, adj. 2 gén. fertilizable, fecundable.

férula, s. f. férula; palmatoria.

fervedoiro, s. m. hervidero; agitación; efervescencia, inquietud.

fervedouro, s. m. vd. **fervedoiro.**

fervedura, s. f. vd. **fervura.**

fervença, s. f. vd. **fervura;** ardor; vivacidad.

fervência, s. f. vd. **fervura.**

fervente, adj. 2 gén. hirviente; fervente; (fig.) ardiente. entusiasta.

ferver, v. 1. tr. hervir, producir ebullicion. 2. intr. escaldar; fermentar; estar en ebullición; (vinho) espumar; agitarse; excitarse.

fervescente, adj. 2 gén. vd. **fervente.**

férvido adj. férvido, ardiente; abrasador; fervoroso.

fervilha, s. (fam.) persona activa, dinámica.

fervilhar, v. intr. hervir poco; (fig.) trajinar.

fervor, s. m. hervor; ebullición; ardor.

fervoroso, adj. fervoroso; ardiente.

fervura, s. f. hervor; ebullición; efervescencia.

fescenino, adj. fescenino.

festa, s. f. fiesta; festividad; función; regocijo; diversión; (em casa) guateque; testín; agasajo; caricia; halago.

festança, s. f. fiesta ruidosa; holgorio.

festão, s. m. festón, guirnalda; ramillete; ornado com festões, festoneado.

festarola, s. f. holgorio.

festeiro, I. s. m. festejador; fiestero; jaranero. **II.** adj. amigo de fiestas.

festejar, v. tr. festejar; regocijar; agasajar; celebrar; acariciar.

festejo, s. m. festejo; fiesta; agasajo; caricia, halago.

festim, s. m. festín; convite.

festival, I. adj. 2 gén. festivo. **II.** s. m. festival.

festividade, s. f. festividad; festejo.

festivo adj. festivo, alegre; burlesco; pachanguero.

festo, s. m. anchura de un paño; derecho de un tejido.

festoar, v. tr. festonear.

fetal, I. adj. 2 gén. fetal. **II.** s. m. BOT. helechal.

fetidez, s. f. fetidez.

fétido, I. adj. fétido, hediondo; apastoso; maloliente. **II.** s. m. hedor.

feto, s. m. feto (en los animales vivíparos); engendro; BOT. helecho.

feudal, adj. 2 gén. feudal.

feudalismo, s. m. feudalismo.

feudo, s. m. feudo.

fêvera, s. f. veta mineral; filamento vegetal; fibra, músculo; nervio; (fig.) coraje, fuerza.

fevereiro, s. m. febrero.

fez, s. m. fez.

fezes, s. m. pl. hez, heces; poso; excrementos; zurrapa.

fiabilidade, s. f. fiabilidad.

fiação, s. f. hilado; hilandería; hilatura.

fiacre, s. m. fiacre.

fiada, s. f. hilada, hilera, sarta.

fiadeira, s. f. hilandera.

fiadeiro, s. m. hilandero, hilador.

fiado, I. s. m. hilado. **II.** adj. hilado; fiado, vendido a crédito.

fiador, s. m. fiador; fiador (de espada).

fiadoria, s. f. fiaduría; fianza, caución.

fiambre, s. m. fiambre.

fiambreira, s. f. fiambrera; tartera.

fiança, s. f. fianza, caución, garantía.

fiandeira, s. f. hilandera.

fiandeiro, s. m. hilandero.

fiapo, s. m. hilete; hebra; hilacha, hilacho.

fiar, v. 1. tr. hilar; urdir; afianzar. 2. intr. fiar-se, confiar.

fiasco, s. m. fiasco; fracaso.

fiável, adj. 2 gén. fiable.

fibra, s. f. fibra, filamento, hebra; brizna.

fibrina, s. f. QUÍM. fibrina.

fibroma, s. m. MED. fibroma.

fibrose, s. f. MED. fibrosis.

fibroso, adj. fibroso.

fíbula, s. f. fíbula.

ficar, v. intr. quedar, estar; detenerse; permanecer; subsistir; restar.

ficção, s. f. ficción; invención; fábula; ensueño.

ficha, s. f. ficha.

fichagem, s. f. fichaje.

fichar, v. tr. fichar.

ficheiro, s. m. fichero; casillero; INFORM. fichero.

fictício, adj. ficticio.

fidalga, s. f. hidalga.

fidalgaço, s. m. gran hidalgo.

fidalgaria, s. f. clase de los hidalgos; hidalguía.

fidalgo, I. s. m. hidalgo; aristócrata; caballero. II. adj. noble; generoso.

fidalgote, s. m. hidalguete, hidalgote.

fidalguia, s. f. hidalguía, hidalguez, nobleza; aristocracia.

fidalguice, s. f. afectación de modales de hidalgo.

fidedigno, adj. fidedigno; fehaciente.

fideicomissário, s. m. fideicomisario.

fideicomisso, s. m. fideicomiso.

fidelidade, s. f. fidelidad; lealtad; ley.

fidelíssimo, adj. fidelísimo.

fidéus, s. m. pl. fideo.

fidúcia, s. f. confianza; audacia arrojo.

fiduciário, adj. fiduciario.

fieira, s. f. hilera; viga maestra.

fiel, I. adj. 2 gén. fiel; leal; constante; seguro. II. s. m. (fiscal) fiel; (de balança) fiel.

fieldade, s. f. (fam.) fidelidad.

figa, s. f. higa; amuleto.

figadal, adj. 2 gén. hepático; (fig.) entrañado, profundo.

figadeira, s. f. enfermedad del hígado en ciertos animales; hepatitis.

fígado, s. m. ANAT. hígado; (fig.) ánimo, valentía.

fígaro, s. m. (fam.) fígaro, barbero.

figle, s. m MÚS. figle.

figo, s. m BOT. higo.

figueira, s. f. BOT. higuera (brava) cabrahígo.

figueira-da-índia, s. f. chumbera.

figueiral, s. m. higueral.

figura, s. f. figura; forma; aspecto; estatura; carta de juego; símbolo; imagen; estampa; (fam.) facha.

figuração, s. f. figuración; forma; aspecto.

figurado, adj. figurado; figurativo; imaginado; supuesto.

figurante, s. 2 gén. figurante; CIN. extra.

figurão, s. m. (fam.) figurón, buena figura.

figurar, v. tr. figurar; simbolizar; imaginar.

figurarias, s. f. pl. figurerías, momerías.

figurativo, adj. figurativo; figurado.

figurilha, s. f. (fam.) figurilla, persona pequeña.

figurinista, s. 2 gén. figurinista.

figurino, s. m. figurín.

figuro, s. m. (fam.) picarón; ratón grande.

fila, s. f. fila; hilera; ringlera, parta; fila de carros, caravana.

filaça, s. f. hilaza, hilacho.

filamentar, adj. 2 gén. filamentoso.

filamento, s. m. filamento.

filamentoso, adj. filamentoso.

filantropia, s. f. filantropía.

filantrópico, adj. filantrópico.

filantropismo, s. m. filantropía.

filantropo, adj. filántropo.

filão, s. m. filón.

filar, v. tr. agarrar, prender.

filarmónica, s. f. filarmónica.

filarmónico, adj. filarmónico.

filatelia, s. f. filatelia.

filatélico, adj. filatélico.

filatelismo, s. m. filatelia.

filatelista, s. 2 gén. filatelista.

filáucia, s. f. egoísmo, amor propio; vanidad.

filaucioso, adj. presuntuoso, vanidoso, arrogante.

filé, s. m. deseo, anhelo.

fileira, s. f. hilera, fila, ringlera; retahíla; sarta; fileira de casas, acera.

filete, s. m. filete; tira; ARQ. cinta; friso; listel.

filha, s. f. hija.

filhação, s. f. filiación.

filhar, v. 1. tr. prohijar. 2. intr. ahijar; brotar.

filharada, s. f. gran número de hijos.

filharar, v. intr. brotar, echar retoños las plantas.

filho, s. m. hijo; descendiente; retoño, vástago, brote de una planta.

filhó, s. f. filloa, buñuelo; churro; risco; em forma de filhó, abuñolado.

filiação, s. f. filiación, afiliación.

filial, I. adj. 2 gén. filial. II. s. f. COM. filial.

filiar, v. tr. adoptar; prohijar; afiliar.

filicida, s. 2 gén. filicida; parricida.

filicídio, s. m. filicidio.

filiforme, adj. 2 gén. filiforme.

filigrana, s. f. filigrana.

filigranar, v. 1. tr. filigranar; afiligranar. 2. intr. hacer filigrana.

filípica, s. f. filípica.

filipino, adj. filipino.

filisteu, s. m. filisteo.
filmagem, s. f. filmación.
filmar, v. tr. filmar.
filme, s. m. filme, película.
fílmico, adj. fílmico.
filmografia, s. f. filmografía.
filmoteca, s. f. filmoteca.
filologia, s. f. filología.
filológico, adj. filológico.
filólogo, s. m. filólogo.
filosofal, adj. 2 gén. filosofal.
filosofar, v. intr. filosofar.
filosofia, s. f. filosofía.
filosófico, adj. filosófico; filósofo.
filósofo, adj. e s. m. filósofo.
filotécnico, adj. filotécnico.
filoxera, s. f. filoxera.
filtração, s. f. filtración.
filtrador, s. m. filtrador, filtro; colador.
filtrar, v. tr. filtrar; colar.
filtro, s. m. filtro; filtrador; coladero; colador.
fim, s. m. fin; término; conclusión; acabamiento; coronamiento; (fam.) acabijo; consumación; límite; meta; éxito; objeto; motivo; móvil.
fimbria, s. f. fimbria; orilla; fleco; orla.
fimbriado, adj. fimbriado; franjeado.
fimose, s. f. fimosis.
finado, adj. e s. m. finado, muerto, difunto, fallecido.
final, I. adj. 2 gén. final; terminal. II. s. 1. m. fin; remate, conclusión. 2. f. DESP. final.
finalidade, s. f. finalidad.
finalista, s. 2 gén. finalista.
finalização, s. f. finalización.
finalizado, adj. finalizado; acabado.
finalizar, v. tr. finalizar; acabar; concluir.
finamento, s. m. fallecimiento; conclusión; fin; muerte.
finanças, s. f. pl. finanzas; hacienda pública; las rentas de un estado.
financeiro, adj. financiero.
financiar, v. tr. financiar; sufragar.
finar-se, v. refl. finarse, finalizar; acabar; morir, fallecer.
finca-pé, s. m. hincapié; porfía; persistencia.
fincar, v. tr. hincar, apoyar con fuerza; clavar; plantar, arraigar; fincar as patas no chão (cavalo), apezuñar.
findar, v. tr. finalizar; concluir; acabar; expirar.

findável, adj. 2 gén. finible; acabable.
findo, adj. que acabó; terminado; concluido.
finês, adj. finés; finlandés.
fineza, s. f. fineza; finura; (fig.) obsequio; amabilidad.
fingido, adj. fingido; ficticio; falso, mentiroso; aparente; solapado.
fingidor, s. m. fingidor.
fingimento, s. m. fingimiento; simulación; afectación; disfraz.
fingir, v. tr. fingir, simular; disfrazar.
finítimo, adj. finítimo, confinante.
finito, adj. e s. m. finito; transitorio.
finlandês, adj. e s. m. finlandés.
fino, I. adj. fino; delgado; grácil; sutil; inteligente; excelente; elegante; astuto, travieso, sagaz; (fam.) finolis. II. s. m. (de cerveja) bock.
finório, s. m. individuo sagaz, astuto.
finta, s. f. finta; contribución; engaño; logro.
fintar, v. tr. lanzar finta sobre; fiar; engañar.
finura, s. f. finura; primor; cortesía; astucia; sutileza.
fio, s. m. hilo; filo; hebra; (gume) tajo; corte; fio de pesca, sedal.
fiorde, s. m. fiordo.
firma, s. f. firma; razón social, casa de comercio; signatura.
firmador, s. m. firmador.
firmal, s. m. firmal; relicario.
firmamento, s. m. firmamento, cielo.
firmar, v. 1. tr. afirmar; confirmar; ratificar; firmar; rubricar; signar; corroborar; sostener; fijar; fundar; apoyarse. 2. refl. estribarse.
firme, adj. 2 gén. firme; fijo; inmoble; estable; fiel; fuerte; sólido; tieso; duro; tenaz; seguro; válido; asentado; bragado; (fig.) entero; constante; sereno.
firmeza, s. f. firmeza; frieza; decisión; estabilidad; fidelidad; fortaleza.
fiscal, I. adj. 2 gén. fiscal. II. s. m. fiscal; inspector; fiel.
fiscalização, s. f. fiscalización, fiscalía.
fiscalizador, adj. fiscalizador.
fiscalizar, v. tr. fiscalizar; examinar.
fisco, s. m. fisco.
fisga, s. f. fisga, arpón; hienda; (fam.) tirachinas, tirador, tiragomas.

fisgado, *adj.* cogido o muerto con fisga; agarrado.

fisgador, *adj.* e *s. m.* fisgador.

fisgar, *v. tr.* fisgar; arponear; garfear; detener; prender; agarrar.

física, *s. f.* física.

físico, I. *adj.* físico; material; corpóreo. **II.** *s. m.* físico.

fisiologia, *s. f.* fisiología.

fisiológico, *adj.* fisiológico.

fisiologista, *s.* 2 *gén.* fisiologista.

fisiólogo, *s. m.* fisiólogo.

fisionomia, *s. f.* fisonomía; semblante.

fisionómico, *adj.* fisonómico.

fisionomista, *adj.* e *s.* 2 *gén.* fisonomista.

fisioterapeuta, *s.* 2 *gén.* fisioterapeuta.

fisioterapia, *s. f.* fisioterapia.

fissão, *s. f.* fisión.

fissil, *adj.* 2 *gén.* físil.

fissíparo, *adj.* fisíparo.

fissípede, *adj.* ZOOL. fisípedo.

fissirrostros, *s. m. pl.* ZOOL. fisirrostros.

fissura, *s. f.* CIR. fisura; fractura; grieta; agrietamiento; incisión.

fístula, *s. f.* fístula.

fistular, I. *v. intr.* afistularse; abrir fístula; ulcerar. **II.** *adj.* 2 *gén.* fistular; fistuloso; tubular.

fistuloso, *adj.* fistuloso.

fita, *s. f.* cinta; cinta, filete; *fazer fitas,* chulear; *fita entrançada,* trencilla.

fitar, *v. tr.* clavar los ojos; desojar; mirar con atención.

fitaria, *s. f.* cintería, conjunto de cintas.

fiteiro, *s. m.* cintero, el que hace o vende cintas; hombre chismoso, lioso.

fitilho, *s. m.* cinta muy estrecha.

fito, I. *adj.* fijo; hincado. **II.** *s. m.* intención; chita.

fitologia, *s. f.* BOT. fitología, botánica.

fitozoários, *s. m. pl.* ZOOL. fitozoarios.

fivela, *s. f.* hebilla.

fiveleta, *s. f.* hebilleta.

fixa, *s. f.* fija.

fixação, *s. f.* fijación; arraigo.

fixador, *adj.* e *s. m.* fijador; *(do cabelo)* fijapelo.

fixar, *v. tr.* fijar; hincar; clavar; asegurar; determinar; limitar; señalar.

fixativo, *adj.* fijativo.

fixidez, *s. f.* fijeza; firmeza.

fixo, *adj.* fijo, fijado; clavado; estable; firme; seguro; preciso; inmutable.

flabelação, *s. f.* flabelación.

flabeliforme, *adj.* 2 *gén.* flabeliforme.

flabelo, *s. m.* flabelo; abanico.

flacidez, *s. f.* MED. flaccidez, flacidez.

flácido, *adj.* fláccido; flácido; marchito; flaco; lánguido; blando; relajado.

flagelação, *s. f.* flagelación.

flagelador, *adj.* e *s. m.* flagelador.

flagelante, *adj.* 2 *gén.* flagelante.

flagelar, *v. tr.* flagelar; azotar; zurriagar; *(fig.)* atormentar; martirizar.

flagelativo, *adj.* propio para flagelar.

flagelo, *s. m.* flagelo; plaga; calamidad.

flagício, *s. m.* flagicio.

flagicioso, *adj.* flagicioso.

flagrância, *s. f.* flagrancia.

flagrante, *adj.* 2 *gén.* flagrante; sangrante; *em flagrante delito,* en flagrante delito.

flamante, *adj.* 2 *gén.* flamante; brillante; llameante.

flameado, *adj.* flameado.

flamear, *v. tr.* flamear.

flamejado, *adj.* flameado.

flamejante, *adj.* 2 *gén.* vd. **flamante.**

flamejar, *v. tr.* flamear.

flamenco, *adj.* e *s. m.* flamenco.

flamengo, *adj.* e *s. m.* flamenco.

flamingo, *s. m.* ZOOL. flamenco.

flâmula, *s. f.* flámula.

flanco, *s. m.* flanco; ijada.

flanela, *s. f.* franela; lanilla.

flanquear, *v. tr.* flanquear.

flato, *s. m.* flato, flatulencia; ventosidad; desmayo.

flatoso, *adj.* flatoso.

flatulência, *s. f.* flatulencia, flato.

flatulento, *adj.* flatulento.

flatuloso, *adj.* vd. **flatoso.**

flauta, *s. f.* MÚS. flauta; *flauta de Pã,* zampoña.

flautado, *adj.* flautado.

flautear, *v. intr.* tocar flauta; vagabundear.

flautim, *s. m.* MÚS. flautín.

flautista, *s.* 2 *gén.* flautista.

flavescente, *adj.* 2 *gén.* flabescente.

flavescer, *v. intr.* enrubiar.

flavo, *adj.* flavo; leonado; rubio.

flébil, *adj.* 2 *gén.* flébil, lloroso; triste; lastimoso.

flebite, *s. f.* MED. flebitis.

flecha, *s. f.* flecha; saeta; tiradera.

flectir, *v. tr.* flexionar; doblar; arrodillar; ceder; cimbrear.

flegmão, *s. f.* flemón.

fleimão, s. m. flemón.

fleuma, s. f. MED. flema (mucosidad); cachaza; (fig.) flema, tardanza; lentitud; pachorra; (fam.) zosma.

fleumático, adj. flemático; tardo, pachorrudo; cachazudo.

flexão, s. f. flexión; flexão de voz, acento.

flexibilidade, s. f. flexibilidad.

flexibilizar, v. tr. flexibilizar.

flexionar, v. intr. flexionar.

flexível, adj. 2 gén. flexible; maleable; cimbreante.

flexor, I. adj. flexor. II. s. m. ANAT. músculo flexor.

flexuosidade, s. f. flexuosidad.

flexuoso, adj. flexuoso.

flibusteiro, s. m. filibustero; bucanero.

flipado, adj. flipado.

flipar-se, v. refl. fliparse.

flocado, adj. coposo; flecoso, flecudo.

floco, s. m. copo (de lana, algodón, nieve, etc.); grumo; vello.

flocoso, adj. coposo, dispuesto en copos.

flor, s. f. flor.

flora, s. f. flora.

floração, s. f. floración, florescencia.

floral, adj. 2 gén. floral.

florão, s. m. ARQ. florón.

flor-de-lis, s. f. lis.

floreado, I. adj. floreado, florido; vistoso. II. s. m. floreo; ringorrango; pl. florituras.

floreal, s. m. floreal.

florear, v. 1. tr. florear. 2. intr. florecer.

floreio, s. m. floreo.

floreira, s. f. florero; florista; jardinera; maceta.

florejante, adj. 2 gén. floreciente.

florejar, v. tr. e intr. florear.

florente, adj. 2 gén. vd. **florescente**.

flóreo, adj. floreciente.

florescência, s. f. florescencia.

florescente, adj. 2 gén. floreciente.

florescer, v. intr. florecer, florar.

florescimento, s. m. florecimiento.

floresta, s. f. floresta.

florestal, adj. 2 gén. florestero; forestal.

florete, s. m. florete.

floretear, v. tr. e intr. floretear.

floricultor, s. m. floricultor.

floricultura, s. f. floricultura.

florido, adj. florido; floreado.

flórido, adj. espléndido; brillante; magnífico.

florífero, adj. florífero.

florilégio, s. m. florilegio.

florim, s. m. florín.

florir, v. 1. intr. florecer; florar. 2. tr. florear.

florista, s. 1. 2 gén. florista. 2. f. (estabelecimento) florería; florestería.

flotilha, s. f. flotilla.

fluctívago, adj. que anda sobre las olas del mar.

fluência, s. f. fluencia; abundancia; soltura.

fluente, adj. 2 gén. fluente, fluyente; diserto; (fig.) corriente; fácil, suelto.

fluidez, s. f. fluidez.

fluidificação, s. f. fluidificación.

fluidificar, v. tr. fluidificar.

fluido, adj. fluido, fluente.

fluir, v. intr. fluir.

flúor, s. m. QUÍM. flúor.

fluorescência, s. f. fluorescencia.

fluorescente, adj. 2 gén. fluorescente.

flutuação, s. f. fluctuación; flotación; (fig.) vacilación; hesitación.

flutuador, s. m. flotador.

flutuante, adj. 2 gén. flotante; fluctuante; boyante.

flutuar, v. intr. flotar, fluctuar; sobrenadar; boyar.

fluvial, adj. 2 gén. fluvial.

fluviómetro, s. m. fluviómetro.

flux, s. m., a flux, a chorros, en abundancia.

fluxão, s. f. fluxión.

fluxionário, adj. fluxionario.

fluxo, I. s. m. flujo; influjo; flux; pleamar; (fig.) abundancia, torrente; plenitud; II. adj. efímero, pasajero.

fobia, s. f. fobia.

foca, s. f. ZOOL. foca.

focagem, s. f. enfocamiento; focalización; enfoque.

focal, adj. 2 gén. focal.

focar, v. tr. enfocar; destacar.

foçar, v. tr. fozar; hozar; hocicar; excavar.

focinhada, s. f. hocicada; cabezonada; cabezonería.

focinhar, v. tr. e intr. hozar, hocicar.

focinheira, s. f. jeta; muserola; bozal que se pone a los perros; (fig.) rostro avinagrado, enfurruñado.

focinho, s. m. hocico, parte de la cabeza del animal; trompa; (fam.) rostro humano.

focinhudo, adj. hocicón, hocicudo, jetudo; morrudo.

foco, s. m. foco; punto de irradiación; lugar principal; *pôr em foco,* enfocar.

fofice, s. f. calidad de fofo; blandura; *(fig.)* vanidad; jactancia.

fofo, adj. fofo, blando; blandengue; blanducho; *(fig.)* vano; fanfarrón; *tornar-se fofo,* afofarse.

fogaça, s. f. hogaza.

fogaceira, s. f. bollera.

fogaceiro, s. m. bollero.

fogacho, s. m. fogata, fogonazo, fogarada, llamarada.

fogagem, s. f. fogaje; salpullido.

fogaleira, s. f. badil, paleta para mover la lumbre.

fogão, s. m. fogón; hornillo; chimenea; *fogão portátil,* infiernillo.

fogareiro, s. m. hornillo; brasero.

fogaréu, s. m. pequeña llama; fogarada; llamarada; hoguera.

fogo, s. m. fuego; lumbre; incendio; lar; familia; *abrir fogo,* abrir fuego; MIL. *fazer fogos reais,* foguear.

fogosidade, s. f. fogosidad.

fogoso, adj. fogoso; ardiente; impetuoso.

foguear, v. tr. e intr. foguear; quemar; hacer hoguera; encender; habitar.

fogueira, s. f. hoguera; fogarada; fogata; *(fig.)* ardor; exaltación.

fogueiro, s. m. fogonero.

foguetada, s. f. estruendo de muchos cohetes; girándula.

foguetão, s. m. foguetón, cohete grande (para salvamiento de náufragos).

foguetaria, s. f. cohetería.

foguete, s. m. cohete.

fogueteiro, s. m. pirotécnico.

foguetório, s. m. fuegos artificiales en las fiestas.

foice, s. f. hoz.

fojo, s. m. trampa, armadilla; cueva; foso.

fola, s. f. ruido de las olas.

folar, s. m. dulce que los padrinos dan a los ahijados por la pascua; oblada.

folclore, s. m. folclore, folclor; folklore.

folclórico, adj. folclórico; folklórico.

folclorista, s. 2 gén. folclorista, folklorista.

fole, s. m. fuelle; pava; MÚS. fol.

fôlego, s. m. huelgo, aliento, respiración, resuello; hálito.

foleiro, s. m. follero.

folga, s. f. holgura; holganza, descanso,

recreo; asueto; vacación; feria; huelga; huída.

folgado, adj. holgado, desocupado, descansado; ancho, bombacho.

folgador, adj. holgazán; perezoso; vago.

folgança, s. f. holganza; regocijo; holgorio, holgura.

folgar, v. 1. tr. holgar; ensanchar. 2. intr. tener descanso; brincar; jugar.

folgazão, adj. holgazán; juguetón.

folguedo, s. m. holgorio; regocijo; holganza, holgura; jugueteo.

folha, s. f. BOT. hoja, pétalo; hoja de papel; periódico; hoja de instrumento cortante; hoja de salario; catastro; *(de porta)* batiente; *folhas secas,* broza.

folhada, s. f. hojarasca; follaje.

folha-de-flandres, s. f. hojalata; lata.

folhado, I. s. m. hojaldre. **II.** adj. hojoso; *massa folhada,* hojaldre.

folhagem, s. f. follaje; hojarasca.

folhame, s. m. hojarasca.

folhar, v. tr. revestir de minas; adornar con hojas; crecer las hojas.

folheação, s. f. BOT. foliación.

folheado, s. m. contraplacado.

folhear, v. tr. hojear; manosear.

folheatura, s. f. BOT. foliatura, foliación.

folheca, s. f. copos de nieve.

folhedo, s. m. hojarasca; follaje.

folheio, s. m. hojeo, acción de hojear un libro.

folhelho, s. m. BOT. folículo.

folheta, s. f. hojuela; hojalata.

folhetear, v. tr. engastar una piedra sobre una hoja de metal.

folhetim, s. m. folletín.

folhetinesco, adj. folletinesco.

folhetinista, s. 2 gén. folletinista.

folheto, s. m. folleto.

folhinha, s. f. hojita; calendario, almanaque.

folho, s. m. volante; faralá; jareta.

folhoso, adj. BOT. hojoso, frondoso.

folia, s. f. folía, baile y tañido alegre; juerga, holgorio.

foliação, s. f. foliación, foliatura.

foliáceo, adj. BOT. foliáceo.

foliado, adj. BOT. foliado.

foliador, s. m. juguetón; retozón; de buen humor.

folião, s. m. farsante; juerguista, fiestero.

foliar, v. intr. foliar.

folicular, adj. 2 gén. folicular.

folículo, s. m. ANAT. folículo.

fólio, s. m. folio.

folíolo, s. m. BOT. folíolo, hojulea.

fome, s. f. hambre; avidez; gazuza.

fomenica, s. avariento; inapetente.

fomentação, s. f. fomentación.

fomentador, adj. e s. m. fomentador.

fomentar, v. tr. fomentar; fomentar, excitar; cebar.

fomento, s. m. fomento; progreso; estímulo; alivio.

fona, s. **1.** f. centella, chispa que se apaga; mezquino, avaro. **2.** m. afeminado.

fonação, s. f. fonación.

fonador, adj. fonador.

fonema, s. m. fonema.

fonémico, adj. fonémico.

fonendoscópio, s. m. fonendoscopio, estetoscopio.

fonética, s. f. fonética, fonología.

fonético, adj. fonético.

fónico, adj. fónico, fonético.

fonografia, s. f. fonografía.

fonográfico, s. m. fonográfico.

fonógrafo, s. m. fonógrafo.

fonologia, s. f. fonología.

fonoteca, s. f. fonoteca.

fontanela, s. f. mollera.

fonte, s. f. fuente, fontana; manantial; ANAT. temporal.

fora, I. adv. fuera, en la parte exterior; en país extraño. **II.** prep., de fora, externo; excepto. **III.** interj. hala.

foragem, s. f. pequeño foro.

foragido, s. m. forajido.

foral, adj. 2 gén. e s. m. foral.

foraminoso, adj. que está agujereado; hendido; roto.

forasteiro, adj. e s. m. forastero, extranjero; advenedizo; foráneo.

forca, s. f. horca, patíbulo.

força, s. f. fuerza; vigor; fortaleza; potencia; reciedumbre; violencia; valentía; (fig.) pulso.

forcada, s. f. bifurcación.

forcado, s. m. AGR. horquilla, horca.

forçado, I. s. m. grillete. **II.** adj. forzado; obligado.

forçamento, s. m. forzamiento.

forçar, v. tr. forzar; obligar; arrumbar; violentar.

forcejar, v. intr. forcejear; luchar; debatirse.

forcejo, s. m. forcejeo.

fórceps, s. m. fórceps.

fórcipe, s. m. vd. **fórceps.**

forçoso, adj. forzoso; violento; necesario; inevitable; obligatorio.

foreiro, adj. foral.

forense, adj. 2 gén. forense; judicial.

forja, s. f. forja; frágua; ferrería.

forjado, adj. forjado.

forjador, adj. e s. m. forjador.

forjadura, s. f. forja.

forjamento, s. m. forjamiento.

forjar, v. tr. forjar; fraguar.

forma, s. f. forma; hechura; figura; bulto; formato; modo; guisa.

forma (ô), s. f. horma; forma; modelo; molde; cubilete.

formação, s. f. formación; disposición.

formador, adj. e s. m. formador.

formal, adj. 2 gén. formal; ceremonioso; ceremonial; protocolario; evidente; positivo.

formalidade, s. f. formalidad.

formalismo, s. m. formalismo.

formalista, adj. e s. 2 gén. formalista.

formalizar, v. tr. formalizar.

formão, s. m. formón.

formar, v. tr. formar; constituir; fabricar; construir; armar; componer; educar.

formatar, v. tr. formatear.

formativo, adj. formativo; plástico.

formato, s. m. formato.

formatura, s. f. licenciatura, reválida; MIL. alineación, formación; entrar na formatura, alinear.

formeiro, s. m. fabricante de hormas o moldes.

formicação, s. f. hormigueo; picazón, prucito.

formicida, s. m. formicida.

fórmico, adj. QUÍM. fórmico.

formidando, adj. formidable.

formidável, adj. 2 gén. formidable; guai; tremendo; macanudo.

formiga, s. f. ZOOL. hormiga.

formigamento, s. m. picazón, escozor, prurito; hormigueo.

formigante, adj. 2 gén. hormigueante.

formigão, s. m. hormigón, hormiga grande; ARQ. hormigón, argamasa de cemento y arena.

formigar, v. intr. hormiguear.

formigueiro, *s. m.* hormiguero; cosquilleo, hormigueo.

formiguejar, *v. intr.* hormiguear.

formol, *s. m.* QUÍM. formol.

formoso, *adj.* hermoso, bello; lindo; agradable, armonioso.

formosura, *s. f.* hermosura; belleza; lindeza; cosa hermosa.

fórmula, *s. f.* fórmula, receta.

formulação, *s. f.* formulaación; *(de um problema)* planteamiento.

formular, *v. tr. e intr.* formular; recetar; exponer.

formulário, *s. m.* formulario.

fornada, *s. f.* hornada.

fornalha, *s. f.* horno; fogón; hornillo; asadero.

fornalheiro, *s. m.* vd. **fogueiro**.

fornear, *v. intr.* hornear.

fornecedor, *adj. e s. m.* proveedor; abastecedor; confeccionista.

fornecer, *v. tr.* proveer; abastecer; surtir; suministrar.

fornecimento, *s. m.* suministro, abastecimiento, provisión.

forneiro, *s. m.* hornero.

fornejar, *v. intr.* vd. **fornear**.

fornicação, *s. f.* fornicación.

fornicador, *adj. e s. m.* fornicador.

fornicar, *v. tr.* fornicar.

fórnice, *s. f.* hornacina.

fornido, *adj.* fornido; robusto.

fornilho, *s. m.* hornillo.

forno, *s. m.* horno; asadero.

foro *(ó)*, *s. m.* foro; fuero, privilegio; tribunales judiciales; jurisdicción.

forquear, *v. tr.* bifurcar.

forqueta, *s. f.* vd. **forquilha**.

forquilha, *s. f.* horca, horquilla.

forquilhoso, *adj.* terminado en horquilla.

forrado, *adj.* forrado.

forrador, *adj. e s. m.* ahorrador; forrador, aforrador.

forrageador, *s. m.* el que da forraje a los animales.

forrageal, *s. m.* campo de forrajes, pastizal.

forragear, *v. tr. e intr.* forrajear, segar forraje; henificar; *(fig.)* compilar.

forrageiro, *adj.* forrajero.

forragem, *s. f.* forraje; fárrago; *armazenar forragem*, forrajear.

forramento, *s. m.* forramiento; economía.

forrar, *v. tr.* forrar, poner forros; enguatar; entretelar; empapelar; entarimar; ahorrar; economizar.

forreta *(ê)*, *s. 2 gén.* avariento, mezquino; rácano; *ser forreta*, racanear.

forro, **I.** *s. m.* forro; entretela. **II.** *adj.* ahorrado; afianzado.

fortalecedor, *adj. e s. m.* fortalecedor.

fortalecer, *v. tr.* fortalecer; tonificar; vigorizar.

fortalecimento, *s. m.* fortalecimiento.

fortaleza, *s. f.* fortaleza; solidez; fuerza; reciedumbre; vigor; ciudadela; fortificación; fortaleza; alcazaba, alcázar; castillo.

forte, **I.** *adj. 2 gén.* fuerte; valiente; varonil; viril; forzudo; sólido; intenso; alcohólico. **II.** *s. m.* fuerte; forte; castillo; fortaleza; fortificación.

fortidão, *s. f.* fortaleza; fuerza; vigor.

fortificação, *s. f.* fortificación; fortaleza.

fortificador, *adj.* fortificador, fortificante.

fortificante, *adj. 2 gén. e s. m.* fortificante, vigorizador.

fortificar, *v. tr.* fortificar; fortalecer; cimentar.

fortim, *s. m.* fortín.

fortuito, *adj.* fortuito, casual, eventual; inopinado.

fortuna, *s. f.* fortuna; suerte; ventura; éxito; prosperidad.

fortunoso, *adj.* fortunoso, afortunado.

fórum, *s. m.* forum.

fosca, *s. f.* gesto; disfraz; amenaza vana.

foscagem, *s. f.* obscurecimiento.

foscar, *v. tr.* foscar, obscurecer.

fosco, *adj.* hosco; fosco.

fosfatagem, *s. f.* fosfatamiento.

fosfato, *s. m.* QUÍM. fosfato.

fosforear, *v. intr.* fosforear.

fosforeira, *s. f.* fosforera.

fosforeiro, *adj.* fosforero.

fosforejante, *adj. 2 gén.* fosforeciente.

fosforejar, *v. intr.* fosforear.

fosforescência, *s. f.* fosforescencia.

fosforescente, *adj. 2 gén.* fosforescente.

fosforescer, *v. intr.* fosforecer.

fosfórico, *adj.* QUÍM. fosfórico.

fosforite, *s. f.* fosforite.

fósforo, *s. m.* QUÍM. fósforo.

fosforoso, *adj.* QUÍM. fosforoso.

fossa, *s. f.* fosa, hoya, hoyo; husillo; foso, cueva; cloaca.

fossado, *s. m.* correría por territorio enemigo.

fossar, v. tr. hozar, hocicar; cavar.
fosseta (ê), s. f. fosita; cuevita.
fóssil, adj. 2 gén. fósil.
fossilização, s. f. fosilización.
fossilizado, adj. fosilizado.
fossilizar, v. intr. e refl. fosilizarse.
fosso, s. m. foso; valla; zanja; cuneta.
fotão, s. m. FÍS. fotón.
foto, s. f. foto.
fotocomposição, s. f. fotocomposición.
fotocópia, s. f. fotocopia.
fotocromia, s. f. fotocromía.
fotoeléctrico, adj. fotoeléctrico.
fotofobia, s. f. fotofobia.
fotogénico, adj. fotogénico.
fotografar, v. tr. fotografiar; retratar.
fotografia, s. f. foto, fotografía; *fotografía aérea,* aerofotografía.
fotográfico, adj. fotográfico.
fotógrafo, s. m. fotógrafo.
fotogravar, v. tr. fotograbar.
fotogravura, s. f. fotograbado.
fotólito, s. m. fotolito.
fotolitografia, s. f. fotolitografía.
fotolitografar, v. tr. fotolitografiar.
fotomecânica, s. f. fotomecánica.
fotometria, s. f. fotometría.
fotómetro, s. m. FÍS. fotómetro.
fotomontagem, s. f. fotomontaje.
fotonovela, s. f. fotonovela.
fotosfera, s. f. fotosfera.
fotossíntese, s. f. fotosíntesis.
fototeca, s. f. fototeca.
fototipia, s. f. fototipia.
fototipografia, s. f. fototipografía.
fouçada, s. f. corte hecho con hoz; gran corte.
fouçar, v. tr. segar, cortar con una hoz; vd. **ceifar.**
fouce, s. f. hoz.
foucear, v. tr. segar con hoz.
fouciforme, adj. 2 gén. en forma de hoz.
foucinha, s. f. hoz pequeña.
foucinhão, s. m. hoz grande.
fouveiro, adj. flavo, dícese del caballo de color entre amarillo y rojo.
foz, s. f. desembocadura; em confluencia.
fracalhão, adj. e s. m. muy flaco o flojo.
fracassado, adj. fracasado.
fracassar, v. 1. tr. fracasar; abortar; arruinar. 2. intr. arruinarse; fallar; abortar.
fracasso, s. m. fracaso; ruina; desgracia; desastre.

fracção, s. f. fracción.
fraccionamento, s. m. fraccionamiento.
fraccionar, v. tr. fraccionar.
fraccionário, adj. fraccionario.
fraco, I. adj. flaco, feble; cutre; decaído; desmadejado; cobarde; débil; enclenque; enteco, escuchimizado; flojo; lánguido; blandengue. **II.** s. m. tendencia; simpatía.
fractura, s. f. fractura; quiebra; rotura; ruptura; rompimiento.
fracturar, v. tr. fracturar, romper o quebrantar.
fradalhada, s. f. frailería.
frade, s. m. fraile; fray; monje; ARQ. mojón de piedra.
fradesco, adj. frailesco.
fradinho, s. m. ZOOL. frailecico, ave fría.
fraga, s. f. roca, fraga, breña; peña.
fragal, adj. 2 gén. fragoso, peñascoso, escabroso.
fragata, s. f. NÁUT. fragata.
fragatear, v. intr. (fam.) parrandear.
fragateiro, I. s. m. tripulante de fragata. **II.** adj. dilapidador.
frágil, adj. 2 gén. frágil, quebradizo, frangible, débil; lábil; deleznable; abrinquiñado; astilloso.
fragilidade, s. f. fragilidad; debilidad.
fragmentação, s. f. fragmentación.
fragmentar, v. tr. fragmentar; subdividir; desmigajar.
fragmentário, adj. fragmentario.
fragmento, s. m. fragmento.
frago, s. m. excremento de los animales montaraces.
fragor, s. m. fragor.
fragoroso, adj. fragoroso, fragoso, ruidoso.
fragosidade, s. f. fragosidade.
fragoso, adj. acantilado, fragoso.
fragrância, s. f. fragancia.
fragrante, adj. 2 gén. fragante.
frágua, s. f. fragua; forja; (fig.) ardor, calor intenso.
fraguar, v. tr. fraguar, forjar.
fraguedo, s. m. terreno fragoso.
fragueirice, s. f. vida muy austera.
fragueiro, adj. que lleva vida penosa y ruda; agreste; ardiente.
fralda, s. f. falda; culero, pañal; faldones; falda, base de una montaña.
fraldão, s. m. faldón.
fraldar, v. tr. poner *fraldas* a.
fraldear, v. tr. caminar por la falda de um monte.

fraldejar, v. 1. *intr.* enseñar las faldas al caminar. 2. *tr.* vd. **fraldear**.

fraldilhas, s. *f.* faldillas.

fraldiqueira, s. *f.* faldriquera, faltriquera.

fraldiqueiro, *adj.* faldero; afeminado; mujeriego.

fraldoso, *adj.* que tiene faldas.

framboesa, s. *f.* BOT. frambuesa; churdón.

framboeseira, s. *f.* BOT. frambueso; churdón; fraga.

frâmea, s. *f.* frámea.

frança, s. *f* . copa, la rama más alta de un árbol.

francalete, s. *m.* francalete; barbiquejo, barboquejo, barbuquejo.

franca-tripa, s. *f.* marioneta; títere; fantoche.

francear, v. *tr.* descopar, desmochar, cortar las ramas a.

francelho, s. *m.* ZOOL. cernícalo.

francês, *adj.* e s. *m.* francés.

francesia, s. *f.* costumbre, moda francesa.

francesismo, s. *m.* francesismo, costumbre francés; galicismo.

francesista, s. 2 *gén.* afrancesado; persona que imita los franceses.

franchinote, s. *m.* petulante, insolente.

franciscano, *adj.* e s. *m.* franciscano.

franco, I. *adj.* franco; liberal; generoso; llano; sincero; abierto; liso; campechano; espontáneo; expansivo; desembarazado; esparcido. II. s. *m.* franco (moneda, pueblo).

franco-atirador, s. *m.* francotirador.

francófilo, *adj.* francófilo.

francófono, *adj.* francófono.

franco-mação, s. *m.* francmasón.

franco-maçonaria, s. *f.* francmasonería.

frandulagem, s. *f.* fruslería.

franga, s. *f.* polla.

frangainho, s. *m.* polluelo, pollo pequeño.

frangalhada, s. *f.* guisado de pollo; trapos viejos, guiñapos, harapos.

frangalhar, v. *tr.* poner en trapos; rasgar.

frangalheiro, *adj.* e s. *m.* andrajoso, harapiento.

frangalho, s. *m.* harapo, trapajo; rama de pino.

frangalhona, s. *f.* mujer andrajosa.

frangalhote, s. *m.* pollo crecido; jovencito.

franganada, s. *f.* bandada de pollos.

franganito, s. *m.* polluelo; joven.

frangão, s. *m.* pollo grande y gordo.

frangibilidade, s. *f.* frangibilidad.

frangir, v. *tr.* vd. **franzir**.

frangível, *adj.* 2 *gén.* frangible; frágil.

frango, s. *m.* pollo, pollastro.

franja, s. *f.* franja; fleco; flequillo; cairel; vira.

franjar, v. *tr.* franjar; fresar.

franjeira, s. *f.* flequera.

franqueado, *adj.* franqueado, libre.

franquear, v. 1. *tr.* franquear; librar; exentar; franquear cartas. 2. *refl.* franquearse.

franqueza, s. *f.* franqueza; sinceridad; lisura; llaneza; exención; liberalidad; compechanería; esparcimiento.

franquia, s. *f.* franquía; exención; inmunidad; franqueo.

franquiar, v. *tr.* franquear.

franzido, s. *m.* fruncido, pliegue; frunce; arruga; dobladillo.

franzimento, s. *m.* fruncimiento.

franzino, *adj.* cenceño; delgado; flaco.

franzir, v. *tr.* fruncir, crispar; arrugar, plegar; *franzir o sobrolho*, arrugar el ceño.

fraque, s. *m.* frac; casaca; chaqué.

fraqueira, s. *f.* flaqueza; debilidad.

fraqueiro, *adj.* feble; endeble; flaco.

fraquejar, v. *intr.* flaquear; flojear; debilitarse; desanimar.

fraquete (*ê*), *adj.* algo flojo, débil o flaco.

fraqueza, s. *f.* debilidad; flaqueza; decaimiento; desmadejamiento; flojedad, flojera; quebranto; fragilidad; abirritación; acracia.

frasca, s. *f.* batería de cocina; vajilla.

frascaria, s. *f.* cantidad de frascos; *(fig.)* libertinaje.

frascário, *adj.* libertino; relajado.

frasco, s. *m.* frasco.

frase, s. *f.* frase; locución; *frase vaga*, vaguedad.

fraseado, I. *adj.* dispuesto en frase. II. s. *m.* conjunto de palabras.

fraseador, *adj.* e s. *m.* fraseador.

fraseologia, s. *f.* fraseología.

frasqueira, s. *f.* frasquero.

fraterna, s. *f.* fraterna, reprensión amistosa.

fraternal, *adj.* 2 *gén.* fraternal.

fraternidade, s. *f.* fraternidad.

fraternização, s. *f.* fraternización.

fraternizar, v. *intr.* fraternizar.

fraterno, *adj.* fraterno; *(fig.)* afectuoso, íntimo.

fratricida, *adj.* e s. 2 *gén.* fratricida.

fratricídio, s. *m.* fratricidio.

fraudação, s. f. defraudación; fraudulencia.

fraudador, adj. e s. m. defraudador.

fraudar, v. tr. defraudar, engañar; falsificar.

fraude, s. f. fraude; dolo; burla; encubierta; estafa; maca; superchería; trastada; contrabando; *fraude eleitoral*, pucherazo.

fraudulência, s. f. fraudulencia; fraude.

fraudulento, adj. fraudulento; encubierto.

Fraxináceas, s. f. pl. BOT. fraxíneas.

Fraxíneas, s. f. pl. vd. **Fraxináceas**.

frear, v. tr. frenar.

frecha, s. f. flecha; saeta, tiradera.

frechada, s. f. flechazo; saetada.

frechar, v. tr. flechar; (fig.) lastimar.

frechal, s. m. solera.

frecharia, s. f. flechería.

frecheira, s. f. flechera, carcaj.

frecheiro, s. m. flechero; (fam.) enamorador.

freeiro, s. m. frenero, fabricante de frenos.

frege-moscas, s. m. *Brasil* pensión mala y barata.

fregona, s. f. fregona, criada.

freguês (ê), s. m. parroquiano, feligrés; cliente.

freguesia (è), s. f. feligresía, parroquia; clientela.

frei, s. m. fray; fraile.

freima, s. f. impaciencia, prisa; inquietud.

freimático, adj. impaciente; inquieto.

freio, s. m. freno; embocadura; ANAT. frenillo.

freira, s. f. religiosa, monja.

freiral, adj. 2 gén. conventual; monástico.

freiraria, s. f. frailería.

freire, s. m. fraile.

freirinha, s. f. monjita, novicia.

freixal, s. m. fresneda.

freixo, s. m. BOT. fresno.

fremente, adj. 2 gén. trémulo; agitado.

fremir, v. intr. rugir, vibrar; temblar; agitar.

frémito, s. m. frémito.

frender, v. intr. bramar de rabia; irritarse.

frendor, s. m. crujido de dientes.

frenesi, s. m. frenesí, furor; cólera.

frenesiar, v. tr. causar frenesí a.

frenesim, s. m. vd. **frenesi**.

frenético, adj. frenético.

frénico, adj. frénico.

frenologia, s. f. frenología.

frenologismo, s. m. frenologismo.

frenologista, s. 2 gén. frenologista.

frenólogo, s. m. frenólogo.

frente, s. f. frente; fachada; cara; testa; delantera, vanguardia.

frequência, s. f. frecuencia.

frequentação, s. f. frecuentación.

frequentado, adj. frecuentado, acompañado, batido.

frequentar, v. tr. frecuentar; visitar a menudo.

frequentativo, adj. frecuentativo.

fresa, s. f. fresa.

fresar, v. tr. fresar.

fresca (ê), s. f. fresco; frescura.

frescal, adj. 2 gén. frescal; fresco.

frescalhão, adj. (fam.) muy fresco; frescachón.

frescalhona, adj. frescachona, mujer bien conservada.

frescalhote, adj. frescachón.

frescata, s. f. paseo por el campo; francochela; comilona; diversión.

fresco, I. adj. fresco; no muy frío; no salado; sano; vigoroso; reciente: *de fresco*, (fam.) calentito. II. s. m. fresco, frescura; frescor.

frescor, s. m. frescor; frescura; verdor.

frescura, s. f. frescura; frescor; lozanía.

fresquidão, s. f. vd. **frescor**.

fressura, s. f. asadura; menudos, gandinga.

fressureira, s. f. despojadora, mujer que vende asadura.

fressureiro, s. m. casquero, despojador.

fresta, s. f. lumbrera, buhedera, tronera, tragaluz, abertura.

frestado, adj. que tiene *frestas*.

fretador, s. m. NÁUT. fletador.

fretagem, s. f. fletaje, corretaje.

fretamento, s. m. NÁUT. fletamiento.

fretar, v. tr. fletar, alquilar la nave, equipar.

frete, s. m. flete; barcaje, transporte fluvial o marítimo; cargamento de navío; (fam.) peñazo.

fretenir, v. intr. cantar (la cigarra).

friabilidade, s. f. friabilidad.

friacho, adj. un tanto frío; (fig.) flojo; irresoluto.

friagem, s. f. frialdad.

frialdade, s. f. frialdad; frigidez.

friável, adj. 2 gén. friable.

fricandó, s. m. fricandó.

fricassé, s. m. fricasé.

fricativa, s. f. fricativa.

fricativo, adj. fricativo; africado.

fricção, s. f. fricción; friega, frotación.

friccionar, *v. tr.* friccionar; estregar; fregar; frotar; refregar; restregar.

frieira, *s. f.* sabañón; *(fam.)* espolón.

friesta, *s. f.* vd. **fresta.**

frieza, *s. f.* frialdade, frigidez; hicho; *(fig.)* despego.

frigideira, *s. f.* sartén; *(fig.)* persona vanidosa.

frigidez, *s. f.* frigidez, frialdad.

frígido, *adj.* frío, frígido, helado; álgido.

frígio, *adj. e s. m.* frigio.

frigir, *v. tr. e intr.* freír; achicharrar; *(fig.)* importunar; *(fam.)* farolear, ostentar importancia; *frigir ovos,* abuñolar.

frigorífico, I. *adj.* frigorífico. **II.** *s. m.* frigorífico; congelador.

frincha, *s. f.* fenda, grieta; raja; rendija.

frio, *adj.* frío; inerte; *(fig.)* insensible; *servido frio,* fiambre.

frioleira, *s. f.* friolera; pamplina; quisquilla.

friorento, *adj.* friolero.

frisa, *s. f.* frisa; NÁUT. frisa; platea.

frisado, *adj.* encrespado, encaracolado; ensortijado.

frisador, *s. m.* rizador.

frisagem, *s. f.* rizado.

frisante, *adj. 2 gén.* frisante; apropiado; exacto; convincente.

frisar, *v. tr.* frisar; encrespar; rizar; ondear; ensortijar.

friso, *s. m.* ARQ. friso.

fritada, *s. f.* fritada; fritanga; frito; fritura; sartenada.

fritadeira, *s. f.* freidora.

fritar, *v. tr.* fritar, freír.

frito, I. *adj.* frito. **II.** *s. m.* filloa; frito, fritura.

fritura, *s. f.* fritura; frito.

friúra, *s. f.* friura, frialdad; frigidez.

frivolidade, *s. f.* frivolidad.

frívolo, *adj.* frívolo; superficial; fútil, baladí.

frocado, I. *adj.* flecado. **II.** *s. m.* adorno hecho de flecos.

frocadura, *s. f.* ornamento con flecos; remate.

froco, *s. m.* copo de nieve; fleco.

froixar, *v. tr.* aflojar.

froixel, *s. m.* flojel de las aves, plumón.

froixelado, *adj.* que tiene o en que hay pluma.

froixeza, *s. f.* flojedad; blandura; tibieza.

froixo, *adj.* flojo; poco apretado; lánguido; fresno.

fronda, *s. f.* fronda.

fronde, *s. f.* fronde (follaje); fronda, copa de los árboles.

frondear, *v. tr.* criar hojas o ramas.

frondejante, *adj. 2 gén.* frondoso.

frondejar, *v. tr. e intr.* cubrir o cubrirse de hojas.

frondente, *adj. 2 gén.* BOT. frondoso.

frondescência, *s. f.* BOT. frondescencia.

frondescente, *adj. 2 gén.* BOT. vd. **frondente.**

frondescer, *v. intr.* frondosear, criar o cubrirse de hojas.

frondífero, *adj.* frondoso; hojoso.

frondosidade, *s. f.* frondosidad.

frondoso, *adj.* frondoso.

fronha, *s. f.* funda de almohada.

frontal, I. *adj. 2 gén.* frontal. **II.** *s. m.* dintel; turbante (de los judíos); ANAT. frontal (hueso).

frontão, *s. m.* ARQ. frontón, frontis.

frontaria, *s. f.* fachada; frente, frontispicio.

fronte, *s. f.* frente, rostro; testa; testuz; fachada; delantera.

frontear, *v. tr. e intr.* quedar de frente, enfrentar.

fronteira, *s. f.* frontera; límite; raya; confín.

fronteiriço, *adj.* fronterizo; rayano.

fronteiro, *adj.* aledaño; frontero.

frontispício, *s. m.* frontispicio; fachada; portada; frontera; frontis.

frota, *s. f.* flota; armada.

frouxidão, *s. f.* flojedad, flojera; endeblez.

frouxo, *adj.* flaco, flojo; endeble; lánguido.

frufru, *s. m.* rumor de hojas; rumor de vestidos.

frugal, *adj. 2 gén.* frugal; sobrio; parco.

frugalidade, *s. f.* frugalidad.

frugífero, *adj.* frugífero, fructífero.

frugívoro, *adj.* frugívoro.

fruição, *s. f.* fruición; gozo; posesión; usufructo.

fruir, *v. tr. e intr.* fruir, disfrutar; gozar; poseer.

fruitivo, *adj.* que goza; que disfruta; agradable.

frumentáceo, *adj.* frumentario.

frumental, *adj. 2 gén.* frumental.

frumentário, *adj.* frumentario.

frumento, *s. m.* frumento.

frumentoso, *adj.* fértil en cereales.

fruste, *adj. 2 gén.* ordinario; inferior.

frustração, *s. f.* frustración; *(fam.)* frustre.

frustrado, *adj.* frustrado, malogrado; fallido.

frustrador, *adj. e s. m.* frustrador.

frustrante, *adj. 2 gén.* decepcionante.

frustrar, *v.* **1.** *tr.* frustrar; inutilizar; abortar; defraudar; aguar. **2.** *refl.* frustrarse.

fruta, *s. f.* fruta.

frutaria, *s. f.* frutería.

frutear, *v. intr.* frutar, dar frutos; frutificar, fructificar.

fruteira, *s. f. (vendedeira)* frutera; *(recipiente)* frutero; *(árvore)* frutal.

fruteiro, I. *s. m.* frutero. **II.** *adj.* fructífero.

frutescência, *s. f.* frutescencia, maduración de los frutos.

frutescente, *adj. 2 gén.* fructífero.

frutífero, *adj.* fructífero, frutal; útil.

fruticultura, *s. f.* fruticultura.

frutificação, *s. f.* fructificación.

frutificar, *v. intr.* fructificar.

frutificativo, *adj.* fructificativo.

frutívoro, *adj.* vd. **frugívoro.**

fruto, *s. m.* fruto; *árvore de fruto,* frutal.

frutuário, *adj.* fértil, fecundo.

frutuoso, *adj.* fructuoso.

fuão, *s. m.* fulano.

Fucáceas, *s. f. pl.* BOT. fucáceas.

fúchsia, *s. f.* BOT. fucsia.

fuco, *s. m.* BOT. fuco.

fueirada, *s. f.* golpe dado con una estaca; adrales.

fueiro, *s. m.* adral.

fuelóleo, *s. m.* fuel, fuel-oil.

fueta, *s. f.* ZOOL. fuina, garduña.

fúfia, *s. f. (fam.)* mujer pretenciosa.

fúfio, *adj. (fam.)* ordinario; despreciable.

fuga, *s. f.* huída; evasión, escapatoria; *(de gás, ar, etc.)* fuga; *fuga aos impostos,* evasión de impuestos.

fugacidade, *s. f.* fugacidad.

fugaz, *adj. 2 gén.* fugaz, huidizo, transitorio; rápido, veloz.

fugida, *s. f.* fuga, huída, evasión.

fugidio, *adj.* fugitivo, huidizo; huidero.

fugiente, *adj. 2 gén.* que huye, huído, esquivo.

fugir, *v. intr.* huir, retirarse; fugarse; sumirse; escabullirse; guillarse; desaparecer; *fugir ao trabalho,* racanear.

fugitivo, *adj.* fugitivo; desertor; veloz; fugaz; prófugo.

fuinha, *s. f.* ZOOL. fuina, garduña; rezmila.

fujão, *adj.* huidizo, que huye.

fula, *s. f.* calandria; muchedumbre; tropel; lengua de los fulas; BOT. angélica.

fulano, *s. m.* fulano; perengano.

fulcro, *s. m.* fulcro.

fulgência, *s. f.* fulgencia; fulgor.

fulgente, *adj. 2 gén.* fúlgido; brillante.

fúlgido, *adj.* fúlgido.

fulgir, *v. intr.* fulgir; brillar.

fulgor, *s. m.* fulgor, brillo, esplendor.

fulguração, *s. f.* fulguración.

fulgural, *adj. 2 gén.* fulgural.

fulgurante, *adj. 2 gén.* fulgurante; brillante.

fulgurar, *v. intr.* fulgurar; relampaguear; brillar; *(fig.)* realzar.

fulguroso, *adj.* fulguroso.

fulharia, *s. f.* fullería; trapaza.

fulheiro, *adj. e s. m.* fullero; tramposo, trapacero.

fuligem, *s. f.* hollín; mugre; tizne.

fuliginosidade, *s. f.* fuliginosidad.

fuliginoso, *adj.* fuliginoso; mugriento.

fulminação, *s. f.* fulminación.

fulminado, *adj.* fulminado.

fulminador, *adj. e s. m.* fulminador.

fulminante, I. *adj. 2 gén.* fulminante. **II.** *s. m.* cápsula (de arma de fuego); cebador.

fulminar, *v.* **1.** *tr.* fulminar, arrojar rayos; aniquilar; conminar con excomunión. **2.** *intr.* explotar; detonar.

fulminatório, *adj.* fulminatorio.

fulo, *adj.* fulo, dícese de los negros de color un poco amarillento; *(fig.)* fulo, furioso.

fúlvido, *adj.* flavo.

fulvo, *adj.* dorado (dícese del color), flavo.

fumaça, *s. f.* fumarada; fumada; humazo; humaza; humareda; huno.

fumaçada, *s. f. (fam.)* humareda.

fumaceira, *s. f.* vd. **fumaçada.**

fumada, *s. f.* ahumada, fumada.

fumadeira, *s. f.* boquilla para fumar.

fumado, *adj.* ahumado.

fumador, *adj. e s. m.* fumador.

fumadouro, *s. m.* fumadero.

fumagem, *s. f.* ahumación.

fumante, *adj. 2 gén.* humeante.

fumão, *s. m. (fam.)* gran fumador.

fumar, *v.* **1.** *intr.* humear. **2.** *intr.* ahumar.

fumarada, *s. f.* fumarada; humareda.

fumarento, *adj.* humoso.

fumária, *s. f.* BOT. fumaria.

fumarola, *s. f.* fumarola.

fumatório, *s. m.* sala de fumar.

fumeante, *adj. 2 gén.* humeante.

fumear, *v. intr.* humear.

fumegante, *adj. 2 gén.* humeante.

fumegar, v. intr. humear.
fumeiro, s. m. chimenea; humarada; ahumadero; carne ahumada.
fumigação, s. f. fumigación; desinsectación.
fumigador, s. m. fumigador.
fumigar, v. tr. fumigar; desinsectar.
fumigatório, adj. fumigatorio.
fumívoro, adj. fumívoro.
fumo, s. m. humo; vapor; exhalación; gasa negra para señal de luto; tabaco para fumar; pl. humos; (fig.) jactancia, vanidad.
fumosidade, s. f. fumosidad.
fumoso, adj. fumoso, humoso.
funambulesco, adj. funambulesco.
funambulismo, s. m. oficio de funámbulo.
funâmbulo, s. m. funámbulo; acróbata.
funçanada, s. f. jolgorio, holgorio; parranda.
funçanata, s. f. vd. **funçanada**.
função, s. f. función; ejercicio; papel; práctica, cargo; empleo; solemnidad.
funchal, s. m. hinojal.
funcho, s. m. BOT. hinojo; eneldo.
funcional, adj. 2 gén. funcional.
funcionalismo, s. m. la clase de los funcionarios públicos.
funcionamento, s. m. funcionamiento.
funcionar, v. intr. funcionar; rular.
funcionário, s. m. funcionario.
funda, s. f. honda; tirachinas; tirador; tiragomas; CIR. braguero.
fundação, s. f. fundación; cimiento.
fundado, adj. fundado.
fundador, adj. e s. m. fundador; creador.
fundagem, s. f. sedimento, poso.
fundal, adj. hondo, situado en el fondo.
fundamentação, s. f. planteamiento.
fundamental, adj. 2 gén. fundamental; sustancial.
fundamentalismo, s. m. fundamentalismo.
fundamentalista, adj. e s. 2 gén. fundamentalista.
fundamentar, v. tr. fundamentar; justificar.
fundamento, s. m. fundamento, base, razón, motivo; apoyo.
fundar, v. 1. tr. fundar; construir; edificar; erigir; crear; instituir; establecer; pasar; cimentar. 2. intr. aducir razones.
fundeado, adj. fondeado; surto.
fundeadoiro, s. m. NÁUT. fondeadero.

fundeadouro, s. m. vd. **fundeadoiro**.
fundear, v. intr. NÁUT. fondear; hondear; aportar; anclar; arribar; ancorar.
fundeiro, adj. que está en el fondo.
fundente, adj. 2 gén. fundente.
fundiário, adj. agrario.
fundibulário, s. m. fundibulario.
fundição, s. f. fundición.
fundido, adj. fundido; (ferro) colado.
fundidor, s. m. fundidor.
fundilhar, v. tr. poner fondillos en los pantalones o calzoncillos.
fundilhos, s. m. pl. fondillos.
fundir, v. tr. fundir; derretir; fusionar; moldear; vaciar.
fundista, s. 2 gén. DESP. fondista.
fundível, adj. 2 gén. fusible.
fundo, I. adj. hondo, profundo; fondo; (fig.) arraigado; íntimo; denso. II. s. m. fondo, trasfondo; suelo; (de quadro) lontananza; (fig.) esencia; fundamento; pl. capitales; em fundo, en lontananza.
fundura, s. f. hondura, profundidad.
fúnebre, adj. 2 gén. fúnebre; lúgubre; triste; macabro.
funeral, I. adj. 2 gén. funeral; fúnebre. II. s. m. enterramiento; entierro; exequias.
funerária, s. f. funeraria.
funerario, adj. funerario.
funéreo, adj. vd. **fúnebre**.
funestar, v. tr. funestar; tornar funesto; mancillar, infamar.
funesto, adj. funesto; desgraciado; fatal; nefasto; nocivo; calamitoso; lúgubre; siniestro.
fungadeira, s. f. (fam.) caja de rapé, petaca.
fungagá, s. m. filarmónica de poco valor.
fungão, s. m. BOT. seta; fungo, hongo; MED. fungo.
fungar, v. tr. absorber por la nariz; oler rapé; (fam.) refunfuñar.
fungicida, adj. 2 gén. e s. m. fungicida.
fungo, s. m. BOT. fungo, hongo; MED. pólipo.
fungosidade, s. f. fungosidad.
fungoso, adj. fungoso.
funicular, I. adj. 2 gén. funicular. II. s. m. funicular; ascensor.
funículo, s. m. ANAT. funículo.
funil, s. m. embudo.
funilaria, s. f. hojalatería.
funileiro, s. m. hojalatero; alcucero.
fura-bolos, s. m. (fam.) dedo pulgar.
furacão, s. m. huracán.

furado, *adj.* agujereado, abierto; picado; (*fig.*) frustrado.

furador, *s. m.* barrena, berbiquí; perforador; lezna.

fura-greves, *s. 2 gén.* esquirol; rompehuelgas.

furão, *s. m.* hurón; *toca do furão,* huronera.

fura-paredes, *s. 2 gén.* persona activa y perspicaz.

furar, *v. tr.* horadar, agujerear, picar, pinchar, perforar; reventar; (*fig.*) frustrar; transformar.

furável, *adj. 2 gén.* perforable, agujereable.

fura-vidas, *s. 2 gén.* hurón; vivales; vividor.

furgão, *s. m.* furgón.

fúria, *s. f.* furia; rabia; ira; cabreo; enfurecimiento; vesania.

furibundo, *adj.* furibundo; airado; colérico.

furioso, *adj.* furioso; rabioso; *ficar furioso,* enrabiarse; enfurecerse.

furlana, *s. f.* furlana, baile italiano.

furna, *s. f.* sima.

furo, *s. m.* agujero, orificio; abertura; (*de pneu*) rebentón.

furoar, *v. tr. e intr.* huronear.

furoeira, *s. f.* huronera.

furoeiro, *s. m.* huronero.

furor, *s. m.* furor, cólera; arrebatamiento; embravecimiento.

furriel, *s. m.* furriel.

furta-cor (*ô*), *adj.* tornasolado.

furtadela, *s. f.* hurto; esquivación; regate; *às furtadelas,* a hurtadillas.

furta-fogo, *s. m.* luz escondida.

furta-passo, *s. m.* portante, cierto paso de andadura del caballo.

furtar, *v.* 1. *tr.* hurtar; quitar; robar; afanar; apañar; birlar; ratear; substraer; sustraer; desviar, apartar (el cuerpo); falsificar. 2. *refl.* escaquearse.

furtivo, *adj.* furtivo; oculto.

furto, *s. m.* hurto; robo; latrocinio.

furuncular, *adj. 2 gén.* furuncular, relativo a furúnculo o de su naturaleza.

furúnculo, *s. m.* forúnculo, furúnculo; grano; glondrino.

furunculose, *s. f.* furunculosis.

furunculoso, *adj.* furunculoso.

fusa, *s. f. MÚS.* fusa.

fusada, *s. f.* husada.

fusão, *s. f.* fusión.

fusco, *adj.* hosco; obscuro.

fuseira, *s. f.* huso grande para hilar.

fuseiro, *s. m.* fabricante de husos; tornero.

fuselado, *adj.* fuselado.

fuselagem, *s. f.* fuselaje.

fusibilidade, *s. f.* fusibilidad.

fusiforme, *adj. 2 gén.* husiforme.

fúsil, *adj. 2 gén.* fusible.

fusionar, *v. tr.* fusionar.

fusionista, *adj. 2 gén.* fusionista.

fusível, I. *adj. 2 gén.* fusible. II. *s. m.* fusible; plomo.

fuso, *s. m.* huso.

fusório, *adj.* relativo a la fundición.

fusta, *s. f. NÁUT.* fusta.

fustão, *s. m.* fustán, fustal, piqué.

fuste, *s. m.* fuste, vara de lanza; ARQ. fuste (de columna); *de fuste,* (*fig.*) importante.

fustigação, *s. f.* fustigación.

fustigadela, *s. f.* fustigación.

fustigador, *adj. e s. m.* fustigador.

fustigar, *v. tr.* fustigar, hostigar; azotar; castigar; maltratar.

fustigo, *s. m.* golpe con el regatón.

futebol, *s. m.* balompié; fútbol; *futebol de salão,* fútbol-salón.

futebolista, *s. 2 gén.* futbolista.

futebolístico, *adj.* futbolístico.

fútil, *adj. 2 gén.* fútil; frívolo; baladí.

futilidade, *s. f.* futilidad.

futre, *s. m.* hombre despreciable, avaro.

futrica, *s. f.* quincallería, pequeña tienda de feria o mercado.

futurar, *v. tr.* predecir, pronosticar.

futurição, *s. f.* futurición.

futurismo, *s. m.* futurismo.

futurista, *adj. 2 gén.* futurista.

futuro, I. *s. m.* futuro; porvenir; novio. II. *adj.* futuro.

futurologia, *s. f.* futurología.

futurólogo, *s. m.* futurólogo.

fuzil, *s. m.* fusil, escopeta; eslabón, anillo de cadena.

fuzilado, *adj.* fusilado.

fuzilador, *adj. e s. m.* fusilador.

fuzilamento, *s. m.* fusilamiento.

fuzilante, *adj. 2 gén.* centelleante, resplandeciente; fusilante.

fuzilar, *v.* 1. *tr. MIL.* fusilar. 2. *intr.* centellear; fulgurar.

fuzilaria, *s. f.* fusilería.

fuzileiro, *s. m. MIL.* fusilero.

fuzilhão, *s. m.* hebijón; tarabita.

G

gabação, s. f. alabanza; elogio.
gabadela, s. f. vd. **gabação**.
gabadinho, adj. (fam.) que está en boga; afamado, famoso.
gabador, adj. e s. m. alabador; alabancero, lisonjero.
gabão, s. m. gabán, capote con mangas.
gabar, v. 1. tr. alabar, elogiar. 2. refl. bravuconear; jactarse; preciarse; rajarse.
gabardina, s. f. gabardina; chubasqueira.
gabardo, s. m. especie de capote.
gabarola, adj. e s. 2 gén. alabancioso; fanfarrón, bravucón, presumido.
gabarolice, s. f. bravuconada.
gabarote, s. m. NÁUT. pequeña gabarra.
gabarra, s. f. NÁUT. gabarra.
gabazola, s. 2 gén. jactancioso, alabancioso.
gabela, s. f. gavilla, gabela, tributo.
gabião, s. m. AGR. comporta, cuévano; (fort.) gavión.
gabinardo, s. m. especie de gabán.
gabinete, s. m. gabinete; dirección.
gabionada, s. f. trabajo hecho con cuévanos o gaviones.
gabiru, s. m. e adj. bellaco; sagaz; travieso.
gabo, s. m. alabanza; elogio; jactancia.
gadanha, s. f. cucharón, cacillo; guadaña; (fam.) mano.
gadanhada, s. f. guadañada; guadañazo.
gadanhar, v. tr. guadañar.
gadanheira, s. f. guadañadora, segadora mecânica.
gadanheiro, s. m. guadañero.
gadanho, s. m. garra; uña; rastrillo, guadaña.
gadaria, s. f. ganadería.
gadelha, s. f. grena, cabellera revuelta y mal compuesta.
gadelhudo, adj. greñudo, melenudo.
gaditano, adj. gaditano.
gado, s. m. ganado.
gadunha, s. f. uña crecida.
gaélico, adj. e s. m. gaélico.
gafa, s. f. gafa, gancho; garra; grapa; VET. lepra, sarna leprosa.
gafanhão, s. m. ZOOL. langostón.
gafanhoto, s. m. ZOOL. langosta, caballeta, cigarrón; saltamontes.

gafar, v. tr. contagiar de sarna o de lepra.
gafaria, s. f. leprosería, lazareto.
gafeira, s. f. gafedad, lepra, escabro, sarna leprosa.
gafeirento, adj. leproso, gafo.
gafo, adj. gafo, sarnoso, leproso.
gaforina, s. f. (fam.) cabellera esparcida y desaliñada.
gago, adj. e s. m. tartamudo; gago; farfullero; tartajoso; estropajoso.
gagueira, s. f. tartamudez; gagueo.
gaguejador, adj. e s. m. tartamudo.
gaguejar, v. intr. guaguear, tartamudear; barbotar; farfullar.
gaguejo, s. m. tartamudeo; barboteo.
gaguez, s. f. tartamudez, tartamudeo; gaguez; farfulla; tartajeo.
gaiatada, s. f. rapazada; muchachada.
gaiatar, v. intr. proceder como muchacho; granujear.
gaiatice, s. f. picardía; niñería; travesura de muchachos.
gaiato, s. m. galopín, muchacho travieso; chico; mozuelo.
gaifona, s. f. estupidez, tontería.
gaifonar, v. intr. hacer tonterías; tontear; hacer carantoñas.
gaifonice, s. f. vd. **gaifona**.
gaio, I. adj. gayo, jovial, alegre, vistoso. II. s. m. gayo, grajo, pájaro.
gaiola, s. f. (fam.) jaula; prisión; casucha.
gaioleiro, s. m. jaulero.
gaiolim, s. m. jaulita.
gaipa, s. f. gajo.
gaipo, s. m. jerpa, serpa, sarmiento de vid.
gaita, s. f. MÚS. gaita.
gaitada, s. f. gaitada, sonido de gaita; cornada.
gaitear, v. intr. tocar la gaita; (fig.) tocar mal.
gaiteiro, I. adj. gaitero. II. s. m. gaitero.
gaivagem, s. f. caño del alcantarillado; drenaje.
gaivão, s. m. ZOOL. avión.
gaivina, s. f. ZOOL. golondrina de mar; charrán.
gaivota, s. f. ZOOL. gaviota.
gajé, s. m. gentileza; gracia; donaire.
gajeiro, s. m. NÁUT. gaviero.

gajo, I. *s. m.* individuo astuto. II. *adj.* bellaco; pícaro.

gala, *s. f.* gala; pompa; fiesta nacional; solemnidad; ostentación.

galã, *s. m.* galán; galancete.

galactagogo, *s. m.* galactagogo.

galáctico, *adj.* galáctico.

galactófago, *c*galactófago.

galactóforo, *adj.* galactóforo.

galactómetro, *s. m.* galactómetro.

galactose, *s. f.* galactosis.

galadura, *s. f.* galladura.

galaico, *adj.* galaico, gallego.

galaio, *s. m.* galayo.

galalite, *s. f.* galalita.

galanear, *v. intr.* vestirse galanamente, emperejilarse.

galanice, *s. f.* galanura; galantería; gala; donaire; elegancia.

galantaria, *s. f.* galantería, galanura.

galante, *adj.* galán, galano; galante; gracioso; esbelto.

galanteador, *adj. e s. m.* galanteador; *(fam.)* baboso.

galantear, *v. tr. e intr.* galantear, cortejar; chicolear; festejar.

galanteio, *s. m.* galanteo; chicoleo; cortejo; festejo; flirteo, *(fam.)* camelo.

galantina, *s. f.* galantina.

galão, *s. m.* galón; alamar; bastoncillo; cordoncillo; entorchado; distintivo; medida; salto, brinco del caballo.

galar, *v. tr.* gallar, gallear.

galardão, *s. m.* galardón, recompensa; *(fig.)* honor, gloria.

galardoado, *adj.* galardonado.

galardoar, *v. tr.* galardonar; premiar; laurear.

galarim, *s. m.* auge; opulencia.

galáxia, *s. f.* galaxia.

galdério, *adj. e s. m.* vago, gastador.

galdrope, *s. m.* NÁUT. galdrope.

galé, *s. f.* galera.

gálea, *s. f.* gálea, yelmo de guerrero.

galeão, *s. m.* NÁUT. galeón.

galego, *adj. e s. m.* gallego.

galeguice, *s. f.* gallegada.

galena, *s. f.* galena.

galénico, *adj.* galénico.

galeno, *s. m.* *(fam.)* galeno, médico.

galeota, *s. f.* NÁUT. galeota.

galeote, *s. m.* galeote.

galera, *s. f.* NÁUT. galera.

galeria, *s. f.* galería; tribuna; socavón; *(de mina)* caño; TEAT. *(fam.)* gallinero.

galeriano, *adj. e s. m.* galeote, condenado a galeras.

galerno, I. *adj.* blando; suave; II. *s. m.* viento del noroeste; brisa.

galés, *s. f. pl.* galeras, pena de los que eran condenados en las galeras.

galês, *adj. e s. m.* galés, del país de gales.

galezia, *s. f.* trampa en el juego; fruslería; trapaza.

galfarro, *s. m.* galfarro.

galgar, *v. tr.* saltar por encima de; enrasar, igualar un superficie; recorrer.

galgaz, *adj.* 2 gén. agalgado, delgado.

galgo, *s. m.* ZOOL. galgo.

galha, *s. f.* aleta dorsal de algunos peces; BOT. agalla.

galhada, *s. f.* astas o cuernos de los rumiantes; ramaje de los árboles.

galhardear, *v. intr.* gallardear; brillar.

galhardete, *s. m.* gallardete; banderín, banderola; flámula.

galhardia, *s. f.* gallardía; bizarría.

galhardo, *adj.* gallardo.

galheta, *s. f.* galleta, vinajera; vinagrera, convoy; *(fam.)* bofetada; *pl.* vinajeras.

galheteiro, *s. m.* vinajeras; vinagreras; angarillas, convoy.

galho, *s. m.* BOT. retoño, vástago; gajo, rama de árbol.

galhofa, *s. f.* alegría; escarnio; gracejo.

galhofar, *v. intr.* chancear, alegrarse.

galhofeiro, *adj. e s. m.* holgazán, alegre; gallofero, chancero.

galhudo, *adj.* ramoso.

galicanismo, *s. m.* galicanismo.

galicano, *adj.* galicano.

galicínio, *s. m.* galicinio.

galiciparla, *s.* 2 gén. galicista.

galicismo, *s. m.* galicismo.

gálico, *adj.* gálico; QUÍM. gállico, ácido.

galileu, *adj. e s. m.* galileo.

Galináceas, *s. f. pl.* ZOOL. gallináceas.

galinha, *s. f.* ZOOL. gallina.

galinhaça, *s. f.* gallinaza; gallinazo.

galinheira, *s. f.* gallinera.

galinheiro, *s. m.* gallinero; vendedor de gallinas; lugar donde las gallinas se recogen; TEAT. *(fam.)* gallinero, paraíso.

galinhola, *s. f.* ZOOL. gallineta, chocha, fúlica.

gálio, *s. m.* QUÍM. galio.

garança

galo, I. *s. m.* ZOOL. gallo; *(fam.)* chichón, tolondro; *galo silvestre,* becada. II. *adj.* galo, natural de Galia.

galocha, *s. f.* galocha; chanclo.

galofobia, *s. f.* galofobia.

galófobo, *adj.* e *s. m.* galófobo.

galomania, *s. f.* galomanía.

galopada, *s. f.* galopada.

galopador, *adj.* e *s. m.* galopeador.

galopante, *adj.* 2 *gén.* galopante.

galopar, *v. intr.* galopar.

galope, *s. m.* galope.

galopim, *s. m.* galopín; agente de elecciones.

galopinagem, *s. f.* acción de agente electoral.

galopinar, *v. intr.* llevar vida de galopín; buscar votos para las elecciones.

galrão, *adj.* e *s. m.* parlanchín, charlatán.

galrar, *v. intr.* parlar; baladronear; charlar.

galrear, *v. intr.* balbucear.

galucho, *s. m.* MIL. quinto, recluta, soldado bisoño.

galvânico, *adj.* FÍS. galvánico.

galvanismo, *s. m.* FÍS. galvanismo.

galvanização, *s. f.* galvanización, galvanizado.

galvanizar, *v. tr.* galvanizar.

galvanómetro, *s. m.* FÍS. galvanómetro.

galvanoplastia, *s. f.* galvanoplastia.

galvanoplástico, *adj.* FÍS. galvanoplástico.

gama, *s.* 1. *f.* ZOOL. gama; MÚS. gama, pauta; *(fig.)* gama, escala de colores. 2. *m.* gamma; *raios gama,* rayos gamma.

gamão, *s. m.* chaquete; BOT. gamón.

gamarra, *s. f.* gamarra.

gamba, *s. f.* ZOOL. gamba.

gambérria, *s. f.* zancadilla; ardid.

gâmbia, *s. f. (fam.)* pierna.

gambiarra, *s. f.* rampa superior de luces en el escenario.

gambito, *s. m.* gambito.

gamboa, *s. f.* BOT. gamboa.

gamboeiro, *s. m.* BOT. gamboa.

gamela, *s. f.* gamella, hortera, dornajo; artesa; artesón; batea.

gamelada, *s. f.* gamellada.

gamenho, *adj.* e *s. m.* lechugino; vagabundo.

gâmeta, *s. m.* gámeto.

gamo, *s. m.* ZOOL. gamo.

gamopétalo, *adj.* BOT. gamopétala.

gamossépalo, *adj.* BOT. gamosépalo.

gamote, *s. m.* NÁUT. achicador.

gana, *s. f.* gana, apetito; hambre; deseo.

ganacha, *s. f.* parte de la quijada inferior del caballo.

ganadaria, *s. f.* ganadería.

ganadeiro, *s. m.* ganadero; vaquero.

ganância, *s. f.* ganancia.

ganancioso, *adj.* ganancioso; ansioso.

ganchar, *v. tr.* agarrar o prender con *gancha* o *gancho.*

gancheado, *adj.* ganchudo; ganchoso.

gancho, *s. m.* gancho; grapa; broqueta; escarpia; garabato; garfio; NÁUT. bichero; *em forma de gancho,* ganchudo.

ganchorra, *s. f.* NÁUT. bichero.

ganchoso, *adj.* ganchudo.

gandaeiro, *s. m.* trapero; ganforro.

gandaia, *s. f.* gandaya, tuna, vida holgazana.

gandaiar, *v. intr.* tunantear; vagabundear.

gândara, *s. f.* gándara, tierra baja, inculta y llena de maleza.

gandulo, *adj.* e *s. m.* gandulo.

ganga, *s. f.* MINER. ganga; ZOOL. ganga, ortega; mahón (tejido).

gangético, *adj.* gangético.

gangliforme, *adj.* 2 *gén.* ANAT. gangliforme.

gânglio, *s. m.* ANAT. ganglio.

ganglionar, *adj.* 2 *gén.* ANAT. ganglionar.

gangoso, *adj.* gangoso.

gangrena, *s. f.* gangrena; necrosis.

gangrenar, *v. intr.* gangrenarse.

ganhador, *adj.* e *s. m.* ganador; jornalero.

ganhão, *s. m.* gañán; jornalero, ganapán.

ganha-pão, *s. m.* ganapán.

ganha-perde, *s. m.* ganapierde.

ganhar, *v. tr.* ganar; lucrar; conseguir; conquistar; lograr.

ganhável, *adj.* 2 *gén.* ganable.

ganho, *s. m.* ganancia; lucro; ventaja; logro.

ganido, *s. m.* gañido; latido.

ganir, *v. intr.* gañir; aullar.

ganizes, *s. m. pl.* tabas.

ganóideos, *adj.* e *s. m. pl.* vd. **ganóides.**

ganóides, *adj.* e *s. m. pl.* ZOOL. ganoideos o ganoides.

ganso, *s. m.* ZOOL. ganso; auca; oca; *jogo do ganso,* el juego de la oca.

garabulha, *s. f.* garbullo; garabatos.

garabulhento, *adj.* vd. **garatuja.**

garagem, *s. f.* garaje.

garança, *s. f.* BOT. granza, rubia (planta tintórea).

garançar, v. tr. teñir con rubia o granza.

garanceira, s. f. rubial.

garancina, s. f. QUÍM. garancina.

garanhão, s. m. garañón.

garante, adj. e s. 2 gén. garante.

garantia, s. f. garantía; fianza; aval; caución; prenda; salvaguarda, salvaguardia; seguro.

garantido, adj. asegurado; garantizado.

garantir, v. tr. garantizar; afianzar; asegurar; abonar.

garatuja, s. f. garabato, escarabajo, garrapato.

garatujar, v. 1. tr. garabatear, garrapatear, emborronar. 2. intr. hacer garrapatos en la escritura.

garatusa, s. f. garatusa.

garavanço, s. m. aviento.

garavato, s. m. cogedera; garfio; garepa; virutas.

garavetar, v. intr. coger tamuja, borrajo, ramaje seco.

garavetos, s. m. pl. chámara.

garbo, s. m. garbo, gentileza; donosura; apostura; sandunga; sem garbo, desgarbado.

garbosidade, s. f. garbo, gallardía.

garboso, adj. garboso, gentil; cimbreante; donoso; gallardo; sandunguero.

garça, s. f. ZOOL. garza.

garço, adj. garzo, de color azulado, zarco.

gardénia, s. f. BOT. gardenia.

gare, s. f. andén; estación; muelle.

garfada, s. f. lo que se toma de una vez con el tenedor.

garfeira, s. f. estuche para tenedores.

garfo, s. m. tenedor; BOT. garfio.

gargaleira, s. f. hendidura en medio de las cubas.

gargalhada, s. f. carcajada.

gargalhar, v. intr. carcajear.

gargalo, s. m. gollete; pitón; pitorro; cuello.

garganta, s. f. ANAT. garganta; fauces; gañote; gaznete; garguero; gargüero; tragaderas; tragadero; desfiladero, colada, encañada.

gargantão, adj. e s. m. tragaldabas; comilón, glotón.

garganteado, I. adj. modulado con afinación. **II.** s. m. garganteo.

garganteador, adj. e s. m. garganteador.

gargantear, v. 1. tr. gargantear, cantar. 2. intr. gorjear; trinar.

garganteio, s. m. garganteo; gorjeo; gorgorito.

gargantilha, s. f. gargantilla.

gargantoíce, s. f. gula; glotonería.

gargarejar, v. intr. gargarizar.

gargarejo, s. m. gargarismo.

gargomilo, s. m. garguero, gargüero.

gargueiro, s. m. (fam.) garguero, gaznate, garganta.

gárgula, s. f. ARQ. gárgola.

gariteiro, s. m. garitero.

garito, s. m. garito, taberna de juego.

garlopa, s. f. garlopa, cepillo; juntera.

garnacha, s. f. garnacha.

garnacho, s. m. (fam.) vd. **gabão**.

garnizé, s. m. gallito.

garotada, s. f. pillada; bribonada; muchachada.

garotar, v. intr. gandulear; tunear. ·

garotice, s. f. pillería; tunantada; chiquillada.

garoto, s. m. pillo, tuno; niño; chiquillo; pibe.

garoupa, s. f. mero.

garra, s. f. garra, garfo; zarpa; presa; pl. uñas; manos; dedos; garras; marca de garras, zarpazo.

garrafa, s. f. botella; garrafa de gás, bombona de butano; pancada com garrafa, botellazo.

garrafal, adj. 2 gén. garrafal.

garrafão, s. m. garrafón; botellón; garrafa; damajuana; bombona.

garrafeira, s. f. bodega, cava, despensa.

garrafeiro, s. m. botellero.

garrafinha, s. f. botellín.

garraiada, s. f. becerrada, novillada.

garraio, s. m. utrero, novillo de tres años; (fig., fam.) indivíduo novato o inexperto.

garrana, s. f. potranca.

garrancho, s. m. garrancho.

garranchoso, adj. garrapatoso, torcido; tortuoso.

garrano, s. m. potro.

garrar, v. tr. e intr. NÁUT. garrar, garrear.

garrida, s. f. campana pequeña de sonido agudo.

garridice, s. f. gallardía, elegancia; galantería; lozanía.

garrido, adj. garrido, gayo; galante; charro.

garrir, v. intr. parlotear, chacharear; gañir, gritar la cotorra; vestir con lujo.

garro, I. adj. leproso; sarnoso. **II.** s. m. sarro.

garrocha, s. f. garrocha.

garrochada, s. f. garrochazo.

garrochar, v. tr. garrochar, agarrochar.

garrotar, *v. tr.* agarrotar.
garrote, *s. m.* garrote.
garrotear, *v. tr.* agarrotar.
garrotilho, *s. m.* MED. garrotillo.
garrucha, *s. f.* garrucha.
garrular, *v. intr.* parlotear, charlotear.
garrulice, *s. f.* garrulería, chachareo.
gárrulo, *adj.* gárrulo; chacharero.
garupa, *s. f.* grupa.
garupada, *s. f.* salto dado por la caballería.
gás, *s. m.* gas; *pl.* gases, vapores del estómago e intestinos; flatulencia.
gasalhado, *s. m.* abrigo; hospedaje.
gasalhar, *v. tr.* abrigar, resguardar.
gasalho, *s. m.* abrigo; defensa; auxilio.
gasalhoso, *adj.* que da abrigo u hospitalidad.
gascão, *adj. e s. m.* gascón.
gaseificação, *s. f.* gasificación.
gaseificar, *v. tr.* QUÍM. gasificar.
gasganete, *s. m. (fam.)* gaznate, garguero, garganta; gañote.
gasificação, *s. f.* vd. **gaseificação**.
gasificar, *v. tr.* vd. **gaseificar**.
gasoduto, *s. m.* gasoducto.
gasogénio, *s. m.* gasógeno.
gasógeno, *adj. e s. m.* gasógeno.
gasóleo, *s. m.* gasóleo, gasoil.
gasolina, *s. f.* gasolina; *bomba de gasolina*, gasolinera.
gasolineira, *s. f.* gasolinera.
gasómetro, *s. m.* gasómetro.
gasosa, *s. f.* gaseosa.
gasoso, *adj.* gaseoso.
gaspacho, *s. m.* gazpacho.
gáspea, *s. f.* puntera, pala (del calzado).
gaspeadeira, *s. f.* punteadora; aparadora.
gaspear, *v. tr.* poner palas en el calzado.
gastador, *adj.* gastador; dilapidador; derrochón; despilfarrador.
gastar, *v. tr.* gastar; dsembolsar; despender; consumir; usar; disipar; corroer.
gasto, I. *adj.* gastado; dispendido; consumido; pasado; tronado; II. *s. m.* gasto, dispendio, desembolso; costo; consumo; *pl.* expensas; *gasto exagerado*, sangría.
gastrenterite, *s. f.* MED. gastroenteritis.
gástrico, *adj.* ANAT. gástrico.
gastrintestinal, *adj.* ANAT. gastrointestinal.
gastrite, *s. f.* MED. gastritis.
gastrocolite, *s. f.* MED. gastrocolitis.
gastroduodenal, *adj.* ANAT. gastroduodenal.
gastrólatra, *s.* gastrólatra.

gastrologia, *s. f.* gastrología.
gastrólogo, *s. m.* gastrólogo.
gastromania, *s. f.* gastromanía.
gastronomia, *s. f.* gastronomía.
gastronómico, *adj.* gastronómico.
gastrónomo, *s. m.* gastrónomo.
gastrópodes, *s. m. pl.* ZOOL. gastrópodos.
gastrorragia, *s. f.* gastrorragia.
gastrovascular, *adj. 2 gén.* gastrovascular.
gastrotomia, *s. f.* CIR. gastrostomía.
gata, *s. f.* gata, hembra del gato.
gata-borralheira, *s. f.* mujer que no le gusta salir a la calle.
gatafunhos, *s. m. pl.* garabatos; carrapatos.
gatanhada, *s. f.* arañazo de gato.
gatanhar, *v. tr.* gatear, arañar (hablándose del gato).
gataria, *s. f.* gatería.
gatas, *s. f. pl., de gatas*, a gatas.
gatázio, *s. m. (fam.)* garra de gato; *pl.* dedos.
gatear, *v. tr.* asegurar con grapas.
gateira, *s. f.* gatera; claraboya; tragaluz, ventana pequeña.
gateiro, I. *adj.* amigo de gatos. II. *s. m.* aquél que arregla la loza rota con grapas, lañador.
gaticida, *s. 2 gén.* gaticida.
gaticídio, *s. m.* gaticidio.
gatilho, *s. m.* gatillo; disparador.
gatimanhos, *s. m. pl.* gestos ridículos; cucamonas.
gatinhar, *v. intr.* gatear; andar a gatas.
gato, *s. m.* ZOOL. gato; grapa; laña; yerro; mentira.
gato-bravo, *s. m.* jineta.
gatorro, *s. m.* vd. **gatarrão**.
gatunagem, *s. f.* banda de ladrones.
gatunice, *s. f.* ratería, rapadura; fullería; hurto.
gatuno, *s. m.* ratero; ladrón; fullero.
gaúcho, *adj. e s. m.* gaucho.
gáudio, *s. m.* gozo; júbilo; holganza; alegría.
gaulês, *adj. e s. m.* galo.
gávea, *s. f.* NÁUT. gavia.
gavela, *s. f.* gavilla; puñado; brazada.
gaveta, *s. f.* gaveta; cajón; plúteo.
gavetão, *s. m.* gavetón.
gavião, *s. m.* ZOOL. gavilán; esparaván; arpella.
gavinha, *s. f.* BOT. zarcillo; eslabón; abrazo; cirro.
gavinhoso, *adj.* que tiene *gavinhas*.

gavota, s. f. MÚS. gavota.
gaza, s. f. gasa.
gaze, s. f. gaza.
gazeador, adj. e s. m. que hace novillos, que falta a la escuela.
gazear, v. intr. hacer novillos, faltar a la escuela; cantar (la golondrina o la garza), chirriar.
gazela, s. f. ZOOL. gacela.
gázeo, I. adj. garzo, de color azulado. **II.** s. m. pl. (fam.) ojos garzos.
gazeta, s. f. gaceta; falta a la escuela; *fazer gazeta,* hacer pellas.
gazeteiro, s. m. gacetillero.
gazetilha, s. f. gacetilla.
gazetilheiro, s. m. gacetillero.
gázio, s. m. (fam.) vd. **engaço.**
gazofilácio, s. m. gazofilacio.
gazofilar, v. tr. (fam.) agarrar, prender.
gazola, s. ZOOL. alcaraván.
gazua, s. f. ganzúa.
geada, s. f. helada; escarcha; aguanieve, nevisca.
gear, v. **1.** intr. helar; escarchar. **2.** tr. congelar.
geba, s. f. giba; joroba; corcova.
gebada, s. f. abolladura.
gebo, I. adj. corcovado; jorobado. **II.** s. m. ZOOL. cebú.
geboso, adj. vd. **gebo.**
geena, s. f. gehena.
geio, s. m. bancal.
géiser, s. m. géiser.
geladaria, s. f. heladería.
geladeira, s. f. heladera.
gelado, I. s. m. helado; sorbete. **II.** adj. helado; gélido; glacial; muy frío; escarchado.
gelador, adj. helador, congelador.
geladura, s. f. helada.
gelar, v. **1.** tr. helar; congelar; cuajar. **2.** intr. helarse.
gelatina, s. f. gelatina.
gelatinoso, adj. gelatinoso.
geleia, s. f. jalea.
geleira, s. f. nevera; glaciar.
gelha, s. f. arruga en la cara.
gélido, adj. gélido.
gelo, s. m. hielo.
gelosia, s. f. celosía.
gema, s. f. (do ovo) yema; gema, renuevo; retoño, botón; gema, piedra preciosa.
gemação, s. f. BOT. gemación.
gemada, s. f. ponche, yemas de huevos, batidas con azúcar.

gemado, adj. adornado de piedras preciosas; amarillo.
gemar, v. tr. injertar con gema.
gemebundo, adj. gemebundo.
gemedouro, s. m. sucesión de gemidos.
gémeo, adj. e s. m. gemelo; mellizo; igual; idéntico.
gemer, v. intr. gemir, quejarse; plañir; suspirar.
gemicar, v. intr. gimotear.
gemido, s. m. gemido; quejido; plañido; lamento; llanto.
gemífero, adj. gemífero.
geminação, s. f. geminación.
geminado, adj. geminado.
geminar, v. tr. geminar; duplicar.
geminável, adj. 2 gén. geminable.
geminifloro, adj. BOT. geminifloro.
gémino, adj. geminado; doblado.
gemiparidade, s. f. gemiparidad.
gemíparo, adj. gemíparo.
gemologia, s. f. gemología.
gemónias, s. f. pl. gemonias.
gémula, s. f. BOT. gémula.
genal, adj. 2 gén. ANAT. genal.
genciana, s. f. BOT. genciana.
Gencianáceas, s. f. pl. BOT. gencianáceas.
gendarmaria, s. f. gendarmería.
gendarme, s. m. gendarme.
gene, s. m. gen.
genealogia, s. f. genealogía; linaje.
genealógico, adj. genealógico.
genealogista, s. 2 gén. genealogista.
genebra, s. f. ginebra.
genebreiro, s. m. vd. **zimbro.**
genebrês, adj. e s. m. ginebrino.
general, s. m. general.
generala, s. f. generala.
generalato, s. m. generalato.
generalidade, s. f. generalidad.
generalíssimo, s. m. generalísimo.
generalização, s. f. generalización.
generalizado, adj. generalizado.
generalizador, adj. generalizador.
generalizar, v. tr. generalizar.
generativo, adj. generativo.
generatriz, s. f. generatriz, generadora.
genérico, I. adj. genérico. **II.** s. m. CIN./TEAT. reparto.
género, s. m. género; especie; modo; manera; pl. comestibles.
generosidade, s. f. generosidad; franqueza.

generoso, *adj.* generoso; desprendido; magnánimo; pródigo.

génese, *s. f.* génesis.

Génesis, *s. m.* Génesis.

genética, *s. f.* genética.

genético, *adj.* genético.

genetriz, *s. f.* generadora; generatriz.

gengibre, *s. m.* BOT. jengibre.

gengiva, *s. f.* encía.

gengival, *adj. 2 gén.* gingival.

gengivite, *s. f.* gengivitis.

genial, *adj. 2 gén.* genial.

genialidade, *s. f.* genialidad.

génio, *s. m.* génio; carácter; talento; inspiración.

genioso, *adj.* geniudo.

genital, *adj. 2 gén.* genital.

genitivo, *s. m.* genitivo.

génito, *adj.* génito; engendrado.

genitor, *s. m.* genitor; padre.

genocídio, *s. m.* genocidio.

genoma, *s. m.* genoma.

genótipo, *s. m.* genotipo.

genovês, *s. m.* genovés.

genro, *s. m.* yerno.

gentalha, *s. f.* gentuza; morralla.

gente, *s. f.* gente; personas; población.

gentiaga, *s. f.* multitud.

gentil, *adj. 2 gén.* gentil; galano, galante; noble; airoso; sandunguero.

gentileza, *s. f.* gentileza; gallardía; delicadeza; garbo; donaire; donosura; galanura.

gentil-homem, **I.** *s. m.* gentilhombre; hidalgo; *(fig.)* caballero. **II.** *adj.* elegante; airoso.

gentilício, *adj.* gentilicio.

gentílico, *adj.* gentilicio.

gentilidade, *s. f.* gentilidad.

gentilismo, *s. m.* gentilismo.

gentinha, *s. f.* gentuza; populacho.

gentio, *s. m.* gentil; pagano; idólatra; multitud.

genuflectir, *v. intr.* arrodillarse.

genuflector, *adj.* e *s. m.* genuflector.

genuflexão, *s. f.* genuflexión; arrodillamiento.

genuflexório, *s. m.* genuflexorio.

genuinidade, *s. f.* genuidad.

genuíno, *adj.* genuino; puro; legítimo.

geocêntrico, *adj.* geocéntrico.

geode, *s. m.* geoda.

geodésia, *s. f.* geodesia.

geodésico, *adj* geodésico.

geofagia, *s. f.* geofagia.

geófago, *adj.* geófago.

geofísica, *s. f.* geofísica.

geofísico, *adj.* geofísico.

geofone, *s. m.* geófono.

geogenia, *s. f.* geogénesis o geogenia.

geogénico, *adj.* geogénico.

geognosia, *s. f.* geognosia.

geografia, *s. f.* geografía.

geográfico, *adj.* geográfico.

geógrafo, *s. m.* geógrafo.

geóide, *s. m.* geoide.

geologia, *s. f.* geología.

geológico, *adj.* geológico.

geólogo, *s. m.* geólogo.

geomagnético, *adj.* geomagnético.

geomagnetismo, *s. m.* geomagnetismo.

geómetra, *s. 2 gén.* geómetra.

geometria, *s. f.* geometría.

geométrico, *adj.* geométrico.

geomorfologia, *s. f.* geomorfología.

geonomia, *s. f.* geonomía.

geopolítica, *s. f.* geopolítica.

geoquímica, *s. f.* geoquímica.

geoquímico, *adj.* geoquímico.

geotectónico, *adj.* geotectónico.

geotropismo, *s. m.* BOT. geotropismo.

geração, *s. f.* generación; procreación; linaje; familia; sangre.

gerador, **I.** *adj.* generador. **II.** *s. m.* gerador; *gerador eléctrico,* electrógeno.

geral, **I.** *adj. 2 gén.* general; común; genérico; total; universal. **II.** *s.* **1.** *m.* *(de congregação)* general. **2.** *f.* TEAT. *(fam.)* gallinero; paraíso.

gerânio, *s. m.* BOT. geranio.

gerar, *v. tr.* generar, gestar, engendrar; criar; formar; producir; causar.

geratriz, *s. f.* GEOM. generatriz.

gerência, *s. f.* gerencia; administración, gestión.

gerente, *s. 2 gén.* gerente, administrador; dirigente.

geringonça, *s. f.* chapucería; caló, germanía, jerga; jerigonza.

gerir, *v. tr.* administrar, dirigir; gobernar.

geriatra, *s. 2 gén.* geriatra.

geriátrico, *adj.* geriátrico.

gerifalte, *s. m.* gerifalte.

germânico, *adj.* e *s. m.* germánico.

germânio, *s. m.* germanio.

germanismo, *s. m.* germanismo.

germanista, *s. 2 gén.* germanista.

germanização, *s. f.* germanización.

germanizar, *v. tr.* germanizar.

germano, *adj.* germano, hermano.
germanófilo, *adj.* e s. *m.* germanófilo.
germão, s. *m.* delfín, mamífero cetáceo.
germe, s. *m.* germen; principio; embrión; origen.
gérmen, s. *m.* vd. **germe**.
germicida, *adj.* 2 gén. e s. *m.* germicida.
germinação, s. *f.* germinación.
germinador, *adj.* germinador.
germinadouro, s. *m.* lugar en que se hace germinar la cebada.
germinal, *adj.* 2 gén. germinal.
germinante, *adj.* 2 gén. germinante.
germinar, *v. intr.* germinar.
germinativo, *adj.* germinativo.
gerodermia, s. *f.* MED. gerodermia, vejez precoz.
gerontocracia, s. *f.* gerontocracia.
gerontologia, s. *f.* gerontología.
gerontologista, s. 2 gén. gerontólogo.
gerúndio, s. *m.* gerundio.
gessal, s. *m.* yesal, yesar.
gessar, *v. tr.* enyesar; estucar.
gesseira, s. *f.* yesal, yesar, yesería.
gesseiro, s. *m.* yesero.
gesso, s. *m.* yeso; escayola; MED. enyesado.
gessoso, *adj.* yesoso.
gesta, s. *f.* gesta.
gestação, s. *f.* gestación.
gestante, *adj.* 2 gén. e s. *f.* gestante.
gestão, s. *f.* gestión; gerencia.
gestatório, *adj.* gestatorio.
gesticulação, s. *f.* gesticulación; manoteo.
gesticulado, I. s. *m.* gesticulación; II. *adj.* gesticulado.
gesticulador, *adj.* e s. *m.* gesticulador.
gesticular, *v. intr.* gesticular; manotear.
gesto, s. *m.* gesto; aspecto; parecer; semblante; ademán; expresión; seña; *pl.* gesticulación.
gestor, s. *m.* gestor, gerente.
gestual, *adj.* 2 gén. gestual.
giba, s. *f.* giba, corcova; chepa.
gibão, s. *m.* gibón; jubón; cota.
giboso, *adj.* e s. *m.* giboso.
giesta, s. *f.* BOT. retama, hiniesta.
giestal, s. *m.* retamar.
giesteira, s. *f.* vd. **giesta**.
giga, s. *f.* especie de cesta ancha y baja; canasta.
giganta, s. *f.* giganta.
gigante, s. *m.* gigante.
gigantesco, *adj.* gigantesco.
giganteu, *adj.* gigantesco.
gigantismo, s. *m.* gigantismo.

gigo, s. *m.* canasta de mimbre, alta y estrecha.
gigolô, s. *m.* gigoló.
gilvaz, s. *m.* cicatriz en la cara; chillo.
gim, s. *m.* ginebra.
gimnospérmicas, s. *f. pl.* BOT. gimnospermas.
gimnospérmico, *adj.* BOT. gimnospermo.
ginásio, s. *m.* gimnasio.
ginasta, s. 2 gén. gimnasta.
ginástica, s. *f.* gimnástica.
ginástico, *adj.* gimnástico.
gincana, s. *f.* gincana; slalom.
gineceu, s. *m.* gineceo.
ginecologia, s. *f.* MED. ginecología.
ginecológico, *adj.* ginecológico.
ginecologista, s. 2 gén. ginecólogo.
gineta, s. *f.* ZOOL. gineta; jineta.
ginete, s. *m.* jinete.
gineto, s. *m.* jineta.
gingão, *adj.* que bambolea; fadista, pendenciero.
gingar, *v.* **1.** *tr.* balancear; columpiar. **2.** *intr.* e *refl.* junglar, jinglar, bambolearse, culear.
ginja, s. *f.* BOT. guinda; *(fam.)* persona avejentada.
ginjal, s. *m.* guindalera.
ginjeira, s. *f.* guindal, guindo.
gípseo, *adj.* yesoso, yesero.
gipsífero, *adj.* yesoso.
gipso, s. *m.* gipso.
giração, s. *f.* giro.
gira-discos, s. *m.* giradiscos.
girafa, s. *f.* ZOOL. jirafa.
girândola, s. *f.* girándula.
girante, *adj.* 2 gén. girante.
girar, *v. intr.* girar; negociar; correr; lidiar; pivotar; agitarse.
girassol, s. *m.* BOT. girasol, tornasol, gigantea; *semente de girassol,* pipa.
girata, s. *f. (fam.)* jira, paseo campestre.
giratório, *adj.* giratorio; circulatorio.
gíria, s. *f.* germanía; jerga; caló; argot; jerigonza.
girino, s. *m.* renacuajo.
giro, s. *m.* giro; gira; vuelta; circulación; rotación; rodeo; revolución; paseo.
girofle, s. *m.* BOT. clavero.
girondino, s. *m.* girondino.
giroscópio, s. *m.* FÍS. giroscopio.
gitano, *adj.* gitano.
giz, s. *m.* tiza; *giz de alfaiate,* jaboncillo.
gizamento, s. *m.* acción y efecto de *gizar*; trazar; *(fig.)* plano.

gizar, v. tr. escribir con tiza; trazar, marcar con ella; (fig.) idear; proyectar.
glabela, s. f. ANAT. glabela.
glabro, adj. glabro.
glacé, s. m. glasé.
glaciação, s. f. glaciación.
glacial, adj. 2 gén. glacial.
glaciar, s. m. glaciar.
glaciário, adj. glaciario.
gladiador, s. m. gladiador.
gladiar, v. intr. combatir con gladio o espada; luchar.
gládio, s. m. gladio.
gladíolo, s. m. gladíolo.
glande, s. f. glande; bálsamo.
glândula, s. f. ANAT. glándula.
glandular, adj. 2 gén. glandular.
glanduloso, adj. glanduloso.
glauco, adj. glauco.
glaucoma, s. m. glaucoma.
gleba, s. f. gleba.
glena, s. f. ANAT. glena.
glenoidal, adj. 2 gén. glenoideo.
glenóide, s. f. ANAT. glenoidea.
gleucómetro, s. m. gleucómetro.
glicemia, s. f. glucemia.
glicerato, s. m. glicerato.
glicérico, adj. QUÍM. glicérico.
glicerina, s. f. QUÍM. glicerina.
glicerofosfato, s. m. QUÍM. glicerofosfato.
glícido, s. m. glúcido.
glicínia, s. f. BOT. glicina.
glicogenia, s. f. glicogenia.
glicogénio, s. m. QUÍM. glicógeno.
glicol, s. m. QUÍM. glicol.
glicose, s. f. glucosa.
glicosúria, s. f. MED. glicosuria, diabetes, glucosuria.
glicosúrico, I. adj. glicosúrico, glucosúrico. II. s. m. diabético.
glifo, s. m. glifo.
gliptografia, s. f. gliptografía.
global, adj. 2 gén. global.
globo, s. m. globo; orbe.
globoso, adj. 2 gén. globoso.
globular, adj. 2 gén. globular.
globulina, s. f. globulina.
glóbulo, s. m. glóbulo.
globuloso, adj. globuloso.
glomérulo, s. m. BOT. glomérulo.
glória, s. f. gloria, bienaventuranza; renombre, fama; esplendor; lustre; palma; cielo; *o jogo da glória*, el juego de la oca.

gloriar, v. 1. tr. gloriar; glorificar. 2. refl. gloriarse
glorificação, s. f. glorificación.
glorificador, adj. e s. m. glorificador.
glorificante, adj. 2 gén. glorificante.
glorificar, v. 1. tr. glorificar, gloriar; honrar; canonizar. 2. refl. gloriarse.
glorioso, adj. glorioso.
glosa, s. f. glosa, explicación, comentario.
glosador, adj. e s. m. glosador.
glosar, v. tr. glosar.
glossalgia, s. f. glosalgia.
glossário, s. m. glosario.
glossite, s. f. glositis.
glossografia, s. f. glosografía.
glossógrafo, s. m. glosógrafo.
glote, s. f. ANAT. glotis.
glótica, s. f. glótica.
glótico, adj. ANAT. glótico.
glotite, s. f. glotitis.
glotologia, s. f. glotología.
gluglu, s. m. clo clo, sonido onomatopéyico con que se imita la voz del pavo.
gluma, s. f. BOT. gluma.
glutão, adj. e s. m. glotón; zampollos; lameplatos.
glúten, s. m. glúten.
glúteo, adj. e s. m. glúteo.
glutinar, v. tr. conglutinar, aglutinar.
glutinativo, adj. aglutinativo.
glutinoso, adj. glutinoso.
glutonaria, s. f. glotonería, gula.
gneisse, s. m. gneis.
gnoma, s. m. gnomo.
gnómico, adj. gnómico.
gnomo, s. m. gnomo.
gnomologia, s. f. gnomología.
gnomólogo, s. m. gnomólogo.
gnómon, s. m. gnomon.
gnomónica, s. f. gnomónica.
gnose, s. f. gnosis.
gnosticismo, s. m. gnosticismo.
gnóstico, adj. e s. m. gnóstico.
gnu, s. m. ZOOL. ñu.
gobião, s. m. ZOOL. gobio.
godé, s. m. tacita en la que se diluyen las pinturas para acuarelas.
godilhão, s. m. grumo; parte de un líquido que se coagula; zapato; nudo de hilos empastados.
godo, I. adj. godo, gótico. II. s. m. pl. godos.
goela, s. f. garganta; fauces.
gofrador, s. m. gofrador.
gofradura, s. f. gofradura.

gofrar, v. tr. gofrar.

gogo (ô), s. m. vd. **gosma**; VET. muermo, romadizo, constipado (en las aves).

goiaba, s. f. BOT. guayaba.

goiabada, s. f. (doce) guayaba.

goiabeira, s. f. BOT. guayabo.

goiva, s. f. gubia.

goivar, v. tr. cortar con la gubia.

goiveiro, s. m. BOT. alhelí.

goivo, s. m. BOT. alhelí.

gola, s. f. cuello; ARQ. gola, moldura.

gole, s. m. trago; sorbo; (fam.) chisguete.

goleada, s. f. goleada.

goleador, s. m. goleador.

golear, v. tr. golear.

goles, s. m. pl. HERÁLD. gules.

goleta, s. f. NÁUT. goleta; gola, canal estrecho.

golfada, s. f. líquido que se vomita de una vez; chorro; vómito; borbotón.

golfar, v. tr. chorrear; arrojar; vomitar.

golfe, s. m. golf.

golfejar, v. tr. e intr. chorrear.

golfinho, s. m. ZOOL. golfín, delfín, arroar; marsopa.

golfista, s. 2 gén. golfista.

golfo, s. m. golfo.

gólgota, s. f. gólgota.

goliardo, s. m. goliardo; tunante.

golilha, s. f. golilla; alzacuello.

golo, s. m. DESP. gol.

golpada, s. f. golpazo; golpe grande.

golpe, s. m. golpe; porrazo; mamporro; torta; incisión, contusión; herida; (fig.) lance; rasgo; crisis; golpe baixo/golpe sujo, gorrinada.

golpeamento, s. m. golpeamiento; golpe; golpeteo.

golpear, v. tr. golpear; cortar; sajar.

golpelha, s. f. cesta o sera grande; zorra.

golpismo, s. m. golpismo.

golpista, s. 2 gén. golpista.

goma, s. f. goma; engomado.

goma-laca, s. f. laca.

gomar, v. intr. abotonar, brotar.

gomeiro, s. m. gomero; fabricante o vendedor de goma.

gomeleira, s. f. BOT. chupón.

gomil, s. m. aguamanil.

gomo, s. m. BOT. brote, gema, yema, retoño, o botón, hijuelo; gajo.

gomoso, adj. gomoso; engomado.

gónada, s. f. gónada.

gôndola, s. f. góndola.

gondoleiro, s. m. gondolero.

gongo, s. m. gongo, gong, batintín, tantán.

gongórico, adj. gongórico.

gongorismo, s. m. gongorismo.

gongorista, s. 2 gén. gongorista; gongorino.

gongorizar, v. tr. e intr. gongorizar.

goniógrafo, s. m. goniógrafo.

goniometria, s. f. goniometría.

goniométrico, adj. goniométrico.

goniómetro, s. m. goniómetro.

gonococo, s. m. gonococo.

gonorreia, s. f. gonorrea.

gonzo, s. m. gozne, gonce; quicio; pernio; bisagra.

gorar, v. tr. maiograr, inutilizar; frustrar; intr. e refl. engorar; (fig.) abortar.

goraz, s. m. ZOOL. goraz.

gordaço, adj. gorducho.

gordalhaço, adj. vd. **gordaço**.

gordalhão, adj. vd. **gordaço**.

górdio, adj. gordiano.

gordo, I. adj. gordo, gorduroso, pingue; graso; craso; mantecoso; II. s. m. sebo o manteca.

gorducho, adj. gordillo; gordiflón, fondón.

gordura, s. f. gordura; grosura; obesidad; sebo; grasa; pringue; unto.

gordurento, adj. grasiento; graso; pringado.

gorduroso, adj. grasiento; adiposo.

gorgolão, s. m. borbotón; chorro; vómito.

gorgolar, v. intr. borbollar, borbotar.

gorgolejar, v. intr. gargarizar; gorgotear.

gorgolejo, s. m. gargarismo; gorjeo.

gorgoleta, s. f. cántaro (para agua).

gorgomilos, s. m. pl. garganta; fauces.

gorgorão, s. m. gorgorán (tejido).

gorgulho, s. m. ZOOL. gorgojo.

gorila, s. m. ZOOL. gorila.

gorilha, s. m. vd. **gorila**.

gorja, s. f. NÁUT. gorja, parte más estrecha de la quilla.

gorjal, s. m. gorjal, gorguera; gola; collar; abanillo.

gorjear, v. intr. gorjear; trinar, las aves; cantalear.

gorjeio, s. m. gorjeo.

gorjeira, s. f. gorguera; gorjal; abanillo.

gorjeta, s. f. propina; gratificación; gradina (cincel).

goro, adj. huero; malogrado.

gorovinhas, s. f. pl. pliegues o arrugas en el vestido.

gorra, s. m. gorra, barrete.

gorrião, *s. m.* gorrión.

gorro, *s. m.* gorro, birrete.

gosma, *s. f.* VET. pepita, moquillo.

gosmar, *v. intr.* expectorar; esgarrar.

gosmento, *adj.* que está siempre expectorando.

gostar, *v.* **1.** *intr.* gustar; simpatizar; agradarse. **2.** *tr.* probar.

gostável, *adj.* gustoso.

gostinho, *s. m.* gustillo, pequeño o ligero gusto.

gosto, *s. m.* gusto; sabor; paladar; placer; simpatía; elegancia; grado; *mau gosto*, chabranada; *de mau gosto*, charro, macarra; *grande gosto*, gustazo.

gostoso, *adj.* sabroso; gustoso; apetitoso; contento.

gota, *s. f.* gota.

gotear, *v. intr.* gotear.

goteira, *s. f.* canalón, canelón, gotera.

gotejamento, *s. m.* goteamiento; goteo; chorreo.

gotejar, *v. intr.* gotear; chorrear; pingar.

gótico, **I.** *adj.* gótico, godo. **II.** *s. m. (idioma, estilo)* godo.

goto, *s. m. (fam.)* glotis.

gotoso, *adj.* e *s. m.* gotoso.

governação, *s. f.* gobernación; gobierno.

governadeira, *adj.* gobernadora.

governado, *adj.* gobernado.

governador, *s. m.* gobernador.

governadora, *s. f.* gobernadora.

governamental, *adj. 2 gén.* gubernamental.

governanta, *s. f.* gobernanta; aya, ama de llaves; dueña.

governante, *s. 2 gén.* gobernante.

governar, *v. tr.* e *intr.* gobernar, dirigir; administrar; regir; pilotar.

governativo, *adj.* gubernativo.

governável, *adj. 2 gén.* gobernable.

governo, *s. m.* gobierno; gobernación; administración; ministerio; economía; orden; arreglo; norma; conducta.

gozar, *v. tr.* e *intr.* gozar; sentir placer; divertirse; desfrutar; fruir; lograr; sacar provecho.

gozo, *s. m.* gozo; goce; utilidad; satisfacción; posesión; fruición, gozada; júbilo; placer.

gozoso, *adj.* gozoso; contento.

grã, **I.** *adj.* grande, gran. **II.** *s. f.* grana.

graal, *s. m.* graal.

grabato, *s. m.* canastro, lecho pobre.

graça, *s. f.* gracia; favor; merced; benevolencia; perdón; indulto; agrado; donaire; lindeza; sandunga; atractivo; jaleo; chiste; sal; salero; gracejo, gracia; espíritu; picante.

gracejador, *s. m.* gracejador.

gracejar, *v. intr.* gracejar, bromear; chancear: embromar.

gracejo, *s. m.* gracejo; gracia; broma; choteo; humorada; pulla.

grácil, *adj. 2 gén.* grácil; delgado; delicado; sutil.

gracilidade, *s. f.* gracilidad.

gracinha, *s. f.* gracejo.

graciosidade, *s. f.* graciosidad.

gracioso, **I.** *adj.* gracioso; jocoso; salado; saleroso; mono; gracejador; agraciado; sandunguero. **II.** *s. m.* chocarrero.

graçola, *s. f.* dicho inconveniente; chocarrería; picante.

gradação, *s. f.* gradación.

gradador, *s. m.* AGR. gradador.

gradadura, *s. f.* AGR. grade.

gradagem, *s. f.* AGR. grade.

gradar (à), *v. tr.* AGR. gradar.

gradar, *v. intr.* desarrollarse; crecer.

gradaria, *s. f.* gradaría, enrejado, verja.

grade, *s. f.* grada; reja; verja; AGR. rastra; *pl. (cadeia)* chirona, trena.

gradeado, **I.** *s. m.* enrejado. **II.** *adj.* provisto de rejas.

gradeamento, *s. m.* enrejamiento; enrejado; enverjado.

gradear, *v. tr.* enrejar; gradar (la tierra).

gradiente, *s. m.* gradiente.

gradil, *s. m.* cancela, verja.

grado, **I.** *adj.* granado; desarrollado, grande; *(fig.)* notable. **II.** *s. m.* premio; grade, voluntad, gusto; GEOM. grado; *de bom grado*, de buen grado.

graduação, *s. f.* graduación; categoría; escala.

graduado, **I.** *adj.* graduado; elevado; distinguido; escalonado. **II.** *s. m.* individuo graduado.

gradual, *adj. 2 gén.* gradual, paulatino.

graduar, *v. tr.* graduar; escalonar; *(fig.)* clasificar; cotejar.

graduável, *adj. 2 gén.* graduable.

graeiro, *s. m.* grano de plomo o de cereales.

grafar, *v. tr.* escribir; ortografiar.

grafema, *s. m.* grafema.

grafia, *s. f.* grafía; ortografía.

gráfico, *adj.* gráfico.

grafismo, *s. m.* grafismo.

grafista, *s. 2 gén.* grafista.

grafite, *s. f.* grafito.

grafítico, *adj.* grafítico.

grafofone, *s. m.* grafófono.

grafologia, *s. f.* grafología.

grafólogo, *s. m.* grafólogo.

grafómetro, *s. m.* grafómetro.

grafonola, *s. f.* gramófono, gramola.

grajeia, *s. f.* gragea.

grainha, *s. f.* granuja; pepita.

gral, *s. m.* almirez, mortero.

gralha, *s. f.* ZOOL. grajo, grajilla; errata; erro tipográfico; (*fig.*) mujer parlanchina.

gralhada, *s. f.* chirrido (de pájaros); (*fig.*) vocerío confuso.

gralhador, *adj.* e *s. m.* chirciador; parlanchín.

gralhar, *v. intr.* grajear, graznar; chirriar; parlotear.

grama, *s.* **1.** *f.* BOT. grama. **2.** *s. m.* gramo, unidad de peso.

gramadeira, *s. f.* espadilla (para trillar el lino).

gramão, *s. m.* BOT. grama.

gramar, *v. tr.* agramar, espadar (el lino); (*fam.*) sufrir, soportar.

gramática, *s. f.* gramática.

gramatical, *adj. 2 gén.* gramatical.

gramático, *adj.* e *s. m.* gramático.

gramatista, *s. 2 gén.* gramatista.

gramíneas, *s. f. pl.* BOT. gramíneas.

gramíneo, *adj.* gramíneo.

gramofone, *s. m.* gramófono.

grampo, *s. m.* grapa; laña; alfiler; horquilla; alcayata.

granada, *s. f.* granada, proyectil; tejido de seda; granate, piedra fina.

granadeiro, *s. m.* granadero.

granadina, *s. f.* granadina; grana (tejido).

granadino, *adj.* e *s. m.* granadino.

granal, **I.** *adj. 2 gén.* relativo a grano. **II.** *s. m.* garbanzal.

granalha, *s. f.* granalla; limaduras.

granar, *v. tr.* granar; granular.

granate, *s. m.* MINER. granate.

grandalhão, *adj.* grandullón.

grande, *adj. 2 gén.* grande; extenso; largo; crecido; magno; poderoso; heroico; bueno; respetable.

grandeira, *s. f.* mazo para espadar la paja.

grandevo, *adj.* viejo, de mucha edad; longevo.

grandeza, *s. f.* grandeza; abundancia; nobleza; jerarquía; magnificencia; generosidad.

grandiloquência, *s. f.* grandilocuencia; altilocuencia.

grandiloquente, *adj. 2 gén.* vd. **grandíloquo**.

grandíloquo, *adj.* grandílocuo, altilocuente.

grandiosidade, *s. f.* grandiosidad.

grandioso, *adj.* grandioso; pomposo; elevado.

grandote, *adj. 2 gén.* grandote.

grandura, *s. f.* (*fam.*) tamaño; grandor; grandeza.

granel, *s. m.* granero, alfolí; pruebas de imprenta; *a granel*, suelto.

granido, *s. m.* graneado.

granir, *v. tr.* granear, puntear.

granita, *s. f.* grano.

granitar, *v. tr.* granar.

granítico, *adj.* granítico.

granito, *s. m.* MINER. granito; roca; granito; pequeño grano.

granitóide, *adj. 2 gén.* granitoide.

granitoso, *adj.* granitoso.

granívoro, *adj.* granívoro.

granizada, *s. f.* granizada.

granizar, *v. intr.* granizar.

granizo, *s. m.* granizo

granja, *s. f.* granja; hacienda almunia; rancho.

granjeador, *adj.* e *s. m.* granjeador.

granjear, *v. tr.* granjear, adquirir; cultivar; obtener; captar; conquistar.

granjeeiro, *s. m.* granjero.

granjeio, *s. m.* granjeo; cosecha de productos agrícolas; provecho; ganancia.

granjeiro, *s. m.* granjero; agricultor.

granoso, *adj.* granoso.

granulação, *s. f.* granulación.

granulado, *adj.* granulado, granular.

granulagem, *s. f.* granulación.

granular, **I.** *v. tr.* granular. **II.** *adj. 2 gén.* granular.

granuliforme, *adj. 2 gén.* granuliforme.

grânulo, *s. m.* gránulo; granito.

granuloso, *adj.* granuloso; granoso.

granza, *s. f.* BOT. granza.

granzal, *s. m.* granzal; garbanzal.

grão, **I.** *s. m.* grano; grana; (*fam.*) testículo; *grão de chumbo*, perdigón, **II.** *adj.* gran.

grão-de-bico, *s. m.* garbanzo.

grasnada, *s. f.* graznido.

grasnadela, *s. f.* graznido.

grasnar, I. *v. intr.* graznar, grajear, croar, crascitar. II. *s. m.* el graznar, voz de algunos animales.

grasnido, *s. m.* graznido.

grassar, *v. intr.* correr, extenderse, propagarse.

grassento, *adj.* grasiento.

gratidão, *s. f.* gratitud; agradecimiento.

gratificação, *s. f.* gratificación; recompensa; sobrepaga; sobresueldo; propina; plus; prima.

gratificador, *adj. e s. m.* gratificador.

gratificar, *v. tr.* gratificar, recompensar.

grátis, *adv.* grátis; sin remuneración.

grato, *adj.* grato; agradable; agradecido.

gratuitidade, *s. f.* gratuidad.

gratuito, *adj.* gratuito; desinteresado; sin fundamento.

gratulação, *s. f.* gratulación; felicitación.

gratular, *v. tr.* gratular; alegrarse; felicitarse.

gratulatório, *adj.* gratulatorio.

grau, *s. m.* grado; paso; medida; clase; intensidad; escalon; GEOM. grado; categoría; posición; estado; modo de existir.

graúdo, *s. m.* grande, crecido, importante.

graúlho, *s. m.* orujo, bagazo de la uva.

gravação, *s. f.* grabación; cincelado; tallado.

gravador, *s. m.* grabador; cincelador; grabadora.

gravame, *s. m.* gravamen; obligación; opresión; vejamen.

gravanço, *s. m.* BOT. garbanzo.

gravar, *v. tr.* grabar; esculpir; celar; cincelar; tallar; entallar; entretallar; imprimir; estampar; inscribir.

gravata, *s. f.* corbata; chalina; corbatín.

gravataria, *s. f.* corbatería.

gravateiro, *s. m.* corbatero.

grave, *adj. 2 gén.* grave; pesado; serio; severo; solemne; doloroso; intenso.

gravela, *s. f.* cálculo (en riñones, vesícula, etc.).

graveto, *s. m.* ramojo; ramulla; chavasca, chasca, astilla.

graveza, *s. f.* gravamen, carga.

grávida, I. *adj. f.* grávida; encinta; embarazada. II. *s. f.* embarazadas.

gravidade, *s. f.* gravedad; aplomo.

gravidar, *v. tr. e intr.* empreñar, embarazar; concebir.

gravidez, *s. f.* gravidez, embarazo; preñez.

grávido, *adj.* grávido; cargado, lleno; preñado.

gravilha, *s. f.* gravilla.

gravitação, *s. f.* gravitación.

gravitacional, *adj. 2 gén.* gravitacional.

gravitante, *adj. 2 gén.* gravitante.

gravitar, *v. intr.* gravitar.

gravitatório, *s. f.* gravitatorio.

gravoso, *adj.* gravoso, oneroso; molesto; vejatorio.

gravura, *s. f.* grabado; estampa.

graxa, *s. f.* betún; (*fam.*) adulación, pelotilla.

graxo, *adj.* graso; oleoso; adiposo.

grazina, *adj. e s. 2 gén.* regañón, refunfuñador, gruñidor; cascarrabias.

grazinada, *s. f.* vocerío, gritería, grita, jarana; jaleo.

grazinar, *v. intr.* hablar mucho y alto; parlar; vociferar.

grecismo, *s. m.* grecismo; helenismo.

grecizar, *v. tr.* grecizar.

greco-latino, *adj.* grecolatino.

greco-romano, *adj.* grecorromano.

greda, *s. f.* greda; arcilla, argila.

gregário, *adj.* gregario.

grego, *adj. e s. m.* griego, heleno.

gregoriano, *adj.* gregoriano.

gregotins, *s. m. pl.* vd. **garatujas.**

grei, *s. f.* grey; (*fig.*) congregación; nación; pueblo.

greiro, *adj. e s. m.* grano.

grelar, *v. intr.* brotar; crecer; espigar; germinar; entallecer.

grelha, *s. f.* parrillas; rejilla; grill; *na grelha,* al grill; *grelha de partida,* DESP. parrilla de salida.

grelhar, *v. tr.* emparrillar.

grelo, *s. m.* grelo, nabizas; cogollo; pimpollo.

gremial, *adj. 2 gén.* gremial.

grémio, *s. m.* gremio; asociación; regazo.

grenha, *s. f.* greña, cabellera revuelta; melena del león; bosque enmarañado.

grés, *s. m.* gres.

greta, *s. f.* grieta; raja; hendidura; (*nos lábios*) boquera.

gretado, *adj.* agrietado.

gretadura, *s. f.* hendidura; grieta.

gretamento, *s. m.* agrietamiento.

gretar, *v.* 1. *tr.* agrietar; resquebrajar. 2. *intr. e refl.* agrietarse.

grevas, *s. f. pl.* grebas.

greve, *s. f.* huelga.

grevista, *s. 2 gén.* huelguista.

grifar, *v. tr.* subrayar; encaracolar.

grifo, I. s. m. enigma; cuestión; grifo, animal fabuloso; forma de letra. **II.** adj. grifo, encaracolado.

grila, s. f. ZOOL. grilla.

grilhada, s. f. ruido estridente.

grilhagem, s. f. grilletes; grillos; cadena de eslabones metálicos.

grilhão, s. m. cadena fuerte metálica; cordón de oro; pl. grillos.

grilheta, s. **1.** f. grilletes, grillos; cadena. **2.** s. m. galeote (penado).

grilo, s. m. ZOOL. grillo.

grima, s. f. grima, enojo; odio, rabia.

grimpa, s. f. giralda; cumbre; vértice; auge.

grimpar, v. intr. poner alto; subirse; responder con insolencia.

grinalda, s. f. guirnalda; corona.

gripal, adj. 2 gén. MED. gripal.

gripamento, s. m. (de motor) agarrotamiento.

gripe, s. f. MED. gripe.

gris, adj. 2 gén. e s. m. gris.

grisalho, adj. grisáceo; ceniciento; parduzco; de mezclilla; gris, entrecano.

grisão, s. m. grisón.

griseta, s. f. lamparilla; luminaria.

griséu, adj. ceniciento.

grisu, s. m. grisú, mofeta.

grita, s. f. griterío, clamor.

gritada, s. f. griterío.

gritar, v. intr. e tr. gritar, burrear; chillar; desgañitarse; (fig.) bramar.

gritaria, s. f. gritería, bulla; chillería; vocerío; chillido; guirigay; tole.

griteiro, s. m. griterío; vocerío.

grito, s. m. grito, berrido.

grogue, I. s. m. grog. **II.** adj. 2 gén. groguí; (pugilismo) sonado.

grolar, v. intr. vd. **gorar.**

grolo, adj. vd. **goro.**

gronelandês, adj. e s. m. groenlandés.

grosa, s. f. (doze dúzias) gruesa; (lima) escofina.

grosar, v. tr. escofinar.

groselha, s. f. groselha.

groselheira, s. f. BOT. grosellero.

grossaria, s. f. tejido de lino u algodón; (fig.) grosería, animalada, chabacanada; chulería.

grosseirão, adj. muy grueso; ordinário.

grosseiro, adj. grosero; basto; grueso; inculto; ordinario; ramplón; chulo; achulado; soez; inconveniente; patán; patoso; (fig.) descortés; charro.

grosseria, s. f. grosería; descortesía; inconveniencia; ramplonería.

grosso, I. adj. grueso; voluminoso; corpulento; grave; espeso; grosero; basto; craso; ordinario; (fam.) embriagado; bastedad. **II.** s. m. la mayor parte.

grossura, s. f. grosor; espesor; grueso; corpulencia; gordura; (fam.) borrachera.

grotesco, adj. grotesco; ridículo; caricato; excéntrico.

grou, s. m. ZOOL. grulla.

grua, s. f. grúa; grulla.

grudador, adj. e s. m. engrudador; pegador.

grudadura, s. f. engrudamiento.

grudar, v. **1.** tr. engrudar; encolar; pegar. **2.** intr. ajustarse.

grude, s. m. engrudo; masa de zapatero; pegamento.

grugulejar, v. intr. graznar, cantar el pavo.

grulha, s. hablador; parlanchín.

grulhada, s. f. gruídos, chillidos de las grullas.

grulhar, v. intr. hablar mucho; chacharear; parlotear.

grulhento, adj. hablador; parlanchín; parlero.

grumar, v. tr. reducir o dar forma de grumo a.

grumecer, v. intr. engrumecerse.

grumete, s. m. NÁUT. grumete.

grumo, s. m. grumo; cuajarón.

grumoso, adj. grumoso.

grunhidela, s. f. gruñido; rezongo, refunfuño.

grunhido, s. m. gruñido.

grunhidor, adj gruñidor.

grunhir, v. intr. gruñir; rezongar, refunfuñar.

grupamento, s. m. agrupamiento; grupo; ayuntamiento.

grupar, v. tr. agrupar; juntar; congregar.

grupelho, s. m. grupejo, grupo pequeño.

grupeto, s. m. MÚS. grupeto.

grupo, s. m. grupo; corrillo; panda; pandilla; POL. grupo de pressão, camarilla; grupo étnico, etnia; grupo de amigos, peña.

gruta, s. f. gruta; cueva; caverna; antro.

guache, s. m. guache, aguada.

guadamecim, s. m. guadamecí.

guaiacol, s. m. guayacol.

gualdir, v. tr. (fam.) gastar, comer, disipar.

gualdrapa, s. f. gualdrapa.

gualdripar, v. tr. (fam.) hurtar, robar, rapinar, ratear.

gualdrope, s. m. NÁUT. guardián del timón.

guanaco, s. m. ZOOL. guanaco.

guano, s. m. guano.

guante, s. m. manopla, guantelete.

guapice, s. f. guapeza; garbo.

guapo, adj. guapo; valiente; bonito; esbelto.

guaraná, s. m. BOT. guaraná.

guarani, adj. 2 gén. e s. m. guaraní.

guarda, s. 1. f. guarda, custodia; guardia; amparo; manopla, resguardo de la mano; *guarda prisional*, matrona. 2. m. guardián, vigilante, guarda; policía; carcelero; custodio.

guarda-avançada, s. f. avanzada.

guarda-barreira, s. f. guardabarrera.

guarda-chuva, s. m. paraguas; umbrela.

guarda-comidas, s. m. fresquera.

guarda-costas, s. m. NÁUT. guardacostas; guardaespaldas.

guardador, adj. guardador.

guarda-fatos, s. m. guardarropa; ropero.

guarda-florestal, s. m. guardabosques.

guarda-fogo, s. m. guardafuego.

guarda-freio, s. m. guardafrenos.

guarda-jóias, s. m. guardajoyas, joyero.

guarda-lamas, s. m. guardabarros; tapabarros; guardalodos, salvabarros.

guarda-leme, s. m. NÁUT. guardatimón.

guarda-linha, s. m. guardavía.

guarda-livros, s. m. tenedor de libros, contable.

guarda-loiça, s. m. aparador; guardavajillas.

guarda-louça, s. m. vd. guarda-loiça.

guarda-marinha, s. m. guardiamarina.

guarda-mato, s. m. guardamonte.

guardanapo, s. m. servilleta; *argola de guardanapo*, servilletero.

guarda-nocturno, s. m. guardia nocturno; sereno.

guarda-pó, s. m. guardapolvo, bata; sobretudo.

guarda-portão, s. m. portero.

guarda-pratas, s. m. guardavajillas; aparador.

guarda-quedas, s. m. paracaídas.

guardar, v. 1. tr. guardar; encubrir; acatar; conservar; defender; escoltar; observar (precepto). 2. refl. abstenerse.

guarda-redes, s. m. guardameta, portero.

guarda-rios, s. m. guardia fluvial.

guarda-roupa, s. m. guardarropa; recámara, ropero; perchero; TEAT. guardarropía.

guarda-sol, s. m. quitasol; sombrilla; parasol; umbrela.

guarda-vento, s. m. antepuerta, mampara; repostero, cancel.

guardiania, s. f. guardianía.

guardião, s. m. guardián.

guarecer, v. tr. guarecer.

guarida, s. f. guarida.

guarita, s. f. garita, caseta; chiscón.

guarnecedor, adj. e s. m. guarnecedor.

guarnecer, v. tr. guarnecer; adornar; guarnir; ornar; revestir; abastecer.

guarnecimento, s. m. guarnición; adorno; revestimiento.

guarnição, s. f. guarnición; cimbria, filete (moldura); adorno en; fuerzas que defienden una plaza; tripulación de un buque de guerra.

guatemalense, adj. e s. 2 gén. guatemalteco.

guatemalteco, adj. e s. m. guatemalteco.

guedelha, s. f. guedeja; melena.

guedelhudo, adj. guedejudo; melenudo.

gueixa, s. f. geisha.

guelra, s. f. branquia, agalla.

guerra, s. f. guerra; arte militar; hostilidad; combate; batalla, contienda.

guerreador, adj. e s. m. guerreador.

guerrear, v. tr. guerrear; (fig.) hostilizar.

guerreiro, I. s. m. guerrero. II. adj. bélico, belicoso.

guerrilha, s. f. guerrilla.

guerrilheiro, s. m. guerrillero.

gueto, s. m. gueto.

guia, s. 1. f. guía; guía, persona que guía; guía, de una ciudad; guía de mercancías. 2. m. guía; cicerone; director; monitor; (fig.) norte; fanal.

guiador, adj. e s. m. guiador.

guianense, adj. e s. 2 gén. guyanés.

guianês, adj. e s. m. vd. guianense.

guião, s. m. guión, estandarte; pendón, bandera.

guiar, v. 1. tr. guiar; gobernar; dirigir; llevar; enhilar; aconsejar; orientar. 2. intr. mostrar dirección; navegar. 3. refl. conducirse.

guieiro, adj. guía, guiador.

guilherme, s. m. guillame.

guilhotina, s. f. guillotina.

guilhotinar, v. tr. guillotinar.

guinada, s. f. guiñada; punzada; dolor vivo y rápido; gana.

guinar, v. intr. guiñar.

guinchada, s. f. gritería; chillería.

guinchante, *adj.* 2 *gén.* gritón, gritador; chillador.

guinchar, *v. intr.* gritar; chillar; chirriar.

guincho, *s. m.* grito agudo; chillido; chirrido; gañido; aullido; ZOOL. gaviota; molinete.

guindagem, *s. f.* operación de guindar o de izar.

guindalete, *s. m.* guindaleza.

guindar, *v. tr.* guindar, izar.

guindareza, *s. f.* guindaleza.

guindaste, *s. m.* NÁUT. guindaste.

guinéu, *s. m.* guineo.

guinhol, *s. m.* guiñol.

guionista, *s.* 2 *gén.* guionista.

guipura, *s. f.* guipur.

guisa, *s. f.* guisa, modo, manera, estilo; ZOOL. ave fría.

guisado, *s. m.* guisado; estofado, guiso; potaje; menestra; ragú.

guisar, *v. tr.* guisar; estofar.

guita, *v. tr.* guita, cordel, bramante; traílla.

guitarra, *s. f.* MÚS. guitarra.

guitarrista, *s.* 2 *gén.* guitarrista.

guizado, *s. m.* guisado, picado; pisto.

guizalhada, *s. f.* cascabeleo.

guizalhar, *v. tr.* cascabelear.

guizo, *s. m.* cascabelero, sonajero; cascabel.

gula, *s. f.* gula, glotonería; adefagía.

gulodice, *s. f.* gollería; golosina.

gulosar, *v. intr.* golosinear, golosear.

guloseima, *s. f.* golosina; gula; chuchería.

gulosice, *s. f.* vd. gulodice.

guloso, *adj.* e *s. m.* goloso; dulcero.

gume, *s. m.* filo, corte; tajo.

gumífero, *adj.* gumífero.

guri, *s. m.* pibe.

guru, *s. m.* gurú.

gurupés, *s. m.* NÁUT. bauprés.

gusa, *s. f.* gusa.

gusano, *s. m.* ZOOL. gusano.

gustação, *s. f.* gustación.

gustativo, *adj.* gustativo.

guta, *s. f.* goma guta.

guta-percha, *s. f.* gutapercha.

guteira, *s. f.* gutagamba.

gutíferas, *s. f. pl.* BOT. gutíferas.

gutural, *adj.* 2 *gén.* gutural.

H

hábil, *adj. 2 gén.* hábil; diestro; capaz; apto; astuto; ducho.

habilidade, *s. f.* habilidad; capacidad; inteligencia; arte; ingenio; industria.

habilidoso, *adj.* habilidoso; hábil, diestro.

habilitação, *s. f.* habilitación; capacidad; idoneidad; aptitud.

habilitado, *adj.* habilitado.

habilitando, *adj.* que se propone a obtener habilitación en juicio.

habilitante, *adj. 2 gén.* habilitador.

habilitar, *v.* **1.** *tr.* habilitar; adquirir habilitación. **2.** *refl.* jugar en la lotería.

habitação, *s. f.* habitación; morada.

habitáculo, *s. m.* habitáculo.

habitante, *adj. e s. 2 gén.* habitante; *pl.* vecindarios.

habitar, *v. tr. e intr.* habitar; morar; residir; poblar.

habitat, *s. m.* habitat.

habitável, *adj. 2 gén.* habitable.

hábito, *s. m.* hábito, habituación, costumbre, uso, tendencia; hábito, de monja o eclesiástico.

habituado, *adj.* habituado; acostumbrado; avezado.

habitual, *adj. 2 gén.* habitual; usual; frecuente; acostumbrado.

habituar, *v.* **1.** *tr.* habituar; acostumbrar; avezar; familiarizar. **2.** *refl.* acomodarse, adaptarse.

há-de-haver, *s. m.* crédito; haber (de cuentas corrientes).

hagiografia, *s. f.* hagiografía.

hagiógrafo, *s. m.* hagiógrafo.

hagiologia, *s. f.* hagiología.

hagiológio, *s. m.* santoral.

hagiólogo, *s. m.* hagiólogo.

haitiano, *adj. e s. m.* haitiano.

hálito, *s. m.* hálito; resuello; respiración; vaho; *mau hálito,* halitosis.

halo, *s. m.* halo.

halogénio, *s. m.* QUÍM. halógeno.

haloíde, *adj. 2 gén.* QUÍM. haloideo.

haltere, *s. m.* halterio.

halterofilia, *s. f.* halterofilia.

hamburger, *s. m.* hamburguesa.

hamburguês, *adj. e s. m.* hamburgués.

hamster, *s. m.* hámster.

handebol, *s. m.* balonmano.

handebolista, *s. 2 gén.* balonmanista.

hangar, *s. m.* hangar.

hanseático, *adj.* hanseático.

haraquiri, *s. m.* harakiri, haraquiri.

harém, *s. m.* harén, harem; serrallo.

harmonia, *s. f.* harmonía, armonía; concordia; consonancia; temple; acuerdo.

harmónica, *s. f.* MÚS. armónica; armónio.

harmónico, *adj.* armónico, regular; templado.

harmónio, *s. m.* MÚS. armonio, órgano pequeño.

harmonioso, *adj.* armonioso, sonoro.

harmonista, *s. 2 gén.* harmonista, armonista.

harmonização, *s. f.* armonización.

harmonizar, *v. tr.* armonizar, conciliar; acoplar; entonar; templar.

harpa, *s. f.* MÚS. arpa.

harpejo, *s. m.* MÚS. arpegio.

harpia, *s. f.* arpía.

harpista, *s. 2 gén.* arpista.

hasta, *s. f.* lanza; subasta; asta.

haste, *s. f.* asta, hastil; fuste; palo de bandera; tallo; pedúnculo; cuerno; TÉCN. vástago.

hastear, *v. tr.* elevar; izar; enarbolar.

hastil, *s. m.* hastil.

hastilha, *s. f.* asta o astil pequeño; astilla.

haurir, *v. tr.* agotar; beber; aspirar; sorber.

haurível, *adj. 2 gén.* aspirable; agotable.

hausto, *s. m.* trago; sorbo.

havanês, *adj. e s. m.* habanero.

havano, *adj. e s. m.* habanero; habano.

haver, **I.** *v.* **1.** *tr.* haber, poseer; recibir; conseguir; suceder; juzgar; existir. **2.** *intr.* ser posible. **3.** *refl.* portarse; proceder. **II.** *s. m.* haber (de cuentas corrientes); *pl.* haberes, bienes.

haxixe, *s. m.* haxix; (droga) tate.

heautognose, *s. f.* autoconocimiento dado por la conciencia y la introspección.

hebdomadário, *adj.* hebdomadario, semanal; *s. m.* semanario.

hebetação, s. f. estupidez.
hebraico, adj e s. m. hebraico, hebreo.
hebraísmo, s. m. hebraísmo.
hebraísta, s. hebraísta.
hebraizante, adj. 2 gén. hebraizante.
hebraizar, v. intr. hebraizar.
hebreu, adj. e s. m. hebreo; judío.
hecatombe, s. f. hecatombe.
hectare, s. m. hectárea.
hectograma, s. m. hectogramo.
hectolitro, s. m. hectolitro.
hectómetro, s. m. hectómetro.
hectovátio, s. m. hectovatio.
hectowatt, s. m. hectovatio.
hédera, s. f. vd. **hera**.
Hederáceas, s. f. pl. BOT. hederáceas.
hediondez, s. f. hediondez; inmundicia.
hediondo, adj. hediondo; sucio y repugnante.
hedonismo, s. m. hedonismo.
hedonista, adj. e s. 2 gén. hedonista.
hegemonia, s. f. hegemonía.
hégira, s. f. héjira.
helénico, adj. e s. m. helénico.
helenismo, s. m. helenismo.
helenista, adj. e s. 2 gén. helenista.
helenístico, adj. helenístico.
helenizar, v. tr. helenizar; grecizar.
heleno, adj. e s. m. heleno, griego.
helíaco, adj. helíaco.
helianto, s. m. BOT. helianto.
hélice, s. m. e f. hélice.
helicicultura, s. f. helicicultura.
helicoidal, adj. 2 gén. helicoidal.
helicóptero, s. m. helicóptero; autogiro.
hélio, s. m. QUIM. helio.
heliocêntrico, adj. heliocéntrico.
heliografia, s. f. heliografía.
heliográfico, adj. heliográfico.
heliógrafo, s. m. heliógrafo.
heliogravura, s. f. heliograbado.
heliómetro, s. m. heliómetro.
helioscopia, s. f. helioscopia.
helioscópio, s. m. helioscopio.
heliostática, s. f. heliostática.
helióstato, s. m. helióstato.
helioterapia, s. f. MED. helioterapia.
heliotrópico, adj. BOT. heliotrópico.
heliotrópio, s. m. BOT. heliotropio.
heliotropismo, s. m. BOT. heliotropismo.
heliporto, s. m. helipuerto.
helitransportado, adj. helitransportado.
hélix, s. m. e f. helice.
helmintíase, s. f. MED. helmintiasis.

helminto, s. m. helminto; (fam.) lombriz.
helmintologia, s. f. ZOOL. helmintología.
helvético, adj. e s. m. helvético.
hemácia, s. f. hematíe.
hematémese, s. f. MED. hematemesis.
hematite, s. f. hematites; sanguinaria.
hematocéfalo, s. m. MED. hematocéfalo.
hematocele, s. f. hematocele.
hematófilo, adj. hematófilo.
hematófobo, adj. hematófobo.
hematologia, s. f. hematología.
hematologista, s. 2 gén. hematólogo.
hematoma, s. m. MED. hematoma; habón;
(fam.) cardenal.
hematose, s. f. hematosis.
hematozoário, s. m. hematozoario.
hematúria, s. f. MED. hematuria, hematu-
resis.
hematúrico, adj. hematúrico.
hembra, s. f. fêmea.
hemeralopia, s. f. MED. hemeralopía.
hemeroteca, s. f. hemeroteca.
hemialgia, s. f. MED. hemicránea; hemialgia; jaqueca.
hemiciclo, s. m. hemiciclo.
hemicilindro, s. m. hemicicilindro.
hemicrania, s. f. jaqueca.
hemiplegia, s. f. MED. hemiplejía, hemiplegia.
hemiplégico, adj. e s. m. hemipléjico.
hemíptero, adj. ZOOL. hemíptero.
hemisférico, adj. hemisférico.
hemisfério, s. m. hemisferio.
hemisferoidal, adj. 2 gén. hemisferoidal.
hemisferóide, s. m. hemisferoide.
hemistíquio, s. m. hemistiquio.
hemodiálise, s. f. hemodiálisis.
hemofilia, s. f. hemofilia.
hemofílico, adj. e s. m. hemofílico.
hemoglobina, s. f. hemoglobina.
hemólise, s. f. hemolisis.
hemopatia, s. f. MED. hemopatía.
hemoptise, s. f. MED. hemoptisis.
hemorragia, s. f. MED. hemorragia.
hemorrágico, adj. hemorrágico.
hemorróide, s. f. hemorroide.
hemóstase, s. f. hemostasis.
hemostasia, s. f. vd. **hemóstase**.
hemostática, s. f. hemostática.
hemostático, adj. e s. m. hemostático.
hendecágono, s. m. endecágono.
hendecândria, s. f. BOT. hendecandria.
hendecassílabo, adj. endecasílabo.
hepática, s. f. BOT. hepática.

hepático, *adj.* hepático.
hepatite, *s. f.* MED. hepatitis.
hepatização, *s. f.* hepatización.
hepatologia, *s. f.* hepatología.
heptacórdio, *adj.* MÚS. heptacordio, heptacordo.
heptaedro, *s. m.* heptaedro.
heptagonal, *adj. 2 gén.* heptagonal.
heptágono, *s. m.* heptágono.
heptarquia, *s. f.* heptarquía.
heptassílabo, *adj.* heptasílabo.
heptateuco, *s. m.* heptateuco.
hera, *s. f.* BOT. yedra, hiedra.
heráldica, *s. f.* heráldica.
heráldico, *adj.* heráldico.
herança, *s. f.* herencia; legado; sucesión, (*indivisa*) acervo.
herbáceo, *adj.* herbáceo.
herbário, *s. m.* herbario.
herbicida, *s. m.* herbicida.
herbiforme, *adj. 2 gén.* herbiforme.
herbívoro, *adj.* herbívoro.
herbolário, *adj.* e *s. m.* herbolario; herbario.
herborista, *s. 2 gén.* herborista, herbolario.
herborização, *s. f.* herborización.
herborizador, *adj.* e *s. m.* herborizador.
herborizar, *v. tr.* herborizar, andar cogiendo hierbas para herbario.
herboso, *adj.* herboso.
hercúleo, *adj.* hercúleo.
hércules, *s. m.* hércules.
herdade, *s. f.* heredad, hacienda; finca; dehesa.
herdar, *v. tr.* e *intr.* heredar; ser heredero.
herdeiro, *adj.* e *s. m.* heredero.
hereditariedade, *s. f.* hereditariedad.
hereditário, *adj.* hereditario.
herege, *adj. 2 gén.* hereje.
heresia, *s. f.* herejía.
heresiarca, *s. m.* heresiarca.
hereticidade, *s. f.* hereticidad.
herético, *adj.* e *s. m.* herético; hereje.
hermafrodismo, *s. m.* hermafrodisia, hermafrodismo.
hermafrodita, *s. 2 gén.* hermafrodita; andrógino.
hermafroditismo, *s. m.* hermafroditismo.
hermenêutica, *s. f.* hermenéutica.
hermenêutico, *adj.* hermenéutico.
hermético, *adj.* hermético.
hermetismo, *s. f.* hermetismo.

hérnia, *s. f.* MED. hernia; quebradura; *contrair uma hérnia*, herniarse.
herniado, *adj.* herniado; quebrado.
hernioso, *adj.* hernioso.
herói, *s. m.* héroe.
heroicidade, *s. f.* heroicidad; heroísmo.
heróico, *adj.* heroico; enérgico; feito heróico, gesta.
herói-cómico, *adj.* heroicómico.
heroificar, *v. tr.* heroificar.
heroína, *s. f.* (*mulher*) heroína; (*droga*) heroína.
heroinómano, *adj.* e *s. m.* heroinómano.
heroísmo, *s. m.* heroísmo.
herpes, *s. m.* MED. herpes, herpe.
herpético, *adj.* herpético.
herpetismo, *s. m.* herpetismo.
herpetologia, *s. f.* herpetología.
hertziano, *adj.* FÍS. hertziano.
hesitação, *s. f.* hesitación; indecisión; incerteza; vacilación.
hesitante, *adj. 2 gén.* hesitante, dudoso; indeciso; vacilante.
hesitar, *v. intr.* hesitar; dudar; vacilar; estar incierto o dudoso; (*fig.*) fluctuar.
hespérides, *s. f. pl.* MIT. hespérides.
hetera, *s. f.* hetera; hetaira.
heteróclito, *adj.* heteróclito.
heteródino, *adj.* heterodino.
heterodoxia, *s. f.* heterodoxia.
heterodoxo, *adj.* heterodoxo.
heterogamia, *s. f.* BOT. heterogamia.
heterogeneidade, *s. f.* heterogeneidad.
heterogéneo, *adj.* heterogéneo.
heteromorfia *s. f.* QUÍM./ZOOL. heteromorfía, heteromorfismo.
heteromorfo, *adj.* heteromorfo.
heteronímia, *s. f.* heteronimia.
heterónimo, *adj.* e *s. m.* heterónimo.
heteroplastia, *s. f.* CIR. heteroplastía.
heteróscios, *s. m. pl.* heteroscios.
heterossexual, *adj. 2. gén.* heterosexual.
heterossexualidade, *s. f.* heterosexualidade.
heurística, *s. f.* heurística.
heurístico, *adj.* heurístico.
hexacorde, *s. m.* MÚS. hexacorde.
hexaédrico, *adj.* hexaédrico.
hexaedro, *s. m.* hexaedro.
hexafilo, *adj.* BOT. hexafilo.
hexagonal, *adj. 2 gén.* hexagonal.
hexágono, *s. m.* hexágono.
hexâmetro, *adj.* hexámetro.
hexandro, *adj.* BOT. hexandro.

hexapétalo, *adj.* BOT. de seis pétalos.
hexápode, *adj.* ZOOL. hexápodo.
hexápole, *s. f.* hexápolis.
hexáptero, *adj.* que tiene seis alas.
hexassílabo, *s. m.* hexasílabo.
hexastilo, *s. m.* ARQ. hexastilo.
hiacinto, *s. m.* BOT. jacinto.
hialino, *adj.* hialino.
hialóide, *adj. 2 gén.* hialoide.
hiante, *adj.* que tiene la boca abierta; hambriento, famélico.
hiato, *s. m.* hiato; intervalo.
hibernação, *s. f.* hibernación.
hibernal, *adj. 2 gén.* hibernal.
hibernar, *v. intr.* hibernar.
hibisco, *s. m.* hibisco.
hibridação, *s. f.* hibridación.
hibridismo, *s. m.* hibridismo.
híbrido, *adj. e s. m.* híbrido.
hidra, *s. f.* ZOOL. hidra.
hidrácido, *s. m.* QUÍM. hidrácido.
hidrângea, *s. f.* hortensia.
hidrargírico, *adj.* hidrargírico.
hidrargírio, *s. m.* hidrargirio.
hidrargirismo, *s. m.* hidrargirismo.
hidratação, *s. f.* hidratación.
hidratado, *adj.* hidratado.
hidratante, *adj. 2 gén.* hidratante.
hidratar, *v. tr.* QUÍM. hidratar.
hidrato, *s. m.* QUÍM. hidrato.
hidráulica, *s. f.* hidráulica.
hidráulico, *adj.* hidráulico.
hidravião, *s. m.* hidroavión.
hidrelétrico, *adj.* hidroeléctrico.
hidremia, *s. f.* hidremia.
hídrico, *adj.* hídrico.
hidroavião, *s. m.* hidroavión, hidroplano.
hidrocarboneto, *s. m.* QUÍM. hidrocarburo.
hidrocefalia, *s. f.* hidrocefalia.
hidrocéfalo, *adj. e s. m.* hidrocéfalo.
hidrocele, *s. f.* hidrocele.
hidrodinâmica, *s. f.* hidrodinámica.
hidrodinâmico, *adj.* hidrodinámico.
hidroelétrico, *adj.* hidroeléctrico.
hidrófilo, *adj.* hidrófilo.
hidrofobia, *s. f.* hidrofobia; rabia.
hidrófobo, *adj.* hidrófobo.
hidrófugo, *adj.* hidrófugo.
hidrogenar, *v. tr.* hidrogenar.
hidrogénio, *s. m.* QUÍM. hidrógeno.
hidrogeologia, *s. f.* hidrogeología.
hidrografia, *s. f.* hidrografía.
hidrográfico, *adj.* hidrográfico.

hidrógrafo, *s. m.* hidrógrafo.
hidrolato, *s. m.* hidrolato.
hidrolisar, *v. tr.* hidrolizar.
hidrólise, *s. f.* QUÍM. hidrólisis.
hidrologia, *s. f.* hidrología.
hidrólogo, *s. m.* hidrólogo.
hidromel, *s. m.* hidromel, hidromiel, aguamiel.
hidrometria, *s. f.* hidrometría.
hidrométrico, *adj.* hidrométrico.
hidrómetro, *s. m.* hidrómetro.
hidromotor, *s. m.* hidromotor; turbina.
hidropatia, *s. f.* MED. hidropatía.
hidrópico, *adj.* hidrópico.
hidropisia, *s. f.* hidropesía; *hidropisia cerebral*, hidrocefalia.
hidroplano, *s. m.* hidroplano, hidroavión.
hidrosfera, *s. f.* hidrosfera.
hidrossolúvel, *adj. 2 gén.* hidrosoluble.
hidrostática, *s. f.* hidrostática.
hidrostático, *adj.* hidrostático.
hidróstato, *s. m.* hidróstato.
hidroterapia, *s. f.* hidroterapia.
hidroterápico, *adj.* hidroterápico.
hidrotimetria, *s. f.* QUÍM. hidrotimetría.
hidrotimétrico, *adj.* QUÍM. hidrotimétrico.
hidróxido, *s. m.* hidróxido.
hidrozoários, *s. m. pl.* ZOOL. hidrozoarios, hidrozoos.
hiemação, *s. f.* BOT. hiemación.
hiemal, *adj. 2 gén.* hibernal; hiemal.
hiena, *s. f.* ZOOL. hiena.
hierarca, *s. m.* jerarca.
hierarquia, *s. f.* jerarquía.
hierárquico, *adj.* jerárquico.
hierático, *adj.* hierático.
hieroglífico, *adj.* jeroglífico.
hieróglifo, *s. m.* jeroglífico.
hifemia, *s. f.* hifemia.
hifen, *s. m.* hifén, trazo de unión; guión.
higiene, *s. f.* higiene.
higiénico, *adj.* higiénico.
higienista, *adj. e s. 2 gén.* higienista.
higienizar, *v. tr.* higienizar.
higroma, *s. m.* higroma.
higrometria, *s. f.* higrometría.
higrométrico, *adj.* FÍS. higrométrico.
higrómetro, *s. m.* FÍS. higrómetro.
higroscopia, *s. f.* higroscopia.
higroscópico, *adj.* FÍS. higroscópico.
higroscópio, *s. m.* higroscopio.
hilare, *adj. 2 gén.* risueño, contento, alegre, optimista.

hilariante, *adj. 2 gén.* hilarante, descacharrante; *gás hilariante,* gas hilarante.

hilaridade, *s. f.* hilaridad.

hilarizar, *v. tr.* alegrar, volver risueño; dar alegría; hacer reír.

hilo, *s. m.* BOT. hilo; ANAT. hilo, fisura.

hilota, *s. m.* hilota, ilota.

hímen, *s. m.* ANAT. himen.

himeneu, *s. m.* himeneo.

himénio, *s. m.* BOT. himenio.

himenóptero, *adj.* ZOOL. himenóptero.

hinário, *s. m.* himnario.

hindi, *s. m.* hindi.

hindu, *adj. e s. 2 gén.* hindu.

hinduísmo, *s. m.* hinduismo.

hinista, *s. m.* himnista.

hino, *s. m.* himno.

hinógrafo, *s. m.* compositor de himnos, himnógrafo, himnista.

hinólogo, *s. m.* vd. **hinista.**

hióide, *adj. 2 gén. e s. m.* hioides.

hipérbato, *s. m.* hipérbaton.

hipérbaton, *s. m.* vd. **hipérbato.**

hipérbole, *s. f.* hipérbole.

hiperbólico, *adj.* hiperbólico.

hiperbolóide, *s. m.* hiperboloide.

hiperbóreo, *adj.* hiperbóreo.

hipercrítico, *s. m.* hipercrítico.

hiperespaço, *s. m.* hiperespacio.

hiperglicemia, *s. f.* hiperglucemia.

hipericão, *s. m.* BOT. hipericón.

hiperidrose, *s. f.* sudor excesivo.

hipermercado, *s. m.* hipermercado.

hipermetrope, *adj. 2 gén.* hipermétrope.

hipermetropia, *s. f.* hipermetropía.

hiperplasia, *s. f.* hipertrofia.

hipersecreção, *s. f.* hipersecreción.

hipersensível, *adj. 2 gén.* hipermetropía.

hipertensão, *s. f.* hipertensión.

hipertenso, *adj.* hipertenso.

hipertermia, *s. f.* hipertermia; fiebre; calentura.

hipertrofia, *s. f.* hipertrofia.

hipertrofiar, *v. tr.* hipertrofiar.

hípico, *adj.* hípico.

hipismo, *s. m.* hípica.

hipnose, *s. f.* hipnosis.

hipnótico, *adj. e s. m.* hipnótico.

hipnotismo, *s. m.* hipnotismo.

hipnotista, *s. 2 gén.* hipnotista.

hipnotização, *s. f.* hipnotización.

hipnotizador, *adj. e s. m.* hipnotizador.

hipnotizar, *v. tr.* hipnotizar.

hipocampo, *s. m.* hipocampo.

hipocentro, *s. m.* hipocentro.

hipoclorito, *s. m.* QUÍM. hipoclorito.

hipocondria, *s. f.* hipocondría; esplín.

hipocondríaco, *adj.* hipocondríaco.

hipocôndrio, *s. m.* ANAT. hipocondrio.

hipocorístico, *adj.* hipocorístico.

hipocrisia, *s. f.* hipocresía; impostura; gazmoñada, gazmoñería, mijigatería; falsía.

hipócrita, *adj.e s. 2 gén.* hipócrita, fingido, farisco; farisaico; *(fam.)* camandulero.

hipodérmico, *adj.* hipodérmico.

hipoderme, *s. f.* hipodermis.

hipódromo, *s. m.* hipódromo.

hipofagia, *s. f.* hipofagia.

hipófise, *s. f.* hipófisis.

hipogeu, *s. m.* hipogeo.

hipogrifo, *s. m.* hipogrifo.

hipomóvel, *adj. 2 gén.* hipomóvil.

hipónimo, *s. m.* hipónimo.

hipopótamo, *s. m.* ZOOL. hipopótamo.

hipotálamo, *s. m.* hipotálamo.

hipotaxe, *s. f.* GRAM. hipotaxis.

hipoteca, *s. f.* hipoteca.

hipotecar, *v. tr.* hipotecar, empeñar.

hipotecário, *adj.* hipotecario.

hipotensão, *s. f.* hipotensión.

hipotenso, *adj.* hipotenso.

hipotenusa, *s. f.* hipotenusa.

hipótese, *s. f.* hipótesis; suposición; supuesto.

hipotético, *adj.* hipotético; supuesto.

hirsuto, *adj.* hirsuto; erizado; *(fig.)* áspero, duro.

hirteza, *s. f.* calidad o estado de yerto, rigidez.

hirto, *adj.* yerto, rígido; tieso; envarado; duro; aterido; *ficar hirto,* aterirse.

hirundino, *adj.* hirundino.

hispânico, *adj.* hispánico; español.

hispanidade, *s. f.* hispanidad.

hispanismo, *s. m.* hispanismo.

hispano, *adj.* hispano.

hispano-americano, *adj.* hispanoamericano.

hispanofilia, *s. f.* hispanofilia.

hispano-luso, *adj.* hispanoluso.

hispano-romano, *adj.* hispanorromano.

híspido, *adj.* híspido, hirsuto.

hissopada, *s. f.* hisopada, hisopadura; aspersión.

hissopar, *v. tr. e intr.* hisopar, aspergir con hisopo.

hissope, *s. m.* hisopo; aspersorio.

histamina, *s. f.* histamina.
histeria, *s. f.* MED. histeria, histerismo.
histérica, *s. f.* histérica.
histérico, *adj.* e *s. m.* histérico.
histerismo, *s. m.* vd. **histeria**.
histologia, *s. f.* histología.
histológico, *adj.* histológico.
história, *s. f.* historia; gesta; anales; (*pej.*) chisme, chismería; *história clínica*, historial.
história-da-carochinha, *s. f.* camela.
historiador, *s. m.* historiador, historiógrafo.
historial, *s. m.* historial.
historiar, *v. tr.* e *intr.* historiar.
histórico, *adj.* histórico.
historieta, *s. f.* historieta, anécdota; cuento.
historiografia, *s. f.* historiografía.
historiógrafo, *s. m.* historiógrafo, historiador; cronista.
histrião, *s. m.* histrión, payaso; juglar.
histriónico, *adj.* histriónico.
hodómetro, *s. m.* hodómetro; podómetro.
hoje, *adv.* hoy.
holanda, *s. f.* holanda, lienzo muy fino.
holandês, *adj.* e *s. m.* holandés.
hólmio, *s. m.* holmio.
holocausto, *s. m.* holocausto.
holofote, *s. m.* especie de linterna o proyector; foco eléctrico.
hológrafo, *adj.* ológrafo.
holograma, *s. m.* holograma.
homado, *adj.* ombruno.
hombridade, *s. f.* hombría; magnanimidad; aspecto varonil.
homem, *s. m.* hombre; gacho.
homem-rã, *s. m.* hombre rana, submarinista.
homenagear, *v. tr.* homenajear.
homenagem, *s. f.* homenaje; veneración, respeto; pleitesía.
homenzarrão, *s. m.* hombretón.
homenzinho, *s. m.* hombrezuelo, hombrecillo.
homeopata, *s. 2 gén.* homeópata.
homeopatia, *s. f.* homeopatía.
homicida, *adj.* e *s. 2 gén.* homicida.
homicídio, *s. m.* homicidio.
homilia, *s. f.* homilía.
homiziação, *s. f.* vd. **homizio**.
homiziar, *v.* **1.** *tr.* indisponer; malquistar; intrigar; dar guarida. **2.** *refl.* huir a la acción de la justicia.

homizio, *s. m.* refugio; asilo; escondite; escondrijo.
homocêntrico, *adj.* homocéntrico, concéntrico.
homocentro, *s. m.* homocentro.
homofonia, *s. f.* homofonía.
homofónico, *adj.* homofónico.
homófono, *adj.* homófono.
homogeneidade, *s. f.* homogeneidad.
homogeneização, *s. f.* homogeneización.
homogeneizar, *v. tr.* homogeneizar.
homogéneo, *adj.* homogéneo.
homógrafo, *s. m.* homógrafo.
homologação, *s. f.* homologación.
homologar, *v. tr.* homologar.
homologia, *s. f.* homología.
homólogo, *adj.* homólogo.
homonímia, *s. f.* homonimia.
homónimo, *adj.* e *s. m.* homónimo; tocayo.
homossexual, *adj.* e *s. 2 gén.* homosexual; maricón.
homotetia, *s. f.* homotecia.
homotético, *adj.* homotético.
honestar, *v. tr.* honestar, volver honesto; honrar; adornar.
honestidade, *s. f.* honestidad; recato; pudor; castidad; honra, honradez, honor; probidad.
honesto, *adj.* honesto, honrado; digno; casto; virtuoso; recatado; decente.
honor, *s. m.* honor; honra; dignidad.
honorabilidade, *s. f.* honorabilidad.
honorário, **I.** *adj.* honorario; honorífico. **II.** *s. m. pl.* estipendios.
honorável, *adj.* *2 gén.* honorable.
honorificar, *v. tr.* honorificar.
honorificência, *s. f.* honorificencia.
honorífico, *adj.* honorífico, honorario.
honra, *s. f.* honra; honor; favor; pundonor; gloria; virtud; dignidad; decoro; castidad; virginidad; honestidad.
honradez, *s. f.* honradez; integridad; hombría; probidad.
honrado, *adj.* honrado; casto; honesto; virtuoso.
honrador, *adj.* e *s. m.* honrador.
honrar, *v. tr.* honrar, respetar, venerar; dignificar.
honraria, *s. f.* honores, honras; distinción.
honroso, *adj.* honroso; digno, decoroso.
hóquei, *s. m.* DESP. hockey.
hora, *s. f.* hora.
horário, *adj.* e *s. m.* horario.

horda, *s. f.* horda, bandada.
horizontal, *adj. 2 gén.* horizontal.
horizontalidade, *s. f.* horizontalidad.
horizonte, *s. m.* horizonte.
hormona, *s. f.* hormona.
hormonal, *adj. 2 gén.* hormonal.
horóscopo, *s. m.* horóscopo.
horrendo, *adj.* horrendo.
horrífero, *adj.* horrífero, horrendo.
horripilação, *s. f.* horripilación.
horripilante, *adj. 2 gén.* horripilante.
horripilar, *v. tr.* horripilar; horrorizar.
horrível, *adj. 2 gén.* horrible; horrendo; pavoroso.
horror, *s. m.* horror; odio; aversión; execración; grima.
horrorizar, *v. tr.* horrorizar, horripilar.
horroroso, *adj.* horroroso; pavoroso; cruel.
horta, *s. f.* huerta.
hortaliça, *s. f.* hortaliza; verdura; loja de hortaliças, verdulería.
hortaliceira, *s. f.* verdulera; *(loja)* verdulería.
hortaliceiro, *s. m.* hortelano, verdulero.
hortelã, *s. f.* BOT. menta, hierbabuena.
hortelão, *s. m.* hortelano.
hortelã-pimenta, *s. f.* BOT. menta, menta piperita, hierbabuena.
horteloa, *s. f.* hortelana.
hortense, *adj. 2 gén.* hortense, hortelano.
hortênsia, *s. f.* BOT. hortensia.
hortícola, *adj. 2 gén.* hortícola.
horticultor, *s. m.* horticultor.
horticultura, *s. f.* horticultura.
horto, *s. m.* huerto.
hosana, *s. m.* hosanna.
hóspeda, *s. f.* huéspeda.
hospedador, *adj.* hospedador.
hospedagem, *s. f.* hospedaje; hospitalidad; agarajo; *dar hospedagem,* aposentar.
hospedar, *v.* **1.** *tr.* hospedar, aposentar; acoger; agasajar; alojar. **2.** *refl.* aposentar-se; posar.
hospedaria, *s. f.* hospedería; fonda; hostal; hostería; mesón; albergue; parador; mesón; *(perj.)* ventorra.
hóspede, *s. 2 gén.* huésped.
hospedeiro, **I.** *adj.* hospedero; hospitalario; afable. **II.** *s. m.* hostelero; posadero; ventero.
hospício, *s. m.* hospicio; inclusa.
hospital, *s. m.* hospital.

hospitalar, *adj. 2 gén.* relativo a hospitales y a hospicios.
hospitalário, *s. m.* hospitalario.
hospitaleira, *adj. e s. m.* hospitalera.
hospitaleiro, *adj. e s. m.* hospitalero; acogedor; hospitalario.
hospitalidade, *s. f.* hospitalidad; acogida.
hospitalização, *s. f.* hospitalización.
hospitalizar, *v. tr.* hospitalizar.
hoste, *s. f.* hoste, tropa, hueste; ejército.
hóstia, *s. f.* hostia, obra.
hostiário, *s. m.* hostiario.
hostil, *adj. 2 gén.* hostil; contrario; enemigo; agresivo.
hostilidade, *s. f.* hostilidad, enemistad.
hostilizar, *v. tr.* hostilizar.
hotel, *s. m.* hotel.
hoteleiro, *s. m.* hotelero.
hotentote, *adj. 2 gén.* hotentote.
huguenote, *s. m.* hugonote.
hulha, *s. f.* hulla.
hulheira, *s. f.* hullera.
hulhífero, *adj.* que produce hulla, hullero, hulloso.
hum!, *interj.* hum!
humanar, *v. tr.* humanar; humanizar.
humanidade, *s. f.* humanidad.
humanismo, *s. m.* humanismo.
humanista, *s. 2 gén.* humanista.
humanístico, *adj.* humanística.
humanitário, *adj.* humanitario.
humanitarismo, *s. m.* humanitarismo.
humanização, *s. f.* humanización.
humanizar, *v. tr.* humanizar.
humano, *adj.* humano.
humanóide, *adj. e s. 2 gén.* humanoide.
humedecer, *v. tr.* humedecer; mojar levemente.
humedecimento, *s. m.* humedecimiento.
humidade, *s. f.* humedad.
humidificador, *s. m.* humidificador, humectador.
humidificar, *v. tr.* humidificar, humectar.
húmido, *adj.* húmedo.
humildação, *s. f.* humillación.
humildade, *s. f.* humildad.
humildar, *v. tr.* volver humilde; humillar.
humilde, *adj. 2 gén.* humilde, modesto; obscuro; sencillo; pobre; servil.
humildoso, *adj.* vd. **humilde**.
humilhação, *s. f.* humillación; sumisión; vejamen.
humilhante, *adj. 2 gén.* humillante; degradante.

humilhar, *v. tr.* humillar, rebajar, postrar; vejar; abatir; someter; acocear; cachifollar; confundir; deprimir; hollar.

humo, *s. m.* AGR. humus, tierra vegetal.

humor, *s. m.* humor; *mau humor,* enfurruñamiento, pataleta; *ficar de mau humor,* enfurruñarse.

humorado, *adj.* humorado, que tiene humores.

humoral, *adj. 2 gén.* humoral.

humorismo, *s. m.* humorismo.

humorista, *adj. e s. 2 gén.* humorista.

humorístico, *adj.* humorístico.

húmus, *s. m.* humus; mantilla.

húngaro, *adj. e s. m.* húngaro.

hunos, *s. m. pl.* hunos.

huri, *s. f.* hurí.

hurra!, *interj.* hurra!

hussardo, *s. m.* húsar.

hussita, *s. m.* husita, hereje.

huy!, *interj.* hui!

I

i, *s. m.* i; I, designação de uno, en numeración romana; QUÍM. simbolo del yodo.

iambo, *s. m.* iambo, yambo, jambo.

ião, *s. m.* ión.

iatagã, *s. m.* iatagán.

iate, *s. m.* yate.

ibérico, *adj.* e *s. m.* ibérico; ibero.

ibero, *adj.* e *s. m.* vd. **ibero.**

íbis, *s. f.* ibis.

içar, *v. tr.* izar, levantar; erguir; alzar; guindar; aballestrar.

icebergue, *s. m.* iceberg.

icnografia, *s. f.* ARQ. icnografía.

icnográfico, *adj.* ARQ. icnográfico.

icnógrafo, *s. m.* ARQ. icnógrafo.

ícone, *s. m.* icono.

iconista, *s.* 2 *gén.* iconista, iconógrafo.

iconoclasia, *s. f.* iconoclasía.

iconoclasta, *adj.* e *s.* 2 *gén.* iconoclasta.

iconografia, *s. f.* iconografía.

iconográfico, *adj.* iconográfico.

iconógrafo, *s. m.* iconógrafo.

iconólatra, *s. m.* iconólatra.

iconolatria, *s. f.* iconolatría.

iconologia, *s. f.* iconología.

iconologista, *s.* 2 *gén.* iconólogo.

iconómaco, *s. m.* iconómaco; iconoclasta.

iconóstase, *s. f.* iconostasio.

iconoteca, *s. f.* iconoteca.

icosaedro, *s. m.* GEOM. icosaedro.

icterícia, *s. f.* MED. ictericia.

ictérico, *adj.* MED. ictérico.

ictiofagia, *s. f.* ictiofagía.

ictiófago, *adj.* ictiófago.

ictióide, *adj.* 2 *gén.* ictioideo.

ictiol, *s. m.* ictiol.

ictiólito, *s. m.* ictiolito.

ictiologia, *s. f.* ZOOL. ictiología.

ictiólogo, *s. m.* ictiólogo.

ictiossauro, *s. m.* ictiosauro.

ida, *s. f.* ida; partida; jornada.

idade, *s. f.* edad; época; tiempo; duración.

ideação, *s. f.* ideación.

ideal, I. *adj.* 2 *gén.* ideal. II. *s. m.* ideal.

idealidade, *s. f.* idealidad.

idealismo, *s. m.* idealismo.

idealista, *adj.* 2 *gén.* idealista.

idealização, *s. f.* idealización.

idealizar, *v. tr.* e *intr.* idealizar.

idear, *v. tr.* idear; proyectar; concebir; inventar.

ideário, *s. m.* ideario.

ideável, *adj.* 2 *gén.* imaginable.

ideia, *s. f.* idea; noción; *ideia geral*, (fig.) barniz.

idêntico, *adj.* idéntico; igual.

identidade, *s. f.* identidad.

identificação, *s. f.* identificación.

identificar, *v. tr.* identificar.

identificável, *adj.* 2 *gén.* identificable.

ideografia, *s. f.* ideografía.

ideográfico, *adj.* ideográfico.

ideograma, *s. m.* ideograma.

ideologia, *s. f.* ideología.

ideológico, *adj.* ideológico.

ideólogo, *s. m.* ideólogo.

idílico, *adj.* idílico.

idílio, *s. m.* idilio.

idioma, *s. m.* idioma; lenguaje.

idiomático, *adj.* idiomático.

idiossincrasia, *s. f.* idiosincrasia.

idiossincrásico, *adj.* idiosincrásico.

idiota, *adj.* e *s.* 2 *gén.* idiota; tonto; lelo; memo; besugo; cretino; mentecato; orate.

idiotia, *s. f.* idiotez.

idiotice, *s. f.* idiotismo; parida.

idiotismo, *s. m.* idiotismo.

ido, *adj.* ido, passado.

idólatra, *adj.* e *s.* 2 *gén.* idólatra; gentílico; pagano.

idolatrar, *v. tr.* idolatrar.

idolatria, *s. f.* idolatría.

idolátrico, *adj.* idolátrico.

ídolo, *s. m.* ídolo.

idolopeia, *s. f.* idolopeya.

idoneidade, *s. f.* idoneidad.

idóneo, *adj.* idóneo; conveniente; apto.

idos, *s. m. pl.* idus.

idoso, *adj.* anciano, añoso, viéjo.

idumeu, *adj.* e *s. m.* idumeo.

iglu, *s. m.* iglú.

ignaro, *adj.* ignaro, ignorante.

ignávia, *s. f.* ignavia; indolencia; cobardía; pereza; desidia.

ignavo, *adj.* indolente; pusilánime; débil.

ígneo, *adj.* ígneo.

ignescência, *s. f.* ignescencia.

ignescente, *adj.* 2 *gén.* ignescente.

ignição, *s. f.* ignición.

ignícola, *adj.* 2 *gén.* ignícola.

ignífugo, *adj.* ignífugo.

ignívomo, *adj.* ignívomo.

ignívoro, *adj.* ignívoro.

ignizar-se, *v. refl.* abrasarse, inflamarse.

ignóbil, *adj.* 2 *gén.* innoble; bajo, vil, abyecto.

ignobilidade, *s. f.* ignobilidad; vileza.

ignomínia, *s. f.* ignominia; oprobio; infamia; afrenta; deshonra.

ignominiar, *v. tr.* deshonrar.

ignominioso, *adj.* ignominioso; infamante.

ignorado, *adj.* ignorado, obscuro; desconocido.

ignorância, *s. f.* ignorancia; analfabetismo.

ignorantão, *adj.* ignorantón.

ignorante, *adj. e s.* 2 *gén.* ignorante.

ignorantismo, *s. m.* ignorantismo.

ignorar, *v. tr.* ignorar.

ignoto, *adj.* ignoto.

igreja, *s. f.* iglesia; abadía.

igrejeiro, *adj.* mojigato, beatuco; santurrón.

igrejinha, *s. f.* iglesia pequeña, capilla, ermita.

igual, *adj.* 2 *gén.* igual; semejante; uniforme; idéntico; hermanado; par; parejo.

igualamento, *s. m.* igualamiento.

igualar, *v. tr.* igualar, hermanar; equilibrar; aparear; emparejar; nivelar; allanar, aplanar; alisar; enrasar; rasar.

igualável, *adj.* 2 *gén.* igualable.

igualdade, *s. f.* igualdad; equidad.

igualha, *s. f.* igualdad, identidad de condición social.

igualitário, *adj.* igualitario.

igualzinho, *adj.* perfectamente igual.

iguana, *s. f.* ZOOL. iguana.

iguaria, *s. f.* iguaria; manjar; plato; delicado.

ilação, *s. f.* ilación; conclusión; deducción; consequencia; inferencia.

ilaquear, *v. tr.* enredar; engañar; prender.

ilativo, *adj.* ilativo; conclusivo; deductivo.

ilegal, *adj.* 2 *gén.* ilegal; desaguisado.

ilegalidade, *s. f.* ilegalidad.

ilegibilidade, *s. f.* ilegibilidad.

ilegitimidade, *s. f.* ilegitimidad.

ilegítimo, *adj.* ilegítimo.

ilegível, *adj.* 2 *gén.* ilegible.

íleo, *s. m.* ANAT. íleon.

ileocecal, *adj.* 2 *gén.* ANAT. ileocecal.

ileso, *adj.* ileso; incólume; indemne; intacto; salvo.

iletrado, *adj.* iletrado; analfabeto.

ilha, *s. f.* isla; insula.

ilhal, *s. m.* ijada (del caballo); flanco.

ilhar, *v. tr.* aislar, isolar.

ilharga, *s. f.* ijada; lado.

ilheta, *s. f.* islote, isla pequeña; isleta.

ilhéu, I. *adj.* isleño. II. *s. m.* islote.

ilhó, *s.* ojete.

ilhoa, *s. f.* isleña.

ilhota, *s. f.* isleta.

ilíaco, *adj. e s. m.* ANAT. ilíaco.

ilíada, *s. f.* ilíada.

ilibação, *s. f.* rehabilitación.

ilibado, *adj.* puro, no manchado; rehabilitado.

ilibar, *v. tr.* purificar; rehabilitar.

ilícito, *adj.* ilícito; ilegítimo; prohibido; ilegal.

ilidir, *v. tr.* refutar, rebatir; destruir.

ilimitado, *adj.* ilimitado; inmenso.

ilimitável, *adj.* 2 *gén.* ilimitable.

ílio, *s. m.* ANAT. ilion.

ilíquido, *adj.* ilíquido; (*fig.*) total, global; bruto (rentas).

ilógico, *adj.* ilógico.

ilogismo, *s. m.* ilogismo.

iludir, *v. tr.* iludir; timar; engañar; estafar; encantusar; embelecar.

iluminação, *s. f.* iluminación; alumbrado.

iluminado, *adj. e s. m.* iluminado, alumbrado; colorido.

iluminador, *adj. e s. m.* lluminador.

iluminante, *adj.* 2 *gén.* iluminante; iluminador.

iluminar, *v. tr.* iluminar; clarificar; dar color; esclarecer; inspirar; ilustrar; miniar.

iluminativo, *adj.* iluminativo.

iluminismo, *s. m.* iluminismo.

iluminista, *s.* 2 *gén.* iluminista, iluminador; miniaturista.

iluminura, *s. f.* iluminación (pintura); miniatura.

ilusão, *s. f.* ilusión; cosa efímera; fraude; engaño; sueño, ensueño.

ilusionismo, *s. m.* ilusionismo.

ilusionista, *s.* 2 *gén.* ilusionista.

iluso, *adj.* iluso; engañado; seducido; soñador.

ilusor, *s. m.* engañador.

ilusório, *adj.* ilusorio; ilusivo; aparente.

ilustração, *s. f.* ilustración; sabiduría; dibujo.

ilustrado, *adj.* ilustrado; instruido.

ilustrador, *adj. e s. m.* ilustrador.

ilustrar, *v. tr.* ilustrar; instruir.

ilustrativo, *adj.* ilustrativo.

ilustre, *adj. 2 gén.* ilustre; ínclito célebre; noble; preclaro; cinero; distinguido; egregio.

ilustríssimo, *adj.* ilustrísimo.

ilutação, *s. f.* MED. ilutación.

ilutar, *v. tr.* MED. ilutar.

imã, *s. m.* imán.

imaculado, *adj.* inmaculado; impoluto.

imagem, *s. f.* imagen; efigie; espectro.

imaginação, *s. f.* imaginación; fantasía; inventiva.

imaginar, *v. tr.* imaginar; pensar; idear; fabular; fantasear; creer; cuidar.

imaginário, I. *adj.* imaginario; irreal; ficticio. II. *s. m.* imaginero.

imaginativa, *s. f.* imaginativa.

imaginativo, *adj.* imaginativo; aprensivo; fantasioso.

imaginável, *adj. 2 gén.* imaginable.

imaginoso, *adj.* imaginativo; fabuloso; fantástico; ingenioso.

íman, *s. m.* FÍS. imán.

imanar, *v. tr.* imanar.

imanência, *s. f.* inmanencia.

imanente, *adj. 2 gén.* inmanente.

imantar, *v. tr.* imanar, imantar.

imarcescível, *adj. 2 gén.* inmarcesible.

imaterial, *adj. 2 gén.* inmaterial; incorpóreo.

imaterialidade, *s. f.* inmaterialidad.

imaterialismo, *s. m.* inmaterialismo.

imaterialista, *s. 2 gén.* inmaterialista.

imaterializar, *v. tr.* inmaterializar.

imaturidade, *s. f.* inmadurez.

imaturo, *adj.* inmaduro; en cierne.

imbatível, *adj. 2 gén.* imbatible.

imbecil, *adj. 2 gén.* imbécil; alelado, necio, idiota.

imbecilidade, *s. f.* imbecilidad; tontería, estupidez.

imbecilizar, *v. tr.* volver imbécil; alelar.

imbele, *adj. 2 gén.* imbele; tímido, débil.

imberbe, *adj. 2 gén.* imberbe; lampiño; barbilampiño.

imbibição, *s. f.* imbibición.

imbricação, *s. f.* imbricación.

imbricar, *v. tr.* imbricar; sobreponer; solapar.

imbróglio, *s. m.* enredo; confusión.

imbuir, *v. tr.* imbuir; persuadir; embeber.

imediação, *s. f.* inmediación; *pl.* inmediaciones; proximidades.

imediato, I. *adj.* inmediato; contiguo; seguiente; instantáneo; directo. II. *s. m.* categoría de subjefe.

imemorado, *adj.* olvidado.

imemorável, *adj. 2 gén.* inmemorial.

imemorial, *adj. 2 gén.* inmemorial.

imensidade, *s. f.* inmensidad.

imensidão, *s. f.* inmensidad.

imenso, *adj.* inmenso; enorme; ilimitado; infinito.

imensurável, *adj. 2 gén.* inmensurable.

imerecido, *adj.* inmerecido.

imergente, *adj. 2 gén.* inmergente.

imergir, *v. tr. e intr.* inmergir; sumergir.

imersão, *s. f.* inmersión.

imersivo, *adj.* inmersivo.

imerso, *adj.* inmerso.

imigração, *s. f.* inmigración.

imigrado, *s. m.* inmigrado, emigrado.

imigrante, *adj. e s. 2 gén.* inmigrante.

imigrar, *v. intr.* inmigrar.

imigratório, *adj.* inmigratorio.

iminência, *s. f.* inminencia.

iminente, *adj. 2 gén.* inminente.

imiscuir-se, *v. refl.* inmiscuirse; injerirse; atravesarse.

imitação, *s. f.* imitación; calco; copia; mimesis.

imitador, *adj.* imitador.

imitante, *adj. 2 gén.* imitante.

imitar, *v. tr.* imitar; reproducir; copiar; remedar; falsificar; fingir.

imitativo, *adj.* imitativo.

imitável, *adj. 2 gén.* imitable.

imo, *adj. e s. m.* íntimo.

imóbil, *adj. 2 gén.* inmóvil.

imobiliária, *s. f.* inmobiliaria.

imobiliário, *adj.* inmobiliario.

imobilidade, *s. f.* inmovilidad.

imobilismo, *s. m.* inmovilismo.

imobilista, *adj. e s. 2 gén.* inmovilista.

imobilização, *s. f.* inmovilización.

imobilizar, *v. tr.* inmovilizar.

imoderação, *s. f.* inmoderación.

imoderado, *adj.* inmoderado; excesivo; incontinente.

imodéstia, *s. f.* inmodestia.

imodesto, *adj.* inmodesto.
imolação, *s. f.* inmolación.
imolador, *adj.* e *s. m.* inmolador.
imolar, *v. tr.* inmolar; sacrificar.
imoral, *adj.* 2 *gén.* inmoral.
imoralidade, *s. f.* inmoralidad.
imorigerado, *adj.* no morigerado; libertino.
imorredoiro, *adj.* imperecedero; perdurable; inmortal.
imortal, I. *adj.* 2 *gén.* inmortal. II. *s. m. pl.* los dioses; inmortales.
imortalidade, *s. f.* inmortalidad.
imortalizar, *v. tr.* inmortalizar.
imóvel, *adj.* 2 *gén.* inmoble, inmóvil; estacionario; (*bens*) inmueble.
impaciência, *s. f.* impaciencia.
impacientar, *v. tr.* impacientar.
impaciente, *adj.* 2 *gén.* impaciente.
impacto, *s. m.* impacto.
impagável, *adj.* 2 *gén.* impagable.
impala, *s. f.* impala.
impalpabilidade, *s. f.* impalpabilidad.
impalpável, *adj.* 2 *gén.* impalpable; incorpóreo.
impaludismo, *s. m.* MED. impaludismo.
impar, *v. intr.* hipar; ahitarse.
ímpar, *adj.* 2 *gén.* impar; non; desigual; señero; *número ímpar,* non.
imparcial, *adj.* 2 *gén.* imparcial; justiceiro.
imparcialidade, *s. f.* imparcialidad.
imparidade, *s. f.* imparidad.
imparissilábico, *adj.* imparisilábico.
imparissílabo, *adj.* imparisílabo.
impartível, *adj.* 2 *gén.* impartible; campante.
impassibilidade, *s. f.* impasibilidad.
impassibilizar, *v. tr.* volver impasible.
impassível, *adj.* 2 *gén.* impasible; imperturbable; sereno; inalterable.
impavidez, *s. f.* impavidez, intrepidez; audacia.
impávido, *adj.* impávido, intrépido; sereno; imperturbable; impertérrito.
impecabilidade, *s. f.* impecabilidad.
impecável, *adj.* 2 *gén.* impecable; irreprochable.
impedição, *s. f.* impedimento.
impedido, I. *s. m.* MIL. ordenanza. II. *adj.* impedido; imposibilitado.
impedimento, *s. m.* impedimento.
impedir, *v. tr.* impedir, estorbar, embarazar; atajar; deter; embargar; inhibir; obstar.
impeditivo, *adj.* impeditivo.

impelir, *v. tr.* impeler, empujar; empellar; impulsar; (*fig.*) incitar; inducir.
impendente, *adj.* 2 *gén.* inminente.
impender, *v. tr.* estar inminente.
impenetrabilidade, *s. f.* impenetrabilidad.
impenetrável, *adj.* 2 *gén.* impenetrable.
impenitência, *s. f.* impenitencia.
impenitente, *adj.* e *s.* 2 *gén.* impenitente.
impensado, *adj.* impensado.
imperador, *s. m.* emperador.
imperante, *adj.* 2 *gén.* imperante; soberano.
imperar, *v. intr.* imperar; dominar.
imperativo, *adj.* e *s. m.* imperativo.
imperatriz, *s. f.* emperatriz.
impercebível, *adj.* 2 *gén.* incomprensible.
imperceptibilidade, *s. f.* imperceptibilidad.
imperceptível, *adj.* 2 *gén.* imperceptible.
imperdível, *adj.* 2 *gén.* imperdible.
imperdoável, *adj.* 2 *gén.* imperdonable; irremisible; condenable.
imperecedoiro, *adj.* imperecedero.
imperecível, *adj.* 2 *gén.* imperecedero; eterno.
imperfectibilidade, *s. f.* imperfectibilidad.
imperfectível, *adj.* 2 *gén.* imperfectible.
imperfeição, *s. f.* imperfección; defecto; lacra.
imperfeito, *adj.* imperfecto; malhecho.
imperfurado, *adj.* imperforado.
imperial, *adj.* 2 *gén.* imperial.
imperialismo, *s. m.* imperialismo.
imperialista, *adj.* e *s.* 2 *gén.* imperialista.
imperícia, *s. f.* impericia; inexperiencia; incompetencia.
império, *s. m.* imperio; autoridad; predominio.
imperiosidade, *s. f.* imperiosidad.
imperioso, *adj.* imperioso.
imperito, *adj.* imperito; inhábil; imperfecto.
impermeabilidade, *s. f.* impermeabilidad.
impermeabilizar, *v. tr.* impermeabilizar; encauchar.
impermear, *v. tr.* impermeabilizar.
impermeável, I. *adj.* 2 *gén.* impermeable. II. *s. m.* impermeable; chubasquero; empavesado.
impermisto, *adj.* que no es mezclado con otra cosa.

impermutabilidade, *s. f.* impermutabilidad; ataraxia.
impermutável, *adj. 2 gén.* impermutable.
imperscrutável, *adj. 2 gén.* imperscrutable.
impersistente, *adj. 2 gén.* impersistente.
impersonalidade, *s. f.* impersonalidad.
impertérrito, *adj.* impertérrito; intrépido.
impertinência, *s. f.* impertinencia; chinchorrería; *(fam.)* fresca.
impertinente, *adj. 2 gén.* impertinente; exigente; importuno; incómodo; chinchis; chincharrero; quisquilloso.
imperturbabilidade, *s. f.* imperturbabilidad.
imperturbável, *adj. 2 gén.* imperturbable.
impérvio, *adj.* impervio, inaccesible; impenetrable.
impessoal, *adj. 2 gén.* impersonal.
impessoalidade, *s. f.* impersonalidad.
impetigem, *s. f.* impétigo.
impetigo, *s. f.* impétigo.
ímpeto, *s. m.* ímpetu; impulso; precipitación; impetuosidad.
impetrabilidade, *s. f.* impetrabilidad, calidad de impetrable.
impetração, *s. f.* impetración.
impetrante, *adj. e s 2 gén.* impetrante.
impetrar, *v. tr.* impetrar, rogar; suplicar.
impetrativo, *adj.* impetratorio.
impetrável, *adj. 2 gén.* impetrable.
impetuosidade, *s. f.* impetuosidad; acometividad.
impetuoso, *adj.* impetuoso; violento; fogoso; raudo; atronado; atropellado; rápido.
impiedade, *s. f.* impiedad; crueldad.
impiedoso, *adj.* impiedoso.
impigem, *s. f.* MED. sarpullido; salpullido; impétigo.
impingir, *v. tr.* encajar, endosar, aplicar con fuerza; vender por más que el justo valor; engañar, embaucar; encasquetar.
ímpio, *adj. e s. m.* impío; irreligioso; ateo; incrédulo.
implacabilidade, *s. f.* implacabilidad; inexorabilidad.
implacável, *adj. 2 gén.* implacable; inexorable.
implantação, *s. f.* implantación.
implantar, *v. tr.* implantar; establecer.
implicação, *s. f.* implicación; enredo.

implicado, *adj.* implicado; complicado; pringado; *estar implicado,* pringar.
implicar, *v. tr. e intr.* implicar; impedir; enredar; pringar; conllevar; encartar.
implicativo, *adj.* que implica.
implicatório, *adj.* vd. implicativo.
implicitamente, *adv.* implícitamente.
implícito, *adj.* implícito; tácito.
imploração, *s. f.* imploración; súplica.
implorador, *adj. e s. m.* implorador; implorante.
implorante, *adj. e s. gén.* implorante.
implorar, *v. tr.* implorar; suplicar; rogar; exorar.
implorável, *adj. 2 gén.* implorable.
implosão, *s. f.* implosión.
implosivo, *adj.* implosivo.
implume, *adj. 2 gén.* ZOOL. implume.
implúvio, *s. m.* impluvio.
impolarizável, *adj. 2 gén.* impolarizable.
impolidez, *s. f.* descortesía.
impolido, *adj.* indelicado.
impolítica, *s. f.* impolítica.
impolítico, *adj.* impolítico; descortés.
impoluto, *adj.* impoluto, inmaculado.
imponderabilidade, *s. f.* imponderabilidad.
imponderado, *adj.* imponderado.
imponderável, *adj. 2 gén.* imponderable.
imponência, *s. f.* imponencia; grandeza; fausto.
imponente, *adj. 2 gén.* imponente; grandioso.
impopular, *adj. 2 gén.* impopular; que no tiene popularidad; altivo en el trato.
impopularidade, *s. f.* impopularidad.
impor, *v. tr. e intr.* imponer; establecer; obligar a; conminar; dictar.
importação, *s. f.* importación.
importador, *adj.* importador.
importância, *s. f.* importancia; categoría; influencia; precio; interés; autoridad; *dar-se ares de importância,* darse postín.
importante, *adj. 2 gén.* importante; serio; esencial; sustancial; crecido; *fazer-se importante,* darse postín.
importar, *v. tr.* importar; tener como resultado; tener importancia; convenir.
importável, *adj. 2 gén.* importable.
importe, *s. m.* importe; costo; precio.
importunação, *s. f.* importunación; impertinencia.

importunar, v. tr. importunar, estorbar, jorobar, molestar; rallar; chinchar; encocorar; *(fig.)* amolar; asediar.

importuno, adj. importuno; empalagoso; inoportuno; molesto; chato *(fig.)* amolador; marchacón.

imposição, s. f. imposición.

impositivo, adj. impositivo.

impossibilidade, s. f. imposibilidad.

impossibilitado, adj. imposibilitado.

impossibilitar, v. tr. imposibilitar.

impossível, adj. 2 gén. imposible.

imposta, s. f. ARQ. imposta; sotabanco.

imposto, I. s. m. impuesto, tributo, carga; contribución. II. adj. impuesto.

impostor, adj. e s. m. impostor; embustero; gasmoñero; trapacero; fanfarrón; sicofanta.

impostura, s. f. impostura.

imposturar, v. 1. intr. usar de impostura; alardear. 2. tr. engañar.

impotável, adj. 2 gén. impotable.

impotência, s. f. impotencia; debilidad.

impotente, I. adj. 2 gén. impotente. II. s. m. débil, flaco.

impraticabilidade, s. f. impracticabilidad.

impraticável, adj. 2 gén. impracticable.

imprecação, s. f. imprecación.

imprecar, v. tr. imprecar, pedir, suplicar; intr. maldecir, imprecar.

imprecatado, adj. desprevenido, distraído.

imprecatório, adj. imprecatorio.

imprecaução, s. f. imprecaución.

imprecisão, s. f. imprecisión

impreciso, adj. impreciso.

impregnação, s. f. impregnación.

impregnar, v. tr. impregnar; saturar.

imprensa, s. f. imprenta, taller donde se imprime; prensa (máquina); periódicos ; periodistas.

imprensador, adj. e s. m. impresador; impresor; prensador.

imprensar, v. tr. imprimir; prensar; *(fig.)* comprimir.

impresciência, s. f. impresciencia.

imprescindível, adj. 2 gén. imprescindible.

imprescritibilidade, s. f. imprescriptibilidad.

imprescritível, adj. 2 gén. imprescriptible.

impressão, s. f. impresión; estampa; sensación; conmoción; efecto.

impressionabilidade, s. f. impresionabilidad.

impressionante, adj. 2 gén. impresionante; alucinante.

impressionar, v. tr. impresionar; conmover; emocionar; sugestionar.

impressionável, adj. 2 gén. impresionable; sugestionable.

impressionismo, s. m. impresionismo.

impressionista, adj. e s. 2 gén. impresionista.

impresso, adj. e s. m. impreso.

impressor, adj. e s. m. impresor.

impressora, s. f. impresora.

imprestável, adj. e s. 2 gén. inservible; balarrasa.

impreterível, adj. 2 gén. inaplazable; riguroso.

imprevidência, s. f. imprevisión.

imprevidente, adj. 2 gén. imprevisor.

imprevisão, s. f. imprevisión.

imprevisível, adj. 2 gén. impredecible; imprevisible.

imprevisto, adj. imprevisto; inesperado; inopinado; súbito.

imprimar, v. tr. imprimar.

imprimidor, s. m. imprimidor, impresor.

imprimir v. tr. imprimir; estampar; grabar; sellar; *(fig.)* inspirar; influir.

improbabilidade, s. f. improbabilidad.

improbidade, s. f. improbidad.

ímprobo, adj. ímprobo; malo; malvado; fatigante, arduo.

improcedência, s. f. improcedencia.

improcedente, adj. 2 gén. improcedente.

improdutibilidade, s. f. improductibilidad.

improdutivo, adj. improductivo; estéril.

improfícuo, adj. inútil; vano, estéril.

improfundável, adj. 2 gén. insondable.

improgressivo, adj. estacionario.

improlífico, adj. improlífico; estéril, infecundo.

impronunciável, adj. 2 gén. inarticulable.

improperar, v. tr. improperar; injuriar; vituperar.

impropério, s. m. improperio.

impropriamente, adv. impropiamente.

impropriedade, s. f. impropiedad.

impróprio, adj. impropio; inconveniente; indecoroso; ajeno; inadecuado; indebido.

improrrogável, adj. 2 gén. improrrogable.

improvação, s. f. desaprobación, reprobación.

improvável, *adj. 2 gén.* improbable.
improvidência, *s. f.* improvidencia.
improvidente, *adj.* impróvido; desprevenido.
impróvido, *adj.* vd. **improvidente**.
improvisação, *s. f.* improvisación.
improvisado, *adj.* improvisado.
improvisador, *adj. e s. m.* improvisador; repentista.
improvisar, *v. tr.* improvisar; repentizar; TEAT. meter morcilla.
improviso, **I.** *adj.* improviso; imprevisto; súbito; inopinado. **II.** *s. m.* improvisación; *de improviso*, de improviso.
imprudência, *s. f.* imprudencia.
imprudente, *adj. 2 gén.* imprudente; inconsiderado.
impuberdade, *s. f.* impubertad.
impúbere, *adj. e s. 2 gén.* impúbero.
impudência, *s. f.* impudencia; descaro; desvergüenza; cinismo.
impudente, *adj. 2 gén.* impudente.
impudicícia, *s. f.* impudicicia; inmodestia.
impudico, *adj.* impúdico; salaz.
impudor, *s. m.* impudor.
impugnação, *s. f.* impugnación.
impugnador, *adj. e s. m.* impugnador.
impugnar, *v. tr.* impugnar; refutar; rebatir; argüir; oponer; *(fig.)* combatir.
impugnativo, *adj.* impugnativo.
impugnável, *adj. 2 gén.* impugnable.
impulsão, *s. f.* impulsión; impulso.
impulsar, *v. tr.* impulsar.
impulsionar, *v. tr.* impulsar; propulsar; estimular.
impulsivo, *adj. e s. m.* impulsivo.
impulso, *s. m.* impulso; impulsión; estimulo; ímpetu; pronto; corazonada; rapto.
impulsor, *adj. e s. m.* impulsor.
impune, *adj. 2 gén.* impune.
impunidade, *s. f.* impunidad.
impureza, *s. f.* impureza; deshonestidad; mácula.
impurificar, *v. tr.* impurificar.
impuro, *adj.* impuro; deshonesto; impúdico; inmundo.
imputabilidade, *s. f.* imputabilidad.
imputação, *s. f.* imputación.
imputar, *v. tr.* imputar.
imputável, *adj. 2 gén.* imputable.
imputrescível, *adj. 2 gén.* imputrescible.
imundície, *s. f.* inmundicia, suciedad, porquería; sordidez; mugre.

imundo, *adj.* inmundo; sucio; sórdido; asqueroso; obsceno; hediondo.
imune, *adj. 2 gén.* inmune, libre, exento.
imunidade, *s. f.* inmunidad.
imunitário, *adj.* inmunitario.
imunização, *s. f.* inmunización; protección.
imunizante, *adj. 2 gén.* inmunizante.
imunizar, *v. tr.* inmunizar.
imunodeficiência, *s. f.* inmunodeficiencia.
imunodeficiente, *adj. 2 gén.* inmunodeficiente.
imunologia, *s. f.* inmunología.
imunoterapia, *s. f.* inmunoterapia.
imutabilidade, *s. f.* inmutabilidad.
imutável, *adj. 2 gén.* inmutable.
inabalável, *adj. 2 gén.* inmovible; inexorable.
inábil, *adj. 2 gén.* inhábil.
inabilidade, *s. f.* inhabilidad.
inabilitação, *s. f.* inhabilitación.
inabilitar, *v. tr.* inhabilitar.
inabitado, *adj.* inhabitado.
inabitável, *adj. 2 gén.* inhabitable.
inabordável, *adj. 2 gén.* inabordable.
inacabável, *adj. 2 gén.* inacabable.
inacção, *s. f.* inacción; inercia.
inaceitável, *adj. 2 gén.* inaceptable.
inacessibilidade, *s. f.* inaccesibilidad.
inacessível, *adj. 2 gén.* inaccesible.
inacreditável, *adj. 2 gén.* inacreditable.
inactividade, *s. f.* inactividad.
inactivo, *adj.* inactivo.
inadaptação, *s. f.* inadaptación.
inadaptado, *adj.* inadaptado.
inadaptável, *adj. 2 gén.* inadaptable.
inadequação, *s. f.* inadecuación.
inadequado, *adj.* inadecuado.
inadiável, *adj. 2 gén.* improrrogable.
inadmissão, *s. f.* inadmisión.
inadmissível, *adj. 2 gén.* inadmisible.
inadvertência, *s. f.* inadvertencia; descuido.
inadvertido, *adj.* inadvertido.
inalação, *s. f.* inahalación; aspiración.
inalador, *adj. e s. m.* inhalador.
inalar, *v. tr.* inhalar.
inalcançável, *adj. 2 gén.* inalcanzable.
inalienabilidade, *s. f.* inalienabilidad.
inalienável, *adj. 2 gén.* inalienable.
inalterabilidade, *s. f.* inalterabilidad.
inalterado, *adj.* inalterado.
inalterável, *adj. 2 gén.* inalterable; inmoble.

inamovibilidade, s. f. inamovibilidad.
inamovível, adj. 2 gén. inamovible.
inane, adj. 2 gén. inane, fútil; vano; inútil.
inanição, s. f. inanición.
inanidade, s. f. inanidad; futilidad; vanidad.
inanimado, adj. inanimado; sin vivacidad; muerto.
inânime, adj. 2 gén. inánime, inanimado.
inaparente, adj. 2 gén. que no es aparente.
inapelável, adj. 2 gén. inapelable.
inapetência, s. f. inapetencia; desgana.
inaplicado, adj. inaplicado.
inaplicável, adj. 2 gén. inaplicable.
inapreciável, adj. 2 gén. inapreciable.
inapresentável, adj. 2 gén. inapresentable.
inaptidão, s. f. inaptitud; incapacidad; insuficiencia.
inapto, adj. inapto; inhábil.
inarmonia, s. f. desarmonía, desentono.
inarmónico, adj. inarmónico.
inarticulado, adj. inarticulado.
inarticulável, adj. 2 gén. inarticulable.
inassimilável, adj. 2 gén. inasimilable.
inatacável, adj. 2 gén. inatacable; invulnerable.
inatendível, adj. 2 gén. inatendible.
inatingível, adj. 2 gén. inalcanzable; inaccesible; incomprensible.
inato, adj. innato; congénito; ingénito, no nacido.
inaudito, adj. inaudito; increíble; raro; extraño.
inaudível, adj. 2 gén. inaudible.
inauguração, s. f. inauguración; envestidura.
inaugurador, adj. e s. m. inaugurador.
inaugural, adj. 2 gén. inaugural.
inaugurar, v. tr. inaugurar; comenzar; empezar; iniciar.
inavegável, adj. 2 gén. innavegable.
inca, adj. e s. 2 gén. inca.
incalculável, adj. 2 gén. incalculable.
incandescência, s. f. incandescencia.
incandescente, adj. 2 gén. incandescente.
incandescer, v. tr. incandecer.
incansável, adj. 2 gén. incansable; infatigable; activo; laborioso.
incapacidade, s. f. incapacidad.
incapacitado, adj. incapacitado.
incapacitar, v. tr. incapacitar.
incapaz, adj. 2 gén. incapaz; bruto.
inçar, v. 1. tr. enjambrar, contagiar. 2. intr. contagiarse; infectarse.

incaracterístico, adj. no característico.
incauto, adj. incauto; imprudente; sencillo.
incendiar, v. tr. incendiar, quemar; abrasar; (fig.) excitar.
incendiário, adj. e s. m. incendiario.
incêndio, s. m. incendio; fuego.
incensação, s. f. incensación.
incensador, adj. e s. m. turiferario; (fig.) adulador.
incensar, v. tr. incensar; turificar; (fig.) adular.
incensário, s. m. incensario; turíbulo; botafumeiro.
incenso, s. m. incienso; (fig.) lisonja.
incensório, s. m. incensario; botafumeiro.
incensurável, adj. 2 gén. incensurable.
incentivar, v. tr. incentivar.
incentivo, adj. e s. m. incentivo, estimulante; (fig.) estímulo; acicate; acebo.
incentor, s. m. incitador; instigador.
incerteza, s. f. incertidumbre; duda; improbabilidad; indecisión; indeterminación.
incerto, adj. incierto, dudoso; inseguro; contingente; improbable.
incessante, adj. 2 gén. incesante.
incessantemente, adv. incesantemente.
incessível, adj. 2 gén. incedible.
incestar, v. tr. e intr. cometer un incesto; deshonrar.
incesto, s. m. incesto.
incestuosamente, adv. incestuosamente.
incestuoso, adj. incestuoso.
inchação, s. f. hinchazón; tumor; anasarca.
inchaço, s. m. bollo; habón; VET. aventadura; vd. **inchação.**
inchado, adj. hinchado; abotargado.
inchar, v. 1. tr. hinchar; inflar. 2. intr. ensoberbecerse; embotijarse.
incidência, s. f. incidencia.
incidental, adj. 2 gén. incidental; incidente.
incidente, I. adj. 2 gén. incidente; incidental. II. s. m. incidente.
incidir, v. intr. incidir; sobrevenir; ocurrir; reflejarse.
incineração, s. f. incineración.
incinerar, v. tr. incinerar.
incinerador, s. m. incinerador; quemadero.
incineradora, s. f. incinerador; quemadero.
incipiente, adj. 2 gén. incipiente.

incisão, s. f. incisión; corte; sajadura; cesura; MED. sangradura.

incisar, v. tr. hacer incisión en; sajar; cortar.

incisivo, I. adj. incisivo ; (fig.) mordaz; decisivo; enérgico. **II.** s. m. ANAT. incisivo.

inciso, adj. inciso, cortado; eficaz; perentorio.

incisor, adj. vd. **incisivo.**

incisório, adj. incisorio; incisivo.

incisura, s. f. vd. **incisão.**

incitação, s. f. incitación; instigación; excitación.

incitador, adj. e s. m. incitador.

incitamento, s. m. incitación.

incitante, adj. 2 gén. incitante; estimulador.

incitar, v. tr. incitar; instigar; inducir; concitar; excitar; azuzar; aguijar; estimular; provocar.

incitável, adj. 2 gén. incitable.

incivil, adj. 2 gén. incivil; grosero; descortés.

incivilidade, s. f. incivilidad; grosería; descortesía.

incivilizado, adj. incivilizado.

incivilizável, adj. 2 gén. incivilizable.

inclassificável, adj. 2 gén. inclasificable; incalificable.

inclemência, s. f. inclemencia; rigor.

inclemente, adj. 2 gén. inclemente; riguroso; áspero; crudo.

inclinação, s. f. inclinación; disposición; pendiente; rasante; (fig.) atractivo; NÁUT. escora.

inclinado, adj. inclinado; aficionado; propenso; proclive.

inclinar, v. **1.** tr. inclinar; curvar. **2.** intr. tender, propender. **3.** refl. NÁUT. escorar.

inclinável, adj. 2 gén. inclinable.

ínclito, adj. ínclito; ilustre; noble; egregio.

incluído, adj. incluido.

incluir, v. tr. incluir; insertar; meter; encerrar; contener; comprender; encartar.

inclusão, s. f. inclusión.

inclusive, adv. inclusive.

inclusivo, adj. inclusivo.

incluso, adj. incluso; incluido; comprendido.

incoagulável, adj. 2 gén. incoagulable.

incoativo, adj. incoativo.

incobrável, adj. 2 gén. incobrable.

incoercibilidade, s. f. incoercibilidad.

incoercível, adj. 2 gén. incoercible.

incoerência, s. f. incoherencia.

incoerente, adj. 2 gén. incoherente.

incoesão, s. f. incohesión.

incógnita, s. f. incógnita.

incógnito, adj. incógnito.

íncola, s. 2 gén. íncola, habitante.

incolor, adj. 2 gén. incoloro.

incólume, adj. 2 gén. incólume; ileso; indemne.

incombustibilidade, s. f. incombustibilidad.

incombustível, adj. 2 gén. incombustible.

incomensurabilidade, s. f. inconmensurabilidad.

incomensurável, adj. 2 gén. inconmensurable.

incomodado, adj. indispuesto.

incomodar, v. tr. incomodar; incordiar; molestar; (fig.) amolar; baquetear; disgustar; enfadar; marear.

incomodativo, adj. incomodador.

incomodidade, s. f. incomodidad; indisposición; tristeza; disgusto.

incómodo, I. adj. incómodo; molesto; nocivo. **II.** s. m. incomodidad; empalagamiento; (fam.) menstruación.

incomparável, adj. 2 gén. incomparable.

incompassível, adj. 2 gén. incompasible; incompasivo.

incompassivo, adj. vd. **incompassível.**

incompatibilidade, s. f. incompatibilidad.

incompatibilizado, adj. incompatibilizado.

incompatibilizar, v. tr. incompatibilizar.

incompatível, adj. 2 gén. incompatible.

incompensável, adj. 2 gén. incompensable.

incompetência, s. f. incompetencia.

incompetente, adj. 2 gén. incompetente.

incompleto, adj. incompleto; descabalado; tornar incompleto, descabalar.

incomportável, adj. incomportable, insoportable.

incompreendido, adj. incomprendido.

incompreensão, s. f. incomprensión.

incompreensibilidade, s. f. incomprensibilidad.

incompreensível, adj. 2 gén. incomprensible.

incompressível, adj. 2 gén. incomprimible.

incomunicável, adj. 2 gén. incomunicado.

inconcebível, adj. 2 gén. inconcebible.

inconcessível, adj. 2 gén. que no se puede conceder.

inconcesso, *adj.* prohibido; no concedido; defeso.

inconciliabilidade, *s. f.* inconciliabilidad.

inconciliável, *adj.* 2 *gén.* inconciliable.

inconcludente, *adj.* 2 *gén.* ilógico; no conclusivo, no concluyente.

inconcluso, *adj.* inconcluso.

inconcusso, *adj.* inconcuso; firme; sólido; austero; indiscutible.

inconcutível, *adj.* 2 *gén.* inconcuso; sólido; indiscutible.

incondicionado, *adj.* incondicionado.

incondicional, *adj.* 2 *gén.* incondicional.

inconfessado, *adj.* oculto, disimulado.

inconfessável, *adj.* 2 *gén.* inconfesable.

inconfesso, *adj.* inconfeso.

inconfidência, *s. f.* inconfidencia, deslealtad; indiscreción.

inconfidente, *adj.* 2 *gén.* inconfidente; indiscreto.

inconformismo, *s. m.* inconformismo.

inconformista, *adj.* e *s.* 2 *gén.* inconformista.

inconfortável, *adj.* 2 *gén.* que no es confortable; desolado; desabrigado.

inconfundível, *adj.* 2 *gén.* inconfundible; muy diferente.

incongelável, *adj.* 2 *gén.* incongelable.

incongruência, *s. f.* incongruencia.

incongruente, *adj.* 2 *gén.* incongruente.

incôngruo, *adj.* vd. **incongruente.**

inconjugável, *adj.* 2 *gén.* inconjugable.

inconquistável, *adj.* 2 *gén.* inconquistable.

inconsciência, *s. f.* inconsciencia.

inconsciente, *adj.* 2 *gén.* inconsciente; (*fig.*) automático.

inconscio, *adj.* vd. **inconsciente.**

inconsequência, *s. f.* inconsecuencia.

inconsequente, *adj.* 2 *gén.* inconsecuente.

inconsideração, *s. f.* inconsideración; inadvertencia.

inconsiderado, *adj.* inconsiderado; imprudente.

inconsistência, *s. f.* inconsistencia.

inconsistente, *adj.* 2 *gén.* inconsistente.

inconsolado, *adj.* inconsolado.

inconsolável, *adj.* 2 *gén.* inconsolable.

inconstância, *s. f.* inconstancia; desigualdad; versatilidad.

inconstante, *adj.* 2 *gén.* inconstante; versátil.

inconstitucional, *adj.* 2 *gén.* inconstitucional.

inconstitucionalidade, *s. f.* inconstitucionalidad.

inconsulto, *adj.* inconsulto.

inconsútil, *adj.* 2 *gén.* inconsútil, sin costura.

incontaminado, *adj.* incontaminado.

incontaminável, *adj.* 2 *gén.* incontaminable.

incontável, *adj.* 2 *gén.* incontable; innumerable.

incontestado, *adj.* que no es contestado; inconcuso.

incontestável, *adj.* 2 *gén.* incontestable; indiscutible; indudable; innegable.

incontinência, *s. f.* incontinencia.

incontinente, *adj.* 2 *gén.* incontinente.

incontinuidade, *s. f.* falta de continuidad.

incontínuo, *adj.* incontinuo.

incontível, *adj.* 2 *gén.* incontenible.

incontrito, *adj.* incontrito; impenitente.

incontrolado, *adj.* incontrolado; desenfrenado.

incontrolável, *adj.* 2 *gén.* incontrolable; incontenible.

incontroverso, *adj.* vd. **incontestável.**

inconveniência, *s. f.* inconveniencia; chabacanada, chabacanería; desaire.

inconveniente, I. *adj.* 2 *gén.* inconveniente; incongruente; improprio; informal; chabacano; desairado; desbocado; irrazonable. II. *s. m.* inconveniencia; inconveniente; pega.

inconversível, *adj.* 2 *gén.* inconvertible.

inconvertível, *adj.* 2 *gén.* incontrovertible.

inconvicto, *adj.* que no está convencido.

incorporação, *s. f.* incorporación.

incorporado, *adj.* incorporado.

incorporar, *v.* 1. *tr.* incorporar; incluir. 2. *intr.* tomar o echar cuerpo; hacer parte. 3. *refl.* incorporarse.

incorporeidade, *s. f.* incorporeidad.

incorpóreo, *adj.* incorpóreo.

incorrecção, *s. f.* incorrección; informalidad.

incorrecto, *adj.* incorrecto; informal.

incorrer, *v. intr.* incurrir; caer (en error); comprometerse; incidir.

incorrigível, *adj.* 2 *gén.* incorregible; empecatado.

incorrupção, *s. f.* incorrupción.

incorruptível, *adj.* 2 *gén.* incorruptible.

incorrupto, *adj.* incorrupto.

incredulidade, *s. f.* incredulidad; descreimiento.

incrédulo, *adj.* e *s. m.* incrédulo; descreído; impío; ateo.
incrementar, *v. tr.* incrementar.
incremento, *s. m.* incremento; desenvolvimiento.
increpação, *s. f.* increpación; acusación; censura.
increpar, *v. tr.* increpar; acusar; reprender.
incriado, *adj.* que no fue creado.
incriminação, *s. f.* incriminación; acusación.
incriminar, *v. tr.* incriminar; acusar.
incriminatório, *adj.* incriminatorio.
incristalizável, *adj.* 2 *gén.* incristalizable.
incrível, *adj.* 2 *gén.* increíble; inexplicable; insólito; extraordinario; fabuloso; *(fam.)* flipante.
incruento, *adj.* incruento, no sangriento.
incrustação, *s. f.* incrustación.
incrustar, *v. tr.* incrustar; embutir; taracear.
incubação, *s. f.* incubación.
incubador, *adj.* incubador.
incubadora, *s. f.* incubadora.
incubar, *v. tr.* e *intr.* incubar, encobar, empollar.
íncubo, *adj.* íncubo.
inculca, *s. f.* inculcación; pesquisa; inculcador.
inculcadeira, *s. f.* mujer que inculca.
inculcador, *adj.* e *s. m.* inculcador.
inculcar, *v. tr.* inculcar; indicar; recomendar.
inculpabilidade, *s. f.* inculpabilidad.
inculpação, *s. f.* inculpación; imputación.
inculpar, *v. tr.* inculpar, acusar.
inculpável, *adj.* 2 *gén.* inculpable.
incultivável, *adj.* 2 *gén.* incultivable.
inculto, *adj.* inculto; baldío; salvaje; silvestre.
incultura, *s. f.* incultura.
incumbência, *s. f.* incumbencia; cometido; encargo.
incumbir, *v. tr.* incumbir, encargar; delegar; encomendar; pertenecer; caber; competer.
incumprimento, *s. m.* incumplimiento.
incunábulo, *s. m.* incunable.
incurabilidade, *s. f.* incurabilidad.
incurável, *adj.* 2 *gén.* incurable.
incúria, *s. f.* incuria; negligencia.
incurial, *adj.* 2 *gén.* irregular.
incursão, *s. f.* MIL. incursión; invasión; correría.

incurso, 1. *adj.* incurso, sujeto a penalidad. **2.** *s. m.* incursión.
incutir, *v. tr.* inculcar; insinuar; sugerir; infundir; inspirar.
indagação, *s. f.* indagación; escrutínio; información.
indagador, *adj.* e *s. m.* indagador.
indagar, *v. tr.* indagar; inquirir; averiguar; investigar; pesquisar; especular.
indecência, *s. f.* indecencia; obscenidad.
indecente, *adj.* 2 *gén.* indecente; indecoroso.
indecifrável, *adj.* 2 *gén.* indescifrable.
indecisão, *s. f.* indecisión.
indeciso, *adj.* indeciso; indeterminado; dudoso.
indeclinabilidade, *s. f.* indeclinabilidad.
indeclinável, *adj.* 2 *gén.* indeclinable; inevitable.
indecomponível, *adj.* que no se puede descomponer.
indecoro, *s. m.* indecoro.
indecoroso, *adj.* indecoroso; indecente; deshonesto; deshonroso; feo.
indefectibilidade, *s. f.* indefectibilidad.
indefectível, *adj.* 2 *gén.* indefectible.
indefendível, *adj.* 2 *gén.* indefendible; indefensable.
indefensável, *adj.* 2 *gén.* indefendible, indefensable.
indefenso, *adj.* indefenso; desarmado.
indeferimento, *adj.* acción o efecto de *indeferir*.
indeferir, *v. tr.* denegar, desatender.
indeferível, *adj.* 2 *gén.* que no se puede conceder u otorgar.
indefeso, *adj.* vd. **indefenso.**
indefesso, *adj.* indefenso; incansable; infatigable.
indefinido, *adj.* indefinido; indeterminado.
indefinível, *adj.* 2 *gén.* indefinible.
indeformável, *adj.* 2 *gén.* indeformable.
indeiscente, *adj.* 2 *gén.* BOT. indehiscente.
indelével, *adj.* 2 *gén.* indeleble; imborrable.
indelicadeza, *s. f.* indelicadeza; descortesía.
indelicado, *adj.* indelicado; grosero.
indemne, *adj.* 2 *gén.* indemne; ileso.
indemnidade, *s. f.* indemnidad.
indemnização, *s. f.* indemnización.
indemnizar, *v. tr.* indemnizar, compensar.

indemnizável, adj. 2 gén. indemnizable.
indemonstrado, adj. indemostrado.
indemonstrável, adj. 2 gén. indemostrable.
indentação, s. f. sangrado.
independência, s. f. independencia; libertad; autonomía.
independente, adj. 2 gén. independiente; tornar(-se) independente, independizar(se).
independentismo, s. m. independentismo.
independentista, adj. e s. 2 gén. independentista.
indescritível, adj. 2 gén. indescriptible; indecible.
indesculpável, adj. 2 gén. indisculpable.
indesejável, adj. 2 gén. indeseable.
indestrutibilidade, s. f. indestructibilidad.
indestrutível, adj. 2 gén. indestructible; indeleble.
indeterminação, s. f. indeterminación.
indeterminado, adj. indeterminado; indefinido; irresoluto; indeciso.
indeterminável, adj. 2 gén. indeterminable.
indevidamente, adv. indebidamente.
indevido, adj. indebido; impropio; inconveniente.
indevoção, s. f. indevoción.
índex, s. m. index.
indexação, s. f. indexación.
indexar, v. tr. indexar.
indianismo, s. m. indianismo.
indianista, s. 2 gén. indianista.
indianizar, v. tr. dar forma india a.
indiano, adj. e s. m. indio.
indicação, s. f. indicación; esclarecimiento; señal; denotación.
indicador, I. adj. indicador, señal, índex. II. s. m. indicador; presión, aparato.
indicar, v. tr. indicar; mostrar; designar; señalar; mentar; apuntar; denotar; enseñar.
indicativo, adj. e s. m. indicativo; prefijo.
índice, s. m. índice; lista de capítulos.
indiciado, adj. e s. m. indiciado; procesado.
indiciador, adj. e s. m. indiciador; acusador.
indiciar, v. tr. indiciar; denunciar.
indício, s. m. indicio, indicación; seña; señal; signo; síntoma; vestigio; asomo.

índico, adj. índico, indio; oceano Índico, el Índico.
indiferença, s. f. indiferencia; apatía; desinterés; desapego; acidia; frialdad.
indiferente, adj. 2 gén. indiferente; apático; despreocupado; frío.
indiferentismo, s. m. indiferentismo.
indígena, adj. e s. 2 gén. indígena; aborigen.
indigência, s. f. indigencia; inopia.
indigente, adj. e s. 2 gén. indigente.
indigerível, adj. 2 gén. indigestible.
indigestão, s. f. indigestión; embargo; empacho.
indigesto, adj. indigesto.
indigitar, v. tr. proponer; designar; apuntar.
indignação, s. f. indignación.
indignado, adj. airado.
indignar, v. 1. tr. indignar; airar. 2. refl. indignarse, airarse, agriarse; embotijarse.
indignidade, s. f. indignidad; ofensa; vileza.
indigno, adj. indigno; indecoroso; vil; ruin; abyecto; deshonesto; incalificable.
índigo, adj. índigo, añil.
índio, adj. indio.
indirecta, s. f. indirecta.
indirecto, adj. indirecto.
indiscernível, adj. 2 gén. indistinguible.
indisciplina, s. f. indisciplina.
indisciplinado, adj. indisciplinado.
indisciplinar, v. tr. quebrantar la disciplina; revolucionar.
indisciplinável, adj. 2 gén. indisciplinable.
indiscreto, adj. indiscreto.
indiscrição, s. f. indiscreción.
indiscriminadamente, adv. indiscriminadamente.
indiscriminado, adj. indiscriminado; indistinto.
indiscriminável, adj. 2 gén. que no se puede discriminar; indiscernible.
indiscutível, adj. 2 gén. indiscutible; incuestionable.
indispensabilidade, s. f. indispensabilidad.
indispensável, adj. 2 gén. indispensable; acuciante; esencial.
indisponível, adj. 2 gén. indisponible.
indispor, v. tr. indisponer.
indisposição, s. f. indisposición; desavenencia; desazón; empalagamiento.

indisposto, *adj.* indispuesto; enfermo; pocho; desavenido.

indisputado, *adj.* no disputado; incontrovertido.

indisputável, *adj. 2 gén.* indisputable.

indissolubilidade, *s. f.* indisolubilidad.

indissolução, *s. f.* estado de aquello que no está disuelto.

indissolúvel, *adj. 2 gén.* indisoluble.

indistinguível, *adj. 2 gén.* indistinguível.

indistintamente, *adv.* indistintamente.

indistinto, *adj.* indistinto; confuso; promiscuo.

inditoso, *adj.* desdichado, infeliz.

individual, *adj. 2 gén.* individual; indivíduo; aislado.

individualidade, *s. f.* individualidad.

individualismo, *s. m.* individualismo.

individualista, *adj. e s. 2 gén.* individualista.

individualizar, *v. tr.* individualizar.

individualmente, *adv.* individualmente.

individuar, *v. tr.* individuar, especificar, individualizar.

indivíduo, **I.** *s. m.* individuo; criatura; sujeto. **II.** *adj.* indivisible.

indivisão, *s. f.* indivisión.

indivisibilidade, *s. f.* indivisibilidad.

indivisível, *adj. 2 gén.* indivisible.

indiviso, *adj.* indiviso; individuo.

indizível, *adj. 2 gén.* indecible; inefable; inenarrable.

indócil, *adj. 2 gén.* indócil; indomable; rebelde; incorrigible; renuente.

indocilidade, *s. f.* indocilidad.

indocilizar, *v. tr.* tornar indócil; indisciplinar.

indocumentado, *adj.* indocumentado.

indo-europeu, *adj. e s. m.* indo-europeu.

índole, *s. f.* índole; carácter; condición; (*fig.*) calaña; genio.

indolência, *s. f.* indolencia; apatría; desidia; inercia; pereza; sorna.

indolente, *adj. 2 gén.* indolente; ocioso; negligente; apático; desidioso; flojo; remiso.

indolor, *adj. 2 gén.* indoloro.

indomado, *adj.* indomado.

indomável, *adj. 2 gén.* indomable.

indomesticado, *adj.* indomesticado.

indomesticável, *adj. 2 gén.* indomesticable.

indómito, *adj.* indómito; fiero.

indonésio, *adj. e s.* indonesio.

indostânico, *adj.* indostánico.

indouto, *adj.* indocto; ignorante.

indubitado, *adj.* indubitado.

indubitável, *adj. 2 gén.* indubitable; indudable; impepinable; cierto.

indução, *s. f.* inducción.

indulgência, *s. f.* indulgencia; clemencia; jubileo.

indulgenciar, *v. tr.* indulgenciar.

indulgente, *adj. 2 gén.* indulgente; clemente.

indultar, *v. tr.* indultar.

indulto, *s. m.* indulto; perdón; gracia.

indumentária, *s. f.* indumentaria.

indumentário, *adj.* indumentario.

indumento, *s. m.* indumento; vestuario; BOT. induvia.

induração, *s. f.* induración.

indústria, *s. f.* industria; destreza; oficio; invención.

industriador, *adj. e s. m.* dícese del que industrializa.

industrial, *adj. 2 gén.* industrial.

industrialismo, *s. m.* industrialismo.

industrialista, *adj. 2 gén.* industrialista.

industrialização, *s. f.* industrialización.

industrializar, *v. tr.* industrializar.

industriar, *v. tr.* industriar; adiestrar; instruir; ejercitar.

industrioso, *adj.* industrioso.

indutivo, *adj.* inductivo.

indutor, *adj. e s. m.* inductor.

indúvia, *s. f.* BOT. induvia; indumento.

induzido, *adj.* inducido.

induzidor, *adj. e s. m.* inducidor; incitador; inductor.

induzir, *v. tr.* inducir; instigar; mover a uno; exhertar; persuadir.

inebriante, *adj. 2 gén.* inebriador, embriagador; inefable.

inebriar, *v. tr.* inebriar; embriagar; extasiar.

inédia, *s. f.* inedia; inanición.

inédito, *adj.* inédito.

inefabilidade, *s. f.* inefabilidad.

inefável, *adj. 2 gén.* inefable.

ineficácia, *s. f.* ineficacia.

ineficaz, *adj. 2 gén.* ineficaz.

ineficiência, *s. f.* ineficiencia.

ineficiente, *adj. 2 gén.* ineficiente.

inegável, *adj. 2 gén.* innegable; evidente; incontestable.

inegociável, *adj.* 2 *gén.* que no se puede negociar.

inelegível, *adj.* 2 *gén.* inelegible.

inelutável, *adj.* ineluctable; inevitable.

inenarrável, *adj.* 2 *gén.* inenarrable.

inépcia, *s. f.* ineptitud.

ineptidão, *s. f.* ineptitud.

inepto, *adj.* inepto; incapaz; necio; absurdo; nulo.

inequívoco, *adj.* inequívoco; evidente; claro.

inércia, *s. f.* inercia; desidia; inacción; indolencia; sorna.

inerência, *s. f.* inherencia.

inerente, *adj.* 2 *gén.* inherente; inseparable; consubstancial.

inerme, *adj.* 2 *gén.* inerme.

inerte, *adj.* 2 *gén.* inerte; inactivo.

inervação, *s. f.* inervación.

inervar, *v. tr.* inervar.

inescrutável, *adj.* 2 *gén.* inescrutable; impenetrable; insondable.

inescusável, *adj.* 2 *gén.* inexcusable.

inesgotável, *adj.* inagotable.

inesperado, *adj.* inesperado; imprevisto; inopinado.

inesquecível, *adj.* 2 *gén.* inolvidable.

inestimável, *adj.* 2 *gén.* inestimable.

inevitável, *adj.* 2 *gén.* inevitable; fatal; irremediable; forzoso; impepinable.

inexactidão, *s. f.* inexactitud.

inexacto, *adj.* inexacto.

inexaurível, *adj.* 2 *gén.* inagotable.

inexausto, *adj.* inexhausto.

inexcedível, *adj.* 2 *gén.* que no puede ser excedido.

inexcitabilidade, *s. f.* calidad de lo que es inexcitable.

inexcitável, *adj.* 2 *gén.* inexcitable.

inexcusável, *adj.* 2 *gén.* inexcusable.

inexecutável, *adj.* 2 *gén.* inejecutable, inasequille.

inexequível, *adj.* 2 *gén.* inasequible, inejecutable.

inexigível, *adj.* 2 *gén.* inexigible.

inexistência, *s. f.* inexistencia.

inexistente, *adj.* 2 *gén.* inexistente.

inexorabilidade, *s. f.* inexorabilidad.

inexorável, *adj.* 2 *gén.* inexorable; inflexible.

inexperiência, *s. f.* inexperiencia; impericia; bisoñez.

inexperiente, *adj.* 2 *gén.* inexperto; rovel.

inexperto, *adj.* inexperto.

inexpiado, *adj.* que no fue expiado.

inexpiável, *adj.* 2 *gén.* inexpiable.

inexplicável, *adj.* 2 *gén.* inexplicable.

inexplorado, *adj.* inexplorado.

inexplorável, *adj.* 2 *gén.* inexplorable; inexplotable.

inexplosível, *adj.* 2 *gén.* inexplosible.

inexpressivo, *adj.* inexpresivo.

inexprimível, *adj.* 2 *gén.* inexpresable; indecible.

inexpugnável, *adj.* 2 *gén.* inexpugnable.

inextensão, *s. f.* falta de extensión.

inextensibilidade, *s. f.* calidad de lo que es inextensible.

inextensível, *adj.* 2 *gén.* inextensible.

inextenso, *adj.* inextenso.

inextinguível, *adj.* 2 *gén.* inextinguible; inapagable.

inextinto, *adj.* inextinguido.

inextirpável, *adj.* 2 *gén.* inextirpable.

inextricável, *adj.* 2 *gén.* inextricable; enmarañado.

infalibilidade, *s. f.* infalibilidad.

infalível, *adj.* 2 *gén.* infalible; indefectible.

infalsificável, *adj.* 2 *gén.* infalsificable.

infamação, *s. f.* infamación.

infamante, *adj.* 2 *gén.* infamante; deshonroso.

infamar, *v. tr.* infamar; denigrar; deshonrar; pringar.

infame, *adj.* 2 *gén.* infame; ignominioso; canalla.

infâmia, *s. f.* infamia; deshonca; calumnia; ignominia.

infância, *s. f.* infancia; niñez.

infando, *adj.* infando, abominable.

infanta, *s. f.* infanta.

infantado, *s. m.* infantado.

infantaria, *s. f.* MIL. infantería.

infantário, *s. m.* guardería.

infante, *s. m.* infante; niño; MIL. infante.

infanticida, *adj. e s.* 2 *gén.* infanticida.

infanticídio, *s. m.* infanticidio.

infantil, *adj.* 2 *gén.* infantil; inocente; ingenuo.

infantilidade, *s. f.* infantilidad; niñada.

infantilismo, *s. m.* infantilismo.

infantilizar, *v. tr.* infantilizar.

infatigável, *adj.* 2 *gén.* infatigable; incansable.

infausto, *adj.* infausto; funesto; aciago; desastrado.

infecção, *s. f.* infección; corrupción; contagio.

infeccionar, *v. tr.* infeccionar; infectar; contaminar; malignar; corromper.
infeccioso, *adj.* infeccioso.
infectante, *adj. 2 gén.* infectante.
infectar, *v. tr. e intr.* infectar; conta.
infecto, *adj.* infecto; contagiado; pestilente.
infectuoso, *adj.* vd. **infeccioso**.
infecundidade, *s. f.* infecundidad; esterilidad.
infecundo, *adj.* infecundo; estéril.
infelicidade, *s. f.* infelicidad; infortunio; desdicha; desgracia.
infelicitar, *v. tr.* hacer infeliz; desgraciar.
infeliz, *adj. 2 gén.* infeliz; desgraciado; desdichado; desventurado; infortunado; malhadado; pobre; astroso; cuitado; desastrado; descontento.
inferência, *s. f.* inferencia.
inferior, *adj. 2 gén.* inferior; bajo; ínfimo; ordinario.
inferioridade, *s. f.* inferioridad; desventaja.
inferiorizar, *v. tr.* hacer inferior, rebajar.
inferir, *v.* 1. *tr.* inferir; deducir; concluir. 2. *refl.* seguirse.
infernal, *adj. 2 gén.* infernal; diabólico.
inferneira, *s. f.* tumulto; ruido grande; alarido.
inferno, *s. m.* infierno.
ínfero, *adj.* inferior; BOT. ínfero.
infértil, *adj. 2 gén.* que no es fértil; estéril.
infertilidade, *s. f.* falta de fertilidad; esterilidad.
infertilizar, *v. tr.* esterilizar.
infertilizável, *adj. 2 gén.* que no se puede fertilizar.
infestação, *s. f.* infestación; devastación.
infestado, *adj.* infestado; apestado; plagado.
infestador, *s. m.* infestador.
infestar, *v. tr.* infestar; contaminar; apestar.
infesto, *adj.* infesto; dañoso.
inficionação, *s. f.* inficionación.
inficionado, *adj.* inficionado.
inficionar, *v. tr.* inficionar; infectar.
infidelidade, *s. f.* infidelidad.
infiel, *adj. 2 gén.* infiel.
infiltração, *s. f.* infiltración.
infiltrado, *adj.* infiltrado.
infiltrar, *v. tr. e intr.* infiltrar; infiltrarse; penetrar; recalarse.
ínfimo, *adj.* ínfimo; lo más bajo.
infindável, *adj. 2 gén.* indefinible.
infindo, *adj.* infinito; ilimitado; innumerable.

infinidade, *s. f.* infinidad; sinfín; sinnúmero.
infinitesimal, *adj. 2 gén.* infinitesimal.
infinitésimo, **I.** *adj.* infinitésimo; inmenso. **II.** *adj.* infinito.
infinitivo, *s. m.* infinitivo.
intinito, *adj. e s. m.* infinito.
infirmar, *v. tr.* infirmar; invalidar; anular; revocar.
infirmativo, *adj.* dícese de lo que infirma.
infixo, *s. m.* infijo.
inflação, *s. f.* inflación.
inflacionário, *adj.* inflacionario; inflacionista.
inflacionismo, *s. m.* inflacionismo.
inflacionista, *adj. 2 gén.* inflacionista.
inflado, *adj.* inflado; envanecido.
inflamabilidade, *s. f.* inflamabilidad.
inflamação, *s. f.* inflamación.
inflamado, *adj.* encendido; MED. enconado.
inflamar, *v.* 1. *tr.* inflamar; incendiar; abrasar; irritar; enconar; entusiasmar. 2. *refl.* inflamarse; arder.
inflamativo, *adj.* inflamativo.
inflamatório, *adj.* inflamatorio.
inflamável, *adj. 2 gén.* inflamable.
inflar, *v. tr.* inflar; hinchar; engreir; envanecer.
inflectir, *v. tr.* causar inflexión; doblar; curvar; desviar.
inflexão, *s. f.* inflexión.
inflexibilidade, *s. f.* inflexibilidad.
inflexível, *adj. 2 gén.* inflexible; inexorable.
inflexo, *adj.* inflexo; curvado; inclinado.
inflicção, *s. f.* inflicción.
infligir, *v. tr.* infligir.
inflorar, *v. tr. e intr.* florecer; enflorar.
inflorescência, *s. f.* BOT. inflorescencia.
influença, *s. f.* influenza.
influência, *s. f.* influencia; ascendencia; ascendiente; prestigio; crédito; influjo; *pl.* (*fig.*) agarraderas, agarraderos.
influenciar, *v. tr.* influenciar; influir; malmeter; sugestionar.
influenciável, *adj. 2 gén.* influenciable, sugestionable.
influente, *adj. e s. 2 gén.* influente.
influenza, *s. f.* gripe.
influição, *s. f.* vd. **influxo**.
influir, *v. tr. e intr.* influir; inspirar; entusiasmar; actuar.
influxo, *s. m.* influjo; influencia; pleamar.
in-fólio, *s. m.* infolio.

informação, *s. f.* información; inculcación; indagación; noticia; reporte; *(pej.)* chivatazo; informe.

informador, *adj. e s. m.* informador; *(pej.)* chivato; fiscal; informante.

informal, *adj. 2 gén.* campechano.

informalidade, *s. f.* campechanería; informalidad.

informante, *adj. e s. 2 gén.* informante.

informar, *v. tr.* informar; inculcar; avisar; orientar; enseñar; enterar.

informática, *s. f.* informática.

informático, *adj.* informático.

informativo, *adj.* informativo.

informatização, *s. f.* informatização; informatizar.

informe, **I.** *adj. 2 gén.* informe; tosco; irregular; *ser informe*, engendro. **II.** *s. m.* informe, información, parecer.

infortificável, *adj. 2 gén.* infortificable.

infortuna, *s. f.* infortuna; adversidad.

infortunado, *adj.* infortunado; infeliz.

infortunar, *v. tr.* hacer desgraciado, infeliz; desgraciar.

infortúnio, *s. m.* infortunio; desdicha; desgracia.

infortunoso, *adj.* vd. **infortunado**.

infracção, *s. f.* infracción; transgresión; contravención; incumplimiento.

infracto, *adj.* infracto; quebrado.

infractor, *adj.* infractor; transgresor.

infra-estrutura, *s. f.* infraestrutura.

infrangível, *adj. 2 gén.* infrangible.

infranqueável, *adj. 2 gén.* infranqueable.

infravermelho, *adj.* infrarojo.

infrene, *adj. 2 gén.* desenfrenado.

infrequente, *adj. 2 gén.* infrequente.

infringir, *v. tr.* infringir; transgredir; violar; incumplir.

infringível, *adj. 2 gén.* infringible.

infrutífero, *adj.* infrutuoso; estéril.

infrutuoso, *adj.* infructuoso.

infumável, *adj. 2 gén.* infumable.

infundado, *adj.* infundado; *dito infundado*, infundio.

infundibuliforme, *adj. 2 gén.* infundibuliforme.

infundir, *v. tr.* infundir; infiltrar, verter; derramar; inspirar; imbuir.

infusa, *s. f.* especie de cántaro o cántara.

infusão, *s. f.* infusión.

infusibilidade, *s. f.* infusibilidad.

infusível, *adj. 2 gén.* infusible.

infuso, *s. m.* infuso; infusión.

infusório, *s. m.* infusorio.

ingénito, *adj.* ingénito.

ingente, *adj. 2 gén.* ingente; desmedido.

ingénua, *s. f.* ingenua.

ingenuidade, *s. f.* ingenuidad; credulidad.

ingénuo, *adj. e s. m.* ingenuo; inocente; sencillo; franco.

ingerência, *s. f.* injerencia; intervención.

ingerir, *v.* **1.** *tr.* ingerir; tragar; engullir; beber. **2.** *refl.* injerirse, entremeterse; intervenir.

ingestão, *s. f.* ingestión.

inglês, *adj. e s. m.* inglés.

inglesar, *v. tr.* dar aspecto de inglés.

inglório, *adj.* inglorioso.

inglorioso, *adj.* vd. **inglório**.

ingovernável, *adj. 2 gén.* ingobernable.

ingratidão, *s. f.* ingratitud; desagradecimiento.

ingrato, **I.** *adj.* ingrato; desagradecido; desagradable; estéril; arduo. **II.** *s. m.* ingrato.

ingrediente, *s. m.* ingrediente.

íngreme, *adj. 2 gén.* escarpado; arduo; difícil.

ingresia, *s. f.* algazara; alboroto; griterío.

ingressar, *v. intr.* ingresar.

ingresso, *s. m.* ingreso; admisión; entrada.

íngua, *s. f.* infarto de una glándula; bubón inguinal.

inguinal, *adj. 2 gén.* ANAT. inguinal.

ingurgitação, *s. f.* ingurgitación; infarto.

ingurgitamento, *s. m.* ingurgitamiento; infarto.

ingurgitar, *v.* **1.** *tr.* ingurgitar; engullir; causar infarto; obstruir. **2.** *intr.* entumecer.

inhame, *s. m.* ñame.

inhenho, *adj. e s. m.* tonto; lelo; memo.

inibição, *s. f.* inhibición; cohibición; prohibición.

inibir, *v. tr.* inhibir; impedir; cohibir; prohibir; estorbar.

inibitivo, *adj.* vd. **inibitório**.

inibitório, *adj.* inhibitorio.

iniciação, *s. f.* iniciación; debut; preludio.

iniciado, **I.** *s. m.* iniciado; catecúmeno. **II.** *adj.* iniciado; comenzado; empezado.

iniciador, *adj. e s. m.* iniciador, que inicia.

inicial, *adj. 2 gén.* e *s. f.* inicial.

iniciar, *v.* **1.** *tr.* iniciar; comenzar; empezar; principiar; admitir; inaugurar; preludiar; enseñar. **2.** *refl.* debutar.

iniciativa, *s. f.* iniciativa.

iniciativo, *adj.* iniciativo; inicial.
início, *s. m.* inicio; inauguración; comienzo; entrada.
inigualado, *adj.* inigualado.
inigualável, *adj. 2 gén.* inigualable.
iniludível, *adj. 2 gén.* ineludible.
inimaginável, *adj. 2 gén.* inimaginable; increíble.
inimicícia, *s. f.* enemistad; inimicicia; odio.
inimigo, *adj. e s. m.* enemigo; adversario; contrario.
inimistar, *v.* **1.** *tr.* enemistar. **2.** *refl.* enemistarse.
inimitável, *adj. 2 gén.* inimitable.
inimizade, *s. f.* enemistad; incha.
inimizar, *v. tr.* enemistar; indisponer.
ininteligível, *adj. 2 gén.* ininteligible.
ininterrupção, *s. f.* continuidad.
ininterrupto, *adj.* ininterrumpido.
iniquidade, *s. f.* iniquidad; injusticia.
iníquo *adj.* inicuo; injusto.
injecção, *s. f.* inyección; *(pop.)* moléstia, fastidio.
injectado, *adj.* inyectado.
injectar, *v. tr.* inyectar; jeringar.
injectável, *adj. 2 gén. tr.* inyectable.
injector, *adj. e s. m.* inyector, inyectador.
injúria, *s. f.* injuria; insulto; afrenta; ofensa; improperio; agravio; entuerto; baldón; *(fig.)* bofetada.
injuriante, *adj. 2 gén.* injuriante.
injuriar, *v. tr.* injuriar; ofender; insultar; ajar; apedrear; denostar.
injurioso, *adj.* injurioso; ofensivo.
injustiça, *s. f.* injusticia; sinrazón.
injustificado, *adj.* injustificado.
injustificável, *adj. 2 gén.* injustificable.
injusto, *adj.* injusto; indebido; parcial.
inobservância, *s. f.* inobservancia.
inobservado, *adj.* no observado; que nunca se vió.
inobservável, *adj. 2 gén.* inobservable.
inocência, *s. f.* inocencia; candor; ingenuidade.
inocente, *adj. 2 gén.* inocente; infantil; párvulo; lerdo; sin malicia; cándido; candoroso; inmaculado.
inocuidade, *s. f.* inocuidad.
inoculabilidade, *s. f.* calidad de aquello que es inoculable.
inoculação, *s. f.* inoculación.
inoculador, *adj. e s. m.* inoculador.
inocular, *v. tr.* inocular.
inoculável, *adj. 2 gén.* inoculable.
inócuo, *adj.* inocuo, innocuo; inofensivo.

inodoro, *adj.* inodoro.
inofensivo, *adj.* inofensivo.
inoficioso, *adj.* inoficioso.
inolvidável, *adj. 2 gén.* inolvidable.
inominado, *adj.* innominado.
inominável, *adj. 2 gén.* innominable.
inoperância, *s. f.* inoperancia.
inoperante, *adj. 2 gén.* inoperante.
inópia, *s. f.* inopia; indigencia; pobreza; defecto; deficiencia.
inopinado, *adj.* inopinado; súbito; imprevisto; repentino; inesperado; fortuito.
inoportunamente, *adv.* destiempo.
inoportunidade, *s. f.* inoportunidad.
inoportuno, *adj.* inoportuno; extemporáneo; intempestivo.
inorgânico, *adj.* inorgánico.
inorganizado, *adj.* inorganizado.
inospitaleiro, *adj.* inhospitalario.
inospitalidade, *s. f.* inhospitalidad.
inóspito, *adj.* inhóspito.
inovação, *s. f.* innovación.
inovador, *adj. e s. m.* innovador.
inovar, *v. tr.* innovar.
inoxidável, *adj. 2 gén.* inoxidable.
inóxio, *adj.* vd. **inócuo,** innocuo, inocuo.
inqualificável, *adj. 2 gén.* incalificable, inclasificable.
inquebrantável, *adj. 2 gén.* inquebrantable; irrompible.
inquebrável, *adj. 2 gén.* inquebrable.
inquérito, *s. m.* inquisición; indagación; pesquisa.
inquestionável, *adj. 2 gén.* incuestionable; incontestable; indudable.
inquietação, *s. f.* inquietud, desasosiego; grima; excitación.
inquietante, *adj. 2 gén.* inquietante.
inquietar, *v.* **1.** *tr.* inquietar; conturbar; desasosegar; desazonar; excitar; azogar. **2.** *refl.* inquietarse.
inquieto, *adj.* inquieto; desasosegado; conturbado; intranquilo; levantisco.
inquietude, *s. f.* inquietud.
inquilinato, *s. m.* inquilinato.
inquilino, *s. m.* inquilino; casero.
inquinação, *s. f.* vd. **inquinamento.**
inquinamento, *s. m.* inquinamento; infección.
inquirição, *s. f.* inquérito.
inquiridor, **I.** *adj.* inquisidor, inquisitivo. **II.** *s. m.* inquisidor.
inquirir, *v. tr.* inquirir; indagar; interrogar; averiguar; investigar; escuadriñar; examinar.

328

inquisição, s. f. inquisición.
inquisidor, s. m. inquisidor.
inquisitivo, adj. inquisitivo.
inquisitorial, adj. inquisitivo.
insaciabilidade, s. f. insaciabilidad.
insaciado, adj. que no está saciado; insatisfecho.
insaciável, adj. 2 gén. insaciable.
insalivação, s. f. insalivación.
insalivar, v. tr. insalivar.
insalubre, adj. 2 gén. insalubre; malsano.
insalubridade, s. f. insalubridad.
insanável, adj. 2 gén. insanable; incurable.
insânia, s. f. insania; locura.
insano, adj. insano; loco.
insatisfeito, adj. insatisfecho.
insaturável, adj. 2 gén. insaturable.
inscrever, v. 1. tr. inscribir; grabar; empadronar. 2. refl. abonarse; enrolarse.
inscrição, s. f. inscripción; (em clube, associação) alta.
inscritível, adj. 2 gén. inscriptible; inscribible.
inscrito, adj. inscrito; registrado.
insculpir, v. tr. esculpir; tallar, grabar; inscribir.
insecável, adj. 2 gén. insecable.
insecticida, adj. 2 gén. e s. m. insecticida.
insectívoro, adj. insectívoro.
insecto, s. m. ZOOL. insecto.
insegurança, s. f. inseguridad; intranquilidad; apocamiento.
inseguro, adj. inseguro.
inseminação, s. f. inseminación.
inseminar, v. tr. inseminar.
insensatez, s. f. insensatez; locura; temeridad.
insensato, adj. e s. m. insensato, tonto.
insensibilidade, s. f. insensibilidad.
insensibilização, s. f. insensibilización.
insensibilizado, adj. insensibilizado; (fig.) embotado.
insensibilizar, v. tr. insensibilizar; (fig.) embotar.
insensível, adj. 2 gén. insensible; (fig.) seco.
inseparável, adj. 2 gén. inseparable.
insepulto, adj. insepulto.
inserção, s. f. inserción.
inserir, v. tr. insertar; intercalar; incluir.
inserto, adj. inserto; injerto.
inservível, adj. 2 gén. inservivle.
insídia, s. f. insidia; asechanza; emboscada; perfidia.
insidioso, adj. insidioso.

insigne, adj. 2 gén. insigne; célebre; señalado; ilustre, preclaro; egregio; eximio.
insígnia, s. f. insignia; divisa; emblema; distintivo; hábito; laureada.
insignificância, s. f. insignificancia; ajaspajas; futilidad.
insignificante, adj. 2 gén. insignificante; intranscendente.
insinuação, s. f. insinuación; indirecta.
insinuante, adj. 2 gén. insinuante.
insinuar, v. tr. insinuar; captar; inspirar. refl. hacerse simpático.
insinuativo, adj. insinuativo.
insipidez, s. f. insipidez; desabor; sinsabor; sosera, sosería; desazón; monotonía; guasaiñoñez.
insípido, adj. insípido; monótono; soso; guasón; chirle; desazonado; ñono.
insistência, s. f. insistencia.
insistente, adj. 2 gén. insistente; porfiado; tenaz; obstinado; terco.
insistir, v. intr. insistir; perseverar, porfiar; machacar.
insociabilidade, s. f. insociabilidad.
insocial, adj. 2 gén. insocial, insociable.
insociável, adj. 2 gén. insociable; intratable; díscolo.
insofismável, adj. 2 gén. que no se puede argumentar.
insofrido, adj. insufrido; impaciente; isquieto.
insofrível, adj. 2 gén. insufrible; intolerable; insoportable; inaguantable.
insolação, s. f. insolación; (fam.) tabardillo.
insolar, v. tr. insolar.
insolência, s. f. insolencia; atrevimiento; petulancia; desfachatez; chinchorrería; desgarro; sorrostrada.
insolente, adj. 2 gén. insolente; atrevido; petulante; procaz; desfachatado; grosero; adelantado; chinche; chincharrero.
insólito, adj. insólito; increíble.
insolubilidade, s. f. insolubilidad.
insolúvel, adj. 2 gén. insoluble.
insolvência, s. f. insolvencia; quebrada.
insolvente, adj. 2 gén. insolvente; quebrado.
insondabilidade, s. f. calidad de insondable.
insondado, adj. insondado.
insondável, adj. 2 gén. insondable.
insone, adj. 2 gén. insomne.

insónia, *s. f.* insomnio
insonorização, *s. f.* insonorización.
insonorizar, *v. tr.* insonorizar.
insosso, *adj.* soso; insípido; insulso.
inspecção, *s. f.* inspección; examen.
inspeccionar, *v. tr.* inspeccionar, examinar.
inspector, *s. m.* inspector.
inspectoria, *s. f.* inspectorado.
inspiração, *s. f.* inspiración; sugestión.
inspirador, *adj.* e *s. m.* inspirador; sugerente; sugeridor.
inspirar, *v. tr.* inspirar; sugerir; dictar.
inspiratório, *adj.* inspiratorio.
instabilidade, *s. f.* inestabilidad.
instalação, *s. f.* instalación.
instalador, *adj.* e *s. m.* instalador.
instalar, *v.* **1.** *tr.* instalar; inaugurar; colocar; alojar. **2.** *refl.* avecindarse.
instância, *s. f.* instancia; solicitud; fuerza; presión.
instantaneidade, *s. f.* instantaneidad.
instantâneo, **I.** *adj.* instantáneo; inmediato. **II.** *s. m.* FOT. instantánea.
instante, **I.** *adj.* 2 *gén.* instante. **I.** *s. m.* instante; momento; periquete; ocasión.
instar, *v. intr.* instar; ahinar.
instauração, *s. f.* instauración.
instaurador, *adj.* instaurador.
instaurar, *v. tr.* instaurar; restaurar; establecer; *instaurar um processo*, encausar.
instável, *adj.* 2 *gén.* inestable.
instigação, *s. f.* instigación; incitación; sugestión.
instigador, *adj.* e *s. m.* instigador; incitador.
instigar, *v. tr.* instigar; incitar; inducir; sugerir.
instilação, *s. f.* instilación.
instilar, *v. tr.* instilar.
instintivo, *adj.* instintivo.
instinto, *s. m.* instinto.
institucional, *adj.* 2 *gén.* institucional.
institucionalização, *s. f.* institucionalización.
institucionalizar, *v. tr.* institucionalizar.
instituição, *s. f.* institución; creación.
instituidor, *s. m.* instituidor.
instituir, *v. tr.* instituir; erigir; crear; establecer.
instituto, *s. m.* instituto.
instrução, *s. f.* instrucción; educación; *pl.* directrices.

instruído, *adj.* sabedor.
instruir, *v. tr.* instruir; educar; enseñar; formar; catequizar; enterar.
instrumentação, *s. f.* instrumentación.
instrumental, 2 *gén.* e *s. m.* instrumental.
instrumentar, *v. tr.* instrumentar.
instrumentista, *s.* 2 *gén.* instrumentista.
instrumento, *s. m.* instrumento; utensilio o aparato; escritura; arma; medio.
instrutivo, *adj.* instructivo.
instrutor, *adj.* e *s. m.* instructor.
ínsua, *s. f.* ínsula.
insubmergível, *adj.* 2 *gén.* insumergible.
insubmersível, *adj.* 2 *gén.* insumergible.
insubmissão, *s. f.* insumisión; desobediencia.
insubmisso, *adj.* insumiso; desobediente; desmadrado; *tornar-se insubmisso*, desmadrarse.
insubordinação, *s. f.* insubordinación.
insubordinado, *adj.* e *s. m.* insubordinado.
insubordinar, *v. tr.* insubordinar; amotinar.
insubornável, *adj.* 2 *gén.* insobornable.
insubsistente, *adj.* 2 *gén.* insubsistente.
insubstancial, *adj.* 2 *gén.* insubstancial.
insubstituível, *adj.* 2 *gén.* irreemplazable; insubstituible, insustituible.
insucesso, *s. m.* mal resultado; poco éxito; fracaso.
insuficiência, *s. f.* insuficiencia; incapacidad.
insuficiente, *adj.* 2 *gén.* insuficiente; incapaz.
insuflação, *s. f.* insuflación.
insuflador, *s. m.* insuflador.
insuflar, *v. tr.* insuflar; sugerir; insinuar.
ínsula, *s. f.* ínsula, isla.
insulano, *adj.* e *s. m.* isleño.
insular, **I.** *adj.* 2 *gén.* insular, isleño. **II.** *v. tr.* aislar.
insulina, *s. f.* insulina.
insulso, *adj.* insulso, soso, insípido.
insultador, *adj.* e *s. m.* insultador.
insultante, *adj.* 2 *gén.* insultante.
insultar, *v. tr.* insultar; injuriar; denostar.
insulto, *s. m.* insulto; ofensa; dicterio; ataque repentino; *(fig.)* bofetada.
insuperável, *adj.* 2 *gén.* insuperable; invencible.
insuportável, *adj.* 2 *gén.* insoportable; inaguantable; insufrible.

insurdescência, s. f. sordera.
insurgente, adj. e s. 2 gén. insurgente; insurrecto.
insurgir, v. tr. insurgir; sublevar.
insurreccionado, adj. insurrecto, sublevado.
insurreccional, adj. 2 gén. insurreccional.
insurreccionar, v. tr. insurreccionar; sublevar.
insurrecto, adj. e s. m. insurrecto.
insurreição, s. f. insurrección; sublevación.
insuspeitado, adj. insospechado.
insuspeito, adj. insospechado.
insustentável, adj. 2 gén. insostenible.
intáctil, adj. 2 gén. intangible.
intacto, adj. intacto; incólume; íntegro; puro.
intangibilidade, s. f. intangibilidad.
intangível, adj. 2 gén. intangible.
integérrimo, adj. integérrimo.
íntegra, s. f. íntegra, íntegro; *na íntegra*, integralmente.
integração, s. f. integración.
integral, adj. 2 gén. integral, entero, completo.
integralmente, adv. integralmente.
integramente, adv. integramente.
integrante, adj. 2 gén. integrante.
integrar, v. tr. integrar, completar; reintegrar.
integrável, adj. 2 gén. integrable.
integridade, s. f. integridad; entereza.
íntegro, adj. íntegro; recto; incorruptible; completo.
inteirar, v. tr. hacer entero; completar; enterar; informar.
inteireza, s. f. entereza; integridad.
inteiriçado, adj. aterido.
inteiriçar, v. 1. tr. hacer enterizo. 2. refl. enderezarse; aterirse.
inteiriço, adj. enterizo.
inteiro, adj. entero; completo; íntegro; intacto; integral; pleno.
intelecção, s. f. intelección.
intelectivo, adj. intelectivo; intelectual.
intelecto, s. m. intelecto; entendimiento; mente.
intelectual, adj. 2 gén. intelectual.
intelectualidade, s. f. intelectualidad.
intelectualismo, s. m. intelectualismo.
inteligência, s. f. inteligencia; entendimiento; mente.
inteligente, adj. 2 gén. inteligente.

inteligibilidade, s. f. inteligibilidad.
inteligível, adj. 2 gén. inteligible; distinto, audible, oíble.
intemerato, adj. incorruptible; íntegro; puro.
intemperado, adj. intemperado; excesivo.
intemperança, s. f. intemperancia; destemplanza.
intemperante, adj. 2 gén. intemperante.
intempérie, s. f. intemperie.
intempestivo, adj. intempestivo; inoportuno.
intemporal, adj. 2 gén. intemporal.
intenção, s. f. intención; propósito; mira; designio; deseo.
intencionado, adj. intencionado.
intencional, adj. 2 gén. intencional; intencionado.
intencionalidade, s. f. intencionalidad.
intendência, s. f. intendencia; dirección; administración.
intendente, s. m. intendente.
intender, v. tr. ejercer vigilancia; contender.
intensão, s. f. intensión; intensidad; vehemencia.
intensidade, s. f. intensidad.
intensificação, s. f. agudización, agudizamiento.
intensificar, v. tr. intensificar.
intensivo, adj. intensivo.
intenso, adj. intenso; fuerte; enérgico; ardiente.
intentar, v. tr. intentar; emprender; atentar.
intento, s. m. intento, designio; plan; plano; fin; intención; empresa.
intentona, s. f. intentona.
interacção, s. f. interacción.
interactivo, adj. interactivo.
intercadência, s. f. intercadencia; interrupción.
intercadente, adj. 2 gén. intercadente; irregular; intermitente,
intercalação, s. f. intercalación.
intercalar, I. adj. 2 gén. intercalar. II. v. tr. intercalar; interponer.
intercâmbio, s. m. intercambio.
interceder, v. intr. interceder; (fig.) abogar.
intercelular, adj. 2 gén. ANAT. intercelular.
intercepção, s. f. intercepción.
interceptar, v. tr. interceptar.

intercessão, s. f. intercesión; intervención.

intercessor, adj. e s. m. intercesor; mediador; (fig.) abogado.

intercessora, s. f. (fig.) abogada.

intercolúnio, s. m. ARQ. intercolumnio.

intercomunicação, s. f. intercomunicación.

intercomunicador, s. m. interfono.

intercontinental, adj. 2 gén. intercontinental.

intercorrência, s. f. intercurrencia.

intercorrente, adj. 2 gén. intercurrente.

intercostal, adj. 2 gén. ANAT. intercostal.

intercutâneo, adj. intercutáneo.

interdependência, s. f. interdependencia.

interdição, s. f. interdicción; entredicho.

interdigital, adj. 2 gén. interdigital.

interdito, adj. e s. m. interdicto; entredicho.

interdizer, v. tr. interdecir.

interessado, adj. interesado.

interessante, adj. 2 gén. interesante.

interessar, v. 1. tr. interesar; asociar; atraer. 2. intr. agradar; lucrar.

interesse, s. m. interés; ganancia; atención; importancia; mira; simpatía.

interesseiro, adj. e s. m. interesado; codicioso; egoísta.

interface, s. f. interfaz.

interferência, s. f. interferencia; intervención.

interferente, adj. 2 gén. interferente.

interferir, v. intr. interferir; intervenir; atravesarse; entrometerse; entremeterse; interponerse.

interfoliação, s. f. interfoliación.

interfoliar, v. tr. interfoliar; intercalar.

ínterim, s. m. ínterin.

intergovernamental, adj. 2 gén. intergubernamental.

interinidade, s. f. interinidad.

interino, adj. e s. m. interino.

interior, adj. 2 gén. interior; interno; intestino.

interioridade, s. f. interioridad.

interiorizar, v. tr. interiorizar.

interiormente, adv. interioriormente, adentro.

interjectivo, adj. interjectivo.

interjeição, s. f. interjección.

interlinear, adj. interlinear.

interlocutor, s. m. interlocutor.

interlúdio, s. m. interludio, entremés.

interlunar, adj. 2 gén. interlunar.

interlúnio, s. m. interlunio.

intermediar, v. 1. intr. intermediar. 2. tr. vd. **entremear**.

intermediário, adj. e s. m. intermediario; medianero; servir de intermediário, intermediar.

intermédio, I. adj. intermedio. II. s. m. intermedio; entreacto; interpuesto; medianero.

intermeter, v. tr. entremeter; intercalar; intr. intermediar.

interminável, adj. 2 gén. interminable; inacabable.

intérmino, adj. vd. **interminável**.

intermissão, s. f. intermisión; interrupción.

intermitência, s. f. intermitencia.

intermitente, adj. 2 gén. intermitente.

intermitir, v. intr. intermitir; interrumpir.

intermuscular, adj. 2 gén. intermuscular.

internação, s. f. internación; internamiento.

internacional, adj. 2 gén. e s. m. internacional.

internacionalidade, s. f. internacionalidad.

internacionalismo, s. m. internacionalismo.

internacionalista, adj. 2 gén. internacionalista.

internado, adj. e s. m. internado.

internamento, s. m. internamiento.

internar, v. 1. tr. internar; introducir, hacer penetrar. 2. refl. adentrarse.

internato, s. m. internado.

internista, adj. 2 gén. internista.

interno, adj. e s. m. interno; interior; intestino.

interoceânico, adj. interoceánico.

interocular, adj. 2 gén. interocular.

interósseo, adj. ANAT. interóseo.

interparietal, adj. 2 gén. ZOOL. interparietal.

interpelação, s. f. interpelación.

interpelador, adj. e s. m. vd. **interpelante**.

interpelante, adj. e s. 2 gén. interpelador; interpelante.

interpelar, v. tr. interpelar.

interplanetário, adj. interplanetario.

interpolação, s. f. interpolación.

interpolador, adj. e s. m. interpolador.

interpolar, v. tr. interpolar; alternar.

interpor, v. 1. tr. interponer; entreponer; intercalar; recurrir. 2. refl. interponerse.

interposição, s. f. interposición.
interposto, I. adj. interpuesto; intermediario. II. s. m. factoría.
interpretação, s. f. interpretación; glosa.
interpretar, v. tr. interpretar; traducir; glosar; aclarar; actuar.
interpretativo, adj. interpretativo.
intérprete, s. 2 gén. intérprete.
interregno, s. m. interregno.
inter-relacionar, v. tr. interrelacionar.
interrogação, s. f. interrogación; pregunta.
interrogador, adj. e s. m. interrogador.
interrogante, adj. e s. 2 gén. interrogante.
interrogar, v. tr. interrogar; preguntar; examinar.
interrogativo, adj. interrogativo.
interrogatório, s. m. interrogatorio.
interromper, v. tr. e intr. interrumpir; suspender; interceptar; intervenir; atajar; cortar; desconectar; discontinuar; (negociações) paralizar.
interrompido, adj. discontinuo; estancado; suspenso.
interrupção, s. f. interrupción.
interrupto, adj. interrupto; suspenso; cortado.
interruptor, s. m. interruptor; pulsador.
intersecção, s. f. intersección.
interstelar, adj. 2 gén. interstelar.
intersticial, adj. 2 gén. intersticial.
interstício, s. m. intersticio.
intertropical, adj. 2 gén. intertropical.
interurbano, adj. interurbano.
intervalar, v. tr. disponer con intervalos; alternar; espaciar.
intervalo, s. m. intervalo; entreacto; intermitencia; distancia.
intervenção, s. f. intervención; interposición.
intervencionismo, s. m. intervencionismo.
intervencionista, adj. e s. 2 gén. interventor.
interveniente, I. adj. 2 gén. interventor; medianero. II. s. m. interventor, fiador.
interventor, s. m. interventor.
interversão, s. f. desorden, trastorno.
interverter, v. tr. intervir; desordenar; poner al revés.
intervir, v. intr. intervenir; interferir; interceder, mediar.
intestado, adj. intestado.

intestinal, adj. 2 gén. intestinal.
intestino, I. s. m. intestino; (fam.) bandullo. II. adj. intestino; interno.
intimação, s. f. intimación; citación.
intimar, v. tr. intimar; citar; emplazar; notificar.
intimativa, s. f. frase o gesto enérgico; arrogancia.
intimativo, adj. imperioso; enérgico.
intimidação, s. f. intimidación.
intimidade, s. f. intimidad; (fig.) estrechura.
intimidar, v. tr. intimidar; asustar; apavoriar; amargar.
intimismo, s. m. intimismo.
intimista, adj. 2 gén. intimista.
íntimo, adj. e s. m. íntimo; intrínseco; interior, interno; entrañable; intestino.
intitulação, s. f. intitulación.
intitulamento, s. m. intitulación.
intitular, v. tr. intitular; denominar.
intolerância, s. f. intolerancia, intransigencia.
intolerante, adj. e s. 2 gén. intolerante, intransigente.
intolerantismo, s. m. intolerantismo.
intolerável, adj. 2 gén. intolerable, insoportable.
intonação, s. f. entonación.
intonso, adj. intonso; hirsuto.
intoxicação, s. f. intoxicación; atosigamiento; embriaguez.
intoxicar, v. tr. intoxicar, envenenar; atosigar; entosigar.
intradorso, s. m. ARQ. superficie interior de una bóveda o arco, intradós.
intraduzível, adj. 2 gén. intraducible.
intragável, adj. 2 gén. incomible.
intramuros, adv. intramuros.
intramuscular, adj. 2 gén. intramuscular.
intranquilo, adj. 2 gén. intransferible.
intransferível, adj. 2 gén. intransferible.
intransigência, s. f. intransigencia, intolerancia.
intransigente, adj. e s. 2 gén. intransigente, intolerante.
intransitável, adj. 2 gén. intransitable.
intransitivo, adj. intransitivo.
intransmissível, adj. 2 gén. intransmisible.
intransponível, adj. 2 gén. infranqueable.
intransportável, adj. 2 gén. intransportable.
intratável, adj. 2 gén. intratable.

intra-uterino, *adj.* intrauterino.
intravenoso, *adj.* ANAT. intravenoso.
intrepidez, *s. f.* intrepidez; valor; arrojo.
intrépido, *adj.* intrépido; osado; arrojado; denodado.
intricado, *adj.* intrincado; enredado; confuso.
intricar, *v. tr.* intrincar; enmarañar; confundir.
intriga, *s. f.* intriga; traición; enredo; chismería, chismorreo; gatuperio.
intrigalhada, *s. f.* enredos, cuentos, chismes.
intrigante, *adj. e s. 2 gén.* intrigante; chismoso.
intrigar, *v. tr.* intrigar; enredar; comadrear; embarazar; indisponer; cabildear; chismear; malmeter.
intriguista, *adj. e s. 2 gén.* intrigante; cotilla.
intrincado, *adj.* intrincado; obscuro; enmarañado.
intrincar, *v. tr.* intrincar.
intrínseco, *adj.* intrínseco.
introdução, *s. f.* introducción; prefacio; preámbulo; entrada; preludio.
introdutivo, *adj.* introductivo.
introdutor, *adj. e s. m.* introductor.
introdutório, *adj.* introdutorio.
introduzir, *v. tr.* introducir; meter; internar; importar; establecer; presentar a; entrañar.
intróito, *s. m.* introito; comienzo; introducción.
intrometer, *v.* **1.** *tr.* entremeter; introducir; intercalar. **2.** *refl.* entrometerse; entremeterse; injerirse; inmiscuirse.
intrometido, *adj.* entrometido; entremetido; atrevido.
intromissão, *s. f.* intromisión.
introspecção, *s. f.* introspección.
introspectivo, *adj.* introspectivo.
introversão, *s. f.* introversión.
introvertido, *adj.* introvertido.
intrujão, *adj. e s. m.* impostor; engañador, embustero.
intrujar, *v. tr.* entruchar; engañar; mentir.
intrujice, *s. f.* engaño, mentira; chasco; embuste; andrómina.
intrusão, *s. f.* intrusión.
intruso, *adj. e s. m.* intruso.
intuição, *s. f.* intuición; percepción clara.
intuir, *v. tr.* intuir.
intuitivo, *adj.* intuitivo.

intuito, *s. m.* intuito; intento; designio; plan; fin; mira.
intumescência, *s. f.* MED. intumescencia; entumecimiento; hinchazón, tumefacción.
intumescente, *adj. 2 gén.* intumescente; hinchado; tumefacto.
intumescer, *v. tr. e intr.* hinchar; inflamar, tumefacer; entumecer.
inturgescência, *s. f.* turgencia; hinchazón, inflamación.
inturgescente, *adj. 2 gén.* turgente; hinchado; tumefacto.
inturgescer, *v. tr. e intr.* volver o volverse turgente; hinchar; tumefacer.
inultrapassável, *adj. 2 gén.* que no se puede ultrapasar.
inumação, *s. f.* inhumación; sepelio.
inumanidade, *s. f.* inhumanidad.
inumano, *adj.* inhumano.
inumar, *v. tr.* inhumar.
inumerável, *adj. 2 gén.* innumerable.
inundação, *s. f.* inundación; anegación; anegamiento.
inundar, *v.* **1.** *tr.* inundar; anegar. **2.** *refl.* anegarse.
inundável, *adj. 2 gén.* inundable; anegable.
inusitado, *adj.* inusitado, inusado; desconocido; ajeno.
inútil, *adj. 2 gén.* inútil; vano; inane; inservivle.
inutilidade, *s. f.* inutilidad.
inutilizar, *v. tr.* inutilizar; invalidar; anular; frustar.
invadeável, *adj.* invadeable.
invadido, *adj.* invadido; infestado; plagado.
invadir, *v. tr.* invadir; conquistar; penetrar.
invaginação, *s. f.* invaginación.
invaginante, *adj. 2 gén.* que forma vaina; envolvente.
invaginar, *v. tr.* envainar.
invalidação, *s. f.* invalidación.
invalidade, *s. f.* invalidad; nulidad.
invalidar, *v. tr.* invalidar; anular.
invalidez, *s. f.* invalidez.
inválido, *adj. e s. m.* inválido; impedido; minusválido.
invariabilidade, *s. f.* invariabilidad.
invariável, *adj. 2 gén.* invariable.
invasão, *s. f.* invasión; incursión.
invasivo, *adj.* invasivo, propio de una invasión; agresivo.
invasor, *adj. e s. m.* invasor.
invectiva, *s. f.* invectiva; *(fig.)* filípica.

invectivar, v. tr. invehir, injuriar, insultar.

inveja, s. f. envidia; deseo violento; emulación; codicia.

invejar, v. tr. envidiar; codiciar; emular.

invejável, adj. 2 gén. envidiable.

invejoso, adj. e s. m. envidioso.

invenção, s. f. invención, creación; invento.

invencibilidade, s. f. invencibilidad.

invencionar, v. tr. adornar con artificios, mañas o mentiras; trapacear.

invencioneiro, adj. e s. m. invencionero, que inventa mentiras; mentiroso.

invencível, adj. 2 gén. invencible; invicto; insuperable; inexpugnable.

invendível, adj. 2 gén. invendible.

inventar, v. tr. inventar; descubrir, hallar; fantasear.

inventariar, v. tr. inventariar.

inventário, s. m. inventario.

inventiva, s. f. inventiva; imaginación.

inventivo, adj. inventivo.

invento, s. m. invento, invención.

inventor, adj. e s. m. inventor; descubridor; autor; creador.

inverificável, adj. 2 gén. que no se puede verificar.

invernada, s. f. invernada; invernadero.

invernadouro, s. m. invernáculo; invernadero.

invernal, adj. 2 gén. invernal, hibernal; invernada.

invernar, v. intr. invernar; hibernar.

inverneira, s. f. invernadero.

inverno, s. m. invierno; *pastagem de Inverno,* invernadero.

invernoso, adj. invernoso, invernal.

inverosímil, adj. 2 gén. inverosímil.

inverosimilhança, s. f. inverosimilitud.

inversão, s. f. inversión.

inverso, adj. e s. m. inverso.

invertebrado, adj. invertebrado.

inverter, v. tr. invertir.

invertido, adj. invertido.

invés, s. m. envés, revés.

investida, s. f. embestida, arremetida, acometida.

investidura, s. f. investidura; envestidura.

investigação, s. f. investigación; escandallo; examen; exploración.

investigador, adj. e s. m. investigador; excrutador.

investigar, v. tr. investigar; indagar; procurar; inquirir; perquirir; ahondar; bru-

cear; (fig.) desmenuzar; escrutar; examinar.

investigável, adj. 2 gén. investigable.

investir, v. tr. e intr. investir; conferir; embestir; atacar; acometer; (capitais) invertir.

inveterado, adj. inveterado; empedernido.

inveterar-se, v. refl. empecinarse.

inviabilidade, s. f. calidad de lo que no es viable.

inviável, adj. 2 gén. inviable.

invicto, adj. invicto; invencible.

invídia, s. f. envidia.

inviolabilidade, s. f. inviolabilidad.

inviolado, adj. inviolado.

inviolável, adj. 2 gén. inviolable.

invisibilidade, s. f. invisibilidad.

invisível, adj. 2 gén. invisible.

invisual, adj. e s. 2 gén. invidente.

invite, s. m. invite.

invocação, s. f. invocación; advocación.

invocador, adj. e s. m. invocador.

invocar, v. tr. invocar; evocar.

invocativo, adj. invocatorio.

invocatório, adj. invocatorio.

involução, s. f. involución.

invólucro s. m. BOT. involucro; forro; envoltura; continente; cobertura; funda.

involuntário, adj. involuntario.

involutivo, adj. involutivo.

invulnerabilidade, s. f. invulnerabilidad.

invulnerável, adj. 2 gén. invulnerabie.

iodado, adj. yodado.

iodar, v. tr. yodar.

iodato, s. m. QUÍM. yodato.

iodeto, s. m. QUÍM. yoduro.

iódico, adj. QUÍM. yódico.

iodídrico, adj. QUÍM. yodhídrico.

iodismo, s. m. yodismo.

iodo, s. m. QUÍM. yodo.

iodofórmio, s. m. QUÍM. yodoformo.

íon, s. m. ión.

iónico, adj. ARQ. iónico.

ionização, s. f. ionización.

ionizar, v. tr. ionizar.

ionosfera, s. f. ionosfera.

iotacismo, s. m. iotacismo.

ipeca, s. f. BOT. ipeca.

ipecacuanha, s. f. BOT. ipeca, ipecacuana.

ir, v. 1. intr. ir; caminar; andar; seguir; llevar; continuar; *ir longe de mais,* proparse. 2. refl. partir; morir, pasar.

ira, s. f. ira; furia; furor; coraje; indignación; rabia, saña.

iracúndia, s. f. iracundia; cólera; enojo.
iracundo, adj. iracundo; colérico; irascible.
irado, adj. irado; furibundo.
iraniano, adj. iraní; iranio; pérsico.
irar, v. **1.** tr. airar; indignar; encolorizar. **2.** refl. airarse, indignarse, agriarse.
irascibilidade, s. f. irascibilidad.
irascível, adj. 2 gén. irascible; iracundo; irritable; agraviado; avinagrado; enfadadizo.
iriado, adj. irisado.
iriar, v. tr. irisar.
iridescente, adj. 2 gén. irisado.
irídio, s. m. QUÍM. iridio.
íris, s. **1.** m. METEOR. iris. **2.** s. m. e f. ANAT. iris, niña de los ojos; BOT. iris.
irisação, s. f. irisación.
irisado, adj. irisado.
irisar, v. tr. irisar.
irlandês, adj. e s. m. irlandés.
irmã, s. f. hermana.
irmanado, adj. hermanado.
irmanar, v. tr. hermanar; parear; unir; emparejar; confraternar.
irmandade, s. f. hermandad; cofradía.
irmão, I. s. m. hermano; lego; *irmão converso*, converso. II. adj. igual.
ironia, s. f. ironía; vaya, zumba, chacota; sarcasmo; socarronería.
irónico, adj. irónico; sarcástico.
ironista, s. 2 gén. ironista.
ironizar, v. tr. ironizar.
iroquês, s. m. iroqués.
iroso, adj. iroso; iracundo; colérico.
irra!, interj. caramba!
irracional, adj. 2 gén. irracional.
irracionalidade, s. f. irracionalidad.
irracionável, adj. 2 gén. irracionable.
irradiação, s. f. irradiación; difusión.
irradiador, adj. e s. m. irradiador.
irradiar, v. tr. irradiar; radiar; difundir; expandir.
irreal adj. 2 gén. irreal; fantástico.
irrealidade s. f. irrealidade.
irrealismo s. m. embabiamiento.
irrealizável, adj. 2 gén. irrealizable.
irreconciliável, adj. 2 gén. irreconciliable.
irreconhecível, adj. 2 gén. irreconocible.
irrecuperável, adj. 2 gén. irrecuperable.
irrecusável, adj. 2 gén. irrecusable.
irredimível, adj. 2 gén. irredimible.
irredutível, adj. 2 gén. irreductible.
irreflectido, adj. irreflexivo; descabezado.
irreflexão, s. f. irreformable.

irreflexivo, adj. irreflexivo.
irreformável, adj. 2 gén. irreflexión; inconsideración.
irrefragável, adj. 2 gén. irrefragable; irrefutable.
irrefreável, adj. 2 gén. irrefrenable.
irrefutabilidade, s. f. calidad de lo que es irrefutable.
irrefutável, adj. 2 gén. irrefutable; irrebatible.
irregular, adj. 2 gén. irregular; anormal; desigual.
irregularidade, s. f. irregularidad.
irrelevante, adj. 2 gén. irrelevante.
irreligião, s. f. irreligión.
irreligiosidade, s. f. irreligiosidad.
irreligioso, adj. irreligioso.
irremediável, adj. 2 gén. irremediable.
irremissível, adj. 2 gén. irremisible.
irremível, adj. 2 gén. irredimible.
irremovível, adj. 2 gén. inamovible; inevitable.
irreparável, adj. 2 gén. irreparable; irrecuperable.
irreplicável, adj. 2 gén. incontestable; irreplicable.
irrepreensível, adj. 2 gén. irreprochable.
irrepressível, adj. 2 gén. irreprimível.
irreprimível, adj. 2 gén. irreprimible.
irrequieto, adj. inquieto; incesante; irriquieto; turbulento; azogado; chinchorrero; fogoso.
irresistível, adj. 2 gén. irresistible; invencible.
irresolução, s. f. irresolución; hesitación; indecisión.
irresoluto, adj. irresoluto; indeciso; indeterminado.
irresolúvel, adj. 2 gén. insoluble.
irrespirável, adj. 2 gén. irrespirable.
irrespondível, adj. 2 gén. incontestable.
irresponsabilidade, s. f. irresponsabilidad.
irresponsável, adj. 2 gén. irresponsable.
irreverência, s. f. irreverencia; desacato.
irreverencioso, adj. irreverente.
irreversível, adj. 2 gén. irreversivel.
irrevogável, adj. 2 gén. irrevocable; fatal.
irrigação, s. f. irrigación; MED. irrigación; AGR. irrigación, riego.
irrigador, adj. e s. m. irrigador; AGR. regadera.
irrigar, v. tr. irrigar; regar.
irrigável, adj. 2 gén. irrigable; regadizo.

irrisão, s. f. irrisión; escarnio.

irrisório, adj. irrisorio.

irritabilidade, s. f. irritabilidad.

irritação, s. f. irritación; embravecimiento; enfurecimiento; (fig.) azoramiento; cabreo.

irritadiço, adj. puntiloso.

irritado, adj. furioso; agriado; airado; cabreado; crespo.

irritante, adj. 2 gén. irritante; chocante; enfadoso.

irritar, v. 1. tr. irritar; airar; indignar; provocar; encolerizar; excitar; azorar; encorajinar; avinagrar; chinchar; embravecer; encalabrinar; enconar; encrespar; encrudecer; exasperar; exacerbar; agriar. 2. refl. irritarse; indignarse, airarse, agriarse; amurriarse; encorajinarse.

irritável, adj. 2 gén. irritable.

írrito, adj. írrito, nulo.

irrogação, s. f. irrogación; imposición.

irrogar, v. tr. irrogar; imponer; infligir; causar; atribuir.

irromper, v. intr. irrumpir; prorrumpir; surgir; nacer; brotar.

irrupção, s. f. irrupción.

isca, s. f. cebo, carnada, cepo; yesca; cola; señuelo.

iscar, v. tr. cebar; untar; contaminar; escarmentar.

isco, s. m. colla.

isenção, s. f. exención; inmunidad; nobleza de carácter; independencia; imparcialidad; dispensa; (de impuestos) franquicia.

isentar, v. tr. exentar; eximir; dispensar; desobligar; franquear.

isento, adj. exento; inmune; dispensado; independiente, libre.

islâmico, adj. islámico.

islamismo, s. m. islamismo, islam; mahometismo.

islamita, adj. e s. 2 gén. islamita, islámico.

islandês, adj. e s. m. islandés.

islão, s. m. islam.

islenho, adj. e s. m. isleño.

isleno, adj. e s. m. isleño.

ismaelita, s. 2 gén. ismaelita; árabe; agareno.

isóbara, s. f. isobara.

isobárica, adj. isobárica.

isobárico, adj. isobárico.

isocromático, adj. isocromático.

isocronismo, s. m. isocronismo.

isócrono, adj. isócrono.

isodáctilo, adj. isodáctilo.

isodinâmico, adj. isodinámico.

isoédrico, adj. isoédrico.

isolação, s. f. aislamiento.

isolacionismo, s. m. aislacionismo.

isolacionista, adj. e s. 2 gén. aislacionista.

isolado, adj. solo; aislado; (comunicações) incomunicado.

isolador, adj. e s. m. aislador; aislante.

isolamento, s. m. aislamento; (comunicações) incomunicación.

isolante, adj. 2 gén. aislante.

isolar, v. tr. aislar; separar; interrumpir.

isólogo, adj. QUÍM. isólogo.

isomeria, s. f. isomería.

isomérico, adj. isomérico.

isomerismo, s. m. isomerismo.

isómero, adj. isómero.

isométrico, adj. isométrico.

isomorfia, s. f. vd. **isomorfismo**.

isomorfismo, s. m. isomorfismo.

isomorfo, adj. isomorfo.

isópode, adj. ZOOL. isópodo.

isósceles, adj. 2 gén. isósceles.

isotérmico, adj. isotérmico.

isótopo, s. m. isótopo.

isqueiro, s. m. mechero, encendedor.

israelita, adj. e s. 2 gén. israelita.

israelítico, adj. israelítico.

isso, pron. dem. éso; esa cosa; ello; esos objetos.

ístmico, adj. ístmico.

istmo, s. m. istmo.

isto, pron. dem. esto, este objeto; ello; ésta o estas cosas.

italianismo, s. m. italianismo.

italianizar, v. tr. italianizar.

italiano, adj. e s. m. italiano.

itálico, adj. itálico; cursivo.

ítalo, adj. e s. m. ítalo; italiano.

iteração, s. f. iteración; repetición.

iterar, v. tr. iterar; repetir.

iterativo, adj. iterativo, reiterado; repetido.

iterável, adj. 2 gén. iterable.

itinerante, adj. 2 gén. itinerante; ambulante.

itinerário, I. adj. itinerario. II. s. m. itinerario; ruta; carrera.

ítrio, s. m. QUÍM. itrio.

Ixiáceas, s. f. pl. BOT. iridáceas.

J

já, *adv.* ya; actualmente; enseguida; inmediatamente.

jaborandi, *s. m.* jaborandi.

jaça, *s. f.* mancha.

jacarandá, *s. m.* jacaranda.

jacaré, *s. m.* ZOOL. caimán, jacaré, yacaré.

jacente, **I.** *adj. 2 gén.* yacente, que yace; ARQ. yacente. **II.** *s. m.* viga que asienta en los puentes.

jacinto, *s. m.* BOT. jacinto.

jacobinismo, *s. m.* jacobinismo.

jacobino, *adj. e s. m.* jacobino.

jactância, *s. f.* jactancia; arrogancia; vanidad.

jactancioso, *adj.* jactancioso; vanidoso, arrogante; farolero.

jactante, *adj. 2 gén.* jactancioso.

jactar-se, *v. refl.* jactarse; alabarse; ufanarse.

jacto, *s. m.* tiro; lanzamiento; salida impetuosa; golpe; chorro.

jaculação, *s. f.* acción de *jacular;* tiro; impulso.

jacular, *v. tr.* jacular; tirar; lanzar; arrojar.

jaculatória, *s. f.* jaculatoria.

jaculatório, *adj.* que lanza chorros o que viene en chorros.

jade, *s. m.* jade.

jaez, *s. m.* jaez; arreos; *(fig.)* calidad; índole; especie; laya; estofa; ralea; suerte.

jaezar, *v. tr.* vd. **ajaezar.**

jagodes, *s. m. (fam.)* hombre rudo; bajo.

jaguar, *s. m.* ZOOL. jaguar; onza, yaguar.

jalapa, *s. f.* BOT. jalapa.

jaleca, *s. f.* chaqueta.

jaleco, *s. m.* jaleco.

jalne, *adj. 2 gén.* jalde; jaldo; color de oro; gualdo.

jamaicano, *adj. e s. m.* jamaicano.

jamais, *adv.* jamás; nunca.

jamba, *s. f.* ARQ. jamba.

jambeiro, *s. m.* BOT. yambo.

jâmbico, *adj.* yámbico.

janeiras, *s. f. pl.* estrenas, aguinaldos del primero del año.

janeiro, *s. m.* enero.

janela, *s. f.* ventana.

janeleiro, *adj.* ventanero.

jangada, *s. f.* NÁUT. jangada; balsa; barca.

jangadeiro, *s. m.* arraez, patrón de una jangada.

janízaro, *s. m.* jenízaro, antiguo soldado turco.

janota, *adj. e s. m.* elegante; petimetre; dandi; figurín; peripuesto; pisaverde.

janotismo, *s. m.* éxcesivo rigor en el vestir según la moda; finura; elegancia.

jantado, *adj.* cenado.

jantar, *s. m.* cena; yantar.

jantarada, *s. f.* gran cena; merendola.

jante, *s. f.* calce.

japoneira, *s. f.* BOT. camelia.

japonês, *adj. e s. m.* japonés; nipón.

japónico, *adj.* japonense; nipón.

jaqueta, *s. f.* chaqueta.

jaquetão, *s. m.* chaquetón, chaqueta larga.

jarda, *s. f.* yarda; erial.

jardim, *s. m.* jardín; *jardim relvado,* parterre.

jardinagem, *s. f.* jardinería.

jardinar, *v. intr.* dedicarse a la jardinería; *(fam.)* pasear; girar.

jardineira, *s. f.* jardinera.

jardineiro, *s. m.* jardinero.

jarra, *s. f.* jarra.

jarrão, *s. m.* jarrón, jarra grande.

jarreta, *s. 2 gén.* viejo.

jarretar, *v. tr.* desjarretar.

jarrete, *s. m.* jarrete.

jarreteira, *s. f.* jarretera.

jarro, *s. m.* jarro; BOT. cacharro; aro.

jasmim, *s. m.* BOT. jazmín.

jasmineiro, *s. m.* BOT. jazmín.

jaspe, *s. m.* jaspe.

jaspear, *v. tr.* jaspear.

jau, *adj. e s. m.* javanés.

jaula, *s. f.* jaula; bestiario; *jaula de leões,* leonera.

javali, *s. m.* ZOOL. jabalí; cria; *filhote de javali,* jabato.

javalina, *s. f.* ZOOL. jabalina.

javanês, *adj. e s. m.* javanés.

javardo, *s. m.* ZOOL. jabalí; *(fig.)* hombre grosero.

javre, s. m. jable.

jazer, v. intr. yacer; permanecer; reposar; ser yacente (herencia).

jazida, s. f. yacija; sepultura; yacimiento.

jazigo, s. m. sepulcro.

jeito, s. m. manera; habilidad; defecto; torcedura; costumbre; sesgo; atitud.

jeitoso, adj. hábil; diestro; armonioso; gracioso; apropiado.

jejuador, adj. e s. m. ayunador.

jejuar, v. intr. ayunar.

jejum, s. m. ayuno; em jejum, en ayunas.

jejuno, I. adj. ayuno. II. s. m. ANAT. yeyuno.

jerarca, s. 2 gén. jerarca.

jerarquia, s. f. jerarquía.

jerárquico, adj. jerárquico.

jerarquizar, v. tr. jerarquizar.

jeremiada, s. f. jeremiada.

jeremiar, v. intr. lloriquear.

jerica, s. f. borrica.

jericada, s. f. borricada.

jerico, s. m. borrico; jumento.

jeroglífico, adj. jeroglífico.

jeróglifo, s. m. jeroglífico.

jeronimita, adj. e s. 2 gén. vd. **jerónimo**.

jerónimo, adj. e s. m. jerónimo, jeronimiano.

jeropiga, s. f. mosto, bebida de mosto não fermentado; arrope.

jesuíta, adj. e s. m. jesuíta.

jesuítico, adj. jesuítico.

jesuitismo, s. m. jesuitismo.

jibóia, s. f. ZOOL. boa, serpiente.

jiga, s. f. antigua danza popular, jiga, giga.

jilaba s. f. chilaba.

jingoísmo s. m. jingoísmo.

joalharia, s. f. joyería; platería.

joalheiro, s. m. joyero; lapidario.

joanete, s. m. MED. juanete.

joão-ninguém, s. m. (fam.) hombre insignificante.

joão-pestana, s. m. (fam.) sueño, acto de dormir.

jocó, s. m. ZOOL. jocó, orangután.

joco-sério, adj. jocoserio.

jocosidade, s. f. jocosidad.

jocoso, adj. jocoso; gracioso; chistoso; alegre.

joeira, s. f. cedazo, criba, harnero, zaranda.

joeirador, s. m. aventador.

joeirar, v. tr. cribar; abalear; ahechar.

joeireiro, s. m. ahechador; cribero; abaleador.

joeiro, s. m. abaleo; ahecho.

joelhada, s. f. rodillazo; rodillada.

joelheira, s. f. rodillera.

joelho, s. m. ANAT. rodilla; hinojo; de joelhos, de hinojos.

jogada, s. f. jugada; má jogada, jugarreta.

jogador, adj. e s. m. jugador.

jogar, v. tr. jugar; ejecutar; tirar; vibrar.

jogatina, s. f. (fam.) juego, vicio de jugar.

jogo, s. m. juego; partida; pasatiempo; recreación; ludibrio.

jogral, s. m. joglar; bobo; truhán; chocarrero.

jogralesco, adj. jugralesco.

jogralidade, s. f. chocarrería; truhanería.

joguete, s. m. juguete.

joguetear, v. intr. juguetear; gracejar; bromear.

jóia, s. f. joya; pl. pedrería; cobrir de jóias, enjoiar.

joio, s. m. BOT. joyo, cizaña.

jónico, adj. jónico; ARQ. jónico.

jónio, s. m. jonio.

jóquei, s. m. joquey.

jordano, adj. e s. m. jordano.

jorna, s. f. (fam.) salario diario; jornal.

jornada, s. f. jornada.

jornadear, v. intr. jornadear.

jornal, s. m. salario, jornal; periódico diario; ajustar a jornal, ajornalar.

jornaleiro, s. m. jornalero; bracero; (fam.) destripaterrones; ganapan, gañán.

jornalismo, s. m. periodismo.

jornalista, s. 2 gén. periodista.

jornalístico, adj. periodístico.

jorra, s. f. escoria de hierro; sedimento de la brea.

jorrar, v. 1. intr. chorrear; borbotar. 2. tr. hacer salir con ímpetu; arrojar; lanzar.

jorro, s. m. chorro.

joule, s. m. FÍS. joule.

jovem, I. adj. 2 gén. joven. II. s. 2 gén. joven, persona nueva.

jovial, adj. 2 gén. jovial; alegre; jocoso; festivo.

jovialidade, s. f. jovialidad; humor.

jovializar, v. tr. alegrar; ser jovial.

juba, s. f. juba.

jubado, adj. melenudo, cabelludo.

jubilação, s. f. jubilación.

jubilado, adj. jubilado; emérito.

jubilar, v. 1. tr. jubilar; llenar de júbilo; alegrar; jubilar. 2. intr. llenarse de júbilo. 3. refl. jubilarse.

jubileu, s. m. jubileo.

júbilo, s. m. júbilo: regocijo; gozo.
jubiloso, adj. jubiloso; alegre.
jucundo, adj. jocundo, jocoso, alegre.
judaico, adj. judaico.
judaísmo, s. m. judaísmo.
judaizante, adj. e s. 2 gén. judaizante.
judaizar, v. intr. judaizar.
judas, s. m. (fig.) judas, traidor.
judeu, adj. e s. m. judío; hebreo; israelita; (fig.) avaro; usurero; perverso.
judía, s. f. judía.
judiar, v. intr. judaizar; burlarse.
judiaria, s. f. judería, barrio de los judíos; (fam.) judiada; broma pesada; malos tratos.
judicativo, adj. judicativo.
judicatura, s. f. judicatura.
judicial, adj. 2 gén. judicial.
judiciário, adj. judiciario.
judicioso, adj. juicioso.
judo, s. m. judo.
judoca, s. 2 gén. judoca.
jugada, s. f. yugada.
jugal, adj. 2 gén. matrimonial; conyugal.
jugo, s. m. yugo.
jugoslavo, adj. e s. m. yugoslavo, jugoslavo.
jugular, I. adj. 2 gén. e s. f. ANAT. yugular. II. tr. yugular (una enfermedad); someter; dominar.
juiz, s. m. juez; magistrado; árbitro.
juízo, s. m. juicio; opinión; parecer; juzgado; pronóstico; dictamen; concepto; enjuiciamiento; (fig.) asiento; tino; sensatez; juízo precipitado, antojo.
jujuba, s. f. azufaifa.
julepo, s. m. julepe.
julgado, I. adj. juzgado; pensado. II. m. juzgado; judicatura.
julgador, adj. e s. m. juzgador, que juzga; juez.
julgamento, s. m. juzgamiento; enjuiciamiento.
julgar, v. tr. e intr. juzgar; sentenciar; enjuiciar; creer; entender; imaginar; cuidar; figurarse; contar.
julho, s. m. julio.
juliana, s. f. BOT. juliana.
júlio, s. m. FÍS. vd. **joule**.
jumental, adj. 2 gén. jumentil, jumental; asnal.
jumento, s. m. ZOOL. jumento, burro, asno; borrico; pollino.
junça, s. f. BOT. juncia.

juncada, s. f. juncazo, golpe dado con un junco.
juncal, s. m. juncal.
junçal, s. m. juncial.
junção, s. f. unión; confluencia; incorporación; conjunción; juntura.
juncar, v. tr. cubrir de juncos.
junco, s. m. BOT. junco; NÁUT. junco.
juncoso, adj. juncoso.
jungir, v. tr. acoyuntar; juntar; aparear; (fig.) sujetar, someter.
Junho, s. m. junio.
júnior, adj. e s. 2 gén. junior, más joven; menor.
junípero, s. m. junípero.
junqueira, s. f. BOT. juncal.
junquilho, s. m. BOT. junquillo.
junta, s. f. junta; asamblea; juntura; ANAT. junta, articulación; yunta, par de bestias de labor; conferencia de médicos.
juntar, v. 1. tr. juntar; reunir; adjuntar; ajuntar; allegar; acumular; incorporar. 2. refl. juntarse; abocarse; arrejuntarse; (fig.) arremolinarse.
junteira, s. f. juntera.
junto, adj. unido; junto; ligado; conjunto; próximo; cercano; cerca; anejo.
juntoira, s. f. vd. **juntoura**.
juntoura, s. f. ARQ. adaraja.
juntura, s. f. juntura claval; encaje.
Júpiter, s. m. ASTR. Júpiter.
jura, s. f. jura; juramento, promesa; voto.
jurado, I. adj. jurado. II. s. m. pl. jurado.
jurador, adj. e s. m. jurador.
juramentar, v. tr. juramentar; conjurar.
juramento, s. m. juramento; jura; voto.
jurar, v. tr. e intr. jurar.
jurássico, adj. jurásico.
júri, s. m. jurado; tribunal.
jurídico, adj. jurídico.
jurisconsulto, s. m. jurisconsulto, jurisperito; jurista.
jurisdição, s. f. jurisdicción; juzgado.
jurisdicional, adj. 2 gén. jurisdiccional.
jurisperito, s. m. jurisperito.
jurisprudência, s. f. jurisprudencia, jurispericia.
jurista, s. 2 gén. jurista; jurisconsulto.
juro, s. m. beneficio, interés, lucro, ganancia.
jus, s. m. derecho.
jusante, s. f. bajamar, reflujo.
justa, s. f. justa; pelea; torneo.
justador, adj. e s. m. justador, ajustador.

justalinear, adj. 2 gén. yuxtalineal.
justamente, adv. justamente.
justapor, v. tr. yuxtaponer.
justaposição, s. f. yuxtaposición.
justar, v. 1. intr. justar, pelear en las justas o lidias. 2. tr. (fam.) ajustar; asalariar.
justeza, s. f. precisión; exactitud; justeza.
justiça, s. f. justicia; derecho; razón; equidad.
justiçado, adj. e s. m. ajusticiado.
justiceiro, adj. justiciero.
justificação, s. f. justificación.
justificador, adj. e s. m. justificador.
justificante, adj. 2 gén. justificante.

justificar, v. 1. tr. justificar; disculpar; fundamentar. 2. refl. justificarse.
justificativo, adj. justificativo.
justificável, adj. 2 gén. justificable.
justilho, s. m. justillo; corsé.
justo, I. s. m. justo; hombre virtuoso; bienaventurado. **II.** adj. justo; equitativo; exacto; ajustado.
juta, s. f. BOT. yute.
juvenco, s. m. juvenco, novillo, ternero, becerro.
juvenil, adj. 2 gén. juvenil; joven, mozo.
juvenilidade, s. f. edad juvenil, juventud.
juventa, s. f. juventud, juventa.
juventude, s. f. juventud; adolescencia; (fig.) primavera.

K

kamikaze, *s. m.* kamikaze.
kantismo, *s. m.* kantismo.
kantista, *s. 2 gén.* kantista, kantiano.
karaté, *s. m.* kárate.
karateca, *s. 2 gén.* karateca.

kart, *s. m.* kart.
kilowatt, *s. m.* kilovatio; kilowatt.
kírie, *s. m.* kirie.
kremlim, *s. m.* kremlim.
kúmel, *s. m.* kumel, cúmel (aguardente).

L

la, I. *pron.* la. II. *s. m.* MÚS. la.
lá, *adv.* allá; allí.
lã, *s. f.* lana.
lábaro, *s. m.* lábaro; estandarte romano.
labelado, *adj.* en forma de labio.
labéu, *s. m.* labe; mancha; tacha; deshonra; mácula.
lábia, *s. f.* labia, afluencia, locuacidad.
labiadas, *s. f. pl.* BOT. labiadas.
labiado, *adj.* BOT. labiado.
labial, *adj. 2 gén.* labial.
lábil, *adj. 2 gén.* lábil.
lábio, *s. m.* ANAT. labio.
labiodental, *adj. 2 gén.* labiodental.
labiríntico, *adj.* laberíntico.
labirinto, *s. m.* laberinto.
labita, *s. f.* levita.
labor, *s. m.* labor; trabajo.
laboral, *adj. 2 gén.* laboral.
laborar, *v. intr.* laborar; trabajar.
laboratório, *s. m.* laboratorio.
laborável, *adj. 2 gén.* laborable.
laboriosidade, *s. f.* laboriosidad.
laborioso, *adj.* laborioso.
labregar, *v. intr.* proceder como labriego.
labrego, *adj.* e *s. m.* labriego; rústico; palurdo; campesino.
labro, *s. m.* ZOOL. labro.
labrusco, *adj.* ignorante; rucio; zopenco.
labuta, *s. f.* trabajo; labor.
labutação, *s. f.* vd. **labuta**.
labutar, *v. intr.* afanar, afanarse; trabajar.
labuzar, *v. tr.* vd. **lambuzar**.
laca, *s. f.* laca.
laçada, *s. f.* lazada, lazo.
lacaio, *s. m.* lacayo.
lacar, *v. tr.* lacar; laquear.
laçar, *v. tr.* lazar; lacear, coger; apresar; enlazar.
laçaria, *s. f.* lazo; adorno arquitectónico; florón.
laceira, *s. f.* quijera.
laceração, *s. f.* laceración.
lacerante, *adj. 2 gén.* lacerante.
lacerar, *v. tr.* lacerar; golpear; magullar.
lacete, *s. m.* lacito.
lacínia, *s. f.* BOT. lacinia.

laciniado, *adj.* que tiene lacinias, laciniado.
laço, *s. m.* lazo.
lacónico, *adj* . lacónico.
laconismo, *s. m.* laconismo.
lacrar, *v. tr.* lacrar, lacrear.
lacrau, *s. m.* ZOOL. alacrán; escorpión.
lacre, *s. m.* lacre.
lacrimação, *s. f.* lacrimación.
lacrimal, *adj. 2 gén.* lacrimal, lagrimal.
lacrimante, *adj. 2 gén.* lagrimoso.
lacrimatório, *adj.* e *s. m.* lacrimatorio.
lacrimável, *adj. 2 gén.* lacrimable.
lacrimejar, *v. intr.* lagrimear.
lacrimogéneo, *adj.* lacrimógeno.
lacrimoso, *adj.* lagrimoso, lacrimoso.
lactação, *s. f.* lactancia.
lactante, *adj. 2 gén.* lactante.
lactar, *v.* 1. *tr.* lactar, amamantar. 2. *intr.* lactar; mamar.
lactário, *adj.* e *s. m.* lactario.
lactato, *s. m.* QUÍM. lactato.
lácteo, *adj.* lácteo; láctico; lechoso.
lactescência, *s. f.* lactescencia.
lactescente, *adj. 2 gén.* lactescente.
lacticínios, *s. m. pl.* productos lácteos.
lacticinoso, *adj.* lechoso, lácteo, lactescente.
láctico, *adj.* QUÍM. láctico.
lactobutirómetro, *s. m.* lactobutirómetro.
lactodensímetro, *s. m.* lactodensímetro.
lactómetro, *s. m.* lactómetro.
lactose, *s. f.* QUÍM. lactosa.
lacuna, *s. f.* laguna; omisión; vacío; ANAT. cavidad intercelular.
lacustre, *adj. 2 gén.* lacustre.
ladainha, *s. f.* letanía.
ladeamento, *s. m.* ladeo.
ladear, *v. tr.* e *intr.* ladear; ir al lado; inclinar; *(fig.)* declinar; sofismar.
ladeira, *s. f.* ladera; declive; rampa; cuesta; pendiente; subida.
ladeirento, *adj.* en que hay laderas o declives.
ladeiro, *adj.* ladero, lateral.

ladino, I. *adj.* ladino; astuto. II. *s. m.* ladino (dialecto).

lado, *s. m.* lado; flanco; ijar; sitio; dirección; aspecto; partido.

ladra, *adj.* e *s. f.* ladrona.

ladrado, *s. m. (fam.)* ladrido.

ladrador, *adj.* e *s. m.* ladrador.

ladradura, *s. f.* ladrido; ladradura.

ladrão, *adj.* e *s. m.* ladrón; salteador; *(fig.)* chupón.

ladrar, *v. intr.* ladrar, latir.

ladrido, *s. m.* ladrido.

ladrilhador, *adj.* e *s. m.* ladrillero, enladrillador.

ladrilhar, *v. tr.* enladrillar; ladrillar.

ladrilheiro, *s. m.* ladrillero.

ladrilho, *s. m.* ladrillo.

ladro, *adj.* ladrón.

ladroagem, *s. f.* ladronería.

ladroar, *v. tr.* robar; rapiñar; ratear.

ladroeira, *s. f.* ladronería; ladronía; hurto; latrocinio; robo; ratería.

lagalhé, *s. m.* individuo insignificante, chisgarabís; mequetrefe; zascandil.

lagamar, *s. m.* pozo, hoyo; golfo; laguna de agua salada; especie de porto.

lagar, *s. m.* lagar.

lagarada, *s. f.* lagarada.

lagareiro, *s. m.* lagarero.

lagariça, *s. f.* lagarejo, lagar pequeño.

lagariço, *adj.* propio de lagar.

lagarta, *s. f.* ZOOL. oruga; lagarta; larva; *(máquina)* oruga.

lagarteira, *s. f.* lagartera.

lagarteiro, *adj.* sagaz; pícaro; taimado.

lagartixa, *s. f.* ZOOL. lagartija.

lagarto, *s. m.* ZOOL. lagarto.

lago, *s. m.* lago.

lagoa, *s. f.* laguna.

lagoeiro, *s. m.* lagunazo.

lagosta, *s. f.* ZOOL. langosta (crustáceo).

lagostim, *s. m.* ZOOL. langostino.

lágrima, *s. f.* lágrima; *pl.* llanto.

lagrimação, *s. f.* llanto.

lagrimante, *adj. 2 gén.* lacrimoso.

lagrimejar, *v. intr.* lagrimear.

lagrimoso, *adj.* lloroso; lagrimoso.

lagueiro, *s. m.* haz de lino con las raíces.

laguna, *s. f.* laguna.

lai, *s. m.* lay, poema.

laia, *s. f.* laya; reza; calidad; clase; ralea; *gente da mesma laia,* gente de la misma ralea.

laicado, *s. m.* laicado.

laical, *adj. 2 gén.* laico, laical.

laicismo, *s. m.* laicismo.

laicização, *s. f.* acción y efecto de hacer laico.

laicizar, *v. tr.* laicizar.

laico, *adj.* laico; lego; secular.

lais, *s. m.* NÁUT. extremo o punta de la verga.

laivar, *v. tr.* manchar; ensuciar; deslustrar; mancillar; macular.

laivo, *s. m.* mancha ligera; pinta; señal.

laja, *s. f.* vd. **laje.**

lájea, *s. f.* vd. **laje.**

laje, *s. f.* lancha, losa; laja.

lajeado, I. *adj.* losado; enlosado. II. *s. m.* *Brasil* río pequeño que corre por un suelo de piedra estratiforme.

lajeador, *adj.* enlosador, que tiene por oficio enlosar pisos.

lajeamento, *s. m.* enlosamiento; pavimentación.

lajear, *v. tr.* losar; solar; enlosar, cubrir el suelo de losas.

lajedo, *s. m.* losado, enlosado; solado.

lajem, *s. f.* vd. **laje.**

lajeoso, *adj.* enlosado, en que hay lajas o losas.

lala, *s. f.* designación dada a las planicies que marginan los ríos en la Guinea (Bissau); marisma.

lalação, *s. f.* balbuceo de los niños de pecho y de los que empiezan a hablar.

lalar, *v. intr.* arrullar, adormecer al niño con arrullos.

lama, *s.* **1.** *s. f.* lama, cieno; barro; lodo; limo; *(fig.)* humillación; abyección. **2.** *s. m.* ZOOL. llama; lama, sacerdote budista.

lamaçal, *s. m.* lodazal; cenagal.

lamaceira, *s. f.* vd. **lamaçal.**

lamaceiro, *s. m.* vd. **lamaçal.**

lamacento, *adj.* lodoso; cenagoso.

lambada, *s. f.* bofetada; galleta; paliza; tunda.

lambão, *adj.* e *s. m.* glotón.

lambareiro, *adj.* e *s. m.* tragón; glotón.

lambarice, *s. f.* golosina.

lambariscar, *v. intr.* golosinear, golosear.

lambaz, *adj. 2 gén.* e *s. m.* glotón; comilón; lameplatos.

lambedela, *s. f.* lamedura; lengüetada; lengüetazo.

lambedor, *adj.* e *s. m.* lamedor.

lambedura, s. f. lamedura; lengüetada; lengüetazo.

lambeiro, adj. e s. m. lamedor; glotón.

lamber, v. tr. lamer; (fig.) relamer, emperejilar.

lambido, adj. lamido.

lambiscar, v. tr. pellizcar.

lambisco, s. m. migaja; bocado; pizca; golosina.

lambisgóia, s. f. mujer intrigante; mujer coqueta.

lambisqueiro, adj. entrometido, entremetido.

lambugem, s. f. golosina; lamín; sobras de comida o bebida.

lambujar, v. intr. golosear; golosinear.

lambujeiro, s. m. golosón; lamerón; laminero; glotón.

lambuzada, s. f. cosa que ensucia; pringón; untura.

lambuzadela, s. f. lamedura; mancha; pringón.

lambuzar, v. tr. emporcar; ensuciar; pringar.

lamecha, adj. bragazas, ridículamente tierno; baboso.

lameirão, s. m. pantano grande; cenagal; lodazal.

lameiro, s. m. lamedal, cenagal; lodazal.

lamela, s. f. laminilla, lamela, pequeña lámina.

lamelação, s. f. laminación.

lamelado, adj. lamelado; laminado; lamelar.

lamelar, I. v. tr. laminar. II. adj. 2 gén. laminar, laminado.

lamelibrânquio, adj. zool. lamelibranquio.

lameliforme, adj. 2 gén. bot. lameliforme.

lamelirrostro, adj. zool. lamelirrostro.

lameloso, adj. lamelar; lamelado.

lamentação, s. f. queja; lamentación; lamento.

lamentar, v. 1. tr. lamentar; lastimar; deplorar; plañir. 2. refl. lamentarse; quejarse.

lamentável, adj. 2 gén. lamentable; doloroso.

lamento, s. m. lamentación; lamento; plañido.

lamentoso, adj. lamentoso; lamentable.

lâmina, s. f. lámina, plancha.

laminação, s. f. laminación; laminado.

laminado, adj. laminado.

laminador, s. m. laminador.

laminagem, s. f. laminación.

laminar, I. v. tr. laminar, reducir a láminas. II. adj. 2 gén. laminar, laminado.

laminária, s. f. bot. laminaria.

laminoso, adj. lamelar, laminar, laminoso.

lamiré, s. m. diapasón.

lamoja, s. f. colada en que entra agua y barro.

lamoso, adj. lodoso; lamoso; cenagoso.

lampa, s. f. variedad de higuera; seda de china.

lâmpada, s. f. lámpara, mariposa, lamparilla; candil; bombilla; farol.

lampadário, s. m. candelabro; lampadario; araña.

lampadeiro, s. m. lamparero.

lampadejar, v. intr. oscilar; centellear, coruscar.

lamparina, s. f. mariposa, lamparilla; linterna; luminaria; farol; (fam.) bofetón; *lamparina de azeite*, quinqué.

lampeiro, adj. entremetido, entrometido; listo; vivo.

lampejante, adj. 2 gén. centelleante.

lampejar, v. intr. centellear.

lampejo, s. m. centelleo.

lampianista, s. m. farolero.

lampião, s. m. farol, lampión, linterna; lámpara grande.

lampinho, adj. lampiño; imberbe.

lampreia, s. f. zool. lamprea.

lamúria, s. f. queja; lamentación; quejumbre.

lamuriante, adj. 2 gén. lamentoso; suplicante.

lamuriar, v. intr. e refl. lamentarse; quejarse.

lamuriento, adj. quejumbroso.

lana-caprina, s. f. bagatela; niñería.

lanada, s. f. art. lanada.

lanar, adj. 2 gén. lanar, lanoso, lanígero.

lança, s. f. lanza, pica (arma); lanza, timón de coche.

lança-chamas, s. m. lanzallamas.

lançada, s. f. lanzada, golpe con lanza.

lançadeira, s. f. lanzadera.

lançado, s. m. vómito, cosa vomitada.

lançador, I. adj. lanzador. II. s. m. lanzador; postor (en las subastas).

lançadura, s. f. lanzamiento.

lança-foguetes, s. m. lanzacohetes.

lança-granadas, s. m. lanzagranadas.

lançamento, s. m. lanzamiento; lanza-dura; suelta.

lança-minas, s. m. lanzaminas.

lançante, adj. lanzador, que lanza.

lançar, v. tr. lanzar; echar; proyectar; nacer; producir; derramar; vomitar; ano-tar; publicar; soltar, dar libertad; dar; exhalar; poner en voga; precipitarse.

lança-torpedos, s. m. lanzatorpedos.

lance, s. m. lance; impulso; rasgo; caso difícil; coyuntura, ocasión; golpe.

lancear, v. tr. lancear, dar lanzadas; herir con lanza.

lanceiro, s. m. lancero, lanza, soldado; panoplia; lancero, el que hace lanzas.

lanceolado, adj. BOT. lanceolado.

lanceta, s. f. CIR. lanceta; bisturí; sangra-dera; cachete, cachetero.

lancetada, s. f. lancetada.

lancetar, v. tr. CIR. sajar.

lancha, s. f. NÁUT. lancha.

lanchada, s. f. lanchada.

lanchão, s. m. NÁUT. lanchón

lanchar, v. 1. tr. merendar. 2. intr. tomar la merienda.

lanche, s. m. piscolabis; merienda.

lancheira, s. f. fiambrera.

lancil, s. m. lancha.

lancinante, adj. 2 gén. lancinante.

lancinar, v. tr. e intr. lancinar; afligir; atormentar.

lanço, s. m. lance; (leilão) puja, (muralha, parede) paño, lienzo; (escadas) tramo; extensión.

landa, s. f. landa.

lande, s. f. bellota, glande; lande.

landeira, s. f. alcornocal; alcornocoque.

landó, s. m. landó.

langor, s. m. languidez; langor.

langoroso, adj. lánguido.

langotim, s. m. taparrabo.

languescer, v. intr. languidecer.

languidez, s. f. languidez; postración.

lânguido, adj. lánguido; débil; flaco.

languir, v. intr. languidecer.

lanha, s. f. laña.

lanhar, v. tr. dar cortes en; herir, maltra-tar.

lanho, s. m. corte con instrumento cor-tante.

lanífero, adj. lanífero; lanígero.

lanifício, s. m. lanificio.

lanígero, adj. lanífero, lanígero.

lanoso, adj. lanudo, lanoso.

lantejoila, s. f. lentejuela.

lanterna, s. f. linterna; luminaria.

lanterneiro, s. m. linternero.

lanterneta, s. f. MIL. proyectil de metal lleno de metralla.

lanternim, a. m. ARQ. linterna; tragaluz, portillo, agujero para dar aire y luz.

lanudo, adj. lanudo; lanoso.

lanugem, s. f. bozo; BOT. la lanosidad.

lanuginoso, adj. lanoso.

lapa, s. f. piedra, lancha o laje grande; gruta, cueva o galería; ZOOL. lapa.

lapada, s. f. pedrada.

lapão, adj. e s. m. lapón.

laparão, s. m. lapa grande, molusco; inflamación (de ganglios y vasos linfáti-cos); tumor cutáneo, muermo.

láparo, s. m. conejo pequeño, gazapo.

laparotomia, s. f. laparatomía.

lapela, s. f. solapa; pôr lapela, solapar.

lápida, s. f. vd. **lápide**.

lapidação, s. f. lapidación.

lapidado, s. m. efecto de lapidar, lapida-ción, lapidado.

lapidador, s. m. lapidario.

lapidagem, s. f. lapidado, lapidación.

lapidar, v. tr. lapidar; apedrear; lapidar; labrar piedras preciosas; (fig.) pulir; edu-car.

lapidário, adj. e s. m. lapidario.

lápide, s. f. lápida.

lapídeo, adj. lapídeo.

lapidificação, s. f. lapidificación.

lapidificar, v. tr. petrificar; lapidificar.

lapidoso, adj. pedroso, pedregoso.

lápis, s. m. lápiz; lápis de lousa, pizarrín.

lapisada, s. f. retrato o trazo a lápiz.

lapiseira, a. f. lapicero; portaminas.

lápis-lazúli, s. m. lapislázuli.

lapónio, adj. e s. m. labriego.

lapso, s. m. lapso; lapsus; descuido; erro; falta; olvido; decurso.

lapuz, adj. e s. m. campesino, rudo, labriego.

laqueação, s. f. CIR. ligadura; laqueação das trompas, ligadura de trompas.

laquear, v. tr. CIR. ligar; vd. **lacar**, laquear, cubrir con laca.

lar, s. m. hogar; lar; la patria; la familia; lar do forno, solera.

laracha, s. f. (fam.) chascarrillo; broma; chiste.

larachista, s. 2 gén. persona aficionada a contar chascarrillos.

larada, s. f. ceniza o rescoldo de la chimenea.

laranja, s. f. naranja.

laranjada, s. f. naranjada.

laranjal, s. m. naranjal.

laranjeira, s. f. BOT. naranjo.

laranjinha, s. f. naranjada.

larapiar, v. tr. hurtar; robar; rapiñar.

larápio, s. m. ladrón; ratero.

larário, s. m. larario.

lardear, v. tr. entreverar, mechar, aves y otras viandas.

lardo, s. m. lardo.

larear, v. intr. (fam.) vaguear, vagabundear.

lareira, s. f. lar, hogar; lugar donde se enciende el fuego.

lares, s. m. pl. lares.

larga, s. f. larga; largueza; libertad; holgura; abundancia.

largar, v. tr. soltar; dejar; ceder; abandonar; largar; aflojar; desamparar.

largo, I. adj. ancho; amplio; lato; espacioso; extenso; importante; generoso; demorado; copioso. II. s. m. anchura; mar ancha o alta mar; plaza.

largueador, adj. e s. m. dilapidador, disipador.

larguear, v. tr. gastar dilapidando; prodigalizar; disipar.

largueza, s. f. anchura, largueza; (fig.) generosidad; disipación.

largura, s. f. anchura; largura; latitud.

lárias, s. f. pl. gramalleras, llares.

larica, s. f. BOT. cizaña; (fam.) hambre.

laringe, s. f. ANAT. laringe.

laríngeo, adj. laríngeo.

laringite, s. f. laringitis.

laringoscopia, s. f. MED. laringoscopia.

laringoscópio, s. m. laringoscopio.

larva, s. f. larva.

larvado, adj. larvado; maníaco.

larval, adj. 2 gén. larval, larvario.

larvar, adj. 2 gén. larval, larvario.

larvícola, adj. 2 gén. larvícola.

lasanha, s. f. lasaña.

lasca, s. f. lasca; astilla, fragmento.

lascar, v. tr. e intr. rajar; tajar; trocear; henderse; rajarse; romperse; astillarse.

lascívia, s. f. lascívia.

lascivo, adj. lascivo; libidinoso; lúbrico.

lassidão, s. f. lasitud; laxitud; cansancio.

lassitude, s. f. vd. **lassidão.**

lasso, adj. laso, cansado; lacio; flojo; gastado.

lástima, s. f. lástima; compasión; dolor.

lastimador, adj. e s. m. lastimador.

lastimar, v. tr. lastimar; lamentar; deplorar; compadecer.

lastimoso, adj. lastimoso; lastimero; doloroso; plañidero.

lastração, s. f. lastraje.

lastrador, adj. e s. m. lastrador.

lastrar, v. tr. lastrar.

lastro, s. m. NÁUT. lastre; (fam.) aperitivo; piscolabis.

lata, s. f. lata, hoja de lata; lata, bote de lata.

latada, s. f. glorieta; emparrado; enramada.

latagão, s. m. hombretón, hombre muy alto y fuerte, gigante.

latão, s. m. QUÍM. latón.

lategada, s. f. latigazo.

látego, s. m. látigo, azote largo; tralla; zurriago; castigo.

lateiro, adj. (fam.) patatero.

latejante, adj. 2 gén. palpitante.

latejar, v. intr. palpitar; pulsar; latir.

latejo, s. m. palpitación; pulsación; latido.

latente, adj. 2 gén. latente; disimulado.

lateral, adj. 2 gén. lateral.

látex, s. m. BOT. látex.

latíbulo, s. m. escondrijo; cueva, madriguera.

laticífero, adj. laticífero.

laticlavo, s. m. laticlavia; laticlavo.

latido, s. m. latido; ladrido (del perro).

latifundiário, adj. e s. m. latifundista.

latifúndio, s. m. latifundio.

latim, s. m. latín.

latinidade, s. f. latinidad.

latinismo, s. m. latinismo.

latinista, s. 2 gén. latinista.

latinização, s. f. latinización.

latinizante, adj. 2 gén. latinizante.

latinizar, v. tr. latinizar.

latino, adj. e s. m. latino.

latino-americano, adj. e s. m. latinoamericano.

latinório, s. m. latinajo.

latir, v. intr. latir, ladrar (el perro); latir (el corazón, las arterias); palpitar.

latitude, s. f. latitud.

latitudinal, *adj.* 2 *gén.* latitudinal.
lato, *adj.* lato; dilatado, amplio, extenso.
latoaria, *s. f.* hojalatería.
latoeiro, *s. m.* hojalatero.
latria, *s. f.* latría; adoración.
latrina, *s. f.* letrina, retrete; cloaca.
latrinário, *adj.* (*fig.*) sórdido; inmundo.
latrocinar, *v. tr.* robar; latrocinar.
latrocínio, *s. m.* latrocinio.
lauda, *s. f.* página; plana.
laudanizar, *v. tr.* preparar con láudano;
adormecer.
láudano, *s. m.* láudano.
laudatício, *adj.* laudatorio.
laudatório, *adj.* laudatorio.
laudável, *adj.* 2 *gén.* laudable, loable.
laudémio, *s. m.* laudemio.
laudes, *s. f. pl.* laudes.
laudo, *s. m.* laudo.
Lauráceas, *s. f. pl.* BOT. lauráceas.
láurea, *s. f.* láurea, corona de laurel.
laureado, *adj.* laureado.
laurear, *v. tr.* laurear.
laurel, *s. m.* láurea, premio; galardón;
homenaje.
láureo, *adj.* digno de honor; láureo.
lauréola, *s. f.* auréola; lauréola; láurea.
lauríneas, *s. f. pl.* vd. **Lauráceas.**
lauto, *adj.* lauto, espléndido; opulento,
abundante; opíparo.
lava, *s. f.* lava; llama, fuego.
lavabo, *s. m.* lavabo, lavamanos; lavatorio.
lavação, *s. f.* lavación.
lavadeira, *s. f.* lavandera.
lavadela, *s. f.* lavado.
lavador, *adj. e s. m.* lavador; *lavador de
carros,* lavacoches.
lavadouro, *s. m.* lavadero.
lavadura, *s. f.* lavadura.
lavagante, *s. m.* ZOOL. bogavante.
lavagem, *s. f.* lavada; lavado; lavativa;
locion; *lavagem à pressa,* lavoteo.
lava-louça, *s. m.* lavaplatos.
lavanco, *s. m.* ZOOL. lavanco.
lavanda, *s. f.* lavanda.
lavandaria, *s. f.* lavandería; lavadero.
lavandeira, *s. f.* lavandera.
lavandisca, *s. f.* ZOOL. aguzanieves, lavandera.
lava-pés, *s. m.* lavatorio, ceremonia de
jueves santo.
lavar, *v. tr.* lavar; bañar; regar; enjuagar;
máquina de lavar, lavadora; *lavar à pressa,*
lavotear.

lavareda, *s. f.* llamarada; ardor.
lavatório, *s. m.* lavabo; lavamanos; lavatorio.
lavável, *adj.* 2 *gén.* lavable.
laverca, *s. f.* ZOOL. calandria, alondra.
lavor, *s. m.* labor, trabajo.
lavoura, *s. f.* labranza; agricultura.
lavra, *s. f.* arada, aradura; lavranza; labor.
lavradeira, *s. f.* labradora, campesina.
lavradio, *adj.* labrantío.
lavrado, I. *adj.* labrado. II. *s. m.* labrado.
lavrador, *s. m.* labrador; agricultor; campesino.
lavragem, *s. f.* labranza.
lavrante, *adj. e s.* 2 *gén.* artífice que trabaja en oro y plata; platero, joyero.
lavrar, *v. tr.* arar (la tierra); labrar; cincelar, bordar; cultivar; preparar maderas;
redactar, actas o sentencias.
laxação, *s. f.* laxación, laxitud.
laxante, I. *adj.* 2 *gén.* laxante, laxativo. II.
s. m. laxante, laxativo.
laxar, *v. tr.* laxar; alojar.
laxativo, *adj. e s.* 2 *gén.* laxativo; laxante.
laxidão, *s. m.* laxitud, lasitud.
laxo, *adj.* laxo, flojo; laso.
lazão, *s. m.* alazán, alazano.
lazarento, *adj.* lazariento, gafo, gafoso,
leproso; hambriento, famélico.
lazareto, *s. m.* lazareto, leprosería.
lazarista, *s.* 2 *gén.* lazarista.
lázaro, *s. m.* lázaro, leproso, gafoso.
lazeira, *s. f.* miseria; desgracia; hambre;
indolencia.
lazer, *s. m.* ocio; desgana; pereza.
lãzudo, *adj.* lanudo; (*fig.*) rústico;
palurdo; tosco.
lazulita, *s. f.* vd. **lazulite.**
lazulite, *s. f.* lapislázuli.
leal, *adj.* 2 *gén.* leal; fiel; sincero; probo.
lealdade, *s. f.* lealtad.
lealismo, *s. m.* lealtad.
leão, *s. m.* ZOOL. león; *jaula de leões,* leonera.
lebracho, *s. m.* lebrato, liebre macho
joven.
lebrada, *s. f.* (*fam.*) lebrada, guiso de liebre.
lebrão, *s. m.* lebrón, liebre macho.
lebre, *s. f.* ZOOL. liebre.
lebreiro, *adj.* lebrero, dícese del perro
que caza liebres; galgo.
lebrel, *s. m.* lebrel.

lebréu, *s. m.* lebrel.
leccionador, *s. m.* leccionista.
leccionando, *s. m.* alumno; discípulo.
leccionar, *v. tr.* aleccionar, dar lección; enseñar; explicar.
leccionista, *s. 2 gén.* leccionista.
lecitina, *s. f.* QUÍM. lecitina.
lectivo, *adj.* lectivo.
ledice, *s. f.* alegría, placer.
ledo, *adj.* ledo; risueño, alegre.
ledor, *adj. e s. m.* lector.
legação, *s. f.* legación.
legacia, *s. f.* legacía.
legado, *s. m.* legado; embajador; nuncio pontificio; legado; dádiva.
legal, *adj. 2 gén.* legal.
legalidade, *s. f.* legalidad; licitud.
legalista, *adj. e s. 2 gén.* legalista.
legalização, *s. f.* legalización.
legalizar, *v. tr.* legalizar.
legar, *v. tr.* legar; dejar legado:
legatário, *s. m.* legatario.
legenda, *s. f.* leyenda.
legendário, *adj.* legendario.
legião, *s. f.* legión.
legibilidade, *s. f.* legibilidade.
legionário, *adj. e s. m.* legionario.
legislação, *s. f.* legislación.
legislador, *adj. e s. m.* legislador.
legislar, *v. tr. e intr.* legislar.
legislativo, *adj.* legislativo.
legislatura, *s. f.* legislatura.
legista, *s. 2 gén.* legista; jurisconsulto.
legítima, *s. f.* legítima.
legitimação, *s. f.* legitimación.
legitimador, *adj. e s. m.* legitimador.
legitimar, *v. tr.* legitimar; legalizar.
legitimidade, *s. f.* legitimidad.
legitimista, *adj. 2 gén.* legitimista.
legítimo, *adj.* legítimo; auténtico; genuíno; legal.
legível, *adj. 2 gén.* legible; leíble.
legra, *s. f. (cir.)* legra.
légua, *s. f.* legua.
legume, *s. m.* legumbre, hortaliza, habichuela.
legumeiro, *adj.* que tiene legumbres.
legumina, *s. f.* legúmina, caseína vegetal.
leguminosas, *s. f. pl.* BOT. leguminosas.
leguminoso, *adj.* leguminoso.
lei, *s. f.* ley.
leigal, *adj. 2 gén.* laical.

leigo, *adj. e s. m.* lego, laico, secular; *(fig.)* lego; ignorante.
leiguice, *s. f.* majadería; ignorancia.
leilão, *s. m.* almoneda; puja; subasta; remate.
leiloamento, *s. m.* subastación, subasta.
leiloar, *v. tr.* almonedear; almonedar; subastar.
leiloeiro, *s. m.* subastador; pregonero.
leira, *s. f.* cuadro, de jardín; caballón, lomo de tierra que queda entre surco y surco.
leirão, *s. m.* caballón grande; era grande.
leitão, *s. m.* lechón.
leitaria, *s. f.* lechería.
leite, *s. m.* leche.
leiteira, *s. f.* lechera, vendedora de leche; lechera, vasija.
leiteiro, *adj. e s. m.* lechero.
leito, *s. m.* lecho; *(de águas pluviais)* rambla.
leitoa, *s. f.* lechona.
leitoada, *s. f.* comida hecha con lechón; tostón; cria, lechigada.
leitor, *adj. e s. m.* lector.
leitorado, *s. m.* lectorado.
leitoso, *adj.* lechoso; lácteo.
leituga, *s. f.* BOT. lechuga.
leitura, *s. f.* lectura; lección; leída.
leiva, *s. f.* surco, del arado; caballón, lomo de tierra entre surco y surco.
leixão, *s. m.* laja, roca en la costa marítima; islote, isla pequeña.
lema, *s. m.* lema; sentencia; precepto escrito.
lembradiço, *adj.* que tiene buena memoria.
lembrança, *s. f.* recordación; recuerdo; membrete; memoria; idea; brindis, regalo; *pl.* recuerdos; saludos.
lembrar, *v. tr.* acordar; conmemorar; celebrar; sugerir; amonestar.
lembrete, *s. m.* cuaderno de apuntes; *(fam.)* reprimenda.
leme, *s. m.* timón; gobierno, dirección.
lémure, *s. m.* ZOOL. lémur.
lémures, *s. m. pl.* lémures, genios maléficos.
lençaria, *s. f.* pañolería.
lenço *s. m.* pañuelo; lienzo; *lenço do pescoço,* pañoleta.
lençol, *s. m.* sábana.
lenda, *s. f.* leyenda; mentira; fantasta.
lendário, *adj.* legendario, leyendario.
lêndea, *s. f.* liendre.
lendeaço, *s. m.* lendrero.

lendeoso, *adj.* lendroso.
lengalenga, *s. f.* soniquete; sonsonete.
lenha, *s. f.* leña; *depósito de lenha, casa da lenha,* leñera.
lenhador, *s. m.* leñador.
lenhar, *v. intr.* cortar o hacer leña.
lenheiro, *s. m.* leñador, leñatero.
lenhificar, *v. tr.* leñificar.
lenhite, *s. f.* lignito.
lenho, *s. m.* leño; madero.
lenhoso, *adj.* leñoso.
lenidade, *s. f.* suavidad; lenidad.
lenificar, *v. tr.* suavizar; lenificar; mitigar.
lenimento, *s. m.* lenimento; lenimiento.
lenir, *v. tr.* suavizar; ablandar; mitigar; lenificar.
lenitivo, *adj.* e *s. m.* lenitivo.
lenocínio, *s. m.* lenocinio; alcahutería.
lentar, *v. tr.* e *intr.* tornar o tornarse lento; demorar; tardar; humedecer; ablandar.
lente, *s. m.* e *f.* lente; objetivo; *lente de contacto,* lentilla; lente de contacto.
lenteiro, *s. m.* cenagal; pantano; paúl.
lentejoula, *s. f.* lentejuela; abalorio.
lentescente, *adj.* húmedo; pegajoso; lento; tardo.
lentícula, *s. f.* lentezuela.
lenticular, *adj.* 2 *gén.* lenticular.
lentidão, *s. f.* tardanza; lentitud; humedad leve.
lentiforme, *adj.* 2 *gén.* lentiforme; lenticular.
lentigem, *s. f.* pigmentación de la piel.
lentilha, *s. f.* BOT. lenteja.
lentiscal, *s. m.* charnecal; lentiscar.
lentisco, *s. m.* BOT. lentisco.
lentisqueira, *s. f.* lentiscal.
lento, *adj.* lento, demorado; pausado; perezoso; viscoso; pegajoso.
lentor, *s. m.* humedad ligera; relente; rocío.
lentura, *s. f.* rocío, relente; lentura.
leoa, *s. f.* leona.
leonado, *adj.* leonado.
leoneira, *s. f.* leonera, caverna de leones; jaula para leones.
leonês, *adj.* e *s. m.* leonés.
leonino, *adj.* leonino.
leopardo, *s. m.* ZOOL. leopardo.
lépido, *adj.* risueño; jocoso; alegre; jovial; ágil; listo.
lepidópteros, *s. m. pl.* ZOOL. lepidópteros.
leporídeos, *adj.* leporino.
lepra, *s. f.* lepra.
leprosaria, *s. f.* leprosería; lazareto.
leproso, *adj.* e *s. m.* leproso.

leque, *s. m.* ZOOL. venera; abanico; abanador.
ler, *v. tr.* leer.
lerca, *s. f.* escuerzo, vaca o mujer muy delgada.
lerdaço, *adj.* estúpido, necio.
lerdice, *s. f.* tontería; estupidez.
lerdo, *adj.* lerdo, culero; abúlico, lento; estúpido.
léria, *s. f.* palabrería; broma; maña, labia, coba, mentira; patraña.
lesador, *adj.* e *s. m.* lesador.
lesão, *s. f.* lesión; contusión; daño.
lesar, *v. tr.* lesionar; molestar, confundir, herir.
lesbiano, *adj.* vd. **lésbico.**
lesbiana, *s. f.* lesbiana.
lesbianismo, *s. m.* lesbianismo.
lésbica, *s. f.* lesbiana.
lésbico, *adj.* lésbico, lesbiano.
lesionar, *v. tr.* lesionar; herir.
lesivo, *adj.* lesivo.
lesma, *s. f.* ZOOL. lesma, limaza, babosa; (fig.) pelma, pelmazo.
lés-nordeste, *s. m.* lesnordeste.
leso, *adj.* lisiado, paralítico; contuso; perjudicado.
lés-sueste, *s. m.* lesudeste.
leste, *s. m.* leste, este, naciente, levante, oriente.
lesto, *adj.* ligero; ágil; rápido; listo; activo.
letal, *adj.* 2 *gén.* letal; mortal; fúnebre.
letalidade, *s. f.* letalidad.
letão, *s. m.* letón.
letargia, *s. f.* letargo; abulia.
letárgico, *adj.* letárgico.
letargo, *s. m.* letargo.
letífero, *adj.* mortífero, letal.
letificante, *adj.* 2 *gén.* letificante; jubiloso; alegre.
letificar, *v. tr.* letificar, alegrar.
letífico, *adj.* letífico; letal, mortal.
letra, *s. f.* letra; MÚS. letra; *pl.* LIT. letras.
letrado, *adj.* e *s. m.* letrado; erudito; literato.
letreiro, *s. m.* letrero; inscripción; rótulo.
letria, *s. f.* aletría, fideos.
leucemia, *s. f.* MED. leucemia.
leucina, *s. f.* leucina.
leucócito, *s. m.* leucocito.
leucoma, *s. m.* leucoma.
leucorreia, *s. f.* MED. leucorrea.
léva, *s. f.* leva; grupo; conducción de presos o militares.

levada, s. f. corriente de agua para regar o para mover molinos.

levadia, s. f. ola alta.

levadiço, adj. levadizo.

levado, adj. transportado; llevado; conducido.

levador, adj. e s. m. conductor.

levantadiço, adj. indisciplinado; descuidado; liviano.

levantado, adj. de cabeza ligera, calavera; juerguista; rebelde; noble, sublime (estilo).

levantador, adj. e s. m. levantador; elevador.

levantamento, s. m. levantamiento; MIL. pronunciamiento; sublevación; sublevamiento.

levantar, v. **1.** tr. levantar; erguir; subir; alzar; armar; montar; exaltar; excitar; llamar a las armas; erigir; sacar de la cama; cobrar; inventar; suscitar; ahuyentar la caza. **2.** intr. erguir; alzar; armar; montar; dejar de llover. **3.** refl. salir de la cama.

levante, s. m. levante, naciente, este, leste, oriente.

levantino, adj. e s. m. levantino.

levar, v. tr. llevar; portar; transportar consigo; retirar; separar; aproximar; inducir; guiar; pasar la vida, el tiempo; seguir rumbo o camino; intr. (fam.) llevar una paliza; ser castigado.

leve, adj. 2 gén. leve; ágil; ligero; blando; sencillo; aliviado; tenue; sutil; liviano.

levedar, v. tr. e intr. leudar; levedar, fermentar.

lêvedo, adj. leudo; fermentado.

levedura, s. f. levadura.

leveiro, adj. leve, poco pesado.

leveza, s. f. levedad.

leviandade, s. f. liviandad; imprudencia; levedad.

leviano, adj. liviano; imprudente; precipitado; inconstante.

levigação, s. f. levigación.

levigar, v. tr. levigar.

levita, s. m. levita.

levitação, s. f. levitación.

levitar, v. intr. levitar.

levítico, adj. levítico.

levulose, s. f. levulosa.

lexema, s. m. lexema.

lexical, adj. 2 gén. léxico, léxicon.

léxico, s. m. léxico.

lexicografia, s. f. lexicografía.

lexicográfico, adj. lexicográfico.

lexicógrafo s. m. lexicógrafo.

lexicologia, s. f. lexicología.

lexicológico, adj. lexicológico.

lexicólogo, s. m. lexicólogo.

lezíria, s. f. tierra llana o alagadiza en las márgenes de un río.

lhama, s. f. tela de hilo de plata o de oro.

lhanamente, adv. llanamente, de modo llano; afablemente.

lhaneza, s. f. llaneza; sinceridad, franqueza.

lhano, adj. llano, sincero, amable.

lhanura, s. f. llaneza; llanura; planicie; plana.

lhe, pron. pess. a él; a ella; a sí; le.

lho, contr. de los pron. pess. **lhe** más **o:** lo.

lia, s. f. lia; borras; heces, sedimentos.

liaça, s. f. liaza, haz de paja.

liação, s. f. liamiento, liadura.

liame, s. m. lazo, conexión.

liana, s. f. liana.

liança, s. f. atadura, ligadura.

liar, v. tr. ligar, liar, atar con cuerdas o lías.

lias, s. m. GEOL. lías, iiásico.

libação, s. f. libación.

libanês, adj. e s. m. libanés.

libar, v. tr. e intr. libar; beber; sorber; chupar; succionar.

libata, s. f. vd. **senzala.**

libelinha, s. f. ZOOL. libélula.

libelista, s. 2 gén. libelista.

libelo, s. m. libelo.

libélula, s. f. ZOOL. libélula.

líber, s. m. BOT. líber.

liberação, s. f. liberación.

liberal, adj. e s. 2 gén. liberal; franco; generoso; largo.

liberalidade, s. f. liberalidad.

liberalismo, s. m. liberalismo.

liberalista, adj. s. 2 gén. liberalista.

liberalização, s. f. liberalización.

liberalizar, v. tr. liberalizar.

liberar, v. tr. liberar; libertar; eximir.

liberativo, adj. liberativo.

liberatório, adj. liberatorio.

liberdade, s. f. libertad; tolerancia; suelta; (fig.) osadía; franqueza.

liberino, adj. liberiano.

libério, adj. e s. m. liberiano.

libérrimo, adj. libérrimo.

libertação, s. f. liberación.

libertador, adj. e s. m. libertador.

libertar, v. tr. libertar; liberar; desobligar; aliviar; soltar; desembarazar.

libertário, adj. libertario.

liberticida, s. 2 gén. liticida.

libertinagem, s. f. libertinaje.

libertino, adj. libertino; profano.

liberto, s. m. liberto.

líbico, adj. libio.

libidinoso, adj. libidinoso; lascivo.

libido, s. f. libido, líbido.

líbio, adj. e s. m. libio.

líbito, s. m. arbitrio; albedrío.

libra, s. f. libra (moneda de oro).

libração, s. f. oscilación; movimiento oscilatorio.

librar, v. tr. equilibrar; suspender; fundar.

libratório, adj. oscilatorio; equilibrado, suspenso.

libré, s. f. librea.

libretista, s. 2 gén. MÚS. libretista.

libreto, s. m. MÚS. libreto.

liça, s. f. liza; lucha; combate.

licanço, s. m. ZOOL. cobra.

lição, s. f. lección; lectura; ejemplo; rapapolvo, reprimenda.

licença, s. f. permiso; pase; licencia; vida disoluta; facultad; aprobación; abuso de libertad.

licenciado, adj. e s. m. licenciado.

licenciamento, s. m. licenciamiento.

licenciar, v. tr. licenciar.

licenciatura, s. f. licenciatura.

licenciosidade, s. f. licenciosidad; libertinaje.

licencioso, adj. licencioso.

liceu, s. m. liceo.

licitação, s. f. licitación; almoneda; subasta.

licitador, adj. e s. m. licitador; postor.

licitar, v. tr. licitar; pujar.

lícito, adj. lícito.

licitude, s. f. licitud; legalidad.

licopódio, s. m. BOT. licopodio.

licor, s. m. licor.

licoreira, s. f. licorera.

licoreiro, s. m. licorera.

licorista, s. 2 gén. licorista.

licorne, s. m. licornio; unicórnio.

licoroso, adj. licoroso.

lictor, s. m. lictor.

lida, s. f. lidia; lid; faena; trabajo; fatiga; trajín; afán.

lidador, adj. e s. m. lidiador; luchador.

lidar, v. 1. tr. lidiar; torear. 2. intr. laborar, trabajar, luchar.

lide, s. f. lid; lidia; lucha.

líder, s. m. lider.

liderar, v. tr. liderar.

lidimar, v. intr. legitimar.

lídimo, adj. legítimo; auténtico.

lídio, adj. e s. m. lidio.

lido, adj. leído; sabedor; erudito.

liga, s. f. liga, ligamiento; ligazón; ligue; alianza, unión, pacto; mezcla; liga, cinta elástica.

ligação, s. f. ligación; unión; nexo; mezcla.

ligadura, s. f. ligadura.

ligamento, s. m. ligamento, ligamiento, ligación.

ligamentoso, adj. ligamentoso.

ligar, v. tr. ligar; unir; juntar; prender; pegar, atar; liar; fijar; vincular; cimentar; mezclar.

ligeiramente, adv. someramente.

ligeireza, s. f. ligereza; presteza; levedad; (fig.) liviandad.

ligeiro, adj. ligero; ágil; delgado; sutil; leve; rápido, superficial; somero; liviano.

lígneo, adj. lignario, leñoso.

lignite, s. f. lignito.

lignito, s. m. lignito.

ligueiro, s. m. liguero.

lígula, s. f. BOT. lígula.

ligulado, adj. ligulado.

lígures, s. m. pl. ligures, ligurinos.

lilás, s. m. BOT. lila.

Liliáceas, s. f. pl. BOT. liliáceas.

liliputiano, adj. liliputiense.

lima, s. f. (ferramenta) lima; BOT. lima.

limador, adj. e s. m. limador.

limadura, s. f. limadura.

limagem, s. f. limadura.

limalha, s. f. limalla.

limão, s. m. limón.

limar, v. tr. limar; (fig.) sutilizar.

limbo, s. m. limbo; orla, reborde; BOT. limbo.

limeira, s. f. BOT. limero.

limiar, s. m. limiar, solera de puerta; lindar, umbral; (fig.) entrada; comienzo.

liminar, s. 1. m. vd. **limiar**. 2. adj. preliminar.

limitação, s. f. limitación.

limitar, v. 1. tr. limitar; moderar; designar; fijar; marcar, confinar. 2. refl. ceñirse.

limitativo, *adj.* limitativo.
limite, *s. m.* límite; raya; linde; señal; meta; confín; orilla.
limítrofe, *adj.* 2 *gén.* limítrofe; lindante; lindero; rayano; *ser limítrofe*, lindo; rayar.
limo, *s. m.* BOT. lama, alga filamentosa; lama, verdín; limo, lama.
limoal, *s. m.* limonar.
limoeiro, *s. m.* BOT. limonero.
limonada, *s. f.* limonada.
limonadeiro, *s. m.* fabricante o vendedor de limonadas.
limonete, *s. m.* BOT. hierba luisa.
limonite, *s. f.* MIN. limonita.
limoso, *adj.* limoso; lodoso.
limpa, *s. f.* limpia; limpieza.
limpa-botas, *s. m.* limpiabotas.
limpadela, *s. f.* limpiada.
limpador, *adj. e s. m.* limpiador.
limpadura, *s. f.* limpieza; limpiadura; limpia.
limpamento, *s. m.* limpiamiento, limpia, limpieza.
limpa-neves, *s. m.* quitanieves.
limpa-pára-brisas, *s. m.* limpiaparabrisas.
limpar, *v. tr.* limpiar; purificar; purgar; pulir; vaciar; matar.
limpa-vidros, *s. m.* limpiacristales.
limpeza, *s. f.* limpieza; pureza; perfección; esmero.
limpidez, *s. f.* limpidez.
límpido, *adj.* límpido, nítido; neto; sereno.
limpo, *adj.* limpio, aseado; ordenado; escogido; puro; claro; líquido, neto.
Lináceas, *s. f. pl.* BOT. lináceas.
lináceo, *adj.* lináceo.
lince, *s. m.* ZOOL. lince.
linchamento, *s. m.* linchamiento.
linchar, *v. tr.* linchar.
linda, *s. f.* linde.
lindar, *v. tr.* lindar; limitar.
lindeira, *s. f.* dintel.
lindeiro, *adj.* lindero; limítrofe.
lindeza, *s. f.* lindeza; hermosura, belleza.
lindo, *adj.* lindo; bello, hermoso, gentil.
lineal, *adj.* 2 *gén.* lineal.
lineamento, *s. m.* lineamiento, lineamento.
linear, *adj.* 2 *gén.* linear.
linfa, *s. f.* linfa.
linfático, *adj.* linfático.
linfatismo, *s. m.* MED. linfatismo.
lingote, *s. m.* lingote.

língua, *s. f.* ANAT. lengua; lenguaje; idioma.
linguado, *s. m.* ZOOL. lenguado.
linguagem, *s. f.* lenguaje.
lingual, *adj.* 2 *gén.* lingual.
linguaraz, *adj. e s.* 2 *gén.* lenguaraz; indiscreto; maldiciente.
linguareiro, *adj. e s. m.* hablador; chocarrero; lenguaraz; parlanchín.
linguarejar, *v. intr.* charlar, parlar, dar a la lengua.
linguarudo, *adj. e s. m.* vd. **linguareiro**.
lingueta, *s. f.* lengüeta.
linguiça, *s. f.* longaniza.
linguiforme, *adj.* 2 *gén.* lingüiforme.
linguista, *s.* 2 *gén.* lingüista.
linguística, *s. f.* lingüística.
linguístico, *adj.* lingüístico.
linha, *s. f.* línea; hilo; hilo de pesca; fila; límite; señal; (*fig.*) norma; poder; carretera; trazo; *linha aérea*, aerolínea.
linhaça, *s. f.* linaza.
linhagem, *s. f.* tejido grueso de lino; linaje; genealogía; (*fig.*) sangre; estirpe.
linhagista, *s.* 2 *gén.* linajista.
linheiro, *s. m.* aquél que negocia en lino o en hilos.
linho, *s. m.* BOT. lino.
linhol, *s. m.* bramante.
linifício, *s. m.* linificio.
linimento, *s. m.* MED. linimento.
linóleo, *s. m.* linóleo.
linotipia, *s. f.* linotipia.
linotipista, *s.* 2 *gén.* linotipista.
linótipo, *s. m.* linotipo.
lintel, *s. m.* ARQ. lintel, dintel.
lio, *s. m.* lío; hatillo; haz; fardo; (*fig.*) embrollo.
liofilizado, *adj.* liofilizado.
lioz, *s. m.* designación de la piedra calcárea dura, blanca.
lipes, *adj.* lipes, designativo de la piedra lipes.
lipóide, *adj.* 2 *gén.* lipoideo.
lipoma, *s. m.* MED. lipoma.
liquação, *s. f.* licuación; licuefacción, licuación.
liquefacção, *s. f.* liquefacción.
liquefazer, *v. tr.* licuar; liquidar.
líquen, *s. m.* BOT. liquen.
liquescer, *v. intr.* licuescer.
liquidação, *s. f.* liquidación; saldo.
liquidador, *adj. e s. m.* liquidador.
liquidar, *v.* 1. *tr.* liquidar; saldar; pagar; vender a precio reducido; matar. 2. *intr.* acabar.

liquidatário, *adj.* e s. *m.* vd. **liquidador.**
liquidável, *adj. 2 gén.* liquidable.
liquidez, s. *f.* liquidez.
liquidificação, s. *f.* vd. **liquefacção.**
liquidificar, *v. tr.* vd. **liquefazer.**
liquidificável, *adj. 2 gén.* liquidificable.
líquido, I. s. *m.* líquido; bebida. II. *adj.*
líquido; neto.
lira, s. *f.* MÚS. lira; ASTR. lira; *(moeda)* lira.
lírica, s. *f.* lírica.
lírico, *adj.* e s. *m.* lírico.
lírio, s. *m.* BOT. lirio; lis.
lirismo, s. *m.* lirismo.
liró, *adj. (fam.)* elegante, currutaco.
lis, s. BOT. lirio, lis.
lisboeta, *adj.* e s. *2 gén.* lisbonense, lisbonés; lisboeta.
lisbonense, *adj.* e s. *2 gén.* vd. **lisboeta.**
liso, *adj.* liso; pelado; lacio; plano; *(fig.)* franco; honesto.
lisonja, s. *f.* lisonja; adulación; mimo.
lisonjaria, s. *f.* lisonjería; lisonja.
lisonjeador, *adj.* lisonjero.
lisonjear, *v. tr.* lisonjear, adular.
lisonjeiro, *adj.* lisonjero; halagador.
lista, s. *f.* lista; relación; rol; menú; catálogo; nómina; detalle; inventario; línea, raya, trazo.
listado, I. *adj.* listado. II. s. *m.* listón.
listão, s. *m.* listón, vara larga; raya ancha; faja; regla de carpintero.
listel, s. *m.* listel; listón; filete.
listra, s. *f.* lista.
listrado, *adj.* listado.
listrão, s. *m.* listón.
listrar, *v. tr.* rayar; listar.
lisura, s. *f.* lisura; *(fig.)* sinceridad; honradez.
litania, s. *f.* letanía.
litargírio, s. *m.* litargirio.
liteira, s. *f.* litera.
literal, *adj. 2 gén.* literal.
literário, *adj.* literario.
literato, s. *m.* literato.
literatura, s. *f.* literatura.
litigação, s. *f.* litigación.
litigante, *adj.* e s. *2 gén.* litigante.
litigar, v. 1. *intr.* litigar. 2. *tr.* pleitear.
litigável, *adj. 2 gén.* litigable.
litígio, s. *m.* litigio.
litigioso, *adj.* litigioso.
litina, s. *f.* QUÍM. litina.
lítio, s. *m.* QUÍM. litio.
litocromia, s. *f.* litocromía.
litófago, *adj.* ZOOL. litófago.

litografar, *v. tr.* litografiar.
litografia, s. *f.* litografía.
litográfico, *adj.* litográfico.
litógrafo, s. *m.* litógrafo.
litologia, s. *f.* litología.
litólogo, s. *m.* litólogo.
litoral, *adj. 2 gén.* litoral.
litosfera, s. *f.* litosfera.
litotipografia, s. *f.* litotipografía.
litotomia, s. *f.* CIR. litotomía.
litotomista, s. *2 gén.* litotomista.
litótomo, s. *m.* CIR. litótomo.
litro, s. *m.* litro.
lituânio, *adj.* e s. *m.* lituano.
lituano, *adj.* e s. *m.* lituano.
liturgia, s. *f.* liturgia.
litúrgico, *adj.* litúrgico.
liturgista, s. *2 gén.* liturgista.
livel, s. *m.* nivel.
livelar, *v. tr.* nivelar.
lividez, s. *f.* lividez.
lívido, *adj.* lívido; cadavérico; descolorido.
livoniano, *adj.* e s. *m.* livoniano.
livónico, *adj.* e s. *m.* livoniano.
livor, s. *m.* lividez.
livrador, *adj.* e s. *m.* libertador.
livramento, s. *m.* libramiento; libertación.
livrança, s. *f.* libranza; libramiento.
livrar, *v. tr.* librar, soltar; libertar; liberar; salvar; rescatar, defender.
livraria, s. *f.* librería.
livre, *adj. 2 gén.* libre; disoluto; licencioso; espontáneo; absuelto; disponible; suelto; quito; *livre de perigo*, seguro.
livre-câmbio, s. *m.* librecambio.
livre-cambismo, s. *m.* librecambismo.
livre-cambista, *adj.* e s. *2 gén.* librecambista.
livreco, s. *m.* librejo.
livreiro, s. *m.* librero.
livre-pensador, s. *m.* librepensador.
livre-pensamento, s. *m.* librepensamiento.
livrete, s. *m.* libreta; cuadernillo.
livrilho, s. *m.* BOT. líber.
livro, s. *m.* libro.
livrório, s. *m.* libracho, libraco, librejo.
lixa, s. *f.* ZOOL. lija; (papel de) lija; rascador.
lixadora, s. *f.* lijadora.
lixar, *v. tr.* lijar, raspar con lija; (fam.) perjudicar; moiestar.
lixeiro, s. *m.* basurero.
lixívia, s. *f.* lejía; colada.
lixiviação, s. *f.* lixiviación.
lixiviar, *v. tr.* enlejiar; blanquear; QUÍM. lixiviar.

lixo, *s. m.* basura, residuos, horrura.

lixoso, *adj.* que tiene basura; sucio, inmundo.

ló, *s. m.* tejido fino; NÁUT. lado de donde viene el viento.

loa, *s. f.* loa; elogio; apología; *(fam.)* mentira, patraña.

loba, *s. f.* ZOOL. loba.

lobacho, *s. m.* lobezno, lobato.

lobaz, *s. m.* lobazo, lobo grande.

lobecão, *s. m.* animal cruzado de perro y lobo.

lobeiro, *adj. e s. m.* lobero.

lobinho, *s. m. (quisto)* lobanillo.

lobo (ò), *s. m.* lobo; lóbulo.

lobo, *s. m.* ZOOL. lobo.

lobo-cerval, *s. m.* ZOOL. lobo cerval o cervario, lince.

lobo-marinho, *s. m.* ZOOL. lobo marino, foca.

lôbrego, *adj.* lóbrego, triste; obscuro; lúgubre.

lobrigar, *v. tr.* entrever; percibir.

lobulado, *adj.* lobulado.

lobular, *adj. 2 gén.* ANAT. lobulado.

lóbulo, *s. m.* BOT. lóbulo; labio.

lobuloso, *adj.* lobuloso.

loca, *s. f.* escondrijo del pez; cueva submarina.

locação, *s. f.* locación, alquiler; arrendamiento.

locador, *s. m.* locador, arrendador.

local, I. *adj. 2 gén.* local, lugareño. II. *s.* 1. local; lugar; sitio; localidad. 2. *f.* noticia, suelto.

localidade, *s. f.* localidad.

localização, *s. f.* localización.

localizar, *v. tr.* localizar.

locanda, *s. f.* taberna; tugurio; tasca; tienda.

locandeiro, *s. m.* tabernero; locatario.

loção, *s. f.* loción.

locar, *v. tr.* alquilar, arrendar.

locatário, *s. m.* locatario, inquilino.

locativo, *adj.* locativo.

locomobilidade, *s. f.* locomobilidad.

locomoção, *s. f.* locomoción.

locomotiva, *s. f.* locomotora.

locomotividade, *s. f.* locomotividad.

locomotivo, *adj.* locomotivo.

locomotor, *adj.* locomotor.

locomotriz, *adj. f.* locomotriz.

locomóvel, *adj. 2 gén.* locomóvil.

locomover-se, *v. refl.* moverse de un punto a otro; trasladarse.

locução, *s. f.* locución.

loculado, *adj.* loculado.

locular, *adj. 2 gén.* locular.

lóculo, *s. m.* lóculo.

loculoso, *adj.* loculoso.

locupletar, *v. tr.* enriquecer; saciar; repletar, colmar.

locusta, *s. f.* ZOOL. locusta.

locutor, *s. m.* locutor.

locutório, *s. m.* locutorio, parlatório.

lodaçal, *s. m.* lodazal, légamo.

lodacento, *adj.* vd. **lamacento.**

lodo, *s. m.* lodo; lama; limo; légamo; fango; bardoma; *(fig.)* ignominia.

lodoso, *adj.* lodoso.

loendral, *s. m.* adelfal.

loendreira, *s. f.* BOT. adelfa.

loendro, *s. m.* BOT. adelfa.

logarítmico, *adj.* logarítmico.

logaritmo, *s. m.* logaritmo.

lógia, *s. f.* ARQ. logia.

lógica, *s. f.* lógica.

lógico, *adj.* lógico.

logística, *s. f.* logística.

logístico, *adj.* logístico.

logo, 1. *adv.* luego, inmediatamente. 2. *conj.* por tanto.

logografia, *s. f.* logografía; taquigrafía.

logógrafo, *s. m.* logógrafo, taquígrafo.

logogrifo, *s. m.* logogrifo.

logomaquia, *s. f.* logomaquia.

logos, *s. m.* dios, como fuente de las ideas.

logótipo, *s. m.* logotipo.

logração, *s. f.* engaño, ardid; logro.

logrador, *adj.* trapacero; engañador.

logradouro, *s. m.* lugar donde todos pueden entrar.

lograr, *v. tr.* lograr; disfrutar; poseer; obtener; gozar; embaucar; engañar; estafar.

logrativo, *adj.* que logra; engañador; trapacero.

logro, *s. m.* logro; engaño; estafa.

loiça, *s. f.* vd. **louça.**

loiçaria, *s. f.* vd. **louçaria.**

loiceira, *s. f.* vd. **louceira.**

loiceiro, *s. m.* vd. **louceiro.**

loira, *s. f.* vd. **loura.**

loireiral, *s. m.* vd. **loureiral.**

loireiro, *s. m.* vd. **loureiro.**

loirejante, *adj. 2 gén.* vd. **lourejante.**

loirejar, *v. intr.* vd. **lourejar.**

loiro, *s. m.* vd. **louro.**

loisa, *s. f.* vd. **lousa.**

loiseira, *s. f.* vd. **louseira.**

loiseiro, *s. m.* vd. **louseiro.**

loja, *s. f.* comercio; tienda; logia, reunión de masones; entresuelo; *loja maçónica*, logia.

lojista, *s.* 2 *gén.* comerciante, tendero.

lomba, *s. f.* declive; pendiente, cuesta; loma.

lombada, *s. f.* cumbres de montañas; lomo del buey; lomo, de un libro.

lombar, *adj.* 2 *gén.* lumbar.

lombarda, *s. f.* BOT. lombarda.

lombardo, *adj.* e *s. m.* lombardo.

lombo, *s. m.* lomo, dorso, espalda.

lombrical, *adj.* 2 *gén.* vd. **lumbrical.**

lombriga, *s. f.* lombriz intestinal, de la familia de los ascáridos.

lombudo, *adj.* lomudo.

lona, *s. f.* lona, tela fuerte para velas, toldos, etc.

longa, *s. f.* larga, sílaba o vocal.

longada, *s. f.* alejamiento; viaje.

longa-metragem, *s. f.* largometraje.

longamira, *s. m.* anteojo; prismáticos.

longanimidade, *s. f.* longanimidad; magnanimidad.

longânimo, *adj.* longánimo; magnánimo.

longe, I. *adv.* lejos, a gran distancia; muito longe, legísimos; *um pouco longe*, lejitos; *ir longe de mais*, propasarse. **II.** *adj.* longincuo, distante; lejano. **III.** *s. m. pl.* lontananza.

longevidade, *s. f.* longevidad.

longevo, *adj.* longevo.

longímano, *adj.* ZOOL. longímano.

longínquo, *adj.* longincuo, remoto; lejano.

longirrostro, *adj.* ZOOL. longirrostro.

longitude, *s. f.* longitud.

longitudinal, *adj.* 2 *gén.* longitudinal.

longo, *adj.* largo; extenso; durable.

longrina, *s. f.* viga sobre la que clavan las traviesas de los carriles.

lonjura, *s. f.* gran distancia, lejanía.

lontra, *s. f.* ZOOL. lutra, lutria, nutria, latax.

loquacidade, *s. f.* locuacidad.

loquaz, *adj.* 2 *gén.* locuaz.

loquela, *s. f.* locuela.

loquete, *s. m.* candado.

Lorantáceas, *s. f. pl.* BOT. lorantáceas.

lorde, *s. m.* lord.

lordose, *s. f.* MED. lordosis.

lorga, *s. f.* cueva de conejos; guarida; madriguera.

loriga, *s. f.* loriga.

loro, *s. m.* ación, correa de que pende el estribo.

lorpa, *adj.* e *s.* 2 *gén.* imbécil, tonto; pringado; *fazer-se de lorpa*, hacerse el longui.

lorpice, *s. f.* tontería; imbecilidad.

losango, *s. m.* losango, rectángulo, rombo.

lota, *s. f.* lonja.

lotação, *s. f.* cabida; capacidad; presupuesto; determinación de cantidad.

lotaria, *s. f.* lotería.

lote, *s. m.* lote; partida; grupo; clase; calidad de una mercancía.

loto, *s. m.* BOT. loto.

lótus, *s. m.* loto.

louça, *s. f.* loza; vajilla; *máquina de lavar louça*, lavavajillas.

louçainha, *s. f.* ornato, adorno; traje muy adornado.

louçainho, *adj.* garrido; ataviado; ornamentado.

louçania, *s. f.* lozanía, garbo; garridez; adorno; elegancia.

loução, *adj.* lozano, alegre, airoso.

louçaria, *s. f.* tienda de lozas; alfar, alfarería.

louceira, *s. f.* locera.

louceiro, *s. m.* locero; alfarero; ceramista.

louco, I. *adj.* loco; sonado; insensato, imprudente. **II.** *s. m.* loco; orate.

loucura, *s. f.* locura; imprudencia; temeridad.

louquejar, *v. intr.* loquear; cometer imprudencias.

loura, *s. f.* rubia; libra esterlina.

loureiral, *s. m.* lauredal.

loureiro, *s. m.* BOT. laurel.

lourejante, *adj.* que se dora; que se tuesta; dorado; tostado.

lourejar, *v. tr.* dorar, volver dorado.

louro, I. *adj.* rubio; platino. **II.** *s. m.* laurel, planta; *pl.* laureles, honras.

lousa, *s. f.* losa; sepultura; lápida; pizarra; *lápis de lousa*, pizarrín.

lousão, *s. m.* losa, trampa; piedra grande.

louseira, *s. f.* cantera; pizarrería.

louseiro, *s. m.* cantero; pizarrero.

louva-a-deus, *s. f.* ZOOL. santateresa.

louvação, *s. f.* alabanza; valoración hecha por peritos.

louvado, *s. m.* perito, árbitro; *adj.* alabado.

louvador, *adj.* e *s. m.* alabador.

louvamento, *s. m.* vd. **louvação.**

louvaminha, s. f. alabanza exagerada; adulación; lisonja.

louvaminhar v. tr. dirigir alabanzas; lisonjear; adular.

louvaminheiro, adj. e s. m. adulador; lisonjeador.

louvar, v. tr. loar; alabar; elogiar; bendecir; aprobar; valorar.

louvável, adj. 2 gén. laudable, loable.

louvor, s. m. alabanza; aplauso; honor; apología; loa; loor.

lovelace, s. m. enamorador.

loxodromia, s. f. NÁUT. loxodromia.

loxodrómico, adj. NÁUT. loxodrómico.

lua, s. f. luna.

luar, s. m. resplandor de la luna llena.

luarento, adj. en que hay luar.

lubricar, v. tr. lubricar; laxar el vientre.

lubricidade, s. f. lubricidad.

lúbrico, adj. lúbrico, resbaladizo; sensual; lascivo; impúdico.

lubrificação, s. f. lubricación.

lubrificante, adj. 2 gén. e s. m. lubricante.

lubrificar, v. tr. lubricar.

lucarna, s. f. tragaluz; lumbrera, tronera, claraboya.

lucerna, s. f. lucerna, claraboya; tragaluz.

lucidar, v. tr. reproducir (un dibujo) sobre vidrio; calcar.

lucidez, s. f. lucidez; clareza; penetración.

lúcido, adj. lúcido; claro, brillante.

Lúcifer, s. m. Lucifer; Satanás.

lucífero, adj. lucífero, resplandeciente.

lucilação, s. f. centelleo.

lucilante, adj. 2 gén. centelleante.

lucilar, v. intr. centellear.

lucina, s. f. lucina.

lúcio, s. m. ZOOL. lucio.

lucrar, v. tr. e intr. lucrarse; ganar.

lucrativo, adj. lucrativo; lucroso.

lucro, s. m. lucro, ganancia, provecho; producto.

lucroso, adj. lucroso; lucrativo.

lucubração, s. f. lucubración.

lucubrar, v. intr. lucubrar.

ludião, s. m. ludión.

lúdico, adj. lúdico.

ludibriar, v. tr. escarnecer; despreciar; zaherir.

ludíbrio, s. m. ludibrio, desprecio, escarnio.

ludo, s. m. parchís.

ludreiro, s. m. charco; lodazal.

ludro, adj. vd. **ludroso.**

ludroso, adj. sucio; turbio; churra (lana).

lufa, s. f. huracán, vendaval; ventarrón, afán; trajín; prisa; batahola.

lufada, s. f. ráfaga.

lufa-lufa, s. f. gran prisa; afán; zafarrancho.

lufar, v. intr. ventear; huracanarse.

lugar, s. m. lugar; sitio; puesto; cargo; posición; ocasión; región.

lugarejo, s. m. lugarejo; aldehuela.

lugar-tenência, s. f. lugartenencia.

lugar-tenente, s. m. lugarteniente.

lugente, adj. 2 gén. doliente; lastimoso.

lugre, s. m. NÁUT. lugre.

lúgubre, adj. 2 gén. lúgubre.

lula, s. f. ZOOL. calamar, lula, chipirón.

lulu, s. m. lulú (perro).

lumaquela, s. f. lumaquela.

lumaréu, s. m. llamarada; lumbrarada.

lumbago, s. m. MED. lumbago.

lumbrical, adj. 2 gén. lumbrical.

lume, s. m. lumbre, fuego; hoguera; luz; cerilla; clarón.

lumieira, s. f. lumbrera.

lumieiro, s. m. ASTR. lucero; claraboya; tragaluz.

luminar, I. adj. 2 gén. luminar. II. s. m. astro: (fig.) hombre sabio.

luminária, s. f. luminaria; lamparilla; iluminación.

luminescência, s. f. luminescencia.

luminescente, adj. 2 gén. luminescente.

luminosidade, s. f. luminosidad.

luminoso, adj. luminoso.

lunação, s. f. ASTR. lunación.

lunar, adj. 2 gén. lunar.

lunário, s. m. lunario.

lunático, adj. e s. m. lunático; (fig.) maniático.

lundum, s. m. baile de negros.

luneta, s. f. luneta; anteojo; lumbrera, tragaluz; lúnula; pl. quevedos.

lunícola, adj. e s. 2 gén. lunícola; selenita.

luniforme, adj. 2 gén. luniforme.

lúnula, s. f. ANAT. lúnula; ASTR. lúnula.

lunular, adj. 2 gén. vd. **luniforme.**

lupa, s. f. lupa, lente; lupa, tumor.

lupanar, s. m. lupanar.

Lupercais, s. f. pl. lupercales.

lúpia, s. f. vd. **lobinho.**

lupino, adj. lupino; BOT. lupino, altramúz.

lúpulo, s. m. BOT. lúpulo.

lúpus, s. m. lupus.

lura, s. f. conejera, madriguera de conejos; agujero.

lurar, *v. tr.* hacer escondrijos los animales; agujerear.

lúrido, *adj.* pálido, lívido; lúrido.

lúsco, *adj.* bizco; ciego; tuerto.

lusco-fusco, *s. m.* la hora crepuscular; el anochecer.

lusíada, *s. 2 gén.* lusiada; lusitano, portugués.

lusismo, *s. m.* lusitanismo.

lusitânico, *adj.* lusitano, lusitánico.

lustração, *s. f.* lustración.

lustrador, *s. m.* limpiabotas.

lustral, *adj. 2 gén.* lustral.

lustrar, *v. tr.* lustrar, dar lustre a; pulir; pulimentar; bruñir; barnizar; iluminar.

lustre, *s. m.* brillo, lustre; lustro; araña; lámpara; (*fig.*) esplendor.

lustrilho, *s. m.* tejido de lana un poco lustrosa.

lustrina, *s. f.* lustrina; alpaca.

lustro, *s. m.* lustro; pulimento; lustre, brillo.

lustroso, *adj.* lustroso; brillante.

luta, *s. f.* lucha; combate; contienda; liza.

lutador, *adj. e s. m.* luchador; combatiente; atleta.

lutar, *v. intr.* luchar; combatir; esforzarse; pelear.

luteranismo, *s. m.* luteranismo.

luterano, *adj. e s. m.* luterano.

luto, *s. m.* luto; pesar; tristeza.

lutulento, *adj.* lodoso.

lutuosa, *s. f.* luctuosa.

lutuoso, *adj.* luctuoso, lutuoso, fúnebre; triste.

luva, *s. f.* guante; almohaza; lúa; guantes, agasajo; *pl.* (*fig.*) prima, gratificación.

luvaria, *s. f.* guantería.

luveiro, *s. m.* guantero.

luxação, *s. f.* MED. luxación.

luxar, *v.* **1.** *tr.* desencajar, discolar, descoyuntar (huesos). **2.** *intr.* ostentar lujo.

luxemburguês, *adj. e s. m.* luxemburgués.

luxento, *adj.* lujoso.

luxo, *s. m.* lujo.

luxuoso, *adj.* lujoso.

luxúria, *s. f.* lujuria, lozanía; lujuria, sensualidad, lascivia.

luxuriante, *adj. 2 gén.* lujuriante, lujurioso; lozano.

luxuriar, *v. intr.* lujuriar.

luxurioso, *adj.* lujurioso; lascivo; libidinoso.

luz, *s. f.* luz; (*fig.*) brillo.

luze-cu, *s. m.* luciérnaga.

luzeiro *s. m.* lucero, astro, estrella; luz, brillo.

luzente, *adj. 2 gén.* luciente; luminoso.

luzidio, *adj.* lúcido, brillante; nítido, pulido.

luzido, *adj.* lucido, pomposo; vistoso.

luzimento, *s. m.* lucimiento.

luzir, *v. intr.* lucir; irradiar luz; brillar; resplandecer.

M

má, *adj. f.* mala.

maca, *s. f.* hamaca; litera.

maça, *s. f.* maza (arma), clava; maza, mazo; maza, pisón.

maçã, *s. f.* manzana; *maçã do rosto,* mejilla; pómulo.

macabro, *adj.* macabro, fúnebre.

macaca, *s. f.* ZOOL. macaca; mica; mona.

macacada, *s. f.* cantidad de macacos; *pl.* (*fig.*) monadas, monerías.

macacaria, *s. f.* multitud de monos o de macacos; monada, monería.

macaco, *s. m.* ZOOL. macaco, mono; simio.

maçada, *s. f.* lata; tostón; tabarra; trabajo penoso.

macadame, *s. m.* macadán.

macadamização, *s. f.* macadamización.

macadamizar, *v. tr.* macadamizar.

maçador, *adj. e s. m.* maza; matoso; (*fig.*) machacón, importuno; pelma, pelmazo; sobón.

maçagem, *s. f.* machaque del lino; masaje; compresión.

macaísta, *adj. 2 gén.* macaísta, macaense.

maçal, *s. m.* suero de la leche.

macambúzio, *adj.* triste, taciturno, apesadumbrado.

maçaneta, *s. f.* manzanilla, remate para adorno; baqueta de tambor.

maçanilha, *s. f.* manzanita, manzana pequeña.

mação, *s. m.* masón, francmasón.

maçapão, *s. m.* mazapán.

macaqueação, *s. f.* monería, monada.

macaquear, *v. tr.* remedar como los monos.

macaquice, *s. f.* monerías, gestos, monada.

maçar, *v. tr.* machacar; moler; macear; (*fig.*) aburrir; fastidiar, molestar.

macaréu, *s. m.* macareo, ola impetuosa.

maçarico, *s. m.* soplete, instrumento para soldar o derretir metales.

maçaroca, *s. f.* husada; mazorca; espiga.

macarrão, *s. m.* macarrón; mostachón.

macarroeiro, *s. m.* fabricante de macarrón.

macarrónico, *adj.* macarrónico.

macavenco, *s. m.* hombre raro, excéntrico, extravagante.

macedónico, *adj. e s. m.* macedonio.

macedónio, *s. m.* macedónio.

macela, *s. f.* BOT. manzanilla, camomila.

maceração, *s. f.* maceración, maceramiento.

macerado, *adj.* macerado; (*fig.*) mortificado.

maceramento, *s. m.* vd. **maceração.**

macerar, *v. tr.* macerar.

maceta, *s. f.* maceta, maza, martillo de pedrero.

machacaz, *s. m.* hombre corpulento y desgarbado.

machada, *s. f.* machado, hacha pequeña.

machadada, *s. f.* hachazo; machaque; machaqueo.

machadar, *v. intr.* machacar.

machadinha, *s. f.* hachuela; macheta; destraleja; cuchilla de carnicero.

machado, *s. m.* hacha; machado.

macha-fêmea, I. *s. f.* bisagra. **II.** *s. f. e adj.* hermafrodita; machota, marimacho.

macheado, I. *adj.* tableado, hablando de prendas de vestir; que recibió el macho. **II.** *s. m.* tela plegada o plisada.

machear, *v. tr.* tablear (en la ropa); machihembrar.

machetada, *s. f.* machetazo.

machete, *s. m.* machete, espada corta; cuchillo de monte, machete, guitarra pequeña.

machiar, *v. intr.* marchitarse; secarse (una planta).

machila, *s. f.* palanquín.

machimbombo, *s. m.* funicular; carricoche.

machismo, *s. m.* machismo; sexismo.

machista, *adj. e s. 2 gén.* machista; sexista.

macho, *s. m.* macho; mulo; COST. pliegue, lorza; plisado, tabla.

machucação, *s. f.* machaqueo.

machucadura, *s. f.* machaqueo; magulladura.

machucar, v. tr. machucar; magullar; herir; machacar, pisar, triturar.

maciço, I. adj. macizo; sólido. II. s. m. macizo.

mácide, s. f. macis.

macieira, s. f. BOT. manzano.

maciez, s. f. vd. **macieza**.

macieza, s. f. blandura, suavidad al tacto; (fig.) dulzura.

macilência, s. f. macilencia.

macilento, adj. macilento.

macio, adj. suave; liso; blando.

macis, s. m. macis.

maço, s. m. mazo, martillo de madera; mazo, manojo.

maçonaria, s. f. masonería.

maçónico, I. adj. masónico. II. s. m. masón.

má-criação, s. f. grosería.

macro, s. m. macro.

macrobiótico, s. f. macrobiótico.

macróbio, adj. e s. m. macrobio.

macrocefalia, s. f. macrocefalia.

macrocéfalo, adj. e s. m. macrocéfalo.

macrocosmos, s. m. macrocrosmos.

macrodáctilo, adj. ZOOL. macrodáctilo.

macroeconomia, s. f. macroeconomía.

macroeconómico, adj. macroeconómico.

macrópode, adj. macrópodo.

macroscópico, adj. macroscópico.

macróstico, adj. macróstico.

macruro, adj. macruro.

maçudo, adj. con forma de mazo; (fig.) molesto, pesado, latoso.

mácula, s. f. mácula, mancha; tacha; mancilla; infamia.

maculado, adjr. maculado; (fig.) sucio.

macular, v. tr. macular.

maculatura, s. f. maculatura.

maculoso, adj. maculoso, maculado.

madalena, s. f. magdalena.

madeira, s. 1. f. madera. 2. s. m. madeira, vino.

madeiramento, s. m. maderamen; maderaje; tablazón.

madeirar, v. tr. maderar, enmaderar.

madeireiro, s. m. maderero.

madeirense, adj. e s 2 gén. madeirense.

madeiro, s. m. madero; leño; viga, trabe; cruz de jesucristo.

madeixa, s. f. madeja; cadejo, mechón; guedeja de cabellos.

madianita, adj. e s 2 gén. madianita.

madorna, s. f. vd. **modorra**.

madraçaria, s. f. vida de holgazán, de mandria; ociosidad; golfería.

madracear, v. intr. haraganear; holgazanear.

madraceirão, s. m. mandrión; perezoso; holgazán.

madracice, s. f. vd. **madraçaria**.

madraço, adj. e s. m. mandrión; holgazán.

madrasta, s. f. madrastra.

madre, s. f. monja, madre; matriz; viga maestra; (nascente) bed; ANAT. útero.

madrepérola, s. f. ZOOL. madreperla.

madrépora, s. f. madrépora.

madreporários, s. m. pl. ZOOL. madreporarios.

madrepórico, adj. madrepórico.

madressilva, s. f. BOT. madreselva.

madrigal, s. m. madrigal.

madrigoa, s. f. madriguera.

madrigueira, s. f. madriguera.

madrileno, adj. e s. m. madrileño.

madrinha, s. f. madrina.

madrugada s. f. madrugada, alba, alborada, aurora.

madrugador, adj. madrugador; diligente.

madrugar, I. v. intr. madrugar; mañanero; matutino; II. s. m. madrugón.

maduração, s. f. maduración.

madurar, v. tr. e intr. madurar.

madureiro, s. m. madurero.

madurez, s. f. vd. **madureza**.

madureza, s. f. BOT. madurez, maduración; sazón; (fig.) prudencia, tino; manía; rareza.

maduro, adj. maduro; zazonado; prudente; adulto; tonto.

mãe, s. f. madre; mamã; mãe adoptiva, madraza.

maestria, s. f. maestría; pericia.

maestro, s. m. MÚS. maestro.

mafamético, adj. mahometano.

mafarrico, s. m. el diablo; niño travieso.

máfia, s. f. mafia.

mafioso, adj. mafioso.

maga, s. f. mágica; hechicera.

magala, s. m (fam.) soldado, recluta, quinto.

maganão, adj. e s. m. tuno; tunante; pillo.

maganear, v. intr. tunar, tunantear, pillear.

maganice, s. f. tunantería; picardía.

magano, adj. e s. m. tuno; pillo; astuto; alegre, gracioso.

magarefe, s. m. matarife, matachín, carnicero, jífero.

magazine, s. m. magazine, magacín.

magia, s. f. magia; arte mágica.

magiar, adj. e s. 2 gén. magiar.

mágica, s. f. vd. **magia**; mágica, pieza de teatro.

magicar, v. tr. e intr. pensar, reflexionar, meditar mucho; cavilar.

mágico, I. adj. mágico. II. s. m. brujo, hechicero; (fig.) maníaco.

magismo, s. m. magismo.

magíster, s. f. magister, maestro.

magistério, s. m. magisterio.

magistrado, s. m. magistrado; juez.

magistral, adj. 2 gén. magistral; maestro; perfecto; ejemplar.

magistratura, s. f. magistratura.

magma, s. m. magma.

magnanimidade, s. f. magnanimidad.

magnânimo, adj. magnánimo.

magnata, s. 2 gén. magnate.

magnate, s. 2 gén. magnate; prócer.

magnésia, s. f. QUÍM. magnesia.

magnésio, s. m. QUÍM. magnesio.

magnesite, s. f. magnesite (espuma del mar).

magnete, s. m. magnetita, imán.

magnético, adj. magnético.

magnetismo, s. m. magnetismo.

magnetite, s. f. magnetita.

magnetização, s. f. magnetización.

magnetizador, adj. magnetizador.

magnetizar, v. tr. magnetizar.

magnetizável, adj. 2 gén. magnetizable.

magnete, a. m. magneto.

magnetómetro, s. m. magnetómetro.

magnetoscópio, s. m. magnetoscopio.

magnificação, s. f. magnificación.

magnificar, v. tr. magnificar; exaltar, alabar; glorificar.

magnificência, s. f. magnificencia.

magnificente, adj. 2 gén. magnificente.

magnífico, adj. magnífico; sublime; sumptuoso; soberbio; pistonudo; de rechupete; sorprendente.

magnitude, s. f. magnitud, tamaño; grandor.

magno, adj. magno, grande.

magnólia, s. f. BOT. magnolia.

mago, I. s. m. mago. II. adj. mágico; encantador.

mágoa, s. f. cardenal, equimosis; (fig.) pena, disgusto, amargura; sentimiento.

magoado, adj. pesaroso.

magoar, v. tr. herir, contundir; magullar; afligir; ofender; injuriar de palabra; disgustar.

magote, s. m. montón; multitud; muchedumbre; mogote.

magrebiano, adj. e s. m. magrebí.

magreza, s. f. magreza, magrez; flacura, magrura.

magriço, s. m. quijote, defensor de cosas fútiles.

magrizela, s. 2 gén. flacucha.

magro, adj. magro, delgado, seco, descarnado.

mainça, s. f. remate del huso; puñado, manada, mano llena.

mainel, s. m. mainel, barandilla de escalera.

Maio, s. m. mayo.

maiólica, s. f. mayólica, loza esmaltada de mallorca.

maionese, s. f. mahonesa, mayonesa.

maior, I. adj. 2 gén. mayor, más grande. II. s. m. mayor de edad; MÚS. (tom) mayor; pl. mayores, los antepasados, ascendientes.

maioral, s. m. mayoral, capataz, jefe, superior.

maioria, s. f. mayoría, mayor número, mayor parte; superioridad.

maioridade, s. f. mayoría, mayoría de edad.

maiorquino, adj. e s. m. mallorquín.

mais, adv. más, en mayor cantidad; en más alto grado; también.

maís, s. m. maíz.

mais-que-perfeito, s. m. plusquamperfecto.

mais-valia, s. f. plusvalía.

maiúscula, s. f. mayúscula.

maiúsculo, adj. mayúsculo.

majestade, s. f. majestad.

majestático, adj. mayestático; majestoso.

majestoso, adj. majestuoso; majestoso; solemne.

majólica, s. f. mayólica.

major, s. m. MIL. mayor.

mal, I. s. m. mal; enfermedad; daño u ofensa que uno recibe; desgracia, calamidad, perjuicio. II. adv. mal.

mala, s. f. maleta; valija, baúl, cofre; (de carro) maletero; *mala grande,* maletón.

malabar, adj. 2 gén. malabar.

malabarista, s. 2 gén. malabarista.
malacia, s. f. malacia.
malacologia, s. f. ZOOL. malacología.
malacopterígio, adj. ZOOL. malacopterigio.
malacostráceo, adj. ZOOL. malacostráceo.
mal-afortunado, adj. malaventurado, malhadado; infeliz.
málaga, s. m. málaga, vino.
mal-agradecido, adj. malagradecido, ingrato.
malaguenha, s. f. malagueña.
malaguenho, adj. e s. m. malagueño, malacitano.
malagueta, s. f. malagueta, guindilla.
malaio, adj. e s. m. malayo.
mal-amanhado, adj. mal arreglado; mal vestido.
malandragem, s. f. conjunto de malandrines y holgazanes.
malandrar, v. intr. holgazanear; mangantear.
malandrice, s. f. tunantería, tunantada; pillería.
malandrim, s. m. malandrín; perverso; bellaco; estafador.
malandro, s. m. tunante, pillo, bribón, granuja, ladrón; rácano.
mala-posta, s. f. malaposta.
malar, s. m. ANAT. malar.
malária, s. f. malaria.
mal-aventurado, adj. malaventurado.
mal-avindo, adj. vd. **desavindo.**
malaxação, s. f. malaxación.
malaxador, s. m. malaxador.
malaxar, v. tr. malaxar; amasar.
mal-azado, adj. malhadado; malaventurado.
malbaratador, adj. malbaratador.
malbaratar, v. tr. malbaratar; malgastar, disipar, derrochar.
malbarato, s. m. malbarato, derroche.
malcasado, adj. malcasado.
malcheiroso, adj. maloliente; fétido.
malcomido, adj. malcomido, poco alimentado, magro.
malcontente, adj. malcontento, descontento.
malcriadice, s. f. malcriadez.
malcriado, adj. malcriado; maleducado; malhablado.
maldade, s. f. maldad; crueldad; (fam.) travesura; obstinación.
maldição, s. f. maldición; plaga.

maldito, adj. maldito; siniestro.
malditoso, adj. desdichado, infeliz.
maldizente, adj. e s. 2 gén. maldiciente; difamador.
maldizer, v. 1. tr. maldecir. 2. intr. blasfemar; lastimarse; hablar con mordacidad.
maldoso, adj. malicioso; malévolo; travieso.
maleabilidade, s. f. maleabilidad.
maleável, adj. 2 gén. maleable.
maledicência, s. f. maledicencia; murmuración.
maledicente, adj. e s. 2 gén. maldiciente.
mal-educado, adj. maleducado, malcriado.
maleficência, s. f. maleficencia.
maleficiar, v. tr. maleficiar.
malefício, s. m. maleficio; hechizo.
maléfico, adj. maléfico.
maleiro, s. m. maletero.
maleitas, s. f. pl. (fam.) vd. **sezões,** fiebre intermitente, malaria.
mal-encarado, adj. malencarado; ceñudo; torvo; enfurruñado; cascarrabias.
mal-ensinado, adj. vd. **malcriado.**
mal-entendido, s. m. malentendido; equívoco.
maleolar, adj. 2 gén. maleolar.
maléolo, s. m. ANAT. maléolo, tobillo.
mal-estar, s. m. malestar.
maleta, s. f. maleta, valija; maletín.
malevolência, s. f. malevolencia.
malevolente, adj. 2 gén. malévolo.
malévolo, adj. malévolo.
maleza, s. f. maleza.
malfadado, adj. e s. m. malhadado, infeliz.
malfadar, v. tr. malhadar; desgraciar.
malfazejo, adj. maligno, maléfico, nocivo, dañoso.
malfazer, v. intr. dañar; obrar mal, malhacer, perjudicar.
malfeito, adj. malhecho, mal ejecutado; deforme; (fig.) injusto.
malfeitor, s. m. malhechor.
malfeitoria, s. f. crimen; perjuicio; maleficio.
malferir, v. tr. malherir, herir gravemente, mortalmente.
malformação, s. f. malformación.
malga, s. f. escudilla; tazón; cuenco.
malgastar, v. tr. malgastar; derrochar; disipar.
malgaxe, adj. e s. 2 gén. malgache.

malha, *s. f.* malla; punto (tejido); tetido metálico; lunar, mancha (hablando de animales).

malhada, *s. f.* majadura, majamiento, mallada; *(fig.)* enredo; majada, redil.

malhadeiro, *s. m.* majadero.

malhadiço, *adj.* acostumbrado a recibir golpes de todos; incorregible.

malhado, *adj.* manchado (hablando de animales); majado (batido con el *malho*).

malhador, I. *s. m.* majador. **II.** *adj.* pendenciero; querellador.

malhadouro, *s. m.* era.

malhal, *s. m.* viga transversal de lagar.

malhão, *s. m.* mallo grande; majadero; martillo grande; vd. **malhal;** música y danza popular.

malhar, *v. tr. e intr.* majar, mallar, trillar los cereales; martillar, forjar, batir.

malhetar, *v. tr.* machihembrar, ensamblar.

malhete, *s. m.* muesca, entalladura.

malho, *s. m.* majadero, mallo; martillo de herrero; mazo de pedrero; maceta, mazo pequeño; vd. **mangual.**

malhoada, *s. f. (fam.)* enredo, armadilla.

mal-humorado, *adj.* malhumorado.

malícia, *s. f.* malicia, maldad; bellaquería; taima; suspicacia; dicho picante; *(fig.)* sal.

malicioso, *adj.* malicioso; mal-pensado; puñetero.

málico, *adj.* QUÍM. málico.

maligna, *s. f.* enfermedad grave e infecciosa.

malignar, *v. tr. e intr.* malignar, inficionar; corromper, viciar.

malignidade, *s. f.* malignidad.

maligno, *adj.* maligno; dañoso, nocivo; malo; perjudicial.

malina, *s. f.* aguas vivas de las mareas; mal olor, hedor.

mal-intencionado, *adj. e s. m.* malintencionado, malaje; malpensado.

malmequer, *s. m.* BOT. margarita.

malnascido, *adj.* malnacido, malhadado, infeliz.

malogrado, *adj.* malogrado; frustrado, huero, fracasado.

malograr, *v. tr.* malograr; fracasar.

malogro, *s. m.* malogro; frustración.

maloio, *s. m. (fam.)* campesino; aldeano, rústico.

malote, *s. m.* maleta pequeña.

malparado, *adj.* malparado; inseguro, inestable.

malparar, *v. tr.* malparar, maltratar; arriesgar.

malparir, *v. intr.* malparir, abortar.

malpropício, *adj.* inadecuado, impropio.

malquerença, *s. f.* malquerencia, mala voluntad.

malquerente, *adj. 2 gén.* malqueriente; malévolo.

malquerer, I. *v. tr.* malquerer. **II.** *s. m.* aversión; enemistad.

malquistar, *v. tr.* malquistar, desavenir; indisponer; enemistar.

malquisto, *adj.* malquisto.

malregido, *adj.* que se gobierna mal; pródigo; malbaratador.

malsão, *adj.* malsano, insalubre, enfermizo, mal curado.

malsim, *s. m.* vista de aduanas; espía; malsín, chismoso, soplón; delator.

malsinação, *s. f.* denuncia; murmuración acusación maliciosa.

malsinar, *v. tr.* denunciar; calumniar; maldecir; delatar.

malsoante, *adj. 2 gén.* malsonante.

malsofrido, *adj.* malsufrido; impaciente.

malta, *s. f.* pandilla; bando; morralha; grupo de jornaleros errantes; vida airada.

maltagem, *s. f.* preparado de malta.

malte, *s. m.* malta, cebada.

maltês, *adj. e s. m.* maltés.

malthusianismo, *s. m.* maltusianismo.

malthusiano, *adj.* maltusiano.

maltose, *s. f.* QUÍM. maltosa.

maltrapilho, *adj. e s. m.* harapiento, maltrapillo.

maltratado, *adj.* maltratado, maltrecho.

maltratar, *v. tr.* maltratar.

maluco, *s. m.* loco; disparatado; insensato; maníaco; tonto.

maluqueira, *s. f.* locura, manía, extravagancia.

maluquice, *s. f.* disparate, barbaridad, desacierto.

maluquinho, *adj.* sonado.

malva, *s. f.* BOT. malva.

Malváceas, *s. f. pl.* BOT. malváceas.

malvadez, *s. f.* maldad, crueldad.

malvado, *adj. e s. m.* malvado, perverso; malaje.

malvaísco, *s. m.* BOT. malvavisco.

malva-rosa, *s. f.* BOT. malvarrosa.

malvasia, *s. f.* malvasía.

malversação, *s. f.* malversación.

malversado, *adj.* malversado; fraudulento.

malversar, *v. tr.* malversar.

malvís, *s. m.* malvís.

malvisto, *adj.* malmirado; malconsiderado; mal querido.

mama, *s. f.* mama, teta.

mamã, *s. f.* mamá, madre.

mamadeira, *s. f.* mamadera o pezonera; biberón; *(fig.)* exploración.

mamadura, *s. f.* mamada; lactación.

mamalogia, *s. f.* ZOOL. mamalogía.

mamão, *adj.* mamón, que mama mucho; lechal.

mamar, *v. tr. e intr.* mamar, chupar.

mamário, *adj.* mamario.

mamarracho, *s. m.* mamarracho, nonigote; pintarrajo.

mambo, *s. m.* mambo.

mamelão, *s. m.* mambla, mamelón.

mameluco, *s. m.* mameluco.

mamífero, *adj. e s. m.* ZOOL. mamífero.

mamiforme, *adj. 2 gén.* mamiforme, mameliforme.

mamilar, *adj.* mamilar.

mamilo, *s. m.* mamelón, pezón; mambla, mamelón.

mamiloso, *adj.* mamiforme, mamelonado.

mamoeiro, *s. m.* BOT. mamón, papayo.

mamona, *s. f.* BOT. ricino, planta; su semilla.

mamoneiro, *s. m.* BOT. ricino.

mamoso, *adj.* que tiene mamas; tetudo.

mamudo, *adj.* tetudo.

mamute, *s. m.* mamut.

mana, *s. f.* hermana.

maná, *s. m.* maná.

manada, *s. f.* manada; hato o rebaño de ganado; mano llena.

manancial, **I.** *adj. 2 gén.* manantial. **II.** *s. m.* manantial; fuente abundante; pozo; origen.

manante, *adj. 2 gén.* manante.

manápula, *s. f.* BOT. manopla, manaza, mano grande y fea.

manar, *v. intr.* manar, brotar; *(fig.)* provenir; originarse.

mançanilha, *s. f.* manzanilla, variedad de aceituna.

mançanilheira, *s. f.* BOT. manzanillo.

mancar, *v. tr. e intr.* mancar, lisiar; cojear; hacer falta.

manceba, *s. f.* manceba, concubina.

mancebia, *s. f.* mancebía.

mancebo, *s. m.* mancebo; hombre soltero; *adj.* joven.

mancenilha, *s. f.* BOT. manzanilla.

mancenilheira, *s. f.* BOT. manzanilla.

mancha, *s. f.* mancha, lunar; mota; pincelada; defecto, imperfección; mácula; *(fig.)* mancilla.

manchado, *adj.* maulado; pringado.

manchar, *v. tr.* manchar; macular; ensuciar; *(fig.)* mancillar, infamar.

manchego, *adj. e s. m.* manchego.

manchela, *s. f.* manada; puñado.

manchil, *s. m.* machete de carnicero.

manchu, *adj. e s. m.* manchú.

manco, *adj. e s. m.* manco; cojo; defectuoso.

mancomunação, *s. f.* mancomunidad.

mancomunar, *v. tr.* mancomunar.

mandado, *s. m.* mandado; mandamiento; orden, aviso, noticia; cargo; recado.

mandamento, *s. m.* mandamiento; precepto.

mandante, *adj. e s. 2 gén.* mandante; director.

mandão, *adj. e s. m.* mandón; marimandón.

mandar, *v.* **1.** *tr.* mandar, ordenar; enviar; encargar; gobernar; senhorear. **2.** *intr.* ejercer autoridad.

mandarim, *s. m.* mandarín.

mandarinato, *s. m.* mandarinato.

mandarinismo, *s. m.* mandarinismo.

mandatário, *s. m.* mandatario; procurador.

mandato, *s. m.* mandato; precepto.

mandíbula, *s. f.* ANAT. mandíbula, maxilar; ZOOL. quijada.

mandibular, *adj. 2 gén.* mandibular.

mandil, *s. m.* mandil, delantal.

mandinga, *s. f.* mandinga, hechizo, brujería.

mandingar, *v. tr.* encantar, embrujar.

mandingueiro, *s. m.* hechicero, brujo.

mandioca, *s. f.* BOT. mandioca.

mando, *s. m.* mando; autoridad; gobierno.

mandolim, *s. m.* MÚS. bandola, bandolín, mandolino.

mandrágora, *s. f.* BOT. mandrágora.

mândria, *s. f.* indolencia; ociosidad.

mandrião, **I.** *adj.* perezoso, holgazán. **II.** *s. m.* vago.

mandriar, *v. intr.* candonguear, hacerse remolón para no trabajar; holgazanear.

mandriice, s. f. vd. **mândria**.

mandril, s. m. ZOOL. mandril; (*tarraxa*) mandril.

mandubi, s. m. mandubí, cacahuete, maní.

manducação, s. f. manducación.

manducar, v. tr. e intr. (*fam.*) manducar, comer; masticar.

manducável, adj. 2 gén. manducable.

maneabilidade, s. f. manejabilidad.

manear, v. tr. manejar; manosear.

maneável, adj. 2 gén. manejable; dócil.

maneio, s. m. labor; manejo, dirección.

manha, s. f. solapa.

maneira, s. f. manera; modo; porte y modales de una persona; pl. actitudes; modales.

maneirismo, s. m. manierismo.

maneirista, s. 2 gén. manierista.

maneiro, adj. de fácil manejo; portátil; manual; práctico; cómodo.

maneiroso, adj. amanerado; amable; afable, atento.

manejar, v. tr. manejar; ejercer; administrar, dirigir.

manejável, adj. 2 gén. manejable.

manejo, s. m. manejo.

manelo, s. m. manojo.

manente, adj. 2 gén. permanente; constante, durable.

manequim, s. m. maniquí, muñeca.

manes, s. m. pl. manes.

maneta, adj. e s. manco.

manga, s. f. (*vestuário*) manga; manguera (*de água*); BOT. manga, mango.

mangação, s. f. mangación, burla; mofa; chanza; escarnio.

mangador, adj. e s. m. burlón, burlador, escarnecedor.

mangal, s. m. manglar.

manganato, s. m. QUÍM. manganato.

manganésio, s. m. QUÍM. manganeso.

manganífero, adj. manganífero.

manganilha, s. f. manganilla; engaño; treta; ardid.

mangão, s. m. manga muy grande; adj. burlador, trapacero.

mangar, v. intr. burlarse de alguno; chancearse.

mango, s. m. mango, cabo de cualquier utensilio; BOT. mango.

mangona, s. f. (*fam.*) pereza; indolencia.

mangra, s. f. tizón, añublo; nebladura, orvallo.

mangar, v. intr. burlarse de alguno; chancearse.

mango, s. m. mango, cabo de cualquier utensilio; BOT. mango.

mangona, s. f. (*fam.*) pereza; indolencia.

mangra, s. f. tizón, añublo; nebladura, orvallo.

mangrar, v. 1. tr. atizonar, añublar los frutos. 2. intr. atizonarse, añublarse; marchitarse.

mangual, s. m. mayal.

mangualada, s. f. mayalazo.

mangueira, s. f. manga, manguera; BOT. manga, mango.

manguito, s. m. manguito.

mangusto, s. m. ZOOL. mangosta.

manha, s. f. maña, destreza, artificio; costumbre; labia.

manhã, s. f. mañana.

manhãzinha, s. f. mañanita.

manhoso, adj. mañoso, diestro, hábil.

mania, s. f. manía; capricho; perra.

maníaco, adj. e s. m. maníaco; maniático; excéntrico.

maniatar, v. tr. maniatar; tullir los movimientos a; prender.

manicómio, s. m. manicomio.

manicórdio, s. m. MÚS. manicordio.

manicura, s. f. manicura.

manicurto, adj. manicorto, corto de manos; (*fig.*) poco generoso.

manietar, v. tr. manietar.

manifestação, s. f. manifestación.

manifestado, adj. manifesto.

manifestante, adj. e s. 2 gén. manifestante.

manifestar, v. tr. manifestar; presentar.

manifesto, adj. e s. m. manifiesto.

manigância, s. f. tramoya, enredo.

manilha, s. f. manilla, aro de adorno para la pulsera; caño de barro cocido o grés; manilla, juego de naipes.

manilhar, v. tr. colocar caños de barro cocido o grés; afianzar con grilletes.

manilúvio, s. m. maniluvio.

maninelo, adj. e s. m. atolondrado; maricas; idiota.

maninhar, v. tr. dejar sin cultivo un terreno.

maninho, adj. mañero, estéril; inculto.

maniota, s. f. maniota, manea.

manipanso, s. m. ídolo de África; hechizo.

manipulação, s. f. manipulación.

manipulador, s. m. manipulador.

manípulo, s. m. manada, manípulo.
maniquete, s. m. maniquete.
manirroto, adj. manirroto, demasiado liberal, pródigo.
manita, s. f. manita, manecita.
manivela, s. f. manivela; manubrio.
manjar, s. m. manjar.
manjedoura, s. f. pesebre.
manjericão, s. m. BOT. albahaca.
manjerico, s. m. albahaca
manjerona, s. f. BOT. mejorana.
mano, s. m. hermano.
manobra, s. f. maniobra.
manobrador, s. m. maniobrador.
manobrar, v. tr. maniobrar.
manobreiro, s. m. maniobrero.
manobrista, s. 2 gén. NÁUT. maniobrista.
manojo, s. m. manojo.
manométrico, adj. manométrico.
manómetro, s. m. manómetro.
manopla, s. f. manopla.
manqueira, s. f. manquera; cojera.
manquejar, v. intr. cojear, estar manco o cojo; (fig.) claudicar.
mansão, s. f. mansión, morada, hogar.
mansarda, s. f. buhardilla.
mansarrão, adj. e s. m. pachorrudo; muy manso.
mansidão, s. f. mansedumbre; benignidad.
manso, adj. manso, suave; domesticado.
mansuetude, s. f. mansedumbre.
manta, s. f. manta, cobertor; cubierta que sirve para abrigo a las caballerías.
mantão, s. m. mantón.
mantar, v. intr. AGRIC. acaballonar.
manteação, s. f. manteamiento.
manteador, s. m. manteador.
mantear, v. tr. mantear, hacer saltar sobre una manta; citar (al toro); (fig.) importunar, molestar.
manteeiro, s. m. ropero, criado de la casa real; aguador; mantero; recadero.
manteiga, s. f. manteca, mantequilla.
manteigaria, s. f. mantequería.
manteigoso, adj. mantecoso.
manteigueira, s. f. mantequera; mantequero.
manteigueiro, s. m. mantequero; (fig.) adulador.
manteiro, s. m. mantero.
mantel, s. m. mantel, lienzo (de altar o de mesa).
mantelete, s. m. mantelete.
mantença, s. f. alimento, sustento; manutención; mantención; mantenimiento.

mantenedor, I. s. m. defensor; protector.
II. adj. mantenedor.
manter, v. 1. tr. mantener; sustentar; alimentar; cumplir; conservar; defender.
2. refl. subsistir.
mantéu, s. m. manto, manteo.
mantilha, s. f. mantilla.
mantimento, s. m. mantenimiento; sustento; manutención.
mantissa, s. f. mantisa.
manto, s. m. manto; mantilla grande.
mantuano, adj. e s. m. mantuano.
manual, I. adj. 2 gén. manual; trabalhos manuais, manualidades. II. s. m. manual.
manufactor, s. m. manufacturero.
manufactura, s. f. manufactura.
manufacturar, v. tr. manufacturar.
manufactureiro, adj. manufacturero.
manulúvio, s. m. vd. **manilúvio.**
manuscrito, adj. e s. m. manuscrito.
manuseação, s. f. manoseo; compulsación.
manuseamento, s. m. manoseo.
manusear, v. tr. manosear.
manuseio, s. m. manoseo.
manutenção, s. f. manutención; sostenimiento; gerencia, administración.
manzorra, s. f. manaza, manopla, mano grande.
mão, s. f. ANAT. mano; puñado; mano, maja (del almirez); flanco, costado; ZOOL. mano; mano, primero jugador; mano, capa de color, barniz, etc.; mão esquerda, siniestra; mão direita, derecha; hábil de mãos, manitas; por baixo de mão, trastienda.
mão-cheia, s. f. manada; puñado; às mãos-cheias, a porrillo.
maometano, adj. e s. m. mahometano; musulmán.
maometismo, e. m. mahometismo.
mão-pendente, s. f. sobornación, soborno.
mão-travessa, s. f. palmo.
mãozada, s. f. (fam.) apretón de manos cuando se saluda; manada.
mãozorra, s. f. manaza.
mapa, s. m. mapa, carta geográfica; lista, cuadro; catálogo.
mapa-múndi, s. m. mapamundi.
maqueiro, s. m. camillero.
maqueta, s. f. maqueta.
maquia, s. f. maquila (salario del molinero).
maquiavelice, s. f. maquiavelismo.

maquiavélico, adj. maquiavélico.
maquiavelismo, s. m. maquiavelismo.
maquilhagem, s. f. maquillaje.
maquilhar, v. tr. maquillar.
máquina, s. f. máquina; *máquina de barbear*, maquinilla.
maquinação, s. f. maquinación.
maquinador, adj. e s. m. maquinador.
maquinal, adj. 2 gén. maquinal.
maquinar, v. tr. maquinar.
maquinaria, s. f. maquinaria.
maquineta, s. f. sagrario, tabernáculo; trono o santuario en que se expone el santísimo; maquinilla.
maquinismo, s. m. maquinismo.
maquinista, s. 2 gén. maquinista; tramoyista (en los teatros).
mar, s. m. mar.
marabu, s. m. ZOOL. marabú.
marabunta, s. f. ZOOL. marabonta.
marabuto, s. m. marabú, morabito, santón (religioso mahometano).
maraca, s. f. maraca.
maracotão, s. m. melocotón.
maracoteiro, s. m. BOT. melocotonero.
maracujá, s. m. maracuyá.
marafona, s. f. *(fam.)* prostituta, ramera; *(fig.)* muñeca de trapo; mujer desaliñada.
marajá, s. m. marajá.
maranha, s. f. maraña; enredos del cabello; negocio intrincado; astucia.
maranhão, s. m. gran mentira.
marasmático, adj. marasmático.
marasmo, s. m. marasmo.
marasquino, s. m. marrasquino.
marata, s. m. marathi, márata (lengua).
maratona, s. f. maratón.
marau, adj. pillo, tunante.
maravedi, s. m. maravedí.
maravilha, s. f. maravilla, prodigio; momio; BOT. maravilla.
maravilhar, v. tr. maravillar; sorprender.
maravilhoso, adj. e s. m. maravilloso; prodigioso; milagroso; pistonudo; sorprendente.
marca, s. f. marca, señal, firma, sello; categoría; lacra; *marca alfandegária*, marchamo.
marcação, s. f. marca; marcaje.
marcado, adj. marcado; pronunciado.
marcador, adj. e s. m. marcador.
marçano, s. m. motril; hortera.
marcante, adj. 2 gén. marcante; marcador.
marca-passos, s. m. marcapasos.

marcar, v. tr. marcar; señalar; sellar; signar; determinar.
marcenaria, s. f. carpintería; ebanistería.
marceneiro, s. m. ebanista.
marcescência, s. f. BOT. marcescencia.
marcescente, adj. 2 gén. BOT. marcescente.
marcescível, adj. 2 gén. marcesible.
marcha, s. f. marcha.
marchante, s. m. marchante; tratante de ganados; carnicero.
marchar, v. intr. marchar.
marchetado, adj. taraceado, marquetado; *(fig.)* esmaltado.
marchetar, v. tr. marchetar, marquetar, embutir.
marchetaria, s. f. marquetería; ebanistería.
marchete, s. m. pieza de marquetería.
marcheteiro, s. m. ebanista; marquetero.
marcial, adj. 2 gén. marcial, bélico, belicoso; guerrero.
marciano, adj. e s. m. marciano.
marco, s. m. marco, baliza; mojón; linde, lindero; pilar; *(moeda)* marco, *marco postal*, buzón de correo.
Março, s. m. marzo.
marcomanos, s. m. pl. marcomanos.
marconigrama, s. m. radiograma; marconigrama.
maré, s. f. marea; oportunidad, ocasión; maré cheia, pleamar.
mareação, s. f. mareaje; mareo.
mareagem, s. f. vd. **mareação**.
mareante, s. m. navegador, marinero; marino.
marear, v. 1. tr. marear, conducir el buque; oxidar; *(fig.)* deslustrar. 2. intr. perder el brillo; marearse a bordo.
marechal, s. m. mariscal.
marechala, s. f. mariscala.
marechalado, s. m. vd. **marechalato**.
marechalato, s. m. MIL. mariscalía.
marégrafo, s. m. mareógrafo.
mareiro, adj. marero, marítimo, dícese del viento.
marejada, s. f. mareta, marejadilla.
marejar, v. intr. vd. **marulhar**; gotear; rezumar un líquido por los poros.
marémetro, s. m. marémetro; mareógrafo.
maremoto, s. m. maremoto.
mareógrafo, s. m. vd. **marégrafo**.
maresia, s. f. marisco, olor del mar; marejada.

mareta, s. f. mareta; ola de río.
marfado, adj. exasperado, irado.
marfar, v. tr. ofender, disgustar, enfurecer; irritar.
marfim, s. m. marfil.
marfíneo, adj. marfileño.
marga, s. f. marga.
margagem, s. f. AGRIC. margaje.
margar, v. tr. AGRIC. margar.
margárico, adj. QUÍM. margárico.
margarida, s. f. BOT. margarita.
margarina, s. f. QUÍM. margarina.
margarita, s. f. (pérola) margarita.
margear, v. tr. marginar; festonear.
margem, s. f. margen, orilla, borde, cercadura; (fig.) facilidad; posto à margem, marginado.
marginação, s. f. marginación.
marginal, adj. 2 gén. marginal.
marginar, v. tr. marginar; apostillar.
margoso, adj. margoso.
margrave, s. m. margrave.
margueiro, s. m. marguero.
marial, adj. 2 gén. mariano, marial.
marianismo, s. m. marianismo.
mariano, adj. mariano.
maria-rapaz, adj. marimacho.
maricão, s. m. vd. **maricas.**
maricas, s. m. maricón, marica, mariquita, invertido; (fig.) saraza.
maridar, v. tr. e intr. maridar; enlazar; casar.
marido, s. m. marido.
marijuana, s. f. marijuana, marihuana, maría.
marimacho, s. m. vd. **maria-rapaz.**
marimba, s. f. marimba.
marina, s. f. marina.
marinha, s. f. marina, marinería.
marinhagem, s. f. marinería, marinaje.
marinhar, v. 1. tr. marinar. 2. intr. marinear, navegar; (fig.) trepar.
marinharia, s. f. marinería.
marinheiro, I. adj. marinero. II. s. m. marinero, marino, hombre de mar.
marinhista, s. 2 gén. marinista.
marinho, adj. marino; marítimo.
marinismo, s. m. marinismo.
marinista, s. 2 gén. marinista.
mariola, s. m. mozo de cordel o de cuerda; (fig.) granuja, bribón, tuno, sinvergüenza.
mariolada, s. f. bellaquería, bribonada.
marioneta, s. f. marioneta, muñeco.

mariposa, s. f. mariposa.
marisca, s. f. ZOOL. trucha de agua salada.
mariscada, s. f. mariscada.
mariscar, v. intr. mariscar, coger marisco.
marisco, s. m. marisco.
marisma, s. f. marisma.
marisqueira, s. f. marisquera; marisquería.
marisqueiro, s. m. mariscador, marisquero.
marital, adj. 2 gén. marital.
marítimo, I. adj. marítimo, marino. II. s. m. marinero, marino.
marketing, s. m. marketing.
marmanjão, s. m. bellaco, tunante, truhán, pillo.
marmanjo, s. f. canalla; pícaro; (fam.) muchacho corpulento, muchachote.
marmelada, s. f. dulce de membrillo, carne de membrillo, codoñate; ganga, ventaja.
marmeleiro, s. m. BOT. membrillo.
marmelo, s. m. BOT. membrillo.
marmita, s. f. marmita.
marmorário, I. adj. marmóreo. II. s. m. marmolista.
mármore, s. m. mármol.
marmorear, v. tr. marmolear, marmolizar.
marmoreira, s. f. cantera de mármol.
marmoreiro, s. m. marmolista.
marmóreo, adj. marmóreo.
marmorista, s. m. vd. **marmoreiro.**
marmorização, s. f. marmorización.
marmota, s. f. ZOOL. (mamífero) marmota; (peixe) pescadilla; pijota.
marnel, s. m. terreno pantanoso.
maro, s. m. BOT. maro, amaro.
maroma, s. f. maroma.
maronitas, s. m. pl. maronitas.
marosca, s. f. (fam.) trapaza, ardid, trampa.
marotear, v. intr. tunantear; bribonear.
maroteira, s. f. picardía, bribonada.
maroto, I. adj. malicioso, lascivo; tunante, bribón; pícaro. II. s. m. individuo despreciable; sollastre.
marouço, s. m. ola alta y encrespada; pleamar, marea alta.
marquês, s. m. marqués.
marquesa, s. f. marquesa; (alpendre) marquesina.
marquesado, s. m. marquesado.
marquesinha, s. f. marquesina.
marra, s. f. marra.
marrã, s. f. marrana; cochina, cerda joven; tocino fresco.

marrada, *s. f.* topetada, testarazo; cabezada.

marrafa, *s. f.* cabellos sobre la frente, mechón, flequillo; crencha.

marralhar, *v. intr.* insistir; regatear en el precio.

marralheiro, *adj.* marrullero, astuto; regateador.

marralhice, *s. f.* marrullería, astucia; regateo.

marrana, *s.* 1. *f.* joroba, giba. 2. *s. 2 gén.* persona jorobada.

marranica, *s.* 1. *f.* joroba, giba, corcova. 2. *s. m.* jorobado, giboso.

marrano, *s. m.* excomulgado; maldito; marrano, hombre sucio.

marrão, *s. m.* marranillo, que ya no mama; marra, almádena, martillo de hierro.

marrar, *v. intr.* topetar.

marrasquino, *s. m.* marrasquino.

marreco, *adj.* marrajo, astuto; jorobado, giboso; ZOOL. especie de ánade.

marreta, *s. f.* almadeneta, almádena pequeña, martellina, marra.

marroada, *s. f.* marrazo, marronazo, golpe con la marra.

marroaz, *adj.* terco, obstinado.

marroio, *s. m.* marrubio.

marroquim, *s. m.* marroquí, tafilete.

marroquinar, *v. tr.* tafiletear.

marroquinaria, *s. f.* marroquinaria.

marroquino, *adj.* e *s. m.* marroquí.

marroxo, *s. m.* (*fam.*) resto; sobra; migaja.

marselhês, *adj.* e *s. m.* marsellés.

marselhesa, *s. f.* marsellesa.

marsuíno, *s. m.* ZOOL. marsopa.

marsupial, *adj. 2 gén.* e *s. m.* marsupial.

marsúpio, *s. m.* marsupial.

marta, *s. f.* ZOOL. marta.

marte, *s. m.* ASTR. marte.

martelada, *s. f.* martillazo.

martelador, *adj.* e *s. m.* martillador.

martelagem, *s. f.* martilleo.

martelar, *v. tr.* martillar, (*fig.*) machacar, importunar.

martelete, *s. m.* martillejo.

martelo, *s. m.* martillo.

martinete, *s. m.* martinete.

mártir, *s. 2 gén.* mártir.

martírio, *s. m.* martirio.

martirizar, *v. tr.* martirizar.

martirológio, *s. m.* martirologio.

maruja, *s. f.* marinería; tripulación.

marujada, *s. f.* marinería, marinaje.

marujo, *s. m.* marinero, marino.

marulhada, *s. f.* marejada, mareta.

marulhar, *v. intr.* picarse, agitarse el mar.

marulho, *s. m.* marejada, mareta.

marulhoso, *adj.* picado, agitado (el mar).

marxismo, *s. m.* marxismo.

marxista, *adj. 2 gén.* marxista.

mas, I. *conj.* pero, mas, todavía; sino. II. *s. m.* dificultad.

mascar, *v. tr.* mascar.

máscara, *s. f.* máscara; careta; antifaz; CIR. mascarilla; *baile de máscaras,* baile de máscaras; *máscara antigás,* careta antigás; *máscara de beleza,* mascarilla.

mascarada, *s. f.* mascarada.

mascarado, *s. m.* enmascarado; *adj.* enmascarado, disfrazado.

mascarão, *s. m.* ARQ. mascarón.

mascarar, *v. tr.* mascarar, enmascarar; disfrazar.

mascarilha, *s. f.* mascarilla.

mascarra, *s. f.* mascarón, chafarrinada; mancha.

mascarrar, *v. tr.* mascarar; tiznar, ensuciar con tizne.

mascavado, *adj.* mascabado (azúcar); (*fig.*) adulterado.

mascavar, *v. tr.* separar el azúcar de peor calidad.

mascote, *s. f.* mascota; amuleto; fetiche.

mascoto, *s. m.* mazo, martillo grande.

masculinidade, *s. f.* masculinidad.

masculinizar, *v. tr.* masculinizar.

masculino, *adj.* e *s. m.* masculino.

másculo, *adj.* másculo, masculino.

masdeísmo, *s. m.* mazdeísmo.

masmorra, *s. f.* mazmorra; calabozo, cárcel.

masochismo, *s. m.* masoquismo.

masochista, *adj.* e *s. 2 gén.* masoquista.

masoquismo, *s. m.* vd. **masochismo**.

masoquista, *adj.* e *s. 2 gén.* vd. **masoquista**.

massa, *s. f.* masa; pasta alimenticia; (*fig.*) multitud; perra, dinero; *massa mole,* plasta.

massacrar, *v. tr.* masacrar.

massacre, *s. m.* masacre, matanza, mortandad; sarracina.

massagem, *s. f.* masaje.

massagista, *s. 2 gén.* masajista.

massame, *s. m.* NÁUT. cordaje, jarcia.

masséter, *s. m.* ANAT. masetero, mascador.

massudo, *adj.* grueso, pesado; voluminoso.

mastaba, *s. f.* mastaba.

mastaréu, *s. m.* NÁUT. mástil.

mastectomia, *s. f.* mastectomia.

mastigação, *s. f.* masticación.

mastigada *s. f.* (*fam.*) confusión, barahunda.

mastigadouro, *s. m.* mastigador.

mastigar, *v. tr.* masticar, mascar.

mastim, *s. m.* mastín.

mastite, *s. f.* mastitis.

mastodonte, *s. m.* mastodonte.

mastodôntico, *adj.* mastodóntico.

mastóide, *s. m.* mastoides.

mastreação, *s. f.* NÁUT. arboladura.

mastrear, *v. tr.* NÁUT. arbolar.

mastro, *s. m.* NÁUT. mástil, palo; mástil, asta, palo (de bandera).

mastruço, *s. m.* mastuerzo.

masturbação, *s. f.* masturbación.

masturbarse, *v. refl.* masturbarse.

mata, *s. f.* mata.

mata-borrão, *s. m.* secante, papel secante.

matacão, *s. m.* matacán, piedra grande.

matação, *s. f.* vd. **azáfama**; aflicción; cuidado.

matador, *adj. e s. m.* matador; asesino.

matadouro, *s. m.* matadero.

matadura, *s. f.* matadura, llaga en las bestias; (*fig.*) defecto moral.

matagal, *s. m.* espesura, matorral; selva; mata, mato.

matagoso, *adj.* cubierto de plantas silvestres.

matalotagem, *s. f.* matalotaje, provisión, comida que se lleva en un barco; vituallas.

matalote, *s. m.* marino, marinero; compañero de viaje.

mata-moscas, *s. m.* matamoscas.

mata-mouros, *s. m.* matamoros, matasiete, fanfarrón; fierabrás.

matança, *s. f.* matanza; carnicería; mortandad.

matar, *v. tr.* matar.

mata-sete, *s. m.* matasiete, fanfarrón.

mate, **I.** *s. m.* (*xadrez*) mate. **II.** *adj. 2 gén.* BOT. mate.

mateira, *s. f.* vd. **matagal**.

mateiro, *s. m.* guardabosques; leñador.

matemática, *s. f.* matemática.

matemático, *adj. e s. m.* matemático.

matéria, *s. f.* materia; materia (pus); (*fig.*) causa, ocasión; *pl.* deyecciones.

material, *adj. 2 gén. e s. m.* material.

materialismo, *s. m.* materialismo.

materialista, *s. 2 gén.* materialista.

materialização, *v. tr.* materialización.

materializar, *v. tr.* materializar.

matéria-prima, *s. f.* materia prima.

maternal, *adj. 2 gén.* maternal.

maternidade, *s. f.* maternidad.

materno, *adj.* materno; maternal, materno.

maticar, *v. tr.* latir el perro cuando encuentra caza.

matilha, *s. f.* jauría; manada; muta.

matinada, *s. f.* matinada, madrugada; canto de maitines; vocerío.

matinal, *adj. 2 gén.* matinal; matutino; madrugador.

matinar, *v. tr.* madrugar; despertar.

matinas, *s. f. pl.* maitines.

matiné, *s. f.* CIN. matinée.

matiz, *s. m.* matiz; graduación de colores.

matizar, *v. tr.* matizar; adornar; esmaltar.

mato, *s. m.* mato, matorral, monte, breña; *faca de mato*, machete.

matoso, *adj.* matoso.

matraca, *s. f.* matraca.

matracar, *v.* **1.** *intr.* llamar con fuerza a una puerta; (*fig.*) matracar, molestar. **2.** *tr.* importunar.

matraqueado, *adj.* acostumbrado; experimentado.

matraquear, **I.** *v. tr.* abuchear, chiflar, silbar; matraquear; tabletear. **II.** *s. m.* tableteo.

matrás, *s. m.* matraz.

matraz, *s. m.* vd. **matrás**.

matreirice, *s. f.* matrería; astucia; maña.

matreiro, *adj.* matrero, mañoso, astuto.

matriarcado, *s. m.* matriarcado.

matricida, *s. 2 gén.* matricida.

matricídio, *s. m.* matricidio.

matrícula, *s. f.* matrícula; matriculación.

matriculação, *s. f.* matriculación.

matriculado, *adj. e s. m.* matriculado.

matricular, *v. tr.* matricular.

matrimonial, *adj. 2 gén.* matrimonial.

matrimoniar, *v. tr.* matrimoniar.

matrimónio, *s. m.* matrimonio.

matriz, *s. f.* matriz, víscera; útero; iglesia matriz; negativo, prueba negativa; clisé.

matrona, *s. f.* matrona.

matronal, *adj. 2 gén.* matronal.

matula, *s. f.* vd. **matulagem**.

matulagem, *s. f.* pandilla, caterva.

matulão, s. m. matraco, individuo corpulento y grosero.

maturação, s. f. maduración.

maturar, v. tr. e intr. madurar.

maturescência, s. f. madurez; madureza.

maturidade, s. f. madurez; perfección.

maturo, adj. maduro; sazonado; perfecto.

matusalém, s. m. matusalén.

matuta-e-meia, s. f. niñería.

matutar, v. intr. meditar, pensar, cavilar.

matutice, s. f. rusticidad, grosería.

matutino, adj. matutino; matinal.

matuto, adj. rústico; maniático.

mau, adj. malo; imperfecto; dañoso, nocivo, perverso; funesto; maldito.

mauritano, adj. e s. m. mauritano.

mauro, adj. e s. m. mauro, moruno, mauritano, morisco.

mausoléu, s. m. mausoleo.

maviosidade, s. f. ternura, dulzura; delicadeza.

mavioso, adj. dulce, tierno, afectuoso.

mavórcio, adj. mavorcio, belicoso.

mavórtico, adj. vd. **mavórcio**.

maxila (cs), s. f. ZOOL. maxila; mandíbula.

maxilar, adj. 2 gén. e s. m. maxilar; maxilar inferior, mentón.

máxima, s. f. máxima, sentencia, axioma.

maximalismo, s. m. maximalismo.

maximalista, adj. e s. 2 gén. maximalismo.

máxime, adv. máxime, principalmente.

máximo, adj. e s. m. máximo; súmmum.

mazela, s. f. llaga; matadura; mal; (fig.) mancilla; mancha; defecto.

mazelar, v. tr. herir; ilagar; (fig.) macular.

mazelento, adj. llagado; carroñoso; (fig.) achacoso.

mazombo, adj. malhumorado; cascarrabias.

mazorral, adj. mazorral, grosero, rústico.

mazurca, s. f. mazurca.

me, pron. pess. a mí; para mí.

meação, s. f. mitad; mediación.

meada, s. f. madeja, manojo de hilo; enredo; intriga.

meado, adj. mediado.

mealha, s. f. meaja, migaja.

mealheiro, s. m. alcancía.

meandro, s. m. meandro, sinuosidad; pl. serpenteo.

meandroso, adj. abundante en meandros; sinuoso.

meão, adj. mediano; medíocre.

mear, v. tr. e intr. dividir al medio; mediar.

meato, s. m. canal muy pequeño; conducto; pasaje.

mecânica, s. f. mecánica.

mecanicismo, s. m. mecanicismo.

mecanicista, adj. e s. 2 gén. mecanicista.

mecânico, adj. e s. m. mecánico.

mecanismo, s. m. mecanismo.

mecanização, s. f. mecanización.

mecanizado, adj. mecanizado.

mecanizar, v. tr. mecanizar.

mecanografia, s. f. mecanografía; dactilografía.

mecanoterapia, s. f. mecanoterapia.

meças, s. f. pl. medición; valuación; comparación.

mecenas, s. m. mecenas.

mecenato, s. m. mecenazgo.

mecénio, s. m. mecenio.

mecha, s. f. mecha; mechón; rastrillo; prisa.

mechar, v. tr. azufrar un tonel.

meda, s. f. AGRIC. meda; hórreo; hacina.

medalha, s. f. medalla; condecoración; medallón (joya).

medalhado, s. m. medallista, medalla.

medalhão, s. m. medallón.

medalhário, s. m. medallero.

medalhista, s. 2 gén. medallista, medalla.

medalhística, s. f. numismática.

médão, s. m. médano, duna.

média, s. f. media, promedio.

mediação, s. f. mediación; intervención; intercesión.

mediado, adj. mediado.

mediador, s. m. mediador, medianero; procurador; tercero.

medial, adj. medial.

mediana, s. f. mediana.

medianeira, s. f. medianera; mediadora.

medianeiro, s. m. mediador; intermediario.

mediania, s. f. medianía; medianidad, término medio; suficiencia.

mediano, adj. mediano.

mediante, adj. 2 gén. mediante.

mediar, v. 1. intr. mediar, intervenir; estar en medio. 2. tr. dividir al medio.

mediastino, s. m. mediastino.

mediatização, s. f. mediatización.

mediatizar, v. tr. mediatizar.

mediato, adj. mediato.

mediatriz, s. f. mediatriz.

médica, s. f. médica.
medicação, s. f. medicación.
medicamento, s. m. medicamento.
medicamentoso, adj. medicamentoso.
medição, s. f. medición; valuación.
medicar, v. tr. medicar.
medicastro, s. m. medicastro.
medicável, adj. 2 gén. medicable.
medicina, s. f. medicina; medicamento.
medicinal, adj. 2 gén. medicinal.
médico, adj. e s. m. médico.
medida, s. f. medida; prudencia; orden; limite.
medidor, adj. e s. m. medidor.
medieval, adj. 2 gén. medieval.
medievalismo, s. m. medievalismo.
medievalista, s. 2 gén. medievalista.
medievo, adj. medieval.
medina, s. f. medina.
médio, adj. medio.
medíocre, adj. 2 gén. mediocre, mediano.
mediocridade, s. f. mediocridad.
medir, v. tr. medir; mensurar; regular; calcular; refrenar.
meditabundo, adj. meditabundo.
meditação, s. f. meditación.
meditar, v. tr. meditar; profundizar.
meditativo, adj. meditativo.
meditável, adj. 2 gén. digno de meditación.
mediterrâneo, adj. e s. m. mediterráneo.
médium, s. m. médium.
medível, adj. 2 gén. medible; comensurable.
medo, s. m. medo; médano.
medo (ê), s. m. miedo, terror; recelo; temor.
medonho, adj. pavoroso, horrendo, horroroso.
medra, s. f. medra, medro; progreso; aumento.
medrar, v. intr. medrar, crecer; (fig.) mejorar.
medrica, adj. e s. 2 gén. vd. **medricas**.
medricas, s. 2 gén. medroso; miedoso; timorato.
medronhal, s. m. madroñera.
medronheiro, s. m. BOT. madroño.
medronho, s. m. BOT. madroño (árbol y fruto).
medroso, adj. medroso; miedoso; tímido.
medula, s. f. ANAT. médula; meollo; *medula espinal*, médula espinal; *medula óssea*, médula ósea.

medular, adj. 2 gén. medular.
meduloso, adj. meduloso.
medusa, s. f. ZOOL. medusa.
meeiro, adj. mediero, que va a medias con otro.
mefistofélico, adj. mefistofélico.
mefítico, adj. mefítico.
mefitismo, s. m. paludismo.
megaciclo, s. m. megaciclo.
megafone, s. m. megáfono; altavoz.
megalítico, adj. megalítico.
megálito, s. m. megalito.
megalocéfalo, s. m. megalocéfalo.
megalomania, s. f. megalomanía.
megalomaníaco, adj. megalómano.
megalómano, adj. megalómano.
megalópole, s. f. megalópolis.
megalosssáurios, s. m. pl. megalosauros.
megâmetro, s. m. NÁUT./ASTR. megámetro.
megatério, s. m. megaterio.
megera, s. f. megera.
meia, s. f. media; calcetín.
meia-calça, s. f. leotardos.
meia-cana, s. f. mediacaña (moldura); mediacaña, lima; filete; estría.
meia-final, s. f. semifinal.
meia-idade, s. f. edad media; edad de los 40 a los 50 años.
meia-laranja, s. f. plaza o lugar semicircular.
meia-lua, s. f. media luna, creciente.
meia-noite, s. f. medianoche.
meia-tinta, s. f. media tinta, penumbra.
meigo, adj. mego, afectuoso; cariñoso; mimoso.
meiguice, s. f. dulzura, ternura.
meijoada, s. f. vd. **ameijoada**.
meimendro, s. m. BOT. beleño.
meiminho, s. m. meñique, mínimo.
meio, s. m. medio; centro; manera, ambiente; modo, término; vía; mitad; *meio ambiente*, medio ambiente; *do meio ambiente* medioambiental.
meio-dia, s. m. mediodía.
meio-fundista, s. 2 gén. DESP. mediofundista.
meio-fundo, s. m. DESP. mediofondo, semifondo; *corrida/prova de meio-fundo*, carrera/prueba de semifondo.
meio-morto, adj. medio muerto; muy cansado.
meio-seco, adj. semi-seco.
meio-soprano, s. m. tiple ligera.

meio-tom, s. m. MÚS. medio tono.

meirinho, s. m. merino, alguacil.

mel, s. m. miel; *pasta de mel*, melcocha.

mela, s. f. tizón, anublo (en los vegetales).

melaço, s. m. melaza, melote.

melado, adj. melado; marchito, seco.

melancia, s. f. BOT. sandía.

melancial, s. m. sandial.

melancieira, s. f. BOT. sandía, planta.

melancolia, s. f. melancolía; morriña; murria.

melancólico, adj. melancólico; taciturno; murrio; (fig.) sombrío.

melancolizar, v. tr. melancolizar.

melanina, s. f. melanina.

melão, s. m. BOT. melón.

melar, v. 1. tr. melar; endulzar con miel; desteñir. 2. intr. mustiarse, secarse.

meleiro, s. m. melero, mielero.

melena, s. f. melena.

melgueira, s. f. colmena, corcho, con alvéolos.

melhor, I. adj. mejor, superior. II. s. m. lo mejor; lo que es acertado.

melhorador, s. m. e adj. reformador.

melhoramento, s. m. mejoramiento.

melhora, s. f. mejora, mejoría; mejoramiento.

melhorar, v. 1. tr. mejorar; mejorar, reformar, enmendar; 2. refl. perfeccionarse.

melhoria, s. f. mejoría; mejora; progreso; ventaja.

mélia, s. f. BOT. melia.

meliante, s. m. tunante, vagabundo.

melífero, adj. melífero.

melificação, s. f. melificación.

melífico, adj. melífico; melifluo; meloso.

melífluo, adj. melifluo.

melindrar, v. 1. tr. molestar; hacer melindroso. 2. refl. ofenderse.

melindre, s. m. melindre; susceptibilidad; pique; pudor; escrúpulo.

melindroso, adj. melindroso.

melinite, s. f. melinite.

melissa, s. f. BOT. melisa, toronjil, cidronela.

meloal, s. m. melonar.

melodia, s. f. MÚS. melodía.

melodiar, v. tr. cantar melodiosamente.

melódico, adj. melódico, melodioso.

melodioso, adj. melodioso, melódico.

melodizar, v. tr. hacer melodioso.

melodrama, s. m. melodrama.

melodramático, adj. melodramático.

meloeiro, s. m. BOT. melón.

melografia, s. f. melografía.

melógrafo, s. f. melógrafo.

melolonta, s. m. ZOOL. melolonta.

melomania, s. f. melomanía.

melomaníaco, adj. e s. m. melomaníaco.

melómano, s. m. melómano.

melopeia, s. f. melopea.

melosidade, s. f. melosidade.

meloso, adj. meloso, méleo.

melquetrefe, s. m. (fam.) mequetrefe.

melra, s. f. ZOOL. mirla, hembra del mirlo.

melro, s. m. ZOOL. mirlo.

mélroa, s. f. ZOOL. vd. **melra**.

melúria, s. f. (fam.) lamuria, plañido fingido; queja, lamentación.

membrana, s. f. membrana.

membranáceo, adj. membranoso.

membranoso, adj. membranoso.

membro, s. m. miembro.

membrudo, adj. membrudo.

memento, s. m. memento.

memorando, I. adj. 2 gén. memorando, memorable. II. s. m. memorándum; memorando; membrete.

memorar, v. tr. memorar; recordar.

memorativo, adj. memorativo.

memorável, adj. 2 gén. memorable; señalado.

memória, s. f. memoria.

memorial, s. m. memorial.

memorização, s. f. memorización.

memorizar, v. tr. memorizar.

menagem, s. f. homenaje; prisión bajo palabra.

menção, s. f. mención, referencia, registro.

mencionado, adj. mencionado, dicho; *acima mencionado*, susodicho.

mencionar, v. tr. mencionar; referir; indicar; mentar.

mendaz, adj. 2 gén. mendaz, mentiroso, falso.

mendicância, s. f. mendicidad.

mendicante, adj. 2 gén. mendicante.

mendicidade, s. f. mendicidad.

mendigação, s. f. mendicidad.

mendigar, v. 1. tr. mendigar; pordiosear; rogar. 2. intr. pedir limosna; ser mendigo.

mendigo, adj. e s. m. mendigo; pordiosero; indigente.

mendinho, adj. e s. m. meñique (dedo).

mendubi, s. m. cacahuete; vd. **amendoim.**

meneador, adj. e s. m. meneador.

menear, v. tr. menear; tabalear; manejar, dirigir.

meneável, adj. 2 gén. que es fácil de menear.

meneio, s. m. meneo; contoneo; gesto; ademán; (fig.) mano de obra.

menestrel, s. m. trovador; juglar.

menfita, s. 2 gén. menfita.

menina, s. f. niña, muchacha; soltera; señorita.

menineiro, adj. infantil; niñero, pueril; aniñado.

meninge, s. f. ANAT. meninges.

meningite, s. f. meningitis.

meninice, s. f. infancia, niñez, puericia.

menino, s. m. niño, muchacho; *menino de coro*, monaguillo; *menino rico*, pijo.

menir, s. m. menhir.

menisco, s. m. ANAT. menisco.

menopausa, s. f. menopausia.

menor, I. adj. 2 gén. menor, inferior, más pequeño. **II.** s. 2 gén. menor de edad.

menoridade, s. f. minoría.

menorragia, s. f. menorragia.

menor-valia, s. f. minusvalía.

menos, I. adv. menos, en menor número; pelo menos/ao menos, siquiera. **II.** prep. excepto. **III.** s. m. menos, la menor cosa.

menoscabador, s. m. menoscabador.

menoscabar, v. tr. menoscabar.

menoscabo, s. m. menoscabo.

menospreço, s. m. vd. **menosprezo.**

menosprezador, s. m. menospreciador.

menosprezar, v. tr. menospreciar, despreciar, desdeñar.

menosprezável, adj. 2 gén. menospreciable.

menosprezo, s. m. menosprecio; desprecio.

menostazia, s. f. menostasia.

mensageiro, adj. e s. m. mensajero.

mensagem, s. f. mensaje.

mensal, adj. 2 gén. mensual.

mensalidade, s. f. mensualidad, mesada.

menstruação, s. f. menstruación; menstruo.

menstruada, adj. e s. f. menstruante.

menstrual, adj. 2 gén. menstrual.

mênstruo, s. m. menstruo, menstruación.

mensurabilidade, s. f. mensurabilidad.

mensuração, s. f. mensuración; medición.

mensurador, adj. mensurador.

mensurar, v. tr. mensurar, medir.

mensurável, adj. 2 gén. mensurable, medible.

mental, adj. 2 gén. mental.

mentalidade, s. f. mentalidad.

mentalização, s. f. mentalización.

mentalizar, v. tr. mentalizar.

mentalmente, adv. mentalmente.

mente, s. f. mente, inteligencia, intelecto.

mentecapto, s. m. mentecato; simplón.

mentir, v. intr. mentir.

mentira, s. f. mentira; falsedad; engaño; patraña, patrañuela.

mentirola, s. f. patraña; mentirón.

mentiroso, adj. mentiroso; embustero.

mento, s. m. ANAT. mentón, barba, barbilla.

mentol, s. m. QUÍM. mentol.

mentolado, adj. mentolado.

mentor, s. m. mentor; preceptor.

merca, s. f. merca, compra.

mercadejar, v. intr. mercadear, traficar.

mercado, s. m. mercado, longa; *estudo de mercado*, marketing.

mercador, s. m. mercader, mercadero; mercante.

mercadoria, s. f. mercancía, mercadería; *mercadoria de contrabando*, matute.

mercancia, s. f. mercancía; negocio; tráfico.

mercante, adj. 2 gén. mercante.

mercantil, adj. 2 gén. mercantil, comercial.

mercantilismo, s. m. mercantilismo.

mercantilista, adj. e s. 2 gén. mercantilista.

mercar, v. tr. mercar, comprar.

mercê, s. f. merced, indulto; beneficio, premio.

mercearia, s. f. (loja) ultramarino; (comestíveis) ultramarinos.

merceeiro, s. m. tendero.

mercenário, adj. e s. m. mercenario.

mercenarismo, s. m. espíritu mercenario.

mercurial, adj. mercurial.

mercúrio, s. m. QUÍM. mercurio.

merda, s. f. mierda.

merecedor, adj. e s. m. merecedor.

merecer, v. tr. merecer.

merecido, adj. merecido.

merecimento, s. m. merecimiento; mérito.

merencório, adj. melancólico.

merenda, s. f. merienda; piscolabis.

merendar, v. tr. merendar.

merendeiro, s. m. merendero.

merengue, s. m. merengue (dulce).

meretriz, s. f. meretriz, coima, ramera.

mergulhador, s. m. submarinista; somorgujador.

mergulhão, s. m. ZOOL. somorgujo.

mergulhar, v. tr. e intr. bucear, sumergir, somorgujar.

mergulhia, s. f. AGRIC. acción de amugronar las vides.

mergulho, s. m. somorgujo, somorgujón.

meridiana, s. f. ASTR. meridiana.

meridiano, adj. e s. m. meridiano.

meridional, adj. 2 gén. meridional.

merinaque, s. m. meriñaque.

merino, adj. e s. m. merino.

meristema, s. m. BOT. meristema.

mérito, s. m. mérito; merecido.

meritório, adj. meritorio.

merlão, s. m. MIL. merlón.

mero, adj. mero, puro, simple.

mês, s. m. mes; mensualidad, mesada.

mesa, s. f. mesa; banca; tabla; (fig.) comida; toalha de mesa, mantel.

mesada, s. f. mesada, mensualidad.

mesário, s. m. miembro de mesa, de cofradía o corporación.

mescla, s. f. mezcla.

mesclar, v. tr. mezclar.

mesentérico, adj. mesentérico.

mesentério, s. m. ANAT. mesenterio.

mesenterite, s. f. MED. mesenteritis.

meseta, s. f. meseta.

mesmerismo, s. m. mesmerismo.

mesmo, I. adj. e pron. mismo. II. s. m. lo mismo. III. adv. io mismo; igualmente.

mesnada, s. f. mesnada.

mesnadeiro, s. m. mesnadeiro.

mesocárpio, s. m. vd. **mesocapo.**

mesocarpo, s. m. BOT. mesocarpio.

mesoderme, s. f. mesodermo.

mesolítico, adj. e s. m. mesolítico.

mesologia, s. f. mesología.

mesológico, adj. mesológico.

mesopotâmia, s. f. mesopotamia.

mesotórax, s. m. ANAT. mesotórax.

mesozóico, adj. mesozoico.

mesquinharia, s. f. racanería.

mesquinhez, s. f. mezquindad; racaneo, racanería.

mesquinho, adj. mezquino; racano; tacaño; ser mesquinho, racanear, tacanear.

mesquita, s. f. mezquita.

messe, s. f. mese, mies madura; siega.

messiânico, adj. mesiánico.

messianismo, s. m. mesianismo.

messias, s. m. mesías.

mesinha, s. m. mesilha.

mesteiral, s. m. menestral; artífice.

mester, s. m. mester, menester.

mestiçagem, s. f. mestizaje.

mestiçar, v. tr. mestizar.

mestiço, adj. e s. m. mestizo.

mesto, adj. triste; lúgubre; MÚS. mesto, triste.

mestra, s. f. maestra; profesora.

mestraço, s. m. maestro muy experimentado.

mestrado, s. m. maestrazgo.

mestral, adj. 2 gén. maestral.

mestrança, s. f. maestranza.

mestre, s. m. maestro; preceptor; profesor.

mestria, s. f. maestría.

mesura, s. f. mesura, reverencia, cortesía.

mesurar, v. intr. hacer mesuras, saludar; halagar; cortejar.

mesureiro, adj. halagador; adulador.

mesurice, s. f. mesura afectada, lisonja, servilismo.

meta, s. f. meta, límite, fin, término.

metabólico, adj. metabólico.

metabolismo, s. m. metabolismo.

metacárpio, s. m. metacarpo.

metacarpo, s. m. metacárpio.

metacronismo, s. m. metacronismo.

metade, s. f. mitad.

metafísica, s. f. metafísica.

metafísico, adj. e s. m. metafísico.

metáfora, s. f. metáfora.

metafórico, adj. metafórico.

metaforizar, v. tr. metaforizar.

metal, s. m. QUÍM. metal.

metalepse, s. f. metalepsis.

metalicidade, s. f. calidad de metálico.

metálico, adj. metálico.

metalífero, adj. metalífero.

metalificação, s. f. metalización.

metalinguagem, s. f. metalenguage.

metalinguística, s. f. metalingüística.

metalinguístico, adj. metalingüístico.

metalino, adj. metalino.

metalização, s. f. metalización.

metalizar, v. tr. metalizar.

metalocromia, s. f. metalocromía.

metalográfico, adj. metalográfico.

metalóide, s. m. QUÍM. metaloide.

metaloterapia, s. f. metaloterapia.

metalurgia, s. f. metalurgia.

metalúrgico, adj. metalúrgico.

metalurgista, s. 2 gén. metalurgista.
metameria, s. f. metamería.
metamérico, adj. metamérico.
metâmero, adj. QUÍM. metámero, isomérico.
metamórfico, adj. metamórfico.
metamorfismo, s. m. metamorfismo.
metamorfose, s. f. metamorfosis.
metano, s. m. QUÍM. metano.
metanol, s. m. metanol.
metástase, s. f. metástasis.
metatarso, s. m. metatarso.
metátese, s. f. metátesis.
metatórax, s. m. metatórax.
metazoário, s. m. ZOOL. metazoo, metazoario.
metediço, adj. entrometido; manifacero.
metempsicose, s. f. metempsicosis.
meteórico, adj. meteórico.
meteorismo, s. m. MED. meteorismo.
meteorito, s. m. meteorito, aerolito.
meteoro, s. m. meteoro.
meteorologia, s. f. meteorología.
meteorológico, adj. meteorológico.
meteorologista, s. 2 gén. meteorólogo.
meteoromancia, s. f. meteoromancia.
meter, v. tr. meter, introducir; aplicar; insinuar; incluir; mover; causar; infundir; internar; emplear.
meticulosidade, s. f. meticulosidad.
meticuloso, adj. meticuloso.
metido, adj. metido, familiarizado, entremetido.
metileno, s. m. QUÍM. metileno.
metílico, adj. metílico; sistemático.
metilo, s. m. QUÍM. metilo.
metódico, adj. metódico.
metodismo, s. m. metodismo.
metodizar, v. tr. metodizar.
método, s. m. método; modo.
metodologia, s. f. metodología.
metonímia, s. f. metonimia.
metonímico, adj. metonímico.
metralha, s. f. metralla.
metralhada, s. f. metrallazo.
metralhador, adj. e s. m. ametrallador.
metralhadora, s. f. ametralladora.
metralhar, v. tr. ametrallar.
métrica, s. f. métrica.
métrico, adj. métrico.
metrificação, s. f. metrificación; versificación.
metrificador, s. m. metrificador; versificador.

metrificar, v. 1. tr. metrificar. 2. intr. versificar.
metrite, s. f. metritis.
metro, s. m. (medida) metro; metro, metropolitano.
metrologia, s. f. metrología.
metrológico, adj. metrológico.
metrologista, s. m. 2 gén. metrologista.
metromania, s. f. metromanía.
metrónomo, s. m. MÚS. metrónomo.
metrópole, s. f. metrópoli, metropólis.
metropolitano, adj. e s. m. metropolitano.
metrorragia, s. f. metrorragia.
meu, adj. e pron. poss. mío, mí; el mío.
mexedela, s. f. acción de mexer; agitación; mezcla.
mexediço, adj. que se mueve mucho; bullicioso, irrequieto.
mexedura, s. f. mecedura, movimiento.
mexelhão, adj. e s. m. bullicioso, entremetido; travieso.
mexer, v. tr. e intr. mover; revolver; mezclar; agitar; tabalear; embrollar, enredar.
mexericar, v. 1. tr. chismear, chismorrear. 2. intr. intrigar.
mexerico, s. m. chisme, cuento, enredo.
mexeriqueiro, s. m. manifacero, chismoso, parlanchín, soplón.
mexicano, adj. e s. m. mejicano.
mexida, s. f. confusión, lío, embrollo, enredo; movida.
mexido, adj. movido, agitado, revuelto; expedito, listo.
mexilhão, s. m. ZOOL. mejillón.
mezinha, s. f. lavativa, clíster; (fam.) remedio casero.
mezinheiro, s. m. curandero.
mi, s. m. MÚS. mi.
miada, s. f. maullido.
miadela, s. f. maullido.
miado, s. m. maullido; mayido.
miar, v. intr. miar, maullar; mayar.
miasma, s. m. miasma.
miasmático, adj. miasmático.
miau, s. m. miau; maullido.
mica, s. f. mica.
micáceo, adj. micáceo.
micado, s. m. micado.
micaxisto, s. m. micacita.
micção, s. f. micción.
micélio, s. m. BOT. micelio.
micénico, adj. BOT. micénico.
mico, s. m. ZOOL. mico.
micologia, s. f. BOT. micología, micetología.

micologista, s. 2 gén. micologista.
microbial, adj. 2 gén. microbiano.
microbicida, adj. 2 gén. microbicida.
micróbio, s. m. microbio.
microbiologia, s. f. microbiología.
microcefalia, s. f. microcefalia.
microcéfalo, adj. microcéfalo.
microclima, s. f. microclima.
microcomputador, s. m. microordenador.
microcosmo, s. m. microcosmo, microcosmos.
microelectrónica, s. f. microelectrónica.
microfilme, s. m. microfilme.
microfone, s. m. micrófono.
micrografia, s. f. micrografía.
micrográfico, adj. micrográfico.
micrógrafo, s. m. micrógrafo.
micrologia, s. f. micrología.
micrológico, adj. micrológico.
micrólogo, s. m. micrólogo.
micrometria, s. f. micrometría.
micrométrico, adj. micrométrico.
micrómetro, s. m. micrómetro.
mícron, s. m. micrón, micra.
microondas, s. m. microondas.
microrganismo, s. m. microorganismo.
microprocessador, s. m. microprocesador.
microscopia, s. f. microscopia.
microscópico, adj. microscópico.
microscópio, s. m. microscopio.
micrósporo, s. m. BOT. micrósporo.
micróstomo, adj. micróstomo.
micrótomo, s. m. micrótomo.
mictório, s. m. meadero; mingitorio.
mielina, s. f. ANAT. mielina.
mielite, s. f. MED. mielitis.
miga, s. f. migas, sopas de pan; migaja, miga.
migalha, s. f. migaja, miga; pizca.
migalho, s. m. migaja; miaja.
migar, v. tr. migar, desmenuzar o partir el pan; desmigajar.
migração, s. f. migración.
migrante, adj. 2 gén. emigrante.
migrar, v. intr. migrar.
migratório, adj. migratorio.
mijada, s. f. meada.
mijadela, s. f. meada, meado.
mijão, adj. e s. m. meón.
mijar, v. intr. orinar, mear.
mijo, s. m. (fam.) meado, urina.
mil, num. card. mil.

milagre, s. m. milagro; prodigio.
milagreiro, s. m. milagrero.
milagroso, adj. milagroso.
milanês, adj. e s. m. milanés.
milavo, s. m. milésirna parte.
míldio, s. m. mildeu.
milenário, adj. milenario.
milénio, s. m. milenio.
milésima, s. f. milésima.
milésimo, num. ord. milésimo.
mil-folhas, s. m. 2 gén. milhojas.
milha, s. f. milla.
milhã, s. f. BOT. panizo.
milhafre, s. m. ZOOL. milano, azor; ratonero.
milhal, s. m. maizal.
milhano, s. m. vd. **milhafre**.
milhão, s. m. e num. millón; BOT. maíz.
milhar, s. m. milhar, mil.
milharal, s. m. vd. **milhal**.
mílharas, s. f. pl. huevas; mílharas de esturjão, huevas de esturjón, caviar.
milheiral, s. m. maizal.
milheiro, num. e s. m. millar; mil.
milho, s. m. BOT. maíz, mijo.
miliáceo, adj. semejante al maíz.
miliar, adj. 2 gén. miliar; miliario.
miliário, adj. miliario, miliar.
milícia, s. f. milicia; milícia civil, somatén.
miliciano, adj. e s. m. miliciano.
miligrama, s. m. miligramo.
mililitro, s. m. mililitro.
milímetro, s. m. milímetro.
milionário, adj. e s. m. millonario.
milionésima, s. f. millonésima.
milionésimo, adj. e s. m. millonésimo.
militança, s. f. milicia.
militância, s. f. militancia.
militante, adj. e s. 2 gén. militante.
militar, I. adj. 2 gén. militar; soldadesco; serviço militar, mili. II. s. m. militar; soldado. III. v. intr. militar.
militarismo, s. m. militarismo.
militarista, adj. e s. 2 gén. militarista.
militarização, s. f. militarización.
militarizar, v. tr. militarizar.
mim, pron. pess. mí.
mimado, adj. mimado; malcriado, maleducado.
mimalho, adj. mimoso, mimado.
mimar, v. tr. mimar, acariciar, halagar; malcriar, maleducar.
mimese, s. f. mimesis.
mimético, adj. mimético.

mimetismo, s. m. mimetismo.
mímica, s. f. mímica.
mímico, adj. mímico.
mimo, s. m. mimo; momio; cariño, halago; regalo, presente.
mimosa, s. f. BOT. mimosa.
mimosear, v. tr. mimar.
mimoso, adj. mimoso; sensible, tierno.
mina, s. f. mina; vena; excavación; naciente de agua.
minaz, v. tr. minar; excavar; horadar.
minarete, s. m. minarete.
minas, adj. minaz; amenazador.
mineiro, adj. e s. m. minero.
mineração, s. f. mineraje; minería.
mineral, adj. 2 gén. e s. m. mineral.
mineralização, s. f. mineralización.
mineralizador, adj. e s. m. mineralizador.
mineralizar, v. tr. QUÍM. mineralizar.
mineralogia, s. f. mineralogía.
mineralógico, adj. mineralógico.
mineralogista, s. 2 gén. mineralogista.
minério, s. m. mena.
mineromedicinal, adj. 2 gén. mineromedicinal.
minerva, s. f. TIP. minerva.
minga, s. f. (fam.) vd. míngua.
míngua, s. f. mengua.
minguado, adj. menguado; insuficiente, escaso.
minguante, adj. 2 gén. menguante.
minguar, v. intr. menguar; decrecer, disminuir; mermar.
minha, adj. e pron. poss. mía; que me pertenece.
minhoca, s. f. ZOOL. miñoca; lombriz.
miniatura, s. f. miniatura.
miniaturista, s. 2 gén. miniaturista.
miniaturizar, v. tr. miniaturizar.
minibásquete, s. m. minibasket.
minifúndio, s. m. minifundio.
minigolfe, s. m. minigolfe.
mínima, s. f. MÚS. mínima; mínima cosa o parte.
minimizar, v. tr. minimizar.
mínimo, I. adj. mínimo, muy pequeño.
II. s. m. mínimo; meñique.
mínio, s. m. QUÍM. minio.
mini-saia, s. f. minifalda.
ministerial, adj. 2 gén. ministerial.
ministério, s. m. ministerio.
ministrar, v. tr. ministrar; suministrar; fornecer; servir; administrar; propinar.
ministro, s. m. ministro.

minoração, s. f. minoración.
minorar, v. tr. minorar; atenuar, aliviar.
minorativo, adj. minorativo.
minoria, s. f. minoría; minoridad.
minoritário, adj. minoritario.
minorquino, adj. e s. m. menorquino.
minúcia, s. f. minucia; bagatela; minuciosidad.
minuciosidade, s. f. minuciosidad.
minucioso, adj. minucioso.
minudência, s. f. menudencia.
minudencioso, adj. menudencioso.
minuete, s. m. minueto, minué.
minúscula, s. f. minúscula.
minúsculo, adj. minúsculo.
minuta, s. f. minuta, borrador.
minutar, v. tr. minutar.
minuto, s. m. minuto; ponteiro dos minutos, minutero.
mio, s. m. maullido, miau, mayido.
miocárdio, s. m. ANAT. miocardio.
miocénico, s. m. vd. mioceno.
mioceno, adj. e s. m. mioceno, miocénico.
miografia, s. f. MED. miografía.
miógrafo, s. m. miógrafo.
miolada, s. f. meollada, sesos.
mioleira, s. f. meollo, sesos.
miolo, s. m. miga del pan; meollo, medula; cerebro; la parte interior de cualquier cosa; (fig.) meollo, cordura, juicio.
miologia, s. f. ANAT. miología.
míope, s. 2 gén. miope.
miopia, s. f. miopía.
miosótis, s. f. 2 núm. BOT. miosotis; raspilla.
miótico, adj. miótico.
miotomia, s. f. CIR. miotomía.
mira, s. f. mira; puntería; (fig.) mira, atención.
mirabolante, adj. 2 gén. chillón, dado, vistoso.
miraculoso, adj. milagroso, miraculoso.
mirada, s. f. mirada; modo de mirar; ojeada.
miradoiro, s. m. vd. miradouro.
miradouro, s. m. mirador; miradero.
miragem, s. f. miraje.
mirante, s. m. mirador; miradero.
mirar, v. tr. mirar; aspirar a; observar.
miríada, s. f. vd. miríade.
miríade, s. f. miríada.
miramento, s. m. miramiento.
miriâmetro, s. m. miriámetro.
miriápode, adj. 2 gén. miriápodo, miriozado.

mirificar, v. tr. mirificar; maravillar.
mirífico, adj. mirífico, admirable.
mirolho, adj. e s. m. bisojo; bizco.
mirone, s. m. espectador, mirón.
mirra, s. f. BOT. mirra.
mirrado, adj. flato, seco, resequido, mustio.
mirrar, v. tr. desecar; consumir; enflaquecer; depauperar; perfumar; embalsamar con mirra.
Mirtáceas, s. f. pl. BOT. mirtáceas.
mirtedo, s. m. mirtal.
mirto, s. m. BOT. mirto, murta, arrayán.
misantropia, s. f. misantropia.
misantrópico, adj. misantrópico.
misantropismo, s. m. misantropismo; misantropía.
misantropo, s. m. misántropo.
míscaro, s. m. seta.
miscelânea, s. f. miscelánea; mezcolanza; potaje.
miscibilidade, s. f. miscibilidad.
miscível, adj. 2 gén. miscible.
miseração, s. f. miseración, compasión.
miserando, adj. miserando; deplorable.
miserável, adj. 2 gén. miserable.
miséria, s. f. miseria; desgracia; infortunio; indigencia.
misericórdia, s. f. misericordia.
misericordioso, adj. misericordioso.
mísero, adj. mísero, miserable, desgraciado.
misógamo, adj. e s. m. misógamo.
misoginia, s. f. misoginia.
misógino, adj. e s. m. misógino.
missa, s. f. misa.
missal, s. m. misal.
missanga, s. f. mostacilla; abalorios.
missão, s. f. misión; comisión, encargo, gestión, cometido.
misse, s. f. miss.
míssil, s. m. misil.
missionar, v. tr. misionar, predicar, evangelizar.
missionário, s. m. misionero.
missionarismo, s. m. misionarismo.
missiva, s. f. misiva, carta.
mistela, s. f. mistela; comistrajo; potingue; bebida desagradable.
mister, s. m. menester; mester; falta; necesidad; ejercicio; oficio; empleo.
míster, s. m. míster.
mistério, s. m. misterio.
misterioso, adj. misterioso.

mística, s. f. mística.
misticismo, s. m. misticismo.
místico, adj. místico.
mistificação, s. f. mistificación.
mistificador, s. m. el que mistifica.
mistificar, v. tr. e intr. mistificar, mixtificar.
mistifório, s. m. embrollo, miscelánea; lío.
mistilíneo, adj. mistilíneo, mixtilíneo.
misto, adj. mixto; mezclado; confuso; *tosta/ /sanduíche mista*, mixto.
mistral, s. m. mistral.
mistura, s. f. mixtura, mezcla, miscelánea.
misturada, s. f. mezcolanza; mescolanza; (pej.) morralla.
misturado, adj. mixto.
misturador, adj. e s. m. mezclador.
misturar, v. tr. mixturar, mezclar; confundir; unir.
mísula, s. f. ARQ. mísula, ménsula.
mitene, s. f. mitón.
mítico, adj. mítico.
mitificação, s. f. mitificación.
mitificar, v. tr. mitificar.
mitigação, s. f. mitigación.
mitigador, s. m. mitigador.
mitigante, adj. 2 gén. mitigador.
mitigar, v. tr. mitigar, ablandar, suavizar, acalmar.
mito, s. m. mito.
mitografia, s. f. mitografía.
mitógrafo, s. m. mitógrafo.
mitologia, s. f. mitología.
mitológico, adj. mitológico.
mitomania, s. f. mitomanía.
mitose, s. f. BIOL. mitosis.
mitra, s. f. mitra; dignidad episcopal; mitra, coroza; caperuza; rabadilla de las aves.
mitrado, adj. mitrado.
mitral, adj. 2 gén. mitral; MED. mitral.
mitrar, v. tr. mitrar.
miuçalha, s. f. fragmento pequeño; pedazo, partícula, cachito, trozo.
miudeza, s. f. menudencia; pequeñez; pl. artículos que se venden en las mercerías.
miúdo, I. adj. menudo; diminuto; exacto. **II.** s. m. niño, chiquillo; pl. menudos, lechecillas; menudillos; calderilla, monedas de pequeño valor.
mixomatose, s. f. mixomatosis.
mixórdia, s. f. mixtura, mezcla; (fam.) comistrajo.

mnemónica, s. f. mnemónica, mnemotecnia.

mnemónico, adj. mnemónico.

mnemotecnia, s. f. mnemotecnia, mnemónica.

mnemotécnico, adj. mnemotécnico.

mo, contr. de los pron. **me** y **o:** me lo.

mó, s. f. muela.

moabita, s. 2 gén. moabita.

moageiro, s. m. molinero.

moagem, s. f. molienda, mollenda, moledura.

móbil, I. adj. 2 gén. móvil, mueble, movible. II. s. m. causa, razón; móvil.

mobilação, s. f. amueblamiento.

mobilador, s. m. amueblador.

mobilar, v. tr. amueblar.

móbile, s. m. móvil.

mobília, s. f. moblaje, mobiliario.

mobiliário, s. m. mobiliario, moblage.

mobilidade, s. f. movilidad.

mobilização, s. f. movilización.

mobilizar, v. tr. movilizar.

moca, s. **1.** f. porra, cachiporra, clave. **2.** s. m. moka, moca (café).

moça, s. f. moza; muchacha; criada; ramera, concubina.

mocada, s. f. cachiporrazo, porrada, porrazo.

moçalhão, s. m. mocetón.

moçambicano, adj. e s. m. mozambiqueño.

mocanqueiro, s. m. acariciador, halagador.

mocanquice, s. f. caricias; gestos; labia.

moção, s. f. moción; propuesta.

moçárabe, adj. e s. 2 gén. mozárabe.

moçarábico, adj. mozarábigo.

mocassim, s. m. mocasín.

mocetão, s. m. mocetón.

mocetona, s. f. mocetona.

mochila, s. f. MIL. mochila, morral; macuto.

mocho, I. s. m. ZOOL. buho; mochuelo; banqueta, banco. II. adj. ZOOL. mocho, desmochado, sin cuernos.

mocidade, s. f. mocedad.

mocinho, s. m. mozalbete, mozuelo.

moço, I. adj. mozo; (fig.) inexperto. II. s. m. mancebo, criado.

moçoila, s. f. mozuela, muchacha.

moda, s. f. moda; canción; costumbre; gusto, fantasía; na moda, pijo.

modal, adj. 2 gén. modal.

modalidade, s. f. modalidad.

modelação, s. f. modelado.

modelado, I. adj. modelado. II. s. m. modelado.

modelador, adj. e s. m. modelador.

modelagem, s. f. modelado.

modelar, I. v. tr. modelar; trazar; dirigir. II. adj. 2 gén. ejemplar; modélico.

modelismo, s. m. modelismo.

modelista, adj. 2 gén. modélico.

modelo, s. m. modelo; molde; pauta.

modem, s. m. INFORM. módem.

moderação, s. f. moderación.

moderado, adj. moderado; mesurado; módico.

moderador, adj. e s. m. moderador.

moderantismo, s. m. moderantismo.

moderar, v. tr. moderar, mitigar.

modernice, s. f. modernismo.

modernidade, s. f. modernidad.

modernismo, s. m. modernismo.

modernista, adj. e s. 2 gén. modernista.

modernização, s. f. modernización.

modernizar, v. tr. modernizar.

moderno, adj. moderno.

modéstia, s. f. modestia; simplicidad; recato.

modesto, adj. modesto; sencillo; mesurado; recatado.

módico, adj. módico.

modificação, s. f. modificación.

modificador, adj. e s. m. modificador.

modificável, adj. 2 gén. modificable.

modificar, v. tr. modificar, limitar, restringir, alterar.

modificativo, adj. modificativo.

modilhão, s. m. ARQ. modillón.

modilho, s. m. canción ligera, tonadilla.

modinha, s. f. MÚS. aria popular.

modismo, s. m. modismo.

modista, s. f. modista.

modo, s. m. modo; manera; hechura; disposición; método; estilo; guisa, suerte, talante; pl. modales.

modorra, s. f. modorra; somnolencia; sopor.

modulação, s. f. modulación.

modulador, adj. e s. m. modulador.

modular, v. tr. MÚS. modular.

módulo, s. m. módulo.

moeda, s. f. moneda; pieza; plata.

moedeira, s. f. moletera; cansera.

moedeiro, s. m. monedero (fabricante de moneda).

moedor, adj. e s. m. moledor; (fig.) inoportuno.

moedura, s. f. moledura, molienda, molimiento; machaqueo.

moega, s. f. tolva (de molino).

moela, s. f. ZOOL. molleja.

moenda, s. f. molina; molienda; muela del molino; trapiche.

moendeira, s. f. molinera.

moendeiro, s. m. molinero.

moer, v. tr. moler; esmagar; macerar; triturar; pisar; (fig.) molestar.

mofa, s. f. mofa, escarnio.

mofador, adj. e s. m. mofador.

mofar, v. 1. tr. e intr. mofarse (de); escarnecer. 2. intr. criar moho.

mofento, adj. mohoso.

mofeta, s. f. mofeta (gas).

mofina, s. f. mohina; mala suerte; mujer infeliz.

mofino, adj. mohino, triste.

mofo, s. m. moho; verdete, verdín, orín.

mogno, s. m. caoba.

mogo, s. m. mojón, señal para delimitar terrenos.

mogol, adj. e s. m. mogol, mongol.

moído, adj. molido.

moimento, s. m. mausoleo.

moinha, s. f. granzas, ahechaduras.

moinho, s. m. molino; molinillo; moinho de café, molinillo de café.

moio, s. m. moyo.

moira, s. f. salmuera; mora; mujer árabe.

moita, s. f. mata, matorral.

mojiganga, s. f. mojiganga.

mola, s. f. muelle, resorte; mola da roupa, pinza.

molancão, s. m. indolente.

molar, I. adj. 2 gén. molar; mollar; blando, muelle; dente molar, muela. II. s. m. molar (diente), muela.

molarinha, s. f. BOT. fumaria.

moldação, s. f. amoldamiento; modelación.

moldado, adj. moldado.

moldador, adj. e s. m. moldeador.

moldagem, s. f. vaciado.

moldar, v. tr. moldear, moldurar; vaciar; (fig.) adaptar, conformar.

molde, s. m. molde.

moldura, s. f. moldura; marco; reborde.

moldurar, v. tr. moldurar.

mole, I. s. f. mole; masa; tomo; multitud. II. adj. 2 gén. mole, mollar, muelle, indolente; plástico.

molécula, s. f. QUÍM. molécula.

molecular, adj. 2 gén. molecular.

moleira, s. f. molinera; ANAL. mollera.

moleirinha, s. f. mollera, fontanela, en los recién nacidos.

moleiro, s. m. molinero.

moleja, s. f. molleja.

molenga, adj. e s. 2 gén. blando, indolente; pelma.

molengão, s. m. indolente; pelma.

molestador, s. m. molestador.

molestar, v. tr. molestar; ofender; incomodar, irritar.

moléstia, s. f. molestia; enfado; mareo; enfermedad.

molesto, adj. molesto; inoportuno; incómodo; enfadoso; enfermo.

molete, s. m. mollete, molleta (pan).

moleza, s. f. molicie, blandura.

molhada (ò), s. f. manojo o haz grande; brazada.

molhadela, s. f. mojadura.

molhado, adj. mojado.

molhadura, s. f. mojadura, mojada; (fig.) propina; gratificación.

molhar, v. tr. mojar; derramar líquido sobre; humedecer.

molhe, s. m. NÁUT. muelle; malecón.

molheira, s. f. salsera.

molhelha, s. f. melenera.

molho, s. m. haz, manojo, hacina, brazada.

molho (ò), s. m. salsa, moje.

moliço, s. m. abono de limo, algas, sargazos, etc.

molificação, s. f. molificación.

molificar, v. tr. molificar.

molinete, s. m. NÁUT. molinete.

molinha, s. f. llovizna, mollizna, calabobos.

molinhar, v. tr. e intr. moler poco a poco; lloviznar; mollizmar; funcionar el molino.

molosso, s. m. perro moloso.

molusco, s. m. ZOOL. molusco.

momentâneo, adj. momentáneo.

momento, s. m. momento; instante; rato; ocasión.

momentoso, adj. grave, de gran importancia.

momices, s. f. pl. monerías; monadas.

momo, s. m. momo; farsa satírica; (fig.) momo, burla, escarnio.

mona, s. f. ZOOL. mona; cabra sin orejas; (fam.) muñeca de trapo; enfado; (fam.) borrachera.

monacal, adj. 2 gén. monacal; monástico.

monacato, s. m. monacato.
monada, s. f. monada; monería.
mónada, s. f. mónada.
mónade, s. f. mónada.
monadelfia, s. f. BOT. monadelfia.
monadelfo, adj. BOT. monadelfo.
monadismo, s. m. monadismo.
monadista, s. 2 gén. monadista.
monândrico, adj. BOT. monándrico.
monaquismo, s. m. monaquismo, monacato.
monarca, s. m. monarca.
monarquia, s. f. monarquía.
monárquico, adj. e s. m. monárquico.
monarquismo, s. m. monarquismo.
monástico, adj. monástico, monacal.
monção, s. f. monzón; (fig.) oportunidad.
monco, s. m. moco, mucosidad; moco de
pavo; monqueo.
moncoso, adj. mocoso; insignificante; (fig.)
sucio.
monda, s. f. monda; mondadura.
mondadeira, s. f. mondadora.
mondador, adj. e s. m. mondador.
mondadura, s. f. monda; mondadura; escarda; poda.
mondar, v. tr. e intr. mondar; desgastar;
podar; escardar; (fig.) corregir.
mondonga, s. f. mondonga, mujer sucia
y descuidada.
mondongo, s. m. mondongo, intestino
delgado de algunos animales; hombre
sucio.
mondongueira, s. f. mondonguera; tri-
picallera; casquera.
mondongueiro, s. m. mondonguero; tripicallero; casquero.
monera, s. f. mónera.
monere, s. f. mónera.
monetário, adj. monetario.
monetarismo, s. m. monetarismo.
monetarista, adj. e s. 2 gén. monetarista.
monetizar, v. tr. monetizar.
monge, s. m. monje.
mongil, s. m. monjil.
mongol, adj. e s. m. mongol.
mongólico, adj. mongólico.
mongolismo, s. m. mongolismo.
monismo, s. m. monismo.
monitor, s. m. monitor.
monitória, s. f. monitoria.
monja, s. f. monja.
mono, s. m. ZOOL. mono.
monoatómico, adj. QUÍM. monoatómico,
monovalente.

monobásico, adj. QUÍM. monobásico.
monocarpo, adj. e s. m. BOT. monocarpo.
monocarril, s. m. monocarril, monoraíl.
monoclínico, adj. monoclínico.
monocolor, adj. 2 gén. monocolor.
monocórdico, adj. monocorde.
monocotiledóneas, s. f. pl. BOT. monocotiledóneas.
monocromático, adj. monocromático.
monocular, adj. 2 gén. monocolar.
monóculo, s. m. monóculo.
monocultura, s. f. monocultivo.
monódia, s. f. monodía.
monódico, adj. monódico.
monofásico, adj. monofásico.
monogamia, s. f. monogamia.
monogâmico, adj. monogámico.
monógamo, adj. e s. m. monógamo.
monogenismo, s. m. monogenismo.
monogenista, s. 2 gén. monogenista.
monografia, s. f. monografía.
monográfico, adj. monográfico.
monograma, s. m. monograma.
monóico, adj. BOT. monoico.
monolíngue, adv. 2 gén. monolingüe.
monolítico, adj. monolítico.
monólito, s. m. monolito.
monologar, v. intr. monologar.
monólogo, s. m. monólogo; soliloquio.
monolugar, adj. 2 gén. e s. m. monoplaza.
monomania, s. f. monomanía.
monomaníaco, adj. e s. m. monomaníaco.
monometalismo, s. m. monometalismo.
monometalista, s. 2 gén. monometalista.
monométrico, adj. monométrico.
monómio, s. m. monomio.
monopétalo, adj. BOT. monopétalo.
monoplano, s. m. monoplano.
monópode, adj. e s. m. monópodo.
monopólio, s. m. monopolio.
monopolista, s. 2 gén. monopolista.
monopolização, s. f. monopolización.
monopolizador, adj. e s. m. monopolizador.
monopolizar, v. tr. monopolizar.
monorrimo, adj. monorrimo.
monospermo, adj. BOT. monospermo.
monossépalo, adj. BOT. monosépalo.
monossilábico, adj. monosilábico.
monossilabismo, s. m. monosilabismo.
monossílabo, s. m. monosílabo.
monoteísmo, s. m. monoteísmo.
monoteísta, adj. 2 gén. monoteísta.
monotonia, s. f. monotonía.

monótono, *adj.* monótono; monocorde.
monotrématos, *s. m. pl.* ZOOL. monotremas.
monovalente, *adj. 2 gén.* QUÍM. monovalente.
monóxido, *s. m.* monóxido.
monsenhor, *s. m.* monseñor.
monstro, *s. m.* monstruo.
monstruosidade, *s. f.* monstruosidad.
monstruoso, *adj.* monstruoso.
monta, *s. f.* monta, importe, total, suma.
monta-cargas, *s. m.* montacargas.
montada, *s. f.* montada; montura; caballería montada.
montado, *adj.* montado.
montagem, *s. f.* montaje.
montanha, *s. f.* montaña.
montanhês, *adj. e s. m.* montañés, serrano.
montanhismo, *s. m.* montanhismo.
montanhoso, *adj.* montañoso.
montano, *adj.* montano.
montão, *s. m.* montón; acerbo; pila; porrada; *aos montões*, a porrillo.
monta-pratos, *s. m.* montaplatos.
montar, *v. tr.* montar; cabalgar; poner en marcha.
montaria, *s. f.* montería.
monte, *s. m.* monte; amontonamiento; acerbo; morro; *aos montes*, a porrillo.
monteada, *s. f.* montería.
monteador, *s. m.* monteador.
montear, *v. tr.* montear.
monteira, *s. f.* montera.
monteiro, *s. m.* montero.
montenegrino, *adj. e s. m.* montenegrino.
montepio, *s. m.* montepío.
montês, *adj.* montés; montaraz.
montesino, *adj.* serrano.
montícola, *adj. e s. m.* montícola; montés.
montículo, *s. m.* montículo; otero; loma.
montra, *s. f.* escarapate.
montuoso, *adj.* montuoso, montoso.
montureira, *s. f.* estercolera.
montureiro, *s. m.* trapero.
monturo, *s. m.* muladar; estercolero.
monumental, *adj. 2 gén.* monumental.
monumento, *s. m.* monumento.
moquenco, *adj.* zalamero, adulador; perezoso.
moquenquice, *s. f.* zalamería, labia; mueca; pereza.
moqueta, *s. f.* moqueta.

mor, *adj. contr.* de maior.
mora, *s. f.* mora, demora; BOT. mora.
morada, *s. f.* morada; domicilio.
moradia, *s. f.* morada.
morado, *adj.* morado; violáceo.
morador, *adj. e s. m.* morador, residente.
moral, I. *adj. 2 gén.* moral. II. *s. f.* moral; *falsa moral*, moralina.
moralidade, *s. f.* moralidad.
moralista, *adj. 2 gén.* moralista.
moralização, *s. f.* moralización.
moralizador, *s. m.* moralizador.
moralizar, *v. tr.* moralizar.
morangal, *s. m.* fresal.
morango, *s. m.* BOT. fresa.
morangueira, *s. f.* fresera.
morangueiro, *s. m.* BOT. fresa, planta; fresero.
morar, *v. intr.* morar, residir; habitar.
moratória, *s. f.* moratoria.
moratório, *adj.* moratorio.
morbidez, *s. f.* morbidez; morbosidad.
mórbido, *adj.* mórbido; *curiosidade mórbida*, morbo, morbosidade.
morbífico, *adj.* morbífico; insano, insalubre.
morbo, *s. m.* morbo, enfermedad.
morbosidade, *s. f.* morbosidad.
morboso, *adj.* morboso.
morcego, *s. m.* ZOOL. murciélago; moruguilho.
morcela, *s. f.* morcilla.
mordaça, *s. f.* mordaza.
mordacidade, *s. f.* mordacidad.
mordaz, *adj. 2 gén.* mordaz; *(fig.)* satírico.
mordedela, *s. f.* mordedura, mordida; mordisca.
mordedor, *adj. e s. m.* mordedor.
mordedura, *s. f.* mordedura; mordisco; dentellada; picada; picadura.
mordente, I. *adj. 2 gén.* mordiente; *(fig.)* mordaz. II. *s. m.* mordiente.
morder, *v. tr.* morder.
mordicação, *s. f.* mordicación.
mordicante, *adj.* mordicante, mordiente.
mordicar, *v. tr.* mordisquear; morder.
mordiscar, *v. tr. vd.* mordicar.
mordoma, *s. f.* mayordoma.
mordomia, *s. f.* mayordomía.
mordomo, *s. m.* mayordomo.
moreia, *s. f.* ZOOL. morena; GEOL. morrena.
morena, *s. f.* GEOL. morrena.
moreno, *adj. e s. m.* moreno.
morfeia, *s. f.* morfea.

morfema, s. f. morfema.
morfina, s. f. QUÍM. morfina.
morfinismo, s. m. morfinismo.
morfinomania, s. f. morfinomanía.
morfinómano, adj. e s. m. morfinómano.
morfologia, s. f. morfología.
morfológico, adj. morfológico.
morgada, s. f. mayorazga.
morgadio, s. m. mayorazgo.
morgado, s. m. mayorazgo; hijo primogénito.
morganático, adj. morganático.
morgue, s. f. necroterio, morgue.
moribundo, adj. moribundo; mortecino.
morigeração, s. f. morigeración.
morigerado, adj. morigerado.
morigerar, v. tr. morigerar; moderar; refrenar los excesos.
morim, s. m. brabante.
moringue, s. m. botijo.
mormaceira, s. f. tiempo bochornoso, recalmón; canícula.
mormacento, adj. bochornoso.
mormaço, s. m. bochorno; recalmón.
mormo, s. m. VETER. muermo.
mórmon, s. 1. m. mormón. 2. adj. mormónico.
mormonismo, s. m. mormonismo.
mormoso, adj. muermoso.
mornidão, s. f. tibieza.
morno, adj. tibio, templado.
morosidade, s. f. morosidad.
moroso, adj. moroso.
morra!, interj. ¡muera!
morraça, s. f. vino de mala calidad.
morrer, v. intr. morir, fallecer, perecer; sucumbir; extinguirse; (fig.) sufrir mucho; desear ardientemente.
morrião, s. m. morrión (armadura); BOT. morrionera.
morrinha, s. f. morriña, comelía, enfermedad del ganado.
morrinhento, adj. morriñoso; enfermizo.
morro, s. m. morro.
morsa, s. f. ZOOL. morsa.
morsegar, v. tr. mordiscar, mordicar.
mortadela, s. f. mortadela.
mortal, adj. 2 gén. mortal.
mortalha, s. f. mortaja; papel de fumar.
mortalidade, s. f. mortalidad.
mortandade, s. f. mortandad; matança.
morte, s. f. muerte; suicidio; pena capital; término, fin.
morteirada, s. f. morterada.

morteiro, s. m. mortero.
morticínio, s. m. mortandad.
mortiço, adj. mortecino, moribundo, desmayado.
mortífero, adj. mortífero.
mortificação, s. f. mortificación.
mortificador, adj. mortificador.
mortificante, adj. 2 gén. mortificante.
mortificar, v. tr. mortificar; atormentar.
morto, I. adj. muerto; difunto, cadáver; deseoso. II. s. m. muerto.
mortório, I. adj. mortuorio. II. s. m. preparativos y actos para enterrar los muertos.
mortuário, adj. mortuorio; fúnebre.
morzelo, I. adj. morcillo. II. s. m. caballo negro.
mosaico, s. m. mosaico.
mosca, s. f. ZOOL. mosca.
moscada, s. f. BOT. moscada; nuez moscada.
moscadeira, s. f. BOT. mirística.
moscado, adj. almizclado.
moscão, s. m. moscón, moscardón.
moscardo, s. m. ZOOL. moscardón; tábano; tabarro; moscón.
moscatel, adj. 2 gén. e s. m. moscatel.
moscovita, adj. e s 2 gén. moscovita.
mosquear, v. tr. mosquear; salpicar.
mosquedo, s. m. mosquerío.
mosqueiro, s. m. mosquero.
mosqueta, s. f. BOT. mosqueta.
mosquetão, s. m. mosquetón.
mosquetaria, s. f. mosquetería.
mosquete, s. m. mosquete; (fig.) bofetada; guantazo; cachete.
mosquetear, v. tr. disparar tiros de mosquete contra.
mosqueteiro, s. m. mosquetero.
mosquiteiro, s. m. mosquitero, mosquitera.
mosquito, s. m. ZOOL. mosquito.
mossa, s. f. mella, rotura; fazer mossas, mellar.
mostarda, s. f. mostaza.
mostardal, s. m. mostazal.
mostardeira, s. f. BOT. mostaza; mostacera.
mostardeiro, s. m. el que vende mostaza; mostacera, vaso en que se sirve la mostaza.
mosteiro, s. m. monasterio.
mosto, s. m. mosto.
mostra, s. f. maestra.

mostrador, *s. m.* cuadrante; mostrador; salpicadero.

mostrar, *v. tr.* mostrar.

mostrengo, *s. m.* mostrenco.

mostruário, *s. m.* muestrario; mostrador.

mota, *s. f.* mota.

mote, *s. m.* mote; divisa; lema; epígrafe.

motejador, *adj.* e *s. m.* motejador.

motejar, *v. tr.* e *intr.* motejar; satirizar.

motejo, *s. m.* motejo; escarnio.

motel, *s. m.* motel.

motete, *s. m.* motete.

motilidade, *s. f.* motilidad.

motim, *s. m.* motín, revuelta, asonada; sublevamiento, sublevación.

motinada, *s. f.* motín, desorden, sedición.

motivação, *s. f.* motivación.

motivador, *adj.* e *s. m.* motivador.

motivar, *v. tr.* motivar.

motivo, *s. m.* motivo; causa, razón, lugar; propósito; presupuesto.

moto, *s. f.* moto.

motocicleta, *s. f.* motocicleta.

motociclista, *s. 2 gén.* motociclista.

motociclo, *s. m.* motociclo.

motocrosse, *s. m.* motocrosse.

motonáutica, *s. f.* motonáutica.

motor, I. *adj.* motor. II. *s. m.* motor.

motorismo, *s. m.* motorismo.

motorista, *s. 2 gén.* motorista.

motorizado, *adj.* motorizado.

motorizar, *v. tr.* motorizar.

moto-serra, *s. f.* motosierra.

motricidade, *s. f.* motricidad.

mouchão, *s. m.* islote con árboles.

mouco, *adj.* e *s. m.* sordo.

mouquice, *s. f.* sordera; sordez.

moura, *s. f.* mora, mujer árabe; salmuera; morcilla.

mourama, *s. f.* morería, morisma.

mouraria, *s. f.* morería.

mourejar, *v. intr.* trabajar sin descanso; esforzarse.

mouresco, *adj.* morisco.

mourisco, *adj.* morisco, moro, moruno.

mourisma, *s. f.* morisma.

mouro, *adj.* moro, morisco; moruno.

mouta, *s. f.* matorral.

moutão, *s. m.* motón.

moutedo, *s. m.* matorral.

movediço, *adj.* movedizo, inseguro; móvil.

móvel, I. *adj. 2 gén.* móvil; movible, movedizo; (*fig.*) voluble. II. *s. m.* mueble; pieza; Fís. móvil; *pl.* menage; moblaje.

movente, *adj. 2 gén.* movente; móvil.

mover, *v. tr.* mover; mecer; agitar, menear, tabalear; estimular.

movimentação, *s. f.* movimiento.

movimento, *s. m.* movimiento.

moviola, *s. f.* projector.

móvito, *s. m.* aborto; muévedo.

movível, *adj. 2 gén.* movible; movedizo.

mu, *s. m.* mulo.

muar, *adj.* e *s. 2 gén.* mular.

mucilagem, *s. f.* mucílago.

mucilaginoso, *adj.* mucilaginoso.

muco, *s. m.* moco (humor).

mucosa, *s. f.* ZOOL. mucosa; mucosidad.

mucosidade, *s. f.* mucosidad.

mucoso, *adj.* mucoso.

muçulmano, *adj.* musulmán.

muda, *s. f.* muda; mudanza; substitución.

mudança, *s. f.* mudanza; muda; modificación.

mudar, I. *v. tr.* mudar; transformar. II. *intr.* e *refl.* mudarse, ir a vivir para otro lugar.

mudável, *adj. 2 gén.* mudable.

mudéjar, *adj. 2 gén.* e *s. 2 gén.* ARQ. mudéjar.

mudez, *s. f.* mudez, mutismo.

mudo, I. *adj.* mudo; callado; silencioso. II. *s. m.* mudo.

muezim, *s. m.* muecín, almuecín.

muflão, *s. m.* muflón.

muge, *s. m.* ZOOL. mújol.

mugido, *s. m.* mugido.

mugidor, *adj.* mugidor.

mugir, *v. intr.* mugir.

mui, *adv.* muy.

muito, I. *adj.* e *pron.* mucho, abundante. II. *adv.* muy, en sumo grado; sobremanera.

mula, *s. f.* mula.

mulato, *s. m.* mulato.

muleta, *s. f.* muleta.

muleteiro, *s. m.* mulero, arriero.

mulher, *s. f.* mujer.

mulheraça, *s. f.* mujerona.

mulherengo, *adj.* e *s. m.* mujeriego; faldero.

mulheril, *adj. 2 gén.* mujeril; femenino; mujeriego.

mulherio, *s. m.* mujerío; las mujeres.

mulherona, *s. f.* mujerona.

mulherzinha, *s. f.* mujercilla.

mulo, *s. m.* mulo.

multa, s. f. multa.
multar, v. tr. multar.
multicor, adj. 2 gén. multicolor.
multidão, s. f. multitud.
multidisciplinar, adj. 2 gén. multidisciplinar.
multiforme, adj. 2 gén. multiforme.
multilátero, adj. multilateral.
multimédia, s. f. multimedia.
multimilionário, adj. e s. m. multimillonario.
multinacional, adj. 2 gén. e s. f. multinacional.
multípara, adj. f. multípara.
multiparidade, s. f. multiparidad.
multiplicação, s. f. multiplicación.
multiplicador, adj. e s. m. multiplicador.
multiplicando, s. m. multiplicando.
multiplicar, v. tr. multiplicar.
multiplicativo, adj. multiplicativo.
multiplicável, adj. 2 gén. multiplicable.
multíplice, adj. 2 gén. múltiple.
multiplicidade, s. f. multiplicidad.
múltiplo, adj. 2 gén. múltiplo; múltiple.
multirrisco, adj. multirriesgo.
multitubular, adj. 2 gén. multitubular.
multitudinário, adj. multitudinário.
multiúso, adj. multiuso.
múmia, s. f. momia.
mumificação, s. f. momificación.
mumificar, v. tr. momificar.
mundanal, adj. 2 gén. mundanal, mundano.
mundanismo, s. m. mundanismo.
mundano, adj. mundano; secular.
mundial, adj. 2 gén. mundial.
mundície, s. f. mundicia, limpieza, aseo.
mundícia, s. f. limpieza, aseo.
mundificação, s. f. mundificación.
mundificante, adj. 2 gén. mundificante.
mundificar, v. tr. mundificar.
mundo, I. s. m. mundo. II. adj. puro, limpio.
mungidura, s. f. ordeño.
mungir, v. tr. ordeñar la leche; muir.
munhão, s. m. MIL. muñón.
munheca, s. f. muñeca; pulso.
munição, s. f. munición.
munício, s. m. pan de munición o de cuartel.
municionar, v. tr. municionar.
municionário, s. m. municionero.

municipal, adj. 2 gén. municipal.
municipalidade, s. f. múnicipalidad.
munícipe, s. 2 gén. munícipe.
município, s. m. municipio; ayuntamiento.
munificência, s. f. munificencia.
munificente, adj. munificente.
munir, v. tr. munir; abastecer, defender.
múnus, s. m. oficio; cargo; empleo.
muradal, s. m. muradal, muladar.
mural, adj. 2 gén. e s. m. mural.
muralha, s. f. muralla.
muralhar, v. tr. amurallar, murar.
murar, v. tr. murar; amurallar.
murça, s. f. maceta; lima fina.
murchar, v. tr. e intr. marchitar; secar.
murchecer, v. intrj. marchitar.
murchidão, s. f. marchitez.
murcho, adj. marchito; triste; lacio; mustio; pilongo; pocho>; seco.
murganho, s. m. ZOOL. murgaño, musgaño.
muriático, adj. QUÍM. muriático.
muriato, s. m. QUÍM. muriato.
múrice, s. m. ZOOL. múrice.
murmuração, s. f. murmuración.
murmurador, adj. e s. m. murmurador.
murmurante, adj. murmurante.
murmurar, v. intr. murmurar; musitar; mascullar; susurrar.
murmúrio, s. m. murmurio; secreteo; susurro, susurrido.
muro, s. m. muro.
murro, s. m. puñetazo.
murta, s. f. BOT. murta, mirto.
murtinho, s. m. BOT. murtón.
musa, s. f. musa.
musaranho, s. m. ZOOL. musaraña, musgaño.
muscíneas, s. f. pl. BOT. muscineas.
musculação, s. f. musculación.
musculado, adj. musculado.
muscular, adj. 2 gén. muscular; musculoso.
musculatura, s. f. musculatura.
músculo, s. m. ANAT. músculo.
museu, s. m. museo.
musgo, s. m. BOT. musgo, musco.
musgoso, adj. musgoso.
música, s. f. música; composición musical.
musical, adj. 2 gén.musical.
musicalidade, s. f. musicalidade.
musicar, v. intr. musicar.
musicata, s. f. tocata; filarmónica.

músico, I. *adj.* músico. II. *s. m.* músico.
musicógrafo, *s. m.* musicógrafo.
musicologia, *s. f.* musicología.
musicólogo, *s. m.* musicólogo.
musicomania, *s. f.* musicomanía.
musicómano, *s. m.* musicómano, melómano.
musiqueta, *s. f.* musiquilla.
musiquim, *s. m.* musiquillo; musicastro.
musselina, *s. f.* muselina.
mustango, *s. m.* ZOOL. mustango.
mustelídeo, *adj.* mustélido.
mutabilidade, *s. f.* mutabilidad.
mutação, *s. f.* mutación.
mutante, *adj.* e *s.* 2 *gén.* mutante.
mutável, *adj.* 2 *gén.* mutable, mudable.

mutilação, *s. f.* mutilación.
mutilado, *adj.* e *s. m.* mutilado.
mutilador, *adj.* e *s. m.* mutilador.
mutilar, *v. tr.* mutilar.
mutismo, *s. m.* mutismo.
mutuação, *s. f.* mutualidad.
mutualidade, *s. f.* mutualidad.
mutualismo, *s. m.* mutualismo.
mutualista, *s.* 2 *gén.* mutualista.
mutuante, *adj.* 2 *gén.* mutuante.
mutuar, *v. tr.* prestar, trocar entre sí; permutar.
mutuário, *s. m.* mutuario.
mútalo, *s. m.* ARQ. mútula o mútulo.
mútuo, I. *adj.* mutuo, recíproco. II. *s. m.* comodato.

N

nababia, *s. f.* nababía.
nababo, *s. m.* nabab.
nabal, *s. m.* nabal, nabar.
nabiça, *s. f.* BOT. nabiza.
nabo, *s. m.* BOT. nabo.
nacada, *s. f.* bagatela; fruslería.
nação, *s. f.* nación; pueblo; patria.
nácar, *s. m.* nácar.
nacarado, *adj.* nacarado, nacarino.
nacarar, *v. tr.* nacarar.
nacarino, *adj.* nacarino, nacarado.
nacela, *s. f.* ARQUIT. nacela.
nacional, *adj.* 2 *gén.* nacional.
nacionalidade, *s. f.* nacionalidad.
nacionalismo, *s. m.* nacionalismo.
nacionalista, *adj.* e *s.* 2 *gén.* nacionalista.
nacionalização, *s. f.* nacionalización.
nacionalizar, *v. tr.* nacionalizar.
nacional-socialismo, *s. m.* nacional-socialismo.
nacional-socialista, *adj.* e *s.* 2 *gén.* nacional-socialista.
naco, *s. m.* pedazo, trozo, tajada.
nacrite, *s. f.* nacrita.
nada, I. *s. m.* nada; fruslería; bagatela. II. *pron. indef.* nada; cosa ninguna. III. *adv.* no.
nadador, *adj.* e *s. m.* nadador.
nadadura, *s. f.* nadadura; natación.
nadante, *adj.* 2 *gén.* nadante.
nadar, *v. intr.* nadar.
nádega, *s. f.* nalga; *pl.* (*fam.*) posaderas.
nadegada, *s. f.* nalgada.
nadegudo, *adj.* nalgudo.
nadinha, *s. m.* pizca; migaja; pedacito; muy poco.
nadir, *s. m.* nadir.
nadivo, *adj.* nativo.
nado, I. *s. m.* nado; *a nado*, a nado. II. *adj.* nado, nato, nacido.
nafta, *s. f.* QUÍM. nafta.
naftol, *s. m.* QUÍM. naftol.
nagalhé, *s. m.* sujeto sin importancia, chisgarabís.
nagalho, *s. m.* cordel; guita.
náiade, *s. f.* MIL. náyade.
náilon, *s. m.* nailon.

naipe, *s. m.* naipe.
naja, *s. f.* ZOOL. naja, naya.
nalga, *s. f.* ANAT. nalga.
nalgada, *s. f.* nalgada.
namorada, *adj.* e *s. f.* enamorada; apasionada; novia.
namoradeira, I. *s. f.* mujer que tiene muchos navíos. II. *adj.* enamoradiza.
namorado, *adj.* e *s. m.* enamorado.
namorador, *adj.* e *s. m.* amante, galanteador.
namorar, *v.* 1. *tr.* enamorar; atraer; cautivar. 2. *intr.* inspirar amor.
namoro, *s. m.* galanteo; enamoramiento.
nana, *s. f.* (*canção de embalar*) nana.
nanar, *v.* 1. *intr.* dormir. 2. *tr.* cantar.
nandu, *s. m.* ZOOL. ñandú.
nanismo, *s. m.* ANAT. nanismo; nanosomia.
nanja, *adv.* (*fam.*) no, jamás, nunca.
não, I. *adv.* no. II. *s. m.* negativa; recusa.
não-me-esqueças, *s. m.* nomeolvides; vd. **miosótis**.
napa, *s. f.* napa.
napalm, *s. m.* napalm.
napeia, *s. f.* MIT. napea.
napeiro, *adj.* indolente, abúlico, apático, dormilón.
napelina, *s. f.* QUÍM. napeiina.
napelo, *s. m.* BOT. anapelo, anapelo.
napiforme, *adj.* 2 *gén.* napiforme.
napoleónico, *adj.* napoleónico.
napoleonismo, *s. m.* napoleonismo.
napoleonista, *s.* 2 *gén.* napoleonista.
napolitano, *adj.* e *s. m.* napolitano.
naquele, *contr.* de la *prep.* **em** y el *adj.* o *pron.* **aquele**: en aquél.
naquilo, *contr.* de la *prep.* **em** y el *pron. dem.* **aquilo**: en aquello.
narceína, *s. f.* TERAP. narceina.
narceja, *s. f.* ZOOL. agachona, agachadiza.
narcisismo, *s. m.* narcisismo.
narcisista, *adj* e *s.* 2 *gén.* narcisismo.
narciso, *s. m.* BOT. narciso.
narcótico, *adj.* narcótico.
narcotizar, *v. tr.* narcotizar.
narcotraficante, *s.* 2 *gén.* narcotraficante.

narcotráfico, *adj.* narcotráfico.
nardo, *s. m.*BOT. nardo.
narguilé, *s. m.* narguilé.
naricula, *s. f.* nariz.
narigada, *s. f.* narizazo.
narigão, *s. m.* narigón; napias.
narigudo, *adj. 2 gén.* narigudo, narigón.
narina, *s. f.* nariz.
nariz, *s. m.* nariz; *(fam.)* picota; *nariz arre-bitado*, nariz respingona.
narração, *s. f.* narración; narrativa; descripción.
narrado, *s. m.* narrado; narración.
narrador, *adj. e s. m.* narrador.
narrar, *v. tr.* narrar; contar.
narrativa, *s. f.* narrativa, narración.
narrativo, *adj.* narrativo.
nártex, *s. m.* ARQ. nártex; pórtico.
narval, *s. m.* ZOOL. narval.
nasal, *adj. 2 gén.* nasal.
nasalação, *s. f.* nasalización.
nasalar, *v. tr.* nasalizar.
nasalidade, *s. f.* nasalidad.
nasalização, *s. f.* nasalización.
nasalizar, *v. tr.* nasalizar.
nasalmente, *adv.* nasalmente.
nascença, *s. f.* nacencia.
nascente, I. *adj. 2 gén.* naciente. II. *s.* 1. *m.* naciente, oriente. 2. *f.* naciente, fuente.
nascer, *v. intr.* nacer; brotar (agua); principiar; provenir; germinar; surgir.
nascida, *s. f.* nacida, nacencia; tumor, excrecencia, quiste.
nascidiço, *adj.* natural, nativo.
nascido, *adj.* nacido; natural.
nascimento, *s. m.* nacimiento; *(de um astro)* salida.
nascituro, *adj. e s. m.* concebido; generado.
nassa, *s. f.* nasa.
nastro, *s. m.* cinta estrecha de algodón.
nata, *s. f.* nata; *(fig.)* la elite.
natação, *s. f.* natación.
natadeira, *s. f.* vasija para cuajar la leche o criar nata.
natado, *adj.* ennatado.
Natal, I. *s. m.* natividad, Navidad; *noite de Natal*, Nochebuena. II. *adj. 2 gén.* natal, natalício.
natalício, *adj.* natalicio, natal; navideño; *dia natalício*, natalicio, natal.
natalidade, *s. f.* natalidad.
natátil, *adj. 2 gén.* natátil.
natatório, *adj.* natatorio.

nateirado, *adj.* ramoso, cenagoso.
nateiro, *s. m.* limo, lodo.
Natividade, *s. f.* Natividad, Navidad.
nativismo, *s. m.* nativismo.
nativo, I. *adj.* nativo. II. *s. m.* nativo.
nato, *adj.* nato, nacido.
natrão, *s. m.* natrón, nitrita.
natura, *s. f.* natura.
natural, *adj. 2 gén.* natural.
naturalidade, *s. f.* naturalidad; nacionalidade.
naturalismo, *s. m.* naturalismo.
naturalista, *s. 2 gén.* naturalista.
naturalização, *s. f.* naturalización.
naturalizado, *adj. e s. m.* naturalizado.
naturalizar, *v. tr.* naturalizar.
natureza, *s. f.* naturaleza; natura; ser.
naturismo, *s. m.* naturismo.
naturista, *adj. e s. 2 gén.* naturista.
nau, *s. f.* nao, nave.
naufragante, *adj. e s. 2 gén.* naufragante; náufrago.
naufragar, *v. intr.* naufragar.
naufrágio, *s. m.* naufragio.
náufrago, *s. m.* náufrago.
náusea, *s. f.* náusea.
nauseabundo, *adj.* nauseabundo.
nauseado, *adj.* nauseado.
nausear, I. *v. tr.* nausear. II. *intr.* nausear, tener náuseas o bascas.
nauseativo, *adj.* nauseativo.
nauta, *s. m.* nauta, navegante.
náutica, *s. f.* náutica.
náutico, *adj.* náutico.
náutilo, *s. m.* ZOOL. nautilo.
nava, *s. f.* lava, planicie.
naval, *adj. 2 gén.* naval; naviero.
navalha, *s. f.* navaja; ZOOL. navaja.
navalhada, *s. f.* navajada; navajazo; cuchillada.
navalhão, *s. m.* navajón.
navalhar, *v. tr.* navajear.
navarro, *adj. e s. m.* navarro.
nave, *s. f.* ARQ. nave.
navegabilidade, *s. f.* navegabilidad.
navegação, *s. f.* navegación.
navegador, *adj. e s. m.* navegador.
navegante, *adj. e s. 2 gén.* navegante.
navegar, *v. tr.* navegar.
navegável, *adj. 2 gén.* navegable.
naveta, *s. f.* naveta.
navicular, *adj. 2 gén.* navicular.
naviforme, *adj. 2 gén.* naviforme.

navio, s. m. navío; nau, nave.
nazareno, adj. e s. m. nazareno.
nazi, adj. e s. 2 gén. nazi.
nazismo, s. m. nazismo.
neblina, s. f. neblina.
nebulizador, s. m. nebulizador.
nebulosa, s. f. ASTR. nebulosa.
nebulosidade, s. f. nebulosidad.
nebuloso, adj. nebuloso.
necear, v. intr. necear, decir tonterías.
necedade, s. f. necedad.
necessária, s. f. necesaria, letrina.
necessário, adj. necesario, indispensable.
necessidade, s. f. necesidad; precisión; pobreza; miseria; hambre.
necessitado, adj. e s. m. necesitado; pobre; indigente.
necessitar, v. tr. e intr. necesitar, precisar; carecer; reclamar.
necróbia, s. f. ZOOL. necrobia.
necrófago, adj. ZOOL. necrófago.
necrofilia, s. f. necrofilia.
necrófilo, adj. e s. m. ZOOL. necrófilo.
necróforo, s. m. ZOOL. necróforo.
necrologia, s. f. necrología.
necrológico, adj. necrológico.
necrológio, s. m. necrologio.
necrologista, s. m. necrólogo.
necromancia, s. f. nigromancia.
necromante, s. 2 gén. nigromante.
necrópole, s. f. necrópolis.
necropsia, s. f. necropsia; autopsia.
necroscopia, s. f. necroscopia.
necroscópico, adj. necroscópico.
necrose, s. f. necrosis.
necrotério, s. m. morgue.
néctar, s. m. néctar.
nectáreo, adj. nectáreo.
nédio, adj. luciente, brillante; gordo, cebado.
neerlandês, adj. e s. m. neerlandés, holandés.
nefando, adj. nefando, indigno; abominable.
nefasto, adj. nefasto, funesto; trágico.
nefelibata, s. 2 gén. nefelibata.
nefralgia, s. f. nefralgia.
nefrite, s. f. nefritis.
nefrítico, adj. nefrítico.
nega, s. f. negación.
negaça, s. f. señuelo.
negação, s. f. negación.

negacear, v. tr. engañar, engatusar, seducir.
negador, adj. e s. m. negador.
negar, v. tr. negar.
negativa, s. f. negativa.
negativismo, s. m. negativismo.
negativo, adj. negativo.
negatório, adj. negatorio.
negável, adj. 2 gén. negable.
negligência, s. f. negligencia.
negligente, adj. 2 gén. negligente.
negociação, s. m. negociación, negocio.
negociado, adj. negociado.
negociador, adj. negociador.
negociante, s. 2 gén. negociante, negociador.
negociar, v. tr. e intr. negociar; contratar; ajustar.
negociarrão, s. m. negocio muy vantajoso.
negociata, s. f. negocio sospechoso.
negociável, adj. 2 gén. negociable.
negócio, s. m. negocio, comercio, tráfico.
negocioso, adj. negocioso; activo.
negra, s. f. negra (mujer); equimosis; mancha negra.
negral, adj. 2 gén. negral; negruzco.
negralhão, s. m. negrazo, negro corpulento.
negreiro, s. m. negrero.
negrejar, v. intr. negrear.
negridão, s. f. negrura.
negrilho, s. m. negrillo, negrito.
negrito, s. m. (tipo) negrilla.
negro, I. adj. negro; obscuro, deslucido, sombrío; (fig.) lúgubre; tétrico. II. s. m. negro (hombre).
negrófilo, adj. negrófilo.
negróide, adj. 2 gén. negroide.
negror, s. m. negror, negrura.
negrume, s. m. obscuridad, tinieblas; tristeza; negror; negrura.
negrura, s. f. negrura; negror.
negrusco, adj. negruzco.
negus, s. m. negus.
nela, contr. de la prep. em y el pron. ela: en ella.
nele (ê), contr. de la prep. em y el pron. pess. ele: en él.
nem, conj. ni.
nemoral, adj. 2 gén. nemoral.
nemoroso, adj. nemoroso.
nené, s. m. nene, bebé.

nenhum, *adj. e pron. indef.* ningún; ninguno; ni uno; nulo.

nenhures, *adv.* en ninguna parte.

nénia, *s. f.* nenia; canción triste, elegía.

nenúfar, *s. m.* BOT. nenúfar.

neoclassicismo, *s. m.* neoclasicismo.

neoclássico, *adj.* neoclásico.

neófito, *s. m.* neófito.

neofobia, *s. f.* neofobia.

neolatino, *adj.* neolatino.

neolítico, *adj.* neolítico.

neologismo, *s. m.* neologismo.

néon, *s. m.* neón.

neonatal, *adj. 2 gén.* neonatal.

neonato, *s. m.* neonato.

neonatologia, *s. f.* neonatologia.

neorrealismo, *s. m.* neorrealismo.

neozelandês, *adj. e s. m.* neozelandés.

nepalês, *adj. e s. m.* nepalés, nepalí.

nepotismo, *s. m.* nepotismo.

neptuniano, *adj.* neptuniano.

neptunismo, *s. m.* neptunismo.

neptuno, *s. m.* ASTRON./MIT. neptuno.

nequícia, *s. f.* nequicia.

nereida, *s. f.* MIT. vd. **nereide**.

nereide, *s. f.* MIT. nereida.

nérveo, *adj.* nérveo.

nervo, *s. m.* ANAT. nervio.

nervosidade, *s. f.* nerviosidad, nerviosismo.

nervosismo, *s. m.* nerviosismo.

nervoso, *adj.* nervioso.

nervudo, *adj.* nervudo.

nervura, *s. f.* BOT. nervadura; ARQ. nervio, nervadura.

néscio, *adj. e s. m.* necio; ñoño; sandio.

nêspera, *s. f.* níspero.

nespereira, *s. f.* BOT. níspero.

nesse, *contr.* de la *prep.* em con el *pron.* esse: en ése.

neste, *contr.* de la *prep.* em con el *pron.* este: en éste.

neta, *s. f.* nieta.

neto, *s. m.* nieto.

neuma, *s. m.* neuma.

neura, I. *s.* 1. *f.* neura. 2. *2 gén.* neura, neurótico. II. *adj. 2 gén.* neura, neurótico.

neuralgia, *s. f.* neuralgia.

neurastenia, *s. f.* neurastenia.

neurasténico, *adj. e s. m.* neurasténico.

neurocirurgião, *s. m.* neurocirujano.

neurologia, *s. f.* ANAT. neurología.

neurologista, *s. 2 gén.* neurólogo.

neuroma, *s. m.* neuroma.

neurónio, *s. m.* neurona.

neurose, *s. f.* neurosis.

neurótico, *adj. e s. m.* neurótico, neura.

neurovegetativo, *adj.* neurovegetativo.

neutral, *adj. 2 gén.* neutral.

neutralidade, *s. f.* neutralidad.

neutralização, *s. f.* neutralización.

neutralizar, *v. tr.* neutralizar.

neutrão, *adj.* neutrón.

neutro, *adj.* neutro.

nevada, *s. f.* nevada.

nevado, *adj.* nevado.

nevão, *s. m.* nevada.

nevar, *v. intr.* nevar.

neve, *s. f.* nieve.

neveira, *s. f.* nevera.

neveiro, *s. m.* nevero.

neviscar, *v. intr.* neviscar.

névoa, *s. f.* niebla; mancha; blanquecina en el ojo.

nevoar-se, *v. refl.* nublarse.

nevoeiro, *s. m.* niebla.

nevoento, *adj.* nublado.

nevoso, *adj.* nevado.

nevralgia, *s. f.* neuralgia.

nevrálgico, *adj.* neurálgico.

nevrite, *s. f.* neuritis.

nevrologia, *s. f.* ANAT. neurología.

nevrologista, *s. 2 gén.* neurólogo.

nevropatia, *s. f.* neuropatía.

nevrose, *s. f.* MED. neurosis.

nevrótico, *adj.* neurótico.

nevrotomia, *s. f.* CIR. neurotomía.

nexo, *s. m.* nexo, nudo, lazo.

nica, *s. f.* impertinencia, bagatela.

nicada, *s. f.* picotazo.

nicar, *v. tr.* picotear.

nicaraguano, *adj. e s. m.* nicaragüeño.

nicho, *s. m.* nicho; hornacina.

nicles, *adv. (fam.)* casi nada, nadita, nadilla, nada.

nicotina, *s. f.* QUÍM. nicotina.

nictação, *s. f.* nictación, guiño; pestañeo.

nictalope, *s. 2 gén.* nictálope.

nictalopia, *s. f.* nictalopia.

nictitante, *adj. 2 gén.* nictitante.

nidificação, *s. f.* nidificación.

nidificar, *v. intr.* nidificar.

nigela, *s. f.* BOT. nigela, neguilla.

nigelar, *v. tr.* nielar.

nigeriano, *adj. e s. m..* nigeriano.

nigrícia, *s. f.* nigricia.

nigromancia, *s. f.* nigromancia.

nigromante, *s. 2 gén.* nigromante.
nigromântico, *adj.* nigromántico.
niilismo, *s. m.* nihilismo.
niilista, *adj. e s. 2 gén.* nihilista.
nilótico, *adj.* nilótico.
nimbado, *adj.* nimbado.
nimbar, *v. tr.* nimbar.
nimbífero, *adj.* lluvioso.
nimbo, *s. m.* nimbo.
nimboso, *adj.* nimboso.
nimiedade, *s. f.* nimiedad.
nímio, *adj.* nimio.
nina, *s. f.* nana, canto; *(fam.)* niña.
ninar, *v. tr. e intr.* arrullar; dormir a los niños; neniar; acariñar.
ninfa, *s. f.* ninfa.
ninfómana, *adj. e s. f.* ninfómana
ninfomania, *s. f.* ninfomanía.
ninfomaníaca, *adj. e s. f.* ninfómana.
ninguém, *pron. indef.* nadie.
ninhada, *s. f.* nidada; pollada.
ninharia, *s. f.* niñería, nadería.
ninhego, *adj.* que fue cogido del nido.
ninheiro, *s. m.* nidal, ponedero.
ninho, *s. m.* nido; nidal.
nióbio, *s. m.* QUÍM. niobio.
nipónico, *adj. e s. m.* nipón, japonés.
niqueiro, *adj.* niquitoso, melindroso, delicado.
níquel, *s. m.* QUÍM. níquel.
niquelado, I. *adj.* niquelado. I. *s. m.* niquelado.
niquelagem, *s. f.* niquelado.
niquelar, *v. tr.* niquelar.
níscaro, *s. m.* níscalo.
nirvana, *s. m.* nirvana.
nisso, *contr. de la prep. em* con el *pron. dem.* **isso:** en eso.
nisto, *contr. de la prep. em* y el *pron. dem.* **isto:** en esto.
nitente, *adj. 2 gén.* que se esfuerza; resistente.
nitidamente, *adv.* nítidamente.
nitidez, *s. f.* nitidez.
nítido, *adj.* nítido; terso; puro.
nitrado, *adj.* nitroso.
nitrato, *s. m.* nitrato.
nitreira, *s. f.* estercolero; nitrera.
nítrico, *adj.* nítrico.
nitrido, *s. m.* relincho (del caballo).
nitridor, *adj.* relinchador, que relincha.
nitrificação, *s. f.* nitrificación.
nitrificador, *adj.* nitrificante.
nitrificante, *adj. 2 gén.* nitrificante.

nitrificar, *v. tr.* QUÍM. nitrificar.
nitrir, *v. intr.* rechinar; relinchar (el caballo).
nitrito, *s. m.* QUÍM. nitrito.
nitro, *s. m.* nitro.
nitrobenzeno, *s. m.* QUÍM. nitrobenceno.
nitrocelulose, *s. f.* QUÍM. nitrocelulosa.
nitrogenado, *adj.* nitrogenado.
nitrogénio, *s. m.* QUÍM. nitrógeno.
nitroglicerina, *s. f.* QUÍM. nitroglicerina.
nitroso, *adj.* nitroso.
nível, *s. m.* nivel; plan; *ao nível de,* a ras de.
nivelação, *s. f.* nivelación.
nivelador, *adj. e s. m.* nivelador.
nivelamento, *s. m.* nivelación.
nivelar, *v. tr.* nivelar; rasar.
níveo, *adj.* níveo.
no, *contr. da prep. em* e do *pron. dem.* ou *pess.* **o:** en el, en lo.
nó, *s. m.* nudo; nudillo; *nó dos dedos,* nudillo.
noa, *s. f.* nona.
Nobel, *s. m.* nobel.
nobiliário, *adj. e s. 2 gén.* nobiliario.
nobiliarista, *s. 2 gén.* persona autora o versada en nobiliarios
nobiliarquia, *s. f.* nobiliario.
nobilitação, *s. f.* ennoblecimiento.
nobilitante, *adj. 2 gén.* ennoblecedor.
nobilitar, *v. tr.* ennoblecer.
nobre, I. *adj. 2 gén.* noble. II. *s. m.* noble; señor.
nobreza, *s. f.* nobleza.
noção, *s. f.* noción.
noca, *s. f.* nudillo.
nocente, *adj. 2 gén.* nocente.
nocional, *adj. 2 gén.* nocional.
nocividade, *s. f.* nocividad.
nocivo, *adj.* nocivo.
noctambulismo, *s. m.* noctambulismo.
noctâmbulo, *adj.* noctámbulo; noctívago.
nocticolor, *adj. 2 gén.* obscuro, negro.
noctífloro, *adj.* BOT. noctífloro.
noctívago, *adj. e s. m.* noctívago; noctámbulo.
nocturnal, *adj. 2 gén.* nocturnal.
nocturno, *adj.* nocturno.
nodal, *adj. 2 gén.* nodal.
nodo, *s. m.* MED. nodo.
nódoa, *s. f.* mancha; cardenal, equimosis.
nodosidade, *s. f.* nudosidad.
nodoso, *adj.* nudoso.
nódulo, *s. m.* nódulo.
nogada, *s. f.* flor del nogal.

nogado, s. m. nogada, pasta cocida al horno.

nogal, s. m. nogueral.

nogueira, s. f. nogal.

nogueirado, adj. noguerado.

nogueiral, s. m. nogueral.

noitada, s. f. tiempo que dura una noche; insomnio.

noite, s. f. noche; *noite de Natal,* Nochebuena; *noite de Ano Novo,* Nochevieja.

noitinha, s. f. el anochecer.

noiva, s. f. novia, prometida.

noivado, s. m. noviazgo.

noivo, s. m. novio.

nojento, adj. asqueroso; repugnante; nauseabundo.

nojo, s. m. asco, náusea; luto; pena.

nojoso, adj. nauseabundo; enlutado.

nómada, adj. e s. 2 gén. nómada.

nomadismo, s. m. nomadismo.

nome, s. m. nombre.

nomeação, s. f. nombramiento; nominación.

nomeada, s. f. fama; nombradía.

nomeado, adj. nombrado; célebre.

nomeador, adj. e s. m. nombrador.

nomeadura, s. f. nombramiento.

nomear, v. tr. nombrar; nominar.

nomenclador, s. m. nomenclador, nomenclátor.

nomenclatura, s. f. nomenclatura.

nómina, s. f. nómina.

nominação, s. f. nominación.

nominal, adj. 2 gén. nominal.

nominalismo, s. m. nominalismo.

nominalista, adj. e s. 2 gén. nominalista.

nominativo, adj. e s. m. nominativo.

nonada, s. f. nonada; poco o muy poco; bagatela.

nonagenário, adj. e s. 2 gén. nonagenario.

nonagésimo, adj. e s. m. nonagésimo; noventavo.

nonas, s. f. pl. el noveno día antes de los idus.

nones, adj. non, nones; impar; vd. **nunes.**

noningentésimo, adj. noningentésimo.

nónio, s. m. nonio.

nono (ô), adj. nono; noveno.

nora, s. f. noria, nuera, mujer del hijo.

nordestada, s. f. nordestada.

nordeste, s. m. nordeste.

nordestia, s. f. nordestada.

nórdico, adj. nórdico.

norma, s. f. norma; pl. normativa.

normal, adj. 2 gén. normal.

normalidade, s. f. normalidad.

normalização, s. f. normalización.

normalizar, v. tr. normalizar.

normando, adj. e s. m. normando.

normativa, s. f. normativa.

normativo, adj. normativo.

nor-nordeste, s. m. nornordeste.

nor-noroeste, s. m. nornoroeste.

noroeste, s. m. noroeste.

nortada, s. f. nortada.

norte, s. m. norte; setentrión.

norte-americano, adj. e s. m. norte.

nortear, v. tr. NÁUT. nortear.

norte-coreano, adj. e s. m. norcoreano.

norueguês, adj. e s. m. noruego.

nos, prep. **em** + pron. ou art. **os:** en los.

nós, pron. pess. nosotros.

nosaria, s. f. muchos nudos.

nosografia, s. f. MED. nosografia.

nosologia, s. f. nosología.

nosso, adj. e pron. nuestro.

nostalgia, s. f. nostalgia.

nostálgico, adj. nostálgico.

nota, s. f. nota; marca; comentario; apuntamiento; voz; señal; MÚS. nota; billete de banco; calificación.

notabilidade, s. f. notabilidad.

notabilizar, v. tr. notabilizar.

notação, s. f. notación, anotación.

notar, v. tr. anotar; notar; extrañar; dictar; redactar; reparar, advertir.

notariado, s. m. notariado.

notarial, adj. 2 gén. notarial.

notário, s. m. notario.

notável, adj. 2 gén. notable; distinguido.

notícia, s. f. noticia, información; nueva; *grande notícia,* notición.

noticiar, v. tr. noticiar; anunciar; decir.

noticiário, s. m. noticiario.

noticiarista, s. 2 gén. noticiero.

noticioso, adj. noticioso.

notificação, s. f. notificación.

notificador, adj. e s. m. notificador, notificante.

notificante, adj. 2 gén. notificante.

notificar, v. tr. notificar; informar; participar judicialmente; participar con formalidades; citar.

notificativo, adj. notificante, notificativo.

notificatório, adj. vd. **notificativo.**

noto, adj. noto.

notoriedade, s. f. notoriedad.

notório, adj. notorio.

nótula, s. f. notita, pequeña nota.

noutro, *prep.* **em** + *pron.* ou *adj.* **outro**: en otro.

nova, *s. f.* nueva, noticia; novedad; *pl.* notícias, novidades; *fazer-se de novas*, hacerse el longui.

novação, *s. f.* novación.

novador, *adj.* e *s. m.* novador; innovador.

novato, *adj.* e *s. m.* novato, novel; pipiolo; primerizo.

nove, *num.* nueve.

novecentos, *num.* novecientos.

novel, *adj. 2 gén.* novel; nuevo; novato.

novela, *s. f.* novela; cuento; ficción.

novelesco, *adj.* novelesco.

novelista, *s. 2 gén.* novelista.

novelística, *s. f.* novelística.

novelístico, *adj.* novelístico.

novelo, *s. m.* ovillo.

Novembro, *s. m.* noviembre.

novena, *s. f.* novena.

novenário, *s. m.* novenario.

novénio, *s. m.* novenio.

noveno, *adj.* noveno; nono.

noventa, *num.* noventa.

noviça, *s. f.* novicia.

noviciado, *s. m.* noviciado.

noviciaria, *s. f.* noviciado.

noviciário, *adj.* relativo al novicio.

noviço, *s. m.* novicio.

novidade, *s. f.* novedad; nueva; rareza.

novidadeiro, *adj.* novelero.

novilatino, *adj.* neolatino.

novilha, *s. f.* novilla, becerra.

novilhada, *s. f.* novillada.

novilheiro, *s. m.* novillero, novillo.

novilúnio, *s. m.* novilunio.

noviorquino, *s. m.* neoyorquino.

novo, *adj.* nuevo; joven; reciente; novel.

noz, *s. f.* nuez.

noz-moscada, *s. f.* nuez moscada.

nu, *adj.* desnudo; deshojado, sin vegetación; sincero.

nubente, *adj.* e *s. 2 gén.* nubente.

nubiano, *adj.* e *s. m.* nubiense.

núbil, *adj. 2 gén.* núbil.

nublado, *adj.* nublado.

nublar, *v. tr.* nublar, anublar; nublarse.

nubloso, *adj.* nubloso.

nuca, *s. f.* nuca; occipucio.

nuclear, *adj. 2 gén.* nuclear.

núcleo, *s. m.* núcleo.

nucléolo, *s. m.* núcleo.

nudação, *s. f.* nudez, desnudez.

nudez, *s. f.* desnudez.

nudeza, *s. f.* desnudez.

nudismo, *s. m.* nudismo.

nudista, *adj.* e *s. 2 gén.* nudista.

nuelo, *adj.* implume, sin plumas; recién nacido.

nueza, *s. f.* nudez.

nuga, *s. f.* bagatela, fruslería; niñería.

nulidade, *s. f.* nulidad.

nulo, *adj.* nulo; inválido.

num, *prep.* **em** + *art.* ou *pron.* **um**: en un.

numária, *s. f.* numismática.

numário, *adj.* numismático.

nume, *s. m.* numen.

númen, *s. m.* numen.

numeração, *s. f.* numeración.

numerador, *s. m.* numerador.

numeral, *adj. 2 gén.* e *s. m.* numeral.

numerar, *v. tr.* numerar.

numerário, *adj.* e *s. m.* numerario.

numerativo, *adj.* numerativo.

numerável, *adj. 2 gén.* numerable.

numérico, *adj.* numérico.

número, *s. m.* número.

numeroso, *adj.* numeroso.

númida, *adj.* e *s. 2 gén.* númida.

numismata, *s. 2 gén.* numismata.

numismática, *s. f.* numismática.

numismático, *adj.* numismático.

nunca, *adv.* nunca.

núncia, *s. f.* nuncia; mensajera.

nunciativo, *adj.* nunciativo.

nunciatura, *s. f.* nunciatura.

núncio, *s. m.* nuncio.

nunes, *adj. 2 gén.* impar; non; *pares e nunes*, pares y nones.

nupcial, *adj. 2 gén.* nupcial.

nupcialidade, *s. f.* nupcialidade.

núpcias, *s. f. pl.* nupcias; esponsales.

nutação, *s. f.* nutación.

nutar, *v. intr.* ASTR. nutar; oscilar.

nutrição, *s. f.* nutrición.

nutrice, *s. f.* nutriz, nodriza.

nutrício, *adj.* nutricio, nutritivo; substancial, sustancial.

nutrido, *adj.* nutrido; robusto.

nutridor, *adj.* nutriente, nutritivo.

nutriente, *adj. 2 gén.* e *s. m.* nutriente.

nutrimento, *s. m.* nutrimento.

nutrir, *v. tr.* nutrir; sustentar; engordar.

nutritivo, *adj.* nutritivo.

nutriz, *s. f.* nutriz, nodriza.

nuvem, *s. f.* nube; *nuvem densa*, nubarrón.

nuvioso, *adj.* nublado.

nylon, *s. m.* nailon; nilón.

O

o, I. *art.* el; **II.** *pron.* **1.** *dem.* quando equivale a *isto, isso, aquilo,* y *aquele.* **2.** *pess.* cuando está junto de un verbo; abreviatura de oeste.

oasiano, *adj.* e s. *m.* oásico.

oásis, s. *m.* oasis.

obcecação, s. *f.* obcecación.

obcecado, *adj.* obcecado; alucinado.

obcecar, *v. tr.* obcecar.

obedecer, *v. intr.* obedecer; sujetarse.

obediência, s. *f.* obediencia.

obediente, *adj.* 2 *gén.* obediente; sumiso.

obelisco, s. *m.* obelisco.

obesidade, s. *f.* obesidad.

obeso, *adj.* obeso.

óbice, s. *m.* óbice; obstáculo.

óbito, s. *m.* óbito; defunción.

obituário, s. *m.* obituario; necrología.

objecção, s. *f.* objeción.

objectante, *adj.* 2 *gén.* objetante.

objectar, *v. tr.* objetar; impugnar; oponer.

objectiva, s. *f.* objetivo.

objectivação, s. *f.* objetivación.

objectivar, *v. tr.* objetivar.

objectividade, s. *f.* objetividad.

objectivo, I. *adj.* objetivo. II. s. *m. (lente, alvo)* objetivo.

objecto, s. *m.* objeto.

objector, s. *m.* objetor; *objector de consciência,* objetor de conciencia.

objurgação, s. *f.* censura; reprimenda.

objurgar, *v. tr.* reprender, apostrofar.

oblação, s. *f.* oblación.

oblata, s. *f.* oblata.

oblato, *adj.* oblato (lego).

oblíqua, *adj.* oblicua.

obliquar, *v. intr.* oblicuar; sesgar.

obliquidade, QUÍM. s. *f.* oblicuidad.

oblíquo, *adj.* oblicuo; sesgado; soslaio.

oblongo, *adj.* oblongo.

obnubilação, s. *f.* obnubilación.

obnubilado, *adj.* obnubilado.

obnubilar, *v. tr.* obnubilar.

oboé, s. *m.* MÚS. oboe.

oboísta, s. *2 gén.* oboe, persona que toca el oboe.

óbolo, s. *m.* óbolo.

obra, s. *f.* obra; TEAT. pieza.

obrar, *v.* **1.** *tr.* obrar; operar; fabricar; edificar; hacer; trabajar; proceder. **2.** *intr.* defecar.

obreia, s. *f.* oblea.

obreira, s. *f.* obrera.

obreiro, *adj.* e s. *m.* obrero, operario.

ob-reptício, *adj.* obrepticio.

obriga, s. *f.* vd. **obrigação.**

obrigação, s. *f.* obligación; deber; empleo; título; pagaré; derecho de crédito; imposición; servidumbre.

obrigacionista, s. *2 gén.* obligacionista.

obrigado, *adj.* agradecido, grato; impuesto por ley; gracias.

obrigante, *adj.* obligante.

obrigar, *v. tr.* obligar; sujetar; empeñar.

obrigatoriedade, s. *f.* obligatoriedad.

obrigatório, *adj.* obligatorio; obligado.

obscenidade, s. *f.* obscenidad.

obsceno, *adj.* obsceno; sucio.

obscurantismo, s. *m.* obscurantismo, oscurantismo.

obscurantista, *adj.* e s. 2 *gén.* obscurantista, oscurantista.

obscurecer, *v. tr.* obscurecer, ofuscar; oscurecer.

obscurecimento, s. *m.* obscurecimiento.

obscuridade, s. *f.* obscuridad, oscuridad; sombra.

obscuro, *adj.* obscuro, oscuro; *(fig.)* confuso.

obsecração, s. *f.* obsecración.

obsequiador, *adj.* e s. *m.* obsequiador.

obsequiar, *v. tr.* obsequiar; agasajar.

obséquio, s. *m.* obsequio.

obsequiosidade, s. *f.* obsequiosidad.

obsequioso, *adj.* obsequioso, oficioso.

observação, s. *f.* observación.

observador, *adj.* e s. *m.* observador; oleador.

observância, s. *f.* observancia.

observante, *adj.* e s. 2 *gén.* observante.

observar, *v. tr.* observar; otear.

observatório, s. *m.* observatorio.

observável, *adj.* 2 *gén.* observable.

obsessão, s. *f.* obsesión; neura; *causar obsessão,* obsesionar.

obsessivo, *adj.* obsesivo.

obsidente, *adj.* 2 *gén.* e s. *m.* obsediante.

obsidiana, *s. f.* obsidiana.
obsidiar, *v. tr.* obsidiar, sitiar; espiar.
obsoleto, *adj.* obsoleto; superado.
obstáculo, *s. m.* obstáculo, impedimento.
obstante, *adj.* 2 *gén.* obstante, que obsta; *não obstante,* sin embargo.
obstar, *v. intr.* obstar, estorbar.
obstétrica, *s. f.* MED. obstétrica.
obstetrícia, *s. f.* MED. obstetricia.
obstétrico, *adj.* obstétrico.
obstinação, *s. f.* obstinación.
obstinado, *adj.* obstinado; reacio.
obstinar-se, *v. refl.* obstinarse; obcecarse; recalcitrar.
obstringir, *v. tr.* apretar mucho; constreñir, oprimir.
obstrução, *s. f.* obstrucción, oclusión.
obstrucionismo, *s. m.* obstruccionismo.
obstrucionista, *s. 2 gén.* obstruccionista.
obstruir, *v. tr.* obstruir; ocluir; obstaculizar.
obstrutivo, *adj.* obstructivo.
obstrutor, *adj. e s. m.* obstructor.
obtemperar, *v. tr. e intr.* obtemperar.
obtenção, *s. f.* obtención.
obter, *v. tr.* obtener, conseguir; adquirir.
obtestar, *v. tr.* tomar por testigo; suplicar, rogar.
obtundir, *v. tr.* obtundir.
obturação, *s. f.* obturación.
obturador, *adj.* obturador.
obturante, *adj.* 2 *gén.* obturante.
obturar, *v. tr.* obturar; tapar; obstruir.
obtusamente, *adv.* obtusamente.
obtusângulo, *adj.* obtusángulo.
obtuso, *adj.* GEOM. obtuso; *(fig.)* obtuso, necio, bozal, idiota.
obumbrar, *v. tr.* anublar, nublar.
obus, *s. m.* MIL. obús.
obviar, *v. tr. e intr.* obviar; obstar; remediar; atajar.
óbvio, *adj.* obvio.
oca, *s. f. (jogo)* oca; ánsar; MIN. ocre.
ocapi, *s. m.* ZOOL. okapí.
ocar, *v. tr.* ahuecar.
ocarina, *s. f.* MÚS. ocarina.
ocarinista, *s. 2 gén.* ocarinista.
ocasião, *s. f.* ocasión; sazón.
ocasional, *adj.* 2 *gén.* ocasional.
ocasionar, *v. tr.* ocasionar; producir.
ocaso, *s. m.* ASTR. ocaso, oeste.
occipício, *s. m.* ANAT. occipital.
occipital, *adj.* 2 *gén. e s. m.* ANAT. occipital.
ócciput, *s. m.* ANAT. occipital.
oceânico, *adj.* oceánico.

oceano, *s. m.* océano.
oceanografia, *s. f.* oceanografía.
oceanográfico, *adj.* oceanográfico.
oceanógrafo, *s. m.* oceanógrafo.
ocelo, *s. m.* ocelote.
ocidental, *adj.* 2 *gén.* occidental, poniente.
ocidente, *s. m.* occidente, oeste.
ócio, *s. m.* ocio; descanso.
ociosidade, *s. f.* ociosidad, racanería, racaneo.
ocioso, *adj.* ocioso.
oclusão, *s. f.* oclusión.
oclusiva, *s. f.* oclusiva.
oclusivo, *adj.* oclusivo.
ocluso, *adj.* ocluso.
oco, *adj.* hueco.
ocorrência, *s. f.* ocurrencia.
ocorrente, *adj.* 2 *gén.* ocurrente.
ocorrer, *v. intr.* ocurrir; sobrevenir; acontecer; venir al pensamiento.
ocra, *s. f.* ocre.
ocre, *s. m.* ocre.
octaédrico, *adj.* octaédrico.
octaedro, *s. m.* octaedro.
octano, *s. m.* QUÍM. octano; *número de octanos,* octanaje.
octingentésimo, *adj.* octingentésimo.
octogenário, *adj. e s. m.* octogenario.
octogésimo, *num. ord.* octogésimo.
octogonal, *adj.* octagonal, octogonal, octágono.
octógono, *s. m.* octógono, octágono.
octossilábico, *adj.* octosílabo.
octossílabo, *adj. e s. m.* octosílabo.
octuplicar, *v. tr.* octuplicar.
óctuplo, *num.* óctuplo.
ocular, *adj.* 2 *gén. e s. f.* ocular.
oculista, *s. 2 gén.* oculista, oftalmólogo.
óculo, *s. m.* anteojo; carlita, lente para leer; *pl.* anteojos, lentes, gafas.
ocultação, *s. f.* ocultación.
ocultador, *adj.* ocultador.
ocultante, *adj.* 2 *gén.* ocultador.
ocultar, *v. tr.* ocultar, esconder; solapar.
ocultismo, *s. m.* ocultismo.
ocultista, *adj. e s. 2 gén.* ocultista.
oculto, *adj.* oculto; secreto; soterrado.
ocupação, *s. f.* ocupación; quehacer.
ocupado, *adj.* ocupado.
ocupar, *v.* **1.** *tr.* ocupar; poblar. **2.** *refl.* preocuparse.
odalisca, *s. f.* odalisca.
ode, *s. f.* oda.
odeão, *s. m.* odeón.

odiar, *v. tr.* odiar, detestar.
odiável, *adj. 2 gén.* odiable.
odiento, *adj.* rencoroso.
ódio, *s. m.* odio; ojeriza.
odioso, *adj.* odioso.
odisseia, *s. f.* odisea.
odometria, *s. f.* odometría.
odontalgia, *s. f.* odontalgia.
odontálgico, *adj.* odontálgico.
odontologia, *s. f.* odontología.
odontológico, *adj.* odontológico.
odontologista, *s. 2 gén.* odontólogo.
odor, *s. m.* olor, aroma.
odorante, *adj. 2 gén.* odorante.
odorífero, *adj.* odorífero.
odorífico, *adj.* odorífico.
odre, *s. m.* odre.
oés-noroeste, *s. m.* oesnoroeste.
oés-sudoeste, *s. m.* oessudoeste.
oeste, *s. m.* oeste, occidente, poniente.
ofegante, *adj. 2 gén.* jadeante, cansado.
ofegar, *v. intr.* jadear.
ofego, *s. m.* jadeo, ahogo.
ofegoso, *adj.* jadeante, cansado.
ofender, *v. tr.* ofender.
ofendido, *adj. e s. m.* ofendido.
ofensa, *s. f.* ofensa.
ofensiva, *s. f.* ofensiva.
ofensivo, *adj.* ofensivo.
ofensor, *adj. e s. m.* ofensor.
oferecer, *v. tr.* ofrecer; regalar; prometer; dedicar.
oferecimento, *s. m.* ofrecimiento.
oferenda, *s. f.* ofrenda.
oferendar, *v. tr.* ofrendar.
oferente, *adj. e s. 2 gén.* oferente.
oferta, *s. f.* oferta.
ofertar, *v. tr.* ofertar; ofrendar.
ofertório, *s. m.* ofertorio; oblata.
oficiador, *adj. e s. m.* oficiante.
oficial, *adj. 2 gén. e s. m.* oficial; *oficial subalterno*, suboficial.
oficiala, *s. f.* oficiala.
oficialidade, *s. f.* oficialidad.
oficializar, *v. tr.* oficializar.
oficiante, *s. 2 gén.* oficiante.
oficiar, *v. intr.* oficiar.
oficina, *s. f.* taller.
oficinal, *adj. 2 gén.* oficinal.
ofício, *s. m.* oficio; empleo; destino; profesión; oficio, carta; pliego.
oficiosidade, *s. f.* oficiosidad.
oficioso, *adj.* oficioso.
ofídico, *adj.* ofídico.

ofídio, *s. m.* ofidio.
ofiografia, *s. f.* ofiografía.
ofiologia, *s. f.* ZOOL. ofiología.
ofiológico, *adj.* ofiológico.
ofiologista, *s. 2 gén.* ofiologista.
oftalmia, *s. f.* oftalmía.
oftálmico, *adj.* ANAT. oftálmico.
oftalmologia, *s. f.* ANAT. oftalmología.
oftalmológico, *adj.* MED. oftalmológico.
oftalmologista, *s. 2 gén.* oftalmólogo.
oftalmoscopia, *s. f.* oftalmoscopia.
oftalmoscópio, *s. m.* MED. oftalmoscopio.
ofuscação, *s. f.* ofuscación.
ofuscar, *v. tr.* ofuscar, obscurecer.
ogiva, *s. f.* ARQ. ojiva.
ogival, *adj. 2 gén.* ARQ. ojival.
ogre, *s. m.* ogro.
oh!, *interj.* oh!
ohm, *s. m.* ohm.
oídio, *s. m.* BOT. oidio, oidium.
oirar, *v. tr. e intr.* vd. **ourar.**
oiro, *s. m.* QUÍM. oro.
oitante, *s. m.* octante.
oitava, *s. f.* LIT./MÚS. octava.
oitavado, *adj.* ochavado; octagonal; octogonal.
oitavar, *v. tr.* octavar.
oitavário, *s. m.* octavario.
oitavo, *num. ord.* octavo.
oiteiro, *s. m.* vd. **outeiro.**
oitenta, *num. card.* ochenta.
oito, *num. card.* ocho.
oitocentos, *num. card.* ochocientos.
olaia, *s. f.* BOT. vainilla.
olaria, *s. f.* alfarería.
olé, *interj.* ¡olé!; ¡hola!
oleáceo, *adj.* oleáceo.
oleado, I. *adj.* oleoso. **II.** *s. m.* hule (tela impermeable).
oleagíneo, *adj.* oleaginoso.
oleaginoso, *adj.* oleaginoso.
olear, *v. tr.* olear, lubrificar, aceitar.
oleicultura, *s. f.* oleicultura.
oleoduto, *s. m.* oleoducto.
oleífero, *adj.* oleífero.
oleína, *s. f.* oleína.
oleiro, *s. m.* alfarero; alfar; ollero.
olente, *adj. 2 gén.* oloroso.
óleo, *s. m.* óleo, aceite.
oleómetro, *s. m.* QUÍM. oleómetro.
oleoso, *adj.* oleoso.
olfacção, *s. f.* olfateo.
olfactivo, *adj.* olfativo.
olfacto, *s. m.* olfato.

olga, s. f. faja de tierra de cultivo, yugada.
olha (ó), s. f. olla, puchero, cocido; olla, vasija redonda.
olhada, s. f. ojeada, mirada.
olhadela, s. f. ojeada, mirada.
olhado, adj. ojeado, visto, considerado.
olhadura, s. f. ojeo; ojeada.
olhal, s. m. ARQ. ojo de puente.
olhar, I. v. tr. ojear; mirar; ver; contemplar. II. intr. volver los ojos.
olheirão, s. m. gran manantial de agua; ojo grande.
olheiras, s. f. pl. ojeras.
olheirento, adj. ojeroso.
olheiro, s. m. celador; vigilante; manantial, ojo.
olhento, adj. ojeroso.
olhete, s. m. ojete.
olhizaino, adj. ojizaino.
olho, s. m. ojo; vista.
oligarca, s. 2 gén. oligarca.
oligarquia, s. f. oligarquía.
oligárquico, adj. oligárquico.
oligisto, s. m. oligisto.
oligofrenia, s. f. oligofrenia.
oligofrénico, adj. oligofrénico.
olimpíada, s. f. olimpíada.
olímpico, adj. olímpico.
olimpo, s. m. olimpo.
oliva, s. f. BOT. aceituna.
oliváceo, adj. oliváceo.
olival, s. m. olivar.
olivedo, s. m. olivar.
oliveira, s. f. BOT. olivo.
olivícola, adj. 2 gén. olivarero.
olivicultor, s. m. olivarero.
olivicultura, s. f. olivicultura.
olmedal, s. m. olmedo.
olmedo, s. m. olmedo.
olmeiro, s. m. BOT. olmo.
olmo, s. m. BOT. olmo.
olor, s. m. olor, aroma.
oloroso, adj. oloroso.
olvidar, v. tr. olvidar.
olvido, s. m. olvido.
ombrear, v. intr. hombrear.
ombreira, s. f. hombrera (de los vestidos); umbral.
ombro, s. m. hombro.
ómega, s. m. ómega.
omeleta, s. f. tortilla.
ominar, v. tr. ominar, agorar, presagiar.
ominoso, adj. ominoso.
omissão, s. f. omisión; salto.

omisso, adj. omiso.
omitir, v. tr. omitir; olvidar; saltar; suprimir.
omnicolor, adj. 2 gén. omnicolor.
omnímodo, adj. omnímodo.
omnipotência, s. f. omnipotencia.
omnipotente, adj. 2 gén. omnipotente.
omnipresença, s. f. omnipresencia.
omnipresente, adj. 2 gén. omnipresente.
omnisciencia, s. f. omnisciencia.
omnisciente, adj. 2 gén. omnisciente.
omnívoro, adj. omnívoro.
omoplata, s. f. ANAT. omóplato; paletilla.
ónagra, s. f. BOT. onagra.
ónagro, s. m. ZOOL. onagro.
onanismo, s. m. onanismo.
onça, s. f. ZOOL. onza, felino; onza, medida; moneda.
oncologia, s. f. oncología.
onda, s. f. onda; ola; (multidão) oleada.
onde, adv. donde; adonde.
ondeado, I. adj. ondeado, ondulado. II. s. m. ondulación.
ondeante, adj. 2 gén. ondeante.
ondear, v. tr. ondear; ondular; fluctuar.
ondina, s. f. ondina.
ondulação, s. f. ondulación.
ondulado, adj. 2 gén. ondulado; sinuoso.
ondulante, adj. 2 gén. ondulante.
ondular, v. tr. e intr. ondular, ondear.
ondulatório, adj. ondulatório.
onerar, v. tr. onerar; oprimir; vejar.
onerário, adj. onerario.
oneroso, adj. oneroso.
ónibus, s. m. ómnibus.
onicofagia, s. f. onicofagía.
onírico, adj. onírico.
ónix, s. m. ónix, ónice.
onomástica, s. f. onomástica.
onomástico, adj. onomástico.
onomatologia, s. f. onomatología.
onomatopeia, s. f. onomatopeya.
onomatopeico, adj. onomatopéyico.
ontem, adv. ayer.
ontogénese, s. f. ontogénesis.
ontologia, s. f. ontología.
ontológico, adj. ontológico.
ontologista, s. 2 gén. ontologista, ontólogo.
ónus, s. m. peso; encargo; gravamen; tributo.
onze, num. card. once.
onzena, s. f. oncena undécimo; (fig.) usura.
onzenar, v. intr. usurar, usurear.

onzenário, *adj.* e *s. m.* usurero.
onzeneiro, *adj.* e *s. m.* usurero.
onzenice, *s. f.* chisme, cuento, intriga.
onzeno, *adj.* onceno, undécimo.
oolítico, *adj.* oolítico.
oólito, *s. m.* oolita.
oosfera, *s. f.* BOT. oosfera.
opa, *s. f.* capa, hopa.
opacidade, *s. f.* opacidad.
opaco, *adj.* opaco.
opado, *adj.* hinchado.
opala, *s. f.* ópalo.
opalescência, *s. f.* opalescencia.
opalescente, *adj. 2 gén.* opalescente.
opalino, *adj.* opalino.
ópalo, *s. m.* ópalo.
opção, *s. f.* opción.
opcional, *adj. 2 gén.* optativo, opcional.
ópera, *s. f.* ópera.
operação, *s. f.* operación.
operado, *adj.* e *s. m.* operado.
operador, *adj.* e *s. m.* operador.
operando, *s. m.* operando.
operante, *adj. 2 gén.* operante.
operar, *v. intr.* e *tr.* operar.
operariado, *s. m.* conjunto de operarios.
operário, *s. m.* obrero.
operativo, *adj.* operante, operativo.
operatório, *adj.* operatorio.
operável, *adj. 2 gén.* operable.
operculado, *adj.* operculado.
opercular, *adj.* ANAT. opercular.
opérculo, *s. m.* opérculo.
opereta, *s. f.* opereta.
operoso, *adj.* operoso.
opiáceo, *adj.* opiáceo.
opiar, *v. tr.* mezclar o preparar con opio.
opilação, *s. f.* opilación.
opilar, *v. tr.* opilar.
opilativo, *adj.* opilativo.
opimo, *adj.* opimo.
opinante, *adj. 2 gén.* opinante.
opinar, *v. intr.* opinar.
opinativo, *adj.* opinativo.
opinável, *adj. 2 gén.* opinable.
opinião, *s. f.* opinión; parecer; sentimiento.
opiniático, *adj.* terco en su opinión; obstinado.
opinioso, *adj.* vd. **opiniático**.
ópio, *s. m.* opio.
opiómano, *s. m.* opiómano.
opíparo, *adj.* opíparo; lauto; abundante.
opoente, *adj.* e *s. 2 gén.* oponente; competidor.

oponível, *adj. 2 gén.* oponible.
opor, *v. tr.* oponer; objectar; obstar.
oportunidade, *s. f.* oportunidad.
oportunismo, *s. m.* oportunismo.
oportunista, *adj.* e *s. 2 gén.* oportunista.
oportuno, *adj.* oportuno; favorable; propicio.
oposição, *s. f.* oposición.
oposicionista, *s. 2 gén.* oposicionista.
opositivo, *adj.* opositivo.
opositor, *s. m.* opositor; concurrente.
oposto, *adj.* e *s. m.* opuesto.
opressão, *s. f.* opresión; supeditación.
opressivo, *adj.* opresivo.
opresso, *adj.* opreso.
opressor, *adj.* e *s. m.* opresor.
oprimido, *adj.* oprimido.
oprimir, *v. tr.* oprimir; supeditar.
opróbrio, *s. m.* oprobio; vilipendio; afrenta.
optar, *v. intr.* optar.
optativa, *s. f.* optativa.
optativo, I. *adj.* optativo; opcional. I. *s. m.* optativo.
óptica, *s. f.* óptica.
óptico, I. *adj.* óptico. II. *s. m.* óptico.
optimismo, *s. m.* optimismo.
optimista, *adj. 2 gén.* optimista.
óptimo, *adj.* óptimo.
opugnação, *s. f.* opugnación.
opugnador, *adj.* opugnador.
opugnar, *v. tr.* opugnar; contradecir; refutar, rechazar.
opulência, *s. f.* opulencia, abundancia.
opulentar, *v. tr.* volver opulento; enriquecer.
opulento, *adj.* opulento; magnífico; rico.
opúsculo, *s. m.* opúsculo.
ora, I. *conj.* ora, ahora. II. *adv.* ahora, en el tiempo actual.
oração, *s. f.* oración, discurso; oración, rezo, plegaria; GRAM. oración; *pl.* preces.
oráculo, *s. m.* oráculo.
orador, *s. m.* orador; predicador.
orago, *s. m.* patrón, patrono, santo al que es dedicado un templo.
oral, *adj. 2 gén.* oral.
orangotango, *s. m.* ZOOL. orangután.
orante, *adj. 2 gén.* orante.
orar, *v. intr.* orar, hablar en público; orar, rezar.
orate, *s. 2 gén.* orate; loco, idiota.
oratória, *s. f.* oratoria.
oratório, I. *adj.* oratorio. II. *s. m.* oratorio.

orbe, *s. m.* orbe; globo; mundo.
orbicular, *adj. 2 gén.* orbicular.
órbita, *s. f.* órbita.
orbital, *adj. 2 gén.* orbital.
orca, *s. f.* ZOOL. orca.
orça, *s. f.* NÁUT. orza, bolina.
orçador, *adj. e s. m.* presupuestador.
orçamental, *adj. 2 gén.* presupuestario.
orçamento, *s. m.* presupuesto; *o orçamento geral do Estado* los presupuestos generales del Estado.
orçar, *v. tr.* presuponer, presupuestar.
orchata, *s. f.* horchata.
orco, *s. m.* orco, infierno.
ordeiro, *adj.* amigo del orden; pacífico.
ordem, *s. f.* (*ordenação, arranjo,* BIOL./ARQ. *categoria*) orden (*m.*); (*mandato, ordem* REL.) orden (*f.*).
ordenação, *s. f.* ordenación; ley; ordenamiento.
ordenada, *s. f.* ordenada.
ordenado, I. *adj.* ordenado, organizado; sistemático; REL. ordenado; mandado, determinado. II. *s. m.* salario, paga, sueldo, estipendio.
ordenador, *adj. e s. m.* ordenador.
ordenança, *s. f.* ordenanza.
ordenar, *v. tr.* ordenar; organizar; disponer, determinar; mandar.
ordenha, *s. f.* ordeño.
ordenhador, *s. m.* ordeñador.
ordenhar, *v. tr.* ordeñar.
ordinal, *adj. 2 gén.* ordinal.
ordinando, *adj. e s. m.* ordenando.
ordinante, *adj. e s. m.* ordenante.
ordinarice, *s. f.* ordinariez.
ordinário, I. *adj.* ordinario, común; grosero. II. *s. m.* ordinario, gasto diario; lo frecuente; juez eclesiástico; MÚS. ordinario.
orégão, *s. m.* BOT. orégano.
orelha, *s. f.* oreja; (*de livro*) solapa.
orelhado, *adj.* orejudo.
orelhão, *s. m.* orejón.
orelheira, *s. f.* orejera.
orelhudo, *adj.* orejudo; (*fig.*) cabezudo; estúpido; terco.
órfã, *s. f.* huérfana.
orfanar, *v. tr.* dejar huérfano; privar.
orfanato, *s. m.* orfelinato, orfanato.
orfandade, *s. f.* orfandad.
órfão, *adj. e s. m.* huérfano.
orfeão, *s. m.* MÚS. orfeón.
orfeónico, *adj.* orfeónico.
orfeonista, *s. 2 gén.* orfeonista.

órfico, *adj.* órfico.
organdi, *s. m.* organdí.
orgânico, *adj.* orgánico.
organismo, *s. m.* organismo.
organista, *s. 2 gén.* organista.
organização, *s. f.* organización; ordenación.
organizado, *adj.* organizado, ordenado.
organizador, *s. m.* organizador, ordenador.
organizar, *v. tr.* organizar, ordenar; sistematizar.
organizável, *adj. 2 gén.* organizable.
organografia, *s. f.* organografía.
organograma, *s. m.* organigrama.
órgão, *s. m.* órgano.
orgasmo, *s. m.* orgasmo.
orgia, *s. f.* orgía, festín; bacanal.
orgíaco, *adj.* orgiástico.
orgiástico, *adj.* orgiástico.
orgulhar, *v.* 1. *tr.* causar orgullo a; ufanar. 2. *refl.* envaidecerse; preciarse.
orgulho, *s. m.* orgullo; soberbia.
orgulhoso, *adj.* orgulloso; soberbio.
orientação, *s. f.* orientación.
orientador, *adj. e s. m.* orientador.
oriental, *adj. 2 gén.* oriental.
orientalismo, *s. m.* orientalismo.
orientalista, *adj. e s. 2 gén.* orientalista.
orientar, *v. tr.* orientar.
oriente, *s. m.* oriente.
orifício, *s. m.* orificio.
origem, *s. f.* origen; procedencia; progenie.
original, *adj. 2 gén. e s. m.* original.
originalidade, *s. f.* originalidad.
originar, *v. tr.* originar; producir.
originário, *adj.* originario.
orilha, *s. f.* orilla; orla.
oriundo, *adj.* oriundo; originario.
orla, *s. f.* orla; orilla; borde; barra, tira; margen; faja.
orlar, *v. tr.* orlar; doblar.
ornador, *adj. e s. m.* ornamentador; adornador.
ornamentação, *s. f.* ornamentación.
ornamentador, *adj. e s. m.* ornamentador.
ornamental, *adj. 2 gén.* ornamental.
ornamentar, *v. tr.* ornamentar.
ornamentista, *s. 2 gén.* ornamentista.
ornamento, *s. m.* ornamento.
ornar, *v. tr.* ornar; adornar.
ornato, *s. m.* ornato; adorno; atavío.
ornear, *v. intr.* ornear; rebuznar.

orneio, s. m. rebuzno, roznido.
ornejo, s. m. vd. orneio.
ornitologia, s. f. ornitología.
ornitológico, adj. ornitológico.
ornitologista, s. 2 gén. ornitólogo.
ornitólogo, s. m. ornitólogo.
ornitorrinco, s. m. ZOOL. torrinco.
orogenia, s. f. orogenia.
orografia, s. f. orografía.
orográfico, adj. orográfico.
orquestra, s. f. orquesta.
orquestração, s. f. orquestación.
orquestral, adj. 2 gén. orquestal.
orquestrar, v. tr. orquestar.
orquídea, s. f. BOT. orquídea.
orquite, s. f. orquitis.
ortiga, s. f. BOT. ortiga.
ortigar, v t. vd. urtigar.
ortóclase, s. f. ortoclasa.
ortocromático, adj. ortocromático.
ortodontia, s. f. ortodoncia.
ortodoxia, s. f. ortodoxia.
ortodoxo, adj. ortodoxo.
ortodromia, s. f. NÁUT. ortodromía.
ortodrómico, adj. ortodrómico.
ortofonia, s. f. ortofonía.
ortogonal, adj. 2 gén. ortogonal.
ortografar, v. tr. ortografiar.
ortografia, s. f. ortografía.
ortográfico, adj. ortográfico.
ortologia, s. f. ortología.
ortológico, adj. ortológico.
ortopedia, s. f. ortopedia.
ortopedista, s. 2 gén. ortopédico.
ortóptero, adj. ZOOL. ortóptero.
ortorrômbico, adj. ortorrómbico.
ortose, s. f. ortosa.
orvalhada, s. f. orvallo, rocío; escarcha.
orvalhado, adj. rociado.
orvalhar, v. tr. rociar, caer rocío.
orvalho, s. m. orvallo, lluvia menuda, humidad; rocío; sereno.
óscar, s. m. CIN. oscar.
oscilação, s. f. oscilación; alternativa; perplejidad.
oscilador, s. m. oscilador.
oscilante, adj. 2 gén. oscilante, oscilatorio.
oscilar, v. intr. oscilar; hesitar.
oscilatório, adj. oscilatorio, oscilante.
oscilógrafo, s. m. oscilógrafo.
osculação, s. f. ósculo, beso.
osculador, adj. e s. m. besador; osculador.
oscular, v. tr. besar, oscular.
osculatório, adj. osculatorio.

ósculo, s. m. ósculo, beso.
osga, s. f. ZOOL. salamanquesa.
ósmio, s. m. QUÍM. osmio.
osmose, s. f. ósmosis.
osmótico, adj. osmótico.
ossada, s. f. osamenta.
ossamenta, s. f. osamenta.
ossário, s. m. osario.
ossatura, s. f. esqueleto, osamenta.
osseína, s. f. QUÍM. oseína.
ósseo, adj. óseo, huesoso.
ossículo, s. m. osículo.
ossificação, s. f. osificación.
ossificar, v. tr. e intr. osificar; endurecer.
osso, s. m. hueso; dificultad, la vida.
ossuário, s. m. osario.
ossudo, adj. huesudo.
ostealgia, s. f. MED. ostealgia.
osteálgico, adj. osteálgico.
osteíte, s. f. osteítis.
ostensão, s. f. ostentación.
ostensível, adj. 2 gén. ostensible.
ostensivo, adj. ostensible.
ostentação, s. f. ostentación, pompa.
ostentador, adj. ostentador.
ostentar, v. tr. ostentar.
ostentativo, adj. ostentativo.
ostentoso, adj. ostentoso, pomposo.
osteogenia, s. f. osteogenia.
osteografia, s. f. ANAT. osteografía.
osteologia, s. f. ANAT. osteología.
osteológico, adj. osteológico.
osteomielite, s. f. esteomielitis.
osteopata, s. 2 gén. esteópata.
osteopatia, s. f. osteopatía.
osteopático, adj. osteopático.
ostra, s. f. ZOOL. ostra.
ostraceiro, s. m. ZOOL. ostrero.
ostracismo, s. m. ostracismo.
ostreicultor, s. m. ostreicultor.
ostreiro, adj. e s. m. ostrero.
ostrogodo, adj. e s. m. ostrogodo.
otalgia, s. f. MED. otalgia.
otálgico, adj. otálgico.
ótico, adj. ótico.
otite, s. f. MED. otitis.
otologia, s. f. otología.
otomana, s. f. otomana.
otomano, adj. e s. m. otomano.
otorrino, s. m. vd. otorrinolaringologista.
otorrinolaringologia, s. f. MED. otorrinolaringología.
otorrinolaringologista, s. 2 gén. otorrinolaringólogo.

otoscópio, s. *m.* otoscopio.
ou, *conj.* o, u, ora.
ourela, s. *f.* orilla; borde; orla.
ourelo, s. *m.* orillo, del paño.
ourives, s. *m.* platero; orfebre.
ourivesaria, s. *f.* platería; joyería; orfebrería.
ouro, s. *m.* oro; *ouro falso,* similor.
ouropel, s. *m.* oropel.
ousadia, s. *f.* osadía, arrojo; atrevimiento.
ousado, *adj.* osado, atrevido.
ousar, v. *intr.* osar; emprender.
ousio, s. *m.* osadía, arrojo.
outeiro, s. *m.* otero.
outiva, s. *f.* oída; audito; audición; *de outiva,* de oídas.
outonal, *adj.* 2 *gén.* otoñal.
outoniço, *adj.* otoñal.
outono, s. *m.* otoño.
outorga, s. *f.* otorgamiento; donación.
outorgador, *adj.* e s. *m.* otorgador.
outorgante, s. 2 *gén.* otorgante.
outorgar, v. *tr.* otorgar; donar.
outrem, *pron.* otra persona; otro; otros.
outro, *adj.* e *pron. indef.* otro; diferente; siguiente; restante.
outrora, *adv.* otrora; antaño.
Outubro, s. *m.* octubre.
ouvido, s. *m.* oído; oreja.
ouvinte, *adj.* e s. 2 *gén.* oyente.
ouvir, v. *tr.* oír; escuchar; atender.
ova, s. *f.* hueva; ovario.
ovação, s. *f.* ovación.
ovacionar, v. *tr.* ovacionar; aplaudir.
ovado, *adj.* ovalado.
oval, **I.** *adj.* 2 *gén.* ovalado. **II.** s. *m.* óvalo.
ovante, *adj.* 2 *gén.* ovante; triunfante.
ovar, v. *intr.* huevar; aovar.
ovário, s. *m.* ANAT. ovario.
oveiro, s. *m.* overa.
ovelha, s. *f.* oveja.
ovelhada, s. *f.* rebaño de ovejas, redil.

ovelheiro, s. *m.* ovejero.
ovelhinha, s. *f.* ovejuela.
ovelhum, *adj.* ovejuno.
ovém, s. *m.* NÁUT. obenque.
óveo, *adj.* ovígero; que contiene huevos; oval.
overdose, s. *f.* sobredosis.
oviário, s. *m.* aprisco.
oviforme, *adj.* 2 *gén.* oviforme.
ovil, s. *m.* aprisco.
ovino, *adj.* e s. *m.* ovino.
oviparidade, s. *f.* oviparidad.
ovíparo, *adj.* ovíparo.
ovo, s. *m.* huevo.
ovóide, *adj.* 2 *gén.* ovalado.
ovovivíparo, *adj.* ovovivíparo.
ovulação, s. *f.* ovulación.
ovular, **I.** *adj.* 2 *gén.* ovular. **II.** v. *tr.* ovular.
óvulo, s. *m.* ANAT. óvulo.
oxácido, s. *m.* QUÍM. oxácido.
oxalá!, *interj.* ojalá!
oxalato, s. *m.* QUÍM. oxalato.
oxálico, *adj.* QUÍM. oxálico.
oxidação, s. *f.* QUÍM. oxidación.
oxidado, *adj.* oxidado.
oxidante, *adj.* 2 *gén.* oxidante.
oxidar, v. *tr.* QUÍM. oxidar; oxigenar.
oxidável, *adj.* 2 *gén.* oxidable.
óxido, s. *m.* QUÍM. óxido; orín.
oxidrilo, s. *m.* QUÍM. oxhidrilo.
oxigenação, s. *f.* oxigenación.
oxigenado, *adj.* oxigenado.
oxigenar, v. *tr.* QUÍM. oxigenar.
oxigenável, *adj.* 2 *gén.* oxigenable.
oxigénio, s. *m.* QUÍM. oxígeno.
oximel, s. *m.* ojimiel.
oxítono, *adj.* oxítono.
ozena, s. *f.* MED. ozena, ocena.
ozónio, s. *m.* ozono.
ozono, s. *m.* ozono.
ozonometria, s. *f.* ozonometría.
ozonométrico, *adj.* ozonométrico.

P

pá, s. f. pala; (de hélice) paleta; CUL. paletilla; (de trolha) palustre.
pábulo, s. m. pábulo.
paca, s. f. ZOOL. paca.
pacatez, s. f. pacatez.
pacato, adj. pacato.
pachola, s. (fam.) persona perezosa, holgazana, pachorrenta; pachón; pachorrudo.
pachouchada, s. f. patochada.
pacholice, s. f. pereza, holgazanería.
pachorra, s. f. pachorra, cachaza, flema.
pachorrento, adj. pachorrento.
paciência, s. f. paciencia.
paciente, I. adj. 2 gén. paciente. II. s. 2 gén. paciente, enfermo.
pacificação, s. f. pacificación.
pacificador, adj. e s. m. pacificador.
pacificar, v. tr. pacificar; aquietar; sosegar.
pacífico, adj. pacífico; pacato; sosegado.
pacifismo, s. m. pacifismo.
pacifista, adj. e s. 2 gén. pacifista.
paço, s. m. pazo.
pacote, s. m. bulto, paquete; paca, lío, fardo.
pacotilha, s. f. pacotilla; de pacotilha, de pacotilha.
pacovice, s. f. estupidez, tontería.
pacóvio, adj. e s. m. estúpido, tonto, simple; simplón; palurdo.
pacto, s. m. pacto.
pactuante, adj. e s. 2 gén. pactante.
pactuar, v. tr. e intr. pactar; contratar; convenir.
pactuário, s. m. pactante.
padaria, s. f. panadería; tahona.
padecedor, s. m. padecedor.
padecente, adj. 2 gén. paciente.
padecer, v. tr. e intr. padecer, penar; purgar.
padecimento, s. m. padecimiento, suprimiento.
padeira, s. f. panadera.
padeiro, s. m. panadero.
padieira, s. f. ARQ. dintel.
padiola, s. f. parihuela.
padrão, s. m. patrón, modelo; (marco) padrón.

padrar-se, v. refl. ordenarse, hacerse sacerdote.
padrasto, s. m. padrastro.
padre, s. m. cura, sacerdote, presbítero, padre.
padreação, s. f. padreación.
padrear, v. intr. padrear.
padre-nosso, s. m. padrenuestro.
padrinho, s. m. padrino.
padroado, s. m. patronazgo, patronado, patronato.
padroeira, s. f. patrona.
padroeiro, adj. e s. m. patrón, santo; patrono, defensor, protector.
paelha, s. f. paella.
paga, s. f. paga; pago; em paga de, en pago por.
pagador, adj. e s. m. pagador.
pagadoria, s. f. pagaduría.
pagamento, s. m. pago; paga; pagamento por conta, pago a cuenta; pagamento extra, paga extra.
paganismo, s. m. paganismo; politeísmo.
paganização, s. f. paganizacion.
paganizar, v. tr. paganizar.
pagão, adj. e s. m. pagano.
pagar, v. tr. pagar, dar; expiar.
pagável, adj. 2 gén. pagable, pagadero.
pagela, s. f. página pequeña, hoja.
página, s. f. página; plana.
paginação, s. f. paginación.
paginar, v. tr. e intr. paginar.
pago, adj. pagado.
pagode, s. m. pagoda.
pai, s. m. padre; papa; mau pai, (fig.) padrastro; pai indulgente, padrazo.
painço, s. m. BOT. panizo.
painel, s. m. panel; painel de comandos, salpicadero.
paiol, s. m. NÁUT. pañol; polvorín; santabárbara.
pairar, v. intr. pairar.
país, s. m. país; patria.
paisagem, s. f. paisaje.
paisagista, s. 2 gén. paisajista.
paisagístico, adj. paisajístico.

paisana, s. m. paisano.
paisano, I. adj. paisano, patricio; compatriota. II. s. m. paisano, civil.
paixão, s. f. pasión.
paixoneta, s. f. pasioncilla.
paizão, s. m. (fam.) padrazo.
pajem, s. m. paje.
pala, s. f. bisera; pala.
palacete, s. m. palacete.
palaciano, adj. e s. m. palaciego.
palácio, s. m. palacio, pazo.
paladar, s. m. paladar, sabor.
paladino, s. m. paladín.
paládio, s. m. paladión.
palafita, s. f. palafito.
palafrém, s. m. palafrén.
palafreneiro, s. m. palafrenero.
palanca, s. f. palanca.
palanco, s. m. NÁUT. palanquín.
palanfrório, s. m. (fam.) palabrería.
palangana, s. f. palangana, jofaina; tazón grande, cuenco.
palanque, s. m. templete.
palanquim, s. m. palanquín.
palão, s. m. gran mentira.
palatal, adj. 2 gén. palatal; palatino.
palatalizar, v. tr. palatalizar.
palatina, s. f. palatina.
palatinado, s. m. palatinado.
palatino, adj. palatino, palatal.
palato, s. m. paladar.
palavra, s. f. palabra; palavra de honra, palabra de honor; palavra difícil, palabreja.
palavrada, s. f. palabrota, palabra grosera.
palavrão, s. m. palabrota.
palavreado, s. m. palabrería.
palavreador, s. m. palabrero, palabrista, parlero, locuaz.
palavrear, v. intr. palabrear, parlotear.
palavreiro, adj. palabrero.
palavrinha, s. f. palabrita.
palavrório, s. m. palabrería.
palavroso, adj. locuaz, prolijo.
palco, s. m. escenario, tablado.
paleio, s. m. palabrería; labia; coba; palique.
paleografia, s. f. paleografía.
paleógrafo, s. m. paleógrafo.
paleolítico, s. m. paleolítico.
paleólogo, s. m. paleólogo.
paleontologia, s. f. paleontología.
paleontologista, s. m. paleontólogo.
paleontólogo, s. 2 gén. paleontólogo.
paleozóico, adj. paleozoico.

palerma, s. 2 gén. estúpido, imbécil; palurdo; majadero; ñoño.
palestino, adj. e s. m. palestino.
palestra, s. f. palestra, foro; charla, parloteo, plática.
palermice, s. f. ñoñez, paparrucha; pifia.
palestrar, v. intr. conversar, charlar, parlar.
paleta, s. f. PINT. paleta.
paletó, s. m. paletó.
palha, s. f. paja; cor de palha, pajizo.
palhaçada, s. f. payasada.
palhaço, s. m. payaso, histrión, arlequín.
palhada, s. f. pajada.
palhal, s. m. choza, casa cubierta de paja.
palhar, s. m. vd. **palhal**.
palheira, s. f. paja, montón de cereales sin grano; pedazo de paja; almiar.
palheirão, s. m. pajar grande.
palheireiro, s. m. pajero.
palheiro, s. m. pajar, almiar; depósito de sal.
palheta, s. f. MÚS. clavete, lengüeta, púa.
palhetada, s. f. paletada.
palhetão, s. m. paletón (parte de la llave).
palhete, adj. 2 gén. pajizo, de color de paja; clarete, dícese del vino.
palhetear, v. intr. conversar en tono burlesco.
palhiço, I. adj. de pajo II. s. m. paja menuda; coroza, capa de paja.
palhinha, s. 1. f. tamo, paja muy menuda; pajita, pajilla, paja para asientos. 2. m. canotié.
palhoça, s. f. choza cubierta de paja; coroza, capa de paja.
paliação, s. f. paliación; disfraz.
paliar, v. tr. paliar; encubrir; disfrazar.
paliativo, adj. paliativo.
paliçada, s. f. palizada; palanquera.
palidez, s. f. palidez.
pálido, adj. pálido, pocho.
palinódia, s. f. palinodia.
palinuro, s. m. palinuro, piloto; guía.
pálio, s. m. palio.
palitar, v. tr. escarbar, mondar los dientes.
paliteiro, s. m. palillero.
palito, s. m. palillo, mondadientes, escarbadientes.
palma, s. f. palma, hoja, planta; palma de la mano; (fig.) palma, gloria, victoria.
palmada, s. f. palmada.
palmado, adj. palmeado.
palmar, I. adj. 2 gén. palmario; erro palmar, error palmario. II. s. m. palmar, palmeral.

palmarés, s. m. palmarés.
palmatoada, s. f. palmoteo.
palmatória, s. f. palmeta, palmatoria.
palmear, v. tr. palmear, palmotear, aplaudir.
palmeira, s. f. BOT. palmera; palma.
palmeiral, s. m. palmar, palmeral.
palmejar, v. intr. palmear, palmotear, aplaudir.
palmeta, s. f. espátula, cuña, palmilla.
palmilha, s. f. palmilla.
palmilhadeira, f. mujer que remienda medias o calcetines.
palmilhar, v. tr. palmillar.
palminhas, s. f. pl. palmitas; *trazer alguém nas palminhas*, llevar alguién en palmitas.
palmípede, adj. e s. 2 gén. ZOOL. palmípedo.
palmital, s. m. palmitar.
palmito, s. m. BOT. palmito.
palmo, s. m. palmo.
palonço, adj. e s. m. tonto, imbécil.
palor, s. m. palor, palidez.
palpação, s. f. palpación.
palpadela, s. f. vd. **apalpadela**.
palpar, v. tr. palpar.
palpável, adj. 2 gén. palpable.
pálpebra, s. f. ANAT. párpado.
palpitação, s. f. palpitación; pulsación.
palpitante, adj. 2 gén. palpitante; reciente, fresco.
palpitar, v. intr. palpitar; presentir.
palpite, s. m. palpito, presentimiento.
palpo, s. m. ZOOL. palpo.
palrador, adj. e s. m. parlanchín, charlatán.
palrar, v. intr. charlar, parlar.
palraria, s. f. parlería, parloteo.
palratório, s. m. locutorio.
palreiro, adj. parlero, parlanchín.
palrice, s. f. locuacidad, verborrea.
palude, s. m. laguna; paúl, pantano.
paludial, adj. 2 gén. palúdico, pantanoso.
palúdico, adj. palúdico.
paludismo, s. m. MED. paludismo.
paludoso, adj. palúdico; pantanoso.
palúrdio, adj. palurdo, estúpido; majadero.
palustre, adj. 2 gén. palustre; *febres palustres*, fiebres palúdicas.
pampa, s. f. pampa.
pâmpano, s. m. pámpano.
pampanoso, adj. pampanoso.
pampeiro, s. m. pampero.
pampilho, s. m. garrocha; aguijón; puya.

panaceia, s. f. panacea.
panado, adj. panado.
panal, s. m. panal.
panamá, s. m. panamá, sombrero panamá.
panamense, adj. e s. 2 gén. panameño.
pan-americano, adj. e s. m. panamericano.
panar, v. tr. empanar.
panarício, s. m. panadizo.
pança, s. f. panza.
pancada, s. f. pancada; golpe; choque; bastonazo; palpitación; pulsación; (fam.) manía.
pançada, s. f. (fam.) panzada.
pancadaria, s. f. paliza.
pancrácio, s. m. (fam.) papanatas; ingenuo.
pâncreas, s. m. ANAT. páncreas.
pancreático, adj. pancreático.
pancreatite, s. f. MED. pancreatitis.
pancromático, adj. pancromático.
pançudo, adj. panzudo.
panda, s. 1. f. pandilha. 2. m. ZOOL. panda.
pandear, v. tr. e intr. pandear, torcerse una cosa encorvándose; hinchar.
pândega, s. f. (fam.) parranda.
pandegar, v. intr. parrandear; divertirse.
pândego, adj. e s. m. juerguista, fiestero; calavera.
pandeireiro, s. m. panderetero.
pandeireta, s. f. pandereta.
pandeiro, s. m. pandero, pandereta.
pandemónio, s. m. pandemónium.
pandilha, I. s. f. pandilla. II. s. m. vagabundo.
pandilheiro, s. m. pandillero, pandillista, vagabundo.
pando, adj. lleno, hinchado, gordo.
pandorca, s. f. pandorga.
pandorga, s. f. vd. **pandorca**.
panegírico, s. m. panegírico.
panegirista, s. 2 gén. panegirista.
paneiro, s. m. panera; panero; canasta.
panejar, I. v. tr. pintar el ropaje de una figura. II. intr. NÁUT. flamear.
panela, s. f. cazuela, cacerola, olla (vasija).
panelada, s. f. cazolada, cacerolada.
panelinha, s. f. cazuela, olla pequeña; (fam.) pandilla.
panfletário, I. adj. panfletario. 2. s. 2 gén. panfletista.
panfletista, s. 2 gén. panfletista.
panfleto, s. m. panfleto; octavilla.
pangolim, s. m. pangolín.
pânico, adj. e s. m. pánico.

panícula, s. f. BOT. panícula, paniculo.

panicular, adj. 2 gén. panicular.

panificação, s. f. panificación; indústria de panificação, panificadora.

panificar, v. tr. panificar.

panificável, adj. 2 gén. panificable.

pano, s. m. paño, cualquier tejido de lino, algodón; paño, mancha en la piel; velas del navío; telón de un teatro.

panóplia, s. f. panoplia.

panorama, s. m. panorama.

panorâmica, s. f. panorámica.

panorâmico, adj. panorámico.

panqueca, s. f. panqueque.

pantagruélico, adj. pantagruélico.

pantagruelismo, s. m. pantagruelismo.

pantalha, s. f. pantalla.

pantana, s. f. (fam.) cenagal, lodazal; ruina, perdición.

pantanal, s. m. pantanal.

pântano, s. m. pantano.

pantanoso, adj. pantanoso, paludoso, palúdico.

panteão, s. m. panteón.

panteísmo, s. m. panteísmo.

panteísta, adj. e s. 2 gén. panteísta.

pantera, s. f. ZOOL. pantera.

pantografia, s. f. pantografía.

pantógrafo, s. m. pantógrafo.

pantomima, s. f. pantomima.

pantomimeiro, s. m. pantomimo.

pantomina, s. f. pantomina; mentira.

pantomineiro, s. m. pantomimo; embustero.

pantominice, s. f. pantomima.

pantorrilha, s. f. pantorra, pantorrilla.

pantufa, s. f. pantufla.

pantufo, s. m. pantufla.

pão, s. m. pan.

pãozinho, s. m. panecillo.

papa, I. s. m. papa. II. s. f. papa; (dos bebés) papilla.

papá, s. m. papá, padre.

papa-açorda, s. 2 gén. papanatas.

papada, s. f. papada; sotabarba.

papado, s. m. papado.

papa-figos, s. m. ZOOL. papafigo.

papa-fina, adj. 2 gén. excelente, gustoso.

papagaio, s. m. ZOOL. papagayo.

papaguear, v. tr. e intr. charlar, parlar.

papaia, s. f. papaya.

papal, adj. 2 gén. papal.

papalino, s. m. e adj. papalino.

papalvice, s. f. tontería.

papalvo, s. m. simplón, papanatas, pazguato.

papa-moscas, s. f. papamoscas.

papamóvel, s. m. papamóvil.

papança, s. f. (fam.) comilona.

papão, s. m. papón, coco; ogro.

papar, v. tr. papar, comer.

paparicar, v. tr. e intr. comer o recibir golosinas; comiscar; mimar.

paparicos, s. m. pl. mimos, halagos; golosinas.

paparoca, s. f. (fam.) papa, comida; pitanza.

papeira, s. f. MED. paperas, parotiditis, lamparones, bocio; papado.

papel, s. m. papel; parte de cada actor en una obra teatral; indústria do papel, industria papelera.

papelada, s. f. papeleo.

papelão, s. m. papelón, cartón.

papelaria, s. f. papelería.

papeleira, s. f. papelera.

papeleiro, adj. papelero; indústria papeleira, industria papelera.

papeleta, s. f. papeleta, edicto, cartel.

papelinho, s. m. papelito; pl. confeti.

papila, s. f. ZOOL. papila.

papilar, adj. 2 gén. papilar.

papiro, s. m. papiro.

papismo, s. m. papismo.

papista, adj. e s. 2 gén. papista.

papo, s. m. papo, buche de las aves; (fig.) estómago; papera.

papoila, s. f. BOT. amapola.

papudo, adj. papado.

pápula, s. f. MED. pápula.

paquebote, s. m. paquebote.

paquete, s. m. vd. **paquebote**; botones, recadero.

paquiderme, s. m. paquidermo.

paquistanês, adj. e s. m. paquistaní.

par, I. adj. 2 gén. par, igual, semejante. II. s. m. par; título; pareja.

para, prep. para, hacia, en dirección a; a fin de; en relación a.

parabéns, s. m. pl. felicitación; parabién.

parábola, s. f. parábola.

parabólico, adj. parabólico.

pára-brisas, s. m. parabrisas.

pára-choques, s. m. parachoques.

parada, s. f. parada; estación; demora; pausa; MIL. parada.

paradeiro, s. m. paradero.

paradigma, s. m. paradigma.
paradigmático, adj. paradigmático.
paradisíaco, adj. paradisíaco.
parado, adj. parado.
paradoxal, adj. 2 gén. paradójico.
paradoxo, s. m. paradoja.
para-estatal, adj. 2 gén. paraestatal.
parafernal, adj. 2 gén., bens parafernais, parafernalia.
parafernália, s. f. parafernalia.
parafina, s. f. QUÍM. parafina.
parafinagem, s. f. parafinación.
parafinar, v. tr. parafinar.
paráfise, s. f. BOT. parafiso.
pára-fogo, s. m. parafuego, pantalla.
paráfrase, s. f. paráfrasis.
parafrasear, v. tr. parafrasear.
parafusador, s. m. atornillador.
parafusar, v. tr. atornillar.
parafuso, s. m. tornillo.
paragem, s. f. parada; paraje; paro.
paragoge, s. f. paragoge.
parágrafo, s. m. parágrafo, párrafo.
paraguaio, adj. e s. m. paraguayo.
paraíso, s. m. paraíso.
paralaxe, s. f. ASTR. paralaje, paralaxi.
paralela, s. f. paralela.
paralelepípedo, s. m. paralelepípedo.
paralelismo, s. m. paralelismo.
paralelo, adj. e s. m. paralelo.
paralelogramo, s. m. paralelogramo.
paralimpíada, s. f. paralimpiada.
paralímpico, adj. e s. m. paralímpico.
paralisação, s. f. paralización.
paralisar, v. tr. paralizar.
paralisia, s. f. parálisis.
paralítico, adj. e s. m. paralítico.
paralogismo, s. m. paralogismo.
pára-luz, s. m. pantalla.
paramécia, s. f. paramecio.
paramentar, v. tr. paramentar.
paramento, s. m. paramento.
paramétrico, adj. paramétrico.
parâmetro, s. m. parámetro.
paramilitar, adj. 2. gén. paramilitar.
páramo, s. m. páramo.
parança, s. f. parada; huelga; descanso.
parangona, s. f. parangón.
parangonar, v. tr. parangonar.
paraninfo, s. m. paraninfo.
paranóia, s. f. MED. paranoia.
paranóico, adj. paranoico.
paranormal, adj. 2 gén. paranormal.

parapeito, s. m. parapeto; pretil.
parapente, s. m. parapente.
paraplegia, s. f. MED. paraplejia.
paraplégico, adj. MED. parapléjico.
pára-quedas, s. m. paracaídas.
pára-quedismo, s. m. paracaidismo.
pára-quedista, s. 2 gén. paracaidista.
parapsicologia, s. f. parapsicología, parasicología.
parapsicológico, s. f. parapsicológico, parasicológico.
parapsicólogo, s. m. parapsicólogo, parasicólogo.
parar, v. 1. tr. parar; suspender. 2. intr. parar, quedar, permanecer, residir; descansar; cesar.
pára-raios, s. m. pararrayos.
parasceve, s. f. parasceve.
parasita, s. 2 gén. parásito; sebandija.
parasitário, adj. parasitario.
parasiticida, s. m. parasiticida.
parasítico, adj. parasítico.
parasitismo, s. m. parasitismo.
pára-sol, s. m. parasol, guardasol, quitasol; vd. guarda-sol.
parasselénio, s. m. paraselenito.
pára-vento, s. m. vd. guarda-vento.
parca, s. f. parca.
parçaria, s. f. parcería, aparcería; sociedad.
parceiro, I. adj. parejo, igual. II. s. m. socio; compañero.
parcela, s. f. parcela; fragmento.
parcelamento, s. m. parcelación.
parcelar, I. v. tr. parcelar. II. adj. 2 gén. parcial.
parche, s. m. parche, venda, apósito de una herida; pegote.
parcial, adj. 2 gén. e s. m. parcial.
parcialidade, s. f. parcialidad.
parcialmente, adv. parcialmente.
parcimónia, s. f. parsimonia.
parcimonioso, adj. parsimonioso.
parco, adj. parco, sobrio, frugal.
parcómetro, s. m. parquímetro.
pardacento, adj. parduzco, pardejón.
pardal, s. m. ZOOL. gorrión.
pardalada, s. f. conjunto de pardillos.
pardaleja, s. f. ZOOL. pardilla.
pardieiro, s. m. casa muy vieja.
pardo, adj. pardo.
pardoca, s. f. pardilla.
parecença, s. f. parecencia; semejanza.

parecer, I. v. 1. *intr.* parecer, opinar, creer. **2.** *refl.* parecerse. II. *s. m.* parecer, apariencia; opinión; sentencia; sentimiento.

parecido, *adj.* parecido; parejo.

paredão, *s. m.* paredón.

parede, *s. f.* ARQ. pared, muro; tabique, sebe.

paregórico, *adj.* paregórico.

parelha, *s. f.* pareja, par.

parelho, *adj.* parejo.

parélio, *s. m.* ASTR. parelio.

parênquima, *s. m.* parénquima.

parenquimático, *adj.* parenquimatoso.

parenquimatoso, *adj.* vd. **parenquimatoso**.

parente, *s. m.* pariente; *pl.* parentela.

parentela, *s. f.* parentela.

parentesco, *s. m.* parentesco.

parêntese, *s. m.* paréntesis.

parêntesis, *s. m.* vd. **parêntese**.

pargo, *s. m.* ZOOL. pargo.

pária, *s. m.* paria.

paridade, *s. f.* paridad.

parideira, *adj.* paridera.

parietal, I. *s. m.* ANAT. parietal (hueso). II. *adj.* 2 gén. parietal.

parietária, *s. f.* BOT. parietaria.

pariforme, *adj.* 2 gén. pariforme.

parir, *v. tr.* parir, dar a luz (hijos); (*fig.*) producir, causar.

parisiense, *adj.* e *s.* 2 gén. parisiense.

parissílabo, *adj.* parisílabo.

parla, *s. f.* parla, charla.

parlamentar, I. *adj.* 2 gén. parlamentario. II. *s.* 2 gén. parlamentario. III. *intr.* parlamentar, conferenciar, negociar.

parlamentário, *adj.* e *s. m.* parlamentario.

parlamentarismo, *s. m.* parlamentarismo.

parlamento, *s. m.* parlamento.

parlapatão, *s. m.* parlón, impostor.

parlar, *v. intr.* parlar; hablar.

parlatório, *s. m.* parlatorio, locutorio.

parmesão, *adj.* parmesano.

parnasiano, *adj.* parnasiano.

parnaso, *s. m.* parnaso.

paro, *s. m.* paro; parada.

pároco, *s. m.* párroco; cura, prior; (*fig.*) pastor.

paródia, *s. f.* parodia.

parodiar, *v. tr.* parodiar.

parola, *s. f.* parola.

parolador, *adj.* e *s. m.* parolero; parlanchín.

parolar, *v. intr.* parlar; parlotear.

paroleiro, *adj.* e *s. m.* parlanchín.

parolo, *adj.* e *s. m.* patán, zafio, (*pej.*) cateto, palurdo.

paronímia, *s. f.* paronimia.

paronímico, *adj.* paronímico.

parónimo, *adj.* parónimo.

paronomásia, *s. f.* paronomasia.

paróquia, *s. f.* parroquia.

paroquial, *adj.* 2 gén. parroquial.

paroquiano, *adj.* e *s. m.* parroquiano.

paroquiar, *v. tr.* administrar, como párroco.

parótida, *s. f.* parótida.

parótide, *s. f.* vd. **parótida**.

parotídeo, *adj.* ANAT. parotídeo.

paroxismo, *s. m.* MED. paroxismo.

paroxístico, *adj.* paroxístico.

paroxítono, *adj.* paroxítono.

parque, *s. m.* parque.

parqué, *s. m.* parqué, parquet.

parquete, *s. m.* vd. **parqué**.

parquímetro, *s. m.* parquímetro.

parra, *s. f.* BOT. parra.

parreira, *s. f.* parra, parral.

parreiral, *s. m.* parral.

parricida, *s.* 2 gén. parricida.

parricídio, *s. m.* parricidio.

parrudo, *adj.* rastrero, bajo.

parte, *s. f.* parte; fracción; pieza, quiñón; lote; papel de cada actor; comunicación; *pl.* partes, órganos genitales.

parteira, *s. f.* partera, comadre, comadrona.

parteiro, *s. m.* partero, médico.

partição, *s. f.* partición; división; partija.

participação, *s. f.* participación.

participador, *adj.* e *s. m.* participador.

participante, *adj.* 2 gén. participante; partícipe.

participar, *v.* 1. *intr.* participar, tomar parte en. 2. *tr.* comunicar, informar.

participável, *adj.* 2 gén. participable.

partícipe, *s.* 2 gén. partícipe.

participial, *adj.* 2 gén. participial.

particípio, *s. m.* participio.

partícula, *s. f.* partícula.

particular, I. *adj.* 2 gén. particular; confidencial; privado; em particular, en privado. II. *s. m.* particular, individuo.

particularidade, *s. f.* particularidad.

particularismo, *s. m.* particularismo.

particularista, *adj.* 2 gén. particularista.

particularização, s. f. particularización.
particularizar, v. tr. particularizar.
partida, s. f. partida; salida; guerrilla; pufo, broma; pirula; COM. partida, lote; DESP. partida; *partida de mau gosto*, perrería.
partidão, s. m. buen casamiento, buen empleo; gran partido.
partidário, adj. e s. m. partidario.
partidarismo, s. m. partidarismo.
partido, I. adj. partido. II. s. m. partido, interés; territorio de alguna jurisdicción; ventaja, convenio; grupo político.
partidor, s. m. partidor.
partilha, s. f. partija; partición.
partilhar, v. tr. partir, repartir; participar en.
partir, v. 1. tr. partir; dividir; repartir; rajar. 2. intr. partir, salir; comenzar, emanar.
partitivo, adj. partitivo.
partitura, s. f. MÚS. partitura.
partível, adj. 2 gén. partible.
parto, s. m. parto.
parturiente, adj. parturienta.
parvalhão, s. m. muy estúpido y necio; patán.
parvalheira, s. f. (fam.) poblaciones rurales; vida aldeana.
parvalhice, s. f. parvulez, idiotez.
parvidade, s. f. parvedad, pequeñez, poquedad; necedad.
parvo, adj. parvo; pequeño; idiota, tonto.
párvoa, s. f. mujer tonta, necia.
parvoíce, s. f. simpleza.
parvónia, s. f. (fam.) aldea, provincia; vida de la aldea.
párvulo, I. s. m. párvulo, niño. II. adj. párvulo, inocente, humilde.
pascácio, s. m. imbécil, idiota.
pascal, adj. 2 gén. pascual.
pascentar, v. tr. apacentar.
pascer, v. tr. pacer, pastar, apacentar.
pascigo, s. m. pacedero, pastadero, pastizal, pastura; pasto.
páscoa, s. f. pascua.
pasmaceira, s. f. pasmo, pasmarote.
pasmado, adj. pasmado, espantado.
pasmar, v. tr. pasmar; espantar, asombrar.
pasmo, s. m. pasmo; asombro; sorpresa.
pasmoso, adj. pasmoso; asombroso.
paspalhão, adj. e s. m. pasmón, vanidoso, tonto, pataratero.
paspalhice, s. f. necedad, tontería.

pasquim, s. m. pasquín.
pasquinada, s. f. pasquinada.
pasquinar, v. tr. pasquinar.
passa, s. f. pasa, uva seca.
passa-culpas, s. 2 gén. persona que todo lo disculpa.
passada, s. f. pasada; paso; paso; pl. diligencias, esfuerzos.
passadeira, s. f. alfombra, alfombrilla; paso de peatones, paso de cebra.
passadela, s. f. pasada.
passadiço, I. s. m. pasadizo. II. adj. transitorio.
passadio, s. m. alimento cotidiano, comida habitual.
passado, I. adj. pasado; seco; admirado. II. s. m. pasado (tiempo); GRAM. pasado, pretérito.
passador, I. adj. pasador. II. s. m. coladero; punzón, puntero; pasapurés.
passadouro, s. m. pasadizo; pasaje.
passageiro, I. s. m. e f. pasajero; transeunte, viajero, viajante; *passageiro clandestino*, polizón. II. adj. pasajero, transitorio.
passagem, s. f. pasaje; pasada; pasaje, trozo de un libro o discurso; paso, zurcido.
passajar, v. tr. zurcir, remendar.
passamanaria, s. f. pasamanería.
passamaneiro, s. m. pasamanero.
passamento, s. m. pasamiento; fallecimiento, muerte.
passante, I. adj. 2 gén. pasante; excedente. II. s. 2 gén. transeunte.
passaporte, s. m. pasaporte.
passar, v. 1. tr. pasar; transportar; meter; filtrar; cerner; transmitir. 2. intr. deslizar, correr; contentarse; fallecer.
passarada, s. f. pajarería.
passarão, s. m. pajarote, pajarraco.
passareira, s. f. pajarera.
passareiro, s. m. pajarero.
passarela, s. f. pasarela.
passarinhada, s. f. pajarería.
passarinhar, v. intr. pajarear; cazar pájaros; (fam.) vagar, andar de un sitio para otro.
passarinheiro, s. m. pajarero.
passarinho, s. m. pajarito.
passarito, s. m. pajarito.
pássaro, s. m. ZOOL. pájaro.
passaroco, s. m. pajaraco.
passarola, s. f. pajarote, pajarraco.

passatempo, s. m. pasatiempo.

passe, s. m. pase, permiso, licencia, pasaporte; TAUR. pase; pl. pases, movimientos de hipnotizador.

passeador, adj. e s. m. paseador, paseante.

passeadouro, s. m. paseadero, paseo.

passeante, adj. e s. 2 gén. paseante; holgazán; haragán.

passear, v. tr. e intr. pasear; dar paseos; hacer ejercicio caminando.

passeata, s. f. (fam.) paseata, paseo; excursión.

passeio, s. m. paseo; sitio público para paseo; acera.

passeira, s. f. pasera, sequero para frutas.

passento, adj. poroso, esponjoso, que embebe.

passibilidade, s. f. pasibilidad.

passional, adj. 2 gén. e s. m. pasional, pasionario.

passionário, s. m. pasionario, pasional.

passiva, s. f. pasiva.

passível, adj. 2 gén. pasible.

passividade, s. f. pasividad.

passivo, I. adj. pasivo. II. s. m. COM. pasivo.

passo, s. m. paso; marcha; ponto de un texto; paso de la pasión de Cristo; manera de andar; quebrada, quebradura; (fig.) acto; situación; passo doble, pasodoble.

pasta, s. f. pasta; plasta, porción de metal fundido y sin labrar; cartera para papeles, documentos, etc.; (fig.) cartera, empleo de ministro.

pastagem, s. f. pasto, pastizal, pastadero.

pastar, v. tr. pastar; pacer; apacentar.

pastel, s. m. pastel, masa de harina rellena de carne, pescado o dulce; PINT./TIP. pastel.

pastelão, s. m. pastelón.

pastelaria, s. f. pastelería.

pasteleiro, s. m. pastelero.

pastelista, s. 2 gén. pastelista.

pasteurização, s. f. pasteurización.

pasteurizado, adj. pausteurizado.

pasteurizar, v. tr. pasteurizar, esterilizar.

pastiche, s. m. pastiche.

pastilha, s. f. pastilla; tableta.

pastinaca s. f. BOT. pastinaca, chirivia.

pastio, s. m. pasto, pastizal.

pasto, s. m. pasto; hierba que el ganado pace; pasto, comida.

pastor, s. m. pastor, el que cuida del ganado; pastor, prelado; párroco.

pastoral, I. adj. 2 gén. pastoral; pastoril. II. s. f. pastoral (carta); poesia pastoril, égloga.

pastorear, v. tr. pastorear, guiar el panado; (fig.) pastorear, dirigir una diócesis.

pastorela, s. f. pastorela.

pastoreio, s. m. pastoreo.

pastorícia, s. f. pastoreo.

pastoril, adj. 2 gén. pastoril; pastoral.

pastosidade, s. f. pastosidad.

pastoso, adj. pastoso.

pata, s. f. pata, hembra del pato; pata, pie y pierna de los animales; pie de una cosa; meter a pata (fam.), meter la pata, equivocarse, patinar.

patacho, s. m. NÁUT. patache.

pata-choca, s. f. pasta, mujer gorda e indolente.

pataco, s. m. pataco, antigua moneda.

patacoada, s. f. patochada; pavada.

patada, s. f. patada.

patagónio, adj. e s. m. patagón.

patamar, s. m. descansillo; rellano.

patarata, s. f. patarata; pisada.

paratateiro, adj. e s. m. paratatero.

patau, adj. e s. m. (fam.) bobo, tonto.

patavina, s. f. friolera, niñería, nada, bagatela.

pateada, s. f. pataleo; pateo.

patear, v. tr. patear; patalear.

patego, adj. e s. m. (fam.) bobalicón, necio, estúpido, simple.

pateguice, s. f. patanería, grosería.

patela, s. f. rótula; choquezuela, especie de juego.

patena, s. f. patena.

patente, I. adj. 2 gén. patente; obvio; abierto, accesible. II. s. f. patente, concesión, privilegio; diploma; graduación militar.

patenteado, adj. patentado.

patentear, v. tr. patentizar; franquear; patentar.

paternal, adj. 2 gén. paternal, paterna.

paternalismo, s. m. paternalismo.

paternalista, adj. 2 gén. paternal, paterno.

paternidade, s. f. paternidad.

paterno, adj. paterno; paternal.

pateta, s. 2 gén. idiota, bobo.

patetice, s. f. simpleza, bobería.

pateticismo, s. m. LIT. patetismo.

patético, adj. patético.

patibular, adj. 2 gén. patibulario.

patíbulo, s. m. patíbulo, cadalso.

patifaria, s. f. bribonada, picardía.

patife, adj. e s. m. bribón, bergante, bellaco; pícaro; sinvergüenza.

patifório, s. m. bribón hábil.

patilha, s. f. patilla.

patim, s. m. patín, patinillo; patín, calzado para patinar.

pátina, s. f. pátina.

patinador, adj. e s. m. patinador.

patinagem, s. f. patinaje; *patinagem no gelo,* patinaje sobre hielo; *patinagem sobre rodas,* patinaje sobre ruedas; *patinagem artística,* patinaje artístico.

patinar, v. intr. patinar.

patinhar, v. intr. chapotear; patinar, girar las ruedas sin que la máquina ande; hollar.

patinheiro, s. m. holladero.

pátio, s. m. patio.

patiozinho, s. m. patín.

pato, s. m. ZOOL. pato.

patogénese, s. f. patogenesia, patogenia.

patogenia, s. f. vd. **patogénese**.

patogénico, adj. patógeno.

patola, s. f. pataza, pata o pie grande; necio.

patologia, s. f. patología.

patológico, adj. patológico.

patologista, s. 2 gén. patologista, patólogo.

patranha, s. f. patraña, cuento, mentira.

patranheiro, adj. e s. m. patrañero.

patrão, s. m. patrón, dueño, señor, amo, propietario.

pátria, s. f. patria; país.

patriarca, s. m. patriarca.

patriarcado, s. m. patriarcado.

patriarcal, adj. 2 gén. patriarcal.

patrício, I. adj. patricio. II. s. m. patricio, compatricio, compatriota.

patrimonial, adj. 2 gén. patrimonial.

património, s. m. patrimonio.

pátrio, adj. patrio.

patriota, s. 2 gén. patriota.

patrioteiro, s. m. patriotero.

patriotice, s. f. patriotería.

patriótico, adj. patriótico.

patriotismo, s. m. patriotismo.

patroa, s. f. patrona.

patrocinador, adj. e s. m. patrocinador.

patrocinar, v. tr. patrocinar.

patrocínio, s. m. patrocinio; patronazgo; patronato.

patrona, s. f. patrona, protectora; santa, protectora; cartuchera.

patronal, adj. 2 gén. patronal; *associação patronal,* patronal.

patronato, s. m. patronato, patronazgo.

patronímico, adj. e s. m. patronímico.

patrono, s. m. patrono, patrón.

patrulha, s. f. MIL. patrulla; *(avião)* patrullera.

patrulhar, v. intr. patrullar.

patrulheiro, s. m. *(barco)* patrullera.

patudo, adj. patudo.

patuleia, s. f. patulea.

patuscada, s. f. francachela; parranda, juerga.

patuscar, v. intr. andar en fiestas o rancochelas; divertirse.

patusco, adj. e s. m. *(fam.)* glotón, comilón; amigo de francachelas; extravagante.

paul, s. m. pantano.

paulada, s. f. golpe con palo; paliza.

paulatino, adj. paulatino; flemático.

paupérrimo, adj. paupérrimo.

pau-rosa, s. m. palisandro.

pausa, s. f. pausa, interrupción, intervalo; lentitud; MÚS. pausa.

pausado, adj. pausado, lento; ponderado.

pausar, v. tr. pausar, descansar, interrumpir.

pauta, s. f. pauta, falsilla; papeleta; MÚS. pentagrama; *(fig.)* pauta, modelo, norma; relación, tarifa.

pautado, adj. pautado.

pautar, v. tr. rayar el papel con la pauta; trazar; reglar, registrar.

pauzinho, s. m. palito, palo pequeño; *pauzinhos chineses,* palillos chinos.

pavana, s. f. pavana (danza).

pavão, s. m. ZOOL. pavo real.

paveia, s. f. gavilla, haz, manojo.

pavês, s. m. pavés.

pavesada, s. f. NÁUT. pavesada.

pavia, s. f. pavía.

pávido, adj. pávido; medroso.

pavilhão, s. m. pabellón.

pavimentação, s. f. pavimentación; solado.

pavimentar, v. tr. pavimentar.

pavimento, s. m. pavimento, suelo, piso.

pavio, s. m. pabilo, pábilo, mecha.

pavoa, s. f. ZOOL. pava.

pavonada, s. f. *(fam.)* pavada.

pavonado, *adj.* pavonado, pavón, azulado obscuro.

pavonear-se, *v. refl.* pavonearse.

pavor, *s. m.* pavor, terror.

pavoroso, *adj.* pavoroso.

paxá, *s. m.* pachá.

paz, *s. f.* paz.

pazada, *s. f.* palada.

pé, *s. m.* ANAT. pie; pata; base; hez, sedimento; suelo; pie, medida; *pés chatos*, pies planos; *sem pés nem cabeça*, no tener pies ni cabeza.

peagem, *s. f.* peaje.

peanha, *s. f.* peana, pedestal; plinto.

peão, *s. m.* peón, peatón, caminante; *(xadrez)* peón.

peça, *s. f.* pieza; *peça de vestuário*, prenda.

pecadilho, *s. m.* pecadillo, pecado leve; peccata minuta.

pecado, *s. m.* pecado, culpa.

pecador *adj. e s. m.* pecador, penitente.

pecaminoso, *adj.* pecaminoso.

pecar, *v. intr.* pecar.

pecari, *s. m.* pecarí.

pecável, *adj. 2 gén.* pecable.

pecha, *s. f.* defecto, mácula.

pechincha, *s. f.* bicoca, ganga.

pechinchar, *v.* 1. *tr.* ganar inesperadamente. 2. *intr.* recibir una ganga.

pechisbeque, *s. m.* similor.

pechoso, *adj.* defectuoso; vicioso.

peciolado, *adj.* BOT. peciolado.

pecíolo, *s. m.* BOT. peciolo.

peco, *adj.* raquítico; imperfecto.

peçonha, *s. f.* ponzoña, veneno.

peçonhento, *adj.* ponzoñoso, venenoso.

pectina, *s. f.* QUÍM. pectina.

pectíneo, *adj.* pectíneo.

pecuária, *s. f.* pecuaria.

pecuário, *adj.* pecuario.

peculato, *s. m.* peculato.

peculiar, *adj. 2 gén.* peculiar; privativo; propio.

peculiaridade, *s. f.* peculiaridad, caudal.

pecúlio, *s. m.* peculio, caudal.

pecuniário, *adj.* pecuniario.

pecunioso, *adj.* pecunioso.

pedaço, *s. m.* pedazo; cacho; *seu pedaço de asno!*, ¡cacho de bestia!

pedagogia, *s. f.* pedagogía.

pedagógico, *adj.* pedagógico.

pedagogo, *s. m.* pedagogo.

pedal, *s. m.* pedal.

pedalada, *s. f.* pedalada.

pedalagem, *s. f.* pedaleo.

pedalar, *v. intr.* pedalear.

pedâneo, *adj.* pedáneo.

pedantaria, *s. f.* pedantería.

pedante, *adj. e s. 2 gén.* pedante, vanidoso.

pedantesco, *adj.* pedantesco.

pedantismo, *s. m.* pedantería.

pé-de-altar, *s. m.* pie de altar (emolumentos de los párrocos).

pé-de-cabra, *s. m.* palanca.

pé-de-galo, *s. m.* BOT. lúpulo.

pé-de-meia, *s. m.* alcancía, ahorros, peculio.

pederasta, *s. m.* pederasta.

pedernal, *s. m.* pedernal.

pederneira, *s. f.* pedernal.

pedestal, *s. m.* pedestal; peana.

pedestre, *adj. 2 gén.* pedestre; peatonal.

pedestrianismo, *s. m.* pedestrismo.

pé-de-vento, *s. m.* huracán; tifón.

pediatra, *s. 2 gén.* pediatra.

pediatria, *s. f.* pediatría.

pediculado, *adj.* pediculado.

pedículo, *s. m.* BOT. pedículo, pedúnculo.

pedicuro, *s. m.* pedicuro, callista.

pedido, *s. m.* pedido; *pedido de casamento*, pedida.

pedilúvio, *s. m.* pediluvio.

pedinchão, *adj. e s. m.* pedigüeño.

pedinchar, *v. tr.* pedigüeñar.

pedinte, *adj. 2 gén.* pidiente, mendigo, mendigante, pordiosero, pobre.

pedir, *v.* 1. *tr.* pedir; solicitar; rogar; postular. 2. *intr.* mendigar; orar.

peditório, *s. m.* peditorio.

pedofilia, *s. f.* pedofilia.

pedófilo, *adj. e s. m.* pedófilo.

pedra, *s. f.* piedra; callao; MED. piedra, cálculo; pedra tosca, pedrusco.

pedraça, *s. f. (granizo)* pedrea.

pedrada, *s. f.* pedrada.

pedrado, *adj.* empedrado.

pedral, *adj. 2 gén.* pedregoso.

pedra-pomes *s. f.* pomez, piedra pómez.

pedraria, *s. f.* pedrería.

pedregal, *s. m.* pedregal.

pedregoso, *adj.* pedregoso.

pedregulho, *s. m.* pedrejón, pedrusco.

pedreira, *s. f.* cantera, pedrera.

pedreiro, *s. m.* pedrero; cantero; picapedrero.

pedrês, *adj.* salpicado de negro y blanco en el color.

pedrisco, *s. m.* pedrisco.

pedrouço, *s. m.* pedregal.

pedunculado, *adj.* BOT. pedunculado.

peduncular, *adj. 2 gén.* peduncular.

pedunculoso, *adj.* pedunculado.

pega, *s. f.* asa, mango; pomo, manilla.

pega (*è*), *s. f.* ZOOL. pega, urraca, alcaudón.

pegada (*è*), *s. f.* pisada; holladura.

pegadeira, *s. f.* vd. **pega**.

pegadiço, *adj.* pegadizo, pegajoso, viscoso.

pegadilha, *s. f.* discusión, pendencia, gresca, riña.

pegado, *adj.* pegado, colado, unido; adosado.

pegador, *s. m.* pegador.

pegadouro, *s. m.* asidero, agarrador, mango.

pegajoso, *adj.* pegajoso, pegadizo.

pegamasso, *s. m.* engrudo.

peganhento, *adj.* pegadizo, pegajoso.

pegão (*è*), *s. m.* machón, macho, pilar de puente; arbotante; botarel.

pegar, *v. tr. e intr.* pegar; adherir; juntar; aceptar, agarrar; sujetar con la mano arraigar, prender la raíz de una planta.

pego, *s. m.* pozo; poza, piélago; sima, abismo.

peguilha, *s. f.* motivo, principio de disputa.

peguilhar, *v. intr.* trabar cuestiones, pendencias.

peguilhento, *adj.* pendenciero.

peguilho, *s. m.* obstáculo; estorbo; pretexto.

pegulho, *s. m.* pegujal, pegujar, peculio.

pegural, *adj. 2 gén.* pastoril.

pegureiro, *s. m.* pastor; zagal.

peia, *s. f.* impedimento; obstáculo.

peido, *s. m.* pedo.

peita, *s. f.* pechera, pecho (tributo); soborno, cohecho.

peitado, *adj.* sobornado.

peitar, *v. tr.* sobornar, cohechar.

peiteiro, *adj. e s. m.* sobornante, cohechador.

peitilho, *s. m.* pechera.

peito *s. m.* pecho; tórax; mamas de la mujer; peto, prenda de vestir; *(fig.)* pecho, corazón, esfuerzo, ánimo.

peitoral, **I.** *adj. 2 gén.* pectoral; fortificante. **II.** *s. m.* (*músculo, medicamento, cruz, arreio*) pectoral.

peitoril, *s. m.* parapeto; pretil.

peixão, *s. m.* pez grande.

peixaria, *s. f.* pescadería.

peixe, *s. m.* ZOOL. pez; pescado.

Peixes, *s. m. pl.* (*constelação*) Piscis.

peixeira, *s. f.* pescadera, pescadora.

peixeiro, *s. m.* pescadero; pescador.

peixota, *s. f.* ZOOL. merluza.

pejado, *adj.* repleto, cargado.

pejamento, *s. m.* obstáculo, estorbo.

pejar, *v. tr.* llenar, cargar, henchir; embarazar.

pejo, *s. m.* pudor; timidez; rubor; vergüenza.

pejorativo, *adj.* peyorativo.

pejoso, *adj.* avergonzado; corto; tímido.

péla, *s. f.* pelota; bola de lana o pelota; pela, peladura.

pelada, *s. f.* pelada, peladera, alopecia, calvicie; pelambre.

peladela, *s. f.* (*fam.*) quemadura.

pelado, *s. m.* pelado; morondo, calvo; pelón.

pelador, *s. m.* pelador.

peladura, *s. f.* peladura; pela, calvicie.

pelagem, *s. f.* pelaje.

pelágico, *adj.* pelágico.

pélago, *s. m.* piélago.

pelame, *s. m.* pelambre, pelamen; tenería, curtiduría.

pelanca, *s. f.* piltrafa.

pelanga, *s. f.* piltrafa.

pelangana, *s. f.* palangana, jofaina, bacía.

pelar, *v. tr.* pelar; mondar; descascar, descascarar.

pelaria, *s. f.* peletería.

pele, *s. f.* ANAT. piel, pellejo; BOT. piel; cuero, odre; *arriscar a pele*, jugarse el pellejo.

peleiro, *s. m.* peletero.

peleja, *s. f.* pelea.

pelejador, *s. m.* peleador.

pelejante, *adj. 2 gén.* peleador.

pelejar, *v. intr.* pelear, batallar, bregar, luchar, pugnar.

pelica, *s. f.* pelliza.

peliça, *s. f.* pelica.

pelicanas, *s. f. pl.* vd. **arrecadas**.

pelicano, *s. m.* ZOOL. pelícano.

pelicaria, *s. f.* peletería.

peliceiro, *s. m.* pellejero.

pelico, s. m. pellico, zamarra o vestido de pieles que usa el pastor.
película, s. f. película; hollejo; nata; telilla.
pelintra, s. 2 gén. pelón, pelado, peludo, zascandil; mezquiño.
pelintrice, s. f. mezquindad, avaricia.
peliqueiro, s. m. pelliquero.
pêlo, s. m. pelo; cabello; plumón; vello o pellejo de algunas frutas.
pelota, s. f. pelota; *jogador de pelota,* pelotari; *jogar a pelota,* poletear.
pelotada, s. f. pelotazo.
pelotão, s. f. pelotón, pelota grande; MIL. pelotón.
pelotica, s. f. juego de manos; prestidigitación.
pelotiqueiro, s. m. escamoteador; prestidigitador.
pelourada, s. f. balazo, herida causada por una bala.
pelourinho, s. m. picota.
pelouro, s. m. bala grande de cañón.
peltre, s. m. peltre.
pelúcia, s. f. peluche; felpa.
peludo, adj. peludo; piloso; *(fam.)* desconfiado.
pelugem, s. f. pilosidad.
peluginoso, adj. peludo, velloso; felpudo, afelpado.
pelve, s. f. ANAT. pelvis.
pélvico, adj. ANAT. pelviano, pélvico.
pélvis, s. f. pelvis.
pena, s. f. pena, castigo legal; pena; dolor; sentimiento; cuidado; pluma de ave; pluma de escribir.
penacho, s. m. penacho, plumero, penachera, plumaje.
penada, s. f. plumazo; *de uma penada,* de um plumazo.
penado, adj. plumoso.
penal, adj. 2 gén. penal.
penalidade, s. f. penalidad.
penalização, s. f. penalización.
penalizar, v. tr. penalizar; disgustar.
penão, s. m. gallardete, estandarte; pendón.
penar, v. intr. penar, padecer, sufrir un dolor o pena.
penates, s. m. pl. penates.
penca, s. f. penca (hoja carnosa de algunas plantas); *(fam.)* nariz grande, narigón.
pencudo, adj. narigudo.
pendão, s. m. pendón, bandera, estandarte.

pendência, s. f. pendencia.
pendente, I. adj. 2 gén. pendiente. II. s. m. pendiente.
pender, v. intr. pender; depender; propender; tender.
pendor, s. m. pendiente.
pêndula, s. f. reloj de péndola; reloj; péndulo.
pendular, adj. 2 gén. pendular.
pêndulo, s. m. péndulo.
pendurado, adj. suspenso.
pendurar, v. tr. colgar, suspender; fijar.
penduricalho, s. m. colgajo, pendiente, pinjante.
penedia, s. f. peñascal.
penedo, s. m. peña, peñasco; callao.
peneira, s. f. cedazo, tamiz, zaranda, criba.
peneiração, s. f. cernidura, zarandeo.
peneirador, adj. e s. m. cernidor, tamizador, cribador.
peneirar, v. tr. tamizar, cribar, zarandear, purgar, ahechar; cerner.
peneiro, s. m. tamiz para cerner la harina en la tahona; cernedor, criba, zaranda.
penela, s. f. vd. outeiro.
penetrabilidade, s. f. penetrabilidad.
penetração, s. f. penetración.
penetrador, s. m. penetrador.
penetrais, s. m. pl. penetrales.
penetrante, adj. 2 gén. penetrante.
penetrar, v. 1. tr. penetrar, entrar en; comprender; pasar, trasponer. 2. intr. introducirse.
penetrativo, adj. penetrativo; penetrante.
penetrável, adj. 2 gén. penetrable.
penha, s. f. peña, peñasco.
penhascal, s. m. peñascal.
penhasco, s. m. peñasco; peña.
penhascoso, adj. peñascoso.
penhor, s. m. prenda, cosa que se da o se toma en garantía de una deuda.
penhora, s. f. embargo.
penhorado, adj. embargado, pignorado; empeñado, muy grato.
penhorante, adj. 2 gén. que embarga; que atrae gratitud.
penhorar, v. 1. tr. pignorar, empeñar; embargar; prendar. 2. refl. mostrarse reconocido.
penhorável, adj. pignorable, que se puede pignorar.
penhorista, s. 2 gén. prestamista.
péni, s. m. penique.
penicilina, s. f. penicilina.

penico, s. m. bacinilla, bacín, bacinica, orinal.

península, s. f. península.

peninsular, adj. 2 gén. peninsular.

pénis, s. m. ANAT. pene.

penisco, s. m. BOT. simiente del pino; piñón.

penitência, s. f. penitencia.

penitenciar, v. 1. tr. penitenciar. 2. refl. arrepentirse.

penitenciária, s. f. penitenciaria; penal; presidio.

penitenciário, I. adj. penitenciario. II. s. m. penado.

penitente, adj. e s. 2 gén. penitente.

penol, s. m. NÁUT. penol.

penoso, adj. penoso.

pensado, adj. pensado.

pensador, adj. e s. m. pensador.

pensamento, s. m. pensamiento.

pensante, adj. 2 gén. pensante.

pensão, s. f. pensión; casa de huéspedes.

pensar, I. v. 1. tr. e intr. pensar, imaginar. 2. tr. pensar, dar el pienso a un animal; curar, aplicar un curativo. II. s. m. pensamiento, opinión.

pensativo, adj. pensativo.

pênsil, adj. 2 gén. pendiente; *ponte pênsil,* puente colgante.

pensionar, v. tr. pensionar, conceder pensión a; sobrecargar con trabajos.

pensionário, I. adj. pensionario. II. s. m. pensionista.

pensionato, s. m. pensionado.

pensioneiro, adj. pensionario.

pensionista, adj. e s. 2 gén. pensionista; pensionado.

penso, s. m. curativo aplicado; pienso, alimentación de animales.

pentaedro, s. m. pentaedro.

pentagonal, adj. 2 gén. pentagonal.

pentágono, s. m. pentágono.

pentagrama, s. m. MÚS. pentagrama.

pentâmetro, adj. pentámetro.

pentassílabo, adj. e s. m. pentasílabo.

pentateuco, s. m. pentateuco.

pente, s. m. peine; peineta.

penteadela, s. f. peinada.

penteado, s. m. peinado.

penteador, s. m. peinador; picardías.

pentear, v. tr. peinar, alisar (el cabello).

pentearia, s. f. peinería.

Pentecostes, s. m. Pentecostés.

penugem, s. f. plumón; pelo; pelusa.

penugento, adj. velloso.

penúltimo, adj. penúltimo.

penumbra, s. f. penumbra.

penumbroso, adj. penumbroso.

penúria, s. f. penuria.

peonagem, s. f. peonaje, peonada; infantería.

peónia, s. f. BOT. peonía; saltaojos.

pepineiro, s. m. pepino.

pepino, s. m. BOT. pepino.

pepita, s. f. pepita.

pepsina, s. f. pepsina.

peptona, s. f. peptona.

peptonização, s. f. peptonización.

peptonizar, v. tr. QUÍM. peptonizar.

pequenada, s. f. muchachada, chiquillería.

pequenez, s. f. pequeñez.

pequeneza, s. f. pequeñez.

pequenino, adj. pequeñito.

pequenito, adj. e s. m. pequeñito.

pequeno, I. adj. pequeño; parvo, párvulo; diminuto; corto; humilde; *pequeno e delicado,* de pitiminí. II. s. m. niño; pl. los humildes, la plebe.

pequenote, adj. e s. m. pequenuelo; chiquillo, rapaz.

pequerrucho, adj. e s. m. pequeñito.

pequice, s. f. estupidez, sandez.

pêra, s. f. BOT. pera; *(barba)* pera, perilla.

perada, s. f. perada, dulce de pera.

peralta, s. 2 gén. pisaverde, elegante, peripuesto.

peralvilho, s. m. pisaverde, elegante.

perante, prep. en la presencia de, ante.

perca, s. f. ZOOL. perca; vd. **perda.**

percal, s. m. percal.

percalço, s. m. percance; ganancia eventual; gaje; *(fam.)* trastorno, pérdida.

percalina, s. f. percalina.

perceba, s. f. ZOOL. percebe.

percebe, s. f. percebe.

perceber, v. tr. e intr. percibir, oir, ver, sentir, entender y conocer; recibir (honorarios).

percebimento, s. m. percibimiento; apercibimiento, percibo.

percebível, adj. 2 gén. perceptible.

percentagem, s. f. porcentaje.

percentual, adj. 2 gén. percentual.

percepção, s. f. percepción.

perceptibilidade, s. f. perceptibilidad.

perceptível, adj. 2 gén. perceptible.

perceptivo, adj. perceptivo.

percevejo, s. m. ZOOL. chinche; clavito metálico; tachuela.

percha, s. f. pértiga.

perclorato, s. m. QUÍM. perclorato.

percluso, adj. perculoso.

percorrer, v. tr. recorrer, ir de un lugar a otro.

percuciente, adj. 2 gén. percuciente.

percurso, s. m. recorrido; trayecto, camino.

percussão, s. f. percusión.

percussionista, s. 2 gén. percusionista.

percussor, adj. e s. m. percusor, percutor.

percutir, v. tr. percutir.

percutor, s. m. percusor, percurtor.

perda, s. f. pérdida.

perdão, s. m. perdón, remisión de penas; indulto; disculpa, venia.

perder, v. 1. tr. perder. 2. intr. perder; *deitar tudo a perder*, echarlo todo a rodar. 3. refl. perderse, extraviarse, desaparecer.

perdição, s. f. perdición; deshonra, ruina, desgracia.

perdidiço, adj. perdidizo.

perdido, I. adj. perdido. II. s. m. pérdida, cosa que se perdió.

perdigão, s. m. ZOOL. perdigón.

perdigoto, s. m. perdigón.

perdigueiro, adj. e s. m. perdiguero.

perdível, adj. 2 gén. perdible.

perdiz, s. f. ZOOL. perdiz.

perdoador, s. m. perdonador; indulgente.

perdoar, v. tr. e intr. perdonar; absolver; disculpar.

perdoável, adj. 2 gén. perdonable.

perdulário, adj. e s. m. pardulario; disipador; calavera.

perduração, s. f. perduración.

perdurar, v. intr. perdurar.

perdurável, adj. 2 gén. perdurable, duradero; perpetuo.

perecedoiro, adj. perecedero.

perecedor, adj. perecedor.

perecedouro, adj. vd. **perecedero**.

perecer, v. intr. perecer.

perecimento, s. m. perecimiento; extinción, consumición.

perecível, adj. 2 gén. susceptible de perecer; perecedor, mortal.

peregrinação, s. f. peregrinación, peregrinaje.

peregrinar, v. 1. intr. peregrinar; divagar. 2. tr. percorrer viajando.

peregrino, adj. e s. m. peregrino; *uma ideia peregrina*, una idea peregrina.

pereira, s. f. BOT. peral.

peremptório, adj. perentorio.

perenal, adj. 2 gén. perenne.

perene, adj. 2 gén. perenne.

perenidade, s. f. perennidad.

perfazer, v. tr. concluir; acabar; cumplir.

perfazimento, s. m. acabamiento, conclusión.

perfeccionismo, s. m. perfeccionismo.

perfeccionista, adj. e s. gén. perfeccionista.

perfectibilidade, s. f. perfectibilidad.

perfectível, adj. 2 gén. perfectible.

perfeição, s. f. perfección.

perfeiçoar, v. tr. perfeccionar.

perfeitamente, adv. perfectamente.

perfeito, adj. perfecto; primoroso.

perfidia, s. f. perfidia.

pérfido, adj. e s. m. pérfido.

perfil, s. m. perfil; sección.

perfilar, v. tr. perfilar; MIL. alinear.

perfilhação, s. f. prohijamiento, adopción.

perfilhador, s. m. prohijador.

perfilhar, v. tr. prohijar.

perfolhada, s. f. BOT. perfoliada.

perfumador, adj. e s. m. perfumador.

perfumar, v. tr. perfumar.

perfumaria, s. f. perfumería.

perfume, s. m. perfume.

perfumista, s. 2 gén. perfumista.

perfumoso, adj. oloroso.

perfuração, s. f. perforación.

perfurador, s. m. perforador.

perfuradora, s. f. perforadora.

perfurante, adj. 2 gén. perforante.

perfurar, v. tr. perforar; pinchar.

pergaminho, s. m. pergamino.

pérgula, s. f. pérgola.

pergunta, s. f. pregunta.

perguntador, adj. e s. m. preguntador; preguntón.

perguntar, v. tr. preguntar; interrogar.

periantio, s. m. BOT. periantio.

pericárdio, s. m. ANAT. pericardio.

pericárpio, s. m. pericarpio.

pericarpo, s. m. pericarpio.

perícia, s. f. pericia.

pericial, adj. 2 gén. pericial.

periclitante, adj. 2 gén. que está en peligro; vacilante; dudoso.

periclitar, v. intr. peligrar, estar en peligro; vacilar, dudar.

periecos, s. m. pl. periecos.
periélio, s. m. perihelio.
periferia, s. f. periferia.
periférico, adj. periférico.
perífrase, s. f. perífrasis.
perifrástico, adj. perifrástico.
perigar, v. intr. peligrar, correr peligro.
perigo, s. m. peligro.
perigoso, adj. peligroso.
perímetro, s. m. perímetro.
períneo, s. m. ANAT. perineo, periné.
perineu, s. m. vd. **períneo**.
perinha, s. f. perilla.
periodicidade, s. f. periodicidad.
periódico, adj. periódico.
período, s. m. período, periodo.
peripatético, adj. peripatético.
peripatetismo, s. m. peripatetismo.
peripécia, s. f. peripecia.
périplo, s. m. periplo.
periquito, s. m. ZOOL. periquito.
periscios, s. m. pl. periscios.
periscópico, adj. periscópico.
periscópio, s. m. periscopio.
perissodáctilo, adj. e s. m. perisodáctilo.
perissologia, s. f. perisología.
peristáltico, adj. peristáltico.
peristilo, s. m. ARQ. peristilo.
perístoma, s. m. ANAT. perístoma.
peritagem, s. f. peritaje.
perito, adj. perito.
peritoneu, s. m. ANAT. peritoneo.
peritonite, s. f. peritonitis.
perjurar, v. 1. tr. perjurar. 2. intr. jurar en falso.
perjúrio, s. m. perjurio.
perjuro, adj. e s. m. perjuro.
perlado, adj. perlado; perlado de suor, perlado de sudor.
perlar, v. tr. dar forma de perla; aljofarar.
perlongar, v. tr. NÁUT. perlongar.
perluxo, adj. prolijo, demasiado.
permanecente, adj. 2 gén. permaneciente, permanente.
permanecer, v. intr. permanecer; quedar; subsistir.
permanência, s. f. permanencia.
permanente, I. adj. 2 gén. permanente; serviço permanente, servicio permanente. II. s. f. (penteado) permanente.
permanganato, s. m. QUÍM. permanganato.
permeabilidade, s. f. permeabilidad.

permear, v. tr. penetrar, horadar, atravesar.
permeável, adj. 2 gén. permeable.
permissão, s. f. permisión.
permissível, adj. 2 gén. permisible.
permissividade, s. f. permisividad.
permissivo, adj. permisivo.
permitir, v. tr. permitir.
permuta, s. f. permuta, trueque, cambio.
permutação, s. f. permuta.
permutar, v. tr. permutar.
permutável, adj. 2 gén. permutable.
perna, s. f. ANAT. pierna; barriga da perna, pantorrilla.
pernaça, s. f. pernaza.
pernada, s. f. pernada.
pernaltas, s. f. pl. ZOOL. zancudas.
pernalto, adj. zancudo; pernilargo.
pernão, I. s. m. pernil; pernaza, pierna grande. II. adj. impar.
perneira, s. f. VETER. enfermedad que ataca las patas del ganado vacuno.
pernicioso, adj. pernicioso.
pernil, s. m. pernil.
perno, s. m. perno.
pernoita, s. f. pernocta.
pernoitar, v. intr. pernoctar.
pernóstico, adj. pronóstico; presumido; pedante.
pêro, s. m. BOT. pero.
pérola, s. f. perla; aljófar; perla, rocío; persona muy bondadosa; pl. (fig.) perlas, lágrimas.
perolino, adj. perlino.
perónio, s. m. ANAT. peroné.
peroração, s. f. peroración.
perorador, s. m. perorador; orador; predicador.
perorar, v. intr. perorar.
peroxidar, v. tr. QUÍM. peroxidar.
peróxido, s. m. QUÍM. peróxido.
perpassar, v. intr. pasar por o cerca de alguna cosa; seguir cierta dirección.
perpendicular, adj. 2 gén. e s. f. perpendicular.
perpendicularidade, s. f. perpendicularidad.
perpendículo, s. m. perpendículo.
perpetração, s. f. perpetración.
perpetrar, v. tr. perpetrar.
perpétua, s. f. BOT. perpetua.
perpetuação, s. f. perpetuación.
perpetuar, v. tr. perpetuar.

perpetuidade, s. f. perpetuidad.
perpétuo, adj. perpetuo; perdurable.
perplexidade, s. f. perplejidad.
perplexo, adj. perplejo; suspenso.
perquirição, s. f. perquisición.
perquirir, v. tr. perquirir.
perquisição, s. f. perquisición.
perraria, s. f. jugarreta, chasco.
perrexil, s. m. BOT. perejil.
perrice, s. f. pertinacia; perra; berrinche.
perro, s. m. vd. **cão**.
persa, adj. e s. 2 gén. persa.
perscrutação, s. f. indagación, pesquisa.
perscrutador, adj. e s. m. indagador.
perscrutar, v. tr. escudriñar.
perscrutável, adj. 2 gén. que se puede
  investigar minuciosamente; escudriña-
  ble, sondable.
persecução, s. f. persecución.
persecutório, adj. persecutorio.
perseguição, s. f. persecución.
perseguidor, s. m. perseguidor.
perseguir, v. tr. perseguir; importunar,
  vejar, fatigar.
perseverança, s. f. perseverancia.
perseverante, adj. 2 gén. perseverante.
perseverar, v. intr. perseverar.
persiana, s. f. persiana.
pérsico, adj. pérsico.
persigal, s. m. pocilga.
persignar-se, v. refl. persignarse, signarse.
persistência, s. f. persistencia.
persistente, adj. 2 gén. persistente, perseverante.
persistir, v. intr. persistir, perseverar.
personagem, s. f. personaje.
personalidade, s. f. personalidad.
personalismo, s. m. personalismo.
personalista, adj. 2 gén. personalista.
personalizado, adj. personalizado.
personalizar, v. tr. personalizar.
personificação, s. f. personificación.
personificar, v. tr. personificar.
perspectiva, s. f. PINT. perspectiva.
perspectivar, v. tr. poner en perspectiva.
perspectivo, adj. perspectivo.
perspicácia, s. f. perspicacia.
perspicaz, adj. 2 gén. perspicaz, sutil.
perspicuidade, s. f. perspicuidad.
perspícuo, adj. perspicuo, claro, transparente.
persuadir, v. tr. persuadir.
persuadível, adj. 2 gén. persuasible.
persuasão, s. f. persuasión.

persuasiva, s. f. persuasiva.
persuasivo, adj. persuasivo; suasorio.
persuasor, adj. e s. m. persuasor.
persuasório, adj. e s. m. persuasor; persuasivo; suasorio.
pertença, s. f. pertenencia.
pertences, s. m. pl. pertenencias.
pertencente, adj. 2 gén. perteneciente.
pertencer, v. intr. pertenecer; referirse.
pertinácia, s. f. pertinacia.
pertinaz, adj. 2 gén. pertinaz.
pertinência, adj. pertinencia.
pertinente, adj. 2 gén. pertinente.
perto, adv. cerca, cercano, próximamente.
perturbação, s. f. perturbación.
perturbado, adj. perturbado.
perturbador, adj. e s. m. perturbador.
perturbante, adj. 2 gén. perturbador.
perturbar, v. tr. perturbar.
perturbável, adj. 2 gén. perturbable.
peru, s. m. ZOOL. pavo.
perua, s. f. ZOOL. pava; (fam.) vd. **bebedeira**.
peruano, adj. e s. m. peruano.
peruca, s. f. peluca.
perversão, s. f. perversión.
perversidade, s. f. perversidad.
perverso, adj. e s. m. perverso.
perversor, adj. e s. m. pervertidor.
pervertedor, s. m. e adj. pervertidor.
perverter, v. tr. pervertir; corromper; subvertir.
pervinca, s. f. BOT. pervinca.
pérvio, adj. transitable; accesible.
pesada, s. f. pesada.
pesadão, adj. muy pesado, pesadote.
pesadelo, s. m. pesadilla.
pesado, adj. pesado; oneroso.
pesador, s. m. pesador.
pesadume, s. m. pesadumbre; pesadez;
  peso; disgusto, pesar.
pesagem, s. f. peso.
pesa-leite, s. m. pesaleche.
pesa-licor, s. m. pesalicores.
pêsames, s. m. pl. pésame.
pesar, I. v. l. tr. pesar; calcular, ponderar.
  2. intr. pesar, tener peso; influir. II. s. m.
  pesar, disgusto, tristeza; pesadumbre;
  sentimiento.
pesaroso, adj. pesaroso, dolido, apesadumbrado.
pesca, s. f. pesca.
pescada, s. f. ZOOL. pescada, merluza.

pescadinha, s. f. pescadilla.
pescado, s. m. pescado.
pescador, s. m. pescador.
pescar, v. 1. tr. pescar; lograr; sorprender; saber. 2. intr. pescar, practicar el deporte de la pesca.
pescaria, s. f. pesca, pesquería.
pescoçada, s. f. pescozón.
pescoção, s. m. vd. **pescoçada**.
pescoceira, s. f. pescuezo grande; cerviguillo.
pescoço, s. m. pescuezo; ANAT. cuello, garganta, cerviz; lenço do pescoço, pañoleta.
pescoçudo, adj. pescozudo.
pesebre, s. m. pesebre.
peseta, s. f. peseta.
peso, s. m. peso; pesadez; gravedad; autoridad; moneda; opresión; sensatez; fuerza; (de balança) pesa.
pespegar, v. tr. encajar; plantar; aplicar; colocar.
pespego, s. m. estorbo, embarazo, impedimento.
pespontar, v. tr. pespuntear.
pesponto, s. m. pespunte.
pesqueira, s. f. pesquera.
pesqueiro, s. m. pesquero.
pesquisa, s. f. pesquisa, indagación.
pesquisador, adj. e s. m. pesquisador.
pesquisar, v. tr. pesquisar.
pessário, s. m. pesario.
pessegada, s. f. mermelada de melocotón.
pêssego, s. m. BOT. pérsico; melocotón.
pessegueiro, s. m. BOT. pérsico, melocotonero.
pessimismo, s. m. pesimismo.
pessimista, s. 2 gén. pesimista.
péssimo, adj. pésimo.
pessoa, s. f. persona.
pessoal, I. adj. 2 gén. personal. II. s. 1. m. (de uma empresa) personal. 2. f. DESP. (falta) personal.
pessoalmente, adv. personalmente.
pestana, s. f. pestaña.
pestanejar, v. intr. pestañear; parpadear.
pestanejo, s. m. pestañeo; parpadeo.
pestanudo, adj. pestañoso.
peste, s. f. peste, epidemia; mal olor; cosa funesta.
pesticida, s. m. pesticida.
pestífero, adj. pestífero; funesto, pernicioso.
pestilência, s. f. pestilencia.
pestilencial, adj. 2 gén. pestilencial; pestífero, mefítico.

pestilento, adj. pestilente, pestífero.
peta, s. f. mentira, embuste; patraña.
pétala, s. f. BOT. pétalo.
petardo, s. m. petardo.
petarola, s. f. mentirón, grande mentira.
petear, v. intr. mentir, eludir.
peteiro, adj. e s. m. embustero, mentiroso.
petição, s. f. petición; pedido.
peticionar, v. intr. pedir; rogar; requerir.
peticionário, s. m. peticionario.
petimetre, s. m. petimetre, pisaverde.
petinga, s. f. parrocha.
petiscar, v. 1. tr. picar; probar algún manjar. 2. intr. comer pequeñas porciones de.
petisco, s. m. bocado delicioso; golosina; piedra de chispa.
petisqueira, s. f. golosina, comida sabrosa.
petitório, I. adj. petitorio. II. s. m. petición.
petiz, adj. e s. m. rapaz, niño, pequeño, chiquillo.
petizada, s. f. rapazada, muchachada, chiquillería.
peto, s. m. pico, pájaro carpintero.
petrechar, v. tr. pertrechar.
petrechos, s. m. pl. pertrechos, municiones, armas, etc.
pétreo, adj. pétreo.
petrificação, s. f. petrificación.
petrificar, v. tr. e intr. petrificar.
petrífico, adj. petrífico.
petrodólar, s. m. petrodólar.
petrografia, s. f. petrografía.
petrográfico, adj. petrográfico.
petroleiro, adj. e s. m. petrolero.
petróleo, s. m. petróleo.
petrolífero, adj. petrolífero.
petrologia, s. f. petrología, petrografía.
petroquímica, s. f. petroquímica.
petroquímico, adj. petroquímico.
petroso, adj. petroso.
petulância, s. f. petulancia.
petulante, adj. 2 gén. petulante; procaz.
petúnia, s. f. BOT. petunia.
peúga, s. f. calcetín.
peugada, s. f. huella; pisada; vestigio; rastro.
pevide, s. f. pepita.
pevidoso, adj. pepitoso.
pexotada, s. f. novatada.
pexote, s. m. (fam.) inexperto; novato.
pez, s. m. pez, brea.
pezudo, adj patudo.
pezunho, s. m. pernil de puerco; pezuña del lacón.

pia, *s. f.* pila.
piada, *s. f.* pulla; chiste, gracia.
piadético, *adj.* chistoso.
piado, *s. m.* piada, pio.
pia-máter, *s. f.* ANAT. piamadre, piamater.
pianinho, *adj.* MÚS. piano, muy suave, bajo.
pianista, *s. 2 gén.* pianista.
pianístico, *adj.* pianístico.
piano, *s. m.* piano; *piano de cauda,* piano de cola.
pianola, *s. f.* pianola.
pião, *s. m.* peonza.
piar, *v. intr.* piar.
piara, *s. f.* piara.
piasca, *s. f.* perindola.
piastra, *s. f.* piastra.
picada, *s. f.* picada, picotazo, picadura; pinchazo.
picadeira, *s. f.* pico, instrumento de cantero.
picadeiro, *s. m.* picadero.
picadela, *s. f.* picadura; picada; pinchazo.
picado, I. *adj.* picado; agujereado; NÁUT. picado (agitado); picado, ofendido. II. *s. m.* picadillo; picado.
picador, *adj. e s. m.* picador.
pica-flor, *s. m.* ZOOL. picaflor, colibrí.
picanço, *s. m.* ZOOL. picamaderos.
picante, *adj.* 2 gén. picante.
picão, *s. m.* pico, zapapico.
pica-pau, *s. m.* ZOOL. pico, pájaro carpintero.
pica-peixe, *s. m.* martinete, martín del rio, martín pescador.
picar, *v. tr.* picar; punzar; pinchar; picar (la piedra con el pico); picar, la polilla; estimular; irritar; producir picazón; *(aves)* picotear.
picardia, *s. f.* picardía.
picaresco, I. *adj.* picaresco. II. *s. m.* picaresco.
picareta, *s. f.* pico, zapapico, picaza; piqueta.
picaria, *s. f.* arte de equitación.
pícaro, *adj.* pícaro, bellaco, malicioso; ruín, bajo, astuto.
picaroto, *s. m.* picacho, cima, cumbre, vértice.
piçarra, *s. f.* pizarra.
piçarral, *s. m.* pizarral.
piçarroso, *adj.* pizarroso.
píceo, *adj.* piceo.
piche, *s. m.* pez; brea.

pichel, *s. m.* pichel, vaso alto y redondo; pichel, vasija antigua.
pichelaria, *s. f.* fontanería; hojalatería.
picheleiro, *s. m.* fontanero; hojalatero; peltrero.
picho, *s. m.* pichel.
pichorra, *s. f.* pichel con pico.
pico, *s. m.* pico; punta aguda; picacho; cúspide; pico, piqueta; acidez; sal; chiste.
picoso, *adj.* picudo.
picota, *s. f.* picota; NÁUT. picota.
picoto, *s. m.* cumbre de una montaña.
picrato, *s. m.* QUÍM. picrato.
pícrico, *adj.* QUÍM. pícrico.
pictórico, *adj.* pictórico.
pictural, *adj.* 2 gén. pictórico.
picuinha, *s. f.* dicho picante; indirecta; niñería.
piedade, *s. f.* piedad; devoción; dolor, misericordia.
piedoso, *adj.* piadoso.
piegas, *s. 2 gén.* persona ridículamente sentimental; blandengue.
pieguice, *s. f.* sentimentalismo exagerado o afectado.
pieira, *s. f.* ronquera.
piela, *s. f. (fam.)* borrachera, embriaguez.
pifão, *s. m. (fam.)* borrachera, embriaguez.
pífaro, *s. m.* MÚS. pífaro, pífano.
pigarrar, *v. intr.* carraspear.
pigarrear, *v. intr.* carraspear.
pigarrento, *adj.* carrasposo.
pigarro, *s. m.* carraspera, ronquera.
pigmeia, *s. f.* pigmea.
pigmentação, *s. f.* pigmentación.
pigmentar, *v. tr.* pigmentar.
pigmento, *s. m.* pigmento.
pigmeu, *s. m.* pigmeo.
pijama, *s. m.* pijama.
pilado, *adj.* pelado, descascarado, pisado con el pilón o mortero; pilongo; *castanha pilada,* castaña pilonga.
pilador, *adj. e s. m.* pelador; machacador; machaca.
pilão, *s. m.* pilón, mortero para moler.
pilar, I. *v. tr.* pisar, en el pilón; descascarar, machacar. II. *s. m.* ARQ. pilar, pilastra.
pilastra, *s. f.* ARQ. pilastra.
pildra, *s. f. (fam.)* piltra.
pileca, *s. f.* caballo pequeño y malo.
pilha, I. *s. f.* pila, montón de cosas; rimero; FÍS. pila. II. *s. m.* ladrón.
pilhagem, *s. f.* pillaje; saqueo.

pilhar, *v. tr.* pillar, robar, hurtar, saquear; encontrar, sorprender.
pilhéria, *s. f.* pillería, chiste, broma.
pilheta, *s. f.* especie de cántaro.
pilho, *s. m.* pillo, pícaro, bribón.
pilífero, *adj.* pilífero.
piloada, *s. f.* golpe dado con el majadero o pilón.
pilone, *s. m.* ARQ. pilón.
piloro, *s. m.* ANAT. píloro.
piloso, *adj.* piloso.
pilotagem, *s. f.* NÁUT. pilotaje.
pilotar, *v. tr.* pilotar.
piloto, *s. m.* piloto; NÁUT. práctico.
pilrete, *s.* homúnculo, pigmeo, hombrecillo.
pílula, *s. f.* píldora.
pimenta, *s. f.* BOT. pimienta; *pimenta vermelha,* ñora.
pimental, *s. m.* pimental.
pimentão, *s. m.* BOT. pimentón, pimiento.
pimenteiro, *s. m.* BOT. pimentero, pimiento.
pimento, *s. m.* BOT. pimiento.
pimpão, *adj.* e *s. m.* fanfarrón, valentón, pimpante.
pimpinela, *s. f.* BOT. pimpinela.
pimpolho, *s. m.* BOT. pimpollo.
pimponar, *v. intr.* jactarse, envalentonarse.
pimponear, *v. intr.* vd. **pimponar**.
pimponice, *s. f.* jactancia, bravata.
pina, *s. f.* pina.
pinaça, *s. f.* NÁUT. pinaza.
pinacoteca, *s. f.* pinacoteca.
pináculo, *s. m.* pináculo; cúpula; auge.
pinça, *s. f.* pinza; pinzas; tenazuelas.
píncaro, *s. m.* pináculo, cumbre, cima.
pincel, *s. m.* pincel; brocha.
pincelada, *s. f.* pincelada.
pincelar, *v. tr.* pincelar.
pinceleiro, *s. m.* pincelero.
pincha, *s. f.* salto, brinco; camarón pequeño; angarillas, vinagreras.
pinchar, **I.** *v. tr.* saltar; derribar. **II.** *intr.* saltar, jugar.
pincho, *s. m.* brinco, salto de cabriola; impulso.
pineal, *adj.* 2 gén. pineal.
pinga, *s. f.* gota, vino, trago.
pingadeira, *s. f.* goteamiento; grasera.
pingado, *adj.* salpicado, goteado, lleno de gotas.
pingalim, *s. m.* fusta.
pingante, *adj.* pingante; goteante.

pingão, *s. m.* zarrioso, lamparoso; desgarbado.
pingar, *v. tr.* gotear; lloviznar; salpicar.
pingente, *s. m.* arandelas; pendiente de oreja (joya); pinjante.
pingo, *s. m.* gota; grosa; mancha; pinta; moco.
pingoso, *adj.* pingoso, pringoso, grasiento.
pingue, **I.** *adj.* 2 gén. pingüe; graso; gordo; abundante; fértil. **II.** *s. m.* pringue.
pingueiro, *adj.* embriagado.
pingue-pongue, *s. m.* pimpón, ping-pong.
pinguim, *s. m.* ZOOL. pingüino, pájaro bobo.
pinha, *s. f.* BOT. piña.
pinhal, *s. m.* pinar, pineda.
pinhão, *s. m.* piñón.
pinheiral, *s. m.* pinar, pineda.
pinheiro, *s. m.* BOT. pino; *pinheiro novo,* pimpollo; *pinheiro da Andaluzia,* pinsapo.
pinho, *s. m.* (madeira) pino.
pinípedes, *s. m. pl.* ZOOL. pinnípedos.
pino, *s. m.* auge, cenit; pinito.
pinote, *s. m.* bote, salto, pirueta; respinga.
pinotear, *v. intr.* cocear, dar coces; pingar, respingar.
pinta, *s. f.* pinta; salpicón; polla, gallina joven.
pintadela, *s. f.* ligera mano de pintura.
pintado, *adj.* pintado.
pintainho, *s. m.* polluelo, pollo.
pintalegrete, *adj.* e *s. m.* vanidoso, lechugino.
pintalgar, *v. tr.* mezclar, pintorrear, pintarrajear.
pinta-monos, *s. m.* pintamonas.
pintão, *s. m.* polluelo, pollo algo grande.
pintar, **I.** *v. tr.* pintar; colorir; (fam.) engañar; *pintar sem gosto,* pintorrear. **II.** *intr.* comenzar a colorear.
pintarroxo, *s. m.* ZOOL. pardillo; petirrojo.
pintassilgo, *s. m.* ZOOL. jilguero.
pinto, *s. m.* pollo, pollito.
pintor, *s. m.* pintor.
pintura, *s. f.* pintura; *pintura mal feita,* pintarrajo.
pinturesco, *adj.* pintoresco.
pínula, *s. f.* BOT. pínula.
pinulado, *adj.* BOT. pinulado.
pio, **I.** *s. m.* pío; piada. **II.** *adj.* pío, devoto, piadoso.

piogénese, s. f. piogenia.

piogenia, s. f. piogenia.

piolhada, s. f. piojería.

piolheira, s. f. piojería; pocilga.

piolheiro, adj. piojoso.

piolhento, adj. piojoso.

piolhice, s. f. mezquindad, cosa fútil.

piolho, s. m. ZOOL. piojo.

piolhoso, adj. piojoso.

pioneiro, s. m. pionero.

pior, I. adj. peor. II. adv. peor.

piora, s. f. empeoramiento.

piorar, v. tr. e intr. empeorar; agravarse el mal.

piorra, s. f. perindola, peonza.

piorreia, s. f. piorrea.

pipa, s. f. pipa; cuba, tonel.

piparote, s. m. papirote; papirotazo.

pipeta, s. f. pipeta.

pipiar, v. intr. pipiar; piar.

pipilar, v. intr. vd. **pipiar**.

pipilo, s. m. pipío, pío.

pipio, s. m. vd. **pipilo**.

pipo, s. m. pipo, pipote, cuñete, barril.

pipocas, s. f. pl. palomitas (de maíz).

pique, s. m. pica, lanza antigua; acidez (sabor); malicia; *ir a pique*, irse a pique.

piqué, s. m. piqué.

piquenique, s. m. picnic; cuchipanda.

piquetar, v. tr. amojonar, deslindar, delimitar.

piquete, s. m. MIL. piquete.

pira, s. f. pira.

piramidal, adj. 2 gén. piramidal.

pirâmide, s. f. pirámide.

piranga, I. s. f. (fam.) nariz grande y colorada. II. adj. ordinario, plebeyo.

pirangar, v. intr. mendigar, pordiosear.

pirangueiro, adj. ridículo; ordinario; despreciable.

piranguice, s. f. penuria, pobreza.

piranha, s. f. piraña.

pirar-se, v. refl. (fam.) pirarse; darse el piro; largarse; marcharse, escabullirse.

pirata, s. m. pirata.

piratagem, s. f. piratería, robo de pirata.

pirataria, s. f. piratería; *praticar a pirataria*, piratear.

piratear, v. tr. piratear.

pirenaico, adj. pirenaico.

pires, s. m. platillo (de la taza, jícara o copa).

pirético, adj. pirético.

píretro, s. m. BOT. piretro.

pirexia, s. f. MED. pirexia.

piriforme, adj. 2 gén. piriforme.

pirilampo, s. m. ZOOL. pirilampo.

pirite, s. f. pirita.

piritoso, adj. piritoso.

pirofórico, adj. piróforo, pirofórico.

pirofosfato, s. m. QUÍM. pirofosfato.

pirofosfórico, adj. QUÍM. pirofosfórico.

pirogalato, s. m. QUÍM. sal del ácido pirogálico, fenol.

pirogalhato, s. m. vd. **pirogalato**.

pirogálhico, adj. pirogálico.

pirogalhol, s. m. QUÍM. pirogallol.

pirogravura, s. f. pirograbado.

pirolenhoso, adj. QUÍM. ácido piroleñoso.

piromania, s. f. piromanía.

pirómano, adj. e s. m. pirómano.

pirometria, s. f. pirometría.

pirómetro, s. m. pirómetro.

piropo, s. m. piropo; *dizer piropos*, piropear.

pirotecnia, s. f. pirotecnia.

pirotécnico, adj. e s. m. pirotécnico.

pirraça, s. f. jugarreta, chasco.

pirronismo, s. m. pirronismo.

pírtiga, s. f. pértiga.

pirueta, s. f. pirueta.

piruetar, v. intr. hacer piruetas; saltar, pingar, brincar.

pisa, s. f. pisa, zurra, tunda, paliza.

pisada, s. f. pisada; piso.

pisadela, s. f. pisada; piso; pisotón.

pisador, s. m. pisador.

pisadura, s. f. cardenal; equimosis; piso.

pisa-flores, s. m. mequetrefe, pisaverde, presumido.

pisa-mansinho, adj. e s. m. cazurro, zorrón, callado, hipócrita.

pisão, s. m. batán, máquina para abatanar los paños.

pisa-papéis, s. m. pisapapeles.

pisar, v. 1. tr. pisar; calcar; pisotear; contundir, macerar. 2. intr. dar pasos, caminar.

pisca, s. f. pizca, cosa mínima.

piscadela, s. f. guiñada, guiñadura; pestañeo.

piscar, v. tr. guiñar.

piscatório, adj. piscatorio.

piscícola, adj. 2 gén. piscícola.

piscicultura, s. f. piscicultura.

pisciforme, adj. 2 gén. pisciforme.

piscina, s. f. piscina; pileta.
piscívoro, adj. ZOOL. piscívoro.
pisco, adj. guiñador.
piscoso, adj. abundante en peces.
pisgar-se, v. tr. pirarse, escabullirse.
pisiforme, adj. 2 gén. pisiforme.
piso, s. m. piso; pavimento, suelo.
pisoador, s. m. batanero, batán.
pisoar, v. intr. abatanar (el paño).
pispirreta, s. f. pizpireta, muchacha desenvuelta.
pista, s. f. pista, rastro; (corridas, circo) pista.
pistácio, s. m. pistacho.
pistão, s. m. pistón.
pistilo, s. m. BOT. pistilo.
pistola, s. f. pistola; coldre de pistola, pistolera.
pistolada, s. m. pistoletazo.
pistoleiro, s. m. pistolero.
pistoleta, s. f. pistolete.
pistolete, s. f. pistolete.
pita, s. f. pita (fibras de la pita o pitera).
pitada, s. f. polvo, pizca, pulgarada de tabaco, sal, etc.; pitada.
pitadear, v. tr. e intr. sorber por la nariz; aspirar; oler rapé, tomar rapé.
pitança, s. f. pitanza; pensión.
pitão, s. 1. m. (corno, bota) pitón. 2. f. ZOOL. pitón.
pitecantropo, s. m. pitecantropo.
piteira, s. f. BOT. pita; (fig.) borrachera.
piteireiro, adj. e s. m. borrachón, ebrio.
pitéu, s. m. gollería, manjar delicado; golosina.
pitonisa, s. f. pitonisa; sibila.
pitoresco, adj. e s. m. pintoresco.
pitorra, s. f. peonza, perindola.
pitosga, I. adj. (fam.) miope. 2. s. 2 gén. persona que parpadea constantemente.
pituíta, s. f. pituita.
pituitária, s. f. ANAT. pituitaria.
pivete, s. m. desodorante; chico travieso; olor desagradable.
píxide, s. f. píxide.
pixídio, s. m. BOT. pixidio.
piza, s. f. pizza.
pizaria, s. f. pizzería.
pizicato, s. m. MÚS. pizzicato, pellizcado.
placa, s. f. placa.
placabilidade, s. f. placabilidad.
placagem, s. f. placaje.
placar, I. s. m. pancarta. II. tr. 1. DESP. placar. 2. vd. **aplacar**.

placard, s. m. pancarta.
placenta, s. f. ANAT. placenta.
placentário, adj. placentario.
placidez, s. f. placidez.
plácido, adj. plácido.
plácito, s. m. beneplácito, aprobación, promesa, pacto.
plaga, s. f. plaga, clima; país; región; playa.
plagiador, s. m. plagiario.
plagiar, v. tr. e intr. plagiar.
plagiário, s. m. plagiario.
plagiato, s. m. plagio.
plágio, s. m. plagio.
plaina, s. f. cepillo, instrumento de carpintero.
plaino, I. s. m. planicie, llanura. II. adj. plano.
plana, s. f. categoría; clase; orden.
planador, s. m. planeador.
planalto, s. m. planalto.
planear, v. tr. planear; intentar; proyectar; idear.
planejar, v. tr. vd. **planear**.
planeta (ê), s. m. ASTR. planeta.
planetário, adj. e s. m. planetario.
planetóide, s. m. ASTR. asteroide, planetoide.
planeza, s. f. estado o calidad de plano; llanura, planicie.
plangente, adj. plañidero, lloroso, triste.
planície, s. f. planicie; plana.
planificação, s. f. planificación.
planificar, v. tr. planificar, planear.
planificável, adj. planeable.
planiglobo, s. m. planisferio.
planimetria, s. f. planimetría.
planisférico, s. m. planisferio.
plano, I. adj. plano, llano, liso; superfície plana, plano. II. s. m. plano, plan; proyecto; orden, método.
planta, s. f. BOT. planta; (do pé) planta; ARQ. plan; proyesco.
plantação, s. f. plantación, plantío.
plantador, adj. e s. m. plantador.
plantão, s. m. MIL. plantón.
plantar, I. v. tr. plantar; establecer, asentar. II. adj. 2 gén. ANAT. plantar, relativo a la planta del pie.
plantígrado, adj. plantígrado.
plantio, s. m. plantío, plantación.
plântula, s. f. BOT. plántula.
planura, s. f. planura.
plaqué, s. m. plaqué.
plaqueta, s. f. plaqueta.
plasma, s. m. plasma.

plasmar, *v. tr.* plasmar.
plasmático, *adj.* plasmático.
plástica, *s. f.* plástica.
plasticidade, *s. f.* plasticidad.
plasticina, *s. f.* plastilina.
plástico, *adj.* plástico.
plastídio, *s. m.* plastidio, plástido.
plastificar, *v. tr.* plastificar.
plastrão, *s. m.* plastrón.
plataforma, *s. f.* plataforma; *(fam.)* medida conciliatoria.
plátano, *s. m.* BOT. plátano.
plateia, *s. f.* TEAT. patio, platea.
plateresco, *adj.* plateresco.
platibanda, *s. f.* platabanda.
platina, *s. f. (metal)* platino; *(de microscópio)* platina; *(de uniforme)* platina; pletina.
platinado, I. *adj.* platino, rubio. **II.** *s. m. pl.* MEC. platinos.
platinar, *v. tr.* platinar.
platinífero, *adj.* platinífero.
platónico, *adj.* platónico.
platonismo, *s. m.* platonismo.
plausibilidade, *s. f.* plausibilidad.
plausível, *adj.* 2 *gén.* plausible.
plebe, *s. f.* plebe; pueblo; populacho, gentuza.
plebeísmo, *s. m.* plebeyismo.
plebeu, *adj.* e *s. m.* plebeyo.
plebiscito, *s. m.* plebiscito.
plêiada, *s. f.* vd. **plêiade.**
plêiade, *s. f.* ASTR. pléyade.
pleiteador, *s. m.* pleiteador.
pleiteante, *s.* 2 *gén.* pleiteante.
pleitear, *v. tr.* e *intr.* pleitear, litigar.
pleito, *s. m.* pleito; litigio; disputa.
plenário, I. *adj.* plenario, entero; completo, pleno. **II.** *s. m.* junta general; asamblea general.
plenilunar, *adj.* 2 *gén.* plenilunar.
plenilúnio, *s. m.* plenilunio, luna llena.
plenipotência, *s. f.* plenipotencia.
plenipotenciário, *adj.* e *s. m.* plenipotenciario.
plenitude, *s. f.* plenitud.
pleno, *adj.* pleno, lleno.
pleonasmo, *s. m.* pleonasmo.
pleonástico, *adj.* pleonástico.
pletora, *s. f.* plétora.
pletórico, *adj.* pletórico.
pleura, *s. f.* ZOOL. pleura.
pleural, *adj.* 2 *gén.* pleural.
pleurisia, *s. f.* MED. pleuresía.
pleurite, *s. f.* MED. pleuritis, pleuresía.
pleurítico, *adj.* e *s. m.* pleurítico.

pleuropneumonia, *s. f.* MED. pleuropneumonía, pleuroneumonía.
plexo, *s. m.* ANAT. plexo.
plicatura, *s. f.* doblez, arruga, pliegue, plisado.
plinto, *s. m.* ARQ. plinto.
plissado, *adj.* plisado.
pluma, *s. f.* pluma (de las aves); penacho; pluma (de escribir); pluma, adorno.
plumaceiro, *s. m.* plumajero.
plumacho, *s. m.* plumero, penacho; plumaje; almohada de plumas; plumazo.
plumagem, *s. f.* plumaje.
plumbagina, *s. f.* MIN. plombagina.
plúmbeo, *adj.* plomizo.
plumbífero, *adj.* plumbífero.
plúmeo, *adj.* plúmeo.
plúmula, *s. f.* BOT. plúmula.
plural, *adj.* 2 *gén.* e *s. m.* plural.
pluralidade, *s. intr.* pluralidad.
pluralismo, *s. m.* pluralidade.
pluralista, *adj.* 2 *gén.* pluralista.
pluralizar, *v. tr.* pluralizar.
pluricelular, *adj.* 2 *gén.* BOT. pluricelular.
pluriemprego, *s. m.* pluriempleo.
plurilocular, *adj.* 2 *gén.* plurilocular.
plutocracia, *s. f.* plutocracia.
plutocrata, *s.* 2 *gén.* plutócrata.
plutónio, *s. m.* QUÍM. plutónio.
pluvial, *adj.* 2 *gén.* pluvial.
pluviómetro, *s. m.* pluviómetro.
pluviosidade, *s. f.* pluviosidad.
pluvioso, I. *adj.* pluvioso, lluvioso. **II.** *s. m.* pluvioso.
pneu, *s. m.* pneumático.
pneumática, *s. f.* neumática.
pneumático, *adj.* e *s. m.* neumático.
pneumogástrico, *adj.* ANAT. neumogástrico.
pneumonia, *s. f.* MED. neumonía, pulmonía.
pneumónico, *adj.* e *s. m.* neumónico.
pneumotórax, *s. m.* neumotórax.
pó, *s. m.* polvo, polvareda, polvillo; *pó esternutatório,* picapica.
poalha, *s. f.* polvareda ligera.
pobre, *adj.* e *s.* 2 *gén.* pobre, mendigo, indigente; triste; pidiente; *pobre diabo,* pelagatos, pelanas.
pobretana, *s.* 2 *gén.* pobretón.
pobretão, *s. m.* pobretón.
pobrete, *adj.* pobrete.
pobreza, *s. f.* pobreza.
pobrezinho, *s. m.* pobrecillo.

poça, s. f. poza, charco; meter o pé na poça, (fam.) pifiarla.

poção, s. f. poción; pócima.

poceiro, s. m. pocero.

pocilga, s. f. pocilga; zahurda; porqueriza; establo para los cerdos.

poço, s. m. pozo.

poda, s. f. poda, escamondeo.

podadeira, s. f. podadera.

podador, adj. e s. m. podador.

podadura, s. f. podadura.

podagra, s. f. MED. podagra.

podão, s. m. podadera; podón; (fig.) persona inhábil.

podar, v. tr. podar; desbastar, cortar.

pó-de-arroz, s. m. polvo de arroz; caixa de pó-de-arroz, polvera.

podengo, s. m. podenco; lebrel.

poder, I. v. tr. poder. II. s. m. poder; autoridad; facultad; gobierno del estado; recurso.

poderio, s. m. poderío.

poderoso, adj. poderoso; potente; pudiente.

pódio, s. m. podio, podium.

podoa, s. f. podadera.

podologia, s. f. podología.

podólogo, s. m. podólogo.

podómetro s. m. podómetro.

podre, I. adj. 2 gén. podre; putrefacto; pútrido. II. s. m. parte putrefacta de una cosa.

podredoiro, s. m. pudridero; basurero.

podredouro, s. m. vd. **podredoiro**.

podridão, s. f. podredumbre.

podrido, adj. podrido.

poedeira, adj. ponedora.

poeira, s. f. polvo.

poedoiro, s. m. ponedero.

poedouro, s. m. vd. **poedouro**.

poeirada, s. f. polvareda.

poeirento, adj. polvoriento.

poejo, s. m. poleo.

poema, s. m. poema.

poente, s. m. poniente, ocaso, occidente, oeste.

poesia, s. f. poesía.

poeta, s. m. poeta.

poetar, v. tr. e intr. poetizar.

poetastro, s. m. poetastro.

poética, s. f. poética.

poético, adj. poético.

poetisa, s. f. poetisa.

poetizar, v. tr. poetizar.

poial, s. m. poyo; banco fijo de piedra.

pois, conj. pues; porque; por tanto; además de eso.

poisada, s. f. vd. **pousada**.

poisar, v. tr. vd. **pousar**.

poisio, s. m. vd. **pousio**.

poiso, s. m. vd. **pouso**.

pojar, v. 1. intr. aportar; anclar; tomar puerto. 2. tr. entumecer; engrosar.

pojo, s. m. poyo; lugar de desembarque, desembarcadero.

póla, s. f. zurra, tunda, paliza.

polaca, s. f. MÚS. polca (danza y canto); NÁUT. vela de proa; polaca (buque).

polaco, adj. e s. m. polaco.

polaina, s. f. polaina.

polainito, s. m. botín, polaina corta.

polar, adj. 2 gén. polar.

polaridade, s. f. polaridad.

polarímetro, s. m. polarímetro.

polarização, s. f. polarización.

polarizador, adj. polarizador.

polarizar, v. tr. polarizar.

polca, s. f. polca.

polcar, v. intr. polcar.

poldra, s. f. potra, yegua joven.

poldro, s. m. ZOOL. potro.

polé, s. f. polea, roldana.

poleame, s. m. polipasto.

polear, v. tr. supliciar.

polegada, s. f. pulgada.

polegar, s. m. pulgar; pólice.

poleiro, s. m. aseladero.

polela, s. f. ZOOL. polilla.

polémica, s. f. polémica.

polémico, adj. polémico.

polemista, s. 2 gén. polemista.

pólen, s. m. polen.

polenda, s. f. polenta.

polenta, s. f. polenta.

pólex, s. m. pólex, pólice.

polha, s. f. polla; (fig.) muchacha, adolescente.

poliandria, s. f. poliandria.

poliarquia, s. f. poliarquía.

polianto, adj. polianto.

polichinelo, s. m. polichinela.

polícia, s. 1. f. policía. 2. 2 gén. policía, agente.

policial, adj. 2 gén. policial; policíaco; romance policial, noocha policiaco.

policiamento, s. m. vigilancia.

policiar, v. tr. vigilar, ejercer la función de policía.

policlínica, s. f. policlínica.
policromia, s. f. policromía.
policromo, adj. policromo.
polidesportivo, s. m. polidesportivo.
polidez, s. f. delicadeza, pulidez.
polido, adj. pulido; delicado; rodado; *pedra polida*, piedra rodada.
polidor, s. m. pulidor; bruñidor.
poliédrico, adj. poliédrico.
poliedro, s. m. poliedro.
poliéster, s. m. poliéster.
polietileno, s. m. polietileno.
polifacetado, adj. polifacético.
polifásico, adj. polifásico.
polifonía, s. f. polifonía.
polifónico, adj. polifónico.
poligamia, s. f. poligamia.
polígamo, adj. e s. m. polígamo.
poliglota, adj. e s. 2 gén. polígloto.
poligonal, adj. 2 gén. poligonal.
polígono, s. m. polígono.
poligrafia, s. f. poligrafía.
polígrafo, s. m. polígrafo.
polilha, s. f. polilla.
polimento, s. m. pulimento; pulido; (fig.) delicadeza.
polimeria, s. f. QUÍM. polimería.
polimerização, s. f. polimerización.
polimerizar, v. tr. hacer polímero.
polímero, adj. polímero.
polimorfismo, s. m. polimorfismo.
polimorfo, adj. polimorfo.
polínico, adj. BOT. polínico.
polinização, s. f. BOT. polinización.
polinizar, v. tr. polinizar.
polinómio, s. m. polinomio.
poliomielite, s. f. polio, poliomielitis.
polipeiro, s. m. ZOOL. polipero.
polipétalo, adj. BOT. polipétalo.
pólipo, s. m. pólipo.
polir, v. tr. pulir, pulimentar.
polissemia, s. f. polisemia.
polissémico, adj. polisémico.
polissilábico, adj. polisílabo.
polissílabo, adj. e s. m. polisílabo.
politécnico, adj. politécnico.
politeísmo, s. m. politeísmo.
politeísta, adj. e s. 2 gén. politeísta.
política, s. f. política.
politicagem, s. f. politiqueo.
politicão, s. m. (fam.) politicón, gran político.
politicar, v. tr. politiquear.
politicizar, v. tr. politizar.

político, adj. e s. m. político.
politiqueiro, s. m. politicastro.
politiquice, s. f. politiqueo.
politizar, v. tr. politizar.
poliuretano, s. m. poliuretano.
polivalente, adj. 2 gén. polivalente.
polmão, s. m. flemón, tumor, abceso.
polme, s. m. masa poco consistente, pulpa.
pólo, s. m. polo; juego deportivo.
polonesa, s. f. polonesa.
polpa, s. f. pulpa.
polpação, s. f. pulpación.
polposo, adj. pulposo; carnoso.
poltrão, adj. e s. m. poltrón, flojo, cobarde.
poltrona, s. f. poltrona; butacón; sillón.
poltronaria, s. f. poltronería.
poltronear, v. intr. poltronear.
poltronice, s. f. poltronería.
polução, s. f. polución.
poluição, s. f. polución.
poluir, v. tr. polucionar; profanar; manchar; ensuciar; corromper.
polvilhação, s. f. polvoreamiento.
polvilhar, v. tr. polvorear; empolvar.
polvilho, s. m. polvillo.
polvo, s. m. ZOOL. pulpo.
pólvora, s. f. pólvora.
polvorada, s. f. explosión, humo de pólvora.
polvorento, adj. polvoriento.
polvorim, s. m. polvorín.
polvorinho, s. m. polvorín.
polvorista, s. 2 gén. polvorista; pirotécnico.
polvorosa, s. f. confusión, gran actividad; *pôr os pés em polvorosa*, poner los piés en polvorosa.
polvoroso, adj. polvoroso, polvoriento.
pomada, s. f. pomada.
pomar, s. m. pomar; vergel; frutería.
pomba, s. f. ZOOL. paloma.
pombal, s. m. palomar.
pombo, s. m. ZOOL. palomo.
pomes, s. m. pomez, piedra pómez.
pomicultor, s. m. pomicultor.
pomicultura, s. f. pomicultura.
pomífero, adj. pomífero.
pomo, s. m. pomo.
pompa, s. f. pompa; ostentación; gala.
pompear, v. 1. intr. pompear, ostentar. 2. intr. exhibir riquezas.
pompom, s. m. pompón.

pomposidade, s. f. pomposidad.
pomposo, adj. pomposo, ostentoso; solemne.
pómulo, s. m. ANAT. pómulo.
ponche, s. m. ponche.
poncho, s. m. poncho.
poncheira s. f. ponchera.
ponderabilidade, s. f. ponderabilidad.
ponderação, s. f. ponderación.
ponderado, adj. ponderado.
ponderar, v. 1. tr. ponderar; pesar; examinar con atención. 2. intr. reflexionar.
ponderável, adj. 2 gén. ponderable.
ponderoso, adj. ponderoso, pesado; importante.
pónei, s. m. póney.
ponta, s. f. punta; señal; cuerno; extremidad; (de cigarro ou charuto) colilla.
pontada, s. f. punzada; puntada.
pontado, adj. cosido, hilvanado, punteado.
pontal, s. m. puntal; (cabo) punta.
pontalete, s. m. puntal; escora de madera.
pontão, s. m. pontal; apoyo; escora, pontón; balsa, barco chato; gabarra; puente pequeño de madera.
pontapé, s. m. puntapié; puntera; (futebol) saque; pontapé de saída, saque inicial; pontapé de canto, saque de esquina.
pontaria, s. f. puntería.
ponte, s. f. puente; NÁUT. cubierta.
ponteado, s. m. punteado.
pontear, v. tr. puntear; sopuntar.
ponteira, s. f. contera, puntera.
ponteiro, I. s. m. puntero; cincel; (de relógio) aguja, saeta; ponteiro dos segundos, segundero. II. adj. viento puntero.
pontiagudo, adj. puntiagudo; picudo.
pontificado, s. m. pontificado.
pontifical, adj. e s. m. pontifical.
pontificar, v. intr. pontificar.
pontífice, s. m. pontífice.
pontifício, adj. pontificio.
pontilha, s. f. puntilla, punta aguda.
pontilhão, s. m. pontezuelo.
pontinho, s. m. puntito, puntillo; pl. puntos, reticencias.
ponto, s. m. punto; puntada; término, fin; sitio fijo; nudillo; punto de mira; TEAT. apuntador; libro de presencias.
pontoado, adj. punteado.
pontoar, v. tr. puntuar, marcar con puntos; apuntar.
pontoso, adj. puntilloso, escrupuloso.

pontuação, s. f. puntuación; contar para a pontuação, puntuar.
pontual, adj. 2 gén. puntual.
pontualidade, s. f. puntualidad.
pontuar, v. tr. puntuar.
pontuável, adj. 2 gén. puntuable.
pontudo, adj. puntoso.
popa, s. f. NÁUT. popa.
pope, s. m. pope.
popelina, s. f. popelín.
populaça, s. f. populacho.
população, s. f. población.
populacho, s. m. populacho.
popular, I. adj. 2 gén. popular, del pueblo. II. s. m. hombre del pueblo.
popularidade, s. f. popularidad.
popularização, s. f. popularización.
popularizar, v. tr. popularizar.
populista, adj. 2 gén. populista.
populoso, adj. populoso.
póquer, s. m. póquer.
por, prep. por.
pôr, I. v. 1. tr. poner; asentar; situar; disponer; colocar; posponer; aplicar; establecer; depositar; hacer la postura de huevos; poner (nombre). 2. refl. colocarse. II. s. m. (do Sol) puesta.
porão, s. m. NÁUT. bodega de un buque.
porca, s. f. ZOOL. puerca.
porcalhão, s. m. inmundo, sucio.
porção, s. f. porción, pedazo, parte, lote; quiñón; cantidad.
porcaria, s. f. porquería, suciedad, inmundicia.
porcariço, s. m. porquero.
porcelana, s. f. porcelana.
porcino, adj. porcino.
porciúncula, s. f. porciúncula.
porco, I. s. m. ZOOL. puerco, cerdo; carne de este animal. II. adj. sucio, obsceno.
porejar, v. tr. verter por los poros; rezumar.
porém, conj. pero; sin embargo; por tanto; por eso.
porfia, s. f. porfía, disputa, contienda.
porfiado, adj. porfiado.
porfiador, s. m. porfiador.
porfiar, v. intr. porfiar.
porfioso, adj. porfiador.
pórfiro, s. m. pórfiro.
pormenor, s. m. pormenor.
pormenorização, s. f. pormenorización.
pormenorizar, v. tr. pormenorizar; puntualizar.

pornografia, *s. intr.* pornografía.
pornográfico, *adj.* pornográfico, porno; sicalíptico.
poro, *s. m.* ANAT. poro.
porosidade, *s. f.* porosidad.
poroso, *adj.* poroso.
porquanto, *conj.* por cuanto; visto que.
porque, *conj.* porque; visto que.
porquê, *s. m.* por qué, causa.
porqueira, *s. f.* porquera, porqueriza.
porqueiro, *s. m.* porquero, porquerizo.
porquinho, *s. m.* lechón; cobaya.
porrão, *s. m.* porrón.
porrete, *s. m.* porra, clava, cachiporra.
porro, *s. m.* BOT. puerro.
porta, *s. f.* puerta; *porta falsa*, postigo; *bater com as portas*, dar portazos.
porta-alfinetes, *s. m.* acerico.
porta-aviões, *s. m.* portaaviones.
porta-bagagens, *s. m.* portaequipaje(s), portamaletas.
porta-bandeira, *s. m.* MIL. abanderado.
porta-cassetes, *s. m.* pletina, platina.
porta-comidas, *s. m.* portaviandas.
portada, *s. f.* portada; frontispicio.
portador, *s. m.* portador.
porta-estandarte, *s. m.* portaestandarte.
portageiro, *s. m.* portazguero.
portagem, *s. f.* portaje, portazgo; peaje.
portal, *s. m.* portal; zaguán; atrio; pórtico.
porta-lápis, *s. m.* plumier.
portaló, *s. m.* portaló.
porta-machado, *s. m.* MIL. hachero, zapador.
porta-minas, *s. m.* portaminas.
porta-moedas, *s. m.* portamonedas.
portanto, *conj.* por tanto; por lo que.
portão, *s. m.* portón.
portar, *v.* 1. *tr.* portar, llevar. 2. *refl.* comportarse; portarse.
portaria, *s. f.* portería; decreto.
portátil, *adj.* 2 *gén.* portátil.
porta-voz, *s. m.* portavoz.
porte, *s. m.* porte; transporte; modo de portarse; *portes pagos*, portes pagados.
portear, *v. tr.* franquear.
porteira, *s. f.* portera.
porteiro, *s. m.* portero.
portela, *s. f.* portela; desfiladero.
portelo, *s. m.* portilla, portezuela.
portento, *s. m.* portento.
portentoso, *adj.* portentoso.
pórtico, *s. m.* pórtico; porche; portal; soportal.

portilha, *s. f.* portillo.
portinhola, *s. f.* portezuela de carruaje; presilla de bolsillo.
porto, *s. m.* puerto, ancladero, fondeadero; (*vinho*) oporto.
portuário, *adj.* portuario.
portuense, *adj.* 2 *gén.* portuense.
português, *adj. e s. m.* portugués.
portuguesar, *v. tr.* vd. aportuguesar.
porventura, *adv.* por ventura; por acaso.
porvindoiro, I. *adj.* venidero, futuro. II. *s. m. pl.* venideros.
porvindouro, *adj. e s. m. pl.* vd. porvindoiro.
porvir, *s. m.* porvenir.
pós, *prep.* pos.
pose, *s. f.* pose.
pós-escrito, *s. m.* postdata.
posição, *s. f.* posición; postura.
positivismo, *s. m.* positivismo.
positivista, *adj.* 2 *gén.* positivista.
positivo, *adj.* positivo.
pós-operatório, *adj.* post-operatorio.
pospasto, *s. m.* postre.
pospelo, *s. m. ao pospelo*, a contrapelo.
pospor, *v. tr.* posponer; poner después; postergar; retrasar.
posposição, *s. f.* posposición.
pospositivo, *adj.* pospositivo.
posposto, *adj.* pospuesto.
possança, *s. f.* valentía; dominio.
possante, *adj.* 2 *gén.* poderoso; pujante.
posse, *s. f.* posesión; poder.
possessão, *s. f.* posesión; poder.
possessivo, *adj.* posesivo.
possesso, *adj.* poseso.
possessor, *adj. e s. m.* poseedor.
possessório, *adj.* posesorio.
possibilidade, *s. f.* posibilidad.
possível, *adj.* 2 *gén.* posible; *se possível*, de ser posible.
possuidor, *s. m.* poseedor.
possuir, I. *v. tr.* poseer. II. *refl.* poseerse, dominarse a sí propio.
posta, *s. f.* posta; tajada de carne, pescado, etc.
postal, I. *adj.* 2 *gén.* postal, de correo. II. *s. m.* postal, tarjeta postal.
postar, *v. tr.* apostar.
poste, *s. m.* poste; madero; pilar o columna.

postejar, *v. tr.* partir en tajadas o postas; tajar, tajear.

postema, *s. f.* postema.

postemão, *s. m.* postemero.

póster, *s. m.* póster.

postergação, *s. f.* postergación.

postergar, *v. tr.* postergar, dejar para atrás; despreciar; omitir; prosponer.

posteridade, *s. intr.* posteridad.

posterior, *adj. 2 gén.* posterior; seguiente.

póstero, *adj.* futuro, venidero.

postiço, *adj.* postizo.

postigo, *s. m.* postigo.

postilhão, *s. m.* postillón.

posto, I. *adj.* puesto; colocado. II. *s. m.* puesto; empleo, oficio, ministerio; MIL. puesto.

postónico, *adj.* postónico.

postremo, *adj.* postrero.

postres, *s. m. pl.* postres.

postulação, *s. f.* postulación.

postulado, *s. m.* postulado.

postulante, *adj.* e *s. 2 gén.* postulante.

postular, *v. tr.* postular.

póstumo, *adj.* póstumo.

postura, *s. f.* postura, actitud; *(ovos)* postura, puesta; decreto municipal.

potabilidade, *s. f.* potabilidad.

potamologia, *s. f.* potamalogía.

potassa, *s. f.* QUÍM. potasa.

potássio, *s. m.* potasio.

potável, *adj. 2 gén.* potable.

pote, *s. m.* pote.

potência, *s. f.* potencia.

potenciação, *s. f.* potenciación.

potencial, *adj. 2 gén.* e *s. m.* potencial.

potenciar, *v. tr.* potenciar.

potentado, *s. m.* potentado.

potente, *adj. 2 gén.* potente.

poterna, *s. f.* poterna.

potestade, *s. f.* potestad.

potra, *s. f.* potra, yegua nueva; potra, hernia en el escroto.

potreia, *s. f.* bebida desagradable.

potril, *s. m.* potril.

potro, *s. m.* potro.

pouca-vergonha, *s. f. (fam.)* desvergüenza.

pouco, *adj., adv., s. m.* e *pron.* poco.

poucochinho, *s. m.* e *adv.* poquito, poquillo.

poupa, *s. f.* ZOOL. abubilla; penacho, moño, topete.

poupado, *adj.* económico; parsimonioso.

poupador, *adj.* e *s. m.* ahorrador.

poupança, *s. f.* economía; ahorro.

poupar, *v. tr.* economizar, ahorrar.

poupinha, *s. f.* ZOOL. abubilla, cotovía, bubela.

poupudo, *adj.* moñudo.

pouquidade, *s. f.* poquedad.

pouquidão, *s. f.* poquedad.

pouquinho, *s. m.* poquito.

pousa, *s. f.* descansadera, trago, sorbo.

pousada, *s. f.* parador; posada, mesón, hospedaje, residencia.

pousadouro, *s. m.* posada, casa, domicilio, mesón.

pousar, *v.* 1. *tr.* posar; poner; colocar; depositar; fijar (los ojos). 2. *intr.* posar, pernoctar; *refl.* alojarse; hospedarse.

pousio, I. *s. m.* barbecho. II. *adj.* inculto.

povo, *s. m.* pueblo, gente, plebe; pueblo, población.

povoado, I. *adj.* poblado. II. *s. m.* poblado, población, pueblo.

povoamento, *s. m.* poblamiento.

povoar, *v. tr.* poblar.

praça, *s. f.* plaza; mercado; almoneda, subasta; plaza de toros; soldado.

praça-forte, *s. f.* fortaleza.

pracear, *v. tr.* almonedar, subastar.

praceta, *s. f.* plazoleta.

pradaria, *s. f.* pradería.

prado, *s. m.* prado.

praga, *s. f.* plaga; maldición, juramento, imprecación.

pragal, *s. m.* gándara.

pragana, *s. f.* arista de las espigas de los cereales.

pragmática, *s. f.* pragmática.

pragmático, *adj.* pragmático.

pragmatismo, *s. m.* pragmatismo.

praguedo, *s. m.* cantidad de plagas.

praguejador, *s. m.* jurador.

praguejar, *v.* 1. *intr.* jurar, echar votos y reniegos; maldecir. 2. *tr.* vociferar.

praia, *s. f.* playa.

prancha, *s. f.* plancha, tablón.

pranchada, *v. tr.* planchazo.

pranchão, *s. m.* tablón, plancha, planchón.

prancheta, *s. f.* plancheta.

pranteadeira, *s. f.* vd. **carpideira.**

pranteador, *adj.* e *s. m.* que llora.

prantear, *v. tr.* e *intr.* lamentar, llorar, plañir.

prantivo, *adj.* plañidero.

pranto, *s. m.* llanto, lloro, plañido.

prata, *s. f.* plata; *prata de toque,* plata de ley.

pratada, *s. f.* plato lleno; platada.

prateação, *s. f.* plateadura.

prateado, *adj.* plateado.

prateador, *s. m.* platero.

pratear, *v. tr.* platear.

prateira, *s. f.* armario de los objetos de plata.

prateiro, *s. m.* platero.

prateleira, *s. f.* anaquel, poyata, vasar, plúteo; estante.

prática, *s. f.* práctica; destreza; plática, discurso breve; *adquirir prática,* practicar.

praticável, *adj. 2 gén.* practicable.

praticante, *adj. e s. 2 gén.* practicante.

praticar, **1.** *v. tr.* practicar. **2.** *intr.* conversar, platicar; practicar.

praticável, *adj. 2 gén.* practicable.

prático, *adj. e s. m.* práctico.

praticultura, *s. f.* praticultura.

pratilheiro, *s. m.* músico que toca los platillos.

pratinho, *s. m.* platillo.

prato, *s. m.* plato; *(de balança)* platillo; *pl.* MÚS. platillos; *prato ladeiro,* plato llano; *prato sopeiro,* plato sopero.

praxe, *s. f.* práctica; costumbre, uso; *praxe aos caloiros,* novatada.

prazenteiro, *adj.* placentero, agradable.

prazer, **I.** *v. intr.* placer. **II.** *s. m.* alegría; placer; distracción; solaz.

prazimento, *s. m.* agrado.

prazo, *s. m.* plazo.

pré, *s. m.* soldada.

preambular, *adj. 2 gén.* preambular.

preâmbulo, *s. m.* preámbulo.

preanunciar, *v. tr.* anunciar anticipadamente.

pré-aquecimento, *s. m.* precalentamiento.

prear, *v. tr.* apresar, aprisionar; saquear.

pré-aviso, *s. m.* preaviso.

prebenda, *s. f.* prebenda.

prebendado, *adj. e s. m.* prebendado.

prebendar, *v. tr.* prebendar.

preboste, *s. m.* preboste.

precação, *s. f.* precación.

precariedade, *s. f.* precariedad.

precário, *adj.* precario.

preçário, *s. m.* lista de precios.

precatado, *adj.* precavido; percatado.

precatar, *v.* **1.** *tr.* precaver. **2.** *refl.* precaverse; percatarse; prevenirse.

precatória, *s. f.* (carta) suplicatoria; suplicatorio.

precatório, *adj.* suplicatorio.

precaução, *s. f.* precaución; prudencia.

precautório, *adj.* precautorio.

precaver, *v.* **1.** *tr.* precaver; prevenir. **2.** *refl.* precaverse, prevenirse; percatarse.

precavido, *adj.* precavido, prevenido.

prece, *s. f.* oración, rogo; obsecración; plegaria; *pl.* preces.

precedência, *s. f.* precedencia; prioridade.

precedente, *adj. 2 gén. e s. m.* precedente.

preceder, *v. tr.* preceder.

preceito, *s. m.* precepto; prescripción.

preceitual, *adj. 2 gén.* preceptivo.

preceituar, *v. tr.* preceptuar; prescribir.

preceituário, *s. m.* conjunto de reglas o preceptos.

preceptivo, *adj.* preceptivo.

preceptor, *s. m.* preceptor.

precessão, *s. f.* precesión, precedencia.

precingir, *v. tr.* ceñir, estrechar.

precinta, *s. f.* precinta, precinto; NÁUT. precinta.

precintar, *v. tr.* precintar.

preciosidade, *s. f.* preciosidad.

precioso, *adj.* precioso.

precipício, *s. m.* precipicio.

precipitação, *s. f.* precipitación.

precipitado, *adj.* precipitado; QUÍM. precipitado; atolondrado.

precipitar, *v.* **1.** *tr.* precipitar. **2.** *intr.* QUÍM. precipitarse.

precípite, *adj. 2 gén.* precípite.

precípuo, *adj.* precipuo.

precisão, *s. f.* precisión; exactitud; necesidad.

precisar, *v. tr.* precisar, necesitar; precisar, especificar.

preciso, *adj.* preciso; conciso; necesario; puntual.

pré-citado, *adj.* precitado.

precito, *adj. e s. m.* precito; maldito.

preclaridade, *s. f.* calidad de preclaro; fama.

preclaro, *adj.* preclaro.

preço, *s. m.* precio.

precoce, *adj. 2 gén.* precoz, temprano; prematuro.

precocidade, *s. f.* precocidad.

preconceber, *v. tr.* preconcebir.

preconcebido, *adj.* preconcebido.

preconceito, *s. m.* prejuicio.

preconização, *s. f.* preconización.

preconizador, *adj. e s. m.* preconizador.
preconizar, *v. tr.* preconizar.
precursor, *adj. e s. m.* precursor.
predador, *adj. e s. m.* predador.
predecessor, *s. m.* predecesor.
predestinação, *s. f.* predestinación.
predestinado, *adj.* predestinado.
predestinar, *v. tr.* predestinar.
predeterminação, *s. f.* predeterminación.
predeterminar, *v. tr.* predeterminar.
prédica, *s. f.* prédica, predicación, sermón.
predicado, *s. m.* predicado; dote, cualidad; talento, don natural; prenda.
predicador, *s. m.* predicador.
predicamento, *s. m.* predicamento.
predição, *s. f.* predicción.
predicar, *v. tr.* predicar.
predicativo, *adj.* predicativo.
predicatório, *adj.* encomiástico; halagador.
predicável, *adj. 2 gén.* predicable.
predilecção, *s. f.* predilección.
predilecto, *adj.* predilecto.
prédio, *s. m.* predio.
predisponente, *adj. 2 gén.* predisponente.
predispor, *v. tr.* predisponer.
predisposição, *s. f.* predisposición.
predisposto, *adj.* predispuesto.
predizer, *v. tr.* predecir; pronosticar.
predominante, *adj. 2 gén.* predominante.
predominar, *v. intr.* predominar; primar.
predomínio, *s. m.* predominio.
preeminência, *s. f.* preeminencia.
preeminente, *adj. 2 gén.* preeminente.
preencher, *v. tr.* cumplir; satisfacer.
preenchido, *adj.* ocupado.
preensão, *s. f.* prehensión.
preênsil, *adj. 2 gén.* prensil.
pré-escolar, *adj. 2 gén.* preescolar.
preestabelecer, *v. tr.* preestablecer.
preestabelecido, *adj.* preestablecido.
preexcelência, *s. f.* preexcelencia.
preexcelso, *adj.* preexcelso.
preexistência, *s. f.* preexistencia.
preexistente, *adj. 2 gén.* preexistente.
preexistir, *v. tr.* preexistir.
pré-fabricado, *adj.* prefabricado.
prefacção, *s. f.* prólogo.
prefaciador, *s. m.* prologador.
prefácio, *s. m.* prefacio; preámbulo; prólogo.

prefeito, *s. m.* prefecto.
prefeitura, *s. f.* prefectura.
preferência, *s. f.* preferencia; *dar preferência,* primar.
preferencial, *adj. 2 gén.* preferente.
preferente, *adj. 2 gén.* preferente.
preferido, *adj.* preferido, predilecto.
preferir, *v. tr.* preferir; anteponer; querer antes; optar.
preferível, *adj. 2 gén.* preferible.
prefigurar, *v. tr.* prefigurar.
prefixo, *adj. e s. m.* prefijo.
prefloração, *s. f.* BOT. prefloración.
preflorescência, *s. f.* BOT. prefloración.
prefoliação, *s. f.* BOT. prefoliación.
prefulgir, *v. intr.* resplandecer.
prega, *s. f.* pliegue, doblez; plegamiento.
pregação (è), *s. f.* prédica; amonestación, predicación, sermón.
pregação, *s. f.* clavamiento.
pregadeira, *s. f.* acerico.
pregador (è), *adj. e s. m.* predicador; orador.
pregador, I. *adj.* clavador. II. *s. m.* broche.
pregadura, *s. f.* clavazón, clavamiento.
pregagem, *s. f.* clavamiento.
pregão, *s. m.* pregón, proclamación pública; *pl.* proclamas de casamiento.
pregar, *v.* 1. *tr.* clavar; fijar; asegurar; fruncir; *(pop.)* causar; lanzar; predicar. 2. *intr.* evangelizar; reñir.
pregar (è), *v.* 1. *tr.* predicar; aconsejar; hacer propaganda de. 2. *intr.* sermonear; amonestar.
prego, *s. m.* clavo; punta; brocha; alfiler grande.
pregoar, *v. tr.* pregonar.
pregoeiro, *s. m.* pregonero; subastador.
pregueadeira, *s. f.* plegador.
pregueado, *adj. e s. m.* plegado; plisado; tableado.
preguear, *v. tr.* plegar; plisar; tablear.
pregueiro, *s. m.* fabricante o vendedor de clavos.
preguiça, *s. f.* pereza; inacción; indolencia; sorna.
preguiceira, *s. f.* recostadero.
preguiceiro, *adj.* perezoso.
preguiçoso, *adj.* perezoso.
pré-história, *s. f.* prehistoria.
pré-histórico, *adj.* prehistórico.
preia-mar, *s. f.* pleamar.
preitear, *v. tr.* homenajear; pleitear.

preito, *s. m.* homenaje; pleitesía.
prejudicado, *adj.* perjudicado.
prejudicador, *s. m.* perjudicador.
prejudicar, *v. tr.* perjudicar.
prejudicial, *adj. 2 gén.* perjudicial.
prejuízo, *s. m.* perjuicio; pérdida.
prejulgar, *v. tr.* prejuzgar.
prelação, *s. f.* prelación.
prelacial, *adj. 2 gén.* prelacial.
prelada, *s. m.* prelada.
prelado, *s. m.* prelado; pastor.
prelazia, *s. f.* prelatura.
prelecção, *s. f.* lección, conferencia didáctica.
preleccionar, *v. tr. e intr.* leccionar; disertar; doctrinar.
prelector, *s. m.* profesor; explicador.
prelevar, *v.* **1.** *intr.* sobrellevar; exceder. **2.** *tr.* disculpar; relevar.
prelibação, *s. f.* prelibación.
prelibar, *v. tr.* pregustar; probar.
preliminar, *adj. 2 gén. e s. m.* preliminar.
prélio, *s. m.* pelea, lucha.
prelo, *s. m.* prensa tipográfica.
prelucidação, *s. f.* explicación previa.
prelúcido, *adj.* prefulgente.
preludiar, *v. tr.* preludiar.
prelúdio, *s. m.* preludio.
preluzir, *v. intr.* prelucir.
pré-matrimonial, *adj. 2 gén.* prematrimonial.
prematuração, *s. f.* madureza o sazón antes de tiempo.
prematuridade, *s. f.* precocidad.
prematuro, *adj.* prematuro; precoce.
premedeira, *s. f.* premidera, cárcola (en los telares).
premeditação, *s. f.* premeditación.
premeditado, *adj.* premeditado.
premeditar, *v. tr.* premeditar.
premente, *adj. 2 gén.* apremiante, urgente.
premer, *v. tr.* apretar; apremiar; comprimir; exprimir; oprimir.
premiar, *v. tr.* premiar; galardonar.
prémio, *s. m.* premio; pago, paga.
premir, *v. tr.* apretar; comprimir; exprimir; oprimir.
premissa, *s. f.* premisa.
premonição, *s. f.* premonición.
premonitório, *adj.* premonitorio.
premunir, *v. tr.* premunir.
pré-natal, *adj. 2 gén.* prenatal.
prenda, *s. f.* prenda, regalo.
prendado, *adj.* dotado de cualidades o talento.

prendar, *v. tr.* regalar; premiar.
prender, *v.* **1.** *tr.* prender; atar; agarrar; cautivar. **2.** *intr.* agarrar la planta en la tierra.
prenhe, *adj.* preñada; (*fig.*) lleno, cargado, repleto.
prenhez, *s. f.* preñez.
prenoção, *s. f.* prenoción.
prenome, *s. m.* nombre de pila; nombre de bautismo.
prensa, *s. f.* prensa.
prensado, *adj.* prensado.
prensagem, *s. m.* prensadura.
prensar, *v. tr.* prensar.
prenunciação, *s. f.* prenunciación.
prenunciar, *v. tr.* prenunciar.
prenúncio, *s. m.* prenuncio; síntoma.
preocupação, *s. f.* preocupación.
preocupado, *adj.* preocupado.
preocupar, *v. tr.* preocupar, obsesionar.
preopinante, *adj. 2 gén.* preopinante.
preparação, *s. m.* preparación.
preparado, *adj. e s. m.* preparado.
preparador, *s. m. e adj.* preparador.
preparar, *v. tr.* preparar.
preparativo, **I.** *adj.* preparativo; preparatorio. **II.** *s. m. pl.* preparativos.
preparatório, *adj.* preparatorio.
preponderância, *s. f.* preponderancia.
preponderante, *adj. 2 gén.* preponderante.
preponderar, *v. intr.* preponderar.
prepor, *v. tr.* preponer; preferir.
preposição, *s. f.* preposición.
preposicional, *adj. 2 gén.* preposicional.
prepositivo, *adj.* prepositivo.
preposto, *adj.* prepuesto.
prepotência, *s. f.* prepotencia.
prepotente, *adj. 2 gén.* prepotente.
prepúcio, *s. m.* prepúcio.
prerrogativa, *s. f.* prerrogativa.
presa, *s. f.* presa; botín; garra; zarpa; mujer en la prisión; acequia.
presbiterado, *s. m.* presbiterado.
presbiteral, *adj. 2 gén.* presbiteral.
presbiterianismo, *s. m.* presbiterianismo.
presbiteriano, *adj. e s. m.* presbiteriano.
presbitério, *s. m.* presbiterio.
presbítero, *s. m.* presbítero.
presbitia, *s. f.* MED. presbicia.
presciência, *s. f.* presciencia.
presciente, *adj. 2 gén.* presciente.
prescindir, *v. intr.* prescindir.
prescindível, *adj. 2 gén.* prescindible.
prescrever, *v. tr. e intr.* prescribir.

prescrição, s. f. prescripción.

presença, s. m. presencia; aspecto; semblante; figura.

presencial, adj. 2 gén. presencial; testemunha presencial, testigo presencial.

presenciar, v. tr. presenciar; ver.

presentação, s. f. vd. apresentação.

presentâneo, adj. presentáneo; momentáneo; eficaz.

presentar, v. tr. vd. apresentar.

presente, I. adj. 2 gén. presente; actual. II. s. m. presente, actualidad; presente, dádiva, don, alhaja, regalo, prenda.

presentear, v. tr. regalar; brindar; ofrecer.

presépio, s. m. pesebre, establo; belén (del niño Jesús).

preservação, s. f. preservación.

preservador, adj. e s. m. preservador.

preservar, v. tr. preservar.

preservativo, adj. e s. m. preservativo; profiláctico.

presidência, s. f. presidencia.

presidencial, adj. 2 gén. presidencial.

presidenta, s. f. presidenta.

presidente, adj. e s. 2 gén. presidente.

presidiar, v. tr. presidiar.

presidiário, adj. presidiario.

presídio, s. m. presidio.

presidir, v. intr. e tr. presidir.

presigo, s. m. (fam.) condumio.

presilha, s. f. presilla; hebilla.

preso, adj. preso.

pressa, s. f. prisa; premura.

pressagiar, v. tr. presagiar.

presságio, s. m. presagio.

pressagioso, adj. presagioso.

pressago, adj. presago.

pressão, s. f. presión.

pressentimento, s. m. presentimiento.

pressentir, v. tr. presentir.

pressionar, v. tr. pressionar; pulsar.

pressupor, v. tr. presuponer; prever.

pressuposição, s. m. presuposición.

pressuposto, adj. e s. m. presupuesto.

pressuroso, adj. presuroso.

prestação, s. f. prestación; plazo.

prestacionar, v. intr. pagar a plazos.

prestadio, adj. servicial; servible; prestante; excelente.

prestamista, s. 2 gén. prestamista.

prestante, adj. 2 gén. prestante.

prestar, v. 1. intr. prestar; ser útil; beneficiar. 2. tr. prestar; conceder; dispensar; dedicar; rendir, servir; refl. prestarse.

prestável, adj. 2 gén. prestable; servible.

prestes, adj. 2 gén. e adv. presto, pronto.

presteza, s. f. presteza; prontitud.

prestidigitação, s. m. prestidigitación.

prestidigitador, s. m. prestidigitador.

prestigiante, adj. 2 gén. prestigioso.

prestigiar, v. tr. prestigiar.

prestígio, s. m. prestigio.

prestigioso, adj. prestigioso.

prestímano, s. m. prestidigitador.

préstimo, s. m. utilidad; servicios; auxilio.

prestimoso, adj. servicial; prestante; excelente.

préstito, s. m. procesión; acompañamiento.

presto, adj. presto, pronto.

presumido, adj. e s. m. presumido; presunto; vano; fatuo; presuntuoso, vanidoso.

presumidor, s. m. el que presume.

presumir, v. tr. presumir; suponer, presuponer; sospechar.

presumível, adj. 2 gén. presumible; presunto.

presunção, s. f. presunción.

presunçoso, adj. presuntuoso.

presunho, s. m. pesuña, parte del pie del puerco que queda junto a las uñas; (germ.) las manos.

presuntivo, adj. presuntivo; presunto.

presunto, s. m. jamón, pernil del cerdo.

presuntuoso, adj. presuntuoso; vanidoso; engreído.

presura, s. f. presura, fermento digestivo existente en el jugo gástrico y que tiene la propiedad de coagular la caseína.

presúria, s. f. acequia, presa; reivindicación; reconquista a mano armada; posesión justificada de un terreno.

preta, s. f. negra.

pretendedor, s. m. pretendiente.

pretendente, adj. e s. 2 gén. pretendiente.

pretender, v. tr. pretender; intentar; desear; diligenciar.

pretendida, s. f. pretendida.

pretensão, s. f. pretensión; solicitación.

pretensioso, adj. e s. m. pretencioso.

pretenso, adj. pretenso.

preterição, s. f. preterición; postergación.

preterir, v. tr. preterir; omitir; prosponer; postergar.

pretérito, adj. e s. m. pretérito.

pretextar, v. tr. pretextar.

pretexto, s. m. pretexto, presupuesto; socapa; socolor; solapa.

pretidão, s. f. negrura.

preto, I. *adj* negro. **II.** *s. m.* negro (cor), negro (indivíduo); luto.
pretor, *s. m.* pretor.
pretoriana, *s. f.* guarda pretoriana.
pretoriano, *adj.* pretoriano.
pretório, *s. m.* pretorio.
prevalecente, *adj. 2 gén.* prevaleciente.
prevalecer, *v. intr.* prevalecer.
prevalecimento, *s. m.* prevalecimiento.
prevalência, *s. f.* superioridad.
prevaricação, *s. f.* prevaricación.
prevaricador, *s. m.* prevaricador.
prevaricar, *v. intr.* prevaricar.
prevenção, *s. intr.* prevención; precaución.
prevenido, *adj.* prevenido, precavido.
prevenir, *v. tr.* prevenir; disponer, preparar; prever.
preventivo, *adj. e s. m.* preventivo.
prever, *v. tr.* prever; calcular; presuponer; pronosticar.
previamente, *adv.* previamente.
previdência, *s. f.* previsión.
previdente, *adj. 2 gén.* previsor, precavido, prudente.
prévio, *adj.* previo.
previsão, *s. f.* previsión; pronóstico.
previsível, *adj. 2 gén.* previsible.
previsivelmente, *adv.* previsiblemente.
previsto, *adj. 2 gén.* previsto; sortido.
prezado, *adj.* estimado; preciado.
prezador, *s. m.* apreciador.
prezar, *v. tr.* preciar, apreciar, estimar; desear; amar.
prezável, *adj. 2 gén.* apreciable.
prima, *s. f.* prima; MÚS. prima.
primacial, *adj. 2 gén.* primacial.
primado, *s. m.* primado.
prima-dona, *s. f.* prima donna.
primar, *v. intr.* primar; distinguirse; esmerarse.
primário, *adj.* primario; primero; principal.
primatas, *s. m. pl.* ZOOL. primates.
Primavera, *s. f.* BOT. primavera.
primavera, *s. f.* primavera.
primaveral, *adj. 2 gén.* vd. **primaveril.**
primaveril, *adj. 2 gén.* primaveral.
primaz, *s. m.* primaz, primado.
primazia, *s. f.* primacía, superioridad; precedencia; preferencia; prioridade.
primeiro, *adj.* primero; primer; primo.
primevo, *adj.* primevo.
primícias, *s. f. pl.* primicias.
primípara, *adj. e s. f.* primipara, primeriza.

primitivismo, *s. m.* primitivismo.
primitivista, *adj. e s. 2 gén.* primitivista.
primitivo, *adj. e s. m.* primitivo; primordial; prístino.
primo, I. *s. m.* primo. **II.** *adj.* primo; MAT. *número primo,* número primo.
primogénito, *adj. e s. m.* primogénito.
primogenitura, *s. f.* primogenitura.
primor, *s. m.* primor, esmero, perfección.
primordial, *adj. 2 gén.* primordial.
primórdio, *s. m.* primordio.
primoroso, *adj.* primoroso; perfecto.
princesa, *s. f.* princesa.
principado, *s. m.* principado.
principal, *adj. 2 gén.* principal.
príncipe, *s. m.* príncipe.
principesco, *adj.* principesco.
principiante, *adj. e s. 2 gén.* principiante.
principiar, *v. tr.* principiar; nacer.
princípio, *s. m.* principio; comienzo; base, origen, fundamento; postulado.
prior, *s. m.* prior.
priorado, *s. m.* priorato.
prioresa, *s. f.* priora.
prioridade, *s. f.* prioridad.
prisão, *s. f.* prisión; captura; vínculo, lazo; prendimiento; obstáculo.
prisional, *adj. 2 gén.* penitenciario.
prisioneiro, *s. m.* prisionero.
prisma, *s. m.* prisma.
prismático, *adj.* prismático.
prístino, *adj.* pristino.
privação, *s. f.* privación.
privada, *s. f.* privada; retrete; sentina.
privado, I. *adj.* privado, íntimo. **II.** *s. m.* favorito.
privança, *s. f.* privanza, intimidad.
privar, *v.* **1.** *tr.* privar, destituir; suspender. **2.** *intr.* privar, tratar con amistad.
privativo, *adj.* privativo, exclusivo.
privatização, *s. f.* privatización.
privatizar, *v. tr.* privatizar.
privilegiado, *adj.* privilegiado.
privilegiar, *v. tr.* privilegiar; singularizar.
privilégio, *s. m.* privilegio.
proa, *s. f.* NÁUT. proa; soberbia.
probabilidade, *s. f.* probabilidad.
probante, *adj. 2 gén.* probante.
probatório, *adj.* probatorio.
probidade, *s. f.* probidad; pundonor.
problema, *s. m.* problema.
problemática, *s. f.* problemática.
problemático, *adj.* problemático.
probo, *adj.* probo, recto.
proboscídeos, *s. m. pl.* ZOOL. proboscídeos.

procace, *adj. 2 gén.* vd. **procaz.**
procacidade, *s. f.* procacidad.
procaz, *adj. 2 gén.* procaz; atrevido; insolente.
procedência, *s. f.* procedencia; origen; procesión.
procedente, *adj. 2 gén.* procedente.
proceder, I. *v. intr.* proceder, portarse; originarse, partir; obrar; proseguir. II. *s. m.* proceder, comportamiento.
procedido, *adj.* procedido.
procedimento, *s. m.* procedimiento; proceder.
procela, *s. f.* procela; borrasca; tormenta.
procelária, *s. f.* procelaria.
proceloso, *adj.* proceloso.
prócer, *s. m.* vd. **prócere.**
prócere, *s. m.* prócer, prócero.
processado, *adj.* procesado.
processamento, *s. m.* procesamiento.
processar, *v. tr.* procesar.
processional, *adj. 2 gén.* procesionario.
processionária, *s. f.* ZOOL. procesionaria.
processo, *s. m.* norma, procedimiento; DIR. proceso, causa criminal.
processual, *adj. 2 gén.* procesal.
procissão, *s. f.* procesión.
proclama, *s. m.* proclama; pregón.
proclamação, *s. f.* proclamación, proclama.
proclamar, *v. tr.* proclamar; pregonar.
proclítico, *adj.* proclítico.
proclive, *adj. 2 gén.* proclive.
proclividade, *s. f.* proclividad.
procônsul, *s. m.* procónsul.
proconsulado, *s. m.* proconsulado.
procrastinação, *s. f.* procrastinación.
procrastinar, *v. tr.* procrastinar.
procriação, *s. f.* procreación.
procriador, *s. m.* procreador.
procriar, *v. tr.* procrear; engendrar; padrear; producir.
procuração, *s. f.* procuración.
procurador, *s. m.* procurador.
procuradoria, *s. f.* procuradoría.
procurar, *v. tr.* procurar; indagar; pesquisar; tentar; diligenciar; analizar.
prodigalidade, *s. f.* prodigalidad.
prodigalizador, *s. m.* pródigo.
prodigalizar, *v. tr.* prodigar; disipar.
prodigar, *v. tr.* vd. **prodigalizar.**
prodígio, *s. m.* prodigio; maravilla; señal; portento.
prodigioso, *adj.* prodigioso.
pródigo, *adj.* pródigo.

produção, *s. f.* producción.
produtividade, *s. m.* productividad.
produtivo, *adj.* productivo; *(fig.)* farto.
produto, *s. m.* producto.
produtor, *adj. e s. m.* productor; autor.
produzir, *v. tr.* producir.
proeminência, *s. m.* prominencia.
proeminente, *adj. 2 gén.* prominente.
proémio, *s. m.* proemio; prólogo; prefacio.
proeza, *s. m.* proeza; hazaña.
profanação, *s. f.* profanación, profanamiento.
profanador, *s. m.* profanador.
profanar, *v. tr.* profanar; macular; deshonrar.
profano, *adj. e s. m.* profano, irreverente; lego.
profecia, *s. f.* profecía.
proferir, *v. tr.* proferir; pronunciar; articular.
professar, *v. tr.* profesar.
professo, *adj.* profeso.
professor, *s. m.* profesor.
professorado, *s. m.* profesorado.
professoral, *adj. 2 gén.* profesoral.
profeta, *s. m.* profeta.
profético, *adj.* profético.
profetisa, *v. intr.* profetisa; sibila.
profetizar, *v. tr.* profetizar.
proficiência, *s. m.* competencia.
proficiente, *adj.* proficiente.
proficuidade, *s. f.* ventaja.
profícuo, *adj.* proficuo; útil.
profiláctico, *adj.* profiláctico.
profilaxia, *s. f.* profilaxis.
profissão, *s. m.* profesión.
profissional, *adj. 2 gén.* profesional.
profissionalismo, *s. m.* profesionalidad.
profissionalizar, *v. tr.* profesionalizar.
profissionalmente, *adv.* profesionalmente.
profligação, *s. f.* profligación.
profligar, *v. tr.* profligar.
prófugo, *adj. e s. m.* prófugo, fugitivo; desertor.
profundar, *v. tr.* profundizar.
profundidade, *s. f.* profundidad.
profundo, *adj.* profundo.
profusão, *s. f.* profusión.
profuso, *adj.* profuso.
progénie, *s. f.* progenie; prole.
progenitor, *s. m.* progenitor.
progesterona, *s. f.* progesterona.
prognatismo, *s. m.* prognatismo.

prógnato, *adj.* prognato.
prognosticar, *v. tr.* pronosticar; predecir.
prognóstico, *s. m.* pronóstico; MED. prognosis.
programa, *s. m.* programa; temario; agenda; prospecto.
programação, *s. f.* programación.
programador, *adj. e s. m.* programador.
programar, *v. tr.* programar.
programável, *adj. 2 gén.* programável.
progredir, *v. intr.* avanzar; progresar.
progressão, *s. f.* progresión; progreso.
progressismo, *s. m.* progresismo.
progressista, *adj. e s. 2 gén.* progresista.
progressivo, *adj.* progresivo.
progresso, *s. m.* progreso.
proibição, *s. f.* prohibición.
proibicionista, *adj. 2 gén.* prohibicionista.
proibido, *adj.* prohibido.
proibir, *v. tr.* prohibir.
proibitivo, *adj.* prohibitivo.
projecção, *s. f.* proyección; saliente.
projectar, *v. tr.* proyectar, lanzar; proyectar; planear.
projéctil, *s. m.* proyectil.
projectista, *s. 2 gén.* proyectista.
projecto, *s. m.* proyecto, plan, planta.
projector, *s. m.* proyector.
prol, *s. m.* pro, ventaja.
prolação, *s. f.* prolación.
prolapso, *s. m.* prolapso.
prole, *s. f.* prole; linaje; progenie.
prolegómenos, *s. m. pl.* prolegómenos.
proletariado, *s. m.* proletariado.
proletário, *s. m.* proletario.
proliferação, *s. f.* proliferación.
proliferar, *v. intr.* proliferar, multiplicarse, reproducirse.
prolífico, *adj.* prolífico.
prolixidade, *s. f.* prolijidad.
prolixo, *adj.* prolijo; largo; molesto.
prologar, *v. tr.* prologar.
prólogo, *s. m.* prólogo, prefacio, preámbulo.
prolonga, *s. f.* prolongamiento.
prolongado, *adj.* prolongado.
prolongamento, *s. m.* prolongamiento.
prolongar, *v. tr.* prolongar.
prolongável, *adj.* prolongable.
prolóquio, *adj.* proloquio
promanar, *v. intr.* promanar.
promessa, *s. f.* promesa.
prometedor, *adj. e s. m.* prometedor.
prometer, *v.* 1. *tr.* prometer. 2. *intr.* prometer, ser prometedor.

prometida, *s. f.* prometida; novia.
prometido, **I.** *adj.* prometido. **II.** *s. m.* prometido, novio.
promiscuidade, *s. f.* promiscuidad.
promíscuo, *adj.* promiscuo.
promissão, *s. f.* promisión.
promissor, *adj.* prometedor; prometiente.
promissória, *s. f.* pagaré.
promoção, *s. f.* promoción
promontório, *s. f.* promontorio.
promotor, *s. m.* promotor.
promovedor, *s. m.* promotor.
promover, *v. tr.* promover, promocionar; suscitar.
promulgação, *s. f.* promulgación.
promulgar, *v. tr.* promulgar.
pronação, *s. f.* pronación.
pronome, *s. m.* pronombre.
pronominal, *adj. 2 gén.* pronominal.
prontidão, *s. f.* prontitud; presteza; prisa.
prontificar, *v.* **1.** *tr.* aprontar, ofrecer. **2.** *refl.* ofrecerse.
pronto, *adj.* acabado, terminado; veloz, ligero, listo, pronto.
prontuário, *s. m.* prontuario.
pronúncia, *s. f.* pronunciación; DIR. pronunciamiento, pronunciacion; MIL. pronunciamiento.
pronunciação, *s. f.* pronunciación
pronunciado, *adj.* pronunciado.
pronunciamento, *s. m.* MIL. pronunciamiento.
pronunciar, *v. tr.* pronunciar; articular; resolver.
pronunciável, *adj. 2 gén.* pronunciable.
propagação, *s. f.* propagación.
propagador, *adj. e s. m.* propagador.
propaganda, *s. f.* propaganda.
propagandista, *s. 2 gén.* propagandista.
propagar, *v. tr.* propagar.
propalar, *v. tr.* propalar; *(fig.)* sembrar.
propano, *s. m.* propano.
propelir, *v. tr.* impeler para adelante; arrojar.
propendente, *adj. 2 gén.* propendente.
propender, *v. intr.* propender.
propensão, *s. f.* propensión.
propenso, *adj.* propenso; proclive.
propiciação, *s. f.* propiciación.
propiciador, *s. m.* propiciador.
propiciar, *v. tr.* propiciar; proporcionar.
propiciatório, *adj.* propiciatorio.
propício, *adj.* propicio; benigno; favorable; propio; oportuno.

propina, *s. f.* matrícula de colegio, instituto o universidad; cuota de entrada; propina; gratificación; aguinaldo; regalo.
propinação, *s. f.* propinación.
propinador, *s. m.* propinador, el que propina.
propinar, *v. tr.* propinar.
propínquo, I. *adj.* propincuo; próximo; vecino. II. *s. m. pl.* parientes.
própolis, *s. f.* própolis.
proponente, *adj. e s. 2 gén.* proponente.
propor, *v. tr.* proponer; nominar, plantear.
proporção, *s. f.* proporción.
proporcionado, *adj.* proporcionado.
proporcional, *adj. 2 gén.* proporcional.
proporcionar, *v. tr.* proporcionar.
proposição, *s. f.* proposición; oración.
propositado, *adj.* deliberado; premeditado.
propósito, *s. m.* propósito; deliberación; intento.
proposta, *s. f.* propuesta.
proposto, *adj.* propuesto.
propriamente, *adv.* propiamente.
propriedade, *s. f.* propiedad.
proprietário, *adj. e s. m.* propietario.
próprio, I. *adj.* propio; peculiar, privativo. II. *s. m.* portador; capital.
propugnação, *s. f.* propugnación.
propugnar, *v. tr.* propugnar.
propulsão, *s. f.* propulsión.
propulsar, *v. tr.* propulsar.
propulsionar, *v. tr.* propulsar.
propulsivo, *adj.* propulsivo.
propulsor, *s. m.* propulsor.
prorrogação, *s. m.* prorrogación.
prorrogar, *v. tr.* prorrogar.
prorrogável, *adj.* prorrogable.
prorromper, *v. intr.* prorrumpir.
prosa, *s. m.* prosa; *em prosa*, prosístico.
prosador, *s. m.* prosador; prosista.
prosaico, *adj.* prosaico.
prosaísmo, *s. m.* prosaísmo.
prosápia, *s. f.* prosapia.
proscénio, *s. m.* proscenio.
proscrever, *v. tr.* proscribir.
proscrição, *s. f.* proscripción.
proscrito, *adj. e s. m.* proscripto.
proscritor, *s. m.* proscriptor.
proselitismo, *s. m.* proselitismo.
proselitista *adj. e s. 2 gén.* proselitista.
prosélito, *s. m.* prosélito.
prosista, *s. 2 gén.* prosista.
prosódia, *s. f.* prosodia.

prosódico, *adj.* prosódico.
prosopopeia, *s. m.* prosopopeya.
prospecção, *s. f.* prospección.
prospectar, *v. tr.* prospectar.
prospecto, *s. m.* prospecto; anuncio, programa.
prospector, *s. m.* prospector.
prosperar, *v. intr.* prosperar.
prosperidade, *s. f.* prosperidad.
próspero, *adj.* próspero.
prossecução, *s. f.* prosecución
prosseguir, *v. tr.* proseguir.
próstata, *s. f. ANAT.* próstata.
prosternação, *s. f.* prosternación; postración.
prosternar-se, *v. refl.* prosternarse, postrarse; humillarse.
prostíbulo, *s. m.* prostíbulo.
prostituição, *s. f.* prostitución.
prostituir, *v. tr.* prostituir.
prostituta, *s. m.* prostituta; pelandusca.
prostração, *s. f.* postración; prosternación; quebranto.
prostrar, *v.* 1. *tr.* postrar. 2. *refl.* prosternarse,
protagonista, *s. 2 gén.* protagonista.
protagonizar, *v. tr.* protagonizar.
protão, *s. m.* protón.
protecção, *s. f.* protección; padrinazgo; patrocinio; socorro.
proteccionismo, *s. m.* proteccionismo.
proteccionista, *adj. e s. 2 gén.* proteccionista.
protector, *s. m.* protector; padrino; patrón; patrono.
protectorado, *s. m.* protectorado.
proteger, *v.* 1. *tr.* proteger; favorecer; patrocinar; salvaguardar. 2. *refl.* parapetarse.
protegido, *adj. e s. m.* protegido.
proteico, *adj.* proteico.
proteiforme, *adj. 2 gén.* proteico.
proteína, *s. f.* proteína.
protelação, *s. f.* dilación; demora.
protelar, *v. tr.* prorrogar, demorar, retardar.
protérvia, *s. f.* protervia.
protervo, *adj.* protervo.
prótese, *s. m.* prótesis.
protestante, *adj. e s. 2 gén.* protestante.
protestantismo, *s. m.* protestantismo.
protestar, *v. tr. e intr.* protestar.
protesto, *s. m.* protesta.
protocolar, *adj. 2 gén.* protocolario.

protocolo, s. m. protocolo.
protonotário, s. m. protonotario.
protoplasma, s. m. protoplasma.
prototípico, adj. prototípico.
protótipo, s. m. prototipo.
protóxido, s. m. protóxido.
protozoário, s. m. protozoario.
protráctil, adj. 2 gén. protráctil.
protraimento, s. m. demora, aplazamiento.
protrair, v. tr. prolongar, demorar, aplazar.
protraível, adj. 2 gén. protráctil.
protuberância, s. f. protuberancia; pella.
protuberante, adj. 2 gén. protuberante.
prova, s. f. prueba; causa; señal; indicio; ensayo; examen; (de comidas) salva; (de vinhos) cata; gabinete de provas, probador.
provação, s. f. prueba; tormento, pena.
provado, adj. probado.
provador, s. m. probador; (de vinhos) catador; cat.
provar, v. tr. probar; catar; demostrar; ensayar; padecer.
provável, adj. 2 gén. probable; presuntivo.
provedor, s. m. proveedor.
provedoria, s. f. proveeduría.
proveito, s. m. provecho; pro.
proveitoso, adj. provechoso.
provençal, adj. 2 gén. provenzal.
proveniência, s. f. proveniencia, procedencia, origen.
proveniente, adj. 2 gén. proveniente.
provento, s. m. provento, lucro.
prover, v. tr. prever; prevenir; preparar; disponer; conferir; proveer; surtir.
proverbial, adj. 2 gén. proverbial.
provérbio, s. m. proverbio.
proveta, s. f. probeta.
providência, s. f. providencia.
providencial, adj. 2 gén. providencial.
providenciar, v. intr. providenciar.
providente, adj. 2 gén. próvido.
provido, adj. próvido; prevenido.
provimento, s. m. proveimiento.
província, s. f. provincia.
provincial, I. adj. 2 gén. provincial. II. s. 1. m. provincial. 1. f. provinciala.
provincialato, s. m. provincialato.
provincianismo, s. m. provincianismo.
provinciano, adj. e s. m. provinciano.
provindo, adj. proveniente, procedente, oriundo.
provir, v. m. provenir.
provisão, s. f. provisión; suministro.
provisional, adj. 2 gén. provisional, provisorio.

provisor, I. s. m. provisor. II. adj. proveedor.
provisório, adj. provisional, provisorio.
provocação, s. f. provocación.
provocador, adj. e s. m. provocador.
provocante, adj. e s. 2 gén. provocador, provocativo.
provocar, v. tr. provocar.
provocativo, adj. provocativo.
proxeneta, s. 2 gén. proxeneta.
proxenetismo, s. m. proxenetismo.
proximidade, s. f. proximidad; cercanía, vecindad.
próximo, I. adj. próximo; inmediato; cercano; vecino. II. s. m. prójimo; el conjunto de todos los hombres.
prudência, s. f. prudencia; precaución; sabiduría; sensatez; seso.
prudente, adj. 2 gén. prudente; prudencial; sensato.
pruído, s. m. prurito.
prumada, s. f. plomada.
prumo, s. m. plomada, plomo; a prumo, a plomo.
prurido, s. m. prurito, salpullido, comezón, picazón.
pruriente, adj. 2 gén. pruriginoso.
prurigem, s. f. MED. prurigo.
prurir, v. tr. causar picazón a; estimular.
prussiano, adj. e s. m. prusiano.
prussiato, s. m. prusiato.
prússico, adj. prúsico.
prusso, adj. e s. m. prusiano.
pseudónimo, adj. pseudónimo; seudónimo.
psicanalisar, v. tr. psicoanalizar, sicoanalizar.
psicanálise, s. f. psicoanálisis; sicoanálisis.
psicanalista, s. 2 gén. psicoanalista; sicoanalista.
psicanalítico, adj. psicoanalítico, sicoanalítico.
psicodélico, adj. psicodélico, sicodélico.
psicodrama, s. m. psicodrama, sicodrama.
psicofármaco, s. m. sicofármaco.
psicologia, s. f. psicología, sicología.
psicológico, adj. psicológico, sicológico.
psicólogo, s. m. psicólogo, sicólogo.
psicomotriz, adj. psicomotriz, sicomotriz.
psicopata, s. 2 gén. psicópata, sicópata.
psicopatia, s. f. psicopatía, sicopatía.
psicopático, adj. psicopático, sicopático.

psicopatologia, s. f. psicopatología, sicopatología.

psicose, s. f. psicosis, sicosis.

psicossomático, adj. psicosomático, sicosomático.

psicoterapeuta, s. 2 gén. psicoterapeuta, sicoterapeuta.

psicoterapia, s. f. psicoterapia, sicoterapia.

psicótico, adj. psicótico, sicótico.

psique, s. f. psique, sique.

psiquiatra, s. 2 gén. psiquiatra, siquiatría.

psiquiatria, s. f. psiquiatría, siquiatria.

psiquiátrico, adj. psiquiátrico, siquiátrico.

psíquico, adj. psíquico, síquico.

psoríase, s. f. psoriasis; soriasis.

pterodáctilo, s. m. pterodáctilo.

pua, s. f. púa; puya; berbiquí.

pube, s. f. pubis.

puberdade, s. f. pubertad.

púbere, adj. e s. 2 gén. púber.

púbico, adj. púbico.

púbis, s. f. ANAT. púbis.

publicável, adj. 2 gén. publicable.

publicação, s. f. publicación.

publicamente, adv. públicamente.

publicano, s. m. publicano.

publicar, v. tr. publicar.

publicidade, s. f. publicidad.

publicista, s. 2 gén. publicista.

publicitário, adj. e s. m. publicitario.

público, I. adj. público; paladino; do sector público, para-estatal. II. s. m. público.

púcara, s. f. especie de vasija con asa.

pudendo, adj. pudendo; vergonzoso.

pudente, adj. 2 gén. pudoroso.

pudibundo, adj. pudibundo, pudoroso.

pudico, adj. púdico, pudoroso.

pudim, s. m. pudín, budín.

pudor, s. m. pudor.

puericultor, s. m. puericultor.

puericultura, s. f. puericultura.

pueril, adj. 2 gén. pueril.

puerilidade, s. f. puerilidad.

puérpera, s. f. puérpera.

puerperal, adj. 2 gén. puerperal.

puerpério, s. m. puerperio.

púgil, s. m. púgil, pugilista.

pugilato, s. m. pugilato.

pugilismo, s. m. pugilismo.

pugilista, s. m. e f. pugilista.

pugna, s. f. pugna, pelea.

pugnador, adj. e s. m. pugnador.

pugnar, v. intr. pugnar.

pugnaz, adj. 2 gén. pugnaz.

puir, v. tr. usar.

pujança, s. f. pujanza.

pujante, adj. 2 gén. pujante.

pujar, v. tr. pujar; superar; aventajar.

pular, v. ijnr. saltar.

pulcritude, s. f. pulcritud.

pulcro, adj. pulcro.

pulga, s. f. ZOOL pulga.

pulgão, s. m. pulgón.

pulgoso, adj. pulgoso.

pulguento, adj. pulgoso.

pulha, s. f. pulla; mentira.

pulhice, s. f. acción vil.

pulhismo, s. m. vd. **pulhice**.

pulmão, s. m. ANAT. pulmón.

pulmonar, adj. 2 gén. pulmonar.

pulo, s. m. salto; pulsación violenta; agitación.

púlpito, s. m. púlpito.

pulsação, s. m. pulsación.

pulsar, I. v. tr. e intr. pulsar; tocar; golpear; palpitar. II. s. m. pulsar.

pulsátil, adj. 2 gén. pulsátil.

pulsativo, adj. pulsativo.

pulseira, s. f. pulsera.

pulso, s. m. pulso; (arterial) pulso (arteria).

pulular, v. intr. pulular; brotar renuevos; germinar con rapidez; abundar.

pulverização, s. f. pulverización.

pulverizador, s. m. pulverizador.

pulverizar, v. tr. pulverizar.

pulverulento, adj. pulverulento.

puma, s. m. ZOOL. puma.

punção, s. 1. f. punción. 2. s. m. punzón.

punçar, v. tr. puncionar; punzar, pinchar.

puncionar, v. tr. puncionar.

punçoar, v. tr. puncionar.

pundonor, s. m. pundonor.

pundonoroso, adj. pundonoroso.

pungente, adj. 2 gén. punzante.

pungimento, s. m. pungimiento; arrepentimiento.

pungir, v. tr. punzar.

punhada, s. f. puñetazo.

punhado, s. m. puñado.

punhal, s. m. puñal.

punhalada, s. f. puñalada.

punho, s. m. puño; la mano cerrada; puño de las mangas.

punição, s. f. punición.

púnico, adj. púnico, cartaginés; traidor, pérfido.

punidor, s. m. punidor.

punir, v. tr. penar, castigar, reprimir.

punitivo, adj. punitivo.

punível, *adj. 2 gén.* punible.
puntura, *s. f.* puntura.
pupa, *s. f.* pupa.
pupila, *s. f.* ANAT. pupila; niña del ojo; *(discípula)* pupila.
pupilagem, *s. f.* pupilaje.
pupilar, **I.** *adj.* 2 *gén.* pupilar. **II.** *intr.* cantar (el pavo real).
pupilo, *s. m.* pupilo.
puré, *s. m.* puré.
pureza, *s. f.* pureza.
purga, *s. f.* purga.
purgação, *s. f.* purgación
purgante, *adj. 2 gén.* e *s. m.* purgante.
purgar, *v. tr.* purgar.
purgativo, *adj.* e *s. m.* purgante.
Purgatório, *s. m.* Purgatorio.
puridade, *s. f.* puridad
purificação, *s. f.* purificación.
purificador, *s. m.* purificador.
purificante, *adj. 2 gén.* purificante.
purificar, *v. tr.* purificar; purgar.
purificativo, *adj.* purificativo.
purismo, *s. m.* purismo.
purista, *s. 2 gén.* purista.
puritanismo, *s. m.* puritanismo.
puritano, *adj.* e *s. m.* puritano.
puro, *adj.* puro.
puro-sangue, *s. m.* purasangre.
púrpura, *s. f.* púrpura.
purpurado, *s. m.* purpurado.
purpurar, *v. tr.* purpurar.
purpurear, *v. tr.* purpurear.
purpúreo, *adj.* purpúreo.

purpurina, *s. f.* purpurina.
purulento, *adj.* purulento.
pus, *s. m.* pus, materia.
pusilânime, *adj. 2 gén.* pusilánime.
pusilanimidade, *s. f.* pusilanimidad.
pústula, *s. f.* pústula.
pustulento, *adj.* pustulento.
pustuloso, *adj.* pustuloso.
putativo, *adj.* putativo.
puto, *s. m. (fam.)* pibe.
putrefacção, *s. f.* putrefacción.
putrefacto, *adj.* putrefacto.
putrefazer, *v. tr.* corromper; pudrir, podrir.
putrescência, *s. f.* putrescencia.
putrescente, *adj. 2 gén.* putrescente.
putrescível, *adj. 2 gén.* putrescible.
pútrido, *adj.* pútrido.
puxada, *s. f.* empuje.
puxadeira, *s. f.* tirador, asidero; *(de porta)* pomo.
puxado, *adj.* estirado; esmerado en el vestir; afectado; muy elevado, caro.
puxador, *s. m.* tirador, asidero; *(de porta)* pomo.
puxante, *adj. 2 gén.* tirante; *(fig.)* picante; caro.
puxão, *s. m.* tirón; empujón.
puxar, *v. tr.* tirar; pujar, empujar, estirar; provocar; atraer.
puxavante, *adj. 2 gén.* picante; excitante; caro.
puxo, *s. m.* pujo, tenesmo.

Q

quadra, s. f. sala cuadrada; cuatro (naipe); cuarteto (versos); época.
quadrado, adj. cuadrado s. m. cuadrado; *elevar ao quadrado*, elevar al cuadrado.
quadradura, s. f. cuadradura, cuadratura.
quadragenário, adj. e s. m. cuadragenario.
quadragésima, s. f. cuadragésima.
quadragesimal, adj. 2 gén. cuadragésimo.
quadragésimo, num. e s. m. cuadragésimo.
quadrangulado, adj. vd. **quadrangular**.
quadrangular, adj. cuadrangular.
quadrante, s. m. cuadrante.
quadrar, v. 1. tr. cuadrar; cuadricular 2. intr. agradar; adaptarse.
quadratim, s. m. cuadratín.
quadratura, s. f. cuadratura; recuadro.
quadricípite, s. m. ANAT. cuádriceps.
quadrícula, s. f. cuadrícula.
quadricular, I. v. tr. cuadricular. II. adj. 2 gén. cuadricular.
quadrienal, adj. 2 gén. cuadrienal.
quadriénio, s. m. cuadrienio, cuatrienio.
quadriga, s. f. cuadriga.
quadril, s. m. cuadril.
quadrilateral, adj. 2 gén. cuadriláterol.
quadrilátero, s. m. cuadrilátero.
quadrilha, s. f. cuadrilla.
quadrilheiro, s. m. cuadrillero, salteador.
quadrilongo, adj. e s. m. cuadrilongo.
quadrimestral, adj. cuadrimestral.
quadrimestre, s. m. cuatrimestre.
quadringentésimo, num. cuadringentésimo.
quadrinómio, s. m. cuadrinomio.
quadrissilábico, adj. cuadrisílabo.
quadrissílabo, adj. e s. m. cuadrisílabo.
quadrívio, s. m. cuadrivio.
quadro, s. m. cuadro; obra pictórica; encerado; pizarra (escolar); escena.
quadrúmano, adj. ZOOL. cuadrúmano, cuadrumano.
quadrúnviro, s. m. cuadrunviro.
quadrúpede, adj. ZOOL. cuadrúpedo.
quadruplicar, v. tr. cuadruplicar.
quádruplo, num. e s. m. cuádruple.

qual, I. adj. e pron. cual, que. II. conj. como. III. interj. ¡ahora!, ¡eso si!, (fam.) ¡quiá!
qualidade, s. f. cualidad.
qualificação, s. f. calificación.
qualificado, adj. calificado.
qualificar, v. tr. calificar, clasificar; ennoblecer.
qualificativo, adj. e s. m. calificativo; calificador.
qualificável, adj. 2 gén. calificable.
qualitativo, adj. cualitativo.
qualquer, pron. e adj. cualquier, cualquiera.
quando, adv. e conj. cuando.
quantia, s. f. cantidad, suma, cuantía.
quantidade, s. f. cantidad.
quantioso, adj. cuantioso.
quanto, pron., adj. e adv. cuanto.
quantum, e s. m. quantum.
quarenta, num. e s. m. cuarenta.
quarentão, adj. e s. m. cuarentón.
quarentena, s. f. cuarentena.
quarentenário, adj. cuarentenario.
quarentona, adj. e s. f. cuarentona.
quaresma, s. f. cuaresma.
quaresmal, adj. 2 gén. cuaresmal.
quarta, s. f. cuarta; pequeño cántaro.
quartã, s. f. cuartana.
quarta-feira, s. f. miércoles.
quartear, v. tr. cuartear.
quarteirão, s. m. cuarta parte de un ciento.
quartejar, v. tr. cuartear; vd. **esquartejar**.
quartel, s. m. cuartel.
quarteleiro, s. m. cuartelero.
quarterão, s. m. cuarterón.
quarteto, s. m. LIT. cuarteta (versos); MÚS. cuarteto.
quartilho, s. m. cuartillo.
quarto, I. num. e s. m. cuarto. II. s. m. cuarto, aposento; tiempo de centinela.
quartzífero, adj. cuarzoso.
quartzite, s. f. cuarcita.
quartzo, s. m. cuarzo.
quartzoso, adj. cuarzoso.
quasar, s. m. quásar.
quase, adv. cuasi, cerca de.

quássia, *s. f.* BOT. cuasia.
quaternário, *adj.* e *s. m.* cuaternario.
quatrilião, *s. m.* cuatrllón.
quatrocentos, *num.* cuatrocientos.
quatuórviro, *s. m.* cuatorviro; cuadrún-
viro.
que, *pron.* e *conj.* que.
quê, **I.** *s. m.* alguna cosa; dificultad.
II. *pron.* qué?
quebra, *s. f.* quiebra; rotura; perjuicio;
desunión.
quebra-cabeças, *s. m.* puzzle, rompecabezas.
quebrada, *s. f.* quiebra, quebrada; quebradura; cuesta pendiente, declive.
quebradela, *s. f.* quebradura, quiebra,
rompimiento.
quebradiço, *adj.* quebradizo; rompedero; quebrable; frágil; rompible.
quebrado, *adj.* partido; arruinado; MAT.
quebrado.
quebradura, *s. f.* quebradura; hernia.
quebra-gelo, *s. m.* rompe-hielos.
quebra-mar, *adj.* quebrantaolas; rompeolas.
quebrantado, *adj.* quebrado.
quebrantamento, *s. m.* quebrantamiento.
quebrantar, *v. tr.* quebrantar; romper;
infringir; violar; vencer; debilitar.
quebranto, *s. m.* quebranto; decaimiento;
falta de fuerza.
quebrar, *v. tr.* quebrar; quebrantar; romper; partir; hender; rajar; doblar; infringir; violar; debilitar.
quebrável, *adj.* 2 *gén.* rompible.
quebreira, *s. f.* (*fam.*) decaimiento; lasitud.
queda, *s. f.* caída; revolcón; culpa; inclinación; fin; quiebra; tendencia; ruina.
quedar, *v. intr.* quedar; quedarse; permanecer.
quedo, *adj.* quedo, quieto; inmóvil; calmo.
queijada, *s. f.* quesada, quesadilla.
queijaria, *s. f.* quesería.
queijeira, *s. f.* quesera.
queijeiro, *s. m.* quesero.
queijo, *s. m.* queso.
queima, *s. f.* quema, quemazón.
queimação, *s. f.* quemazón.
queimadela, *s. f.* quemadura.
queimado, *adj.* quemado.
queimador, *s. m.* quemador.
queimadura, *s. f.* quemadura, quemazón.
queimante, *adj.* 2 *gén.* quemante; picante.
queimar, *v. tr.* quemar; abrasar con fuego;
tostar; calcinar; marchitar.

queima-roupa, *à queima-roupa,* a quemarropa.
queimor, *s. m.* ardor; picor; quemazón.
queixa, *s. f.* queja; quejido; disgusto;
enojo; querella.
queixada, *s. f.* quijada.
queixal, *s. m.* quijar, quijal, muela.
queixar-se, *v. refl.* quejarse; querellarse.
queixinhas, *adj.* e *s.* 2 *gén.* quejicas.
queixo, *s. m.* mentón, barbilla; quijada.
queixoso, *adj.* e *s. m.* quejoso; querellante.
queixume, *s. m.* quejumbre, quejido.
quelha, *s. f.* callejuela.
quelónio, *s. m.* quelonio.
quem, *pron.* quien; el cual; la cual; los cuales; las cuales; alguien que; uno; *quem
quer,* quienquiera.
quente, *adj.* 2 *gén.* caliente.
quentura, *s. f.* calor.
quépi, *s. m.* quepis.
quer... quer, *conj.* ya... ya; o... o; sea... sea.
queratina, *s. f.* queratina.
querela, *s. f.* querella; *promover querela,*
querellarse.
querelante, *adj.* e *s.* 2 *gén.* querellante.
querelar, *v. intr.* querellar.
querena, *s. f.* carena.
querenar, *v. tr.* carenar.
querença, *s. f.* querencia; voluntad.
querer, **I.** *v. tr.* querer; desear; pretender.
II. *s. m.* querer, voluntad; afecto.
querida, *s. f.* querida, amante.
querido, *adj.* e *s. m.* querido; amado; caro,
apreciado.
quermes, *s. m.* quermes.
quermesse, *s. f.* quermés.
querubim, *s. m.* querubín.
questão, *s. f.* cuestión.
questionar, *v. tr.* cuestionar.
questionário, *s. m.* cuestionario.
questor, *s. m.* cuestor.
questura, *s. f.* cuestura.
quezilar, *v. tr.* repugnar; importunar, molestar.
quezilento, *adj.* rencilloso.
quezília, *s. f.* regañina.
quiçá, *adv.* quizá, quizás.
quíchua, *adj.* e *s.* 2 *gén.* quechua, quichua.
quício, *s. m.* quicio.
quiebro, *s. m.* TAUR. quiebro.
quietação, *s. f.* quietud; remanso.
quieto, *adj.* quieto.
quietud, *s. f.* quietud.
quilatação, *s. f.* quilatación.
quilate, *s. m.* quilate.

quilha, s. f. NÁUT. quilla.
quilífero, adj. quilífero.
quilificação, s. f. quilificación.
quilificar, v. tr. quilificar.
quilo, s. m. quilo, líquido; kilo, peso.
quilograma, s. m. quilogramo, quilo.
quilolitro, s. m. quilolitro.
quilómetro, s. m. quilómetro.
quilovátio, s. m. kilovatio, kilowatt.
quilowatt, s. m. kilowat, kilovatio.
quimera, s. f. quimera; fantasía; ilusión; absurdo.
quimérico, adj. quimérico; imaginario; fantástico.
química, s. f. química.
químico, adj. químico.
quimificação, s. f. quimificación.
quimificar, v. tr. quimificar.
quimioterapia, s. f. quimioterapia.
quimo, s. m. quimo
quimono, s. m. quimono.
quina, s. f. quina; corteza del quino; quina, quinina; BOT. quina.
quinado, adj. quinado.
quinaquina, s. f. quina.
quinar, v. tr. e intr. preparar com quina.
quinchorro, s. m. huerto pequeño; corral.
quineira, s. f. BOT. quino.
quingentésimo, adj. quingentésimo.
quinhão, s. m. quiñón.
quinhentista, s. 2 gén. quinientista.
quinhentos, num. card. quinientos.
quinhoar, v. tr. repartir, dividir.
quinina, s. f. quinina.
quinino, s. m. sulfato de quinina.
quino, s. m. juego de lotería.
quinquagenário, adj. e s. m. quincuagenario.
quinquagésima, s. f. quincuagésima.
quinquagésimo, num. quincuagésimo.
quinquenal, adj. 2 gén. quinquenal.
quinquénio, s. m. quinquenio.
quinquilharia, s. f. quincallería; quincalla.
quinquilheiro, s. m. quincallero.
quinta, s. f. quinta; finca rústica; hacienda, rancho.

quinta-feira, s. f. jueves.
quintal, s. m. quinta pequeña; quintal, peso; huerto pequeño.
quintão, s. m. quintería, quinta grande; finca grande; hacienda; huerta.
quintar, v. tr. quintar.
quinteira, s. f. quintera; hortelana.
quinteiro, s. m. aperador; quintero; hortelano.
quinteto, s. m. quinteto.
quintilha, s. f. quintilla.
quinto, I. num. ord. quinto. II. s. m. quinto; pl. (fig.) quimbambas.
quintuplicação, s. f. quintuplicación.
quintuplicar, v. tr. quintuplicar.
quíntuplo, adj. e num. quíntuplo.
quinze, num. quince.
quinzena, s. f. quincena.
quinzenal, adj. 2 gén. quincenal.
quinzenário, s. m. quincenario.
quiosque, s. m. quiosco.
quiproquó, s. m. equívoco.
quiragra, s. f. quiragra.
quirologia, s. f. quirología.
quiromancia, s. f. quiromancía, quiromancia.
quiromante, s. 2 gén. quiromántico.
quiróptero, adj. e s m. ZOOL. quiróptero.
quisto, s. m. quiste.
quitação, s. f. quita.
quitanda, s. f. abacería.
quitar, v. tr. quitar, desempeñar; evitar; perder; dejar.
quite, adj. quito, pagado; desembarazado; apartado.
quitina, s. f. quitina.
quitinoso, adj. quitinoso.
quixotada, s. f. quijotada.
quixote, s. m. quijote.
quixotesco, adj. quijotesco.
quixotismo, s. m. quijotismo.
quociente, s. m. cociente.
quórum, s. m. quorum.
quota, s. f. cuota; quiñón.
quotidiano, adj. cotidiano.
quotização (qu-ò), s. f. cotización.
quotizar, v. tr. cotizar.

R

rã, *s. f.* ZOOL. rana.
rabaceiro, *adj.* que gusta la fruta; juerguista; calavera.
rabada, *s. f.* cola de pescado; rabada; rabadilla.
rabadilha, *s. f.* rabadilla.
rabanada, *s. f.* rabotada, golpe con el rabo; ráfaga de viento.
rabanal, *s. m.* rabanal.
rabanete, *s. m.* BOT. rabanillo, rábano.
rábano, *s. m.* BOT. rábano.
rabão, *adj.* rabón.
rabeador, *adj.* rabeador, que mueve mucho el rabo (caballo).
rabear, *v. intr.* rabear, menear el rabo; irarse.
rabeca, *s. f.* MÚS. rabel.
rabecada, *s. f.* toque de *rabeca; (fig.)* reprensión.
rabecão, *s. m.* MÚS. contrabajo.
rabeira, *s. f.* rabera; cola de vestido; pingajo.
rabela, *s. f.* dental, parte del arado.
rabi, *s. m.* rabí, rabino.
rabiça, *s. f.* mancera o estera del arado.
rabicho, *s. m.* atahara, atafal, grupera del caballo.
rábico, *adj.* rábico.
rabicurto, *adj.* rabicorto.
rábido, *adj.* rábido.
rabigo, *adj.* bullicioso, inquieto.
rabilongo, *adj.* rabilargo.
rabinho, *s. m.* rabillo.
rabinice, *s. f.* rabinismo.
rabínico, *adj.* rabínico.
rabinismo, *s. m.* rabinismo.
rabino, I. *adj.* picarillo, turbulento. II. *s. m.* rabino.
rabioso, *adj.* rabioso; hidrófobo.
rabisca, *s. f.* garabatos, garrapatos (dícese de la mala letra).
rabiscar, *v. intr.* escarabajear, escribir mal.
rabisseco, *adj.* seco, árido.
rabistel, *s. m.* nalgas, posaderas, asentaderas.
rabo, *s. m.* rabo, cola; *(fam.)* nalgas; *amarrar pelo rabo*, rabiatar.

rabona, *s. f.* casaca con faldones, frac.
rabotar, *v. tr.* acepillar (labrar la macera).
rabote, *s. m.* cepillo de carpintero.
raboto, *adj.* rabón.
rabudo, *adj.* rabudo; rabilargo; raboso.
rabuge, *s. f.* vd. **rabugem**.
rabugem, *s. f.* sarna de perro; *(fig.)* impertinencia; mal humor.
rabugento, *adj.* sarnoso (perro o cerdo); caprichoso, regañón, áspero de genio.
rabugice, *s. f.* mal humor; mal genio; impertinencia.
rabujar, *v. intr.* irritarse, enfadarse.
rábula, *s. m.* rábula, abogado charlatán y vocinglero; bocón.
rabular, *v. intr.* armar pleitos, enredos; levantar causas a alguno.
rabulice, *s. f.* enredo, trapacería, engaño.
raça, *s. f.* raza; linaje.
ração, *s. f.* ración, pitanza.
racha, *s. f.* grieta, raja, hendidura; raza; rendija.
rachadeira, *s. f.* rajadera.
rachador, *s. m.* rajador; leñador.
rachar, *v. tr.* rajar; hender; agrietar; reventar.
racial, *adj. 2 gén.* racial.
racimado, *adj.* arracimado.
racimo, *s. m.* racimo.
racimoso, *adj.* racimoso.
rácio, *s. m.* ratio.
raciocinador, *s. m.* raciocinador.
raciocinar, *v. intr.* raciocinar; razonar.
raciocínio, *s. m.* raciocinio; razonamiento.
racional, *adj. 2 gén.* racional.
racionalidade, *s. f.* racionalidade.
racionalismo, *s. m.* racionalismo.
racionalista, *adj. e s. 2 gén.* racionalista.
racionalização, *s. f.* racionalización.
racionalizar, *v. tr.* racionalizar.
racionamento, *s. m.* racionamiento.
racionar, *v. tr.* racionar.
racismo, *s. m.* racismo.
racista, *adj. e s. 2 gén.* racista.
raçoar, *v. tr.* racionar.
radão, *s. m.* radón.
radar, *s. m.* radar.
radiação, *s. f.* radiación.

radiactividade, s. f. radiactividad. radio-actividad.
radiactivo, adj. radiactivo, radioactivo.
radiado, adj. radiado.
radiador, s. m. radiador.
radial, adj. 2 gén. radial.
radiano, s. m. radián.
radiante, adj. 2 gén. radiante.
radiar, v. intr. radiar.
radiários, s. m. pl. radiarios.
radicação, s. f. radicación.
radical, I. adj. 2 gén. radical. II. s. m. GRAM./MAT. radical.
radicalismo, s. m. radicalismo.
radicalizar, v. tr. radicalizar.
radicar, v. tr. radicar, radicarse.
radiciação, s. f. radiciación.
radicícola, adj. 2 gén. radicícola.
radiciforme, adj. 2 gén. radiciforme.
radicívoro, adj. radicívoro.
radícula, s. f. radícula.
radicular, adj. 2 gén. radicular.
radielectricidade, s. f. radioelectricidad.
rádio, s. 1. m. ANAT. radio. 2. f. radio, radiodifusión.
radioactividade, s. f. radioactividad, radiactividad.
radioactivo, adj. radioactivo, radiactivo.
radioamador, s. m. radioaficionado.
radiobiologia, s. f. radiobiología.
radiocassete, s. f. radiocasete.
radiocomunicação, s. f. radiocomunicación.
radiocontrol, s. m. radiocontrol.
radiocondutor, s. m. radioconductor.
radiodiagnóstico, s. m. radiodiagnóstico.
radiodifundir, v. tr. radiodifundir.
radiodifusão, s. f. radiodifusión, radio.
radioelectricidade, s. f. radioelectricidad.
radioemissor, s. m. radiotransmisor.
radiofonia, s. f. radiofonía.
radiofónico, adj. radiofónico.
radiofotografia, s. f. radiofotografía.
radiofrequência, s. f. radiofrecuencia.
radiografar, v. tr. radiografiar.
radiografia, s. f. radiografía.
radiologia, s. f. radiología.
radiologista, s. 2 gén. radiólogo.
radiometria, s. f. radiometria.
radiómetro, s. m. radiómetro.
radionovela, s. f. radionovela.
radiorreceptor, s. m. radiorreceptor.
radioscopia, s. f. radioscopia.
radiotáxi, s. m. radiotaxi.

radiotecnia, s. f. radiotecnia.
radiotelefonia, s. f. radiotelefonía.
radiotelefone, s. m. radioteléfono.
radiotelegrafia, s. f. radiotelegrafía.
radiotelegráfico, adj. radiotelegráfico.
radiotelegrafista, s. 2 gén. radiotelegrafista.
radiotelescópio, s. m. radiotelescopio.
radiotelevisão, s. f. radiotelevisión.
radioterapia, s. f. radioterapia.
radiotransmissão, s. f. radiotransmisión.
radiotransmissor, s. m. radiotransmisor.
radiotransmitir, v. tr. radiotransmitir.
radiouvinte, s. 2 gén. radioyente, radioescucha.
rádon, s. m. radón.
raer, v. tr. raer.
rafado, adj. raído, gastado, muy usado.
rafar, v. tr. gastar, raer, usar mucho; hurtar en el peso.
ráfia, s. f. BOT. rafia.
raglã, adj. raglán; mangas raglã, mangas raglán.
ragu, s. m. ragú.
râguebi, s. m. rugby.
raia, s. f. raya; límite, frontera; estría, rasgo; ZOOL. raya.
raiado, adj. rayado.
raiano, adj. rayano, fronterizo.
raiar, v. 1. tr. radiar; estriar. 2. intr. rayar, amanecer; surgir; confinar.
raid, s. m. raid; raid aéreo, raid aéreo.
rail, s. m. rail, raíl.
rainha, s. f. reina.
raio, s. m. chispa, centella, rayo; GEOM. radio.
raiva, s. f. rabia; hidrofobia; furia; ira; odio.
raivar, v. intr. rabiar, enfurecerse.
raivento, adj. rabioso.
raivoso, adj. rabioso.
raiz, s. f. raíz; as raízes, (fig.) raigambre.
raizame, s. m. raigambre.
rajá, s. m. rajá.
rajada, s. f. ráfaga; racha; de rajada, racheado.
rajar, v. tr. rajar, estriar.
ralação, s. f. aflicción.
ralador, I. adj. impertinente, inoportuno. II. s. m. rallador.
raladura, s. f. ralladura.
ralar, v. tr. rallar.

ralhação, *s. f.* regaño, riña.
ralhador, *s. m.* reñidor.
ralhar, *v. intr.* reñir, reprender; regañar.
ralho, *s. m.* regaño, riña.
ralo, I. *s. m.* colador, criba; rejilla, mirilla de puerta; rótula; reja, de confesonario. II. *adj.* ralo, raro.
rama, *s. f.* BOT. rama, ramaje, enramada.
ramada, *s. f.* ramaje; enramada.
Ramadã, *s. m.* Ramadán.
Ramadão, *s. m.* Ramadán.
ramado, *adj.* ramoso.
ramagem, *s. f.* ramaje.
ramal, *s. m.* ramal.
ramalhada, *s. f.* ramallada; ramazón; ramiza; ramojo.
ramalhar, *v. intr.* susurrar el viento en las ramas.
ramalhete, *s. m.* ramillete; ramo.
ramalheteira, *s. f.* ramilletera.
ramalho, *s. m.* rama; *pl.* ramazón; ramiza; ramojo.
ramalhudo, *adj.* frondoso, ramoso.
ramaria, *s. f.* ramaje.
rameira, *s. f.* meretriz; ramera.
ramerrão, *s. m.* runrún, ruido monótono; lata, rutina, monotonía.
ramificação, *s. f.* ramificación; ramal.
ramificar, *v.* 1. *tr.* ramificar. 2. *refl.* ramificarse.
ramilhete, *s. m.* ramillete.
ramo, *s. m.* BOT. ramo; ramillete; rama.
ramoso, *adj.* ramoso.
rampa, *s. f.* rampa.
rampante, *adj. 2 gén.* rampante.
ramudo, *adj.* ramoso.
rançar, *v. intr.* enranciarse.
ranchada, *s. f.* mucha gente, oleada.
rancheiro, *s. m.* ranchero.
rancho, *s. m.* rancho, grupo; MIL. rancho; (*quinta*) rancho.
rancidez, *s. f.* rancidez, ranciedad.
râncido, *adj.* rancio.
ranço, *s. m.* verdín, ollín; rancidez, ranciedad.
rancor, *s. m.* rencor; reconcomio.
rancoroso, *adj.* rencoroso.
rançoso, *adj.* rancio.
rangedor, *adj.* rechinador.
ranger, *v. intr.* crujir, rechinar; restallar.
rangido, *s. m.* crujido; rechino.
ranho, *s. m.* moco.
ranhoso, *adj.* mocoso.

ranhura, *s. f.* ranura, muesca, encaje, entalle.
ranilha, *s. f.* (*vet.*) ranilla.
Ranunculáceas, *s. f. pl.* BOT. ranunculáceas.
ranúnculo, *s. m.* BOT. botón de oro, ranúnculo.
rapace, I. *adj.* rapaz, que roba. II. *s. f. pl.* rapaces, aves de rapiña.
rapacidade, *s. f.* rapacidad, rapacería; avidez.
rapadela, *s. f.* rapadura.
rapadura, *s. f.* raspadura.
rapagão, *s. m.* rapagón, mozo joven; mocetón.
rapapé, *s. m.* cortesía o reverencia exagerada.
rapar, *v. tr.* raspar; cortar; desgastar cortando; raer; (*fig.*) rapar, rapiñar, robar.
rapariga, *s. f.* moza; muchacha; rapaza.
raparigota, *s. f.* muchacha.
rapaz, I. *s. m.* rapaz; mozo. II. *adj. 2 gén.* rapaz; vd. **rapace.**
rapazelho, *s. m.* mozuelo.
rapaziada, *s. f.* muchachada.
rapazio, *s. m.* muchachada.
rapazola, *s. m.* rapagón, rapacejo, muchacho.
rapé, *s. m.* rapé.
rapidez, *s. f.* rapidez.
rápido, I. *adj.* rápido. II. *s. m.* rabión.
rapina, *s. f.* rapiña; rapto.
rapinador, *s. m.* rapiñador.
rapinante, *adj. e s. 2 gén.* rapiñador.
rapinar, *v. tr.* rapiñar, hurtar, robar.
rapioca, *s. f.* (*fam.*) calaverada; juerga.
rapioqueiro, *adj.* juerguista; divertido.
raposa, *s. f.* ZOOL. raposa, zorra; *toca de raposa*, raposera.
raposeira, *s. f.* raposera, zorrera; madrig.
raposeiro, *adj.* zorrastrón; martagán; astuto, solapado.
raposice, *s. f.* maulería; zorrería; maña, astucia; raposeo.
raposinho, *adj.* raposino.
raposo, *s. m.* ZOOL. raposo, zorro; astuto, mañoso.
rapsódia, *s. f.* rapsodia.
rapsódico, *adj.* rapsódico.
raptador, *adj. e s. m.* raptor.
raptar, *v. tr.* raptar.
rapto, *s. m.* rapto.
raptor, *s. m.* raptor.
raqueta, *s. f.* raqueta.
raquitismo, *s. m.* raquitismo.

rarear, v. tr. enrarecer.
rarefacção, s. f. rarefacción.
rarefaciente, adj. rarefaciente.
rarefactível, adj. rarefactible.
rarefacto, adj. rarefacto.
rarefazer, v. tr. rarefacer.
rarefeito, adj. rarefacto; raro.
rareza, s. f. rareza.
raridade, s. f. rareza, raridad.
raro, adj. raro, ralo; (de regados) roseta.
rasa, s. f. rasero; pela mesma rasa, por el mismo rasero.
rasante, adj. 2 gén. rasante.
rasão, s. m. rasero.
rasar, v. tr. rasar.
rasca, s. f. rasca, red para pescar; ordinario, vil.
rascada, s. f. dificultades.
rascador, s. m. rascador.
rascante, s. m. rascón (vino).
rascão, s. m. vagabundo.
rascar, v. tr. rascar, refregar; raspar; arañar.
rascoa, s. f. meretriz.
rascunhar, v. tr. rasguñar.
rascunho, s. m. rasguño; minuta, borrador.
rasgadela, s. f. rasgadura; rasgón.
rasgado, adj. rasgado.
rasgador, adj. rasgador.
rasgão, s. m. rasgón; rasgadura; rasgo.
rasgar, v. tr. rasgar, romper; desgarrar; herir; abrir; hender; disipar.
rasgável, adj. 2 gén. rompible.
rasgo, s. m. rasgón; rasgo.
raso, adj. raso; raso; puro; liso, llano.
rasoira, s. f. rasero.
rasoura, s. f. rasero.
rasourar, v. tr. rasar; nivelar.
raspa, s. f. raspadura.
raspadeira, s. f. raspador.
raspado, adj. raído; raspado.
raspador, s. m. raspador; rascador.
raspaduras, s. f. raedura, ralladura.
raspagem, s. f. raspadura.
raspanço, s. m. reprensión.
raspão, s. m. raspón, arañazo; escoriación.
raspar, v. 1. tr. raspar; rasar; rozar; rascar; arañar; rapar; raer; borrar. 2. intr. huir.
raspilha, s. f. rasqueta.
rasteiro, adj. rastrero.
rastejante, adj. 2 gén. rastrero.
rastejador, adj. rastreador.
rastejar, v. tr. e intr. rastrear; ratear; humillarse.

rastejo, s. m. rastreamiento; arrastramiento; rastreo.
rastelar, v. tr. rastrillar.
rastelo, s. m. rastrillo; AGR. grada.
rastilho, s. m. mecha.
rasto, s. m. lastro, rastra; pista, indicio.
rastreador, adj. rastreador.
rastrear, v. tr. rastrear.
rastreio, s. m. rastreo.
rastro, s. m. rastro.
rasura, s. f. raspadura; borradura, acción de borrar (lo escrito); escorias.
rata, s. f. ZOOL. rata, ratona.
ratafia, s. f. ratafia.
ratão, s. m. ZOOL. ratón.
rataplã, s. m. rataplán.
ratar, v. tr. ratonar.
rataria, s. f. abundancia de ratones.
ratazana, s. f. ratona, rata grande.
rateação, s. f. rateo, prorrateo.
ratear, v. tr. ratear.
rateio, s. m. rateo.
rateiro, adj. ratonero.
ratel, s. m. ZOOL. ratel.
ratice, s. f. gracia, donaire.
raticida, s. m. raticida.
ratificação, s. f. ratificación.
ratificar, v. tr. ratificar; revalidar.
ratina, s. f. ratina.
ratinar, v. tr. cardar.
ratinhar, v. tr. regatear mucho; escatimar.
ratinheiro, adj. ratonero, relativo a los ratones; regateador.
rato, s. m. ZOOL. ratón; (fig.) rato de biblioteca, ratón de biblioteca.
ratoeira, s. f. ratonera.
ratoneiro, s. m. ratero.
ratonice, s. f. ratería; ladronería.
ravina, s. f. barranco.
razão, s. f. razón; argumento; motivo; causa.
razia, s. f. razzia.
razoado, adj. e s. m. razonado.
razoamento, s. m. razonamiento.
razoar, v. intr. razonar.
razoável, adj. 2 gén. razonable, razonado.
ré, s. 1. f. DIR. reo; NÁUT. popa. 2. s. m. MÚS. re.
reabastecer, v. tr. reabastecer.
reabertura, s. f. reapertura.
reabilitação, s. f. rehabilitación.
reabilitar, v. tr. rehabilitar.
reabrir, v. tr. reabrir.
reabsorção, s. f. reabsorción.

reabsorver, v. tr. reabsorber.
reacção, s. f. reacción.
reaccionário, adj. reaccionario.
reacender, v. tr. volver a encender; avivar.
reactivo, adj. reactivo.
reacusação, s. f. recriminación.
reacusar, v. tr. recriminar.
readmissão, s. f. readmisión.
readmitir, v. tr. readmitir.
readquirir, v. tr. readquirir; recobrar; recuperar.
reafirmar, v. tr. reafirmar.
reagente, adj. 2 gén. e s. m. reactivo.
reagir, v. intr. reaccionar.
reagravação, s. f. reagravación.
reagravar, v. tr. reagravar.
real, I. adj. 2 gén. real, verdadero; real, regio, realengo. II. s. m. moneda antigua.
realçar, v. tr. realzar.
realce, s. m. realce; lustre.
realejo, s. m. MÚS. realejo; organillo.
realengo, adj. realengo; real; regio.
realeza, s. f. realeza.
realidade, s. f. realidad.
realismo, s. m. realismo.
realista, adj. e s. 2 gén. realista.
realistado, adj. reenganchado.
realistamento, s. m. reenganche.
realistar-se, v. refl. reengancharse.
realização, s. f. realización.
realizador, s. m. realizador.
realizar, v. tr. realizar.
realizável, adj. 2 gén. realizable.
realmente, adv. realmente.
realquilar, v. tr. subalquilar.
reanimar, v. I. tr. reanimar. II. refl. rebullirse; revivir.
reaparecer, v. intr. reaparecer.
reaparição, s. f. reaparición.
reaquecimento, s. m. recalentamiento.
reaquecer, v. tr. e intr. recalentar.
reaquisição, s. f. segunda adquisición; recobro; recuperación.
rearmar, v. tr. rearmar.
rearmamento, s. m. rearme.
reascender, v. intr. volver a ascender.
reassumir, v. tr. reasumir.
reassunção, s. f. reasunción.
reatamento, s. m. reatamiento.
reatar, v. tr. reatar; reanudar; restablecer.
reavaliação, s. f. reavaliación.
reaver, v. tr. volver a haber; recuperar.
reavisar, v. tr. volver a avisar; tornar prudente, acautelar.

reavivar, v. tr. reavivar; revivificar.
rebaixamento, s. m. rebajamiento.
rebaixar, v. tr. rebajar; humillar; abatir.
rebaixo, s. m. rebajo.
rebanhada, s. f. rebaño grande.
rebanhar, v. tr. hatajar, apriscar; rebañar.
rebanho, s. m. rebaño.
rebaptizar, v. tr. rebautizar.
rebarba, s. f. resalto, reborde; rebalba.
rebarbador, s. m. obrero o aparato que quita las *rebarbas*.
rebarbativo, adj. que tiene papada; gordo; rudo, desagradable.
rebate, s. m. rebate; pendencia; amenaza; rebato; repiqueteo; señal de alarma, presentimiento.
rebater, v. tr. rebatir; refutar; impugnar; rechazar; rebotar.
rebatimento, s. m. rebate; rebatimiento; descuento.
rebatível, adj. 2 gén. rebatible.
rebato, s. m. umbral de una puerta; escalón.
rebeca, s. f. MÚS. rabel.
rebelão, adj. rebelón, dícese del caballo; terco, obstinado.
rebelar, v. 1. tr. volver rebelde. 2. refl. rebelarse.
rebelde, adj. 2 gén. rebelde.
rebeldia, s. f. rebeldía.
rebelião, s. f. rebelión.
rebenta-boi, s. m. BOT. belladona.
rebentado, adj. reventado.
rebentão, s. m. BOT. reventón, renuevo; plantón.
rebentar, v. intr. e tr. reventar; explotar; deshacerse en espuma (las olas); brotar; nacer; germinar; romper; retallecer.
rebentina, s. f. rabieta, berrinche.
rebento, s. m. BOT. yema, gema, botón; retallo; retoño; vástago.
rebitadeira, s. f. remachadora.
rebitadora, s. f. remachadora.
rebitar, v. tr. remachar.
rebite, s. m. remache; roblón.
rebo, s. m. callao, guijarro.
reboante, adj. 2 gén. retumbante.
reboar, v. intr. retumbar.
rebobinado, adj. rebobinado.
rebobinar, v. tr. rebobinar.
rebocador, adj. e s. m. revocador; NÁUT. remolcador.
rebocadura, s. f. remolque; revocadura, revoque.
rebocar, v. tr. revocar, enlucir las paredes; remolcar.

reboco, *s. m.* revoque, revoco.
rebolado, *s. m.* contoneo; bamboleo; meneo.
rebolar, *v.* **1.** *tr.* rodar; arrollar. **2.** *refl.* bambolearse.
rebolaria, *s. f.* fanfarronada.
reboleiro, *s. m.* cencerro.
rebolo, *s. m.* mollejón, piedra de amolar, amoladera.
reboludo, *adj.* rebolludo; regordete.
reboo, *s. m.* retumbo; estampido; rebombe.
reboque, *s. m.* remolque.
rebordar, *v. tr.* bordear; rebordear.
rebordo, *s. m.* reborde.
rebotalho, *s. m.* deshecho.
rebotar, *v. tr.* embotar; entorpecer.
rebote, *s. m.* rebote.
rebramar, *v. tr.* rebramar.
rebrilhar, *v. tr.* rebrillar.
rebuçado, *s. m.* caramelo.
rebuçar, *v. tr.* embozar; velar; esconder; disfrazar.
rebuço, *s. m.* embozo (de la capa), solapa; *(fig.)* tapadillo; disfraz.
rebuliço, *s. m.* alboroto, desorden, revoltijo, revoltillo.
rebulir, *v. tr.* rebullir.
rebusca, *s. f.* rebuscamiento.
rebuscado, *adj.* rebuscado.
rebuscar, *v. tr.* rebuscar; escudriñar.
rebusqueiro, *s. m.* rebuscador.
recadeira, *s. f.* recadera.
recadeiro, *s. m.* recadero.
recado, *s. m.* recado; mensaje; aviso; mandado; *(fam.)* represión; *pl.* recuerdos, saludos; compras.
recaída, *s. f.* recaída.
recair, *v. intr.* recaer; reincidir.
recalcamento, *s. m.* recalcadura.
recalcar, *v. tr.* recalcar; sofocar; refrenar.
recalcitrante, *adj.* 2 *gén.* recalcitrante.
recalcitrar, *v. intr.* recalcitrar; replicar; desobedecer.
recamar, *v. tr.* recamar, bordar de realce, realzar (en bordado).
recâmara, *s. f.* recámara; ropero.
recambiar, *v. tr.* recambiar.
recâmbio, *s. m.* recambio.
recamo, *s. m.* recamado.
recanto, *s. m.* recanto; repliegue.
recapitulação, *s. f.* recapitulación; resumen.
recapitular, *v. tr.* recapitular; resumir.
recapturar, *v. tr.* volver a capturar.

recarga, *s. f.* recarga.
recarregar, *v. tr.* recargar.
recatado, *adj.* recatado; circunspecto.
recatar, *v. tr. e refl.* recatar; recatarse.
recato, *s. m.* recato; cautela; reserva; recaudo.
recavar, *v. tr.* recavar.
recear, *v. tr.* recelar.
recebedor, *s. m.* recaudador.
recebedoria, *s. f.* recaudación; recaudamiento; recaudo.
receber, *v.* **1.** *tr.* recibir; cobrar; recaudar; obtener; sufrir; agasajar. **2.** *refl.* casarse.
recebimento, *s. m.* recibimiento; casamiento; recaudación; recaudamiento; recaudo.
receio, *s. m.* recelo; temor; sospecha; cuidado; reconcomio.
receita, *s. f.* receta; ingreso; indicación; remedio; CUL. receta.
receitar, *v. tr.* MED. recetar, prescribir.
receituário, *s. m.* recetario.
recém, *adv.* recién.
recém-casado, *adj. e s. m.* recién casado.
recém-chegado, *adj. e s. m.* recién llegado.
recém-nascido, *adj.* recién nacido.
recém-vindo, *adj. e s. m.* recién llegado.
recendente, *adj.* fragante.
recender, *v. tr.* exhalar olor agradable.
recensão, *s. f.* resención.
recenseador, *s. m.* empadronador.
recenseamento, *s. m.* empadronamiento.
recensear, *v. tr.* empadronar; enumerar.
recente, *adj.* 2 *gén.* reciente.
recentemente, *adv.* recién.
receoso, *adj.* receloso.
recepção, *s. f.* recepción; recibimiento; recibo.
receptáculo, *s. m.* receptáculo; recipiente.
receptador, *s. m.* receptador.
receptar, *v. tr.* receptar.
receptividade, *s. f.* receptividad.
receptivo, *adj.* receptivo.
receptor, *adj.* receptor.
recessão, *s. f.* recesión.
recessivo, *adj.* recesivo.
recesso, *s. m.* receso; repliegue.
rechã, *s. f.* meseta.
rechaçar, *v. tr.* rechazar; rebatir.
rechaço, *s. m.* rechazo; rebotadura.
recheado, *adj. e s. m.* relleno.
recheadura, *s. f.* rellenadura.
rechear, *v. tr.* rellenar; embutir.

recheio, s. m. relleno.
rechinante, adj. 2 gén. rechinante.
rechinar, v. intr. rechinar.
rechino, s. m. rechino.
rechonchudo, adj. rechoncho; regordete.
recibo, s. m. recibo.
reciclado, adj. reciclado.
reciclagem, s. f. reciclaje.
reciclar, v. tr. reciclar.
recidiva, s. f. recidiva, recaída.
recife, s. m. arrecife.
recinto, s. m. recinto.
recipiendário, s. m. recipiendario.
recipiente, s. m. recipiente.
recíproca, s. f. recíproca.
reciprocidade, s. f. reciprocidad.
recíproco, adj. recíproco.
récita, s. f. espectáculo de declamación; recital.
recitação, s. f. recitación, recitado.
recitador, s. m. recitador.
recitar, v. tr. e intr. recitar.
recitativo, s. m. recitativo, recitado.
reclamação, s. f. reclamación.
reclamante, adj. e s. 2 gén. reclamante; reclamador.
reclamar, v. tr. reclamar; reivindicar.
reclamo, s. m. reclamo; llamada; anuncio; propaganda.
reclinação, s. f. reclinación.
reclinar, v. 1. tr. reclinar. 2. refl. reca- darse.
reclinatório, s. m. reclinatorio.
reclusão, s. f. reclusión.
recluso, adj. e s. m. recluso; encarcelado.
recoberto, adj. recubierto.
recobramento, s. m. reeobramiento.
recobrar, v. tr. recobrar; recuperar.
recobrável, adj. 2 gén. recobrable.
recobrimento, s. m. recubrimiento.
recobrir, v. tr. recubrir.
recobro, s. m. recobro.
recognoscível, adj. 2 gén. reconocible.
recolecção, s. f. recolección.
recolha, s. f. recogimiento; garaje; reti- rada; recogida.
recolher, v. tr. recoger; recolectar; acoger.
recolhida, s. f. recogida.
recolhido, adj. recogido; recoleto.
recolhimento, s. m. recogimiento; retiro.
recolho, s. m. chorro de agua que lanzan las ballenas.
recomeçar, v. tr. recomenzar.
recomendação, s. f. recomendación; aviso; consejo; incumbencia; empeño.

recomendado, adj. recomendado.
recomendar, v. tr. recomendar.
recomendável, adj. 2 gén. recomendable.
recompensa, s. f. recompensa: compensa- ción, indemnización; retribución.
recompensar, s. f. recompensar; resarcir; indemnizar; remunerar; retribuir.
recompensável, adj. 2 gén. recompen- sable.
recompilação, s. f. recopilación.
recompilador, s. m. recopilador.
recompilar, v. tr. recopilar; recolectar.
recompor, v. tr. recomponer; reconstruir.
recomposição, s. f. recomposición.
recomposto, adj. recompuesto.
recôncavo, s. m. gruta, concavidad, cueva, antro.
reconcentração, s. f. reconcentración.
reconcentrar, v. tr. reconcentrar.
reconciliação, s. f. reconciliación.
reconciliador, adj. e s. m. reconciliador.
reconciliar, v. tr. reconciliar; congraciar.
reconciliatório, adj. reconciliatorio.
reconciliável, adj. 2 gén. reconciliable.
recôndito, I. adj. recóndito; ignorado. II. s. m. escondrijo.
recondução, s. f. reconducción.
reconduzir, v. tr. reconducir; reintegrar.
reconfortador, adj. reconfortante.
reconfortante, adj. 2 gén. e s. m. recon- fortante.
reconfortar, v. tr. reconfortar; fortalecer; tonificar.
reconforto, s. m. confortación.
recongraçar, v. tr. reconciliar; armonizar.
reconhecer, v. tr. reconocer; recompen- sar; agradecer; observar; admitir.
reconhecido, adj. reconocido; grato; obli- gado.
reconhecimento, s. m. reconocimiento.
reconhecível, adj. 2 gén. reconocible.
reconquista, s. f. reconquista.
reconquistar, v. tr. reconquistar.
reconsiderar, v. tr. reconsiderar; repensar; replantear.
reconstituição, s. f. reconstitución.
reconstituinte, s. m. reconstituyente.
reconstituir, v. tr. reconstituir.
reconstrução, s. f. reconstrucción.
reconstruir, v. tr. reconstruir; reedificar.
recontar, v. tr. recontar, relatar.
recontro, s. m. recuentro, reencuentro; refriega.
reconvenção, s. f. reconvención.

reconverter, v. tr. reconvertir.

reconvir, v. tr. reconvenir.

recopilação, s. f. recopilación.

recopilar, v. tr. recopilar.

recordação, s. f. recuerdo, recordación; recordatório.

recordar, v. tr. recordar.

recordativo, adj. recordativo.

recorde, s. m. récord.

recorrente, adj. e s. 2 gén. recurrente.

recorrer, v. 1. tr. recurrir. 2. intr. apelar; dirigirse.

recorrido, adj. e s. m. recurrido.

recortar, v. tr. recortar, retracear.

recorte, s. m. recorte, recortadura.

recoser, v. tr. recoser.

recostar, v. 1. tr. recostar. 2. refl. recodarse; retreparse.

recosto, s. m. recostadero.

recovagem, s. f. trajinería.

recovar, v. tr. trajinar; transportar (equipajes, mercancías, etc.).

recoveiro, s. m. trajinero, recadero.

recozer, v. tr. recocer.

recozido, adj. recocido.

recozimento, s. m. recocimiento.

recreação, s. f. recreación.

recrear, v. tr. recrear; divertir.

recreativo, adj. recreativo.

recreio, s. m. recreo.

recrementício, adj. recrementicio.

recrescer, v. intr. recrecer; sobrar; acrecentar.

recrestar, v. tr. requemar; tostar.

recriar, v. tr. recrear.

recriminação, s. f. recriminación; reconvención.

recriminador, adj. e s. m. recriminador.

recriminar, v. tr. recriminar, reconvenir.

recriminatório, adj. recriminatório.

recrudescência, s. f. MED. recrudescencia; recrudecimiento.

recrudescente, adj. 2 gén. recrudescente.

recrudescer, v. intr. recrudecer; agravarse.

recrudescimento, s. m. recrudecimiento; recrudescencia.

recruta, s. 1. 2 gén. recluta. 2. f. recluta, reclutamento.

recrutamento, s. m. reclutamiento; reemplazo.

recrutar, v. tr. reclutar.

recruzar, v. tr. recruzar.

rectal, adj. 2 gén. ANAT. rectal.

rectangular, adj. 2 gén. rectangular.

rectângulo, adj. e s. m. rectángulo.

rectidão, s. f. rectitud.

rectificação, s. f. rectificación.

rectificador, s. m. rectificador.

rectificar, v. tr. rectificar.

rectificável, adj. 2 gén. rectificable.

rectilíneo, adj. rectilíneo.

reco, s. 1. m. ANAT. recto. 2. adj. recto, derecho; vertical, imparcial; justo; imparcial.

rectriz, s. f. ZOOL. rectriz.

récua, s. f. recua.

recuar, v. tr. recular; retroceder.

recuo, s. m. reculada; reculón.

recuperação, s. f. recuperación.

recuperado, adj. repuesto.

recuperar, v. tr. recuperar, recobrar; rescatar; restaurar.

recuperável, adj. 2 gén. recuperable.

recurso, s. m. recurso; refugio; apelación; remedio.

recurvar, v. tr. recorvar.

recurvo, adj. recurvo.

recusa, s. f. recusación; negativa; rechazo; repulsa; resistencia.

recusar, v. tr. recusar, rechazar; repulsar; rehusar; repeler; repugnar.

recusável, adj. 2 gén. recusable.

redacção, s. f. redacción.

redactor, s. m. redactor.

redada, s. f. redada.

redar, v. 1. intr. redar. 2. tr. volver a dar.

redarguição, s. f. redargución; réplica.

redarguir (gu-i), v. tr. redargüir; impugnar.

rede, s. f. red; verja; reja; rejilla, ardid; rede de arrasto, rastra; rede de cabelo, redecilla.

rédea, s. f. rienda.

redemoinhar, v. intr. remolinar.

redemoinho, s. m. remolino.

redenção, s. f. redención.

redenho, s. m. redaño.

redentor, adj. e s. m. redentor.

redentorista, s. 2 gén. redentorista.

redesconto, s. m. redescuento.

redibição, s. f. redhibición.

redibir, v. tr. redhibir.

redigir, v. tr. redactar.

redil, s. m. redil; aprisco.

redimir, v. tr. redimir; rescatar.

redimível, adj. 2 gén. redimible.

redingote, s. m. redingote.

rédito, s. m. rédito.

redivivo, adj. redivivo; resuscitado; remozado.

redizer, v. tr. redecir.

redobrar, v. tr. redoblar; reduplicar; aumentar; reiterar.

redobre, s. m. redoble; trino; doblez, astucia.

redobro, s. m. redoblamiento, redoble, redobladura.

redoiça, s. f. columpio en una rama de árbol.

redoma, s. f. redoma.

redondel, s. m. redondel, ruedo.

redondeza, s. f. redondez; pl. cercanías, contornos.

redondilha, s. f. redondilla.

redondo, adj. redondo; rotundo.

redor, s. m. rededor.

redução, s. f. reducción.

reducente, adj. 2 gén. reductivo.

redundância, s. f. redundancia, pleonasmo.

redundante, adj. 2 gén. redundante.

redundar, v. intr. redundar.

reduplicação, s. f. reduplicación.

reduplicar, v. tr. reduplicar.

redutível, adj. 2 gén. reductible.

redutivo, adj. reductivo.

reduto, s. m. reducto.

redutor, adj. reductor.

reduzido, adj. reducido.

reduzir, v. tr. reducir; disminuir; acortar; resumir.

reedição, s. f. reedición, reimpresión.

reedificação, s. f. reedificación.

reedificar, v. tr. reedificar.

reeditar, v. tr. reeditar, reimprimir.

reeleger, v. tr. reelegir.

reelegível, adj. 2 gén. reelegible.

reeleição, s. f. reelección.

reeleito, s. m. reelecto.

reembarcar, v. tr. reembarcar.

reembarque, s. m. reembarque.

reembolsar, v. tr. reembolsar; rembolsar.

reembolsável, adj. 2 gén. reembolsable.

reembolso, s. m. reembolso; rembolso.

reempossar, v. tr. reintegrar en la posesión de.

reencarnação, s. f. reencarnación.

reencarnar, v. intr. reencarnarse.

reencher, v. tr. rellenar.

reencontrar, v. tr. reencontrar.

reencontro, s. m. reencuentro.

reentrada, s. f. reingreso.

reentrância, s. f. hueco; concavidad.

reentrante, adj. 2 gén. cóncavo.

reentrar, v. intr. reingresar.

reenviar, v. tr. volver a eenviar; reexpelir.

reenvio, s. m. nuevo envío; devolución; reexpedición.

reestruturação, s. f. reestructuración.

reestruturar, v. tr. reestructurar.

reexpedição, s. f. reexpedición.

reexpedir, v. tr. reexpedir.

reexplicar, v. tr. repasar.

reexportação, s. f. reexportación.

reexportar, v. tr. reexportar.

refastelar-se, v. refl. repantigarse, repantingarse.

refazer, v. tr. rehacer; restaurar; reconstituir.

refegar, v. tr. plegar; arrugar.

refego, s. m. pliegue, repliegue.

refeição, s. f. refección.

refeito, adj. rehecho; restablecido; repuesto; robusto.

refeitório, s. m. refectorio.

refém, s. m. e f. rehén.

referência, s. f. referencia; mención; alusión.

referenda, s. f. refrendo.

referendar, v. tr. refrendar.

referendo, s. m. referendo, referéndum.

referente, adj. 2 gén. referente.

referido, adj. referido.

referir, v. 1. tr. referir, relatar. 2. refl. respectar.

referver, v. tr. rehervir.

refestelar-se, v. refl. holgar; refocilarse; recostarse voluptuosamente.

refilão, adj. e s. m. respondón; atrevido.

refilar, v. intr. recalcitrar.

refilhar, v. intr. retoñecer, retoñar.

refinação, s. f. refinación; (de açúcar) refinado.

refinado, adj. refinado.

refinador, adj. e s. m. refinador.

refinamento, s. m. refinamiento.

refinar, v. tr. refinar; purificar.

refinaria, s. f. refinería.

reflectido, adj. reflexivo.

reflectir, v. 1. tr. reflejar. 2. intr. ponderar; reflexionar.

reflectivo, adj. reflexivo.

reflector, I. adj. reflectante, reflector. II. s. m. reflector.

reflexão, s. f. reflexión.

reflexionar, v. intr. reflexionar.

reflexivo, adj. reflexivo, reflejo.

reflexo, I. *adj.* reflejo; reflejado. I. *s. m.* reflejo; reverbero.
reflorescer, *v. intr.* reflorecer.
reflorescimento, *s. m.* reflorecimiento.
reflorir, *v. intr.* reflorecer.
refluir, *v. intr.* refluir.
reflutuar, *v. tr.* reflotar.
refluxo, *s. m.* reflujo.
refocilar, *v. tr.* refocilar.
refogado, *s. m.* rehogado.
refogar, *v. tr.* rehogar.
refolho, *s. m.* volante, sobrepuesto a otro; pliegue en un vestido.
reforçado, *adj.* reforzado.
reforçar, *v. tr.* reforzar.
reforço, *s. m.* refuerzo.
reforma, *s. f.* reforma; retiro.
reformado, *adj.* e *s. m.* retirado.
reformador, *adj.* e *s. m.* reformador.
reformar, *v. tr.* reformar.
reformativo, *adj.* reformativo.
reformatório, *s. m.* reformatorio.
reformável, *adj.* 2 *gén.* reformable.
reformismo, *s. m.* reformismo.
reformista, *adj.* e *s.* 2 *gén.* reformista.
refracção, *s. f.* refracción.
refractar, *v. tr.* refractar.
refractário, *adj.* e *s. m.* refractario.
refractivo, *adj.* refractivo, refringente.
refracto, *adj.* refracto.
refrangente, *adj.* 2 *gén.* refringente.
refranger, *v. tr.* refractar.
refrangível, *adj.* 2 *gén.* refrangible.
refrão, *s. m.* refrán.
refreador, *adj.* e *s. m.* refrenador.
refreamento, *s. m.* refrenamiento.
refrear, *v. tr.* refrenar; contener; reprimir; reportar.
refrega, *s. f.* refriega.
refregar, *v. intr.* luchar; pelear.
refreio, *s. m.* freno.
refrém, *s. m.* refrán.
refrescamento, *s. m.* refrescamiento.
refrescante, *adj.* 2 *gén.* refrescante.
refrescar, *v. tr.* e *intr.* refrescar, refrigerar.
refresco, *s. m.* refresco.
refrigeração, *s. f.* refrigeración.
refrigerado, *adj.* refrigerado.
refrigerador, *s. m.* refrigerador.
refrigerante, I. *adj.* 2 *gén.* refrigerante. II. *s. m.* refrigerante, refresco.
refrigerar, *v. tr.* refrigerar; refrescar; consolar.

refrigério, *s. m.* refrigerio; refresco; refrigeración.
refringente, *adj.* 2 *gén.* refringente, refractivo.
refugar, *v. tr.* rehusar; apartar; seleccionar.
refugiado, *adj.* e *s. m.* refugiado; emigrado.
refugiar, *v. tr.* e *refl.* refugiar, refugiarse.
refúgio, *s. m.* refugio; asilo; abrigo; amparo; recurso; remedio.
refugir, *v. intr.* rehuir.
refugo, *s. m.* deshecho, desperdicio, resto.
refulgência, *s. f.* refulgencia.
refulgente, *adj.* 2 *gén.* refulgente.
refulgir, *v. intr.* refulgir; resplandecer; brillar.
refundar, *v. tr.* ahondar.
refundição, *s. f.* refundición.
refundir, *v. tr.* refundir.
refusar, *v. tr.* rehusar.
refutação, *s. f.* refutación.
refutador, *adj.* 2 *gén.* e *s. m.* refutador.
refutar, *v. tr.* refutar, rebatir.
refutável, *adj.* 2 *gén.* refutable.
rega, *s. f.* riego.
regabofe, *s. m.* placer; juerga.
regaçar, *v. tr.* regazar, arregazar.
regaço, *s. m.* regazo, interior; seno.
regadia, *s. f.* rego.
regadio, I. *adj.* regadío. II. *s. m.* regadío, riego; *cultura de regadio,* cultivo de regadío.
regador, I. *adj.* regador. II. *s. m.* regadera.
regalado, *adj.* regalado; deleitado; satisfecho.
regalar, *v. tr.* regalar; deliciar; mimar.
regalia, *s. f.* regalía; prerrogativa; inmunidad.
regalismo, *s. m.* regalismo.
regalista, *s.* 2 *gén.* regalista.
regalo, *s. m.* regalo, placer; deleite; consuelo.
regalório, *s. m.* juerga; parranda.
reganhar, *v. tr.* reganar; recobrar.
regar, *v. tr.* regar.
regata, *s. f.* regata.
regatagem, *s. f.* regateo.
regatão, *s. m.* regatón.
regateador, *adj.* e *s. m.* regateador.
regatear, *v. tr.* regatear.
regateio, *s. m.* regateo.
regateira, *s. f.* regatera.
regato, *s. m.* regato, riacho, riachuelo.

regedor, *adj.* regidor.
regelar, *v. tr.* congelar.
regência, *s. f.* regencia.
regeneração, *s. f.* regeneración.
regenerador, *adj. e s. m.* regenerador.
regenerante, *adj. 2 gén.* regenerador.
regenerar, *v. tr.* regenerar.
regenerativo, *adj.* regenerativo.
regente, *adj. e s. 2 gén.* regente, regenta.
reger, *v. tr.* regir; gobernar; dirigir.
região, *s. f.* región; zona; pais.
regicida, *adj. e 2 gén.* regicida.
regicídio, *s. m.* regicidio.
regime, *s. m.* régimen.
regímen, *s. m.* régimen.
regimento, *s. m.* regimiento.
régio, *adj.* regio; real; realengo.
regional, *adj. 2 gén.* regional.
regionalismo, *s. m.* regionalismo.
regionalista, *adj. 2 gén.* regionalista.
registado, *adj.* registrado.
registador, *adj. e s. m.* registrador.
registar, *v. tr.* registrar; mencionar; certificar (en el correo).
registo, *s. m.* registro; matrícula; protocolo; certificado, de carta o paquete.
rego, *s. m.* acequia; reguera, reguero; surco (del arado).
regoar, *v. tr.* acanalar, assurcar.
regorjear, *v. intr.* trinar.
regorjeio, *s. m.* trino.
regougar, *v. intr.* chillar, la zorra.
regougo, *s. m.* chillido.
regozijar, *v.* 1. *tr.* regocijar. 2. *refl.* regocijarse; regodearse.
regozijo, *s. m.* regocijo, regodeo.
regra, *s. f.* regla; ley; precepto; ejemplo; estatuto; reglamento; (*linha escrita*) renglón; *pl.* menstruación; regla.
regrado, *adj.* reglado, pautado; sensato.
regrante, *adj. 2 gén.* reglante.
regrar, *v. tr.* reglar.
regressão, *s. f.* regresión.
regressar, *v. intr.* regresar.
regressivo, *adj.* regresivo.
regresso, *s. m.* regreso.
regreta, *s. f.* regleta.
régua, *s. f.* regla.
regueifa, *s. f.* rosco; torta, hornazo.
regueira, *s. f.* reguera, reguero.
regueiro, *s. m.* reguera, reguero.
reguingar, *v. intr.* replicar; recalcitrar.
regulação, *s. f.* reglaje, regulación.
regulado, *adj.* regular.

regulador, *adj. e s. m.* regulador.
regulamentação, *s. f.* reglamentación.
regulamentar, I. *v. tr.* reglamentar; reglar; regular. II. *adj. 2 gén.* reglamentario.
regulamento, *s. m.* reglamiento; regulación.
regular, I. *v. tr.* reglar, regular; ajustar; regularizar. II. *adj. 2 gén.* reglar; regular; exacto, puntual; regular; razonable.
regularidade, *s. f.* regularidad.
regularização, *s. f.* regularización.
regularizador, *adj. e s. m.* regularizador.
regularizar, *v. tr.* regularizar; ordenar; reglamentar.
regulável, *adj. 2 gén.* regulable.
régulo, *s. m.* régulo.
regurgitação, *s. f.* regurgitación.
regurgitar, *v. intr.* regurgitar; desbordarse.
rei, *s. m.* rey, monarca.
reima, *s. f.* reuma.
reimoso, *adj.* que tiene reuma (flujo).
reimplantar, *v. tr.* reimplantar.
reimportar, *v. tr.* reimportar.
reimpressão, *s. f.* reimpresión.
reimprimir, *v. tr.* reimprimir.
reinação, *s. f.* juerga.
reinadio, *adj. e s. m.* holgazán; juerguista.
reinado, *s. m.* reinado.
reinante, *adj. 2 gén.* reinante.
reinar, *v. intr.* reinar.
reincidência, *s. f.* reincidencia.
reincidente, *adj. 2 gén.* reincidente.
reincidir, *v. intr.* reincidir.
reincorporação, *s. f.* reincorporación, reintegro.
reincorporar, *v. tr. e refl.* reincorporar, reincorporarse.
reineta, *s. f.* reineta.
reingressar, *v. intr.* reingresar.
reingresso, *s. m.* reingreso.
reino, *s. m.* reino.
reinserção, *s. f.* reinserción; reintegro.
reintegração, *s. f.* reintegración, reinserción; reintegro.
reintegrar, *v. tr.* reintegrar.
reintegrável, *adj. 2 gén.* reintegrable.
reira, *s. f.* lumbago.
reiteração, *s. f.* reiteración.
reiterar, *v. tr.* reiterar; redoblar.
reiterativo, *adj.* reiterativo.
reiterável, *adj. 2 gén.* reiterable.
reitor, *s. m.* rector.
reitorado, *s. m.* rectorado.

reitoral, *adj.* rectoral.
reitoria, *s. f.* rectoría, rectorado.
reivindicação, *s. f.* reivindicación.
reivindicar, *v. tr.* reivindicar, reclamar.
reivindicativo, *adj.* reivindicativo.
rejeição, *s. f.* recusación; MED. rechazo.
rejeitar, *v. tr.* echar fuera, desechar; deponer; rehusar; recusar; MED. rechazar.
rejeitável, *adj.* 2 *gén.* recusable.
rejubilar, *v. tr.* rejubilar.
rejuvenescer, *v. tr.* rejuvenecer; remozar; reflorecer.
rejuvenescimento, *s. m.* rejuvenecimiento.
rela, *s. f.* rana de zarzal.
relação, *s. f.* relación; respecto; relato; vínculo; parentesco.
relacionação, *s. f.* relación.
relacionado, *adj.* relacionado.
relacionamento, *s. m.* relación.
relacionar, *v. tr. e r.* relacionar; relatar, alistar.
relamber, *v. tr.* relamer.
relambido, *adj.* relambido.
relâmpago, *s. m.* relámpago; relumbrón.
relampejante, *adj.* 2 *gén.* relampagueante.
relampejar, *v. intr.* relampaguear.
relampejo, *s. m.* relampagueo.
relançamento, *s. m.* relanzamiento.
relançar, *v. tr.* relanzar.
relance, *s. m.* relance; ojeada, mirada rápida.
relancear, *v. tr.* relanzar.
relatar, *v. tr.* relatar; mencionar.
relatividade, *s. f.* relatividad.
relativismo, *s. m.* relativismo.
relativista, *adj. e s.* 2 *gén.* relativista.
relativizar, *v. tr.* relativizar.
relativo, *adj.* relativo.
relato, *s. m.* relato; relación; reporte; reseña.
relator, *s. m.* relator.
relatório, *s. m.* relación; información.
relaxação, *s. f.* relajación.
relaxado, *adj.* relajado.
relaxamento, *s. m.* relajación, relax.
relaxante, *adj.* 2 *gén.* relajante.
relaxar, *v. tr.* relajar; aflojar; laxar.
relaxe, *s. m.* relajación, relax.
relé, *s. m.* relé.
relegação, *s. f.* relegación.
relegar, *v. tr.* relegar; desterrar; despreciar.
relembrança, *s. f.* recordación; recuerdo.
relembrar, *v. tr.* recordar; reanudar.

relentar, *v. tr. e intr.* relentar, humedecer.
relento, *s. m.* relente.
reler, *v. tr.* releer, repasar.
reles, *adj.* ordinario, bajo, soez.
relevação, *s. f.* relevación.
relevamento, *s. m.* relevación.
relevância, *s. f.* relevancia; relieve; ventaja.
relevante, *adj.* 2 *gén.* relevante; relevado; excelente.
relevar, *v. tr.* relevar.
relevo, *s. m.* relieve; realce; resalto.
relha, *s. f.* reja (del arado).
relho, *s. m.* látigo, azote.
relicário, *s. m.* relicario.
religião, *s. f.* religión.
religionário, *s. m.* religionario.
religiosa, *s. f.* religiosa.
religiosidade, *s. f.* religiosidade.
religioso, I. *adj.* religioso; escrupuloso. II. *s. m.* monje, religioso.
relinchão, *adj.* relinchón.
relinchar, *v. intr.* relinchar.
relincho, *s. m.* relincho.
relíquia, *s. f.* reliquia.
relógio, *s. m.* reloj; reló.
relojoaria, *s. f.* relojería.
relojoeiro, *s. m.* relojero.
relutância, *s. f.* reluctancia, repugnancia; renuencia; aversión.
relutante, *adj.* 2 *gén.* reluctante; renuente.
relutar, *v. intr.* volver a luchar.
reluzente, *adj.* 2 *gén.* reluciente, relumbrante.
reluzir, *v. intr.* relucir; relumbrar.
relva, *s. f.* césped; *cortador de relva*, cortacésped.
relvado, *s. m.* encespedado.
relvar, *v. tr.* encespedar.
remada, *s. m.* remadura.
remador, *s. m.* remante; remero.
remanescente, *adj.* 2 *gén. e s. m.* remanente.
remanescer, *v. intr.* remanecer; sobrar.
remangar, *v. intr. e refl.* remangar.
remansado, *adj.* pacífico; manso; estancado.
remansear, *v. intr.* remansarse; descansar; estar tranquilo.
remanso, *s. m.* remanso; quietud; descanso, sosiego.
remansoso, *adj.* pacífico.
remar, *v. intr.* remar.
remarcar, *v. tr.* remarcar.

remascar, *v. tr.* rumiar.
rematado, *adj.* rematado; concluido; acabado; completo; subastado.
rematar, *v. tr.* rematar; concluir; finalizar; terminar.
remate, *s. m.* remate; fin; cabo, extremidad; ARQ. remate.
remedar, *v. tr.* remedar.
remedeio, *s. m.* remedio.
bemediado, *adj.* remediado.
remediar, *v. tr.* remediar, corregir; socorrer.
remediável, *adj. 2 gén.* remediable, reparable.
remédio, *s. m.* remedio, medicamento.
remedir, *v. tr.* remedir.
remedo, *s. m.* vd. **arremedo**.
remela, *s. f.* legaña.
remelado, *adj.* legañoso.
remelão, *adj.* legañoso.
remelar, *v. intr.* volverse legañoso.
remeloso, *adj.* legañoso.
rememoração, *s. f.* rememoración.
rememorar, *v. tr.* rememorar.
rememorativo, *adj.* rememorativo.
remendado, *adj.* remendado.
remendão, *adj. e s. m.* remendón; *(fig.)* chapucero; andrajoso.
remendar, *v. tr. e intr.* remendar; corregir; enmendar; componer.
remendeiro, *s. m.* remendón.
remendo, *s. m.* remiendo; enmienda; cualquier arreglo.
remessa, *s. f.* remesa; remitir; remisión.
remessar, *v. tr.* vd. **arremessar**.
remesso, *s. m.* arremetida; embestida.
remetente, **1.** *s. 2 gén.* remetiente. **2.** *m.* remite.
remeter, *v.* **1.** *tr.* remitir; enviar; mandar. **2.** remeter.
remetida, *s. f.* arremetida.
remexer, *v. tr.* revolver; agitar.
remexido, *adj. (fam.)* bullicioso; inquieto.
remição, *s. f.* remisión; redención; rescate.
rémige, **I.** *adj.* que rema. **II.** *s. f.* ZOOL. rémige, remera.
remígio, *s. m.* ZOOL. rémige, remera.
remigração, *s. f.* repatriación, regreso, vuelta.
remigrar, *v. intr.* repatriar.
reminiscência, *s. f.* reminiscencia.
remir, *v. tr.* redimir; rescatar; liberar.
remirar, *v. tr.* remirar.

remissa, *s. f.* respuesta, en el tresillo (juego); dilación.
remissão, *s. f.* remisión.
remissível, *adj. 2 gén.* remisible.
remissivo, *adj.* remisivo.
remisso, *adj.* remiso, flojo, dejado, indolente.
remissório, *adj.* remisorio.
remitência, *s. f.* remisión.
remitir, *v. tr.* remitir, perdonar; conmutar una pena a; restituir, devolver.
remível, *adj. 2 gén.* redimible.
remo, *s. m.* remo.
remoção, *s. f.* remoción; traslado, transferencia.
remoçar, *v. tr.* remozar; reflorecer; rejuvenecer.
remodelação, *s. f.* remodelación; reforma, modificación.
remodelar, *v. tr.* reformar, renovar; remodelar.
remoer, *v. tr.* remoler; rumiar.
remoinhar, *v. intr.* remolinar.
remoinho, *s. m.* remolino.
remolhar, *v. tr.* remojar.
remolho, *s. m.* remojo.
remonta, *s. f.* remonta.
remontar, *v. tr.* remontar.
remonte, *s. m.* remonte; sitio elevado.
remoque, *s. m.* remoquete.
rémora, *s. f.* ZOOL. rémora.
remorado, *adj.* retardado.
remordaz, *adj.* excesivamente mordaz; cáustico.
remorder, *v.* **1.** *tr.* remorder; inquietar. **2.** *refl.* reconcomerse.
remordimento, *s. m.* remordimiento.
remorso, *s. m.* remordimiento.
remoto, *adj.* remoto; distante; apartado.
remover, *v. tr.* remover; alejar; evitar.
removível, *adj. 2 gén.* removible.
remuneração, *s. f.* remuneración; recompensa.
remunerado, *adj.* remunerado.
remunerar, *v. tr.* remunerar.
rena, *s. f.* ZOOL. reno.
renal, *adj. 2 gén.* renal.
renano, *adj.* renano.
renascença, *s. f.* renacimiento.
renascente, *adj. 2 gén.* renaciente.
renascentista, *adj. e s. 2 gén.* renacentista.
renascer, *v. intr.* renacer.
renascimento, *s. m.* renacimiento.
renda, *s. f.* encaje, randa; rédito, renta.

rendado, *adj.* guarnecido de encajes.
rendeira, *s. f.* rentera.
rendeiro, *s. m.* rentero.
render, *v.* **1.** *tr.* rendir; vencer; rendir, rentar (dar fruto o utilidad); MIL. relevar. **2.** *intr.* dar rédito.
rendibilidade, *s. f.* rentabilidade.
rendibilizar, *v. tr.* rentabilizar.
rendição, *s. f.* rendición: (de sentinela) relevo.
rendido, *adj.* rendido; vencido; herniado.
rendilha, *s. f.* puntilla.
rendilhar, *v. tr.* adornar con puntillas o encajes.
rendilheira, *s. f.* encajera.
rendimento, *s. m.* rendimiento; rendición; hernia; rédito; renta.
rendível, *adj. 2 gén.* rentable.
rendoso, *adj.* rentoso.
renegação, *s. f.* renegación.
renegado, *adj.* e *s. m.* renegado.
renegar, *v. tr.* e *intr.* renegar; desmentir; traicionar; abjurar.
renegociar, *v. tr.* renegociar.
renga, *s. f.* rengle, serie.
renhimento, *s. m.* reñimiento.
renhido, *adj.* reñido; encarnizado.
renhir, *v. tr.* e *intr.* reñir; disputar; altercar.
reniforme, *adj. 2 gén.* reniforme.
rénio, *s. m.* QUÍM. renio.
renitência, *s. f.* renuencia.
renitente, *adj. 2 gén.* renitente; reacio; renuente.
renitir, *v. intr.* resistir; oponerse; persistir.
renome, *s. m.* renombre; *de renome,* renombrado.
renovação, *s. f.* renovación.
renovador, *adj.* e *s. m.* renovador.
renovamento, *s. m.* renovación.
renovar, *v. tr.* renovar; reanudar; reiterar.
renovável, *adj. 2 gén.* renovable.
renovo, *s. m.* renuevo; retoño.
renque, *s. m.* ringlera.
rentar, *v. intr.* pasar cerca.
rente, **I.** *adj. 2 gén.* contiguo. **II.** *s. m.* traición.
rentear, *v.* **1.** *tr.* cercenar. **2.** *intr.* galantear.
renúncia, *s. f.* renuncia; renuncio.
renunciador, *adj.* e *s. m.* renunciador.
renunciar, *v. tr.* renunciar; resignar.
reocupação, *s. f.* reconquista
reocupar, *v. tr.* ocupar de nuevo; retomar, reconquistar.

reordenar, *v. tr.* reordenar.
reorganização, *s. f.* reorganización.
reorganizador, *adj.* e *s. m.* reorganizador.
reorganizar, *v. tr.* reorganizar.
reorientar, *v. tr.* reorientar.
reóstato, *s. m.* reóstato, reostato.
repa, *s. f.* pelo muy raro, de la cabeza o de la barba.
repagar, *v. tr.* repagar; pagar de nuevo.
reparação, *s. f.* reparación; remiendo.
reparador, *adj.* e *s. m.* reparador.
reparar, *v. tr.* reparar; arreglar; restaurar; notar; desagraviar; recobrar; resarcir; restablecer las fuerzas.
reparável, *adj. 2 gén.* reparable.
reparo, *s. m.* reparo; compostura; advertencia; nota; defensa.
repartição, *s. f.* repartición; repartimiento; partijas; división; oficina.
repartidor, *adj.* e *s. m.* repartidor.
repartimento, *s. m.* repartimiento.
repartir, *v. tr.* repartir; dividir; distribuir.
repartível, *adj. 2 gén.* repartible.
repassado, *adj.* impregnado.
repassar, *v. tr.* repasar; impregnar; penetrar, llenar.
repastar, *v. tr.* repastar.
repasto, *s. m.* repasto.
repatriação, *s. f.* repatriación.
repatriado, *adj.* e *s. m.* repatriado.
repatriar, *v. tr.* repatriar.
repelão, *s. m.* empellón, empujón; encontrón.
repelar, *v. tr.* repelar.
repelente, *adj. 2 gén.* repelente, repulsivo.
repelir, *v. tr.* repeler; rechazar; expulsar; repulsar, rehusar.
repelo, *s. m.* empellón, empujón; encontrón.
repenicar, *v. tr.* repicar, repiquetear.
repenique, *s. m.* repique, repiquete.
repensar, *v. tr.* repensar; replantear.
repente, *s. m.* repente; *de repente,* repentinamente.
repentino, *adj.* repentino; impensado; imprevisto; rápido.
repentista, *adj.* e *s. 2 gén.* repentista.
repercussão, *s. f.* repercusión.
repercussivo, *adj.* repercusivo.
repercutir, *v. tr.* repercutir; resonar.
repertório, *s. m.* repertorio; colección; almanaque.
repes, *s. m.* reps.
repesar, *v. tr.* repesar.

repescagem, *s. f.* repesca.
repescar, *v. tr.* repescar.
repetenar-se, *v. refl.* repantigarse; repanchigarse.
repetente, *adj. 2 gén.* repetidor.
repetição, *s. f.* repetición.
repetido, *adj.* repetido.
repetidor, *s. m.* repetidor.
repetir, *v.* 1. *tr.* repetir; redoblar; reanudar; rebatir; reiterar; renovar. 2. *refl.* volver a suceder; reaparecer.
repetitivo, *adj.* repetitivo.
repicador, *s. m.* repicador.
repicar, *v. tr.* repicar, repiquetear.
repimpado, *adj.* repantigado.
repimpar, *v. refl.* repantigarse.
repintar, *v. tr.* repintar.
repique, *s. m.* repique, repiqueteo.
repiquete, *s. m.* repiqueteo.
repisar, *v. tr.* repisar; apisonar; repetir.
replantação, *s. f.* replantación.
replantar, *v. tr.* replantar.
repleção, *s. f.* repleción.
repleto, *adj.* repleto; abarrotado; pletórico.
réplica, *s. f.* réplica; respuesta.
replicar, *v. tr. e intr.* replicar; refutar; contestar; reclistar.
repolho, *s. m.* BOT. repollo.
repoltrear-se, *v. refl.* repantigarse, repantingarse.
repontar, *v.* 1. *tr.* repuntar. 2. *intr.* recalcitrar.
repor, *v. tr.* reponer; restituir; rehacer; suplir; reestrenar.
reportação, *s. f.* reportación; moderación; modestia.
reportado, *adj.* reportado.
reportagem, *s. f.* reportaje.
reportar, *v. tr.* reportar; moderar.
repórter, *s. m.* repórter, reportero.
reportório, *s. m.* repertorio.
reposição, *s. f.* reposición; TEAT./CIN. reestreno.
repositório, *s. m.* repositorio.
repostada, *s. f.* respuesta grosera y desabrida.
reposto, *adj.* respuesto.
repousado, *adj.* reposado.
repousar, *v. tr.* reposar, sosegar, descansar.
repouso, *s. m.* reposo.
repovoamento, *s. m.* repoblación.
repovoar, *v. tr.* repoblar.
repreender, *v. tr.* reprender, regañar; reñir.

repreensão, *s. f.* reprensión; repasata; rapapolvo; trepe, censura; regañina.
repreensível, *adj. 2 gén.* reprensible.
repregar, *v. tr.* volver a clavar; clavetear.
represa, *s. f.* represa.
represália, *s. f.* represalia; revancha.
represar, *v. tr.* represar, detener el curso de; contener.
representação, *s. f.* representación.
representante, *adj. e s. 2 gén.* representante.
representar, *v. tr.* representar; significar; informar; ejercer la función de actor.
representativo, *adj.* representativo.
representável, *adj. 2 gén.* representable.
repressão, *s. f.* represión.
repressivo, *adj.* represivo.
repressor, *adj.* represor; represivo.
reprimenda, *s. f.* reprimenda; rapapolvo; reproche; (fam.) responso.
reprimido, *adj.* reprimido.
reprimir, *v. tr.* reprimir; contener; refrenar; reportar.
reprimível, *adj. 2 gén.* reprimible.
reprivatização, *s. f.* reprivatización.
reprivatizar, *v. tr.* reprivatizar.
réprobo, *adj. e s. m.* réprobo.
reprodução, *s. f.* reproducción; imitación; copia.
reprodutor, *adj. e s. m.* reproductor.
reproduzir, *v. tr.* reproducir; recrear; (sons) repercutir.
reproduzível, *adj. 2 gén.* reproducible.
reprografia, *s. f.* reprografía.
reprovação, *s. f.* reprobación.
reprovado, *adj.* reprobado.
reprovador, *adj.* reprobador; reprochador.
reprovar, *v. tr.* reprobar; reprochar.
reprovável, *adj. 2 gén.* reprobable; reprochable.
reptação, *s. f.* reto; desafío; reproche.
reptador, *adj. e s. m.* retador.
reptar, *v. tr.* retar; desafiar; provocar.
réptil, *s. m.* ZOOL. reptil, réptil.
repto, *s. m.* reto; desafío.
república, *s. f.* república.
republicanismo, *s. m.* republicanismo.
republicano, *adj. e s. m.* republicano.
repudiação, *s. f.* repudiación; repudio.
repudiar, *v. tr.* repudiar.
repúdio, *s. m.* repudio.
repugnância, *s. f.* repugnancia; renuencia.
repugnante, *adj. 2 gén.* repugnante, repulsivo.
repugnar, *v.* 1. *tr.* repugnar, no aceptar. 2. *intr.* causar aversión.

repulsa, *s. f.* repulsa, repulsión.
repulsão, *s. f.* repulsión; rebote; repulsa; rebotadura.
repulsar, *v. tr.* repeler, repulsar.
repulsivo, *adj.* repulsivo; repugnante.
repululação, *s. f.* repululación.
reputação, *s. f.* reputación.
reputado, *adj.* reputado.
reputar, *v. tr.* reputar; juzgar; estimar, preciar.
repuxar, *v.* **1.** *tr.* empujar; estirar; repujar. **2.** *intr.* borbotar, borbotear.
repuxo, *s. m.* surtidor.
requebrado, *adj.* requebrado; lánguido.
requebrar, *v. tr.* requebrar.
requebro, *s. m.* requiebro; quiebro.
requeijão, *s. m.* requesón, cuajada.
requeimado, *adj.* requemado.
requeimar, *v. tr.* requemar; tostar.
requentar, *v. tr.* recalentar.
requerente, *adj., s. m. e f.* requeriente.
requerer, *v. tr.* requerir; pedir; pretender.
requerimento, *s. m.* requerimiento.
requesta, *s. f.* porfía; contienda, riña, disputa.
requestador, *adj. e s. m.* galanteador.
requestar, *v. tr.* solicitar; suplicar; pretender.
requife, *s. m.* pasamano.
requinta, *s. f.* clarinete.
requintar, *v. tr. e intr.* requintar; exceder.
requisição, *s. f.* requisición; requisitoria. MIL. requisa.
requisitar, *v. tr.* requisar.
requisito, *s. m.* requisito.
requisitório, *adj.* requisitorio.
rês, *s. f.* res.
rés, *adj.* raso.
rescaldo, *s. m.* rescoldo.
rescender, *v. intr.* exhalar olor agradable.
rescindir, *v. tr.* rescindir.
rescindível, *adj. 2 gén.* rescindible.
rescisão, *s. f.* rescisión.
rescisório, *adj.* rescisorio.
rés-do-chão, *s. m.* bajo (piso).
reseda, *s. f.* BOT. reseda.
resedal, *s. m.* lugar donde crecen resedas.
resenha, *s. f.* reseña; enumeración; recensión; *fazer a resenha de*, reseñar.
resenhar, *v. tr.* reseñar; contar; referir.
reserva, *s. f.* reserva; recato; repuesto.
reservado, *adj.* reservado; recatado.
reservar, *v. tr.* reservar; guardar; ahorrar; retardar.
reservatório, *s. m.* reservatorio.

reservista, *s. m.* reservista.
resfolegar, *v. tr. e intr.* resollar, resoplar; respirar; recibir aire.
resfolgadouro, *s. m.* respiradero.
resfolgar, *v. intr.* respirar; runflar; resollar; resoplar; absorber el aire.
resfriado, *s. m.* resfriado, resfrío.
resfriamento, *s. m.* resfriado; resfrío.
resfriar, *v. tr.* resfriar; enfriar.
resgatador, *s. m.* rescatador.
resgatante, *s. 2 gén.* rescatador.
resgatar, *v. tr.* rescatar; redimir.
resgatável, *adj. 2 gén.* rescatable.
resgate, *s. m.* rescate; liberación.
resguardar, *v. tr.* resguardar; defender; abrigar, cubrir.
resguardo, *s. m.* resguardo; defensa.
residência, *s. f.* residencia, domicilio, morada.
residencial, *adj. 2 gén.* residencial.
residente, *adj. e s. 2 gén.* residente.
residir, *v. intr.* residir; habitar.
residual, *adj. 2 gén.* residual.
resíduo, *s. m.* residuo; remanente; restante; resto.
resignação, *s. f.* resignación; renuncia; abdicación.
resignado, *adj.* resignado.
resignar, *v.* **1.** *tr.* resignar. **2.** *refl.* resignarse, conformarse.
resignatário, *adj. e s. m.* resignatario.
resina, *s. f.* resina.
resinar, *v. tr.* resinar.
resinoso, *adj.* resinoso.
resistência, *s. f.* resistencia; oposición; reacción; defensa.
resistente, *adj. 2 gén.* resistente; fuerte; sólido; duradero; duro.
resistir, *v. intr.* resistir, reaccionar; defenderse; luchar; subsistir.
resistível, *adj. 2 gén.* resistible.
resma, *s. f.* resma.
resmonear, *v. intr.* refunfuñar.
resmungão, *adj. e s. m.* gruñón, refunfuñón.
resmungar, *v. tr. e intr.* refunfuñar; respingar.
resolução, *s. f.* resolución; decisión.
resolutivo, *adj.* resolutivo.
resoluto, *adj.* resoluto; disuelto; deshecho.
resolutório, *adj.* resolutorio.
resolúvel, *adj. 2 gén.* resoluble.
resolver, *v. tr.* resolver; disolver; transformar; decidir.
resolvido, *adj.* resuelto.

respaldar, s. m. respaldar, respaldo.

respaldo, s. m. respaldo.

respectivo, adj. respectivo.

respeitador, adj. e s. m. respetador.

respeitar, v. 1. tr. respetar; reverenciar; acatar; considerar. 2. intr. respectar.

respeitabilidade, s. f. respetabilidad.

respeitável, adj. 2 gén. respetable.

respeito, s. m. respeto; sumisión; reverencia; consideración.

respeitoso, adj. respetuoso.

respigador, s. m. espigador, espigador.

respigão, s. m. respigón.

respigar, v. intr. respigar; espigar.

respingão, adj. e s. m. respondón.

respingar, v. 1. intr. respingar. 2. tr. borbotar; rechistar; chisporrotear.

respingo, s. m. respingo; mala respuesta; coz; chorro.

respiração, s. f. respiración; hálito, aliento; vaho.

respiradouro, s. m. respiradero.

respirar, v. intr. respirar, descansar; vivir; resollar.

respiratório, adj. respiratorio.

respirável, adj. 2 gén. respirable.

respiro, s. m. respiro.

resplandecência, s. f. resplandecencia.

resplandecente, adj. 2 gén. resplandeciente; relumbrante.

resplandecer, v. intr. resplandecer; refulgir; relucir; relumbrar; reverberar.

resplendecer, v. intr. resplandecer.

resplendente, adj. resplendente.

resplender, v. intr. resplandecer.

resplendor, s. m. resplandor; refulgencia.

respondão, s. m. respondón.

responder, v. tr. responder; replicar; contestar.

responsabilidade, s. f. responsabilidad.

responsabilizar, v. tr. responsabilizar.

responsar, v. tr. responsar.

responsável, adj. e s. 2 gén. responsable; fiador.

responso, s. m. responso.

responsório, s. m. responsorio.

resposta, s. f. respuesta.

respostada, s. f. respuesta insolente.

resquício, s. m. resquicio.

ressabiado, adj. resabiado.

ressabiar, v. intr. resabiar; (fig.) melindrarse.

ressabido, adj. resabido; erudito.

ressaca, s. f. resaca.

ressaibo, s. m. regusto; resabio; vestigio.

ressair, v. intr. sobresalir, resaltar; volver a salir.

ressaltar, v. tr. resaltar; rebotar; realzar; dar relieve a; (fig.) encomiar.

ressalto, s. m. resulto; resalte; reborde; ARQ. retallo.

ressalva, s. f. reserva; cláusula; excepción; certificado de exención del servicio militar.

ressalvar, v. tr. licenciar; salvar; enmendar; exceptuar.

ressarcir, v. tr. resarcir; indemnizar; compensar.

ressecar, v. tr. resecar.

ressecção, s. f. resección.

resseco, adj. reseco.

ressegurar, v. tr. reasegurar.

resseguro, s. m. reaseguro.

ressentido, adj. resentido.

ressentimento, s. m. resentimiento.

ressentir, v. refl. resentirse.

ressequido, adj. resequido.

ressequir, v. tr. resecar.

ressoante, adj. 2 gén. resonante.

ressoar, v. tr. resonar; repercutir.

ressonância, s. f. resonancia.

ressonante, adj. 2 gén. resonante.

ressonar, v. intr. resollar; roncar.

ressuar, v. tr. e intr. resudar.

ressudação, s. f. resudación.

ressudar, v. 1. tr. destilar; resudar. 2. intr. sudar; transpirar.

ressumar, v. intr. rezumar.

ressumbrar, v. intr. rezumar.

ressurgimento, s. m. resurgimiento.

ressurgir, v. intr. resurgir.

ressurreição, s. f. resurrección.

ressuscitado, adj. resucitado.

ressuscitar, v. tr. resucitar; resurgir; revivir.

restabelecer, v. tr. restablecer.

restabelecimento, s. m. restablecimiento, restauración; convalecencia.

restante, I. adj. 2 gén. restante. II. s. m. restante.

restar, v. 1. intr. restar; sobrar, quedar. 2. tr. faltar.

restauração, s. f. restauración.

restaurador, adj. e s. m. restaurador.

restaurante, s. m. restaurante.

restaurar, v. tr. restaurar; reparar; reformar; arreglar; reintegrar; restablecer.

restaurável, adj. 2 gén. restaurable.

restelar, v. tr. restrillar.

restelo, s. m. rastrillo; rastra; carda; rastro.

resteva, s. f. rastrojo.

réstia, s. f. ristra; rastra.

restilar, v. tr. volver a destilar.

restinga, s. f. restinga; arrecife; bajío.

restituição, s. f. restitución.

restituidor, s. m. restituidor.

restituir, v. tr. restituir; reponer; reintegrar; rendir.

restituível, adj. 2 gén. restituible.

resto, s. m. resto; residuo; diferencia, resta; restante.

restolhada, s. f. rastrojera.

restolhal, s. m. rastrojera.

restolhar, v. intr. rastrojar; hacer ruido.

restolho, s. m. rastrojo; (fig.) motín; alboroto.

restribar, v. intr. e refl. restribar, estribar o apoyar con fuerza.

restrição, s. f. restricción.

restringir, v. tr. restringir.

restritivo, adj. restrictivo.

restrito, adj. restricto.

restrugir, v. intr. retumbar.

resultado, s. m. resultado; efecto; resulta.

resultante, adj. 2 gén. e s. f. resultante.

resultar, v. intr. resultar; redundar.

resumir, v. tr. resumir; reducir; abreviar.

resumo, s. m. resumen; sumario; epítome; recopilación.

resvaladiço, adj. resbaladero; resbaladizo.

resvaladouro, s. m. resbaladero.

resvaladura, s. f. resbaladura.

resvalar, v. intr. resbalar.

resvalo, s. m. resbalón.

resvés, I. adj. justo; pegado; junto. II. adv. cercén.

retábulo, s. m. retablo.

retaguarda, s. f. retaguardia.

retalhar, v. tr. retazar; retajar; cortar; dividir; recortar.

retalhista, s. 2 gén. comerciante que vende o compra al por menor.

retalho, s. m. retal, retazo; menudeo; a retalho, al pormenor.

retaliação, s. f. represalia.

retaliar, v. tr. castigar a uno con la pena del talión; vengar.

retama, s. f. BOT. retama.

retanchar, v. tr. substituir una cepa por otra; deschuponar.

retanha, s. f. ganzúa; llave falsa.

retardação, s. f. retardación.

retardado, adj. retardado.

retardador, s. m. retardador.

retardamento, s. m. retardación.

retardar, v. tr. retardar.

retardatário, adj. retardatario.

retelhar, v. tr. retejar (los tejados).

retém, s. m. reserva; retén; depósito.

retemperar, v. tr. templar de nuevo; condimentar; robustecer.

retenção, s. f. retención; detención; acumulación.

retentiva, s. f. retentiva.

reter, v. tr. asir; agarrar; asegurar; retener.

retesar, v. tr. retesar, atiesar.

reticência, s. f. reticencia.

reticente, adj. 2 gén. reticente.

retícula, s. f. retícula.

reticulado, adj. reticular.

reticular, adj. 2 gén. reticular.

retículo, s. m. redecilla; retículo.

retina, s. f. ZOOL. retina.

retingir, v. tr. reteñir.

retinir, v. intr. tintinar, tintinear.

retintim, s. m. retintín; tintineo.

retinto, adj. retinto.

retirada, s. f. retirada; MIL. repliegue; toque de retirada, retreta.

retirado, adj. retirado.

retirar, v. 1. tr. retirar; desviar; recoger, sacar de; desbandar. 2. intr. retirarse, replegarse. 3. refl. retirarse; retraerse.

retiro, s. m. retiro; receso; remanso; retirada.

retocador, s. m. retocador.

retocar, v. tr. retocar; corregir; perfeccionar.

retomar, v. tr. volver a tomar; recobrar; reanudar; reconquistar; reemprender.

retoque, s. m. retoque; perfeccionamiento.

retorcedura, s. f. retorcimiento.

retorcer, v. tr. retorcer.

retorcido, adj. retorcido.

retórica, s. f. retórica.

retoricar, v. intr. retoricar.

retórico, adj. e s. m. retórico; hablador.

retornar, v. tr. e intr. retornar; devolver; restituir; regresar.

retornelo, s. m. retornelo.

retorno, s. m. retorno; cambio; permuta, trueque.

retorquir, v. tr. redargüir; responder.

retorta, s. f. retorta.

retouça, s. f. columpio, bamba; broma, chanza.

retouçador, adj. bromista.

retouçar, *v. tr.* retozar; juguetear; columpiarse; saltar; brincar.

retouço, *s. m.* retozo.

retraçar, *v. tr.* volver a trazar; retajar, retazar.

retracção, *s. f.* retracción; contracción.

retractação, *s. f.* retractación.

retractar, *v.* 1. *tr.* retractar; retirar. 2. *refl.* retractarse.

retractável, *adj. 2 gén.* retractable.

retráctil, *adj. 2 gén.* retráctil.

retractilidade, *s. f.* retractilidad.

retractivo, *adj.* retráctil.

retraído, *adj.* retraido; encogido; tímido.

retraimento, *s. m.* retraimiento.

retrair, *v.* 1. *tr.* retraer; reducir; desviar. 2. *refl.* retraerse; encoger; retraerse; retirarse.

retranca, *s. f.* retranca.

retransmissão, *s. f.* retransmisión.

retransmissor, *s. m.* retransmisor.

retransmitir, *v. tr.* retransmitir.

retratado, *adj.* retratado.

retratar, *v. tr.* retratar, fotografiar.

retratista, *s. 2 gén.* retratista; fotógrafo.

retrato, *s. m.* retrato; fotografía.

retrete, *s. f.* retrete, letrina, sentina.

retribuição, *s. f.* retribución.

retribuir, *v. tr.* retribuir; corresponder; remunerar.

retributivo, *adj.* retributivo.

retrilhar, *v. tr.* retrillar; repisar.

retrincado, *adj.* malicioso; disimulado; astuto.

retrincar, *v.* 1. *tr.* remorder, retorcer. 2. *intr.* disimular.

retroacção, *s. f.* retroacción.

retroactividade, *s. f.* retroactividad.

retroactivo, *adj.* retroactivo.

retroagir, *v. intr.* producir efecto retroactivo.

retroar, *v. intr.* retronar.

retrocedente, *adj. 2 gén.* retrocedente.

retroceder, *v. intr.* retroceder; retraerse; retrechar.

retrocedimento, *s. m.* retroceso.

retrocesso, *s. m.* retroceso.

retroflexão, *s. f.* retroflexión.

retrogradação, *s. f.* retrogradación.

retrogradar, *v. intr.* retroceder.

retrógrado, *adj.* retrógrado.

retrogressão, *s. f.* retrogresión.

retrós, *s. m.* torzal de seda; pasamano, galón o trencilla.

retrosaria, *s. f.* pasamanería.

retroseiro, *s. m.* pasamanero.

retrospecção, *s. f.* retrospección.

retrospectiva, *s. f.* retrospectiva.

retrospectivo, *adj.* retrospectivo.

retrotrair, *v. tr.* retrotraer.

retrovender, *v. tr.* retrovender.

retroversão, *s. f.* retroversión.

retrovisor, *s. m.* retrovisor.

retrucar, *v. tr.* retrucar.

retumbante, *adj. 2 gén.* retumbante.

retumbar, *v. intr.* retumbar; retomar.

retumbo, *s. m.* retumbo.

réu, *s. m.* reo; culpado.

reuma, *s. f.* reuma.

reumático, *adj. e s. m.* reumático.

reumatismo, *s. m.* reuma, reúma, reumatismo.

reumatologia, *s. f.* reumatología.

reunião, *s. f.* reunión.

reunificação, *s. f.* reunificación.

reunificar, *v. tr.* reunificar.

reunir, *v. tr.* reunir; congregar; juntar, amontonar; agrupar.

revacinação, *s. f.* revacunación.

revacinar, *v. tr.* revacunar.

revalidação, *s. f.* revalidación.

revalidar, *v. tr.* revalidar.

revalorização, *s. f.* revalorización.

revalorizar, *v. tr.* revalorizar.

revanchismo, *s. m.* revanchismo.

revanchista, *adj. e s. 2 gén.* revanchista.

revel, *adj. e s. 2 gén.* rebelde.

revelação, *s. f.* revelación; FOT. revelado.

revelador, I. *adj. e s. m.* revelador. II. *s. m.* FOT. revelador.

revelar, *v. tr.* revelar; retratar.

revelho, *adj.* reviejo; longevo; decrépito.

revelia, *s. f.* rebeldía.

revenda, *s. f.* reventa.

revendedor, *s. m.* revendedor.

revender, *v. tr.* revender.

rever, *v.* 1. *tr.* rever; repasar; revisar; corregir. 2. *intr.* rezumar; resudar.

reverberação, *s. f.* reverberación.

reverberante, *adj. 2 gén.* reverberante.

reverberar, *v. tr.* reverberar.

revérbero, *s. m.* reverbero.

reverdecer, *v. tr.* reverdecer.

reverência, *s. f.* reverencia.

reverenciador, *adj. e s. m.* reverenciador.

reverencial, *adj. 2 gén.* reverencial.

reverenciar, *v. tr.* reverenciar.

reverencioso, *adj.* ceremonioso.

reverendíssima, *s. f.* reverendísima.

reverendíssimo, *s. m.* reverendísimo.
reverendo, *adj.* e *s. m.* reverendo.
reverente, *adj.* 2 *gén.* reverente.
reverificação, *s. f.* repaso.
reverificar, *v. tr.* repasar.
reversão, *s. f.* reversión.
reversar, *v. tr.* e *intr.* reversar, revesar, vomitar.
reversibilidade, *s. f.* reversibilidad.
reversível, *adj.* 2 *gén.* reversible.
reversivo, *adj.* reversible.
reverso, I. *adj.* reverso; inverso. II. *s. m.* revés, reverso.
reverter, *v. intr.* revertir; retornar; regresar.
revertível, *adj.* 2 *gén.* reversible.
revés, *s. m.* revés, reverso; desgracia; golpe oblicuo.
revessa, *s. f.* revesa, reveza, contracorriente en un río.
revesso, *adj.* reverso; torcido; revesado; contrahecho.
revestimento, *s. m.* revestimiento.
revestir, *v. tr.* revestir, vestir de nuevo; cubrir; tapar.
revezamento, *s. m.* revezo; alternativa.
revezar, *v. tr.* revezar; turnar, substituir a otro.
revigorar, *v. tr.* revigorizar.
revinda, *s. f.* regreso, vuelta.
revindicta, *s. f.* revancha.
revir, *v. intr.* volver a venir; regresar.
reviramento, *s. m.* mudanza de opinión.
revirão, *s. m.* talón del calzado.
revirar, *v. tr.* revirar, cambiar, retorcer, desviar, rebotar.
reviravolta, *s. f.* revuelta; rodeón; pirueta; *(fig.)* transformación; mudanza.
revisado, *adj.* revisado, revisto.
revisão, *s. f.* revisión, repaso.
revisar, *v. tr.* revisar, rever.
revisionismo, *s. m.* revisionismo.
revisionista, *s.* 2 *gén.* revisionista.
revisor, *s. m.* revisor.
revista, *s. f.* revista, repaso; requisa; revista (periódico); TEAT. revista; MIL. reseña.
revistar, *v. tr.* revistar, pasar revista; examinar; registrar.
revisteiro, *s. m.* revistero.
revisto, *adj.* revisto; revisado.
revitalizar, *v. tr.* revitalizar.
reviver, *v. intr.* revivir; resucitar; recordar.
revivescência, *s. f.* reviviscencia.
revivescente, *adj.* reviviscente.
revivescer, *v. tr.* e *intr.* revivir.

revivificação, *s. f.* revivificación.
revivificar, *v. tr.* revivificar.
revoada, *s. f.* revuelo; revoloteo.
revoar, *v. intr.* revolar, revolotear.
revocação, *s. f.* revocación.
revocar, *v. tr.* revocar; evocar; destituir; anular.
revocatório, *adj.* revocatorio.
revocável, *adj.* 2 *gén.* revocable.
revogabilidade, *s. f.* revocabilidad.
revogação, *s. f.* revocación.
revogar, *v. tr.* revocar; anular.
revogatório, *adj.* revocatorio.
revogável, *adj.* 2 *gén.* revocable.
revolta, *s. f.* revuelta; insurrección; sedición; rebelión.
revoltado, *adj.* e *s. m.* sublevado; revoltoso.
revoltante, *adj.* 2 *gén.* que subleva; repugnante; indigno.
revoltar, *v. tr.* e *intr.* revolucionar, amotinar; sublevar.
revolto, *adj.* revuelto; inquieto; travieso; *(fig.)* tumultuoso; agitado.
revoltoso, *adj.* e *s. m.* revoltoso, revuelto, rebelde, sedicioso.
revolução, *s. f.* revolución; revuelta.
revolucionar, *v. tr.* revolucionar.
revolucionário, *adj.* e *s. m.* revolucionario.
revoluteante, *adj.* 2 *gén.* revoloteante.
revolutear, *v. intr.* revolotear.
revolver, *v. tr.* revolver; revolcar; agitar; desordenar; cavar; escudriñar.
revólver, *s. m.* revólver.
revolvido, *adj.* revuelto.
revulsão, *s. f.* revulsión.
revulsivo, *adj.* revulsivo, revulsorio.
revulsório, *adj.* revulsivo, revulsorio.
reza, *s. f.* oración; súplica; rezo.
rezadeira, *s. f.* bruja.
rezar, *v. intr.* rezar, orar.
rezinga, *s. f.* refunfuño.
rezingão, *s. m.* rezongón, refunfuñón; regañón; respondón.
rezingar, *v. intr.* refunfuñar; respingar; rezongar; gruñir.
ria, *s. f.* ría.
riacho, *s. m.* riacho, riachuelo.
riba, *s. f.* riba; despeñadero.
ribalta, *s. f.* candilejas (en el proscenio del teatro).
ribamar, *s. f.* orilla del mar, litoral.
ribanceira, *s. f.* ribazo a la orilla de un río; despeñadero.

ribeira, *s. f.* ribera.
ribeirada, *s. f.* torrente.
ribeirinho, **I.** *adj.* ribereño; marginal. **II.** *s. m.* regato; riacho, riachuelo.
ribeiro, *s. m.* riacho, riachuelo.
ribete, *s. m.* ribete; cairel.
ribombante, *adj. 2 gén.* rimbombante.
ricaço, *adj.* e *s. m.* ricacho; ricachón; opulento.
rica-dona, *s. f.* ricadueña.
riçado, *adj.* rizado.
riçar, *v. tr.* rizar, encrespar.
rícino, *s. m.* BOT. ricino.
rico, *adj.* rico, hacendado; acaudalado; abundante; fértil; magnífico.
ricochete, *s. m.* rechazo, resurtido; vuelta.
ricochetear, *v. intr.* rebotar, dar rebotes; resurtir.
rico-homem, *s. m.* ricohombre.
ricto, *s. m.* rictus.
ridente, *adj.* riente, que ríe; risueño; alegre.
ridicularia, *s. f.* ridiculez; niñería; bagatela.
ridicularizar, *v. tr.* ridiculizar.
ridículo, *adj.* ridículo; risible.
rifa, *s. f.* rifa; sorteo.
rifão, *s. m.* refrán.
rifar, *v. tr.* rifar; sortear.
rifenho, *adj.* e *s. m.* rifeño.
rifle, *s. m.* rifle.
riga, *s. f.* riga (madera).
rigidez, *s. f.* rigidez; rigor.
rígido, *adj.* rígido, endurecido; duro.
rigor, *s. m.* rigor; severidad; aspereza.
rigorismo, *s. m.* rigurosidad, rigor.
rigoroso, *adj.* riguroso.
rijão, *s. m.* chicharrón, residuo de la pella del cerdo.
rijeza, *s. f.* dureza; rigidez.
rijo, *adj.* duro; recio; rígido; roblizo.
rilada, *s. f.* riñonada.
rilhador, *adj.* e *s. m.* roedor.
rilhar, *v. tr.* roer, comer royendo; triscar, crujir (los dientes).
rim, *s. m.* riñón.
rima, *s. f.* rima; rimero.
rimar, *v. tr.* e *intr.* rimar.
rincão, *s. m.* rincón.
rinchada, *s. f.* relincho.
rinchante, *adj. 2 gén.* relinchante.
rinchão, *adj.* e *s. m.* relinchón.
rinchar, *v. intr.* relinchar.
rincho, *s. m.* relincho.
rinite, *s. f.* rinitis.

rinoceronte, *s. m.* rinoceronte.
rinoplastia, *s. f.* rinoplastia.
rinorragia, *s. f.* rinorragia.
rinoscopia, *s. f.* rinoscopia.
rio, *s. m.* río.
ripa, *s. f.* ripia.
ripada, *s. f.* golpe con ripa; reprensión.
ripado, *s. m.* enrejado hecho de listones.
ripadura, *s. f.* rastrillaje.
ripanço, *s. m.* rastrillo; rastro; rastrilla; *(fig.)* descanso; poltrona.
ripar, *v. tr.* entejar con ripias; enlistonar; rastrillar, el lino.
ripícola, *adj. 2 gén.* ribereño.
ripio, *s. m.* ripio; cascajo.
ripostar, *v. intr.* responder; replicar; retrucar.
riqueza, *s. f.* riqueza; abundancia; opulencia; hartura; *(fam.)* ricura; é uma *riqueza de criança!*, ¡la niña es una ricura!
rir, *v.* **1.** *intr.* reír. **2.** *refl.* reírse; recochinarse.
risada, *s. f.* risa, risotada.
risadinha, *s. f.* risilla.
risca, *s. f.* línea; trazo, guión; surco; raya.
riscado, **I.** *s. m. (tecido)* rayadillo; *(riscas)* rayado. **II.** *adj.* rayado.
riscadura, *s. f.* rayadura, raya; surco.
riscar, *v. tr.* rayar.
risco, *s. m.* raya; trazo; guión; surco; línea; dibujo; trazado; plano; riesgo, peligro.
risinho, *s. m.* risilla.
risível, *adj. 2 gén.* risible.
riso, *s. m.* risa; alegría; zumba.
risonho, *adj.* risueño; reidor; alegre; agradable.
risota, *s. f. (fam.)* risotada; recochineo.
rispidez, *s. f.* aspereza; rigidez; severidad.
ríspido, *adj.* ríspido; áspero.
riste, *s. m.* ristre (de la lanza).
ritmado, *adj.* ritmado.
rítmico, *adj.* rítmico.
ritmo, *s. m.* ritmo; cadencia.
rito, *s. m.* rito.
ritornelo, *s. m.* retornelo.
ritual, *adj. 2 gén.* e *s. m.* ritual.
ritualismo, *s. m.* ritualismo, ritualidad.
ritualista, *adj.* e *s. 2 gén.* ritualista.
rival, *adj.* e *s. 2 gén.* rival; competidor.
rivalidade, *s. f.* rivalidad.
rivalizar, *v. intr.* rivalizar.
rixa, *s. f.* riña; cuestión; rencilla.
rixador, *adj.* e *s. m.* reñidor.
rixar, *v. intr.* reñir.

rixoso, *adj.* reñidor; rencilloso.
rizófago, *adj.* rizófago.
rizófilo, *adj.* radicícola.
rizoma, *s. m.* BOT. rizoma.
rizópode, *adj.* rizópodo.
roaz, *adj. 2 gén.* roedor; devorador; destruidor.
robalo, *s. m.* robalo, róbalo.
roble, *s. m.* roble.
robledo, *s. m.* robledo, robledal.
robô, *s. m.* robot.
roboração, *s. f.* roboración.
roboredo, *s. m.* robledo.
robot, *s. m.* robot.
robótica, *s. f.* robótica.
robótico, *adj.* robótico.
robotizar, *v. tr.* robotizar.
robustecer, *v. tr.* robustecer.
robustecimento, *s. m.* robustecimiento.
robustez, *s. f.* robustez; fuerza; vigor.
robusto, *adj.* robusto; fuerte; recio; firme; rollizo.
roca, *s. f. (de fiar)* rueca; roca, peñasco.
roça, *s. f.* roce, rozamiento, rozadura.
roçadela, *s. f.* rozadura; roceozamiento.
roçadura, *s. f.* rozadura; roce; rozamiento.
roçagante, *adj. 2 gén.* rozagante.
roçagar, *v. intr.* arrastrar; rozar.
rocal, *s. m.* rocalla, abalorio grueso; collar de perlas o de cuentas.
rocalha, *s. f.* rocalla.
rocambolesco, *adj.* rocambolesco.
roçar, *v. tr.* rozar; friccionar; cortar a ras; restregar; refregar.
rocega, *s. f.* NÁUT. rastreo, rastreamiento.
rocegar, *v. tr.* NÁUT. rastrear.
rocha, *s. f.* roca; peñasco.
rochedo, *s. m.* roca, roquedo.
rochoso, *adj.* rocoso; roqueño.
rociada, *s. f.* rociada, rocío, orvallo.
rociar, *v. intr.* rociar.
rocim, *s. m.* rocín.
rocinante, *s. m.* rocinante.
rocio, *s. m.* rocío.
rococó, *adj.* rococó.
roda, *s. f.* rueda; círculo; NÁUT. roda; *(dos conventos)* torno; *(lotaria)* globo; suplicio antiguo.
rodado, **I.** *adj.* rodado, que tiene ruedas; transcurrido. **II.** *s. m.* vuelo (del vestido); ruedas de un vehículo; rodada, rodera.
rodagem, *s. f.* rodaje.
rodante, *adj. 2 gén.* rodante.

rodapé, *s. m.* rodapié; friso, zócalo de una pared.
rodar, **I.** *v. tr.* rodar; enrodar (suplicio); girar, la rueda en el eje; rular. **II.** *s. m.* ruido del vehículo; transcurso; decurso.
rodear, *v. tr.* rodear, envolver; tornear; circundar; ceñir.
rodeio, *s. m.* rodeo; vuelta; curva; circuito; *pl.* recovecos.
rodela, *s. f.* rodela; rodaja; roela; roncha.
rodilha, *s. f.* rodilla; aljofifa; rodete.
ródio, *s. m.* QUÍM. rodio.
rodízio, *s. m.* ruedecilla. rueda de molino.
rodo, *s. m.* rastro; rodo.
rododendro, *s. m.* BOT. rododendro.
rodomel, *s. m.* rodomiel.
rodopiar, *v. intr.* remolinar.
rodopio, *s. m.* remolino.
rodovalho, *s. m.* rodaballo.
rodoviário, *adj.* viario.
rodriga, *s. f.* rodrigón.
roedor, *adj.* roedor.
roedura, *s. f.* roedura.
roer, *v.* **1.** *tr.* roer; ratonar; morder. **2.** *refl.* reconcomerse; *roer-se de inveja*, le ronco mese de invidia.
rogação, *s. f.* rogación; *pl.* rogativas.
rogar, *v. tr.* e *intr.* rogar; orar.
rogativa, *s. f.* rogación, rogativa.
rogo, *s. m.* ruego; súplica; rogación, rogativa.
roído, *adj.* roído.
rojão, *s. m.* TAUR. rejón.
rojo, *s. m.* arrastre.
rojoneador, *s. m.* TAUR. rejoneador.
rojonear, *v. tr.* rejonear.
rol, *s. m.* rol; lista; relación.
rola, *s. f.* ZOOL. tórtola.
rolado, *adj.* rolado; *pedra rolada*, piedra rodada.
rolamento, *s. m.* rodadura.
rolão, *s. m.* rodillo.
rolar, *v.* **1.** *tr.* rolar. **2.** *intr.* rodar, girar; arrullar.
roldana, *s. f.* roldana; polca.
roleta, *s. f.* ruleta.
rolete, *s. m.* rodete.
rolha, *s. f.* tapón.
rolhar, *v. tr.* encorchar.
rolheiro, *s. m.* taponero.
roliço, *adj.* rollizo; cilíndrico; gordo.
rolo, *s. m.* rollo; cilindro; rodillo; *(do cabelo)* rulo.

romã, s. f. BOT. granada.
romagem, s. f. peregrinación.
romaico, adj. romaico.
romança, s. f. romanza.
romance, s. m. romance (idioma); romance, novela.
romancear, v. tr. e intr. romancear; escribir romances.
romanceiro, s. m. romancero.
romancista, s. 2 gén. romancista.
romanesco, adj. romanesco.
românico, adj. románico.
romanista, s. 2 gén. romanista.
romanização, s. f. romanización.
romanizar, v. tr. romanizar.
romano, adj. e s. m. romano; *balança romana,* romana.
romântico, adj. romántico.
ramantismo, s. m. romanticismo.
romantizar, v. tr. hacer romántico; idealizar.
romaria, s. f. romería; peregrinación.
romãzeira, s. f. granado.
romãzeiral, s. m. granadal.
rômbico, adj. rómbico.
rombo, I. s. m. rombo. II. adj. romo.
romboédrico, adj. romboédrico.
romboedro, s. m. romboedro.
romboidal, adj. 2 gén. romboidal.
rombóide, s. m. romboide.
rombudo, adj. romo.
romeira, s. f. romera; peregrina; especie de esclavina.
romeiro, s. m. romero.
romeno, adj. e s. m. rumano.
rompante, I. adj. 2 gén. arrogante. II. s. m. ímpetu, furia; repente.
rompedura, s. f. rompimiento.
rompente, adj. 2 gén. rompiente, arrogante, amenazador.
romper, v. tr. romper, quebrar, rasgar, destrozar.
rompimento, s. m. rompimiento; ruptura.
ronca, s. f. ronquido; ronca, bravata.
roncador, adj. e s. m. roncador; (fig.) fanfarrón.
roncadura, s. f. ronquido.
roncar, v. intr. roncar; resollar; echar roncas.
ronceirice, s. f. roncería, tardanza, lentitud.
ronceiro, adj. roncero, tardo y pachorrento.
roncice, s. f. roncería.

ronco, s. m. ronquido; ronco.
ronda, s. f. ronda.
rondar, v. tr. rondar.
rondó, s. m. MÚS. rondó; rondel.
ronha, s. f. roña; (fig.) sarna; maña.
ronhento, adj. roñoso.
ronhoso, adj. roñoso.
ronqueira, s. f. ronquera.
ronrom, s. m. ronronear.
ronronar, v. intr. ronronear.
roque, s. m. (xadrez) roque.
roqueiro, adj. roquero.
roquete, s. m. roquete.
rorante, adj. 2 gén. rorante.
rorejar, v. tr. aljofarar, roscar, rorar, rociar.
rórido, adj. rociado; rorante.
rorqual, s. m. rorcual.
rosa, s. f. BOT. rosa.
rosácea, s. f. ARQ. rosetón.
Rosáceas, s. f. pl. BOT. rosáceas.
rosáceo, adj. rosáceo.
rosado, adj. rosado, róseo.
rosalgar, s. m. monosulfuro de arsénico.
rosário, s. m. rosario.
rosar-se, v. refl. rosarse; sonrojarse; ruborizarse.
rosbife, s. m. rosbif.
rosca, s. f. rosca; (fam.) borrachera; *rosca de pão,* rosco, roscón.
róscido, adj. rociado, rorante.
roseira, s. f. BOT. rosal.
roseiral, s. m. rosaleda.
róseo, adj. róseo, rosado.
roséola, s. f. MED. roséola.
roseta, s. f. roseta; MED. roséola.
rosicler, adj. e s. m. rosicler.
rosmaninho, s. m. BOT. rosmarino.
rosnador, adj. e s. m. rezongador, refunfuñador.
rosnar, v. tr. e intr. roznar; rebuznar; rezongar; gruñir; (cão) regañar.
rosquilha, s. f. rosquilla.
rossio, s. m. plaza pública.
rosto, s. m. rostro, cara, faz; rostro de libra; (fig.) fisonomia, aspecto.
rostro, s. m. rostro, pico del ave.
rota, s. f. ruta; dirección; derrota; pelea; (tribunal pontifício), rota.
rotação, s. f. rotación.
rotativa, s. f. rotativa.
rotativo, adj. rotativo.
rotatório, adj. rotatorio.
rotear, v. tr. desbravar, roturar; pilotar un navío, marear.

roteiro, s. m. itinerario; ruta.
rotiforme, adj. 2 gén. rotiforme.
rotina, s. f. rutina.
rotineiro, adj. e s. m. rutinario.
roto, I. adj. roto. II. s. m. andrajoso.
rótula, s. f. ANAT. rótula, rodilla.
rotulador, s. m. marcador.
rotulagem, s. f. rotulación.
rotular, v. tr. rotular.
rótulo, s. m. rótulo; letrero; título.
rotunda, s. f. rotonda.
rotundidade, s. f. rotundidad.
rotundo, adj. rotundo.
rotura, s. f. rotura; ruptura; fractura; quiebra.
roubalheira, s. f. robo grande y escandaloso.
roubar, v. tr. robar; rapiñar; hurtar; quitar.
roubo, s. m. robo; rapiña.
rouco, adj. ronco.
roufenhar, v. intr. ganguear.
roufenho, adj. gangoso.
roupa, s. f. ropa; vestuario.
roupagem, s. f. ropaje.
roupão, s. m. ropón.
rouparia, s. f. ropería.
roupeira, s. f. ropera.
roupeiro, s. m. ropero.
rouquejar, v. intr. ronquear.
rouquidão, s. f. ronquera.
rouquido, s. m. ronquido.
rouxinol, s. m. ZOOL. ruiseñor.
roxear, v. tr. amoratar.
roxo, adj. e s. m. violáceo, violeta, morado, amoratado.
rua, s. f. calle; rúa; (fig.) plebe, el populacho.
ruão, s. m. ruante, plebeyo.
rubefacção, s. f. rubefacción.
rubefaciente, adj. 2 gén. rubefaciente.
rúbeo, adj. rúbeo.
rubéola, s. f. rubéola.
rubi, s. m. rubí.
Rubiáceas, s. f. pl. BOT. rubiáceas.
rubicundo, adj. rubicundo.
rubidez, s. f. rubor.
rubídio, s. m. rubidio.
rubificante, adj. 2 gén. rubificante.
rubificar, v. tr. rubificar.
rubiginoso, adj. rubiginoso.
rubim, s. m. rubí.
rublo, s. m. rublo (moneda).
rubor, s. m. rubor; rojez.
ruborização, s. f. ruborización.

ruborizar-se, v. tr. ruborizarse.
rubrica, s. f. rúbrica.
rubricar, v. tr. rubricar; firmar.
rubro, adj. rubro.
ruço, adj. rucio, pardusco.
rude, adj. rudo, tosco; rural, rústico.
rudeza, s. f. rudeza.
rudimentar, adj. 2 gén. rudimentario.
rudimento, s. m. rudimento.
ruela, s. f. calleja.
rufar, v. tr. e intr. fruncir; plisar; redoblar (el tambor).
rufia, s. m. rufián.
rufianesco, adj. rufianesco.
rufo, s. m. redoble, toque del tambor, rataplán; frunce, pliegue.
ruga, s. f. arruga, ruga, pliegue.
rugar, v. tr. rugar, arrugar.
rugido, s. m. rugido.
rugidor, adj. rugidor.
rugir, v. intr. rugir.
rugosidade, s. f. rugosidad.
rugoso, adj. rugoso, arrugado.
ruibarbo, s. m. ruibarbo.
ruído, s. m. ruido; ruído áspero, ronquido.
ruidoso, adj. ruidoso.
ruim, adj. ruin; bajo.
ruína, s. f. ruina.
ruindade, s. f. ruindad.
ruinoso, adj. ruinoso.
ruir, v. intr. desmoronarse; derrumbarse.
ruiva, s. f. BOT. rubia.
ruivo, adj. rubio, rúbeo, gualdo, rútilo.
rum, s. m. ron.
rumar, v. 1. tr. NÁUT. rumbear. 2. intr. orientarse.
rumba, s. f. rumba.
rumbar, v. intr. rumbear.
ruminação, s. f. rumia.
ruminante, adj. 2 gén. e s. m. rumiante.
ruminar, v. tr. e intr. rumiar.
rumo, s. m. rumbo; camino, dirección, método.
rumor, s. m. rumor; murmullo; susurro; ruido; runrún.
rumorejar, v. 1. intr. susurrar. 2. refl. rumorearse.
rumorejo, s. m. rumoreo, runrún; susurro.
rumoroso, adj. rumoroso.
runa, s. f. savia del pino; pl. runas.
rúnico, adj. rúnico.
rupestre, adj. 2 gén. rupestre.
rupia, s. f. rupia.

rupícola, *adj. 2 gén.* rupícola.
ruptura, *s. f.* ruptura, rotura, rompimiento.
rural, *adj. 2 gén.* rural, rústico.
rusga, *s. f.* redada, dilligencia de la policía.
russo, *adj. e s. m.* ruso.
rusticidade, *s. f.* rusticidad.
rústico, I. *adj.* rústico, rural. **II.** *s. m.* campesino.

ruténio, *s. m.* rutenio.
rutilação, *s. f.* rutilación.
rutilância, *s. f.* fulgor.
rutilante, *adj. 2 gén.* rutilante.
rutilar, *v. intr.* rutilar; resplandecer.
rútilo, *adj.* rútilo, rutilante.
rútulos, *s. m. pl.* rútulos (pueblo).
ruvinhoso, *adj.* herrumbroso.

S

sábado, *s. m.* sábado.
sabão, *s. m.* jabón; *(fam.)* gran sabio; *(fig.)* reprimenda, rapapolvo.
sabático, *adj.* sabático.
sabatino, *adj.* sabatino.
sabedor, *adj. e s. m.* sabedor; sabio; erudito.
sabedoria, *s. f.* sabiduría; saber; sapiencia; prudencia; rectitud.
saber, **I.** *v.* **1.** *tr.* saber; conocer. **2.** *intr.* ser instruido; ser docto; saber, tener saber. **II.** *s. m.* saber; sabiduría.
sabichão, *adj. e s. m.* sabihondo; sabelotodo, sabidillo.
sabichona, *adj. e s. f.* sabihonda, sabelotodo, sabididilla.
sabidas, *s. f. pl., às sabidas,* a sabiendas.
sabido, *adj.* sabido; sabedor; erudito; sabichoso, astuto.
sábio, *adj. e s. m.* sabio; erudito; docto; prudente; avisado; sabido.
saboaria, *s. f.* jabonería.
saboeira, *s. f.* jabonera.
saboeiro, *s. m.* jabonero.
sabonete, *s. m.* jabón.
saboneteira, *s. f.* jabonera.
sabor, *s. m.* sabor; gusto; sazón.
saborear, **I.** *v. tr.* saborear. **II.** *s. m.* saboreo.
saboroso, *adj.* sabroso; gustoso.
sabotador, *s. m.* saboteador.
sabotagem, *s. f.* sabotaje.
sabotar, *v. tr.* sabotear.
sabrada, *s. f.* sablazo.
sabre, *s. m.* sable.
sabre-baioneta, *s. m.* sable bayoneta.
sabugo, *s. m.* saúco, medula del saúco; raíz de las uñas.
sabugueiro, *s. m.* BOT. saúco, sauquillo.
sabujar, *v. tr.* adular.
sabujismo, *s. m.* servilismo.
sabujo, *s. m.* sabueso, perro de caza; *(fig.)* adulador.
saburra, *s. f.* sarro.
saca, *s. f.* saca; transporte; extracción; bolsa grande.
saca-balas, *s. m.* sacabala.
saca-bocado, *s. m.* sacabocado.

sacada, *s. f.* saca, sacamiento; ARQ. salidizo, balcón; saco lleno.
sacado, **I.** *s. m.* librado. **II.** *adj.* sacado, quitado.
sacador, *adj. e s. m.* librador.
saca-molas, *s. m.* llave, herramienta de dentista.
sacão, *s. m.* salto del caballo; empujón; estirón.
sacar, *v. tr.* sacar, arrancar, extraer; librar, girar.
sacaria, *s. f.* saquería.
sacarífero, *adj.* sacarífero.
sacarificar, *v. tr.* sacarificar.
sacarímetro, *s. m.* sacarímetro.
sacarina, *s. f.* sacarina.
sacarino, *adj.* sacarino.
saca-rolhas, *s. m.* sacacorchos.
sacarose, *s. f.* sacarosa.
saca-trapos, *s. m.* sacatrapos.
sacerdócio, *s. m.* sacerdocio.
sacerdotal, *adj. 2 gén.* sacerdotal.
sacerdote, *s. m.* sacerdote.
sacerdotisa, *s. f.* sacerdotisa.
sacha, *s. f.* AGR. escarda.
sachada, *s. f.* sachadura.
sachador, *adj. e s. m.* sachador.
sachar, *v. tr.* AGR. sachar, escardar.
sacho, *s. m.* sacho, escardo, picaza, escardillo.
sachola, *s. f.* sacha, escarda.
saciar, *v. tr.* saciar; hartar; saturar.
saciável, *adj. 2 gén.* saciable.
saciedade, *s. f.* saciedad.
saco, *s. m.* saco; fuelle, arruga en una prenda de vestir; saco, vestidura tosca.
sacralizar, *v. tr.* sacralizar.
sacramentado, *adj.* sacramentado.
sacramental, *adj. 2 gén.* sacramental.
sacramentar, *v.* **1.** *tr.* sacramentar. **2.** *refl.* dar o recibir los últimos sacramentos.
sacramento, *s. m.* sacramento.
sacrário, *s. m.* sagrario.
sacrificado, *adj.* sacrificado.
sacrificador, *adj. e s. m.* sacrificador.
sacrificar, *v. tr. e intr.* sacrificar; ofrecer en sacrificio; renunciar a.
sacrifício, *s. m.* sacrificio.

sacrilégio, *s. m.* sacrilegio.
sacrílego, *adj.* e *s. m.* sacrílego.
sacripanta, *s. 2 gén.* hipócrita.
sacristã, *s. f.* sacristana.
sacristão, *s. m.* sacristán.
sacristia, *s. f.* sacristía.
sacro, I. *adj.* sacro, sagrado. II. *s. m.* sacro.
sacrossanto, *adj.* sacrosanto.
sacudida, *s. f.* sacudida, sacudimiento.
sacudidela, *s. f.* sacudida.
sacudidura, *s. f.* sacudida.
sacudir, *v. tr.* sacudir.
sádico, *adj.* e *s. m.* sádico.
sadio, *adj.* sano.
sadismo, *s. m.* sadismo.
sadomasochismo, *s. m.* sadomasoquismo.
sadomasochista, *adj.* e *s 2 gén.* sadomasoquista.
sadomasoquismo, *s. m.* vd. **sadomasochismo**.
sadomasoquista, *adj.* e *s 2 gén.* vd. **sadomasochista**.
safado, *adj.* gastado; quitado; *(fam.)* cínico.
safanão, *s. m.* tirón, sacudida; empujón; *(fam.)* bofetón.
safar, *v.* 1. *tr.* halar; sacar, borrar; NÁUT. zafar, desencallar. 2. *refl.* zafarse, escaparse.
sáfara, *s. f.* terreno estéril.
safardana, *2 gén.* canalla, granuja.
safari, *s. m.* safari.
sáfaro, *adj.* estéril; bravío.
safio, *s. m.* ZOOL. congrio.
sáfio, *adj.* zafio, grosero.
safira, *s. f.* zafir, zafiro.
safirina, *s. f.* zafirina.
safo, *adj.* zafado, puesto a salvo; gastado, usado.
safões, *s. m. pl.* zahones.
safra, *s. f.* bigornia, yunque; cosecha abundante.
saga, *s. f.* saga.
sagacidade, *s. f.* sagacidad.
sagaz, *adj. 2 gén.* sagaz, astuto.
sagitado, *adj.* aflechado.
sagital, *adj. 2 gén.* sagital.
sagitária, *s. f.* BOT. sagitaria.
sagitário, *adj.* sagitario.
sagração, *s. f.* consagración.
sagrado, I. *adj.* sagrado; sacro; inviolable; santo; puro. II. *s. m.* sagrado.
sagrar, *v. tr.* consagrar.
sagu, *s. m.* sagú.

sagual, *s. m.* bosque o plantación de sagúes.
saguão, *s. m.* zaguán.
sagueiro, *s. m.* BOT. sagú.
saia, *s. f.* saya, falda.
saibo, *s. m.* sabor; paladar.
saibrar, *v. tr.* cubrir con arcilla.
saibreira, *s. f.* lugar de donde se extrae la arena gruesa.
saibro, *s. m.* sablón, sábulo.
saibroso, *adj.* arcilloso.
saída, *s. f.* salida; venta; lugar por donde se sale.
saído, *adj.* salido; saliente.
saimento, *s. m.* salida.
sainete, *s. m.* sainete; sabor; gracia.
saio, *s. m.* sayo.
saiote, *s. m.* sayote.
sair, *v. intr.* salir; partir.
sal, *s. m.* sal; *(fig.)* salero.
sala, *s. f.* sala; *sala de jantar,* salón comedor.
salada, *s. f.* ensalada.
saladeira, *s. f.* ensaladera.
salafrário, *s. m.* hombre ordinario, grosero.
salamaleque, *s. m.* zalema.
salamandra, *s. f.* salamandra.
salame, *s. m.* salami, salame, salchichón.
salão, *s. m.* salón.
salarial, *adj. 2 gén.* salarial.
salariar, *v. tr.* soldada; sueldo.
salário, *s. m.* salario; *(fig.)* semana; semanada; *salário base,* sueldo base, *salário mínimo,* sueldo mínimo.
salaz, *adj. 2 gén.* salaz.
salchicha, *s. f.* salchicha.
salchicharia, *s. f.* salchichería.
saldar, *v. tr.* saldar, liquidar.
saldo, *s. m.* saldo.
saleiro, *s. m.* salero.
salesiano, *adj.* e *s. m.* salesiano.
saleta, *s. f.* saleta.
salga, *s. f.* saladura, salazón.
salgadeira, *s. f.* saladero.
salgado, *adj.* salado.
salgalhada, *s. f.* mezcla; embrollo, confusión.
salgar, *v. tr.* salar.
salgueiral, *s. m.* salceda.
salgueirinha, *s. f.* salicaria.
salgueiro, *s. m.* sauce.
salicíneas, *s. f. pl.* salicíneas.
salícola, *adj. 2 gén.* salífero, salino.
saliência, *s. f.* saliente.

salientar, *v. tr.* hacer o volver saliente; destacar.

saliente, *adj. 2 gén.* saliente; salido.

salificar, *v. tr.* salificar.

salina, *s. f.* salina; marina.

salinação, *s. f.* salificación.

salinar, *v. tr.* cristalizar (la sal).

salineiro, *s. m.* salinero.

salinidade, *s. f.* salinidad.

salino, *adj.* salino; salífero.

salitral, *s. m.* salitral.

salitrar, *v. tr.* convertir en salitre.

salitraria, *s. f.* salitrería.

salitre, *s. m.* salitre, nitro.

salitreiro, *s. m.* salitrero.

salitroso, *adj.* salitroso.

saliva, *s. f.* saliva.

salivação, *s. f.* salivación.

salivar, I. *v. intr.* salivar. II. *adj. 2 gén.* salival.

salivoso, *adj.* salivoso.

salmão, *s. m.* ZOOL. salmón.

salmear, *v. tr. e intr.* salmear.

salmista, *s. 2 gén.* salmista.

salmo, *s. m.* salmo.

salmodia, *s. f.* salmodia.

salmodiar, *v. tr. e intr.* salmodiar.

salmoeira, *s. f.* salmuera.

salmoira, *s. f.* salmuera.

salmonado, *adj.* salmonado.

salmonelose, *s. f.* salmonelosis.

salmonete, *s. m.* salmonete.

salmoura, *s. f.* salmuera.

salobre, *adj. 2 gén.* salobre, salobreño.

salobro, *adj.* vd. **salobre**.

saloiada, *s. f.* aldeanada.

saloio, *adj. e s. m.* aldeano de los alrededores de Lisboa; campesino.

salpicado, *adj.* salpicado, matizado.

salpicadura, *s. f.* salpicadura.

salpicão, *s. m.* salchichón.

salpicar, *v. tr.* salpicar.

salpico, *s. m.* salpicadura; salpicón.

salpimentar, *v. tr.* salpimentar.

salpresar, *v. tr.* salpresar.

salsa, *s. f.* BOT. perejil.

salsicha, *s. f.* salsicha.

salsichão, *s. m.* salsichón.

salsicharia, *s. f.* salsichería.

salsifré, *s. m.* juerga; bulla.

salso, *adj.* salado.

salsugem, *s. f.* lodo que contiene substancias salinas.

salsuginoso, *adj.* salitroso.

saltada, *s. f.* salto; embestida; asalto, incursión; visita rápida.

saltador, *adj. e s. m.* saltador.

saltão, I. *adj. e s. m.* saltón. II. *s. m.* ZOOL. saltamontes.

saltar, *v. tr. e intr.* saltar; transponer de un salto; omitir.

salta-regra, *s. m.* saltarregla.

saltarelo, *s. m.* saltarel; danzarín.

saltarilho, *s. m.* saltacharquillos.

salteada, *s. f.* salto; embestida; asalto, incursión; visita rápida.

salteado, *adj.* salteado; interpolado; atacado de improviso.

salteador, *s. m.* salteador, asaltador.

saltear, *v. tr.* saltear; saquear; asaltar.

saltério, *s. m.* salterio.

saltimbanco, *s. m.* saltibamqui.

salto, *s. m.* salto; bote; cascada; *(de sapato)* tacón.

salubre, *adj. 2 gén.* salubre; saludable.

salubridade, *s. f.* salubridad; sanidad.

salubrificar, *v. tr.* sanear.

salutar, *adj. 2 gén.* saludable; salubre.

salva, *s. f.* bandeja; BOT. salva, salvia; *(de tiros)* salva.

salvação, *s. f.* salvación.

salvador, *adj. e s. m.* salvador.

salvaguarda, *s. f.* salvaguardia. salvaguarda.

salvaguardar, *v. tr.* salvaguardar.

salvamento, *s. m.* salvamento; salvación.

salvar, *v. tr.* salvar; librar; salvaguardar; MIL. salvar; saludar; exceptuar; excluir.

salvatério, *s. m.* salvación providencial; recurso.

salvável, *adj. 2 gén.* salvable.

salva-vidas, *s. m.* salvavidas.

salve!, *interj.* ¡salve!

salvo, *adj.* salvo; libre; ileso; omitido; intacto.

salvo-conduto, *s. m.* salvoconducto; salvaguarda, salvaguardia.

samário, *s. m.* QUÍM. samario.

samaritano, *adj. e s. m.* samaritano.

samarra, *s. f.* zamarra.

sambenito, *s. m.* sambenito.

samovar, *s. m.* samovar.

sampana, *s. f.* sampán, champán.

samurai, *s. m.* samurai.

sanador, *adj. e s. m.* sanador.

sanar, *v. tr.* sanar, curar; sanear; subsanar.

sanatório, *s. m.* sanatorio.

sanável, *adj. 2 gén.* sanable.

sancadilha, *s. f.* zancadilla.
sanção, *s. f* sanción.
sancionar, *v. tr.* sancionar.
sancionável, *adj.* 2 *gén.* sancionable.
sandália, *s. f.* sandalia.
sândalo, *s. m.* BOT. sándalo.
sandeu, *adj. e s. m.* sandio.
sandice, *s. f.* sandez.
sandinismo, *s. m.* sandinismo.
sandinista, *adj. e s.* 2 *gén.* sandinista.
sanduíche, *s. f.* emparedado, bocadillo.
saneamento, *s. m.* saneamiento.
sanear, *v. tr.* sanear.
saneável, *adj.* 2 *gén.* saneable.
sanedrim, *s. m.* sanedrín.
sanefa, *s. f.* cenefa.
sanfeno, *s. m.* pipirigallo.
sanfona, *s. f.* zanfonía.
sanfoniar, *v. intr.* tocar sanfonía.
sangradouro, *s. m.* sangradura.
sangradura, *s. f.* sangradura.
sangrante, *adj.* 2 *gén.* sangrante.
sangrar, *v. tr. e intr.* sangrar.
sangrento, *adj.* sangriento, sanguinolento.
sangria, *s. f.* sangría; sangradura; *(bebida)* sangría.
sangue, *s. m.* sangre.
sangue-frio, *s. m.* sangre fría.
sangueira, *s. f. (fam.)* morcilla; chacina.
sanguento, *adj.* sangriento.
sanguessuga, *s. f.* sanguijuela.
sanguina, *s. f.* sanguina.
sanguinário, *adj.* sanguinario.
sanguínea, *s. f.* BOT. sanguina; sanguinaria; dibujo.
sanguíneo, *adj.* sanguíneo, sanguino.
sanguinolência, *s. f.* sanguinolencia.
sanguinolento, *adj.* sanguinolento, sangriento.
sanguissedento, *adj.* sanguinario.
sanha, *s. f.* saña, ira.
sanhoso, *adj.* sañudo.
sanhudo, *adj.* sañudo.
sanidade, *s. f.* sanidad.
sanificar, *v. tr.* sanear.
sanitário, **I.** *adj.* sanitario. **II.** *s. m.* sanitario.
sanja, *s. f.* zanja.
sanjar, *v. tr. e intr.* zanjar.
sansão, *s. m. (fig.)* sansón.
sanscrítico, *adj.* sánscrito.
sânscrito, *adj. e s. m.* sánscrito.
santa-bárbara, *s. f.* santabárbara.
santão, *s. m.* santón, santurrón, santero.
santarrão, *s. m.* santón.

santeiro, *s. m.* imaginero.
santelmo, *s. m.* santelmo.
santidade, *s. f.* santidad; *(pej.)* santería.
santificação, *s. f.* santificación.
santificante, *adj.* 2 *gén.* santificante.
santificar, *v. tr.* santificar.
santigar, *v. tr.* santiguar.
santimónia, *s. f.* santería; hipocresía.
santíssimo, *adj. e s. m.* santísimo.
santo, *adj. e s. m.* santo, san.
santo-e-senha, *s. m.* MIL. santo y seña.
santola, *s. f.* centolla, centollo.
santonina, *s. f.* santónica; santonina.
santoral, *s. m.* santoral.
santuário, *s. m.* santuario.
são, *adj. e s. m.* sano; *(santo)* san.
sapa, *s. f.* zapa.
sapador, *s. m.* zapador.
sapal, *s. m.* pantano.
sapata, *s. f.* zapata.
sapatada, *s. f.* zapatazo.
sapataria, *s. f.* zapatería.
sapateada, *s. f.* zapateo.
sapateado, *s. m.* zapateado.
sapatear, *v. intr.* zapatear.
sapateiro, *s. m.* zapatero.
sapatilha, *s. f.* zapatilla.
sapato, *s. m.* zapato; *sapato de balet,* zapatilla de balet, zapatilla de puntas.
sapatorra, *s. f.* chancleta.
sapiência, *s. f.* sapiencia.
sapiente, *adj.* 2 *gén.* sapiente.
sapinhos, *s. m. pl.* aftas.
sapo, *s. m.* ZOOL. sapo.
saponáceo, *adj.* saponáceo.
saponária, *s. f.* saponaria.
saponificação, *s. f.* saponificación.
saponificar, *v. tr.* saponificar.
saporífero, *adj.* saporífero.
sapudo, *adj.* vd. **atarracado**.
saque, *s. m.* saqueo, saco; letra de cambio, giro.
saqueador, *adj. e s. m.* saqueador.
saquear, *v. tr. e intr.* saquear, depredar; robar; atracar.
saqueio, *s. m.* saqueo; robo.
saquete, *s. m.* saquete; saqueta; saco pequeño.
saquitel, *s. m.* saquito.
sarabanda, *s. f.* zarabanda.
sarabulhento, *adj.* que tiene salpullido; áspero.
sarabulho, *s. m.* salpullido.

saracotear, *v. tr.* mover con gracia el cuerpo; requebrar.

saraiva, *s. f.* granizo.

saraivada, *s. f.* granizada.

saraivar, *v. intr.* granizar.

sarampão, *s. m.* sarampión.

sarampelo, *s. m.* MED. sarampión benigno.

sarampo, *s. m.* sarampión.

sarapatel, *s. m.* zarapatel, guisado.

sarapintar, *v. tr.* pintar o mezclar con diversos colores; mosquear.

sarar, *v. tr.* sanar, curar.

sarau, *s. m.* sarao, velada.

saraui, *adj. e s. 2 gén.* saharaui, sahariano.

sarça, *s. f.* BOT. zarza.

sarçal, *s. m.* zarzal.

sarcasmo, *s. m.* sarcasmo; socarronería.

sarcástico, *adj.* sarcástico.

sarcófago, *s. m.* sarcófago.

sarcoma, *s. m.* MAT. sarcoma.

sarcomatose, *s. f.* sarcomatosis.

sarçoso, *adj.* zarzoso.

sarda, *s. f.* peca, mancha en el cutis; sarda, caballa, pez.

sardanisca, *s. f.* lagartija.

sardão, *s. m.* lagarto.

sardento, *adj.* pecoso.

sardinha, *s. f.* sardina.

sardinheira, *s. f.* sardinera; BOT. geranio.

sardinheiro, *adj. e s. m.* sardinero.

sardo, *adj. e s. m.* sardo.

sardónico, *adj.* sardónico.

sardoso, *adj.* pecoso.

sargaço, *s. m.* sargazo.

sargentear, *v. intr.* sargentear.

sargento, *s. m.* sargento.

sari, *s. m.* sari.

sariano, *adj. e s. m.* sahariano, sarauhi.

sarilhar, *v. tr.* vd. **ensarilhar.**

sarilho, *s. m.* agadillo, devanadera; MIL. pabellón de fusiles; confusión, desorden.

sarja, *s. f.* sarga.

sarjeta, *s. f.* sumidero; cuneta; *(tecido)* sarga.

sarmento, *s. m.* sarmiento.

sarmentoso, *adj.* sarmentoso.

sarna, *s. f.* MED. sarna.

sarnento, *adj.* sarnoso.

sarnoso, *adj.* sarnoso.

sarpar, *v. intr.* zarpar.

sarrabisco, *s. m.* garabato.

sarrabulhada, *s. f.* guisado composto de sangre de cerdo, carne, etc.; *(fig.)* balburdia.

sarrabulho, *s. m.* vd. **sarrabulhada.**

sarraceno, *s. m.* sarraceno, sarracino.

sarrafo, *s. m.* vigueta; ripia, listón; viruta.

sarrafusca, *s. f. (fam.)* zaragata, desorden.

sarrão, *s. m.* vd. **surrão.**

sarreiro, *s. m.* hombre que limpia el sarro a las vasijas del vino.

sarrento, *adj.* sarroso.

sarro, *s. m.* sarro; sedimento; lengua.

satã, *s. m.* satán.

satanás, *s. m.* satanás.

satânico, *adj.* satánico, diabólico, infernal.

satanismo, *s. m.* satanismo.

satélite, *s. m.* satélite.

sátira, *s. f.* sátira.

satírico, *adj.* satírico.

satirizar, *v. tr.* satirizar.

sátiro, *s. m.* sátiro.

satisfação, *s. f.* satisfacción.

satisfatório, *adj.* satisfactorio.

satisfazer, *v. tr.* satisfacer; cumplir; pagar; alegrar; convencer; remediar; saciar.

satisfeito, *adj.* satisfecho; saciado; contento.

sátrapa, *s. m.* sátrapa.

saturação, *s. f.* saturación.

saturado, *adj.* saturado.

saturante, *adj. 2 gén.* saturante.

saturar, *v. tr.* QUÍM. saturar.

saturnal, *adj. 2 gén.* saturnal.

saturnino, *adj.* saturnino.

saturnismo, *s. m.* saturnismo.

saturno, *s. m.* saturno.

saudação, *s. f.* saludo, cumplimientos.

saudade, *s. f.* saudade, nostalgia, añoranza.

saudar, *v. tr.* saludar; felicitar.

saudável, *adj. 2 gén.* saludable.

saúde, *s. f.* salud.

saudita, *adj. e s. 2 gén.* saudí, saudita.

saudoso, *adj.* pesaroso, nostálgico, melancólico.

sauna, *s. f.* sauna.

sáurio, *adj. e s. m.* saurio.

savana, *s. f.* sabana.

sável, *s. m.* ZOOL. sábalo.

savelha, *s. f.* sabaleta.

saxão, *adj. e s. m.* sajón.

saxofone, *s. m.* saxófono, saxofón, saxo.

saxofonista, *s. 2 gén.* saxfonista.

saxónico, *adj.* sajón.

saxónio, *adj. e s. m.* sajón.

sazão, *s. f.* sazón.

sazoar, *v. tr.* sazoar.

sazonado, *adj.* sazonado, maduro.

sazonar, *v. tr.* sazonar, madurar.

se, **I.** *pron.* se, sí, a sí. **II.** *conj.* si.

sé, *s. f.* sede, catedral.

seara, *s. f.* campo sembrado; mies, trigal, maizal; cosechas de granos.

seareiro, *s. m.* meseguero.

seba, *s. f.* estiércol (de algas y plantas marinas).

sebáceo, *adj.* sebáceo.

sebada, *s. f.* sebe.

sebe, *s. f.* repajo; seto.

sebenta, *s. f.* lecciones litografiadas.

sebenteiro, *s. m.* el que escribe *sebentas*.

sebentice, *s. f.* inmundicia, suciedad.

sebento, *adj.* sucio, seboso, sebáceo.

sebo, *s. m.* sebo; grasa sólida; saín.

seborreia, *s. f.* seborreia.

seboso, *adj.* seboso; sebáceo.

seca, *s. f.* seca; sequía.

secador, *s. m. (de cabelo)* secador; *(de roupa)* secadora.

secadouro, *s. m.* secadero.

secante, **I.** *adj. 2 gén.* secante. **II. s. 1.** *f.* secante. **2.** *m.* secante.

secar, *v. tr.* secar; estancar; marchitar, mustiar; agostar.

secativo, *adj.* secante.

secção, *s. f.* sección; *dividir em secções,* seccionar.

secessionista, *adj. e s. 2 gén.* secesionista.

secessão, *s. f.* secesión.

secessionismo, *s. m.* secesionismo.

seccionar, *v. tr.* seccionar.

sécia, *s. f.* mujer coqueta.

sécio, *adj.* vd. **casquilho.**

seco, *adj.* seco; curado; marchito; descortés; delgado.

secreção, *s. f.* secreción.

secreta, *s. f.* secreta; *(fam.)* letrina.

secretaria, *s. f.* secretaría.

secretária, *s. f.* secretaria; *(móvel)* secreter.

secretariado, *s. m.* secretariado.

secretariar, *v. tr.* secretariar.

secretário, *s. m.* secretario.

secreto, **I.** *adj.* secreto, oculto. **II. s. m.** secreto.

secretor, *adj.* secretor.

secretório, *adj.* secretorio.

sectário, *adj. e s. m.* sectario.

sectarismo, *s. m.* sectarismo.

sector, *s. m.* sector.

sectorial, *adj. 2 gén.* sectorial.

secular, *adj. 2 gén.* secular; seglar.

secularidade, *s. f.* secularidad.

secularização, *s. f.* secularización.

secularizar, *v. tr.* secularizar.

século, *s. m.* siglo.

secundar, *v. tr.* secundar.

secundário, *adj.* secundario; subalterno; *ensino secundário,* secundaria.

secundinas, *s. f. pl.* ZOOL. secundinas.

secura, *s. f.* secura, sequedad; sed.

seda, *s. f.* seda; *pl.* sedería; *loja de sedas,* sedería; *da seda,* sedero.

sedação, *s. f.* sedación.

sedaço, *s. m.* cedazo; colador (para colar la leche).

sedalha, *s. f.* sedal.

sedante, *adj. 2 gén.* vd. **sedativo.**

sedar, *v. tr.* sedar; calmar.

sedativo, **I.** *adj.* sedativo, sedante. **II. s. m.** sedante.

sede, *s. f.* sede; asiento, silla; capital; centro; domicilio.

sede *(ê)*, *s. f.* sed; sequía.

sedeiro, *s. m.* sedadera.

sedela, *s. f.* sedal.

sedenho, *s. m.* MED. sedal.

sedentário, *adj.* sedentario.

sedentarismo, *s. m.* sedentarismo.

sedento, *adj.* sediento.

sedição, *s. f.* sedición, tumulto; rebelión popular; motín.

sedicioso, *adj.* sedicioso.

sedimentação, *s. f.* sedimentación.

sedimentação, *s. f.* sedimentario.

sedimentar, *v. intr.* sedimentar.

sedimento, *s. m.* sedimento; sarro; suelo.

sedoso, *adj.* sedoso, sedeño.

sedução, *s. f.* seducción.

sédulo, *adj.* cuidadoso.

sedutor, *s. m.* seductor.

seduzir, *v. tr.* seducir; sugerir.

sefardim, *adj. e s. 2 gén.* sefardí.

sefardita, *adj. e s. 2 gén.* sefardí.

sega, *s. f.* siega; segada; reja del arado.

segada, *s. f.* segada, siega.

segadeira, *s. f.* segadora.

segador, *s. m.* segador.

segadouro, *adj.* segable.

segar, *v. tr.* segar; vd. **ceifar.**

segmentação, *s. f.* segmentación.

segmentar, *v. tr.* segmentar.

segmento, *s. m.* segmento.

segredař, *v. tr.* secretear.

segredo, *s. m.* secreto; sigilo.

segregação, *s. f.* segregación.

segregacionismo, *s. m.* segregacionismo.

segregacionista, *adj. e s. 2 gén.* segregacionista.

segregar, *v. tr.* segregar; secretar.

segregativo, *adj.* segregativo.

seguida, *s. f.* seguida; *de seguida,* seguido.

seguidilha, *s. f.* seguidilla.

seguidilheiro, *s. m.* seguidillero.

seguido, *adj.* seguido, continuo.

seguidor, *adj. e s. m.* seguidor.

seguimento, *s. m.* seguimiento; seguida.

seguinte, *adj. 2 gén.* siguiente.

seguir, *v.* **1.** *tr.* seguir; proseguir; continuar; observar. **2.** *refl.* suceder.

segunda-feira, *s. f.* lunes.

segundo, **I.** *adj.* segundo, secundario. **II.** *s. m.* segundo; *ponteiro dos segundos,* segundero.

segura, *s. f.* segur; doladera.

segurado, *s. m.* asegurado.

segurador, *s. m.* asegurador.

seguramente, *adv.* seguro.

segurança, *s. f.* seguridad, certeza, confianza; fianza; convicción; seguro; solidez.

segurar, *v. tr.* asegurar; sujetar; afianzar; afirmar.

segurelha, *s. f.* pieza de madera o hierro (de los molinos); BOT. satureja.

seguro, **I.** *adj.* seguro; cierto, confiado; sólido. **II.** *s. m.* seguro, contrato.

seio, *s. m.* seno; pecho; vientre; cavidad; centro.

seira, *s. f.* sera, espuerta.

seirão, *s. m.* serón.

seirinha, *s. f.* serijo.

seis, *adj. num.* seis.

seiscentos, *num.* seiscientos.

seita, *s. f.* secta.

seiva, *s. f.* savia.

seixal, *s. m.* guijarral, cascajal.

seixo, *s. m.* guijarro, callao.

seixoso, *adj.* guijarreño.

sela, *s. f.* silla, sillín.

selagem, *s. f.* selladura.

selar, *v. tr.* ensillar; sellar.

selaria, *s. f.* guarnicionería.

selecção, *s. f.* selección.

seleccionador, *s. m.* seleccionador.

seleccionar, *v. tr.* seleccionar.

selecta, *s. f.* selecta.

selectividade, *s. f.* selectividad.

selectivo, *adj.* selectivo.

selecto, *adj.* selecto.

selector, *s. m.* selector.

seleiro, *s. m.* guarnicionero.

selénio, *s. m.* selenio.

selenita, *s. 2 gén.* selenita.

selenite, *s. f.* selenita.

selenografia, *s. f.* selenografía.

selha, *s. f.* sella.

selim, *s. m.* sillín.

selo, *s. m.* sello; sigilo; signáculo.

selva, *s. f.* selva.

selvagem, *adj. e s. 2 gén.* salvaje.

selvagismo, *s. m.* salvajismo, salvajada. .

selvajaria, *s. f.* salvajada, salvajismo.

selvático, *adj.* selvático.

selvoso, *adj.* selvoso.

sem, *prep.* sín.

semáforo, *s. m.* semáforo.

semana, *s. f.* semana.

semanada, *s. f.* semanada.

semanal, *adj. 2 gén.* semanal.

semanário, **I.** *adj.* semanario, semanal. **II.** *s. m.* semanario, periódico.

semântica, *s. f.* semántica.

semântico, *adj.* semántico.

semblante, *s. m.* semblante.

sem-cerimónia, *s. f.* falta de educación o convenciones sociales; descortesía.

sêmea, *s. f.* salvado (pan).

semeada, *s. f.* sembrada, sementera.

semeado, *adj.* sembrado.

semeador, *adj. e s. m.* sembrador.

semeadora, *s. f.* sembradora.

semeadura, *s. f.* sementera, siembra.

semear, *v. tr.* sembrar; difundir, propagar.

semelhança, *s. f.* semejanza; similitud.

semelhante, *adj. 2 gén. e s. m.* semejante.

semelhar, *v. intr.* semejar.

semelhável, *adj. 2 gén.* semejable.

sémen, *s. m.* semen.

semental, *s. m.* semental

semente, *s. f.* simiente, semilla; *saco da semente,* sementero.

sementeira, *s. f.* sementera; sembrado; siembra.

semestral, *adj. 2 gén.* semestral.

semestre, *s. m.* semestre.

sem-fim, *s. m.* sinfín, sinnúmero.

semiânime, *adj. 2 gén.* medio muerto, exánime.

semibreve, *s. f.* semibreve.

semicilindro, *s. m.* semicilindro.

semicircular, *adj. 2 gén.* semicircular.

semicírculo, *s. m.* semicírculo.

semicircunferência, *s. f.* semicircunferencia.

semicolcheia, *s. f.* semicorchea.

semicondutor, *s. m.* semiconductor.

semiconsciente, *adj. 2 gén.* semiconsciente.

semiconsoante, *adj. 2 gén. e s. f.* semiconsonante.

semideserto, *adj.* semidesierto.

semideus, *s. m.* semidiós.

semideusa, *s. f.* semidiosa.

semidirecto, I. *adj.* semidirecto. II. *s. m.* (*comboio*) semidirecto.

semieixo, *s. m.* semieje.

semiesférico, *adj.* semiesférico.

semifinal, *s. f.* semifinal.

semifinalista, *s. 2 gén.* semifinalista.

semifusa, *s. f.* semifusa.

semi-interno, *adj.* medio pensionista.

semimorto, *adj.* medio muerto.

seminação, *s. f.* diseminación.

seminal, *adj. 2 gén.* seminal.

seminário, *s. m.* seminario, semillero; RELIG. seminario.

seminarista, *s. m.* seminarista.

semínima, *s. f.* semínima.

seminu, *adj.* semidesnudo.

semiologia, *s. f.* semiología.

semiótica, *s. f.* semiótica.

semiprecioso, *adj.* semiprecioso.

semipútrido, *adj.* semipútrido.

semita, *adj. e s. 2 gén.* semita.

semítico, *adj.* semítico.

semitismo, *s. m.* semitismo.

semitom, *s. m.* semitono.

semivogal, *adj. 2 gén. e s. f.* semivocal.

sem-nome, *s. 2 gén.* anónimo.

sem-número, *s. m.* sinfín; sinnúmero.

sêmola, *s. f.* sémola.

sem-par, *adj. 2 gén.* sin par.

sempiterno, *adj.* sempiterno.

sempre, *adv.* siempre.

sempre-viva, *s. f.* BOT. siempreviva.

sem-razão, *s. f.* sinrazón.

sem-sabor, *adj.* insulso.

sem-vergonha, I. *s. f.* sinvergüencería; desverguenza. II. *s. 2 gén.* desverguenzado; sinvergüenza.

senado, *s. m.* senado.

senador, *s. m.* senador.

senadoria, *s. f.* senaduría.

senão, I. *conj.* sino. II. *prep.* excepto. III. *s. m.* falta, defecto.

senatorial, *adj. 2 gén.* senatorial.

senatório, *adj.* senatorial.

senda, *s. f.* senda; atajo.

sendeirice, *s. f.* tontería.

sendeiro, I. *adj.* dícese del burro o caballo viejo. II. *s. m.* sendero, vereda.

sene, *s. m.* BOT. sena; sen.

senectude, *s. f.* senectud.

senegalês, *adj. e s. m.* senegalés.

senescal, *s. m.* senescal.

senha, *s. f.* seña; señal; indicio; marca.

senhor, *s. m.* señor, dueño; señorito.

senhora, *s. f.* señora; señorita; duena de casa; esposa.

senhoraça, *s. f.* señoraza.

senhorear, *v. tr.* señorear.

senhoria, *s. f.* (*tratamento*) señoría.

senhorial, *adj. 2 gén.* señorial.

senhoril, *adj. 2 gén.* señoril; elegante.

senhorio, *s. m.* señorío; dominio; propietario.

senhorita, *s. f.* señorita.

senhorito, *s. f.* señorito.

senil, *adj. 2 gén.* senil; viejo.

senilidade, *s. f.* senilidad, senectud.

sénior, *adj. 2 gén.* sénior.

sensabor, *adj. 2 gén.* sinsabor.

sensaboria, *s. f.* sinsabor; insipidez; sosera, sosería; disgusto.

sensação, *s. f.* sensación; impresión.

sensacional, *adj. 2 gén.* sensacional.

sensacionalismo, *s. m.* sensacionalismo.

sensacionalista, *adj. e s. 2 gén.* sensacionalista.

sensatez, *s. f.* sensatez; sesudez.

sensato, *adj.* sensato; cuerdo; sesudo.

sensibilidade, *s. f.* sensibilidad.

sensibilização, *s. f.* sensibilización.

sensibilizar, *v. tr.* sensibilizar.

sensitivo, *adj.* sensitivo; sensible; sensual.

sensível, *adj. 2 gén.* sensible.

senso, *s. m.* juicio, raciocinio; sentido.

sensor, *s. m.* sensor.

sensorial, *adj. 2 gén.* sensorial.

sensório, *adj.* sensorio.

sensual, *adj. 2 gén.* sensual.

sensualidade, *s. f.* sensualidad.

sensualismo, *s. m.* sensualismo.

sensualista, *s. 2 gén.* sensualista.

sentado, *adj.* sentado.

sentar, *v.* 1. *tr.* sentar; asentar. 2. *refl.* sentarse.

sentença, *s. f.* sentencia; máxima; refrán; proverbio.

sentenciador, *adj. e s. m.* sentenciador.

sentenciar, *v. tr.* sentenciar.

sentencioso, *adj.* sentencioso.

sentido, I. *adj.* sentido; triste; pesaroso; lastimado; ofendido. II. *s. m.* sentido.

sentimental, *adj. 2 gén.* sentimental.
sentimentalidade, *s. f.* sentimentalismo.
sentimentalão, *adj. e s. m.* sentimentaloide.
sentimentalismo, *s. m.* sentimentalismo; sensiblería.
sentimentalista, *adj. 2 gén.* sensiblero.
sentimento, *s. m.* sentimiento; intuición; pasión; pesar; *pl.* pésame.
sentina, *s. f.* sentina.
sentinela, *s. f.* centinela.
sentir, *v. tr.* sentir; percibir; ser sensible; reconocer; presentir; lamentar.
senzala, *s. f.* aldea o cabaña de negros.
sépala, *s. f.* BOT. sépalo.
sepalóide, *adj. 2 gén.* sepaloide.
separação, *s. f.* separación.
separado, *adj.* separado; desligado; alejado; apartado.
separador, *adj. e s. m.* separador.
separar, *v.* **1.** *tr.* separar; apartar; desligar; dividir. **2.** *refl.* divorciarse.
separatismo, *s. m.* separatismo.
separatista, *adj.* separatista.
separativo, *adj.* separativo.
separatório, *adj.* separatorio.
separável, *adj. 2 gén.* separable.
sépia, *s. f.* sepia.
septena, *s. f.* septena.
septenário, *adj.* septenario.
septicemia, *s. f.* septicemia.
séptico, *adj.* séptico.
septo, *s. m.* ANAT. septo; *septo nasal,* tabique nasal.
septuagenário, *adj. e s. m.* septuagenario; setentón.
septuagésimo, *adj.* septuagésimo; setentavo.
septuplicar, *v. tr.* septuplicar.
séptuplo, *adj. e s. m.* séptuplo.
sepulcral, *adj. 2 gén.* sepulcral.
sepulcro, *s. m.* sepulcro; sarcófago; sepultura.
sepultar, *v. tr.* sepultar.
sepulto, *adj.* sepulto.
sepultura, *s. f.* sepultura.
sepultureiro, *s. m.* sepulturero.
sequaz, *adj. e s. 2 gén.* secuaz.
sequeiro, *s. m.* secano; *terras de sequeiro,* secano.
sequela, *s. f.* secuela.
sequência, *s. f.* seguimiento; serie; secuencia.
sequencial, *adj. 2 gén.* sicuencial.

sequente, *adj. 2 gén.* siguiente.
sequer, *adv.* siquiera.
sequestração, *s. f.* secuestración.
sequestrador, *adj. e s. m.* secuestrador.
sequestrar, *v. tr.* secuestro.
sequestro, *s. m.* secuestro.
sequidão, *s. f.* sequedad; secura; sed.
sequilho, *s. m.* sequillo.
sequioso, *adj.* sediento; seco.
séquito, *s. m.* séquito; cortejo, comitiva.
sequóia, *s. f.* secuoya.
ser, **I.** *v. intr.* ser; existir. **II.** *s. m.* ser.
seráfico, *adj.* seráfico.
serafim, *s. m.* serafín.
serão, *s. m.* velada; sarao.
serapilheira, *s. f.* arpillera.
sereia, *s. f.* sirena.
serenar, *v. tr.* serenar; sosegar; acalmar; apaciguar.
serenata, *s. f.* serenata.
serenidade, *s. f.* serenidad.
sereno, **I.** *adj.* sereno; tranquilo. **II.** *s. m.* sereno.
seresma, *s. f.* mujer flaca o inútil; mujer fea y vieja.
serial, *adj. 2 gén.* serial.
seriar, *v. tr.* seriar; ordenar, clasificar.
sericícola, *adj. 2 gén.* sericícola.
sericicultor, *s. m.* sericicultor.
sericicultura, *s. f.* sericicultura.
série, *s. f.* serie; sarta.
seriedade, *s. f.* seriedad; sesudez; rectitud; honradez.
serigaria, *s. f.* pasamanería.
serigrafia, *s. f.* serigrafía.
serigueiro, *s. m.* pasamanero.
seringa, *s. f.* jeringa; jeringuilla.
seringação, *s. f.* jeringación, jeringazo.
seringadela, *s. f.* jeringación, jeringazo.
seringador, *adj. e s. m.* jeringador.
seringar, *v. tr.* jeringar; inyectar; importunar.
sério, *adj.* serio; grave; severo; real.
sermão, *s. m.* sermón; *(fig.)* reprensión; *fazer sermões,* sermonear.
sermonário, *s. m.* sermonario.
seroada, *s. f.* velada; velación.
seroar, *v. intr.* velar.
seroeiro, *s. m.* velador.
serologia, *s. f.* serología.
seropositivo, *adj.* seropositivo.
serosidade, *s. f.* serosidad.
seroso, *adj.* FISIOL. seroso.
serpão, *s. m.* BOT. serpol.

serpe, s. f. sierpe, serpiente.

serpear, v. intr. serpentear.

serpentária, s. f. serpentaria.

serpente, s. f. serpiente, sierpe.

serpenteado, s. m. serpenteo.

serpentear, v. intr. serpentear.

serpentina, s. f. candelabro; MIN. serpentina; (de alambique) serpentín; (de papel) serpentina.

serpilho, s. m. serpol.

serpol, s. m. vd. **serpão.**

serra, s. f. sierra; sierra, cordillera.

serração, s. f. serrería; aserradero.

serradela, s. f. aserradura.

serrado, adj. serrado.

serradura, s. f. serrín; serraduras.

serralharia, s. f. cerrajería.

serralheiro, s. m. cerrajero.

serralho, s. m. serrallo.

serrana, s. f. serranilla.

serrania, s. f. serranía.

serranilha, s. f. serranilla.

serrano, adj. serrano; montañés.

serrar, v. tr. serrar, aserrar.

serraria, s. f. serrería, aserradero.

serrazina, s. f. (fam.) importunación; s. m. e f. persona inoportuna.

serrazinar, v. tr. porfiar; marear; molestar.

serreado, adj. serrino.

serrear, v. tr. dar la forma de sierra a dentar.

serridentado, adj. serrino.

serrilha, s. f. labor en forma de dientes de sierra.

serrilhado, adj. serrado.

serrilhador, s. m. cerrilla (máquina).

serrilhar, v. tr. dentar, recortar, labrar el cordoncillo de la moneda.

serrim, s. m. serrín, serraduras, serraduras, aserrín.

serrote, s. m. serrucho.

sertã, s. f. sartén.

sertanejo, s. m. habitante de una región interior.

sertão, s. m. floresta o selva alejada de la costa.

serva, s. f. sierva; criada.

servente, adj. e s. 2 gén. sirviente; servidor.

serventia, s. f. utilidad; aplicación, uso; paso.

serviçal, I. adj. 2 gén. servicial; sirviente, obsequiador. II. s. 2 gén. servidor, serviente, criado o criada.

serviço, s. m. servicio; obligaciones; empleo; uso; pasadizo; obsequio; (ténis) saque; serviço militar, servicio; (ténis) quebrar o serviço, romper el saque.

servidão, s. f. servidumbre; esclavitud; sujección.

servido, adj. servido, usado, gastado.

servidor, s. m. servidor; criado; siervo.

servil, adj. 2 gén. servil; (fig.) bajo, vil, indigno.

servilismo, s. m. servilismo.

servio, adj. e s. m. servio.

servir, v. 1. tr. servir; ministra; fornecer; despachar. 2. intr. servir. 3. refl. servirse.

servo, s. m. siervo; servidor; criado doméstico.

servofreio, s. m. servofreno.

sésamo, s. m. sésamo.

sesgado, adj. sesgado.

sesgo, 1. s. m. sesgo; al sesgo, sesgado. 2. adj. sesgado.

sessão, s. f. sesión.

sessenta, num. sesenta.

sessentão, adj. e s. m. sexagenario.

séssil, adj. 2 gén. BOT. sésil.

sesso, s. m. sieso; trasero; nalgas; ano.

sesta, s. f. siesta; dormir a sesta, sestear.

sestear, v. intr. siestear.

sestércio, s. m. sestercio.

sestro, adj. izquierdo, siniestro.

seta, s. f. saeta; flecha.

sete, num. siete.

setear, v. tr. herir con saeta, saetar, asaetar.

setecentos, num. card. setecientos.

seteira, s. f. saetera, aspillera.

Setembro, s. m. septiembre.

sete-mesinho, adj. e s. m. sietemesino.

setenta, num. setenta.

setentão, adj. e s. m. setentón.

setentrião, s. m. septentrión.

setentrional, adj. 2 gén. septentrional.

setial, s. m. sitial.

setilha, s. f. saetilla.

sétimo, num. séptimo.

seu, adj. e pron. suyo, su, de él, de ella, de ellos; vuestro, vuestra.

sevandija, adj. e s. f. ZOOL. sabandija.

severidade, s. f. severidad; rigor; aspereza.

severo, adj. severo, grave, serio, riguroso, rígido.

sevícia, s. f. sevicia; crueldad.

sevilhano, adj. sevillano.

sevo, adj. cruel, feroz.

sexagenário, adj. e s. m. sexagenario.

sexagésima, s. f. sexagésima.

sexagesimal, *adj. 2 gén.* sexagesimal.
sexagésimo, *adj.* sexagésimo, sesentavo.
sexcentésimo, *adj. e s. m.* sexcentésimo.
sexenal, *adj. 2 gén.* sexenal.
sexénio, *s. m.* sexenio.
séxi, *adj. 2 gén.* sexi, sexy.
sexismo, *s. m.* sexismo; machismo.
sexista, *adj. e s. 2 gén.* sexista; machista.
sexo, *s. m.* sexo.
sexologia, *s. f.* sexología.
sexólogo, *s. m.* sexólogo.
sexta-feira, *s. f.* viernes.
sextanista, *s. 2 gén.* estudiante del sexto año.
sextante, *s. m.* sextante.
sexteto, *s. m.* sexteto.
sextilha, *s. f.* sextilla.
sexto, *num.* sexto; seisavo.
sextuplicar, *v. tr.* sextuplicar.
sêxtuplo, *adj.* séxtuplo.
sexuado, *adj.* sexuado.
sexual, *adj. 2 gén.* sexual.
sexualidade, *s. f.* sexualidad.
sezão, *s. f.* ción, terciana.
si, **I.** *pron.* sí. **II.** *s. m.* MÚS. si.
sialismo, *s. m.* sialismo.
siamês, *adj. e s m.* siamés.
siba, *s. f.* sepia.
sibarita, *adj. e s. 2 gén.* sibarita.
sibarítico, *adj.* sibarita.
sibaritismo, *s. m.* sibaritismo.
siberiano, *adj. e s. m.* siberiano.
sibila, *s. f.* sibila.
sibilação, *s. f.* MED. sibilación.
sibilante, **I.** *adj. 2 gén.* sibilante. **II.** *s. f.* silbante.
sibilar, *v. intr.* silbar.
sibilino, *adj.* sibilino.
sibilo, *s. m.* pitido, silbido, silbo.
sicário, *s. m.* sicario.
sicativo, *adj.* sicativo, secante.
sicofanta, *s. 2 gén.* sicofanta, sicofante.
sicómoro, *s. m.* sicómoro; sicomoro.
sicrano, *s. m.* citano, zutano.
sida, *s. m. e f.* sida.
sidecar, *s. m.* sidecar.
sideral, *adj. 2 gén.* sideral.
sidérico, *adj.* sideral.
siderismo, *s. m.* siderismo.
siderite, *s. f.* siderita.
siderurgia, *s. f.* siderurgia.
siderúrgico, *adj.* siderúrgico.
sidra, *s. f.* sidra.
siena, *adj. 2 gén.* siena.

sifão, *s. m.* sifón.
sífilis, *s. f.* sífilis.
sifilítico, *adj.* sifilítico.
sigilo, *s. m.* sigilo, secreto.
sigiloso, *adj.* sigiloso.
sigla, *s. f.* sigla.
sigma, *s. m.* sigma.
signa, *s. f.* estandarte; pendón; insignia.
signatário, *adj. e s. m.* signatario.
significação, *s. f.* significación; significado.
significado, **I.** *adj.* significado. **II.** *s. m.* significación, significado.
significante, *s. m.* significante.
significar, *v. tr.* significar; denotar; manifestar.
significativo, *adj.* significativo.
signo, *s. m.* signo.
sílaba, *s. f.* sílaba.
silabada, *s. f.* error de pronunciación.
silabar, *v. tr.* silabear.
silabário, *s. m.* silabario.
silábico, *adj.* silábico.
silenciador, *s. m.* silenciador.
silenciar, *v. tr.* silenciar.
silêncio, *s. m.* silencio; secreto.
silencioso, *adj.* silencioso.
silente, *adj. 2 gén.* silencioso.
silepse, *s. f.* silepsis.
sílex, *s. m.* sílex, pedernal.
sílfide, *s. f.* sílfide
silfo, *s. m.* silfo.
silhão, *s. m.* sillón.
silhar, *s. m.* sillar; sillería.
silharia, *s. f.* sillería.
silhueta, *s. f.* silueta.
sílica, *s. f.* sílice.
silicato, *s. m.* silicato.
silícico, *adj.* silícico.
silício, *s. m.* silicio.
silicone, *s. m.* silicona.
silicose, *s. f.* silicosis.
silo, *s. m.* silo, granero.
silogismo, *s. m.* silogismo.
silogístico, *adj.* silogístico.
silogizar, *v. tr.* silogizar.
silva, *s. f.* BOT. zarza, breña, zarzal; LIT. silva.
silvado, *s. m.* zarzal.
silvar, *v. intr.* silbar; pitar.
silvestre, *adj. 2 gén.* silvestre; agreste: bravío, montaraz.
silvícola, *adj. 2 gén.* silvícola.
silvicultor, *s. m.* silvicultor.
silvicultura, *s. f.* silvicultura.
silvo, *s. m.* silbo, silbido, pitido, chifla.

sim, *adv.* sí.
simbiose, *s. f.* simbiosis.
simbiótico, *adj.* simbiótico.
simbólico, *adj.* simbólico.
simbolismo, *s. m.* simbolismo.
simbolista, *adj. 2 gén.* simbolista.
simbolização, *s. f.* simbolización.
simbolizar, *v. tr.* simbolizar.
símbolo, *s. m.* símbolo.
simetria, *s. f.* simetría.
simétrico, *adj.* simétrico.
simiesco, *adj.* simiesco.
símil, **I.** *adj. 2 gén.* símil; similar. **II.** *s. m.* símil; similitud; analogía.
similar, *adj. 2 gén.* similar; símil.
símile, *s. m.* símil; analogía.
similitude, *s. f.* similitud.
símio, *s. m.* ZOOL. simio.
simonia, *s. f.* simonía.
simoníaco, *adj.* simoníaco.
simpatia, *s. f.* simpatía.
simpático, *adj.* simpático.
simpatizante, *adj. 2 gén.* simpatizante.
simpatizar, *v. intr.* simpatizar.
simples, **I.** *adj. 2 gén.* simple, sencillo; fácil; natural; puro. **II.** *s.* **1.** *2 gén.* simples, ingénuo; idiota. **2.** *m. pl.* símplices.
simplesmente, *adv.* simplemente, sencillamente.
simpleza, *s. f.* simpleza.
símplices, *s. m. pl.* simples (ingredientes).
simplicidade, *s. f.* simplicidad, sencillez.
simplificação, *s. f.* simplificación.
simplificar, *v. tr.* simplificar.
simplificativo, *adj.* simplificativo.
simplismo, *s. m.* simplismo.
simplista, *adj. 2 gén.* simplista.
simplório, *adj. e s. m.* simplón; papahuevos, papanatas.
simpósio, *s. m.* simposio.
simulação, *s. f.* simulación.
simulacro, *s. m.* simulacro.
simulado, *adj.* simulado.
simulador, *adj. e s. m.* simulador.
simular, *v. tr.* simular.
simultaneidade, *s. f.* simultaneidad.
simultâneo, *adj.* simultáneo.
simum, *s. m.* simún.
sina, *s. f.* sino, hado, destino; vd. **signa**.
sinagoga, *s. f.* sinagoga.
sinal, *s. m.* señal; seña; indicio; signo; marca, vestigio; *(num escrito)* signáculo; cicatriz; *fazer sinal*, señalar.
sinalar, *v. tr.* vd. **assinalar**.

sinalefa, *s. f.* sinalefa.
sinaleiro, *s. m.* guardavía (marino); guardia de tráfico.
sinalização, *s. f.* señalización.·
sinalizar, *v. tr.* señalar, señalizar.
sinapismo, *s. m.* sinapismo.
sinapizar, *v. tr.* mezclar o espolvorear con mostaza un medicamento.
sinceiral, *s. m.* salcedo.
sinceiro, *s. m.* sauce, salce.
sinceridade, *s. f.* sinceridad.
sincero, *adj.* sincero.
sinclinal, *s. m.* sinclinal.
síncopa, *s. f.* síncopa.
sincopado, *adj.* sincopado.
sincopar, *v. tr.* MÚS./LING. sincopar.
síncope, *s. f.* MED. síncope; LING. síncopa; MÚS. vd. **síncopa**.
sincretismo, *s. m.* sincretismo.
sincronia, *s. f.* sincronía.
sincrónico, *adj.* sincrónico; simultáneo.
sincronismo, *s. m.* sincronismo.
sincronização, *s. f.* sincronización.
sincronizar, *v. tr.* sincronizar.
sindical, *adj. 2 gén.* sindical.
sindicalismo, *s. m.* sindicalismo.
sindicalista, *adj. e s. gén.* sindicalista.
sindicância, *s. f.* sindicación, averiguación, inquérito.
sindicalizado, *adj.* sindicado.
sindicalizar, *v. tr.* sindicar.
sindicar, *v. tr.* sindicar, averiguar, investigar, inquirir.
sindicato, *s. m.* sindicato.
síndico, *s. m.* síndico.
síndroma, *s. f.* síndrome.
síndrome, *s. f.* síndrome.
síndromo, *s. m.* síndrome.
sinecura, *s. f.* sinecura.
sinédoque, *s. f.* sinécdoque.
sinédrio, *s. m.* sanedrín.
sineiro, *s. m.* campanero.
sinérese, *s. f.* sinéresis.
sinergia, *s. f.* sinergia.
sinestesia, *s. f.* sinestesia.
sineta, *s. f.* campanilla.
sinete, *s. m.* sello; sigilo; marca.
sinfonia, *s. f.* sinfonía.
sinfónico, *adj.* sinfónico.
sinfonista, *s. 2 gén.* sinfonista
singeleza, *s. f.* sencillez.
singelo, *adj.* sencillo; simple; ingenuo.
singrar, *v. intr.* singlar; navegar.

singular, I. *adj.* 2 *gén.* singular; solo; único; individual. I. s. *m.* GRAM. singular.
singularidade, s. *f.* singularidad.
singularizar, v. *tr.* singularizar.
sinistra, s. *f.* siniestra, izquierda.
sinistrado, *adj.* e s. *m.* siniestrado.
sinistro, I. *adj.* siniestro, izquierdo; malo. II. s. *m.* siniestro; desastre.
sino, s. *m.* campana.
sinodal, *adj.* 2 *gén.* sinodal.
sínodo, s. *m.* sínodo.
sinologia, s. *f.* sinología.
sinonímia, s. *f.* sinonimia.
sinónimo, *adj.* e s. *m.* sinónimo.
sinopse, s. *f.* sinopsis.
sinóptico, *adj.* sinóptico.
sinóvia, s. *f.* sinovia.
sinovial, *adj.* 2 *gén.* sinovial.
sintáctico, *adj.* sintáctico.
sintagma, s. *m.* sintagma.
sintaxe, s. *f.* sintaxis.
síntese, s. *f.* síntesis.
sintético, *adj.* sintético.
sintetizador, s. *m.* sintetizador.
sintetizar, v. *tr.* sintetizar.
sintoma, s. *m.* síntoma.
sintomático, *adj.* sintomático.
sintomatologia, s. *f.* sintomatología.
sintonia, s. *f.* sintonía.
sintonização, s. *f.* sintonización.
sintonizador, s. *m.* sintonizador.
sintonizar, v. *tr.* sintonizar.
sinuosidade, s. *f.* sinuosidad; serpenteo.
sinuoso, *adj.* sinuoso.
sinusite, s. *f.* sinusitis.
sionismo, s. *m.* sionismo.
sionista, *adj.* e s. 2 *gén.* sionista.
sirene, s. *f.* sirena.
sirga, s. *f.* NÁUT. sirga.
sirgar, v. *tr.* NÁUT. sirgar.
sirgaria, s. *f.* pasamanería.
sirgo, s. *m.* gusano de seda.
siringe, s. *f.* siringa.
sírio, *adj.* e s. *m.* sirio.
siroco, s. *m.* siroco.
sisa, s. *f.* sisa.
sisal, s. *m.* sisal.
sisão, s. *m.* sisón.
sísmico, *adj.* sísmico.
sismo, s. *m.* seísmo.
sismografia, s. *f.* sismografía.
sismógrafo, s. *m.* sismógrafo.
sismologia, s. *f.* sismología.
sismológico, *adj.* sismológico.

siso, s. *m.* juicio, tino.
sistema, s. *m.* sistema
sistemático, *adj.* sistemático.
sistematização, s. *f.* sistematización.
sistematizar, v. *tr.* sistematizar.
sístole, s. *f.* sístole.
sisudez, s. *f.* sesudez; *(fig.)* seso.
sisudo, *adj.* sesudo, sensato; serio.
sitiado, *adj.* sitiado.
sitiador, *adj.* sitiador.
sitiante, *adj.* 2 *gén.* sitiante.
sitiar, v. *tr.* sitiar, cercar.
sitibundo, *adj.* sediento.
sítio, s. *m.* sito. sitio.
sito, *adj.* sito, situado.
situação, s. *f.* situación.
situado, *adj.* situado; sito.
situar, v. *tr.* situar; establecer; colocar.
slálom, s. *m.* slalom.
slógan, s. *m.* slógan.
snobe, s. *m.* snob; esnob.
snobismo, s. *m.* snobismo; esnobismo.
só, I. *adj.* 2 *gén.* solo; único; señero; yermo; solitario. II. *adv.* sólo, solamente.
soada, s. *f.* ruido; rumor.
soalha, s. *f.* sonaja.
soalhado, s. *m.* entablado, entarimado.
soalhar, v. *tr.* solar.
soalheira, s. *f.* solana.
soalheiro, I. *adj.* soleado. II. s. *m.* vd. **soalheira.**
soalho, s. *m.* entarimado.
soante, *adj.* 2 *gén.* sonante, sonador.
soão, s. *m.* solano (viento).
soar, v. 1. *intr.* sonar; resonar; constar. 2. *tr.* tocar; tañer.
sob, *prep.* bajo; debajo; su.
soba, s. *m.* régulo.
sobejar, v. *intr.* sobrar; sobreabundar; exceder.
sobejidão, s. *f.* sobra; exceso.
sobejo, I. *adj.* sobrado; excesivo; sobrante. II. s. *m. pl.* restos, sobras.
soberania, s. *f.* soberanía.
soberano, *adj.* soberano.
soberba, s. *f.* soberbia.
soberbia, s. *f.* soberbia.
soberbo, *adj.* soberbio.
sobernal, s. *m.* sobernal (en el ecuador), trabajo excesivo.
sobestar, v. *intr.* ser inferior a.
sobpor, v. *tr.* poner debajo.
sobra, s. *f.* sobra; sobrante; *pl.* restos, sobras.

sobraçar, *v. tr.* sobrazar.
sobradar, *v. tr.* sobradar.
sobrado, *adj.* sobrado.
sobral, *s. m.* sobral.
sobrançaria, *s. f.* altanería.
sobrancear, *v. tr.* exceder, dominar, estar superior a.
sobranceiro, *adj.* soberbio.
sobrancelha, *s. f.* ANAT. ceja.
sobrante, *adj.* 2 *gén.* sobrante.
sobrar, *v. intr.* sobrar, exceder.
sobreabundar, *v. intr.* sobreabundar, superabundar.
sobreaviso, *s. m.* sobreaviso.
sobrealimentação, *s. m.* sobrealimentación.
sobrealimentado, *adj.* sobrealimentado.
sobrealimentar, *v. tr.* sobrealimentar, superalimentar.
sobreaquecer, *v. tr. e intr.* sobrecalentar.
sobrecarga, *s. f.* sobrecarga, sobretasa.
sobrecarregar, *v. tr.* sobrecargar.
sobrecasaca, *s. f.* levita.
sobrecenho, *s. m.* sobreceño.
sobrecéu, *s. m.* dosel; baldaquino, baldaquín.
sobrecoberta, *s. f.* sobrecubierta.
sobredito, *adj.* sobredicho.
sobredose, *s. f.* sobredosis.
sobredotado, *adj.* superdotado.
sobredourado, *s. m.* sobredorado.
sobredourar, *v. tr.* sobredorar.
sobreexceder, *v. tr. e intr.* sobreexceder; sobrexceder; exceder.
sobreexcitação, *s. f.* sobreexcitación, sobrexcitación.
sobreexcitar, *v. tr.* sobreexcitar; sobrexcitar.
sobre-humano, *adj.* sobrehumano.
sobreimpressão, *s. f.* sobreimpresión.
sobreiral, *s. m.* alcornocal.
sobreiro, *s. m.* alcornoque.
sobrelanço, *s. m.* sobrepuja.
sobrelevar, *v. tr.* sobrepujar.
sobreloja, *s. f.* entresuelo.
sobremaneira, *adv.* sobremanera, sobremodo.
sobremesa, *s. f.* postre.
sobremodo, *adv.* sobremanera; sobremodo.
sobrenadar, *v. intr.* sobrenadar.
sobrenatural, *adj.* 2 *gén.* sobrenatural.
sobrenome, *s. m.* sobrenombre.

sobreolhar, *v. tr.* mirar de reojo, de medio lado, al sesgo.
sobrepaga, *s. f.* sobrepaga.
sobreparto, *s. m.* sobreparto.
sobrepassar, *v. tr.* sobrepasar.
sobrepeliz, *s. f.* sobrepelliz.
sobrepensar, *v. intr.* reflexionar.
sobrepeso, *s. m.* sobrepeso.
sobrepopulação, *s. f.* sobrepoblación, superpoblación.
sobrepor, *v.* 1. *tr.* sobreponer; solapar. 2. *refl.* sobreponerse.
sobreporta, *s. f.* sobrepuerta.
sobreposição, *s. f.* sobreposición, superposición.
sobreposse, *adv.* sobradamente.
sobreposto, *adj.* soperpuesto.
sobreprova, *s. f.* confirmación.
sobrepujante, *adj.* 2 *gén.* sobrepujante.
sobrepujar, *v. tr.* sobrepujar; superar.
sobrequilha, *s. f.* sobrequilla.
sobrerrosado, *adj.* sonrosado.
sobrescrever, *v. tr.* sobrescribir.
sobrescritar, *v. tr.* sobrescribir.
sobrescrito, *s. m.* sobrescrito; sobre.
sobressaia, *s. f.* sobrefalda.
sobressair, *v. intr.* sobresalir; saltar.
sobressalente, *adj.* 2 *gén.* sobresaliente.
sobressaltar, *v. tr.* sobresaltar; sorprender.
sobressalto, *s. m.* sobresalto.
sobrestimar, *v. tr.* sobrestimar.
sobretaxa, *s. f.* sobretasa.
sobretensão, *s. f.* sobretensión.
sobretudo, *s. m.* sobretodo.
sobrevalorizar, *v. tr.* sobrevalorar, supervalorar.
sobrevindo, *adj.* sobrevenido.
sobrevir, *v. intr.* sobrevenir.
sobrevivência, *s. f.* supervivencia.
sobrevivente, *adj. e s.* 2 *gén.* sobreviviente, superviviente.
sobreviver, *v. intr.* sobrevivir; subsistir; supervivir.
sobrevivo, *adj. e s. m.* sobreviviente.
sobrevoar, *v. tr.* sobrevolar.
sobriedade, *s. f.* sobriedad.
sobrinho, *s. m.* sobrino.
sóbrio, *adj.* sobrio, parco.
sobro, *s. m.* vd. **sobreiro.**
sobrolho, *s. m.* ceja; sobreceja.
socalcar, *v. tr.* recalcar.
socalco, *s. m.* calzada, arrecife (caminos).
socapa, *s. f.* socapa, ardid; *à socapa,* a socapa.

socar, *v. tr.* dar puñadas, abofetear; atestar; amasar.

socarrão, *s. m.* socarrón.

socava, *s. f.* cueva.

socavar, *v. tr.* socavar, cavar.

sociabilidade, *s. f.* sociabilidad.

social, *adj.* 2 *gén.* social.

social-democracia, *s. f.* socialdemocracia.

social-democrata, *adj. e s.* 2 *gén.* social-demócrata.

socialismo, *s. m.* socialismo.

socialista, *adj. e s.* 2 *gén.* socialista.

socialização, *s. f.* socialización.

socializar, *v. tr.* socializar.

sociável, *adj.* 2 *gén.* sociable; social.

sociedade, *s. f.* sociedad.

societário, *s. m.* socio.

sócio, *s. m.* socio.

socioeconómico, *adj.* socioeconómico.

sociologia, *s. f.* sociología.

sociológico, *adj.* sociológico.

sociólogo, *s. m.* sociólogo.

soco (ô), *s. m.* puñada, puñetazo.

socorrer, *v. tr.* socorrer, subvenir.

socorrido, *adj.* socorrido.

socorrismo, *s. m.* socorrismo.

socorrista, *s.* 2 *gén.* socorrista.

socorro, *s. m.* socorro; beneficio; subvención.

socrático, *adj.* socrático.

soda, *s. f. (bebida)* soda; QUÍM. soda, sosa; BOT. sosa.

sódico, *adj.* QUÍM. sódico.

sódio, *s. m.* QUÍM. sodio.

sodomia, *s. f.* sodomía.

sodomizar, *v. tr.* sodomizar.

soerguer, *v. tr.* soalzar, solevantar.

soez, *adj.* 2 *gén.* soez, bajo.

sofá, *s. m.* sofá.

sofisma, *s. m.* sofisma.

sofismar, *v. tr.* sofisticar; adulterar.

sofista, *adj. e s.* 2 *gén.* sofista.

sofisticação, *s. f.* sofisticación.

sofisticado, *adj.* sofisticado.

sofisticar, *v. tr.* sofisticar; falsificar; engañar.

sofraldar, *v. tr.* sofaldar.

sofreamento, *s. m.* sofrenada.

sofrear, *v. tr.* sofrenar.

sofredor, *adj. e s. m.* sufridor.

sofreguidão, *s. f.* voracidad; gula.

sofrer, *v. tr.* sufrir; sostener; soportar; tolerar; permitir.

sofrido, *adj.* sufrido.

sofrimento, *s. m.* sufrimiento

sofrível, *adj.* 2 *gén.* sufrible.

soga, *s. f.* soga, cuerda de esparto.

sogra, *s. f.* suegra.

sogro, *s. m.* suegro.

soguilha, *s. f.* cordoncillo, trencilla.

soja, *s. f.* soja.

sol, *s. m. (astro)* sol; *(dia, luz)* sol; MÚS. sol.

sola, *s. f.* suela (cuero curtido); planta del pie; suela (del calzado).

Solanáceas, *s. f. pl.* BOT. solanáceas.

solão, *s. m.* solazo.

solapa, *s. f.* cueva; solapa; estucia.

solapado, *adj.* solapado, taimado; oculto.

solapar, *v. tr.* solapar; excavar; socavar; minar; ocultar; disfrazar.

solar, I. *adj.* 2 *gén.* solar. II. *s. m.* casa solar. III. *v. tr.* solar, poner suelas en.

solarengo, *adj.* solariego.

solário, *s. m.* solario, solárium.

solavanco, *s. m.* vaivén violento.

solda, *s. f.* soldadura, suelda.

soldada, *s. f.* soldada.

soldadesca, *s. f.* soldadesca.

soldado, I. *s. m.* soldado. II. *adj. (com solda)* soldado.

soldador, *adj. e s. m.* soldador.

soldadura, *s. f.* soldadura.

soldagem, *s. f.* soldadura.

soldar, *v.* 1. *tr.* soldar; *ferro de soldar*, soldador. 2. *refl. (ossos)* soldarse.

soldo, *s. m.* sueldo, salario; soldada; *estar a soldo de*, estar a sueldo de.

solecismo, *s. m.* solecismo.

soledade, *s. f.* soledad.

soleira, *s. f.* solera.

solene, *adj.* 2 *gén.* solemne.

solenidade, *s. f.* solemnidad.

solenização, *s. f.* solemnización.

solenizar, *v. tr.* solemnizar.

solenóide, *s. m.* solenoide.

solércia, *s. f.* solercia; ardid.

solerte, *adj.* 2 *gén.* solerte; sagaz; socarrón; bellaco.

soletração, *s. f.* deletreo.

soletrar, *v. tr. e intr.* deletrear; silabar.

solevantar, *v. tr.* solevantar.

solevar, *v. tr.* solevantar.

solfa, *s. f.* solfa; solfeo.

solfejar, *v. tr. e intr.* solfear.

solfejo, *s. m.* solfeo, solfa.

solha, *s. f.* ZOOL. platija; *(fam.)* bofetón.

solhar, *v. tr.* vd. **soalhar**.

solheiro, *s. m.* vd. **soalheiro**.

solho, *s. m.* vd. **soalho**.

solicitação, *s. f.* solicitación.
solicitador, *s. m.* solicitador.
solicitante, *adj. 2 gén.* solicitante.
solicitar, *v. tr.* solicitar; sonsacar.
solícito, *adj.* solícito.
solicitude, *s. f.* solicitud; cuidado, desvelo.
solidão, *s. f.* soledad.
solidariedade, *s. f.* solidaridad.
solidário, *adj.* solidario.
solidarizar-se, *v. refl.* solidarizarse.
solidéu, *s. m.* solideo.
solidez, *s. f.* solidez.
solidificação, *s. f.* solidificación.
solidificar, *v. tr.* solidificar.
sólido, I. *adj.* sólido; firme. II. *s. m.* sólido.
solilóquio, *s. m.* soliloquio.
solimão, *s. m.* solimán.
sólio, *s. m.* solio; trono.
solípede, *adj. e s. m.* ZOOL. solípedo.
solista, *s. 2 gén.* solista.
solitária, *s. f.* solitaria; tenia.
solitário, I. *adj.* solitário; solo; señero. II. *s. m.* solitario.
solo, *s. m.* suelo; *(jogo)* solo; MÚS. solo.
solstício, *s. m.* solsticio.
solta, *s. f.* suelta, maniota para caballerías.
soltar, *v. tr.* soltar; desatar; desligar; arrojar.
solteirão, *adj. e s. m.* solterón.
solteiro, *adj. e s. m.* soltero, célibe.
solto, *adj.* suelto; disgregado; suelto, fácil; libre.
soltura, *s. f.* soltura; destreza; suelta.
solubilidade, *s. f.* solubilidad.
soluçante, *adj. 2 gén.* sollozante.
solução, *s. f.* solución.
soluçar, *v. intr.* sollozar.
solucionar, *v. tr.* solucionar; solventar.
soluço, *s. m.* sollozo.
soluçoso, *adj.* sollozante, que solloza; acompañado de sollozos.
solutivo, *adj.* MED. laxante.
soluto, *s. m.* solución.
solúvel, *adj. 2 gén.* soluble.
solvência, *s. f.* solvencia.
solvente, *adj. 2 gén. e s. m.* solvente.
solver, *v. tr.* solventar.
solvibilidade, *s. f.* solvencia.
solvido, *s. m.* solvido.
solvível, *adj. 2 gén.* solvente.
som, *s. m.* son; sonido.
soma, *s. f.* suma; adición.
somadora, *s. f.* sumadora.
somar, *v. tr. e intr.* sumar; adicionar.

somático, *adj.* somático.
somatologia, *s. f.* somatología.
sombra, *s. f.* sombra.
sombreado, *adj.* sombreado.
sombrear, *v. tr.* sombrear.
sombrinha, *s. f.* sombrilla.
sombrio, *adj.* sombrío; obscuro; tétrico; lúgubre
somenos, *adj.* de pequeño valor; ordinario.
somente, *adv.* solamente; sólo; simplemente; sino.
somiticaria, *s. f.* tacañería.
somítico, *adj.* tacaño.
sonambulismo, *s. m.* somnambulismo.
sonâmbulo, *adj.* somnámbulo.
sonância, *s. f.* sonancia; armonia.
sonante, *adj. 2 gén.* sonante.
sonar, *s. m.* sónar.
sonarento, *adj.* somnoliento, soñoliento.
sonata, *s. f.* sonata.
sonatina, *s. f.* sonatina.
sonda, *s. f.* sonda.
sondagem, *s. f.* sonda; sondaje, braceaje; sondeo.
sondar, *v. tr.* sondar; sondear.
soneca, *s. f.* siesta corta.
sonegação, *s. f.* ocultación.
sonegar, *v. tr.* ocultar; encubrir.
soneira, *s. f.* soñera, soñarrera.
sonetista, *s. 2 gén.* sonetista.
soneto, *s. m.* soneto.
sonhado, *adj.* soñado.
sonhador, *adj. e s. m.* soñador.
sonhar, *v. intr.* soñar; *sonhar acordado*, soñar despierto.
sonho, *s. m.* sueño; *nem por sonhos*, ni soñarlo.
sónico, *adj.* sónico; fónico; fonético.
sonido, *s. m.* sonido.
sonífero, *adj. e s. m.* somnífero.
sono, *s. m.* sueño; *sono pesado*, soñarrera.
sonolência, *s. f.* somnolencia; soñera; soñorrera, sopor.
sonolento, *adj.* somnoliento, soñoliento.
sonoridade, *s. f.* sonoridad.
sonorização, *s. f.* sonorización.
sonorizar, *v. tr.* sonorizar.
sonoro, *adj.* sonoro.
sonsice, *s. f.* cazurrería; sosería; sosera; disimulo.
sonso, *adj.* cazurro, callado; sosaina, soseras.
sopa, *s. f.* sopa.

sopapo, *s. m.* sopapo, bofetada; sopetón.
sopé, *s. m.* base, falda.
sopear, *v. tr.* sopear, sopetear, hollar, pisar.
sopeira, *s. f.* sopera; (*fam.*) cocinera.
sopeiro, *adj.* sopero; *prato sopeiro*, sopero.
sopesar, *v. tr.* sopesar, tantear.
sopetar, *v. tr.* saborear.
sopetear, *v. tr.* sopear.
sopitar, *v. tr.* calmar; debilitar; ablandar.
sopor, *s. m.* sopor, modorra; estado comatoso.
soporífero, *adj.* soporífero.
soporífico, *adj.* soporífico.
soporizar, *v. tr.* vd. **sopitar**.
soporoso, *adj.* soporoso.
soportal, *s. m.* soportal, pórtico.
soprano, *s. m.* soprano.
soprar, *v. tr.* soplar.
sopro, *s. m.* soplo, soplido; hálito.
sor, *s. f.* sor.
sorar, *v. tr.* transformar en suero.
sordícia, *s. f.* sordidez.
sordidez, *s. f.* sordidez.
sórdido, *adj.* sórdido; sucio.
sorgo, *s. m.* sorgo.
sorites, *s. m.* sorites.
sorítico, *adj.* relativo a sorites.
sorna, *s. f.* sorna; lentitud.
sornar, *v. intr.* sornar.
sornice, *s. f.* sorna.
soro, *s. m.* suero.
sóror, *s. f.* sor.
soroso, *adj.* sueroso, seroso.
sorrateiro, *adj.* astuto; bellaco.
sorrelfa, *s. f.* disimulo, maña, zorrería.
sorridente, *adj. 2 gén.* sonriente.
sorrir, *v. intr.* sonreír.
sorriso, *s. m.* sonrisa.
sorte, *s. f.* suerte; hado; destino; sino; sorteo militar; *cheio de sorte*, suertudo.
sortear, *v. tr.* sortear.
sorteável, *adj. 2 gén.* sort.
sorteio, *s. m.* sorteo; rifa.
sortido, *adj. e s. m.* surtido.
sortilégio, *s. m.* sortilegio.
sortimento, *s. m.* surtimiento.
sortir, *v. tr.* proveer; surtir.
sortudo, *adj.* suertudo.
sorumbático, *adj.* taciturno.
sorvedouro, *s. m.* vorágine, vórtice, remolino; abismo.
sorveira, *s. f.* serbal.
sorver, *v. tr.* sorber; tragar; chupar.
sorvete, *s. m.* sorbete.

sorveteira, *s. f.* sorbetera.
sorvível, *adj. 2 gén.* sorbible.
sorvo, *s. m.* sorbo.
sósia, *s. 2 gén.* sosia.
soslaio, *s. m.* soslayo; *de soslaio,* al soslayo, de solaio.
sossega, *s. f.* sosiego; sosiega; quietud; sueño.
sossegado, *adj.* sosegado.
sossegador, *adj.* sosegador.
sossegar, *v. tr.* sosegar, calmar; sedar.
sossego, *s. m.* sosiego; calma.
sostra, *s. f.* mujer desaseada, desaliñada.
sostrice, *s. f.* desaseo, desaliño.
sota, *s.* 1. *f.* sota (dama en la baraja); *pl.* pareja de caballos delanteros. 2. *s. m.* cochero subalterno.
sotaina, *s. f.* sotana.
sótão, *s. m.* sotabanco; ático; buhardilla; sobrado.
sota-piloto, *s. m.* segundo piloto.
sotaque, *s. m.* dejillo, deje.
sotavento, *s. m.* sotavento; socaire; *para sotavento,* al socaire.
soterrar, *v. tr.* soterrar; enterrar.
sotopor, *v. tr.* posponer; omitir; postergar.
sotrancão, *adj.* pícaro, ruin.
soturno, *adj.* soturno.
soutien, *s. m.* sujetador.
souto, *s. m.* soto.
sova, *s. f.* soba, paliza, tunda, sonanta.
sovaco, *s. m.* sobaco; axila.
sovado, *adj.* sobado.
sovaquinho, *s. m.* sobaquina.
sovar, *v. tr.* sobar, amasar, batir la masa; somatar.
sovela, *s. f.* lezna.
sovelão, *s. m.* lezna grande.
soviete, *s. m.* soviet.
soviético, *adj.* soviético.
sovietização, *s. f.* sovietización.
sovietizar, *v. tr.* sovietizar.
sovina, *s.* I. *s. f.* sobina; clavo de madera. II. *adj.* avaro; tacaño.
sovinice, *s. f.* avaricia; tacañería.
sozinho, *adj.* solo.
sprint, *s. m.* sprint.
sprintar, *v. tr.* sprintar.
sprinter, *s. m.* sprinter.
squash, *s. m.* squash.
stand, *s. m.* stand.
standard, *adj. 2 gén.* standard, estándar.
starter, *s. m.* stárter.
status, *s. m.* status.

stick, s. m. stick.

stock, s. m. stock.

stop, s. m. stop.

suado, adj. sudoroso.

suadela, s. f. sudor; sudadera; transpiración.

suadouro, s. m. sudadera.

suão, I. adj. del sur. II. s. m. viento del sur.

suar, v. intr. e tr. sudar.

suarda, s. f. suarda, juarda.

suarento, adj. sudoroso.

suasivo, adj. suasório.

suasório, adj. suasorio.

suástica, s. f. suástica.

suave, adj. 2 gén. suave; blando.

suavidade, s. f. suavidad.

suavização, s. f. suavización.

suavizar, v. tr. suavizar.

sub, prep. subafluente.

subalimentação, s. f. subalimentación.

subalimentado, adj. subalimentado.

subalimentar, v. tr. subalimentar.

subalterno, adj. e s. m. subalterno, subordinado.

subaquático, adj. subaquático.

subarrendamento, s. m. subarrendamiento, subarriendo.

subarrendar, v. tr. subarrendar.

subarrendatário, adj. subarrendatario.

subatómico, adj. subatómico.

subchefe, s. m. subjefe.

subclasse, s. f. subclasse.

subcomissão, s. f. subcomisión.

subconsciência, s. f. subconsciencia.

subconsciente, I. adj. 2 gén. subconsciente. II. s. m. subconsciente.

subcutâneo, adj. subcutáneo.

subdelegação, s. f. subdelegación.

subdelegado, s. m. subdelegado.

subdelegar, v. tr. subdelegar.

subdesenvolvido, adj. subdesarrollado.

subdesenvolvimento, s. m. subdesarrollo.

subdiácono, s. m. subdiácono.

subdirector, s. m. subdirector.

súbdito, adj. e s. m. súbdito.

subdividir, v. tr. subdividir.

subdivisão, s. f. subdivisión.

subemprego, s. m. subempleo.

subentender, v. 1. tr. subentender; sobreentender. 2. refl. sobreentenderse.

subentendido, s. m. subentendido; tácito.

suberoso, adj. suberoso.

subespécie, s. f. subespecie.

subestação, s. f. subestación.

subestimar, v. tr. subestimar.

subexpor, v. tr. subexponer.

subexposição, s. f. subexposición.

subgénero, s. m. subgénero.

subida, s. f. subida; ascensión; ladera; cuesta.

subido, adj. subido; alto; excesivo.

subintendência, s. f. subintendencia.

subintendente, s. 2 gén. subintendente.

subintender, v. intr. tener subintendencia.

subir, v. intr. subir.

subitâneo, adj. subitáneo.

súbito, adj. súbito.

subjacente, adj. 2 gén. subyacente.

subjazer, v. intr. subyacer.

subjectividade, s. f. subjetividad.

subjectivismo, s. m. subjetivismo.

subjectivo, adj. subjetivo.

subjugação, s. f. subyugación.

subjugar, v. tr. subyugar; someter.

subjugável, adj. 2 gén. subyugable.

subjuntivo, adj. subjuntivo.

sublevação, s. f. sublevación; sedición.

sublevar, v. tr. sublevar.

sublimação, s. f. sublimación.

sublimado, adj. e s. m. sublimado; sublimado corrosivo, solimán.

sublimar, v. tr. sublimar.

sublime, adj. 2 gén. sublime.

sublimidade, s. f. sublimidad.

subliminar, adj. 2 gén. subliminal.

sublingual, adj. 2 gén. sublingual.

sublinhar, v. tr. subrayar; señalar.

sublocação, s. f. subarriendo, subarrendamiento.

sublocar, v. tr. subarrendar.

sublocatário, s. m. subarrendatario.

sublunar, adj. 2 gén. sublunar.

submarino, adj. e s. m. submarino.

submaxilar, adj. 2 gén. submaxilar.

submergir, v. tr. sumergir.

submergível, adj. 2 gén. sumergible.

submersão, s. f. sumersión.

submersível, I. adj. 2 gén. sumergible. II. s. m. submergible, submarine.

submerso, adj. sumerso.

submeter, v. tr. someter; subyugar.

submetido, adj. sujeto.

submetimento, s. m. sometimiento; subyugación.

subministração, *s. f.* suministración; suministro.
subministrador, *s. m.* suministrador.
subministrar, *v. tr.* suministrar.
submissão, *s. f.* sumisión.
submisso, *adj.* sumiso.
submúltiplo, *adj.* submúltiplo.
subnormal, *adj. e s.* 2 *gén.* subnormal.
subordem, *s. f.* suborden.
subordinado, *adj.* subordinado, subalterno.
subordinar, *v. tr.* subordinar.
subordinación, *s. f.* subordinación.
subordinado, *adj. e s. m.* subordinado, sumido.
subordinar, *v. tr.* subordinar.
subornado, *adj.* sobornado.
subornar, *v. tr.* sobornar.
subornável, *adj.* 2 *gén.* sobornable.
suborno, *s. m.* soborno.
subpor, *v. tr.* poner debajo.
subproduto, *s. m.* subproducto.
sub-reino, *s. m.* subreino.
sub-reptício, *adj.* subrepticio.
sub-rogação, *s. f.* subrogación.
sub-rogar, *v. tr.* subrogar.
subscrever, *v. tr.* subscribir, suscribir; signar.
subscrição, *s. f.* subscripción, suscripción.
subsecretaria, *s. f.* subsecretaria.
subsecretário, *s. m.* subsecretario.
subscritor, *adj. e s. m.* subscriptor, suscriptor.
subscrito, *adj.* subscrito, suscrito.
subsequente, *adj.* 2 *gén.* subsiguiente.
subserviência, *s. f.* servilismo.
subserviente, *adj.* 2 *gén.* servil.
subsidiar, *v. tr.* subsidiar; subvencionar; sustentar.
subsidiário, *adj.* subsidiario.
subsídio, *s. m.* subsidio; subvención.
subsistência, *s. f.* subsistencia.
subsistente, *adj.* 2 *gén.* subsistente.
subsistir, *v. intr.* subsistir.
subsolo, *s. m.* subsuelo.
subsónico, *adj.* subsónico.
substabelecer, *v. tr.* subrogar.
substância, *s. f.* substancia, sustancia.
substancial, *adj.* 2 *gén.* substancial, sustancial.
substanciar, *v. tr.* substanciar.
substancioso, *adj.* substancioso, sustancioso.

substantivar, *v. tr.* GRAM. substantivar, sustantivar.
substantivo, *s. m.* substantivo, sustantivo.
substituição, *s. f.* substitución; suplencia.
substituir, *v. tr.* substituir, sustituir.
substituível, *adj.* 2 *gén.* substituible; sustituile.
substitutivo, *adj. e s. m.* substitutivo, sustitutivo.
substituto, *adj. e s. m.* substituto; sobresaliente.
substrato, *s. m.* substrato, sustrato.
subtender, *v. tr.* subtender.
subtenente, *s. m.* subteniente.
subterfúgio, *s. m.* subterfugio.
subterrâneo, *adj.* subterráneo.
subtil, *adj.* 2 *gén.* sutil, sutil; delgado, delicado, tenue.
subtileza, *s. f.* sutileza; delicadeza.
subtilidade, *s. f.* sutilidad.
subtilizar, *v. tr.* sutilizar.
subtipo, *s. m.* subtipo.
subtítulo, *s. m.* subtítulo.
subtracção, *s. f.* substracción, sustracción.
subtractivo, *s. m.* substraendo.
subtraendo, *s. m.* substraendo.
subtrair, *v. tr.* substraer; sustraer; disminuir; quitar; sacar; extraer; hurtar.
subtropical, *adj.* 2 *gén.* subtropical.
suburbano, *adj.* suburbano, suburbial.
subúrbio, *s. m.* suburbio; *dos subúrbios,* suburbial.
subvalorizar, *v. tr.* subvalorar.
subvenção, *s. f.* subvención.
subvencionar, *v. tr.* subvencionar.
subversão, *s. f.* subversión.
subversivo, *adj.* subversivo.
subverter, *v. tr.* subvertir.
sucata, *s. f.* chatarra; *armazém de sucata,* chatarrería
sucateiro, *s. m.* chatarrero.
sucção, *s. f.* succión.
sucedâneo, *s. m.* sucedáneo.
suceder, *v. intr.* suceder, acontecer; sobrevenir.
sucedido, *adj. e s. m.* sucedido; suceso; acontecimiento.
sucessão, *s. f.* sucesión; serie.
sucessivamente, *adv.* sucesivamente.
sucessível, *adj.* 2 *gén.* sucesible.
sucessivo, *adj.* sucesivo; continuo; consecutivo.

sucesso, *s. m.* suceso; *(fam.)* sucedido.
sucessor, *adj. e s. m.* sucesor.
sucessório, *adj.* sucesorio.
súcia, *s. f.* pandilla, cuadrilla, taifa.
suciar, *v. intr.* tunantear; tunear.
suciata, *s. f.* francachela.
sucintamente, *adv.* sucintamente.
sucinto, *adj.* sucinto, breve.
súcio, *s. m.* tunante; pillo.
suco, *s. m.* suco; jugo; savia.
sucoso, *adj.* sucoso, jugoso.
suculência, *s. f.* suculencia.
suculento, *adj.* suculento, jugoso.
sucumbir, *v. tr.* sucumbir.
sucursal, *adj. 2 gén. e s. f.* sucursal.
sucussão, *s. f.* sucusión.
sudação, *s. f.* sudación.
sudanês, *adj.* sudanés.
sudário, *s. m.* sudario.
sudeste, *s. m.* sudeste, sueste.
sudoeste, *s. m.* sudoeste.
sudorífero, *adj.* sudorífero.
sudorífico, *adj. e s. m.* sudorífico.
sudoríparo, *adj.* sudoríparo.
sueco, *adj.* sueco.
sueste, *s. m.* sudeste.
sueto, *s. m.* asueto.
suevos, *s. m. pl.* suevos.
suficiência, *s. f.* suficiencia.
suficiente, *adj. 2 gén.* suficiente.
sufixo, *s. m.* sufijo.
sufocação, *s. f.* sofocación, sofoco.
sufocante, *adj.* sofocante.
sufocante, *adj. 2 gén.* sofocante.
sufocar, *v. tr.* sofocar.
sufoco, *s. m.* sofocación, sofoco; sofoquina.
sufragâneo, *adj.* sufragáneo.
sufragar, *v. tr.* sufragar.
sufrágio, *s. m.* sufragio.
sufragismo, *s. m.* sufragismo.
sufragista, *adj. e s. 2 gén.* sufragista.
sugador, *adj.* chupadero, chupador.
sugar, *v. tr.* chupar, desjugar; sorber.
sugerir, *v. tr.* sugerir; *(fig.)* soplar.
sugestão, *s. f.* sugestión, sugerencia.
sugestionar, *v. tr.* sugestionar; inspirar; influenciar.
sugestionável, *adj. 2 gén.* sugestionable.
sugestivo, *adj.* sugestivo; sugerente; sugeridor; sicalíptico.
suíças, *s. f. pl.* patillas, porción de barba.
suicida, *adj. e s. 2 gén.* suicida.
suicidar-se, *v. refl.* suicidarse.

suicídio, *s. m.* suicidio.
suíço, *adj. e s. m.* suizo.
suíno, *adj.* suino.
sujar, *v. tr.* ensuciar, emporcar.
sujeição, *s. f.* sujeción; servidumbre; supeditación.
sujeitar, *v. tr.* sujetar; someter; subyugar, prender; supeditar.
sujeito, **I.** *s. m.* sujeto. **II.** *adj.* sujeto.
sujidade, *s. f.* suciedad.
sujo, *adj.* sucio; deshonesto.
sul, *s. m.* sur; sud; viento del sud.
sul-africano, *adj. e s. m.* sudafricano.
sul-americano, *adj.* sudamericano, suramericano.
sulcado, *adj.* surcado.
sulcar, *v. tr.* surcar.
sulco, *s. m.* surco.
sulfamida, *s. f.* sulfamida.
sulfatador, *s. m.* sulfatador.
sulfatagem, *s. f.* sulfatación.
sulfatar, *v. tr.* sulfatar.
sulfatara, *s. f.* solfatara.
sulfato, *s. m.* sulfato.
sulfídrico, *adj.* sulfhídrico.
sulfito, *s. m.* sulfito.
sulfuração, *s. f.* sulfuración.
sulfurar, *v. tr.* sulfurar.
sulfureto, *s. m.* sulfuro.
sulfúrico, *adj.* sulfúrico.
sulfuroso, *adj.* sulfuroso.
sulista, *adj. e s. 2 gén.* sudista.
sultana, *s. f.* sultana.
sultanato, *s. m.* sultanato.
sultânico, *adj.* de sultán.
sultão, *s. m.* sultán.
suma, *s. f.* suma.
sumagre, *s. m.* zumaque.
sumamente, *adv.* sumamente.
sumariamente, *adv.* someramente.
sumariar, *v. tr.* sumariar.
sumário, **I.** *adj.* sumario; somero; *processo sumário,* sumario. **I.** *s. m.* sumario.
sumição, *s. f.* descamino.
sumiço, *s. m.* desaparecimiento; descamino.
sumidade, *s. f.* sumidad.
sumido, *adj.* sumido.
sumidoiro, *s. m.* sumidero.
sumidouro, *s. m.* sumidero.
sumilher, *s. m.* sumiller.
sumir, *v.* **1.** *tr.* sumir; hacer desaparecer; gastar; ocultar; apagar. **2.** *refl.* sumirse; desaparecer.

sumista, s. 2 gén. sumista
sumo, I. s. m. suco, jugo; savia. II. adj. sumo, máximo, supremo.
sumptuário, adj. suntuario.
sumptuosidade, s. f. suntuosidad.
sumptuoso, adj. suntuoso.
súmula, s. f. súmula.
suna, s. f. sunna.
sunita, s. 2 gén. sunita.
suor, s. m. sudor.
supedâneo, s. m. supedáneo.
súper, adj. 2 gén. súper.
superabundância, s. f. superabundancia, sobreabundancia.
superabundante, adj. 2 gén. superabundante, sobreabundante.
superabundar, v. intr. superabundar, sobreabundar.
superação, s. f. superación.
superado, adj. superado.
superalimentação, s. f. superalimentación, sobrealimentación.
superalimentar, v. tr. superalimentar, sobrealimentár.
superante, adj. 2 gén. superante.
superar, v. tr. superar; vencer; ultrapasar.
superável, adj. 2 gén. superable.
superávit, s. m. superavit.
supercarburante, s. m. supercarburante.
superciliar, adj. 2 gén. superciliar.
supercílio, s. m. sobreceja.
supercondutividade, s. f. superconductividad.
supercondutor, s. m. superconductor.
superego, s. m. superyo.
supereminência, s. f. supereminencia.
supereminente, adj. 2 gén. supereminente.
superexcitação, s. f. sobreexcitación.
superexcitar, v. tr. sobreexcitar.
superficial, adj. 2 gén. superficial, somero.
superficialidade, s. f. superficialidad.
superficialmente, adv. superficialmente, someramente.
superfície, s. f. superficie; sobrehaz.
superfino, adj. superfino.
superfluidade, s. f. superfluidad.
supérfluo, adj. superfluo.
super-homem, s. m. superhombre.
super-humano, adj. subrehumano.
superintendência, s. f. superintendencia.
superintendente, adj. e s. 2 gén. superintendente.

superintender, v. tr. e intr. tener la superintendencia de.
superior, adj. e s. m. superior.
superiora, s. f. superiora.
superioridade, s. f. superioridad.
superlativo, adj. e s. m. superlativo.
supermercado, s. m. supermercado, (fam.) súper.
supermulher, s. m. supermujer.
supernumerário, adj. supernumerario.
superno, adj. superno.
superordem, s. f. superorden.
superpetroleiro, s. m. superpetrolero.
superpopulação, s. f. superpoblación, sobrepoblación.
superposição, s. f. superposición.
superpotência, s. f. superpotencia.
superpovoado, adj. superpoblado.
superpovoamento, s. m. superpoblación, sobrepoblación.
superprodução, s. f. superproducción, sobreproducción.
super-realismo, s. m. superrealismo.
supersecreto, adj. supersecreto.
supersensível, adj. 2 gén. hipersensible.
supersónico, adj. supersónico.
superstição, s. f. superstición.
supersticioso, adj. supersticioso.
superstrutura, s. f. superestrutura.
supervisão, s. f. supervisión.
supervisionar, v. tr. supervisar.
supervisor, s. m. supervisor.
supervivência, s. f. supervivencia.
supervivente, adj. e s. 2 gén. superviviente.
supetão, s. m. sopetón; de supetão, de sopetón.
supino, adj. e s. m. supino.
súpito, adj. súpito, súbito.
suplantação, s. f. suplantación.
suplantar, v. tr. suplantar.
suplementar, adj. 2 gén. suplementario.
suplemento, s. m. suplemento.
suplência, s. f. suplencia.
suplente, adj. e s. 2 gén. suplente; sobresaliente; supletorio.
supletivo, adj. suplementario; suplente; supletorio.
supletório, adj. supletorio.
súplica, s. f. súplica.
suplicante, adj. e s. 2 gén. suplicante.
suplicar, v. tr. suplicar.
súplice, adj. 2 gén. suplicante.
supliciado, adj. supliciado.
supliciar, v. tr. supliciar.

suplício, *s. m.* suplicio.

supor, *v. tr.* suponer; sospechar.

suportador, *adj.* e *s. m.* soportador.

suportar, *v. tr.* soportar; sobrellevar.

suportável, *adj.* 2 *gén.* soportable.

suporte, *s. m.* soporte; sostén.

suposição, *s. f.* suposición; supuesto.

supositório, *s. m.* supositorio.

suposto, *adj.* supuesto.

supraciliar, *adj.* 2 *gén.* superciliar.

supracitado, *adj.* sobredicho.

supradito, *adj.* sobredicho.

supranumerário, *adj.* supernumerario.

supra-renal, *adj.* 2 *gén.* suprarrenal.

supremacia, *s. f.* supremacía.

supremo, *adj.* supremo; sumo; (*Deus*) altísimo.

supressão, *s. f.* supresión.

supridor, *adj.* e *s. m.* suplidor.

suprimento, *s. m.* suplemento.

suprimir, *v. tr.* suprimir; eliminar; omitir.

suprir, *v. tr.* suplir; proveer.

supuração, *s. f.* supuración.

supurar, *v. intr.* supurar.

supurativo, *adj.* e *s. m.* supurativo.

surdez, *s. f.* sordera.

surdimutismo, *s. m.* sordomudez.

surdina, *s. f.* sordina.

surdir, *v. intr.* emerger, emergir, surgir.

surdo, *adj.* e *s. m.* sordo.

surdo-mudo, *adj.* e *s. m.* sordomudo.

surf, *s. m.* surf.

surfista, *s.* 2 *gén.* surfista.

surgir, *v. intr.* surgir; brotar; aparecer.

surpreendente, *adj.* 2 *gén.* sorprendente; sorpresivo.

surpreender, *v. tr.* sorprender; sobrecoger.

surpreendido, *adj.* sorprendido.

surpresa, *s. f.* sorpresa.

surpreso, *adj.* sorprendido.

surra, *s. f.* zurra; tunda; soba; somanta.

surrador, *s. m.* zurrador (de pieles).

surrão, *s. m.* zurrón, cedros, bolsa de cuero de los pastores.

surrar, *v. tr.* zurrar, sobar (*peles*); zurrar, somantar.

surrealismo, *s. m.* superrealismo, surrealismo.

surrealista, *adj.* e *s.* 2 *gén.* surrealista, superrealista.

surrento, *adj.* mugriento; mugroso; inmundo.

surriada, *s. f.* descarga de artillería; zurriascada.

surribar, *v. tr.* AGRIC. mullir, cavar la tierra.

surripiar, *v. tr.* hurtar, robar; sonsacar.

surro, *s. m.* mugre, porquería.

surtida, *s. f.* surtida.

surtir, *v. tr.* surtir, originar, brotar.

surto, I. *adj.* surto; anclado. II. *s. m.* vuelo alto; ímpetu; irrupción.

sus!, *interj.* sus!; coraje!

susceptibilidade, *s. f.* susceptibilidad.

susceptível, *adj.* 2 *gén.* susceptible.

suscitação, *s. f.* suscitación.

suscitar, *v. tr.* suscitar.

suserano, *s. m.* señor feudal.

suspeição, *s. f.* suspicacia.

suspeita, *s. f.* sospecha.

suspeitar, *v. tr.* sospechar.

suspeito, *adj.* e *s. m.* sospechoso.

suspeitoso, *adj.* sospechoso; suspiscaz.

suspender, *v. tr.* suspender; sobreseer.

suspensão, *s. f.* suspensión; reticencia; sobreseimiento.

suspense, *s. m.* suspense.

suspensivo, *adj.* suspensivo; suspensorio.

suspenso, *adj.* suspenso; colgado; interrumpido.

suspensório, *adj.* suspensorio.

suspensórios, *s. m. pl.* tirantes.

suspicácia, *s. f.* suspicacia.

suspicaz, *adj.* 2 *gén.* suspicaz, sospechoso.

suspirado, *adj.* suspirado.

suspirar, *v. tr.* e *intr.* suspirar; *suspirar por,* suspirar por, tener ganas de.

suspiro, *s. m.* suspiro; suspirón, agujero.

sussurrante, *adj.* 2 *gén.* susurrante.

sussurrar, *v. intr.* e *tr.* susurrar, murmurar, susurrar.

sussurro, *s. m.* susurro; susurrido; murmullo; rumor.

sustar, *v. tr.* suspender.

sustenido, *adj.* e *s. m.* MÚSICA sostenido.

sustentação, *s. f.* sustentación; sostenimiento.

sustentáculo, *s. m.* sustentáculo; soporte; sustentación.

sustentado, *adj.* sostenido.

sustentador, *adj.* e *s. m.* sostenedor.

sustentar, *v.* **1.** *tr.* sostener; sustentar; mantener; fortificar. **2.** *refl.* aguantarse.

sustentável, *adj. 2 gén.* sustentable.

sustento, *s. m.* sostenimiento; sustento; alimento; sostén; subsistencia; amparo; conservación.

suster, *v. tr.* sostener; sustentar; alimentar; suportar; refrenar.

susto, *s. m.* susto; miedo.

sutura, *s. f.* CIR. sutura.

suturar, *v. tr.* suturar.

T

ta, *contr. dos pron.* **te** e **a**: te la.

tá!, *interj.* tate!, detente!, alto ahí!

tabacal, *s. m.* tabacal.

tabacaria, *s. f.* tabaquería.

tabaco, *s. m.* BOT. tabaco.

tabagismo, *s. m.* tabaquismo.

tabaquear, *v. tr.* fumar, oler o mascar tabaco.

tabaqueira, *s. f. (bolsa, caixa)* tabacalera; *a Tabaqueira (monopólio),* Tabacalera.

tabaqueiro, *adj. e s. m.* tabaquero, tabacalero.

tabaquismo, *s. m.* tabaquismo.

tabardo, *s. m.* tabardo.

tabasco, *s. m.* tabasco.

tabefe, *s. m.* cuajada; *(fam.)* bofetón.

tabela, *s. f.* tablón; índice; lista; horario; tarifa de precios; *(bilhar)* tablilla.

tabelar, *v. tr.* establecer un precio fijo; tarifar.

tabelião, *s. m.* notario.

taberna, *s. f.* taberna; tasca.

tabernáculo, *s. m.* tabernáculo.

tabernal, *adj. 2 gén.* tabernario.

tabernário, *adj.* tabernario.

taberneiro, **I.** *adj.* tabernario. **II.** *s. m. (ant.)* tabernero.

tabicar, *v. tr.* tabicar.

tabique, *s. m.* tabique; atajadizo.

tablado, *s. m.* tablado; *(flamenco)* tablao.

tablete, *s. f.* tableta.

tablilha, *s. f. (bilhar)* tablilla.

tabu, *s. m.* tabú.

tábua, *s. f.* tabla; tablilla; lista; índice; *tábua de picar a carne,* tajo.

tabuado, *s. m.* tablado; tablazón.

tabuão, *s. m.* tablón.

tabuinha, *s. f.* tablilla, tableta.

tabulação, *s. f.* tabulación.

tabulado, *s. m.* enrejado de tablas; tablado; estrado.

tabulador, *s. m.* tabulador.

tabulagem, *s. f.* garito, tablaje.

tabular, **I.** *adj. 2 gén.* tabular. **II.** *v. tr.* tabular.

tabuleiro, *s. m.* tablero; meseta (de escalera); pavimento en los puentes; sección en una salina.

tabuleta, *s. f.* tablilla; muestra; letrero.

taça, *s. f.* copa.

tacada, *s. f.* tacada.

taçada, *s. f.* lo que puede contener una copa.

tacanhez, *s. f.* tacañería; miseria; ruindad, roñería.

tacanhice, *s. f.* vd. **tacanhez**.

tacanho, *adj.* tacaño; *ser tacanho,* tacañear.

tacão, *s. m.* tacón; *bater os tacões,* taconear; *batimento dos tacões,* taconeo; *pancada com o tacão,* taconazo.

tacar, *v. intr.* merendar; dar tacada, en el biliar.

tacha, *s. f.* tachuela, tacha, defecto; *(prego)* tacha; tacho; cazuela.

tachada, *s. f.* borrachera.

tachão, *s. m.* cazolón; tachón.

tachar, *v. tr.* tachar, poner tacha o defecto; culpar, censurar.

tachinha, *s. f.* tachuela.

tacho, *s. m.* cazo, cazuela.

tachonar, *v. tr.* tachonar, adornar con tachones.

tácito, *adj.* tácito, callado.

taciturnidade, *s. f.* taciturnidad.

taciturno, *adj.* taciturno.

taco, *s. m.* taco; CULT. taco; *(bilhar)* ponta do taco, suela.

tacógrafo, *s. m.* tacógrafo.

tacómetro, *s. m.* tacómetro.

táctica, *s. f.* MIL. táctica.

táctico, *adj. e s. m.* táctico.

táctil, *adj. 2 gén.* táctil.

tacto, *s. m.* tacto.

tafetá, *s. m.* tafetán.

tafilete, *s. m.* tafilete.

taful, *s. m.* elegante.

tafular, *v. intr.* coquetear.

tafulho, *s. m.* taco, tarugo.

tagantar, *v. tr.* azotar con látigo.

tagalo, *adj. e s. m.* tagalo.

tagarela, *adj. e s. 2 gén.* parlanchín.

tagarelar, *v. intr.* charlar; chismear; parlotear.

tagarelice, s. f. charlatanería.

tagaté, s. m. caricia con la mano; halago; zalema

taifa, s. f. taifa.

taiga, s. f. taiga.

tailandês, adj. e s. m. tailandés.

taimado, adj. 2 gén. taimado; bellaco.

tainha, s. f. ZOOL. mújol.

taipa, s. f. tapia, tabique.

taipal, s. m. tapia.

taipar, v. tr. tapiar.

taipeiro, adj. e s. m. tapiador.

tal, adj. e pron. tal; igual, semejante; *de tal maneira*, tal.

tala, s. f. CIR. tablilha; *(abate de árvores)* tala.

talabarte, s. m. talabarte.

talagarça, s. f. cañamazo para bordar.

talamento, s. m. tala.

tálamo, s. m. *(leito)* tálamo; BOT. tálamo.

talante, s. m. talante.

talão, s. m. talón, calcañar; *(de recibo)* talón; *livro de talões*, talonario.

talar, I. v. tr. talar; *(fig.)* destruir; arruinar. II. adj. 2 gén. talar.

talássico, adj. talásico.

talassocracia, s. f. talasocracia.

talassoterapia, s. f. talasoterapia.

talco, s. m. talco.

taleiga, s. f. talega.

taleigada, s. f. talegada; talega.

taleigo, s. m. talego.

talento, s. m. talento.

talentoso, adj. talentoso, talentudo.

talha, s. f. corte; talla; entalladura; CIR. talla.

talhada, s. f. tajada.

talhadeira, s. f. tajadera.

talhadia, s. f. tala; poda.

talhado, adj. cortado; dividido; tajado; tallado.

talhador, adj. e s. m. tajador; tallador; carnicero; trinchero.

talha-mar, s. m. tajamar.

talhamento, s. m. tajamiento; tajadura.

talhante, I. adj. 2 gén. tajante; cortante. II. s. m. matarife, matachín.

talhão, s. m. tajo; caballón; macizo (en los jardines).

talhar, v. tr. tajar; cortar; tallar; partir; grabar; esculpir; ajustar.

talharim, s. m. tallarín.

talhe, s. m. talle, talla, estatura.

talher, s. m. cubierto; servicio.

talho, s. m. tajo; talla; cortadura; carnicería.

talião, s. m. talión.

talim, s. m. cinturón de la espada, tahalí; talabarte.

tálio, s. m. QUÍM. tálio.

talisca, s. f. grieta.

talismã, s. m. talismán.

Talmude, s. m. talmud.

talmudista, s. 2 gén. talmudista.

talo, s. m. BOT. tallo.

talófitas, s. f. pl. talofitas.

talonário, s. m. talonario.

taluda, s. f. *(fam.)* el gordo.

talude, s. m. talud, declive; escarpa.

taludo, adj. talludo; *(fig.)* corpulento.

talvez, adv. quizá, tal vez.

tamanca, s. f. zueca.

tamanco, s. m. zueco.

tamanhão, adj. e s. m. muy grande.

tamanho, I. adj. tamaño. II. s. m. tamaño, volumen.

tamanquear, v. intr. zoquear.

tamanqueiro, s. m. zoquero.

tâmara, s. f. támara; dátil.

tamareira, s. f. tamarera.

tamarga, s. f. tamariz.

tamargueira, s. f. BOT. tamarisco.

tamarindo, s. m. tamarindo.

também, adv. e conj. también.

tambor, s. m. tambor.

tamborete, s. m. taburete; tamboril.

tamboril, s. m. tamboril.

tamborilada, s. f. tamborilada.

tamborilar, I. v. intr. tamborilear, tabalear. II. s. m. tamborileo, tabaleo.

tamborileiro, adj. e s. m. tamboriléro.

tamborilete *(ê)*, s. m. tamborilete, tamboril.

tamiça, s. f. tamiza.

tamis, s. m. tamiz.

tamisação, s. f. tamización.

tamisar, v. tr. tamizar.

tampa, s. f. tapadera; tapa; tapón.

tampão, s. m. tapón, tampón; *(de roda)* tapacubos.

tampar, v. tr. tapar.

tampo, s. m. tapa.

tamponamento, s. m. taponamiento.

tamponar, v. tr. taponar.

tanado, adj. trigueño.

tanchagem, s. f. llantén.

tanchão, s. m. estaca.

tanchar, v. tr. rodrigar.

tanga, s. f. tanga; *(fam.)* taparrabo.

tangedor, adj. e s. m. tañedor.

tangência, s. f. tangencia.

tangencial, *adj.* 2 *gén.* tangencial.
tangente, I. *adj.* 2 *gén.* tañente. **II.** *s. f.* tangente.
tanger, *v. tr.* tañer, tocar.
tangerina, *s. f.* mandarina.
tangerineira, *s. f.* mandarino.
tangerino, *adj.* e *s. m.* tangerino.
tangibilidade, *s. f.* tangibilidad.
tangível, *adj.* 2 *gén.* tangible; palpable.
tanglomanglo, *s. m.* hechizo.
tanino, *s. m.* tanino.
tanoaria, *s. f.* tonelería.
tanoeiro, *s. m.* tonelero.
tanque, *s. m.* estanque; depósito; cisterna.
tanso, *adj.* estúpido.
tantã, *s. m.* tantán.
tantálio, *s. m.* QUÍM. vd. **tântalo.**
tântalo, *s. m.* QUÍM. tantalio.
tanto, I. *adj.* tanto; tal. **II.** *s. m.* porción; cuantía.
tanzaniano, *adj.* e *s. m.* tanzano.
tão, *adv.* tan; tanto; *tão grande,* tal, tamaño.
tão-pouco, *adv.* tampoco.
tapa-boca, *s. m.* bufanda; tapabocas.
tapada, *s. f.* parque cercado.
tapado, I. *adj.* cercado; cubierto; *(fig.)* bronco; necio. **II.** *s. m.* vd. **tapada.**
tapar, *v. tr.* tapar; cubrir; vender; entupir; taponar.
tapeçaria, *s. f.* tapiz; tapicería.
tapeceiro, *s. m.* tapicero.
tapetar, *v. tr.* tapizar.
tapete, *s. m.* tapete; tapiz, alcatifa, alfombra; *fábrica de tapetes,* tapicería.
tapeteiro, *s. m.* tapicero.
tapigo, *s. m.* vd. **tapume.**
tapioca, *s. f.* tapioca
tapir, *s. m.* ZOOL. tapir.
tapona, *s. f.* paliza.
tapulho, *s. m.* taco; tapón; obturador.
tapume, *s. m.* cerca, cercado.
taquicardia, *s. f.* MED. taquicardia.
taquigrafar, *v. tr.* taquigrafiar.
taquigrafia, *s. f.* taquigrafía.
taquigráfico, *adj.* taquigráfico.
taquígrafo, *s. m.* taquígrafo.
taquimetria, *s. f.* taquimetría.
taquímetro, *s. m.* taquímetro.
tara, *s. f.* *(peso e desarranjo mental)* tara.
tarado, *adj.* *(fig.)* tarado.
taramela, *s. f.* tarabilla.
tarantela, *s. f.* MÚS. tarantela.
tarântula, *s. f.* tarántula.

tarar, *v. tr.* tarar; destarar, rebajar la tara.
tarara, *s. f.* tarara; ventilador, aventador.
tarasca, *s. f.* tarasca.
tarasco, *adj.* áspero, arisco.
tardança, *s. f.* detención, lentitud, demora, tardanza.
tardar, *v. intr.* tardar.
tarde, I. *s. f.* tarde. **II.** *adv.* tarde, tardíamente.
tardego, *adj.* tardío.
tardeiro, *adj.* tardío.
tardeza, *s. f.* tardanza.
tardiamente, *adv.* tardíamente, tarde.
tardígrado, *adj.* tardígrado.
tardio, *adj.* tardío; lento.
tardo, *adj.* tardo; lento; tardón.
tarear, *v. tr.* vd. **tarar.**
tarecada, *s. f.* muebles viejos; trebejos, tarecos.
tareco, *s. m. pl.* *(fam.)* el gato; tarecos, trebejos.
tarefa, *s. f.* tarea; tajo.
tareia, *s. f.* zurra, tunda.
tarelar, *v. intr.* charlar, parlar.
tarentino, *adj.* e *s. m.* tarentino.
tarifa, *s. f.* tarifa.
tarifar, *v. tr.* tarifar
tarima, *s. f.* tarima.
tarimba, *s. f.* tarima.
tarimbar, *v. intr.* servir como soldado.
tarja, *s. f.* tarja; guarnición.
tarjar, *v. tr.* tarjar, orlar.
tarlatana, *s. f.* tarlatana.
taró, *s. m.* *(fam.)* taro, el frío.
tarouco, *adj.* chocho; idiota.
tarouquice, *s. f.* estupidez.
tarraçada, *s. f.* lo que cabe en un tarro.
tarraxa, *s. f.* tornillo; terraja.
tarro, *s. m.* tarro (vasija).
tarso, *s. m.* ANAT. tarso.
tartamudear, *v. intr.* tartamudear; tartajear.
tartamudez, *s. f.* tartamudez, tartamudeo.
tartamudo, *adj.* e *s. m.* tartaja; tartamudo.
tartan, *s. m.* tartán.
tartáreo, *adj.* tartáreo.
tartárico, *adj.* tartárico.
tartarizar, *v. tr.* tartarizar.
tártaro, *s. m.* tártaro; sarro.
tartaruga, *s. f.* tortuga.
tarte, *s. f.* vd. **torta.**
tartufice, *s. f.* gazmoñería.
tartufo, *s. m.* hipócrita.
tarugar, *v. tr.* atarugar.

tarugo, s. m. tarugo; clavo; taco.
tás, s. m. (*bigorna de ourives*) tas.
tasca, s. f. tasca.
tascar, v. tr. tascar, espadillar; tascar el freno; comer.
tasco, s. m. tasco, taberna.
tasqueiro, s. m. tabernero.
tasquinha, s. f. espadilla (para el lino); taberna pequeña.
tasquinhar, v. tr. tascar, espadillar; (*fam.*) comer poco.
tassalho, s. m. tasajo.
tataraneto, s. m. tataranieto.
tataranha, s. 2 gén. persona tímida
tataranho, adj. e s. m. indeciso.
tataravô, s. m. tatarabuelo.
tátaro, s. m. tato; tartamudo.
tate!, interj. ¡tate!.
tatibitate, s. m. tartamudo.
tatu, s. m. ZOOL. tatú.
tatuagem, s. f. tatuaje.
tatuar, v. tr. tatuar.
tauísmo, s. m. taoísmo.
tauísta, s. 2 gén. taoísta.
taumaturgia, s. f. taumaturgia.
taumaturgo, s. m. taumaturgo.
táureo, adj. taurino.
taurino, adj. taurino.
tauromaquia, s. f. tauromaquia.
tauromáquico, adj. tauromáquico.
tauxia, s. f. taracea.
tauxiar, v. tr. taracear.
tavão, s. m. ZOOL. tábano, tabarro.
taxa, s. f. tasa; impuesto; tasación.
taxação, s. f. tasación.
taxador, adj. e s. m. tasador.
taxar, v. tr. tasar, fijar cierta porción o cantidad.
taxativo, adj. taxativo.
táxi, s. m. taxi.
taxímetro, s. m. taxímetro.
taxinomia, s. f. taxonomía.
te, pron. a tí; para tí.
teada, s. f. tela de paño.
teagem, s. f. tela, tejido.
tear, s. m. telar.
teatral, adj. 2 gén. teatral.
teatro, s. m. teatro
tebaida, s. f. tebaida.
teca, s. f. BOT. teca.
tecedeira, s. f. tejedora.
tecedor, adj. tejedor.
tecedura, s. f. tejedura.
tecelagem, s. f. tejedura.

tecelão, s. m. el que teje tela, tejedor.
tecer, v. tr. tejer.
tecido, s. m. tejido.
tecla, s. f. tecla.
teclado, s. m. teclado; INFORM. tablero.
técnica, s. f. técnica.
técnico, adj. técnico.
tecnologia, s. f. tecnología.
tecnológico, adj. tecnológico.
tecto, s. m. techo.
tédio, s. m. tedio, fastidio.
tedioso, adj. tedioso.
tegumento, s. m. tegumento.
teia, s. f. tela; (*fig.*) intriga; teia de aranha, telaraña.
teima, s. f. obstinación.
teimar, v. intr. insistir; porfiar.
teimosia, s. f. terquedad.
teimoso, adj. e s. m. obstinado; terco; tozudo.
teiró, s. m. clavija del arado.
teísmo, s. m. teísmo
teísta, adj. e s. 2 gén. teísta.
teixo, s. m. BOT. tejo.
tejadilho, s. m. tejadillo.
tela, s. f. tela.
telecinesia, s. f. telequinesia.
telecomandado, adj. e s. m. teledirigido.
telecomandar, v. tr. teledirigir.
telecomando, s. m. telemando.
telecomunicação, s. f. telecomunicación.
teledifusão, s. f. teledifusión.
teledinâmico, adj. teledinâmico.
telefax, s. m. fax, telefax.
teleférico, s. m. teleférico.
telefilme, s. m. telefilme.
telefonar, v. tr. telefonear.
telefone, s. m. teléfono.
telefonema, s. m. telefonazo.
telefonia, s. f. telefonía.
telefónico, adj. telefónico.
telefonista, s. 2 gén. telefonista.
telegrafar, v. tr. e intr. telegrafiar.
telegrafia, s. f. telegrafía.
telegráfico, adj. telegráfico.
telegrafista, s. 2 gén. telegrafista.
telégrafo, s. m. telégrafo.
telegrama, s. m. telegrama.
teleguiado, adj. teledirigido.
teleguiar, v. tr. teledirigir.
telejogo, s. m. telejuego.
telejornal, s. m. telediario.
teleimpressor, s. m. teleimpresor.

telemania, *s. f.* telemanía.
telemática, *s. f.* telemática.
telemetria, *s. f.* telemetría.
telemétrico, *adj.* telemétrico.
telémetro, *s. m.* telémetro.
telenovela, *s. f.* telenovela.
teleobjectiva, *s. f.* teleobjetivo.
teleologia, *s. f.* teleología.
teleológico, *adj.* teleológico.
telepatia, *s. f.* telepatía.
telepático, *adj.* telepático.
teleprocessamento, *s. m.* teleproceso.
teleprocessar, *v. tr.* teleprocesar.
telescópico, *adj* telescópico.
telescópio, *s. m.* telescopio.
telespectador, *s. m.* telespectador, tele-vidente.
telesqui, *s. m.* telesquí.
teletexto, *s. m.* teletexto.
telétipo, *s. m.* teletipo.
televisão, *s. f.* televisión.
televisionar, *v. tr.* televisar.
televisivo, *adj.* televisivo.
televisor, *s. m.* televisor.
telex, *s. m.* telex.
telha, *s. f.* teja.
telhado, *s. m.* tejado.
telhador, *s. m.* tejador.
telhal, *s. m.* tejar.
telhar, *v. tr.* tejar.
telheira, *s. f.* tejar, tejera.
telheiro, *s. m.* tejero; sotechado.
telhudo, *adj.* maníaco.
telilha, *s. f.* telilla.
telim, *s. m.* tilín.
telintar, *v. intr.* tintinar, tintinear.
telúrico, *adj.* telúrico.
telúrio, *s. m.* telúrio.
tema, *s. m.* tema.
temente, *adj. 2 gén.* temeroso; *temente a Deus*, temeroso de Dios.
temerário, *adj.* temerario.
temeridade, *s. f.* temeridad.
temeroso, *adj.* temeroso.
temido, *adj.* temido; tímido; medroso.
temível, *adj. 2 gén.* temible.
temor, *s. m.* temor, miedo.
têmpera, *s. f.* temple.
temperado, *adj.* temperado; adobado; condimentado; sazonado; afinado; suave; templado.
temperamental, *adj. 2 gén.* temperamental.
temperamento, *s. m.* temperamento.

temperança, *s. f.* temperancia.
temperante, *adj. 2 gén.* temperante.
temperar, *v. tr.* temperar; sazonar.
temperatura, *s. f.* temperatura.
temperie, *s. f.* temperie.
tempero, *s. m.* aderezo; sazonamiento.
tempestade, *s. f.* tempestad.
tempestivo, *adj.* tempestivo, oportuno.
tempestuoso, *adj.* tempestuoso.
templário, *s. m.* templario.
templo, *s. m.* templo.
tempo, *s. m.* tiempo; época; edad; ocasión.
têmpora, *s. f.* sien.
temporada, *s. f.* temporada.
temporal, I. *adj. 2 gén.* temporal; ANAT. temporal. II. *s. m.* 1. vd. **tempestade**. 2. ANAT. temporal.
temporalidade, *s. f.* temporalidad.
temporalizar, *v. tr.* temporalizar.
temporão, *adj.* tempranal; prematuro; precoz; temprano.
temporário, *adj. e s. m.* temporero.
têmporas, *s. f. pl.* témporas.
temporização, *s. f.* temporización.
temporizador, *adj.* temporizador.
temporizar, *v. intr.* temporizar; contem-porizar.
tenacidade, *s. f.* tenacidad, tesón.
tenaz, I. *adj. 2 gén.* tenaz; pertinaz. II. *s. f. pl.* tenazas, pinzas.
tenca, *s. f.* ZOOL. tenca.
tença, *s. f.* pensión.
tenção, *s. f.* intención.
tencionar, *v. tr.* intentar; proyectar; pre-tender.
tenda, *s. f.* tienda de campaña; tienda, casa de comercio.
tendão, *s. m.* tendón.
tendeiro, *s. m.* tendero.
tendência, *s. f.* tendencia.
tendencioso, *adj.* tendencioso.
tendente, *adj. 2 gén.* tendente.
tender, *v. tr.* tender; propender.
tênder, *s. m.* ténder.
tendilha, *s. f.* tendezuela.
tendilhão, *s. m.* tienda de campaña.
tendinoso, *adj.* tendinoso.
tendola, *s. f.* tenducha.
tenebrosidade, *s. f.* tenebrosidad.
tenebroso, *adj.* tenebroso.
tenente, *s. m.* teniente.
tenesmo, *s. m.* tenesmo, pujo.
ténia, *s. f.* ZOOL. tenia.
tenífugo, *s. m.* tenífugo.

tenor, s. m. tenor.

tenorino, s. m. tenorino.

tenro, adj. tierno; blando.

tenrura, s. f. ternura, terneza.

tensão, s. f. tensión.

tenso, adj. tenso; tieso.

tensor, adj. tensor.

tenta, s. f. tienta, sonda.

tentação, s. f. tentación.

tentacular, adj. 2 gén. tentacular.

tentáculo, s. m. tentáculo.

tentador, adj. e s. m. tentador.

tentame, s. m. tentativa; ensayo.

tentar, v. tr. tentar; seducir; inducir; examinar; sondar con tienta.

tentativa, s. f. tentativa.

tentear, v. tr. tantear; calcular; sondar con tienta; examinar; tentar.

tentilhão, s. m. pinzón.

tento, s. m. tiento; tino.

ténue, adj. 2 gén. tenue; sutil.

tenuidade, s. f. tenuidad.

teocracia, s. f. teocracia.

teocrático, adj. teocrático.

teodolito, s. m. teodolito.

teogonia, s. f. teogonía.

teogónico, adj. teogónico.

teologal, adj. teologal.

teologia, s. f. teología.

teológico, adj. teológico.

teólogo, s. m. teólogo.

teor, s. m. tenor.

teorema, s. m. teorema.

teoria, s. f. teoría.

teórico, adj. teórico.

teosofia, s. f. teosofía.

tepidez, s. f. estado de lo que es tépido; (fig.) tibieza.

tépido, adj. tépido.

ter, v. tr. tener, asir; poseer; haber; mantener; sostener, contener.

terapeuta, s. 2 gén. terapeuta.

terapêutica, s. f. terapéutica.

terapêutico, adj. terapéutico.

teratologia, s. f. teratología.

teratológico, adj. teratológico.

terça, I. adj. tercera. II. s. f. la tercera parte.

terçã, s. f. terciana.

terçado, s. m. terciado.

terçador, adj. e s. m. mediador; medianero.

terça-feira, s. f. martes.

terçar, v. tr. e intr. mezclar tres cosas: terciar.

terceira, s. f. tercera, medianera.

terceiro, I. num. tercero. II. s. m. intercesor; mediador; miembro de la orden de S. Francisco.

terceto, s. m. terceto.

terciário, adj. terciario.

terço, s. m. tercio.

terçogo, s. m. orzuelo.

terçol, s. m. orzuelo.

terçolho, s. m. orzuelo.

Terebintáceas, s. f. pl. terebintáceas.

terebintina, s. f. terebintina.

terebinto, s. m. terebinto.

terebração, s. f. terebración.

terebrante, adj. 2 gén. terebrante.

terebrar, v. tr. horadar, perforar; taladrar.

teredem, s. m. teredo.

teres, s. m. pl. haberes; bienes.

tergémino, adj. triplicado.

tergiversação, s. f. tergiversación.

tergiversador, adj. e s. m. tergiversador.

tergiversar, v. intr. tergiversar.

termal, adj. 2 gén. termal.

termalidade, s. f. termalidad.

térmico, adj. térmico.

terminação, s. f. terminación.

terminal, adj. 2 gén. terminal.

terminante, adj. 2 gén. terminante.

terminar, v. tr. e intr. terminar.

término, s. m. término, límite; extremo.

terminologia, s. f. terminología.

térmita, s. f. vd. térmite.

térmite, s. f. termita, termite, termes.

termiteira, s. f. termitero.

termiteira, s. m. vd. termitera.

termo (ê), s. m. término; palabra; mojón; límite; fin.

termo (é), s. m. termo.

termocautério, s. m. termocauterio.

termodinâmica, s. f. termodinámica.

termodinâmico, adj. termodinámico.

termoelectricidade, s. f. termoelectricidad.

termógrafo, s. m. termógrafo.

termoisolador, adj. termoaislante.

termologia, s. f. termología.

termológico, adj. termológico.

termomagnético, adj. termomagnético.

termomagnetismo, s. m. termomagnetismo.

termometria, s. f. termometría.

termométrico, adj. termométrico.

termómetro, s. m. termómetro.

termonuclear, adj. 2 gén. termonuclear.

termoquímica, s. f. termoquímica.

termoquímico, *adj.* termoquímico.
termoscópio, *s. m.* termoscopio.
termossifão, *s. m.* termosifón.
termóstato, *s. m.* termostato.
termoterapia, *s. f.* termoterapia.
ternário, *adj.* ternario.
terno, I. *s. m.* terno; trío. II. *adj.* tierno; cariñoso.
ternura, *s. f.* ternura; terneza; cariño.
terra, *s. f.* tierra; suelo; pátria; casa; región.
terraço, *s. m.* terraza.
terracota, *s. f.* terracota.
terral, *adj.* 2 *gén.* terral.
terramoto, *s. m.* terremoto; seísmo.
terra-nova, *s. m.* terranova.
terraplenar, *v. tr.* terraplenar.
terrapleno, *s. m.* terraplén.
terráqueo, *adj.* terráqueo.
terreal, *adj.* 2 *gén.* terrenal.
terrenho, *adj.* terrenal, terreno, terrestre, mundano.
terreno, I. *adj.* terreno, terrestre, mundano. II. *s. m.* terreno.
térreo, *adj.* térreo; terroso.
terrestre, I. *adj.* 2 *gén.* terrestre; transporte terrestre, transporte terrestre. II. *s.* 2 *gén.* terrestre.
terriço, *s. m.* tierra vegetal.
terrícola, *adj.* e *s.* 2 *gén.* terrícola, terrestre.
terrificante, *adj.* 2 *gén.* terrífico.
terrificar, *v. tr.* e *intr.* amedrentar, asustar.
terrífico, *adj.* terrífico, terrorífico.
terrígeno, *adj.* terrígeno.
terrina, *s. f.* sopera.
terriola, *s. f.* aldea, pueblecito.
territorial, *adj.* 2 *gén.* territorial.
territorialidade, *s. f.* territorialidad.
território, *s. m.* territorio.
terrível, *adj.* 2 *gén.* terrible.
terror, *s. m.* terror; espanto; miedo; pavor.
terrorismo, *s. m.* terrorismo.
terrorista, *adj.* e *s.* 2 *gén.* terrorista.
terroso, *adj.* terroso.
terso, *adj.* terso, limpio; puro.
tertúlia, *s. f.* tertulia.
tese, *s. f.* tesis; asunto; tema; tesis (escolar); *defender uma tese,* sostener una tesis; *tese de doutoramento,* tesis doctoral.
teso, *adj.* tieso, tenso, tirante; duro, sólido, rígido.
tesoura, *s. f.* tijera.
tesourada, *s. f.* tijeretada, tijeretazo.
tesourar, *v. tr.* tijeretear.
tesouraria, *s. f.* tesorería.

tesoureiro, *s. m.* tesorero.
tesouro, *s. m.* tesoro; erario.
tessitura, *s. f.* tesitura.
testa, *s. f.* frente.
testáceo, *adj.* testáceo.
testada, *s. f.* terreno confinante, rayano, fronterizo; frente.
testa-de-ferro, *s.* 2 *gén.* testaferro.
testador, *adj.* DIR. testador.
testamental, *adj.* testamentario.
testamentaria, *s. f.* testamentaría.
testamentário, *adj.* testamentario.
testamenteiro, *s. m.* testamentario; albacea.
testamento, *s. m.* testamento.
testar, *v. intr.* testar.
teste, *s.* 1. *m.* test, prueba. 2. *f.* testigo.
testeira, *s. f.* testera, frente.
testemunha, *s. f.* testigo.
testemunhal, *adj.* 2 *gén.* testimonial.
testemunhar, *v. tr.* testimoniar; atestiguar.
testemunhável, *adj.* 2 *gén.* DIR. testimonial.
testemunho, *s. m.* testimonio.
testículo, *s. m.* testículo.
testificação, *s. f.* testificación.
testificar, *v. tr.* testificar.
testilha, *s. f.* querella.
testilhar, *v. intr.* disputar; reñir.
testo, *adj.* enérgico, firme.
testo (*ê*), *s. m.* tiesto (de una vasija).
testosterona, *s. f.* testosterona.
testudo, *adj.* cabezudo.
teta (*ê*), *s. f.* ANAT. teta..
tetânico, *adj.* tetánico.
tétano, *s. m.* tétanos.
teto (*ê*), *s. m.* vd. **mamilo.**
tetraédrico, *adj.* tetraédrico.
tetraedro, *s. m.* tetraedro.
tetragonal, *adj.* 2 *gén.* tetragonal.
tetrágono, *s. m.* tetrágono.
tetralogia, *s. f.* tetralogía.
tetraneto, *s. m.* tataranieto.
tetrarca, *s. m.* tetrarca.
tetrarquia, *s. f.* tetrarquía.
tetrassilábico, *adj.* tetrasílabo.
tetrassílabo, *adj.* e *s. m.* tetrasílabo.
tetravó, *s. f.* tatarabuela.
tetravô, *s. m.* tatarabuelo.
tétrico, *adj.* tétrico.
tetro, *adj.* negro; sombrío.
teu, *adj.* e *pron.* tuyo, tú, de tí.
teutónico, *adj.* teutónico.

têxtil, adj. 2 gén. textil.
texto, s. m. texto.
textual, adj. 2 gén. textual.
textura, s. f. textura.
tiara, s. f. tiara.
tiberino, adj. tiberino.
tíbia, s. f. ANAT. tibia.
tibial, adj. 2 gén. tibial.
tibieza, s. f. tibieza.
tíbio, adj. tibio.
tição, s. m. tizón.
tido, adj. tenido.
tiflografia, s. f. tiflografía.
tifo, s. m. tifus.
tifóide, adj. 2 gén. tifoideo, tifoide.
tifoso, adj. tifoideo.
tigela, s. f. tazón, cuenco.
tigelinha, s. f. pequeña escudilla.
tigrado, adj. atigrado.
tigre, s. m. tigre, (fêmea) tigra.
tigrino, adj. atigrado.
tijoleira, s. f. pedazo de barro propio para ladrillo.
tijolo, s. m. ladrillo, baldosa.
tílburi, s. m. tílburi.
tília, s. f. BOT. tilo, tila.
timão, s. m. timón.
timbale, s. m. timbal.
timbaleiro, s. m. timbalero.
timbragem, s. f. timbramiento.
timbrar, v. tr. timbrar.
timbre, s. m. timbre.
timidez, s. f. timidez.
tímido, adj. e s. m. tímido.
timo, s. m. ANAT. timo.
timoneiro, s. m. timonero.
timor, s. m. vd. timorense.
timorato, adj. timorato.
timorense, adj. e s. 2 gén. de Timor.
timpanal, adj. 2 gén. timpanal.
timpânico, adj. timpánico.
timpanismo, s. m. timpanismo.
timpanite, s. f. timpanitis.
timpanizar, v. tr. timpanizar.
tímpano, s. m. ANAT. tímpano.
tina, s. f. tina; bañera.
tinada, s. f. tina llena.
tinalha, s. f. tina o cuba para vino.
tincal, s. m. bórax natural.
tinção, s. f. teñidura.
tineta, s. f. manía
tingidor, adj. e s. m. teñidor.
tingidura, s. f. teñidura.
tingir, v. tr. teñir.

tinha, s. f. tiña, caracha.
tinhoso, adj. tiñoso.
tinido, s. m. tañido; retintín.
tinir, v. intr. retiñir; tintinar; tañer.
tino, s. m. tacto; juicio; cordura, tino.
tinta, s. f. tinta.
tinteiro, s. m. tintero.
tintinábulo, s. m. campanilla, timbre.
tinto, adj. tinto.
tintura, s. f. tintura.
tintureiro, adj. tintorero.
tio, s. m. tío.
tiorga, s. f. borrachera.
típico, adj. típico.
tiple, s. tiple.
tipo, s. m. tipo; modelo; ejemplar; suerte, especie.
tipocromia, s. f. tipocromía.
tipografar, v. tr. tipografiar.
tipografia, s. f. tipografía.
tipográfico, adj. tipográfico.
tipógrafo, s. m. tipógrafo.
tipóia, s. f. palanquín de red.
tique, s. m. tic.
tiquetaque, s. m. tictac.
tira, s. f. tira; cinta.
tiracolo, s. m. tiracol.
tirada, s. f. tirada, distancia entre dos lugares; tirada, serie de cosas que se dicen o escriben de una vez.
tira-dentes, s. 2 gén. sacamuelas.
tiragem, s. f. tirada.
tira-linhas, s. m. tiralíneas.
tiranete, s. m. tiranuelo.
tirania, s. f. tiranía.
tirânico, adj. tiránico.
tiranizar, v. tr. tiranizar
tirano, s. m. tirano.
tirante, I. adj. 2 gén. tirante, que tira; tenso. **II.** s. m. ARQ. tirante.
tirão, s. m. tirón, arranque.
tira-olhos, s. m. libélula.
tirapé, s. m. tirapie.
tirar, v. tr. e intr. quitar; usurpar; robar; sacar; arrancar; arrojar; lucrar; exceptuar; deducir.
tira-teimas, s. m. argumento decisivo.
tiritante, adj. 2 gén. tiritante.
tiritar, v. intr. tiritar.
tiro, s. m. tiro; detonación; proyectil.
tirocinante, adj. e s. 2 gén. ejercitante; practicante.
tirocinar, v. intr. practicar; ejercitarse.
tirocínio, s. m. tirocinio.

tombo

tiróide, s. f. tiroides.
tiróideo, adj. tiroideo, tiroides.
tirolês, adj. e s. m. tirolés.
tiroteio, s. m. tiroteo.
tisana, s. f. tisana.
tísica, s. f. tuberculosis; tisis.
tísico, adj. e s. m. tísico.
tisnadura, s. f. tiznadura.
tisnar, v. tr. tiznar; ennegrecer.
tisne, s. m. tizne; tiznón.
titã, s. m. titán; gigante.
titânico, adj. titánico.
títere, s. m. títere, fantoche; (fam.) payaso.
titereiro, adj. e s. m. titiritero.
titilação, s. f. titilación.
titilante, adj 2 gén. titilante.
titilar, v. **1.** tr. hacer cosquillas a. **2.** intr. titilar, estremecer.
titubeação, s. f. titubeo.
titubeante, adj. 2 gén. titubeante.
titubear, v. intr. titubear.
titular, I. v. tr. intitular. II. s.2 gén. titular.
titularidade, s. f. titularidad.
título, s. m. título.
tlão, s. m. talán.
to, contr. dos pron. te e o: te lo
toa, s. f. toa, maroma, sirga.
toada, s. f. canto; entonación.
toalha, s. f. mantel; toalla (para secar el cuerpo); (de mesa) tapete.
toalheiro, s. m. toallero.
toalhete, s. m. toalla de manos, toalleta; servilleta.
toante, adj. 2 gén. sonante.
toar, v. intr. emitir sonido; sonar.
toca, s. f. cueva; madriguera; cubil, agujero.
tocadela, s. f. tocata; contacto.
tocado, adj. (frota) locado; algo ebrio; perturbado; tocado; DESP. locado, lesionado.
tocador, adj. e s. m. tocador.
tocante, adj. 2 gén. tocante.
tocar, v. tr. e intr. tocar; rozar; pegar; golpear; tañer; conmover; herir; ofencler.
tocata, s. f. tocata.
tocha, s. f. cirio; antorcha.
tocheiro, s. m. candelabro.
toco, (ô), s. m. tocón, cepa, cepón; taco; cabo de vela; muñón.
tocologia, s. f. tocología.
tocólogo, s. m. tocólogo.
todavia, adj. e conj. aun así, mientras tanto; sin embargo.

todo (ô), adj. e pron. todo; completo; total; entero; íntegro.
todo-poderoso, adj. todopoderoso; o Todo-Poderoso, el Todopoderoso.
toesa, s. f. toesa (medida).
toga, s. f. toga.
togado, adj. togado.
tojal, s. m. tojal, mata de tojos.
tojo, s. m. BOT. tojo.
tola, s. f. (fam.) la cabeza.
tolda, s. f. toldo.
toldado, adj. entoldado, encubierto, nublado; (fam.) algo ebrio.
toldar, v. tr. entoldar; encubrir; anublar.
toldo, s. m. toldo; tendal.
toledo, s. m. vd. **toleima**, acto impensado, locura; conjunto de locos.
toleima, s. f. vd. **tolice**.
toleirão, adj. badulaque; bobo, estúpido.
tolejar, v. intr. tontear.
tolerada, s. f. meretriz.
tolerância, s. f. tolerancia.
tolerante, adj. 2 gén. tolerante.
tolerantismo, s. m. tolerantismo.
tolerar, v. tr. tolerar; soportar, consentir.
tolerável, adj. 2 gén. tolerable.
tolher, v. tr. e refl. tullir; paralizar; impedir, obstar.
tolhido, adj. tullido
tolhimento, s. m. tullidez; tullimiento.
tolice, s. f. tontería; sandez.
tolo, adj. e s. m. tolondrón.
tom, s. m. tono; sonido; modo de decir; acento; carácter, moda.
toma, s. f. toma.
tomada, s. f. toma, ELEC. toma, enchufe; CIN. toma, conquista.
tomado, adj. tomado; cogido; asido, aprehendido; paralizado; preso; atacado.
tomador, adj. e s. m. tomador.
tomar, v. tr. e intr. tomar; asir, agarrar; conquistar; alcanzar; aceptar; seguir por; interpretar; reputar, adoptar; escoger; beber.
tomatada, s. f. tomatazo.
tomate, s. m. tomate.
tomateiro, s. m. tomatera.
tomba, s. f. puntera.
tombadilho, s. m. NÁUT. tumbadillo.
tombar, v. **1.** tr. tumbar; derribar; matar; registrar bienes raíces. **2.** intr. caer; declinar.
tombo, s. m. caída; inventario, catastro.

tômbola, s. f. tómbola.

tomento, s. m. tomento.

tomentoso, adj. tomentoso.

tomilho, s. m. tomillo.

tomismo, s. m. tomismo.

tomista, adj. tomista.

tomo, s. m. tomo; (fig.) importancia, valor.

tona, s. f. piel; cáscara; película; tona, superficie.

tonal, adj. 2 gén. tonal.

tonalidade, s. f. tonalidad.

tonel, s. m. tonel; cuba.

tonelada, s. f. tonelada.

tonelagem, s. f. tonelaje.

tonelaria, s. f. tonelería.

tónica, s. f. tónica.

tonicidade, s. f. tonicidad.

tónico, adj. e s. m. tónico.

tonificante, adj. 2 gén. tonificante.

tonificar, v. tr. tonificar.

toninha, s. f. ZOOL. tonina.

tonismo, s. m. tétano, tétanos.

tono, s. m. vd. **tom**; aria.

tonsura, s. f. tonsura.

tonsurado, adj. tonsurado.

tonsurar, v. tr. tonsurar.

tontaria, s. f. tontería; tontada.

tontear, v. intr. tontear.

tontice, s. f. tontería; (fam.) tontina.

tonto, adj. tonto, idiota.

tontura, s. f. vértigo, mareo.

topada, s. f. tropezón; trompicón.

topar, v. tr. topar; chocar; tropezar.

topázio, s. m. topacio.

tope, s. m. topetón; encuentro; cumbre; alto; sùmmum.

topetada, s. f. cabezazo; topetada, topetazo, topetón.

topetar, v. 1. tr. tocar el punto más alto de. 2. intr. topetar, dar con la cabeza, topetear.

topete, s. m. copete; tupé.

tópico, adj. tópico.

topo (ô), s. m. cumbre; punta; cima; sùmmum.

topografia, s. f. topografía.

topográfico, adj. topogrático.

topógrafo, s. m. topógrafo.

topologia, s. f. topología.

toponímia, s. f. toponimia.

toponímico, adj. toponímico.

topónimo, s. m. topónimo.

toque, s. m. toque; tañido; golpe; contacto; sonido; toque (de campanas); toque, de tambores o cornetas; señal.

torácico, adj. torácico.

toranja, s. f. toronja.

torar, v. tr. tronzar, dividir en trozos.

tórax, s. m. tórax.

torçal, adj. 2 gén. torzal.

torção, s. f. torsión; torcedura.

torcedela, s. f. torcedura.

torcedura, s. f. torcedura.

torcer, v. tr. torcer; encaracolar.

torcícolo, s. m. rodeo; sinuosidad; MED. tortícolis; torcecuello.

torcida, s. f. torcida; mecha; pabilo.

tordilho, adj. tordillo.

tordo, s. m. ZOOL. tordo.

torga, s. f. BOT. brezo.

tormenta, s. f. tormenta.

tormento, s. m. tormento.

tormentoso, adj. tormentoso.

torna, s. f. torna; vuelta; troca; compensación en partijas.

tornada, s. f. tornada; regreso, retorno.

tornadiço, adj. tornadizo; desertor; apóstata; renegado.

tornado, s. m. tornado.

tornar, v. intr. tornar; regresar; retornar; volver; mudar; convertir.

tornassol, s. m. tornasol.

torna-viagem, s. f. tornaviaje.

torneador, s. m. torneador.

torneamento, s. m. torneamiento.

tornear, v. tr. tornear; arredondear; circundar; ceñir.

tornearia, s. f. torneaería.

torneio, s. m. torneo.

torneira, s. f. grifo.

torneiro, s. m. tornero.

tornejamento, s. m. torneamiento.

tornejar, v. tr. e intr. encorvar; torcer; tornear; redondear.

torniquete, s. m. torniquete.

torno, s. m. torno.

tornozelo, s. m. taba; tobillo.

toro, s. m. rollizo, tronco de árbol; taco; tocón, tronco; tarugo.

toronja, s. f. toronja.

torpe, adj. 2 gén. soez, vil.

torpedear, v. tr. torpedear.

torpedeiro, s. m. torpedero.

torpedo, s. m. torpedo.

torpeza, s. f. torpeza.

torpor, s. m. torpor; sopor; entorpecimiento.

torquês, *s. f.* vd. **turquês.**

torrada, *s. f.* tostada.

torradeira, *s. f.* tostador, tostadora.

torrado, *adj.* torrado, tostado.

torrador, *s. m.* tostador; tostadero.

torragem, *s. f.* tostamiento; torrefacción.

torrão, *s. m.* terrón; turrón; terruño; suelo patrio.

torrar, *v. tr.* torrar, tostar.

torre, *s. f.* torre; fortaleza.

torreão, *s. m.* torreón.

torrefacção, *s. f.* torrefacción.

torrefacto, *adj.* torrefacto.

torreira, *s. f.* chicharrera.

torrencial, *adj.* 2 *gén.* torrencial.

torrente, *s. f.* torrente

torresmo, *s. m.* torrezno; chicharrón.

tórrido, *adj.* tórrido.

torrificação, *s. f.* torrefacción.

torrificar, *v. tr.* torrar, tostar.

torrinha, *s. f.* gallinero (en el teatro).

torroada, *s. f.* montón de terrones.

torso, *s. m.* torso; busto.

torta, *s. f.* tarta; torta; tortada; *torta de maçã*, tarta de manzana.

torteira, *s. f.* tartera.

torto, *adj.* tuerto; torcido.

tortulho, *s. m.* hongo, seta.

tortuosidade, *s. f.* tortuosidad.

tortuoso, *adj.* tortuoso; sinuoso.

tortura, *s. f.* tortura; suplicio; tortuosidad.

torturador, *s. m.* torturador.

torturante, *adj.* 2 *gén.* que tortura.

torturar, *v. tr.* torturar, atormentar.

torvação, *s. f.* agitación de ánimo; aspecto torvo u hosco; desasosiego.

torvar, *v. tr.* torvar, volver torvo, sombrío.

torvelinho, *s. m.* torbellino.

torvelino, *s. m.* vd. **torbellino.**

torvo, *adj.* torvo; fiero; aterrador.

tosa, *s. f.* tonsura; tunda.

tosador, *adj.* trasquilador.

tosadura, *s. f.* tonsura.

tosão, *s. m.* toisón.

tosar, *v. tr.* tonsurar; trasquilar.

toscanejar, *v. intr.* dormitar.

toscano, *adj.* e *s. m.* toscano.

toscar, *v. tr.* divisar; conocer.

tosco, *adj.* tosco; rude.

tosquia, *s. f.* trasquila.

tosquiadela, *s. f.* trasquiladura.

tosquiador, *adj.* e *s. m.* trasquilador.

tosquiadura, *s. f.* vd. **tosquia.**

tosquiar, *v. tr.* trasquilar, esquilar, ton-

tosse, *s. f.* tos.

tosseira, *s. f.* tos seca.

tossidela, *s. f.* tosidura.

tossir, *v. intr.* toser.

tostar, *v. tr.* tostar.

total, I. *adj.* 2 *gén.* total, todo. II. *s. m.* suma, total.

totalidade, *s. f.* totalidad.

totalitário, *adj.* totalitario.

totalitarismo, *s. m.* totalitarismo.

totalitarista, *adj.* e *s* 2 *gén.* totalitarista.

totalização, *s. f.* totalización.

totalizar, *v. tr.* totalizar.

totem, *s. m.* tótem.

totó, *s. m.* perro pequeño.

touca, *s. f.* toca, gorra, cofia de mujeres; turbante; talega.

toucado, *s. m.* tocado.

toucador, *adj.* e *s. m.* tocador.

toucar, *v. tr.* tocar.

toucinheiro, *s. m.* tocinero.

toucinho, *s. m.* tocino.

toupeira, *s. f.* ZOOL. topo.

tourada, *s. f.* torada.

toureiro, *s. m.* torero.

touril, *s. m.* toril.

touro, *s. m.* ZOOL. toro.

touta, *s. f.* copete; cabeza.

toutiço, *s. m.* nuca.

toxicidade, *s. f.* toxicidad.

tóxico, *adj.* tóxico.

toxicodependência, *s. f.* drogodependencia.

toxicodependente, *s.* 2 *gén.* drogodependiente.

toxicologia, *s. f.* toxicología.

toxicológico, *adj.* toxicológico.

toxicomania, *s. f.* toxicomanía.

toxicómano, *adj.* e *s. m.* toxicómano.

toxina, *s. f.* toxina.

trabalhadeira, I. *adj.* trabajadora. II. *s. f.* obrera, jornalera.

trabalhado, *adj.* trabajado.

trabalhador, *adj.* e *s. m.* trabajador.

trabalhão, *s. m.* trabajo excesivo.

trabalhar, *v. tr.* trabajar.

trabalhista, *s.* 2 *gén.* laborista.

trabalhismo, *s. m.* laborismo.

trabalho, *s. m.* trabajo.

trabalhoso, *adj.* trabajoso.

trábea, *s. f.* trábea.

trabelho, *s. m.* trabilla de sierra; tarabilla; trabe pequeña.

trabucada, *s. f.* trabucazo.

trabucador, *adj.* e *s. m.* trabucador.
trabucar, *v. tr.* trabucar.
trabuco, *s. m.* trabuco; ballesta.
traça, *s. f.* polilla.
traçado, *s. m.* trazado; plano.
traçar, *v. tr.* trazar; delinear; dibujar; describir; proyectar.
tracção, *s. f.* tracción.
tracejar, *v. intr.* hacer trazos; describir; bosquejar.
tracista, *adj.* e *s. 2 gén.* tracista.
traço, *s. m.* trazo; raya trazada; vestigio; línea del rostro; tachón.
tracto, *s. m.* tracto; espacio entre dos lugares; región; transcurso; lapso.
tradear, *v. tr.* taladrar.
tradição, *s. f.* tradición.
tradicional, *adj. 2 gén.* tradicional.
tradicionalismo, *s. m.* tradicionalismo.
tradicionalista, *s. 2 gén.* tradicionalista.
trado, *s. m.* taladro.
tradução, *s. f.* traducción.
tradutor, *adj.* traductor.
traduzir, *v. tr.* traducir.
traduzível, *adj. 2 gén.* traducible.
trafegar, *v. intr.* traficar.
tráfego, *s. m.* tráfico; *tráfego rodoviário,* tráfico rodado.
traficante, *adj.* e *s. 2 gén.* traficante, tratante.
traficar, *v. tr.* e *intr.* traficar, comerciar, negociar; hacer fraudes.
tráfico, *s. m.* tráfico.
tragadeiro, *s. m. (fam.)* tragadero; garganta; faringe.
tragadouro, *s. m.* sumidero, tragadero; abismo.
traga-mouros, *s. m.* tragahombres, perdonavidas.
tragar, *v. tr.* tragar; deglutir; devorar.
tragável, *adj. 2 gén.* tragable.
tragédia, *s. f.* tragedia.
trágica, *s. f.* trágica.
trágico, I. *adj. 2 gén.* trágico; funesto. II. *s. m. (actor)* trágico.
tragicomédia, *s. f.* tragicomedia.
tragicómico, *adj.* tragicómico.
trago, *s. m.* trago; sorbo.
traição, *s. f.* traición.
traiçoeiro, *adj.* traicionero; traidor.
traidor, *adj.* e *s. m.* traidor.
traineira, *s. f.* traineira.
trair, *v. tr.* traicionar.
trajar, *v. tr.* vestir, trajear.
traje, *s. m.* traje.

trajecto, *s. m.* trayecto.
trajectória, *s. f.* trayectoria.
trajo, *s. m.* vd. **traje.**
tralha, *s. f.* tralla, pequeña red para pescar; *(fam.)* trebejos.
trama, *s.* 1. *f.* trama; tejido. 2. *s. m.* ardid; intriga.
tramador, *adj.* e *s. m.* tramador.
tramar, *v. tr.* tramar; intrigar.
trambolhão, *s. m.* tumbo.
trambolhar, *v. intr.* tumbar, rodar.
trambolho, *s. m.* manojo; sarta, ensarte; tarugo que se fija al pie de algunos animales.
trâmite, *s. m.* trámite; vía; *pl.* diligencias.
tramóia, *s. f.* tramoya, intriga.
tramontana, *s. f.* tramontana.
trampa, *s. f. (fam.)* excremento.
trampolim, *s. m.* trampolín.
trampolina, *s. f.* trampa; ardid, embuste.
trampolinar, *v. intr. (fam.)* entrampar; estafar, engañar.
trampolineiro, *s. m.* estafador, trapacero, tramposo.
trâmuei, *s. m.* tranvía.
tranca, *s. f.* tranca.
trança, *s. f.* trenza.
trancada, *s. f.* trancazo.
trançadeira, *s. f.* trenzadera.
trançado, *adj.* trenzado.
trancar, *v. tr.* atrancar; trancar; cancelar.
trançar, *v. tr.* entrenzar.
trancelim, *s. m.* trencellín; cadenilla.
trancinha, *s. f.* trencilla.
tranqueira, *s. f.* tranquera; trinchera; talanquera.
tranqueta, *s. f.* picaporte, pestillo, tranquilla.
tranquibérnia, *s. f.* fraude, embuste.
tranquilha, *s. f.* tranquilla.
tranquilidade, *s. f.* tranquilidad, sosiego.
tranquilizador, *adj.* tranquilizador.
tranquilizar, *v. tr.* tranquilizar.
tranquilo, *adj.* tranquilo; sereno; suave.
transacção, *s. f.* transacción.
transaccionar, *v. tr.* e *intr.* vender, negociar.
transacto, *adj.* pasado, anterior.
transalpino, *adj.* transalpino.
transatlântico, *adj.* e *s. m.* transatlántico, trasatlántico.
transbordar, *v. intr.* desbordarse; rebosar; trasbordar.

transcendência, *s. f.* transcendencia, trascendencia.

transcendental, *adj. 2 gén.* transcendental, trascendental.

transcendentalismo, *s. m.* transcendentalismo, trascendentalismo.

transcendente, *adj. 2 gén.* transcendente.

transcender, *v. tr.* transcender, trascender.

transcontinental, *adj. 2 gén.* transcontinental.

transcorrer, *v. intr.* transcurrir, trascurrir.

transcrever, *v. tr.* transcribir, trascribir.

transcrição, *s. f.* transcripción, trascripción.

transcrito, *adj.* transcripto, trascrito.

transcritor, *adj.* e *s. m.* transcriptor .

transcurar, *v. tr.* no curar de; olvidarse de.

transcurso, *s. m.* transcurso, trascurso; lapso (de tiempo).

transe, *s. m.* trance; ocasión; decisiva y crítica; fallecimiento; crisis.

transepto, *s. m.* transepto.

transeunte, *adj. 2 gén.* transeúnte.

transexual, *adj. 2 gén.* transexual.

transexualismo, *s. m.* transexualismo.

transferência, *s. f.* transferencia, trasferencia; *transferências de pessoal,* trasfego de personal.

transferidor, I. *adj.* transferidor. II. *s. m.* transferidor; GEOM. transportador.

transferir, *v. tr.* transferir, trasferir.

transferível, *adj. 2 gén.* transferible, trasferible.

transfiguração, *s. f.* transfiguración, trasfiguración.

transfigurar, *v. tr.* transfigurar, trasfigurar.

transformação, *s. f.* transformación, trasformación.

transformar, *v. tr.* transformar, trasformar.

trasformável, *adj. 2 gén.* transformable, trasformable.

transformismo, *s. m.* transformismo, trasformismo.

transformista, *adj. 2 gén.* transformista, trasformista.

trânsfuga, *s. 2 gén.* tránsfuga, trásfuga.

transfundir, *v. tr.* transfundir, trasfundir.

transfusão, *s. f.* transfusión, trasfusión.

transgredir, *v. tr.* transgredir, trasgredir.

transgressão, *s. f.* transgresión, trasgresión.

transgressor, *adj.* e *s. m.* transgresor, trasgresor.

transiberiano, *adj.* e *s. m.* transiberiano.

transição, *s. f.* transición.

transido, *adj.* transido.

transigência, *s. f.* transigencia; contemporización.

transigente, *adj. 2 gén.* transigente; condescendente.

transigir, *v. tr.* transigir.

transir, *v. tr.* transir.

transistor, *s. m.* transistor.

transistorizado, *adj.* transistorizado.

transitar, *v. intr.* transitar.

transitável, *adj. 2 gén.* transitable.

transitivo, *adj.* transitivo.

trânsito, *s. m.* tránsito, trayecto

transitoriedade, *s. f.* transistoriedad.

transitório, *adj.* transitorio.

translação, *s. f.* translación, traslación.

translúcido, *adj.* translúcido.

transluzir, *v. tr.* e *intr.* translucir, traslucir.

transmediterrâneo, *adj.* transmediterráneo.

transmigração, *s. f.* transmigración, trasmigración.

transmigrar, *v. intr.* e *t.* transmigrar, trasmigrar.

transmissão, *s. f.* transmisión, trasmisión.

transmissor, *adj.* e *s. m.* transmisor, trasmisor.

transmitir, *v. tr.* transmitir, trasmitir.

transmudar, *v. tr.* trasmudar, transmudar.

transmutação, *s. f.* trasmutación, transmutación.

transmutar, *v. tr.* transmutar, trasmutar.

transmutável, *adj. 2 gén.* transmutable.

transoceânico, *adj.* transoceánico.

transpacífico, *adj.* transpacífico.

transparecer, *v. intr.* transparentarse.

transparência, *s. f.* transparencia, trasparencia.

transparente, *adj. 2 gén.* transparente; trasparente; diáfano.

transpiração, *s. f.* transpiración, traspiración.

transpirado, *adj.* sudoroso.

transpirar, *v. intr.* transpirar; traspirar; sudar; *a transpirar,* sudoroso.

transpirável, *adj. 2 gén.* transpirable.

transpirenaico, *adj.* transpirenaico, traspirenaico.

transplantação, *s. f.* trasplantación.

transplantador, *adj.* trasplantador.
transplantar, *v. tr.* trasplantar, trasplantar.
transplante, *s. m.* transplante, trasplante.
transpor, *v. tr.* transponer; trasponer; saltar.
transportador, *adj.* e *s. m.* transportador; transportista; trasportador.
transportar, *v. tr.* transportar, trasportar.
transportável, *adj. 2 gén.* transportable, trasportable.
transporte, *s. m.* transporte, trasporte.
transposição, *s. f.* transposición, trasposición.
transposto, *adj.* transpuesto, traspuesto.
transtornar, *v. tr.* trastornar.
transtorno, *s. m.* trastorno.
transubstanciação, *s. f.* transubstanciación.
transudação, *s. f.* transpiración.
transudar, *v. intr.* e *tr.* transpirar.
transumância, *s. f.* trashumancia.
transumante, *adj. 2 gén.* trashumante.
transumar, *v. tr.* trashumar.
transunto, *s. m.* trasunto; traslado; copia.
transvasar, *v. tr.* transvasar.
transversal, *adj. 2 gén.* transversal.
transverso, *adj.* transverso.
transviar, *v. tr.* extraviar.
transvio, *s. m.* extravío; desvío; descarrío.
tranvia, *s. f.* tranvía, ferrocarril.
trapaça, *s. f.* trápala, trampa, estafa, timo.
trapacear, *v. intr.* trampear; engañar; estafar; timar.
trapaceiro, *adj.* e *s. m.* trapacero; *(ao jogo)* tahúr.
trapada, *s. f.* trapería.
trapagem, *s. f.* vd. **trapada**.
trapalhada, *s. f.* trapería, montón de trapos; confusión.
trapalhão, *adj.* e *s. m.* trapacero.
trapear, *v. intr.* vd. **trapejar**.
trapeira, *s. f.* tragaluz; trastera, trastero.
trapeiro, *s. m.* trapero.
trapejar, *v. intr.* flamear, batir la vela contra los palos.
trapézio *s. m.* trapecio.
trapezista, *s. 2 gén.* trapecista.
trapezoidal, *adj. 2 gén.* trapezoidal.
trapezóide, *adj. 2 gén.* trapezoide.
trapo, *s. m.* trapo; harapo.
trápola, *s. f.* trampa para cazar.
traqueal, *adj. 2 gén.* traqueal.
traqueia, *s. f.* tráquea.
traquejar, *v. tr.* e *intr.* perseguir; acosar.

traquina, *adj.* e s. *2 gén.* travieso.
traquinar, *v. intr.* travesear.
trás, *prep.* detrás; después.
trasantontem, *adv.* trasanteayer.
trasbordar, *v. tr.* e *intr.* trasbordar, transbordar.
trasbordo, *s. m.* transbordo, trasbordo.
traseira, *s. f.* trasera.
traseiro, I. *adj.* trasero. II. *s. m.* trasero, las nalgas.
trasfega, *s. f.* trasegadura.
trasfegar, *v. tr.* e *intr.* trasegar.
trasgo, *s. m.* trasgo, fantasma, duende.
trasladação, *s. f.* trasladación
trasladador, *adj.* trasladador.
trasladar, *v. tr.* trasladar; copiar.
traslado, *s. m.* traslado; modelo; ejemplo.
trasmudar, *v. tr.* trasladar, trasmudar.
traspassar, *v. tr.* traspasar.
traspasse, *s. m.* traspaso; muerte.
traspés, *s. m. pl.* traspie, traspies.
trastalhão, *s. m.* bellaco, pícaro.
traste, *s. m.* trasto (mueble de una casa); utensilio; *(fam.)* bellaco; pícaro.
tratadista, *s. 2 gén.* tratadista.
tratado, *s. m.* tratado; convenio.
tratador, *adj.* e *s. m.* tratador.
tratamento, *s. m.* tratamiento.
tratantada, *s. f.* bellaquería; canallada.
tratante, *adj.* e *s. 2 gén.* tratante; bellaco, pícaro, bribón.
tratar, *v. tr.* tratar; obsequiar; practicar; discutir; alimentar; cuidar.
tratável, *adj. 2 gén.* tratable.
tratear, *v. tr.* tratar.
trato, *s. m.* trato; tratamiento; ajuste; convivencia; *maus tratos*, sevicias.
traumático, *adj.* traumático.
traumatismo, *s. m.* traumatismo.
traumatizar, *v. tr.* traumatizar.
traumatologia, *v. tr.* traumatología.
trautear, *v. tr.* e *intr.* tararear, tarareo.
trauteio, *s. m.* tarareo, canturreo.
trava, *s. f.* traba.
travação, *s. f.* trabamiento; conexión; trabazón.
trava-contas, *s. m.* trabacuentas, discusión.
travado, *adj.* trabado; frenado, maniatado.
travador, *adj.* e *s. m.* que o aquél que traba o estorba.
travadoura, *s. f.* triscador; trabador.
travadura, *s. f.* vd. **travação**.
trava-língua, *s. m.* travalenguas.

travão, s. m. traba; freno; palanca del freno (de máquinas o vehículos); impedimento.

travar, v. tr. trabar; prender; frenar, máquinas.

trave, s. f. trabe, viga; jácena; barrote.

travejamento, s. m. maderamen, maderaje.

travejar, v. tr. colocar vigas o trabes en.

travento, adj. áspero; amargo; ácido; astringente.

través, s. m. travrés; oblicuidad; flanco; de través, de través; olhar de través, mirar.

travessa, s. f. travesaño; traviesa (de vías férreas); viga; zancadilla; travesía (calle); fuente.

travessão, adj. travesero, atravesado.

travesseira, s. f. almohada.

travessia, s. f. travesía.

travesso, adj. travieso.

travessura, s. f. travesura.

travesti, s. m. travesti, travestí.

travestir-se, v. refl. travestirse.

travestismo, s. m. travestismo.

travinca, s. f. trabe pequeña.

travo, s. m. asperillo; amargor.

travor, s. m. vd. **travo**.

trazer, v. tr. traer; conducir; ocasionar; contener; usar; ser portador.

trecho, s. m. trecho; espacio; intervalo; extracto.

tredo, adj. falso, traidor.

trêfego, adj. astuto, sagaz.

trégua, s. f. tregua; descanso.

treinar, v. tr. entrenar.

treino, s. m. entrenamiento.

treita, s. f. trazos, vestigios.

treitento adj. tretero, astuto; malicioso.

trejeitear, v. intr. gestear (hacer gestos).

trejurar, v. tr. e intr. jurar repetidas veces.

trela, s. f. traílla.

trem, s. m. tren.

trema, s. m. diéresis.

tremebundo, adj. tremebundo.

tremedal, s. m. tremedal; lodazal.

tremelga, s. f. tremielga.

tremelicar, v. intr. temblequear; tiritar.

tremelicas, adj. e s. 2 gén. asustadizo.

tremelique, s. m. temblique.

tremeluzir, v. intr. centellear.

tremendo, adj. tremendo; terrible.

tremente, adj. 2 gén. tembloroso, tembloso.

tremer, v. tr. temblar.

tremido, adj. trémulo; vacilante.

tremó, s. m. tremó, tremol.

tremoceiro, s. m. altramuz.

tremoço, s. m. altramuz.

tremonha, s. f. tolva (pieza del molino).

tremor, s. m. tremor, temblor; tremor de terra, seísmo.

trempe, s. f. trébedes.

tremulação, s. f. tremulación.

tremulante, adj. 2 gén. cintilante, trémulo.

tremular, v. tr. tremolar, enarbolar.

tremulina, s. f. tremolina.

trémulo, **I.** adj. trémulo, temblante, tembloroso, centelleante; (fig.) tímido. **II.** s. m. trémolo, temblor en la voz.

tremura, s. f. vd. **tremor**.

trena, s. f. trencilla; cordel (para peón).

treno, s. m. treno (canto).

trenó, s. m. trineo.

trepa, s f. paliza, tunda.

trepadeira, adj. e s. f. trepadora.

trepador, adj. e s. m. trepador.

trepanação, s. f. trepanación.

trepanar, v. tr. trepanar.

trépano, s. m. trépano.

trepar, v. **1.** tr. trepar; subir. **2.** intr. elevarse.

trepidação, s. f. trepidación.

trepidante, adj. 2 gén. trepidante.

trepidar, v. intr. trepidar.

trépido, adj. trépido; trémulo.

tréplica, s. f. tréplica.

três, num. tres.

tresandar, v. tr. e intr. desandar; recular; perturbar; oler mal; apestar.

tresantontem, adv. trasanteayer.

trescalar, v. tr. e intr. oler mucho; apestar, heder.

tresdobrado, adj. triplicado.

tresdobrar, v. tr. tresdoblar, triplicar.

tresdobro, s. m. tresdoble; triple.

tresfolgar, v. intr. jadear.

tresgastar, v. tr. e intr. vd. malgastar.

tresjurar, v. tr. e intr. vd. **trejurar**.

tresler, v. intr. leer al revés.

tresloucado, adj. loco, demente.

tresloucar, v. tr. e intr. desvariar; enloquecer.

tresmalhar, v. tr. dejar caer las mallas de; hacer escapar.

tresmalho, s. m. trasmallo.

trespassar, v. tr. traspasar.

trespasse, s. m. traspaso.

tressuar, v. intr. sudar mucho.

tresvariado, adj. desvariado.

tresvariar, v. intr. desvariar.
tresvario, s. m. desvarío.
treta, s. f. treta, ardid.
trevas, s. f. pl. tinieblas.
trevo, s. m. trébol, trefolio.
trevoso, adj. tenebroso.
treze, num. trece.
trezena, s. f. trecenario.
trezentos, num. trescientos
tríade, s. f. trinidad; trilogía.
triangulação, s. f. triangulación.
triangular, adj. 2 gén. triangular.
triângulo, s. m. triángulo.
tribal, adj. 2 gén. tribal.
tribo, s. f. tribu.
tribulação, s. f. tribulación.
tribuna, s. f. tribuna.
tribunado, s. m. tribunado.
tribunal, s. m. tribunal; sala.
tribunício, adj. tribunicio.
tribuno, s. m. tribuno.
tributação, s. f. tributación.
tributar, v. tr. tributar.
tributário, adj. e s. m. tributario.
tributável, adj. 2 gén. tributable.
tributo, s. m. tributo.
tricéfalo, adj. tricéfalo.
tricentenário, s. m. tricentenario.
triciclo, s. m. triciclo.
tricípite, s. m. tríceps.
tricô, s. m. tricot.
tricolor, adj. 2 gén. tricolor.
tricórnio, s. m. tricornio.
tricotar, v. tr. tricotar; máquina de tricotar, tricotosa.
tricromia, s. f. tricromía.
tridente, s. m. tridente.
tridimensional, adj. 2 gén. tridimensional.
tríduo, s. m. triduo.
triedro, adj. triedro.
trienal, adj. 2 gén. trienal.
triénio, s. m. trienio.
trifásico, adj. trifásico.
trifurcarse, v. refl. trifurcarse.
trigal, s. m. trigal.
trigémeo, adj. e s. m. trigémino.
trigésimo, adj. trigésimo.
trigo, s. m. BOT. trigo.
trigonometria, s. f. trigonometría.
trigonométrico, adj. trigonométrico.
trigueirão, s. m. ZOOL. triguero.
trigueiro, adj. e s. m. trigueño; moreno; ZOOL. triguero.
trilado, s. m. vd. **trilo**.

trilar, v. tr. e intr. trinar.
trilateral, adj. 2 gén. trilateral.
trilha, s. f. trilla; trillo; vereda, senda.
trilhada, s. f. vd. **trilha**.
trilhado, adj. trillado; trivial; frecuentado.
trilhador, I. adj. trillador. II. s. m. (máquina) trilladora.
trilhar, v. tr. trillar; moler; pisar; hollar; surcar; seguir el camino.
trilho, s. m. trillo; carril; camino; dirección; norma.
trilião, s. m. trillón.
trilo, s. m. gorjeo; trino; quiebro.
trilogia, s. f. trilogía.
trimensal, adj. 2 gén. trimensual.
trimestral, adj. 2 gén. trimestral.
trimestre, s. m. trimestre.
trimotor, s. m. trimotor.
trinado, s. m. trino, gorjeo.
trinar, v. tr. e intr. trinar.
trincar, v. tr. partir (con los dientes); trincar; trinchar; morder; roer.
trinchante, s. m. trinchante.
trinchão, s. m. trinchante.
trinchar, v. tr. trinchar; cortar, partir, dividir; mesa de trinchar, trinchero.
trincheira, s. f. MIL. trinchera; parapeto; muro.
trincho, s. m. modo de trinchar.
trinco, s. m. picaporte.
trindade, s. f. trinidad.
trineta, s. f. tataranieta.
trineto, s. m. tataranieto.
trinitário, adj. trinitario.
trino, I. adj. trino; compuesto de tres. II. s. m. trino; gorjeo.
trinómine, adj. 2 gén. trinominal.
trinómio, s. m. trinomio, polinomio.
trinque, s. m. trinqueta.
trinta, num. treinta.
trintão, s. m. treintañero.
trintena, s. f. treintena.
trio, s. m. trío, terceto.
tripa, s. f. tripa, intestino.
tripartido, adj. tripartito.
tripartir, v. tr. tripartir.
tripé, s. m. trípode.
tripeça, s. f. trípode.
triplicação, s. f. triplicación.
triplicado, s. m. triplicado; em triplicado, por triplicado.
triplicar, v. tr. triplicar.
triplicata, s. f. triplicado.
tríplice, adj. 2 gén. triple.

triplicidade, s. f. triplicidad.
triplo, adj. e s. m. triple.
tríptico, s. m. tríptico.
tripulação, s. f. tripulación.
tripulante, s. m. tripulante.
tripular, v. tr. tripular.
triques, adj. 2 gén. (fam.) currutaco, elegante en el vestir.
triquina, s. f. triquina.
triquinose, s. f. triquinosis.
trisanual, adj. 2 gén. trisanual.
trisavó, s. f. tatarabuela.
trisavô, s. m. tatarabuelo.
triscar, v. intr. triscar; reñir.
trissecar, v. tr. trisecar.
trissecção, s. f. trisección.
trissector, adj. trisector.
trissilábico, adj. trisílo.
trissílabo, adj. e s. m. trisílabo.
triste, adj. 2 gén. triste; afligido; infeliz; deprimido; (fig.) sombrío.
tristeza, s. f. tristeza; aflición; pena; soledad.
tristonho, adj. tristón.
tristura, s. f. vd. **tristeza**.
tritão, s. m. ZOOL. tritón.
tritongo, s. m. triptongo.
trituração, s. f. trituración.
triturado, adj. triturado.
triturador, adj. triturador.
trituradora, s. f. (máquina) trituradora.
triturar, v. tr. triturar.
triturável, adj. 2 gén. triturable.
triunfador, adj. e s. m. triunfador.
triunfal, adj. 2 gén. triunfal.
triunfalismo, s. m. triunfalismo.
triunfalista, adj. 2 gén. triunfalista.
triunfante, adj. 2 gén. triunfante.
triunfar, v. intr. triunfar.
triunfo, s. m. triunfo; victoria.
triunvirado, s. m. triunvirato.
triunvirato, s. m. triunvirato.
triúnviro, s. m. triunviro.
trivalente, adj. 2 gén. trivalente.
trivial, adj. 2 gén. trivial; vulgar; ordinário.
trivialidade, s. f. trivialidad.
trivializar, v. tr. trivializar.
triz, s. m. tris, momento; por um triz, por un triz.
troada, s. f. tronada.
troante, adj. 2 gén. tronante.
troar, v. intr. tronar.
troca, s. f. câmbio; mudanza; transformación.

troça, s. f. escarnio, mofa.
trocadilho, s. m. juego de palabras.
trocador, s. m. trocador.
trocar, v. tr. trocar; cambiar; substituir; permutar.
troçar, v. tr. escarnecer.
trocas-baldrocas, s. f. pl. chanchullos; estraperlo; negocios en que hay fraude; mentiras.
trocável, adj. 2 gén. trocable.
trocista, adj. 2 gén. zumbón.
troco, s. m. troca; cambio; respuesta; réplica; trueque.
troço, s. m. troza; rollizo; pedazo; MIL. cuerpo de tropas; troncho.
trofeu, s. m. trofeo.
troféu, s. m. trofeo.
trogalho, s. m. (fam.) guita; bramante.
troglodita, adj. e s. m. troglodita.
troiano, s. 2 gén. troyano.
trólei, s. m. trole.
troleibus, s. m. trolebús.
troleicarro, s. m. trolebús.
trolha, s. 1. f. trolla, esparavel; badila; badilejo. 2. m. albañil, pedrero; paliza.
tromba, s. f. (de elefante) trompa; (de insectos) probóscide; (de água) tromba de agua; estar de trombas, estar malhumorado.
trombada, s. f. trompada, trompazo.
trombeta, s. f. trompeta.
trombetear, v. intr. trompetear.
trombeteiro, s. m. trompetero.
trombone, s. m. trombón.
trombonista, s. 2 gén. trombonista.
trombudo, adj. que tiene trompa; (fig.) taciturno, malhumorado.
trompa, s. 1. f. MÚS. trompa; ANAT. trompa. 2. 2 gén. (tocador de trompa) trompa.
trompázio, s. m. trompazo.
trompeta, s. f. trompeta.
trompete, s. m. trompeta.
tronante, adj. 2 gén. tronante.
tronar, v. intr. tronar.
tronchar, v. tr. tronchar, cortar a cercén.
troncho, s. m. troncho (tallo).
tronchuda, s. f. tronchuda.
tronchudo, adj. tronchudo.
tronco, s. m. ANAT. tronco; GEOM. tronco; BOT. tronco; prisión (fig.) origen (familia o raza).
trono, s. m. trono.
tropa, s. f. tropa.
tropeada, s. f. tropel.

tropear, *v. intr.* hacer tropel.
tropeção, *s. m.* tropezón, trompicón.
tropeçar, *v. intr.* tropezar, trompicar.
tropeço, *s. m.* tropiezo; obstáculo.
trôpego, *adj.* que se mueve con dificultad, torpe.
tropel, *s. m.* tropel; *(fig.)* tumulto.
tropelia, *s. f.* tropelía.
tropical, *adj. 2 gén.* tropical.
trópico, *s. m.* trópico.
tropismo, *s. m.* tropismo.
tropo, *s. m.* RET. tropo.
troposfera, *s. f.* troposfera.
troquel, *s. m.* troquel.
trotador, *s. m.* trotón, trotador.
trotão, *s. m.* trotón, trotador.
trotar, *v. intr.* trotar.
trote, *s. m* trote.
· **trouxa**, *s. f.* envoltorio de ropa; paquete.
trouxe-mouxe, *s. m.* trochemoche; *a trouxe-mouxe*, a trochemoche.
trova, *s. f.* trova (verso).
trovador, *s. m.* trovador.
trovadoresco, *adj.* trovadoresco.
trovão, *s. m.* trueno.
trovar, *v. intr.* trovar.
troveiro, *s. m.* trovero.
trovejante, *adj. 2 gén.* tronante.
trovejar, *v. intr.* tronar.
trovoada, *s. f.* tronada, tormenta.
trovoar, *v. intr.* vd. **trovejar**.
truanesco, *adj.* truhanesco.
truão, *s. m.* truhán.
trucagem, *s. f.* FOT. trucaje.
trucar, *v. tr.* FOT. trucar.
trucidar, *v. tr.* trucidar.
trucilar, *v. intr.* cantar el tordo.
truculência, *s. f.* truculencia.
truculento, *adj.* truculento.
trufa, *s. f.* BOT. trufa.
trufar, *v. tr.* trufar.
truncado, *adj.* truncado.
truncar, *v. tr.* truncar.
trunfa, *s. f.* turbante.
trunfar, *v. intr.* triunfar.
trunfo, *s. m.* triunfo.
trupe, *s. f.* troupe.
truque, *s. m.* truque.
truta, *s. f.* ZOOL. trucha.
truz!, I. *interj.* pum!. II. *s. m.* golpe.
tu, *pron.* tú.
tua, *adj. e pron.* tuya.
tuba, *s. f.* tuba, trompeta.

tubagem, *s. f.* tubería.
tubarão, *s. m.* tiburón.
túbera, *s. f.* trufa.
tuberculina, *s. f.* tuberculina.
tubérculo, *s. m.* tubérculo.
tuberculose, *s. f.* tuberculosis.
tuberculoso, *adj.* tuberculoso.
tuberosidade, *s. f.* tuberosidad.
tuberoso, *adj.* tuberoso.
tubo, *s. m.* tubo.
tubular, *adj. 2 gén.* tubular.
tucano, *s. m.* ZOOL. tucano.
tudo, *pron.* todo.
tudo-nada, *s. m.* casi nada.
tufão, *s. m.* tifón.
tufar, *v.* 1. *tr.* hinchar. 2. *intr.* hacerse más voluminoso.
tufo, *s. m.* volante rizado en los vestidos.
tugúrio, *s. m.* tugurio.
tule, *s. m.* tul.
tulha, *s. f.* arca para cereales; granero, hórreo.
túlipa, *s. f.* tulipán.
tulipeiro, *s. m.* tulipero.
tumba, *s. f.* tumba; túmulo.
tumefacção, *s. f.* tumefacción.
tumefacto, *adj.* tumefacto.
tumefazer, *v. tr.* tumefacer.
túmido, *adj.* túmido.
tumor, *s. m.* tumor.
tumular, *adj. 2 gén.* tumulario.
túmulo, *s. m.* túmulo.
tumulto, *s. m.* tumulto; alboroto; motín; sedición; sarracina.
tumultuar, *v. tr.* tumultuar.
tumultuário, *adj.* tumultuario.
tumultuoso, *adj.* tumultuoso.
tuna, *s. f.* tuna, vida holgazana; *andar à tuna*, tunear.
tunante, *adj. e s. 2 gén.* tunante, tuno.
tunantear, *v. intr.* tunantear.
tunda, *s. f.* tunda, zurra; soba; somanta.
tundra, *s. f.* tundra.
túnel, *s. m.* túnel; socavón.
túnica, *s. f.* túnica.
turba, *s. f.* turba.
turbação, *s. f.* turbación.
turbado, *adj.* turbado.
turbador, *adj. e s. m.* turbador.
turbamulta, *s. f.* turbamulta.
turbante, *s. m.* turbante.
turbar, *v. tr.* turbar.
turbativo, *adj.* turbativo.
túrbido, *adj.* turbio.

turbilhão, *s. m.* torbellino, remolino.
turbina, *s. f.* turbina.
turboalternador, *s. m.* turboalternador.
turbocompressor, *s. m.* turbocompresor.
turbogerador, *s. m.* turbogenerador.
turborreactor, *s. m.* turborreactor.
turbulência, *s. f.* turbulencia.
turbulento, *adj.* turbulento.
turca, *s. f.* (*fam.*) turca, borrachera.
turco, *adj.* e *s. m.* turco.
turfa, *s. f.* turba.
turfeira, *s. f.* turbera.
turgência, *s. f.* turgencia.
turgente, *adj. 2 gén.* turgente.
turgescência, *s. f.* turgencia.
turgescente, *adj.* turgente.
turgescer, *v. tr.* hinchar.
turgidez, *s. f.* turgidez.
túrgido, *adj.* túrgido.
turíbulo, *s. m.* incensario.
turismo, *s. m.* turismo.
turista, *s. 2 gén.* turista.
turístico, *adj.* turístico.
turma, *s. f.* turma.

turmalina, *s. f.* turmalina.
turno, *s. m.* turno; vez; orden; grupo.
turquês, *s. f.* turquesa, tenazas.
turquesa, I. *adj. 2 gén.* turquesa. II. *s.* 1. *f.* (*pedra*) turquesa. 2. *m.* (*cor*) turquesa.
turrão, *adj.* e *s. m.* terco.
turrar, *v. intr.* dar testarazos; embestir; obstinarse.
turvação, *s. f.* turbación; perturbación.
turvar, *v. tr.* turbar; alterar; enturbiar.
turvejar, *v. intr.* e *refl.* enturbiarse; entoldarse (el cielo).
turvo, *adj.* turbio.
tussilagem, *s. f.* tusílago, fárfara.
tutano, *s. m.* tuétano; médula de los huesos.
tutear, *v. tr.* e *refl.* tutear.
tutela, *s. f.* tutela.
tutelado, *adj.* e *s. m.* tutelado.
tutelar, *adj.* tutelar.
tutor, *s. m.* tutor; protector.
tutoria, *s. f.* tutoría.
tutriz, *s. f.* tutriz, tutora.

U

uberdade, *s. f.* fertilidad.
úbere, **I.** *adj.* 2 *gén.* uberoso, fértil. **II.** *s. m.* ubre.
ubérrimo, *adj.* ubérrimo.
ubiquidade, *s. f.* ubicuidad.
ubíquo, *adj.* ubicuo.
ucha, *s. f.* hucha.
ucraniano, *adj. e s. m.* ucranio.
udómetro, *s. m.* udómetro.
uf!, *interj.* ¡uf!
ufanar-se, *v. refl.* ufanarse.
ufania, *s. f.* ufanía.
ufano, *adj.* ufano.
ufologia, *s. f.* ufología.
ugandês, *adj. e s. m.* ugandés.
uivar, *v. intr.* aullar, ulular.
uivo, *s. m.* aullido, aúllo.
úlcera, *s. f.* MED. úlcera.
ulceração, *s. f.* ulceración.
ulcerar, *v.* **1.** *tr.* ulcerar. **2.** *refl.* ulcerarse.
ulceroso, *adj.* ulceroso.
Ulmáceas, *s. f. pl.* ulmáceas.
ulmária, *s. f.* ulmaria.
ulmeiro, *s. m.* BOT. especie de olmo, negrillo.
ulmo, *s. m.* BOT. olmo.
ulterior, *adj.* ulterior; seguiente.
ultimação, *s. f.* ultimación, conclusión.
ultimar, *v. tr.* ultimar, concluir.
últimas, *s. f. pl.* últimas, hora final de la vida; miseria extrema.
ultimato, *s. m.* ultimátum.
último, *adj. e s. m.* último; supremo.
ultraconservador, *adj. e s. m.* ultraconservador.
ultracorrecção, *s. f.* ultracorrección.
ultracurto, *adj.* ultracorto.
ultradireita, *s. f.* ultraderecha.
ultrajante, *adj.* 2 *gén.* ultrajante.
ultrajar, *v. tr.* ultrajar.
ultraje, *s. m.* ultraje.
ultrajoso, *adj.* ultrajoso.
ultraliberal, *adj.* 2 *gén.* ultraliberal.
ultraligeiro, *adj. e s. m.* ultraligero.
ultramar, *s. m.* ultramar.
ultramarino, *adj.* ultramarino.
ultramicroscópio, *s. m.* ultramicroscópio.

ultramoderno, *adj.* ultramoderno.
ultramontano, *adj.* ultramontano.
ultrapassado, *adj.* ultrapasado, superado.
ultrapassar, *v. tr.* ultrapasar; sobrepasar; sobrepujar; sobrexceder; superar.
ultra-secreto, *adj.* supersecreto.
ultra-sónico, *adj.* supersónico.
ultravioleta, *adj.* 2 *gén.* ultravioleta.
ultrazodiacal, *adj.* 2 *gén.* ultrazodiacal.
ululação, *s. f.* ululación.
ululador, *adj. e s. m.* aullador.
ululante, *adj.* 2 *gén.* aullante.
ulular, *v. intr.* ulular; aullar.
um, *num.* un, uno.
uma, *num.* una.
umbela, *s. f.* BOT. umbela; pálio circular.
umbelado, *adj.* umbelado.
umbeliforme, *adj.* 2 *gén.* umbeliforme.
umbigo, *s. m.* ombligo.
umbilical, *adj.* 2 *gén.* umbilical.
umbral, *s. m.* umbral.
umbroso, *adj.* umbroso, umbrío.
ume, *s. m., pedra-ume,* piedra alumbre.
umeral, *adj.* 2 *gén.* humeral.
úmero, *s. m.* húmero.
unânime, *adj.* 2 *gén.* unánime.
unanimidade, *s. f.* unanimidad.
unção, *s. f.* unción.
undécimo, *adj.* undécimo.
ungido, *adj.* ungido.
ungir, *v. tr.* uncir, untar.
unguento, *s. m.* ungüento.
unguiculado, *adj.* BOT. unguiculado.
únguis, *s. m.* ANAT. unguis.
ungulado, *adj.* ungulado.
unha, *s. f.* uña; cascos; pezuña; garra.
unhada, *s. f.* uñada.
unheiro, *s. m.* uñero, penadizo.
união, *s. f.* unión, junta; concordia; amistad; alianza.
unicameral, *adj.* 2 *gén.* unicameral.
unicelular, *adj.* 2 *gén.* unicelular.
unicidade, *s. f.* unicidad.
único, *adj.* único, solo; señero.
unicolor, *adj.* 2 *gén.* unicolor.
unicórnio, *s. m.* unicórnio.
unidade, *s. f.* unidad.
unidimensional, *adj.* 2 *gén.* unidimensional.

unidireccional, *adj.* 2 *gén.* unidireccional.
unido, *adj.* unido; junto.
unificação, *s. f.* unificación.
unificador, *adj.* e *s. m.* unificador.
unificar, *v. tr.* unificar.
uniforme, I. *adj.* 2 *gén.* uniforme; igual; idéntico. II. *s. m.* uniforme.
uniformidade, *s. f.* uniformidad.
uniformizar, *v. tr.* uniformar.
unigénito, *adj.* unigénito.
unilateral, *adj.* 2 *gén.* unilateral.
unionismo, *s. m.* unionismo.
unionista, *adj.* e *s.* 2 *gén.* unionista.
uníparo, *adj.* uníparo.
unipessoal, *adj.* 2 *gén.* unipersonal.
unir, *v. tr.* unir; juntar; unificar; reunir; congregar.
unissexo, *adj.* 2 *gén.* e 2 *núm.* unisex.
unissexuado, *adj.* unisexual.
unissexual, *adj.* 2 *gén.* unisexual.
uníssono, *adj.* unísono, unisón.
unitário, *adj.* unitario.
univalve, *adj.* 2 *gén.* univalvo.
universal, *adj.* 2 *gén.* universal.
universalidade, *s. f.* universalidad.
universalização, *s. f.* universalización.
universalizar, *v. tr.* universalizar.
universidade, *s. f.* universidad.
universitário, *adj.* e *s. m.* universitario.
universo, *s. m.* universo.
unívoco *adj.* unívoco.
uno, *adj.* uno; solo; único.
untadela, *s. f.* untadura.
untador, *adj.* untador.
untar, *v. tr.* untar.
unto, *s. m.* unto.
untuosidade, *s. f.* untuosidad.
untuoso, *adj.* untuoso.
upa!, *interj.* ¡upa!
uraliano, *adj.* uraliano.
uralite, *s. f.* uralita.
urânio, *s. m.* uranio.
urbanidade, *s. f.* urbanidad.
urbanismo, *s. m.* urbanismo.
urbanista, *s.* 2 *gén.* urbanista.
urbanístico, *adj.* urbanístico.
urbanização, *s. f.* urbanización.
urbanizar, *v. tr.* urbanizar.
urbano, *adj.* urbano.
urbe, *s. f.* urbe.
urca, *s. f.* urca.
urdideira, *adj.* urdidora.
urdidor, *adj.* e *s. m.* urdidor.
urdidura, *s. f.* urdidura; urdimbre; intriga; enredo.

urdir, *v. tr.* urdir, tejer, tramar; intrigar.
ureia, *s. f.* urea.
uremia, *s. f.* uremia.
urémico, *adj.* urémico.
urente, *adj.* 2 *gén.* urente.
uréter, *s. m.* uréter.
uretra, *s. f.* uretra.
urgência, *s. f.* urgencia.
urgente, *adj.* 2 *gén.* urgente.
urgir, *v. intr.* urgir.
úrico, *adj.* úrico.
urina, *s. f.* orina.
urinar, *v. intr.* e *tr.* orinar; mear.
urinário, *adj.* urinario.
urinol, *s. m.* urinario; orinal.
urna, *s. f.* urna.
uro, *s. m.* ZOOL. uro.
urodelos, *s. m. pl.* urodelos.
urogenital, *adj.* 2 *gén.* urogenital.
urologia, *s. f.* urología.
urologista, *s.* 2 *gén.* urólogo, -a.
urrar, *v. intr.* rugir; bramar.
urro, *s. m.* rugido; bramido.
ursa, *s. f.* ZOOL. osa.
ursino, *s. m.* ZOOL. ursino.
urso, *s. m.* ZOOL. oso.
urso-formigueiro, *s. m.* ZOOL. oso hormiguero.
ursulina, *s. f.* ursulina.
urticação, *s. f.* PATOLOGIA urticación.
Urticáceas, *s. f. pl.* urticáceas.
urticante, *adj.* 2 *gén.* urticante.
urticária, *s. f.* urticaria.
urtiga, *s. f.* BOT. ortiga.
urubu, *s. m.* ZOOL. urubú.
urzal, *s. m.* brezal.
urze, *s. f.* BOT. urce, brezo.
usado, *adj.* usado.
usança, *s. f.* usanza; estilo.
usável, *adj.* 2 *gén.* usable; usual.
uso, *s. m.* uso.
usual, *adj.* 2 *gén.* usual.
usuário, *s.* 2 *gén.* usuario.
usufruir, *v. tr.* usufructuar.
usufruto, *s. m.* usufructo.
usufrutuário, *adj.* e *s. m.* usufructuario.
usura, *s. f.* usura.
usurário, I. *adj.* usurario. II. *s. m.* usurero.
usurpação, *s. f.* usurpación.
usurpador, *adj.* e *s. m.* usurpador.
usurpar, *v. tr.* usurpar.
utensílio, *s. m.* utensilio.
uterino, *adj.* uterino.

útero, *s. m.* útero.
útil, *adj. 2 gén.* útil; servible.
utilidade, *s. f.* utilidad; servicio.
utilitário, *adj.* utilitario.
utilitarismo, *s. m.* utilitarismo.
utilitarista, *adj. e s. 2 gén.* utilitarista.
utilização, *s. f.* utilización.
utilizar, *v. tr.* utilizar.
utilizável, *adj. 2 gén.* utilizable; servible.
utopia, *s. f.* utopía.

utópico, *adj.* utópico.
utopista, *adj. 2 gén.* utopista.
utrículo, *s. m.* utrículo.
utriforme, *adj. 2 gén.* utriforme.
uva, *s. f.* uva.
uval, *adj. 2 gén.* uval.
uviforme, *adj. 2 gén.* uviforme.
uxoricida, *s. m.* uxoricida.
uxoricídio, *s. m.* uxoricidio.
uzífuro, *s. m.* bermellón.

V

vaca, s. f. vaca.
vacada, s. f. vacada, manada de ganado vacuno.
vacante, adj. 2 gén. vacante.
vacar, v. intr. vacar.
vacaria, s. f. vaquería, lechería.
vacatura, s. f. vacatura.
vacilação, s. f. vacilación.
vacilante, adj. 2 gén. vacilante.
vacilar, v. intr. vacilar.
vacilatório, adj. vacilatorio.
vacina, s. f. vacuna.
vacinação, s. f. vacunación.
vacinador, adj. e s. m. vacunador.
vacinar, v. tr. vacunar.
vacuidade, s. f. vaguedad.
vacum, adj. 2 gén. vacuno.
vácuo, s. m. vacuo.
vadeação, s. f. vadeamiento.
vadear, v. tr. vadear.
vadeável, adj. 2 gén. vadeable.
vade-mécum, s. m. vademécum.
vadiação, s. f. vagancia, vagabundeo.
vadiagem, s. f. vagancia, vagabundeo.
vadiar, v. intr. vaguear, vagar, vagabundear.
vadiice, s. f. vagancia, vagabundeo.
vadio, adj. e s. m. vago, vagabundo.
vaga, s. f. ola, onda; vacancia, vacante; vagar, tiempo libre.
vagabundagem, s. f. vagabundeo.
vagabundear, v. intr. vagabundear, vaguear.
vagabundo, adj. e s. m. vagabundo, vagamundo; holgazán.
vagalhão, s. m. ola grande, oleada.
vaga-lume, s. m. luciérnaga.
vagante, adj. 2 gén. vagante; errante.
vagão, s. m. vagón, carruaje de los ferrocarriles.
vagar, I. v. intr. vacar; vagar; vaguear. II. s. m. vagar, lentitud.
vagem, s. f. vaina.
vagido, s. m. vagido.
vagina, s. f. vagina.
vaginal, adj. 2 gén. vaginal.
vaginite, s. f. vaginitis.
vagir, v. intr. llorar, gemir (los recién nacidos).

vago, adj. vaco, vacante; vago, indeciso.
vagoneta, s. f. vagoneta.
vagueação, s. f. vagueación, vagabundeo.
vaguear, v. intr. vaguear. vagabundear.
vaia, s. f. vaya, burla; silba.
vaiar, v. tr. zumbar, chasquear; silbar.
vaidade, s. f. vanidad.
vaidoso, adj. vanidoso.
vaivém, s. m. vaivén.
vala, s. f. zanja; foso, excavación.
valada, s. f. zanja grande.
valado, s. m. vallado, valla.
valar, v. tr. zanjar; vallar; cercar.
valdevinos, s. m. holgazán; haragán; vago; gandul; calavera.
vale, s. m. vale (documento); valle, llanura entre montes.
valedor, adj. e s. m. valedor; protector.
valeiro, s. m. zanja pequeña.
valentaço, adj. e s. m. valentón, fanfarrón.
valente, adj. e s. 2 gén. valiente.
valentia, s. f. valentía.
valentona, s. f. valentona.
valer, v. tr. valer; amparar; proteger.
valeriana, s. f. valeriana.
valeta, s. f. cuneta; reguero pequeño.
valete, s. m. valet (naipe).
valetudinário, adj. valetudinario.
valhacoito, s. m. cueva, tugurio de gente de mala nota.
valia, s. f. valía, valor.
validação, s. f. validación.
validar, v. tr. validar.
validez, s. f. validez.
valido, adj. e s. m. valido.
válido, adj. válido; robusto.
valimento, s. m. valimiento.
valioso, adj. valioso, precioso.
valo, s. m. valla, vallado.
valor, s. m. valor; precio; valía; mérito; valentía, coraje; estimación.
valorização, s. f. valorización; valoración.
valorizar, v. tr. valorizar, valuar; valorar.
valoroso, adj. valeroso.
valquíria, s. f. valquiria.
valsa, s. f. vals.
valsador, adj. e s. m. valsador.
valsar, v. intr. valsar

valva, s. f. ZOOL. valva.
válvula, s. f. válvula.
valvular, adj. 2 gén. valvular.
vãmente, adv. vanamente.
vampiresa, s. f. (fam.) vampiresa.
vampirismo, s. m. vampirismo.
vampiro, s. m. vampiro.
vanádio, s. m. vanadio.
vandálico, adj. vandálico.
vandalismo, s. m. vandalismo.
vândalo, s. m. vándalo.
vanglória, s. f. vanagloria.
vangloriar-se, v. refl. vanagloriarse.
vanglorioso, adj. vanaglorioso.
vanguarda, s. f. vanguardia.
vanguardismo, s. m. vanguardismo.
vanguardista, adj. e s. 2 gén. vanguardista.
vantagem, s. f. ventaja.
vantajoso, adj. ventajoso.
vão, adj. vano, hueco, vacío.
vapor, s. m. vapor.
vaporização, s. f. vaporización.
vaporizador, s. m. vaporizador.
vaporizar, v. tr. vaporizar.
vaporoso, adj. vaporoso.
vaqueiro, I. adj. vaqueriza. II. s. m. vaquero; vaquerizo.
vara, s. f. vara; medida de longitud; cayado, bastón; bordón.
varação, s. f. varadura.
varada, s. f. varazo; bastonazo.
varado, adj. varado.
varadouro, s. m. varadero.
varal, s. m. varal, pértigo.
varanda, s. f. baranda, balcón.
varandim, s. m. balcón estrecho.
varão, s. m. varón.
varapau, s. m. varapalo.
varar, v. 1. tr. atravesar; agujerear; espantar. 2. intr. varar, encallar.
vareiro, s. m. vendedor ambulante de pescado.
vareja, s. f. ZOOL. moscarda.
varejador, adj. e s. m. vareador.
varejamento, s. m. vareo.
varejão, s. m. varejón.
varejar, v. tr. varear.
varejo, s. m. vareo, vareaje; inspección, pesquisa; revista.
vareque, s. m. varec.
vareta, s. f. vareta, varilla; (espingarda) taco.
variabilidade, s. f. variabilidad.
variação, s. f. variación.
variado, adj. variado; sortido; variopinto.

variante, adj. 2 gén. variante.
variar, v. tr. variar.
variável, adj. 2 gén. variable.
varicela, s. f. varicela.
varicocele, s. f. varicocele.
varicoso, adj. varicoso.
variedade, s. f. variedad.
variegação, s. f. variedad de colores; matiz.
variegado, adj. mezclado, de varios colores; matizado; vario.
variegar, v. tr. variar, mezclar.
varina, s. f. vendedora ambulante de pescado.
varinha, s. f. varilla, varita.
varino, s. m. pescador y vendedor de pescado, pescadero.
vário, adj. vario; matizado; inconstante; pl. diversos; variados.
varíola, s. f. viruela.
varioloso, adj. varioloso.
variz, s. f. variz, varice.
varonia, s. f. varonía.
varonil, adj. 2 gén. varonil.
varrão, s. m. verrón, verraco.
varredela, s. f. barrida, barredura.
varredouro, s. m. barredero.
varredor, adj. e s. m. barredor.
varredura, s. f. barrido, barredura.
varrer, v. tr. barrer.
varrido, adj. barrido.
várzea, s. f. vega, llanura.
vasa s. f. légamo; fango, cieno, barro, limo, lodazal.
vascas, s. f. pl. bascas, náuseas; convulsión.
vasco, adj. m. vasco, vascongado.
vascular, adj. 2 gén. vascular
vascularização, s. f. vascularización.
vasculhar, v. tr. barrer; limpiar; escudriñar.
vasculho, s. m. barredero.
vasectomia, s. f. vasectomía.
vaselina, s. f. vaselina.
vasento, adj. legamoso.
vasilha, s. f. vasija.
vasilhame, s. m. vasilla, vajilla; conjunto de vasijas.
vaso, s. m. vaso; tazón; jarrón; florero; embarcación.
vasoconstrição, s. f. vasoconstricción.
vasodilatação, s. f. vasodilatación.
vasquejar, v. intr. basquear; contorcerse; temblar; agonizar.
vassalagem, s. f. vasallaje.

vassalo, *adj.* e *s. m.* vasallo; feudatario; súbdito.
vassoura, *s. f.* escoba; escobajo.
vassourada, *s. f.* escobada, escobazo.
vassourar, *v. tr.* e *intr.* barrer.
vassourinha, *s. f.* escobilla.
vastidão, *s. f.* vastedad.
vate, *s. m.* vate; adivino; profeta; poeta.
vaticínio, *s. m.* vaticinio.
vátio, *s. m.* vatio.
vau, *s. m.* vado.
vaza, *s. f.* baza.
vazador, *adj.* e *s. m.* vaciador.
vazadouro, *s. m.* vaciadero.
vazadura, *s. f.* vaciamiento.
vazante, I. *adj.* 2 *gén.* vaciante. II. *s. f.* reflujo; marea.
vazão, *s. f.* desagüe; vaciamiento; derrame; flujo; (*fig.*) venta; solución.
vazar, *v. tr.* vaciar; trasegar; agujerear.
vazio, *adj.* vacío; vácuo; hueco desocupado; frívolo.
veação, *s. f.* montería (caza mayor); comida preparada con la caza.
veada, *s. f.* ZOOL. cierva.
veado, *s. m.* ZOOL. venado; ciervo.
veador, *s. m.* venador; montero.
vector, *s. m.* GEOM. vector.
vectorial, *adj.* 2 *gén.* vectorial.
vedação, *s. f.* vedamiento, veda.
vedado, *adj.* vedado, prohibido.
vedar, *v. tr.* vedar, prohibir; impedir.
vedeta, *s. f.* garita; centinela a caballo; vedette (actriz); NÁUT. lancha rápida.
védico, *adj.* védico.
vedor, *adj.* e *s. m.* zahorí; intendente; mayordomo.
veemência, *s. f.* vehemencia.
veemente, *adj.* 2 *gén.* vehemente.
vegetação, *s. f.* vegetación.
vegetal, 2 *gén.* e *s. m.* vegetal.
vegetalismo, *s. m.* vegetarianismo.
vegetante, *adj.* 2 *gén.* vegetante.
vegetar, *v. intr.* vegetar.
vegetarianismo, *s. m.* vegetarianismo.
vegetariano, *adj.* vegetariano.
vegetarismo, *s. m.* vegetarianismo.
vegetarista, *adj.* e *s.* 2 *gén.* vegetalista, vegetariano.
vegetativo, *adj.* vegetativo.
vegetável, *adj.* 2 *gén.* vegetable.
végeto-animal, *adj.* 2 *gén.* vege.
veia, *s. f.* ANAT. vena; vena de água, filón; vocación.

veículo, *s. m.* vehículo.
veiga, *s. f.* vega.
veio, *s. m.* vena; filón metálico.
vela, *s. f.* vela; toldo; embarcación a vela.
velado, *adj.* velado; oculto; asistido.
velador, *adj.* e *s. m.* velador.
velame, *s. m.* velamen, velaje.
velar, I. *v. tr.* velar; tapar; velar, vigilar, estar de guardia; proteger. II. *adj.* 2 *gén.* UNG. velar.
veleidade, *s. f.* veleidad.
veleiro, *s. m.* velero, el que fabrica o vende velas de cera; velero, navío de vela.
velejar, *v. intr.* velejar.
velha, *s. f.* vieja.
velhacada, *s. f.* bellacada.
velhacaria, *s. f.* socarronería; sorna; taima.
velhacaz, *s. m.* bellacón.
velhaco, *adj.* bellaco; malo; pícaro, ruin; sollastre; taimado.
velharia, *s. f.* vejestorio.
velhice, *s. f.* vejez.
velho, I. *adj.* viejo; avejentado; anticuado. II. *s. m.* anciano.
velhote, *s. m.* viejezuelo.
velino, *s. m.* velino.
velo, *s. m.* vellón.
velocidade, *s. f.* velocidad.
velocino, *s. m.* vellocino.
velocípede, *s. m.* velocípedo.
velocipedia, *s. f.* velocipedia
velocipédico, *adj.* e *s.* 2 *gén.* velocipédico.
velocipedista, *adj.* e *s.* 2 *gén.* velocipedista.
velocista, *s.* 2 *gén.* velocista, sprinter.
velódromo, *s. m.* velódromo.
veloso, *adj.* velloso; felpudo.
veloz, *adj.* 2 *gén.* veloz; rápido; suelto.
veludado, *adj.* aterciopelado, semejante al terciopelo.
veludilho, *s. m.* veludillo.
veludíneo, *adj.* aterciopelado.
veludo, *s. m.* velludo, terciopelo.
veludoso, *adj.* felpudo.
venábulo, *s. m.* venablo.
venal, *adj.* 2 *gén.* venoso, venal.
venalidade, *s. f.* venalidad.
venatório, *adj.* venatorio.
vencedor, *adj.* e *s. m.* vencedor.
vencer, *v. tr.* vencer; dominar; triunfar; superar; aventajar.
vencido, *adj.* vencido.
vencilho, *s. m.* vencejo.
vencimento, *s. m.* vencimiento.

vencível, *adj. 2 gén.* vencible.
venda, *s. f.* venta; tienda; taberna, venta; venda para cubrir los ojos.
vendar, *v. tr.* vendar; cegar.
vendaval, *s. m.* vendaval.
vendedeira, *s. f.* vendedora.
vendedor, *adj. e s. m.* vendedor.
vendedouro, **I.** *s. m.* mercado. **II.** *adj.* vendible.
vendeira, *s. f.* tabernera; tendera; ventera.
vendeiro, *s. m.* tabernero; ventero; abacero, tendero.
vender, *v. tr.* vender.
vendido, *adj.* vendido.
vendilhão, *s. m.* vendedor ambulante; buhonero; quincallero.
vendível, *adj. 2 gén.* vendible.
veneno, *s. m.* veneno.
venenoso, *adj.* venenoso.
venera, *s. f.* venera.
veneração, *s. f.* veneración.
venerador, *adj. e s. m.* venerador.
venerando, *adj.* venerando.
venerar, *v. tr.* venerar.
venerável, *adj. 2 gén.* venerable.
venéreo, *adj.* venéreo.
veneta, *s. f.* ventolera.
veneziano, *adj. e s. m.* veneciano.
venezuelano, *adj. e s. m.* venezolano.
vénia, *s. f.* venia; reverencia; permiso.
veniaga, *s. f.* mercadería, mercancía; burla, fraude.
venial, *adj. 2 gén.* venial.
venialidade, *s. f.* venialidad.
venoso, *adj.* venoso.
venta, *s. f.* ventana, cada una de las aberturas nasales.
ventana, *s. f.* ventana, campanil; abanico.
ventanear, *v. tr.* ventilar; abanicar; agitar; fustigar.
ventania, *s. f.* ventarrón.
ventar, *v. intr.* ventear.
ventarola, *s. f.* abanico.
ventilação, *s. f.* ventilación.
ventilador, *adj. e s. m.* ventilador.
ventilar, *v. tr.* ventilar.
vento, *s. m.* viento.
ventoinha, *s. f.* veleta; molinete.
ventosa, *s. f.* ventosa
ventosidade, *s. f.* ventosidad.
ventoso, *adj.* ventoso.
ventral, *adj. 2 gén.* ventral.
ventre, *s. m.* vientre; abdomen.
ventricular, *adj. 2 gén.* ventricular.

ventrículo, *s. m.* ventrículo.
ventriloquia, *s. f.* ventriloquia.
ventríloquo, *adj.* ventrílocuo.
ventrudo, *adj.* ventrudo.
ventura, *s. f.* ventura; buena suerte; felicidad, dicha.
venturoso, *adj.* venturoso; afortunado; aventurero.
venustidade, *s. f.* venustidad.
venusto, *adj.* venusto.
ver, *v. tr.* ver; distinguir observar; examinar; visitar.
veracidade, *s. f.* veracidad.
vera-efígie, *s. f.* vera efigies.
veranear, *v. intr.* veranear.
verão, *s. m.* verano.
veraz, *adj. 2 gén.* veraz; verídico.
verba, *s. f.* partida, clausula, parcela; nota; registro.
verbal, *adj. 2 gén.* verbal.
verbalizar, *v. tr.* hacer verbal.
verbasco, *s. m.* verbasco.
verbena, *s. f.* verbena.
verberação, *s. f.* verberación.
verberar, *v. tr.* verberar; flagelar; reprender.
verbete, *s. m.* apunte, nota, ficha.
verbo, *s. m.* verbo.
verborreia, *s f.* verborrea.
verbosidade, *s. f.* verbosidad.
verboso, *adj.* verboso.
verdacho, *adj.* verdacho, verdoso.
verdade, *s. f.* verdad.
verdadeiro, *adj.* verdadero; sincero.
verdasca, *s. f.* verdasca.
verdascada, *s. f.* verdascaz.
verdascar, *v. tr.* azotar coverdasca; zurriagar; disciplinar.
verde, **I.** *adj. 2 gén.* verde; tiern. **II.** *s. m.* color verde; vino verde.
verdeal, *adj. 2 gén.* verdejo, verdeal, verdiñal.
verdecer, *v. intr.* verdecer.
verdejante, *adj. 2 gén.* verdeante.
verdejar, *v. intr.* verdeguear.
verdelhão, *s. m.* verderón.
verde-mar, *adj. 2 gén. e s. m.* verdemar.
verdete, *s. m.* verdete, cadenillo; verdín.
verdor, *s. m.* verdor.
verdoso, *adj.* verdoso.
verdugão, *s. m.* verdugón.
verdugo, *s. m.* verdugo.
verdura, *s. f.* verdura.
vereador, *s. m.* concejal.

vereda, *s. f.* vereda, senda, sendero.
veredicto, *s. m.* veredicto.
verga, *s. f.* NÁUT. verga, vergueta; junco, mimbre.
vergalhada, *s. f.* verduga.
vergão, *s. m.* vara gruesa; verdugón, roncha.
vergar, *v. tr.* cimbrear; cimbrar; doblegar; encurvar.
vergasta, *s. f.* vergeta.
vergastada, *s. f.* verdascazo.
vergastar, *v. tr.* dar verdascazos; azotar; cimbrear; castigar.
vergel, *s. m.* vergel.
vergonha, *s. tr.* vergüenza; sonrojo.
vergonhoso, *adj.* vergonzoso, vergonzante.
vergôntea, *s. f.* verdugo, retoño; vástago.
vergueiro, *s. m.* vara gruesa, verga, vara.
verídico, *adj.* verídico.
verificação, *s. f.* verificación.
verificar, *v. tr.* verificar.
verificativo, *adj.* verificativo.
verificável, *adj. 2 gén.* verificable.
verme, *s. m.* verme; gusano.
vermelhaço, *adj.* bermejizo.
vermelhão, *s. m.* bermellón.
vermelhar, *v. tr.* bermejear, bermejecer.
vermelhidão, *s. f.* bermejez; rubor.
vermelho, *adj.* bermellón, bermejo; rojo.
vermelhusco, *adj.* bermejizo.
vermicida, *adj. 2 gén. e s. m.* vermicida, vermífugo.
vermicular, *adj. 2 gén.* vermicular.
vermículo, *s. m.* vermículo.
vermiforme, *adj. 2 gén.* vermiforme.
vermífugo, *adj. e s. m.* vermifugo, vermicida.
verminado, *adj.* verminoso.
verminose, *s. f.* helmintiasis.
vermute, *s. m.* vermut, vermú.
vernáculo, *adj.* vernáculo.
verniz, *s. m.* charol; barniz.
verónica, *s. f.* BOT. verónica.
verosímil, *adj. 2 gén.* verosímil.
verosimilhança, *s. f.* verosimilitud.
verruga, *s. f.* verruga.
verruma, *s. f.* barrena, taladro.
verrumão, *s. m.* taladro.
verrumar, *v. tr.* taladrar, barrenar.
versado, *adj.* versado.
versal, *adj. 2 gén. e s. f.* versal.
versalete, *s. f.* versalita.
versão, *s. f.* versión, traducción.

versar, *v. tr.* versar; volver; practicar; versear.
versátil, *adj. 2 gén.* versátil; inconstante.
versatilidade, *s. f.* versatilidad.
versejar, *v. intr.* versificar.
versículo, *s. m.* versículo.
versificação, *s. f.* versificación.
versificador, *s. m.* versificador.
versificar, *v. tr.* versificar.
verso, *s. m.* verso; poesía; reverso.
vértebra, *s. f.* vértebra.
vertebrado, *adj. e s. m.* vertebrado.
vertebral, *adj. 2 gén.* vertebral.
vertedouro, *s. m.* vertedor; vertedero.
vertente, *adj. 2 gén. e s. f.* vertiente.
verter, *v.* **1.** *tr.* verter; derramar; traducir. **2.** *intr.* trasegar.
vertical, *adj. 2 gén.* vertical.
verticalidade, *s. f.* verticalidad.
vértice, *s. m.* vértice.
verticidade, *s. f.* verticidad.
verticilado, *adj.* verticilado.
verticilo, *s. m.* verticilo.
vertigem, *s. f.* vértigo.
vertiginoso, *adj.* vertiginoso.
vesânia, *s. f.* vesania.
vesgo, *adj. e s. m.* bizco, bisojo.
vesicação, *s. f.* vesicación.
vesical, *adj. 2 gén.* vesical.
vesicante, *adj. 2 gén.* vesicante.
vesícula, *s. f.* vesícula.
vesicular, *adj. 2 gén.* vesicular.
vespa, *s. f.* ZOOL. avispa.
vespeiro, *s. m.* avispero.
véspera, *s. f.* víspera.
vespertino, *adj.* vespertino.
vestal, *s. f.* vestal.
veste, *s. f.* veste, traje.
vestiário, *s. m.* ropero.
vestíbulo, *s. m.* vestíbulo.
vestido, *s. m.* vestido; traje; vestuário.
vestidura, *s. f.* vestidura, vestido.
vestígio, *s. m.* vestigio; huella; rastro.
vestimenta, *s. f.* vestimenta, vestido; *pl.* hábitos.
vestir, *v. tr.* vestir; cubrir; revestir; adornar.
vestuário, *s. m.* vestuario.
vetar, *v. tr.* vetar.
veterania, *s. f.* veterania.
veterano, *adj. e s. m.* veterano.
veterinária, *s. f.* veterinaria.
veterinário, *adj. e s. m.* veterinario.
veto, *s. m.* veto; prohibición; recusa.
vetustez, *s. f.* vetustez.

vetusto, *adj.* vetusto.
véu, *s. m.* velo.
vexação, *s. f.* vejación.
vexador, *adj.* vejador.
vexame, *s. m.* vejamen, vejación.
vexante, *adj. 2 gén.* vejante.
vexar, *v. tr.* vejar; maltratar; humillar.
vexativo, *adj.* vejativo.
vexatório, *adj.* vejatório.
vez, *s. f.* vez, alternativa; reciprocidad; ocasión, turno; *fazer as vezes de,* sustituir.
vezeiro, *adj.* vecero; reincidente.
vezo, *s. m.* vicio, hábito de obrar mal.
via, *s. f.* vía; camino; dirección, línea; medio de transporte; letra de cambio; intermedio; *via aérea,* aerovía.
viabilidade, *s. f.* viabilidad.
viação, *s. f.* conducción.
viador, *s. m.* viador; viajante; camarista de la reina.
viaduto, *s. m.* viaducto.
viagem, *s. f.* viaje.
viajante, *adj. e s. 2 gén.* viajante; viajero.
viajata, *s. f.* viajata.
vianda, *s. f.* vianda; carne.
viandante, *adj. e s. 2 gén.* viandante.
viático, *s. m.* viático.
viatura, *s. f.* vehículo.
viável, *adj. 2 gén.* viable.
víbora, *s. f.* ZOOL. víbora.
vibração, *s. f.* vibración.
vibrador, *s. m.* vibrador.
vibrante, *adj. 2 gén.* vibrante.
vibrar, *v. tr.* vibrar; tañer; mover; agitar; conmover.
vibrátil, *adj. 2 gén.* vibrátil.
vibratilidade, *s. f.* vibratilidad.
vibratório, *adj.* vibratorio.
vibrião, *s. m.* vibrión.
vibrissa, *s. f.* vibrisa.
viburno, *s. m.* viburno.
viçar, *v. tr.* vigorizar.
vicarial, *adj. 2 gén.* vicarial.
vicariato, *s. m.* vicariato.
vice-almirante, *s. m.* vicealmirante.
vice-campião, *s. m.* subcampeón.
vice-chanceler, *s. m.* vicecanciller.
vice-cônsul, *s. m.* vicecónsul.
vice-consulado, *s. m.* viceconsulado.
vice-governador, *s. m.* vicegobernador.
vicejante, *adj. 2 gén.* lujuriante.
vicejar, *v. intr.* tener lozanía.
vicejo, *s. m.* verdor, lozanía.
vicénio, *s. m.* vicenio.

vice-presidência, *s. f.* vicepresidencia.
vice-presidente, *s. m.* vicepresidente.
vice-rei, *s. m.* virrey.
vice-reinado, *s. m.* virreino, virreinato.
vice-reitor, *s. m.* vicerrector.
vice-reitorado, *s. m.* vicerrectoría.
vice-versa, *loc.* viceversa.
viciação, *s. f.* viciamiento.
viciado, *adj.* viciado.
viciador, *adj. e s. m.* viciador.
viciar, *v. tr.* viciar; dañar; adulterar; falsificar; corromper.
vicinal, *adj. 2 gén.* vecinal.
vício, *s. m.* vicio.
vicioso, *adj.* vicioso.
vicissitude, *s. f.* vicisitud.
viço, *s. m.* lozanía, verdor.
viçoso, *adj.* exuberante.
vicunha, *s. f.* ZOOL. vicuña.
vida, *s. f.* vida; existencia; biografía; actividad; profesión; animación.
vide, *s. f.* vid; parra.
videira, *s. f.* vid; parra, cepa.
vidente, *adj. e s. 2 gén.* vidente.
vídeo, *s. m.* vídeo; *câmara de vídeo,* videocámara.
videocassete, *s. f.* videocasete.
videoclube, *s. m.* videoclub.
videodisco, *s. m.* videodisco.
videojogo, *s. m.* videojuego.
videoteca, *s. f.* videoteca.
videotape, *s. m.* videocinta.
videotelefone, *s. m.* videoteléfono.
videotexto, *s. m.* videotexto.
vidoeiro, *s. m.* BOT. abedul.
vidraça, *s. f.* vidriera.
vidraçaria, *s. f.* vidriería.
vidraceiro, *s. m.* vidriero.
vidrado, *adj.* vidriado.
vidrar, *v. tr.* vidriar.
vidraria, *s. f.* vidriería.
vidreiro, *s. m.* vidriero.
vidrento, *adj.* vidrioso.
vidrilho, *s. m.* canutillo.
vidrino, *adj.* vidrioso, vítreo.
vidro, *s. m.* vidrio.
vidual, *adj. 2 gén.* vidual.
vieira, *s. f.* ZOOL. vieira.
viela, *s. f.* callejón, callejuela.
vienense, *adj. e s. 2 gén.* vienés.
viés, *s. m.* biés, sesgo.
vietnamita, *adj. e s. 2 gén.* vietnamita.
viga, *s. f.* CARP. viga.
vigamento, *s. m.* viguería.

vigararia, s. f. vicariato.
vigário, s. m. vicario.
vigarista, s. 2 gén. timador.
vigência, s. f. vigencia.
vigésimo, adj. vigésimo.
vigia, s. f. vigía; atalaya; centinela; espía.
vigiar, v. tr. vigilar; observar; velar.
vigilância, s. f. vigilancia.
vigilante, adj. 2 gén. vigilante.
vigilar, v. tr. e intr. vigilar, velar.
vigília, s. f. vigilia.
vigor, s. m. vigor; energía.
vigorante, adj. 2 gén. vigorizador; fortificante; vigente.
vigorar, v. 1. intr. estar en vigor. 2. tr. vigorizar.
vigoroso, adj. vigoroso.
vigote s. m. vigueta.
vil, adj. 2 gén. vil; despreciable; soez.
vila, s. f. villa.
vilanagem, s. f. villanada.
vilancete, s. m. villancete.
vilania, s. f. villanía.
vilão, adj. villano.
vilegiatura, s. f. veraneo.
vilela, s. f. villeta; aldea.
vileza, s. f. vileza.
vilipendiar, v. tr. vilipendiar; despreciar.
vilipêndio, s. m. vilipendio.
vilipendioso, adj. vilipendioso.
vilória, s. f. villorrio.
vilosidade, s. f. vellosidad.
viloso, adj. velloso; peludo.
vime, s. m. mimbre, vimbre, mimbrera.
vimeiro, s. m. mimbre, mimbrera.
vimieiro, s. m. mimbreral.
vináceo, adj. vínico.
vinagre, s. m. vinagre.
vinagreira, s. f. vinagrera.
vinagreta, s. f. vinagreta.
vincada, s. f. arruga.
vincar, v. tr. plegar; doblar; arrugar.
vinco, s. m. pliegue; raya.
vinculado, adj. vinculado.
vincular, v. tr. vincular.
vínculo, s. m. vínculo
vinda, s. f. venida; regreso; llegada.
vindicação, s. f. vindicación.
vindicar, v. tr. vindicar; reclamar.
vindicativo, adj. vindicativo, vindicatorio.
vindima, s. f. vendimia.
vindimador, s. m. vendimiador.
vindimar, v. tr. vendimiar
vindo, adj. venido; venidero.

vingador, adj. e s. m. vengador.
vingança, s. f. venganza.
vingar, v. tr. vengar; rehabilitar; castigar.
vingativo, adj. vengativo.
vinha, s. f. viña, viñedo.
vinhaça, s. f. vinagrón.
vinhal, s. m. viñedo, parral.
vinhão, s. m. vino de buena calidad.
vinhateiro, s. m. viñador; vinicultor; vinatero.
vinhedo, s. m. viñedo, parral.
vinheiro, s. m. viñadero.
vinheta, s. f. viñeta.
vinho, s. m. vino.
vinhoca, s. f. vinaza.
vínico, adj. vínico.
vinícola, adj. 2 gén. vinícola.
vinicultor, s. m. vinicultor, viticultor.
vinicultura, s. f. vinicultura, viticultura.
vinificação, s. f. vinificação.
vinílico, adj. vinílico.
vinilo, s. m. vinilo.
vinolência, s. f. vinolencia.
vinolento, adj. vinolento.
vinosidade, s. f. vinosidad.
vinoso, adj. vinoso.
vintavo, s. m. veinteavo.
vinte, num. veinte.
vintena, s. f. veintena.
viola, s. f. viola.
violação, s. f. violación.
violáceo, adj. violáceo, violado.
violador, adj. e s. m. violador.
violal, s. m. violar, campo de violetas.
violão, s. m. MÚS. violón.
violar, v. tr. violar; profanar; transgredir.
violável, adj. 2 gén. violable.
violência, s. f. violencia.
violentador, adj. e s. m. violentador.
violentar, v. tr. violentar; forzar; violar, desflorar.
violento, adj. violento.
violeta, I. s. 1. f. BOT. violeta. 2. s. m. (cor) vileta. II. adj. 2 gén. violeta, violáceo.
violinista, s. 2 gén. violinista.
violino, s. m. MÚS. violín; sordino.
violista, s. 2 gén. violinista.
violoncelista, s. 2 gén. violoncelista, violonchelista.
violoncelo, s. m. MÚS. violoncelo, violonchelo.
viperina, s. f. viperina.
viperino, adj. viperino.

vir, *v. intr.* venir; llegar; regresar; volver; nacer; acontecer, sobrevenir.

vira, *s. f.* vira.

viração, *s. f.* virazón; brisa.

viragem, *s. f.* viraje.

virago, *s. f.* virago.

viramento, *s. m.* virada; viraje.

virar, *v. tr.* volver; virar.

viravolta, *s. f.* vuelta completa; voltereta.

virente, *adj. 2 gén.* verdeante, verde, lozano; próspero.

virginal, *adj. 2 gén.* virginal.

virgindade, *s. f.* virginidad.

virgíneo, *adj.* virginal.

virgo, *s. m.* virgo.

vírgula, *s. f.* virgulilla, coma, vírgula.

virgular, *v. tr.* poner virgulilla en; puntuar.

viril, *adj. 2 gén.* viril.

virilha, *s. f.* ANAT. ingle.

virilidade, *s. f.* virilidad.

virola, *s. f.* virola.

viroso, *adj.* viroso; tóxico.

virotada, *s. f.* virotada.

virote, *s. m.* virote, saeta corta.

virtual, *adj. 2 gén.* virtual.

virtualidade, *s. f.* virtualidad.

virtude, *s. f.* virtud; castidad; eficacia.

virtuosidade, *s. f. vd.* **virtuosismo.**

virtuosismo, *s. m.* virtuosidad; virtuosismo.

virtuoso, *adj.* virtuoso.

virulência, *s. f.* virulencia.

virulento, *adj.* virulento.

vírus, *s. m.* PAT. virus.

visagem, *s. f.* visaje, gesto.

visão, *s. f.* visión.

visar, *v. tr.* visar.

víscera, *s. f.* ANAT. víscera.

visceral, *adj. 2 gén.* visceral.

visco, *s. m.* visto; (fig.) anzuelo.

viscondado, *s. m.* vizcondado.

visconde, *s. m.* vizconde.

viscosidade, *s. f.* viscosidad.

viscoso, *adj.* viscoso.

viseira, *s. f.* visera.

visibilidade, *s. f.* visibilidad.

visigodo, *s. m.* visigodo.

visigótico, *adj.* visigótico.

visionar, *v. tr.* entrever como en visiones.

visionário, *adj. e s. m.* visionario.

visita, *s. f.* visita; *pl.* recuerdos, saludos.

visitação, *s. f.* visitación.

visitador, *adj. e s. m.* visitador.

visitante, *adj. 2 gén. e s. m.* visitador.

visitar, *v. tr.* visitar.

visível, *adj. 2 gén.* visible.

vislumbrar, *v.* **1.** *tr.* vislumbrar, entrever. **2.** *intr.* comenzar a aparecer.

vislumbre, *s. m.* vislumbre; apariencia vaga; vestigios.

viso, *s. m.* viso; indicio, aspecto.

visor, *s. m.* visor.

vispar-se, *v. refl.* escabullirse.

vista, *s. f.* vista; los ojos; la mirada; panorama; cuadro; intención.

visto, I. *adj.* visto; notorio. **II.** *s. m.* visto; visado, visa.

vistoria, *s. f.* inspección; examen; búsqueda.

vistoriar, *v. t* registrar, reconocer; inspeccionar.

vistoso, *adj.* vistoso.

visual, *adj. 2 gén.* visual.

visualidade, *s. f.* visualidad.

vital, *adj. 2 gén.* vital.

vitalício, *adj.* vitalicio.

vitalidade, *s. f.* vitalidad.

vitalismo, *s. m.* vitalismo.

vitalista, *adj. e s. 2 gén.* vitalista.

vitalizador, *adj. e s. m.* vitalizador.

vitalizar, *v. tr.* vitalizar; fortificar, revigorizar.

vitamina, *s. f.* vitamina.

vitela, *s. f.* vitela, piel de vaca o ternera; ternera; becerra.

vitelina, *s. f.* vitelina.

vitelino, *adj.* vitelino.

vitelo, *s. m.* ternero, novillo.

vitícola, *adj. 2 gén.* vitícola.

viticultor, *adj. e s. m.* viticultor.

viticultura, *s. f.* viticultura.

vítima, *s. f.* víctima.

vitimar, *v. tr.* hacer a alguien víctima; sacrificar, inmolar.

vitória, *s. f.* victoria.

vitoriar, *v. tr.* vitorear; aplaudir.

vitorioso, *adj.* victorioso.

vitral, *s. m.* vitral.

vítreo, *adj.* vítreo.

vitrificação, *s. f.* vitrificación.

vitrificar, *v. tr.* vitrificar.

vitrina, *s. f.* vitrina, escaparate.

vitríolo, *s. m.* QUÍM. vitriolo.

vitualhas, *s. pl.* vituallas.

vituperação, *s. f.* vituperación.

vituperar, *v. tr.* vituperar.

vitupério, *s. m.* vituperio.

viúva, *s. f.* viuda.

viuvar, *v. intr.* vd. **enviuvar**.

viuvez, *s. f.* viudez; viudedad (pensión).

viuvinha, *s. f.* viudita.

viúvo, *s. m.* viudo.

viva!, *interj.* e *s. m.* arriba! vítor.

vivandeira, *s. f.* cantinera.

vivandeiro, *s. m.* cantinero.

vivaz, *adj.* 2 *gén.* vivaz; vivo; ardente.

viveiro, *s. m.* vivero, viveral; *(de plantas)* semillero, seminario; *(de peixes)* piscifactoría.

vivenda, *s. f.* vivienda, casa.

vivente, *adj.* e *s.* 2 *gén.* vivente.

viver, *v. intr.* vivir, existir; residir, habitar; alimentarse.

víveres, *s. m. pl.* víveres; provisiones de boca.

vivificação, *s. f.* vivificación.

vivificador, *adj.* e *s. m.* vivificador.

vivificante, *adj.* 2 *gén.* vivificante.

vivíparo, *adj.* ZOOL. vivíparo.

vivo, *adj.* vivo; lleno, activo; fuerte, agudo.

vizinhança, *s. f.* vecindad; alrededores, cercanías.

vizinhar, **1.** *v. intr.* ser vecino. **2.** *refl.* aproximarse.

vizinho, *adj.* vecino, cercano.

vizir, *s. m.* visir.

voador, **I.** *adj.* e *s. m.* volador. **II.** *s. m.* *(para crianças)* tacataca.

voar, *v. intr.* volar.

vocabulário *s. m.* vocabulario; diccionario; léxico.

vocábulo, *s. m.* vocablo.

vocação, *s. f.* vocación.

vocal, *adj.* 2 *gén.* vocal; oral, verbal.

vocálico, *adj.* vocálico.

vocalismo, *s. m.* vocalismo.

vocalização, *s. f.* vocalización.

vocalizador, *s. m.* vocalizador.

vocalizar, *v. tr.* vocalizar.

vocativo, *s. m.* vocativo.

você, *pron.* usted.

vociferação, *s. f.* vociferación.

vociferador, *adj.* vociferador.

vociferar, *v. tr.* vociferar.

voejar, *v. intr.* volitar, revolotear; volar bajo; rastrear.

voga, *s. f.* boga; movimiento de los remos.

vogal, *v. tr.* e *s.* 2 *gén.* vocal.

vogar, *v. intr.* bogar; remar.

volante, *adj.* 2 *gén.* e *s. m.* volante.

volantim, *s. m.* volatín; acróbata.

volataria, *s. f.* volatería.

volatear, *v. intr.* volatinear.

volátil, *adj.* 2 *gén.* volátil.

volatilização, *s. f.* volatilización, sublimación.

volatilizar, *v. tr.* volatilizar.

volfrâmio, *s. m.* volframio, wolfram, tungsteno.

volição, *s. f.* volición.

volitar, *v. intr.* volitar.

volitivo, *adj.* volitivo.

volt, *s. m.* FÍS. volt.

volta, *s. f.* vuelta; regreso; mudanza; movimiento alrededor; circuito; meandro; vuelta (cambio de dinero); cuello; seno.

voltagem, *s. f.* voltaje.

voltaico, *adj.* FÍS. voltaico.

voltâmetro, *s. m.* FÍS. voltámetro.

voltar, *v.* **1.** *intr.* volver; regresar; retroceder; girar; reincidir; nublarse; recomenzar. **2.** *tr.* dar vuelta a; poner al revés.

voltarete, *s. m.* voltereta.

volteador, *adj.* e *s. m.* volteador.

voltear, *v. tr.* volver; voltear.

volteio, *s. m.* volteo.

voltejar, *v. intr.* voltejar.

volubilidade, *s. f.* volubilidad.

volume, *s. m.* volumen; masa; paquete; fardo; libro.

volumétrico, *adj.* volumétrico.

volumoso, *adj.* voluminoso.

voluntariado, *s. m.* voluntariado.

voluntariedade, *s. f.* voluntariedad.

voluntário, *adj.* voluntario.

voluntarioso, *adj.* caprichoso.

volúpia, *s. f.* voluptad; voluptuosidad; sensualidad.

voluptuoso, *adj.* voluptuoso.

voluta, *s. f.* voluta.

volutear, *v. intr.* vd. **voltear**.

volúvel, *adj.* 2 *gén.* voluble.

volver, *v. tr.* vd. **voltar**.

volvo, *s. m.* MED. volvo, vólvulo, íleo.

vómer, *s. m.* ZOOL. vómer.

vomitar, *v. tr.* vomitar.

vomitivo, *adj.* vomitivo.

vómito, *s. m.* vómito.

vomitório, *adj.* e *s. m.* vomitorio.

vontade, *s. f.* voluntad; deseo; intención; empeño.

voo, *s. m.* vuelo; aspiración; fantasía.

voracidade, *s. f.* voracidad.

voragem, *s. f.* vorágine.

voraz, *adj.* 2 *gén.* voraz.

vórtice, s. m. vórtice.
vós, pron. vós.
vosso, adj. e pron. vuestro.
votação, s. f. votada, votación.
votante, adj. e s. 2 gén. votante.
votar, v. tr. votar; aprobar; hacer voto a dios; consagrar.
votivo, adj. votivo.
voto, s. m. voto; sufragio.
voz, s. f. voz; sonido; opinión.
vozeador, adj. e s. m. voceador.
vozear, v. intr. vocear.
vozearía, s. f. voceo.
vozeirão, s. m. vozarrón.
vulcânico, adj. volcánico.
vulcanismo, s. m. volcanismo; vulcanismo.
vulcanite, s. f. vulcanita.
vulcanização, s. f. vulcanización.
vulcanizar, v. tr. vulcanizar.
vulcanologia, s. f. vulcanología.
vulcanológico, adj. vulcanológico.

vulcanólogo, s. m. vulcanólogo.
vulcão, s. m. volcán.
vulgar, adj. 2 gén. vulgar.
vulgaridade, s. f. vulgaridad.
vulgarização, s. f. vulgarización.
vulgarizar, v. tr. vulgarizar.
vulgata, s. f. vulgata.
vulgo, s. m. vulgo.
vulnerabilidade, s. f. vulnerabilidad.
vulneração, s. f. vulneración.
vulnerar, v. tr. vulnerar, herir.
vulnerária, s. f. BOT. vulneraria.
vulnerário, adj. vulnerario.
vulnerável, adj. 2 gén. vulnerable.
vulpino, adj. vulpino; sagaz.
vulto, s. m. rostro; imagen; bulto, volumen.
vultoso, adj. voluminoso.
vulva, s. f. ANAT. vulva.
vulvar, adj. 2 gén. vulvar.
vulvite, s. f. vulvitis.
vurmo, s. m. pus.
vurmoso, adj. purulento.

W

watt, *s. m.* watt, vatio.
whisky, *s. m.* whisky.

windsurf, *s. m.* windsurf.
windsurfista, *s. 2 gén.* windsurfista.

X

x, I. *s. m.* signo con que suele representarse la incógnita. **II.** *adj.* designativo de los rayos x; *não ter uma de x (fam.)*, no tener una moneda.
xá, *s. m.* xa, sha, shah.
xadrez, *s. m.* ajedrez, juego; jareta; tartán.
xaguão, *s. m.* vd. **saguão.**
xaile, *s. m.* chal.
xairel, *s. m.* gualdrapa.
xarope, *s. m.* sirope.
xelim, *s. m.* chelín (moneda)
xenofilia, *s. f.* xenofilia.
xenófilo, *adj. e s. m.* xenófilo.
xenofobia, *s. f.* xenofobia.
xenófobo, *s. f.* xenófobo.
xénon, *s. m.* xenón.
xeque, *s. m.* jaque, en el ajedrez; jeque, xeij, jefe (entre los musulmanes).

xerez, *s. m.* jerez.
xerifado, *s. m.* jerifato
xerife, *s. m.* xerif, jerife; sheriff.
xícara, *s. f.* jícara, taza.
xilófago, *s. m.* xilófago.
xilofone, *s. m.* xilófono.
xilografia, *s. f.* xilografía.
xilográfico, *s. f.* xilográfico.
xilógrafo, *s. m.* xilógrafo.
xilofonista, *s. 2 gén.* xilofonista.
xintoísmo, *s. m.* sintoísmo.
xintoísta, *s. 2 gén.* sintoísta.
xístico, *adj.* pizarroso.
xisto, *s. m.* pizarra.
xistoso, *adj.* esquistoso; pizarroso.
xofrango, *s. m.* ZOOL. osífrago.

Y

yen, *s. m.* yen; vd. **iene.**

yoga, *s. m.* yoga; vd. **ioga.**

Z

zabumba, *s. m.* (*fam.*) bombo.
zabumbar, *v. tr.* aturdir; atolondrar.
zaburreiro, *s. m.* BOT. zahina, sorgo.
zagaia, *s. f.* zagaia, azagaya.
zagal, *s. m.* zagal, pastor.
zagala, *s. f.* zagala.
zagalejo, *s. m.* zagalejo, zagal joven.
zagalote, *s. m.* perdigón; bala pequeña para cargar fusiles.
zagunchada, *s. f.* dardazo; censura.
zagunchar, *v. tr.* herir con dardo; censurar.
zaguncho, *s. m.* especie de dardo o azagaya.
zaíbo, *adj.* bizco, bisojo.
zaino, *adj.* zaino (caballo).
zambro, *adj.* zambo.
zambujal, *s. m.* acebuchal.
zambujeiro, *s. m.* zambullo, acebuche.
zampar, *v. tr. e intr.* zampar.
zanaga, *adj. e s.* 2 *gén.* bizco, bisojo.
zanga, *s. f.* aversión, ojeriza; aburrimiento, enfado.
zangado, *adj.* enfadado.
zângão, *s. m.* ZOOL. zángano (insecto).
zangar, *v. tr.* enfadar, enojar.
zangaralhão, *s. m.* zanguayo, zangarullón.
zangarilhar, *v. intr.* zaneajear, andar y desandar; zanquear.
zangarilho, *s. m.* el que anda y desanda; zanqueador.
zaragalhada, *s. f.* zaragata; alboroto; desorden.
zaragata, *s. f.* desorden.
zaragateiro, *adj. e s. m.* zaragatero, bullicioso.
zaragatoa, *s. f.* BOT. zaragatona.
zaranza, *adj. e s.* 2 *gén.* atolondrado; alocado; trapalón; cabeza de chorlito.
zaranzar, *v. intr.* atolondrarse; desconcertarse; andar sintino.
zarcão, *s. m.* azarcón.
zarelhar, *v. intr.* zarandear, entrometerse, enredar.
zarelho, *s. m.* hombre entrometido.
zarolho, *adj.* bizco, bisojo.
zás!, *interj.* ¡zas!
zebra, *s. f.* ZOOL. cebra.

zebrado, *adj.* cebrado.
zebrar, *v. tr.* listar, rayar a semejanza de una cebra.
zéfiro, *s. m.* céfiro, aura.
zelador, *s. m.* celador.
zelar, *v.* 1. *tr.* celar; vigilar, atender. 2. *intr.* sentir celos de alguien.
zelo, *s. m.* celo, diligencia; *pl.* celos.
zeloso, *adj.* celoso, que tiene celo o celos; diligente.
zenital, *adj.* 2 *gén.* cenital.
zénite, *s. m.* ASTR. cénit; (*fig.*) súmmum.
zero, *s. m.* ARIT. cero.
zeugma, *s. f.* zeugma.
zibelina, *s. f.* ZOOL. cibellina.
ziguezague, *s. m.* zigzag.
zimbório, *s. m.* ARQ. cimborio; cimborrio.
zimbrar, *v. tr.* azotar, cimbrar.
zimbreiro, *s. m.* BOT. mimbrera, mimbre.
zimbro, *s. m. vd.* **zimbreiro**.
zimologia, *s. f.* zimología.
zina, *s. f.* auge; pezón.
zinabre, *s. m. vd.* **azebre**.
zinco, *s. m.* zinc, cinc.
zincografia, *s. f.* zincografía.
zíngaro, *s. m.* gitano.
zircónio, *s. m.* zirconio.
zirro, *s. m.* ZOOL. gavión.
zizânia, *s. f.* BOT. cizaña; discordia.
zoada, *s. f.* zurrido; zumbido.
zoante, *adj.* 2 *gén.* zumbante.
zoar, *v. intr.* sonar, susurrar.
zodiacal, *adj.* 2 *gén.* zodiacal.
zodíaco, *s. m.* zodíaco.
zoilo, *s. m.* zoilo.
zoina, *adj.* 2 *gén.* aturdido.
zombador, *adj. e s. m.* zumbón; guasón, mofador.
zombar, *v. tr.* zumbar.
zombaria, *s. f.* zumba.
zombetear, *v. intr.* zumbar.
zombeteiro, *adj. e s. m.* mojarrilla, chacotero.
zona, *s. f.* zona.
zoobiologia, *s. f.* zoobiología.
zoografia, *s. f.* zoografía.
zoógrafo, *s. m.* zoógrafo.

zoologia, *s. f.* zoología.
zoológico, *adj.* zoológico.
zoólogo, *s. m.* zoólogo.
zoom, *s. m.* CIN. zoom.
zoomania, *s. f.* zoomanía.
zootaxia, *s. f.* zootaxia.
zootecnia, *s. f.* zootecnia.
zootécnico, *adj.* zootécnico.
zootomia, *s. f.* zootomía.
zopo, *s. m.* zopo, indolente.
zorate, *adj. e s. m.* loto.
zorra, *s. f.* zorra; carro bojo; raposa vieja.
zorral, *s. m.* ZOOL. zorzal.
zorro, **I.** *s. m.* ZOOL. zorro, raposo; red de arrastre. **II.** *adj.* lento, mañoso.
zorzal, *s. m.* ZOOL. zorzal.
zostera, *s. f.* BOT. zostera.
zote, *adj. e s. m.* zote.
zotismo, *s. m.* ignorancia.

zuidoiro, *s. m.* zumbido continuo; zumbo.
zuidouro, *s. m.* vd. zuidoiro.
zumbaia, *s. f.* zalema; reverencia profunda.
zumbar, *v. intr.* vd. **zumbir**.
zumbido, *s. m.* zumbido; susurro.
zumbir, *v. intr.* zumbar, hacer ruido continuado.
zumbo, *s. m.* zumbo.
zunido, *s. m.* zumbo, zumbido.
zunidor, *adj.* zumbador.
zunzum, *s. m.* zumbido.
zunzunar, *v. intr.* rumorear.
zupar, *v. tr.* golpear, dar golpes.
zurrada, *s. f.* rebuzno.
zurrapa, *s. f.* zurrapa.
zurrar, *v. intr.* rebuznar, roznar.
zurro, *s. m.* rebuzno.
zurzidela, *s. f.* tunda.
zurzir, *v. tr.* zurriagar, azotar, tundir.

ESPAÑOL-PORTUGUÉS

A

a, s. f. primeira letra do alfabeto espanhol.

a, *prep.* a; à; ao; aos; até; com; de; para; por; segundo; sobre.

ababol, s. m. papoila; pessoa simples.

ababuy, s. m. BOT. ababu; bambu.

abacá, s. m. BOT. abacá; espécie de bananeira.

abacería, s. f. mercearia; venda; tenda.

abacero, -a, s. m. merceeiro; tendeiro.

abacial, *adj.* 2 gén. abacial.

ábaco, s. m. ábaco; tabuada; ARQ. ábaco, parte superior dos capitéis; MIN. tina de lavar os minérios.

abad, s. m. abade; cura.

abada, s. f. ZOOL. rinoceronte.

abadejo, s. m. badejo, bacalhau.

abadengo, -a, *adj.* abadengo; abacial.

abadernar, v. *tr.* NÁUT. abadernar.

abadesa, s. f. abadessa.

abadía, s. f. abadia; igreja ou mosteiro; presbitério.

abajadero, s. m. baixada; ladeira; declive.

abajar, v. 1. *tr.* baixar, descer, diminuir; (*fig.*) abaixar.

abajo, *adv.* abaixo; na parte inferior; debaixo.

abalanzar, v. 1. *tr.* abalançar; balançar; igualar; equilibrar. 2. *refl.* aventurar-se; abalançar-se.

abalaustrado, -a, *adj.* abalaustrado.

abaldonar, v. *tr.* baldoar; insultar.

abaleador, -a, s. m. joeireiro; peneireiro.

abaleadura, s. f. alimpas, alimpaduras.

abalear, v. *tr.* joeirar; coinar.

abalizar, v. *tr.* NÁUT. balizar; demarcar.

aballar, v. *tr.* e *intr.* baixar; abater.

aballestar, v. *tr.* NÁUT. içar; esticar um cabo.

abalorio, s. m. avelórios; rocalha; rocal.

abaluartado -a, *adj.* MIL. abaluartado.

abaluartar, v. *tr.* abaluartar.

abama, s. f. BOT. abama.

abanar, v. *tr.* abanar.

abanderado, s. m. porta-bandeira; porta-estandarte.

abanderamiento, s. m. embandeiramento; registo ou matrícula de navio.

abanderar, v. *tr.* e *refl.* embandeirar; matricular; registar, sob bandeira nacional, um navio estrangeiro.

abanderizador, -a, *adj.* e s. que forma bandos ou partidos.

abanderizar, v. *tr.* abandar; bandear.

abandonado, -a, *adj.* abandonado; desleixado.

abandonar, v. 1. *tr.* abandonar; desamparar; retirar-se de; suspender; desistir de; atraiçoar. 2. *refl.* desleixar-se; entregar-se; desistir; ceder.

abandono, s. m. abandono; desamparo; negligência; desleixo; falta de asseio; DESP. desistência, abandono.

abanicar, v. *tr.* abanar com o leque; abanicar.

abanico, s. m. leque; ventarola; abano; abanico.

abanillo, s. m. gorjeira; gorjal.

abaniqueo, s. m. abanação; abanadela.

abaniquero, -a, s. m. fabricante ou vendedor de leques.

abano, s. m. abano; leque; ventarola.

abanto, I. s. m. ZOOL. abanto II. *adj.* aturdido; impaciente, impulsivo.

abaratar, v. *tr.* baratear; abaratar; baratar.

abarca, s. f. abarca; tamanco.

abarcadura, s. f. abarcamento.

abarcar, v. *tr.* abarcar; abranger; (*fig.*) rodear; compreender; conter; alcançar.

abarcón, s. m. anel de ferro (nos comboios); braçadeira.

abarloar, v. *tr.* NÁUT. atracar.

abarquero -a, s. m. e f. abarqueiro.

abarquillado -a, *adj.* empenado, abaulado.

abarquillamiento, s. m. empenamento, empeno; ondulação.

abarquillar, v. *tr.* encurvar; arquear; ondular; empenar.

abarracar, v. *intr.* MIL. abarracar.

abarraganamiento, s. m. abarregamento; amancebamento, mancebia.

abarraganarse, *refl.* abarregar-se, amancebar-se.

abarramiento, s. m. embate.

abarrancadero, s. m. atoleiro; lodaçal; barranco.

abarrancamiento, s. m. abarrancamento; encalhe.

abarrancar, v. tr. abarrancar; encalhar.

abarrar, v. tr. arrojar; lançar; jogar.

abarredera, s. f. vassoura; (fig.) coisa que varre e limpa.

abarrocad|o -a, adj. barroco.

abarrotad|o, -a, adj. abarrotado; atestado.

abarrotar, v. tr. abarrotar; atestar, encher totalmente.

abarrote, s. m. balote ou fardo pequeno.

abarse, v. refl. apartar-se; afastar-se (do caminho).

abastanza, s. f. abastança; abastamento; abundância.

abastar, v. tr. abastecer, prover; abastar.

abastardar, v. intr. bastardear; abastardar.

abastecedor, -a, adj. e s. abastecedor; fornecedor.

abastecer, v. tr. abastecer; prover; abastar; fornecer.

abastecimiento, s. m. abastecimento; fornecimento.

abasto, s. m. abastecimento (provisão de mantimentos); *dar abasto*, chegar, bastar.

abatanar, v. tr. apisoar, pisoar; enfortir (amaciar os panos).

abate, s. m. minorista.

abatible, adj. 2 gén. abatível; abaixável; rebatível.

abatidero, s. m. escoadoiro, escoadouro.

abatid|o, -a, adj. abatido; derrubado; desanimado; abjecto; vil.

abatimiento, s. m. abatimento; desânimo; humilhação.

abatir, v. **1.** tr. abater; derrubar; humilhar; **2.** refl. atirar-se; precipitar-se.

abazón, s. m. faceira.

abdicación, s. f. abdicação; renúncia.

abdicar, v. tr. abdicar; renunciar.

abdomen, s. m. ANAT. abdome, abdómen; barriga.

abdominal, adj. 2 gén. abdominal.

abducción, s. f. ANAT. abdução.

abductor, adj. e s. m. ANAT. abdutor.

abecé, s. m. abecê; abecedário; alfabeto.

abecedario, s. m. abecedário.

abedul, s. m. BOT. bétula; vidoeiro.

abeja, s. f. ZOOL. abelha.

abejarrón, s. m. bordão; besouro.

abejaruco, s. m. ZOOL. abelharuco, abelhuco.

abejer|o, -a, s. m. abelheiro; apicultor.

abejón, s. m. ZOOL. abelhão; zângão; vespão.

abejorreo, s. m. zumbido.

abejorro, s. m. besoiro, besouro.

abellacad|o, -a, adj. avelhacado; velhaco; vil.

abellacar, v. tr. e refl. avelhacar; aviltar; envilecer.

abemolar, v. tr. abemolar.

abencerraje, s. m. abencerragem.

aberenjenad|o, -a, adj. aberingelado.

aberración, s. f. aberração; enormidade.

aberrante, adj. 2 gén. aberrante.

aberrar, v. intr. aberrar; afastar-se; errar.

abertal, adj. 2 gén. fácil de abrir-se (diz-se do terreno), abertiço.

abertura, s. f. abertura; fenda; fresta.

abestiarse, v. refl. bestializar-se; embrutecer-se.

abetal, s. m. mata de abetos.

abetar, s. m. vd. **abetal**.

abeto, s. m. BOT. abeto.

abetunad|o, -a, adj. abetumado; betuminoso.

abetunar, v. tr. betumar.

abiertamente, adv. abertamente; francamente, sinceramente.

abiert|o, -ta, adj. aberto (fig.) sincero; franco.

abietino, s. m. abietina.

abigarrad|o -a, adj. betado; matizado.

abigarramiento, s. m. má combinação de cores.

abigarrar, v. tr. betar; mosquear; matizar.

abigeato, s. m. DIR. abigeato.

abigeo, s. m. DIR. abígeo.

abirritación, s. f. MED. abirritação; fraqueza; atonia.

abirritar, v. tr. MED. abirritar.

abisal, adj. 2 gén. abissal.

abisini|o -a, adj. e s. abissínio.

abismal, adj. 2 gén. abismal; abissal; profundo; enorme.

abismar, v. tr. e refl. abismar; (fig.) confundir; abater.

abismo, s. m. abismo; precipício.

abitón, s. m. NÁUT. abita.

abizcochad|o, -a, adj. abiscoitado.

abjuración, s. f. abjuração; abjuramento.

abjurar, v. tr. abjurar; renegar; apostatar.

ablación, s. f. ablação.

ablactación, s. f. ablactação.

ablandabrevas, s. 2 gén. e 2 núm. (fig.) pessoa inútil.

ablandador, -a, *adj.* que abranda ou amolece; amolecedor.

ablandamiento, *s. m.* abrandamento.

ablandar, *v. tr.* abrandar; laxar; suavizar; convencer, enternecer.

ablandecer, *v. tr.* abrandecer; abrandar; amolecer.

ablativo, *s. m.* ablativo.

ablefaria, *s. f.* MED. ablefaria.

ablegado, *s. m.* ablegado.

ablepsia, *s. f.* MED. cegueira.

ablución, *s. f.* ablução.

abluente, *adj.* 2 *gén.* abluente.

abnegación, *s. f.* abnegação; renúncia; desinteresse.

abnegado, -a, *adj.* abnegado; desinteressado.

abnegar, *v. tr.* abnegar.

abobado, -a, *adj.* abobado; tolo.

abobar, *v. tr.* fazer de bobo.

abobra, *s. f.* abóbora.

abocadear, *v. tr.* ferir às dentadas; abocanhar.

abocado, *adj.* sujeito; exposto; de bom paladar (vinho).

abocar, *v.* 1. *tr.* verter; abocar, abocanhar; arrastar; trazer. 2. *intr.* embocar, entrar (barco). 3. *refl.* juntar-se, reunir-se.

abocardar, *v. tr.* alargar; ampliar; dilatar.

abocelado, -a, *adj.* abocelado.

abocetar, *v. tr.* esboçar.

abochornado -a, *adj.* afogueado.

abochornar, *v. tr.* abafar com calor; *(fig.)* envergonhar, fazer corar (de vergonha).

abocinado, -a, *adj.* abuzinado.

abocinar, *v.* 1. *tr.* dar forma de buzina. 2. *intr. (fam.)* cair de bruços, afocinhar.

abofeteador, -a, *adj.* esbofeteador.

abofetear, *v. tr.* esbofetear.

abogacía, *s. f.* advocacia.

abogada, *s. f.* advogada; *(fam.)* mulher do advogado; *(fig.)* intercessora, medianeira.

abogado, *s. m.* advogado; intercessor, medianeiro; *abogado defensor,* advogado de defesa; *abogado del diablo,* advogado do Diabo..

abogar, *v. tr.* advogar; *(fig.)* interceder.

abolengo, *adj.* e *s. m.* avoengo; avito; estirpe, linhagem, casta.

abolición, *s. f.* abolição.

abolicionismo, *s. m.* abolicionismo.

abolicionista, *adj.* e *s* 2 *gén.* abolicionista.

abolir, *v. tr.* abolir; anular; derrogar.

abolladura, *s. f.* amolgadura, amolgamento, amolgadela.

abollar, *v. tr.* amolgar.

abollón, *s. m.* amolgadela.

abollonar, *v.* 1. *tr.* lavrar com relevo (uma peça de metal). 2. *intr.* AGRIC. abrolhar; brotar.

abolsado, -a, I. *adj.* largo, solto (vestuário).

abolsarse, *v. refl.* tomar forma de bolsa ou prega.

abombar, *v. tr.* abaular; *(fig.)* atordoar.

abominable, *adj.* 2 *gén.* abominável; detestável.

abominación, *s. f.* abominação; repulsão.

abominar, *v. tr.* abominar; detestar.

abonable, *adj.* 2 *gén.* abonável.

abonado, -a, I. *adj.* abonado. II. *s.* assinante; subscritor.

abonador, -a, I. *adj.* e *s. m.* e *f.* abonador. II. *s. m.* verruma.

abonamiento, *s. m.* abonamento; abonação.

abonanzar, *v. intr.* abonançar.

abonar, *v.* 1. *tr.* abonar; afiançar; garantir; adubar. 2. *refl.* comprar assinatura, avençar-se, inscrever-se.

abonaré, *s. m.* obrigação; promessa de pagamento; letra de câmbio.

abondar, *v. intr.* abundar.

abono, *s. m.* abono; subscrição; assinatura; adubo; adubação.

aboquillar, *v. tr.* pôr embocaduras ou bocais em; ARQ. chanfrar.

abordable, *adj.* 2 *gén.* abordável; acessível.

abordaje, *s. m.* NÁUT. abordagem; abordada.

abordar, *v. tr.* NÁUT. abordar; abalroar.

aborigen, *adj.* e *s* 2 *gén.* aborígene.

aborrachado, -a, *adj.* escarlatino; de cor escarlate.

aborrajarse, *v. refl.* secarem-se as messes antes do tempo.

aborrascarse, *v. refl.* aborrascar-se (o tempo).

aborrecer, *v. tr.* e *refl.* odiar; detestar; abominar; aborrecer; enfadar; enfastiar.

aborrecible, *adj.* 2 *gén.* aborrecível.

aborrecido, -a, *adj.* aborrecido; enfadado; enfadonho.

aborrecimiento, *s. m.* aborrecimento; aversão; tédio.

aborregad|o, -a, *adj.* aborregado (céu, rochas).

aborregarse, *v. refl.* cobrir-se (o céu) de pequenas nuvens.

abortar, *v. tr. e intr.* abortar; fracassar; frustrar; malograr.

abortista, *s.* 2 *gén.* abortista, aborcionista.

abortiv|o, -a, *adj. e s. m.* abortivo.

aborto, *s. m.* aborto.

aborujar, *v. tr. e refl.* fazer que uma coisa forme vultos.

abotagad|o, -a, *adj.* vd. **abotargado.**

abotagarse, *v. refl.* vd. **abotargarse.**

abotargado, -a, *adj.* inchado.

abotargamiento, *s. m.* inchação; tumefacção.

abotargarse, *v. refl.* inchar (o corpo).

abotinad|o, -a, *adj.* abotinado.

abotonador, *s. m.* abotoador; abotoadeira.

abotonar, *v.* **1.** *tr.* abotoar. **2.** *intr.* lançar botões (a planta). **3.** *refl.* apertar-se.

abovedad|o, -a, *adj.* abobadado.

abovedar, *v. tr.* abobadar.

aboyad|o, -a, *adj.* (herdade de lavradio) arrendada com bois.

aboyar, *v.* **1.** *tr.* aboiar. **2.** *intr.* boiar.

abozalar, *v. tr.* açamar; açaimar.

abra, *s. f.* abra; angra; ancoradoiro; enseada.

abracadabra, *s. m.* abracadabra.

abrasad|o, -a, *adj.* abrasado.

abrasador, -a, *adj.* abrasador; muito quente.

abrasamiento, *s. m.* abraseamento; abrasamento.

abrasar, *v. tr.* abrasar; queimar; incendiar; calcinar.

abrasilad|o, -a, *adj.* de cor semelhante à do pau-brasil.

abrasión, *s. f.* MED. abrasão.

abrasiv|o, -a, *adj.* abrasivo.

abraxas, *s. m.* abraxas.

abrazadera, *s. f.* braçadeira; argola; presilha.

abrazad|o, -a, *adj.* abraçado.

abrazador, -a, *adj.* abraçador.

abrazar, *v. tr.* abraçar; cingir; (*fig.*) aceitar; seguir.

abrazo, *s. m.* abraço.

abrebotellas, *s. m.* 2 *núm.* abridor, saca-rolhas.

abrecartas, *s. m.* 2 *núm.* abre-cartas.

ábrego, *s. m.* ábrego.

abrelatas, *s. m.* 2 *núm.* abre-latas.

abrevadero, *s. m.* bebedoiro, bebedouro.

abrevar, *v. tr.* abrevar (dar de beber ao gado); regar a terra.

abreviación, *s. f.* abreviação; abreviatura.

abreviador, -a, *adj.* abreviador.

abreviar, *v. tr.* abreviar; encurtar; resumir; apressar.

abreviatura, *s. f.* abreviatura.

abribonad|o, -a, *adj.* avelhacado.

abribonarse, *v. refl.* avelhacar-se.

abrider|o, -a, *adj.* que se abre facilmente; *s. m.* BOT. molar, variedade de pessegueiro.

abridor, *s. m.* abridor; saca-rolhas.

abrigadero, *s. m.* abrigo; refúgio.

abrigad|o, -a, *adj.* abrigado; resguardado; recolhido.

abrigaño, *s. m.* abrigadoiro, abrigadouro.

abrigar, *v. tr.* abrigar; defender; resguardar; recolher.

abrigo, *s. m.* abrigo; agasalho; refúgio; casaco.

abril, *s. m.* Abril.

abrileñ|o, -a, *adj.* abrilino; aprilino.

abrillantador, *s. m.* lapidador; lapidário.

abrillantar, *v. tr.* abrilhantar; lustrar; facetar; lapidar.

abrimiento, *s. m.* abrimento; abertura.

abrinquiñad|o, -a, *adj.* delicado; frágil; quebradiço.

abrir, *v.* **1.** *tr.* abrir; descerrar; destapar; inaugurar, iniciar. **2.** *refl.* desabafar; *abrir pase,* abrir caminho; *abrir fuego,* abrir fogo; *en un abrir y cerrar de ojos,* num abrir e fechar de olhos.

abro, *s. m.* BOT. abruso.

abrochador, *s. m.* abotoador; abotoadeira.

abrochamiento, *s. m.* abotoamento; acolchetamento.

abrochar, *v. tr.* abotoar; acolchetar.

abrogación, *s. f.* ab-rogação; ab-rogamento.

abrogar, *v. tr.* ab-rogar; anular; revogar.

abrojal, *s. m.* abrolhal.

abrojín, *s. m.* búzio.

abrojo, *s. m.* BOT. abrolho.

abroma, *s. m.* BOT. abroma.

abromad|o, -a, *adj.* enevoado; brumaceiro.

abromarse, *v. refl.* NÁUT. criar broma (verme que rói a madeira) o fundo do navio.

abroncar, *v. tr.* vaiar; assobiar.

abroquelar, *v. tr.* NÁUT. abroquelar.

abrótano, *s. m.* BOT. abrótano.

abrotoñar, *v. intr.* brotar; desabrochar (as plantas).

abrumad|o, -a, *adj.* sobrecarregado; sufocado; esmagado.

abrumador, -a, *adj.* pesado; sufocante; esmagador; opressor.

abrumar, *v. tr.* cansar; sufocar; esmagar; oprimir.

abruñero, *s. m.* abrunho.

abrupt|o, -a, *adj.* abrupto, escarpado, acidentado.

abrutad|o, -a, *adj.* abrutado; abrutalhado.

absceso, *s. m.* MED. abcesso; tumor.

abscisa, *s. f.* abcissa.

abscisión, *s. f.* abcisão.

absentismo, *s. m.* absentismo.

absentista, *adj. 2 gén.* absentista.

absidal, *adj. 2 gén.* absidal.

ábside, *s. m.* ARQ. abside.

absintio, *s. m.* absíntio, absinto; licor preparado com esta planta.

absintismo, *s. m.* MED. absintismo.

absolución, *s. f.* absolvição; perdão.

absoluta, *s. f.* proposição absoluta; asserção terminante.

absolutismo, *s. m.* absolutismo.

absolutista, *adj. e s. 2 gén.* absolutista.

absolut|o, -a, *adj.* absoluto.

absolutori|o, -a, *adj.* absolutório.

absolvente, *adj. 2 gén.* absolvente; absolvedor.

absolver, *v. tr.* absolver; perdoar.

absorbencia, *s. f.* absorvência; absorção.

absorbente, *adj. 2 gén. e s. m.* absorvente.

absorber, *v. tr.* absorver; aspirar; sorver.

absorbible, *adj. 2 gén.* absorvível.

absorción, *s. f.* absorção.

absort|o, -a, *adj.* absorto; absorvido; concentrado; extasiado; enlevado.

abstemi|o, -a, *adj.* abstémio.

abstención, *s. f.* abstenção; abstinência.

abstencionismo, *s. m.* abstencionismo.

abstencionista, *adj e s. 2 gén.* abstencionista.

abstenerse, *v. refl.* abster-se.

abstergente, *adj. 2 gén. e s. m.* abstergente.

absterger, *v. tr.* MED. absterger; purgar; limpar.

abstersión, *s. f.* MED. abstersão.

abstersiv|o, -a, *adj.* MED. abstersivo.

abstinencia, *s. f.* abstenção; abstinência; jejum.

abstinente, *adj. 2 gén.* abstinente; parco; frugal.

abstracción, *s. f.* abstracção.

abstractiv|o, -a, *adj.* abstractivo.

abstract|o, -a, *adj.* abstracto; impreciso; indefinido.

abstraer, *v.* **1.** *tr.* abstrair. **2.** *refl.* concentrar-se; ensimesmar-se.

abstraíd|o, -a, *adj.* abstraído, absorto; distraído.

abstrus|o -a, *adj.* abstruso; oculto; impenetrável.

absuelt|o, -a, *adj.* absolvido; absolto.

absurdidad, *s. f.* absurdez.

absurd|o, -a, **I.** *adj.* absurdo; disparatado. **II.** *s. m.* absurdo; disparate; despropósito.

abubilla, *s. f.* ZOOL. poupa.

abuchear, *v. tr.* vaiar; assobiar; apupar.

abucheo, *s. m.* vaia; assobios; apupos.

abuela, *s. f.* avó; (fig.) mulher idosa.

abuelastr|o, -a, *s. m. e f.* avô torto, avó torta.

abuelo, *s. m.* avô; (fig.) homem idoso.

abuhardillad|o, -a, *adj.* assotado.

abulense, *adj. e s. 2 gén.* de Ávila.

abulia, *s. f.* abulia; desinteresse; apatia.

abúlic|o, -a, *adj.* abúlico; apático.

abultad|o, -a, *adj.* inchado; avultado; volumoso.

abultamiento, *s. m.* montão; aglomeração.

abultar, *v. tr.* avultar; (fig.) ponderar; encarecer.

abundamiento, *s. m.* abundância.

abundancia, *s. f.* abundância; cópia; fartura.

abundante, *adj. 2 gén.* abundante; copioso.

abundar, *v. intr.* abundar.

abuñolad|o, -a, *adj.* que tem forma de filhó.

abuñolar, *v. tr.* estrelar, frigir ovos.

aburar, *v. tr.* queimar; abrasar.

aburelado, -a, *adj.* aburelado.

aburguesamiento, *s. m.* aburguesamento.

aburguesarse, *v. refl.* aburguesar-se.

aburrid|o, -a, *adj.* aborrecido; enfadado.

aburrimiento, *s. m.* aborrecimento; enfadamento; tédio; fastio.

aburrir, *v. tr.* aborrecer; enfastiar; enfadar.

abusar, *v. intr.* abusar.

abusiv|o, -a, *adj.* abusivo.

abuso, s. m. abuso; excesso.
abusón, -ona, s. m. e f. abusador; gozão; papa-jantares, arranjista.
abutilón, s. m. BOT. abutilão, abutilo.
abyección, s. f. abjecção; aviltamento; degradação.
abyecto, -a, adj. abjecto; desprezível; indigno.
acá, adv. cá; aqui.
acabable, adj. 2 gén. acabável; findável.
acabado, -a, I. adj. acabado; concluído; finalizado; gasto; II. s. m. acabamento; remate.
acaballadero, s. m. caudelaria, coudelaria.
acaballado, -a, adj. acavalado.
acaballar, v. tr. acavalar.
acaballerado, -a, adj. cavalheiroso, cavalheiresco.
acaballonar, v. tr. AGRIC. fazer camalhões nas terras.
acabamiento, s. m. acabamento; fim; termo.
acabañar, v. intr. construir cabanas ou choças.
acabar, v. 1. tr. acabar; concluir; terminar. 2. refl. acabar; esgotar-se.
acabijo, s. m. (fam.) termo; remate; fim.
acabildar, v. tr. reunir; arrebanhar; juntar.
acacia, s. f. BOT. acácia.
academia, s. f. academia.
academicismo, s. m. academicismo.
académico, -a, adj. e s. académico.
acaecer, v. intr. acontecer; suceder; passar-se.
acaecimiento, s. m. acontecimento.
acalabrotar, v. tr. NÁUT. calabrotear.
acalambrarse, v. refl. ficar com cãimbras.
acalefo, s. m. ZOOL. acalefo.
acalenturarse, v. refl. acalorar-se.
acallar, v. tr. fazer calar; silenciar; acalmar; aquietar; sossegar.
acalorado, -a, adj. acalorado; ardente; vivo; excitado.
acaloramiento, s. m. acaloramento; ardor; excitação.
acalorar, v. 1. tr. acalorar. 2. refl. exaltar-se; agastar-se.
acamar, v. tr. e refl. acamar.
acambrayado, -a, adj. acambraiado.
acamellado, -a, adj. acamelado.
acampada, s. f. acção de acampar; acampamento; *nos vamos de acampada*, vamos acampar.

acampanado, -a, adj. com forma de sino; acampainhado.
acampar, v. intr. acampar.
acanalado, -a, adj. acanalado; acanelado; estriado.
acanalador, s. m. garlopa.
acanaladura, s. f. ARQ. acanaladura; estria.
acanalar, v. tr. acanalar; estriar.
acanallado, -a, adj. acanalhado.
acanelado, -a, adj. acanelado.
acantáceo, -a, adj. BOT. acantáceo.
acantarar, v. tr. medir por cântaros.
acantilado, adj. alcantilado; escarpado, fragoso.
acanto, s. m. ARQ. /BOT. acanto (erva-gigante).
acantonamiento, s. m. MIL. acantonamento.
acantonar, v. tr. ZOOL. acantonar.
acantopterigio, -a, adj. ZOOL. acantopterígio.
acañaverear, v. tr. acanavear.
acaparador, -a, adj. e s. açambarcador.
acaparamiento, s. m. açambarcamento.
acaparar, v. tr. açambarcar; monopolizar.
acaracolado, -a, adj. encaracolado.
acaramelar, v. tr. acaramelar.
acardenalar, v. tr. equimosar.
acareamiento, s. m. acareação; acareamento.
acarear, v. tr. carear, acarear.
acariciador, -a, adj. acariciador; acariciante; sensual.
acariciar, v. tr. acariciar; afagar; roçar.
ácaro, s. m. ácaro.
acarpo, -a, adj. BOT. acárpico, acárpio, acarpo.
acarrarse, v. refl. acarrar-se (o gado lanígero).
acarreadizo, -a, adj. acarretável.
acarreador, -a, adj. e s. m. acarretador.
acarrear, v. tr. carrear; acarretar; originar; ocasionar.
acarreo, s. m. acarretamento; carreto; transporte.
acartonarse, v. refl. emagrecer; encarquilhar-se; apergaminhar-se.
acasamatado, -a, adj. acasamatado, casamatado.
acaso, I. s. m. acaso; sorte. II. adv. por acaso.
acastorado -a, adj. acastorado.
acatable, adj. 2 gén. acatável.
acatamiento, s. m. acatamento; venera-

ção; respeito; cumprimento; obediência.

acatar, *v. tr.* acatar; venerar; observar; cumprir; respeitar.

acatarrado, -a, *adj.* encatarrado.

acatarrarse, *v. refl.* encatarrar-se; constipar-se.

acato, *s. m.* acato; acatamento.

acatólico, -a, *adj.* acatólico, não católico.

acaudalado, -a, *adj.* endinheirado; abastado.

acaudalar, *v. tr.* capitalizar.

acaudillador, -a, *adj.* acaudilhador.

acaudillar, *v. tr.* acaudilhar; liderar; encabeçar.

acaule, *adj.* 2 *gén.* BOT. acaule.

accedente, *adj.* 2 *gén.* acedente.

acceder, *v. intr.* aceder; anuir; consentir; transigir; chegar; entrar; conseguir; obter.

accesibilidad, *s. f.* acessibilidade.

accesible, *adj.* 2 *gén.* acessível; compreensível; exequível; tratável.

accesión, *s. f.* acessão; MED. acesso.

accésit, *s. m.* prémio de consolação; menção honrosa.

acceso, *s. m.* acesso; chegada; entrada; passagem; MED. acesso.

accesorio, -a, I. *adj.* acessório; secundário. **II.** *s. m.* acessório; complemento.

accidentado, -a, *adj.* acidentado; escarpado; sinistrado.

accidental, *adj.* 2 *gén.* acidental; casual; fortuito; acessório.

accidentar, *v.* **1.** *tr.* acidentar. **2.** *refl.* sofrer um acidente.

accidente, *s. m.* acidente; percalço; casualidade.

acción, *s. f.* acção; actuação.

accionamiento, *s. m.* accionamento; activação.

accionar, *v. intr.* accionar; gesticular.

accionariado, *s. m.* os accionistas.

accionista, *s.* 2 *gén.* accionista.

acebeda, *s. f.* azevinhal.

acebo, *s. m.* BOT. azevinho; azevinheiro.

acebuchal, I. *adj.* 2 *gén.* BOT. pertencente ao zambujeiro. **II.** *s. m.* zambujal.

acebuche, *s. m.* BOT. zambujeiro; azambujeiro.

acebuchina, *s. f.* baga de zambujeiro.

acechar, *v. tr.* espreitar; espiar; vigiar.

acecho, *s. m.* espreita.

acecinar, *v. tr.* chacinar; defumar; salgar (a carne).

acedar, *v. tr.* azedar; (*fig.*) desgostar.

acedera, *s. f.* azedeira, azeda; azedas.

acedía, *s. f.* acidez, azia; azedume; ZOOL. azevia.

acedo, -a, *adj.* azedo; ácido.

acefalía, *s. f.* acefalia.

acéfalo, -a, *adj.* acéfalo.

aceifa, *s. f.* aceifa; algara.

aceitar, *v. tr.* azeitar; untar; lubrificar.

aceitazo, *s. m.* azeite ou óleo turvo, queimado.

aceite, *s. m.* azeite; óleo.

aceitera, *s. f.* vendedeira de azeite ou óleo; azeiteira; almotolia.

aceitero, -a, *s. m.* azeiteiro (fabricante ou vendedor de azeite).

aceitoso, -a, *adj.* oleoso; untuoso; gorduroso.

aceituna, *s. f.* BOT. azeitona.

aceitunado, -a, *adj.* azeitonado.

aceitunero, -a, *s. m.* e *f.* azeitoneiro.

aceleración, *s. f.* aceleração, aceleramento; rapidez.

acelerador, -a, *adj.* e *s. m.* acelerador.

acelerar, *v. tr.* e *refl.* acelerar; apressar.

acelga, *s. f.* BOT. acelga; celga.

acémila, *s. f.* azémola; besta de carga.

acemilero, -a, *s. m.* azemeleiro; azemel.

acemite, *s. m.* farelo misturado com farinha.

acendrado, -a, *adj.* acendrado; acrisolado; puro.

acendrar, *v. tr.* acendrar; purificar; acrisolar.

acensuar, *v. tr.* impor censo.

acento, *s. m.* acento; tom; flexão da voz.

acentuación, *s. f.* acentuação.

acentuado, -a, *adj.* acentuado; tónico; marcado; realçado.

acentuar, *v. tr.* acentuar; (*fig.*) realçar; salientar.

aceña, *s. f.* azenha.

aceñero, *s. m.* azenheiro; moleiro.

acepción, *s. f.* acepção; significação.

acepilladora, *s. f.* plaina, plainadora.

acepillar, *v. tr.* acepilhar; aplainar; escovar; (*fig.*) polir; civilizar.

aceptable, *adj.* 2 *gén.* aceitável; admissível.

aceptación, *s. f.* aceitação; aplauso; aprovação.

aceptador, -a, *adj.* e *s.* aceitador.

aceptante, *adj.* e *s.* 2 *gén.* aceitante; aceitador.

aceptar, v. tr. aceitar; receber; aprovar; admitir.

acept|o, -a, adj. aceite; admitido.

acequia, s. f. acéquia; azenha; açude.

acequiar, v. intr. acequiar.

acera, s. f. passeio lateral da rua; fileira de casas.

acerad|o, -a, adj. acerado; cortante; agudo; mordaz.

acerar, v. tr. e refl. acerar; aceirar.

acerb|o, -a, adj. acerbo; azedo; áspero; duro; cruel.

acercamiento, s. m. aproximação.

acercar, v. 1. tr. acercar; aproximar. 2. refl. ir; acercar-se; aproximar-se.

acerería, s. f. aceraria, aceiraria.

acería, s. f. aceraria, aceiraria.

acerico, s. m. alfineteira, almofada para alfinetes.

acerillo, s. m. vd. **acerico**.

acero, s. m. aço; arma branca.

acerola, s. f. azarola (fruto).

acerolo, s. m. BOT. azaroleira, azarolo.

acérrim|o, -a, adj. acérrimo; muito forte; vigoroso.

acerrojar, v. tr. aferrolhar; encarcerar.

acertad|o, -a, adj. acertado; assisado; prudente.

acertante, adj. e s. 2 gén. acertante (em jogos de apostas).

acertar, v. tr. acertar; dar no alvo; atingir; pôr certo.

acertijo, s. m. adivinhação; enigma.

acervo, s. m. acervo; montão; património; herança indivisa.

acescencia, s. f. acescência (disposição para a acidez).

acetábulo, s. m. acetábulo; vaso antigo para vinagre.

acetato, s. m. acetato.

acétic|o, -a, adj. acético.

acetificar, v. tr. e refl. QUÍM. acetificar.

acetileno, s. m. acetileno; acetilene.

acetilo, s. m. QUÍM. acetilo.

acetomiel, s. m. acetomel.

acetona, s. f. acetona.

acetonuria, s. f. MED. acetonúria.

acetos|o, -a, adj. acetoso; azedo; acre.

acetre, s. m. balde pequeno; caldeirinha de água benta.

acezo, s. m. ofego; respiração difícil.

acezos|o, -a, adj. arquejante; ofegante.

achabacanar, v. tr. vulgarizar.

achacar, v. tr. achacar; atribuir; imputar.

achacos|o, -a, adj. achacoso; achaquento.

achanflanar, v. tr. chanfrar; facetar.

achantar, v. tr. atemorizar; acobardar; refl. calar-se (por cobardia ou astúcia).

achaparrad|o, -a, adj. (fig.) achaparrado; atarracado.

achaque, s. m. achaque.

achaquient|o, -a, adj. achacoso; achaquento.

achares, s. m. pl. ciúmes; zelos, tormentos.

acharolad|o, -a, adj. acharoado, envernizado.

acharolar, v. tr. acharoar.

achatad|o, -a, adj. achatado.

achatar, v. tr. achatar.

achicar, v. tr. minguar; diminuir; reduzir; encurtar.

achicharrar, v. 1. tr. frigir, torrar (uma iguaria); 2. refl. queimar-se ao sol; bronzear-se.

achicoria, s. f. BOT. chicória, planta comestível.

achispad|o, -a, adj. com um grão na asa, alegre.

achisparse, v. refl. ficar alegre (com bebida).

achocadura, s. f. choque.

achocar, v. tr. chocar; atirar, arremessar; arrojar.

achuchad|o, -a, adj. apertado, entalado; prensado; duro, difícil (economicamente).

achuchar, v. tr. açular; atiçar; empurrar, apertar; abraçar.

achulad|o, -a, adj. (fam.) chulo; grosseiro; baixo.

aciag|o, -a, adj. aziago; infausto; nefasto.

acial, s. m. aziar.

acíbar, s. m. BOT. aloés; (fig.) amargura; desgosto.

acibarar, v. tr. deitar sumo do aloés nalguma coisa; (fig.) amargar; amargurar.

aciberar, v. tr. moer (reduzir a pó); pulverizar.

acicalad|o, -a, adj. açacalado; polido; brilhante.

acicalar, v. 1. tr. açacalar; brunir; alisar; polir. 2. refl. enfeitar-se.

acicate, s. m. acicate; (fig.) incentivo.

aciche, s. m. picadeira; picareta pequena.

acicular, adj. 2 gén. acicular; aciforme; MIN. acicular (textura).

acidez, s. f. acidez; azia.

acidia, s. f. acédia; indiferença; preguiça.
acidificar, v. tr. e refl. acidificar; acidificar-se.
acidimetría, s. f. acidimetria.
acidímetro, s. m. acidímetro.
acidioso, -a, adj. acidioso.
acidismo, s. m. acidismo.
ácido, -a, I. adj. ácido; azedo; acre. II. s. m. ácido.
acidular, v. tr. e refl. acidular.
acierto, s. m. acerto; (fig.) destreza; tino; juízo.
ácimo, adj. ázimo.
acinesia, s. f. acinesia; paralisia.
ación, s. f. loro do estribo.
acionero, s. m. seleiro; correeiro.
acipado, -a, adj. apertado; denso (diz-se dos panos).
acirate, s. m. acirate; marco; baliza.
acitrón, s. m. cidrão (doce de casca de cidrão).
aclamación, s. f. aclamação, ovação.
aclamar, v. tr. aclamar; saudar; aplaudir; proclamar.
aclaración, s. f. aclaração; explicação.
aclarar, v. tr. aclarar; esclarecer; explicar.
aclimatación, s. f. aclimatação, aclimação.
aclimatar, v. tr. aclimatar; aclimar; habituar.
aclocar, v. intr. chocar (as aves).
aclorhidria, s. f. acloridria.
acmé, s. f. MED. acme; auge duma doença.
acné, s. f. acne.
acobardar, v. tr. acobardar; amedrontar; atemorizar.
acobijar, v. tr. acobilhar.
acobrado, -a, adj. acobreado.
acocarse, v. refl. bichar-se (a fruta).
acoceador, -a, adj. escoiceador, escoicinhador.
acocear, v. tr. escoicear, escoicinhar; (fig.) humilhar.
acocharse, v. refl. acochar-se; agachar-se; acocorar-se.
acochinar, v. tr. (fam.) assassinar, matar.
acodado, -a, adj. acotovelado.
acodadura, s. f. cotovelada, acotovelamento.
acodalar, v. tr. ARQ. esquadrar; esquadriar.
acodar, v. tr. apoiar os cotovelos; AGRIC. mergulhar (fazer a mergulhia dos renovos).
acodiciar, v. tr. excitar a cobiça de.
acodillar, v. tr. dobrar, formando coto-velo (diz-se de alguns objectos de metal).
acodo, s. m. AGRIC. mergulhia; renovo; bacelo; ARQ. ornato saliente (moldura).
acogedor, -a, adj. e s. acolhedor; hospitaleiro; amável.
acoger, v. tr. acolher; agasalhar; hospedar; admitir.
acogida, s. f. acolhimento; aceitação; recebimento, hospitalidade.
acogimiento, s. m. acolhimento; acolhida.
acogollar, v. tr. proteger as plantas novas (cobrindo-as).
acogotar, v. tr. matar com pancada vibrada na nuca; (fam.) derrubar alguém segurando-o pelo cachaço.
acolchado, -a, adj. acolchoado.
acolchar, v. tr. acolchoar.
acólito, s. m. acólito.
acollar, v. tr. AGRIC. calçar, cobrir com terra o pé das árvores.
acollarar, v. tr. encoleirar.
acometedor, -a, adj. e s. acometedor.
acometer, v. tr. acometer; atacar; investir.
acometida, s. f. acometida; investida; ramal, derivação de canalização.
acometimiento, s. m. acometimento; acometida.
acometividad, s. f. impetuosidade; combatividade.
acomodable, adj. 2 gén. acomodável.
acomodación, s. f. acomodação.
acomodadizo, -a, adj. acomodatício; acomodadiço.
acomodado, -a, adj. acomodado; ajustado; adaptado.
acomodador, -a, I. adj. acomodador. II. s. m. e f. arrumador; arrumadora.
acomodamiento, s. m. acomodamento; acomodação.
acomodar, v. 1. tr. acomodar; ordenar; dispor; adaptar; (fig.) conciliar. 2. refl. adaptar-se; habituar-se.
acomodo, s. m. acomodação; acómodo; emprego; conveniência; cargo.
acompañado, -a, adj. acompanhado; (fam.) concorrido; frequentado.
acompañador, -a, adj. acompanhador.
acompañamiento, s. m. acompanhamento; séquito, comitiva, cortejo; companhia.
acompañante, adj. 2 gén. acompanhante; acompanhador.
acompañar, v. tr. acompanhar; seguir;

(fig.) juntar; agregar; MÚS. acompanhar.

acompasad|o, -a, *adj.* compassado; lento; pausado.

acomplejad|o, -a, *adj.* complexado.

acomplejar, *v. tr.* complexar.

aconchar, *v. tr.* aconchegar; aproximar.

acondicionador, -a, *adj. e s. m.* acondicionador.

acondicionar, *v. tr.* acondicionar; dispor; acomodar.

acongojar, *v. tr. e refl.* oprimir; afligir; angustiar.

acónito, *s. m.* BOT. acónito.

aconsejable, *adj.* 2 *gén.* aconselhável.

aconsejar, *v. tr. e refl.* aconselhar.

aconsonantar, *v. intr.* aconsoantar; rimar.

acontecer, *v. intr.* acontecer; suceder.

acontecimiento, *s. m.* acontecimento; sucesso; evento.

acopad|o, -a, *adj.* copado.

acopiar, *v. tr.* juntar; amontoar; acumular.

acopio, *s. m.* grande quantidade; provisão.

acoplamiento, *s. m.* acoplamento; ensamblagem.

acoplar, *v. tr.* ensamblar; embutir (a madeira); entalhar; ajustar; jungir (dois animais); acasalar (macho e fêmea); *(fig.)* harmonizar; congraçar.

acoquinamiento, *s. m.* intimidação.

acoquinar, *v. tr. e refl.* amedrontar; intimidar; aterrar.

acorar, *v. tr.* afligir; angustiar.

acorazad|o, -a, **I.** *adj.* couraçado; blindado. **II.** *s. m.* NÁUT. couraçado.

acorazar, *v. tr.* couraçar.

acorazonad|o, -a, *adj.* cordiforme.

acorchad|o, -a, *adj.* encortiçado.

acorcharse, *v. refl.* encortiçar-se (a fruta); *(fig.)* entorpecer; insensibilizar-se.

acordad|o, -a, *adj.* acordado; feito com acerto e reflexão.

acordar, *v.* **1.** *tr.* resolver; concordar; acordar; conciliar. **2.** *refl.* recordar-se.

acorde, **I.** *adj.* 2 *gén.* concorde; de acordo. **II.** *s. m.* MÚS. acorde.

acordelar, *v. tr.* medir (um terreno) com corda.

acordeón, *s. m.* acordeão.

acordonar, *v. tr.* acordoar; serrilhar (moedas).

acores, *s. m.* MED. acores.

acornear, *v. intr.* marrar; escornar; escornear.

ácoro, *s. m.* BOT. ácoro.

acorralar, *v. tr.* encurralar (recolher no curral).

acorrer, *v. intr.* acorrer; acudir.

acortamiento, *s. m.* encurtamento; diminuição.

acortar, *v. tr.* encurtar; reduzir; abreviar.

acosador, -a, *adj. e s.* acossador.

acosar, *v. tr.* acossar; perseguir; assediar; *(fig.)* importunar.

acoso, *s. m.* acosso; acossamento.

acostar, *v.* **1.** *tr.* deitar; encostar; arrimar; NÁUT. acostar; atracar. **2.** *refl.* praticar a cópula com alguém.

acostumbrad|o, -a, *adj.* acostumado; habituado; habitual, do costume.

acostumbrar, *v. tr.* acostumar; habituar; costumar.

acotación, *s. f.* anotação; nota; cota.

acotar, *v.* **1.** *tr.* delimitar; balizar. **2.** *refl.* acoitar-se.

acotiledóne|o, -a, **I.** *adj.* BOT. acotilédone. **II.** *s. f. pl.* acotiledóneas.

acotillo, *s. m.* malho; martelo grosso de ferreiro.

acoyundar, *v. tr.* cangar; jungir.

acracia, *s. f.* acracia; astenia; fraqueza.

acre, **I.** *adj.* 2 *gén.* acre; azedo; áspero. **II.** *s. m.* acre, medida agrária.

acrecentar, *v. tr.* acrescentar; adicionar; aumentar.

acrecer, *v. tr. e refl.* acrescer; aumentar.

acreditad|o, -a, *adj.* com crédito; prestigiado; famoso; acreditado; autorizado.

acreditar, *v. tr.* acreditar; afiançar; COM. creditar.

acreedor, -a, **I.** *adj.* credor; merecedor. **II.** *s. m. e f.* credor.

acrianzar, *v. tr.* criar; educar.

acribadura, *s. f.* crivação; peneiramento; peneiração.

acribillar, *v. tr.* crivar; perfurar; ferir; incomodar.

acríli|co, -a, *adj.* acrílico.

acriminar, *v. tr.* criminar; imputar; incriminar.

acrimonia, *s. f.* acrimónia; aspereza.

acrisolar, *v. tr.* acrisolar, purificar.

acristalar, *v. tr.* envidraçar.

acristianar, *v. tr. (fam.)* cristianizar; baptizar.

acrobacia, *s. f.* acrobacia.

acróbata, *s. 2 gén.* acrobata; funâmbulo; equilibrista.
acrobático, -a, *adj.* acrobático.
acrofobia, *s. f.* acrofobia.
acromático, -a, *adj.* acromático.
acromatismo, *s. m.* acromatismo.
acromatopsia, *s. f.* MED. acromatopsia; daltonismo.
acromegalia, *s. f.* acromegalia.
acromial, *adj. 2 gén.* ZOOL. acromial.
acromion, *s. m.* ZOOL. acrómio.
acrónico, -a, *adj.* acrónico.
acrópolis, *s. f.* acrópole.
acróstico, -a, *adj. e s. m.* acróstico.
acrotera, *s. f.* ARQ. acrotéria, acrotério.
acta, *s. f.* acta; registo.
actitud, *s. f.* atitude; postura; jeito.
activar, *v. tr.* activar; estimular; accionar.
activo, -a, **I.** *adj.* activo; enérgico; diligente. **II.** *s. f.* voz activa; *s. m.* activo (de uma empresa).
acto, *s. m.* acto; acção; exame.
actor, *s. m.* actor.
actriz, *s. f.* actriz.
actuación, *s. f.* actuação; representação, espectáculo.
actual, *adj. 2 gén.* actual; presente; contemporâneo; moderno, da moda.
actualidad, *s. f.* actualidade.
actualizar, *v. tr.* actualizar; pôr em dia.
actuar, *v. intr.* actuar; DIR. proceder; representar; interpretar; influir.
actuario, *s. m.* actuário.
acuarela, *s. f.* aguarela; aquarela.
acuarelista, *s. 2 gén.* aguarelista; aquarelista.
acuario, *s. m.* aquário.
acuartelamiento, *s. m.* aquartelamento.
acuartelar, *v. tr.* aquartelar; acantonar.
acuático, -a, *adj.* aquático.
acubilar, *v. tr.* encurralar (meter o gado no curral).
acuchilladizo, *s. m.* esgrimidor; espadachim; brigão.
acuchillado, -a, *adj.* anavalhado.
acuchillador, -a, *adj. e s.* esfaqueador; faquista.
acuchillar, *v. tr.* esfaquear; anavalhar; acutilar.
acucia, *s. f.* diligência; solicitude; pressa; desejo.
acuciante, *adj. 2 gén.* urgente; indispensável.

acuciar, *v. tr.* estimular; apressar; desejar.
acucioso, -a, *adj.* diligente; solícito; pressuroso.
acuclillarse, *v. refl.* acocorar-se.
acudir, *v. intr.* acudir; socorrer; retorquir.
acueducto, *s. m.* aqueduto.
ácueo, -a, *adj.* aquoso; áqueo.
acuerdo, *s. m.* acordo; convenção; convénio; pacto; entendimento; parecer; conselho; acórdão.
acuitar, *v. tr.* afligir; atormentar.
aculado, -a, *adj.* acantoado.
acullá, *adv.* acolá; além; naquele lugar; lá.
acuminado, -a, *adj.* acuminado; acuminoso; aguçado.
acumulación, *s. f.* acumulação; aglomeração; concentração.
acumulador, -a, *adj. e s. m.* acumulador.
acumular, *v. tr.* acumular; juntar; amontoar.
acunar, *v. tr.* embalar (a criança no berço).
acuñación, *s. f.* cunhagem.
acuñador, -a, *adj. e s.* cunhador.
acuñar, *v. tr.* cunhar; amoedar.
acuoso, -a, *adj.* aquoso.
acupuntura, *s. f.* acupunctura.
acurado, -a, *adj.* acurado; cuidadoso; esmerado.
acurrucarse, *v. refl.* encolher-se; acocorar-se.
acusación, *s. f.* acusação.
acusado, -a, *adj. e s.* acusado.
acusador, -a, *adj. e s.* acusador; o que acusa.
acusar, *v. tr.* acusar; denunciar; delatar; culpar.
acusativo, *s. m.* acusativo.
acuse, *s. m.* acuso; acusação.
acústica, *s. f.* acústica.
acústico, -a, *adj.* acústico.
acutángulo, *s. m.* acutângulo.
adagio, *s. m.* adágio; provérvio; MÚS. adágio.
adalid, *s. m.* adail; caudilho; cabo-de-guerra.
adamado, -a, *adj.* adamado; efeminado.
adamascar, *v. tr.* adamascar.
adámico, -a, *adj.* adâmico.
adán, *s. m.* homem sujo, desleixado.
adaptable, *adj. 2 gén.* adaptável.
adaptación, *s. f.* adaptação.
adaptar, *v. tr. e refl.* adaptar; acomodar;

amoldar; adaptar-se; habituar-se; ajustar-se.

adarga, s. f. adarga; escudo de coiro.

adarvar, v. tr. pasmar; aturdir.

adarve, s. m. adarve.

adatar, v. tr. datar; pôr data em; registar por data.

adecentar, v. tr. pôr decente; limpar; assear; arranjar.

adecuación, s. f. adequação.

adecuado, -a, adj. adequado, apropriado.

adecuar, v. tr. e refl. adequar; acomodar; amoldar.

adefagía, s. f. ZOOL. adefagia; voracidade extrema; gula; abdominia.

adéfago, -a, adj. adéfago; voraz.

adefesio, s. m. espantalho; mamarracho.

adelantado, -a, adj. adiantado; antecipado; precoce; atrevido; insolente; por adelantado, antecipadamente.

adelantamiento, s. m. adiantamento; progresso; ultrapassagem.

adelantar, v. tr. adiantar; acelerar; apressar; ultrapassar.

adelante, I. adv. adiante; na frente; para a frente. II. interj. vamos!, para a frente!, adelante!, la puerta está abierta, entre, a porta está aberta.

adelanto, s. m. avanço; adiantamento; progresso.

adelfa, s. f. BOT. adelfa; loendro, adelfeira.

adelfal, s. m. adelfal; loendral.

adelgazamiento, s. m. adelgaçamento; emagrecimento.

adelgazar, v. tr. adelgaçar; emagrecer.

ademán, s. m. ademane; gesto; aceno; pl. ademanes.

ademar, v. tr. MIN. escorar; especar.

además, adv. ademais; demais; além disso.

ademe, s. m. MIN. madeiro que serve para escorar.

adenalgia, s. f. adenalgia.

adenia, s. f. MED. adenia.

adenitis, s. f. MED. adenite.

adenoideo, -a, adj. adenóide.

adenología, s. f. adenologia; estudo das glândulas.

adenoma, s. m. MED. adenoma.

adentellar, v. tr. adentar; dentar.

adentrarse, v. refl. adentrar-se; internar-se; penetrar.

adentro, adv. adentro; interiormente; dentro; pasemos adentro, vamos entrar, vamos para dentro.

adepto, -a, adj. e s. adepto; partidário; simpatizante.

aderezar, v. tr. adereçar; adornar; enfeitar; preparar; arranjar; temperar.

aderezo, s. m. adereço; enfeite; adorno.

aderno, s. m. BOT. aderno.

adeudar, v. tr. dever; endividar.

adherencia, s. f. aderência; ligação; adesão.

adherente, adj. e s. 2 gén. aderente.

adherir, v. intr. e refl. aderir; unir; ligar; assentir.

adhesión, s. f. adesão; aderência; assentimento.

adhesivo, -a, adj. e s. m. adesivo.

adiado, -a, adj. adiado.

adiafa, s. f. adiafa.

adiaforesis, s. f. MED. adiaforese.

adiamantado, -a, adj. adiamantado; diamantino.

adiar, v. tr. adiar.

adicción, s. f. dedicação total; dependência.

adición, s. f. adição; soma.

adicional, adj. 2 gén. adicional.

adicionar, v. tr. adicionar; somar; acrescentar.

adictivo, -a, adj. adictivo.

adicto, -a, adj. e s. adicto, adictício; dedicado; dependente (drogas).

adiestrador, -a, adj. e s. m. e f. adestrador; treinador.

adiestramiento, s. m. adestramento; ensino; treino.

adiestrar, v. tr. adestrar; ensinar; instruir.

adinerado, -a, adj. endinheirado; adinheirado; rico.

adinerarse, v. refl. enriquecer.

adintelado, -a, adj. ARQ. lintelado (arco).

adiós! interj. adeus!; Deus vá contigo!; boa viagem!

adiposidad, s. f. adiposidade.

adiposis, s. f. adiposidade, obesidade.

adiposo, -a, adj. ZOOL. adiposo; gorduroso.

adipsia, s. f. MED. adipsia; ausência de sede.

adir, v. tr. DIR. adir; entrar na posse de herança.

aditamento, s. m. aumento.

aditivo, s. m. aditivo.

adivas, s. f. pl. VET. vívula.

adive, s. m. ZOOL. adibe; chacal.

adivinación, *s. f.* adivinhação.
adivinador, -a, *adj.* e *s.* adivinhador; adivinho; adivinhante.
adivinanza, *s. f.* charada.
adivinar, *v. tr.* adivinhar; predizer; decifrar.
adivino, -a, *s.* **1.** *m.* adivinho; adivinhador. **2.** *f.* adivinha.
adjetivación, *s. f.* adjectivação.
adjetivar, *v. tr.* adjectivar; qualificar; apodar.
adjetivo, -a, *adj.* e *s. m.* GRAM. adjectivo.
adjudicación, *s. f.* adjudicação.
adjudicador, -a, *adj.* e *s.* adjudicador.
adjudicar, *v. tr.* adjudicar; entregar (por justiça).
adjudicatario, -a, *s. m.* e *f.* adjudicatário.
adjunción, *s. f.* adjunção.
adjuntar, *v. tr.* juntar, enviar junto (especialmente numa carta).
adjunto, -a, *adj.* e *s.* adjunto; auxiliar; ajudante.
adjutor, -a, *adj.* e *s.* adjutor; auxiliar.
adminicular, *v. tr.* adminicular; ajudar, auxiliar.
adminículo, *s. m.* adminículo.
administración, *s. f.* administração.
administrador, -a, *adj.* e *s.* administrador; gerente.
administrar, *v. tr.* administrar; gerir negócios; governar; ministrar; aplicar (remédios).
administrativo, -a, *adj.* administrativo.
admirable, *adj.* 2 *gén.* admirável.
admiración, *s. f.* admiração; surpresa; espanto; ponto de admiração ou exclamação.
admirador, -a, *adj.* e *s.* admirador.
admirar, *v. tr.* admirar; causar surpresa.
admirativo, -a, *adj.* admirativo.
admisible, *adj.* 2 *gén.* admissível.
admisión, *s. f.* admissão; recepção; acolhimento.
admitir, *v. tr.* admitir; aceitar; receber.
admonición, *s. f.* admonição; admoestação.
admonitorio, -a, *adj.* admonitório.
adnato, -a, *adj.* adnato; ligado; aderente; unido.
adnotación, *s. f.* adnotação.
adobado, -a, *adj.* adobado; curtido; adubado.

adobar, *v. tr.* adobar; enfeitar; adubar; temperar, condimentar; curtir.
adobe, *s. m.* adobe; tijolo cru; ladrilho; algemas.
adobo, *s. m.* molho, vinha-d'alhos.
adocenado, -a, *adj.* vulgar, ordinário.
adolecente, *adj.* 2 *gén.* doente; enfermo.
adolecer, *v. intr.* padecer de, sofrer de.
adolescencia, *s. f.* adolescência; juventude.
adolescente, *adj.* 2 *gén.* adolescente.
adonde, *adv.* aonde; a que lugar; para onde.
adondequiera, *adv.* aonde, onde quer que seja; a qualquer parte.
adonis, *s. m.* (fig.) adónis; rapaz elegante.
adopción, *s. f.* adopção; perfilhação.
adoptante, *adj.* 2 *gén.* adoptante, adoptivo.
adoptador, -a, *adj.* e *s.* adoptante.
adoptar, *v. tr.* adoptar; perfilhar; aceitar; tomar.
adoptivo, -a, *adj.* adoptivo.
adoquín, *s. m.* paralelepípedo; laje; (fig.) calhau.
adoquinar, *v. tr.* empedrar; lajear; calcetar.
adorable, *adj.* 2 *gén.* adorável, delicioso.
adoración, *s. f.* adoração.
adorador, -a, *adj.* e *s.* adorador.
adorar, *v. tr.* adorar; reverenciar; venerar.
adormecedor, -a, *adj.* soporífero.
adormecer, *v. tr.* e *refl.* adormecer; causar sono a; acalmar; entorpecer.
adormecimiento, *s. m.* adormecimento.
adormidera, *s. f.* BOT. dormideira.
adormilarse, *v. refl.* dormitar; amodorrar-se.
adornamiento, *s. m.* adorno, decoração.
adornar, *v. tr.* adornar; alindar; armar.
adornista, *s.* 2 *gén.* decorador.
adorno, *s. m.* adorno; enfeite, atavio; ornamento; ornato.
adosado, -a, *adj.* adossado; costas com costas.
adosar, *v. tr.* adossar.
adquirente, *adj.* 2 *gén.* adquirente.
adquiridor, -a, *adj.* e *s.* adquiridor; adquirente.
adquirir, *v. tr.* adquirir; alcançar; obter; lograr.
adquisición, *s. f.* aquisição, adquirição.
adquisitivo, -a, *adj.* aquisitivo.
adrede, *adv.* adrede; de propósito; expressamente.
adrenalina, *s. f.* MED. adrenalina.

adrián, *s. m.* joanete; ninho de pegas.
adscribir, *v. tr.* aditar; adscrever; registar; atribuir.
adscripción, *s. f.* adscrição.
adsorbente, *adj.* 2 *gén.* e *s. m.* adsorvente.
adsorber, *v. tr.* adsorver.
adsorción, *s. f.* adsorção.
aduana, *s. f.* alfândega; aduana.
aduanar, *v. tr.* alfandegar.
aduaneiro, -a, **I.** *adj.* aduaneiro; alfandegário. **II.** *s. m.* aduaneiro.
aducción, *s. f.* ZOOL. adução; acto de aduzir.
aducir, *v. tr.* aduzir; trazer; expor.
aductor, *adj.* e *s. m.* adutor.
adueñarse, *v. refl.* apossar-se; apoderar-se; assenhorear-se.
adujar, *v. tr.* NÁUT. aduchar.
adulación, *s. f.* adulação; bajulação; lisonja.
adulador, -a, *adj.* e *s.* adulador; lisonjeiro.
adular, *v. tr.* adular; bajular.
adulón, -ona, *adj.* (*fam.*) adulador; lisonjeador; bajulador.
adulteración, *s. f.* adulteração.
adulterado, -a, *adj.* adulterado.
adulterador, -a, *adj.* e *s.* adulterador.
adulterar, *v.* **1.** *intr.* adulterar; cometer adultério. **2.** *tr.* (*fig.*) falsificar; viciar; contrafazer.
adulterino, -a, *adj.* adulterino; falso; falsificado.
adulterio, *s. m.* adultério; falsificação; adulteração.
adúltero, -a, *adj.* e *s.* adúltero.
adultez, *s. f.* idade adulta.
adulto, -a, *adj.* e *s.* adulto.
adulzamiento, *s. m.* adoçamento (do ferro).
adulzar, *v. tr.* amaciar (abrandar os metais).
adulzorar, *v. tr.* adulçorar; dulcificar; suavizar.
adumbrar, *v. tr.* adumbrar; sombrear.
adunco, -a, *adj.* adunco; curvo.
adustez, *s. f.* adustez; severidade.
adustión, *s. f.* adustão.
adusto, -a, *adj.* queimado; ardente; (*fig.*) austero; rígido.
advenedizo, -a, *adj.* e *s.* estrangeiro; forasteiro; adventício.
advenimiento, *s. m.* advento; chegada; vinda.

adventicio, -a, *adj.* adventício; estrangeiro; casual.
adventismo, *s. m.* adventismo.
adventista, *adj.* e *s.* 2 *gén.* adventista.
adverbial, *adj.* 2 *gén.* adverbial.
adverbio, *s. m.* advérbio.
adversario, -a, *s. m.* e *f.* adversário.
adversativo, -a, *adj.* adversativo.
adversidad, *s. f.* adversidade.
adverso, -a, *adj.* adverso; oposto; contrário.
advertencia, *s. f.* advertência; admoestação; aviso.
advertido, -a, *adj.* advertido; atento; avisado.
advertir, *v. tr.* e *intr.* advertir; avisar; admoestar.
adviento, *s. m.* advento; vinda; chegada.
advocación, *s. f.* invocação; protecção.
adyacencia, *s. f.* adjacência.
adyacente, *adj.* 2 *gén.* adjacente.
aedo, *s. m.* bardo; aedo.
aeración, *s. f.* aeração; aeragem; ventilação.
aéreo, -a, *adj.* aéreo.
aerícola, *adj.* 2 *gén.* aerícola.
aerobic, *s. m.* aeróbica.
aeróbica, *s. f.* aeróbica.
aerobio, -a, *adj.* aeróbio.
aerobús, *s. m.* airbus.
aeroclub, *s. m.* aeroclube.
aerodeslizador, *s. m.* aerodeslizador.
aerodinámica, *s. f.* aerodinâmica.
aerodinámico, *adj.* aerodinâmico.
aeródromo, *s. m.* aeródromo.
aeroespacial, *adj.* 2 *gén.* aerospacial.
aerofagia, *s. f.* aerofagia.
aerofotografía, *s. f.* fotografia aérea.
aerógrafo, *s. m.* aerógrafo.
aerograma, *s. m.* aerograma.
aerolínea, *s. f.* linha aérea.
aerolito, *s. m.* aerólito.
aerometría, *s. f.* aerometria.
aerómetro, *s. m.* aerómetro.
aeromodelismo, *s. m.* aeromodelismo.
aeromodelista, *adj.* e *s.* 2 *gén.* aeromodelista.
aeromodelo, *s. m.* aeromodelo.
aeronáutica, *s. f.* aeronáutica.
aeronáutico, -a, *adj.* aeronáutico.
aeronaval, *adj.* 2 *gén.* aeronaval.
aeronave, *s. f.* aeronave; avião.
aeroplano, *s. m.* aeroplano.
aeropostal, *adj.* 2 *gén.* aeropostal.
aeropuerto, *s. m.* aeroporto; aeródromo.

aeróscopo, *s. m.* aeroscópio.
aerosol, *s. m.* aerossol.
aerostática, *s. f.* aerostática.
aerostático, -a, *adj.* aerostático.
aeróstato, *s. m.* aeróstato.
aerotransportado, -a, *adj.* aerotransportado.
aerovía, *s. f.* via aérea.
afabilidad, *s. f.* afabilidade.
afable, *adj.* 2 *gén.* afável; amável.
afamado, -a, *adj.* afamado; notável.
afamar, *v. tr.* afamar; dar fama; tornar famoso.
afán, *s. m.* afã; canseira; trabalho; ânsia.
afanar, *v. intr.* e *refl.* afanar; roubar, furtar; *refl.* afanar-se, afadigar-se; esforçar-se.
afanoso, -a, *adj.* afanoso; trabalhoso; afanado.
afasia, *s. f.* MED. afasia; afemia.
afásico, -a, *adj.* afásico.
afeador, -a, *adj.* afeador; que afeia.
afear, *v. tr.* afear, tornar feio; (*fig.*) denegrir; vituperar; manchar.
afección, *s. f.* afeição; afecto; afecção (lesão orgânica).
afectación, *s. f.* afectação; fingimento; presunção.
afectado, -a, *adj.* afectado; presumido; presunçoso.
afectar, *v. tr.* afectar; ostentar; aparentar; MED. causar padecimento a.
afectividad, *s. f.* afectividade.
afectivo, -a, *adj.* afectivo; afectuoso.
afecto, -a, I. *adj.* afecto, afeiçoado; dedicado. II. *s. m.* afeição; amor.
afectuosidad, *s. f.* afectuosidade.
afectuoso, -a, *adj.* afectuoso.
afeitado, *s. m.* corte da barba; corte das pontas dos chifres do touro.
afeitadora, *s. f.* máquina de barbear.
afeitar, *v. tr.* barbear; cortar as pontas dos chifres ao touro.
afelpado -a, *adj.* felpudo; aveludado.
afeminación, *s. f.* efeminação.
afeminado -a, *adj.* efeminado.
afeminar, *v. tr.* efeminar, afeminar.
aferente, *adj.* 2 *gén.* aferente.
aféresis, *s. f.* GRAM. aférese.
aferramiento, *s. m.* aferramento, aferro.
aferrar, *v. tr.* aferrar; prender; segurar; ferrar; ancorar.
afgano, -a, *adj.* e *s.* afegã, afegane; do Afeganistão.

afianzamiento, *s. m.* reforço; consolidação.
afianzar, *v. tr.* reforçar; afiançar; abonar; garantir.
afiche, *s. m.* placard, póster.
afición, *s. f.* afeição; inclinação; afinco.
aficionado, -a, *adj.* afeiçoado; aficionado.
aficionar, *v. tr.* afeiçoar.
afijo, -a, *adj.* e *s. m.* afixo.
afiladera, *adj.* e *s. f.* afiadeira; amoladeira.
afilado, -a, *adj.* afiado; aguçado; delgado; fino; cortante; mordaz.
afilador, -a, *adj.* e *s.* afiador; amolador.
afilalápices, *s. m.* apara-lápis; aguça.
afilamiento, *s. m.* emagrecimento; afilamento (do rosto, do nariz ou dos dedos).
afilar, *v. tr.* afilar; afiar; aguçar.
afiliación, *s. f.* afiliação, filiação.
afiliar, *v. tr.* afiliar, filiar.
afiligranar, *v. tr.* filigranar.
afín, I. *adj.* 2 *gén.* afim; próximo; contíguo. II. *s. m.* e *f.* afim (parente por afinidade).
afinación, *s. f.* afinamento; afinação.
afinador, -a, *adj.* e *s.* afinador.
afinar, *v. tr.* afinar; aperfeiçoar; apurar.
afincar, *v. intr.* adquirir propriedades.
afinidad, *s. f.* afinidade; analogia; parentesco.
afirmación, *s. f.* afirmação; asseveração.
afirmado, -a, I. *adj.* afirmado; asseverado; afiançado. II. *s. m.* pavimento duma estrada.
afirmador, -a, *adj.* e *s.* afirmador.
afirmante, *adj.* 2 *gén.* afirmante.
afirmar, *v. tr.* afirmar; asseverar.
afirmativa, *s. f.* afirmativa; afirmação.
afirmativo, -a, *adj.* afirmativo.
afistular, *v. tr.* afistular.
aflautado, -a, *adj.* aflautado.
aflicción, *s. f.* aflição; angústia.
aflictivo, -a, *adj.* aflitivo.
afligido, -a, *adj.* aflito, perturbado.
afligir *v. tr.* afligir; apoquentar; inquietar.
aflojamiento, *s. m.* afroixamento, afrouxamento.
aflojar, *v.* 1. *tr.* afroixar, afrouxar. 2. *intr.* abrandar.
aflorado, -a, *adj.* floreado; excelente; primoroso.
afloramiento, *s. m.* afloramento, afloração.

aflorar, *v. intr.* aflorar; aparecer; surgir; emergir.

afluencia, *s. f.* afluência; abundância; cópia.

afluente, **I.** *adj.* 2 *gén.* afluente. **II.** *s. m.* rio que vai desaguar a outro, afluente.

afluir, *v. intr.* afluir, correr para; convergir; desembocar; concorrer.

aflujo, *s. m.* MED. afluxo.

afofarse, *v. refl.* afofar-se, tornar-se fofo.

afonía, *s. f.* afonia; perda da voz (por doença).

afónico, -a, *adj.* afónico.

aforado, -a, *adj.* e *s.* aforado; privilegiado.

aforador, *s. m.* aforador.

aforar, *v. tr.* aforar; avaliar.

aforisma, *s. f.* VET. aneurisma nas cavalgaduras.

aforismo, *s. m.* aforismo; máxima; sentença moral.

aforístico, -a, *adj.* aforístico.

aforo, *s. m.* lotação; medição; aferição.

aforrador, -a, *adj.* e *s.* forrador.

aforrar, *v. tr.* forrar.

afortunadamente, *adv.* afortunadamente, por sorte.

afortunado, -a, *adj.* afortunado; feliz; acertado.

afortunar, *v. tr.* afortunar.

afrancesado, -a, *adj.* e *s. m.* afrancesado.

afrancesamiento, *s. m.* afrancesamento.

afrancesarse, *v. refl.* afrancesar-se.

afrecho, *s. m.* farelo; sêmea; casca.

afrenillar, *v. tr.* NÁUT. prender os remos ao tolete.

afrenta, *s. f.* afronta; desonra; vergonha; infâmia.

afrentador, -a, *adj.* afrontador.

afrentar, *v. tr.* afrontar, ofender, ultrajar.

afrentoso, -a, *adj.* afrontoso; injurioso.

africada, *s. f.* africada (consoante).

africado, -a, *adj.* africado, fricativo.

africanismo, *s. m.* africanismo.

africanista, *adj.* e *s* 2 *gén.* africanista.

africano, -a, *adj.* e *s.* africano.

afrodisíaco, -a, *adj.* e *s. m.* afrodisíaco.

afrontamiento, *s. m.* afrontamento; confrontação.

afrontar, *v. tr.* afrontar; defrontar; acarear.

afta, *s. f.* MED. afta.

aftoso, -a, *adj.* aftoso.

afuera, **I.** *adv.* fora. **II.** *s. f. pl.* arredores; arrabaldes.

agachadiza, *s. f.* narceja; agachadeira.

agachar, *v.* 1. *tr.* e *intr.* (*fam.*) abaixar; incli-

nar. **2.** *refl.* (*fam.*) agachar-se; encolher-se.

agalla, *s. f.* galha; cecídia, excrescência (em certas plantas); agacha; brânquia; guelra.

agallegado, -a, *adj.* agalegado.

ágape, *s. m.* ágape.

agarbanzado, -a, *adj.* bege; vulgar.

agarbillar, *v. tr.* AGRIC. engavelar; enfeixar; atar em molhos.

agareno, -a, *adj.* e *s.* agareno; ismaelita; árabe.

agárico, *s. m.* agárico.

agarrada, *s. f.* (*fam.*) altercação; briga; rixa.

agarradera, *s. f.* pega; asa, *pl.* (*fig.*) influências, cunhas.

agarradero, *s. m.* asa, pega; desculpa; *pl.* (*fig.*) influências, cunhas.

agarrado, -a, *adj.* agarrado; (*fam.*) mesquinho.

agarrador, *s. m.* pega.

agarrar, *v. tr.* agarrar; prender; segurar; apanhar.

agarre, *s. m.* aderência.

agarrochar, *v. tr.* agarrochar; picar os touros com garrocha; garrochar.

agarrotamiento, *s. m.* aperto; endurecimento; rigidez; gripamento (de motor).

agarrotar, *v. tr.* arrochar; apertar; garrotear.

agasajar, *v. tr.* agasalhar; hospedar; presentear.

agasajo, *s. m.* deferência; presente; oferta; hospedagem.

ágata, *s. f.* ágata.

agave, *s. f.* agave.

agavilladora, *s. f.* enfardadeira.

agencia, *s. f.* agência.

agenciar, *v. tr.* agenciar.

agenda, *s. f.* agenda.

agenesia, *s. f.* MED. agenesia, esterilidade; impotência.

agente, *s. m.* agente; representante; sujeito (de oração).

agerasia, *s. f.* agerasia.

agermanado, -a, *adj.* agermanado; germanizado.

agigantado, -a, *adj.* agigantado; enorme.

agigantar, *v. tr.* (*fig.*) agigantar; (*fig.*) exagerar.

ágil, *adj.* 2 *gén.* ágil; ligeiro; lesto.

agilidad, *s. f.* agilidade; ligeireza; desembaraço.

agilización, *s. f.* agilização.

agilizar, *v. tr.* agilizar; adestrar; apressar; desenvolver.

ágilmente, *adv.* agilmente.
agiotaje, *s. m.* agiotagem, usura.
agiotista, *s.* 2 *gén.* agiota; usurário.
agitación, *s. f.* agitação; abalo; movimento; perturbação.
agitad|o, -a, *adj.* agitado; encrespado, revolto (mar); (*fig.*) ansioso.
agitador, -a, *adj. e s.* agitador; revolucionário.
agitanad|o, -a, *adj.* aciganado.
agitar, *v. tr.* agitar; abalar; excitar; inquietar.
aglomeración, *s. f.* aglomeração; ajuntamento.
aglomerado, *s. m.* aglomerado (de madeira, de cortiça, de carvão).
aglomerante, *s. m.* aglomerante.
aglomerar, *v. tr.* aglomerar; amontoar; acumular.
aglutinación, *s. f.* aglutinação, aglutinamento.
aglutinante, *adj.* 2 *gén. e s. m.* aglutinante.
aglutinar, *v. tr.* aglutinar; colar; unir.
agnación, *s. f.* agnação.
agnad|o, -a, *adj. e s.* agnado.
agnosticismo, *s. m.* agnosticismo.
agnóstic|o, -a, *adj. e s.* agnóstico; agnosticista.
agobiante, *adj.* 2 *gén.* sufocante; asfixiante.
agobiar, *v. tr.* vergar o corpo para o chão (sob o peso ou carga); angustiar; sufocar; asfixiar.
agobio, *s. m.* curvatura; abatimento (sob peso ou carga); angústia; asfixia, sufoco.
agolparse, *v. refl.* aglomerar-se; amontoar-se.
agonía, *s. f.* agonia; (*fig.*) aflição; angústia.
agónic|o, -a, *adj.* agónico.
agonizante, *adj.* 2 *gén.* agonizante; moribundo.
agonizar, *v. intr.* agonizar.
ágora, *s. f.* ágora.
agorafobia, *s. f.* agorafobia.
agorar, *v. tr.* agourar; (*fig.*) pressentir.
agorer|o -a, *adj. e s.* agoureiro; agourento.
agostadero, *s. m.* agostadoiro, agostadouro.
agostar, *v. tr. e intr.* agostar; secar; murchar; estiolar.
agosto, *s. m.* Agosto.
agotad|o -a, *adj.* cansado, exausto; esgotado.
agotador, -a, *adj.* esgotante.

agotamiento, *s. m.* esgotamento; extenuação.
agotar, *v. tr.* esgotar; esvaziar; consumir; gastar; cansar muito.
agracejina, *s. f.* pilrito (fruto do pilriteiro).
agracejo, *s. m.* BOT. agraço; pilriteiro.
agraciad|o, -a, *adj.* agraciado; gracioso; engraçado.
agraciar, *v. tr.* agraciar.
agradable, *adj.* 2 *gén.* agradável.
agradablemente, *adv.* agradavelmente.
agradar, *v. intr.* agradar; comprazer; satisfazer.
agradecer, *v. tr.* agradecer.
agradecid|o, -a, *adj.* agradecido; grato; reconhecido.
agradecimiento, *s. m.* agradecimento; gratidão; reconhecimento.
agrado, *s. m.* agrado; afabilidade; aprazimento.
agramatical, *adj.* 2 *gén.* agramatical.
agramaticalidad, *s. f.* agramaticalidade.
agrandamiento, *s. m.* aumento.
agrandar, *v. tr.* agraudar; aumentar; ampliar.
agranujad|o, -a, *adj.* granulado; que tem modos de vadio.
agranujarse, *v. refl.* tornar-se vadio.
agrari|o, -a, *adj.* agrário.
agravamiento, *s. m.* agravamento; agravação.
agravador, -a, *adj.* agravoso; agravante; gravoso.
agravante, I. *adj.* 2 *gén.* agravante. II. *s. f.* agravante, circunstância agravante.
agravar, *v.* 1. *tr.* agravar; oprimir. 2. *refl.* agravar-se; piorar.
agraviad|o, -a, *adj.* agravado.
agraviante, I. *adj.* 2 *gén.* agravante, ofensivo. II. *s.* 2 *gén.* ofensor, agressor.
agraviar, *v.* 1. *tr.* agravar. 2. *refl.* ofender-se.
agravio, *s. m.* agravo; ofensa; injúria.
agraz, *s. m.* agraço, agraz.
agredir, *v. tr.* agredir; atacar.
agregación, *s. f.* agregação.
agregad|o, -a, *adj. e s.* agregado; congregado; adjunto.
agregar, *v. tr.* agregar; ajuntar; acrescentar; associar.
agremiar, *v. tr.* agremiar; associar.
agresión, *s. f.* agressão.
agresivamente, *adv.* agressivamente.
agresividad, *s. f.* agressividade.

agresivo, -a, *adj.* agressivo; hostil.
agresor, -a, *adj.* e *s.* agressor.
agreste, *adj.* 2 *gén.* agreste, campestre; silvestre; áspero; (*fig.*) rude.
agriado, -a, *adj.* amargo; azedo; (*fig.*) irritado; irascível.
agriar, *v. tr.* azedar; irritar.
agrícola, *adj.* 2 *gén.* agrícola.
agricultor, -a, *s. m.* e *f.* agricultor; lavrador.
agricultura, *s. f.* agricultura; lavoura.
agridulce, *adj.* 2 *gén.* e *s. m.* agridoce; acre-doce.
agrietamiento, *s. m.* gretamento; fissura.
agrietar, *v. tr.* gretar; fender.
agrimensor, -a, *s. m.* e *f.* agrimensor.
agrimensura, *s. f.* agrimensura; agrimensão.
agrimonia, *s. f.* agrimónia, acrimónia.
agrio, -a, *adj.* agro; acre; azedo; ácido; (*fig.*) áspero.
agrión, *s. m.* VET. agrião (tumor nas cavalgaduras).
agripalma, *s. f.* BOT. agripalma.
agrisado, -a, *adj.* acinzentado.
agro, *s. m.* agricultura.
agronomía, *s. f.* agronomia.
agronómico, -a, *adj.* agronómico.
agrónomo, *s. m.* agrónomo.
agropecuario, -a, *adj.* agropecuário.
agrumarse, *v. refl.* agrumar-se, agrumelar-se.
agrupación, *s. f.* agrupamento.
agrupamiento, *s. m.* agrupamento.
agrupar, *v. tr.* agrupar; reunir em grupo; apinhar.
agrura, *s. f.* agrura; agro; azedume; aspereza.
agua, *s. f.* água; *agua de colonia,* água-de-colónia; *agua oxigenada,* água-oxigenada; *hacer agua,* meter água, fazer aguada.
aguacatal, *s. m.* plantio de aguacates ou abacateiros.
aguacate, *s. m.* aguacate, abacate.
aguacero, *s. m.* aguaceiro.
aguachirle, *s. f.* água-chilra.
aguada, *s. f.* aguada; NÁUT. provisão de água potável.
aguadera, *adj.* aguadeira (capa impermeável dos aguadeiros).
aguadero, -a, *s. m.* bebedouro.
aguadija, *s. f.* aguadilha (serosidade, humor).
aguado, -a, *adj.* aguado.

aguador, -a, *s. m.* e *f.* aguadeiro.
aguafiestas, *s.* 2 *gén.* e 2 *núm.* desmancha-prazeres.
aguafuerte, *s. f.* água-forte.
aguafuertista, *s.* 2 *gén.* e 2 *núm.* água-fortista.
aguamanil, *s. m.* bacia e jarro; gomil.
aguamar, *s. m.* medusa acalefa.
aguamarina, *s. f.* água-marinha (pedra preciosa).
aguamelado, a, *adj.* aguamelado.
aguamiel, *s. f.* água-mel; hidromel.
aguanieve, *s. f.* saraiva; neve misturada com chuva.
aguantable, *adj.* 2 *gén.* suportável; tolerável.
aguantaderas, *s. f. pl.* (*fam.*) paciência.
aguantar, *v.* **1.** *tr.* aguentar; sustentar, suster. **2.** *refl.* conter-se; reprimir-se.
aguante, *s. m.* sofrimento; paciência; tolerância.
aguapié, *s. m.* água-pé.
aguar, *v. tr.* aguar; (*fig.*) frustrar, perturbar.
aguardar, *v. tr.* aguardar; esperar; acatar; vigiar.
aguardentoso, -a, *adj.* aguardentoso.
aguardiente, *s. m.* aguardente.
aguardo, *s. m.* espera, esconderijo (na caça).
aguarrás, *s. m.* aguarrás.
aguaza, *s. f.* aguadilha; serosidade; humor aquoso dalguns tumores ou dalgumas plantas e frutos.
aguazal, *s. m.* aguaçal; charco; poça.
agudamente, *adv.* agudamente.
agudeza, *s. f.* agudeza, agudez; (*fig.*) viveza; perspicácia, esperteza, engenho.
agudización, *s. f.* aguçamento, afiamento; agudização, intensificação.
agudizamiento, *s. m.* vd. **agudización.**
agudizar, *v.* **1.** *tr.* aguçar, afiar; agudizar, piorar; intensificar. **2.** *refl.* agudizar-se, intensificar-se, piorar.
agudo, -a, *adj.* agudo; afiado; (*fig.*) perspicaz.
agüera, *s. f.* rego; regueira; agueiro; sanja.
agüero, *s. m.* agouro; presságio; vaticínio.
aguerrido, -a, *adj.* aguerrido; exercitado.
aguerrir, *v. tr.* aguerrir.
aguijada, *s. f.* aguilhada.
aguijadera, *s. f.* aguilhada.
aguijador, -a, *adj.* aguilhoador, que aguilhoa.
aguijadura, *s. f.* aguilhoadela.
aguijar, *v. tr.* aguilhoar; estimular; incitar.

aguijón, s. *m*. aguilhão; ferrão; acicate; estímulo.
aguijonada, s. *f*. vd. **aguijonazo**.
aguijonazo, s. *m*. aguilhoada.
aguijoneador, -a, *adj*. e s. aguilhoador.
aguijonear, *v. tr*. incitar; aguilhoar, estimular.
águila, s. *f*. águia.
aguilando, s. *m*. consoada; presente.
aguileña, s. *f*. BOT. aquilégia, aquileia.
aguileño, -a, *adj*. aquilino.
aguilera, s. *f*. penhasco onde as águias fazem o ninho.
agüilla, s. *f*. aguadilha.
aguilón, s. *m*. empena; lança de guindaste.
aguilucho, s. *m*. aguioto, filhote de águia.
aguinaldo, s. *m*. consoada; presente; cipó (planta).
aguja, s. *f*. agulha; obelisco; bússola.
agujereado, -a, *adj*. furado, perfurado.
agujerear, *v. tr*. furar; esburacar; perfurar.
agujero, s. *m*. agulheiro; buraco; furo; *(fig.)* agulheiro (fabricante de agulhas).
agujeta, s. *f*. cordão com agulhetas; atacadores; *pl*. dores musculares; agulhas.
agujetería, s. *f*. ofício de agulheteiro; loja onde se vendem agulhetas.
agujetero, -a, s. *m*. e *f*. agulheteiro, fabricante de agulhas ou agulhetas.
aguoso, -a, *adj*. aquoso.
agur!, *interj*. adeus!
agusanado, -a, *adj*. bichento, bichoso.
agusanarse, *v. refl*. bichar; criar; vermes.
agustino, -a, *adj*. e s. agostinho, agostinha; augustiniano.
agutí, s. *m*. ZOOL. cutia.
aguzadura, s. *f*. aguçadura; aguçamento; amolação.
aguzanieves, s. *f*. ZOOL. alvéola, alvéloa, alvela.
aguzar, *v. tr*. aguçar; afiar; amolar; *(fig.)* estimular; *aguzar el oído*, apurar o ouvido; *la necesidad.aguza el ingenio*, a necessidade aguça o engenho
iah!, *interj*. ah!(denota dor, alegria ou surpresa).
ahechar, *v. tr*. joeirar; passar pela joeira ou pelo crivo.
aherrojar, *v. tr*. agrilhoar; *(fig.)* oprimir; subjugar.
aherrumbrar, *v*. **1**. *tr*. dar cor ou sabor do ferro a. **2**. *refl*. tornar-se ferruginoso; enferrujar
ahí, *adv*. aí; nesse lugar; a esse lugar; nisto; nisso.

ahidalgado, -a, *adj*. afidalgado.
ahigadado, -a, *adj*. valente; arrojado; hepático.
ahijado, -a, s. *m*. e *f*. afilhado.
ahijamiento, s. *m*. adopção.
ahijar, *v*. **1**. *tr*. perfilhar; adoptar. **2**. *intr*. AGRIC. filhar.
ahilado, -a, *adj*. fraco, ligeiro, suave (vento); débil, fraco (voz).
ahilarse, *v. refl*. emagrecer, definhar; desfalecer.
ahincado, -a, *adj*. afincado; eficaz; eficiente; veemente.
ahincar, *v. tr*. afincar; instar.
ahínco, s. *m*. afinco; eficácia; empenho; pertinácia.
ahíto, -a, **I**. *adj*. farto; *(fig.)* cansado; enfastiado. **II**. *adj*. indigestão.
ahocicar, *v*. **1**. *tr. (fam.)* fazer calar. **2**. *intr*. submeter-se; cair, estatelar-se.
ahogadilla, s. *f*. mergulho, banho forçado.
ahogadillo, -a, s. *m*. vd. **ahogadilla**.
ahogado, -a, **I**. *adj*. afogado; abafado; abafadiço. **II**. s. *m*. e *f*. afogado.
ahogar, *v*. **1**. *tr*. sufocar, asfixiar, afogar; encharcar (plantas); afogar, encharcar (motor); apagar, extinguir (incêndio); reprimir (sentimentos, revolução). **2**. *refl*. afogar-se; sufocar, asfixiar (de calor); encharcar, afogar-se (motor).
ahogo, s. *m*. asfixia; *(fig.)* afogo; aflição; aperto; angústia.
ahombrarse, *v. refl*. masculinizar-se.
ahondar, *v. tr*. aprofundar; cavar; escavar; afundar; ir fundo; investigar.
ahora, *adv*. agora; neste momento; presentemente; ainda há pouco; *ahora bien*, todavia; *por ahora*, por enquanto; *de ahora en adelante*, de agora em diante.
ahorcado, -a, *adj*. e s. enforcado.
ahorcajarse, *v. refl*. escarranchar-se.
ahorcamiento, s. *m*. enforcamento.
ahorcar, *v. tr*. enforcar; estrangular.
ahormar, *v*. **1**. *tr*. enformar; moldar; ajustar. **2**. *refl. (fig.)* conformar-se.
ahornar, *v. tr*. enfornar.
ahorquillado, -a, *adj*. aforquilhado, bifurcado.
ahorquillar, *v. tr*. aforquilhar.
ahorrador, -a, *adj*. e s. aforrador; poupado.
ahorramiento, s. *m*. poupança; aforramento.

ahorrar, *v. tr.* aforrar; economizar; forrar; poupar; evitar.

ahorrativo, -a, *adj.* económico, de poupança.

ahorro, *s. m.* aforro, economia; poupança; *pl.* poupanças; aforros; *caja de ahorros,* caixa económica.

ahuecador, -a, *adj.* escavador.

ahuecamiento, *s. m.* escava; escavação; *(fig.)* envaidecimento.

ahuecar, *v. tr.* escavar, tornar oco; *(fig.)* envaidecer.

ahumada, *s. f.* almenara.

ahumado, -a, *adj.* afumado; fumado; esfumado; enegrecido.

ahumar, *v.* **1.** *tr.* afumar; defumar. **2.** *intr.* fumegar; enegrecer. **3.** *refl.* ganhar cor e cheiro a fumo; *(fig.)* embebedar-se.

ahusado, -a, *adj.* afusado; afuselado; fusiforme.

ahuyentar, *v. tr.* afugentar; *(fig.)* repelir; afastar.

ailanto, *s. m.* BOT. ailanto.

airado, -a, *adj.* irado; irritado.

airamiento, *s. m.* ira; cólera.

airar, *v.* **1.** *tr.* irar; causar ira; indignar; irritar. **2.** *refl.* irar-se, irritar-se; zangar-se.

airbag, *s. m.* airbag.

aire, *s. m.* ar; aragem; sopro; *(fig.)* aparência; garbo; brio; MÚS. ária, melodia; *al aire libre,* ao ar livre; *tomar el aire,* tomar ar; *darse aires,* dar-se ares; *vivir del aire,* viver de ar e vento.

aireación, *s. f.* ventilação.

airear, *v. tr.* arejar; ventilar; divulgar, fazer constar.

aireo, *s. m.* arejamento.

airón, *s. m.* poupa; tufo de penas; antigo enfeite de toucado.

airoso, -a, *adj.* arejado; ventilado; *(fig.)* airoso; elegante; gentil.

aislacionismo, *s. m.* isolacionismo.

aislacionista, *adj.* e *s.* 2 *gén.* isolacionista.

aislado, -a, *adj.* só; isolado; solto; individual.

aislador, -a, *adj.* e *s. m.* FÍS. isolador.

aislamiento, *s. m.* isolamento; isolação; separação.

aislante, *adj.* 2 *gén.* e *s. m.* isolante, isolador.

aislar, *v. tr.* insular; isolar; pôr só; separar.

ajado, -a, *adj.* estragado, velho.

ajamonarse, *v. refl. (fam.)* engordar (a mulher).

ajar, **I.** *s. m.* alhal; plantio de alhos. **II.** *v. tr.* estragar; maltratar; danificar (uma coisa); *(fig.)* injuriar.

ajardinar, *v. tr.* ajardinar.

ajaspajas, *s. f. pl.* palhas alhas; insignificância.

ajedrecista, *s.* 2 *gén.* xadrezista.

ajedrez, *s. m.* xadrez.

ajedrezado, -a, *adj.* axadrezado.

ajeno, -a, *adj.* alheio; estranho; distante; desinteressado; inusitado, impróprio; *meterse en lo ajeno,* meter-se na vida alheia.

ajete, *s. m.* alho pequeno e tenro; molho que tem alho.

ajetreado, -a, *adj.* ocupado; atarefado; cansado.

ajetrearse, *v. refl.* fatigar-se; cansar-se, afadigar-se.

ajetreo, *s. m.* fadiga; cansaço.

ají, *s. m.* chíli.

ajiaceite, *s. m.* molho de azeite e alho.

ajicomino, *s. m.* molho de alho e cominhos.

ajilimoje, *s. m.* molho de alho e pimenta.

ajilimójili, *s. m.* vd. ajilimoje.

ajillo, *al ajillo,* frito com alho.

ajipuerro, *s. m.* alho-porro.

ajo, *s. m.* BOT. alho.

ajoarriero, *s. m.* guisado feito com badejo.

ajobar, *v. tr.* levar às costas; carregar com alguma coisa.

ajobero, -a, *adj.* e *s.* carregador; carrejão.

ajobilla, *s. f.* espécie de amêijoa.

ajobo, *s. m.* carregação; carga; *(fig.)* ocupação pesada.

ajofaina, *s. f.* bacia.

ajonje, *s. m.* visco.

ajonjolí, *s. m.* BOT. gergelim, sésamo.

ajorca, *s. f.* axorca; bracelete; pulseira.

ajornalar, *v. tr.* ajornalar; ajustar a jornal.

ajuar, *s. m.* enxoval.

ajumarse, *v. refl.* embebedar-se.

ajuntar, *v. tr.* juntar.

ajustado, -a, *adj.* justo; recto; exacto.

ajustador, -a, *adj.* e *s.* ajustador.

ajustamiento, *s. m.* ajustamento.

ajustar, *v. tr.* ajustar; adaptar; combinar, concertar.

ajuste, *s. m.* ajuste.

ajusticiado, -a, *adj.* e *s. m.* e *f.* justiçado.

ajusticiamiento, *s. m.* execução.

ajusticiar, *v. tr.* executar.

al, contracção da *prep.* **a** e o *art.* **el**: ao, para o; *me voy al campo*, vou para o campo; *al partir el pán*, ao partir o pão.

ala, *s. f.* asa; ala; fileira; *tocado del ala*, um tanto louco.

Alá, *s. m.* Alá.

alabad|o, -a, I. *adj.* louvado. **II.** *s. m.* bendito.

alabador, -a, *adj.* e *s.* louvador.

alabamiento, *s. m.* louvor; elogio; aplauso, apologia.

alabancer|o, -a, *adj.* louvaminheiro; adulador.

alabandina, *s. f.* MINER. alabandina, alabandite.

alabanza, *s. f.* louvor; elogio; aplauso; apologia.

alabar, *v. tr.* louvar; elogiar; gabar; exaltar.

alabarda, *s. f.* alabarda.

alabardad|o, -a, *adj.* alabardino.

alabardero, *s. m.* alabardeiro; archeiro.

alabastrin|o, -a, *adj.* alabastrino, alabástrico.

alabastrita, *s. f.* MIN. alabastrite.

alabastro, *s. m.* MIN. alabastro.

alabear, *v.* **1.** *tr.* arquear; empenar; encurvar. **2.** *refl.* torcer-se, empenar-se.

alabeo, *s. m.* empenamento; empeno.

alabiad|o, -a, *adj.* arestado, arestoso; rebarbado.

alacena, *s. f.* despensa, armário embutido.

alacrán, *s. m.* lacrau; escorpião.

alacranad|o, -a, *adj.* picado pelo lacrau ou escorpião; *(fig.)* viciado, doente.

alacridad, *s. f.* alacridade; alegria; entusiasmo.

alada, *s. f.* bater de asas para voar; golpe de asa.

aladar, *s. m.* madeixa de cabelos caída sobre a testa; melena.

aladierna, *s. f.* BOT. sanguinho.

alad|o, -a, *adj.* alado.

aladrada, *s. f.* sulco.

aladrar, *v. tr.* arar; lavrar (a terra).

alafia, *s. f. (fam.)* graça; perdão; misericórdia.

alagadiz|o, -a, *adj.* alagadiço; lamacento.

alagar, *v. tr.* alagar; encharcar; inundar.

alagartad|o, -a, *adj.* alagartado.

alamar, *s. m.* alamar; cordão; galão; requife.

alambicad|o, -a, *adj.* alambicado.

alambicar, *v. tr.* alambicar; *(fig.)* tornar afectado.

alambique, *s. m.* alambique.

alambor, *s. m.* ARQ. alambor.

alambrada, *s. f.* vedação de arame.

alambrad|o, -a, I. *adj.* cercado. **II.** *s. m.* vedação de arame.

alambrar, *v. tr.* alambrar, cercar com fios de arame.

alambre, *s. m.* arame.

alambrera, *s. f.* rede de arame, alambrado; guarda-fogo; mosqueiro.

alambrista, *s. 2 gén.* funâmbulo.

alameda, *s. f.* alameda; plantio de álamos; rua orlada com árvores.

álamo, *s. m.* BOT. álamo.

alampar, *v. intr.* ansiar ardentemente; desejar.

alamud, *s. m.* ferrolho.

alanceador, -a, *adj.* alanceador.

alancear, *v. tr.* alancear; ferir com lança; lancear.

alan|o, -a, I. *adj.* e *s.* alano. **II.** *s. m.* ZOOL. alão, grande cão de fila.

alarde, *s. m.* alardo; revista de tropas; recenseamento; visita aos presos feita pelo juiz; alarde; aparato; ostentação; vaidade.

alardear, *v. intr.* alardear; ostentar.

alardeo, *s. m.* alardeamento; alarde.

alardos|o, -a, *adj.* alardeador, portentoso, pomposo.

alargad|o, -a, *adj.* alargado, alongado.

alargador, -a, *adj.* alargador.

alargamiento, *s. m.* alargamento.

alargar, *v. tr.* alargar; dilatar; desenvolver.

alaria, *s. f.* pá; utensílio usado pelos oleiros.

alarida, *s. f.* alarida, alarido; vozearia; algazarra.

alarid|o, *s. m.* alarida, alarido; clamor geral; lamentação.

alarma, *s. f.* alarme; sinal; grito; rebate.

alarmad|o, -a, *adj.* alarmado.

alarmante, *adj. 2 gén.* alarmante.

alarmar, *v. tr.* alarmar; alvoroçar; assustar.

alarmismo, *s. m.* alarmismo.

alarmista, *s. 2 gén.* alarmista; boateiro.

alastrar, *v.* **1.** *tr.* fitar as orelhas (o cavalo ou o touro). **2.** *refl.* arrastar-se pelo chão.

alaz|án, -ana, *adj.* e *s.* alazão, alazã.

alba, *s. f.* alva, a primeira luz do dia; alva, veste talar.

albaca, *s. f.* vd. **albahaca**.

albacea, *s. 2 gén.* DIR. testamenteiro, testamenteira.

albacora, *s. f.* ZOOL. albacor, albacora.

albahaca, *s. f.* BOT. alfavaca; segurelha.

albanés, -esa, *adj.* e *s.* albanês.

albañal, s. m. cloaca; esgoto; sargeta; sentina.

albañil, s. m. alvanel, alvenel; pedreiro.

albañilería, s. f. alvenaria; obra de alvenaria.

albar, adj. 2 gén. branco; alvar; alvo.

albarán, s. m. escrito; papel afixado nas casas, oferecendo-as de aluguer.

albarca, s. f. tamanco; soco.

albarda, s. f. albarda.

albardado, -a, adj. albardado.

albardán, s. m. bufão; truão; bobo; chocarreiro.

albardanería, s. f. bufonaria; truania; chocarrice.

albardar, v. tr. albardar.

albardero, s. m. albardeiro.

albardilla, s. f. albardilha.

albardín, s. m. espécie de esparto.

albardón, s. m. albardão.

albaricoque, s. m. albricoque.

albaricoquero, s. m. albricoqueiro; alpercheiro; damasqueiro.

albariño, s. m. vinho alvarinho.

albariza, s. f. laguna salobra.

albarrana, adj.: torre albarrana, torre albarrã.

albarranilla, s. f. espécie de cebola albarrã.

albatros, s. m. ZOOL. albatroz; alcatraz.

albayalde, s. m. alvaiade; alvaiado.

albazano, -a, adj. baio; zebrum.

albear, v. intr. alvejar, branquejar.

albedrío, s. m. alvedrio; arbítrio; moto próprio; libre albedrío, livre arbítrio.

albéitar, s. m. alveitar.

albeitería, s. f. alveitaria.

albenda, s. f. colgadura.

alberca, s. f. alverca; tanque de nora; reservatório.

albérchiga, s. f. vd. **albérchigo.**

albérchigo, s. m. alperche, alperce; damasco.

alberchiguero, s. m. BOT. alpercheiro, alperceiro, damasqueiro.

albergador, -a, adj. albergueiro; hospedeiro.

albergar, v. tr. albergar, recolher; abrigar.

albergue, s. m. albergue; abrigo; hospedaria.

alberguería, s. f. albergaria; estalagem, pousada.

alberguero, -a, s. m. e f. albergueiro.

albero, -a, I. adj. branco. II. s. m. esfregão da louça.

albicante, adj. 2 gén. albicante; esbranquiçado; albescente.

albigense, adj. e s. 2 gén. albigense.

albina, s. f. albufeira, esteiro, lagoa; sal que fica nestas lagoas.

albinismo, s. m. albinismo.

albino, -a, adj. e s. albino.

albita, s. f. MIN. albite,.

albo, -a, adj. alvo, branco.

albogón, s. m. cornamusa, gaita-de-foles.

albogue, s. m. albogue, alboque; gaita rústica.

alboguear, v. intr. tocar o albogue ou alboque.

albollón, s. m. escoadoiro; cano; vala.

albóndiga, s. f. almôndega.

albondiguilla, s. f. almôndega.

albor, s. m. alvura; limpidez; brancura; alvor, alva.

alborada, s. f. alvorada; crepúsculo matutino; toque militar nos quartéis.

alborear, v. intr. alvorejar; alvorear; alvorecer.

albornía, s. f. vasilha de barro vidrado.

albornoz, s. m. albornoz.

alborotadamente, adv. com alvoroço; agitadamente; ruidosamente.

alborotadizo, -a, adj. turbulento; assomadiço.

alborotado, -a, adj. alvorotado; alvoroçado; precipitado.

alborotador, -a, adj. alvorotador.

alborotar, v. tr. alvorotar; alvoroçar; perturbar; amotinar.

alboroto, s. m. alvoroço, alvoroto; desordem; tumulto; assuada; motim.

alborozadizo, -a, adj. excitável.

alborozado, -a, adj. alvoroçado; excitado.

alborozador, -a, adj. alvoroçador, alvorotador.

alborozar, v. tr. alvoroçar, alvorotar.

alborozo, s. m. alvoroço, alvoroto; entusiasmo.

albricias, s. f. pl. alvíssaras.

albufera, s. f. albufeira.

albugíneo, -a, adj. ZOOL. albugíneo.

albuginitis, s. f. MED. albuginite.

albugo, s. m. MED. albugem; albugo.

albuhera, s. f. albufeira.

álbum, s. m. álbum.

albumen, s. m. BOT. albume, albúmen.

albúmina, s. f. albumina.

albuminímetro, s. m. QUÍM. albuminímetro.

albuminoide|o -a, adj. QUÍM. albuminóide.

albuminuria, s. f. MED. albuminúria.

albur, s. m. ZOOL. boga; (fig.) contingência; azar; risco.

albura, s. f. alvura; limpidez; BOT. alburno.

alburente, adj. 2 gén. diz-se da madeira macia.

alburno, s. m. BOT. alburno.

alburnos|o, -a, adj. alburnoso.

alcabala, s. f. alcavala; sisa.

alcabalero, s. m. alcavaleiro.

alcacel, s. m. alcácer.

alcachofa, s. f. alcachofra.

alcachofal, s. m. alcachofral.

alcadafe, s. m. alcadafe.

alcahaz, s. m. viveiro; gaiola grande para aves.

alcahazar, v. tr. engaiolar.

alcahuet|e, -a, s. m. e f. alcoviteiro; alcaiote.

alcahuetear, v. tr. alcaiotar; alcovitar.

alcahuetería, s. f. alcaiotaria; alcovitaria.

alcaide, s. m. director de uma prisão.

alcaldada, s. f. abuso de autoridade.

alcalde, s. m. presidente de câmara municipal.

alcaldesa, s. f. alcaidessa.

alcaldía, s. f. alcaidaria; câmara municipal.

alcalescencia, s. f. QUÍM. alcalescência.

álcali, s. m. QUÍM. álcali, alcali.

alcalímetro, s. m. QUÍM. alcalímetro.

alcalinidad, s. f. alcalinidade.

alcalinizar, v. tr. QUÍM. alcalinizar.

alcalin|o, -a, adj. QUÍM. alcalino.

alcaller, s. m. oleiro.

alcaloide, s. m. QUÍM. alcalóide.

alcalometría, s. f. alcalimetria.

alcance, s. m. seguimento; perseguição; encalço; alcance; distância.

alcancía, s. f. mealheiro; alcanzia, espécie de granada.

alcanciazo, s. m. alcanziada.

alcandía, s. f. BOT. sorgo.

alcandial, s. m. seara de trigo candial.

alcandora, s. f. alcândora.

alcanfor, s. m. cânfora; alcanfor; alcânfora.

alcanforad|o, -a, adj. canforado; alcanforado.

alcanforar, v. tr. canforar; alcanforar.

alcanforero, s. m. canforeira, alcanforeiro.

alcántara, s. f. caixa grande de madeira (nos teares).

alcantarilla, s. f. esgoto; sargeta, sumidouro.

alcantarillar, v. tr. construir esgotos.

alcanzable, adj. 2 gén. alcançável.

alcanzadiz|o, -a, adj. alcançadiço.

alcanzad|o, -a, adj. alcançado; endividado.

alcanzadura, s. f. VET. alcançadura, alcançadela.

alcanzar, v. tr. alcançar; conseguir; saber; entender.

alcaparra, s. f. alcaparra; alcaparreira.

alcaparral, s. m. alcaparral.

alcaparrón, s. m. alcaparra.

alcaraván, s. m. ZOOL. alcaravão.

alcaravea, s. f. alcaravia.

alcarceña, s. f. BOT. chícharo.

alcarceñal, s. m. plantio de chícharos.

alcarraza, s. f. alcarraza; moringa.

alcarria, s. f. planalto, em geral, com pouca vegetação.

alcatara, s. f. alquitara; alambique.

alcatifa, s. f. alcatifa; vigamento.

alcatraz, s. m. ZOOL. alcatraz; canudo de papel.

alcaucil, s. m. alcachofra silvestre.

alcaudón, s. m. ZOOL. picanço.

alcayata, s. f. cravo; NÁUT. nó de anzol.

alcazaba, s. f. alcáçova; castelo; fortaleza.

alcázar, s. m. alcácer; fortaleza; reduto.

alcazuz, s. m. alcaçuz.

alce, s. m. ZOOL. alce.

alción, s. m. alcíone, alcião; martim-pescador.

alcionio, s. m. polipeiro; zoário.

alcista, adj. e s. 2 gén. altista (bolsa).

alcoba, s. f. alcova; quarto de cama.

alcocarra, s. f. gesto; esgar; trejeito; careta.

alcofa, s. f. esporta; alcofa.

alcohol, s. m. álcool.

alcoholar, v. tr. alcoolificar; alcoolizar.

alcoholato, s. m. QUÍM. alcoolato.

alcoholemia, s. f. alcoolemia; tasa (nivel) de alcoholemia, taxa de alcoolemia.

alcoholera, s. f. destilaria.

alcohólic|o, -a, adj. alcoólico.

alcoholímetro, s. m. alcoómetro; alcoolómetro.

alcoholismo, s. m. alcoolismo.

alcoholización, s. f. alcoolização.
alcoholizad|o, -a, adj. alcoolizado.
alcoholizar, v. tr. alcoolizar.
alcolla, s. f. ampola grande de vidro.
alcor, s. m. colina; outeiro.
Alcorán, s. m. Alcorão.
alcoranista, s. 2 gén. alcoranista.
alcorcí, s. m. jóia pequena.
alcornocal, s. m. sobral, sobreiral.
alcornoque, s. m. sobro, sobreiro.
alcorque, s. m. alcorque; tamanco com sola de cortiça; AGRIC. alcorca; cava; sulco feito em redor do pé das plantas para rega.
alcorza, s. f. alcorça; calda de açúcar.
alcorzar, v. tr. cobrir ou guarnecer com alcorça.
alcotán, s. m. ZOOL. açor; esmerilhão.
alcotana, s. f. espécie de picareta, alvião.
alcucer|o, -a, I. adj. (fig., fam.) guloso. **II.** s. m. latoeiro; funileiro.
alcuño, s. m. alcunha; apodo.
alcurnia, s. f. ascendência; linhagem; estirpe.
alcuza, s. f. alcuza; galheta; almotolia; azeiteira.
alcuzcuz, s. m. cuscuz, massa de farinha e mel.
aldaba, s. f. aldraba; tranqueta.
aldabada, s. f. aldrabada.
aldabazo, s. m. aldrabada forte.
aldabear, v. intr. aldrabar; dar repetidas aldrabadas.
aldabía, s. f. viga; trave.
aldabilla, s. f. aldraba pequena.
aldabón, s. m. aldrabão; aldraba grande.
aldabonazo, s. m. aldrabada forte.
aldea, s. f. aldeia.
aldean|o, -a, adj. aldeão, aldeã; (fig.) inculto.
aldehído, s. m. QUÍM. aldeído.
aldehuela, s. f. aldeola, aldeota.
aldeorrio, s. m. aldeota, aldeola.
aldin|o, -a, adj. aldino; grifo; itálico.
aldrán, s. m. vendedor de vinho nas matas; cantineiro.
ale, s. f. espécie de cerveja, sem lúpulo.
aleación, s. f. ligação; mistura; liga (de metais).
alear, v. tr. ligar; combinar metais (fundindo-os).
aleatori|o, -a, adj. aleatório.

aleccionamiento, s. m. leccionação; instrução; explicação.
aleccionar, v. tr. leccionar; ensinar; explicar.
alecrín, s. m. ZOOL. peixe-alecrim.
alectoria, s. f. alectória.
alechugar, v. tr. franzir; preguear.
aledaño, -a, adj. confinante; limítrofe; fronteiro.
alefriz, s. m. NÁUT. alefriz.
alegación, s. f. alegação.
alegamar, v. **1.** tr. adubar. **2.** refl. enlamear-se.
alegar, v. tr. alegar.
alegoría, s. f. alegoria.
alegóric|o, -a, adj. alegórico.
alegorizar, v. tr. alegorizar.
alegrar, v. tr. alegrar.
alegre, adj. 2 gén. alegre; contente; (fig.) cores vivas; (fam.) animado (por bebidas alcoólicas).
alegret|e, -a, adj. alegrete.
alegreto, adv. MÚS. alegreto.
alegría, s. f. alegria.
alegro, adv. MÚS. alegro.
alegrón, s. m. (fam.) alegrão, grande alegria.
alejamiento, s. m. afastamento.
alejandrin|o, -a, adj. e s. alexandrino, natural de Alexandria.
alejar, v. tr. afastar; distanciar; apartar.
alelamiento, s. m. emparvoamento; aparvoamento.
alelar, v. **1.** tr. emparvoar, emparvoecer. **2.** refl. aparvalhar-se.
alelí, s. m. aleli; goiveiro.
aleluya, s. m. e f. aleluia.
alema, s. f. água de regadio, aproveitada por turnos.
alem|án, -ana, I. adj. e s. m. e f. alemão, natural da Alemanha. **II.** s. m. idioma alemão.
alenguar, v. tr. arrendar (uma devesa, um campo).
alentada, s. f. respiração continuada; fôlego; alento.
alentad|o, -a, adj. resistente à fadiga; alentado.
alentador, -a, adj. encorajador.
alentar, v. **1.** intr. respirar. **2.** tr. alentar; animar.
aleócaro, s. m. ZOOL. aleócaro.
aleonad|o, -a, adj. aleonado.
alepín, s. m. alepina.

alerce, s. m. larício.
alergia, s. f. FISIOL. alergia.
alérgic|o, -a, adj. alérgico.
alero, s. m. beirado; beiral; aba do telhado; alpendre; guarda-lamas.
alertar, v. tr. alertar.
alert|o, -a, adj. vigilante; cuidadoso.
aleta, s. f. asinha, pequena asa; barbatana de peixe; aleta; guarda-lamas.
aletada, s. f. movimento das asas.
aletargad|o, adj. adormecido; amodorrado.
aletargamiento, s. m. letargo; modorra.
aletargar, v. tr. aletargar.
aletear, v. intr. adejar; esvoaçar; voejar.
aleteo, s. m. adejo; (fig.) palpitação violenta do coração.
aleurita, s. f. BOT. aleurite.
aleurómetro, s. m. aleurómetro.
alevín, s. m. alevim.
alevosía, s. f. aleivosia; aleive; traição; perfídia.
alexifármaco, adj. e s. m. MED. alexifármaco.
aleya, s. f. versículo do Alcorão.
alfa, s. f. alfa.
alfabétic|o, -a, adj. alfabético; alfabetário.
alfabetización, s. f. alfabetização.
alfabetizar, v. tr. alfabetizar.
alfabeto, s. m. alfabeto; abecedário.
alfalfa, s. f. alfafa, alfalfa; luzerna.
alfalfar, s. m. alfafal; luzernal, luzerneiral.
alfana, s. f. cavalo forte e vigoroso.
alfaneque, s. m. alfaneque; francelho.
alfanjad|o, -a, adj. alfanjado.
alfanje, s. m. alfange.
alfaque, s. m. alfaque; banco de areia; baixio; recife.
alfarería, s. f. olaria; cerâmica.
alfarero, s. m. oleiro.
alfargo, s. m. vara do lagar de azeite.
alfarje, s. m. alfarja; alfarge, mó do lagar de azeite; ARQ. tecto de madeira lavrada.
alfarjía, s. f. viga de madeira.
alféizar, s. m. alféizar.
alfeñicarse, v. refl. (fig., fam.) afeminar-se, efeminar-se; requebrar-se.
alfeñique, s. m. alfenim, massa branca de açúcar; (fig.) pessoa de fraca compleição.
alferecía, s. f. epilepsia.
alférez, s. m. MIL. alferes.
alfil, s. m. alfil, peça (bispo) do jogo do xadrez.
alfiler, s. m. alfinete.

alfilerazo, s. m. alfinetada.
alfiletero, s. m. alfineteira; agulheiro.
alfolí, s. m. celeiro; granel; tulha; armazém de sal.
alfombra, s. f. alfombra; tapete; alcatifa.
alfombrado, adj. alfombrado.
alfombrar, v. tr. alfombrar; atapetar; alcatifar.
alfombrer|o, -a, s. m. e f. fabricante de alfombras.
alfombrilla, s. f. MED. rubéola.
alfóncigo, s. m. pistaceira; pistácia.
alfonsin|o, -a, adj. alfonsino.
alforfón, s. m. trigo-negro.
alforja, s. f. alforge.
alforjer|o, -a, s. m. alforgeiro; frade mendicante.
alfoz, s. m. e f. alfoz; subúrbios duma povoação.
alga, s. f. BOT. alga.
algaba, s. f. bosque; selva.
algaida, s. f. matagal; bosque; duna.
algalia, s. f. algália; almíscar; MED. sonda.
algara, s. f. algara; algarada; sortida; clamor.
algarabía, s. f. algaravia, algravia.
algarada, s. f. vd. **algara**.
algarroba, s. f. BOT. alfarroba (o fruto da alfarrobeira); alfarrobeira.
algarrobal, s. m. alfarrobal.
algarrobo, s. m. BOT. alfarrobeira.
algazara, s. f. algazarra.
algazul, s. m. BOT. soda; barrilha; barrilheira.
álgebra, s. f. álgebra.
algébric|o, -a, adj. e s. algébrico; algebrista; endireita.
algidez, s. f. MED. algidez.
álgid|o, a, adj. álgido.
algo, I. pron. algo; II. adv. um pouco; um tanto.
algodón, s. m. BOT. algodoeiro (planta); algodão; algodón en rama, algodão-em--rama; algodón hidrófilo, algodão hidrófilo; algodón dulce, algodão-doce.
algodonal, s. m. algodoal.
algodonar, v. tr. estofar; acolchoar.
algodoner|o, -a, adj. e s. algodoeiro.
algorfa, s. f. sótão, água-furtada (para recolha de cereais); celeiro.
algoritmia, s. f. algoritmia.
algoritmo, s. m. algoritmo.
algos|o, -a, adj. algoso.
alguacil, s. m. aguazil, alguazil; esbirro.

alguien, *pron. indef.* alguém.

algún, *pron. indef.* algum.

alguno, -a, *adj.* algum; qualquer.

alhaja, *s. f.* jóia; pedra preciosa.

alhajar, *v. tr.* enfeitar com jóias.

alharaca, *s. f.* espavento; exagero; escarcéu; *hacer alharacas*, fazer escarcéu.

alharma, *s. f.* BOT. arruda silvestre.

alhelí, *s. m.* aleli; goiveiro.

alheña, *s. f.* BOT. alfena.

alhóndiga, *s. f.* eira do trigo; mercado de trigo; celeiro.

alhucema, *s. f.* BOT. alfazema.

aliacán, *s. m.* icterícia.

aliáceo, -a, *adj.* aliáceo.

aliado, -a, *adj.* aliado.

aliaje, *s. m.* liga; mistura; união.

alianza, *s. f.* aliança; união.

aliar, *v. tr. e refl.* aliar, aliar-se.

aliara, *s. f.* corna, chifre de boi servindo de vasilha.

aliaria, *s. f.* BOT. aliária.

alias, I. *adv.* aliás. II. *s. m.* apodo, alcunha.

alibi, *s. m.* álibi.

alible, *adj. 2 gén.* alíbil.

alicaído, -a, *adj.* alicaído; de asas caídas (*fig., fam.*) débil; debilitado; decaído.

alicantino, -a, *adj. e s.* alicantino; natural de Alicante.

alicatado, *s. m.* obra de azulejos, geralmente de estilo árabe.

alicates, *s. m. pl.* alicate.

alicer, *s. m.* alizar; faixa ou friso de azulejos.

aliciente, *s. m.* aliciante; atractivo; incentivo.

alícuota, *adj. f.* alíquota.

alienable, *adj. 2 gén.* alienável.

alienación, *s. f.* alienação; MED. alienação mental; loucura; mania.

alienado, -a, *adj.* alienado; louco; de mente; doido.

alienador, -a, *adj.* alienante.

alienante, *adj. 2 gén.* alienante.

alienar, *v. tr.* alienar.

alienígena, *adj. e s. 2 gén.* vd. **alienígeno**

alienígeno, -a, *adj. e s.* alienígena; extraterrestre.

alienismo, *s. m.* psiquiatria; loucura; alienação.

alienista, *s. 2 gén.* alienista; psiquiatra.

aliento, *s. m.* alento; respiração; hálito.

alifafe, *s. m.* (*fam.*) achaque leve; VET. alifafe.

aligación, *s. f.* liga de metais.

aligátor, *s. m.* ZOOL. aligátor.

aligeramiento, *s. m.* aligeiramento.

aligerar, *v. tr. e refl.* aligeirar; abreviar; (*fig.*) aliviar.

alijar, *v. tr.* alijar; desembaraçar-se; atirar.

alijo, *s. m.* alijamento.

alimaña, *s. f.* peste; *pl.* bichos; insectos.

alimentación, *s. f.* alimentação.

alimentar, *v. tr.* alimentar.

alimentario, -a, *adj.* alimentar, nutritivo.

alimenticio, -ia, *adj.* alimentício; alimentoso.

alimento, *s. m.* alimento; sustento; comida; pasto.

alimentoso, -a, *adj.* alimentício; alimentoso; nutritivo.

alimón (al), *adv.* TAUR. sorte executada por dois lidadores.

alimonarse, *v. refl.* emurchecerem (certas árvores).

alindar, *v.* 1. *tr.* lindar; demarcar. 2. *tr. e refl.* alindar; aformosear.

alineación, *s. f.* alinhamento.

alineado, -a, *adj.* alinhado; *países no alineados*, países não alinhados.

alineamiento, *s. m.* alinhamento.

alinear, *v. tr.* alinhar, pôr em linha; DESP. actuar, fazer parte da equipa; MIL. entrar na formatura.

aliñado, -a, *adj.* alinhado; disposto; asseado.

aliñar, *v. tr.* alinhar; adornar; enfeitar; preparar; compor.

aliño, *s. m.* alinho; adorno; atavio.

alioli, *s. m.* molho de alho e azeite.

alípede, *adj. 2 gén.* (*poét.*) alípede.

aliquebrado -a, *adj.* aliquebrado; (*fig.*) alquebrado, débil; triste.

aliquebrar, *v. tr.* quebrar as asas (a uma ave); (*fig.*) alquebrar.

alisador, -a, *adj. e s.* alisador.

alisadura, *s. f.* alisadura, alisamento; *pl.* aparas (de madeira, pedra, etc.).

alisamiento, *s. m.* alisamento.

alisar, *v. tr. e refl.* alisar.

alisios, *adj. pl.* alisados; *s. m. pl.* alísios (ventos).

alisma, *s. f.* BOT. alisma.

aliso, *s. m.* BOT. amieiro; sanguinho-d'água.

alistador, s. m. alistador.

alistamiento, s. m. alistamento; recrutamento.

alistar, v. 1. tr. e refl. alistar; arrolar; recrutar; aprontar. 2. refl. sentar praça.

aliteración, s. f. aliteração.

aliviar, v. tr. aliviar; aligeirar; diminuir.

alivio, s. m. alívio; atenuação; refrigério.

alizar, s. m. alizar; faixa ou friso de azulejos.

aljaba, s. f. aljava; coldre.

aljama, s. f. aljama; judiaria; alfama; mouraria.

aljamía, s. f. aljamia, algemia.

aljamiad|o, -a, adj. aljamiado; algemiado.

aljarfa, s. f. aljafra.

aljez, s. m. mineral de gesso.

aljibe, s. m. algibe; cisterna.

aljofaina, s. f. bacia.

aljófar, s. m. aljôfar (pérola miúda); (fig.) lágrimas; orvalho.

aljofifa, s. f. esfregão.

aljuba, s. f. aljuba, vestimenta árabe.

allá, adv. lá; naquele lugar; além; noutros tempos.

allanador, -a, adj. e s. aplanador, que aplana.

allanamiento, s. m. aplanamento; alisamento.

allanar, v. tr. alhanar; aplanar; igualar; nivelar.

allegadera, s. f. AGRIC. rodo.

allegad|o, -a, adj. e s. o próximo; chegado; parente.

allegador, -a, adj. e s. ajuntador.

allegar, v. tr. e refl. recolher; juntar; achegar; aproximar.

allende, adv. além; acolá.

allí, adv. ali; naquele lugar.

alloza, s. f. BOT. arzola; amêndoa verde.

allozo, s. m. BOT. amendoeira brava ou silvestre.

alma, s. f. alma; espírito; essência.

almacén, s. m. armazém; depósito de mercadorias; loja.

almacenaje, s. m. armazenagem.

almacenamiento, s. m. armazenamento; depósito.

almacenar, v. tr. armazenar; depositar.

almacenista, s. 2 gén. armazenista; encarregado, fiel.

almáciga, s. f. almécega; resina; viveiro de plantas.

almacigar, v. tr. almecegar.

almácigo, s. m. BOT. almecegueira.

almádena, s. f. marreta; marrão.

almadía, s. f. almadia; canoa; balsa; piroga.

almadraba, s. f. almadrava; almadra.

almadrabero, s. m. almadraveiro.

almadreña, s. f. tamanco; soco de madeira.

almagral, s. m. almagral; almagreira.

almagrar, v. tr. almagrar; (fig.) marcar; assinalar.

almagre, s. m. almagre, almagro; (fig.) sinal.

almaje, s. m. conjunto de cabeças de gado.

almanaque, s. m. almanaque.

almarada, s. f. almarada; punhal; agulha grande; sovela.

almarbatar, v. tr. ensamblar.

almarbate, s. m. entalhe; madeiro quadrado da asna.

almarga, s. f. margueira.

almario, s. m. armário.

almarjo, s. m. barrilha; barrela; BOT. barrilheira.

almástiga, s. f. almécega, resina.

almazara, s. f. lagar de azeite; azenha.

almazarero, s. m. lagareiro.

almea, s. f. bálsamo; bailarina oriental.

almeja, s. f. amêijoa.

almejar, s. m. viveiro de amêijoas.

almena, s. f. ameia.

almenaje, s. m. conjunto de ameias.

almenar, v. tr. amear.

almenara, s. f. almenara.

almendra, s. f. amêndoa.

almendrad|o, -a, adj. amendoado.

almendral, s. m. amendoal.

almendrera, s. f. vd. **almendro**.

almendrilla, s. f. brita; cascalho.

almendro, s. m. BOT. amendoeira.

almendruco, s. m. amêndoa ainda com a casca verde.

almeriense, adj. e s. 2 gén. almeriense, de Almeria.

almete, s. m. elmo; elmete; morrião.

almiar, s. m. meda.

almíbar, s. m. calda de açúcar; melaço.

almidón, s. m. amido.

almidonad|o, -a, adj. amidoado; gomado; engomado.

almidonar, v. tr. amidoar; amidonar; engomar.

almimbar, s. m. púlpito das mesquitas.

alminar, s. m. minarete; almenara.
almiranta, s. f. almiranta.
almirantazgo, s. m. almirantado.
almirante, s. m. almirante.
almirez, s. m. almofariz.
almizcate, s. m. pátio entre dois prédios urbanos.
almizclar, v. tr. almíscarar.
almizcle, s. m. almiscar.
almizcleña, s. f. BOT. almiscareira.
almizclera, s. f. rato-almiscareiro.
almizclero, -a, adj. e s. m. almiscareiro.
almo, -a, adj. (poét.) almo, criador, vivificante; excelente, santo, digno de veneração.
almocadén, s. m. almocadém.
almocafre, s. m. almocafre; sacho de ponta.
almocrí, s. m. leitor do Alcorão nas mesquitas.
almodrete, s. m. molho de azeite, alhos e queijo.
almofía, s. f. almofia, bacia (de lavatório).
almoflate, s. m. faca redonda de correeiro.
almogávar, s. m. almogávar.
almohada, s. f. almofada.
almohade, adj. e s. 2 gén. almóada.
almohadilla, s. f. almofadinha; almofadilha.
almohadillar, v. tr. ARQ. almofadar.
almohadón, s. m. almofadão.
almohaza, s. f. almofaça.
almohazador, s. m. almofaçador (tratador de cavalos).
almohazar, v. tr. almofaçar.
almojarife, s. m. almoxarife.
almona, s. f. lugar onde se pesca o sável.
almóndiga, s. f. almôndega.
almoneda, s. f. almoeda; leilão.
almorávide, adj. e s. 2 gén. almorávida.
almorrana, s. f. MED. hemorróides; hemorróidas.
almorzar, v. intr. almoçar.
almud, s. m. almude.
almuecín, s. m. muezim, almuadem.
almuédano, s. m. almuadem, muezim.
almuérdago, s. m. agárico.
almuerzo, s. m. almoço.
almunia, s. f. horto; granja.
alnado, -a, s. m. e f. enteado, enteada.
alobadado, -a, adj. mordido pelo lobo.

alobunado, -a, adj. parecido com o lobo.
alocado, -a, adj. aloucado.
alocución, s. f. alocução.
alodial, adj. 2 gén. DIR. alodial.
alodio, s. m. alódio.
áloe, s. m. BOT. aloés.
aloético, -a, adj. aloético.
alófana, s. f. alofana, alofânio.
aloína, s. f. aloína.
aloisia, s. f. BOT. aloísia.
aloja, s. f. vd. **alondra**.
alojado, -a, I. adj. alojado. II. s. m. aboletado.
alojamiento, s. m. alojamento; estalagem; quartel.
alojar, v. tr. alojar; hospedar; aquartelar; aboletar.
alomar, v. tr. AGRIC. arar a terra formando lombas.
alomorfo, -a, adj. alomórfico.
alón, s. m. asa inteira de qualquer ave (sem penas).
alondra, s. f. ZOOL. calhandra.
alongado, -a, adj. alongado; prolongado; dilatado; alargado.
alongamiento s. m. alongamento, acção de alongar.
alongar, v. tr. alargar; dilatar; desenvolver; afastar; distanciar; apartar.
alópata, I. adj. 2 gén. alopático. II. s. 2 gén. alopata; o que exerce a alopatia.
alopatía, s. m. MED. alopatia.
alopecia, s. f. alopecia.
aloquecerse, v. refl. enlouquecer.
alosna, s. f. BOT. alosna; losna; absíntio.
alotar, v. tr. NÁUT. arrizar; rizar; amarrar.
alotropía, s. f. QUÍM. alotropia.
alotrópico, -a, adj. alotrópico, alótropo.
alpaca, s. f. alpaca (ruminante); alpaca (tecido e liga metálica).
alpargata, s. f. alpargata.
alpargate, s. m. alpargata.
alpargatería, s. f. alpargataria.
alpargatero, -a, s. m. e f. alpargateiro.
alpestre, adj. 2 gén. alpino; alpestre; (fig.) montanhoso.
alpinismo, s. m. alpinismo.
alpinista, s. 2 gén. alpinista.
alpino, -a, adj. alpino.
alpiste, s. m. BOT. alpista, alpiste.
alquería, s. f. alcaria; granja; casa de lavoura.

alquerque, s. m. alguergue, alquerque (nos lagares de azeite).

alquilador, -a, s. m. e f. alquilador.

alquilar, v. tr. alugar; alquilar; arrendar.

alquiler, s. m. aluguer; renda; arrendamento; *pisos en alquiler,* alugam-se apartamentos; *coche de alquiler,* carro de aluguer.

alquimia, s. f. alquimia.

alquimista, s. 2 gén. alquimista.

alquitara, s. f. alambique; alquitara.

alquitarar, v. tr. destilar em alambique.

alquitira, s. f. alcatira; agacanto.

alquitrán, s. m. alcatrão.

alquitranar, v. tr. alcatroar.

alrededor, I. adv. ao redor; em torno; cerca. **II. alrededores,** s. m. pl. arredores; arrabaldes.

alsaciano, -a, adj. e s. alsaciano.

alta, s. f. entrada, inscrição (em clube ou associação); alta (médica); *dar el alta,* dar alta.

altaico, -a, adj. altaico.

altamente, adv. altamente, extremamente.

altanería, s. f. altanaria (caça); soberba; orgulho.

altanero, -a, adj. altaneiro; (fig.) altivo; soberbo.

altar, s. m. altar; culto.

altavoz, s. m. altifalante; amplificador.

altea, s. f. BOT. alteia.

alterabilidad, s. f. alterabilidade.

alterable, adj. 2 gén. alterável.

alteración, s. f. alteração; sobressalto; altercação.

alterado, -a, adj. alterado; mudado; zangado; irritado.

alterar, v. **1.** tr. alterar; mudar; modificar; falsificar. **2.** refl. zangar-se; irritar-se.

altercación, s. f. altercação; disputa.

altercado, s. m. discussão; disputa.

altercar, v. tr. altercar; disputar; porfiar.

alternación, s. f. alternação; acção de alternar.

alternador, -a, adj. e s. m. alternador.

alternar, v. tr. alternar; repetir; revezar; interpolar.

alternativa, s. f. alternativa.

alternativamente, adv. alternativamente.

alternativo, -a, adj. alternativo; alternado.

alterne, s. m. bebida (bar); prostituição; *chica de alterne,* rapariga de bar, de alterne.

alterno, -a, adj. alterno; alternado; revezado.

alteza, s. f. altura; elevação; eminência; cume; (fig.) alteza; sublimidade.

altibajo, s. m. altibaixo; pl. (fam.) terreno desigual; (fig.) vicissitudes.

altillo, s. m. colina; encosta.

altilocuencia, s. f. altiloquência; grandiloquência.

altilocuente, adj. 2 gén. altiloquente.

altimetría, s. f. altimetria.

altímetro, s. m. altímetro.

altiplanicie, s. f. meseta; altiplanura, planalto.

altiplano, s. m. planalto.

altísimo, -a, adj. altíssimo.

altisonante, adj. 2 gén. altissonante; altíssono.

altísono, -a, adj. altíssono, altissonante; ruidoso.

altitonante, adj. 2 gén. (poét.) altitonante; estrondoso.

altitud, s. f. altitude; altura; elevação acima do nível do mar.

altivo, -a, adj. altivo; orgulhoso; soberbo.

alto, -a, I. adj. alto; elevado; crescido; caro; **II.** s. m. paragem; interrupção. **III.** interj. alto!

altoparlante, s. m. altifalante.

altramucero, -a, s. m. e f. tremoceiro, vendedor de tremoços.

altramuz, s. m. BOT. tremoceiro (planta); tremoço.

altruísmo, s. m. altruísmo; filantropia; abnegação.

altruísta, adj. e s. 2 gén. altruísta.

altura, s. f. altura; elevação; eminência; cume.

alubia, s. f. feijão.

aluciar, v. **1.** tr. lustrar. **2.** refl. polir-se.

alucinación, s. f. alucinação; desvairo; ilusão.

alucinamiento, s. m. alucinação.

alucinante, adj. 2 gén. deslumbrante; impressionante.

alucinar, v. tr. alucinar; desvairar.

alucine, s. m. assombro, pasmo.

alucinógeno, -a, adj. e s. m. alucinogénio.

alucita, s. f. ZOOL. alúcita.

alud, s. m. alude; avalanche.

aluda, s. f. ZOOL. aluda.

aludel, s. m. aludel.

aludir, v. intr. aludir; mencionar.

alumbrado, -a, s. m. iluminação; conjunto de luzes.

alumbramiento, s. m. alumiação, alumiamento.

alumbrar, v. 1. tr. alumiar; iluminar; (fig.) ensinar; instruir; AGRIC. fazer a alumia (primeira cava da vinha). 2. intr. dar à luz.

alumbre, s. m. QUÍM. alúmen, alume; pedra-ume.

alumbrera, s. f. mina de alúmen.

alúmina, s f. QUÍM. alumina.

aluminato, s. m. QUÍM. aluminato.

aluminio, s. m. QUÍM. alumínio.

aluminosis, s. f. aluminose.

aluminoso, -a, adj. aluminoso.

alumnado, s. m. os alunos; o corpo discente.

alumno, -a, s. m. e f. aluno; educando; discípulo.

alunado, -a, adj. lunático; aluado.

alunizaje, s. m. alunagem.

alunizar, v. tr. alunar.

alusión, s. f. alusão.

aluvial, adj. 2 gén. aluvial.

aluvión, s. m. aluvião; inundação; enxurrada.

álveo, s. m. álveo; leito (de rio).

alveolar, adj. 2 gén. alveolar.

alveolo, s. m. ANAT. alvéolo.

alvéolo, s. m. vd. **alveolo**.

alza, s. f. alça; peça das armas de fogo; alta, subida de preços.

alzacuello, s. m. cabeção (colarinho) dos eclesiásticos; volta.

alzada, s. f. estatura do cavalo.

alzado, -a, I. adj. alçado. II. s. m. ARQ. alçado, projecção vertical.

alzamiento, s. m. sublevação; rebelião; levantamento.

alzapaño, s. m. patera, escápula.

alzaprima, s. f. alçaprema; alavanca; cunha.

alzaprimar, v. tr. alçapremar.

alzar, v. tr. alçar; levantar; elevar; edificar.

ama, s. f. ama; dona de casa; governanta; aia; ama de leche/ama de cría, ama de leite; ama de llaves, governanta.

amabilidad, s. f. amabilidade.

amable, adj. 2 gén. amável; afável.

amablemente, adv. amavelmente.

amado, -as, adj e s. amado.

amacollar, v. intr. espigar (as plantas).

amador, -a, adj. e s. amador; amante; apreciador.

amadrigar, v. tr. (fig.) acolher; fazer bom acolhimento.

amadrinar, v. tr. emparelhar cavalos, bois, etc.; (fig.) apadrinhar; amadrinhar.

amaestramiento, s. m. amestramento; ensino.

amaestrar, v. tr. amestrar; adestrar; ensinar; executar.

amagar, v. tr. ameaçar; intimidar.

amago, s. m. ameaça, acção de ameaçar; sinal; sintoma.

amainar, v. tr. NÁUT. amainar.

amaine, s. m. acção e efeito de amainar.

amaitinar, v. tr. espiar; observar; espreitar.

amajadar, v. tr. amalhar; recolher à malhada (o gado).

amalgama, s. f. QUÍM. amálgama; liga; (fig.) conjunto de coisas várias; mistura.

amalgamación, s. f. QUÍM. amalgamação.

amalgamar, v. tr. QUÍM. amalgamar; misturar.

amamantamiento, s. m. amamentação.

amamantar, v. tr. amamentar.

amancebamiento, s. m. amancebamento; mancebia; concubinato.

amancebarse, v. refl. amancebar-se; viver em mancebia.

amancillar, v. tr. manchar; ofender; desonrar; afear.

amandina, s. f. amendina; amendoína, produto de perfumaria.

amanecer, I. v. intr. amanhecer; começar a manhã. II. s. m. amanhecer; aurora; alvorada.

amaneradamente, adv. afectadamente.

amanerado, adj. afectado, amaneirado.

amaneramiento, s. m. afectação; modo amaneirado.

amanerarse, v. refl. amaneirar-se; presumir-se; afectar-se; efeminar-se.

amanita, s. f. amanita; cogumelo; agárico.

amanitina, s. f. amanitina.

amanojar, v. tr. enfeixar; juntar ou atar em feixes.

amansador, -a, adj. e s. m. e f. domador; que doma.

amansar, v. tr. amansar; domesticar; domar (um animal); (fig.) aplacar.

amantar, v. tr. (fam.) amantar; cobrir com manta.

amante, *adj.* e *2 gén.* amante.

amantillar, *v. tr.* NÁUT. amantilhar.

amantillo, *s. m.* NÁUT. amantilho.

amanuense, *s. 2 gén.* amanuense; escriturário.

amañado, -a, *adj.* amanhado.

amañar, *v. tr.* amanhar; ajeitar.

amapola, *s. f.* BOT. papoila.

amar, *v. tr.* amar.

amaraje, *s. m.* amaragem.

amaranto, *s. m.* BOT. amaranto.

amarar, *v. intr.* amarar.

amargar, *v. intr.* amargar; ter sabor amargo; causar aflição.

amargo, -a, *adj.* amargo; acre; angustioso.

amargor, *s. m.* amargor; amargo; (*fig.*) aflição.

amarguera, *s. f.* BOT. amargueira.

amargura, *s. f.* amargura; aflição; pena.

amaricado, -a, *adj.* (*fam.*) amaricado; efeminado.

amarilis, *s. f.* BOT. amarílide, amarílis.

amarilla, *s. f.* (*fig., fam.*) moeda de oiro; VET. doença do gado lanígero.

amarillear, *v. intr.* amarelecer; amarelejar.

amarillecer, *v. intr.* amarelecer.

amarillento, -a, *adj.* amarelento; amarelado.

amarilleo, *s. m.* amarelecimento.

amarillez, -a, *s. f.* amarelidão, amarelidez.

amarillo, -a, *adj.* amarelo.

amariposado, -a, *adj.* com figura de borboleta.

amaritud, *s. f.* amargura; amargor; amargo; (*fig.*) aflição.

amarizaje, *s. m.* vd. **amaraje**.

amarizar, *v. intr.* vd. **amaraje**.

amaro, *s. m.* BOT. salva transmarina (medicinal).

amarra, *s. f.* NÁUT. amarra; *pl.* (*fig.*) apoio; protecção.

amarradero, *s. m.* amarradouro; NÁUT. ancoradouro; amarração.

amarraje, *s. m.* amarração.

amarrar, *v. tr.* amarrar.

amarre, *s. m.* amarração.

amartelado, -a, *adj.* enamorado; embeiçado, encrumado.

amartelar, *v. tr-a.* atormentar (com ciúmes); *refl.* enamorar-se.

amartillar, *v. tr.* martelar.

amasadera, *s. f.* amassadeira; masseira.

amasadero, *s. m.* amassadoiro, amassaria.

amasador, -a, *adj.* amassador.

amasadura, *s. f.* amassadura.

amasar, *v. tr.* amassar; misturar; (*fig.*) friccionar.

amasijo, *s. m.* amassilho.

amateur, *adj.* e *s.* amador.

amateurismo, *s. m.* amadorismo.

amatista, *s. f.* ametista.

amatividad, *s. f.* amatividade.

amativo, -a, *adj.* amativo.

amatorio, -a, *adj.* amatório; erótico.

amaurosis, *s. f.* MED. amaurose.

amayorazgar, *v. tr.* vincular bens; instituir morgadio.

amazacotado, -a, *adj.* pesado; compacto; denso; massudo; confuso.

amazona, *s. f.* amazona.

amazónico, -a, *adj.* amazónico.

amazonita, *s. f.* amazonite.

ambages, *s. m. pl.* (*fig.*) ambages; circunlóquios; rodeios; evasivas.

ámbar, *s. m.* âmbar; azeviche.

ambarino, -a, *adj.* ambarino.

ambición, *s. f.* ambição; aspiração; desejo imoderado.

ambicionar, *v. tr.* ambicionar; cobiçar; aspirar a.

ambicioso, -a, *adj.* e *s.* ambicioso.

ambidextro, -a, *adj.* ambidextro.

ambidiestro, -a, *adj.* vd. **ambidextro**.

ambientación, *f.* ambiente, atmosfera; ambientação; localização.

ambiente, *s. m.* ambiente; o que nos rodeia; meio social em que se vive.

ambigú, *s. m.* refeição nocturna; bufete.

ambiguamente, *adv.* ambiguamente.

ambigüedad, *s. f.* ambiguidade.

ambiguo, -a, *adj.* ambíguo; equívoco; incerto; duvidoso.

ámbito, *s. m.* âmbito; espaço; circuito; recinto.

ambivalencia, *s. f.* ambivalência.

ambivalente, *adj. 2 gén.* ambivalente.

amblar, *v. intr.* caminhar (o cavalo) a passo.

amblehuelo, *s. m.* círio pequeno.

ambleo, *s. m.* tocha de cera, círio; cirial; tocheira.

ambliopía, *s. f.* MED. ambliopia.

ambos, -as, *adj. pl.* ambos.

ambrosía, *s. f.* ambrósia, ambrosia; (*fig.*) manjar, bebida deliciosa.

ambrosiano, -a, *adj.* ambrosiano.
ambulacro, *s. m.* ambulacro; alameda.
ambulancia, *s. f.* ambulância.
ambulante, *adj. 2 gén.* ambulante; itinerante.
ambulatorio, -a, *adj.* ambulatório.
ameba, *s. f.* ameba.
amedrentar, *v. tr.* amedrontar; atemorizar.
amelar, *v. intr.* fabricar (a abelha) o seu mel.
amelga, *s. f.* leira de terra; belga; courela.
amelgar, *v. tr.* embelgar; aleirar.
amén, I. *interj.* ámen, amém; assim seja. **II.** *adv.* além de.
amenamente, *adv.* amenamente.
amenaza, *s. f.* ameaça.
amenazador, -a, *adj.* ameaçador.
amenazadoramente, *adv.* ameaçadoramente.
amenazante, *adj. 2 gén.* ameaçador, ameaçante.
amenazar, *v. tr.* ameaçar.
amenguador, -a, *adj. (fam.)* difamador.
amenguamiento, *s. m.* difamação.
amenguar, *v. tr.* diminuir; difamar; desonrar.
amenidad, *s. f.* amenidade; deleite; suavidade; doçura.
amenizar, *v. tr.* amenizar.
ameno, -a, *adj.* ameno; deleitoso; suave; aprazível.
amenorrea, *s. f.* MED. amenorreia.
americana, *s. f.* casaco; peça de vestuário.
americanismo, *s. m.* americanismo.
americanista, *s. 2 gén.* americanista.
americanización, *s. f.* americanização.
americanizar, *v. tr.* americanizar.
americano, -a, *adj. e s.* americano.
americio, *s. m.* amerício.
amerindio, -a, *adj. e s. m.* ameríndio.
ametista, *s. f.* ametista.
ametralladora, *s. f.* metralhadora.
ametrallar, *v. tr.* metralhar.
ametropía, *s. f.* ametropia.
amianto, *s. m.* amianto; asbesto.
amiba, *s. f.* BIOL. ameba, amiba.
amiboideo, -a, *adj.* amebóide.
amida, *s. f.* amida.
amiga, *s. f.* amiga; concubina; mestra de escola feminina.
amigable, *adj. 2 gén.* amigável; amorável; afectuoso.

amígdala, *s. f.* ANAT. amígdala.
amigdalitis, *s. f.* MED. amigdalite; angina.
amigo, -a, *adj. e s.* amigo.
amigote, *s. m. (fam.)* amigalhote, compincha, parceiro.
amiguete, *s. m.* vd. **amigote.**
amiguismo, *s. m.* amiguismo, compadrio.
amiguito, -a, *s. (fam.)* amante.
amiláceo, -a, *adj.* amiláceo.
amilanado, -a, *adj.* cobarde; receoso; fraco; assustado; desanimado.
amilanamiento, *s. m.* medo; desânimo.
amilanar, *v.* **1.** *tr. (fig.)* assustar. **2.** *refl.* acobardar-se.
amileno, *s. m.* QUÍM. amileno.
amilo, *s. m.* QUÍM. amilo.
amilosis, *s. f.* MED. amilose, amiloidose.
amina, *s. f.* amina.
amino, *s. m.* amino.
aminoácido, *s. m.* aminoácido.
aminoración, *s. f.* redução; decréscimo; *aminoración de la velocidad,* redução da velocidade.
aminorar, *v. tr.* reduzir.
amir, *s. m.* amir, emir.
amistad, *s. f.* amizade.
amistosamente, *adv.* amistosamente; amigavelmente.
amistoso, -a, *adj.* amistoso.
amito, *s. m.* amicto.
amnesia, *s. f.* amnésia.
amnésico, -a, *adj.* amnésico.
amnícola, *adj. 2 gén.* amnícola.
amnios, *s. m.* ZOOL. âmnio.
amniótico, -a, *adj.* amniótico.
amnistía, *s. f.* amnistia; perdão.
amnistiar, *v. tr.* amnistiar.
amo, *s. m.* amo; senhor; patrão.
amoblar, *v. tr.* mobilar.
amodorrado, -a, *s. f.* amodorrado.
amodorramiento, *s. m.* modorra; sonolência.
amodorrar, *v. tr. e intr.* amodorrar, amodorrecer.
amohecer, *v. tr.* embolorecer; ganhar mofo.
amohinar, *v.* **1.** *tr.* amofinar; afligir. **2.** *refl.* amofinar-se; enfadar-se.
amojamado, -a, *adj.* moxamado; defumado; salgado.
amojamar, *v. tr.* moxamar; secar ao fumo (peixe); chacinar; defumar; salgar (a carne).

amojelar, v. tr. salmoirar, salmourar atum.
amojonador, s. m. demarcador.
amojonamiento, s. m. demarcação; delimitação.
amojonar, v. tr. demarcar; pôr limites; delimitar.
amoladera, adj. amoladeira.
amolad|o, -a, adj. amolado; afiado.
amolador, s. m. amolador; (fig.) importuno.
amolar, v. tr. amolar; afiar; (fig., fam.) incomodar.
amoldador, -a, adj. e s. moldador, que amolda.
amoldable, adj. 2 gén. amoldável; moldável.
amoldamiento, s. m. amoldamento.
amoldar, v. tr. amoldar; adaptar.
amollar, v. intr. desistir; ceder; pagar.
amomo, s. m. BOT. amomo.
amonarse, v. refl. (fam.) embriagar-se.
amonedación, s. f. amoedação; cunhagem de moeda.
amonedar, v. tr. amoedar; cunhar moeda.
amonestación, s. f. admoestação; repreensão; advertência.
amonestador, -a, adj. admoestador.
amonestar, v. tr. admoestar; advertir; repreender.
amoniacal, adj. 2 gén. amoniacal.
amoníaco, s. m. QUÍM. amoníaco.
amonio, s. m. QUÍM. amónio.
amonite, s. f. GEOL. amonite; concha fóssil.
amontar, v. tr. amontar; afugentar.
amontonar, v. tr. amontoar.
amor, s. m. amor, afeição profunda.
amoragar, v. intr. fazer churrasco.
amoral, adj. 2 gén. amoral.
amoralidad, s. f. amoralidade.
amoratad|o, -a, adj. arroxeado; tirante a roxo.
amoratarse, v. refl. arroxear-se.
amordazar, v. tr. amordaçar; açaimar.
amorfia, s. f. amorfia, amorfismo.
amorf|o, -a, adj. amorfo.
amorillar, v. tr. fixar as árvores por meio de estacas.
amormad|o, -a, adj. amormado; atacado de mormo.
amormío, s. m. BOT. cebola albarrã.
amoros|o, -a, adj. amoroso; carinhoso; (fig.) suave.

amortajador, -a, s. m. e f. amortalhador.
amortajar, v. tr. amortalhar.
amortecer, v. tr. amortecer; enfraquecer; abrandar; refl. desmaiar.
amortiguador, -a, adj. amortecedor.
amortiguamiento, s. m. amortecimento; abrandamento.
amortiguar, v. tr. amortecer; enfraquecer; abrandar.
amortizable, adj. 2 gén. amortizável.
amortización, s. f. amortização.
amortizar, v. tr. amortizar; remir.
amostazar, v. tr. (fam.) irritar, encolerizar.
amotinad|o, -a, adj. e s. amotinado; rebelde; revoltoso.
amotinador, -a, adj. e s. amotinador.
amotinamiento, s. m. amotinação; motim; tumulto.
amotinar, v. 1. tr. amotinar; alvoroçar; revoltar. 2. refl. amotinar-se; revoltar-se.
amover, v. tr. amover; desapossar; afastar.
amovible, adj. 2 gén. amovível; destacável.
amovibilidad, s. f. removibilidade.
amparar, v. 1. tr. amparar; favorecer; proteger; ajudar. 2. refl. proteger-se; acolher-se.
amparo, s. m. amparo; protecção; abrigo; defesa.
ampelíde|o, -a, I. adj. ampelídeo. II. s. f. BOT. ampelídea.
ampelita, s. f. MINER. ampelite.
amperaje, s. m. amperagem.
ampere, s. m. vd. **amperio.**
amperímetro, s. m. amperímetro, amperómetro.
amperio, s. m. ampere; ampério.
ampliable, adj. 2 gén. ampliável; dilatável.
ampliación, s. f. ampliação; aumento.
ampliad|o, -a, adj. aumentado; ampliado.
ampliadora, s. f. ampliador.
ampliamente, adv. amplamente.
ampliar, v. tr. ampliar; alargar; dilatar; aumentar.
amplificación, s. f. amplificação.
amplificador, -a, adj. e s. m. amplificador.
amplificar, v. tr. amplificar; ampliar; dilatar.
ampli|o, -a, adj. amplo; espaçoso; dilatado; extenso.

amplitud, s. f. amplitude; amplidão; extensão.

ampolla, s. f. empola, bolha; ampola (reservatório de vidro ou de cristal).

ampollar, v. tr. empolar; escavar, tornar oco; (fig.) envaidecimento.

ampolleta, s. f. ampulheta.

ampolluela, s. f. empola pequena.

ampulosidad, s. f. afectação.

ampuloso, -a, adj. empolado (diz-se do estilo); afectado.

amputación, s. f. amputação.

amputado, -a, adj. amputado.

amputar, v. tr. amputar; mutilar.

amueblar, v. tr. mobilar.

amuermado, -a, adj. aborrecido; estonteado; deprimido.

amuermar, v. tr. aborrecer; estontear; deprimir.

amujerado, -a, adj. efeminado; mulherengo.

amulatado, -a, adj. amulatado.

amuleto, s. m. amuleto; talismã.

amura, s. f. NÁUT. amura.

amurada, s. f. amurada.

amurallado, -a, adj. amuralhado.

amurallar, v. tr. amuralhar.

amurriarse, v. refl. enfurecer-se; irritar-se; zangar-se.

ana, I. adv. ana, termo de receituário médico que significa «em partes iguais». II. s. f. medida de comprimento; vara.

anabptismo, s. m. anabaptismo.

anabaptista, adj. e s. 2 gén. anabaptista.

anabólico, -a, adj. anabólico.

anabolismo, s. m. anabolismo.

anabolizante, adj. 2 gén. anabolizante, anabólico.

anacarado, -a, adj. anacarado.

anacardo, s. m. BOT. anacardo, anacárdio.

anacoluto, s. m. GRAM. anacoluto, anacolutia.

anacoreta, s. 2 gén. anacoreta; solitário.

anacrónico, -a, adj. anacrónico.

anacronismo, s. m. anacronismo.

ánade, s. m. ZOOL. ânate, pato.

anaerobio, -a, adj. anaeróbio.

anáfora, s. f. RET. anáfora.

anagrama, s. m. anagrama.

anal, adj. 2. gén. anal.

anales, s. m. pl. anais; história.

analfabetismo, s. m. analfabetismo; ignorância.

analgesia, s. f. MED. analgesia; analgia.

análisis, s. m. análise; exame; decomposição.

analista, s. 2 gén. analista.

analítica, s. f. FILOS. analítica.

analítico, -a, adj. analítico.

analizable, adj. 2 gén. analisável.

analizador, -a, adj. e s. m. analisador.

analizar, v. tr. analisar.

analogía, s. f. analogia.

analógicamente, adv. analogicamente.

analógico, -a, adj. análogo; analógico.

analogismo, s. m. analogismo.

análogo, -a, adj. análogo.

ananá, s. m. ananás.

ananás, s. m. BOT. ananás (planta e fruto).

anaquel, s. m. prateleira.

anaquelería, s. f. conjunto de prateleiras (estante; armário; armação).

anaranjado, -a, adj. e s. m. alaranjado.

anarco, s. m. (fam.) anarquista.

anarcosindicalismo, s. m. anarcossindicalismo.

anarquía, s. f. anarquia; (fig.) desordem; confusão.

anárquico, -a, adj. anárquico.

anarquismo, s. m. anarquismo.

anarquista, adj. e s. 2 gén. anarquista.

anarquizante, adj. 2 gén. anarquizante.

anarquizar, v. tr. anarquizar.

anasarca, s. f. MED. anasarca.

anastomosarse, v. refl. BOT./ZOOL. anastomosar-se; formar anastomose.

anastomosis, s. f. BOT./ZOOL. anastomose.

anástrofe, s. f. GRAM. anástrofe.

anatema, s. m. anátema; excomunhão; reprovação.

anatematizar, v. tr. anatematizar; excomungar.

anatomía, s. f. anatomia.

anatómicamente, adv. anatomicamente.

anatómico, -a, adj. anatómico.

anatomista, s. 2 gén. anatomista.

anca, s. f. anca, cadeiras, quartos traseiros (do animal); quadril; garupa; nádegas.

ancestral, adj. 2 gén. ancestral.

ancho, -a, I. adj. ancho; largo; folgado; amplo. II. s. m. largura.

anchoa, s. f. anchova; biqueirão.

anchura, s. f. largura; largueza.

ancianía, s. f. anciania.

ancianidad, s. f. velhice.

anciano, -a, adj. e s. ancião; velho; anciã.

ancla, s. f. âncora.

anclaje, s. m. NÁUT. ancoragem.

anclar, *v. intr.* NÁUT. ancorar; fundear.

¡anda!, *interj.* anda!; vejam isto!; vamos!; bem feito!

andada, *s. f.* pão fino, duro e sem miolo; bolacha; *pl.* rastos de caça.

andaderas, *s. f. pl.* andadeiras.

andado, **-a**, *adj.* andado; percorrido; trilhado.

andador, **-a**, *adj.* andador; andadeiro; mensageiro.

andadura, *s. f.* andadura (dos cavalos).

andalucismo, *s. m.* expressão própria dos andaluzes.

andalucista, *s. 2 gén.* nacionalista andaluz.

andalusí, *adj. 2 gén.* da Espanha mourisca.

andaluz, **-a**, **I.** *adj.* andaluz. **II. s. 1.** *m.* e *f.* andaluz. **2.** *m.* dialecto andaluz.

andamiaje, *s. m.* andaimaria; andaimes.

andamiento, *s. m.* andamento; movimento; marcha.

andamio, *s. m.* andaime; palanque; bailéu.

andana, *s. m.* andaina, andana; fiada; fileira.

andanada, *s. f.* surriada; bordoada; *(fig., fam.)* repreensão severa.

andante, **I.** *adj.* andante. **II. s. m.** MÚS. andante.

andantesco, **-a**, *adj.* andantesco; cavaleiroso.

andantino, *s. m.* MÚS. andantino.

andanza, *s. f.* caso; sucesso; *pl.* andanças; aventuras.

andar, *v. intr.* andar; caminhar; mover-se; estar; trabalhar, funcionar; *el reloj no anda,* o relógio não trabalha; *¿como andas?,* como estás?, como vais?; *andar a gatas,* gatinhar, andar de gatas; *no andarse com rodeos,* não estar com rodeios.

andaraje, *s. m.* roda da nora.

andariego, **-a**, *adj.* andadeiro; mensageiro.

andarín, **-a**, *adj.* andarilho.

andas, *s. f. pl.* andas; padiola; liteira; andas (do féretro); andor.

andén, *s. m.* cais; plataforma de estação.

andero, *s. m.* andeiro.

andino, **-a**, *adj.* andino, andícola.

ándito, *s. m.* ândito.

andorrano, **-a**, *adj.* e *s.* andorrano.

andrajo, *s. m.* andrajo; farrapo; trapo; *(fig.)* pessoa ou coisa desprezível.

andrajoso, **-a**, *adj.* andrajoso; esfarrapado.

androceo, *s. m.* BOT. androceu.

androfobia, *s. f.* BOT. androfobia.

andrógino, **-a**, *adj.* BOT./ZOOL. andrógino; hermafrodita.

androide, *s. m.* andróide.

andrómina, *s. f. (fam.)* endrómina; intrujice; peta.

andullo, *s. m.* tabaco em rolo para mascar; punhado de folhas de tabaco.

andurrial, *s. m.* andurrial; lugar ermo, sem caminho.

anear, *v. tr.* varear; medir por varas.

anécdota, *s. f.* anedota.

anecdotario, *s. m.* anedotário.

anecdótico, **-a**, *adj.* anedótico.

anegable, *adj. 2 gén.* inundável.

anegación, *s. f.* inundação; submersão.

anegadizo, **-a**, *adj.* alagadiço.

anegamiento, *s. m.* vd. **anegación**.

anegar, *v.* **1.** *tr.* inundar; submergir; alagar. **2.** *refl.* inundar-se; afogar-se.

anegociado, **-a**, *adj.* negocioso.

anejo, **-a**, **I.** *adj.* ligado; junto; sujeito. **II.** *m.* anexo.

anélido, *adj.* e *s. m.* ZOOL. anelídeo.

anemia, *s. f.* anemia; enfraquecimento; astenia.

anémico, **-a**, *adj.* anémico.

anemografía, *s. f.* anemografia.

anemógrafo, *s. m.* anemógrafo; anemoscópio; cata-vento.

anemometría, *s. f.* anemometria.

anemómetro, *s. m.* anemómetro.

anemona, *s. f.* anémona; actínia.

anémona, *s. f.* vd. **anemona**.

anemone, *s. f.* vd. **anemona**.

anemoscopio, *s. m.* anemoscópio; cata-vento.

anestesia, *s. f.* anestesia.

anestesiar, *v. tr.* anestesiar.

anestésico, **-a**, *adj.* anestésico.

anestesista, *s. 2 gén.* anestesista.

aneurisma, *s. m.* MED. aneurisma.

anexar, *v. tr.* anexar; apensar; juntar; ligar.

anexión, *s. f.* anexação.

anexionar, *v. tr.* anexar.

anexionismo, *s. m.* anexionismo.

anexionista, *adj.* e *s. 2 gén.* anexionista.

anexo, **-a**, **I.** *adj.* anexo; ligado; junto; sujeito. **II.** *s. m.* anexo.

anfibio, **-a**, *adj.* e *s. m.* anfíbio.

anfíbol, *s. m.* anfíbola.

anfibolita, s. f. anfibolito.
anfibología, s. f. anfibologia; ambiguidade.
anfibológico, -a, adj. anfibológico; ambíguo.
anfiteatro, s. m. anfiteatro.
anfitrión, -ona, s. (fig., fam.) anfitrião; anfitrioa.
ánfora, s. f. ânfora.
anfractuosidad, s. f. anfractuosidade; sinuosidade; saliência.
angarillas, s. f. pl. cangalhas; padiola.
ángel, s. m. anjo; espírito celeste; tener ángel, ser encantador, ser simpático; ángel custodio, ángel de la guarda, Anjo da Guarda.
angélica, s. f. angélica (oração); BOT. angélica, planta medicinal.
angelical, adj. 2 gén. angelical.
angélico, -a, adj. angélico.
angelito, s. m. anjinho.
angelote, s. m. (fam.) anjo, anjinho.
ángelus, s. m. angelus (ave-marias ou trindades).
angina, s. f. angina; angina de pecho, angina de peito.
angiografía, s. f. MED. angiografia.
angiología, s. f. MED. angiologia.
angioma, s. m. MED. lunares, manchas na pele.
angiospermo, -a, I. adj. angiospérmico. II. s. f. pl. angiospérmicas.
anglicanismo, s. m. anglicanismo.
anglicano, -a, adj. anglicano.
anglicismo, s. m. anglicismo.
anglicista, s. 2 gén. anglicista.
anglo, -a, adj. anglo; inglês.
angloamericano, -a, adj. e s. anglo-americano.
angloárabe, adj. e s. 2 gén. anglo-árabe.
anglófilo, -a, adj. anglófilo.
anglófobo, -a, adj. anglófobo.
anglófono, -a, adj. anglófono.
anglomanía, s. f. anglomania.
anglómano, -a, adj. e s. m. e f. anglómano, anglomaníaco.
anglosajón, -ona, I. adj. e s. anglo-saxão; anglo-saxónico; anglo-saxónio. II. s. m. anglo-saxónico (idioma).
angoleño, -a, adj. e s. angolano.
angora, s. f. angora.
angorina, s. f. angora artificial.
angostar, v. tr. estreitar.
angosto, -a, adj. estreito; apertado; angusto.

angostura, s. f. angustura; estreiteza.
angra, s. f. angra.
ángstrom, s. m. FÍS. angström.
angstromio, s. m. vd. ángstrom.
anguiforme, adj. 2 gén. anguiforme.
anguila, s. f. ZOOL. enguia.
anguilera, s. f. viveiro de enguias.
angula, s. f. ZOOL. eiró, enguia jovem.
angular, adj. 2 gén. angular.
ángulo, s. m. GEOM. ângulo.
anguloso, -a, adj. anguloso.
angustia, s. f. angústia; aflição; mágoa, tristeza.
angustiado, -a, adj. angustiado; aflito; atribulado.
angustiar, v. tr. angustiar; afligir.
angustioso, -a, adj. angustioso.
anhelante, adj. 2 gén. anelante; ofegante.
anhelar, v. tr. anelar; ofegar; respirar mal; desejar ardentemente.
anhélito, s. m. anélito.
anhelo, s. m. anelo; ânsia.
anhelosamente, adv. anelantemente; ansiosamente.
anheloso, -a, adj. anelante; ofegante; ansioso.
anhídrido s. m. QUÍM. anidrido.
anhidrita, s. f. anidrite.
anhidro, -a, adj. QUÍM. anidro, anídrico.
anhidrosis, s. f. MED. anidrose.
anidar, v. intr. aninhar; estar em ninho; (fig.) morar; habitar.
anilina, s. f. QUÍM. anilina.
anilla, s. f. anilha; anilho; anel; argola; ilhó; pl. argolas (aparelho de ginástica).
anillado, -a, adj. anilhado; ZOOL. anelídeo.
anillar, v. tr. anilhar (pôr anilhas).
anillo, s. m. anel; argola.
ánima, s. f. alma.
animación, s. f. animação; vivacidade; afluência.
animadamente, adv. animadamente.
animado, -a, adj. animado; alegre; divertido.
animador, -a, adj. animador; entusiasta.
animadversión, s. f. animadversão; inimizade; ódio.
animal, adj. 2 gén. e s. m. animal.
animalada, s. f. (fam.) grosseria; estupidez.
animalejo, s. m. animalejo.
animalidad, s. f. animalidade.
animalizar, v. tr. animalizar.

animar, v. tr. animar; entusiasmar, vivificar; excitar.

anímico, -a, adj. anímico.

animismo, s. m. animismo.

animista, adj. e s. 2 gén. animista.

ánimo, s. m. ânimo; espírito; coragem; vida; valor; intenção; vontade; interj. ânimo!, coragem!

animosidad, s. f. animosidade; má vontade; aversão.

animoso, -a, adj. animoso; corajoso; valoroso.

aniñado, -a, adj. ameninado; acriançado.

aniñarse, v. refl. ameninar-se; acriançar-se.

anión, s. m. FÍS. anião.

aniquilable, adj. 2 gén. aniquilável.

aniquilación, s. f. aniquilação; aniquilamento.

aniquilador, -a, adj. aniquilador.

aniquilar, v. tr. aniquilar.

anís, s. m. BOT. anis; (fig.) licor.

anisado, -a, I. adj. anisado; II. s. m. licor de anis.

anisar, v. tr. anisar.

anisete, s. m. aniseta, anisete; licor de anis.

aniversario, s. m. aniversário.

ano, s. m. ânus.

anoche, adv. na noite de ontem; ontem à noite.

anochecer, I. v. intr. anoitecer. II. s. m. o crepúsculo da tarde.

anochecido, -a, I. adj. anoitecido. II. adv. pela noite, no escuro. III. s. f. o cair da noite.

anodinamente, adv. anodinamente.

anodino, -a, adj. MED. anódino; inofensivo.

ánodo, s. m. FÍS. ânodo, anódio.

anomalía, s. f. anomalia; irregularidade.

anómalo, -a, adj. anómalo; irregular; estranho.

anona, s. f. BOT. anona.

anonadación, s. f. vd. **anonadamiento.**

anonadado, -a, adj. pasmado; abananado; sem fala.

anonadamiento, s. m. pasmo, admiração, embasbacamento.

anonadante, adj. 2 gén. surpreendente.

anonadar, v. tr. surpreender; fazer pasmar; embasbacar; deixar sem fala.

anónimamente, adv. anonimamente.

anonimato, s. m. anonimato.

anónimo, -a, adj. anónimo.

anorak, s. m. anoraque.

anorexia, s. f. PATOL. anorexia; fastio.

anoréxico, -a, adj. anoréctico.

anormal, I. adj. 2 gén. anormal; irregular. II. s. 2 gén. pessoa privada de alguns sentidos corporais.

anormalidad, s. f. anormalidade.

anormalmente, adv. anormalmente; fora do habitual.

anotación, s. f. anotação.

anotar, v. tr. anotar; apontar.

anovelado, -a, adj. com características de novela.

anovulación, s. f. falta de ovulação.

anquilosado, -a, adj. ancilosado, anquilosado.

anquilosamiento, s. m. ancilosamento.

anquilosarse, v. tr. e refl. ancilosar-se.

anquilosis, s. f. MED. ancilose.

anquilostoma, s. f. ancilóstomo.

ánsar, s. m. ZOOL. ganso.

ansia, s. f. ânsia; fadiga; angústia, aflição; anelo.

ansiado, -a, adj. ansiado, ansioso.

ansiar, v. tr. ansiar; anelar.

ansiedad, s. f. ansiedade.

ansioso, -a, adj. ansioso; desejoso; ganancioso.

anta, s. f. ZOOL. anta; ARQ. pilastras; ARQUEOL. dólmen, menir.

antagónico, -a, adj. antagónico; oposto; contrário.

antagonismo, s. m. antagonismo; rivalidade.

antagonista, s. 2 gén. antagonista.

antaño, adv. antanho, nos velhos tempos.

antártico, -a, adj. ASTR./GEOG. antárctico.

ante, prep. diante; antes de.

anteado, -a, adj. antado.

anteanoche, adv. anteontem à noite.

anteayer, adv. anteontem.

antebrazo, s. m. antebraço.

antecámara, s. f. antecâmara.

antecapilla, s. f. guarda-vento, anteparo.

antecedencia, s. f. antecedência; precedência.

antecedente, adj. 2 gén. e s. m. antecedente; precedente.

anteceder, v. tr. anteceder; preceder.

antecesor, -a, adj. e s. antecessor; predecessor.

antecocina, s. f. copa.

antedata, s. f. antedata.

antedatar, v. tr. antedatar.

antedecir, v. tr. antedizer; predizer; prognosticar.

antedich|o -a, adj. antedito; predito; supradito.

antediluvian|o, -a, adj. antediluviano; muito antigo.

antefirma, s. f. antefirma.

antelación, s. f. antelação; prioridade; preferência.

antemano (de), loc. adv. de antemão; antecipadamente.

antemeridian|o, -a, adj. antemeridiano.

antena, s. f. FÍS. antena.

anteojeras, s. f. pl. antolhos.

anteojo, s. m. lente; óculos.

antepalco, s. m. antecâmara, divisão nos camarotes.

antepasad|o, -a, adj. antepassado; anterior.

antepatio, s. m. FÍS. antepátio.

antepecho, s. m. parapeito; peitoril.

antepenúltim|o, -a, adj. antepenúltimo.

anteponer, v. tr. antepor; preferir.

anteportada, s. f. anteportada; anterrosto.

anteposición, s. f. anteposição.

anteproyecto, s. m. anteprojecto.

antepuerta, s. f. reposteiro.

antepuest|o, -a, adj. anteposto; preposto.

antera, s. f. BOT. antera.

anterior, adj. 2 gén. anterior.

anterioridad, s. f. anterioridade.

anteriormente, adv. anteriormente, previamente.

antes, adv. antes; em tempo ou lugar anterior.

antesala, s. f. antessala.

antever, v. tr. prever.

antevíspera, s. f. antevéspera.

antevist|o, -a, adj. antevisto; previsto.

anti, pref. anti (exprime oposição).

antiabortista, adj. e s. 2 gén. antiaborto.

antiácid|o, -a, adj. antiácido.

antiadherente, adj. 2 gén. antiaderente.

antiaéreo, -a, adj. antiaéreo.

antialcohólic|o, -a, adj. antialcoólico.

antialcoholismo, s. m. antialcoolismo.

antiasmátic|o, -a, adj. MED. antiasmático.

antiatómic|o, -a, adj. antiatómico.

antibalas, adj. 2 gén. antibala; à prova de bala.

antibiótic|o, -a, adj. e s. m. antibiótico.

anticanceros|o, -a, adj. anticanceroso.

anticarro, adj. anticarro.

anticatarral, adj. 2 gén. MED. anticatarral.

anticiclón, s. m. anticiclone.

anticiclónic|o, -a, adj. anticiclónico.

anticipación, s. f. antecipação; antecedência.

anticipadamente, adv. antecipadamente, por antecipação.

anticipad|o, -a, adj. antecipado; *por anticipado,* adiantadamente.

anticipar, v. tr. antecipar; adiantar.

anticipo, s. m. antecipação; avanço.

anticlerical, adj. 2 gén. anticlerical.

anticlericalismo, s. m. anticlericalismo.

anticlinal, s. m. anticlinal.

anticoagulante, adj. 2 gén. e s. m. anticoagulante.

anticomunismo, s. m. anticomunismo.

anticomunista, adj. e s. 2 gén. anticomunista.

anticoncepción, s. f. anticoncepção.

anticonceptiv|o, -a, adj. anticepcional, anticonceptivo.

anticonformismo, s. m. anticonformismo, não-conformismo.

anticonformista, adj. e s. 2 gén. anticonformista, não-conformista.

anticongelante, adj. 2 gén. e s. m. anticongelante.

anticonstitucional, adj. 2 gén. anticonstitucional.

anticonstitucionalmente, adv. anticonstitucionalmente.

anticorrosiv|o, -a, adj. e s. m. anticorrosivo.

anticristian|o, -a, adj. anticristão.

Anticristo, s. m. Anticristo.

anticuad|o, -a, adj. antiquado; desusado; obsoleto.

anticuario, s. m. antiquário.

anticuarse, v. refl. antiquar-se.

anticuerpo, s. m. anticorpo.

antidemocrátic|o, -a, s. m. antidemocrático.

antideportiv|o, -a, adj. antidesportivo.

antidepressiv|o, -a, adj. e s. m. antidepressivo.

antideslizante, adj. 2 gén. e s. m. antideslizante; antiderrapante.

antideslumbrante, adj. 2 gén. antideslumbrante, contra o encandeamento.

antidetonante, adj. 2 gén. antidetonante.

antidiabético, -a, *adj.* antidiabético.
antidoping, *adj.* antidoping, antidroga.
antídoto, *s. m.* antídoto.
antidroga, *adj.* 2 *gén.* antidroga.
antieconómico, -a, *adj.* antieconómico.
antiespasmódico, -a, *adj.* MED. antiespasmódico.
antiestético, -a, *adj.* antiestético.
antifascismo, *s. m.* antifascismo.
antifascista, *adj.* e *s.* 2 *gén.* antifascista.
antifaz, *m.* máscara.
antifebril, *adj.* 2 *gén.* antifebril; febrífugo.
antifederal, *adj.* 2 *gén.* antifederal.
antifeminismo, *s. m.* antifeminismo.
antifeminista, *adj.* 2 *gén.* antifeminista.
antiflogístico, -a, *adj.* e *s. m.* MED. antiflogístico.
antífona, *s. f.* antífona.
antigás, *adj.* antigás; *máscara antigás, careta antigás*, máscara antigás.
antigripal, *adj.* 2 *gén.* antigripal.
antigualla, *s. f.* antigalha; antigualha; antiguidades.
antiguamente, *adv.* antigamente.
antigubernamental, *adj.* 2 *gén.* antigovernamental.
antigüedad, *s. f.* antiguidade.
antihéroe, *s. m.* anti-herói.
antihigiénico, -a, *adj.* anti-higiénico.
antihistamínico, -a, *adj.* e *s. m.* anti--histamínico.
antiimperialismo, *s. m.* anti-imperialismo.
antiinflacionista, *adj.* 2 *gén.* anti-inflacionista.
antiinflamatório, *adj.* anti-inflamatório.
antilogaritmo, *s. m.* antilogaritmo.
antílope, *s. m.* ZOOL. antílope.
antimagnético, -a, *adj.* antimagnético.
antimateria, *s. f.* antimatéria.
antimilitarismo, *s. m.* antimilitarismo.
antimilitarista, *adj.* 2 *gén.* antimilitarista.
antimísil, *adj.* 2 *gén.* e *s. m.* antimíssil.
antimonárquico, -a, *adj.* antimonárquico.
antimonio, *s. m.* QUÍM. antimónio.
antinatural, *adj.* 2 *gén.* antinatural.
antiniebla, *adj.* antinevoeiro; *luces antiniebla*, faróis de nevoeiro.
antinomia, *s. f.* antinomia.

antinómico, -a, *adj.* antinómico; oposto; contraditório.
antinuclear, *adj.* 2 *gén.* antinuclear.
antioxidante, *adj.* 2 *gén.* e *s. m.* antioxidante.
antipapa, *s. m.* antipapa.
antiparlamentario, -a, *adj.* antiparlamentar.
antiparras, *s. f. pl.* (*fam.*) óculos.
antipatía, *s. f.* antipatia.
antipático, -a, *adj.* antipático.
antipatriota, *s.* 2 *gén.* antipatriota.
antipatriótico, -a, *adj.* antipatriótico.
antipedagógico, -a, *adj.* antipedagógico.
antipirético, -a, *adj.* e *s. m.* MED. antipirético; febrífugo.
antípoda, *adj.* 2 *gén.* antípoda.
antiprogresista, *adj.* e *s.* 2 *gén.* antiprogressista.
antiquísimo, -a, *adj.* antiquíssimo; muito antigo.
antirrábico, -a, *adj.* MED. anti-rábico.
antirreglamentario, -a, *adj.* anti-regulamentar.
antirrepublicano, -a, *adj.* anti-republicano.
antirreumático, -a, *adj.* anti-reumático.
antirrevolucionario, -a, *adj.* anti-revolucionário.
antirrobo, *adj.* anti-roubo.
antisemita, *adj.* 2 *gén.* anti-semita.
antisemítico, -a, *adj.* anti-semítico.
antisemitismo, *s. m.* anti-semitismo.
antisepsia, *s. f.* MED. anti-sepsia.
antiséptico, -a, *adj.* MED. anti-séptico.
antisísmico, -a, *adj.* anti-sísmico.
antisocial, *adj.* 2 *gén.* anti-social.
antistrofa, *s. f.* antístrofe.
antitanque, *adj.* 2 *gén.* antitanque.
antiterrorista, *adj.* 2 *gén.* antiterrorista.
antitetánico, -a, *s. m.* antitetânico.
antítesis, *s. f.* antítese.
antitético, -a, *adj.* antitético.
antitóxico, -a, *adj.* antitóxico.
antitoxina, *s. f.* MED. antitoxina.
antituberculoso, -a, *adj.* antituberculoso.
antivirus, *s. m.* antivírus.
antojadizo, -a, *adj.* caprichoso, fantasioso.
antojarse, *v. refl.* representar na imaginação; caprichar; fantasiar; pensar; supor.
antojo, *s. m.* capricho; fantasia; juízo precipitado.

antología, s. f. antologia.
antológico, -a, adj. antológico.
antonimia, s. f. antonímia.
antónimo, -a, adj. e s. m. antónimo.
antonomasia, s. f. antonomásia.
antorcha, s. f. archote; círio; tocha.
antraceno, s. m. antraceno.
antracita, s. f. antracite.
ántrax, s. m. MED. antraz.
antro, s. m. antro; caverna.
antropocéntrico, -a, adj. antropocêntrico.
antropocentrismo, s. m. antropocentrismo.
antropofagía, s. f. antropofagia; antropofagismo.
antropófago, -a, adj. e s. antropófago.
antropoide, adj. e s. 2 gén. antropóide; antropomorfo.
antropología, s. f. antropologia.
antropológico, -a, adj. antropológico.
antropólogo, -a, s. antropólogo, antropologista.
antropomórfico, -a, adj. antropomórfico, antropomorfo.
antropomorfismo, s. m. antropomorfismo.
antropomorfo, -a, adj. e s. antropomorfo.
anual, adj. 2 gén. anual.
anualidad, s. f. anualidade; anuidade.
anualmente, adv. anualmente.
anuario, s. m. anuário.
anubarrado, -a, adj. anuviado; enevoado; nublado; nubloso.
anublar, v. tr. anuviar; nublar; enevoar; escurecer.
anudador, -a, adj. e s. atador.
anudadura, s. f. atamento, atadura.
anudamiento, s. m. vd. **anudadura**.
anudar, v. tr. atar; apertar com nós.
anuencia, s. f. anuência.
anuente, adj. 2 gén. anuente.
anulable, adj. 2 gén. anulável.
anulación, s. f. anulação.
anulador, -a, adj. e s. anulador; anulante.
anular, I. adj. anelar; anular. II. v. tr. anular; cancelar; inutilizar.
anuloso, -a, adj. aneloso.
anunciación, s. f. anunciação.
anunciador, -a, adj. e s. anunciador.

anunciante, adj. e s. 2 gén. anunciante.
anunciar, v. tr. anunciar.
anuncio, s. m. anúncio; publicidade.
anuro, -a, adj. ZOOL. anuro.
anverso, s. m. anverso.
anzuelo, s. m. anzol.
añadido, -a, I. adj. acrescentado. II. s. m. postiço.
añadidura, s. f. aumento; acrescento.
añadir, v. tr. aumentar; acrescentar; juntar.
añagaza, s. f. negaça para caçar aves; (fig.) artifício.
añal, 1. adj. 2 gén. anual. 2. adj. e s. 2 gén. anaco, anejo, anesmo.
añejar, v. tr. envelhecer.
añejo, -a, adj. antigo; velho.
añicos, s. m. pl. fanicos; pedaços pequenos; cigalhos.
añil, s. m. BOT. anileira, anileiro; anil.
año, s. m. ano.
añojo, s. m. anejo.
añoranza, s. f. saudade; nostalgia; soledade.
añorar, v. intr. ter saudade; sentir nostalgia.
añoso, -a, adj. anoso; muito velho.
aojar, v. tr. enfeitiçar; fascinar; deitar mau-olhado.
aojo, s. m. mau-olhado.
aorta, s. f. ANAT. aorta.
aórtico, -a, adj. aórtico.
aovado, -a, adj. ovado; oval.
aovar, v. intr. desovar; ovar; pôr ovos.
aovillarse, v. refl. (fig.) encolher-se muito; enovelar-se.
apabullamiento, s. m. balbúrdia; confusão.
apabullante, adj. 2 gén. esmagador; retumbánte.
apabullar, v. tr. (fam.) esmagar; calcar; pisar.
apabullo, s. m. (fam.) esmagamento; achatamento.
apacentadero, s. m. pastagem.
apacentamiento, s. m. apascentamento; pasto.
apacentar, v. tr. apascentar; pascer; (fig.) ensinar.
apachurrar, v. tr. amachucar, pisar, achatar.
apache, adj. 2 gén. apache.
apacibilidad, s. f. aprazibilidade; afabilidade.

apacible, *adj.* 2 *gén.* aprazível; agradável; tranquilo.

apaciguador, -a, *adj.* apaziguador.

apaciguamiento, *s. m.* apaziguamento.

apaciguar, *v. tr.* apaziguar; sossegar; aquietar.

apadrinamiento, *s. m.* apadrinhamento.

apadrinar, *v. tr.* apadrinhar; *(fig.)* patrocinar; proteger.

apagadiz|o, -a, *adj.* que arde com dificuldade.

apagad|o, -a, *adj.* apagado; extinto; acanhado.

apagar, *v. tr.* apagar; extinguir; aplacar.

apagavelas, *s. m.* apagador; abafador.

apagón, *adj.* corte imprevisto de energia eléctrica.

apaisad|o, -a, *adj.* oblongo.

apalabrar, *v. tr.* apalavrar; ajustar; combinar.

apalancamiento, *s. m.* levantamento; preguiça, ociosidade.

apalancar, *v. tr.* levantar; abrir; *refl.* refastelar-se.

apalanque, *s. m.* preguiça, ociosidade.

apaleamiento, *s. m.* apaleamento; espancamento.

apalear, *v. tr.* apalear; palear; espancar; tosar; aventar o grão; padejar.

apantanar, *v. tr.* apaular; encharcar; empantanar.

apañad|o, -a, *adj.* apanhado; colhido; *(fig.)* jeitoso.

apañar, *v. tr.* apanhar; colher; furtar; ajeitar.

apaño, *s. m.* remendo; conserto; *(fam.)* arranjo, arranjinho.

aparador, *s. m.* aparador (móvel de sala de jantar); montra; vitrina.

aparato, *s. m.* aparato; pompa; ligadura; aparelho circulatório; aparelhos; aprestos.

aparatosamente, *adv.* com ostentação; exageradamente.

aparatosidad, *s. f.* ostentação; exagero.

aparatos|o, -a, *adj.* aparatoso; pomposo; magnificente.

aparcacoches, *s. m.* arrumador (de carros).

aparcamiento, *s. m.* aparcamento; estacionamento.

aparcar, *v. tr. e intr.* aparcar; estacionar.

aparcería, *s. f.* parceria; sociedade; companhia.

aparcer|o, -a, *s. m. e f.* parceiro; participante; sócio.

apareamiento, *s. m.* aparelhamento.

aparear, *v. tr.* emparelhar; jungir; igualar; acasalar.

aparecer, *v. intr.* aparecer; mostrar-se; achar-se.

aparecid|o, -a, *s. m.* aparecido; espectro; aparição; fantasma.

aparecimiento, *s. m.* aparecimento, aparição.

aparejad|o, -a, *adj.* aparelhado; equipado; preparado.

aparejador, -a, *adj. e s. m.* aparelhador; preparador.

aparejar, *v. tr.* aparelhar; preparar; dispor; arrear; equipar.

aparejo, *s. m.* aparelho; preparo; *pl.* arreios; apetrechos.

aparentar, *v. tr.* aparentar.

aparente, *adj.* 2 *gén.* aparente.

aparentemente, *adv.* aparentemente.

aparición, *s. f.* aparição; aparecimento.

apariencia, *s. f.* aparência; exterioridade; aspecto.

apartad|o, -a, *adj.* apartado; afastado; distante.

apartador, -a, *adj. e s.* apartador.

apartamiento, *s. m.* apartamento; habitação; vivenda.

apartar, *v. tr.* apartar; separar; escolher; desviar.

aparte, I. *adv.* à parte; noutro lugar; em separado. **II.** *s. m.* TEAT. aparte. **III.** *adj.* 2 *gén.* separado, distinto, especial.

apartheid, *s. m.* apartheid.

apasionadamente, *adv.* apaixonadamente, ardentemente.

apasionad|o, -a, *adj.* apaixonado; enamorado.

apasionamiento, *s. m.* paixão; entusiasmo.

apasionar, *v. tr.* apaixonar; entusiasmar; penalizar.

apatía, *s. f.* apatia; indolência; indiferença.

apátic|o, -a, *adj.* apático; indiferente; indolente.

apatita, *s. f.* QUÍM. apatite.

apeadero, *s. m.* apeadeiro.

apeador, -a, I. *adj.* que apeia; **II.** *s. m.* agrimensor.

apear, *v.* 1. *tr.* apear; fazer descer; desmontar; demolir; (fam.) dissuadir. 2. refl. descer, sair (de carro); desmontar (de cavalo).

apechugar, v. intr. empurrar com o peito; (fig., fam.) arremeter; acometer.

apedread|o, -a, adj. apedrejado; salpicado de várias cores; pedrado; salpicado.

apedreamiento, s. m. apedrejamento; lapidação.

apedrear, v. tr. apedrejar; lapidar; injuriar; ofender.

apegad|o, -a, adj. apegado, afeiçoado, dedicado.

apegarse, v. refl. (fig.) ganhar apego ou afeição; apegar-se, afeiçoar-se, dedicar-se.

apego, s. m. (fig.) apego; afeição; dedicação.

apelable, adj. 2 gén. apelável.

apelación, s. f. DIR. apelação; recurso.

apelante, adj. 2 gén. apelante.

apelar, v. intr. DIR. apelar; (fig.) recorrer.

apelativ|o, -a, adj. e s. m. apelativo.

apelde, s. m. fuga; fugida; evasão.

apellidar, v. tr. gritar; convocar; chamar; apelidar.

apellid|o, s. m. apelido; sobrenome de família; alcunha; convocação; clamor.

apelmazar, v. tr. condensar; comprimir; (fig.) atormentar; molestar.

apenar, v. tr. entristecer; afligir.

apenas, adv. apenas; somente; logo que.

apencar, v. intr. (fam.) vd. **apechugar.**

apéndice, s. m. apêndice; acessório; acrescentamento; (fig., fam.) rafeiro.

apendicectomía, s. f. CIR. apendicectomia.

apendicitis, s. f. MED. apendicite.

apendicular, adj. 2 gén. apendicular.

apeo, s. m. agrimensura; abate de árvores; pontal.

aperar, v. tr. fabricar carros.

apercibimiento, s. m. apercebimento; observação; preparação.

apercibir, v. tr. aperceber; prevenir; dispor; advertir; refl. aperceber-se; dar conta de.

apergaminad|o, -a, adj. apergaminhado.

apergaminarse, v. refl. (fig., fam.) apergaminhar-se.

aperitiv|o, -a, adj. aperitivo; aperiente.

apero, s. m. apeiria; apeiragem; alfaias agrícolas.

aperread|o, -a, adj. aperreado; apertado.

aperreador, -a, adj. (fam.) aperreador.

aperrear, v. tr. aperrear; apertar.

aperreo, s. m. (fig., fam.) aperreamento.

apertura, s. f. abertura; começo; início.

apesadumbrad|o, adj. tristonho; de semblante carregado.

apesadumbrar, v. tr. causar mágoa; contristar; afligir.

apestad|o, -a, adj. empestado; pestilento; infestado.

apestar, v. tr. apestar; empestar; infestar; (fig.) corromper.

apestos|o, -a, adj. empestador; pestilento; fétido.

apétalo, adj. BOT. apétalo.

apetecedor, -a, adj. apetecedor; apetecível.

apetecer, v. tr. apetecer.

apetecible, adj. 2 gén. apetecível.

apetencia, s. f. apetência; excitação; apetite.

apetito, s. m. apetite; vontade de comer; desejo.

apetitos|o, -a, adj. apetitoso; gostoso.

apezonad|o, -a, adj. que tem forma de mamilo.

apezuñar, v. intr. fincar (o cavalo) as patas no chão.

apiadar, v. tr. apiedar.

apical, adj. 2 gén. apical.

ápice, s. m. ápice; cume.

apícola, adj. 2 gén. apícola.

apicultor, -a, s. m. e f. apicultor; abelheiro.

apicultura, s. f. apicultura.

apilador, -a, adj. empilhador.

apilamiento, s. m. empilhamento.

apilar, v. tr. empilhar; amontoar; acumular.

apiñad|o, -a, adj. apinhado.

apiñamiento, s. m. apinhamento; empilhamento.

apiñar, v. tr. apinhar; empilhar; amontoar.

apiñonado, -a, adj. de cor de pinhão.

apio, s. m. BOT. empanturrar-se; empanzinar-se.

apirético, -a, adj. MED. apirético.

apirexía, s. f. MED. apirexia.

apisonador, -a, s. m. e f. pisoador.

apisonar, v. tr. pisar; calcar; pisoar.

apizarrad|o, -a, adj. de cor negro-azulada.

aplacable, adj. 2 gén. aplacável.

aplacamiento, s. m. aplacação, mitigação; abrandamento.

aplacar, v. tr. aplacar; amansar; mitigar; acalmar.

aplanador, -a, *adj.* aplanador.
aplanamiento, *s. m.* aplanamento; nivelamento.
aplanar, *v. tr.* aplanar; igualar; nivelar.
aplastamiento, *s. m.* esmagamento; compressão.
aplastante, *adj. 2 gén.* esmagador; contundente.
aplastar, *v. tr.* machucar; achatar; esmagar; amassar.
aplatanado, -a, *adj.* apático; preguiçoso.
aplatanamiento, *s. m.* apatia; preguiça; ociosidade.
aplatanarse, *v. refl.* tornar-se apático.
aplaudir, *v. tr.* aplaudir; louvar; celebrar.
aplauso, *s. m.* aplauso; louvor.
aplayar, *s. m.* espraiar.
aplazado, -a, aprazado.
aplazamiento, *s. m.* aprazamento; emprazamento.
aplazar, *v. tr.* aprazar; emprazar; convocar; citar.
aplicable, *adj. 2 gén.* aplicável.
aplicación, *s. f.* aplicação.
aplicar, *v. tr.* aplicar; sobrepor; adaptar; empregar.
aplicativo, -a, *adj.* aplicativo; aplicável.
aplique, *s. m.* aplique; qualquer acessório para decoração.
aplomado, -a, *adj.* aprumado; vertical; plúmbeo.
aplomar, *v. tr.* aprumar.
aplomo, *s. m.* aprumo; gravidade; circunspecção.
apnea, *s. f.* MED. apneia.
apocado, -a, *adj.* apoucado; amesquinhado; abatido.
apocalipsis, *s. m.* apocalipse.
apocalíptico, -a, *adj.* apocalíptico.
apocamiento, *s. m.* timidez; insegurança; (*fig.*) apoucamento; pusilanimidade.
apocar, *v. tr.* apoucar; reduzir; diminuir; humilhar.
apocopar, *v. tr.* apocopar.
apócope, *s. f.* apócope.
apócrifo, -a, *adj.* apócrifo.
apodar, *v. tr.* apodar; alcunhar; escarnecer; motejar.
apoderado, -a, *adj. e s.* apoderado; autorizado; procurador; mandatário.
apoderamiento, *s. m.* procuração; mandato.
apoderar, *v. tr. e refl.* autorizar; apoderar-se; apossar-se.

apodo, *s. m.* apodo; alcunha.
ápodo, -a, *adj.* ZOOL. ápode, sem pés.
apódosis, *s. f.* apódose.
apófisis, *s. f.* ANAT. apófise.
apogeo, *s. m.* apogeu.
apolillado, -a, *adj.* roído (pelas traças); traçado.
apolilladura, *s. f.* orifício nas roupas feito pela traça.
apolillar, *v. tr.* roer (a traça); traçar.
apolíneo, -a, *adj.* apolíneo.
apoliticismo, *s. m.* apoliticismo.
apolítico, -a, *s. m.* apolítico.
apologética, *s. f.* apologética.
apologético, -a, *adj.* apologético.
apología, *s. f.* apologia; defesa.
apologista, *s. 2 gén.* apologista.
apólogo, -a, *s. m.* fábula; apólogo.
apoltronado, -a, *adj.* apoltronado; acobardado.
apoltronamiento, *s. m.* acobardamento.
apoltronarse, *v. refl.* apoltronar-se; acobardar-se.
apomorfina, *s. f.* apomorfina.
aponeurosis, *s. f.* ANAT. aponeurose, aponevrose.
apoplejía, *s. f.* MED. apoplexia.
apoplético, -a, *adj.* MED. apopléctico.
apoquinar, *v. tr.* desembolsar.
aporcar, *v. intr.* ligar à terra.
aporreado, -a, *adj.* espancado; aporreado; sem dinheiro.
aporrear, *v. tr.* espancar com pau; aporrear; martelar (piano).
aporreo, *s. m.* sova; tunda.
aportación, *s. f.* contribuição.
aportar, *v.* 1. *intr.* aportar; fundear. 2. *tr.* causar.
aporte, *s. m.* contribuição.
aportillar, *v. tr.* aportilhar.
aposentamiento, *s. m.* aposentação; aposentamento.
aposentar, *v.* 1. *tr.* aposentar; dar hospedagem. 2. *refl.* alojar-se; hospedar-se.
aposento, *s. m.* aposento; quarto; alojamento.
aposición, *s. f.* aposição.
apósito, *s. m.* MED. apósito; parche, ligadura; tempero (salada).
aposta, *adv.* de propósito.
apostadero, *s. m.* posto; parada; paragem; porto; baía.
apostador, -a, *s. m.* apostador.
apostante, *s. 2 gén.* vd. **apostador**.

apostar, v. intr. apostar; (fig.) competir; rivalizar; pôr a postos; situar.

apostasía, s. f. apostasia.

apóstata, s. 2 gén. apóstata.

apostatar, v. intr. apostatar.

apostema, s. f. apostema.

apostilla, s. f. apostila.

apóstol, s. m. apóstolo.

apostolado, s. m. apostolado; missão.

apostólico, -a, adj. apostólico.

apostrofar, v. tr. apostrofar.

apóstrofe, s. m. e f. apóstrofe.

apóstrofo, s. m. apóstrofo.

apostura, s. f. apostura; gentileza; garbo; bom aspecto.

apotegma, s. m. apotegma.

apotema, s. f. apótema.

apoteósico, -a, adj. enorme; tremendo; apoteótico.

apoteosis, s. f. apoteose.

apoyar, v. tr. apoiar; aplaudir; sustentar; firmar.

apoyo, s. m. apoio; base; fundamento; (fig.) auxílio.

apreciable, adj. 2 gén. apreciável.

apreciación, s. f. apreciação; avaliação.

apreciado, -a, adj. apreciado; avaliado.

apreciador, -a, adj. apreçador, avaliador.

apreciar, v. tr. apreçar; avaliar; (fig.) prezar; estimar.

apreciativo, -a, adj. apreciativo.

aprecio, s. m. apreço; estima; consideração; valor.

aprehender, v. tr. apreender; prender; pegar.

aprehensión, s. f. apreensão; preocupação; receio.

aprehensivo, -a, adj. apreensivo.

aprehensor, -a, adj. apreensor.

apremiador, -a, adj. urgente; premente.

apremiante, adj. 2 gén. premente; urgente.

apremiar, v. tr. apressar; apressurar; compelir.

apremio, s. m. constrangimento; aperto; urgência; premência.

aprender, v. tr. aprender; estudar.

aprendiz, -a, s. m. e f. aprendiz.

aprendizaje, s. m. aprendizagem; aprendizado.

aprensión, s. f. apreensão.

aprensivo, -a, adj. apreensivo.

apresamiento, s. m. apresamento; captura dum navio.

apresar, v. tr. apresar; agarrar; capturar (navio).

aprestar, v. tr. aprestar; preparar; dispor.

apresto, s. m. apresto; preparação; preparativo; aparelho.

apresurado, -a, adj. apressado; com pressa; rápido; pressionado.

apresuramiento, s. m. pressa; urgência.

apresurar, v. tr. apressurar; apressar.

apretado, -a, adj. apertado; árduo; perigoso; (fig., fam.) mesquinho.

apretar, v. tr. apertar; estreitar; ajustar; oprimir.

apretón, s. m. apertão; grande aperto; (fig., fam.) puxo.

apretujado, -a, adj. apertado, espartilhado.

apretujar, v. tr. (fam.) apertar muito e repetidamente; espartilhar.

apretujón, s. m. aperto; apertão.

apretura, s. f. aperto (de multidão); apuro; aflição.

aprieto, s. m. aperto; perigo; apuro; necessidade.

apriorismo, s. m. apriorismo.

apriorista, s. 2 gén. apriorista.

apriorístico, -a, adj. apriorístico.

aprisa, adv. à pressa.

aprisco, s. m. aprisco.

aprisionar, v. tr. aprisionar; prender; apresar.

aproar, v. intr. NÁUT. aproar; arribar; chegar.

aprobación, s. f. aprovação.

aprobado, -a, I. adj. aprovado. II. s. m. nota em exame.

aprobar, v. tr. aprovar; julgar bom; concordar.

aprobatorio, -a, adj. aprobatório.

aprontamiento, s. m. aprontação, aprontamento.

aprontar v. tr. aprontar; aprestar; aparelhar.

apropiación, s. f. apropriação.

apropiado, -a, adj. apropriado; adaptado.

apropiar, v. tr. apropriar; adaptar; acomodar.

aprovechable, adj. 2 gén. aproveitável.

aprovechadamente, adv. proveitosamente.

aprovechado, -a, adj. aproveitado; utilizado; aplicado.

aprovechamiento, s. m. aproveitamento.
aprovechar, v. tr. aproveitar; utilizar; progredir (falando de estudos); poupar.
aprovechón, -ona, s. m. e f. aproveitador; borlista; pedinchão.
aprovisionamiento, s. m. aprovisionamento.
aprovisionar, v. tr. aprovisionar.
aproximación, s. f. aproximação.
aproximadamente, adj. aproximadamente.
aproximado, -a, adj. aproximado; calculado.
aproximar, v. tr. aproximar; acercar; chegar.
aproximativo, -a, adj. aproximativo.
áptero, -a, adj. áptero.
aptitud, s. f. aptidão.
apto, -a, adj. apto; hábil.
apuesta, s. f. aposta.
apuesto, -a, adj. com bom aspecto; bem-parecido.
apuntación, s. f. apontamento; nota; anotação.
apuntado, -a, adj. apontado (assinalado); pontiagudo.
apuntador, -a, I. adj. apontador. **II.** s. m. apontador; TÉXT. ponto.
apuntalamiento, s. m. escoramento; estacamento.
apuntalar, v. tr. escorar; especar; estear; sustentar.
apuntar, v. tr. apontar; indicar; anotar; esboçar; apontar (no teatro).
apunte, s. m. apontamento; rascunho; nota; esboço.
apuntillar, v. tr. acabar; rematar.
apuñalar, v. tr. apunhalar.
apuñar, v. tr. (fam.) empunhar.
apuradamente, adv. com dificuldades; esmeradamente.
apurado, -a, adj. apurado; esmerado; necessitado.
apurar, v. tr. apurar; purificar; acabar; extremar.
apuro, s. m. apuro; perfeição; aperto; aflição.
aquejar, v. tr. (fig.) afligir; magoar; fatigar; angustiar.
aquel, -ella, adj. aquele, aquela; *aquellos coches*, aqueles carros.
aquél, -élla, pron. dem. aquele; aquela; aquilo; *són aquéllos*, são aqueles.
aquelarre, s. m. conciliábulo de bruxos.

aquella, adj. vd. **aquel**.
aquélla, pron. vd. **aquél**.
aquello, pron. aquilo, o; *aquello es mentira*, aquilo é mentira.
aquí, adv. aqui; neste lugar.
aquiescencia, s. f. aquiescência; anuência.
aquietar, v. tr. aquietar; apaziguar; sossegar.
aquilatamiento, s. m. aquilatação; avaliação.
aquilatar, v. tr. aquilatar; avaliar.
aquileño, -a, adj. vd. **aquilino**.
aquilino, -a, adj. de águia; aquilino.
aquilón, s. m. aquilão.
ara, s. f. ara; altar.
árabe, I. adj. 2 gén. árabe. **II.** s. m. (idioma) árabe.
arabesco, s. m. arabesco.
arábigo, -ga, I. adj. arábico. **II.** s. m. árabe (idioma).
arabismo, s. m. arabismo.
arabista, s. 2 gén. arabista.
arabizar, v. intr. arabizar.
arable, adj. 2 gén. arável.
arácnido -a, adj. e s. m. ZOOL. aracnídeo.
arada, s. f. arada; aradura.
arado, s. m. arado.
arador, s. m. arador; lavrador.
aragonés, -esa, adj. aragonês.
arameo, -a, I. adj. arameu, aramaico. **II.** s. m. arameu; aramaico (idioma).
arancel, s. m. tarifa oficial; taxa; norma; lei.
arancelario, -a, adj. aduaneiro; tarifário.
arándano, s. m. BOT. arando; fruto desta planta.
arandela, s. f. arandela.
araña, s. f. aranha.
arañar, v. tr. arranhar.
arañazo, s. m. arranhão; arranhadela.
arar, v. tr. arar; lavrar; sulcar.
arara, s. m. BOT. arara.
araucaria, s. f. BOT. araucária, árvore tropical.
arbitraje, s. m. arbitragem.
arbitral, adj. 2 gén. arbitral.
arbitrar, v. tr. arbitrar.
arbitrariamente, adv. arbitrariamente.
arbitrariedad, s. f. arbitrariedade.
arbitrario, -a, adj. arbitrário.
arbitrio, s. m. arbítrio.
arbitrista, s. 2 gén. alvitrista; alvitrador; alvitreiro.
árbitro, s. m. árbitro; juiz.

árbol, *s. m.* árvore.
arblado, -a, I. *adj.* arborizado. II. *s. m.* arvoredo.
arboladura, *s. f.* NÁUT. mastreação.
arbolar, *v. tr.* arvorar.
arboleda, *s. f.* alameda; arvoredo; bosque.
arboledo, *s. m.* arvoredo.
arbolista, *s. 2 gén.* arborista; arboricultor.
arbolito, *s. m.* arvoreta.
arborecer, *v. intr.* arborescer; tornar-se árvore.
arbóreo, -a, *adj.* arbóreo.
arborescencia, *s. f.* arborescência.
arborescente, *adj. 2 gén.* arborescente.
arboricida, *adj. e s. 2 gén.* arboricida.
arboricultor, *s. m.* arboricultor.
arboricultura, *s. f.* arboricultura.
arboriforme, *adj. 2 gén.* arboriforme.
arbotante, *s. m.* ARQ. arcobotante; botaréu.
arbustivo, -a, *adj.* arbustivo.
arbusto, *s. m.* arbusto.
arca, *s. f.* arca; cofre; *arcas públicas,* Tesouro; cofres do Estado.
arcabucear, *v. tr.* arcabuzar.
arcabucero, *s. m.* arcabuzeiro.
arcabuz, *s. m.* arcabuz.
arcada, *s. f.* ARQ. arcada; série de arcos; náusea.
arcaduz, *s. m.* aqueduto; alcatruz de nora.
arcaico, -a, *adj.* arcaico; antiquado; obsoleto.
arcaísmo, *s. m.* arcaísmo.
arcaizante, *adj. 2 gén.* arcaizante.
arcángel, *s. m.* arcanjo.
arcangélica, *s. f.* BOT. arcangélica.
arcano, *s. m.* arcano; segredo; mistério.
arce, *s. m.* BOT. ácer, bordo.
arcediano, *s. m.* arcediago.
arcén, *s. m.* borda; valeta; margem.
archa, *s. f.* archa; alabarda.
archero, *s. m.* archeiro.
archicofradía, *s. f.* arquiconfraria.
archidiácono, *s. m.* arquidiácono.
archidiócesis, *s. f.* arquidiocese.
archiduque, *s. m.* arquiduque.
archiduquesa, *s. f.* arquiduquesa.
archimandrita, *s. m.* arquimandrita.
archipiélago, *s. m.* arquipélago.
archivador, -a, *adj.* **s.** 1. *m. e f.* arquivista. 2. *m.* arquivo; arquivador.
archivar, *v. tr.* arquivar.
archivero, -a, *s. m. e f.* arquivista.

archivo, *s. m.* arquivo.
archivolta, *s. f.* ARQ. arquivolta.
arcilla, *s. f.* argila; greda.
arcilloso, -a, *adj.* argiloso.
arciprestazgo, *s. m.* arciprestado.
arcipreste, *s. m.* arcipreste.
arco, *s. m.* arco; arma de atirar setas.
arcón, *s. m.* arcaz.
arder, *v.* 1. *intr.* arder; inflamar-se; exaltar-se. 2. *tr.* abrasar.
ardid, *s. m.* ardil; manha.
ardiente, *adj. 2 gén.* ardente; fervoroso; activo; intenso.
ardientemente, *adv.* ardentemente; com fervor.
ardilla, *s. f.* ZOOL. esquilo.
ardor, *s. m.* ardor; calor intenso; (fig.) valentia.
ardoroso, -a, *adj.* ardoroso; (fig.) ardente; vigoroso.
arduo, -a, *adj.* árduo; difícil.
área, *s. f.* área; espaço.
arena, *s. f.* areia; (fig.) arena; cálculos (na bexiga).
arenal, *s. m.* areal.
arenga, *s. f.* arenga.
arengador, -a, *adj. e s. m. e f.* arengador.
arengar, *v. tr.* arengar.
arenilla, *s. f.* areia miúda; *pl.* cálculos.
arenisca, *s. f.* arenito.
arenoso, -a, *adj.* arenoso; areento; arenisco.
arenque, *s. m.* ZOOL. arenque.
aréola, *s. f.* MED. aréola.
areolar, *adj. 2 gén.* ZOOL. areolar.
areómetro, *s. m.* areómetro.
areopagita, *s. m.* areopagita.
areópago, *s. m.* areópago.
arete, *s. m.* arozinho; brincos; arrecadas (argolas).
arfada, *s. f.* NÁUT. arfada; arfadura, arfagem.
arfar, *v. intr.* NÁUT. arfar; balouçar.
argamasa, *s. f.* argamassa.
argamasar, *v. tr.* argamassar.
argelino, -a, *adj. e s. m. e f.* argelino; de Argel.
argentado, -a, *adj.* argentado; prateado.
argentán, *s. m.* argentão, prata niquelada.
argénteo, -a, *adj.* argênteo.
argentífero, -a, *adj.* argentífero.
argentino, -a, *adj. e s.* argentino; da Argentina.
argila, *s. f.* argila; greda.

argivo, -a, *adj.* e *s. m.* e *f.* argivo.

argolla, *s. f.* argola; golilha.

argón, *s. m.* QUÍM. árgon.

argonauta, *s. m.* argonauta; ZOOL. argonauta, bernardo-eremita (molusco cefalópode).

argot, *s. m.* gíria.

argucia, *s. f.* argúcia; subtileza; agudeza de espírito.

arguello, *s. m.* debilitação; enfraquecimento.

argüidor, -a, *adj.* arguidor; arguente.

argüir, *v. tr.* arguir; acusar; censurar; impugnar.

argumentación, *s. f.* argumentação; argumento.

argumentar, *v. intr.* argumentar; discutir.

argumentista, *s. 2 gén.* argumentista.

argumento, *s. m.* argumento.

aria, *s. f.* MÚS. ária; melodia.

aridecer, *v. tr.* aridificar.

aridez, *s. f.* aridez; secura; esterilidade.

árido, -a, I. *adj.* árido; seco; estéril. **II.** *s. f.* monotonia.

áridos, *s. m. pl.* (produtos) secos.

Aries, *s. m.* ASTR. Áries.

ariete, *s. m.* aríete; DESP. avançado-centro.

ario, -a, *adj.* ariano, ário (raça).

arisco, -a, *adj.* arisco; intratável; esquivo.

arista, *s. f.* aresta; BOT. arista; pragana.

aristocracia, *s. f.* aristocracia; fidalguia; nobreza.

aristócrata, *s. 2 gén.* aristocrata; fidalgo; nobre.

aristocrático, -a, *adj.* aristocrático; nobre; distinto.

aristotélico, -a, *adj.* aristotélico.

aritmética, *s. f.* aritmética.

aritmético, -a, *adj.* aritmético.

arlequín, *s. m.* arlequim; palhaço; bobo; farsante.

arlequinada, *s. f.* arlequinada.

arlequinesco, -a, *adj.* grotesco, ridículo; arlequinesco.

arma, *s. f.* arma; *arma blanca,* arma branca, faca; *arma de doble filo,* arma de dois gumes.

armada, *s. f.* armada; esquadra naval.

armadía, *s. f.* jangada.

armadijo, *s. m.* armadilha.

armadillo, *s. m.* ZOOL. tatu (mamífero desdentado).

armado, -a, *adj.* armado; equipado; montado.

armador, -a, *s. m.* e *f.* armador.

armadura, *s. f.* armadura; armação, madeiramento.

armamentismo, *s. m.* armamentismo.

armamentista, *adj* e *s. 2 gén.* armamentista.

armamento, *s. m.* armamento.

armar, *v. tr.* armar; equipar; aparelhar.

armario, *s. m.* armário.

armazón, *s. m.* e *f.* armação; estrutura.

armelina, *s. f.* armelina.

armella, *s. f.* armela.

armenio, -a, *adj.* e *s.* arménico, arménio.

armería, *s. f.* armaria; arsenal; brasão.

armero, *s. m.* armeiro; espingardeiro.

armilar, *adj.* 2 *gén.* armilar.

armiñado, -a, *adj.* arminhado.

armiño, *s. m.* ZOOL. arminho.

armisticio, *s. m.* armistício.

armón, *s. m.* MIL. armão.

armonía, *s. f.* harmonia; paz e amizade; concórdia.

armónica, *s. f.* harmónica.

armonicamente, *adv.* harmonicamente; harmoniosamente.

armónico, -a, *adj.* harmónico; equilibrado; concorde.

armonio, *s. m.* harmónio.

armoniosamente, *adv.* harmoniosamente.

armonioso, *adj.* harmonioso.

armonización, *s. f.* harmonização.

armonizar, *v. tr.* harmonizar; conciliar; congraçar.

arnés, *s. m.* armadura; armação, madeiramento; arnês; *pl.* arreios, jaezes.

árnica, *s. f.* BOT. arnica.

aro, *s. m.* aro, argola, jarro.

aroma, *s. m.* aroma; perfume.

aromático, -a, *adj.* aromático; odorífero.

aromatización, *s. f.* aromatização.

aromatizador, -a, *adj.* aromatizador.

aromatizante, I. *adj.* 2 *gén.* aromático. **II.** *s. m.* aromatizante.

aromatizar, *v. tr.* aromatizar; perfumar.

arpa, *s. f.* MÚS. harpa.

arpado, -a, *adj.* arpado; denteado; farpado.

arpegio, *s. m.* MÚS. harpejo.

arpella, *s. f.* ZOOL. gavião.

arpeo, *s. m.* NÁUT. arpéu.

arpía, *s. f.* harpia; *(fig.)* mulher de má condição.

arpillera, *s. f.* serapilheira.

arpista, *s. 2 gén.* harpista.

arpón, *s. m.* arpão; arpéu; enxadão.

arponado, -a, *adj.* semelhante ao arpão.

arponar, *v. tr.* vd. **arponear**.

arponear, *v. tr.* arpoar; fisgar; arpar, arpear.

arponero, *s. m.* arpoador.

arqueada, *s. m.* MÚS. arcada; vasca, convulsão do peito quando se vomita ou respira; náuseas; ânsia.

arquear, *v. tr.* arquear; curvar; sacudir a lã; calcular o calado de um barco.

arqueología, *s. f.* arqueologia.

arqueológico, -a, *adj.* arqueológico.

arqueólogo, *s. m.* arqueólogo.

arquería, *s. f.* arcaria; arcada.

arquero, *s. m.* arqueiro; tanoeiro.

arqueta, *s. f.* arqueta.

arquetípico, *adj.* arquetípico.

arquetipo, *s. m.* arquétipo.

arquitecto, *s. m.* arquitecto.

arquitectónico, -a, *adj.* arquitectónico.

arquitectura, *s. f.* arquitectura.

arquitrabe, *s. m.* ARQ. arquitrave.

arquivolta, *s. f.* ARQ. arquivolta.

arrabal, *s. m.* arrabalde; subúrbio.

arrabalero, -a, *adj. e s.* arrabaldeiro; arrabaldino.

arracada, *s. f.* arrecada, brinco.

arracimarse, *v. refl.* arracimar-se.

arráez, *s. m.* arrais, capitão de navio árabe.

arraigar, *v. intr.* arreigar; enraizar.

arraigo, *s. m.* arraigamento; enraizamento; fixação.

arramblar, *v. intr.* cobrir de areia; arrastar, levar na sua frente.

arrancaclavos, *s. m.* pé-de-cabra (alavanca de ferro).

arrancada, *s. f.* arranco, puxão; solavanco; sacudidela.

arrancadera, *s. f.* chocalho.

arrancar, *v. tr.* arrancar; desarreigar; desenraizar.

arranchar, *v. intr.* rodear, orlar, circundar; NÁUT. passar perto da costa.

arranque, *s. m.* arranco; arrancada; (fig.) ímpeto.

arrapiezo, *s. m.* andrajo; farrapo.

arras, *s. f. pl.* arras; penhor.

arrasado, -a, *adj.* acetinado.

arrasamiento, *s. m.* arrasamento; demolição.

arrasar, *v. tr.* arrasar; aplanar; nivelar; demolir.

arrastradamente, *adv.* miseravelmente.

arrastrado, -a, *adj.* arrastado; miserável; pobre.

arrastramiento, *s. m.* arrastamento; arrastadura.

arrastrar, *v. tr.* arrastar; impelir; atrair; trunfar (em alguns jogos de cartas).

arrastre, *s. m.* arrasto.

arratonado -a, *adj.* ratado.

arrayán, *s. m.* BOT. murta; mirto.

¡arre!, *interj.* arre!, apre!, irra!.

arrear, *v. tr.* tocar (estimular as bestas para que andem); arrear; aparelhar.

arrebatado, -a, *adj.* arrebatado; precipitado.

arrebatador, -a, *adj.* arrebatador; que extasia.

arrebatamiento, *s. m.* arrebatamento; furor; cólera.

arrebatar, *v. tr.* arrebatar; arrancar; extasiar.

arrebato, *s. m.* ataque, acesso; arrebatamento.

arrebol, *s. m.* arrebol; rosicler.

arrebolada, *s. f.* conjunto de nuvens avermelhadas pelos raios do Sol.

arrebolar, *v. tr.* arrebolar.

arrebujar, *v. tr.* amarrotar; amachucar; amarfanhar.

arrechucho, *s. m.* indisposição ligeira.

arreciar, *v. intr.* aumentar; crescer gradualmente.

arrecife, *s. m.* calçada; recife.

arrecirse, *v. refl.* entorpecer-se devido ao frio.

arredramiento, *s. m.* arredamento; afastamento.

arredrar, *v. tr.* arredar; afastar; separar; retrair.

arreglado, -a, *adj.* regulado; regrado; (fig.) ordenado e moderado.

arreglar, *v. tr.* arranjar; compor; consertar; regular.

arreglista, *s. 2 gén.* pessoa que faz arranjos musicais.

arreglo, *s. m.* arranjo; conserto; coordenação; conciliação.

arrejuntarse, *v. refl.* juntar-se, fazer vida de casal.

arrelde, *s. m.* peso de quatro libras.

arrellanarse, *v. refl.* recostar-se; repoltrear-se.

arremangar, *v. tr.* arregaçar; arremangar.

arremeter, *v. tr.* arremeter; acometer; atacar.

arremetida, *s. f.* arremetida; acometida.

arremolinarse, *v. refl.* (*fig.*) juntar-se; aglomerar-se; redemoinhar.

arrendable, *adj.* 2 *gén.* arrendável.

arrendador, -a, *s. m.* e *f.* arrendatário.

arrendajo, *s. m.* ZOOL. pega.

arrendamiento, *s. m.* arrendamento; contrato de renda.

arrendatario, -a, *adj.* arrendatário; alugador.

arreo, I. *s. m.* arreio; enfeite; adorno; *pl.* jaez; rédeas. II. *adv.* sucessivamente.

arrepentido, -a, *adj* e *s.* arrependido; penitente.

arrepentimiento, *s. m.* arrependimento; contrição.

arrepentirse, *v. refl.* arrepender-se.

arrestar, *v.* 1. *tr.* arrestar, prender; deter. 2. *refl.* arrojar-se.

arresto *s. m.* prisão; arrojo; audácia.

arrianismo, *s. m.* arianismo.

arriano, -a, *adj* e *s.* ariano.

arriar, *v. tr.* NÁUT. arriar; abaixar (velas ou bandeiras).

arriate, *s. m.* alegrete; canteiro; caminho; passagem.

arriaz, *s. m.* copos (guarda-mão da espada).

arrizar, *v. tr.* empoçar (o linho).

arriba, I. *adv.* arriba; ao alto; acima; em cima; adiante; *de arriba abajo,* de cima a baixo; *interj.* viva!

arribada, *s. f.* NÁUT. arribada; chegada.

arribar, *v. intr.* NÁUT. arribar; atracar; convalecer.

arribismo, *s. m.* arrivismo, novo-riquismo.

arribista, *adj.* e *s.* 2 *gén.* arrivista.

arribo, *s. m.* chegada.

arriendo, *s. m.* aluguer; arrendamento.

arriería, *s. f.* arriaria.

arriero, *s. m.* arrieiro.

arriesgado, -a, *adj.* arriscado, perigoso; temerário.

arriesgar, *v. tr.* arriscar; aventurar.

arrimadero, *s. m.* arrimo; apoio; esteio; encosto.

arrimadizo, -a, *adj.* arrimadiço.

arrimador, *s. m.* tronco de madeira que se coloca nas lareiras.

arrimar, *v. tr.* arrimar; encostar; aproximar; apoiar.

arrimo, *s. m.* arrimo; aproximação; encosto; apoio.

arrinconado, -a, *adj.* retirado; esquecido.

arrinconar, *v. tr.* arrincoar; arrinconar; *refl.* (*fig.*) retirar-se do convívio social.

arriñonado, -a, *adj.* reniforme.

arriostrar, *v. tr.* colocar pranchões ou vigamentos.

arriscado, -a, *adj.* arriscado; íngreme; atrevido; resoluto; ágil.

arritmia, *s. f.* MED. arritmia.

arrizar, *v. tr.* NÁUT. arrizar; rizar; amarrar.

arroaz, *s. m.* ZOOL. roaz; toninha; delfim (também chamado golfinho e roal).

arroba, *s. f.* arroba.

arrobamiento, *s. m.* arroubamento; enlevo.

arrobar, *v. tr.* arroubar; enlevar; extasiar.

arrobo, *s. m.* arroubo; arroubamento; êxtase.

arrocado, -a, *adj.* arrocado.

arrocero, -a, *adj.* arrozeiro.

arrocinar, *v. tr.* (*fig., fam.*) embrutecer.

arrodillamiento, *s. m.* ajoelhamento; genuflexão.

arrodillarse, *v. intr.* ajoelhar; genuflectir.

arrogación, *s. f.* arrogação.

arrogancia, *s. f.* arrogancia; orgulho; soberba; altivez.

arrogar, *v. tr.* DIR. perfilhar; adoptar; arrogar-se; apropriar-se.

arrojadizo, -a, *adj.* arrojadiço; temerário.

arrojado, -a, *adj.* arrojado; resoluto; intrépido.

arrojar, *v. tr.* arrojar; arrastar; arremessar.

arrojo, *s. m.* (*fig.*) arrojo; audácia; ousadia.

arrollado, -a, *adj.* enrolado; embrulhado.

arrollar, *v. tr.* enrolar; envolver.

arropamiento, *s. m.* enroupamento.

arropar, *v. tr.* enroupar; vestir; agasalhar.

arrope, *s. m.* arrobe; xarope concentrado.

arrostrar, *v. tr.* arrostar; encarar; afrontar; enfrentar.

arroyar, *v. tr.* arroiar; brotar; correr como arroio; serpentear.

arroyo, *s. m.* arroio; ribeiro; regato.

arroyuelo, *s. m.* regato.

arroz, *s. m.* arroz.

arrozal, *s. m.* arrozal.

arruga, *s. f.* ruga; dobra; prega (da roupa); franzido.

arrugamiento, *s. m.* enrugamento.

arrugar, *v. tr.* enrugar; franzir; *arrugar el ceño,* franzir o sobrolho.

arrugia, s. f. mina de ouro.
arruinado, -a, adj. arruinado; destruído.
arruinamiento, s. m. arruinamento; ruína; arruinação.
arruinar, v. tr. arruinar; empobrecer; (fig.) destruir; desacreditar.
arrullar, v. tr. arrulhar; (fig.) adormecer; embalar.
arrullo, s. m. arrulho.
arruma, s. f. NÁUT. arrumação (no porão dum navio).
arrumaco, s. m. (fam.) afago; carícia; festa.
arrumaje, s. f. NÁUT. arrumação; estivação.
arrumar, v. tr. NÁUT. estivar, arrumar a carga.
arrumazón, s. f. NÁUT. estivação; conjunto de nuvens no horizonte.
arrumbada, s. f. NÁUT. bateria, corredor na proa das galeras.
arrumbar, v. 1. tr. apartar; arrumar; excluir. 2. intr. tomar o rumo.
arrunflar, v. tr. enaipar.
arsenal, s. m. arsenal.
arte, s. m. arte; ofício; artifício; habilidade.
artefacto, s. m. artefacto.
artemisa, s. f. BOT. artemísia.
arteria, s. f. ANAT. artéria
artería, s. f. arteirice; astúcia.
arterial, adj. 2 gén. arterial.
arterialización, s. f. arterialização.
arteriografía, s. f. arteriografia.
arteriola, s. f. arteríola.
arteriopatía, s. f. MED. arteriopatia.
arteriosclerosis, s. f. MED. arteriosclerose.
arteriosclerósico, -a, adj. arteriosclerótico.
arteriosclerótico, -a, adj. arteriosclerótico.
arteritis, s. f. MED. arterite.
artero, -a, adj. arteiro, astucioso, manhoso.
artesa, s. f. gamela; masseira; amassadeira.
artesanado, s. m. os artesãos; artesanato.
artesanal, adj. 2 gén. artesanal.
artesanía, s. f. artesanato; obras de artesanato.
artesano, -a, s. m. e f. artesão.
artesiano, -a, adj. e s. artesiano.
artesón, s. m. gamela grande; ARQ. artesão, adorno.
artesonado, -a, adj. artesoado, artesonado.

artesonar, v. tr. artesonar; artesoar.
ártico, -a, adj. ASTR./GEOG. árctico; boreal.
articulación, s. f. articulação.
articulado, -a, I. adj. articulado. **II.** s. m. série de artigos dum tratado, lei, etc.
articular, I. v. tr. articular; unir; enlaçar; pronunciar. **II.** adj. 2 gén. articulado, articular.
articulista, s. 2 gén. articulista.
artículo, s. m. ZOOL. artículo; falange dos dedos; artigo.
artífice, s. 2 gén. artífice; operário.
artificial, adj. 2 gén. artificial.
artificio, s. m. artifício.
artificiosamente, adv. habilmente; afectadamente; dissimuladamente.
artificioso, -a, adj. artificioso; (fig.) dissimulado; afectado.
artillar, v. tr. artilhar.
artillería, s. f. artilharia.
artillero, s. m. MED. artilheiro.
artilugio, s. m. mecanismo artificioso, de pouco valor; (fig.) artifício.
artimaña, s. f. armadilha para caça; (fam.) artimanha.
artista, s. 2 gén. artista.
artísticamente, adv. artisticamente.
artístico, -a, adj. artístico.
artralgia, s. f. MED. artralgia.
artrítico, -a, adj. MED. artrítico.
artritis, s. f. MED. artrite.
artrografía, s. f. artrografia.
artrópodo, -a, adj. e s. ZOOL. artrópode; s. m. pl. artrópodes.
artrosis, s. f. MED. artrose.
arveja, s. f. BOT. ervilhaca.
arvejal, s. m. ervilhal.
arvejo, s. m. BOT. chícharo; ervilha.
arzobispado, s. m. arcebispado.
arzobispal, adj. 2 gén. arquiepiscopal.
arzobispo, s. m. arcebispo.
arzón, s. m. arção.
as, s. m. ás (de naipe de cartas, de dados, de dominó); (fig.) ás; estrela.
asa, s. f. asa; apêndice dalguns utensílios; pega.
asadero, s. m. forno, fornalha.
asado, -a, I. adj. assado; **II.** s. m. carne assada.
asador, s. m. assador; espeto.
asadura, s. f. restos; sobras; miúdos (de aves); echar las asaduras, deitar os bofes pela boca fora.

asaetado, -a, *adj.* asseteado.
asaetar, *v. tr.* assetear; (*fig.*) desgostar; molestar.
asalariado, -a, *adj.* assalariado.
asalariar, *v. tr.* assalariar.
asalmonado, -a, *adj.* assalmonado.
asaltador, -a, *adj. e s.* assaltador.
asaltante, *adj. e s. 2 gén.* assaltante.
asaltar, *v. tr.* assaltar; abordar; surgir.
asalto, *s. m.* assalto; *tomar por asalto,* tomar de assalto.
asamblea, *s. f.* assembleia; clube; parlamento.
asambleísta, *s. 2 gén.* membro de uma assembleia.
asar, *v. tr.* assar; queimar.
asargado -a, *adj.* sarjado.
asarina, *s. f.* BOT. assarina, anserina.
asaz, *adv.* assaz; bastante.
asbesto, *s. m.* MIN. asbesto, amianto.
ascendencia, *s. f.* ascendência; ascendentes; influência.
ascendente, I. *adj. 2 gén.* ascendente; crescente. **II.** *s. m.* ascente.
ascender, *v. intr.* ascender; subir; elevar-se.
ascendiente, I. *adj. 2 gén.* ascendente. **II.** *s. m.* ascendente; predomínio; influência.
ascensional, *adj. 2 gén.* ascensional.
ascensionista, *s. 2 gén.* ascensionista; montanhista; alpinista.
ascensión, *s. f.* ascensão; subida.
ascenso, *s. m.* subida; aumento; ascensão; promoção.
ascensor, *s. m.* elevador; ascensor.
ascensorista, *s. 2 gén.* ascensorista.
asceta, *s. 2 gén.* asceta.
ascética, *s. f.* ascética.
ascético, -a, *adj.* ascético.
ascetismo, *s. m.* ascetismo.
ascitis, *s. f.* MED. ascite.
asco, *s. m.* asco; repugnância; *dar asco,* causar asco, meter nojo.
ascua, *s. f.* áscua; brasa viva; carvão ardente; *estar en/sobre ascua,* estar sobre brasas; *arrimar el ascua a su sardiña,* puxar a brasa para a sua sardinha.
aseado, -a, *adj.* asseado; limpo.
asear, *v.* **1.** *tr.* assear; enfeitar; limpar. **2.** *refl.* lavar-se; arranjar-se.
asechanza, *s. f.* cilada; armadilha; engano.
asechar, *v. tr.* armar ciladas.
asediar, *v. tr.* assediar; sitiar; (*fig.*) importunar.
asedio, *s. m.* assédio; cerco; perseguição.

asegurado, -a, 1. *adj.* segurado; seguro; garantido; protegido. **2.** *s. m.* segurado.
asegurador, -a, *adj. e s.* segurador.
asegurar, *v. tr.* assegurar; afirmar; segurar.
asemejar, *v. tr.* assemelhar; comparar; imitar.
asenso, *s. m.* assentimento; consentimento.
asentaderas, *s. f. pl.* nádegas.
asentado, -a, *adj.* assentado; sentado; localizado; estável; firme.
asentamiento, *s. m.* localização; assentamento; estabelecimento.
asentar, *v.* **1.** *tr.* localizar; assentar; estabelecer; fixar; anotar; lançar. **2.** *intr.* sentar.
asentimiento, *s. m.* assentimento; anuência; aprovação.
asentir, *v. intr.* assentir; anuir; consentir; concordar.
aseo, *s. m.* asseio; limpeza; esmero; cuidado.
asépalo, -a, *adj.* BOT. assépalo.
asepsia, *s. f.* MED. assepsia.
aséptico, -a, *adj.* MED. asséptico.
asequible, *adj. 2 gén.* exequível; acessível; compreensível.
aserción, *s. f.* asserção; afirmação.
aserradero, *s. m.* serraria; serração.
aserrado, -a, *adj.* serrado.
aserrador, -a, *adj. e s.* serrador.
aserradura, *s. f.* serradura; serradela; serração.
aserrar, *v. tr.* serrar.
aserrín, *s. m.* serradura; serrim.
aserto, *s. m.* asserto; afirmação; asserção.
asesinar, *v. tr.* assassinar.
asesinato, *s. m.* assassínio; assassinato.
asesino, -a, *adj. e s. m.* assassino.
asesor, -a, *adj. e s.* assessor.
asesoramiento, *s. m.* assessoramento; conselho; orientação.
asesorar, *v. tr.* assessorar; aconselhar; auxiliar.
asesoría, *s. f.* assessoria; consultadoria.
asestar, *v. tr.* assestar; dirigir; atacar.
aseveración, *s. f.* asseveração; asserção.
aseverar, *v. tr.* asseverar; afirmar; assegurar.
aseverativo, -a, *adj.* asseverativo; confirmativo.
asexuado, -a, *adj.* assexuado; assexual.
asexual, *adj. 2 gén.* vd. **assexuado.**
asfaltado, -a, I. *adj.* asfaltado. **II.** *s. m.* pavimento asfaltado.
asfaltar, *v. tr.* asfaltar.

asfalto, s. m. asfalto.
asfixia, s. f. asfixia.
asfixiado, -a, adj. asfixiado.
asfixiador, -a, adj. vd. **asfixiante**.
asfixiante, adj. 2 gén. asfixiante.
asfixiar, v. tr. e refl. asfixiar; sufocar.
así, adv. assim, de tal modo; tanto; portanto, por isso; así que, logo que; así así, assim-assim; así sea, assim seja.
asiático, -a, adj. e s. asiático.
asibilar, v. tr. assibilar.
asidero, s. m. cabo; maçaneta; pegadeira; asa; puxador; (fig.) pretexto; desculpa.
asiduidad, s. f. assiduidade.
asiduo, -a, I. adj. assíduo; diligente. II. s. m. frequentador.
asiento, s. m. assento; anotação; base; cadeira; nádegas; acordo; tomar asiento, sentar-se.
asignable, adj. 2 gén. atribuível.
asignación, s. f. dotação; nomeação; vencimento; atribuição.
asignar, v. tr. atribuir; assinalar; fixar.
asignatura, s. f. cadeira; disciplina.
asilado, -a, adj. asilado.
asilar, v. tr. asilar.
asilo, s. m. asilo; recolhimento; (fig.) amparo; favor; asilo de ancianos, lar da terceira idade.
asimetría, s. f. assimetria.
asimétrico, -a, adj. assimétrico.
asimiento, s. m. apanha; agarra; (fig.) adesão.
asimilable, adj. 2 gén. assimilável.
asimilación, s. f. assimilação.
asimilar, v. tr. assimilar; apropriar; acomodar.
asimismo, adv. também; desta maneira; além disso.
asíndeton, s. m. assíndeto, assíndeton.
asíntota, s. f. GEOM. assimptota.
asir, v. tr. pegar; agarrar; colher; prender; intr. arraigar (as plantas); asirse a una idea, ter uma ideia fixa.
asirio, -a, adj. e s. m. assírio.
asistencia, s. f. assistência; presença; socorro, ajuda.
asistenta, s. f. freira adjunta da superiora; dama de honor (nos paços reais); criada de servir.
asistente, adj. 2 gén. assistente; ouvinte.
asistido, -a, adj. assistido.
asistir, v. tr. assistir; acompanhar; socorrer, ajudar.

asma, s. f. MED. asma.
asmático, -a, adj. e s. asmático.
asnal, adj. 2 gén. asnal; asinino; (fam.) bestial, brutal.
asno, s. m. asno; burro; (fig.) ignorante.
asociación, s. f. associação.
asociado, -a, adj. e s. associado; sócio.
asociar, v. tr. associar; agregar; aliar.
asociativo, -a, adj. associativo.
asolación, s. f. assolação; devastação; destruição.
asolador, -a, adj. assolador; devastador.
asolamiento, s. m. assolação; assolamento; devastação.
asolanar, v. tr. assoleimar; crestar; queimar; secar (frutas, messes, etc.), estiolar (plantas); secar.
asolapar, v. tr. assentar telha; (fig.) encobrir; esconder.
asolar, v. tr. assolar; devastar; destruir; arrasar.
asolear, v. tr. assoalhar; insolar.
asoleo, s. m. assoalhamento; assoalhadura.
asomada, s. f. assomada; aparição; cumeada.
asomar, v. 1. intr. assomar; aparecer; mostrar-se. 2. refl. espreitar, debruçar-se; asomarse a la ventana, espreitar à janela.
asombrado, -a, adj. assombrado; espantado; surpreso.
asombrar, v. tr. assombrar; (fig.) assustar; espantar.
asombro, s. m. assombro; susto; espanto.
asombrosamente, adv. assombrosamente; surpreendentemente.
asombroso, -a, adj. assombroso.
asomo, s. m. assomo; indício; sinal.
asonada, s. f. assuada; motim; balbúrdia.
asonancia, s. f. assonância.
asonante, adj. 2 gén. assonante.
asonar, v. intr. assonar; ressoar.
asordar, v. tr. ensurdecer.
aspa, s. f. aspa; cruz; aspas; pl. aspas, velas de moinho de vento.
aspar, v. tr. aspar; crucificar; (fig., fam.)
● mortificar; ¡que me aspen si...!, (fam.) ceguinho seja eu se...!
aspaventar, v. tr. assustar; espantar.
aspaventero, -a, adj. espaventoso; aparatoso; teatral; exagerado.
aspaventoso, -a, adj. vd. **aspaventero**.
aspaviento, s. m. espavento; luxo; pompa.
aspecto, s. m. aspecto; aparência; semblante.
ásperamente, adv. asperamente; (fig.) severamente.

aspereza, *s. f.* aspereza; escabrosidade.
asperillo, *s. m.* travo; sabor ligeiramente amargo.
asperjar, *v. tr.* aspergir.
áspero, -a, *adj.* áspero; desigual; rugoso; escabroso; *(fig.)* austero.
asperón, *s. m.* areão.
aspersión, *s. f.* aspersão.
aspersor, *s. m.* aspersor.
aspersorio, *s. m.* aspersório; hissope.
áspid, *s. m.* áspide.
aspidistra, *s. f.* BOT. aspidistra.
aspillera, *s. f.* seteira.
aspiración, *s. f.* aspiração; inalação; sucção; ambição, desejo.
aspirado, -a, *adj.* aspirado.
aspirador, -a, *adj. e s.* aspirador.
aspirante, *adj. e s. 2 gén.* aspirante.
aspirar, *v. tr.* aspirar; absorver; pretender; desejar.
aspirina, *s. f.* aspirina.
asquear, *v. intr.* desgostar; enojar; revoltar.
asquerosamente, *adv.* asquerosamente.
asquerosidad, *s. f.* asquerosidade.
asqueroso, -a, *adj.* asqueroso; repelente.
asta, *s. f.* hasta, lança; haste, chifre; mastro.
astado, -a, I. *adj.* armado; cornudo. II. *s. m.* touro.
ástato, *s. m.* QUÍM. ástato.
astenia, *s. f.* MED. astenia; debilidade.
asténico, -a, *adj.* asténico.
asterisco, *s. m.* asterisco.
asteroide, *adj. 2 gén. e s. m.* asteróide.
astigmático, -a, *adj.* astigmático.
astigmatismo, *s. m.* MED. astigmatismo.
astil, *s. m.* hastil; haste.
astilla, *s. f.* estilha; lasca; estilhaço.
astillar, *v. tr.* estilhaçar.
astillazo, *s. m.* estilhaço.
astillero, *s. m.* estaleiro; lanceiro; cabide para lanças.
astilloso, -a, *adj.* quebradiço; frágil.
astracán, *s. m.* astracã.
astrágalo, *s. m.* ANAT. astrágalo; ARQ. astrágalo, moldura.
astral, *adj. 2 gén.* astral; sideral.
astringencia, *s. f.* adstringência.
astringente, *adj. 2 gén.* adstringente.
astringir, *v. tr.* adstringir; apertar; contrair; estreitar.
astro, *s. m.* astro; corpo celeste; *(fig.)* estrela de cinema.

astrolabio, *s. m.* ASTR. astrolábio.
astrología, *s. f.* astrologia.
astrológico, -a, *adj.* astrológico.
astrólogo, -a, *adj.* astrólogo.
astronomía, *s. f.* astronomia.
astronómico, -a, *adj.* astronómico.
astrónomo, -a, *s. m. e f.* astrónomo.
astroso, -a, *adj.* desastrado; esfarrapado; sujo; desprezível; infeliz.
astucia, *s. f.* astúcia; treta; lábia.
asturiano, -a, *adj.* asturiano.
astutamente, *adv.* astutamente, astuciosamente.
astuto, -a, *adj.* astuto.
asueto, *s. m.* folga; tempo livre.
asumir, *v. tr.* assumir; tomar sobre si.
asunción, *s. f.* assunção.
asuntillo, *s. m.* *(fam.)* negócio.
asunto, *s. m.* assunto.
asustadizo, -a, *adj.* assustadiço.
asustado, -a, *adj.* assustado; atemorizado.
asustar, *v. tr.* assustar; atemorizar.
atabal, *s. m.* atabale; timbale.
atabe, *s. m.* respiradoiro.
atacado, -a, *adj.* atacado.
atacador, -a, I. *adj.* atacador. II. *s. m.* atacador; MIL. soquete.
atacante, *adj. e s. 2 gén.* atacante.
atacar, *v. tr.* atacar; apertar; acometer; investir.
atadero, *s. m.* corda; cadeia; argola.
atadijo, *s. m.* *(fam.)* trouxa; embrulho pequeno.
atado, -a, I. *adj.* atado; acanhado; tímido; II. *s. m.* trouxa.
atador, -a, I. *adj.* atador. II. *s. f.* atadeira (de molhos ou paveias).
atadura, *s. f.* atadura; ligadura; *(fig.)* enlace.
atafagar, *v. tr.* atafegar; sufocar; aturdir; atordoar.
ataguía, *s. f.* dique; paredão.
ataharre, *s. m.* atafal; rabicho.
atajar, *v. intr.* atalhar; abreviar; encurtar; impedir; interromper; parar.
atajo, *s. m.* atalho; caminho; rebanho; grupo; *no hay atajo sín trabajo,* quem se mete por atalhos mete-se em trabalhos.
atalaje, *s. m.* vd. **atelaje.**
atalaya, *s. f.* atalaia, vigia
atalayar, *v. tr.* atalaiar; vigiar; observar.
atañedero, -a, *adj.* respeitante (a).
atañer, *v. intr.* respeitar (a), corresponder (a).

ataque, *s. m.* ataque; assalto.

atar, *v. tr.* atar; ligar; amarrar.

atarantado, -a, *adj.* atarantado; estonteado.

atarantar, *v. tr.* atarantar; perturbar; atrapalhar.

ataraxia, *s. f.* ataraxia; imperturbabilidade; apatia.

atarazana, *s. f.* arsenal; depósito de armas; tercena.

atardecer, I. *v. intr.* entardecer. II. *s. m.* o entardecer.

atareado, -a, *adj.* atarefado.

atarear, *v.* 1. *tr.* atarefar. 2. *refl.* afadigar-se: atarefar-se.

atarugar, *v.* 1. *tr.* atestar; encher; atulhar; fazer calar. 2. *refl.* ficar embaraçado; envergonhar-se; calar-se; engasgar-se.

atasajado, -a, *adj.* atassalhado, estiraçado.

atascadero, *s. m.* atascadeiro; atoleiro; lodaçal; lamaçal.

atascar, *v. tr.* atascar; calafetar; obstruir; engarrafamento (de trânsito).

atasco, *s. m.* entupimento; entulho; obstáculo; estorvo.

ataúd, *s. m.* ataúde; esquife.

ataviar, *v. tr.* ataviar; adornar.

atávico, -a, *adj.* atávico.

atavío, *s. m.* atavio; enfeite.

atavismo, *s. m.* atavismo.

atediar, *v. tr.* atediar; entediar; aborrecer.

ateísmo, *s. m.* ateísmo.

ateísta, *adj.* e *s.* 2 *gén.* ateísta; ateu.

atelaje, *s. m* . arreios; parelha de cavalos.

atemorizar, *v. tr.* atemorizar; assustar.

atemperación, *s. f.* temperança; moderação; acomodação; adaptação.

atemperar, *v. tr.* temperar; moderar; atemperar.

atenazado, *adj.* atenazado; (*fig.*) torturado; atormentado.

atenazar, *v. tr.* atenazar; (*fig.*) torturar; atormentar.

atención, I. *s. f.* atenção; cortesia; delicadeza. II. *interj.* atenção!

atender, *v. tr.* atender; esperar; aguardar; aviar; responder; ter em conta; cumprir; prestar atenção.

ateneo, *s. m.* ateneu.

atendible, *adj.* 2 *gén.* digno de atenção; atendível.

atenerse, *v. refl.* ater-se; encostar-se; sujeitar-se; acolher-se; ajustar-se.

ateniense, *adj.* e *s.* 2 *gén.* ateniense.

atentado, -a, I. *adj.* atento; cordato; moderado. II. *s. m.* atentado; delito grave.

atentamente, *adv.* atentamente; cuidadosamente; respeitosamente.

atentar, *v. tr.* atentar; reflectir; cuidar; intentar um delito.

atento, -a, *adj.* atento; atencioso; urbano; cortês.

atenuación, *s. f.* atenuação; enfraquecimento.

atenuante, I. *adj.* 2 *gén.* atenuante. II. *s. m.* (circunstância) atenuante.

atenuar, *v. tr.* atenuar; diminuir; minorar; mitigar.

ateo, -a, *adj.* ateu; ímpio.

aterido, -a, *adj.* hirto; álgido; inteiriçado.

aterimiento, *s. m.* algidez; rigidez.

aterirse, *v. refl.* inteiriçar-se; ficar hirto; enregelar-se.

aterrador, -a, *adj.* aterrador; pavoroso.

aterraje, *s. m.* aterragem; acostagem.

aterramiento, *s. m.* medo; terror.

aterrar, *v. tr.* derrubar, abater; aterrar, aterrorizar; aterrar (avião); ancorar; acostar.

aterrizaje, *s. m.* aterragem; *aterrizaje forzoso,* aterragem forçada.

aterrizar, *v. intr.* aterrar.

aterronar, *v. tr.* fazer em torrões.

aterrorizar, *v. tr.* aterrorizar; assustar.

atesorar, *v. tr.* entesoirar; acumular riqueza; amontoar.

atestación, *s. f.* atestação; testemunho.

atestado, -a, *adj.* atestado; abarrotado.

atestamiento, *s. m.* atestamento; atestação.

atestar, *v. tr.* abarrotar; encher; atestar.

atestiguación, *s. f.* testificação; atestação; depoimento.

atestiguar, *v. tr.* testificar; testemunhar; depor.

atetado, -a, *adj.* amamentado; com figura de teta.

atetar, *v. tr.* amamentar; aleitar.

atezado, -a, *adj.* enegrecido; queimado (pelo sol).

atibar, *v. tr.* MIN. entulhar uma mina.

atiborrar, *v. tr.* entulhar; estofar; acolchoar; embuchar.

aticismo, *s. m.* aticismo.

ático, *adj.* e *s. m.* ático.

atiesar, *v. tr.* entesar; atesar; esticar.

atigrado, -a, *adj.* atigrado; mosqueado.

atildado, -a, *adj.* elegante; limpo; arranjado.

atildamiento, *s. m.* elegância; limpeza; boa aparência; (*fig.*) censura.

atildar, *v. tr. e refl.* atildar; pontuar; limpar; censurar; criticar; arranjar-se; vestir-se.

atinadamente, *adv.* atinadamente, correctamente.

atinado, -a, *adj.* certo; correcto; exacto; pertinente.

atinar, *v. intr.* atinar; acertar.

atiparse, *v. refl.* encher-se; entupir.

atípico, -a, *adj.* atípico.

atiplado, -a, *adj.* atiplado; esganiçado.

atiplar, *v. tr.* imitar voz de tiple; esganiçar.

atirantar, *v. tr.* segurar uma armação; estirar; esticar.

atiriciarse, *v. refl.* contrair icterícia.

atisbador, -a, *adj. e s.* espreitador; observador.

atisbar, *v. tr.* espreitar; observar; espionar.

atisbo, *s. m.* espreita; vislumbre, vestígio; rasto.

atizador, *s. m.* atiçador; espevitador.

atizar, *v. tr.* atiçar; avivar (o fogo); atear; espevitar.

atizonar, *v. tr.* aparelhar, afeiçoar, fazer obra de alvenaria.

atlántico, -a, *adj.* atlântico.

atlas, *s. m.* ANAT./GEOG. atlas.

atleta, *s. 2 gén.* atleta; lutador; desportista.

atlético, -a, *adj.* atlético.

atletismo, *s. m.* atletismo.

atmósfera, *s. f.* atmosfera.

atmosférico, -a, *adj.* atmosférico.

atoar, *v. tr.* NÁUT. atoar; levar à toa; rebocar; sirgar.

atocha, *s. f.* BOT. esparto.

atochal, *s. m.* espartal.

atocinar, *v. tr.* abrir (desfazer) um porco para salgar; (*fam.*) assassinar.

atolladero, *s. m.* atoleiro; lodaçal; pântano.

atollar, *v. intr.* atolar; atascar.

atolón, *s. m.* atol.

atolondradamente, *adv.* temerariamente; aturdidamente.

atolondrado, -a, *adj.* temerário; louco; aturdido.

atolondramiento, *s. m.* temeridade; loucura; aturdimento.

atolondrar, *v. tr. e refl.* aturdir; confundir; atordoar.

atómico, -a, *adj.* QUÍM. atómico.

atomismo, *s. m.* atomismo.

atomización, *s. f.* atomização.

atomizador, *s. m.* atomizador.

atomizar, *v. tr.* atomizar.

átomo, *s. m.* átomo.

atonal, *adj. 2 gén.* MÚS. atonal.

atonía, *s. f.* MED. atonia; apatia; letargia.

atónito, -a, *adj.* atónito; espantado; admirado.

átono, -a, *adj.* GRAM. átono.

atontadamente, *adv.* tontamente; confusamente.

atontado, -a, *adj.* tonto; aturdido.

atontamiento, *s. m.* atordoamento; entontecimento; aturdimento.

atontar, *v. tr.* atontar; tornar zonzo; aturdir; estontear.

atoramiento, *s. m.* obstrução.

atorar, *v.* **1.** *tr.* obstruir; tapar. **2.** *refl.* emperrar; encravar; (*fig.*) ficar sem fala.

atormentador, -a, *adj.* atormentador.

atormentar, *v. tr.* atormentar; torturar.

atornillador, *s. m.* chave de fenda; chave de parafusos.

atornillar, *v. tr.* atarraxar; aparafusar.

atortolado, -a, *adj.* atordoado; entontecido.

atortolar, *v. tr.* (*fam.*) atordoar; entontecer.

atortujar, *v. tr.* apertar; achatar; esmagar.

atosigamiento, *s. m.* intoxicação; envenenamento.

atosigar, *v. tr.* intoxicar.

atrabancar, *v. tr.* atabalhoar.

atrabiliario, -a, *adj.* MED. atrabiliário; atrabilioso.

atrabilis, *s. f.* MED. atrabile, atrabílis; bílis negra.

atracadero, *s. m.* atracadouro.

atracador, -a, *s. m. e f.* assaltante; ladrão.

atracar, *v.* **1.** *tr.* (*fam.*) encher; fartar; assaltar; roubar. **2.** *intr.* NÁUT. atracar.

atracción, *s. f.* atracção; (*fig.*) simpatia.

atraco, *s. f.* assalto; roubo.

atracón, *s. m.* (*fam.*) acção de fartar-se; fartadela, fartote.

atractivo, -a, I. *adj.* atractivo; atraente. **II.** *s. m.* atractivo; graça; inclinação.

atraer, *v. tr.* atrair.

atrafagar, *v. intr.* fatigar-se; cansar-se; sobrecarregar-se.

atragantamiento, *s. m.* engasgamento.

atragantarse, *v. refl.* engasgar-se.

atraillar, v. tr. atrelar; (fig.) dominar; controlar.

atramparse, v. refl. cair em armadilha; embaraçar-se.

atrancar, v. tr. atrancar; trancar.

atrapamoscas, s. m. caça-moscas.

atrapar, v. tr. caçar; apanhar; capturar.

atraque, s. m. atrácagem, atracação; cais de atracagem; acoplamento.

atrás, adv. atrás; detrás.

atrasad|o, -a, adj. atrasado; alcançado; empenhado.

atrasar, v. 1. tr. atrasar; demorar. 2. refl. atrasar-se, ficar para trás.

atraso, s. m. atraso; demora.

atravesad|o, -a, adj. atravessado; trespassado.

atravesador, -a, adj. atravessador.

atravesar, v. 1. tr. atravessar; cruzar; trespassar. 2. refl. imiscuir-se; interferir.

atrayente, adj. 2 gén. atraente.

atreguar, v. tr. atreguar; dar ou ajustar tréguas.

atreverse, v. refl. atrever-se a; ousar; afrontar; arriscar-se.

atrevid|o, -a, adj. e s. atrevido; ousado; insolente.

atrevimiento, s. m. atrevimento; ousadia; insolência.

atrezo, s. m. suporte; apoio.

atribución, s. f. atribuição; competência; prerrogativa.

atribuible, adj. 2 gén. atribuível.

atribuir, v. tr. atribuir; conceder; assacar.

atribulación, s. f. atribulação.

atribuladamente, adv. atribuladamente; tristemente; infelizmente.

atribulad|o, -a, adj. atribulado; triste; infeliz.

atribular, v. tr. atribular; angustiar.

atributiv|o, -a, adj. atributivo.

atributo, s. m. atributo; qualidade.

atrición, s. f. atrição.

atril, s. m. atril (estante).

atrincheramiento, s. m. entrincheiramento.

atrincherar, v. tr. entrincheirar; atrincheirar.

atrio, s. m. átrio; adro; pátio; vestíbulo.

atríped|o, -a, adj. zool. atrípede.

atrirrostr|o, -a, adj. zool. atrirrostro.

atrit|o, -a, adj. atrito; contrito.

atrochar, v. intr. atalhar.

atrocidad, s. f. atrocidade; crueldade; barbaridade.

atrofia, s. f. atrofia.

atrofiarse, v. refl. atrofiar-se.

atronad|o, -a, adj. impetuoso; temerário.

atronador, -a, adj. atroador; ruidoso; estrondoso; ensurdecedor.

atronamiento, s. m. atroamento; estrondo.

atronar, v. tr. atroar; aturdir; atordoar.

atropad|o, -a, adj. atropado; agrupado.

atropar, v. tr. atropar; agrupar.

atropelladamente, adv. em tropel; apressadamente.

atropellad|o, -a, adj. impetuoso; apressado; brusco; intempestivo.

atropellamiento, s. m. atropelamento.

atropellar, v. tr. atropelar; derrubar; empurrar.

atropello, s. m. atropelo; atropelamento; ofensa; agravo.

atropina, s. f. quím. atropina.

atroz, adj. 2 gén. atroz; cruel.

atrozmente, adv. atrozmente.

atuendo, s. m. aparato; ostentação.

atufad|o, -a, adj. enfadado; zangado.

atufar, v. 1. intr. (fig.) empestar; cheirar mal. 2. tr. asfixiar; enfadar; zangar. 3. refl. azedar (vinho); enjoar; asfixiar.

atufo, s. m. enfado; zanga.

atún, s. m. zool. atum.

atuner|o, -a, adj. atuneiro.

aturdidamente, adv. aturdidamente; confusamente.

aturdid|o, -a, adj. aturdido; tonto; confuso.

aturdimiento, s. m. aturdimento; atordoamento.

aturdir, v. 1. tr. aturdir; atordoar. 2. refl. aturdir-se; ficar zonzo.

aturrullar, v. tr. (fam.) aturdir; perturbar; atrapalhar.

atusar, v. 1. tr. alisar ou aparar (bigode ou cabelo); afeiçoar. 2. refl. ataviar-se.

auca, s. m. ganso bravo.

audacia, s. f. audácia; ousadia.

audaz, adj. 2 gén. audaz; ousado.

audazmente, adv. audazmente; ousadamente.

audible, adj. 2 gén. audível.

audición, s. f. audição; mús. concerto.

audiencia, s. f. audiência.

audífono, s. m. audiofone.

audímetro, *s. m.* aparelho de controlo de audiências.
audiometría, *s. f.* audiometria.
audiómetro, *s. m.* audiómetro.
audiovisual, *adj. 2 gén.* e *s. m.* audiovisual.
auditar, *v. tr.* auditar; fazer a auditoria de.
auditivo, -a, **I.** *adj.* auditivo. **II.** *s. m.* auscultador (de telefone).
auditor, *s. m.* auditor; magistrado.
auditoría, *s. f.* auditoria.
auditorio, *s. m.* auditório, audiência; auditório, sala de audições.
auditórium, *s. m.* auditório, sala de audições.
auge, *s. m.* auge; culminância.
augita, *s. f.* augite.
augur, *s. m.* áugure; adivinho.
auguración, *s. f.* augúrio, auguração.
augural, *adj. 2 gén.* augural.
augurar, *v. tr.* augurar; agourar; pressagiar.
augurio, *s. m.* augúrio; agoiro.
augusto, -a, *adj.* augusto; majestoso; magnífico.
aula, *s. f.* aula; classe.
aulaga, *s. f.* BOT. tojo.
áulico, -a, *adj.* e *s.* áulico; cortesão; palaciano.
aullador, -a, *adj.* uivador.
aullar, *v. intr.* uivar; ulular.
aullido, *s. m.* uivo; aulido.
aúllo, *s. m.* uivo.
aumentador, -a, *adj.* aumentador.
aumentar, *v. tr.* aumentar; acrescentar; agravar; ampliar; amplificar.
aumentativo, -a, *adj.* aumentativo.
aumento, *s. m.* aumento; ampliação; amplificação.
aun, *adv.* até, até mesmo; também; *aun así*, mesmo assim; *aun más*, até mais.
aún, *adv.* ainda; *aún no ha llegado*, ainda não chegou.
aunar, *v. tr.* aunar; unir; combinar.
aunque, *conj.* se bem que; ainda que; posto que; embora; mas.
¡aúpa!, *interj.* upa!
aupar, *v. tr.* levantar; ajudar; elogiar.
aura, *s. f.* aura; brisa; zéfiro; *(fig.)* favor; aplauso.
áureo, -a, *adj.* áureo; doirado.
aureola, *s. f.* auréola; resplendor; *(fig.)* glória.

auréola, *s. f.* vd. **aureola**.
aurícula, *s. f.* aurícula.
auricular, **I.** *adj. 2 gén.* auricular. **II.** *s. m.* (dedo) auricular.
aurífero, -a, *adj.* aurífero.
Auriga, *s. m.* ASTR. Cocheiro; Auriga, constelação boreal; Ursa Menor.
aurora, *s. f.* aurora; *(fig.)* princípio; começo; início.
auscultación, *s. f.* MED. auscultação.
auscultar, *v. tr.* MED. auscultar.
ausencia, *s. f.* ausência; afastamento; falta; privação.
ausentarse, *v. tr.* ausentar-se; retirar-se; afastar-se.
ausente, **I.** *adj. 2 gén.* ausente; afastado; distante; retirado; distraído. **II.** *s. 2 gén.* DIR. ausente; faltoso.
ausentismo, *s. m.* absentismo.
auspiciar, *v. tr.* augurar; proteger.
auspicio, *s. m.* auspício; agouro; protecção; favor.
austeridad, *s. f.* austeridade; severidade.
austero, -a, *adj.* austero; sóbrio; severo; áspero.
austral, *adj. 2 gén.* austral.
australiano, -a, *adj.* e *s.* australiano.
australopiteco, *s. m.* australopiteco.
austríaco, -a, *adj.* e *s.* austríaco.
austro, *s. m.* austro.
autarquía, *s. f.* autarquia.
autárquico, -a, *adj.* autárquico.
auténtica, *s. f.* autêntica; certificado.
autenticación, *s. f.* autenticação.
auténticamente, *adv.* autenticamente; verdadeiramente.
autenticar, *v. tr.* autenticar.
autenticidad, *s. f.* autenticidade.
auténtico, -a, *adj.* autêntico; legalizado; autorizado.
autillo, *s. m.* coruja.
autismo, *s. m.* autismo.
autista, *s. 2 gén.* autista.
autístico, -a, *adj.* autístico.
auto, *s. m.* DIR. auto; composição dramática; apócope de automóvel.
autobiografía, *s. f.* autobiografia.
autobiográfico, -a, *adj.* autobiográfico.
autobomba, *s. f.* autobomba.
autobombearse, *v. refl. (fam.)* auto-elogiar-se.
autobombo, *s. m. (fam.)* auto-elogio.
autobús, *s. m.* autocarro; autobus.
autocamión, *s. m.* camião.

autocar, s. m. autocarro.
autociclo, s. m. motocilo.
autoclave, s. f. autoclave.
autocontrol, s. m. autocontrole.
autocopista, s. f. autocopiadora; duplicador.
autocracia, s. f. autocracia.
autócrata, s. 2 gén. autocrata.
autocrático, -a, adj. autocrático.
autocrítica, s. f. autocrítica.
autóctono, -a, adj. e s. autóctone; aborígene.
autodidacto, -a, adj. autodidacta.
autodirección, s. f. piloto automático.
autodisciplina, s. f. autodisciplina.
autodominio, s. m. autodomínio, autocontrolo.
autódromo, s. m. autódromo.
autoescuela, s. f. escola de condução.
autoestop, s. m. vd. **autostop**.
autofinanciación, s. f. autofinaciamento.
autógeno, -a, adj. autogéneo; autógeno.
autogestión, s. f. autogestão.
autogiro, s. m. autogiro; helicóptero.
autogobierno, s. m. autogoverno.
autógrafo, -a, I. adj. autógrafo, autográfico. II. s. m. autógrafo.
autohipnosis, s. f. auto-hipnose.
autoinculpación, s. f. auto-inculpação.
autoinducción, s. f. auto-indução.
autoinfección, s. f. auto-infecção.
autolesión, s. f. autolesão.
autómata, s. m. autómato.
automáticamente, adv. automaticamente.
automaticidad, s. f. automaticidade.
automático, -a, adj. automático; (fig.) inconsciente.
automatismo, s. m. automatismo.
automatización, s. f. automatização.
automatizar, v. tr. automatizar.
automoción, s. f. automobilismo.
automodelismo, s. m. automodelismo.
automotor, -a, I. adj. automotor. II. s. m. automotora.
automóvil, s. m. automóvel.
automovilismo, s. m. automobilismo.
automovilista, s. 2 gén. automobilista.
automovilístico, -a, adj. automobilista, aütomobilístico.
automutilación, s. f. automutilação.
autonomía, s. f. autonomia; independência.
autonómicamente, adv. autonomicamente.

autonómico, -a, adj. autonómico.
autonomista, adj. 2 gén. autonomista.
autónomo, -a, adj. autónomo.
autopiloto, s. m. piloto automático.
autopista, s. f. auto-estrada.
autopolinización, s. f. autopolinização.
autopropulsado, -a, adj. autopropulsado; autopropulsionado.
autopropulsión, s. f. autopropulsão.
autopsia, s. f. MED. autópsia; necropsia; necroscopia.
autor, -a, s. m. e f. autor; inventor.
autoría, s. f. autoria; responsabilidade.
autoridad, s. f. autoridade; domínio.
autoritario, -a, adj. autoritário.
autoritarismo, s. m. autoritarismo; despotismo.
autoritativo, -a, adj. autoritário, competente.
autorización, s. f. autorização.
autorizable, adj. 2 gén. autorizável.
autorizar, v. tr. autorizar; permitir; validar; apoiar.
autorretrato, s. m. auto-retrato.
autoservicio, s. m. auto-serviço.
autostop, s. m. autostope; pedido de boleia.
autosuficiencia, s. f. auto-suficiência.
autosuficiente, adj. 2 gén. auto-suficiente.
autosugestión, s. f. auto-sugestão.
autovacuna, s. f. autovacina.
autovía, s. f. auto-estrada.
auxiliador, -a, adj. e s. auxiliador.
auxiliar, I. adj. e s. 2 gén. auxiliar; ajudante; assistente. II. v. tr. auxiliar; ajudar; acudir; socorrer.
auxilio, s. m. auxílio; socorro; ajuda; amparo.
avadar, v. intr. baixar (os rios).
aval, s. m. aval; garantia.
avalancha, s. f. avalancha; alude.
avalar, v. tr. avalizar.
avalentonarse, v. refl. fazer-se valentão.
avalista, s. 2 gén. avalista.
avalorar, v. tr. valorizar; aumentar o valor de; (fig.) animar.
avaluación, s. f. avaliação.
avaluar, v. tr. avaliar; estimar; apreciar.
avance, s. m. avance, avanço; adiantamento monetário.
avante, adv. avante; adiante.
avantrén, s. m. armão.

avanzada, *s. f.* guarda-avançada; vanguarda.

avanzado, -a, *adj.* avançado.

avanzar, *v. intr.* avançar; adiantar-se; progredir.

avanzo, *s. m.* balanço; orçamento.

avaricia, *s. f.* avareza.

avariciosamente, *adv.* avaramente.

avaricioso, -a, *adj.* avarento.

avariento, -a, *adj. e s.* avarento; avaro.

avaro, -a, *adj. e s.* avarento; avaro.

avasallador, -a, *adj. e s.* avassalador.

avasallamiento, *s. m.* avassalamento; subjugação; dominação.

avasallar, *v. tr.* avassalar; subjugar; dominar.

ave, *s. f.* ZOOL. ave.

avechucho, *s. m.* avejão.

avecindarse, *v. refl.* instalar-se, fixar residência.

avefría, *s. f.* ZOOL. ave-fria.

avejentarse, *v. refl.* envelhecer (prematuramente).

avejigarse, *v. refl.* empolar.

avellana, *s. f.* avelã.

avellanal, *s. m.* avelanal, aveleiral.

avellanedo, *s. m.* avelanal, aveleiral.

avellano, *s. m.* BOT. aveleira, avelaneira.

avemaría, *s. f.* ave-maria.

avena, *s. f.* BOT. aveia (planta e grão).

avenado, -a, *adj.* avenado; aveado; lunático.

avenal, *s. m.* aveal, avenal.

avenamiento, *s. m.* drenagem; desaguamento.

avenar, *v. tr.* drenar; desalagar.

avenencia, *s. f.* anuência; convénio; acordo; contrato.

avenida, *s. f.* avenida; alameda; enchente, cheia; afluência; encontro.

avenido, -a, *adj.* conforme; concorde; avindo.

avenimiento, *s. m.* acordo; concordância; compreensão; harmonia.

avenir, *v.* **1.** *tr.* avir; concordar; ajustar; acordar. **2.** *intr.* suceder; acontecer.

aventador, -a, *adj. e s.* aventador; joeirador.

aventadura, *s. f.* VET. inchaço; tumor do gado cavalar.

aventaja, *s. f.* DIR. vd. **adventaja**.

aventajado, -a, *adj.* avantajado; vantajoso.

aventajar, *v. tr.* avantajar; exceder; elevar; preferir.

aventamiento, *s. m.* joeiramento.

aventar, *v. tr.* aventar; ventilar; arremessar; expulsar.

aventura, *s. f.* aventura; perigo; risco; sorte.

aventurado, -a, *adj.* aventurado; arriscado, perigoso, ousado; atrevido.

aventurar, *v.* **1.** *tr.* aventurar; arriscar. **2.** *refl.* aventurar-se, ousar.

aventurero, -a, *adj. e s.* aventureiro; temerário.

avergonzado, -a, *adj.* envergonhado; atrapalhado, embaraçado.

avergonzar, *v. tr.* envergonhar.

avería, *s. f.* perturbar; embaraçar; avaria; falha (técnica); dano; estrago.

averiguación, *s. f.* averiguação.

averiguable, *adj.* 2 gén. averiguável.

averiguar, *v. tr.* averiguar; investigar.

averío, *s. m.* aviário; bando de aves.

averno, *s. m.* (*poét.*) averno; inferno.

averno, -a, *adj.* avernal.

averroísmo, -a, *adj.* averroísmo.

aversión, *s. f.* aversão; ódio.

avestruz, *s. m.* ZOOL. avestruz.

avetado, -a, *adj.* betado.

avetarda, *s. f.* ZOOL. abetarda.

avetoro, *s. m.* ZOOL. abetoiro.

avezado, -a, *adj.* avezado; habituado; experimentado.

avezar, *v. tr.* avezar; habituar; acostumar.

aviación, *s. f.* aviação.

aviado, -a, *adj.* aviado, servido.

aviador, -a, *s. m. e f.* aviador; piloto.

aviar, *v. tr.* aviar; servir.

avícola, *adj.* 2 gén. avícola.

avicultor, -a, *s. m. e f.* avicultor.

avicultura, *s. f.* avicultura.

ávidamente, *adv.* avidamente.

avidez, *s. f.* avidez; cobiça.

ávido, -a, *adj.* ávido; sôfrego; cobiçoso.

aviejar, *v. tr.* avelhentar.

aviento, *s. m.* engaço; ancinho; garavanço para limpar o trigo (na eira).

avieso, -a, *adj.* avesso; torto; anormal, contrário.

avinagrado, -a, *adj.* avinagrado; (*fig., fam.*) desavindo; irascível; áspero.

avinagrar, *v. tr.* avinagrar, azedar; irritar.

avío, *s. m.* aviamento; prevenção; preparo; arranjo.

avión, *s. m.* avião; aeroplano; ZOOL. espécie de gaivão.

avisad|o, -a, *adj.* avisado; prudente; sagaz.
avisador, -a, *adj.* avisador.
avisar, *v. tr.* avisar; prevenir; aconselhar.
aviso, *s. m.* aviso; advertência; conselho; prevenção; NÁUT. aviso (embarcação ligeira).
avispa, *s. f.* ZOOL. vespa.
avispad|o, -a, *adj.* (*fig., fam.*) vivo; esperto.
avispar, *v. tr.* aguilhoar; espicaçar; esporear.
avispero, *s. m.* vespeiro.
avistar, *v.* **1.** *tr.* avistar. **2.** *refl.* avistar-se, encontrar-se.
avitaminosis, *s. f.* avitaminose.
avituallamiento, *s. m.* aprovisionamento.
avituallar, *v. tr.* avitualhar; aprovisionar; fazer provisão.
avivad|o, -a, *adj.* avivado; espicaçado; despertado; comovido.
avivar, *v. tr.* avivar; excitar; animar; (*fig.*) acalorar.
avizor, *s. m.* espreitador.
avizorar, *v. tr.* espreitar.
avoceta, *s. f.* ZOOL. avoceta.
avutarda, *s. f.* ZOOL. abetarda.
axial, *adj.* 2 *gén.* axial.
axil, *adj.* 2 *gén.* axial.
axila, *s. f.* BOT. axila; ANAT. axila; sovaco.
axilar, *adj.* 2 *gén.* axilar.
axiología, *s. f.* axiologia.
axioma, *s. m.* axioma.
axiomátic|o, -a, *adj.* axiomático.
axis, *s. m.* ANAT. áxis.
axoide|o, -a, *adj.* axóide, axóideo.
¡ay! **I.** *interj.* ai (grito aflitivo). **II.** *s. m.* suspiro; gemido.
aya, *s. f.* aia; ama.
ayer, *adv.* ontem.
ayo, *s. m.* aio.
ayuda, *s. f.* ajuda; auxílio.
ayudante, *s.* 2 *gén.* ajudante; auxiliar.
ayudantía, *s. f.* função de ajudante, auxiliar.
ayudar, *v. tr.* ajudar; auxiliar; socorrer.
ayunar, *v. intr.* jejuar.
ayunas, *s. f. pl. en ayunas*, em jejum.
ayuno, *s. m.* jejum.
ayuntamiento, *s. m.* ajuntamento; junta; Câmara Municipal.
azabache, *s. m.* azeviche.
azada, *s. f.* enxada.
azadón, *s. m.* enxadão; alvião.
azafata, *s. f.* açafata; criada da rainha.
azafate, *s. m.* açafate.

azafrán, *s. m.* BOT. açafrão.
azafranad|o, -a, *adj.* açafroado.
azagaya, *s. f.* azagaia; zagaia.
azahar, *s. m.* BOT. flor de laranjeira, de limoeiro e de cidreira.
azalea, *s. f.* BOT. azálea.
azar, *s. m.* azar; acaso; má sorte.
azarad|o, -a, *adj.* azarado; embaraçado; com problemas.
azaramiento, *s. m.* azar; embaraço; complicações.
azarar, *v. tr.* azarar; atemorizar; embaraçar; complicar.
azarbe, *s. m.* canal; rego.
azarosamente, *adv.* perigosamente, arriscadamente.
azaros|o, -a, *adj.* arriscado; perigoso.
azerí, *adj. e s.* 2 *gén.* (pessoa) do Azerbeijão.
ázimo, *adj.* ázimo.
azoato, *s. m.* QUÍM. nitrato; azotato.
ázoe, *s. m.* QUÍM. azoto; nitrogénio.
azófar, *s. m.* latão.
azogad|o, -a, *adj.* azougado; irrequieto.
azogar, *v. tr.* azougar; inquietar; amalgamar.
azogue, *s. m.* QUÍM. azougue; mercúrio.
azolvar, *v. tr.* obstruir; entupir.
azor, *s. m.* ZOOL. açor.
azoramiento, *s. m.* sobressalto; (*fig.*) irritação.
azorar, *v. tr.* (*fig.*) conturbar; sobressaltar; irritar.
azorrarse, *v. refl.* atordoar-se; amodorrar-se.
azotad|o, -a, **I.** *adj.* de várias cores; matizado; multicor. **II.** *s. m.* açoitado.
azotaina, *s. f.* (*fam.*) surra; tunda.
azotar, *v. tr.* açoitar; chicotear.
azotazo, *s. m.* forte açoite dado com a mão.
azote, *s. m.* açoite; (*fig.*) calamidade.
azotea, *s. f.* açoteia.
azteca, *adj. e s.* 2 *gén.* asteca.
azúcar, *s. m. e f.* açúcar.
azucarad|o, -a, *adj.* açucarado; afável; melífluo.
azucarar, *v. tr.* açucarar.
azucarera, *s. f.* açucareiro; refinaria de açúcar.
azucarer|o, -a, *adj.* de açúcar; açucareiro.
azucarillo, *s. m.* cubo de açúcar.
azucena, *s. f.* BOT. açucena (planta e flor).
azud, *s. m.* açude.
azuela, *s. f.* enxó.
azufaifa, *s. f.* BOT. açofeifa; jujuba (fruto).

azufaifo, *s. m.* BOT. açofeifeira; jujuba.
azufrado, -a, *adj.* enxofrado.
azufrador, -a, **I.** *adj.* enxofrador; enxofrante. **II.** *s. m.* e *f.* enxofrador, enxofradeira.
azufrar, *v. tr.* enxofrar.
azufre, *s. m.* QUÍM. enxofre.
azufroso, -a, *adj.* sulfuroso.
azul, *adj.* 2 *gén.* e *s. m.* azul.
azulado, -a, *adj.* azulado.
azulaque, *s. m.* galagala (betume artificial).
azular, *v.* **1.** *tr.* azular; anilar. **2.** *refl.* azular-se.

azulear, *v. intr.* azular.
azulejero, *s. m.* azulejador.
azulejo, *s. m.* azulejo; ZOOL. abelharuco (ave).
azulenco, -a, *adj.* azulado; azulino.
azulete, *s. m.* cor azulada.
azulino, -a, *adj.* azulino; anilado.
azumbre, *s. f.* medida para líquidos (2,016 litros).
azur, *adj.* HERÁLD. azul-escuro.
azurina, *s. f.* QUÍM. azurina.
azurita, *s. f.* azurite.
azuzar, *v. tr.* açular, atiçar (cães); (*fig.*) irritar; estimular.

B

b, s. f. b, segunda letra do alfabeto espanhol.

baba, s. f. baba; saliva espessa; babugem.

babear, v. intr. espumar (o cão) babar-se (bebé); (fig.) babar-se (por desejar muito).

babel, m. (fig., fam.) babel; confusão.

babélico, -a, adj. babélico; confuso, ininteligível.

babero, s. m. babadoiro; babeiro; bibe.

babi, s. m. bibe.

babia, estar en babia, loc. estar distraído; absorto.

babieca, adj. e s. 2 gén. boboca; tolo.

babilla, s. f. soldra.

babilónico, -a, adj. babilónico.

babor, s. m. NÁUT. bombordo.

babosa, s. f. ZOOL. lesma.

babosear, v. tr. babujar.

baboseo, s. m. (fig., fam.) babadura.

baboso, -a, adj. baboso; (fig., fam.) galanteador.

babucha, s. f. babucha; chinela.

babuino, s. m. babuíno.

baca, s. f. tejadilho (dos carros para transporte de bagagens); bagageira.

bacalada, s. f. bacalhau seco.

bacaladero, -a, I. adj. bacalhoeiro. **II.** s. m. bacalhoeiro (barco).

bacaladilla, s. f. pescada azul.

bacalao, s. m. ZOOL. bacalhau.

bacanal, I. adj. 2 gén. bacanal. **II.** s. f. orgia, bacanal.

bacará, s. m. bacará.

bacarrá, s. m. bacará.

bache, s. m. cova; rodeira; buraco.

bachiller, s. 2 gén. bacharel; (fig.) falador.

bachillerato, s. m. bacharelato; grau de bacharel.

bacía, s. f. bacia, vaso redondo e largo; vasilha, peça de barro; taça.

bacilar, adj. 2 gén. bacilar.

bacilo, s. m. bacilo.

bacín, s. m. bacio; urinol; bispote.

backgammon, s. m. gamão.

bacon, s. m. toucinho fumado.

bacón, s. m. vd. bacon.

baconismo, s. m. baconismo.

bacteria, s. f. bactéria.

bacteriano, -a, adj. bacteriano.

bactericida, adj. 2 gén. bactericida.

bacteriología, s. f. bacteriologia.

bacteriológico, -a, adj. bacteriológico.

bacteriólogo, -a, s. m. e f. bacteriólogo; bacteriologista.

báculo, s. m. báculo; bordão episcopal; cajado.

badajo, s. m. badalo.

badana, s. f. badana; carneira (pele curtida).

badén, s. m. cova; buraco; vau; canal; obstáculo.

badil, s. m. badil; pá do forno.

bádminton, s. m. badmínton.

baffle, s. m. altifalante.

bafle, s. m. altifalante.

bagatela, s. f. bagatela.

bagre, s. m. peixe-gato.

¡bah!, interj. bah!

bahía, s. f. baía; enseada.

bailable, adj. 2 gén. bailável; dançável.

bailador, -a, s. m. e f. bailador; dançarino.

bailar, v. intr. bailar, dançar.

bailarín, -ina, s. m. e f. bailarino; dançarino.

baile, s. m. baile.

bailón, -ona adj. bailão.

bailongo, s. m. dança com música pop.

bailotear, v. intr. bailar muito e mal.

bailoteo, s. m. baile ridículo, bailarico.

baja, s. f. baixa; redução.

bajada, s. f. baixada; descida.

bajar, v. intr. baixar; descer; diminuir; (fig.) abaixar.

bajel, s. m. baixel; batel.

bajera, s. f. saia de baixo; saiote.

bajero, -a, adj. baixo; em lugar inferior.

bajeza, s. f. baixeza; vileza.

bajío, s. m. baixio; banco de areia.

bajista, s. 2 gén. baixista.

bajo, -a, I. adj. baixo; inferior; (fig.) humilde; vil. **II.** s. m. MÚS. baixo (cantor).

bajón, s. m. baixa; quebra; caída; depressão; MÚS. baixo; fagote.

bajonista, s. 2 gén. MÚS. fagotista.

bancario

bajorrelieve, *s. m.* baixo-relevo.
bajura, *s. f.* pouca profundidade; *pesca de bajura*, pesca costeira.
bala, *s. f.* bala (projéctil); fardo; atado.
balacera, *s. f.* disparo.
balada, *s. f.* balada.
baladí, *adj.* 2 *gén.* frívolo, fútil.
balalaica, *s. f.* balalaica.
balance, *s. m.* balanço; agitação; COM. balanço.
balancear, *v. intr.* balancear; balançar.
balanceo, *s. m.* balanceamento; balanço.
balancín, *s. m.* balancim; balancé.
balandra, *s. f.* NÁUT. balandra (barco costeiro).
bálano, *s. m.* ANAT. bálano; glande.
balanza, *s. f.* balança.
balar, *v. intr.* balar; balir.
balarrasa, *adj.* 2 *gén.* imprestável; sem préstimo.
balasto, *s. m.* balastro.
balaustrada, *s. f.* balaustrada.
balaustre, *s. m.* balaústre.
balaústre, *s. m.* balaústre.
balazo, *s. m.* balázio, balaço.
balboa, *s. f.* balboa (unidade monetária do Panamá.
balbucear, *v. tr.* e *intr.* balbuciar.
balbuceo, *s. m.* balbuciamento.
balbuciente, *adj.* 2 *gén.* balbuciante.
balbucir, *v. intr.* balbuciar.
balcánico, -a, *adj.* balcânico.
balcón, *s. m.* balcão; varanda; sacada.
balda, *s. f.* prateleira.
baldado, -a, *adj.* inválido; cansado.
baldaquín, *s. m.* baldaquim; baldaquino; dossel.
baldaquino, *s. m.* vd. **baldaquín**.
baldar, *v.* 1. *tr.* baldar; inutilizar. 2. *refl.* descartar-se (no jogo).
balde, *s. m.* balde.
baldear, *v. tr.* baldear; regar.
baldeo, *s. m.* baldeação.
baldío, -a, I. *adj.* baldio; inculto. II. *s. m.* baldio.
baldo, -a, *adj.* baldo; falho.
baldón, *s. m.* baldão; ofensa; injúria.
baldosa, *s. f.* ladrilho; tijolo.
baldosín, *s. m.* azulejo; ladrilho.
balear, *adj.* 2 *gén.* balear.
baleárico, -a, *adj.* balear.
balido, *s. m.* balido.
balín, *s. m.* balim: zagalote.

balística, *s. f.* balística.
balístico, -a, *adj.* balístico.
baliza, *s. f.* baliza; bóia.
balizar, *v. tr.* balizar; demarcar.
ballena, *s. f.* ZOOL. baleia.
ballenato, *s. m.* ZOOL. baleote.
ballenero, -a, I. *adj.* baleeiro. II. *s. m.* pescador de baleias.
ballesta, *s. f.* MIL. balestra; balista; besta.
ballestería, *s. f.* arte de caçar javalis, ursos, veados, etc.
ballestero, *s. m.* besteiro; soldado armado de besta.
balneario, -a, I. *adj.* balnear. II. *s. m.* balneário.
balompié, *s. m.* futebol.
balón, *s. m.* bola para jogar; balão; *balón de papel*, fardo de 24 resmas.
baloncestista, *s.* 2 *gén.* basquetebolista.
baloncesto, *s. m.* basquetebol.
balonmanista, *s.* 2 *gén.* andebolista, handebolista.
balonmano, *s. m.* andebol; handebol.
balonvolista, *s.* 2 *gén.* voleibolista.
balonvolea, *s. m.* voleibol.
balsa, *s. f.* balsa; charco; meia pipa; jangada.
balsámico, -a, *adj.* balsâmico.
bálsamo, *s. m.* bálsamo; lenitivo; alívio.
báltico, -a, *adj.* báltico.
baluarte, *s. m.* baluarte; bastião; *(fig.)* amparo.
balumoso, -a, *adj.* volumoso.
bambalina, *s. f.* bambolina.
bamboleante, *adj.* 2 *gén.* bamboleante.
bambolear, *v.* 1. *tr.* bambolear. 2. *refl.* bambolear-se; gingar; saracotear-se.
bamboleo, *s. m.* bamboleio; saracoteio.
bambolla, *s. f.* ostentação; vaidade.
bambú, *s. m.* BOT. bambu.
banal, *adj.* 2 *gén.* vulgar; banal; trivial.
banalidad, *s. f.* banalidade, trivialidade.
banalización, *s. f.* banalização.
banalizar, *v. tr.* banalizar; trivializar.
banana, *s. f.* banana.
bananero, -a, I. *adj.* bananeiro, de bananas. II. *s. m.* bananeira.
banano, *s. m.* bananeira.
banca, *s. f.* banca; banco; mocho; escabelo; jogo de azar; comércio bancário.
bancada, *s. f.* bancada.
bancal, *s. f.* AGRIC. geio; terraço; canteiro; leira; courela.
bancario, -a, *adj.* bancário.

bancarrota, *s. f.* bancarrota; falência; quebra.

banco, *s. m.* banco (assento); banco (estabelecimento bancário); escolho; baixio; cardume.

banda, *s. f.* banda; faixa; lado; MÚS. banda; bando (de aves); associação criminosa.

bandada, *s. f.* bandada; bando; cardume; nuvem (de insectos); horda.

bandazo, *s. m.* NÁUT. solavanco.

bandeja, *s. f.* bandeja; salva.

bandera, *s. f.* bandeira; estandarte; pavilhão; flâmula.

bandería, *s. f.* sedição; tumulto.

banderilla, *s. f.* bandarilha (farpa enfeitada).

banderillear, *v. tr.* bandarilhar; farpear.

banderillero, *s. m.* bandarilheiro.

banderín, *s. m.* bandeirola; galhardete.

banderita, *s. f.* bandeirinha.

banderola, *s. f.* bandeirola; galhardete.

bandidaje, *s. m.* banditismo.

bandido, -a, *adj. e s. m. e f.* bandido; salteador.

bando, *s. m.* édito; pregão; facção; partido; bando (de aves); enxame; nuvem (de insectos); cardume (peixes).

bandola, *s. f.* MÚS. bandola; bandolim.

bandolera, *s. f.* MIL. bandoleira.

bandolero, *s. m.* salteador; bandoleiro.

bandolín, *s. m.* MÚS. bandolim.

bandurria, *s. f.* MÚS. bandurra.

banjo, *s. m.* banjo.

banquero, -a, *s. m.* banqueiro; cambista.

banqueta, *s. f.* banqueta; mocho (espécie de banco).

banquete, *s. m.* banquete (refeição festiva).

banquetear, *v. tr.* banquetear.

banquillo, *s. m.* banquinho; banco do réu; escabelo, mocho.

banquisa, *s. f.* banquisa.

bantú, I. *adj. e s. 2 gén.* banto, banta. **II.** *s. m.* banto (idioma).

bañador, -a, I. *adj. e s. m. e f.* banheiro. **II.** *s. m.* trajo de banho.

bañar, *v. tr. e refl.* banhar; submergir.

bañera, *s. f.* banheira.

bañista, *s. 2 gén.* banhista.

baño, *s. m.* banho; *baño María,* banho-maria.

baptista, *adj. 2 gén.* baptista.

baptisterio, *s. m.* baptistério; pia baptismal.

baquelita, *s. f.* baquelite.

baqueta, *s. f.* vareta; baqueta.

baqueteado, -a, *adj.* chibatado; *(fig.)* experimentado.

baquetear, *v. tr.* açoitar; chibatar; *(fig.)* incomodar.

baqueteo, *s. m.* maus tratos.

báquico, -a, *adj.* báquico.

bar, *s. m.* bar; botequim.

barahúnda, *s. f.* barafunda; confusão.

baraja, *s. f.* baralho; baralha; desordem, mexericos.

barajar, *v. tr.* baralhar; *(fig.)* confundir.

baranda, *s. f.* varandim; balaustrada, corrimão; grade; varanda.

barandal, *s. m.* corrimão.

barandilla, *s. f.* varandim; balaustrada; corrimão.

baratija, *s. f.* bugiganga.

baratillo, *s. m.* loja de bugigangas; feira de quinquilharia; bugigangas; quinquilharias.

barato, -a, *adj.* barato.

baratura, *s. f.* barateza.

baraúnda, *s. f. vd.* **barahunda.**

barba, *s. f.* barba; queixo; mento; *por barba,* por cabeça; cada um; *barba de ballena,* barba-de-baleia.

barbacana, *s. f.* MIL. barbacã.

barbacoa, *s. f.* churrasco.

barbado, -a, *adj.* barbado.

barbaridad, *s. f.* barbaridade; barbarismo; disparate.

barbarie, *s. f.* barbárie; *(fig.)* crueldade.

barbarismo, *s. m.* barbarismo.

bárbaro, -a, *adj. e s.* bárbaro.

barbechar, *v. tr.* barbechar; alqueivar.

barbecho, *s. m.* AGRIC. barbeito; barbecho; alqueive.

barbería, *s. f.* barbearia.

barbero, *s. m.* barbeiro.

barbeta, *s. f.* MIL. barbeta.

barbiblanco, -a, *adj.* de barba grisalha.

barbicano, -a, *adj.* de barba grisalha.

barbicastaño, *adj.* de barba castanha.

barbilampiño, *adj.* imberbe.

barbilla, *s. m.* queixo; mento; barbilha.

barbiquejo, *s. m.* MIL. francalete.

barbitúrico, *s. m.* barbitúrico.

barbo, *s. m.* ZOOL. barbo.

barboquejo, *s. m.* MIL. francalete.

barbotar, *v. tr.* balbuciar; gaguejar.

barboteo, *s. m.* balbuciamento; gaguejo.

barboquejo, *s. m.* MIL. francalete.

barbud|o, -a, *adj.* barbudo.
barca, *s. f.* barca; jangada.
barcarola, *s. f.* MÚS. barcarola.
barcaza, *s. f.* barcaça.
barcelon|és, -esa, *adj.* e *s.* barcelonês.
barco, *s. m.* barco; embarcação; barranco.
bardana, *s. f.* BOT. bardana.
bardo, *s. m.* bardo.
baricentro, *s. m.* baricentro.
baremo, *s. m.* tabela de cálculos; escala; tabela.
bargueño, *s. m.* escritório.
bario, *s. m.* QUÍM. bário.
barisfera, *s. f.* barisfera.
barita, *s. f.* QUÍM. barite.
barítono, *s. m.* barítono.
barloventear, *v. intr.* barlaventear.
barlovento, *s. m.* barlavento.
barman, *s. m.* barman, empregado de bar.
barnacla, *s. f.* ZOOL. bernaca, bernacho; lapa.
barniz, *s. m.* verniz; (*fig.*) ideia geral; conhecimento superficial.
barnizad|o, -a, *adj.* envernizado.
barnizador, -a, *s.* e *f.* envernizador.
barnizar, *v. tr.* envernizar.
barométric|o, -a, *adj.* barométrico.
barómetro, *s. m.* barómetro.
barón, *s. m.* barão.
baronesa, *s. f.* baronesa.
baronía, *s. f.* baronia.
barquer|o, -a, *s. m.* e *f.* barqueiro.
barquilla, *s. f.* NÁUT. barquilha; barquinha; gôndola.
barquiller|o, -a, *s. m.* e *f.* barquilheiro.
barquillo, *s. m.* barquilho.
barra, *s. f.* barra (de metal, etc.); alavanca; jogo da barra; barra (teia); barra (entrada de um porto).
barrabás, *s. m.* barrabás (ladrão, patife).
barraca, *s. f.* barraca; choça; casa humilde; tenda de campanha.
barracón, *s. m.* barracão.
barracuda, *s. f.* barracuda.
barragana, *s. f.* barregã; amante.
barranco, *s. m.* barranco; (*fig.*) obstáculo.
barreminas, *s. m.* caça-minas.
barrena, *s. f.* verruma; trado; broca; *entrar em barrena,* (*fam.*) entrar em parafuso.
barrenad|o, -a, *adj.* verrumado; brocado; (*fam.*) louco; lunático.
barrenar, *v. tr.* verrumar; tradear; brocar.
barrendero, *s. m.* varredor das ruas.

barreno, *s. m.* verrumão; trado.
barreño, *s. m.* alguidar; barranhão.
barrer, *v. tr.* varrer; limpar; deixar sem nada; arrasar.
barrera, *s. f.* barreira; tapume; trincheira; (*fig.*) embaraço.
barreta, *s. f.* barrinha; barreta.
barretina, *s. f.* boina, gorro catalão.
barriada, *s. f.* bairro; arrabalde.
barrica, *s. f.* barrica; pipa.
barricada, *s. f.* barricada; trincheira.
barrido *s. m.* varredela; varredura; limpeza; varrimento (câmara, microscópio, scanner).
barriga, *s. f.* barriga; abdómen; ventre; (*fig.*) bojo, saliência.
barrig|ón, -ona, *adj.* barrigudo.
barrigud|o, -a, *adj.* barrigudo.
barril, *s. m.* barril; talha de barro.
barrilete, *s. m.* barril pequeno; tambor (de revólver); grampo (carpintaria).
barrillo, *s. m.* espinhas (do rosto); sarda, pinta.
barrio, *s. m.* bairro; arrabalde; *barrio chino,* bairro chinês.
barriobajer|o, -a, *adj.* comum; vulgar.
barritar, *v. intr.* barrir.
barrito, *s. m.* barrito.
barrizal, *s. m.* lodaçal; lamaçal.
barro, *s. m.* lama; lodo; pinta; espinha.
barroc|o, -a, *adj.* e *s. m.* barroco.
barroquismo, *s. m.* barroquismo.
barros|o, -a, *adj.* barroso; lodoso; barrento.
barrote, *s. m.* barrote; travessa.
barruntar, *v. tr.* barruntar; desconfiar; suspeitar; prever.
barrunto, *s. m.* barrunto, suspeita; previsão.
bartola, *a la bartola, loc. adv.* (*fam.*) sem cuidado.
bártulos, *s. m. pl.* bens; objectos que se manejam; negócios.
barullo, *s. m.* (*fam.*) barulho; desordem.
basa, *s. f.* base; apoio; ARQ. plinto; soco.
basalto, *s. m.* basalto.
basamento, *s. m.* ARQ. envasamento de coluna; base e pedestal.
basar, *v. tr.* basear; (*fig.*) fundar; alicerçar.
basca, *s. f.* vasca; náusea; ânsia.
báscula, *s. f.* báscula; balança.
base, *s. f.* base; fundamento; apoio.
basicidad, *s. f.* QUÍM. basicidade.
básic|o, -a, *adj.* QUÍM. básico; essencial.

basílica, s. f. basílica.
basilisco, s. m. basilisco.
basket, s. m. vd. **baloncesto**.
básquet, s. m. vd. **baloncesto**.
basset, s. m. baixote (raça de cães).
basta, s. f. alinhavo; basta.
bastante, adv. bastante; suficiente.
bastar, v. intr. bastar; chegar; ser suficiente; abundar; *basta con una gota,* basta uma gota, uma gota é suficiente.
bastardear, v. intr. bastardear; abastardar.
bastardía, s. f. bastardia; *(fig.)* degenerescência.
bastardillo, -a, adj. bastardinho (tipo de letra).
bastardo, -a, I. adj. e s. bastardo. **II.** s. m. ZOOL. boa; serpente.
bastear, v. tr. acolchoar.
bastedad, s. f. grossura; aspereza.
basteza, s. f. rudeza; aspereza.
bastidor, s. m. bastidor.
bastilla, s. f. bainha alinhavada.
bastimento, s. m. bastimento; embarcação.
bastión, s. m. MIL. bastião; baluarte.
basto, -a, I. adj. grosseiro; tosco. **II.** s. m. espécie de albarda; basto; ás de paus; *pl.* paus (naipe de cartas).
bastón, s. m. bengala; bastão; stick.
bastonazo, s. m. bengalada; bastonada.
bastoncillo, s. m. galão estreito para guarnições; cotonete; ANAT. bastonete.
bastonera, s. f. bengaleiro.
bastonero, s. m. bengaleiro; o que fabrica ou vende bengalas.
basura, s. f. varredura; lixo.
basurero, s. m. varredor; lixeiro; montureira; lixeira.
bata, s. f. roupão; bata; guarda-pó; fato-macaco.
batacazo, s. m. trambolhão.
batalla, s. f. batalha; lide; combate.
batallador, -a, adj. batalhador.
batallar, v. intr. batalhar; combater; disputar.
batallón, s. m. MIL. batalhão; multidão; grande número.
batata, s. f. BOT. batata-doce.
bate, s. m. taco (de basebol).
batea, s. f. bateira; bandeja; cocho; gamela.
bateador, s. m. batedor (basebol).
batear, v. intr. bater (basebol).
batel, s. m. batel; bote; canoa.

batería, s. f. bateria; *recargar las baterías,* carregar as baterias; *batería de cocina,* trem de cozinha.
batida, s. f. batida (na caça); caçada; montaria; rusga policial.
batido, -a, I. adj. batido; trilhado; frequentado. **II.** s. m. massa para biscoitos, batido.
batidor, -a, s. **1.** m. e f. batedor; explorador. **2.** m. batedor (manual). **3.** f. batedeira (eléctrica).
batiente, I. adj. 2 gén. batepte. **2.** s. m. batente (de porta ou janela); folha (de porta); martelo (de piano); local da costa batido pelas ondas.
batihoja, s. m. bate-folha; bate-folhas, latoeiro, funileiro.
batín, s. m. roupão ligeiro.
batintín, s. m. gongo.
batir, v. tr. bater; dar pancadas; vencer; derrubar; percurtir; martelar; cunhar (moeda); perseguir; explorar.
batiscafo, s. m. batiscafo.
batista, s. f. baptista (tecido de cambraia).
batracio, -a, adj. e s. m. ZOOL. batráquio, batrácio.
baturrillo, s. m. misturada; mixórdia.
baturro, -a, adj. e s. rústico de Aragão; saloio.
batuta, s. f. batuta.
baúl, s. m. baú; cofre; arca; *(fig., fam.)* ventre; pança.
bauprés, s. m. NÁUT. gurupés.
bausán, s. m. manequim; *(fig.)* simplório.
bautismal, adj. 2 gén. baptismal.
bautismo, s. m. baptismo.
bautista, s. 2 gén. baptista.
bautisterio, s. m. baptistério.
bautizar, v. tr. baptizar; *(fig.)* pôr nome ou alcunha a; baptizar, adulterar (o vinho).
bautizo, s. m. baptizado; baptismo.
bauxita, s. f. bauxite.
bávaro, -a, adj. e s. bávaro, bávara.
baya, s. f. BOT. baga; bago pequeno.
bayeta, s. f. baeta.
bayo, -a, I. adj. baio. **II.** s. m. cavalo baio.
bayoneta, s. f. baioneta.
bayonetazo, s. m. baionetada.
baza, s. f. vaza (no jogo das cartas); *meter baza,* meter a colherada, meter o bedelho.
bazar, s. m. bazar.
bazo, s. m. ANAT. baço.

bazofia, s. f. bazófia, guisado de restos de comida; (fig.) coisa desprezível.

bazuca, m. e f. bazuca.

beatería, s. f. beatice; beataria.

beatificación, s. f. beatificação.

beatificar, v. tr. beatificar.

beatífico, -a, adj. beatífico.

beatitud, s. f. beatitude.

beato, -a, adj. e s. beato.

bebé, s. m. bebé; bebé probeta, bebé-proveta.

bebedero, -a, I. adj. bebível; potável; agua bebedera, água potável. **II.** s. m. bebedoiro.

bebedizo, -a, I. adj. potável. **II.** s. m. poção.

bebedor, -a, adj. e s. bebedor.

beber, v. intr. beber; ingerir; engolir (um líquido); brindar ao beber.

beberrón, -ona, adj. (fam.) beberrão; borrachão.

bebible, adj. (fam.) bebível; potável.

bebida, s. f. bebida.

bebido, -a, adj. bebido; bêbedo.

bebistrajo, s. m. (fam.) beberagem; mistura extravagante de bebidas; (fig.) mistela.

beca, s. f. beca, veste talar preta; (fig.) bolsa de estudo.

becada, s. f. galo silvestre.

becar, v. tr. conseguir uma bolsa.

becario, -a, s. m. e f. bolseiro.

becerra, s. f. ZOOL. bezerra; vitela.

becerrada, s. f. novilhada; garraiada.

becerro, s. m. ZOOL. bezerro; vitelo; novilho.

bechamel, s. m. bechamel.

becuadro, s. m. MÚS. bequadro.

bedel, s. m. bedel.

beduíno, -a, adj. e s. beduíno.

befa, s. f. escárnio; mofa.

befar, v. **1.** intr. mover os beiços (o cavalo). **2.** tr. escarnecer, mofar.

befo, -a, adj. e s. belfo; beiçudo.

begonia, s. f. BOT. begónia.

beige, adj. 2 gén. e s. m. bege.

beisbol, s. m. basebol.

beisbolero, -a, s. m. e f. basebolista.

bejucal, s. m. cipoal, terreno onde crescem cipós.

bejuco, s. m. BOT. cipó; liana.

bel, s. m. bel.

beldad, s. f. beldade; beleza.

belén, s. m. presépio, presepe; meterse en belenes, estar em apuros.

belfo, -a, adj. belfo; beiçudo.

belga, adj. e s. 2 gén. belga, natural da Bélgica.

bélgico, -a, adj. belga.

belicismo, s. m. belicismo.

belicista, adj. e s. 2 gén. belicista.

bélico, -a, adj. bélico; guerreiro.

belicoso, -a, adj. belicoso; guerreiro; (fig.) agressivo.

beligerancia, s. f. beligerância.

beligerante, adj. e s. 2 gén. beligerante.

belio, s. m. bel.

bellaco, -a, adj. e s. velhaco; ruim; astuto.

belladona, s. f. BOT. beladona.

bellaquería, s. f. velhacaria.

belleza, s. f. beleza; formosura.

bello, -a, adj. belo; formoso; bellas artes, belas-artes.

bellota, s. f. BOT. bolota; borla.

bemol, adj. MÚS. bemol.

benceno, s. m. benzeno.

bencina, s. f. benzina.

bendecir, v. tr. abençoar; benzer; bendizer; louvar.

bendición, s. f. bênção.

bendito, -a, I. adj. bendito; abençoado. **II.** s. m. bendito (oração).

benedictino, -a, adj. e s. beneditino.

benefactor, -a, I. adj. beneficente. **II.** s. m. e f. benfeitor, benfeitora.

beneficencia, s. f. beneficência.

beneficiación, s. f. beneficiação.

beneficiado, -a, adj. e s. m. beneficiado.

beneficiar, v. tr. beneficiar; favorecer; melhorar.

beneficiario, -a, s. m. beneficiário.

beneficio, s. m. benefício; proveito.

benéfico, -a, adj. benéfico.

benemérito, -a, adj. benemérito.

beneplácito, s. m. beneplácito; aprovação.

benevolencia, s. f. benevolência; bondade; simpatia.

benevolente, adj. 2 gén. vd. **benévolo.**

benévolo, -a, adj. benévolo; afectuoso; bondoso; benigno.

bengala, s. f. bengala; bastão.

bengalí, I. adj. e s. 2 gén. bengali, natural de Bengala. **II.** s. m. bengali (idioma).

benignidad, s. f. benignidade; afabilidade.

benigno, -a, adj. benigno; afável.

benjamín, -ina, s. m. e f. (fig.) benjamim.

beodo, -a, adj. e s. bêbedo; ébrio.

berberecho, s. m. ZOOL. amêijoa.

berberisco, -a, *adj.* e s. berberesco.
berbiquí, s. *m.* berbequim; trado; broca
da Berberia.
bereber, *adj.* e s. 2 *gén.* berbere, natur
da Berberia.
berebere, *adj.* e s. 2 *gén.* vd. **bereber.**
berenjena, s. *f.* BOT. beringela (planta
fruto).
berenjenal, s. *m.* terreno plantado de b
ringelas; *(fig.)* enredo.
bergamota, s. *f.* BOT. bergamota (vari
dade de pêra); variedade de limão.
bergante, s. *m.* bargante; biltre.
bergantín, s. *m.* NÁUT. bergantim.
beriberi, s. *m.* MED. beribéri.
berilio, s. *m.* QUÍM. berílio.
berilo, s. *m.* MIN. berilo; água-marinh
esmeralda.
berlina, s. *f.* berlinda.
berlinés, -esa, *adj.* e s. berlinense; natu
ral de Berlim.
bermejo, -a, *adj.* vermelho.
bermellón, s. *m.* cinábrio em pó; zarcã
mínio; vermelhão.
bernés, -esa, *adj.* e s. bernense, natur
de Berna.
berrear, v. *intr.* berregar; gritar.
berrido, s. *m.* berro; balido; vagido; grit
berrinche, s. *m.* rabugem (das crianças)
berro, s. *m.* BOT. agrião.
berza, s. *f.* berça; couve-galega.
berzal, s. *m.* couval.
besamanos, s. *m.* beija-mão.
besar, v. **1.** *tr.* beijar; oscular. **2.** *refl.* be
jar-se; *(fam.)* chocar; colidir.
beso, s. *m.* beijo.
bestia, s. *f.* besta.
bestiaje, s. *m.* récua; bestiagem.
bestial, *adj.* 2 *gén.* bestial; brutal; enorm
extraordinário; fantástico.
bestialidad, s. *f.* bestialidade; brutalidad
enormidade; grande quantidade.
bestiario, s. *m.* bestiário; jaula.
besucón, -ona, *adj.* e s. *(fam.)* beijoc
dor; beijoqueiro.
besugo, s. *m.* ZOOL. besugo; idiota; *diálo*
para besugos, diálogo de surdos.
besuquear, v. *tr. (fam.)* beijocar.
beta, s. *f.* beta.
bético, -ca, *adj.* e s. bético, natural c
antiga Bética (Andaluzia).
betun, s. *m.* betume; graxa para o calçad
bezo, s. *m.* beiço (lábio grosso); lábio (c
ferida).

bezudo, -a, *adj.* beiçudo, que tem beiços
grossos.
bianual, *adj.* 2 *gén.* bianual.
biatlón, s. *m.* biatlo.
biberón, s. *m.* biberão; mamadeira.
Biblia, s. *f.* Bíblia.
bíblico, -a, *adj.* bíblico.
bibliobús, s. *m.* biblioteca itinerante.
bibliófilo, -a, s. *m.* e *f.* bibliófilo.
bibliografía, s. *f.* bibliografia.
bibliográfico, -a, *adj.* bibliográfico.
bibliógrafo, s. *m.* bibliógrafo.
biblioteca, s. *f.* biblioteca; estante.
bibliotecario, -a, s. *m.* e *f.* bibliotecário.
bibliotecología, s. *f.* bibliotecologia.
biblioteconomia, s. *f.* biblioteconomia.
bicameral, *adj.* 2 *gén.* bicameral.
bicarbonato, s. *m.* bicarbonato.
bicéfalo, -a, *adj.* bicéfalo.
bicentenario, -a, *adj.* e s. *m.* bicentenário.
bíceps, *adj.* ANAT. bíceps, bicípite.
bicha, s. *f.* cobra; serpente.
bicharraco, n. bicho repugnante.
bichear, v. *tr.* espiar.
bichero, s. *m.* NÁUT. bicheiro; croque; gancho.
bicho, s. *m.* bicho.
bici, s. *f.* vd. **bicicleta.**
bicicleta, s. *f.* bicicleta.
biciclista, s. 2 *gén.* ciclista.
biciclo, s. *m.* biciclo.
bicoca, s. *f. (fig., fam.)* ninharia.
bicolor, *adj.* 2 *gén.* bicolor.
bicornio, *adj.* e s. *m.* bicorne, bicórneo.
bidé, s. *m.* bidé.
bidimensional, *adj.* 2 *gén.* bidimensional.
bidon, s. *m.* bidão.
biela, s. *f.* biela.
bielorruso, -a, *adj.* e s. bielorrusso.
bien, I. s. *m.* bem; benefício; utilidade;
proveito; *pl.* bens, haveres; *bienes de con-*
sumo, bens de consumo; *bienes de equipo,*
bens de equipamento. **II.** *adv.* conveni-
entemente.
bienal, *adj.* 2 *gén.* bienal.
bienamado, -a, *adj.* bem-amado.
bienaventurado, -a, *adj.* bem-aventurado.
bienestar, s. *m.* bem-estar; comodidade.
bienhablado, -a, *adj.* bem-falante; cortês.

bienhechor, -a, *adj.* e *s.* benfeitor.
bienintencionado, -a, *adj.* bem-intencionado.
bienio, *s. m.* biénio.
bienoliente, *adj. 2 gén.* bem-cheiroso, perfumado.
bienquisto, -a, *adj.* benquisto; estimado.
bienvenida, *s. f.* boas-vindas.
bienvenido, -a, *adj.* bem-vindo.
bienvivir, *v. tr.* viver bem; viver com conforto.
bies, *s. m.* viés; *al bies,* de viés, ao viés.
bifásico, -a, *adj.* bifásico.
bífido, -a, *adj.* bífido; bifendido.
bifocal, *adj. 2 gén.* bifocal.
biforme, *adj. 2 gén.* biforme.
bifurcación, *s. f.* bifurcação.
bifurcado, -a, *adj.* bifurcado.
bifurcarse, *v. refl.* bifurcar-se.
bigamia, *s. f.* bigamia.
bígamo, -a, *adj.* e *s. m.* bígamo.
bígaro, *s. m.* búzio.
bigote, *s. m.* bigode.
bigotera, *s. f.* bigodeira.
bigudí, *s. m.* bigodi.
bikini, *s. m.* vd. **biquini.**
bilabial, *adj. 2 gén.* bilabial.
bilateral, *adj. 2 gén.* bilateral.
bilbaíno, -a, *adj.* e *s.* bilbaíno, natural de Bilbau.
biliar, *adj. 2 gén.* biliar, biliário.
biliario, -a, *adj.* vd. **biliar.**
bilingüe, *adj. 2 gén.* bilingue.
bilingüismo, *s. m.* bilinguismo.
bilioso, -a, *adj.* bilioso.
bilis, *s. f.* bílis, bile; fel.
billar, *s. m.* bilhar.
billarista, *s. 2 gén.* bilharista.
billetaje, *s. m.* bilhetes; bilheteira.
billete, *s. m.* bilhete.
billetera, *s. f.* bilheteira.
billetero, *s. m.* bilheteira; carteira.
billón, *s. m.* bilião.
bimensual, *adj. 2 gén.* bimensal.
bimestral, *adj. 2 gén.* bimestral.
bimestre, *s. m.* bimestre.
bimetalismo, *s. m.* bimetalismo.
binario, -a, *adj.* binário.
bingo, *s. m.* bingo.
binocular, *adj. 2 gén.* binocular.
binóculo, *s. m.* binóculo.
binómio, *s. m.* binómio.
biodegradable, *adj. 2 gén.* biodegradável.

biodinámica, *s. f.* biodinâmica.
biofísica, *s. f.* biofísica.
biofísico, -a, *adj.* biofísico.
biografía, *s. f.* biografia.
biográfico, -a, *adj.* biográfico.
biógrafo, -a, *s. m.* e *f.* biógrafo.
biología, *s. f.* biologia.
biológico, -a, *adj.* biológico.
biólogo, *s. m.* biólogo, biologista.
biomasa, *s. f.* biomassa.
biombo, *s. m.* biombo.
biomecánica, *s. f.* biomecânica.
biometría, *s. f.* biometria.
biométrico, -a, *adj.* biométrico.
biónica, *s. f.* biónica.
biónico, -a, *adj.* biónico.
biopsia, *s. f.* biopsia.
bioquímica, *s. f.* bioquímica.
bioquímico, -a, *adj.* bioquímico.
biorritmo, *s. m.* biorritmo.
biosfera, *s. f.* biosfera.
bióxido, *s. m.* QUÍM. dióxido.
bipartidismo, *s. m.* bipartidismo.
bipartidista, *adj. 2 gén.* bipartidista.
bipartido, -a, *adj.* bipartido.
bípedo, -a, *adj.* e *s. m.* bípede.
biplano, *s. m.* biplano.
bipolar, *adj. 2 gén.* bipolar.
biquini, *s. m.* biquini.
birdie, *s. m.* DESP. birdie (no golfe).
birlar, *v. tr.* dar no vinte (jogo); derrubar; enganar, furtar.
birtibirloque, *s. m.* berliques e berloques.
birmano, -a, *adj.* e *s.* birmanês; birmã, birmane.
birra, *s. f.* cerveja.
birreta, *s. f.* barrete cardinalício.
birrete, *s. m.* barrete; gorro; carapuça.
bis, *adv.* bis; outra vez; duas vezes.
bisabuelo, -a, *s. m.* e *f.* bisavô, bisavó.
bisagra, *s. f.* bisagra; dobradiça; gonzo.
bisbisar, *v. tr.* vd. **bisbisear.**
bisbisear, *v. tr.* mussitar; cochichar.
bisbiseo, *s. m.* cochicho.
bisbita, *s. f.* calhandra; cotovia.
bisección, *s. f.* GEOM. bissecção.
bisector, -riz, *adj.* bissector.
bisectriz, *s. f.* bissectriz.
bisel, *s. m.* bisel; chanfradura.
biselado, -a, *adj.* biselado; chanfrado.
biselar, *v. tr.* biselar; chanfrar.
bisemanal, *adj. 2 gén.* bissemanal.
bisexual, *adj.* e *s. 2 gén.* bissexual.

bisiesto, *adj.* e *s. m.* bissexto.
bisilábico, -a, *adj.* vd. **bisílabo**.
bisílabo, -a, *adj.* bissílabo; dissílabo.
bismuto, *s. m.* QUÍM. bismuto.
bisnieto, -a, *s. m.* e *f.* bisneto.
bisojo, -a, *adj.* e *s.* estrábico; zarolho; vesgo.
bisonte, *s. m.* ZOOL. bisonte; bisão.
bisoñé, *s. m.* peruca.
bisoñez, *s. f.* inexperiência.
bisoño, -a, *adj.* e *s.* bisonho.
bisté, *s. m.* vd. **bistec**.
bistec, *s. m.* bife.
bisturí, *s. m.* bisturi; escalpelo.
bisutería, *s. f.* bijutaria; quinquilharia.
bitácora, *s. f.* NÁUT. bitácula.
bitoque, *s. m.* batoque.
bituminoso, -a, *adj.* betuminoso.
biunívoco, -a, *adj.* biunívoco.
bivalente, *adj.* 2 gén. bivalente.
bivalvo, -a, *adj.* ZOOL./BOT. bivalve.
bizantino, -a, *adj.* bizantino.
bizarría, *s. f.* bizarria; valor; galhardia.
bizco, -a, *adj.* e *s.* estrábico; vesgo.
bizcocho, *s. m.* biscoito.
biznieto, -a, *s. m.* vd. **bisnieto**.
bizquear, *v.* 1. *intr.* vesguear; ser vesgo. 2. *tr.* piscar o olho a.
bizquera, *s. f.* piscadela.
blanco, -a, I. *adj.* branco; claro. II. *s.* 1. *m.* branco (cor); (homem) branco; alvo; *dar en el blanco*, acertar no alvo; *quedarse en blanco*, ficar em branco. 2. *s. f.* (mulher) branca; MÚS. mínima;
blancor, *s. m.* brancura; alvura.
blancura, *s. f.* brancura; alvura.
blancuzco, -a, *adj.* esbranquiçado; brancacento.
blandengue, *adj.* 2 gén. débil, fraco, fofo.
blandir, *v.* *tr.* brandir; vibrar; oscilar; menear.
blando, -a, *adj.* brando; mole; tenro.
blanducho, -a, *adj.* fofo.
blandura, *s. f.* brandura.
blanduzco, -a, *adj.* brando, suave
blanqueador, -a, *adj.* e *s.* branqueador.
blanquear, *v.* *tr.* branquear; limpar; caiar.
blanquecino, -a, *adj.* esbranquiçado.
blanqueo, *s. m.* branqueação.
blasfemar, *v.* *intr.* blasfemar.
blasfemia, *s. f.* blasfémia.
blasfemo, -a, *adj.* e *s.* blasfemo.
blasón, *s. m.* HERÁLD. brasão.
blasonador, -a, *adj.* blasonador.

blasonar, *v.* 1. *tr.* brasonar. 2. *intr.* blasonar.
blástula, *s. f.* blástula.
bledo, *s. m.* BOT. bredo; *me importa un bledo*, e eu ralado!
blefaritis, *s. f.* MED. blefarite.
blenorragia, *s. f.* MED. blenorragia.
blenorrágico, -a, *adj.* MED. blenorrágico.
blenorrea, *s. f.* MED. blenorreia.
blindado, -a, *adj.* blindado; à prova de bala.
blindaje, *s. m.* blindagem.
blindar, *v.* *tr.* blindar; couraçar.
bloc, *s. m.* bloco.
blocar, *tr.* DESP. blocar.
blondo, -a, *adj.* loiro, louro.
bloque, *s. m.* bloco.
bloqueador, -a, *adj.* e *s.* bloqueador.
bloquear, *v.* *tr.* bloquear; cercar; sitiar.
bloqueo, *s. m.* bloqueio; sítio; cerco.
blusa, *s. f.* blusa.
blusón, *s. m.* blusão.
boa, *s. f.* ZOOL. boa; jibóia; cobra.
boato, *s. m.* pompa; luxo.
bobada, *s. f.* tolice; maluquice; bobice.
bobalicón, -ona, *adj.* e *s.* (*fam.*) bobalhão.
bobear, *v.* *intr.* bobear; enganar.
bobería, *s. f.* bobice; tolice.
bobina, *s. f.* bobina; carretel.
bobinado, *s. m.* bobinado.
bobinar, *v.* *tr.* bobinar.
bobo, -a, *adj.* e *s. m.* e *f.* bobo; tolo; truão.
boca, *s. f.* boca; (*fig.*) entrada; saída; abertura; sabor.
bocacalle, *s. f.* embocadura, entrada de rua.
bocadillo, *s. m.* sanduíche; merenda.
bocado, *s. m.* bocado (porção); bocado, parte do freio.
bocajarro, *s. m.*, *a bocajarro*, (disparar) à queima-roupa; (dizer) na cara.
bocallave, *s. m.* espelho da fechadura.
bocamanga, *s. f.* canhão (da manga).
bocana, *s. f.* entrada; embocadura.
bocanada, *s. f.* bochecho; gole; baforada (de fumo).
bocata, *s. f.* sanduíche.
bocaza, *s. f.* bocaça; bocarra.
boceto, *s. m.* PINT. bosquejo, esboço.
bochinche, *s. m.* rebuliço; escândalo; barulheira.
bochorno, *s. m.* calor abafado; vento

quente; *(fig.)* embaraço, vergonha.
bochornoso, -a, *adj.* abafado; sufocante; *(fig.)* vergonhoso.
bocina, *s. f.* buzina.
bocio, *s. m.* MED. bócio; papeira.
bock, *s. m.* copo de cerveja; fino.
bocoy, *s. m.* barrica, barril grande.
bocha, *s. f.* bola (de madeira) para jogar.
boda, *s. f.* boda; casamento.
bodega, *s. f.* adega; taberna.
bodegón, *s. m.* PINT. natureza-morta.
bodeguero, -a, *s. m.* adegueiro; taberneiro; produtor de vinhos.
bodoque, *s. m.* bodoque; peloiro.
bóer, *s. 2 gén.* bóer.
bofe, *s. m.* ANAT. bofe; pulmão.
bofetada, *s. f.* bofetada; *(fig.)* insulto; injúria.
bofetón, *s. m.* bofetão.
boga, *s. f.* voga; moda; *estar en boga,* estar em voga, estar na moda.
bogar, *v. intr.* vogar, remar.
bogavante, *s. m.* lagostim.
bohardilla, *s. f. vd.* **buhardilla.**
bohemia, *s. f.* boémia; estúrdia.
bohemio, -a, *adj.* e *s.* boémio, natural da Boémia; boémio, que leva vida de boémia.
bohío, *s. m.* cabana, choupana.
boicot, *s. m.* boicote; sabotagem.
boicotear, *v. tr.* boicotar; sabotar.
boicoteo, *s. m.* boicotagem; sabotagem.
boina, *s. f.* boina.
boj, *s. m.* BOT. buxo.
bol, *s. m.* poncheira; redada (lanço de rede).
bola, *s. f.* bola; péla; pelota.
bolada, *s. f.* bolada.
bolardo, *s. m.* NÁUT. proiz.
bolazo, *s. m.* bolada.
bolchevique, *adj.* e *s 2 gén.* bolchevique.
bolcheviquismo, *s. m. vd.* **bolchevismo.**
bolchevismo, *s. m.* bolchevismo.
boldina, *s. f.* QUÍM. boldina.
boleo, *s. m.* jogada.
bolera, *s. f.* lugar onde se realiza o jogo de *las bochas.*
bolero, -a, *adj.* e *s. m.* e *f.* novilheiro; bolero (dança espanhola e respectiva música).
boleta, *s. f.* bilhete (de entrada); livrança; cédula.
boletero, *s. m.* bilheteiro.
boletín, *s. m.* boletim; periódico; impresso.

boleto, *s. m.* bilhete; boletim (totoloto).
boli, *s. m. (fam.)* esferográfica.
boliche, *s. m.* boliche.
bólido, *s. m.* METEOR. bólide.
bolillo, *s. m.* bilro (fuso).
bolinga, *adj.* bêbado.
bolívar, *s. m.* bolívar, moeda da Venezuela.
boliviano, -a, *adj.* e *s. m.* e *f.* boliviano.
bollera, *s. f. (pej.)* lésbica.
bollería, *s. f.* confeitaria; pastelaria.
bollero, -a, *s. m.* e *f.* fogaceiro; pasteleiro.
bollo, *s. m.* bolo (pão doce); inchaço por pancada ou queda (galo).
bollón, *s. m.* prego de cabeça larga; brinco (em forma de botão).
bolsa, *s. f.* bolsa; *(fig.)* bolsa (de valores).
bolsillo, *s. m.* algibeira; bolsa; saca.
bolsín, *s. m.* mercado de rua.
bolsista, *s. m.* bolsista.
bolso, *s. m.* bolsa; bolso.
bomba, *s. f.* bomba; projéctil; lâmpada (globo).
bombacho, -a, I. *adj.* folgado, largo. **II.** *s. m. pl.* bombachas.
bombarda, *s. f.* bombarda.
bombardear, *v. tr.* bombardear.
bombardeo, *s. m.* bombardeamento, bombardeio.
bombardero, *s. m.* bombardeiro.
bombardino, *s. m.* MÚS. bombardino.
bombazo, *s. m.* estampido; detonação.
bombear, *v. tr.* bombear; bombardear.
bombeo, *s. m.* bombeamento.
bombero, *s. m.* bombeiro.
bombilla, *s. f.* bombilha; lâmpada eléctrica.
bombo -a, I. *adj. (fam.)* aturdido, atordoado. **II.** *s. m.* MÚS. bombo (tambor grande); zabumba.
bombón, *s. m.* bombom; confeito.
bombona, *s. f.* garrafão; *bombona de butano,* garrafa de gás.
bombonera, *s. f.* bomboneira, caixinha para bombons.
bonachón, -ona, *adj.* e *s. (fam.)* bonachão, bonacheirão.
bonancible, *adj.* bonançoso; tranquilo.
bonanza, *s. f.* bonança; calmaria; *(fig.)* tranquilidade; prosperidade.
bonanzoso, -a, *adj.* bonançoso; próspero.
bondad, *s. f.* bondade; benevolência.

bondadoso, -a, *adj.* bondoso; benévolo.
boneta, *s. f.* NÁUT. cutelo.
bonetada, *s. f. (fam.)* barretada; chapelada.
bonete, *s. m.* boné; barrete; capelo.
bongó *s. m.* MÚS. bongo.
boniato, *s. m.* batata-doce.
bonificación, *s. f.* bonificação; beneficiação.
bonísimo, -a, *adj.* boníssimo; óptimo.
bonito, -a, **I.** *adj.* bonito; lindo. **II.** *s. m.* ZOOL. bonito (atum).
bono, *s. m.* obrigação; vale; bilhete, passe.
bonobús, *s. m.* bilhete (para vários dias), passe de autocarro.
bonoloto, *s. m.* lotaria oficial espanhola.
bonotrén, *s. m.* bilhete, passe de comboio.
bonzo, *s. m.* bonzo.
boñiga, *s. f.* bosta; fezes; esterco.
boñigo, *s. m.* bosta.
boomerang, *s. m.* vd. **bumerán.**
boqueada, *s. f.* boqueada; bocejo; agonia.
boquear, *v. intr.* boquear; bocejar; agonizar.
boquera, *s. f.* greta (nos lábios).
boquerón, *s. m.* ZOOL. anchova, enchova; biqueirão.
boquete, *s. m.* buraco; brecha.
boquiabierto, -a, *adj.* boquiaberto; *(fig.)* pasmado.
boquilla, *s. f.* boquilha (cigarro, charuto, cachimbo); MÚS. embocadura; boquilha de instrumento de sopro; boquim, boca.
bórax, *s. m.* QUÍM. bórax, borace.
borbollar, *v. tr.* borbulhar; borbotar.
borbollón, *s. m.* borbulhão, borbotão.
borbónico, -a, *adj.* borbónico; borboniano.
borborigmo, *s. m.* borborigmo.
borbotar, *v. intr.* vd. **borbotear.**
borbotear, *v. intr.* borbotear; borbulhar.
borboteo, *s. m.* borbulhamento.
borbotón, *s. m.* borbotão.
borceguí, *s. m.* borzeguim.
borda, *s. f.* choça; cabana; NÁUT. borda.
bordada, *s. f.* NÁUT. bordada.
bordado, -a, *adj. e s. m.* bordado.
bordador, -a, *s. m. e f.* bordador, bordadeira.
bordadura, *s. f.* bordadura; orla.
bordar, *v. t.* bordar.
borde, **I.** *s. m.* borda; bordo; orla; margem; beira. **II.** *adj.* bastardo.

bordear, *v. intr.* bordear; beirar; costear; NÁUT. bordejar.
bordelés, -esa, *adj. e s.* bordalês, bordalense.
bordillo, *s. m.* rebordo (do passeio).
bordo, *s. m.* NÁUT. bordo (do navio); costado exterior; bordada.
bordón, *s. m.* bordão; bastão; cajado; MÚS. bordão (corda); refrão.
boreal, *adj. 2 gén.* GEOG. boreal; setentrional.
bóreas, *s. m.* Bóreas; Aquilão; o vento norte.
borgoñés, -esa, *adj. e s.* vd. **borgoñón.**
borgoñón, -ona, *adj. e s.* borgonhês, borguinhão.
bórico, *adj.* QUÍM. bórico.
borla, *s. f.* borla; pompom.
borne, *s. m.* borne; terminal.
boro, *s. m.* QUÍM. boro.
borona, *s. f.* boroa, broa (pão de milho).
borrachera, *s. f.* borracheira; bebedeira.
borrachín, -ina, *s. m. e f.* borrachola.
borracho, -a, *adj. e s.* borracho; bêbado.
borrador, *s. m.* minuta; rascunho; borrão.
borradura, *s. f.* rasura, borradura.
borraja, *s. f.* BOT. borragem.
borrajear, *v. tr.* escrevinhar; rabiscar.
borrar, *v. tr.* borrar; rasurar; riscar; apagar.
borrasca, *s. f.* borrasca; temporal; tormenta.
borrascoso, -a, *adj.* borrascoso.
borrego, -a, *s. m. e f.* borrego, borrega.
borrica, *s. f.* ZOOL. burra, burrica, jerica, asna.
borricada, *s. f.* burricada; jericada.
borrical, *adj. 2 gén.* burrical.
borrico, *s. m.* burro; jerico; jumento.
borriquete, *s. m.* burro, cavalete usado pelos serradores.
borrón, *s. m.* borrão; mancha; borrador; rascunho.
borronear, *v. tr.* escrevinhar; rabiscar.
borroso, -a, *adj.* borrento; confuso.
boscaje, *s. m.* boscagem; mata; bosque pequeno.
boscoso, -a, *adj.* arborizado; com bosques.
bosque, *s. m.* bosque; mata.
bosquejar, *v. tr.* PINT. bosquejar; esboçar; explicar a traços largos.
bosquejo, *s. m.* bosquejo; esboço; rascunho; apontamento.

bosquimán, *adj.* e *s.* 2 *gén.* vd. **bosquimano.**

bosquiman|o, -a, *adj.* e *s.* bosquímano, boximane.

bostezo, *s. m.* bocejo.

bota, *s. f.* bota (calçado); borracha (para vinho).

botadura, *s. f.* NÁUT. bota-fora (lançamento de navio).

botafumeiro, *s. m.* incensário, incensório; turíbulo.

botalomo, *s. m.* ferro usado por encadernadores.

botamen, *s. m.* frascaria; vasilhame.

botana, *s. f.* lanche; merenda.

botánica, *s. f.* botânica.

botánic|o, -a, *adj.* e *s.* botânico.

botar, *v. tr.* botar; atirar; arrojar; lançar.

botarate, *s. m.* (*fam.*) extravagante; estouvado.

botavara, *s. f.* NÁUT. espicha.

bote, *s. m.* bote; barco; cutilada; salto; ressalto; boião.

botella, *s. f.* botelha; garrafa.

botellazo, *s. m.* pancada com garrafa.

botellero, *s. m.* garrafeiro.

botellín, *s. m.* garrafa pequena.

botellón, *s. m.* garrafão.

botepronto, *s. m.* DESP. pontapé de ressalto.

botica, *s. f.* botica; farmácia.

boticaria, *s. f.* farmacêutica.

boticario, *s. m.* farmacêutico; boticário.

botija, *s. f.* botija.

botijo, *s. m.* moringa, moringue.

botín, *s. m.* botim; botina; polaina; presa; despojos (de guerra).

botina, *s. f.* botina.

botiquín, *s. m.* farmácia de primeiros socorros.

botón, *s. m.* botão; puxador; BOT. botão; gomo; rebento; *botón de oro,* BOT. botão-de-ouro.

botonadura, *s. f.* abotoadura.

botulismo, *s. m.* botulismo.

boutique, *s. f.* boutique.

bóveda, *s. f.* abóbada.

bovedilla, *s. f.* abobadilha.

bovin|o, -a, *adj.* e *s. m.* bovino; *pl.* os bovinos, gado bovino.

box, *s. m.* cocheira; estrebaria; boxe (automobilismo).

boxeador, *s. m.* boxeador, boxista; pugilista.

boxear, *v. tr.* jogar boxe.

boxeo, *s. m.* boxe; pugilismo.

bóxer, *s. m.* bóxer (cão).

boya, *s. f.* NÁUT. bóia.

boyante, *adj.* 2 *gén.* boiante; flutuante.

boyar, *v. intr.* NÁUT. boiar; flutuar.

boyardo, *s. m.* boiardo, russo nobre.

boyero, *s. m.* boieiro.

boza, *s. f.* NÁUT. boça.

bozal, I. *adj.* 2 *gén.* boçal; néscio. **II.** *s. m.* bocal, betilho, barbilho.

bozo, *s. m.* buço; bigodinho.

bracear, *v. intr.* bracejar; bracear.

bracero, *s. m.* jornaleiro; trabalhador braçal.

bracete, *s. m., de bracete,* de braço dado.

braga, *s. f.* braga; calções; (*fam.*) lixo; porcaria.

bragad|o, -a, *adj.* malicioso; firme; determinado.

bragadura, *s. f.* bragadura; bragada.

bragazas, *s. m.* (*fig., fam.*) bajoujo; simplório.

braguero, *s. m.* MED. funda; NÁUT./MIL. bragueiro (cabo).

bragueta, *s. f.* braguilha; carcela.

braguetazo, *s. m.* casamento por dinheiro.

brahmán, *s. m.* brâmane.

brahmanismo, *s. m.* bramanismo.

braille, *s. m.* braille.

bramante, *s. m.* barbante; cordel; guita; baraço.

bramar, *v. intr.* bramar; bramir; (*fig.*) gritar com furor.

bramido, *s. m.* bramido; berro; bramido (do mar, do vento, etc.).

brandi, *s. m.* brande.

brandy, *s. m.* vd. **brandi.**

branquia, *s. f.* brânquia; guelra.

branquial, *adj.* 2 *gén.* branquial.

braquial, *adj.* 2 *gén.* braquial.

brasa, *s. f.* brasa.

brasero, *s. m.* braseira; fogareiro; braseiro.

brasil, *s. m.* pau-brasil; brasilina, vermelhão.

brasileñ|o, -a, *adj.* e *s.* brasileiro, natural do Brasil.

bravata, *s. f.* bravata; fanfarronada.

braveza, *s. f.* braveza; bravura; ferocidade.

brav|ío, -a, *adj.* bravio; feroz; selvagem.

brav|o, -a, *adj.* bravo; valente; bom; feroz.

bravuc|ón, -ona, *adj.* e *s.* gabarola, fanfarrão.

bravuconada

bravuconada, *s. f.* gabarolice; fanfarronada.

bravuconear, *v. intr.* gabar-se; fanfarronar.

bravura, *s. f.* braveza, ferocidade (dos animais selvagens); valentia, bravura (das pessoas).

braza, *s. f.* braça (medida de comprimento); braçada.

brazada, *s. f.* braçada; braço.

brazado, *s. m.* braçado.

brazal, *s. m.* braçal; braçadeira.

brazalete, *s. m.* bracelete (pulseira).

brazo, *s. m.* braço; ramo; *estar hecha un brazo de mar,* estar vestida para dar nas vistas.

brea, *s. f.* breu.

brear, *v. tr.* brear; embrear; *(fig., fam.)* maltratar.

brebaje, *s. m.* beberagem; poção.

brecha, *s. f.* brecha; rotura; fenda.

brécol, *s. m.* BOT. brócolos, brocos.

brega, *s. f.* briga; luta; pendência.

bregar, *v. intr.* brigar; contender.

brema, *s. f.* ZOOL. brema.

breña, *s. f.* brenha; matagal.

breñal, *s. m.* matagal.

breñoso, -a, *adj.* brenhoso.

bresca, *s. f.* favo de mel.

brete, *s. m.* apuros; dificuldade; *estar en un brete,* estar em apuros; estar na corda bamba.

bretón, -ona, *adj. e s.* bretão, natural da Bretanha.

breva, *s. f.* bêbera (figo lampo); charuto amachucado.

breve, *I. adj.* 2 *gén.* breve, curto, rápido, conciso. *II. s. f.* MÚS. breve.

brevedad, *s. f.* brevidade.

breviario, *s. m.* breviário.

brezal, *s. m.* tojal; espinhal.

brezo, *s. m.* BOT. urze; charneca.

bribón, -ona, *s. m. e f.* desavergonhado; sem-vergonha; vadio; maroto; malandro.

bribonada, *s. f.* picardia; vileza; velhacaria.

bricolage, *s. m.* bricolagem.

brida, *s. f.* brida; rédea.

bridge, *s. m.* bridge.

brigada, *s. f.* MIL. brigada.

brigadier, *s. m.* brigadeiro.

brillante, *adj.* 2 *gén.* brilhante; reluzente.

brillantemente, *adv.* brilhantemente.

brillantez, *s. f.* brilhantismo; brilho.

brillantina, *s. f.* brilhantina.

brillar, *v. intr.* brilhar; luzir; fulgurar.

brillo, *s. m.* brilho; fulgor; esplendor.

brincar, *v. intr.* folgar; saltar; pular; cabriolar.

brinco, *s. m.* salto; pulo.

brindador, -a, *adj. e s.* que brinda.

brindar, *v.* 1. *intr. e tr.* brindar; oferecer; presentear. 2. *refl.* oferecer-se; prestar-se.

brindis, *s. m.* brinde (saudação); oferta; presente.

brío, *s. m.* brio; galhardia; pundonor.

brioche, *s. m.* brioche.

brioso, -a, *adj.* brioso; valoroso; nervoso (motor).

brisa, *s. f.* brisa; viração; aragem.

brisca, *s. f.* bisca (jogo de cartas).

británico, -a, *adj.* britânico.

brizar, *v. tr.* embalar uma criança no berço.

brizna, *s. f.* fibra (filamento de legume).

broca, *s. f.* broca; pino, prego de sapateiro.

brocado, *s. m.* brocado.

brocal, *s. m.* parapeito; rebordo.

brocatel, *s. m.* brocatel (tecido); brocado inferior.

brocha, *s. f.* broxa, pincel.

brochada, *s. f.* broxada; pincelada; broxadela.

brochazo, *s. m.* broxadela; pincelada.

broche, *s. m.* broche.

brócula, *s. f.* espécie de broca.

broma, *s. f.* brincadeira; gracejo; zombaria; *entre bromas y veras,* meio a sério meio a brincar.

bromear, *v. intr.* gracejar; caçoar.

bromeliáceo, -a, *adj.* bromeliáceo.

bromista, *adj. e s.* 2 *gén.* brincalhão; trocista.

bromo, *s. m.* QUÍM. bromo.

bromuro, *s. m.* QUÍM. brometo.

bronca, *s. f. (fam.)* chalaça; rixa; briga.

bronce, *s. m.* bronze; medalha de bronze.

bronceado, -a, *I. adj.* bronzeado. *II. s. m.* bronzeado; tom bronzeado.

bronceador, -a, *I. adj.* bronzeador; bronzeante. *II. s. m.* bronzeador (óleo, creme, loção).

broncear, *v. tr.* bronzear.

bronco, -a, *adj.* bronco; rude; tosco.

broncopulmonar, *adj.* 2 *gén.* broncopulmonar.

bullicioso

bronquial, *adj.* 2 *gén.* bronquial; brônquico.

bronquio, *s. m.* ANAT. brônquio.

bronquítico, -a, *adj.* bronquítico.

bronquitis, *s. f.* MED. bronquite.

brontosaurio, *s. m.* brontossauro.

broqueta, *s. f.* espeto; gancho.

broquel, *s. m.* broquel.

brotar, *v. intr.* brotar; rebentar; manar; surgir.

brote, *s. m.* gomo; renovo; rebento; pimpolho; surto; começo.

broza, *s. f.* folhas secas; maravalhas; lixo; futilidades; palavras ocas, palha.

bruces, *s. m. pl.* bruços.

bruja, *s. f.* bruxa; feiticeira.

brujería, *s. f.* bruxaria; bruxedo.

brujo, *s. m.* bruxo; feiticeiro.

brújula, *s. f.* NÁUT. bússola.

bruma, *s. f.* bruma; nevoeiro.

brumario, *s. m.* brumário.

brumoso, -sa, *adj.* brumoso; nebuloso.

bruno, -na, *adj.* moreno; pardo; castanho-escuro.

bruñido, -a, *adj.* brunido; polido.

bruñidura, *s. f.* brunidura; polimento.

bruñir, *v. tr.* brunir; polir.

bruscamente, *adv.* bruscamente; desagradavelmente; rispidamente.

brusco, -a, I. *adj.* brusco; desagradável. II. *s. m.* BOT. brusca; gilbarbeira.

bruselense, *adj.* e *s.* 2 *gén.* bruxelense; natural de Bruxelas.

brusquedad, *s. f.* brusquidão; rispidez.

brut, *adj.* bruto.

brutal, *adj.* 2 *gén.* brutal.

brutalidad, *s. f.* brutalidade.

brutalmente, *adv.* brutalmente.

bruto, -a, *adj.* e *s.* bruto; néscio; incapaz.

búbalo, *s. m.* ZOOL. búfalo.

bubón, *s. m.* bubão.

bubónico, -a, *adj.* bubónico.

bucal, *adj.* 2 *gén.* bucal.

bucanero, *s. m.* flibusteiro.

búcaro, *s. m.* púcaro; vasilha.

buceador, -a, *adj.* e *s.* mergulhador.

bucear, *v. intr.* mergulhar; investigar; pesquisar.

buceo, *s. m.* mergulho.

buche, *s. m.* bucho; papo; bochecho.

bucle, *s. m.* caracol, anel do cabelo; INFORM. ciclo.

bucólico, -a, *adj.* e *s.* bucólico; pastoril.

búdico, -a, *adj.* búdico.

budín, *s. m.* pudim.

budismo, *s. m.* budismo.

budista, *adj.* e *s.* 2 *gén.* budista.

buen, *adj.* apócope de **bueno**, bom; vd. **bueno**.

buenamente, *adv.* o melhor possível.

buenaventura, *s. f.* boa ventura; boa sorte.

bueno, -a, *adj.* bom, boa; útil; são, sã.

buey, *s. m.* boi.

búfalo, *s. m.* ZOOL. búfalo.

bufanda, *s. f.* cachecol.

bufar, *v. intr.* bufar; soprar.

bufé, *s. m.* bufete.

bufete, *s. m.* aparador de sala de jantar; secretária antiga; (*fig.*) banca e clientela de advogado.

buffet, *s. m.* vd. **bufé**.

bufido, *s. m.* bufido.

bufo, -a, *adj.* bufo; cómico; bufão; chocarreiro.

bufón, -ona, *adj.* e *s.* bufão; chocarreiro.

bufonada, *s. f.* chocarrice; bufonaria.

bufonesco, -a, *adj.* cómico; chocarreiro.

buganvilla, *s. f.* buganvília.

buharda, *s. f.* águas-furtadas; trapeira; desvão.

buhardilla, *s. f.* vd. **buharda**.

búho, *s. m.* ZOOL. mocho.

buhonería, *s. f.* bufarinha.

buhonero, *s. m.* bufarinheiro.

buitre, *s. m.* ZOOL. abutre.

buitrear, *v. intr.* viver à custa de alguém; parasitar.

bujarrón, *adj.* e *s. m.* maricas.

bujía, *s. f.* vela (de motor); vela (de cera); castiçal.

bula, *s. f.* bula.

bulbo, *s. m.* BOT. bolbo.

bulboso, -a, *adj.* bolboso.

buldog, *s. m.* buldogue.

bulevar, *s. m.* bulevar.

búlgaro, -a, I. *adj.* e *s.* búlgaro, natural da Bulgária. II. *s. m.* língua búlgara.

bulimia, *s. f.* MED. bulimia.

bulla, *s. f.* bulha; gritaria; motim.

bullabesa, *s. f.* caldeirada.

bullanga, *s. f.* tumulto; desordem.

bullanguero, -a, *adj.* e *s. m.* desordeiro; borguista.

bullicio, *s. m.* bulício; ruído; rumor.

bullicioso, -a, *adj.* ruidoso; buliçoso; afanoso.

bullir, v. intr. ferver; bulir; agitar-se.
bullón, s. m. bolhão; tinta fervente.
bulo, s. m. falso rumor.
bulto, s. m. volume; dimensão; tamanho; forma; volume, peça de bagagem; fardo; pacote.
bumerán, s. m. bumerangue.
bumerang, s. m. vd. **bumerán**.
bungulow, s. m. bangaló.
búnker, s. m. búnquer.
buñuelo, s. m. filhó; bolinho; *buñuelos de bacalao*, bolinhos de bacalhau.
buque, s. m. buco; capacidade; NÁUT. casco de navio; buque; navio; vapor.
buqué, s. m. buqué.
burbuja, s. f. bolha; borbulha.
burbujear, v. intr. bolhar; borbulhar.
burbujeo, s. m. borbulhação.
burdégano, s. m. mulo, macho asneiro.
burdel, s. m. bordel.
burdo, -a, adj. tosco; grosseiro.
bureta, s. f. QUÍM. bureta.
burgo, s. m. burgo, cidade.
burgomaestre, s. m. burgomestre.
burgués, -esa, s. m. e f. burguês.
burguesía, s. f. burguesia.
buril, s. m. buril.
burilar, v. tr. burilar.
burla, s. f. burla; fraude; motejo.
burladero, s. m. refúgio de peões; refúgio para toureiros.
burlador, -a, adj. burlador; burlão; burlante; mulherengo.
burlar, v. tr. e refl. burlar; zombar; ludibriar; defraudar.
burlesco, -a, adj. (fam.) burlesco; festivo; caricato.

burlón, -ona, adj. e s. burlão; brincalhão; trapaceiro.
buró, s. m. escritório; gabinete.
burocracia, s. f. burocracia.
burócrata, s. 2 gén. burocrata.
burocrático, -a, adj. burocrático.
burra, s. f. (zool.) burra; jumenta.
burrada, s. f. burricada; (fig., fam.) burrada; asneira.
burro, s. m. ZOOL. burro, asno; burro, jogo de cartas; burro, cavalete (de carpinteiro).
bursátil, adj. 2 gén. pertencente à Bolsa.
bus, s. m. bus.
busca, s. f. busca; procura; batida de caçadores.
buscador, -a, adj. e s. buscador; buscante.
buscapersonas, s. m. beeper; pager.
buscapiés, s. m. busca-pé; bicha-de-rabear.
buscar, v. t. buscar; procurar; inquirir.
buscavidas, s. 2 gén. fura-vidas; videirinho.
buscón, -ona, s. m. ladrãozeco.
busilis, s. m. (fam.) busílis.
búsqueda, s. f. busca; procura.
busto, s. m. busto; peito.
butaca, s. f. poltrona.
butacón, s. m. cadeirão; cadeira de descanso.
butano, s. m. butano.
butifarra, s. f. espécie de chouriço ou linguiça.
butirina, s. f. QUÍM. butirina.
buzo, s. m. búzio; mergulhador.
buzón, s. m. caixa de correio.

C

ica!, *interj.* qual!?

cabal, *adj. 2 gén.* justo; exacto; rigoroso; pleno; perfeito; completo.

cábala, *s. f.* cabala; tramóia.

cabalgada, *s. f.* cavalgada; cavalgata.

cabalgadura, *s. f.* cavalgadura; besta.

cabalgar, *v. intr.* cavalgar; padrear; machear.

cabalista, *s. 2 gén.* cabalista.

cabalístico, -a, *adj.* cabalístico; misterioso.

caballa, *s. f.* ZOOL. cavala.

caballada, *s. f.* cavalhada.

caballaje, *s. m.* cavalagem; padreação.

caballar, *adj. 2 gén.* cavalar.

caballeresco, -a, *adj.* cavalheiresco.

caballería, *s. f.* cavalgadura; cavalaria.

caballeriza, *s. f.* cavalariça; estrebaria; cocheira.

caballerizo, *s. m.* cavalariço.

caballero, -a, **I.** *adj.* cavalgador. **II.** *s. m.* cavaleiro; fidalgo; nobre; cavalheiro.

caballerosamante, *adj.* cavalheirescamente.

caballerosidad, *s. f.* cavalheirismo; pundonor.

caballeroso, -a, *adj.* cavalheiroso; cavalheiresco.

caballeta, *s. f.* ZOOL. gafanhoto.

caballete, *s. m.* cavalete.

caballito, *s. m.* cavalinho, cavalito; *pl.* (roda de) cavalinhos; carrossel.

caballo, *s. m.* cavalo; *a caballo regalado no le mires el dentado,* a cavalo dado não se olha o dente.

caballón, *s. m.* camalhão.

caballuno, -a, *adj.* cavalino; cavalar.

cabaña, *s. f.* cabana; choupana; rebanho; manada.

cabañal, *adj. 2 gén.* **I.** de animal. **II.** *s. m.* cabanal.

cabaret, *s. m.* cabaré.

cabaretera, *s. f.* mulher de cabaré.

cabecear, *v. intr.* cabecear; NÁUT. balancear.

cabeceo, *s. m.* cabeceamento.

cabecera, *s. f.* cabeceira.

cabecero, *s. m.* travesseiro.

cabecilla, *s. 2 gén.* cabecilha; caudilho.

cabellera, *s. f.* cabeleira.

cabello, *s. m.* cabelo.

cabelludo, -a, *adj.* cabeludo.

caber, *v. intr.* caber; tocar; corresponder; *no cabe duda,* não há dúvida.

cabestraje, *s. m.* conjunto de cabrestos.

cabestrar, *v. tr.* encabrestar.

cabestrillo, *s. m.* faixa pendente do ombro para suster a mão ou o braço; atadura.

cabestro, *s. m.* cabresto.

cabeza, *s.* **1.** *f.* cabeça; cume; coruto; cabeço; (*fig., fam.*) capital; rês. **2.** *s. m.* caudilho.

cabezada, *s. f.* cabeçada (pancada com a cabeça); cabeçada (cabresto).

cabezal, *s. m.* cabeçal (almofada).

cabezalejo, *s. m.* almofadinha; travesseirinha.

cabezalero, -a, *s. m. e f.* testamenteiro, cabeça-de-casal.

cabezazo, *s. m.* cabeçada (pancada recebida na cabeça); carolo; cascudo (pancada dada na cabeça); DESP. cabeçada.

cabezón, -ona, **I.** *adj.* cabeçudo; (*fig.*) teimoso. **II.** *s. m.* cabeção; colarinho; gola.

cabezonada, *s. f.* focinhada; cabeçada.

cabezonería, *s. f.* teimosia; cabeçada; focinhada.

cabezorro, *s. m.* cabeçorra; cabeçudo.

cabezudo, -a, *adj.* cabeçudo; (*fig., fam.*) teimoso; obstinado.

cabezuela, *s. f.* cabecinha; farinha grossa.

cabida, *s. f.* cabida; cabimento; capacidade.

cabila, *s. f.* cabila, cabilda.

cabildada, *s. f.* (*fam.*) abuso de autoridade.

cabildear, *v. intr.* cabalar; intrigar.

cabildeo, *s. m.* cabala.

cabildo, *s. m.* cabido; capítulo.

cabilla, *s. f.* NÁUT. cavilha.

cabimiento, *s. m.* cabimento; capacidade; aptidão.

cabizbajo, -a, *adj.* cabisbaixo; abatido.

cable, *s. m.* cabo; corda grossa; medida de 120 braças.

cablegrafiar, *v. tr.* transmitir um cabograma.

cablegrama, *s. m.* cabograma.

cabo, *s. m.* cabo; extremidade; (*fig.*) fim; lugar extremo; corda.

cabotaje, *s. m.* cabotagem.

caboverdian|o, -a, *adj* e *s.* cabo-verde, cabo-verdiano.

cabra, *s. f.* ZOOL. cabra.

cabrahigar, *v. tr.* caprificar.

cabrahígo, *s. m.* figueira brava e seu fruto.

cabread|o, -a, *adj.* cabreado; zangado; irritado.

cabrear, *v. intr.* cabrear; cabrazar; pular; cabriolar.

cabreo, *s. m.* (*fam.*) fúria; zanga, irritação.

cabrero, *s. m.* cabreiro (pastor de cabras).

cabrestante, *s. m.* NÁUT. cabrestante.

cabria, *s. f.* cábrea; sarilho.

cabrilla, *s. f.* burro, cavalete (de serrador); *pl.* marcas de escoriações nas pernas; carneirada, pequenas ondas de espuma.

cabrillear, *v. intr.* formar carneirada (o mar); cintilar, resplandecer.

cabrio, *s. m.* ARQ. caibro.

cabriola, *s. f.* salto, pulo; cabriola.

cabriolar, *v. intr.* cabriolar; saltar; pular.

cabriolé, *s. m.* cabriolé.

cabritilla, *s. f.* pelica.

cabrito, *s. m.* cabrito; chibato.

cabrón, *s. m.* cabrão; bode; (*fig., fam.*) cabrazana.

cabronada, *s. f.* (*fam.*) acção vil; sacanice.

cabronazo, *s. m.* cabrão.

cabruna, *s. f.* pele de cabra.

cabrun|o, -a, *adj.* caprino; cabrum.

cabuchón, *s. m.* cabuchão.

cabujón, *s. m.* cabuchão.

cabuya, *s. f.* BOT. piteira; pita.

cabuyería, *s. f.* NÁUT. cordame.

caca, *s. f.* (*fam.*) caca (excremento).

cacahua, *s. m.* cacaual; cacauzeiral.

cacahuate, *s. m.* vd. cacahuete.

cacahuete, *s. m.* amendoim.

cacao, *s. m.* BOT. cacau.

cacaotal, *s. m.* cacaual; cacauzeiral.

cacaraña, *s. f.* sinais (picadas) deixados pela varíola.

cacaread|o, -a, *adj.* cacarejado; (*fig.*) batido, corriqueiro; de cacaracá.

cacarear, *v. intr.* cacarejar; cantar (o galo) (*fig., fam.*) exagerar.

cacareo, *s. m.* cacarejo.

cacatúa, *s. f.* ZOOL. cacatua; catatua.

cacera, *s. f.* rego; canal de rega.

cacería, *s. f.* caçada.

cacerola, *s. f.* caçarola.

cacha, *s. f.* coronha (de arma); (*fam.*) coxa.

cachalote, *s. m.* cachalote.

cacharrazo, *s. m.* (*fam.*) cachaço, cachaçada.

cacharrería, *s. f.* loja de louças.

cacharrer|o, -a, *s. m.* e *f.* vendedor de louças.

cacharro, *s. m.* jarro; peça de louça; (*fam.*) traste; velharia; (*pej.*) lata-velha; calhambeque.

cachas, *s. m.* (*fam.*) borracho, gatão, pedaço (homem).

cachaza, *s. f.* lentidão; fleuma; cachaça; aguardente.

cachazud|o, -a, *adj.* lento; fleumático.

cachear, *v. tr.* revistar, passar revista a gente suspeita.

cacheo, *s. m.* revista, busca policial.

cachete, *s. m.* soco; murro; bochecha.

cachetero, *s. m.* pequeno punhal; adaga; choupa.

cachetina, *s. f.* contenda a murros.

cachicuern|o, -a, *adj.* com cabo de chifre.

cachifollar, *v. tr.* (*fam.*) chasquear; humilhar.

cachimba, *s. f.* cachimbo.

cachipolla, *s. f.* efémera (insecto).

cachiporra, *s. f.* cachamorra; cachaporra; cacete.

cachiporrazo, *s. m.* cachamorrada; cachaporrada; cacetada.

cachivache, *s. m.* (*fam.*) traste velho; ferro-velho; *pl.* tarecos.

cacho, *s. m.* pedaço, bocado, talhada, porção; ¡*cacho de bestia!*, sua grande besta!.

cachondearse, *v. refl.* rir-se de; gozar com.

cachond|o, -a, *adj.* excitado; divertido; engraçado.

cachorrillo, *s. m.* pistoleta.

cachorr|o, -a, *s. m.* e *f.* cachorro; cão; cria de certos animais.

cachucha, *s. f.* bote, lancha; espécie de gorro, boné.

cacica, *s. f.* vd. cacique.

cacique, *s. m.* cacique (chefe índio, patrão político local).

caciquil, *adj.* 2 *gén. (pej.)* despótico.

caciquismo, *s. m.* caciquismo; despotismo.

caco, *s. m.* ladrão.

cacofonía, *s. f.* cacofonia; cacófato.

cacofónico, -a, *adj.* cacofónico.

cacosmía, *s. f.* cacosmia.

cacto, *s. m.* BOT. cacto.

cactus, *s. m.* cacto.

cacumen, *s. m.* agudeza, perspicácia; *(fig.)* miolos.

cada, *adj.* cada; cada qual; cada um; *¿cada quanto?,* quantas vezes?

cadalso, *s. m.* cadafalso; patíbulo.

cadáver, *s. m.* cadáver.

cadavérico, -a, *adj.* cadavérico.

cadena, *s. f.* cadeia; corrente; grilheta; cativeiro.

cadencia, *s. f.* cadência; ritmo; compasso.

cadencioso, -a, *adj.* rítmico; cadenciado; *(fig.)* equilibrado.

cadeneta, *s. f.* (bordado) ponto de cadeia; cinta (de livro); tira (de papel).

cadenilla, *s. f.* pequena corrente.

cadera, *s. f.* cadeiras, ancas, quadris.

cadete, *s. m.* cadete.

cadmio, *s. m.* QUÍM. cádmio.

caducado, -a, *adj.* caducado; fora de validade.

caducar, *v. intr.* caducar; envelhecer.

caduceo, *s. m.* caduceu.

caducidad, *s. f.* caducidade; velhice.

caduco, -a, *adj.* caduco; decrépito.

caer, *v. intr.* cair; pender; tocar, caber, corresponder.

café, *s. m.* café; botequim.

cafeína, *s. f.* QUÍM. cafeína.

cafetal, *s. m.* cafeeiral; cafezal, cafetal; cafeal.

cafetera, *s. f.* cafeteira.

cafetero, -a, *s. m. e f.* cafezeiro; dono dum café; botequineiro.

cafeto, *s. m.* BOT. cafezeiro; cafeeiro.

cáfila, *s. f. (fam.)* cáfila; caravana.

cafre, *adj. e s.* 2 *gén.* cafre.

caftán, *s. m.* cafetã.

cagada, *s. f.* borrada, cagada; asneira, equívoco.

cagado, -a, I. *adj.* cagado, borrado. **II.** *s. m. e f.* covarde.

cagafierro, *s. m.* escumalha; escória de ferro; escumalha.

cagajón, *s. m.* estrume.

cagalera, *s. f.* caganeira; diarreia.

cagar, *v. tr. e intr.* cagar, defecar.

cagón, -ona, *adj.* cagão; *(fig., fam.)* poltrão.

cagueta, *s.* 2 *gén. (fam.)* covarde.

caída, *s. f.* caimento; queda; caída; declive; descida.

caído, -a, *adj. (fig.)* caído; abatido.

caimán, *s. m.* ZOOL. caimão.

cairel, *s. m.* cabeleira postiça; cairel; galão; franja.

caja, *s. f.* caixa; cofre; *caja de ahorros,* caixa económica; *entrar en caja,* MIL. ser chamado; *caja de cambios,* caixa de velocidades; *caja fuerte,* cofre-forte; *caja de empalmes,* ELECT. caixa de derivação.

cajero, -a, *s. m. e f.* caixeiro; caixoteiro; caixa (recebedor e pagador).

cajetilla, *s. f.* maço (de cigarros); pacote (de tabaco picado); caixa de fósforos.

cajetín, *s. m.* caixotim.

cajista, *s.* 2 *gén.* caixista, tipógrafo compositor.

cajón, *s. m.* caixão; caixote; gaveta; *cajón de sastre, (fig.)* confusão, desordem.

cake, *s. m.* bolo de frutas.

cal, *s. f.* cal.

cal., *abrev.* de **caloría.**

cala, *s. f.* cala; enseada pequena; racha em frutos; calheta, sonda; supositório; *(fam.)* peseta.

calabaza, *s. f.* BOT. cabaça; cabaceira.

calabazada, *s. f.* pancada na cabeça.

calabazar, *s. m.* aboboral; cabaçal.

calabobos, *s. m. (fam.)* chuvisco; chuva molha-tolos.

calabozo, *s. m.* calaboiço, calabouço; cárcere; enxovia; cela.

calabrote, *s. m.* NÁUT. calabre; amarreta.

calada, *s. f.* puxada, tragada (cigarro); chuto (droga).

caladero, *s. m.* zona de pesca.

calado, -a, I. *adj.* molhado; demolhado; ensopado. **II.** *s. m.* crivo (trabalho de agulha); entalhadura; NÁUT. calado; profundidade.

calafate, *s. m.* calafate.

calafatear, *v. tr.* calafetar.

calamar, *s. m.* ZOOL. calamar; lula.

calambre, *s. m.* cãibra; breca.

calamidad, *s. f.* calamidade; desgraça; infortúnio.

calamitoso, -a, *adj.* calamitoso; funesto.

cálamo, *s. m.* cálamo (das penas); BOT.

cálamo; cana; *(fig.)* pena de escrever; flauta.

calamón, s. m. ZOOL. sultana (ave).

calamorra, s. f. *(fam.)* cabeça; cachola.

calandrado, s. m. calandrado; calandragem.

calandrar, v. tr. calandrar; lustrar; acetinar (tecidos, papel).

calandria, s. f. calandra; ZOOL. calhandra.

calaña, s. f. amostra; modelo; padrão; *(fig.)* índole; carácter.

calar, I. v. 1. tr. molhar; enrugar; perfurar; penetrar; enterrar o chapéu; fazer ponto aberto (costura); fazer embutidos; calar (a baioneta); arriar (as velas); lançar (as redes). **2.** refl. molhar-se; ficar encharcado; parar (o motor). **II.** adj. 2 gén. calcário. **III.** s. m. pedreira de calcário.

calavera, s. f. caveira; s. m. *(fig.)* calaveira; estouvado.

calaverada, s. f. *(fam.)* calaveirada; pândega, boémia; tolice; imprudência.

calcáneo, s. m. ANAT. calcâneo.

calcañal, s. m. calcanhar.

calcaño, s. m. calcanhar.

calcar, v. tr. calcar; comprimir; decalcar; *(fig.)* imitar.

calcáreo, -a, adj. calcário.

calce, s. m. jante; calço; cunha.

calcedonia, s. f. calcedónia.

calcés, s. m. NÁUT. calcês.

calceta, s. f. calceta, meia que cobre o pé e a perna; *(fig.)* grilheta; calceta.

calcetín, s. m. calceta; peúga; coturno.

calcetón, s. m. meias compridas.

cálcico, -a, adj. cálcico.

calcificación, s. f. MED. calcificação.

calcificar, v. tr. e intr. calcificar.

calcina, s. f. concreto.

calcinación, s. f. calcinação.

calcinamiento, s. m. vd. **calcinação.**

calcinar, v. tr. calcinar.

calcio, s. m. QUÍM. cálcio.

calcita, s. f. calcite.

calco, s. m. cópia; calco; decalque; imitação.

calcografía, s. f. calcografia.

calcógrafo, s. m. calcógrafo.

calcomanía, s. f. decalcomania.

calcopirita, s. f. MIN. calcopirite.

calculable, adj. 2 gén. calculável.

calculador, -a, adj. e s. calculador.

calcular, v. tr. calcular.

calculista, adj. e s. 2 gén. calculista.

cálculo, s. m. cálculo; estimativa; conjectura; MAT. cálculo; MED. cálculo, pedra.

caldas, s. f. pl. caldas, termas.

caldeamiento, s. m. caldeamento; caldeação.

caldear, v. tr. caldear.

caldeo, -a, adj. e s. caldeu, caldeia.

caldera, s. f. caldeira; caldeirão.

calderada, s. f. caldeirada.

calderería, s. f. caldeiraria.

calderero, s. m. caldeireiro.

caldereta, s. f. caldeirinha; caldeirada.

calderilla, s. f. miúdos (trocos).

caldero, s. m. caldeiro.

calderón, s. m. caldeirão; MÚS. sinal de suspensão.

caldillo, s. m. molho claro dalguns guisados.

caldo, s. m. caldo.

caldoso, -a, adj. caldoso; aquoso; aguado.

calé, adj. cigano.

calefacción, s. f. calefacção; aquecimento.

caleidoscopio, s. m. caleidoscópio.

calendario, s. m. calendário; almanaque.

calentador, -a, adj. e s. m. aquecedor; esquentador.

calentamiento, s. m. aquecimento.

calentar, v. tr. aquecer; acalentar; *(fig., fam.)* açoitar.

calentito, -a, adj. *(fig., fam.)* de fresco; recente.

calentón, -ona, I. adj. *(fam.)* quente, esquentadiço; divertido. **II.** s. m. aquecimento rápido, aquecedela.

calentura, s. f. MED. febre; calentura; quentura.

calenturiento, -a, adj. e s. febricitante; febril.

calepino, s. m. *(fig.)* calepino.

calera, s. f. pedreira de cal; forno de cal; caieira; caleira.

calero, -a, s. m. caleiro, vendedor de cal.

calesa, s. f. caleça; caleche; sege.

calesero, s. m. caleceiro.

caleta, s. f. calheta; angra estreita.

caletre, s. m. *(fam.)* juízo; discernimento; tino; bom senso.

calibración, s. f. calibração; calibragem.

calibrado, s. m. calibragem.

calibrador, s. m. calibrador.

calibrar, v. tr. calibrar.

calibre, s. m. calibre; diâmetro.

calicata, s. f. MIN. exploração; sondagem.

caliche, s. m. caliça; pisadura (na fruta).

calicifloro, adj. BOT. calicifloro.

caliciforme, adj. 2 gén. BOT. caliciforme.

calicular, adj. 2 gén. BOT. calicular.

calidad, s. f. qualidade; carácter; índole; espécie.

cálido, -a, adj. cálido; quente; ardente; caloroso.

calidoscópico, -a, adj. calidoscópico, caleidoscópico.

calidoscopio, s. m. calidoscópio, caleidoscópio.

calientapiés, s. m. escalfeta.

calientaplatos, s. m. aquecedor de pratos.

caliente, adj. 2 gén. quente; (fig.) acalorado; sensual.

califa, s. m. califa.

califato, s. m. califado.

calificable, adj. 2 gén. qualificável.

calificación, s. f. qualificação; classificação.

calificador, -a, adj. qualificador; classificador; classificativo.

calificar, v. tr. qualificar; classificar.

calificativo, -a, I. adj. GRAM. qualificativo. II. s. m. epíteto; GRAM. qualificativo.

calígine, s. f. caligem; escuridão.

caliginoso, -a, adj. caliginoso; nebuloso.

caligrafía, s. f. caligrafia.

caligrafiar, v. tr. caligrafar.

caligráfico, -a, adj. caligráfico.

calígrafo, s. m. calígrafo.

calima, s. f. caligem; névoa.

calimocho, s. m. (fam.) bebida feita com vinho e coca-cola.

calimoso, -a, adj. enevoado; caliginoso.

calina, s. f. caligem; névoa.

calinoso, -a, adj. enevoado.

caliqueño, s. m. charuto de fraca qualidade.

calistenia, s. f. calistenia.

cáliz, s. m. cálice; cálix; BOT. cálice.

caliza, s. f. pedra de cal.

calizo, -a, adj. calcário.

callada, s. f. calada (silêncio); dobrada (comida).

calladamente, adv. silenciosamente.

callado, -a, adj. calado; silencioso; reservado; sossegado.

callandito, adv. caladamente, silenciosamente; em sossego.

callando, adv. vd. **calhandito**.

callar, v. intr. calar; silenciar; omitir.

calle, s. f. rua; estrada; DESP. pista.

calleja, s. f. ruela; viela.

callejear, v. intr. vaguear (pelas ruas).

callejeo, s. m. vagueação.

callejero, -a, I. adj. vagante; errante; vagabundo. II. s. m. roteiro.

callejón, s. m. beco.

callejuela, s. f. ruazinha, viela; pista.

callicida, s. 2 gén. calicida.

callista, s. 2 gén. calista; pedicuro.

callo, s. m. calo; pl. dobrada; tripas.

callosidad, s. f. calosidade.

calloso, -a, adj. caloso; calejado.

calma, s. f. calma; calmaria; (fig.) paz; quietação.

calmante, adj. 2 gén. e s. m. calmante.

calmar, v. tr. calmar; acalmar; sossegar.

calmo, -a, adj. calmo; sereno; quieto.

calmoso, -a, adj. calmoso; quente.

caló, s. m. calão; gíria.

calor, s. m. FÍS. calor; (fig.) ardor; *entrar en calor*, começar a aquecer; DESP. fazer aquecimento.

caloría, s. f. FÍS. caloria.

calórico, -a, adj. calórico; calorífico.

calorífero, -a, adj. e s. m. calorífero; aquecedor; radiador.

calorífico, -a, adj. calorífico.

calorífugo, -a, adj. calorífugo.

calorimetría, s. f. FÍS. calorimetria.

calorímetro, s. m. FÍS. calorímetro.

calostro, s. m. FISIOL. colostro.

calta, s. f. BOT. calta, malmequer-dos-brejos.

calumnia, s. f. calúnia; difamação.

calumniador, -a, adj. e s. caluniador; difamador.

calumniar, v. tr. caluniar; difamar.

calumnioso, -a, adj. calunioso, difamante.

calurosamente, adv. calorosamente; entusiasticamente.

caluroso, -a, adj. caloroso; entusiástico; animado; vivo; ardente.

calva, s. f. calva; careca; clareira.

calvario, s. m. calvário.

calvero, s. m. clareira.

calvez, s. f. calvície.

calvicie, s. f. calvície.

calvinismo, s. m. calvinismo.

calvo, -a, adj. e s. m. calvo; escalvado.

calza, *s. f.* calça; calção; atilho (para alguns animais); calçadeira.
calzada, *s. f.* calçada.
calzado, -a, **I.** *adj.* calçado; calçudo (diz-se dalguns pássaros). **II.** *s. m.* calçado, sapatos.
calzador, *s. m.* calçadeira.
calzar, *v. tr.* calçar.
calzo, *s. m.* calço; cunha.
calzón, *s. m.* calção.
calzonazos, *s. m.* (*fig., fam.*) homem sem energia.
calzoncillos, *s. m. pl.* ceroulas; cuecas.
cama, *s. f.* cama; leito.
camachuelo, *s. m.* ZOOL. pintarroxo.
camada, *s. f.* ninhada; camada.
camafeo, *s. m.* camafeu.
camal, *s. m.* cabeçal, cabresto; camal.
camaleón, *s. m.* ZOOL. camaleão; (*fig.*) adulador.
camaleónico, -a, *s. m.* camaleónico.
camama, *s. f.* embuste; burla.
camándula, *s. f.* camândulas; rosário; (*fig.*) trapaça.
camandulero, -a, *adj. e s.* (*fam.*) hipócrita; velhaco.
cámara, *s. f.* câmara; quarto; vd. **ayuntamiento**, câmara municipal.
camarada, *s. m.* camarada; colega; companheiro.
camaradería, *s. f.* camaradagem.
camaranchón, *s. m.* desvão; águas-furtadas; mansarda.
camarera, *s. f.* camareira; criada.
camarero, *s. m.* camareiro, criado (de quarto, café ou restaurante); camarista.
camareta, *s. f.* cabine de convés.
camarilla, *s. f.* camarilha; POL. grupo de pressão.
camarín, *s. m.* camarim.
camarlengo, *s. m.* camarlengo.
camarón, *s. m.* ZOOL. camarão.
camarote, *s. m.* NÁUT. camarote.
camastro, *s. m.* cama pobre e má; catre.
camastrón, -ona, *s. m. e f.* (*fam.*) pessoa astuta; manhosa.
camba, *s. f.* camba.
cambalache, *s. m.* (*fam.*) alborque; cambalacho; troca.
cambalachear, *v. tr.* fazer cambalacho.
cámbaro, *s. m.* caranguejo de água doce.
cambiante, **I.** *adj.* 2 *gén.* cambiante. **II.** *s.* 1. *m.* cambiante. 2. 2 *gén.* cambista.

cambiar, *v. tr.* cambiar; trocar; mudar; alterar; trocar moeda; transferir; *cambiar de jaqueta*, virar a casaca; *cambiar los papeles*, trocar os papéis; *cambiar de idea*, mudar de ideias.
cambiazo, *s. m.* câmbio; (*fam.*) troca; volta.
cambio, *s. m.* cambiamento; câmbio; trocos (dinheiro miúdo); COM. câmbio (troca de moeda).
cambista, *s.* 2 *gén.* cambista.
cámbrico, -a, *adj.* galanteador; sedutor.
camelar, *v. tr.* (*fam.*) galantear; requestar; seduzir; enganar.
camelear, *v. tr.* (*fam.*) enganar; levar.
camelia, *s. f.* BOT. camélia.
camellero, *s. m.* cameleiro.
camello, *s. m.* ZOOL. camelo; NÁUT. calabre grosso.
camelo, *s. m.* (*fam.*) troça; engano; burla; galanteio; história-da-carochinha.
camerino, *s. m.* camarim.
camilla, *s. f.* camilha; camila, braseira; maca.
camillero, *s. m.* maqueiro.
caminada, *s. f.* caminhada; jornada.
caminador, -a, *adj.* caminhador; caminheiro.
caminante, *s.* 2 *gén.* caminhante; viajante.
caminar, *v. intr.* caminhar; andar; marchar.
caminata, *s. f.* caminhada.
caminero, *adj.* caminheiro; cantoneiro.
camino, *s. m.* caminho; estrada; vereda.
camión, *s. m.* caminhão; camião.
camionaje, *s. m.* camionagem.
camisa, *s. f.* camisa; envoltório; invólucro.
camisería, *s. f.* camisaria.
camisero, -a, *s. m. e f.* camiseiro.
camiseta, *s. f.* camisola.
camisola, *s. f.* camisa fina (de homem); camisola.
camisón, *s. m.* camisão; camisa de dormir.
camomila, *s. f.* BOT. camomila, camomilha, macela.
camorra, *s. f.* (*fam.*) rixa; disputa; pendência; briga; quezília; *armar camorra*, (*fam.*) armar banzé; *buscar camorra*, (*fam.*) procurar encrencas.
camorrero, -a, *adj. e s.* brigão; desordeiro.
camp, *s. m.* acampamento.

campal, *adj. 2 gén.* campal.

campamento, *s. m.* acampamento; parque de campismo; MIL. acantonamento.

campana, *s. f.* sino; chaminé; *(fam.)* extractor.

campanada, *s. f.* badalada; *(fig.)* escândalo; sensação.

campanario, *s. m.* campanário, torre sineira.

campanear, *v.* 1. *intr.* badalar. 2. *refl.* saracotear-se, pavonear-se.

campaneo, *s. m.* repique de sinos; saracoteio.

campanero, *s. m.* sineiro, aquele que fabrica ou toca sinos.

campaniforme, *adj. 2 gén.* campanulado, campaniforme.

campanilla, *s. f.* campainha; sineta; ANAT. úvula; BOT. campainhas.

campanillear, *v. intr.* tocar a campainha.

campanilleo, *s. m.* toque continuado de campainha.

campanillero, *s. m.* campainheiro; campainhão.

campante, *adj. (fam.)* despreocupado, impassível; satisfeito; ufano, orgulhoso.

campanud|o, -a, *adj.* campanulado; campanudo.

campaña, *s. f.* campanha; campina; expedição (militar); *misa de campaña,* missa campal.

campañol, *s. m.* ZOOL. arganaz; criceto.

campar, *v. intr.* campar; ufanar-se; acampar.

campeador, *adj. e s.* campeador; campeão.

campear, *v. intr.* pastar, pascer; sobressair, evidenciar-se.

campechanería, *s. f. (fam.)* franqueza; simplicidade; informalidade.

campechanía, *s. f.* vd. **campechanería**.

campechan|o, -a, *adj. (fam.)* franco, alegre; simples; informal; não afectado, natural.

campe|ón, -ona, *s. m. e f.* campeão; *(fig.)* paladino.

campeonato, *s. m.* campeonato; *de campeonato, (fam.)* terrível; grande.

camperas, *s. f. pl.* botas de couro.

camper|o, -a, *adj.* campesino, rural; arejado, ao ar livre.

campesinado, *s. m.* campesinato; os camponeses.

campesin|o, -a, *adj. e s.* camponês, campesino.

campestre, *adj. 2 gén.* campestre, campesino; rural.

camping, *s. m.* acampamento, parque de campismo.

campiña, *s. f.* campina.

campo, *s. m.* campo, aldeia; campo, terra de cultivo; DESP. campo, recinto; ELECT. campo (eléctrico, magnético); *(fig.)* campo, espaço, âmbito.

camposanto, *s. m.* cemitério; campo-santo.

camuesa, *s. f.* maçã camoesa.

camueso, *s. m.* BOT. camoesa, variedade de macieira.

camuflaje, *s. m.* camuflagem.

camuflar, *v. tr.* camuflar.

can, *s. m.* ZOOL. cão; ARQ. modilhão; cão, peça de percussão nas armas de fogo.

cana, *s. f.* cã, cabelo branco.

canadiense, *adj. e s. 2 gén.* canadiano; canadense.

canal, *s.* 1. *m. e f.* canal. 2. *s. m.* goteira; caleira; canal (estreito); ANAT. canal; vaso; faringe; estria; leito do rio; bebedouro.

canaladura, *s. f.* ARQ. acanaladura; estria.

canalete, *s. m.* remo curto; pagaia.

canalización, *s. f.* canalização; tubagem; *(fig.)* direccionamento, encaminhamento.

canalizar, *v. tr.* canalizar; encanar; *(fig.)* dirigir; encaminhar.

canalla, *s. m. (fig., fam.)* canalha; infame.

canallada, *s. f.* canalhice; canalhada.

canal|ón, *s. m.* goteira; caleira.

canana, *s. f.* cartucheira.

canapé, *s. m.* canapé; sofá; CUL. canapé.

canari|o, -a, I. *adj.* canário (das ilhas Canárias). II. *s. m.* ZOOL. canário (pássaro).

canasta, *s. f.* canastra (cesto); canasta (jogo de cartas); DESP. cesto.

canaster|o, -a, *s. m. e f.* canastreiro; cesteiro.

canastilla, *s. f.* cestinha de vime; alcofa (de bebé).

canasto, *s. m.* canastro; cabaz.

cancamusa, *s. f. (fam.)* chamariz; engodo; artifício; logro.

cancán, *s. m.* cancã (dança).

cancel, *s. m.* biombo; guarda-vento.

cancela, *s. f.* gradil de porta; portão de ferro.

cancelación, *s. f.* cancelamento.

cancelar, *v. tr.* cancelar; anular; saldar (uma conta).

cáncer, *s. m.* MED. cancro; carcinoma; cirro.

cancerbero, *s. m.* MIT. Cérbero; (*fig.*) porteiro severo; DESP. guarda-redes.

cancerígeno, -a, *adj.* cancerígeno.

canceroso, -a, *adj.* canceroso.

cancha, *s. f.* campo, relvado; courte (de ténis).

cancho, *s. m.* seixo, godo; penedo.

cancilla, *s. f.* cancela.

canciller, *s. m.* chanceler.

cancillería, *s. f.* chancelaria.

canción, *s. f.* canção; canto; cantiga.

cancionero, *s. m.* LIT./MÚS. cancioneiro.

candado, *s. m.* cadeado; aloquete.

candar, *v. tr.* fechar a cadeado.

cande, *adj.* cândi.

candeal, *adj. 2 gén.* candial, branco (trigo).

candela, *s. f.* candeia; vela de sebo ou cera; candela, castiçal; FÍS. candela.

candelabro, *s. m.* candelabro; lustre.

candelero, *s. m.* castiçal; candeeiro.

candencia, *s. f.* candência.

candente, *adj. 2 gén.* candente; em brasa.

candi, *adj.* cândi; cristalizado.

candidato, *s. m.* candidato.

candidatura, *s. f.* candidatura.

candidez, *s. f.* candidez; inocência; alvura.

cándido, -a, *adj.* cândido; alvo; simples; sincero.

candil, *s. m.* candeia.

candileja, *s. f.* vaso interior da candeia; lamparina; *pl.* TEAT. gambiarra.

candilejo, *s. m.* candeia pequena.

candonga, *s. f.* (*fam.*) adulação; carícias falsas; partida; brincadeira; mula de tiro.

candongo, -a, *adj.* bajulador; preguiçoso; ocioso.

candor, *s. m.* candor; candura; pureza; inocência.

candoroso, -a, *adj.* inocente; puro; ingénuo.

caneca, *s. f.* botija.

canela, *s. f.* canela.

canelo, *s. m.* BOT. caneleira.

canelón, *s. m.* goteira; caleira; canelura.

canesú, *s. m.* vestido sem mangas; parte superior da camisa.

cangilón, *s. m.* canjirão; alcatruz.

cangreja, *s. f.* NÁUT. caranguêja.

cangrejo, *s. m.* ZOOL. caranguejo.

canguro, *s. m.* ZOOL. canguru.

caníbal, *adj. e s. 2 gén.* canibal.

canibalismo, *s. m.* canibalismo.

canica, *s. f.* berlinde.

caniche, *s. m.* caniche.

canicie, *s. f.* canície; velhice.

canícula, *s. f.* canícula.

canicular, *adj. 2 gén.* canicular, calmoso.

canijo, -a, *adj. e s.* (*fam.*) débil; doentio.

canilla, *s. f.* ANAT. canela; espicho (de barril); carrete, bobina.

canillera, *s. f.* caneleira (protecção).

canino, -a, *adj.* canino.

canje, *s. m.* troca; permuta.

canjeable, *adj. 2 gén.* cambiável; permutável.

canjear, *v. tr.* trocar; permutar.

cannabis, *s. m.* cânhamo; liamba.

cano, -a, *adj.* branco, grisalho.

canoa, *s. f.* canoa.

canon, *s. m.* cânon, cânone; regra; norma; REL./MÚS. cânon.

canónico, -a, *adj.* canónico.

canóniga, *s. f.* (*fam.*) sesta.

canónigo, *s. m.* cónego.

canonización, *s. f.* canonização.

canonizar, *v. tr.* canonizar.

canonjía, *s. f.* canonicato; conezia.

canoro, -a, *adj.* canoro.

canoso, -a, *adj.* encanecido; grisalho.

canotié, *s. m.* palhinha (chapéu).

canotier, *s. m.* vd. **canotié**.

cansado, -a, *adj.* cansado; fatigado; cansado, farto, cheio, aborrecido.

cansancio, *s. m.* cansaço; fadiga.

cansar, *v. tr.* cansar; fatigar; (*fig.*) aborrecer.

cansino, -a, *adj.* lento, vagaroso; cansado.

cantable, *adj. 2 gén.* cantável.

cántabro, -a, *adj. e s.* cântabro; cantábrico.

cantada, *s. f.* tolice; erro estúpido; asneira.

cantador, -a, *s. m. e f.* cantador, cantor.

cantaleta, *s. f.* assuada; apupo; vaia; algazarra.

cantante, *adj. e s. 2 gén.* cantor ou cantora profissionais.

cantaor, -a, *s. m. e f.* cantor de flamenco.

cantar, *s. m.* canto; canção.

cántara, *s. f.* cântara; cântaro.

cantarela, *s. f.* MÚS. cantarela.

cantárida, *s. f.* ZOOL. cantárida; cantáride.

cantarín, -ina, *adj.* (*fam.*) cantador, cantadeira.

cántaro, *s. m.* cântaro.

cantata, *s. f.* cantata.

cantautor, *s. m.* cantor compositor.

cante, *s. m.* canto, cantiga; canção popular, sobretudo o flamenco; *(fig., fam.)* coisa que chama a atenção.

cantera, *s. f.* canteira; pedreira; *(fig.)* alfobre; DESP. *(fig.)* jogadores das camadas jovens.

cantería, *s. f.* cantaria; arte da cantaria; pedra lavrada.

cantero, *s. m.* canteiro.

cántico, *s. m.* cântico; hino; canto.

cantidad, *s. f.* quantidade; porção; quantia.

cantiga, *s. f.* vd. **cántiga**.

cántiga, *s. f.* canção, balada.

cantil, *s. m.* penhasco, falésia; escolho, baixio.

cantilena, *s. f.* cantilena; *(fig., fam.)* repetição importuna.

cantillo, *s. m.* pedrinha; *pl.* pedrinhas (jogo infantil).

cantimplora, *s. f.* cantimplora; sifão; cantil.

cantina, *s. f.* cantina; bufete.

cantinera, *s. f.* vivandeira; cantineira.

cantinero, *s. m.* cantineiro, taberneiro.

canto, *s. m.* canto, cantoria; arte de cantar; poema curto; cântico; canto, esquina; ângulo; seixo, calhau rolado.

cantón, *s. m.* cantão, região.

cantonera, *s. f.* cantoneira (para livros, objectos, etc.).

cantonero, -a, **I.** *adj. e s.* vadio, **II.** *s. m.* instrumento de encadernador.

cantor, -a, *adj. e s.* cantor.

cantueso, *s. m.* BOT. lavanda; rosmaninho.

canturrear, *v. intr.* vd. **canturriar**.

canturreo, *s. m.* trauteio.

canturriar, *v. intr.* *(fam.)* cantarolar; trautear.

cánula, *s. f.* cânula.

canutas, *s. f. pl., passarlas canutas*, passar um mau bocado.

canutero, *s. m.* alfineteira, almofada para alfinetes.

canutillo, *s. m.* carrinho, carretel, bobine.

canuto, *s. m.* tubo; BOT. entrenó.

caña, *s. f.* BOT. cana; talo; ANAT. rádio; tíbia; cano (da bota); cana de pesca; copo de cerveja.

cañada, *s. f.* canhada (planície); azinhaga; caminho para os rebanhos.

cañafístola, *s. f.* vd. **cañafístula**.

cañafístula, *s. f.* BOT. canafístula.

cañamazo, *s. m.* canhamaço; talagarça; *(fig.)* projecto.

cáñamo, *s. m.* BOT. cânhamo.

cañamón, *s. m.* semente de cânhamo.

cañaveral, *s. m.* canavial; caniçal.

cañería, *s. f.* tubagem; encanamento; aqueduto.

cañí, *adj. e s. 2 gén.* cigano; de raça cigana.

cañizal, *s. m.* canavial.

cañizar, *s. m.* vd. **cañizal**.

cañizo, *s. m.* caniço; trançado de caniços.

caño, *s. m.* cano; tubo; canudo; galeria (de mina); canal.

cañón, *s. m.* MIL. canhão; tubo; chaminé.

cañonazo, *s. m.* canhonaço; DESP. pontapé forte.

cañonear, *v. tr.* canhonear; bombardear.

cañoneo, *s. m.* canhoneio; bombardeamento.

cañonera, *s. f.* canhoneira.

cañonería, *s. f.* bateria; conjunto de canhões de artilharia ou dos tubos dum órgão.

cañonero, -a, **I.** *adj.* canhoneiro. **II.** *s. f.* canhoneira.

caoba, *s. f.* BOT. acaju; mogno.

caolín, *s. m.* MIN. caulino.

caos, *s. m.* caos; confusão; desordem.

caótico, -a, *adj.* caótico.

capa, *s. f.* capa (vestuário); cobertura; envoltório; camada; pretexto; *(fig.)* encobridor.

capacha, *s. f.* cesta.

capacho, *s. m.* cabaz; seira.

capacidad, *s. f.* capacidade; âmbito; talento; aptidão.

capacitación, *s. f.* treino; adestramento.

capacitado, -a, *adj.* capacitado; qualificado; competente.

capacitar, *v. tr.* capacitar.

capador, *s. m.* capador.

capar, *v. tr.* capar; castrar.

caparazón, *s. m.* carapaça (de aracnídeos e crustáceos); *(fig.)* cobertura; protecção.

caparrosa, *s. f.* vitríolo.

capataz, -a, *s. m. e f.* capataz; caseiro; feitor.

capaz, *adj. 2 gén.* capaz; amplo; *(fig.)* apto.

capazo, *s. m.* alcofa; seirão.

capcioso, -a, *adj.* capcioso; caviloso.

capea, *s. f.* lide de bezerros feita por amadores.

capear, v. tr. capear; revestir; provocar com capa (os touros).

capellán, s. m. capelão.

capellanía, s. f. capelania.

capelo, s. m. capelo; chapéu cardinalício.

caperuza, s. f. carapuça, capuz.

capicúa, s. m. capicua.

capilar, I. adj. 2 gén. capilar. II. s. m. capilar (vaso).

capilaridad, s. f. capilaridade.

capilla, s. f. capuz; capelo; capela; *capilla ardiente,* câmara-ardente.

capillo, s. m. boné, gorro; capuz; tombas (no calçado).

capirotazo, s. m. piparote.

capirote, s. m. capirote, capuz usado por penitentes (nas procissões).

capisayo, s. m. capa com capuz; mantelete (dos bispos).

capitación, s. f. capitação.

capital, I. s. 1. m. capital; principal; fazenda; caudal; património; bens. 2. f. cidade principal. II. adj. 2 gén. principal; da maior importância.

capitalismo, s. m. capitalismo.

capitalista, adj. e s. 2 gén. capitalista.

capitalización, s. f. capitalização.

capitalizar, v. tr. capitalizar.

capitán, -ana, s. m. e f. capitão.

capitanear, v. tr. capitanear; comandar; dirigir.

capitanía, s. f. capitania; comando.

capitel, s. m. ARQ. capitel.

capitolio, s. m. (fig.) capitólio.

capitoné, I. adj. acolchoado. II. s. m. camião de mudanças.

capitoste, s. m. manda-chuva, pessoa importante.

capitulación, s. f. capitulação; rendição.

capitular, I. adj. e s. m. capitular. II. v. intr. capitular; render-se; transigir, pactuar, condescender.

capítulo, s. m. capítulo; cabido; (fig.) tema, assunto, matéria.

capolar, v. tr. despedaçar.

capón, s. m. capão; carolo, pancada na cabeça.

caponera, s. f. cevadouro, cevadeiro; capoeira.

caporal, s. m. principal; chefe; cabeça; dirigente; maioral; MIL. caporal; cabo.

capotar, v. intr. capotar.

capote, s. m. capote; (fig., fam.) sobrece-

nho carregado; capote, capinha de toureiro.

capotear, v. tr. capear (touros); (fam.) enganar.

capotillo, s. m. capotilho; capotinho.

capricho, s. m. capricho.

caprichoso, -a, adj. caprichoso.

caprichudo, -a, adj. vd. **caprichoso.**

capricornio, s. m. ASTR. Capricórnio.

caprino, -a, adj. caprino.

cápsula, s. f. cápsula.

captación, s. f. captação.

captar, v. tr. captar; atrair; granjear.

captura, s. f. captura; prisão; arresto.

capturar, v. tr. capturar; prender; arrestar.

capucha, s. f. capucha; capuz.

capuchina, s. f. BOT. capuchinha.

capuchino, -a, I. adj. capuchinho (frade). II. s. m. capuchino (café).

capuchón, s. m. manto com capuz; capucha; dominó curto; carapuça, cobertura, tampa.

capullo, s. m. casulo; BOT. gomo floral.

caquéctico, -a, adj. e s. caquéctico.

caquexia, s. f. MED. caquexia.

caqui, s. m. caqui (tecido e cor); BOT. caqui (árvore).

cara, s. f. cara; rosto; semblante; *a la cara,* na cara; *echar en cara,* atirar à cara; *cara de circunstancias,* cara de caso.

caraba, s. f. *ser la caraba,* ser o cúmulo.

carabela, s. f. NÁUT. caravela.

carabina, s. f. carabina, clavina; chaperão, pau-de-cabeleira.

carabinero, s. m. MIL. carabineiro.

cárabo, s. m. escaravelho; mocho-real.

caracol, s. m. ZOOL. caracol; caracol, anel de cabelo; escada em espiral; ANAT. caracol (ouvido interno); cóclea; cabelo de relógio; zizezague, curveta (dos cavalos).

caracola, s. f. ZOOL. búzio.

caracolear, v. intr. voltear, curvetear (o cavalo); caracolear.

carácter, s. m. carácter; índole; cunho; marca.

característica, s. f. característica.

característico, -a, adj. característico.

caracterización, s. f. caracterização.

caracterizado, -a, adj. caracterizado, distinguido.

caracterizar, v. tr. caracterizar; descrever; distinguir.

caracterologia, s. f. caracterologia.

caracterológico, -a, *adj.* caracterológico.

caradura, I. *adj.* 2 *gén.* descarado, sem vergonha. **II.** s. **1.** 2 *gén.* sem-vergonha, pessoa descarada. **2.** *f.* descaramento; lata.

carajillo, *s. m.* café com cheirinho.

¡caramba!, *interj.* caramba!, exprime surpresa.

carámbano, *s. m.* carambano; caramelo; sincelo.

carambola, *s. f.* carambola (no bilhar); enredo; BOT. carambola.

caramelo, *s. m.* caramelo.

caramillo, *s. m.* pífaro; pilha, montão; má-língua; bisbilhotice.

carantoña, *s. f.* carantonha; caraça; *pl.* carícias; lisonja.

carapa, *s. f.* BOT. carapa.

carapacho, *s. m.* casca; crosta; carapaça dos répteis quelónios; concha.

carapato, *s. m.* óleo de rícino.

carátula, *s. f.* caraça; careta; máscara protectora; capa; (*fig.*) teatro.

caravana, *s. f.* caravana; fila de trânsito; caravana, atrelado.

caravanero, *s. m.* caravaneiro.

carbón, *s. m.* carvão.

carbonado, *s. m.* diamante negro.

carbonar, *v. tr.* transformar em carvão.

carbonatar, *v. tr.* carbonatar.

carbonato, *s. m.* QUÍM. carbonato.

carboncillo, *s. m.* carvãozinho; carvão para desenho.

carbonear, *v. tr.* carvoejar, transformar em carvão.

carbonera, *s. f.* carvoeira (onde se guarda o carvão).

carbonería, *s. f.* carvoaria.

carbonero, -a, I. *adj.* QUÍM. carbonífero. **II.** *s. m.* carvoeiro; ORNIT. carvoeiro; pisco-ferreiro.

carbonífero, -a, *adj.* carbonífero.

carbonilla, *s. f.* pó de carvão; fuligem.

carbonización, *s. f.* carbonização.

carbonizar, *v. tr.* carbonizar.

carbono, *s. m.* carbono.

carbunco, *s. m.* antracite.

carburación, *s. f.* carburação.

carburador, *s. m.* carburador.

carburante, I. *adj.* 2 *gén.* carburante. **II.** *s. m.* carburante.

carburar, *v.* **1.** *tr.* carburar, carbonar. **2.** *intr.* (*fig.*) trabalha, trabalhar, funcionar.

carburo, *s. m.* QUÍM. carboneto.

carca, *adj.* e *s.* 2 *gén.* antiquado, retrógrado; reaccionário.

carcaj, *s. m.* carcás; aljava; coldre.

carcajada, *s. f.* gargalhada forte.

carcajear, *v. intr.* gargalhar.

carcasa, *s. f.* armação, estrutura; carcaça, cavername.

cárcava, *s. f.* fosso (para defesa); cova.

cárcel, *s. f.* cárcere; prisão; cadeia.

carcelario, -a, *adj.* prisional.

carcelero, -a, *s. m.* e *f.* carcereiro.

carcinoma, *s. m.* MED. carcinoma.

cárcola, *s. f.* pedal.

carcoma, *s. f.* ZOOL. carcoma; caruncho.

carcomer, *v. tr.* carcomer; roer (o caruncho).

carcomido, -a, *adj.* carcomido; roído; (*fig.*) minado; consumido.

carda, *s. f.* carda; cardação; cardagem; (*fig.*) repreensão; descompostura.

cardado, -a, I. *adj.* cardado. **II.** *s. m.* cardação, cardadura; penteado para trás.

cardador, -a, *s. m.* e *f.* cardador.

cardamomo, *s. m.* BOT. cardamomo.

cardar, *v. tr.* cardar; pentear.

cardenal, *s. m.* cardeal; hematoma.

cardenalato, *s. m.* cardinalato.

cardenalicio, -a, *adj.* cardinalício.

cardencha, *s. f.* BOT. cardo-penteador; carda, instrumento para cardar.

cardenillo, *s. m.* verdete; azebre; cardenilho.

cárdeno, -a, *adj.* púrpura; violeta, roxo.

cardíaco, -a, *adj.* e *s. m.* cardíaco.

cardialgia, *s. f.* MED. cardialgia.

cardias, *s. m.* ANAT. cárdia.

cardillo, *s. m.* BOT. cardo-de-ouro.

cardinal, *adj.* 2 *gén.* cardinal; cardeal; principal.

cardiografía, *s. f.* cardiografia.

cardiógrafo, *s. m.* cardiógrafo.

cardiograma, *s. m.* cardiograma.

cardiología, *s. f.* cardiologia.

cardiólogo, -a, *s. m.* e *f.* cardiologista.

cardiopatía, *s. f.* cardiopatia.

cardiovascular, *adj.* 2 *gén.* cardiovascular.

cardo, *s. m.* cardo.

cardume, *s. m.* cardume, banco (de peixes).

cardumen, *s. m.* vd. **cardume**.

carear, *v. tr.* carear; acarear; confrontar.

carecer, *v. intr.* carecer; precisar.

carena, *s. f.* NÁUT. querena, quilha; carroçaria.

carenar, *v. tr.* NÁUT. querenar.

carencia, *s. f.* carência; falta; privação.

carente, *adj.* 2 *gén.* carente, falto, precisado.

careo, *s. m.* acareação; confrontação.

carero, -a, *adj.* (*fam.*) careiro (que vende
caro).

carestía, *s. f.* carestia; escassez; alta de
preços.

careta, *s. f.* máscara; *careta antigás*, máscara antigás; *quitarle la careta a alguien*,
desmascarar alguém.

careto, *s. m.* (*fam.*) cara.

carey, *s. m.* tartaruga marinha; carapaça
de tartaruga.

carga, *s. f.* carregação; carregamento; fardo;
carga.

cargado, -a, *adj.* carregado.

cargador, *s. m.* estivador, carregador;
cunhete, carregador (de munições).

cargamento, *s. m.* carregamento; carga.

cargante, *adj.* 2 *gén.* pesado; incómodo;
incomodativo; enfadonho.

cargar, *v. tr.* carregar; encher; alimentar;
sobrecarregar; encarregar; atacar.

cargazón, *s. f.* carregamento, carga.

cargo, *s. m.* carga; cargo; emprego; DIR.
falta, acusação; encargo, responsabilidade; *correr a cargo de algo*, ser responsável por alguma coisa; *hacerse cargo de*,
encarregar-se de; *alto cargo*, alto cargo;
cargo de conciencia, peso de consciência.

carguero, *s. m.* cargueiro (navio); avião
de transporte.

cariacontecido, -a, *adj.* com cara de
caso; de orelha murcha; desanimado.

cariado, -a, *adj.* cariado; corrompido.

cariar, *v.* 1. *tr.* cariar; 2. *refl.* cariar, corromper-se.

cariátide, *s. f.* ARQ. cariátide.

caribú, *s. m.* ZOOL. caribu.

caricato, *s. m.* caricato; grotesco.

caricatura, *s. f.* caricatura.

caricaturista, *s.* 2 *gén.* caricaturista.

caricaturizar, *v. tr.* caricaturar.

caricia, *s. f.* carícia.

caricioso, -a, *adj.* carinhoso.

caridad, *s. f.* caridade; esmola; bondade;
beneficência.

caries, *s. f.* MED. cárie.

carilla, *s. f.* página, lauda.

carillón, *s. m.* carrilhão.

cariño, *s. m.* carinho; afeição; ternura.

cariñosamente, *adv.* carinhosamente,
ternamente; afectuosamente.

cariñoso, -a, *adj.* carinhoso; amoroso;
afectuoso.

carisma, *s. m.* TEOL. carisma.

caritativo, -a, *adj.* caritativo, caridoso.

cariz, *s. m.* cariz; semblante; aspecto.

carlinga, *s. m.* NÁUT. carlinga; sobrequilha; carlinga (do avião); cabina.

carmelita, *adj. e s.* 2 *gén.* carmelita.

carmesí, *adj.* 2 *gén.* carmesim.

carmín, *s. m.* carmim.

carminativo, -a, *adj. e s. m.* MED. carminativo.

carnación, *s. f.* carnação.

carnada, *s. f.* isca; engodo.

carnal, *adj.* 2 *gén.* carnal; lascivo; consanguíneo.

carnalidad, *s. f.* carnalidade, sensualidade.

carnaval, *s. m.* Carnaval, Entrudo.

carnavalesco, -a, *adj.* carnavalesco; grotesco.

carnaza, *s. f.* carnaz; (*fam.*) carnaça.

carne, *s. f.* carne; sensualidade; consanguinidade.

carné, *s. m.* carta; bilhete; *carné de conducir*, carta de condução; *carné de identidad*, bilhete de identidade.

carnero, *s. m.* ZOOL. carneiro.

carnestolendas, *s. f. pl.* Carnaval.

carnet, *s. m.* vd. **carné.**

carnicería, *s. f.* açougue; talho; carnificina; matança; chacina.

carnicero, -a, I. *adj.* carniceiro; carnívoro;
(*fig.*) cruel. II. *s.* 1. *m.* carnívoro. 2. *m. e f.*
carniceiro, marchante, talhante.

cárnico, -a, *adj.* da carne; alimentar; *ins-
dustrias cárnicas*, indústrias alimentares.

carnívoro, -a, *adj. e s.* carnívoro.

carnosidad, *s. f.* carnosidade; protuberância.

carnoso, -a, *adj.* carnoso; carnudo.

carnudo, -a, *adj.* carnudo.

caro, -a, *adj.* caro, de preço alto; caro,
amado, querido.

carota, *s.* 2 *gén.* pessoa descarada, sem-vergonha.

carótida, *s. f.* ANAT. carótida, carótide.

carotina, *s. m.* QUÍM. caroteno.

carpa, *s. f.* ZOOL. carpa (peixe); cobertura de
circo.

carpanta, *s. f.* (*fam.*) fome canina.

carpe, *s. m.* BOT. álamo-branco.

carpelo, s. m. BOT. carpelo.
carpeta, s. f. pasta de arquivo; cobertura de secretária; carteira.
carpintería, s. f. carpintaria.
carpintero, -a, I. adj. de carpinteiro. II. s. m. carpinteiro.
carpo, s. m. carpo.
carpología, s. f. BOT. carpologia.
carraca, s. f. matraca; NÁUT. carraca; (fam.) lata, carro velho; carcaça, pessoa velha e doente.
carrasca, s. f. BOT. carrasco; carrasqueiro.
carraspear, v. intr. pigarrear.
carraspera, s. f. pigarro; rouquidão.
carrasposo, -a, adj. enrouquecido, rouco.
carrera, s. f. carreira; corrida; itinerário; profissão; trilho; *carrera diplomática,* carreira diplomática; *carrera armamentística,* corrida aos armamentos; *carrera de vallas,* corrida de obstáculos; *carrera de relevos,* corrida de estafetas.
carrerilla, s. f., *de carrerilla,* de enfiada, de cor; *tomar (coger) carrerilla,* tomar balanço.
carreta, s. f. carrão; carroça.
carretada, s. f. carrada; montão.
carrete, s. m. carretel; carrinho; carrete; rolo; bobine.
carretera, s. f. estrada; *carretera nacional,* estrada nacional; *carretera comarcal,* estrada municipal.
carretero, s. m. carreteiro, carroceiro (condutor de carroças); carroçador, carroceiro (construtor de carroças); *hablar como un carretero,* falar como um carroceiro.
carretilla, s. f. carretilha; carrinho de mão; busca-pé (foguete).
carretón, s. m. carreta; carrinho de amolador; carrinho de crianças.
carricoche, s. m. triciclo motorizado (como o usado pelos vendedores de gelados); (fam.) carro velho.
carril, s. m. sulco, rodado (rasto das rodas da carruagem); vereda; trilho; carril.
carrilera, s. f. carrilheira; queixada.
carrillo, s. m. carrilho, face; bochecha; queixo.
carro, s. m. carro; carga; carruagem; MIL. carro de combate, tanque; carreto (de máquina de escrever); automóvel; *carro de la compra,* carrinho de supermercado.
carromato, s. m. carromato; carro com coberto para cargas.

carroña, s. f. carne podre; carniça; (fig.) ralé, escumalha.
carroza, s. f. carro grande puxado por cavalos; carro de cortejo de Carnaval; carro fúnebre, carreta; (fig.) pessoa antiquada.
carruaje, s. m. carruagem.
carrusel, s. m. carrossel.
carta, s. f. carta (epístola, missiva); carta (do baralho); mapa geográfico; lista, menu.
cartabón, s. m. esquadro.
cartaginés, -esa, adj. e s. cartaginês.
cartapacio, s. m. cartapácio; pasta escolar.
cartearse, v. refl. cartear-se; escrever-se; corresponder-se.
cártel, s. m. cartel; coligação.
cartelera, s. f. armação para afixar cartazes; secção de anúncios de espectáculos (num periódico).
carteo, s. m. carteio, carteamento, troca de correspondência.
cartera, s. f. carteira; bolsa; pasta; (fig.) pasta, cargo de ministro.
carterista, s. 2 gén. carteirista.
cartero, s. m. carteiro.
cartilaginoso, -a, adj. cartilaginoso; cartilagíneo.
cartílago, s. m. cartilagem.
cartilla, s. f. cartilha; caderneta; cartão; *cartilla del seguro,* cartão de seguro; *cartilla militar,* caderneta militar.
cartografía, s. f. cartografia.
cartográfico, -a, adj. cartográfico.
cartógrafo, -a, s. m. e f. cartógrafo.
cartomancia, s. f. cartomancia.
cartomancía, s. f. cartomancia.
cartón, s. m. cartão, papelão; pacote; maço; *un cartón de leche,* um pacote de leite; *un cartón de tabaco,* um maço de tabaco.
cartoné, adj. cartonado; de capa dura.
cartuchera, s. f. cartucheira.
cartucho, s. m. cartucho (explosivo); rolo de moedas; cartucho (de papel).
Cartuja, s. f. Cartuxa (ordem religiosa).
cartujo, -a, adj. e s. cartuxo.
cartulina, s. f. cartolina.
carúncula, s. f. carúncula.
casa, s. f. casa; edifício; morada; vivenda; família; *casa de citas,* bordel; *la casa de Tócame Roque,* casa de doidos.
casaca, s. f. fraque; casaca.
casación, s. f. DIR. ab-rogação; cassação; anulação; revogação.

casadero, -a, *adj.* casadoiro.

casado, -a, *adj.* e *s.* casado, consorciado.

casamata, *s. f.* casamata.

casamentero, -a, *adj.* casamenteiro.

casamiento, *s. m.* casamento; matrimónio; *(fig.)* união.

casar, *s. m.* lugarejo; casal.

casar, *v.* 1. *tr.* DIR. cassar; anular; derrogar. 2. *intr.* e *tr.* casar.

cascabel, *s. m.* guizo; cascavel.

cascabelear, *v.* 1. *tr.* infundir esperanças em. 2. *intr.* proceder com ligeireza, impensadamente.

cascabelero, -a, *adj.* pouco ajuizado, cabeça-no-ar.

cascada, *s. f.* cascata.

cascado, -a, *adj.* rouco, áspero (som, voz); quebrado, rachado (objecto); gasto, enfraquecido (pessoa).

cascajo, *s. m.* cascalho (fragmentos de pedra); caco.

cascanueces, *s. m.* quebra-nozes.

cascapiñones, *s. m.* quebra-pinhões.

cascar, *v. tr.* quebrar; partir; rachar; fender.

cáscara, *s. f.* casca.

cascarón, *s. m.* casca de ovo.

cascarrabias, *s.* 2 *gén. (fam.)* pessoa irritadiça.

casco, *s. m.* casco; crânio; caco; casca; película da cebola; copa do chapéu; armação do selim; casco, pipa para vinho; casco; unha dos solípedes; NÁUT. casco (de navio); *casco urbano,* baixa, centro da cidade.

cascote, *s. m.* entulho; cascalho.

caseína, *s. f.* QUÍM. caseína.

caserío, *s. m.* casaria; casario.

casero, -a, I. *adj.* caseiro. II. *s. m.* e *f.* inquilino.

caserón, *s. m.* casão; casarão.

caseta, *s. f.* casa rústica; guarita; cabina; barraca de feira.

casete, *s. f.* cassete.

casi, *adv.* quase; cerca de.

casilla, *s. f.* casinha (espécie de guarita); bilheteira; quadrícula; casa (damas, xadrez).

casillero, *s. m.* (móvel) classificador; ficheiro.

casino, *s. m.* casino.

casiterita, *s. f.* cassiterite.

caso, *s. m.* caso, facto; sucesso, acontecimento; assunto; GRAM. caso.

casona, *s. f.* grande casa.

casorio, *s. m. (fam.)* casório.

caspa, *s. f.* caspa; carepa.

casquero, *s. m.* fressureiro; mondongueiro.

casquete, *s. m.* casquete; capacete; cabeleira postiça.

casquillo, *s. m.* casquilho.

cassette, *s. f.* vd. **casete.**

casta, *s. f.* casta; raça; linhagem; qualidade.

castaña, *s. f.* castanha; garrafão; rolo de cabelo (puxo).

castañal, *s. m.* souto.

castañar, *s. m.* souto.

castañazo, *s. m.* castanha, pancada, choque.

castañero, -a, *s. m.* e *f.* castanheiro, vendedor de castanhas.

castañeta, *s. f.* castanheta; estalidos com os dedos; castanholas.

castañetear, *v.* 1. *tr.* castanholar. 2. *intr.* bater (os dentes ou os joelhos).

castañeteo, *s. m.* toque de castanholas; bater de dentes ou de joelhos.

castaño, -a, I. *adj.* castanho. II. *s. m.* BOT. castanheiro; madeira desta árvore, castanho.

castañuela, *s. f.* castanhola; castanholas; castanhetas.

castellano, -a, I. *adj.* castelhano. II. *s.* 1. *m.* e *f.* castelhano. 2. *m.* castelhano (idioma).

casticismo, *s. m.* casticismo.

casticista, *s.* 2 *gén.* vernaculista; purista.

castidad, *s. f.* castidade.

castigador, -a, *adj.* castigador.

castigar, *v. tr.* castigar; punir; afligir; *(fig.)* corrigir.

castigo, *s. m.* castigo; punição; *(fig.)* correctivo; DIR. pena.

castillejo, *s. m.* cadafalso.

castillo, *s. m.* castelo; fortaleza.

castizo, -a, *adj.* castiço; puro; vernáculo.

casto, -a, *adj.* casto; honesto; puro.

castor, *s. m.* ZOOL. castor.

castración, *s. f.* castração; castramento; capação.

castrado, -a, I. *adj.* castrado, capado. II. *s. m.* eunuco.

castrar, *v. tr.* capar; castrar.

castrense, *adj.* 2 *gén.* castrense; militar.

casual, *adj.* 2 *gén.* casual; fortuito.

casualidad, *s. f.* casualidade; acaso.

casualmente, *adv.* casualmente, por acaso.

casuario, s. m. ZOOL. casuar.
casucha, s. f. casinha; casebre; choupana.
casuística, s. f. casuística.
casuístico, -a, adj. casuístico.
casulla, s. f. casula.
cata, s. f. prova; amostra; ensaio; *cata de vinos*, prova de vinhos.
catabólico, -a, adj. catabólico.
catabolismo, s. m. catabolismo.
cataclismo, s. m. cataclismo; derrocada.
catacumbas, s. f. pl. catacumbas.
catador, -a, s. m. e f. provador, provadora.
catadura, s. f. catadura.
catafalco, s. m. catafalco.
catalán, -ana, adj. e s. catalão, catalã.
catalejo, s. m. telescópio.
catalepsia, s. f. MED. catalepsia.
cataléptico, -a, adj. cataléptico.
catalicores, s. m. pesa-licores.
catálisis, s. f. QUÍM. catálise.
catalizador, -a, I. adj. catalisador, catalítico. II. s. m. catalisador.
catalizar, v. tr. catalisar.
catalogación, s. f. catalogação.
catalogar, v. tr. catalogar; classificar.
catálogo, s. m. catálogo.
catamarán, s. m. catamarã.
cataplasma, s. f. cataplasma; sinapismo; (fam., fig.) chaga, pessoa aborrecida.
catapulta, s. f. catapulta.
catapultar, v. tr. catapultar.
catar, v. tr. provar; experimentar; verificar; examinar.
catarata, s. f. catarata; catadupa; cascata; MED. catarata.
catarral, adj. 2 gén. catarral.
catarro, s. m. MED. catarro; constipação.
catársis, s. f. catarse.
catártico, -a, adj. MED. catártico.
catastral, adj. 2 gén. cadastral.
catastro, s. m. cadastro; censo.
catástrofe, s. f. catástrofe.
catastrófico, -a, s. f. catastrófico.
catastrofismo, s. m. catastrofismo; pessimismo.
catatonía, s. f. catatonia.
catavino, s. m. tubo ou copo de prova de vinhos.
catavinos, s. 2 gén. e 2 núm. provador de vinhos.
cate, s. m. reprovação; chumbo.
catear, v. intr. reprovar; chumbar.
catecismo, s. m. catecismo.

catecumenado, s. m. catecumenato.
catecúmeno, -a, s. m. e f. catecúmeno; noviço; neófito.
cátedra, s. f. cátedra; cadeira; aula; classe.
catedral, I. adj. 2 gén. catedral. II. s. f. catedral; sé.
catedrático, -a, s. m. e f. catedrático.
categoría, s. f. categoria; classe; série; espécie.
categórico, -a, adj. categórico.
categorizar, v. tr. categorizar.
catenaria, s. f. catenária.
catequesis, s. f. catequese.
catequismo, s. m. catequização; catecismo; doutrinação.
catequista, s. 2 gén. catequista.
catequizar, v. tr. catequizar; instruir; doutrinar.
caterva, s. f. caterva; multidão.
catéter, s. m. CIR. cateter.
cateterismo, s. m. CIR. cateterismo.
cateto, s. m. GEOM. cateto.
catión, s. m. FÍS. catião.
cátodo, s. m. FÍS. cátodo; catódio.
catolicismo, s. m. catolicismo.
católico, -a, adj. católico.
catón, s. m. catão (crítico severo).
catóptrica, s. f. FÍS. catóptrica.
catorce, num. catorze.
catorzavo, -a, adj. e s. m. catorze avos.
catre, s. m. catre; camilha.
cauce, s. m. leito dos rios; álveo; regueiro; acéquia; (fig.) canal, via, trâmite.
caucho, s. m. caucho, borracha.
caución, s. f. caução; fiança; prevenção; garantia.
caucionar, v. tr. caucionar; afiançar.
caudal, I. adj. 2 gén. caudal, da cauda. II. s. m. caudal; torrente; bens; capital; riqueza.
caudaloso, -a, adj. caudaloso; torrencial.
caudillaje, s. m. liderança.
caudillo, s. m. caudilho; líder; cabecilha.
causa, s. f. causa; origem; motivo; razão; DIR. causa, processo criminal.
causal, adj. 2 gén. causal.
causalidad, s. f. causalidade.
causar, v. tr. causar; motivar; originar.
causídico, -a, s. m. causídico; advogado, defensor.
causticar, v. tr. causticar.
causticidad, s. f. causticidade.
cáustico, -a, I. adj. cáustico; (fig.) mordaz. II. s. m. cáustico.

cautela, s. f. cautela; prevenção; astúcia; subtileza.

cautelosamente, adv. cautelosamente.

cauteloso, -a, adj. cauteloso.

cauterización, s. f. CIR. cauterização.

cauterizador, -a, I. adj. cauterizador, cauterizante. II. s. m. cautério; cauterizador.

cauterizar, v. tr. CIR. cauterizar.

cautivar, v. tr. cativar; encantar; capturar; (fig.) atrair; seduzir.

cautiverio, s. m. cativeiro.

cautivo, -a, adj. cativo.

cauto, -a, adj. cauto; cauteloso; acautelado.

cava, s. 1. f. cave; cava (acção de cavar); veia cava. 2. m. vinho espumoso.

cavar, v. tr. cavar; escavar; aprofundar; penetrar.

caverna, s. f. caverna; antro; gruta; covil; MED. caverna.

cavernario, -a, adj. cavernal.

cavernícola, adj. e s 2 gén. cavernícola.

cavernoso, -a, adj. cavernoso.

caviar, s. m. caviar.

cavidad, s. f. cavidade; buraco; caverna.

cavilación, s. f. cavilação; ponderação.

cavilar, v. tr. cavilar; sofismar; matutar; ponderar.

cayado, s. m. cajado; bordão; bastão; báculo.

cayente, adj. 2 gén. cadente.

cayo, s. m. cachopo; escolho.

caz, s. m. canal de irrigação.

caza, s. 1. f. caça; caçada. 2. m. caça (avião).

cazabombardero, s. m. bombardeiro (avião).

cazador, -a, adj. e s. caçador.

cazar, v. tr. caçar; perseguir (animais); apanhar.

cazatorpedero, s. m. NÁUT. contratorpedeiro.

cazcarria, s. f. salpico de lama; choca.

cazo, s. m. caço; caçarola; concha (colher).

cazoleta, s. f. caçoleta, caçoila; copo (da espada).

cazón, s. m. ZOOL. cação.

cazuela, s. f. caçarola (frigideira de cabo); caçoila; a la cazuela, na caçarola, guisado.

cazurrería, s. f. casmurrice; sonsice.

cazurro, -a, adj. e s. (fam.) casmurro; sonso.

cebada, s. f. BOT. cevada.

cebadera, s. f. cevadeira; manjedoira.

cebadilla, s. f. BOT. cevadilha.

cebador, s. m. fulminante; escorva; espoleta.

cebar, v. tr. cevar; nutrir; (fig.) fomentar; alimentar.

cebo, s. m. ceva; cevo; isca; engodo; escorva, espoleta; (fig.) incentivo.

cebolla, s. f. BOT. cebola.

cebolleta, s. f. cebolinha; cebolinho.

cebollino, s. m. cebolinho, cebola (semente).

cebón, -ona, I. adj. cevado. II. s. m. animal cevado; cerdo.

cebra, s. f. ZOOL. zebra.

cebrado, -a, adj. zebrado.

cebú, s. m. ZOOL. zebo, zebu.

cecear, v. intr. cecear.

ceceo, s. m. ceceio.

cecidia, s. f. cecídia.

cecina, s. f. carne fumada.

cedazo, s. m. peneira; peneiro; crivo.

ceder, v. tr. ceder; transferir.

cedilla, s. f. cedilha.

cedro, s. m. BOT. cedro.

cédula, s. f. cédula; apólice.

cefalalgia, s. f. MED. cefalalgia.

cefalea, s. f. MED. cefaleia.

cefálico, -a, adj. cefálico.

cefalópodo, adj. e s. m. ZOOL. cefalópode.

cefalotórax, s. m. ZOOL. cefalotórax.

céfiro, s. m. zéfiro.

cegador, -a, adj. que cega, ofuscante.

cegar, v. intr. e tr. cegar; ficar ou tornar cego.

cegato, -a, adj. (fam.) míope.

ceguera, s. f. cegueira.

ceja, s. f. sobrancelha; sobrolho; MÚS. cavalete (de violino).

cejar, v. intr. recuar; retroceder; ciar; (fig.) afrouxar; ceder.

celada, s. f. celada; elmo; (fig.) cilada, emboscado.

celador, -a, adj. e s. zelador; vigilante; vigia.

celar, v. tr. zelar; observar; gravar; cinzelar; encobrir.

celda, s. f. cela; aposento.

celdilla, s. f. célula (dos favos); nicho.

celebérrimo, -a, adj. celebérrimo.

celebración, s. f. celebração.

celebrante, adj. e s. 2 gén. celebrante.

celebrar, v. tr. e intr. celebrar; louvar; festejar.

célebre, adj. 2 gén. célebre; famoso.

celebridad, s. f. celebridade.

célere, adj. 2 gén. célere; rápido.

celeridad, s. f. celeridade; rapidez.

celeste, I. adj. 2 gén. celeste; azul-celeste. II. s. m. azul-celeste.

celestial, adj. 2 gén. celestial; (fig.) perfeito; delicioso.

celestina, s. f. alcoviteira.

celíaco, -a, adj. celíaco.

celibato, s. m. celibato.

célibe, adj. e s. 2 gén. celibatário.

celo, s. m. zelo; cio; esmero; ciúmes; zelos.

celofán, s. m. celofane.

celosamente, adv. zelosamente; com ciúmes, com inveja.

celosía, s. f. gelosia; ralo de porta.

celoso, -a, adj. zeloso; ciumento.

celta, 1. adj. 2 gén. celta; céltico. II. s. 1. 2 gén. celta. 2. m. céltico (idioma dos Celtas).

celtibero, -a, adj. e s. celtibero.

céltico, -a, adj. céltico, celta.

célula, s. f. célula.

celular, adj. 2 gén. celular.

celulitis, s. f. celulite.

celuloide, s. f. celulóide.

celulosa, s. f. QUÍM. celulose.

cembro, s. m. zimbro.

cementación, s. f. cementação.

cementar, v. tr. cementar.

cementerio, s. m. cemitério.

cemento, s. m. cemento; cimento.

cena, s. f. ceia; jantar.

cenacho, s. m. cesto.

cenáculo, s. m. cenáculo.

cenado, -a, adj. jantado; ceado.

cenador, -a, s. m. caramanchão.

cenagal, s. m. atoleiro; lamaçal; lameiro; cenagal.

cenagoso, -a, adj. cenoso; lamacento; lodoso.

cenar, v. intr. cear; jantar.

cenceño -a, adj. magro; delgado.

cencerrear, v. intr. chocalhar; arranhar (instrumento); matraquear.

cencerreo, s. m. chocalhada.

cencerro, s. m. chocalho.

cendal, s. m. cendal (tecido); pl. algodões.

cenefa, s. f. sanefa.

cenicero, s. m. cinzeiro.

Cenicienta, s. f. Gata-Borralheira, Cinderela.

ceniciento, -a, adj. cinzento.

cenit, s. m. ASTR. zénite.

cenital, adj. 2 gén. zenital.

ceniza, s. f. cinza; pl. (fig.) cinzas, restos.

cenizo, -a, adj. (cor de) cinza, cinzento.

cenobio, s. m. cenóbio; mosteiro; convento.

cenobita, s. 2 gén. cenobita.

cenotafio, s. m. cenotáfio.

censar, v. tr. recensear, fazer o censo de.

censo, s. m. censo; recenseamento.

censor, -a, s. m. e f. censor; crítico.

censual, adj. 2 gén. censual.

censura, s. f. censura; murmuração; repreensão.

censurable, adj. 2 gén. censurável; criticável.

censurar, v. tr. censurar; criticar; repreender.

centaura, s. f. BOT. centáurea.

centauro, s. m. MIT. centauro; ASTR. Centauro (constelação).

centavo, s. m. cêntimo; centavo.

centroafricano, -a, adj. centroafricano.

centroamericano, -a, adj. centroamericano.

centrocampista, s. m. DESP. médio, centrocampista.

centroeuropeo, -a, adj. centroeuropeu.

centella, s. f. centelha; faísca; raio; chispa; faúlha; (fig.) lembrança.

centelleante, adj. 2 gén. cintilante.

centellear, v. intr. cintilar; faiscar; resplandecer.

centelleo, s. m. cintilação.

centena, s. f. centena.

centenar, s. m. centena; centro.

centenario, -a, I. adj. centenário. II. s. 1. m. e f. centenário, centenária. 2. m. centenário (aniversário).

centeno, s. m. centeio.

centeno, -a, adj. centésimo.

centesimal, adj. 2 gén. centesimal.

centésimo, -a, adj. e s. m. centésimo.

centiárea, s. f. centiare.

centígrado, -a, adj. centígrado.

centigramo, s. m. centigrama.

centilitro, s. m. centilitro.

centímetro, s. m. centímetro.

céntimo, s. m. cêntimo.

centinela, s. f. MIL. sentinela.

centolla, s. f. ZOOL. santola.

centollo, s. m. santola.

centrado, -a, adj. centrado; equilibrado; concentrado.

central, I. adj. 2 gén. central. II. s. f. central.

centralismo, s. m. centralismo.

centralista, adj. e s. 2 gén. centralista.

centralita, s. f. quadro de distribuição de linhas telefónicas.

centralización, s. f. centralização.

centralizador, -a, adj. centralizador.

centralizar, v. tr. e refl. centralizar; concentrar.

centrar, v. tr. centrar; basear.

centrífugo, -a, adj. centrífugo.

centrípeto, -a, adj. centrípeto.

centro, s. m. GEOM. centro; meio; ponto de reunião.

centuplicar, v. tr. centuplicar.

céntuplo, -a, I. adj. cêntuplo. II. s. m. cêntuplo.

centuria, s. f. centúria; centenar; centena; século.

centurión, s. m. centurião.

ceñidor, s. m. cingidouro; cinta; faixa; cinto.

ceñir, v. tr. cingir; rodear; cercar; apertar.

ceño, s. m. cenho (aspecto severo).

ceñudo, -a, adj. cenhoso; carrancudo; taciturno.

cepa, s. f. BOT. cepa; videira; (fig.) tronco; estirpe.

cepillar, v. tr. escovar; pentear; aplainar; alisar.

cepillo, s. m. escova; plaina; caixa das esmolas (nas igrejas).

cepo, s. m. cepo; tronco; toro.

cera, s. f. cera.

cerámica, s. f. cerâmica; olaria.

cerámico, -a, adj. cerâmico.

ceramista, s. 2 gén. ceramista.

cerbatana, s. f. zarabatana.

cerca, I. adv. cerca; quase; perto de; junto a. II. s. f. cerca; sebe.

cercado, s. m. cercado; cerca.

cercanía, s. f. cercania; imediação; proximidade, arredores.

cercano, -a, adj. próximo; vizinho; cercão.

cercar, v. tr. cercar; sitiar; rodear.

cercenar, v. tr. cercear; diminuir; encurtar; aparar.

cerceta, s. f. ZOOL. cerceta.

cercionarse, v. refl. certificar-se; assegurar-se; persuadir-se.

cerco, s. m. círculo, anel, aro; auréola, halo;

cerco, assédio; cerco policíaco, cordão de polícia.

cerda, s. f. cerda (pêlo); crina; seda.

cerdada, s. f. porcaria; borrada; acção indecorosa.

cerdo, s. m. ZOOL. porco; suíno.

cereal, I. adj. 2 gén. cereal. II. s. m. cereal.

cerebelo, s. m. ANAT. cerebelo.

cerebral, adj. 2 gén. cerebral.

cerebro, s. m. ANAT. cérebro.

cerebroespinal, adj. 2 gén. cerebrospinal.

ceremonia, s. f. cerimónia; etiqueta.

ceremonial, I. adj. 2 gén. cerimonial, cerimonioso. II. s. m. cerimonial; cerimónias.

ceremonioso, -a, adj. cerimonioso, formal; pomposo.

céreo, -a, adj. céreo, de cera.

cerería, s. f. ceriaria.

cerero, s. m. cerieiro.

cereza, s. f. cereja; cor de cereja.

cerezal, s. m. cerejal.

cerezo, s. m. BOT. cerejeira.

cerilla, s. f. fósforo de cera; cera dos ouvidos.

cerillera, s. f. caixa de fósforos.

cerio, s. m. MIN. cério.

cerne, s. m. cerne.

cerner, v. 1. tr. peneirar; joeirar; crivar (fig.) descobrir; espreitar; observar. 2. intr. fecundar (as flores da videira, oliveira, etc.).

cernícalo, s. m. ZOOL. francelho; tartaranhão; (fig.) homem rude.

cernidillo, s. m. chuvisco.

cernir, v. tr. vd. **cerner.**

cero, s. m. zero.

cerote, s. m. cerol; (fig., fam.) medo; temor.

cerrado, -a, adj. fechado; (fig.) calado.

cerradura, s. f. fecho; fechadura; cerradura de seguridad, fecho de segurança.

cerrajería, s. f. serralharia.

cerrajero, s. m. serralheiro.

cerramiento, s. m. encerramento.

cerrar, v. tr. fechar; cerrar.

cerrazón, s. f. cerração; escuridão; (fig.) obstinação.

cerril, adj. áspero; agreste; selvagem; (fig., fam.) obstinado, teimoso.

cerro, s. m. cerro, outeiro; espinhaço.

cerrojo, s. m. ferrolho.

certamen, s. m. desafio; peleja; competição; certame.

certer|o, -a, *adj.* certeiro; seguro; certo.

certeza, *s. f.* certeza.

certidumbre, *s. f.* vd. **certeza.**

certificación, *s. f.* certificação; certificado; certidão.

certificad|o, -a, I. *adj.* registado. **II.** *s. m.* certificado; certidão.

certificar, *v. tr.* certificar; afirmar; atestar; registar (no correio).

cerúle|o, -a, *adj.* cerúleo.

cerumen, *s. m.* cerume.

cerval, *adj. 2 gén.* cerval; cervino.

cervantesc|o, -a, *adj.* cervantesco.

cervato, *s. m.* cervato, veado juvenil.

cervecería, *s. f.* cervejaria.

cervecer|o, -a, I. *adj.* cervejeiro, de cerveja. **II.** *s. m. e f.* cervejeiro, cervejeira.

cerveza, *s. f.* cerveja.

cervical, *adj. 2 gén.* cervical.

cérvid|o, -a, *adj.* e *s. m.* cervídeo.

cerviz, *s. f.* cerviz; nuca; cachaço.

cervun|o, -a, *adj.* cervino.

cesación, *s. f.* cessação.

cesante, *adj.* e *s. 2 gén.* cessante.

cesar, *v. intr.* cessar; parar; terminar; suspender.

césar, *s. m.* césar, imperador.

cesárea, *s. f.* cesariana.

cesáre|o, -a, *adj.* cesáreo, cesariana.

cese, *s. m.* ordem de suspensão de pagamentos; cessação de funções; despedimento.

cesio, *s. m.* QUÍM. césio.

cesión, *s. f.* cessão; cedência; DIR. transmissão.

cesionari|o, -a, *s. m. e f.* cessionário.

cesionista, *s. 2 gén.* cedente; concessor.

césped, *s. m.* céspede; relva.

cesta, *s. f.* cesta; *cesta de Natividad,* cabaz de Natal.

cestería, *s. f.* cestaria.

cester|o, -a, *s. m. e f.* cesteiro.

cesto, *s. m.* cesto; *cesto de los papeles,* cesto dos papéis.

cestodo, *s. m.* cestode.

cesura, *s. f.* cesura; incisão; pausa.

ceta, *s. f.* vd. **zeta.**

cetáceo, *s. m.* cetáceo.

cetrería, *s. f.* cetraria; falcoaria.

cetrin|o, -a, *adj.* amarelo-esverdeado; pálido; (*fig.*) melancólico.

cetro, *s. m.* ceptro.

cha, *s. m.* xá.

chabacanería, *s. f.* vd. **chabacanada.**

chabacanada, *s. f.* vulgaridade, mau gosto; rudeza, grosseria.

chabacan|o, -a, *adj.* vulgar, ordinário; inconveniente.

chabola, *s. f.* barraca; *un barrio de chabolas,* bairro de lata.

chabolismo, *s. m.* barracas; bairro de lata.

chabolista, *s. 2 gén.* habitante de bairro de lata.

chacal, *s. m.* ZOOL. chacal.

chacha, *s. f.* ama; criada.

chachachá, *s. m.* chachachá.

cháchara, *s. f.* tagarelice.

chacharear, *v. intr.* tagarelar; palrar.

chachi, *adj. 2 gén.* vd. **chanchi.**

chach|o, -a, *s. m. e f.* (aférese de *muchacho*) rapaz; rapariga.

chacina, *s. f.* carne fumada; embutido.

chacinería, *s. f.* salsicharia; charcutaria.

chaciner|o, -a, *s. m. e f.* salsicheiro.

chacolotear, *v. intr.* fazer ruído; falar alto; vozear.

chacoloteo, *s. m.* ruído; barulheira; vozearia.

chador, *s. m.* chador.

chafad|o, -a, *adj.* enrugado, engelhado; confuso; espantado.

chafallar, *v. tr.* (*fam.*) atamancar; remendar.

chafallo, *s. m.* (*fam.*) remendo mal deitado.

chafar, *v. tr.* enrugar, engelhar; espantar, desiludir, desapontar.

chafarote, *s. m.* chifarote.

chafarrinada, *s. f.* borrão; mancha; nódoa.

chafarrinar, *v. tr.* borratar; manchar; enodoar.

chafarrinón, *s. m.* borrão; mancha; nódoa.

chaflán, *s. m.* chanfradura; bisel.

chaira, *s. f.* faca de sapateiro; assentador, amolador; navalha de mola.

chal, *s. m.* xaile, xale.

chalad|o, -a, *adj.* chalado, maluco, doido.

chaladura, *s. f.* chaladice, ideia disparatada; loucura.

chalana, *s. f.* chalana (embarcação).

chalar, *v. tr.* chalar; enlouquecer; *chalarse por,* ser doido por.

chalé, *s. m.* vd. **chalet.**

chaleco, *s. m.* colete, jaleco (de homem).

chalet, *s. m.* chalé.

chalina, *s. f.* gravata.

chalupa, *s. f.* NÁUT. chalupa.

chamán, *s. m.* xamã, xamane.

chamar, v. tr. trocar, permutar.

chámara, s. f. chamiço; garavetos; acendalhas.

chamarasca, s. f. vd. chámara.

chamarilear, v. tr. trocar, permutar (objectos em segunda mão).

chamarileo, s. m. compra e venda de objectos em segunda mão.

chamarilero, -a, s. m. e f. comerciante de objectos em segunda mão.

chamarillero, s. m. vd. chamarilero.

chamariz, s. m. ZOOL. verdelhão.

chamarra, s. f. chimarra; samarra.

chamba, s. f. vd. chiripa.

chambelán, s. m. camerlengo, camarista do rei.

chambergo, s. m. chapéu de aba larga; jaquetão.

chambón, -ona, adj. e s. (fam.) desajeitado; chamborreirão; inábil.

chambonada, s. f. (fam.) desacerto; chamboíce.

chambra, s. f. roupão.

chamicera, s. f. queimada.

chamiza, s. f. chamiça; caruma; carqueja; chamiço.

chamizo, s. m. chamiço; casa de colmo; choupana; tugúrio.

chamorro, -a, adj. chamorro; rapado; tosquiado.

champán, s. m. 1. champanhe (vinho). 2. sampana (embarcação).

champaña, s. m. champanhe.

champiñón, s. m. cogumelo.

champú, s. m. xampô.

champurrar, v. tr. agitar, misturar.

chamullar, v. intr. falar um pouco; arranhar.

chamuscado, -a, adj. chamuscado; crestado.

chamuscar, v. tr. chamuscar; crestar.

chamusquina, s. f. chamusco.

chanada, s. f. partida, brincadeira.

chance, s. m. sorte; oportunidade.

chancear, v. intr. brincar, gracejar, galhofar; zombar; troçar.

chancero, -a, adj. brincalhão, galhofeiro; caçoador; trocista.

chanchi, I. adj. 2 gén. estupendo; muito bem. II. adv. muito bem; estupendamente.

chancho, s. m. porco; carne de porco.

chanchullero, -a, adj. trapaceiro.

chanchullo, s. m. negócio ilícito; trapaça.

chancillería, s. f. chancelaria.

chancla, s. f. chanca; sapato velho e gasto.

chancleta, s. f. chinela.

chancletear, v. intr. andar de chinelas.

chanclo, s. m. galocha; tamanco, soco.

chancro, s. m. MED. cirro; cancro; úlcera (venérea).

chándal, s. m. fato de treino.

chanfaina, s. f. chanfana (guisado).

changüí, s. m. partida, engano; novato, caloiro.

chantaje, s. m. chantagem.

chantajear, v. tr. chantagear.

chantajista, s. 2 gén. chantagista.

chantillí, s. m. chantili.

chantilly, s. m. vd. chantillí.

chantre, s. m. chantre.

chanza, s. f. gracejo; troça.

¡chao!, interj. adeus, ciao.

chapa, s. f. chapa.

chapado, -a, adj. chapado; chapeado.

chapalear, v. intr. salpicar; borrifar; esparrinhar.

chapaleo, s. m. salpico; borrifo.

chapaleta, s. f. válvula de bomba de tirar água.

chapar, v. tr. chapar; chapear.

chaparrada, s. f. aguaceiro; carga de água; chuveirada.

chaparral, s. m. sobral, sobreiral.

chaparrear, v. intr. chover abundantemente.

chaparro, s. m. chaparro; (fig.) gordo e baixo; atarracado.

chaparrón, s. m. aguaceiro; carga de água.

chapear, v. tr. chapear.

chapín, s. m. chapim.

chapista, s. m. chapeiro; bate-chapa.

chapitel, s. m. ARQ. capitel.

chapodar, v. tr. chapodar; chapotar; podar.

chapotear, v. intr. chapinhar.

chapucear, v. tr. atamancar; trabalhar mal, com imperfeição.

chapucería, s. f. obra, trabalho achavascado.

chapucero, -a, I. adj. incompetente; achavascado; atabalhoado. II. s. m. sucateiro.

chapurrar, v. tr. algaraviar.

chapurrear, *v. intr.* vd. **chapurrar**.

chapurreo, *s. m.* algaraviada.

chapuz, *s. m.* mergulho; biscato (trabalho de pouco valor).

chapuza, *s. f.* coisa mal feita, atamancada; biscate.

chapuzar, *v. tr.* mergulhar.

chapuzón, *s. m.* mergulho de cabeça; chapão.

chaqué, *s. m.* fraque.

chaqueta, *s. f.* jaqueta.

chaquete, *s. m.* gamão (jogo).

chaquetero, *s. m.* vira-casacas.

chaquetón, *s. m.* jaquetão.

charada, *s. f.* charada; enigma.

charanga, *s. f.* charanga.

charca, *s. f.* açude.

charco, *s. m.* charco.

charcutería, *s. f.* charcutaria.

charcuter|o, -a, *s. m.* e *f.* salsicheiro.

charla, *s. f.* charla.

charlador, -a, *adj.* e *s.* charlador.

charlar, *v. intr.* charlar.

charlat|án, -ana, *adj.* e *s.* charlatão; impostor.

charlatanear, *v. intr.* charlatanear.

charlatanería, *s. f.* charlatanaria.

charnela, *s. f.* charneira; dobradiça.

charol, *s. m.* charão; verniz.

charolad|o, -a, *adj.* acharoado, charoado; envernizado.

charolar, *v. tr.* charoar; acharoar; envernizar; polir.

charrán, *adj.* e *s. m.* tratante; velhaco; patife; ZOOL. gaivina.

charranada, *s. f.* partida suja; sacanice.

charrete, *s. f.* charrete.

charretera, *s. f.* charlateira, dragona.

charr|o, -a, *adj.* grosseiro, pouco educado, descortês; garrido, espaventoso, ruidoso, de mau gosto.

chárter, *s. m.* charter (avião, voo).

chasca, *s. f.* gravetos.

chascar, *v. tr.* estalar (madeira, língua, dedos, chicote), trincar.

chascarrillo, *s. m.* anedota; historieta; piada.

chasco, *s. m.* piada, partida, brincadeira; (*fig.*) decepção.

chasis, *s. m.* carroçaria; chassis.

chasquear, *v.* **1.** *tr.* chasquear; lograr. **2.** *intr.* crepitar; estalar.

chasquido, *s. m.* estalido; crepitação.

chatarra, *s. f.* sucata; ferro velho.

chatarrería, *s. f.* negócio de sucata; ferro--velho.

chatarrer|o, -a, *s. m.* e *f.* sucateiro.

chatear, *v. intr.* ir beber um copo.

chat|o, -a, **I.** *adj.* chato; plano; importuno. **II.** *s. m.* copo baixo e largo.

chaval, -a, *adj.* e *s.* 2 rapaz, rapariga (entre a gente do povo).

chaveta, *s. f.* cavilha; chaveta.

chavo, *s. m.* chavo.

chec|o, -a, *adj.* e *s.* checo.

chelín, *s. m.* xelim (moeda inglesa).

chepa, *s. f.* corcova; corcunda; giba.

cheque, *s. m.* cheque.

chequear, *v. tr.* verificar, controlar; MED. fazer um check-up.

chevió, *s. m.* cheviote.

cheviot, *s. m.* cheviote.

chic, *adj.* 2 *gén.* chique.

chicana, *s. f.* chicana, artimanha, partida.

chicane, *s. f.* chicana (traçado sinuoso).

chicha, *s. f.* chicha; carne.

chícharo, *s. m.* ervilha.

chicharra, *s. f.* cigarra.

chicharro, *s. m.* chicharro; torresmo.

chicharrón, *s. m.* torresmo; (*fig.*) pessoa muito bronzeada.

chichear, *v. tr.* e *intr.* ciciar.

chicheo, *s. m.* cicio.

chichisbeo, *s. m.* chichisbéu.

chichón, *s. m.* galo (hematoma).

chichonera, *s. f.* capacete (de protecção).

chicle, *s. f.* chiclete.

chiclear, *v. intr.* mascar chicletes.

chic|o, -a, *adj.* e *s.* pequeno; menino; rapaz.

chicolear, *v. intr.* galantear.

chicoleo, *s. m.* galanteio.

chicoria, *s. f.* chicória.

chicote, *s. m.* charuto; ponta de uma corda; belo rapaz.

chifla, *s. f.* silvo; som agudo; apito; asso-bio; chifre (raspador).

chiflad|o, -a, *adj.* doido, louco.

chifladura, *s. f.* loucura.

chiflar, *v.* **1.** *intr.* apitar; assobiar; silvar; vaiar; apupar; enlouquecer. **2.** *tr.* chifrar; adelgaçar; raspar.

chiflido, *s. m.* assobiadela.

chií, *adj.* e *s.* 2 *gén.* xiita.

chiíta, *adj.* e *s.* 2 *gén.* vd. **chií.**

chilaba, *s. f.* jilaba.

chile, s. m. chile (pimento).

chilindrina, s. f. (fam.) bagatela; anedota picante.

chillar, v. intr. guinchar; chiar; gritar; berrar.

chillería, s. f. guinchado; gritaria; berreiro.

chillido, s. m. chio; guincho; gritaria; berreiro.

chillón, -ona, I. adj. ruidoso, estridente; berrante (cor). II. s. m. e f. trovão, pessoa que fala muito e alto.

chimenea, s. f. chaminé.

chimpancé, s. m. chimpanzé.

china, s. f. seixo pequeno; pequena porção de droga.

chinarro, s. m. pedra.

chinazo, s. m. pedra; pedrada.

chinchar, v. tr. aborrecer, importunar; desinquietar; irritar.

chincharrero, s. m. pulguedo, ninho de pulgas.

chinche, I. s. m. percevejo. II. adj. e s. 2 gén. impertinente; chato; insolente.

chincheta, s. f. percevejo (tacha).

chinchilla, s. f. chinchila.

¡chinchín!, interj. saúde!, à nossa!, hacer chinchín, brindar.

chinchón, s. m. jogo de cartas; anisete; aguardente anisada.

chinchona, s. f. quinina.

chinchorrería, s. f. impertinência, insolência; exigência; bisbilhotice.

chinchorrero, -a, adj. impertinente, insolente; irrequieto; bisbilhoteiro.

chinchoso, -a, adj. aborrecido, cansativo, enfadonho.

chinela, s. f. chinela, chinelo.

chinesco, -a, adj. chinês.

chingada, s. f. aborrecimento, estopada.

chingar, v. tr. estragar, escangalhar; beberricar.

chino, -a, I. adj. chinês. II. 1. s. m. e f. chinês, chinesa. 2. s. m. chinês (idioma).

chipirón, s. m. ZOOL. lula.

chipriota, adj. e s. 2 gén. cipriota.

chiquero, s. m. chiqueiro; pocilga; touril.

chiquilicuatro, s. m. melquetrefe; xisgaraviz.

chiquillada, s. f. criancice; garotice; travessura.

chiquillería, s. f. (fam.) criançada; brejeirice, criancice.

chiquillo, -a, adj. garoto; menino.

chiquitear, intr. beber uns copos.

chiquitín, -ina, adj. pequenino.

chiquito, -a, adj. e s. pequenino; pequenito; menino.

chiribita, s. f. chispa; pl. luzes, clarões, relâmpagos (problema de visão).

chiribitil, s. m. desvão; mansarda.

chirigota, s. f. brincadeira, piada; estar de chirigota, estar a brincar, a gozar.

chirigotero, -a, adj. brincalhão.

chirimbolo, s. m. utensílio; traste.

chirimía, s. 1. f. MÚS. charamela. 2. m. charameleiro.

chirimiri, s. m. chuvisco, chuva miúda.

chirimoya, s. f. anona.

chirimoyo, s. m. anoneira.

chiringuito, s. m. bar (barraca).

chirinola, s. f. boliche, laranjinha (jogo); conversa; (fig.) ninharia; bagatela; rixa; zanga.

chiripa, s. f. bambúrrio; casualidade.

chirivía, s. f. BOT. cherivia; ZOOL. alvéloa, lavandisca.

chirla, s. f. castanhola (molusco).

chirle, adj. insípido; chilro.

chirlo, s. m. gilvaz; cicatriz.

chirona, s. f. cadeia; chilindró; grades, cana; estar en chirona, ir de cana, estar dentro.

chirrear, v. intr. vd. chirriar.

chirriar, v. intr. chiar; guinchar.

chirrido, s. m. chio; chiada; chilreada; guincho.

chirumen, s. m. miolos, massa cinzenta.

¡chis!, interj. silêncio!, caluda.

chischás, s. m. choque, colisão, embate.

chiscón, s. m. cubículo, guarita.

chisgarabís, s. m. melquetrefe, xisgaraviz.

chisguete, s. m. (fam.) gole; trago (de bebida).

chisme, s. m. intriga; mexerico; história; traste, empecilho; coisa, objecto (de que não se sabe o nome).

chismería, s. f. mexerico; intriga.

chismografía, s. f. (irón.) má-língua; mexeriquice.

chismorrear, s. m. mexericar.

chismorreo, s. m. mexerico; intriga.

chismear, v. intr. mexericar; intrigar.

chismoso, -a, adj. intrigante; mexeriqueiro.

chispa, s. f. chispa; partícula; faísca.

chisparse, v. refl. embriagar-se.

chispazo, s. m. faísca.

chispeante, *adj*. 2 *gén*. faiscante; refulgente.

chispear, *v. intr*. chispar; faiscar; chuviscar; (*fig*.) reluzir, brilhar.

chisporretear, *v. intr*. chispar; estalar, estralejar; saltar (o azeite).

chiste, *s. m*. chiste; graça; piada; *chiste verde*, piada porca, pesada.

chisquero, *s. m*. isqueiro.

chistar, *v. intr*. falar, fazer menção de falar; *sin chistar*, sem dizer palavra.

chistera, *s. f*. cartola.

chistoso, -a, *adj*. chistoso; engraçado.

chita, *s. f*. ANAT. astrágalo; jogo do fito; *a la chita callando*, pela calada, como quem não quer a coisa.

¡chitón!, *interj*. chitão!, silêncio!, caluda!

chivar, *v*. 1. *tr*. (*fam*.) molestar, importunar. 2. *refl*. contar, queixar-se (acusando).

chivatazo, *s. m*. informação, denúncia.

chivato, *s. m*. informador; denunciante.

chivo, -a, *s. m. e f*. chibo; cabrito.

choc, *s. m*. choque.

chocante, *adj*. 2 *gén*. chocante; irritante.

chocar, *v. intr*. chocar; embater; colidir; ofender; zangar; enfadar.

chocarrería, *s. f*. chocarrice; chalaça.

chocarrero, -a, *adj. e s*. chocarreiro.

chocha, *s. f*. galinhola.

chochear, *v. intr*. tremelicar; estar senil.

chochera, *s. f*. tremuras; senilidade.

chochín, *s. m*. carriça.

chocho, -a, I. *adj*. tremente, senil; caduco; babado, cheio de tremuras. II. *s. m*. tremoço; pau de canela; *pl*. doçarias.

choco, *s. m*. choco.

chocolate, *s. m*. chocolate.

chocolatera, *s. f*. chocolateira.

chocolatería, *s. f*. chocolataria.

chocolatero, -a, *adj. e s*. chocolateiro.

chocolatín, *s. f*. vd. **chocolatina**.

chocolatina, *s. f*. tablete de chocolate.

chófer, *s. m*. motorista.

chofeta, *s. f*. braseiro; braseira.

chola, *s. f*. cachola; cabeça.

cholla, *s. f*. vd. **chola**.

chollo, *s. m*. pechincha; bambúrrio; sorte.

chopera, *s. f*. choupal.

chopo, *s. m*. BOT. choupo.

choque, *s. m*. choque; embate; colisão; conflito; recontro.

choquezuela, *s. f*. ANAT. rótula.

chorbo, -a, *s. m. e f*. amigo; noivo.

choricería, *s. f*. salsicharia.

choricero, -a, *s. m. e f*. chouriceiro; salsicheiro.

chorizada, *s. f*. arrieirada; dito soez.

chorizar, *v. tr*. surripiar.

chorizo, *s. m*. chouriço; salpicão; ladrão (de coisas de pouco valor).

chorlito, *s. m*. ZOOL. tarambola.

choro, *s. m*. pequena cabana.

chorra, I. *adj e s*. 2 *gén*. tonto, estúpido. II. *s*. 1. 2 *gén*. tonto, estúpido. 2. *f*. sorte.

chorrada, *s. f*. tolice; coisa inútil.

chorrear, *v. intr*. gotejar; pingar.

chorreo, *s. m*. gotejamento.

chorro, *s. m*. jorro.

chotacabras, *s. f*. ZOOL. noitibó.

chotearse, *v. refl*. rir-se (de), fazer pouco (de).

choteo, *s. m*. chacota, gracejo.

choto, -a, *s. m. e f*. cabritinho.

choza, *s. f*. choça; cabana.

chozno, -a, *s. m. e f*. tetraneto.

chubascada, *s. f*. chuvada; chuveirada.

chubasco, *s. m*. aguaceiro; chuvada.

chubasquero, *s. m*. impermeável; gabardine.

chubesqui, *s. m*. fogão.

chucha, *s. f*. (*fam*.) peseta.

chuchear, *v. intr*. cochichar; caçar (com armadilhas).

chuchería, *s. f*. guloseima.

chucho, *s. m*. (*fam*.) cão.

chufar, *v. intr*. chufar; mofar; caçoar.

chufla, *s. f*. brincadeira; sarcasmo.

chufletear, *v. intr*. caçoar, escarnecer; brincar.

chulada, *s. f*. chulada; chulice.

chulear, *v*. 1. *tr*. chasquear, caçoar; (*fam*.) roubar. 2. *intr*. (*fam*.) mostrar-se; fazer fitas, exibir-se.

chulería, *s. f*. chularia; chulice; descaramento; jactância; grosseria.

chuleta, *s. f*. costeleta.

chulo, -a, *adj*. chulo; grosseiro.

chumacera, *s. f*. chumaceira.

chumbera, *s. f*. BOT. figueira-da-índia.

chuminada, *s. f*. estupidez, coisa sem nexo.

chunga, *s. f*. algazarra; bulha festiva.

chungarse, *v. refl*. vd. **chunguearse**.

chungo, -a, *adj*. mau, sem qualidade.

chungón, -ona, *adj*. (*fam*.) divertido, brincalhão.

chunguearse, *v. refl*. rir-se de, caçoar.

chunguero, -a, *adj*. brincalhão.

chupa, *s. f.* jaqueta; colete.
chupachups, *s. m.* chupa-chupa.
chupacirios, *s. m. (pej.)* beato.
chupada, *s. f.* chupadela; puxada (de cigarro).
chupado, -a, *adj.* fraco, magro; chupado (rosto, faces); *(fig.)* muito fácil.
chupador, -a, **I.** *adj. e s.* chupador; sugador. **II.** *s. m.* chupeta; biberão.
chupalámparas, *s. m.* menino de coro.
chupar, *v. tr. e intr.* chupar; sugar; absorver.
chupete, *s. m.* chupeta.
chupetear, *v. tr. e intr.* chupar; sugar.
chupeteo, *s. m.* chupadela; sugadela.
chupinazo, *s. m.* lançamento de fogo-de--artifício; DESP. remate forte, grande tiro.
chupito, *s. m.* copito.
chupón, -ona, *adj. (fig.)* chupista.
churdón, *s. m.* framboesa, framboeseiro.
churra, *s. f. (fam.)* sorte.
churrascado, -a, *adj.* churrascado, chamuscado.
churrasco, *s. m.* churrasco.
churre, *s. m.* chorume; banha; pingue.
churrería, *s. f.* loja de farturas.
churrero, -a, *s. m. e f.* vendedor de farturas; *(fam.)* felizardo.
churrete, *s. m.* nódoa, salpico.
churretón, *s. m. (fam.)* vd. **churrete**.
churretoso, -a, *adj.* besuntado, sujo.
churriento, -a, *adj.* besuntado, sujo.
churro, *s. m.* fartura, filhó; *(fam.)* coisa sem qualidade, lixo, porcaria; *(fam.)* sorte.
churro, -a, *adj.* churro.
churruscarse, *v. refl.* esturrar, começar a queimar-se (o pão, o guisado, etc.).
churrusco, *s. m.* estorrisco, torrada.
churumbel, *s. m.* rapaz; jovem.
churumbela, *s. f.* MÚS. charamela.
chuscada, *s. f.* chocarrice; brejeirice.
chusco, -a, *adj. e s.* divertido; jocoso; brincalhão.
chusma, *s. f.* chusma; plebe.
chusquero, *s. m.* MIL. oficial lateiro.
chut, *s. m.* chuto.
chutar, *v. tr.* chutar, pontapear; *(gír.)* chutar-se; drogar-se.
chute, *s. m. (gír.)* chuto, injecção de droga.
chuzo, *s. m.* chuço.
chuzón, -ona, *adj. e s.* astuto; esperto; engenhoso.

chuzonada, *s. f.* travessura; diabrura; brejeirice.
cía, *s. f.* ilíaco.
ciaboga, *s. f.* cia-voga, movimento circular, em barco a remos.
cianhídrico, -a, *adj.* cianídrico.
cianita, *s. f.* cianite.
cianuro, *s. m.* QUÍM. cianeto.
ciar, *v. intr.* recuar; retroceder; NÁUT. ciar (remar para trás).
ciática, *s. f.* MED. ciática.
ciático, -a, *adj.* ciático.
cibernética, *s. f.* cibernética.
cibernético, -a, *adj.* cibernético.
cibono, *s. m.* cibório.
cicatería, *s. f.* mesquinharia; avareza; sovinice.
cicatero, -a, *adj. e s.* avaro; avarento; mesquinho.
cicatriz, *s. f.* cicatriz.
cicatrización, *s. f.* cicatrização.
cicatrizar, *v. tr. e refl.* cicatrizar.
cícero, *s. m.* TIP. cícero.
cicerone, *s. m.* cicerone; guia.
ciclamen, *s. m.* BOT. cíclame, ciclamino.
cíclico, -a, *adj.* cíclico.
ciclismo, *s. m.* ciclismo.
ciclista, *s. 2 gén.* ciclista.
ciclo, *s. m.* ciclo; período.
ciclocross, *s. m.* ciclocrosse.
cicloide, *f.* cicloide.
ciclomotor, *s. m.* ciclomotor.
ciclón, *s. m.* ciclone.
ciclónico, -a, *adj.* ciclónico.
cíclope, *s. m.* MIT. ciclope.
ciclorama, *s. m.* panorama.
ciclostil, *s. m.* ciclostilo.
ciclostilo, *s. m.* vd. **ciclostil**.
cicloturismo, *s. m.* cicloturismo.
cicuta, *s. f.* BOT. cicuta.
cidra, *s. f.* BOT. cidra.
cidro, *s. m.* BOT. cidreira.
ciegamente, *adv.* cegamente.
ciego, -a, *adj. e s.* cego, *(fig.)* alucinado; inconsciente; ANAT. ceco; cego.
cielo, *s. m.* céu; firmamento; paraíso; clima; atmosfera.
ciempiés, *s. m.* ZOOL. centopeia; escolopendra.
cien, **I.** *num.* cem. **II.** *s. m.* cento; centena.
ciénaga, *s. f.* lameiro; lamaçal.
ciencia, *s. f.* ciência.
cieno, *s. m.* lodo; limo.

científico, -a, *adj.* científico.
ciento, *s. m.* cento; centena; cem.
cierne, *s. m. en cierne(s)*, em botão, imaturo; *(fig.)* em embrião, em potencial.
cierre, *s. m.* fechamento; fecho; encerramento.
ciertamente, *adv.* certamente.
cierto, -a, **I.** *adj.* certo; verdadeiro; exacto; preciso. **II.** *adv.* certamente.
cierva, *s. f.* ZOOL. cerva; corça.
ciervo, *s. m.* ZOOL. cervo, veado.
cierzo, *s. m.* vento norte.
cifra, *s. f.* cifra, algarismo, número, quantidade; código.
cifrado, -a, *adj.* cifrado, em código.
cifrar, *v. tr.* cifrar; reduzir; resumir.
cigala, *s. f.* ZOOL. lagostim.
cigarra, *s. f.* ZOOL. cigarra.
cigarrera, *s. f.* cigarreira.
cigarrero, *s. m.* cigarreiro.
cigarrillo, *s. m.* cigarro.
cigarro, *s. m.* charuto.
cigarrón, *s. m.* gafanhoto.
cigoña, *s. m.* cegonha, picota.
cigoñino, *s. m.* ZOOL. cegonho (filhote da cegonha).
cigüeña, *s. f.* ZOOL. cegonha; TÉC. manivela.
cilantro, *s. m.* BOT. coentro.
ciliar, *adj. 2 gén.* ciliar.
cilicio, *s. m.* cilício.
cilindrada, *s. f.* cilindrada.
cilindrar, *v. tr.* cilindrar.
cilíndrico, -a, *adj.* GEOM. cilíndrico.
cilindro, *s. m.* GEOM. cilindro.
cilindroeje, *s. m.* cilindro-eixo.
cilio, *s. m.* cílio.
cima, *s. f.* cimo; o alto; cume; topo.
címbalo, *s. m.* címbalo.
cimborio, *s. m.* zimbório.
cimborrio, *s. m.* zimbório.
cimbra, *s. f.* ARQ. cimbre; cambota.
cimbrar, *v. tr.* e *refl.* vergar; arquear.
cimbreante, *adj. 2 gén.* flexível, leve; garboso.
cimbrear, *v. tr.* agitar, fazer vibrar; flectir; vergar; dobrar.
cimentación, *s. f.* lançamento dos alicerces; alicerces.
cimentar, *v. tr.* alicerçar; fortificar; consolidar; fundar; edificar.
cimero, -a, *adj.* cimeiro; sobranceiro; famoso; ilustre.

cimiento, *s. m.* alicerce; fundação; *(fig.)* princípio.
cimitarra, *s. f.* cimitarra; alfange.
cinabrio, *s. m.* MIN. cinabre, cinábrio.
cinamomo, *s. m.* BOT. cinamomo.
cinc, *s. m.* zinco.
cincel, *s. m.* cinzel.
cincelado, *s. m.* cinzelado; gravação.
cincelador, *s. m.* cinzelador.
cincelar, *v. tr.* cinzelar, gravar.
cincha, *s. f.* cilha; cincha.
cinchar, *v. tr.* cilhar; cinchar.
cincho, *s. m.* cinta; faixa; aro; cincho.
cinco, *num.* cinco.
cincografía, *s. f.* zincogravura.
cincuenta, *num.* cinquenta.
cincuentena, *s. f.* (à volta de) cinquenta, cinquentena.
cincuentenario, *s. m.* cinquentenário.
cine, *s. m.* *(fam.)* cinema.
cineasta, *s. 2 gén.* cineasta.
cineclub, *s. m.* cineclube.
cinéfilo, -a, *s. m.* e *f.* cinéfilo.
cinegética, *s. f.* cinegética.
cinegético, -a, *adj.* cinegético.
cinema, *s. m.* vd. **cine**.
cinemascope, *s. m.* cinemascópio.
cinemateca, *s. f.* cinemateca.
cinemática, *s. f.* cinemática.
cinematografía, *s. f.* cinematografia.
cinematógrafo, *s. m.* cinematógrafo; cinema.
cinerama, *s. m.* cinerama.
cineraria, *s. f.* BOT. cinerária.
cinerario, -a, *adj.* cinerário.
cinéreo, -a, *adj.* cinéreo; cinzento.
cinestesia, *s. f.* cinestesia.
cinética, *s. f.* cinética.
cinético, -a, *adj.* cinético.
cíngaro, -a, *adj.* e *s.* zíngaro; cigano.
cíngulo, *s. m.* cíngulo; cordão.
cínico, -a, *adj.* e *s.* cínico.
cinismo, *s. m.* cinismo; impudência.
cinta, *s. f.* cinta; faixa; fita; ARQ. filete (de moldura).
cintar, *v. tr.* cintar.
cinto, *s. m.* cinto; cinturão; cinta; faixa; cintura.
cintra, *s. f.* ARQ. curvatura (de abóbada ou arco).
cintura, *s. f.* cintura; cinta.
cinturilla, *s. f.* cós.

cinturón, s. m. cinturão.
cipayo, s. m. sipaio.
cipo, s. f. cipo.
ciprés, s. m. BOT. cipreste.
circense, adj. 2 gén. circense.
circo, s. m. circo; anfiteatro; GEOG. círculo.
circón, s. m. zircão.
circonio, s. m. zircórnio.
circuito, s. m. circuito; periferia; contorno.
circulación, s. f. circulação; giro; trânsito.
circular, I. adj. 2 gén. circular. II. v. intr. circular. III. s. f. circular, carta-circular.
circulatorio, -a, adj. circulatório.
círculo, s. m. círculo; circuito; casino; ária.
circuncidar, v. tr. circuncidar.
circuncisión, s. f. circuncisão.
circunciso, adj. e s. circunciso; circuncidado.
circundar, v. tr. circundar; cercar; rodear.
circunferencia, s. f. GEOM. circunferência; periferia.
circunflejo, I. adj. circunflexo. II. s. m. acento circunflexo.
circunlocución, s. f. RET. circunlocução, circunlóquio; perífrase.
circunloquio, s. m. circunlóquio; perífrase.
circunnavegación, s. f. circum-navegação.
circunnavegar, v. tr. circum-navegar.
circunscribir, v. tr. e refl. circunscrever.
circunscripción, s. f. circunscrição.
circunspección, s. f. circunspecção; atenção.
circunspecto, -a, adj. circunspecto.
circunstancia, s. f. circunstância.
circunstancial, adj. 2 gén. circunstancial.
circunstante, adj. e s. 2 gén circunstante.
circunvalación, s. f. circunvalação.
circunvalar, v. tr. circunvalar.
circunvolución, s. f. circunvolução.
circunvolar, v. tr. circunvoar.
cirial, s. m. cirial; tocheira para círio.
cirio, s. m. círio.
cirro, s. m. BOT. gavinha; METEOR. cirro; ZOOL. tentáculo; MED. cirro, tumor.
cirrópodo, adj. e s. m. ZOOL. cirrípede.
cirrosis, s. f. MED. cirrose.
cirroso, -a, adj. cirroso.
cirrótico, -a, adj. cirrótico.
ciruela, s. f. BOT. ameixa.
ciruelo, s. m BOT. ameixieira, ameixoeira.

cirugía, s. f. cirurgia.
cirujano, -a, s. m. e f. cirurgião, cirurgiã.
ciscar, v. tr. (fam.) sujar.
cisco, s. m. cisco; cisca; (fig., fam.) briga; altercação.
cisión, s. f. incisão; corte; cesura.
cisma, s. m. cisma; discórdia; separação.
cismático, adj. cismático.
cisne, s. m. cisne.
cisterciense, adj. 2 gén. cisterciense.
cisterna, s. f. cisterna.
cistitis, s. m. MED. cistite.
cisura, s. f. incisão.
cita, s. f. entrevista; citação.
citación, s. f. citação; intimação.
citar, v. tr. citar; mencionar; intimar.
citara, s. f. tabique (parede).
cítara, s. f. (mús.) cítara.
citerior, adj. 2 gén. citerior.
cítola, s. f. cítola.
citoplasma, s. m. citoplasma.
cítrico, -a, I. adj. cítrico. II. s. m. pl. citrinos.
citrina, s. f. citrina, essência de limão.
citrino, -a, adj. amarelado, pálido.
citrón, s. m. BOT. limão.
ciudad, s. f. cidade.
ciudadanía, s. f. cidadania.
ciudadano, -a, adj. e s. cidadão.
ciudadela, s. f. cidadela; fortaleza.
civeta, s. f. civeta.
cívico, -a, adj. cívico; patriótico.
civil, adj. 2 gén. civil; sociável; cível.
civilista, adj. 2 gén. civilista.
civilización, s. f. civilização.
civilizado, -a, adj. civilizado.
civilizador, -a, adj. civilizador.
civilizar, v. tr. civilizar.
civismo, s. m. civismo.
cizalla, s. f. cisalha (tesourão); aparas de metal.
cizaña, s. f. BOT. cizânia; (fig.) discórdia; dissensão.
cizañero, -a, s. m. e f. pessoa conflituosa.
clac, s. m. claque (chapéu alto); tricórnio.
clamar, v. intr. clamar.
clamor, s. m. clamor; brado.
clamoroso, -a, adj. clamoroso.
clan, s. m. clã.
clandestinidad, s. f. clandestinidade, secretismo.
clandestino, -a, adj. clandestino; secreto; oculto.

claque, s. f. (fig., fam.) claque.

clara, s. f. clara (de ovo).

claraboya, s. f. clarabóia.

claramente, adv. claramente.

clarear, v. tr. clarear; aclarar.

clarete, adj. 2 gén. e s. m. clarete; palhete.

claridad, s. f. claridade; clareza; limpidez; nitidez.

clarificación, s. f. clarificação.

clarificador, -a, adj. clarificador.

clarificar, v. tr. clarificar; iluminar; alumiar; aclarar; purificar.

clarín, s. m. MÚS. clarim.

clarinete, s. m. MÚS. clarinete.

clarinetista, s. 2 gén. clarinetista.

clarión, s. m. giz.

clarisa, adj. e s. 2 gén. clarista.

clarividencia, s. f. clarividência.

clarividente, adj. 2 gén. clarividente.

claro, -a, I. adj. claro; luminoso; límpido; certo. **II.** s. m. clareira.

claroscuro, s. m. PINT. claro-escuro.

clase, s. f. classe; ordem; categoria; escola; aula.

clásicas, s. f. pl. LING. clássicas.

clasicismo, s. m. classicismo.

clásico, -a, adj. e s. m. clássico.

clasificación, s. f. classificação.

clasificador, -a, adj. e s. classificador.

clasificar, v. tr. classificar.

clasismo, s. m. classismo.

clasista, adj. e s. 2 gén. classista.

claudicación, s. f. claudicação; (fig.) erro, falta.

claudicar, v. tr. claudicar; coxear; (fig.) errar.

claustral, adj. 2 gén. claustral.

claustro, s. m. claustro.

claustrofobia, s. f. claustrofobia.

cláusula, s. f. cláusula.

clausura, s. f. clausura.

clausurar, v. tr. clausurar; encerrar.

clavado, -a, adj. cravado; cravejado; fixo; exacto.

clavar, v. tr. e refl. cravar; pregar; firmar (com pregos); engastar pedras; (fig.) fixar; pôr; cravar (pedir emprestado).

clave, s. f. chave; MÚS. clave.

clavel, s. m. BOT. craveiro; cravo (flor).

clavelito, s. m. crava.

clavellina, s. f. cravina.

clavera, s. f. craveira.

clavero, s. m. BOT. craveiro-da-índia.

clavetear, v. tr. cravejar; engastar.

clavicémbalo, s. m. clavicímbalo, clavicórdio.

clavicordio, s. m. clavicórdio.

clavícula, s. f. ANAT. clavícula.

clavija, s. f. cavilha; MÚS. cravelha.

clavijero, s. m. MÚS. cravelhas.

clavillo, s. m. cravo, perno; MÚS. martelo (de piano).

clavo, s. m. cravo (prego); verruga cutânea.

cláxon, s. m. cláxon; buzina.

clemencia, s. f. clemência; indulgência.

clemente, adj. 2 gén. clemente; indulgente.

clementina, s. f. clementina.

clepsidra, s. f. clépsidra.

cleptomanía, s. f. cleptomania.

cleptómano, -a, adj. e s. cleptómano.

clerecía, s. f. clerezia.

clerical, adj. 2 gén. clerical.

clericalismo, s. m. clericalismo.

clérigo, s. m. clérigo; padre.

clero, s. m. clero.

cliché, s. m. TIP. matriz; forma; FOT. negativo; lugar-comum; estereótipo.

cliente, -a, s. m. e f. cliente; comprador, freguês, freguesa.

clientela, s. f. clientela.

clima, s. m. clima.

climatérico, -a, adj. climatérico.

climático, -a, adj. climático.

climatización, s. f. climatização.

climatizado, -a, adj. climatizado.

climatizar, v. tr. climatizar.

climatología, s. f. climatologia.

climatológico, -a, adj. climatológico.

clímax, s. m. RET. clímax.

clínica, s. f. MED. clínica.

clínico, -a, adj. e s. m. MED. clínico; médico.

clip, s. m. clipe; mola; gancho (do cabelo); pendente, pingente.

clisar, v. tr. estereotipar.

clisé, s. m. cliché; matriz.

clítoris, s. m. ANAT. clítoris.

cloaca, s. f. cloaca; fossa.

clon, s. m. clone.

clonar, v. tr. clonar.

cloquear, v. intr. cacarejar.

cloqueo, s. m. cacarejo.

cloral, s. m. QUÍM. cloral.

clorato, s. m. QUÍM. clorato.

clorhídrico, adj. QUÍM. clorídrico.

cloro, s. m. QUÍM. cloro.

clorofila, s. f. BOT. clorofila.
clorofílico, -a, adj. clorofílico.
cloroformizar, v. tr. MED. cloroformizar.
cloroformo, s. m. QUÍM. clorofórmio.
cloroplasto, s. m. BIOL. cloroplasta.
clorosis, s. f. MED. clorose.
cloruro, s. m. cloreto.
clown, s. m. palhaço.
club, s. m. clube; centro.
clubista, s. 2 gén. clubista.
clueca, s. f. galinha choca.
clueco, -a, adj. choco; (fig., fam.) decrépito, caduco.
coacción, s. f. coacção; constrangimento.
coaccionar, v. tr. coagir, obrigar.
coactivo, -a, adj. coercivo.
coadjutor, -a, s. m. e f. coadjutor.
coadyuvante, adj. e s. 2 gén. coadjuvante.
coadyuvar, v. tr. coadjuvar.
coagulación, s. f. coagulação.
coagulante, I. adj. 2 gén. coagulante; coagulativo. II. s. m. coagulante.
coagular, v. tr. e refl. coagular; coalhar.
coágulo, s. m. coágulo; coalho.
coala, s. m. coala.
coalición, s. f. coalizão; liga; união.
coaligar-se, v. refl. coligar-se.
coartada, s. f. álibi.
coartar, v. tr. coarctar; restringir; limitar.
coautor, -a, s. m. e f. co-autor, co-autora.
coaxial, adj. 2 gén. coaxial.
coba, s. f. elogio exagerado; bajulação; graxa.
cobalto, s. m. cobalto.
cobarde, adj. e s. 2 gén. cobarde, covarde.
cobardía, s. f. cobardia; cobardice; timidez.
cobaya, s. m. e f. cobaia.
cobertizo, s. m. coberto; telheiro; alpendre.
cobertor, s. m. cobertor; colcha, colgadura.
cobijar, v. tr. cobrir; tapar; ocultar; (fig.) hospedar.
cobijo, s. m. hospedagem; abrigo; refúgio, protecção.
cobista, adj. e s. 2 gén. bajulador; (fam.) engraxador.
cobla, s. f. charanga; banda.
cobra, s. f. AGRÍC. saga; ZOOL. cobra.
cobrador, s. m. cobrador; recebedor.
cobrar, v. tr. cobrar; recuperar; receber.
cobre, s. m. QUÍM. cobre.
cobrizo, -a, adj. cobreado; acobreado.

cobro, s. m. cobrança.
coca, s. f. coca.
cocaína, s. f. cocaína.
cocainómano, -a, s. m. e f. cocainómano, dependente da cocaína.
cocción, s. f. cocção.
cóccix, s. m. ANAT. cóccix, coccige.
cocear, v. intr. escoicear, escoucear.
cocer, v. tr. cozer; cozinhar; digerir.
cochambre, s. m. (fam.) sujidade; porcaria.
cochambroso, -a, adj. (fam.) sujo; porco; imundo.
coche, s. m. coche; carro.
cochera, s. f. cocheira.
cochifrito, s. m. refogado de borrego.
cochinada, s. f. porcaria; obscenidade; partida suja.
cochinería, s. f. (fig., fam.) cochinada; porcaria; vileza.
cochinilla, s. f. ZOOL. cochinilha.
cochinillo, s. m. ZOOL. leitão; bácoro.
cochino, -a, s. m. e f. ZOOL. porco; cochino.
cochiquera, s. f. chiqueiro.
cocido, -a, adj. e s. m. cozido.
cociente, s. m. quociente.
cocina, s. f. cozinha.
cocinar, v. tr. cozinhar.
cocinero, -a, s. m. e f. cozinheiro, cozinheira.
cocinilla, s. f. lamparina de álcool.
coco, s. m. BOT. coqueiro; coco (fruto do coqueiro); cabeça; fantasma; pessoa muito feia; coco (bactéria).
cocodrilo, s. m. ZOOL. crocodilo.
cocorota, s. f. cabeça, cocuruto.
cocotal, s. m. coqueiral.
cocotero, s. m. BOT. coqueiro.
cóctel, s. m. cacharolete; coquetel (bebida e reunião).
cocuyo, s. m. ZOOL. pirilampo.
coda, s. f. MÚS. coda; cunha.
codaste, s. m. NÁUT. cadaste.
codazo, s. m. cotovelada.
codear, v. intr. acotovelar.
codeína, s. f. QUÍM. codeína.
codera, s. f. remendo ou reforço nos cotovelos (peça de roupa).
códice, s. m. códice.
codicia, s. f. cobiça; avidez; ânsia; codícia.

codiciable, adj. 2 gén. cobiçável; desejável.

codiciado, -a, adj. cobiçado; desejado.

codiciar, v. tr. cobiçar; desejar; ambicionar.

codicilo, s. m. codicilo.

codicioso, -a, adj. e s. cobiçoso; codicioso.

codificación, s. f. codificação.

codificador, -a, adj. e s. codificador.

codificar, v. tr. codificar.

código, s. m. código.

codillo, s. m. codilho; cotovelo.

codo, s. m. cotovelo.

codorniz, s. f. ZOOL. codorniz.

coeducación, s. f. coeducação.

coeficiente, s. m. coeficiente.

coercer, v. tr. coagir; coarctar; reprimir.

coerción, s. f. coerção.

coercitivo, -a, adj. coercitivo; coercivo.

coetáneo, -a, adj. coetâneo; coevo; contemporâneo.

coexistencia, s. f. coexistência.

coexistir, v. intr. coexistir.

cofa, s. f. NÁUT. cesto da gávea.

cofia, s. f. touca; coifa.

cofrade, s. 2 gén. confrade.

cofradía, s. f. confraria, irmandade.

cofre, s. m. baú; cofre.

cogedor, s. m. apanhador; apanhadeira; pá.

coger, v. tr. agarrar; pegar; tomar; alcançar; colher; receber.

cogestión, s. f. co-gestão.

cogida, s. f. (fam.) colheita de frutas; colhida.

cogido, -a, adj. agarrado; amarrado; obrigado; cogidos del brazo, de braço dado.

cogitación, s. f. cogitação.

cogitar, v. tr. cogitar; reflectir.

cognación, s. f. cognação.

cognición, s. f. cognição; conhecimento.

cognoscitivo, -a, adj. cognoscitivo; cognitivo.

cogollo, s. m. coração, olho (de couve ou alface); repolho; grelo (botão, rebento).

cogorza, s. f. bebedeira.

cogotazo, s. m. pescoçada; cachação.

cogote, s. m. ANAT. cogote; cangote.

cogulla, s. f. cogula; casula.

cohabitación, s. f. coabitação.

cohabitar, v. tr. coabitar.

cohechar, v. tr. subornar; corromper; peitar; AGRÍC. alqueivar.

cohecho, s. m. suborno; barbecho, barbeito.

coherencia, s. f. coerência.

coherente, adj. 2 gén. coerente.

cohesión, s. f. coesão.

cohesivo, -a, adj. coesivo.

cohete, s. m. foguete.

cohibición, s. f. coibição; inibição.

cohibir, v. tr. coibir; inibir; reprimir; refrear; conter.

cohombro, s. m. BOT. cogombro (variedade de pepino).

cohorte, s. f. coorte.

coincidencia, s. f. coincidência.

coincidente, adj. 2 gén. coincidente.

coincidir, v. tr. coincidir.

coito, s. m. coito, cópula.

cojear, v. intr. coxear; mancar; manquejar; claudicar.

cojera, s. f. coxeadura.

cojín, s. m. coxim; almofadão.

cojinete, s. m. coxim pequeno; MEC. chumaceira.

cojo, -a, adj. e s. coxo.

col, s. f. couve.

cola, s. f. 1. cauda; rabo; fila; fileira. 2. cola; grude.

colaboración, s. f. colaboração.

colaborador, -a, s. m. e f. colaborador.

colaborar, v. tr. colaborar.

colación, s. f. colação.

colacionar, v. tr. colacionar; conferir; cotejar.

colactáneo, -a, s. m. e f. colaço.

colada, s. f. colagem; côa; coada (barrela); carreira; garganta; desfiladeiro.

coladero, s. m. carreiro; vereda; coador; peneiro; filtro.

colado, -a, adj. coado; fundido, não refinado (ferro); apaixonado.

colador, s. m. coador; filtro.

colágeno, s. m. colagénio.

colapsar, v. tr. colapsar.

colapso, s. m. MED. colapso.

colar, v. tr. colar; conferir; coar; filtrar; branquear (com lixívia).

colateral, adj. 2 gén. colateral; paralelo.

colcha, s. f. colcha; cobertor.

colchón, s. m. colchão.

colchonería, s. f. colchoaria.

colchonero, -a, s. m. e f. colchoeiro.

coleada, s. f. rabanada (pancada com a cauda).

colear, v. intr. rabear.
colección, s. f. colecção; conjunto; compilação.
coleccionar, v. tr. coleccionar.
coleccionista, s. 2 gén. coleccionador, coleccionista.
colecta, s. f. colecta.
colectar, v. tr. colectar; tributar.
colectividad, s. f. colectividade.
colectivismo, s. m. colectivismo.
colectivización, s. f. colectivização.
colectivizar, v. tr. colectivizar.
colectivo, -a, adj. colectivo.
colector, -a, s. m. e f. colector; recebedor.
colega, s. 2 gén. colega.
colegatario, -a, s. m. e f. co-legatário.
colegiado, -a, adj. agremiado.
colegial, adj. e s. 2 gén. colegial.
colegiarse, v. refl. agremiar-se.
colegiata, s. f. colegiada.
colegio, s. m. colégio; escola; corporação; grémio.
colegir, v. tr. coligir; juntar; unir; compilar; inferir; deduzir.
coleóptero, s. m. ZOOL. coleóptero.
cólera, s. f. MED. cólera; FISIOL. bílis; (fig.) ira; zanga.
colérico, -a, adj. e s. colérico.
colesterol, s. m. colesterol.
coleta, s. f. coleta.
coletazo, s. m. pancada com a cauda; as derradeiras manifestações; o fim.
coletilla, s. f. pós-escrito; aditamento.
coleto, s. m. casaco de pele (com ou sem mangas).
colgado, -a, adj. pendurado; pendente; suspenso.
colgador, s. m. estendal (de roupa).
colgadura, s. f. colgadura.
colgajo, s. m. penduricalho; farrapo.
colgar, v. tr. pendurar; dependurar; suspender; colgar.
colibrí, s. m. ZOOL. colibri; beija-flor.
cólico, s. m. MED. cólica.
coliflor, s. f. BOT. couve-flor.
coligarse, v. refl. coligar-se; unir-se; aliar-se.
colilla, s. f. beata, ponta (de cigarro ou charuto).
colín, I. adj. raboto. II. s. m. palito (de pão).
colina, s. f. colina; outeiro.
colinabo, s. m. couve-nabiça.

colindante, adj. 2 gén. confinante; vizinho; contíguo.
colindar, v. tr. confinar, ser vizinho.
colirio, s. m. FARM. colírio.
coliseo, s. m. coliseu; circo.
colisión, s. f. colisão; choque; luta.
colisionar, v. tr. chocar, colidir.
colista, I. adj. 2 gén. último. II. s. m. DESP. lanterna-vermelha.
colitis, s. f. MED. colite.
colla, s. f. isca, isco (pesca); equipa de estivadores.
collado, s. m. colada; colina, outeiro; passagem, passo (entre montanhas).
collage, s. m. colagem (quadro).
collar, s. m. colar; coleira.
collarín, s. m. cabeção dos eclesiásticos; gola estreita; colarinho ortopédico; rótulo (de garrafa).
collarino, s. m. ARQ. colarinho.
collera, s. f. coleira.
colmado, -a, adj. cheio; coagulado.
colmar, v. tr. encher; acogular; amontoar.
colmena, s. f. colmeia; cortiço; enxame de abelhas.
colmenar, s. m. colmeal; silhal.
colmenero, -a, s. m. e f. colmeeiro.
colmillo, s. m. colmilho, dente canino; presa, dente de elefante.
colmo, s. m. cúmulo.
colo, s. m. ANAT. cólon.
colocación, s. f. colocação; situação; emprego.
colocado, -a, adj. colocado, empregado; situado; disposto.
colocar, v. tr. colocar; acomodar; situar; dispor.
colodrillo, s. m. ANAT. occipício; nuca.
colofón, s. m. TIP. cólofon; final; remate.
colofonia, s. f. colofónia; pez louro.
coloidal, adj. 2 gén. QUÍM. coloidal.
coloide, s. m. QUÍM. colóide.
colombiano, -a, adj. e s. colombiano.
colombofilia, s. f. columbofilia.
colon, s. m. ANAT. cólon.
colonia, s. f. colónia.
colonial, adj. 2 gén. colonial.
colonialismo, s. m. colonialismo.
colonialista, adj. e s. 2 gén. colonialista.
colonización, s. f. colonização.
colonizador, -a, adj. e s. colonizador.
colonizar, v. tr. colonizar.
colono, s. m. colono.

coloquial, *adj.* 2 *gén.* coloquial.

coloquialismo, *s. m.* expressão coloquial.

coloquio, *s. m.* colóquio.

color, *s. m.* cor; colorido; (*fig.*) pretexto.

coloración, *s. f.* coloração.

colorad|o, -a, *adj.* colorido; corado; vermelho; rubro; (*fig.*) livre; obsceno.

colorante, *adj.* 2 *gén.* e *s. m.* corante.

colorar, *v. tr.* colorar; colorir; corar.

colorear, *v. tr.* colorir; matizar; (*fig.*) disfarçar; pretextar.

colorete, *s. m.* carmim (cosmético); vermelhão.

colorido, *s. m.* colorido; cor.

colorín, *s. m.* **1.** cor viva, berrante. **2.** pintassilgo.

colorir, *v. tr.* colorir.

colorista, *adj.* e *s.* 2 *gén.* PINT. colorista.

colosal, *adj.* 2 *gén.* colossal.

coloso, *s. m.* colosso.

columbo, *s. m.* mergulhão.

columbrar, *v. tr.* lobrigar; vislumbrar; divisar.

columna, *s. f.* coluna.

columnata, *s. f.* colunata.

columnista, *s.* 2 *gén.* colunista.

columpiar, *v.* **1.** *tr.* balançar; baloiçar. **2.** *refl.* (*fig., fam.*) bambolear-se.

columpio, *s. m.* retouça, redouça; baloiço; balancé.

colutorio, *s. m.* colutório.

colza, *s. f.* BOT. colza.

coma, *s.* **1.** *f.* GRAM. vírgula, coma. **2.** *m.* MED. coma.

comadre, *s. f.* comadre; parteira.

comadrear, *v. intr.* (*fam.*) mexericar; intrigar; alcovitar.

comadreja, *s. f.* ZOOL. doninha.

comadreo, *s. m.* (*fam.*) mexeriquice.

comadrón, *s. m.* parteiro.

comadrona, *s. f.* parteira.

comandancia, *s. f.* comando.

comandante, *s. m.* comandante; chefe; major; piloto.

comandar, *v. tr.* comandar.

comandita, *s. f.* comandita.

comanditar, *v. tr.* comanditar.

comanditari|o, -a, *adj.* e *s.* comanditário.

comando, *s. m.* MIL. comando.

comarca, *s. f.* comarca; região; área.

comarcal, *adj.* 2 *gén.* regional, local.

comatos|o, -a, *adj.* MED. comatoso.

comba, *s. f.* curva; inflexão; empenamento.

combadura, *s. f.* inflexão; empenamento.

combar, *v. tr.* e *refl.* empenar; curvar; arquear; dobrar.

combate, *s. m.* combate; peleja.

combatiente, *adj.* e *s. m.* combatente; guerreiro.

combatir, *v. intr.* combater; pelejar; lutar; (*fig.*) impugnar.

combatividad, *s. f.* combatividade.

combativ|o, -a, *adj.* combativo.

combinación, *s. f.* combinação.

combinad|o, -a, **I.** *adj.* combinado, coligado. **II.** *s. m.* coquetel; QUÍM. composto; DESP. combinado, misto; selecção.

combinar, *v. tr.* combinar; agrupar; unir.

comb|o, -a, *adj.* curvado; curvo.

comburente, *adj.* 2 *gén.* FÍS. comburente.

combustible, *adj.* 2 *gén.* e *s. m.* combustível.

combustión, *s. f.* combustão.

comeder|o, -a, **I.** *adj.* comestível; comível. **II.** *s. m.* comedouro, comedoiro (para animais).

comedia, *s. f.* comédia; (*fig.*) dissimulação; farsa.

comediant|e, -a, *s. m.* e *f.* comediante; actor; actriz; cómico; (*fig., fam.*) farsante.

comedid|o, -a, *adj.* comedido; discreto; sóbrio; moderado; educado.

comedimiento, *s. m.* comedimento; moderação; sobriedade.

comediógraf|o, -a, *s. m.* comediógrafo.

comedirse, *v. refl.* comedir-se.

comedón, *s. m.* cravo, verruga.

comedor, -a, **I.** *adj.* comilão; glutão. **II.** *s. m.* sala de jantar.

comején, *s. m.* ZOOL. caruncho; cupim (formiga-branca).

comendador, *s. m.* comendador.

comensal, *s.* 2 *gén.* comensal.

comentador, -a, *s. m.* e *f.* comentador.

comentar, *v. tr.* comentar.

comentario, *s. m.* comentário; análise; crítica.

comentarista, *s.* 2 *gén.* comentarista.

comenzar, *v.* **1.** *tr.* começar; principiar. **2.** *intr.* iniciar.

comer, **I.** *s. m.* comer; comida; alimento. **II.** *v. tr.* comer.

comercial, *adj.* 2 *gén.* comercial.

comercialización, *s. f.* comercialização, comercializar.

comerciante, *adj.* e *s.* 2 *gén.* comerciante, negociante.

comerciar, *v. tr.* comerciar; negociar.

comercio, *s. m.* comércio; *comercio al por mayor*, comércio por grosso; *comercio al por menor*, comércio a retalho.

comestible, *adj.* 2 *gén.* comestível.

cometa, *s. m.* cometa.

cometer, *v. tr.* cometer; encarregar; perpetrar.

cometido, *s. m.* incumbência; comissão; encargo.

comezón, *s. f.* comichão; prurido.

cómic, *s. m.* banda desenhada.

comicial, *adj.* 2 *gén.* comicial.

comicidad, *s. f.* comicidade.

comícios, *s. m. pl.* eleições; votação.

cómico, -a, *adj. e s.* cómico.

comida, *s. f.* comida; alimento; refeição; jantar; segunda refeição diária.

comidilla, *s. f.* (*fig., fam.*) mexericos, falatório.

comido, -a, *adj.* comido, roído; usado.

comienzo, *s. m.* começo; princípio; origem.

comillas, *s. f. pl.* aspas.

comilón, -ona, *adj. e s.* (*fam.*) comilão; glutão.

comilona, *s. f.* (*fam.*) comezaina; patuscada.

comino, *s. m.* BOT. cominho.

comisaria, *s. f.* (*fam.*) comissária.

comisaría, *s. f.* comissariado.

comisario, *s. m.* comissário.

comiscar, *v. intr.* comiscar; petiscar; debicar.

comisión, *s. f.* encargo; comissão; percentagem.

comisionar, *v. tr.* comissionar; encarregar.

comisionista, *s.* 2 *gén.* COM. comissionista.

comiso, *s. m.* DIR. comisso; confiscação.

comisura, *s. f.* comissura.

comité, *s. m.* comissão; junta; comité.

comitiva, *s. f.* comitiva; séquito.

como, I. *adv.* como; tal como; na qualidade de; à volta de, aproximadamente. II. *conj.* assim que; se; porque, uma vez que.

cómo, *adv.* 1. *interr.* como?, porque? 2. *interj.* como...!

cómoda, *s. f.* cómoda.

cómodamente, *adv.* comodamente, confortavelmente.

comodidad, *s. f.* comodidade; conforto; bem-estar.

comodín, *s. m.* jóquer; carta extra; faz-tudo, factótum; (*fig.*) desculpa.

cómodo, -a, *adj.* (*fam.*) cómodo; conveniente; fácil.

comodón, -ona, *adj.* comodista.

comodoro, *s. m.* comodoro.

comoquiera, *adv.*, *como quiera que sea*, como quer que seja, seja como for.

compactar, *v. tr.* comprimir; compactar.

compacto, -a, *adj.* compacto.

compadecer, *v.* 1. *tr.* compadecer. 2. *refl.* condoer-se.

compadraje, *s. m.* compadrio; compadrice.

compadrar, *v. intr.* compadrar.

compadre, *s. m.* compadre.

compaginación, *s. f.* compaginação.

compaginar, *v. tr.* compaginar.

compañerismo, *s. m.* companheirismo; camaradagem.

compañero, -a, *s. m. e f.* companheiro; camarada; colega; confrade.

compañía, *s. f.* companhia; comitiva; sociedade; associação.

comparable, *adj.* 2 *gén.* comparável.

comparación, *s. f.* comparação

comparado, -a, *adj.* comparado; comparativo.

comparar, *v. tr.* comparar; confrontar.

comparativo, -a, *adj.* comparativo.

comparecencia, *s. f.* comparência.

comparecer, *v. intr.* comparecer.

comparsa, *s.* 1. *f.* comparsaria; acompanhamento; séquito; comitiva. 2. 2 *gén.* comparsa.

compartimentado, -a, *adj.* compartimentado.

compartimento, *s. m.* compartição; compartimento.

compartimiento, *s. m.* vd. **compartimento**.

compartir, *v. tr.* compartir; partilhar; dividir.

compás, *s. m.* compasso; (*fig.*) regra; medida; ritmo.

compasado, -a, *adj.* compassado; comedido, moderado.

compasar, *v. tr.* compassar; cadenciar; (*fig.*) calcular; moderar; medir.

compasión, *s. f.* compaixão; piedade.

compasivo, -a, *adj.* compassivo; compadecido.

compatibilidad, *s. f.* compatibilidade.

compatible, *adj.* 2 *gén.* compatível.

compatiblemente, *adv.* compativelmente.

compatriota, *s. 2 gén.* compatriota.

compeler, *v. tr.* compelir; obrigar; constranger.

compendiar, *v. tr.* compendiar; resumir; abreviar.

compendio, *s. m.* compêndio; resumo; síntese; epítome.

compenetración, *s. f.* compenetração.

compenetrarse, *v. refl.* compenetrar-se.

compensación, *s. f.* compensação.

compensador, -a, *adj.* compensador.

compensar, *v. tr.* compensar; indemnizar; TÉC. compensar, equilibrar.

competencia, *s. f.* competência; rivalidade; aptidão; idoneidade.

competente, *adj. 2 gén.* competente; adequado; bastante; apto.

competer, *v. intr.* competir; pertencer, caber, incumbir.

competición, *s. f.* competição.

competido, -a, *adj.* disputado, renhido.

competidor, -a, *adj. e s.* competidor; émulo.

competir, *v. intr.* competir; concorrer; rivalizar.

competitividad, *s. f.* competitividade.

competitivo, -a, *adj.* competitivo.

compilación, *s. f.* compilação.

compilar, *v. tr.* compilar.

compincharse, *v. refl.* conluiar-se, mancomunar-se; conspirar.

compinche, *s. 2 gén. (fam.)* compincha; camarada; amigo.

complacencia, *s. f.* complacência.

complacer, *v. tr.* comprazer.

complacido, -a, *adj.* comprazido, satisfeito.

complaciente, *adj. 2 gén.* complacente.

complejidad, *s. f.* complexidade.

complejo, -a, *adj. e s. m.* complexo.

complementar, *v. tr.* complementar.

complementario, -a, *adj.* complementar.

complemento, *s. m.* complemento; remate.

completamente, *adv.* completamente.

completar, *v. tr.* completar; concluir.

completivo, -a, *adj.* completivo.

completo, -a, *adj.* completo; cabal; inteiro; acabado; perfeito.

complexión, *s. f.* compleição, constituição.

complicación, *s. f.* complicação.

complicado, -a, *v. intr.* complicado, complexo; implicado.

complicar, *v. tr.* complicar; embaraçar; dificultar.

cómplice, *s. 2 gén.* cúmplice.

complicidad, *s. f.* cumplicidade.

complot, *s. m. (fam.)* conluio; tramóia; cabala; conjuração.

componenda, *s. f.* acordo, arranjo.

componente, *adj. 2 gén. e s. m.* componente.

componer, *v. tr.* compor; constituir; ordenar; consertar; reparar; restaurar.

comportamiento, *s. m.* comportamento.

comportar, *v. tr. (fig.)* comportar; suportar.

composición, *s. f.* composição; ajuste; convénio; redacção.

compositor, -a, *adj. e s. m.* compositor.

compostura, *s. f.* compostura; feitio; conserto; modéstia.

compota, *s. f.* compota.

compotera, *s. f.* compoteira.

compra, *s. f.* compra.

comprador, -a, *adj. e s.* comprador.

comprar, *v. tr.* comprar.

compraventa, *s. f.* DIR. compra e venda (contrato).

comprender, *v. tr.* compreender; abraçar; conter; incluir.

comprensible, *adj. 2 gén.* compreensível.

comprensión, *s. f.* compreensão.

comprensivo -a, *adj.* compreensivo.

compresa, *s. f.* compressa.

compresibilidad, *s. f.* compressibilidade.

compresible, *adj. 2 gén.* compressível.

compresión, *s. f.* compressão.

compresor, -a, *adj. e s. m.* compressor.

comprimible, *adj. 2 gén.* compressível.

comprimido, -a, *adj. e s. m.* comprimido.

comprimir, *v. tr.* comprimir; oprimir; estreitar.

comprobable, *adj. 2 gén.* comprovável.

comprobación, *s. f.* comprovação.

comprobar, *v. tr.* comprovar; provar; demonstrar.

comprometedor, -a, *adj. e s. (fam.)* comprometedor.

comprometer, *v. tr. e refl.* comprometer; arriscar; obrigar.

comprometido, -a, *adj.* em perigo, em dificuldade; engajado, enfeudado, comprometido (para casar).

compromisario, *adj.* e *s.* compromissário.

compromiso, *s. m.* compromisso.

compuerta, *s. f.* comporta; adufa.

compuest|o, -a, *adj.* composto.

compulsar, *v. tr.* compulsar.

compulsión, *s. f.* DIR. compulsão.

compulsiv|o, -a, *adj* compulsivo.

compunción, *s. f.* compunção, compungimento.

compungid|o, -a, *s. f.* arrependido, compungido; triste.

compungir, *v. tr.* e *refl.* compungir; comover.

computable, *adj.* 2 *gén.* computável.

computación, *s. f.* computação.

computador, *s. m.* computador.

computadora, *s. f.* computador.

computadorizar, *v. tr.* computadorizar.

computar, *v. tr.* computar; orçar; calcular.

cómputo, *s. m.* cômputo; cálculo; conta.

comulgante, *adj.* e *s.* 2 *gén.* comungante.

comulgar, *v. intr.* e *tr.* REL. comungar.

comulgatorio, *s. m.* comungatório; balaustrada da comunhão.

común, *adj.* 2 *gén.* comum; ordinário; geral; vulgar.

comunicable, *adj.* 2 *gén.* comunicável; sociável.

comuna, *s. f.* comuna.

comunal, *adj.* 2 *gén.* comunal.

comunicable, *adj.* 2 *gén.* comunicável.

comunicación, *s. f.* comunicação; aviso; participação.

comunicad|o, -a, I. *adj.* comunicado. **II.** *s. m.* comunicado; comunicação.

comunicador, -a, *adj.* e *s.* comunicador.

comunicante, *adj.* e *s.* 2 *gén.* comunicante.

comunicar, *v. tr.* comunicar; participar; corresponder-se.

comunicativ|o, -a, *adj.* comunicativo.

comunidad, *s. f.* comunidade.

comunión, *s. f.* comunhão.

comunismo, *s. m.* comunismo.

comunista, *adj.* e *s.* 2 *gén.* comunista.

comúnmente, *adv.* comummente.

con, *prep.* com.

conato, *s. m.* DIR. conato.

concadenar, *s. m.* vd. **concatenar**.

concatenación, *s. f.* concatenação.

concatenar, *v. tr.* (*fig.*) concatenar; ligar; unir.

concavidad, *s. f.* concavidade.

cóncav|o, -a, I. *adj.* côncavo; escavado. **II.** *s. m.* concavidade.

concebible, *adj.* 2 *gén.* concebível.

concebir, *v. intr.* e *tr.* conceber; gerar; (*fig.*) compreender.

conceder, *v. tr.* conceder; dar; outorgar; permitir.

concejal, -a, *s. m.* e *f.* conselheiro; vereador municipal.

concejo, *s. m.* concelho; municipalidade; vereação.

concelebrar, *v. tr.* concelebrar.

concentración, *s. f.* concentração.

concentrad|o, -a, I. *adj.* concentrado; absorvido. **II.** *s. m.* concentrado.

concentrar, *v. tr.* concentrar; centralizar.

concéntric|o, -a, *adj.* GEOM. concêntrico.

concepción, *s. f.* concepção.

conceptismo, *s. m.* conceptismo.

concepto, *s. m.* conceito; ideia; opinião; juízo; reputação.

conceptual, *adj.* 2 *gén.* conceptual.

conceptualismo, *s. m.* conceptualismo.

conceptualizar, *v. tr.* conceptualizar.

conceptuar, *v. tr.* conceituar; avaliar.

conceptuos|o, -a, *adj.* conceituoso; sentencioso; espirituoso.

concerniente, *adj.* 2 *gén.* concernente; referente.

concernir, *v. intr.* concernir; referir; dizer respeito.

concertación, *s. f.* concertação, acordo; reconciliação.

concertadamente, *adv.* concertadamente.

concertad|o, -a, *adj.* concertado, acordado; reconciliado.

concertar, *v. tr.* concertar; ajustar; combinar; tratar; acordar; reconciliar.

concertina, *s. f.* concertina.

concertino, *s. m.* concertino, primeiro-violino.

concertista, *s.* 2 *gén.* concertista, solista.

concesión, *s. f.* concessão; permissão; licença.

concesionario, -a, *adj.* e *s.* concessionário.

concesiv|o, -a, *adj.* concessivo.

concha, *s. f.* concha.

conchabar, *v. tr.* conchavar; unir; juntar.

conciencia, s. f. consciência; conhecimento exacto; escrúpulo.
concienciad|o, -a, adj. ciente, sabedor.
concienciar, v. tr. fazer ciente/sabedor de.
concienzud|o, -a, adj. consciencioso; escrupuloso; probo recto.
concierto, s. m. concerto.
conciliábulo, s. m. conciliábulo.
conciliación, s. f. conciliação.
conciliador, -a, adj. conciliador.
conciliar, I. v. tr. conciliar; harmonizar; unir. **II.** adj. 2 gén. conciliar, concilário.
conciliatori|o, -a, adj. conciliatório.
concilio, s. m. concílio.
concisión, s. f. concisão; laconismo.
concis|o, -a, adj. conciso; lacónico.
concitación, s. f. concitação.
concitar, v. tr. concitar; comover; incitar.
conciudadan|o, -a, s. m. e f. concidadão.
conclave, s. m. conclave.
cónclave, s. m. vd. **conclave.**
concluir, v. tr. concluir; inferir; deduzir.
conclusión, s. f. conclusão; fim; termo.
conclusiv|o, -a, adj. conclusivo.
conclus|o, -a, adj. concluso.
concluyente, adj. 2 gén. concludente; convincente.
concomerse, v. refl. consumir-se, roer-se; _concomerse de invidia,_ roer-se de inveja.
concomitancia, s. f. concomitância.
concomitante, adj. 2 gén. concomitante; acessório.
concordancia, s. f. concordância.
concordante, adj. 2 gén. concordante.
concordar, v. tr. concordar; conciliar; concertar.
concordato, s. m. concordata.
concorde, adj. 2 gén. concorde; conforme.
concordia, s. f. concórdia; paz; harmonia.
concreción, s. f. concreção.
concretamente, adv. concretamente.
concretar, v. tr. concretizar; especificar; fixar.
concret|o, -a, adj. concreto.
concubina, s. f. concubina.
concubinato, s. m. concubinato.
conculcar, v. tr. conculcar; espezinhar; postergar; infringir; violar.
concuñad|o, -a, s. m. e f. concunhado.
concupiscencia, s. f. concupiscência.
concupiscente, adj. 2 gén. concupiscente.
concurrencia, s. f. concorrência.

concurrente, adj. e s. 2 gén. concorrente.
concurrid|o, -a, adj. concorrido.
concurrir, v. intr. concorrer; afluir; coincidir.
concursante, s. 2 gén. concorrente, concursista, competidor.
concursar, v. intr. concorrer; competir.
concurso, s. m. concurso; competição; concorrência; ajuda, colaboração; licitação.
condado, s. m. condado.
condal, adj. 2 gén. condal.
conde, s. m. conde.
condecoración, s. f. condecoração.
condecorar, v. tr. condecorar.
condena, s. f. DIR. sentença; condenação; reprovação.
condenable, adj. 2 gén. condenável.
condenación, s. f. condenação.
condenad|o, -a, 1. adj. (fig.) condenado; perverso; maldito; sem esperança. **2.** s. m. condenado.
condenar, v. tr. condenar; reprovar; censurar.
condenatori|o, -a, adj. condenatório.
condensable, adj. 2 gén. condensável.
condensación, s. f. condensação.
condensad|o, -a, adj. condensado.
condensador, -a, adj. e s. m. condensador.
condensar, v. tr. condensar; (fig.) resumir; reduzir.
condesa, s. f. condessa.
condescendencia, s. f. condescendência.
condescender, v. intr. condescender; comprazer.
condescendiente, adj. 2 gén. condescendente; complacente.
condestable, s. m. condestável, condestabre.
condición, s. f. condição; índole; natureza.
condicionad|o, -a, adj. condicionado.
condicional, adj. 2 gén. condicional.
condicionamiento, s. m. condicionamento.
condicionar, v. tr. condicionar.
cóndilo, s. m. ANAT. côndilo.
condimentación, s. f. condimentação.
condimentar, v. tr. condimentar.
condimento, s. m. condimento; tempero.
condiscípul|o, -a, s. m. e f. condiscípulo.

condolencia, *s. f.* condolência; *pl.* pêsames, condolências.

condolerse, *v. refl.* compadecer-se, condoer-se.

condominio, *s. m.* condomínio.

condón, *s. m.* preservativo.

condonación, *s. f.* condoação, remissão.

condonar, *v. tr.* condoar, remir; perdoar.

cóndor, *s. m.* ZOOL. condor.

condrila, *s. f.* BOT. condrila.

conducción, *s. f.* condução; transporte.

conducir, *v. tr.* conduzir; transportar; guiar; dirigir.

conducta, *s. f.* conduta; condução; récua; governo; mando; direcção; leva; procedimento.

conductancia, *s. f.* FÍS. condutância.

conductibilidad, *s. f.* FÍS. condutibilidade.

conducto, *s. m.* conduto; via; canal.

conductividad, *s. f.* FÍS. condutividade.

conductor, -a, I. *adj.* condutor. **II.** *s. m.* FÍS. condutor.

condumio, *s. m.* *(fam.)* conduto; presigo.

conectar, *v. tr.* ligar, pôr a funcionar (aparelho eléctrico, máquina).

conector, *s. m.* conector.

coneja, *s. f.* coelha.

conejar, *s. m.* coelheira.

conejera, *s. f.* coelheira; madrigoa, madrigueira; lura.

conejero, -a, *adj.* coelheiro.

conejillo, *s. m.* láparo; caçapo.

conejo, *s. m.* coelho.

conexión, *s. f.* conexão; ligação; união.

conexionar, *v. tr.* ligar, conectar.

conexo, -a, *adj.* conexo; unido.

confabulación, *s. f.* confabulação; conspiração.

confabulador, -ra, *s. m.* confabulador, conspirador.

confabular, *v. intr.* confabular; conspirar; conversar.

confección, *s. f.* confecção; acabamento.

confeccionador, -a, *s. m. e f.* confeccionador.

confeccionar, *v. tr.* confeccionar; FARM. manipular.

confeccionista, *s. 2 gén.* confeccionador; fornecedor.

confederación, *s. f.* confederação.

confederar, *v. tr. e refl.* confederar.

conferencia, *s. f.* conferência.

conferenciante, *s. 2 gén.* conferencista.

conferenciar, *v. intr.* conferenciar.

conferir, *v. tr.* conferir; conceder; outorgar; comparecer.

confesar, *v. tr.* confessar; declarar; revelar.

confesión, *s. f.* confissão; declaração; oração.

confesional, *adj. 2 gén.* confessional.

confesionario, *s. m.* confessionário.

confeso, -a, *adj. e s.* confesso; converso.

confesonario, *s. m.* confessionário.

confesor, *s. m.* confessor.

confeti, *s. m.* brilhantes, confetti.

confiadamente, *adv.* confiadamente.

confiado, -a, *adj.* confiado; crédulo; audacioso.

confianza, *s. f.* confiança; ousadia.

confiar, *v. intr.* confiar; esperar.

confidencia, *s. f.* confidência.

confidencial, *adj. 2 gén.* confidencial.

confidencialmente, *adv.* confidencialmente.

confidente, -a, *adj. e s. 2 gén.* confidente.

configuración, *s. f.* configuração.

configurar, *v. tr.* configurar.

confín, I. *adj. 2 gén.* confim; confinante. **II.** *s. m.* fronteira; raia.

confinación, *s. f.* confinação.

confinamiento, *s. m.* confinação.

confinante, *adj. 2 gén.* confinante.

confinar, *v.* **1.** *intr.* confinar; limitar. **2.** *tr.* desterrar.

confirmación, *s. f.* confirmação.

confirmar, *v. tr.* confirmar; certificar; revalidar; assegurar.

confirmatorio, -a, *adj.* confirmatório.

confiscación, *s. f.* confiscação.

confiscar, *v. tr.* confiscar; arrestar.

confitado, -a, *adj.* confeitado.

confitar, *v. tr.* confeitar.

confite, *s. m.* confeito.

confitera, *s. f.* compoteira.

confitería, *s. f.* confeitaria.

confitero, -a, *s. m. e f.* confeiteiro.

confitura, *s. f.* doce coberto.

conflagración, *s. f.* conflagração.

conflictividad, *s. f.* conflituosidade; conflitos; *conflictividad laboral,* conflitos laborais.

conflictivo, -a, *adj.* difícil, conflituoso.

conflicto, *s. m.* conflito.

confluencia, *s. f.* confluência.

confluente, *adj. 2 gén. e s. m.* confluente.

confluir, *v. intr.* confluir.

conformación, *s. f.* conformação.
conformar, *v. tr. e intr.* conformar.
conforme, *adj.* 2 *gén.* conforme; igual; resignado.
conformemente, *adv.* conformemente, em conformidade.
conformidad, *s. f.* conformidade.
conformismo, *s. m.* conformismo.
conformista, *adj. e s.* 2 *gén.* conformista.
confortable, *adj.* 2 *gén.* confortável.
confortación, *s. f.* confortação.
confortador, -a, *adj. e s.* confortador.
confortante, *adj.* 2 *gén.* confortante.
confortar, *v. tr.* confortar; animar; alentar.
confraternal, *adj.* 2 *gén.* confraternal.
confraternar, *v. intr.* confraternizar.
confraternidad, *s. f.* confraternidade.
confraternizar, *v. intr.* confraternizar.
confrontación, *s. f.* confrontação; confronto.
confrontar, *v.* 1. *tr.* confrontar; acarear; cotejar; comparar. 2. *intr.* confinar; limitar; confrontar; defrontar.
confundible, *adj.* 2 *gén.* de fácil confusão.
confundir, *v. tr.* confundir; misturar; atrapalhar; humilhar.
confusión, *s. f.* confusão, enleio.
confusionismo, *s. m.* confusão.
confuso, -a, *adj.* confuso; desordenado; enleado.
confutación, *s. f.* confutação; refutação.
confutar, *v. tr.* confutar; refutar.
conga, *s. f.* conga.
congelación, *s. f.* congelação.
congelado, -a, *adj. e s. m.* congelado.
congelador, *s. m.* congelador; frigorífico.
congelar, *v. tr.* congelar.
congénere, *adj.* 2 *gén.* congénere.
congeniar, *v. intr.* ligar, simpatizar, dar-se bem.
congénito, -a, *adj.* congénito.
congerie, *s. f.* congérie; montão.
congestión, *s. f.* congestão.
congestionar, *v. tr.* congestionar.
conglobar, *v. tr.* conglobar; amontoar.
conglomeración, *s. f.* conglomeração.
conglomerado, -a, *s. m.* conglomerado.
conglomerar, *v. tr.* conglomerar.
congoja, *s. f.* desmaio; fadiga; angústia.
congoleño, -a, *adj. e s.* congolês.
congolés, -esa, *adj. e s. vd.* **congoleño.**
congraciar, *v. tr.* congraçar; reconciliar.

congratulación, *s. f.* congratulação.
congratular, *v. tr.* congratular.
congregación, *s. f.* congregação; assembleia; confraria.
congregante, *s.* 2 *gén.* congregante.
congregar, *v. tr.* congregar.
congresista, *s.* 2 *gén.* congressista.
congreso, *s. m.* congresso.
congrio, *s. m.* ZOOL. congro.
congruencia, *s. f.* congruência; coerência.
congruente, *adj.* 2 *gén.* congruente; coerente.
congruo, -a, *adj. vd.* **congruente.**
cónico, -a, *adj.* GEOM. cónico.
conífero, -a, I. *adj.* BOT. conífero. II. *s. f. pl.* coníferas.
conjetura, *s. f.* conjectura; presunção; suposição.
conjeturar, *v. tr.* conjecturar.
conjugable, *adj.* 2 *gén.* conjugável.
conjugación, *s. f.* conjugação.
conjugado, -a, *adj.* conjugado, combinado.
conjugar, *v. tr.* conjugar.
conjunción, *s. f.* conjunção; junção; união.
conjuntado, -a, *adj.* coordenado.
conjuntamente, *adv.* conjuntamente.
conjuntar, *v. tr.* juntar, coordenar.
conjuntiva, *s. f.* conjuntiva.
conjuntivitis, *s. f.* MED. conjuntivite.
conjuntivo, -a, *adj.* conjuntivo.
conjunto, -a, I. *adj.* conjunto; junto; contíguo. II. *s. m.* reunião; conjunto.
conjura, *s. f.* conjura; conspiração.
conjuración, *s. f.* conjuração; conspiração.
conjurado, -a, *adj. e s.* conjurado; conspirador.
conjurar, *v.* 1. *intr. e refl.* conjurar; ajuramentar; (fig.) conspirar; esconjurar. 2. *tr.* juramentar.
conjuro, *s. m.* conjuro; esconjuro; exorcismo.
conllevar, *v. intr.* levar a; implicar, acarretar; ajudar a.
conmemoración, *s. f.* comemoração.
conmemorar, *v. tr.* comemorar.
conmemorativo, -a, *adj.* comemorativo.
conmensurable, *adj.* 2 *gén.* comensurável.
conmigo, *pron.* comigo.
conminación, *s. f.* cominação.

conminador, -a, *adj.* ameaçador.
conminar, *v. tr.* cominar; ameaçar; impor.
conminativo, -a, *adj.* cominativo, cominatório.
conminatorio, -a, *adj.* cominatório.
conmiseración, *s. f.* comiseração.
conmoción, *s. f.* comoção; abalo; motim; tumulto.
conmocionar, *v. tr.* emocionar; agitar; transtornar.
conmovedor, -a, *adj.* comovedor, comovente.
conmover, *v. tr.* comover; perturbar; enternecer.
conmutabilidad, *s. f.* comutabilidade.
conmutable, *adj.* 2 *gén.* comutável.
conmutación, *s. f.* comutação.
conmutador, -a, *adj.* e *s. m.* comutador.
conmutar, *v. tr.* comutar; permutar; atenuar.
conmutativo, -a, *adj.* comutativo.
connatural, *adj.* 2 *gén.* conatural; congénito.
connivencia, *s. f.* conivência; cumplicidade.
connivente, *adj.* 2 *gén.* conivente; cúmplice.
connotación, *s. f.* conotação.
connotar, *v. tr.* conotar.
connubio, *s. m.* conúbio; casamento.
cono, *s. m.* cone.
conocedor, -a, *adj* e *s.* conhecedor.
conocer, *v. tr.* conhecer; perceber; entender; saber.
conocido, -a, **I.** *adj.* conhecido; distinto; ilustre. **II.** *s. m.* conhecido.
conocimiento, *s. m.* conhecimento; entendimento; documento sobre mercadorias (conhecimento de embarque).
conoide, *s. m.* conóide.
conopeo, *s. m.* dossel; baldaquino.
conque, *conj.* conquanto; assim que; posto que; com que; de modo que.
conquista, *s. f.* conquista.
conquistador, -a, *adj.* e *s.* conquistador.
conquistar, *v. tr.* conquistar; (*fig.*) granjear (adquirir amizades).
consabido, -a, *adj.* consabido.
consagración, *s. f.* consagração.
consagrar, *v. tr.* consagrar; sagrar; dedicar; oferecer; sacrificar.
consanguíneo, -a, *adj.* e *s.* consanguíneo.
consanguinidad, *s. f.* consanguinidade.
consciencia, *s. f.* consciência.

consciente, *adj.* 2 *gén.* consciente.
conscientemente, *adv.* conscientemente.
consecución, *s. f.* consecução.
consecuencia, *s. f.* consequência; efeito; ilação.
consecuente, *adj.* 2 *gén.* consequente.
consecuentemente, *adv.* consequentemente.
consecutivamente, *adv.* consecutivamente.
consecutivo, -a, *adj.* consecutivo; sucessivo.
conseguido, *adj.* conseguido; bem realizado.
conseguir, *v. tr.* conseguir; alcançar; obter; lograr.
conseja, *s. f.* conto; fábula; patranha.
consejero, -a, *s. m.* e *f.* conselheiro.
consejo, *s. m.* conselho; parecer; opinião.
consenso, *s. m.* consenso; consentimento; anuência.
consensual, *adj.* 2 *gén.* consensual.
consensuar, *v. tr.* obter consenso.
consentido, *adj.* consentido; caprichoso; malcriado.
consentimiento, *s. m.* consentimento; anuência.
consentir, *v. tr.* consentir.
conserje , *s. m.* fiel; porteiro.
conserjería, *s. f.* portaria.
conserva, *s. f.* conserva.
conservación, *s. f.* conservação.
conservador, -a, *adj.* e *s.* conservador.
conservar, *v. tr.* conservar.
conservatorio, *s. m.* conservatório.
conservería, *s. f.* indústria conserveira; fábrica de conservas.
conservero, -a, *adj.* conserveiro.
considerable, *adj.* 2 *gén.* considerável; notável.
consideración, *s. f.* consideração; reflexão; respeito.
considerado, -a, *adj.* considerado.
considerar, *v. tr.* considerar; pensar; reflectir; observar; julgar; apreciar.
consigna, *s. f.* ordem (dada a uma sentinela); depósito de bagagens; lema, divisa.
consignación, *s. f.* consignação.
consignar, *v. tr.* consignar.
consignatario, -a, *s. m.* e *f.* consignatário.
consigo, *pron.* consigo; de si para si.
consiguiente, *adj.* 2 *gén.* conseguinte; consequente.

consiguientemente, *adv.* consequentemente, por conseguinte.
consistencia, *s. f.* consistência; firmeza.
consistente, *adj.* 2 *gén.* consistente; sólido; estável.
consistir, *v. intr.* consistir; estribar-se; fundar-se.
consistorial, *adj.* 2 *gén.* consistorial.
consistorio, *s. m.* consistório.
consocio, -a, *s. m.* e *f.* consócio.
consola, *s. f.* consola (móvel de sala).
consolación, *s. f.* consolação; consolo.
consolador, -a, *adj.* e s. consolador.
consolar, *v. tr.* consolar; confortar.
consolidación, *s. f.* consolidação.
consolidar, *v. tr.* consolidar; fortificar.
consonancia, *s. f.* MÚS. consonância; melodia; harmonia.
consonante, **I**. *adj.* 2 *gén.* consonante. **II**. *s. f.* consoante.
consonántico, -a, *adj.* consonântico.
consonantismo, *s. m.* consonantismo.
cónsone, *adj.* 2 *gén.* cônsono; consonante; MÚS. acorde.
consorcio, *s. m.* consórcio; casamento.
consorte, *s.* 2 *gén.* consorte.
conspicuo, -a, *adj.* conspícuo; notável.
conspiración, *s. f.* conspiração.
conspirador, -a, *s. m.* e *f.* conspirador.
conspirar, *v. intr.* conspirar.
constancia, *s. f.* constância; perseverança.
constante, *adj.* 2 *gén.* constante.
constar, *v. intr.* constar; consistir.
constatación, *s. f.* constatação, verificação.
constatar, *v. tr.* constatar, verificar.
constelación, *s. f.* constelação.
constelad|o, -a, *adj.* constelado; estrelado (o céu).
consternación, *s. f.* consternação; desolação.
consternar, *v. tr.* consternar; conturbar.
constipación, *s. f.* constipação.
constipad|o, -a, *adj.* constipado.
constiparse, *v. tr.* constipar-se.
constitución, *s. f.* constituição; organização; composição.
constitucional, **I**. *adj.* 2 *gén.* constitucional. **II**. *s.* 2 *gén.* constitucionalista.
constitucionalidad, *s. f.* constitucionalidade.
constituir, *v. tr.* constituir; formar; compor.

constitutivo, -a, *adj.* constitutivo.
constituyente, **I**. *adj.* 2 *gén.* constituinte. **II**. *s.* 2 *gén.* constituinte, componente.
constreñimiento, *s. m.* constrangimento; aperto; compulsão.
constreñir, *v. tr.* constranger; MED. constringir.
constricción, *s. f.* constrição; aperto.
constrictivo, -a, *adj.* constritivo.
constrictor, -a, *adj.* e s. constritor.
construcción, *s. f.* construção; edificação.
constructor, -a, *adj.* e s. construtor.
construir, *v. tr.* construir; edificar; formar.
consubstanciación, *s. f.* consubstanciação.
consubstancial, *adj.* 2 *gén.* consubstancial.
consuegro, -a, *s. m.* e *f.* consogro.
consuelo, *s. m.* consolo; consolação.
consuetudinari|o, -a, *adj.* consuetudinário.
cónsul, *s. m.* cônsul.
consulado, *s. m.* consulado.
consular, *adj.* 2 *gén.* consular.
consulta, *s. f.* consulta; conselho; parecer; opinião.
consultar, *v. tr.* consultar; observar.
consultivo, -a, *adj.* consultivo.
consultor, -a, *adj.* e s. consultor.
consultoría, *s. f.* consultoria, consultadoria.
consultorio, *s. m.* consultório.
consumación, *s. f.* consumação; perfeição.
consumad|o, -a, *adj.* consumado; perfeito.
consumar, *v. tr.* consumar; completar; acabar.
consumición, *s. f.* consumição.
consumid|o, -a, *adj.* consumido; gasto; esgotado.
consumidor, -a, *adj.* e s. consumidor.
consumir, *v. tr.* e *intr.* consumir; gastar; extinguir.
consumismo *s. m.* consumismo.
consumista *adj.* e s. 2 *gén.* consumista.
consumo *s. m.* consumo.
consunción, *s. f.* consumpção; MED. extenuação.
consustancial, *adj.* 2 *gén.* consubstancial; inato, inerente.
contabilidad, *s. f.* contabilidade.
contabilizar, *v. tr.* contabilizar.

contable, I. adj. 2 gén. contável, numerável. **II.** s. 2 gén. guarda-livros, contabilista.

contactar, v. tr. contactar.

contacto, s. m. contacto.

contactología, s. f. fabrico de lentes de contacto.

contactólogo, s. m. especialista de lentes de contacto.

contado, -a, adj. contado; raro.

contador, -a, I. adj. contador. **II.** s. **1.** 2 gén. guarda-livros, contabilista. **2.** contador (de gás, electricidade, etc.).

contaduría, s. f. contadoria; contabilidade.

contagiar, v. tr. contagiar.

contagio, s. m. contágio.

contagiosidad, s. f. contagiosidade.

contagioso, -a, adj. contagioso.

contáiner, s. m. contentor.

contaminación, s. f. contaminação; contágio.

contaminador, -a, adj. contaminador.

contaminante, adj. 2 gén. contaminante; poluidor.

contaminar, v. tr. contaminar; contagiar; infectar; corromper.

contante, adj. 2 gén. contado, sonante, vivo (dinheiro).

contar, v.1. tr. contar; calcular; numerar ou computar; referir. **2.** intr. esperar; julgar.

contemplación, s. f. contemplação.

contemplar, v. tr. contemplar; admirar.

contemplativo, -a, adj. contemplativo.

contemporaneidad, s. f. contemporaneidade.

contemporáneo, -a, adj. e s. contemporâneo.

contemporización, s. f. contemporização.

contemporizador, -a, adj. e s. contemporizador.

contemporizar, v. intr. contemporizar; transigir.

contención, s. f. contenção.

contencioso, -a, adj. contencioso.

contendedor, -a, s. m. e f. contendor, rival.

contender, v. intr. contender; combater; altercar.

contendiente, I. adj. 2 gén. contendente. **II.** s. 2 gén. contendente, contendor.

contenedor, -a, I. adj. continente (que contém). **II.** s. m. contentor.

contener, v. tr. conter; encerrar; moderar; reprimir.

contenido, -a, I. adj. contido; moderado. **II.** s. m. conteúdo.

contentadizo, -a, adj. fácil de contentar.

contentar, v. tr. contentar; satisfazer.

contento, -a, I. adj. contente; alegre, satisfeito. **II.** s. m. alegria; satisfação.

conteo, s. m. contagem, cálculo.

contera, s. f. conteira, conto.

contestable, adj. 2 gén. contestável; respondível.

contestación, s. f. contestação; altercação; disputa.

contestador, s. m. atendedor de chamadas (gravador).

contestar, v. tr. contestar; responder; declarar.

contestatario, -a, adj. e s. m. contestatário; crítico; rebelde.

contexto, s. m. contexto; contextura; argumento.

contextualizar, v. tr. contextualizar.

contextura, s. f. contextura.

contienda, s. f. contenda; peleja; disputa.

contigo, pron. contigo.

contigüidad, s. f. contiguidade.

contiguo, -a, adj. contíguo; próximo.

continencia, s. f. continência; castidade; temperança.

continental, adj. 2 gén. continental.

continente, s. m. **1.** GEOG. continente. **2.** continente, contentor, invólucro.

contingencia, s. f. contingência; eventualidade.

contingente, I. adj. 2 gén. contingente, incerto, possível. **II.** s. m. contingente (de tropas); quota, comparticipação.

continuación, s. f. continuação.

continuadamente, adv. continuadamente.

continuador, -a, adj. e s. m. continuador.

continuamente, adv. continuamente.

continuar, v. **1.** tr. continuar; prolongar. **2.** intr. durar; permanecer.

continuativo, -a, adj. continuativo.

continuidad, s. f. continuidade.

continuo, -a, I. adj. contínuo; seguido; continuado; assíduo. **II.** s. m. contínuo.

contonearse, v. refl. bambolear-se; saracotear-se.

contoneo, s. m. bamboleio.

contornar, v. tr. vd. **contornear.**

contornear, *v. tr.* contornar; ladear; PINT. esboçar.

contorno, *s. m.* contorno; circuito; periferia.

contorsión, *s. f.* contorção.

contorsionarse, *v. refl.* contorcer-se.

contorsionista, *s. 2 gén.* contorcionista.

contra, *prep.* contra; em oposição a.

contraalísios, *s. m. pl.* contra-alísios.

contraalmirante, *s. m.* contra-almirante.

contraatacar, *v. tr.* contra-atacar.

contraataque, *s. m.* MIL. contra-ataque.

contrabajo, *s. m.* contrabaixo.

contrabalancear, *v. tr.* contrabalançar; equilibrar.

contrabandear, *v. intr.* contrabandear.

contrabandista, *adj. e s. 2 gén.* contrabandista.

contrabando, *s. m.* contrabando.

contracción, *s. f.* contracção.

contracepción, *s. f.* contracepção.

contraceptivo, -a, *adj.* contraceptivo.

contrachapado, *s. m.* contraplacado.

contracorriente, *s. f.* contracorrente.

contráctil, *adj. 2 gén.* contráctil.

contractilidad, *s. f.* contractilidade.

contractual, *adj. 2 gén.* contratual.

contractura, *s. f.* contractura.

contracultura, *s. f.* contracultura.

contradanza, *s. f.* contradança.

contradecir, *v. tr.* contradizer.

contradicción, *s. f.* contradição; oposição.

contradictorio, -a, *adj.* contraditório; oposto.

contraemboscada, *s. f.* contra-emboscada.

contraer, *v. tr.* contrair; estreitar; adquirir.

contraespionaje, *s. f.* contra-espionagem.

contrafaz, *s. f.* reverso.

contrafuego, *s. m.* contrafogo.

contrafuerte, *s. m.* contraforte.

contragolpe, *s. m.* contragolpe; contra-ataque.

contrahacer, *v. tr.* contrafazer.

contrahecho, -a, *adj. e s.* contrafeito; corcovado; deformado.

contrahechura, *s. f.* contrafacção.

contraindicación, *s. f.* MED. contra-indicação.

contraindicar, *v. tr.* MED. contra-indicar.

contralmirante, *s. m.* contra-almirante.

contralto, *s. m.* contralto.

contraluz, *s. f.* contraluz.

contramaestre, *s. m.* contramestre; capataz.

contramano, *s. f., a contramano,* fora da mão.

contraofensiva, *s. f.* contra-ofensiva.

contraorden, *s. f.* contra-ordem.

contrapartida, *s. f.* contrapartida.

contrapelo, *s. m., a contrapelo,* a contrapelo; ao revés.

contrapesar, *v. tr.* contrapesar; contrabalançar.

contrapeso, *s. m.* contrapeso.

contraponer, *v. tr.* contrapor; confrontar; comparar; opor.

contraportada, *s. f.* anterrosto (de um livro).

contraposición, *s. f.* contraposição.

contraprestación, *s. f.* contraprestação, obrigação contratual.

contraproducente, *adj. 2 gén.* contraproducente.

contraproposición, *s. f.* contraproposição, contraproposta.

contrapropuesta, *s. f.* contraproposta.

contrapuerta, *s. f.* contraporta, porta dupla.

contrapuesto, -a, *adj.* contraposto, oposto.

contrapunto, *s. m.* MÚS. contraponto.

contrariado, -a, *adj.* contrariado.

contrariar, *v. tr.* contrariar; contradizer; estorvar.

contrariedad, *s. f.* contrariedade; obstáculo; estorvo.

contrario, -a, *adj. e s. f.* contrário; oposto.

contrarreforma, *s. f.* contra-reforma.

contrarreloj, I. *adj.* contra-relógio. **II.** *s. f.* corrida contra-relógio.

contrarrestar, *v. tr.* contra-restar.

contrarrevolución, *s. f.* contra-revolução.

contrasentido, *s. m.* contra-senso.

contraseña, *s. f.* contra-senha.

contrastable, *adj. 2 gén.* contrastável.

contrastar, *v. tr.* contrastar; arrostar; afrontar; avaliar; aferir.

contraste, *s. m.* contrastação; contraste; contrastaria; avaliador; contrastador.

contrata, *s. f.* contrata; contrato; ajuste.

contratación, *s. f.* contratação.

contratar, *v. tr.* contratar; combinar; ajustar.

contraterrorista, *adj. 2 gén.* antiterrorista.

contratiempo, *s. m.* contratempo.

contratista, *s. 2 gén.* contratador; empreiteiro.

contrato, *s. m.* contrato; ajuste; pacto; acordo.

contravención, *s. f.* contravenção; infracção.

contraveneno, *s. m.* contraveneno; antídoto.

contravenir, *v. tr.* contravir; transgredir.

contraventana, *s. f.* portada, persiana (de janela).

contrayente, *adj. e s. 2 gén.* contraente.

contrech|o, -a, *adj.* entrevado; tolhido.

contribución, *s. f.* contribuição.

contribuir, *v. intr.* contribuir; cooperar.

contributiv|o, -a, *v. tr.* contributivo.

contribuyente, *adj. e s. 2 gén.* contribuinte.

contrición, *s. f.* contrição.

contrincante, *s. m.* contendor; competidor; rival.

contristar, *v. tr.* contristar; afligir.

contrit|o, -a, *adj.* contrito; arrependido.

control, *s. m.* controlo.

controlador, -a, *adj.* controlador.

controlar, *v. tr.* controlar.

controversia, *s. f.* controvérsia.

controverter, *v. tr. e intr.* controverter; discutir; disputar.

controvertid|o, -a, *adj.* controvertido, polémico.

contumacia, *s. f.* contumácia; obstinação.

contumaz, *adj. e s. 2 gén.* contumaz.

contundencia, *s. f.* contundência.

contundente, *adj. 2 gén.* contundente.

contundir, *v. tr. e refl.* contundir.

conturbación, *s. f.* conturbação; agitação.

conturbad|o, -a, *adj.* conturbado, perturbado; inquieto.

conturbar, *v. tr.* conturbar; inquietar; alvorotar.

contusión, *s. f.* contusão; pisadura.

contusionar, *v. tr.* contundir, provocar contusão.

conurbación, *s. f.* conurbação.

convalecencia, *s. f.* convalescença.

convalecer, *v. intr.* convalescer.

convaleciente, *adj. e s. 2 gén.* convalescente.

convalidación, *s. f.* validação; autenticação, ratificação.

convalidar, *v. tr.* validar; ratificar; autenticar.

convección, *s. f.* convecção.

convecin|o, -a, *adj. e s.* convizinho.

convector, *s. m.* convector.

convencer, *v. tr. e refl.* convencer; persuadir.

convencimiento, *s. m.* convencimento.

convención, *s. f.* convenção; ajuste.

convencional, *adj. 2 gén.* convencional.

convencionalismo, *s. m.* convencionalismo.

convenible, *adj. 2 gén.* dócil; condescendente.

convenid|o, -a, *adj.* acordado, combinado, estabelecido.

conveniencia, *s. f.* conveniência.

conveniente, *adj. 2 gén.* conveniente; vantajoso.

convenio, *s. m.* convénio; convenção; ajuste.

convenir, *v. intr.* convir; concordar.

convento, *s. m.* convento.

conventual, *adj. 2 gén.* conventual.

convergencia, *s. f.* convergência.

convergente, *adj. 2 gén.* convergente.

converger, *v. intr.* convergir.

convergir, *v. intr.* convergir.

conversación, *s. f.* conversação.

conversador, -a, *adj. e s.* conversador.

conversar, *v. intr.* conversar; cavaquear; palestrar.

conversión, *s. f.* conversão.

convers|o, -a, I. *adj.* converso; convertido. II. REL converso; irmão converso.

convertibilidad, *s. f.* convertibilidade.

convertible, *adj. 2 gén.* convertível; conversível.

convertidor, *s. m.* convertedor.

convertir, *v. tr.* converter; transformar.

convexidad, *s. f.* convexidade.

convex|o, -a, *adj.* convexo.

convicción, *s. f.* convicção.

convict|o, -a, *adj.* convicto; convencido.

convidad|o, -a, *adj. e s.* convidado.

convidar, *v. tr.* convidar; convocar; atrair.

convincente, *adj. 2 gén.* convincente.

convite, *s. m.* convite; banquete; festim.

convivencia, *s. f.* convivência.

convivir, *v. intr.* conviver; coabitar.

convocar, *v. tr.* convocar; citar; convidar.

convocatoria, s. f. convocação; convocatória; chamada (de exame).
convólvulo, s. m. BOT. convólvulo.
convoy, s. m. comboio.
convoyar, v. tr. comboiar; (fig.) acompanhar.
convulsión, s. f. convulsão; (fig.) revolução.
convulsionar, v. tr. MED. convulsionar.
convulsivo, -a, adj. convulsivo.
convulso, -a, adj. convulso.
conyugal, adj. 2 gén. conjugal.
cónyuge, s. 2 gén. cônjuge.
coñac, s. m. conhaque.
cooperación, s. f. cooperação.
cooperador, -a, adj. e s. cooperador.
cooperar, v. tr. cooperar.
cooperativa, s. f. cooperativa.
cooperativista, adj. e s. 2 gén. cooperativista.
cooperativo, -a, adj. cooperativo.
coordenada, s. f. coordenada.
coordinación, s. f. coordenação.
coordinado, -a, I. adj coordenado. **II.** s. m. conjunto (vestuário).
coordinador, -a, adj. e s. coordenador.
coordinar, v. tr. coordenar; organizar.
copa, s. f. copa; copo com pé; taça; cálice; copa (de árvore ou de chapéu); taça; troféu.
copar, v. tr. apostar contra o banqueiro (nos jogos de azar), MIL. rodear, cercar.
coparticipación, s. f. co-participação.
copartícipe, s. 2 gén. co-participante.
copear, v. intr. beber uns copos.
copela, s. f. copela; cadinho.
copete, s. m. topete; penacho; cimo; crista; (fig.) atrevimento.
copetuda, s. f. ZOOL. calhandra.
copia, s. f. cópia; imitação; abundância.
copiador, -a, adj. copiador.
copiadora, s. f. copiadora, fotocopiadora.
copiar, v. tr. copiar; reproduzir; imitar.
copiloto, s. m. co-piloto.
copioso, -a, adj. copioso; abundante.
copista, s. 2 gén. copista.
copla, s. f. copla; estrofe; quadra; pl. versos.
coplear, v. intr. fazer, cantar ou recitar coplas.
copo, s. m. floco; floco de neve; bolinha de algodão.
copón, s. m. cibório; píxide.

coproducción, s. f. co-produção.
coproductor, -a, s. m. e f. co-produtor.
copropiedad, s. f. co-propriedade.
copropietario, -a, adj. e s. co-proprietário.
copto, -a, adj. e s. copto.
copudo, -a, adj. cerrado, espesso.
cópula, s. f. cópula.
copular, v. intr. copular.
copulativo, -a, adj. copulativo.
coque, s. m. coque (carvão).
coqueta, s. f. coquete, mulher coquete; penteador, toucador.
coquetería, s. f. coquetismo.
coqueto, -a, adj. coquete; presumido; garrido, vistoso; frívolo.
coquina, s. f. berbigão.
coracha, s. f. mala de couro.
coraje, s. m. coragem; valor; ira.
corajudo, -a, adj. colérico; irritado.
coral, I. s. m. **1.** coral; polipeiro. **2.** coral, coro. **II.** adj. 2 gén. coral, do coro.
coralina, s. f. coralina; cornalina.
coralino, -a, adj. coralino.
corambre, s. m. couros, peles, pelarias.
Corán, s. m. Corão, Alcorão.
coránico, -a, adj. corânico.
coraza, s. f. couraça.
corazón, s. m. coração; pl. copas (cartas).
corazonada, s. f. pressentimento; impulso.
corbata, s. f. gravata.
corbatín, s. m. gravata com o nó feito (que se abotoa atrás).
corbeta, s. f. NÁUT. corveta.
corcel, s. m. corcel.
corchea, s. f. MÚS. colcheia.
corchero, -a, adj. de cortiça, corticeiro.
corcheta, s. f. aselha; olhal; fêmea (de colchete).
corchete, s. m. colchete (costura); colchetes, parênteses rectos.
corcho, s. m. corcho; casca (cortiça da árvore); rolha (de cortiça); bóia (de rede de pesca); prancha, placard.
corcova, s. f. corcova; corcunda.
corcovado, -a, adj. e s. corcovado.
corcovar, v. tr. corcovar; dobrar; curvar.
corcovo, s. m. curveta (do cavalo).
cordada, s. f. corda.
cordaje, s. m. cordas; NÁUT. cordame; enxárcia.
cordel, s. m. cordel; guita.
cordelería, s. f. cordoaria; cordas; NÁUT. cordame.

cordeler|o, -a, *adj.* e *s.* cordoeiro.
corder|o, *s. m.* e *f.* cordeiro; anho.
cordial, I. *adj.* 2 *gén.* cordial; afectuoso; sincero. **II.** *s. m.* cordial (tónico).
cordialidad, *s. f.* cordialidade.
cordialmente, *adv.* cordialmente.
cordillera, *s. f.* cordilheira.
cordobán, *s. m.* cordovão.
cordón, *s. m.* cordão.
cordoncillo, *s. m.* linha de bordar; trance-lim, galão; nervura; serrilha, rebordo ser-rilhado (de moeda).
cordura, *s. f.* cordura; sensatez; juízo; bom senso.
corea, *s. f.* MED. coreia, dança de São Vito.
corean|o, -a, *adj.* e *s.* coreano.
corear, *v. tr.* e *intr.* cantar ou falar em coro; repetir em coro; (*fig.*) aplaudir).
coreografía, *s. f.* coreografia.
coreógraf|o, -a, *s. m.* e *f.* coreógrafo.
coriambo, *s. m.* coriambo.
corifeo, *s. m.* corifeu.
corimbo, *s. m.* BOT. corimbo.
corindón, *s. m.* MIN. coríndon, corindo.
corinti|o, -a, *adj.* e *s.* coríntio.
corion, *s. m.* BIOL. córion, cório.
corista, *s. f.* corista.
coriza, *s. f.* MED. coriza.
cormorán, *s. m.* corvo-marinho; *cormorán moñudo,* corvo-marinho de crista.
cornada, *s. f.* cornada.
cornadura, *s. f.* cornadura.
cornalina, *s. f.* cornalina.
cornamenta, *s. f.* cornadura.
cornamusa, *s. f.* cornamusa.
cornatillo, *s. m.* variedade de azeitona.
córnea, *s. f.* ZOOL. córnea.
cornear, *v. tr.* cornear.
corneja, *s. f.* ZOOL. gralha.
cornej|o, *s. m.* BOT. sanguinho.
corne|o, -a, *adj.* córneo.
córner, *s. m.* DESP. canto, pontapé de canto.
corneta, *s.* **1.** *f.* corneta; buzina; trom-beta. **2.** *m.* MIL. corneteiro.
cornete, *s. m.* ANAT. corneto; (gelado) cor-neto.
cornetín, *s. m.* cornetim.
cornezuelo, *s. m.* cravagem (do centeio).
corníger|o, -a, *adj.* cornígero.
cornisa, *s. f.* ARQ. cornija.
cornisamento, *s. m.* ARQ. entablamento.
cornisamiento, *s. m.* vd. **cornisamento.**
corno, *s. m.* BOT. sanguinho; MÚS. trompa.
cornucopia, *s. f.* cornucópia.

cornud|o, -a, *adj.* cornudo.
coro, *s. m.* MÚS./TEAT. coro.
corografía, *s. f.* corografia.
coroides, *s. f.* ANAT. coróide, corióide.
corola, *s. f.* BOT. corola.
corolario, *s. m.* corolário; consequência.
corona, *s. f.* coroa; diadema; grinalda; tonsura; GEOM. coroa circular.
coronación, *s. f.* coroação; (*fig.*) remate.
coronamento, *s. m.* vd. **coronamiento.**
coronamiento, *s. m.* coroamento; fim; remate.
coronar, *v. tr.* coroar; premiar; rematar.
coronel, *s. m.* coronel.
coronilla, *s. f.* cocuruto; coroa, tonsura.
corpachón, *s. m.* carcaça de ave; (*fam.*) corpanzil.
corpanchón, *s. m.* vd. **corpachón.**
corpiño, *s. m.* corpete.
corporación, *s. f.* corporação.
corporal, I. *adj.* 2 *gén.* corporal; material. **II.** *s. m.* REL. corporal.
corporativismo, *s. m.* corporativismo.
corporativ|o, -a, *adj.* corporativo.
corpóre|o, -a, *adj.* corpóreo.
corpulencia, *s. f.* corpulência.
corpulent|o, -a, *adj.* corpulento; encor-pado; grosso; volumoso.
corpus, *s. m.* corpo, conjunto.
corpuscular, *adj.* 2 *gén.* corpuscular.
corpúsculo, *s. m.* corpúsculo.
corral, *s. m.* pátio; quinteiro; curral; corte; parque (para bebés); casa de espectáculos.
correa, *s. f.* correia (tira de couro).
correaje, *s. m.* correame.
correazo, *s. m.* correada.
corrección, *s. f.* correcção; repreensão; admoestação.
correccional, *adj.* 2 *gén.* correccional.
correctamente, *adv.* correctamente; cui-dadosamente; com correcção, educada-mente.
correctiv|o, -a, *adj.* e *s. m.* correctivo.
correct|o, -a, *adj.* correcto; certo; edu-cado, polido; adequado.
corrector, -a, *adj.* e *s. m.* corrector; revi-sor.
corredera, *s. f.* corredoiro, corredouro; corrediça.
corrediz|o, -a, *adj.* corredio, corrediço.
corredor, -a, I. *adj.* corredor. **II.** *s. m.* **1.** corredor, corredora. **2.** corretor (de com-pras e vendas). **3.** corredor, galeria, pas-sadiço.

corredora, *s. f.* corredora; corretora.
correduría, *s. f.* corretagem.
corregible, *adj.* 2 *gén.* corrigível.
corregidor, *s. m.* corregedor (magistrado).
corregir, *v. tr.* corrigir; castigar; punir; censurar.
correlación, *s. f.* correlação.
correlacionar, *v. tr.* correlacionar.
correlativo, -a, *adj.* correlativo.
correligionario, -a, *adj.* e *s.* correligionário.
correntío, *adj.* correntio.
correo, *s. m.* correio; carteiro; correspondência.
correr, *v. intr.* correr; apressar-se.
correría, *s. f.* correria; incursão (saque).
correspondencia, *s. f.* correspondencia; correio.
corresponder, *v.* 1. *intr.* corresponder; retribuir; pertencer. 2. *refl.* corresponder-se; escrever-se.
correspondiente, I. *adj.* 2 *gén.* correspondente; apropriado; oportuno. II. *s.* 2 *gén.* correspondente.
corresponsal, *s.* 2 *gén.* correspondente.
corretaje, *s. m.* corretagem.
corretear, *v. intr.* correr de um lado para o outro; cirandar.
correveidile, *s.* 2 *gén.* (*fam.*) corre-vai-di-lo; mexeriqueiro; enredador; bisbilhoteiro; alcoviteira.
corrida, *s. f.* corrida; correria.
corrido, -a, *adj.* corrido; (*fig.*) gasto; vexado.
corriente, I. *adj.* 2 *gén.* corrente; certo; sabido; solto; fácil; fluente. II. *s.* 1. *m.* (mês) corrente. 2. *f.* corrente, caudal; corrente, caudal; corrente eléctrica; corrente, escola (literária, artística).
corrientemente, *adv.* correntemente.
corrillo, *s. m.* magote, grupo, roda de pessoas.
corrimiento, *s. m,* corrimento; secreção; (*fig.*) vexame.
corro, *s. m.* corro; círculo; circuito.
corroboración, *s. f.* corroboração; confirmação.
corroborar, *v. tr.* corroborar; confirmar.
corroer, *v. tr.* e *refl.* corroer; gastar; carcomer.
corromper, *v. tr.* corromper; alterar; subornar; peitar.
corrosión, *s. f.* corrosão.
corrosivo, -a, *adj.* corrosivo

corrupción, *s. f.* corrupção; depravação.
corruptela, *s. f.* corruptela.
corrupto, -a, *adj.* corrompido; devasso.
corruptor, -a, *adj.* e *s.* corruptor.
corrusco, *s. m.* (*fam.*) côdea; pedaço de pão.
corsario, -a, *adj.* e *s. m.* corsário.
corsé, *s. m.* corpete; espartilho.
cortaalambres, *s. m.* corta-arame.
cortacésped, *s. m.* e *f.* cortadora de relva.
cortacircuitos, *s. m.* corta-circuitos.
cortadera, *s. f.* talhadeira; cortilha; cortadeira.
cortado, -a, *adj.* cortado; ajustado.
cortador, -a, *s.* cortador; açougueiro; carniceiro.
cortadura, *s. f.* corte; golpe; cortadela.
cortafrío, *s. m.* escopro, cinzel; talha-frio.
cortafuego, *s. m.* corta-fogo.
cortalápices, *s. m.* apara-lápis.
cortante, *adj.* 2 *gén.* cortante; (*fig.*) cortante, agreste, brusco.
cortapapeles, *s. m.* corta-papel.
cortaplumas, *s. m.* canivete.
cortapuros, *s. m.* corta-charutos.
cortar, *v. tr.* cortar; talhar; dividir; separar; atravessar; interromper.
cortaúñas, *s. m.* corta-unhas.
corte, *s. m.* corte; fio; gume.
corte, *s. f.* corte; séquito; comitiva; estábulo; curral.
cortedad, *s. f.* curteza; pequenez; (*fig.*) escassez de talento ou de instrução; timidez.
cortejar, *v. tr.* cortejar; galantear.
cortejo, *s. m.* cortejo; séquito; galanteio.
cortés, *adj.* cortês; atento; afável; urbano.
cortesana, *s. f.* cortesã.
cortesanía, *s. f.* cortesania; urbanidade.
cortesano, -a, *adj.* e *s. m.* e *f.* cortesão; palaciano.
cortesía, *s. f.* cortesia; delicadeza; polidez.
cortésmente, *adv.* cortesmente.
corteza, *s. f.* córtex, córtice; cortiça; casca (da árvore); côdea; casca.
cortical, *adj.* 2 *gén.* cortical.
cortina, *s. f.* cortina; dossel.
cortinaje, *s. m.* cortinado, cortina.
cortisona, *s. f.* FARM. cortisona.
corto, -a, *adj.* curto; tímido; acanhado.
cortocircuito, *s. m.* curto-circuito.
cortometraje, *s. m.* curta-metragem.

corva, *s. f.* curva.

corvadura, *s. f.* curvatura; ARQ. arqueamento.

corvejón, *s. m.* jarrete (do cavalo); esporão (do galo); ZOOL. corvo-marinho.

corveta, *s. f.* curveta.

corvina, *s. f.* ZOOL. corvina.

corvo, -a, *adj.* curvo; arqueado; dobrado.

corzo, -a, *s. m.* ZOOL. corço, veado; cabrito-montês; corça.

cosa, *s. f.* coisa.

cosaco, -a, *adj. e s.* cossaco.

coscorrón, *s. m.* coscorão; carolo (pancada na cabeça).

coscurro, *s. m.* côdea de pão seco.

cosecante, *s. f.* TRIG. co-secante.

cosecha, *s. f.* colheita.

cosechador, -a, *s. m. e f.* ceifeiro.

cosechar, *v. intr. e tr.* colher (fazer a colheita).

cosechadora, *s. f.* ceifeira (máquina).

coselete, *s. m.* corselete.

coseno, *s. m.* TRIG. co-seno.

coser, *v. tr.* coser; ligar; costurar.

cosido, -a, I. *adj.* cosido, costurado. II. *s. m.* costura; MED. sutura.

cosmética, *s. f.* cosmética.

cosmético, -a, *adj. e s.* cosmético.

cósmico, -a, *adj.* cósmico.

cosmogonía, *s. f.* cosmogonia.

cosmografía, *s. f.* cosmografia.

cosmográfico, -a, *adj.* cosmográfico.

cosmógrafo, *s. m.* cosmógrafo.

cosmología, *s. f.* cosmologia.

cosmológico, -a, *adj.* cosmológico.

cosmonauta, *s. 2 gén.* cosmonauta.

cosmonave, *s. f.* cosmonave, astronave; nave espacial.

cosmopolita, *adj. e s. 2 gén.* cosmopolita.

cosmopolitismo, *s. m.* cosmopolitismo.

cosmorama, *s. m.* cosmorama.

cosmos, *s. m.* cosmos; universo.

coso, *s. m.* arena, praça de touros; cercado; rua principal; ZOOL. carcoma (insecto).

cosquillas, *s. f. pl.* cócegas.

cosquillear, *v. intr.* fazer cócegas.

cosquilleo, *s. m.* prurido; formigueiro.

cosquilloso, -a, *adj.* coceguento; susceptível.

costa, *s. f.* custo (valor); brunidor (de sapateiro); NÁUT. costa (de mar).

costado, *s. m.* costado; as costas; NÁUT. costado (do navio); MIL. flanco.

costal, *s. m.* saco; taleigo.

costalada, *s. f.* trambolhão; queda.

costalazo, *s. m.* vd. **costalada**.

costanero, -a, *adj.* declivoso; ladeirento; costeiro.

costanilla, *s. f.* calçada íngreme.

costar, *v. intr.* custar; ser difícil; ser trabalhoso.

costarriqueño, -a, *adj. e s.* costa-riquenho, costa-riquense.

coste, *s. m.* custo; valor.

costear, *v. tr.* custear; NÁUT. costear, navegar junto à costa.

costero, -a, *adj.* costeiro.

costilla, *s. f.* ANAT. costela; CUL. costeleta.

costillar, *s. m.* costelas.

costo, *s. m.* custo; valor; preço; despesa.

costoso, -a, *adj.* custoso; caro; (*fig.*) aflitivo.

costra, *s. f.* crosta; côdea; crusta; casca; MED. crosta (de ferida), bostela.

costumbre, *s. f.* costume; hábito; uso.

costura, *s. f.* costura.

costurera, *s. f.* costureira.

costurero, *s. m.* costureira (mesinha ou cesto de costura).

costurón, *s. m.* sutura mal feita; cicatriz.

cota, *s. f.* cota, gibão; cota, nível, medida, número.

cotangente, *s. f.* TRIG. co-tangente.

cotarro, *s. m.* albergaria; albergue.

cotejable, *adj. 2 gén.* cotejável, comparável.

cotejar, *v. tr.* cotejar; comparar.

cotejo, *s. m.* cotejo; confronto.

coterráneo, -a, *adj. e s.* conterrâneo.

cotidianamente, *adv.* quotidianamente.

cotidiano, -a, *adj.* quotidiano.

cótila, *s. f.* ANAT. cótilo.

cotiledón, *s. m.* BOT. cotilédone.

cotilla, *s.* 1. *f.* espartilho. 2. *2 gén.* intriguista; bisbilhoteiro.

cotillear, *v. intr.* intrigar; bisbilhotear.

cotilleo, *s. m.* intriga, bisbilhotice.

cotillón, *s. m.* cotilhão.

cotización, *s. f.* cotização.

cotizar, *v. tr.* cotar; cotizar.

coto, *s. m.* couto; coutada; marco; limite; restrição.

cotorra, *s. f.* ZOOL. papagaio.

cotorrear, *v. intr.* tagarelar; papaguear.

cotorreo, *s. m.* (*fig., fam.*) tagarelice.

coturno, *s. m.* coturno.

coulomb, *s. m.* FÍS. coulomb, culômbio.

covacha, s. f. covinha; covacho; (fig.) pocilga.

coxis, s. m. ANAT. cóccix, coccige.

coy, s. m. NÁUT. maca (cama de lona, de bordo).

coyote, s. m. ZOOL. coiote.

coyuntura, s. f. conjuntura.

coz, s. f. coice.

crac, **I.** s. m. quebra, falência, bancarrota. **II.** interj. craque!

crack, s. m. craque; indivíduo notável; ás; craque (droga).

craneal, adj. 2 gén. craniano

craneano, -a, adj. craniano

cráneo, s. m. ZOOL. crânio; caveira.

crápula, s. **1.** f. embriaguez; (fig.) crápula; libertinagem. **2.** m. crápula, libertino.

crascitar, v. intr. crocitar; corvejar; grasnar.

craso, -a, adj. crasso; grosso; gordo; espesso.

cráter, s. m. cratera.

crawl, s. m. estilo livre (natação).

creación, s. f. criação; universo; instituição; educação; invenção.

creador, -a, s. m. e f. criador; Deus; inventor; fundador; fecundo.

crear, v. tr. criar; originar; (fig.) fundar; instituir.

creatividad, s. f. criatividade.

creativo, -a, adj. criativo.

crecer, v. intr. crescer; aumentar; medrar; desenvolver.

creces, s. f. pl. acréscimos; excesso; aumento.

crecida, s. f. cheia, subida (do nível de um rio); crescente.

crecido, -a, adj. crescido; importante.

creciente, **I.** adj. 2 gén. crescente. **II.** s. f. cheia.

crecimiento, s. m. crescimento.

credencial, **I.** adj. 2 gén. credencial. **II.** s. f. credencial, carta credencial.

credibilidad, s. f. credibilidade.

crediticio, -a, adj. creditício.

crédito, s. m. crédito.

credo, s. m. credo; oração; profissão de fé.

credulidad, s. f. credulidade; ingenuidade.

crédulo, -a, adj. crédulo.

creencia, s. f. crença; fé.

creer, v. tr. crer; acreditar; imaginar; supor.

creíble, adj. 2 gén. crível.

creído, -a, adj. convencido, arrogante; presumido.

crema, s. f. creme.

cremación, s. f. cremação; incineração.

cremallera, s. f. cremalheira.

crematística, s. f. crematística.

crematístico, -a, adj. crematístico.

crematorio, -a, adj. crematório.

cremoso, -a, adj. cremoso.

crencha, s. f. risca (do cabelo), marrafa.

crêpe, s. m. crepe (doce).

crepitación, s. f. crepitação.

crepitar, v. tr. crepitar.

crepuscular, adj. 2 gén. crepuscular.

crepúsculo, s. m. crepúsculo.

crespo, -a, adj. crespo; rugoso; anelado (o cabelo); irritado.

crespón, s. m. crespão; fumo (luto).

cresta, s. f. crista; poupa (tufo); (fig.) crista; cume.

crestomatía, s. f. crestomatia.

crestón, s. m. GEOL. afloramento.

cretense, adj. e s. 2 gén. cretense.

cretinismo, s. m. cretinismo.

cretino, -a, adj. e s. cretino; lorpa; idiota.

cretona, s. f. cretone.

creyente, adj. e s. 2 gén. crente.

creyón, s. m. craião.

cría, s. f. criação; cria; filhote; ninhada; (fam.) menino de peito.

criada, s. f. criada.

criadero, s. m. viveiro, alfobre; viveiro (de peixes); GEOL. veio; filão.

criadilla, s. f. CUL. testículo de boi; pão grosso e redondo; batata.

criado, -a, adj. e s. m. criado.

criador, -a, adj. e s. criador.

crianza, s. f. criação; amamentação; educação.

criar, v. tr. criar; produzir; gerar; amamentar; nutrir.

criatura, s. f. criatura; indivíduo; pessoa; menino; bebé.

criba, s. f. crivo; peneira.

cribar, v. tr. peneirar; crivar.

cric, s. m. MEC. macaco.

crica, s. f. crica; vulva.

cricoides, adj. e s. m. MED. cricóide.

cricquet, s. m. críquete.

crimen, s. m. crime.

criminal, **I.** adj. 2 gén. criminal. **II.** 2 gén. criminoso.

criminalidad, s. f. criminalidade.

criminalista, adj. e s. 2 gén. criminalista.

criminología, s. f. criminologia.
crin, s. f. crina.
crío, -a, s. m. (fam.) criança de peito.
criollo, -a, adj. e s. crioilo, crioulo.
cripta, s. f. cripta; catacumba; caverna.
críptico, -a, adj. críptico.
criptógama, adj. e s. f. criptogâmica.
criptografía, s. f. criptografia.
criptograma, s. m. criptograma.
criptón, s. m. crípton.
críquet, s. m. críquete.
crisálida, s. f. ZOOL. crisálida.
crisantemo, s. m. BOT. crisântemo.
crisis, s. f. crise.
crisma, s. m. e f. REL. crisma; (fam.) cabeça.
crisol, s. m. crisol; cadinho.
crisólito, s. m. crisólito.
crispación, s. f. crispação; tensão; contracção.
crispado, -a, adj. crispado; tenso; contraído.
crispar, v. tr. crispar; enrugar; franzir; contrair.
cristal, s. m. cristal.
cristalería, s. f. cristalaria.
cristalero, s. m. vidraceiro.
cristalino, -a, I. adj. cristalino, transparente. **II.** s. m. ANAT. cristalino.
cristalización, s. f. cristalização.
cristalizar, v. intr. cristalizar.
cristalografía, s. f. cristalografia.
cristaloide, s. m. cristalóide.
cristianar, v. tr. baptizar.
cristiandad, s. f. cristandade.
cristianismo, s. m. cristianismo.
cristianizar, v. tr. cristianizar.
cristiano, -a, adj. e s. cristão.
Cristo, s. m. Cristo.
criterio, s. m. critério.
crítica, s. f. crítica; apreciação; censura.
criticar, v. tr. criticar; apreciar; censurar.
crítico, -a, I. adj. crítico; MED. crítico, grave. **II.** s. m. crítico.
criticón, -ona, adj. e s. (fam.) criticador.
croar, v. intr. crocitar; coaxar.
croata, adj. e s. 2 gén. croata.
croché, s. m. croché.
crol, s. m. estilo livre (natação).
cromático, -a, adj. MÚS. cromático.
cromatina, s. f. cromatina.
cromatismo, s. m. FÍS. cromatismo.
crómico, -a, adj. crómico.

cromo, s. m. MIN. crómio (metal); cromo (gravura a cores).
cromossoma, s. m. cromossoma.
crónica, s. f. crónica.
crónico, -a, adj. crónico.
cronicón, s. m. cronicão.
cronista, s. 2 gén. cronista.
crono, s. m. cronómetro.
cronógrafo, s. m. cronógrafo.
cronología, s. f. cronologia.
cronológicamente, adv. cronologicamente.
cronológico, -a, adj. cronológico.
cronometraje, s. m. cronometragem.
cronometrar, v. tr. cronometrar.
cronómetro, s. m. cronómetro.
croquet, s. m. croquete.
croqueta, s. f. croquete.
croquis, s. m. esboço.
cros, s. m. DESP. crosse.
cruasán, s. m. croissant.
cruce, s. m. cruzamento; encruzilhada; linhas cruzadas.
crucería, s. f. ARQ. ogivas e nervuras.
crucero, s. m. cruzeiro.
crucial, adj. 2 gén. crucial.
crucificado, -a, I. adj. crucificado. **II.** s. m. Cristo.
crucificar, v. tr. crucificar; mortificar.
crucifijo, s. m. crucifixo.
crucifixión, s. f. crucifixão, crucificação.
cruciforme, adj. 2 gén. cruciforme.
crucigrama, s. m. crucigrama.
crudeza, s. f. crueza; crueldade.
crudo, -a, adj. cru; (verde); cruel; áspero; desapiedado; inclemente.
cruel, adj. 2 gén. cruel; desumano.
crueldad, s. f. crueldade; desumanidade; impiedade.
cruentamente, adv. cruentamente.
cruento, -a, adj. cruento; ensanguentado.
crujido, s. m. crepitação; rangido; estalido.
crujiente, adj. 2 gén. estaladiço.
crujir, v. intr. ranger; crepitar; estalar.
crustáceo, -a, adj. e s. ZOOL. crustáceo.
cruz, s. f. cruz.
cruzada, s. f. cruzada; cruzamento; encruzilhada.
cruzado, -a, adj. e s. m. e f. cruzado.
cruzamiento, s. m. cruzamento.
cruzar, v. tr. cruzar; atravessar; acasalar (animais); NÁUT. navegar em cruzeiro.

cu, *s. f.* nome da letra q.

cuaderna, *s. f.* NÁUT. cadernal.

cuadernillo, *s. m.* caderninho.

cuaderno, *s. m.* caderno; caderneta.

cuadra, *s. f.* quadra, cavalariça; dormitório, camarata.

cuadrado, -a, *adj.* e *s. m.* quadrado.

cuadrafonía, *s. f.* quadrifonia.

cuadrafónico, -a, *adj.* quadrifónico.

cuadragenario, -a, *adj.* quadragenário.

cuadragésimo, -a, *adj.* e *s.* quadragésimo.

cuadrangular, *adj. 2 gén.* quadrangular.

cuadrante, *s. m.* quadrante; mostrador; almofadão.

cuadrar, *v. tr.* quadrar.

cuadratura, *s. f.* quadratura.

cuadriceps, *s. m.* ANAT. quadrícipite.

cuadrícula, *s. f.* quadrícula.

cuadriculado, a, *adj.* quadriculado.

cuadricular, I. *adj. 2 gén.* quadricular. **II.** *v. tr.* quadricular.

cuadrienio, *s. m.* quadriénio.

cuadriga, *s. f.* quadriga.

cuadrilátero, -a, *adj.* e *s. m.* GEOM. quadrilátero.

cuadrilla, *s. f.* quadrilha.

cuadrilongo, -a, *adj.* quadrilongo, rectangular.

cuadripartito, -a, *adj.* quadripartido.

cuadriplicar, *v. tr.* quadruplicar.

cuadro, -a, *s. m.* quadro; quadrado; quadrilátero; painel; caixilho; cena (de teatro); panorama.

cuadrúmano, -a, *adj.* e *s. m.* quadrúmano.

cuadrúpedo, *adj.* e *s. m.* quadrúpede.

cuádruple, *adj. 2 gén.* quádruplo.

cuadruplicar, *v. tr.* quadruplicar.

cuajada, *s. f.* coalhada; requeijão.

cuajado, -a, *adj.* coalhado; coagulado; (*fig.*) atónito; pasmado.

cuajar, *v. tr.* e *refl.* coalhar; coagular.

cuajarón, *s. m.* coágulo; coalho; grumo.

cuajo, *s. m.* coalho; coalheira; coágulo; coalhadura.

cual, *pron.* qual; que; como.

cualesquier, *pron. pl.* de **cualquier:** quaisquer.

cualesquiera, *pron. pl.* de **cualquiera:** quaisquer.

cualidad, *s. f.* qualidade; predicado; casta; classe; espécie.

cualificado, -a, *adj.* qualificado.

cualificar, *v. tr.* qualificar.

cualitativo, -a, *adj.* qualitativo; qualificativo.

cualquier, *pron.* qualquer.

cualquiera, *pron.* qualquer.

cuan, *adv.* quão; quanto.

cuando, I. *adv.* quando; no tempo em que, na ocasião em que. **II.** *conj.* ora; quer; ainda que; embora.

cuándo, *adv. interr.* quando?

cuantía, *s. f.* quantia; importância; quantidade.

cuantificar, *v. tr.* quantificar.

cuantioso, -a, *adj.* quantioso; numeroso; avultado.

cuantitativo, -a, *adj.* quantitativo.

cuanto, -a, I. *adj.* quanto. **II.** *adv.* em quanto; até que ponto.

cuánto, *adv. interr.* quanto?

cuarenta, *num.* quarenta.

cuarentena, *s. f.* quarentena.

cuarentón, -ona, *adj.* e *s.* quarentão, quarentona.

cuaresma, *s. f.* Quaresma.

cuarta, *s. f.* quarta; quarta parte; bilha.

cuartear, *v. tr.* quartear.

cuartel, *s. m.* quartel; bairro; período.

cuartelada, *s. f.* vd. **cuartelazo.**

cuartelazo, *s. m.* levantamento militar.

cuartelero, -a, *adj.* quarteleiro; caserneiro.

cuartelillo, *s. m.* posto (de polícia, bombeiros, etc.).

cuarterón, *s. m.* quarteirão.

cuarteta, *s. f.* quadra.

cuarteto, *s. m.* quarteto.

cuartilla, *s. f.* quarto de papel (linguado).

cuartillo, *s. m.* quartilho.

cuarto, -a, I. *num. ord.* quarto. **II.** *s. m.* quarto; quarta parte; ASTR. quarto (da Lua); quarto, alojamento; *pl.* quartos (de animal); (*fam.*) dinheiro.

cuartucho, *s. m.* casinhoto; quarto acanhado.

cuarzo, *s. m.* quartzo.

cuaternario, -a, *adj.* e *s.* quaternário.

cuatreño, -a, *adj.* de quatro anos.

cuatrero, -a, *s. m.* ladrão de gado.

cuatrienio, *s. m.* quatriénio, quadriénio.

cuatrillizo, -a, *adj.* e *s.* quadrigémeo.

cuatrillón, *s. m.* quatrilião.

cuatrimestral, *adj. 2 gén.* quadrimestral.

cuatrimestre, *s. m.* quadrimestre.

cuatro, *adj.* e *s. m.* quatro.

cuatrocient|os, -as, adj. quatrocentos; quadringentésimo.

cuatrojos, s. 2 gén. (fam.) caixa-de-óculos, quatro-olhos.

cuba, s. f. cuba; tonel; dorna; tina.

cubalibre, s. m. vd. **cuba-livre.**

cuba-libre, s. m. cuba-livre (bebida).

cuban|o, -a, adj. e s. cubano.

cubata, s. f. vd. **cuba-livre.**

cubicar, v. tr. elevar ao cubo; cubicar.

cúbic|o, -a, adj. cúbico.

cubículo, s. m. cubículo.

cubierta, s. f. cobertura; capa (de livro); telhado; pneu (de rodas); NÁUT. coberta.

cubiert|o, -a, I. adj. coberto. **II.** s. m. talher; serviço de mesa (individual); coberto.

cubil, s. m. covil; caverna; antro.

cubilar, s. m. covil dos animais.

cubilete, s. m. covilhete; forma; copo (de dados).

cubilote, s. m. cadinho.

cubismo, s. m. cubismo.

cubista, adj. e s. 2 gén. cubista.

cúbito, s. m. ANAT. cúbito.

cubo, s. m. GEOM./MAT. cubo; balde; cubo (de roda); *cubo de la basura*, balde do lixo.

cubrecama, s. f. cobertor; colcha; edredão.

cubrir, v. tr. cobrir; ocultar; proteger.

cucamonas, s. f. pl. carícias, afagos, meiguices.

cucaña, s. f. cocanha.

cucaracha, s. f. ZOOL. barata.

cuchara, s. f. colher.

cucharada, s. f. colherada.

cucharilla, s. f. colherzinha.

cucharón, s. m. concha (colher).

cuchichear, v. intr. cochichar.

cuchicheo, s. m. cochicho; murmuração.

cuchilla, s. f. cutelo (de lâmina larga); faca.

cuchillada, s. f. facada; cutilada.

cuchillazo, s. m. vd. **cuchillada.**

cuchillería, s. f. cutelaria.

cuchillo, s. m. faca.

cuchipanda, s. f. taina.

cuchitril, s. m. chiqueiro; (fam.) casebre, casinhoto.

cuchufleta, s. f. (fam.) chufa; motejo.

cuclillas (en), loc. adv. de cócoras.

cuclillo, s. m. ZOOL. cuco (ave).

cuc|o, -a, I. adj. (fig., fam.) bonito; astuto; esperto. **II.** s. m. cuco (ave e relógio).

cucú, s. m. canto do cuco; relógio de cuco.

cucurucho, s. m. cone (cartucho) de papel; corneto (gelado); chapéu cónico.

cuelgaplatos, s. m. prateleiro; louceiro.

cuello, s. m. pescoço; colo; gargalo; gola; colarinho.

cuenca, s. f. escudela; conca; órbita do olho; vale; bacia (de rio).

cuenco, s. m. tigela; malga.

cuenta, s. f. conta.

cuentagotas, s. m. conta-gotas.

cuentakilómetros, s. m. conta-quilómetros.

cuentarrevoluciones, s. m. conta-rotações.

cuentavoltas, s. m. conta-voltas.

cuentista, s. 2 gén. contista; (fam.) exagerado; intriguista.

cuento, s. m. conto; narração; fábula.

cuerda, s. f. corda.

cuerdamente, adv. prudentemente; avisadamente.

cuerd|o, -a, adj. e s. cordato; prudente.

cuerna, s. f. chifres, armação; trompa de caça.

cuerno, s. m. corno.

cuero, s. m. coiro, couro.

cuerpo, s. m. corpo; volume; espessura; consistência.

cuervo, s. m. ZOOL. corvo.

cuesco, s. m. caroço de fruta.

cuesta, s. f. costa; encosta; ladeira; declive.

cuestación, s. f. subscrição; peditório.

cuestión, s. f. questão; pergunta; contenda; discussão; problema; tese.

cuestionable, adj. 2 gén. questionável.

cuestionar, v. tr. questionar; debater.

cuestionario, s. m. questionário.

cuestor, s. m. questor.

cueva, s. f. cova; caverna; gruta.

cuévano, s. m. cesto vindimo.

cuezo, s. m. meter el cuezo, meter o pé na argola (na poça), errar, falhar.

cuidad|o, -a, s. m. cuidado; solicitude, diligência.

cuidados|o, -a, adj. cuidadoso; atento; zeloso.

cuidar, v. tr. cuidar; imaginar; julgar; pensar; tratar de.

cuita, s. f. pena, sofrimento.

cuitad|o, -a, adj. coitado; infeliz.

culada, s. f. cuada; bate-cu.

culata, s. f. coronha; culatra (anca das cavalgaduras).

culatazo, *s. m.* coronhada; coice (de arma de fogo).

culear, *v. intr.* (*fam.*). saracotear-se; gingar-se.

culebra, *s. f.* ZOOL. cobra; serpente.

culebrear, *v. intr.* serpear; serpentear.

culebrina, *s. f.* MIL. colubrina.

culero, -a, *adj.* preguiçoso.

culinario, -a, *adj.* culinário.

culminación, *s. f.* culminação; auge.

culminante, *adj. 2 gén.* culminante.

culminar, *v. intr.* culminar.

culo, *s. m.* (*fam.*) cu; traseiro; rabo; nádegas; ANAT. ânus.

culombio, *s. m.* FÍS. coulomb.

culón, -ona, *adj.* nadegudo.

culpa, *s. f.* culpa; falta; pecado.

culpabilidad, *s. f.* culpabilidade.

culpable, *adj. e s. 2 gén.* culpado.

culpar, *v. tr.* culpar; acusar.

cultamente, *adv.* cultamente.

culteranismo, *s. m.* culteranismo; gongorismo.

cultismo, *s. m.* cultismo.

cultivado, -a, *adj.* cultivado.

cultivador, -a, *adj. e s.* cultivador.

cultivar, *v. tr.* cultivar; amanhar.

cultivo, *s. m.* cultivo; amanho.

culto, -a, I. *adj.* cultivado; (*fig.*) culto; instruído; civilizado. II. culto (homenagem a Deus).

cultura, *s. f.* cultura; cultivo; saber; estudo.

cultural, *adj. 2 gén.* cultural.

culturismo, *s. m.* culturismo.

culturista, *s. 2 gén.* culturista.

cumbre, *s. f.* cume; cimo; (*fig.*) cúmulo; auge; apogeu.

cumpleaños, *s. m.* aniversário natalício.

cumplidamente, *adv.* amplamente; totalmente.

cumplido, -a, *adj.* completo. II. *s. m.* amabilidade.

cumplidor, -a, *adj. e s.* cumpridor.

cumplimentar, *v. tr.* cumprimentar; saudar.

cumplimiento, *s. m.* cumprimento; cortesia; saudação.

cumplir, *v. tr.* cumprir; completar.

cumular, *v. tr.* acumular; cumular.

cúmulo, *s. m.* cúmulo; montão; (*fig.*) acumulação; METEOR. cúmulo.

cuna, *s. f.* berço.

cundir, *v. intr.* estender-se; correr; espalhar-se; propagar-se.

cuneiforme, *adj. 2 gén.* cuneiforme.

cunero, -a, *adj. e s.* exposto, abandonado, enjeitado.

cuneta, *s. f.* valeta.

cuña, *s. f.* cunha.

cuñado, -a, *s. m. e f.* cunhado.

cuño, *s. m.* selo; marca; cunho.

cuota, *s. f.* quota, cota.

cuotidiano, -a, *adj.* quotidiano; diário.

Cupido, *s. m.* Cupido.

cuplé, *s. m.* canção de music-hall.

cupletista, *s. 2 gén.* cantor de music-hall.

cupo, *s. m.* capitação; quota; MIL. contingente.

cupón, *s. m.* cupão.

cúprico, -a, *adj.* cúprico.

cúpula, *s. f.* ARQ. cúpula.

cura, 1. *s. m.* cura; pároco. 2. *f.* cura; tratamento; restabelecimento.

curación, *s. f.* cura; cicatrização (de ferida); restabelecimento (da saúde).

curado, -a, *adj.* curado; seco; curtido.

curador, -a, *s. m. e f.* curador; tutor.

curanderismo, *s. m.* curandeirismo; charlatanismo.

curandero, -a, *s. m. e f.* curandeiro; charlatão.

curar, *v. intr.* curar; sarar; tratar; debelar (doença); medicar; curtir.

curare, *s. m.* curare.

curasao, *s. m.* curaçau (licor).

curativo, -a, *adj. e s. m.* curativo.

curda, *s. f.* bebedeira.

curdo, -a, *adj. e s.* curdo.

curia, *s. f.* cúria; barra, tribunal.

curiosamente, *adv.* curiosamente.

curiosear, *v. intr.* ser curioso.

curiosidad, *s. f.* curiosidade.

curioso, -a, *adj. e s.* curioso.

currante, *adj. e s. 2 gén.* (*gír.*) trabalhador.

currar, *v. intr.* (*gír.*) trabalhar.

curre, *s. m.* (*gír.*) trabalho.

currelar, *v. intr.* vd. **currar**.

currelo, *s. m.* vd. **curre**.

curro, *s. m.* vd. **curre**.

cursado, -a, *adj.* versado, experimentado; enviado, despachado.

cursante, *s. 2 gén.* estudante.

cursar, *v. tr.* cursar; frequentar; estudar.

cursi, *adj. e s. 2 gén.* ridículo; afectado.

cursilada, *s. f.* afectação; pretensiosismo.

cursilería, *s. f.* vd. **cursilada**.

cursillo, *s. m.* curso de aperfeiçoamento.

cursiv|o, -a, *adj.* e *s.* cursivo; itálico.
curso, *s. m.* curso; direcção; carreira; continuação.
cursor, *s. m.* cursor.
curtid|o, -a, I. *adj.* curtido. **II.** *s. m.* curtimento; coiro curtido.
curtidor, *s. m.* curtidor.
curtiduría, *s. f.* fábrica de curtumes.
curtir, *v. tr.* curtir (preparar as peles); suportar (dores; desgostos, etc.).
curva, *s. f.* curva; volta.
curvar, *v. tr.* curvar; arquear.
curvatura, *s. f.* curvatura; arqueamento.
curvilíne|o, -a, *adj.* curvilíneo.
curv|o, -a, *adj.* curvo.

cuscurrear, *v. intr.* trincar, fazer estalar.
cuscurro, *s. m.* côdea.
cuscús, *s. m.* cuscuz.
cúspide, *s. f.* cúspide; pico.
custodia, *s. f.* custódia; guarda.
custodiar, *v. tr.* custodiar; guardar; vigiar.
custodio, *s. m.* custódio; guarda.
cutáne|o, -a, *adj.* cutâneo.
cúter, *s. m.* NÁUT. cúter.
cutícula, *s. f.* cutícula.
cutis, *s. m.* cútis, cute.
cutre, *adj. 2 gén.* fraco; mísero; tacanho; (*fam.*) sórdido.
cuy|o, -a, *pron.* cujo; de quem; de que; do qual.

D

d, *s. f.* quarta letra do alfabeto espanhol.
dable, *adj. 2 gén.* possível; praticável.
dactilar, *adj. 2 gén.* dactilar; digital.
dactilografía, *s.f.* dactilografia.
dactilógrafo, -a, *s. m. e f.* dactilógrafo.
dadaísmo, *s. m.* dadaísmo.
dadaísta, *s. 2 gén.* dadaísta.
dádiva, *s. f.* dádiva; presente.
dadivoso, -a, *adj. e s.* dadivoso; generoso.
dado, -a, **I.** *adj.* dado; permitido; afável. **II.** *s. m.* dado (cubo).
dador, -a, *s. m.* dador.
daga, *s. f.* adaga.
daguerrotipo, *s. m.* daguerreótipo.
dalia, *s. f.* BOT. dália.
dálmata, *adj. e s. 2 gén.* dálmata.
daltoniano, -a, *adj. e s.* vd. **daltónico**.
daltónico, -a, *adj. e s.* daltónico.
daltonismo, *s. m.* daltonismo.
dama, *s. f.* dama (senhora); *pl.* damas (jogo).
damajuana, *s. f.* garrafão.
damán, *s. m.* marmota (mamífero).
damasceno -a, *adj. e s.* damasceno.
damasco, *s. m.* damasco (tecido); BOT. damasqueiro; damasco (fruto).
damasquinado, *s. m.* damasquinagem; damasquinaria; tauxiado, tauxia.
damasquinar, *v. tr.* damasquinar.
damnificado, -a, *adj.* danificado.
damnificar, *v. tr.* danificar.
dandi, *s. m.* dândi.
dandy, *s. m.* dândi.
danés, -esa, **I.** *adj* dinamarquês. **II.** s. **1.** *m. e f.* dinamarquês (natural da Dinamarca). **2.** *s. m.* dinamarquês (idioma).
danza, *s. f.* dança.
danzante, -a, *s. 2 gén.* bailador.
danzar, *v. tr.* dançar.
danzarín, -a, *s. m. e f.* dançarino; bailarina.
dañado, -a, *adj. e s.* danado; mau; perverso.
dañar, *v. tr.* danar; danificar.
dañino, -a, *adj.* daninho; prejudicial.
daño, *s. m.* dano, prejuízo.

dañoso, -a, *adj.* danoso; nocivo.
dar, *v. tr.* dar; ceder de graça; mostrar; conceder; outorgar.
dardo, *s. m.* dardo; censura.
dársena, *s. f.* bacia; doca.
data, *s. f.* data; indicação de tempo; porção.
datar, *v. tr.* datar.
dátil, *s. m.* BOT. tâmara.
datilera, *s. f.* BOT. tamareira.
dativo, -a, *adj. e s. m.* dativo.
dato, *s. m.* elemento; dado; base.
de, *prep.* de; para; com; desde; durante; por.
deambular, *v. intr.* deambular.
deambulatorio, *s. m.* deambulatório.
debajo, *adv.* debaixo; sob.
debate, *s. m.* debate; contenda.
debatir, *v. tr.* debater; discutir; contender.
debe, *s. m.* deve; débito.
deber, *s. m.* dever; obrigação.
deber, *v. tr.* dever; estar obrigado.
debidamente, *adv.* devidamente.
debido, -a, *adj.* devido.
débil, *adj. e s. 2 gén.* débil; fraco; pusilânime.
debilidad, *s. f.* debilidade; enfraquecimento.
debilitación, *s. f.* debilitação.
debilitador, -a, *adj.* debilitante.
debilitamiento, *s. m.* debilitação.
debilitar, *v. tr.* debilitar; enfraquecer.
débito, *s. m.* débito; dívida.
debut, *s. m.* debute; iniciação.
debutar, *v. intr.* debutar; iniciar-se.
década, *s. f.* década; dezena.
decadência, *s. f.* decadência; abatimento; declinação.
decadente, *adj. 2 gén.* decadente.
decaedro, *s. m.* decaedro.
decaer, *v. intr.* decair; diminuir.
decagonal, *adj. 2 gén.* decagonal.
decágono, *s. m.* decágono.
decagramo, *s. m.* decagrama.
decaído, -a, *adj.* triste, desanimado; débil; fraco, sem forças.
decaimiento, *s. m.* tristeza; desânimo; debilidade, fraqueza.

decalitro, s. m. decalitro.
decálogo, s. m. decálogo.
decámetro, s. m. decâmetro.
decanato, s. m. decanado.
decan|o, -a, s. m. e f. decano.
decantación, s. f. decantação.
decantar, v. tr. decantar (líquidos); ponderar; celebrar.
decapar, v. tr. decapar.
decapitación, s. f. decapitação.
decapitar, v. tr. decapitar; degolar.
decápodo, s. m. decápode.
decasílabo, -a, adj. e s. decassílabo.
decatlón, s. m. decatlo.
deceleración, s. f. desaceleração.
decelerar, v. tr. desacelerar.
decena, s. f. dezena.
decenal, adj. 2 gén. decenal.
decencia, s. f. decência; decoro; modéstia.
decenio, s. m. decénio.
decentar, v. tr. encetar; começar; diminuir.
decente, adj. 2 gén. decente; honesto.
decepción, s. f. decepção; desilusão.
decepcionante, adj. 2 gén. decepcionante.
decepcionar, v. tr. decepcionar.
dechado, s. m. modelo, exemplo.
decibel, s. m. decibel.
decibelio, s. m. decibel.
decididamente, adv. decididamente.
decidid|o, -a, adj. decidido, determinado.
decidir, v. tr. decidir; determinar; resolver.
decidor, -a, I. adj. eloquente, bem-falante. **II.** s. m. e f. pessoa de espírito.
decigramo, s. m. decigrama.
decilitro, s. m. decilitro.
décima, s. f. décima.
decimal, adj. 2 gén. decimal.
decímetro, s. m. decímetro.
décim|o, -a, I. adj. décimo. **II.** s. m. um décimo; a décima parte.
decir, s. m. dizer; dito; sentença; conceito.
decir, v. tr. dizer; referir; enunciar; assegurar.
decisión, s. f. decisão; firmeza; resolução; sentença.
decisiv|o, -a, adj. decisivo; terminante.
decisori|o, -a, adj. vd. decisivo.
declamación, s. f. declamação.
declamar, v. intr. e tr. declamar.

declamatori|o, -a, adj. declamatório.
declaración, s. f. declaração; depoimento.
declaradamente, adv. declaradamente, abertamente.
declarad|o, -a, adj. declarado, confesso.
declarante, adj. e s. 2 gén. declarante.
declarar, v. tr. declarar; manifestar; explicar; depor.
declarativ|o -a, adj. declarativo.
declaratori|o -a, adj. declaratório.
declinable, adj. 2 gén. declinável.
declinación, s. f. declinação; desvio.
declinar, v. intr. declinar; pender; decair; baixar.
declive, s. m. declive; pendor; declínio, decadência.
decodificación, s. f. descodificação.
decodificador, s. m. descodificador.
decodificar, v. tr. descodificar.
decoloración, s. f. descoloração.
decolorante, adj. 2 gén. descolorante, branqueador.
decolorar, v. tr. e intr. descorar, descolorir; branquear.
decomisar, v. tr. confiscar, arrestar.
decomiso, s. m. confiscação; arresto; bens confiscados.
decoración, s. f. decoração; ornamentação; cenário.
decorado, s. m. decoração; TEAT. cenário.
decorador, -a, s. m. e f. decorador, decoradora.
decorar, v. tr. decorar; adornar; aprender de memória.
decorativ|o, -a, adj. decorativo; ornamental.
decoro, s. m. decoro; honra; brio.
decorosamente, adv. decorosamente.
decoros|o, -a, adj. decoroso; decente; digno.
decrecer, v. intr. decrescer; diminuir.
decreciente, adj. 2 gén. decrescente; minguante.
decrecimiento, s. m. decrescimento; diminuição.
decremento, s. m. decremento; decrescimento.
decrepitar, v. intr. decrepitar; crepitar.
decrépit|o, -a, adj. e s. decrépito; caduco; gasto.
decrepitud, s. f. decrepitude; decrepidez.

decretar, *v. tr.* decretar.
decreto, *s. m.* decreto.
decuplicar, *v. tr.* decuplicar.
décuplo, -a, *adj.* e *s. m.* décuplo.
decuria, *s. f.* decúria.
decurión, *s. m.* decurião.
decurrente, *adj. 2 gén.* decorrente.
decurso, *s. m.* decurso.
dedada, *s. f.* dedada.
dedal, *s. m.* dedal.
dedalera, *s. f.* BOT. dedaleira; digital.
dedicación, *s. f.* dedicação; veneração.
dedicar, *v. tr.* dedicar; consagrar; votar; tributar.
dedicatória, *s. f.* dedicatória.
dedil, *s. m.* dedeira.
dedillo, *s. m. al dedillo*, muito bem, com todo o pormenor.
dedo, *s. m.* dedo.
deducción, *s. f.* dedução; consequência; conclusão.
deducir, *v. tr.* deduzir; diminuir; abater; concluir; inferir.
deductivo, -a, *adj.* dedutivo.
defecación, *s. f.* defecação.
defecar, *v. tr.* defecar.
defección, *s. f.* defecção; deserção.
defectivo, -a, *adj.* defectivo.
defecto, *s. m.* defeito; imperfeição; vício.
defectuoso, -a, *adj.* defeituoso.
defender, *v. tr.* defender; amparar; proteger.
defendible, *adj. 2 gén.* defensável.
defendido, *adj.* defendido.
defenestración, *s. f.* defenestração.
defenestrar, *v. tr.* defenestrar.
defensa, *s. f.* defesa; amparo; protecção; socorro.
defensiva, *s. f.* defensiva.
defensivo, -a, *adj.* defensivo.
defensor, -a, *adj.* e *s.* defensor.
deferencia, *s. f.* deferência; condescendência.
deferente, *adj. 2 gén.* deferente.
deferir, *v. intr.* deferir; conceder; anuir.
deficiencia, *s. f.* deficiência; defeito; falta.
deficiente, *adj. 2 gén.* deficiente.
déficit, *s. m.* déficit, défice.
deficitario, -a, *adj.* deficitário.
definible, *adj. 2 gén.* definível.
definición, *s. f.* definição.
definido, -a, *adj.* definido.
definitivamente, *adv.* definitivamente.

definir, *v. tr.* definir; determinar; decidir.
deflación, *s. f.* deflação.
deflacionista, *s. 2 gén.* deflacionista, deflacionário.
definitivo, -a, *adj.* definitivo.
deflagración, *s. f.* deflagração.
deflagrar, *v. intr.* deflagrar.
deflector, *s. m.* deflector.
defoliación, *s. f.* desfoliação.
deforestación, *s. f.* desflorestação.
deforestar, *v. tr.* desflorestar.
deformación, *s. f.* deformação.
deformado, -a, *adj.* deformado; disforme.
deformar, *v. tr.* deformar.
deforme, *adj. 2 gén.* disforme.
deformidad, *s. f.* deformidade.
defraudación, *s. f.* defraudação.
defraudado, -a, *adj.* defraudado.
defraudar, *v. tr.* defraudar.
defunción, *s. f.* defunção; falecimento; morte.
degeneración, *s. f.* degeneração.
degenerar, *v. intr.* degenerar; estragar-se; adulterar-se.
degenerativo, -a, *adj.* degenerativo.
deglución, *s. f.* deglutição.
deglutir, *v. intr.* e *tr.* deglutir; engolir.
degollación, *s. f.* degola; degolação; decapitação.
degolladero, *s. m.* matadouro.
degollar, *v. tr.* degolar; decapitar.
degollina, *s. f. (fam.)* massacre, carnificina.
degradación, *s. f.* degradação.
degradante, *adj. 2 gén.* degradante; humilhante.
degradar, *v. tr.* degradar, aviltar.
degüello, *s. m.* degolação, degola.
degustación, *s. f.* prova.
degustar, *v. tr.* provar.
dehesa, *s. f.* devesa; pastagem.
dehiscencia, *s. f.* BOT. deiscência.
dehiscente, *adj. 2 gén.* BOT. deiscente.
deidad, *s. f.* deidade; divindade.
deificación, *s. f.* deificação.
deificar, *v. tr.* deificar, divinizar.
deísmo, *s. m.* deísmo.
deísta, *adj. 2 gén.* deísta.
dejadez, *s. f.* preguiça, negligência, desleixo.
dejado, -a, *adj.* desleixado, negligente.
dejar, *v. tr.* deixar; abandonar; legar; cessar.
dejo, *s. m.* sotaque, sabor, acento, tom.
del, *contr.* da *prep.* **de** e do *art.* **el:** do.

delación, s. f. delação, denúncia.
delantal, s. m. avental.
delante, adv. diante; defronte.
delantera, s. f. dianteira; vanguarda; frente; vanguarda.
delantero, -a, adj. dianteiro.
delatar, v. tr. delatar; denunciar.
delator, -a, adj. e s. delator, denunciante.
deleble, adj. 2 gén. delével.
delectación, s. f. deleitação; deleite.
delegación, s. f. delegação.
delegado, -a, adj. e s. delegado.
delegar, v. tr. delegar; incumbir.
delegatorio, -a, adj. delegatório.
deleitar, v. tr. deleitar; deliciar.
deleite, s. m. deleite; prazer.
deleitoso, -a, adj. deleitoso.
deletéreo, -a, adj. deletério.
deletrear, v. intr. soletrar, deletrear.
deletreo, -a, s. m. soletração.
deleznable, adj. 2 gén. desagregável; frágil; desprezível.
delfín, s. m. delfim; ZOOL. golfinho.
delgadez, s. f. delgadeza.
delgado, -a, adj. delgado; magro; fino.
deliberación, s. f. deliberação.
deliberado, -a, adj. deliberado.
deliberante, adj. 2 gén. deliberante, deliberativo.
deliberar, v. intr. deliberar; considerar; resolver.
deliberativo, -a, adj. deliberativo.
delicadeza, s. f. delicadeza; suavidade; agrado.
delicado, -a, adj. delicado; suave; débil; fraco; enfermiço.
delicaducho, -a, adj. (pej.) delicadinho.
delicia, s. f. delícia; prazer.
delicioso, -a, adj. delicioso; agradável.
delictivo, -a, adj. delituoso.
delimitación, s. f. delimitação.
delimitar, v. tr. delimitar.
delincuencia, s. f. delinquência.
delincuente, adj. e s. 2 gén. delinquente.
delineación, s. f. delineação.
delineante, s. 2 gén. desenhador, debuxador.
delinear, v. tr. delinear; planear; debuxar.
delinquir, v. intr. delinquir.
delirante, adj. 2 gén. delirante.
delirar, v. intr. delirar, tresvariar.
delirio, s. m. delírio; desvairo.

delito, s. m. delito; crime.
delta, s. f. delta (letra grega); delta (de rio).
deltoides, adj. e s. m. deltóide.
demacración, s. f. emagrecimento, definhamento.
demacrarse, v. refl. extenuar-se, consumir-se; emagrecer.
demagogia, s. f. demagogia.
demagógico, -a, adj. demagógico.
demagogo, -a, s. m. e f. demagogo.
demanda, s. f. demanda; súplica; petição; pleito.
demandante, adj. e s. 2 gén. demandante.
demandar, v. tr. demandar; pedir; rogar.
demarcación, s. f. demarcação, delimitação.
demarcar, v. tr. demarcar; assinalar.
demás, I. adj. demais; outro; restante; II. adv. de mais; além disso.
demasía, s. f. excesso; demasia.
demasiado, -a, adj. demasiado, excessivo; supérfluo.
demencia, s. f. demência, loucura.
demencial, adj. 2 gén. demencial.
demente, adj. e s. 2 gén. demente, louco.
demérito, s. m. demérito.
demiurgo, s. m. demiurgo.
democracia, s. f. democracia.
demócrata, adj. e s. 2 gén. democrata.
democratacristiano, -a, adj. e s. democrata-cristão.
democráticamente, adv. democraticamente.
democrático, -a, adj. democrático.
democratización, s. f. democratização.
democratizar, v. tr. democratizar.
demografia, s. f. demografia.
demográfico, -a, adj. demográfico.
demoledor, -a, adj. e s. demolidor.
demoler, v. tr. demolir; derrubar.
demolición, s. f. demolição.
demoníaco, -a, adj. e s. demoníaco.
demonio, s. m. Demónio, Diabo, Satanás.
demontre, interj. (fam.) diabo!, diacho!
demora, s. f. demora; dilação; tardança.
demorar, v. tr. demorar; retardar.
demostrable, adj. 2 gén. demonstrável.
demostración, s. f. demonstração; prova.
demostrador, -a, adj. e s. demonstrador.
demostrar, v. tr. demonstrar; provar; mostrar.
demostrativo, -a, adj. demonstrativo.

demudad|o, -a, *adj.* demudado, alterado; pálido.

demudar, *v.* **1.** *tr.* demudar; variar; alterar. **2.** *refl.* empalidecer.

denario, *s. m.* denario.

dendrita, *s. f.* dendrite.

denegación, *s. f.* denegação, recusa.

denegar, *v. tr.* denegar, negar; recusar.

denegrid|o, -a, *adj.* denegrido.

dengos|o, -a, *adj.* dengoso; presumido.

dengue, *s. m.* denguice.

denigración, *s. f.* denigração.

denigrar, *v. tr.* denegrir.

denodadamente, *adv.* denodadamente.

denodad|o, -a, *adj.* denodado; intrépido.

denominad|o, -a, *adj.* denominado.

denominador, -a, I. *adj.* denominativo. **II.** *s. m.* MAT. denominador.

denominación, *s. f.* denominação; designação.

denominar, *v. tr.* denominar, designar, nomear.

denominativ|o, -a, *adj.* denominativo.

denostar, *v. tr.* doestar; injuriar, insultar.

denotación, *s. f.* denotação; indicação.

denotar, *v. tr.* denotar, designar; mostrar.

densidad, *s. f.* densidade.

densificar, *v. tr.* densificar; adensar.

dens|o, -a, *adj.* denso, compacto.

dentad|o, -a, *adj.* dentado.

dentadura, *s. f.* dentadura.

dental, *adj.* 2 *gén.* dental, dentário.

dentar, *v. tr.* dentear; dentar.

dentari|o, -a, *adj.* dentário; dental.

dentellada, *s. f.* dentada.

dentellar, *v. intr.* bater os dentes.

dentellear, *v. tr.* ferrar, dentar, morder, mordiscar.

dentera, *s. f.* (*fig.*) inveja.

dentición, *s. f.* dentição.

dentículo, *s. m.* dentículo.

dentífric|o, -a, *adj. e s. m.* dentífrico.

dentina, *s. f.* dentina.

dentista, *adj. e s.* 2 *gén.* dentista.

dent|ón, -ona, *adj.* dentudo.

dentro, *adv.* dentro.

dentud|o, -a, *adj.* dentudo.

denuedo, *s. m.* denodo; brio; valor; coragem; bravura.

denuesto, *s. m.* doesto; injúria; afronta.

denuncia, *s. f.* denúncia; delação.

denunciable, *adj.* 2 *gén.* denunciável.

denunciador, -a, *adj. e s.* denunciador.

denunciante, *s.* 2 *gén.* denunciante.

denunciar, *v. tr.* denunciar; delatar; avisar.

deontología, *s. f.* deontologia.

deparar, *v. tr.* deparar; proporcionar.

departamental, *adj.* 2 *gén.* departamental.

departamento, *s. m.* departamento.

departir, *v. intr.* departir; conversar; narrar.

depauperación, *s. f.* depauperação; debilitação.

depauperar, *v. tr.* depauperar; debilitar.

dependencia, *s. f.* dependência; subordinação.

depender, *v. intr.* depender.

dependienta, *s. f.* vendedora, empregada de balcão.

dependiente, I. *adj.* 2 *gén.* dependente. **II.** *s. m.* vendedor; empregado de balcão.

depilación, *s. f.* depilação.

depilar, *v. tr.* depilar.

depilatori|o, -a, *adj. e s. m.* depilatório.

deplorable, *adj.* 2 *gén.* deplorável.

deplorar, *v. tr.* deplorar.

deponente, I. *adj.* 2 *gén.* DIR. deponente; testemunhal; LING. depoente. **II.** *s.* **1.** 2 *gén.* DIR. deponente; testemunha. **2.** *m.* LING. verbo depoente.

deponer, *v. tr.* depor; destituir; declarar.

deportación, *s. f.* deportação; desterro.

deportar, *v. tr.* deportar; banir; exilar.

deporte, *s. m.* desporto; distracção.

deportista, *s.* 2 *gén.* desportista.

deportividad, *s. f.* desportivismo.

deportiv|o, -a, *adj.* desportivo.

deposición, *s. f.* deposição.

depositador, -a, *s. m. e f.* depositador, depositante.

depositante, *adj. e s.* 2 *gén.* depositante.

depositar, *v. tr.* depositar.

depositaría, *s. f.* tesouraria; lugar de depósitos.

depositari|o, -a, *adj.* depositário.

depósito, *s. m.* depósito.

depravación, *s. f.* depravação; perversão.

depravad|o, -a, *adj. e s.* depravado, degenerado, perverso.

depravar, *v. tr.* depravar, viciar, corromper.

depre, I. *s. f.* (*fam.*) depressão. **II.** *adj.* 2 *gén.* (*fam.*) deprimido.

deprecación, *s. f.* deprecação, rogo.

deprecar, *v. tr.* deprecar; rogar.

depreciación, *s. f.* depreciação.

depreciar, *v. tr.* depreciar; rebaixar.

depredación, *s. f.* depredação; roubo; pilhagem, espoliação.

depredador, -a, *adj.* e *s.* depredador.

depredar, *v. tr.* depredar; roubar; espoliar; pilhar.

depresión, *s. f.* depressão, abatimento.

depresivo, -a, *adj.* depressivo; deprimente.

depresor, -a, *adj.* depressor.

deprimente, *adj.* 2 *gén.* deprimente.

deprimido, -a, *adj.* deprimido.

deprimir, *v. tr.* deprimir; humilhar.

deprisa, *adj.* depressa.

depuesto, -a, *adj.* deposto.

depuración, *s. f.* depuração.

depurador, -a, *adj.* depurador; depurativo.

depurado, -a, *adj.* 2 *gén.* depurado; trabalhado, elaborado.

depurar, *v. tr.* depurar; limpar.

depurativo, -a, *adj.* e *s. m.* depurativo.

derecha, *s. f.* direita; dextra.

derechazo, *s. m.* bofetada.

derechista, *adj.* e *s.* 2 *gén.* direitista.

derecho, -a, I. *adj.* direito; igual; íntegro; recto. **II.** *s. m.* faculdade; justiça; razão; regalia.

deriva, *s. f.* deriva.

derivación, *s. f.* drivação; origem.

derivada, *s. f.* derivada.

derivado, -a, *adj.* e *s. m.* derivado; deduzido.

derivar, *v. intr.* derivar; provir.

derivativo, -a, *adj.* e *s. m.* derivativo.

dermatitis, *s. f.* MED. dermatite.

dermatología, *s. f.* dermatologia.

dermatólogo, -a, *s. m.* e *f.* dermatologista.

dermatosis, *s. f.* dermatose.

dérmico, -a, *adj.* dérmico.

dermis, *s. f.* derma, derme.

derogable, *adj.* 2 *gén.* derrogável; anulável.

derogación, *s. f.* derrogação; anulação; abolição.

derogar, *v. tr.* derrogar, abolir, anular.

derogatorio, -a, *adj.* derrogatório.

derrama, *s. f.* derrama.

derramamiento, *s. m.* derramamento; derrame.

derramar, *v. tr.* derramar, verter, espalhar, entornar.

derrame, *s. m.* derramamento; derrame.

derrapar, *v. intr.* derrapar.

derrape, *s. m.* derrapagem.

derredor, *s. m.* imediações, cercanias; redor.

derrengar, *v. tr.* derrengar, derrear.

derretido, -a, *adj.* derretido; (fig.) enamorado.

derretimiento, *s. m.* derretimento.

derretir, *v. tr.* derreter; fundir; esbanjar; dissipar.

derribar, *v. tr.* derribar; arruinar; derrubar; prostrar; abater.

derribo, *s. m.* derribamento.

derrocamiento, *s. m.* derrocada.

derrocar, *v. tr.* derrocar; demolir; arrasar.

derrochador, -a, *adj.* dissipador; esbanjador.

derrochar, *v. tr.* dissipar; despedaçar; esbanjar.

derroche, *s. m.* dissipação (de bens).

derrochón, -ona, *adj.* e *s.* vd. **derrochador.**

derrota, *s. f.* derrota (caminho); rumo; destroço.

derrotado, -a, *adj.* derrotado; cansado; deprimido.

derrotar, *v. tr.* derrotar; destroçar; vencer.

derrote, *s. m.* cornada, marrada.

derrotero, *s. m.* NÁUT. rota, rumo, direcção; roteiro.

derrotismo, *s. m.* derrotismo.

derrotista, *adj.* e *s.* 2 *gén.* derrotista.

derrubiar, *v. tr.* desfazer, esboroar.

derrubio, *s. m.* erosão; aluvião.

derruir, *v. tr.* derruir, derribar.

derrumbadero, *s. m.* despenhadeiro; (fig.) perigo; risco.

derrumbamiento, *s. m.* derrubamento; queda, aluimento.

derrumbar, *v. tr.* derrubar; precipitar.

derrumbe, *s. m.* vd. **derrumbadero.**

derviche, *s. m.* dervis, dervixe.

desabastecido, -a, *adj.* desabastecido, com falta de; desprevenido.

desaborido, -a, *adj.* sensabor, insípido; desenxabido.

desabotonar, *v. tr.* desabotoar.

desabrido, -a, *adj.* desabrido; áspero; rude; insípido.

desabrigado, -a, *adj.* desabrigado.

desabrigar, *v. tr.* desabrigar.

desabrigo, *s. m.* desabrigo; desamparo.

desabrimiento, *s. m.* insipidez; rispidez, rudeza.

desabrochar, *v. tr.* desabotoar, abrir; descoser.

desacatar, *v. tr.* desacatar; vexar

desacato, s. m. desacato; irreverência; afronta.

desacerbar, v. tr. temperar; suavizar.

desacertadamente, adv. desacertadamente; erradamente; imprudentemente.

desacertad|o, -a, adj. desacertado; errado.

desacertar, v. intr. desacertar; errar.

desacierto, s. m. desacerto; erro.

desacomodad|o, -a, adj. desempregado; sem meios.

desacomodar, v. tr. desacomodar; deslocar; despedir.

desacompañad|o, -a, adj. desacompanhado.

desaconsejad|o, -a, adj. desaconselhado.

desaconsejar, v. tr. desaconselhar; dissuadir.

desacorde, adj. 2 gén. desacorde, dissonante, discorde.

desacostumbrad|o, -a, adj. desacostumado; desusado.

desacostumbrar, v. tr. desacostumar; desabituar.

desacreditar, v. tr. desacreditar.

desactivar, v. tr. desactivar.

desacuerdo, s. m. desacordo; discordância; discórdia.

desafect|o, -a, I. adj. desafecto; hostil. **II.** s. m. desafeição.

desaferrar, v. tr. soltar, desprender; dissuadir; NÁUT. desferrar.

desafiar, v. tr. desafiar, reptar, provocar.

desafición, s. f. desafeição; desafecto.

desafinación, s. f. desafinação; desarmonia.

desafinadamente, adv. desafinadamente; fora do tom.

desafinar, v. intr. desafinar.

desafío, s. m. desafio; repto.

desaforadamente, adv. com desaforo.

desaforad|o, -a, adj. desaforado.

desaforar, v. **1.** tr. desaforar; anular foros. **2.** refl. desaforar-se; atrever-se.

desafortunadamente, adv. desafortunadamente; infelizmente.

desafortunad|o, -a, adj. desafortunado; infeliz.

desafuero, s. m. desaforo; abuso.

desagradable, adj. 2 gén. desagradável.

desagradar, v. intr. desagradar; descontentar.

desagradecer, v. tr. desagradecer.

desagradecid|o, -a, adj. e s. desagradecido; ingrato.

desagradecimiento, s. m. desagradecimento; ingratidão.

desagrado, s. m. desagrado; descontentamento.

desagraviar, v. tr. desagravar, desafrontar.

desagravio, s. m. desagravo, satisfação; reparação.

desaguadero, s. m. desaguadouro; esgoto.

desaguar, v. tr. desaguar; desembarcar; drenar.

desagüe, s. m. desaguamento; drenagem.

desaguisad|o, -a, I. adj. ilegal; ofensivo. **II.** s. m. desaguisado; contenda; prejuízo, dano; maldade, ofensa.

desahogadamente, adv. desafogadamente, à vontade.

desahogad|o -a, adv. desafogado; amplo; espaçoso.

desahogar, v. tr. desafogar, aliviar; desoprimir; desabafar.

desahogo, s. m. desafogo, alívio, folga.

desahuciad|o, -a, adj. desenganado (doente); despejado (inquilino).

desahuciar, v. tr. desesperançar; desenganar; desanimar; desesperar; despejar (um inquilino).

desairad|o, -a, adj. desairoso; deselegante; sem graça.

desairar, v. tr. menosprezar; fazer desfeita a.

desaire, s. m. desaire; desdouro; inconveniência; desfeita.

desajustar, v. tr. desajustar; desajuntar; desordenar.

desajuste, s. m. desajuste; desunião.

desalad|o, -a, adj. **1.** dessalgado, demolhado. **2.** desasado, sem asas.

desalar, v. tr. **1.** dessalar, dessalgar; demolhar. **2.** desasar (tirar as asas a).

desalentador, -a, adj. desalentador, desanimador, desencorajante.

desalentar, v. tr. desalentar; desanimar; desencorajar.

desaliento, s. m. desalento; desânimo.

desalinear, v. tr. desalinhar.

desaliñad|o, -a, adj. em desalinho; desordenado; mal-arranjado; desleixado.

desaliñar, v. tr. desalinhar; desordenar.

desaliño, s. m. desalinho; desasseio; desordem; desleixo.

desalmad|o, -a, adj. desalmado; cruel; perverso.

desalojamiento, s. m. despejo; evacuação.
desalojar, v. tr. desalojar; despejar; evacuar.
desalojo, s. m. desalojamento.
desalquilad|o, -a, adj. por alugar; devoluto.
desalquilar, v. 1. tr. desalugar. 2. refl. ficar devoluto.
desamarrar, v. tr. desamarrar; NÁUT. levantar ferro, levantar a âncora.
desambientad|o, -a, adj. desambientado.
desambiguar, v. tr. esclarecer; tirar as dúvidas a.
desamor, s. m. desamor, desprezo; indiferença.
desamortizar, v. tr. desamortizar.
desamparadamente, adv. desamparadamente.
desamparad|o, -a, adj. desamparado; desprotegido; abandonado.
desamparar, v. tr. desamparar; abandonar.
desamparo, s. m. desamparo, abandono.
desamueblad|o, -a, adj. desmobilado.
desamueblar, v. tr. desmobilar.
desanclar, v. intr. desancorar.
desancorar, v. intr. desancorar.
desandar, v. tr. desandar.
desangelad|o, -a, adj. sonso, sem graça; despido (sem adornos).
desangrar, v. 1. tr. dessangrar; esgotar. 2. refl. perder muito sangue.
desanidar, v. 1. intr. deixar o ninho. 2. tr. desalojar.
desanimación, s. f. desânimo; desencorajamento.
desanimad|o, -a, adj. desanimado; desencorajado.
desanimar, v. tr. desanimar; desalentar.
desánimo, s. m. desânimo.
desanublar, v. tr. desanuviar.
desanudar, v. tr. desatar, desfazer (nós).
desaojar, v. tr. afastar o mau-olhado.
desapacible, adj. 2 gén. desaprazível; desagradável; enfadonho.
desaparecer, v. intr. desaparecer; ocultar; ocultar-se.
desaparecid|o, -a, adj. e s. desaparecido.
desaparejar, v. tr. desaparelhar.
desaparición, s. f. desaparição, desaparecimento.
desapasionadamente, adv. desapaixonadamente; imparcialmente.

desapasionad|o, -a, adj. desapaixonado; imparcial.
desapasionar, v. tr. desapaixonar.
desapegar, v. tr. despegar, descolar; desapegar.
desapego, s. m. desapego, indiferença; desinteresse.
desapercibid|o, -a, adj. desapercebido; desprevenido.
desaplicad|o, -a, adj. desaplicado; desatento.
desapoderad|o, -a, adj. precipitado; violento, furioso.
desaprensión, s. f. falta de escrúpulos.
desaprensiv|o, -a, I. adj. sem escrúpulos. II. s. m. e f. pessoa sem escrúpulos.
desaprobación, s. f. desaprovação.
desaprobador, -a, adj. desaprovador, reprovador.
desaprobar, v. tr. desaprovar, reprovar.
desapropiar, v. tr. desapropriar; desapossar.
desaprovechad|o, -a, adj. desaproveitado; desperdiçado.
desaprovechamiento, s. m. desaproveitamento.
desaprovechar, v. tr. desaproveitar; desperdiçar.
desapuntalar, v. tr. ARQ. desapoiar.
desarbolar, v. tr. desarvorar, desmastrear, desmastrar.
desarmable, adj. 2 gén. desarmável.
desarmad|o, -a, adj. desarmado.
desarmamiento, s. m. desarmamento.
desarmar, v. tr. desarmar.
desarme, s. m. desarmamento; desmontagem (de máquina).
desarraigad|o, -a, adj. desarraigado; desenraizado; erradicado.
desarraigar, v. tr. desarraigar; desenraizar; erradicar.
desarraigo, s. m. desarraigamento; erradicação.
desarrapad|o, -a, adj. esfarrapado, andrajoso; roto; vd. **desharrapado.**
desarrebozar, v. tr. desembuçar; descobrir; evidenciar.
desarrebujar, v. tr. desemaranhar; desenredar; desenroupar, despir.
desarreglad|o, -a, adj. desregrado; desordenado.
desarreglar, v. tr. desregrar; desordenar.
desarreglo, s. m. desregramento; desordem.

desbrozar

desarrollado, -a, *adj.* desenvolvido.
desarrollar, *v. tr.* desenvolver; desenrolar; desembrulhar; desdobrar; estender.
desarrollo, *s. m.* desenvolvimento.
desarropar, *v. tr.* desenroupar; despir.
desarrugar, *v. tr.* desenrugar, alisar.
desarticulación, *s. f.* desarticulação.
desarticulado, -a, *adj.* desarticulado; sem nexo.
desarticular, *v. tr.* desarticular; desunir; separar.
desaseado, -a, *adj.* desasseado, sujo.
desasear, *v. tr.* sujar; desordenar.
desaseo, *s. m.* falta de asseio; falta de limpeza.
desasimilación, *s. f.* desassimilação.
desasir, *v. tr.* desfazer-se de, libertar-se de; soltar; largar.
desasistencia, *s. f.* deserção; abandono.
desasistir, *v. tr.* desacompanhar; desamparar; abandonar.
desasnar, *v. tr.* civilizar; ensinar boas maneiras; polir.
desasosegado, -a, *adj.* desassossegado; ansioso; inquieto.
desasosegar, *v. tr.* desassossegar, inquietar.
desasosiego, *s. m.* desassossego; inquietação; ansiedade.
desastrado, -a, *adj.* desastrado; infausto; infeliz.
desastre, *s. m.* desastre, desgraça, sinistro.
desastrosamente, *adv.* desastrosamente.
desastroso, -a, *adj.* desastroso; desditado.
desatancar, *v. tr.* limpar, desentupir; desligar.
desatar, *v. tr.* desatar; desamarrar; desligar.
desatascar, *v. tr.* desatascar; desatolar; desentupir; desatravancar.
desatavío, *s. m.* desatavio; desalinho.
desatención, *s. f.* desatenção, distracção; descortesia.
desatender, *v. tr.* desatender; desconsiderar.
desatentamente, *adv.* sem atenção; descortesmente.
desatento, -a, *adj.* desátento, distraído; descortês.
desatinadamente, *adv.* desatinadamente.
desatinado, -a, *adj.* desatinado; tonto.
desatinar, *v. tr.* desatinar.
desatino, *s. m.* desatino; disparate; loucura.

desatornillador, *s. m.* desandador; chave de parafusos.
desatornillar, *v. tr.* desaparafusar.
desatracar, *v. tr.* NÁUT. desatracar; desamarrar.
desatrancar, *v. tr.* desatrancar; desobstruir.
desautorización, *s. f.* desautorização.
desautorizadamente, *adv.* sem autorização.
desautorizado, -a, *adj.* desautorizado.
desautorizar, *v. tr.* desautorizar.
desavenencia, *s. f.* desavença; discórdia.
desavenido, -a, *adj.* desavindo; em desacordo.
desavenir, *v. tr.* desavir; discordar.
desavío, *s. m.* desvio, extravio.
desayunar, *v. intr. e refl.* desjejuar, tomar o pequeno-almoço.
desayuno, *s. m.* desjejum (pequeno-almoço).
desazón, *s. m.* insipidez; mágoa, desgosto; indisposição.
desazonado, -a, *adj.* insípido; desgostoso.
desazonar, *v. tr.* tirar o sabor a; desgostar; inquietar.
desbancar, *v. tr.* desbancar, vencer a banca; suplantar; substituir.
desbandada, *s. f.* debandada.
desbandarse, *v. refl.* debandar, pôr-se em fuga desordenada.
desbarajustar, *v. tr.* desordenar; transtornar; baralhar.
desbarajuste, *s. m.* desordem; confusão; balbúrdia.
desbaratamiento, *s. m.* desbaratamento, esbanjamento; derrota.
desbaratar, *v. tr.* arruinar, dissipar; desbaratar; derrotar.
desbarate, *s. m.* desbarato.
desbarrar, *v. intr.* disparatar; dizer tolices.
desbastar, *v. tr.* desbastar.
desbloquear, *v. tr.* desbloquear; FIN. descongelar.
desbocado, -a, *adj. e s.* desbocado; inconveniente.
desbocar, *v. tr.* desbocar.
desbordamiento, *s. m.* desbordamento.
desbordante, *adj. 2 gén.* desbordante.
desbravar, *v. tr.* desbravar (amansar o gado).
desbroce, *s. m.* vd. **desbrozo.**
desbrozar, *v. tr.* limpar o mato.

desbrozo, s. m. limpeza do mato; mato, vegetação rasteira.

descabalado, -a, adj. incompleto; desemparelhado.

descabalar, v. tr. desemparelhar, tornar incompleto.

descabalgar, v. intr. descavalgar; desmontar.

descabellado, -a, adj. despenteado; (fig.) despropositado; disparatado.

descabellar, v. tr. despentear, desgrenhar.

descabezado, -a, adj. e s. m. irreflectido, estouvado.

descabezar, v. tr. descabeçar; decapitar.

descabullirse, v. tr. escapulir-se.

descacharrante, adj. 2 gén. hilariante.

descacharrar, v. tr. escangalhar; avariar.

descafeinado, -a, adj. e s. m. descafeinado.

descafeinar, v. tr. descafeinar.

descalabrarse, v. refl. dar voltas ao miolo.

descalabrado, -a, adj. escalavrado.

descalabrar, v. tr. escalavrar, descalavrar.

descalabro, s. m. descalabro.

descalcificación, s. f. descalcificação.

descalcificar, v. tr. descalcificar.

descalificación, s. f. desqualificação.

descalificar, v. tr. desqualificar; aviltar; desacreditar.

descalzar, v. tr. descalçar.

descalzo, -a, adj. descalço.

descamación, s. f. MED. descamação.

descaminar, v. tr. desencaminhar, desviar.

descamisado, -a, adj. (fam.) descamisado.

descampado, -a, adj. e s. m. descampado.

descansado, -a, adj. descansado, repousado.

descansillo, s. m. patamar.

descansar, v. intr. descansar, repousar; apoiar.

descanso, s. m. descanso, repouso, sossego; apoio.

descantar, v. tr. desempedrar.

descantillar, v. tr. escantear.

descapitalizar, v. tr. descapitalizar.

descapotable, adj. e s. 2 gén. descapotável, convertível.

descapsulador, s. m. abre-cápsulas.

descaradamente, adv. descaradamente; impudentemente; atrevidamente.

descarado, -a, adj. e s. descarado, atrevido.

descararse, v. refl. descarar-se, perder o pejo, a vergonha.

descarbonatar, v. tr. descarbonatar.

descarburar, v. tr. descarbonizar.

descarga, s. f. descarga.

descargadero, s. m. molhe, cais.

descargador, s. m. descarregador.

descargas, v. tr. descarregar; aliviar; desossar.

descargo, s. m. descargo; desobrigação.

descariño, s. m. descarinho, desafeição; dureza.

descarnado, -a, adj. descarnado; (fig.) direito; plano.

descarnador, s. m. descarnador.

descarnar, v. tr. descarnar; escavar.

descaro, s. m. descaro; desaforo.

descarriado, -a, adj. desviado; tresmalhado.

descarriar, v. tr. descarreirar, descaminhar.

descarrilamiento, s. m. descarrilamento.

descarrilar, v. intr. descarrilar.

descarrío, s. m. descartar; rejeitar; negar.

descarte, s. m. descarte.

descasar, v. tr. descasar.

descascarar, v. tr. descascar, escascar.

descasque, s. m. descasque (acção de descascar).

descendencia, s. f. descendência.

descendente, adj. 2 gén. descendente (de família).

descender, v. intr. descer, abaixar; descender; provir.

descendiente, adj. e s. 2 gén. descendente.

descenso, s. m. descensão, descenso, descida.

descentrado, -a, adj. descentrado.

descentralización, s. f. descentralização.

descentralizar, v. tr. descentralizar.

descentrar, v. tr. descentrar.

desceñidura, s. f. desenfaixe.

desceñir, v. tr. desencaixar, descingir.

descepar, v. tr. decepar; extirpar.

descerebrar, v. tr. descerebrar.

descerrajar, v. tr. arrombar (forçar uma fechadura); (fig., fam.) disparar (arma de fogo).

descifrable, adj. 2 gén. decifrável.

descifrador, s. m. decifrador.
desciframiento, s. m. decifração.
descifrar, v. tr. decifrar.
desclavar, v. tr. descravar, despregar; descravejar.
descoagulación, s. f. descoagulação.
descoagulante, adj. 2 gén. descoagulante.
descoagular, v. tr. descoagular; dissolver; liquefazer.
descocad|o, -a, adj. descarado, atrevido.
descocarse, v. refl. descocar-se, atrever-se.
descoco, s. m. (fam.) descoco, atrevimento; audácia.
descodificar, v. tr. descodificar.
descolgar, v. **1.** tr. despendurar. **2.** refl. desempenhar-se.
descollante, adj. 2 gén. saliente.
descollar, v. intr. sobressair.
descolonización, s. f. descolonização.
descolonizar, v. tr. descolonizar.
descolorar, v. tr. descolorar, descorar.
descolorir, v. tr. descolorir, descorar.
descombrar, v. tr. desentulhar; desobstruir.
descombro, s. m. desentulho.
descomedid|o, -a, s. f. descomedido; exagerado; excessivo.
descomedimiento, s. m. descomedimento; exagero.
descomedirse, v. refl. descomedir-se; exagerar.
descompasarse, v. refl. descompassar-se; descomedir-se.
descompensad|o, -a, adj. descompensado; desequilibrado.
descompensar, v. tr. descompensar; desequilibrar.
descomponer, v. **1.** tr. descompor, desordenar; decompor. **2.** refl. decompor-se, corromper-se.
descomponible, adj. 2 gén. decomponível.
descomposición, s. f. decomposição; putrefacção.
descompostura, s. f. descompostura; censura.
descompresión, s. f. descompressão.
descompresor, s. m. descompressor.
descomprimir, v. tr. descomprimir.
descompuest|o, -a, adj. descomposto.
descomunal, adj. 2 gén. enorme; excessivo; descomunal.

desconceptuar, v. tr. desacreditar, desconceituar.
desconcertante, adj. 2 gén. desconcertante.
desconcertar, v. tr. desconcertar.
desconchad|o, -a, adj. esmurrado, descascado (pintura).
desconchar, v. tr. esmurrar, descascar (pintura).
desconchón, s. m. esmurradela (pintura).
desconcierto, s. m. desconcerto.
desconectar, v. tr. desligar, interromper.
desconfianza, s. f. desconfiança; suspeita.
desconfiar, v. intr. desconfiar; suspeitar.
descongelar, v. tr. descongelar
descongestionar, v. tr. descongestionar; desentumecer.
desconocer, v. tr. desconhecer; ignorar.
desconocid|o, -a, adj. e s. desconhecido; ignorado.
desconocimiento, s. m. desconhecimento.
desconsideración, s. f. desconsideração.
desconsiderar, v. tr. desconsiderar; desrespeitar.
desconsolación, s. f. desconsolação, desconsolo.
desconsolar, v. tr. desconsolar; entristecer.
desconsuelo, s. m. desconsolo.
descontaminación, s. f. descontaminação.
descontaminar, v. tr. descontaminar.
descontar, v. tr. descontar; abater; deduzir.
descontentamiento, s. m. descontentamento.
descontentar, v. tr. descontentar; desagradar.
descontent|o, -a, I. adj. descontente; infeliz. **II.** s. m. descontentamento.
descontrol, s. m. descontrolo.
descontrolad|o, -a, adj. descontrolado.
descontrolarse, v. refl. descontrolar-se.
desconvenir, v. tr. desconvir; discordar.
descorazonar, v. tr. (fig.) descoroçoar, desalentar.
descorchar, v. tr. descortiçar.
descorche, s. m. descortiçamento.
descornar, v. tr. descornar.
descorrer, v. tr. desandar, retroceder.

descortés, *adj.* descortês; grosseiro; incivil.

descortesía, *s. f.* descortesia, grosseria.

descortezador, -a, *adj.* escorchador.

descortezar, *v. tr.* escorchar, descascar (fruta, legumes); descodear; desbastar.

descoser, *v. tr.* descoser; desmanchar.

descosid|o, -a, I. *adj.* descosido; *(fig.)* falador; incoerente. **II.** *s. m.* bainha aberta.

descoyuntar, *v. tr.* desconjuntar, deslocar.

descrédito, *s. m.* descrédito.

descreer, *v. tr.* descrer.

descreíd|o, -a, *adj.* descrente; incrédulo.

descreimiento, *s. m.* descrença; incredulidade.

descremad|o, -a, *adj.* desnatado.

descremar, *v. tr.* desnatar.

describir, *v. tr.* descrever, traçar; delinear.

descripción, *s. f.* descrição.

descriptiv|o, -a, *adj.* descritivo.

descrit|o, -a, *adj.* descrito.

descruzar, *v. tr.* descruzar.

descuadernar, *v. tr.* vd. **desencadernar.**

descuajaringarse, *v. refl. (fig.)* relaxarem-se os músculos.

descuartizar, *v. tr.* esquartejar; retalhar.

descubierta, *s. f.* descoberta.

descubiert|o, -a, I. *adj.* descoberto. **II.** *s. m.* exposição do Santíssimo Sacramento.

descubridor, -a, *adj. e s.* descobridor; explorador; inventor; revelador.

descubrimiento, *s. m.* descobrimento, descoberta.

descubrir, *v. tr.* descobrir; inventar; destapar.

descuello, *s. m.* proeminência; elevação; altivez.

descuento, *s. m.* desconto, abatimento; dedução.

descuidad|o, -a, *adj.* descuidado, negligente.

descuidar, *v. tr.* descuidar.

descuidero, *s. m.* carteirista.

descuido, *s. m.* descuido; omissão; inadvertência.

desde, *prep.* desde, depois de.

desdecir, *v. I. intr. (fig.)* desdizer **II.** *refl.* retractar-se.

desdén, *s. m.* desdém; altivez.

desdentad|o, -a, *adj.* desdentado.

desdentar, *v. tr.* desdentar.

desdeñable, *adj. 2 gén.* desdenhável; desprezável.

desdeñar, *v. tr.* desdenhar; desprezar.

desdeños|o, -a, *adj.* desdenhoso.

desdibujarse, *v. refl.* desvanecer-se, apagar-se.

desdicha, *s. f.* desdita.

desdichadamente, *adv.* infelizmente.

desdichad|o, -a, *adj.* desditoso, infeliz.

desdoblamiento, *s. m.* desdobramento, explanação.

desdoblar, *v. tr.* desdobrar.

desdorar, *v. tr.* desdoirar, desdourar; *(fig.)* deslustrar.

desdoro, *s. m.* desdoiro, desdouro; descrédito.

desdramatizar, *v. tr.* desdramatizar.

deseable, *adj. 2 gén.* desejável.

desead|o, -a, *adj.* desejado.

desear, *v. tr.* desejar; apetecer; querer; aspirar; anelar.

desecar, *v. tr.* dessecar.

desechar, *v. tr.* desprezar; excluir; reprovar.

desecho, *s. m.* resíduo, refugo.

deselectrizar, *v. tr.* deselectrizar.

desembalaje, *s. m.* desenfardamento; desembalagem.

desembalar, *v. tr.* desembalar; desenfardar; desempacotar.

desembaldosar, *v. tr.* desladrilhar; deslajear.

desembarazar, *v. tr.* desembaraçar; desimpedir; desocupar.

desembarazo, *s. m.* desembaraço, desenvoltura, agilidade.

desembarcadero, *s. m.* desembarcadoiro, desembarcadouro.

desembarcar, *v. tr.* desembarcar.

desembarco, *s. m.* desembarque.

desembargar, *v. tr.* desembargar.

desembargo, *s. m.* desembargo.

desembarque, *s. m.* desembarque.

desembarrancar, *v. tr.* desencalhar; desembarrancar.

desembocadura, *s. f.* desembocadura.

desembocar, *v. intr.* desembocar; terminar; desaguar.

desembolsar, *v. tr.* desembolsar; despender; gastar.

desembolso, *s. m. (fig.)* desembolso; dispêndio; gasto.

desemborrachar, *v. tr.* desembriagar.

desembotar, *v. tr.* desembotar.

desembozar, *v. tr.* desembuçar.

desembragar, *v. tr.* desembraiar.

desembrague, *s. m.* desembraiagem.

desembravecer, *v. tr.* desembravecer; amansar; domesticar.

desembriagar, *v. tr.* desembriagar.

desembridar, *v. tr.* desembridar, desbridar.

desembrujar, *v. tr.* desembruxar.

desembuchar, *v. tr.* desembuchar; expandir.

desemejante, *adj. 2 gén.* dessemelhante, dissemelhante.

desemejanza, *s. f.* dissemelhança, dessemelhança.

desemejar, *v. intr.* dessemelhar, dissemelhar, diferenciar.

desempacar, *v. tr.* desenfardar; desempacotar.

desempachar, *v. tr.* desempanturrar.

desempaquetar, *v. tr.* desempacotar; desembalar; desenfardar.

desemparejado, -a, *v. tr.* desemparelhado; desirmanado.

desemparejar, *v. tr.* desemparelhar; desirmanar.

desempatar, *v. tr.* desempatar.

desempate, *s. m.* desempate.

desempedrar, *v. tr.* desempedrar.

desempeñar, *v. tr.* desempenhar; resgatar; exercer; cumprir.

desempeño, *s. m.* desempenho.

desempleado, -a, *adj.* desempregado.

desempleo, *s, m.* desemprego.

desempolvar, *v. tr.* desempoar, desempoeirar.

desempolvorar, *v. tr.* vd. **desempolvar**.

desemponzoñar, *v. tr.* desempeçonhar.

desenamorarse, *v. refl.* desenamorar-se.

desencadenamiento, *s. m.* dessencadeamento.

desencadenar, *v. tr.* desencadear; desunir; romper com ímpeto; *(fig.)* desligar.

desencajado, -a, *adj.* desencaixado.

desencajar, *v. tr.* desencaixar; desunir.

desencajonar, *v. tr.* desencaixotar.

desencallar, *v. tr. e intr.* desencalhar.

desencaminar, *v. tr.* vd. **descaminar**.

desencantamiento, *s. m.* desencantamento.

desencantar, *v. tr.* desencantar.

desencanto, *s. m.* desencanto, desencantamento.

desencarcelar, *v. tr.* desencarcerar, libertar.

desencargar, *v. tr.* desencarregar.

desenchufar, *v. tr.* desligar.

desencoger, *v. tr.* desencolher, estender; esticar.

desencogimiento, *s. m.* desencolhimento.

desencolar, *v. tr.* desgrudar, descolar, despegar.

desenconamiento, *s. f.* desinflamação.

desenconar, *v. tr.* desinflamar; *(fig.)* desabafar.

desencordar, *v. tr.* desencordoar.

desencorvar, *v. tr.* desencurvar; endireitar.

desencuadernar, *v. tr.* desencadernar.

desendemoniar, *v. tr.* desendemoninhar.

desenfadadamente, *s. m.* desenfadadamente.

desenfadado, -a, *adj.* desenfadado.

desenfadar, *v. tr.* desenfadar; distrair; divertir.

desenfado, *s. m.* desenfado; desembaraço; distracção.

desenfocado, -a, *adj.* desfocado.

desenfocar, *v. tr.* desfocar.

desenfoque, *s. m.* desfocagem.

desenfrenado, -a, *adj.* desenfreado; incontrolado.

desenfrenar, *v.* **1.** *tr.* desenfrear; *(fig.)* soltar. **2.** *refl.* exceder- se.

desenfreno, *s. m.* desenfreamento, desenfreio.

desenfundar, *v. tr.* tirar a cobertura, desencapar.

desenganchar, *v. tr.* desenganchar; desengatar.

desengañado, -a, *adj.* desenganado.

desengañar, *v. tr.* desenganar, desiludir.

desengaño, *s. m.* desengano; desilusão.

desengastar, *v. tr.* desengastar.

desengrasar, *v.* **1.** *tr.* desengordurar. **2.** *intr.* emagrecer.

desenhebrar, *v. tr.* desemaranhar, desenredar (o cabelo).

desenjaular, *v. tr.* desengaiolar; desenjaular.

desenlace, *s. m.* desenlace.

desenlazar, *v. tr.* desenlaçar.

desenlodar, *v. tr.* desenlamear.

desenlosar, *v. tr.* deslajear.

desenmarañar, *v. tr.* desemaranhar; desenredar; *(fig.)* esclarecer.

desenmascarar, *v. tr.* desmascarar.

desenmohecer, v. tr. limpar, tirar o mofo, o bolor.

desenmudecer, v. intr. desemudecer.

desenredar, v. tr. desenredar, desenlear, desembaraçar.

desenrollar, v. tr. vd. **desarrollar.**

desenroscar, v. tr. desenroscar; desatarraxar.

desensamblar, v. refl. desconjuntar, desencaixar.

desensillar, v. tr. desselar; desencilhar.

desentenderse, v. refl. desentender-se (dar-se por desentendido); desinteressar-se.

desentendid|o, -a, adj. desentendido.

desenterrar, v. tr. desenterrar, exumar.

desentonar, v. **1.** tr. desentonar, humilhar; desentoar, desafinar. **2.** refl. descomedir-se.

desentrañar, v. tr. desentranhar, estripar.

desentrenad|o, -a, adj. destreinado.

desentumecer, v. tr. desentorpecer.

desenvainar, v. tr. desembainhar.

desenvoltura, s. f. (fig.) desenvoltura, desembaraço.

desenvolver, v. tr. desenvolver; desenrolar; expor.

desenvuelt|o, -a, adj. desenvolvido; crescido; desembaraçado; desenvolto.

deseo, s. m. desejo; vontade.

deseos|o, -a, adj. desejoso.

desequilibrad|o, -a, adj. desequilibrado.

desequilibrar, v. tr. desequilibrar; fazer perder o equilíbrio.

desequilibrio, s. m. desequilíbrio.

deserción, s. f. deserção.

desertar, v. tr. desertar; abandonar.

desértic|o, -a, adj. desértico.

desertización, s. f. desertificação.

desertor, -a, s. m. e f. desertor.

desesperación, s. f. desesperação, desespero.

desesperad|o, -a, adj. desesperado.

desesperante, adj. 2 gén. desesperante.

desesperanza, s. f. desesperança, desespero.

desesperanzar, v. tr. desesperançar, desesperar.

desesperar, v. tr. desesperar.

desestabilización, s. f. desestabilização.

desestabilizar, v. tr. desestabilizar.

desestima, s. f. desestima.

desestimación, s. f. desestimação, desestima.

desestimar, v. tr. desestimar.

desfachatad|o, -a, adj. desfaçado, insolente, desvergonhado, cínico.

desfachatez, s. f. desfaçatez; insolência; descaramento; cinismo.

desfalcar, v. tr. desfalcar; defraudar; dissipar.

desfalco, s. m. desfalque.

desfallecer, v. **1.** tr. causar desfalecimento; **2.** intr. desmaiar; desfalecer.

desfallecimiento, s. m. desfalecimento; desmaio.

desfasad|o, -a, adj. desfasado.

desfasar, v. tr. desfasar.

desfase, s. m. desfasamento.

desfavorable, adj. 2 gén. desfavorável; prejudicial.

desfavorecer, v. tr. desfavorecer; opor-se, contrariar.

desfibrar, v. tr. desfibrar.

desfiguración, s. f. desfiguração.

desfigurad|o, -a, adj. desfigurado.

desfigurar, v. tr. desfigurar; deturpar; alterar.

desfiladero, s. m. desfiladeiro, garganta.

desfilar, v. intr. desfilar.

desfile, s. m. desfile.

desfloración, s. f. desfloração, desfloramento.

desflorar, v. tr. desflorar; deflorar; poluir.

desflorecer, v. intr. desflorecer; murchar.

desfogar, v. tr. desafoguear; desabafar, desafogar.

desfondar, v. tr. desfundar.

desfonde, s. m. acção de desfundar.

desgabilad|o, -a, adj. desengraçado; desajeitado; tosco.

desgaire, s. m. desalinho.

desgajar, v. tr. escachar, desgalhar; quebrar; romper.

desgalichad|o, -a, adj. desalinhado; deselegante.

desgana, s. f. inapetência, fastio; tédio.

desganad|o, -a, adj. enfastiado, sem apetite; apático, abúlico.

desganar, v. **1.** tr. enfastiar; **2.** refl. perder o apetite; desinteressar-se.

desgañitarse, v. refl. esganiçar-se; berrar; gritar.

desgarbad|o, -a, adj. desajeitado; desalinhado; sem garbo.

desgarrad|o, -a, adj. e s. desgarrado; dissoluto; escandaloso.

desgarrador, -a, *adj.* pungente; dilacerante.

desgarramiento, *s. m.* dilaceração; choro.

desgarrar, *v. tr.* rasgar; dilacerar; destroçar.

desgarro, *s. m.* rompimento, ruptura, dilaceração; insolência; fanfarronada.

desgarrón, *s. m.* lágrima; choro; rasgão; farrapo; trapo.

desgastar, *v. tr.* desgastar.

desgaste, *s. m.* desgaste.

desglosar, *v. tr.* separar; dividir.

desglose, *s. m.* separação; divisão.

desgobernar, *v. tr.* desgovernar.

desgobierno, *s. m.* desgoverno; desordem.

desgracia, *s. f.* desgraça; desdita; desastre; infortúnio; infelicidade.

desgraciadamente, *adv.* desgraçadamente, infelizmente.

desgraciad|o, -a, *adj.* desgraçado; infeliz; desditoso.

desgraciar, *v. tr.* desgraçar; ofender; ferir; desonrar (mulher).

desgranadora, *s. f.* debulhadora.

desgranamiento, *s. m.* debulha.

desgranar, *v. tr.* debulhar.

desgravable, *adj.* 2 *gén.* dedutível nos impostos.

desgravación, *s. f.* dedução.

desgravar, *v. tr.* desagravar; deduzir.

desgreñad|o, -a, *adj.* desgrenhado; despenteado.

desgreñar, *v. tr.* desgrenhar; despentear.

desguarnecer, *v. tr.* desguarnecer; desarmar.

desguazar, *v. tr.* desbastar.

deshabitad|o, -a, *adj.* desabitado; desocupado.

deshabitar, *v. tr.* deixar; abandonar; evacuar.

deshabituar, *v. tr.* desabituar, desacostumar.

deshacer, *v. tr.* desfazer; desmanchar; destruir.

desharrapad|o, -a, *adj. e s.* esfarrapado, roto, andrajoso.

deshebrar, *v. tr.* desfibrar.

deshechizar, *v. tr.* desenfeitiçar.

deshech|o, -a, *adj.* destruído, desfeito, danificado; dissolvido; derretido; cansado; exausto; abatido.

deshelar, *v. tr.* degelar; descongelar.

desherbar, *v. tr.* mondar, arrancar as ervas ruins.

desheredado, -a, *adj. e s.* deserdado; desfavorecido; carenciado.

desheredamiento, *s. m.* deserdação, deserdamento.

desheredar, *v. tr.* deserdar.

deshidratación, *s. f.* desidratação.

deshidratad|o, -a, *adj.* desidratado.

deshidratar, *v. tr.* desidratar.

deshidrogenar, *v. tr.* desidrogenar.

deshielo, *s. m.* degelo, descongelação.

deshilachado, -a, *adj.* desfiado.

deshilachar, *v. tr.* desfiar (um tecido).

deshilado, *s. m.* ponto-aberto.

deshiladura, *s. f.* desfiadura.

deshilar, *v. tr.* desfiar (um tecido); franjar.

deshilvanad|o, -a, *adj.* desalinhavado.

deshilvanar, *v. tr.* desalinhavar.

deshinchad|o, -a, *adj.* desinchado.

deshinchadura, *s. f.* desinchação.

deshinchar, *v. tr.* desinchar.

deshipotecar, *v. tr.* desipotecar; cancelar.

deshojar, *v. tr.* desfolhar.

deshollinador, -a, *adj. e s. m.* vasculhador; limpa-chaminés; *(fig.)* reparador.

deshollinar, *v. tr.* vasculhar.

deshonestidad, *s. f.* desonestidade.

deshonest|o, -a, *adj.* desonesto; indecoroso, indigno.

deshonor, *s. m.* desonra.

deshonra, *s. f.* desonra; descrédito; ignomínia.

deshonrar, *v. tr.* desonrar; infamar; desflorar.

deshonros|o, -a, *adj.* desonroso; indecoroso.

deshora(s), *s. f.* desoras.

deshuesadora, *s. f.* descascadora (de fruta); desossadora (de carne).

deshuesar, *v. tr.* desossar.

deshumanización, *s. f.* desumanização.

deshumanizad|o, -a, *adj.* desumanizado.

deshumanizar, *v. tr.* desumanizar.

desiderativ|o, -a, *adj.* desiderativo.

desiderátum, *s. m.* desiderato; aspiração.

desidia, *s. f.* desídia; indolência; inércia.

desidios|o, -a, *adj.* desidioso; indolente; preguiçoso.

desiert|o, -a, *adj. e s.* deserto; solitário; ermo.

designación, *s. f.* designação.

designar, *v. tr.* designar.

designio, *s. m.* desígnio; intuito.

desigual, *adj. 2 gén.* desigual; irregular; variável.

desigualar, *v. tr.* desigualar.

desigualdad, *s. f.* desigualdade; aspereza; rugosidade; mudança, inconstância.

desilusión, *s. f.* desilusão.

desilusionad|o, -a, *adj.* desiludido; desenganado.

desilusionar, *v. tr.* desiludir; desenganar.

desimanar, *v. tr.* desimanar; desmagnetizar.

desimantar, *v. tr.* desimanar, desmagnetizar.

desinclinar, *v. tr.* desinclinar; desafeiçoar; aprumar.

desincrustar, *v. tr.* desincrustar.

desinencia, *s. f.* desinência.

desinfección, *s. f.* desinfecção.

desinfectante, I. *adj. 2 gén.* desinfectante. **II.** *s. m.* desinfectante.

desinfectar, *v. tr.* desinfectar.

desinflamación, *s. f.* desinflamação.

desinflamar, *v. tr.* desinflamar.

desinflar, *v. tr.* desinchar.

desinformación, *s. f.* desinformação.

desinformar, *v. tr.* desinformar.

desinsectación, *s. f.* fumigação.

desinsectar, *v. tr.* fumigar.

desintegración, *s. f.* desintegração.

desintegrar, *v. tr.* desintegrar.

desinterés, *s. m.* desinteresse.

desinteresadamente, *adv.* desinteressadamente.

desinteresad|o, -a, *adj.* desinteressado; desprendido.

desinteresarse, *v. refl.* desinteressar-se.

desintoxicación, *s. f.* desintoxicação.

desintoxicar, *v. tr.* desintoxicar.

desistir, *v. intr.* desistir; ceder; abandonar; renunciar.

deslabonar, *v. tr.* deslaçar os elos duma corrente; (*fig.*) desunir; desfazer.

deslavad|o, -a, *adj.* deslavado; descarado; petulante.

deslavar, *v. tr.* deslavar; desbotar.

deslavazad|o, -a, *adj.* desligado; sem nexo.

desleal, *adj. 2 gén.* desleal.

deslealtad, *s. f.* deslealdade.

desleír, *v. tr.* dissolver; diluir; delir.

deslenguad|o, -a, *adj.* (*fig.*) desbocado; desavergonhado.

deslenguar, *v.* **1.** *tr.* deslinguar. **2.** *refl.* desbocar-se.

desliar, *v. tr.* desfiar, desligar; desatar; desborrar, separar as borras do vinho.

desligar, *v. tr.* desligar; separar.

deslindar, *v. tr.* deslindar; demarcar; limitar; destrinçar.

deslinde, *s. m.* delimitação; demarcação.

desliz, *s. m.* deslize; falta.

deslizamento, *s. m.* deslizamento.

deslizante, *adj. 2 gén.* deslizante.

deslizar, *v. intr.* deslizar; resvalar; escorregar.

deslomar, *v. tr.* deslombar.

deslucid|o, -a, *adj.* desluzido; deslustrado; desgracioso.

deslucir, *v. tr.* desluzir; deslustrar; ofuscar.

deslumbrador, -a, *adj.* deslumbrante; ofuscante.

deslumbramiento, *s. m.* deslumbramento; fascinação.

deslumbrante, *adj. 2 gén.* deslumbrante.

deslumbrar, *v. tr.* deslumbrar; ofuscar; maravilhar.

deslustrar, *v. tr.* deslustrar; empanar; (*fig.*) difamar.

deslustre, *s. m.* deslustre, deslustro, desdouro; descrédito.

desmadejad|o, -a, *adj.* derreado, fraco, abatido.

desmadejamiento, *s. m.* fraqueza; abatimento, moleza.

desmadejar, *v. tr. e refl.* derrear; alquebrar; extenuar; abater (o corpo).

desmadrad|o, -a, *adj.* rebelde, insubmisso.

desmadrar, *v.* **1.** *tr.* desmamar. **2.** *refl.* tornar-se rebelde, insubmisso.

desmadre, *s. m.* caos; desordem; bagunça.

desmagnetizar, *v. tr.* desmagnetizar.

desmán, *s. m.* desmando; excesso; tropelia; desgraça.

desmandad|o, -a, *adj.* desmandado; desregrado.

desmandar, *v.* **1.** *tr.* desmandar, contramandar; **2.** *refl.* desmandar-se; exceder-se.

desmano, *á desmano, loc. adv.* à desamão.

desmantelad|o, -a, *adj.* desmantelado; NÁUT. desmastreado.

desmantelamiento, *s. m.* desmantelamento; NÁUT. desmastreamento.

desmantelar, v. tr. desmantelar; arrasar; arruinar; NÁUT. desmastrear.

desmañad|o, -a, adj. acanhado.

desmaquillad|o, -a, adj. desmaquilhado.

desmaquillar, v. tr. desmaquilhar.

desmarcarse, v. refl. desmarcar-se.

desmarrid|o, -a, adj. deprimido; desanimado.

desmayad|o, -a, adj. desmaiado; desfalecido; desbotado.

desmayar, v. 1. tr. provocar desmaio. 2. intr. e refl. desmaiar; desfalecer; desbotar.

desmayo, s. m. desmaio, delíquio; desfalecimento.

desmedid|o, -a, adj. desmedido; excessivo; enorme.

desmedirse, v. refl. descomedir-se; exagerar; sair das marcas; exceder-se.

desmedrar, v. tr. deteriorar.

desmedro, s. m. desmedrança; enfezamento.

desmejora, s. f. piora.

desmejorad|o, -a, adj. pior (de saúde).

desmejorar, v. tr. e intr. desmelhorar; piorar.

desmelenad|o, -a, adj. despenteado, desgrenhado.

desmelenar, v. tr. desgrenhar, despentear.

desmembración, s. f. desmembração, desmembramento; desagregação.

desmembramiento, s. m. desmembramento.

desmembrar, v. tr. desmembrar; dividir; separar.

desmemoriad|o, -a, adj. e s. desmemoriado.

desmemoriarse, v. refl. desmemoriar-se, esquecer-se; perder a memória.

desmentir, v. tr. desmentir, contradizer.

desmenuzar, v. tr. esmiuçar esmigalhar; esfarelar; (fig.) analisar; investigar.

desmerecer, v. tr. desmerecer.

desmerecimiento, s. m. desmerecimento; demérito.

desmesura, s. f. desmesura; descomedimento.

desmesuradamente, adv. desmesuradamente; descomedidamente.

desmesurad|o, -a, adj. e s. desmesurado; excessivo, enorme; descortês.

desmesurar, v. 1. tr. desmesurar; transtornar. 2. refl. descomedir-se; exceder-se.

desmigajar, v. tr. esmigalhar; fragmentar.

desmigar, v. tr. migar.

desmilitarización, s. m. desmilitarização.

desmilitarizar, v. tr. desmilitarizar.

desmineralización, s. f. desmineralização.

desmineralizar, v. tr. desmineralizar.

desmirriad|o, -a, adj. (fam.) mirrado, consumido.

desmitificar, v. tr. desmitificar.

desmochar, v. tr. desmochar; podar.

desmontable, adj. 2 gén. desmontável.

desmontar, v. tr. e intr. desmontar; desarmar; abater; apear.

desmonte, s. m. desmonte.

desmoralización, s. f. desmoralização.

desmoralizador, -a, adj. e s. desmoralizador.

desmoralizar, v. tr. desmoralizar; perverter; corromper.

desmoronamiento, s. m. desmoronamento.

desmoronar, v. 1. tr. desmoronar; abater; demolir; derrubar. 2. refl. desmoronar-se; baquear.

desmovilización, s. f. desmobilização.

desmovilizar, v. tr. desmobilizar.

desnacionalización, s. f. desnacionalização.

desnacionalizar, v. tr. desnacionalizar.

desnarigad|o, -a, adj. e s. desnarigado.

desnatad|o, -a, adj. desnatado.

desnatar, v. tr. desnatar.

desnaturalización, s. f. desnaturalização.

desnaturalizad|o, -a, adj. desnaturalizado.

desnaturalizar, v. tr. desnaturalizar.

desnivel, s. m. desnível.

desnivelación, s. f. desnivelamento.

desnivelad|o, -a, adj. desnivelado.

desnivelar, v. tr. desnivelar.

desnucar, v. tr. desnucar.

desnudar, v. tr. desnudar, denudar, despir.

desnudez, s. f. nudez.

desnudismo, s. m. nudismo.

desnudista, adj. e s. 2 gén. nudista.

desnud|o, -a, I. adj. nu, despido, desnudo. **II.** s. m. nu.

desnutrición, s. f. MED. desnutrição; emagrecimento.

desnutrid|o, -a, adj. desnutrido.
desnutrirse, v. refl. desnutrir-se.
desobedecer, v. tr. desobedecer; recalcitrar.
desobediencia, s. f. desobediência; insubmissão.
desobediente, adj. 2 gén. desobediente, insubmisso.
desobligar, v. tr. desobrigar; exonerar; isentar.
desobstrucción, s. f. desobstrução; desimpedimento.
desobstruir, v. tr. desobstruir; desimpedir; desentupir.
desocupación, s. f. desocupação; ociosidade.
desocupad|o, -a, adj. desocupado, livre.
desocupar, v. tr. desocupar; MIL. evacuar.
desodorante, adj. 2 gén. e s. m. desodorizante, desodorante.
desodorar, v. tr. desodorizar.
desoír, v. tr. desatender; ignorar; não fazer caso de.
desolación, s. f. desolação, ruína.
desolad|o, -a, adj. desolado, devastado; desolado, triste.
desolador, -a, adj. desolador.
desolar, v. tr. desolar; despovoar; devastar.
desollar, v. tr. esfolar; explorar; (fig.) murmurar.
desorbitad|o, -a, adj. exorbitante.
desorbitar, v. tr. exorbitar.
desorden, s. m. desordem; confusão; balbúrdia.
desordenad|o, -a, adj. desordenado; fora de ordem; desordenado, desorganizado.
desordenar, v. tr. desordenar; desarranjar.
desorejar, v. tr. desorelhar.
desorganización, s. f. desorganização.
desorganizar, v. tr. desorganizar, desordenar.
desorientación, s. f. desorientação.
desorientad|o, -a, s. m. desorientado; (fig.) confuso.
desorientar, v. tr. desorientar; desnortear.
desosar, v. tr. desossar.
desovar, v. intr. desovar.
desove, s. m. desova, postura.
desovillar, v. tr. desenovelar; desenredar; (fig.) esclarecer.
desoxidación, s. f. desoxidação.

desoxidante, adj. 2 gén. e s. m. desoxidante.
desoxidar, v. tr. desoxidar.
despabilad|o, -a, adj. espevitado; acordado; astuto.
despabilador, -a, adj. e s. espevitador.
despabilar, v. tr. espevitar.
despachaderas, s. f. pl. (fam.) resposta torta; maneiras despachadas.
despachad|o, -a, adj. (fam.) despachado, resolvido; expedito.
despachar, v. tr. despachar; resolver.
despacios|o, -a, adj. vagaroso, lento.
despacho, s. m. despacho; escritório; decisão; termo.
despachurrar, v. tr. (fam.) pisar, esmigalhar.
despacio, adv. devagar.
despajar, v. tr. despalhar.
despampanante, adj. espampanante, vistoso; desconcertante; pasmoso.
despanzurrar, v. tr. estripar.
desparejad|o, -a, adj. desemparceirado; desemparelhado, desirmanado.
desparejar, v. tr. desemparceirar; desemparelhar, desirmanar.
desparej|o, -a, adj. díspar.
desparpajo, s. m. (fam.) desenvoltura; desembaraço; descaramento.
desparramar, v. tr. esparramar, espargir, espalhar.
despatarrad|o, -a, adj. escachado; de pernas abertas.
despatarrar, v. tr. (fam.) escarranchar; assustar.
despatillar, v. tr. desbastar; cortar as patilhas.
despavesar, v. tr. espevitar; atiçar.
despavorid|o, -a, adj. espavorido, apavorado.
despavorirse, v. refl. espavorir-se; apavorar-se.
despechad|o, -a, adj. despeitado.
despechar, v. tr. despeitar; (fam.) desmamar.
despecho, s. m. despeito.
despechugad|o, -a, adj. decotado.
despechugar, v. tr. decotar.
despectivamente, adv. depreciativamente.
despectiv|o, -a, adj. depreciativo; GRAM. pejorativo.
despedazar, v. tr. despedaçar; partir.

despedida, s. f. despedida.
despedido, -a, adj. despedido.
despedir, v. tr. despedir; lançar; arrojar.
despegado, -a, adj. despegado, descolado; (fig.) distante, alheado.
despegar, v. tr. despegar; separar; desunir; descolar; levantar voo.
despego, s. m. despego; desapego; desinteresse; frieza.
despegue, s. m. descolagem (avião); desenvolvimento (económico).
despeinado, -a, adj. despenteado.
despeinar, v. tr. despentear.
despejado, -a, adj. desembaraçado; vivo; esperto.
despejar, v. tr. despejar; desocupar; evacuar; aclarar.
despeje, s. m. despejo; desembaraço.
despellejar, v. tr. esfolar; pelar; (fig.) murmurar de alguém.
despelotado, -a, adj. despido; nu.
despelotarse, v. refl. despir-se.
despelote, s. m. desnudamento; (fam.) perder o pêlo.
despeluchar, v. 1. intr. mudar o pêlo. 2. refl. perder o pêlo.
despeluzar, v. tr. esguedelhar; desgrenhar; desgadelhar.
despeluznante, adj. 2 gén. apavorante; arrepiante.
despenalización, s. f. despenalização.
despenalizar, v. tr. despenalizar.
despender, v. tr. dissipar; gastar; despender.
despensa, s. f. despensa; mantimentos.
despeñadero, s. m. despenhadeiro; barranco; precipício.
despeñar, v. tr. despenhar; precipitar; arrojar.
despepitar, v. tr. tirar as pevides dos frutos.
desperdiciar, v. tr. desperdiçar; malbaratar.
desperdicio, s. m. desperdício; esbanjamento; refugo.
desperdigamiento, s. m. separação; dispersão.
desperdigar, v. tr. separar, desunir, dispersar.
desperezarse, v. refl. espreguiçar-se.
desperezo, s. m. espreguiçamento.
desperfecto, s. m. defeito; estrago.
despersonalizar, v. tr. despersonalizar.

despertador, -a, I. adj. despertador. **II.** s. m. despertador (relógio).
despertar, 1. v. tr. despertar; acordar; excitar. **2.** s. m. o despertar.
despestañar, v. tr. tirar ou arrancar as pestanas.
despiadado, -a, adj. desapiedado; despiedoso.
despicar, v. tr. desafogar; satisfazer; desforrar.
despido, s. m. despedimento; demissão.
despiece, s. m. acção de desmanchar uma peça de carne; esquartejamento.
despierto, -a, adj. desperto; acordado; esperto; sagaz.
despilfarrador, -a, adj. e s. gastador; esbanjador; pródigo.
despilfarrar, v. tr. esbanjar; desperdiçar; malgastar, dissipar.
despilfarro, s. m. esbanjamento; dissipação.
despiojar, v. tr. despiolhar, espiolhar.
despique, s. m. despique.
despistado, -a, adj. despistado, distraído.
despistar, v. 1. tr. despistar; (fig.) desorientar. **2.** intr. dissimular.
despiste, s. m. despiste, distracção; erro, lapso.
desplacer, I. s. m. desprazer, desgosto. **II.** v. tr. desprazer; desgostar.
desplantar, v. tr. desplantar.
desplante, s. m. desplante; insolência.
desplazado, -a, adj. deslocado; fora do sítio.
desplazamiento, s. m. deslocação; viagem.
desplazar, v. tr. deslocar; pôr noutro lugar; substituir; suplantar.
desplegar, v. tr. despregar, desdobrar, desenvolver.
despliegue, s. m. desdobramento.
desplomar, v. 1. tr. desaprumar. 2. refl. cair; desabar.
desplome, s. m. ARQ. aba, ressalto, beirada; queda; colapso.
desplumar, v. tr. desplumar, depenar; (fig.) despojar.
despoblación, s. f. despovoamento.
despoblado, s. m. despovoado, deserto, ermo.
despoblar, v. tr. despovoar.
despojar, v. 1. tr. despojar; espoliar. 2. refl. despojar-se.

despojo, *s. m.* despojo; espólio; presa; miúdos.

despolitización, *s. f.* despolitização.

despolitizar, *v. tr.* despolitizar.

desportilladura, *s. f.* esquírola, lasca.

desportillar, *v. tr.* desbeiçar (pratos, vasos, etc.), esbotenar; esborcelar.

desposad|o, -a, *adj. e s.* desposado, recém-casado; algemado.

desposar, *v. tr.* desposar, casar; algemar.

desposeer, *v. tr.* desapossar.

desposorios, *s. m. pl.* esponsais; casamento; boda.

déspota, *s. 2 gén.* déspota.

despótic|o, -a, *adj.* despótico; tirânico.

despotismo, *s. m.* despotismo; tirania.

despotricar, *v. intr.* disparatar.

despreciable, *adj. 2 gén.* desprezível; desprezável.

despreciar, *v. tr.* desprezar.

despreciativ|o, -a, *adj.* depreciativo.

desprecio, *s. m.* desprezo.

desprender, *v. tr.* desprender; soltar; desunir.

desprendid|o, -a, *adj.* desprendido, solto; desinteressado; generoso.

desprendimiento, *s. m.* desprendimento; desabamento (de terras, etc.); desapego; alheamento; desinteresse.

despreocupación, *s. f.* despreocupação.

despreocupad|o, -a, *adj.* despreocupado; descuidado; indiferente.

despreocuparse, *v. refl.* despreocupar-se; desligar-se; desinteressar-se.

despresurizar, *v. tr.* descomprimir; diminuir a pressão de.

desprestigiar, *v. tr.* desprestigiar.

desprestigio, *s. m.* desprestígio.

desprevenid|o, -a, *adj.* desprevenido; desacautelado.

desproporción, *s. f.* desproporção.

desproporcionad|o, -a, *adj.* desproporcionado.

desproporcionar, *v. tr.* desproporcionar.

despropósito, *s. m.* despropósito.

desproveer, *v. tr.* desprover.

desprovist|o, -a, *adj.* desprovido.

después, *adv.* depois; após; em seguida; a seguir.

despulpar, *v. tr.* despolpar.

despumar, *v. tr.* coar.

despuntar, *v.* **1.** *tr.* despontar. **2.** *intr.* surgir.

desquiciar, *v. tr.* desquiciar.

desquitar, *v.* **1.** *tr.* compensar; vingar. **2.** *refl.* desforrar-se; vingar-se.

desquite, *s. m.* compensação; vingança; desforra.

desratizar, *v. tr.* desratizar.

desriñonar, *v. tr.* derrear; deslombar.

destacad|o, -a, *adj.* desfalcado; proeminente; notório.

destacamento, *s. m.* MIL. destacamento.

destacar, *v.* **1.** *tr.* destacar; fazer notar; enfatizar. **2.** *refl.* sobressair; notabilizar-se.

destajar, *v. tr.* taxar, ajustar; partir (o baralho).

destajo, *s. m.* empreitada.

destapar, *v. tr.* destapar, destampar.

destapiar, *v. tr.* desentaipar.

destaponar, *v. tr.* desarrolhar, desbatocar; destampar.

destartalad|o, -a, *adj. e s.* destrambelhado.

destejar, *v. tr.* destelhar.

destejer, *v. tr.* destecer.

destellar, *v. tr.* cintilar, faiscar, brilhar.

destello, *s. m.* clarão; brilho, cintilação.

destemplad|o, -a, *adj.* destemperado; desregrado.

destemplanza, *s. f.* destemperança, irregularidade; intemperança, excesso.

destemplar, *v. tr.* destemperar; diluir.

destemple, *s. m.* destempero.

desteñir, *v. tr.* destingir, apagar a cor; desbotar.

desternillarse, *v. refl.* deslocar ou ferir alguma cartilagem; (*fig.*) arrebentar, chorar de riso.

desterrad|o, -a, *adj. e s.* desterrado, exilado.

desterrar, *v. tr.* desterrar, degredar; exilar, expatriar.

desterronar, *v. tr.* desterroar, destorroar, esterroar.

destetar, *v. tr.* desmamar.

destete, *s. m.* desmame.

destiempo, -a, *adv.* inoportunamente.

destierro, *s. m.* desterro; degredo; exílio.

destilación, *s. f.* destilação.

destiladera, *s. f.* destilador, alambique.

destilad|o, -a, *adj. e s. m.* destilado.

destilador, -a, I. *adj.* destilador. **II.** *s. m.* destilador, alambique.

destilar, *v. tr. e intr.* destilar.

destilería, *s. f.* destilaria.

destinar, *v. tr.* destinar.

destinatario, -a, *s. m.* e *f.* destinatário.
destino, *s. m.* destino; sorte.
destitución, *s. f.* destituição; demissão.
destituir, *v. tr.* destituir; separar; desligar; demitir.
destocar, *v. tr.* destoucar.
destorcer, *v. tr.* destorcer.
destornillador, *s. m.* desandador, chave de fenda.
destornillar, *v. tr.* desaparafusar, desatarraxar.
destrabar, *v. tr.* desbravar.
destrabazón, *s. f.* destravamento.
destral, *s. m.* machadinha.
destrenzar, *v. tr.* destrançar, desentrançar.
destreza, *s. f.* destreza.
destripar, *v. tr.* estripar.
destripaterrones, *s. m.* (*fig., fam.*) jornaleiro, trabalhador braçal.
destronamiento, *s. m.* destronamento.
destronar, *v. tr.* destronar.
destroncar, *v. tr.* destroncar.
destrozado, -a, *adj.* destroçado, desfeito; aniquilado.
destrozar, *v. tr.* destroçar, despedaçar, desbaratar.
destrozo, *s. m.* destroço, estrago.
destrucción, *s. f.* destruição, assolamento, devastação.
destructivo, -a, *adj.* destrutivo.
destructor, -a, *adj.* e *s.* destruidor, destrutor.
destruir, *v. tr.* destruir; desfazer; arruinar.
desuerar, *v. tr.* dessorar.
desuncir, *v. tr.* desjungir.
desunión, *s. f.* desunião; disjunção; (*fig.*) discórdia.
desunir, *v. tr.* desunir; separar; (*fig.*) provocar discórdia.
desusado, -a, *adj.* desusado; obsoleto; antiquado.
desuso, *s. m.* desuso.
desvaído, -a, *adj.* esgrouviado; esgrouvinhado; esvaído (cor).
desvainar, *v. tr.* debulhar; descascar.
desvalido, -a, *adj.* desvalido; desprotegido.
desvalijar, *v. tr.* roubar, despojar.
desvalimiento, *s. m.* desvalimento, desprotecção.
desvalorización, *s. f.* desvalorização.
desvalorizar, *v. tr.* desvalorizar.

desván, *s. m.* desvão; trapeira; águas-furtadas.
desvanecer, *v.* 1. *tr.* desvanecer; diminuir; esvaecer, esvair. 2. *refl.* desvanecer-se, evaporar-se.
desvanecimiento, *s. m.* desvanecimento; presunção.
desvariado, -a, *adj.* desvairado; delirante.
desvariar, *v. intr.* desvairar; delirar.
desvarío, *s. m.* desvairo, desvario; delírio; erro.
desvelado -a, *adj.* desvelado.
desvelar, *v. tr.* desvelar.
desvelo, *s. m.* desvelo; cuidado; zelo.
desvenar, *v. tr.* dissecar (as veias); separar (o mineral).
desvencijado, -a, *adj.* desenvencilhado.
desvencijar, *v. tr.* desenvencilhar.
desvendar, *v. tr.* desvendar.
desventaja, *s. f.* desvantagem; inferioridade.
desventajoso, -a, *adj.* desvantajoso, desfavorável.
desventura, *s. f.* desventura.
desventuradamente, *adv.* infelizmente, desafortunadamente.
desventurado, -a, *adj.* e *s.* desventurado; infeliz.
desvergonzado, -a, *adj.* e *s.* desavergonhado.
desvergüenza, *s. f.* desvergonha; desfaçatez.
desvestir, *v. tr.* desvestir, despir.
desviación, *s. f.* desvio; separação; afastamento.
desviacionismo, *s. m.* desviacionismo.
desviacionista, *adj.* e *s.* 2 *gén.* desviacionista.
desviar, *v. tr.* desviar; afastar; dissuadir.
desvinculación, *s. f.* desvinculação.
desvincular, *v. tr.* desvincular.
desvío, *s. m.* desvio, afastamento; falta.
desvirgar, *v. tr.* desvirgar; desflorar.
desvirtuar, *v. tr.* desvirtuar.
desvitrificar, *v. tr.* QUÍM. desvidrar.
desvivirse, *v. refl.* mostrar-se interessado; desvelar-se.
detail, *s. m.* pormenor, minúcia; *al detail,* a retalho.
detallar, *v. tr.* pormenorizar, esmiuçar.
detalle, *s. m.* pormenor, minúcia.
detallista, *s.* 2 *gén.* retalhista.
detección, *s. f.* detecção.
detectar, *v. tr.* detectar.

detective, s. m. detective.
detector, -a, s. m. e f. detector.
detención, s. f. detenção.
detener, v. tr. deter; impedir; reter, conservar.
detenidamente, adv. cuidadosamente.
detenido, -a, adj. e s. detido; preso; minucioso; cuidadoso.
detentar, v. tr. DIR. deter, reter (ilegalmente).
detergente, I. adj. 2 gén. detergente, detersivo. **II.** s. m. detergente.
deterger, v. tr. detergir; limpar.
deteriorar, v. tr. deteriorar, danificar, estragar.
deterioro, s. m. deterioração, estrago.
determinable, adj. 2 gén. determinável.
determinación, s. f. determinação; decisão; ousadia.
determinado, -a, adj. e s. determinado; resoluto; valoroso; preciso.
determinante, adj. 2 gén. determinante, decisivo.
determinar, v. tr. determinar; assentar; decidir; resolver; distinguir; definir.
determinativo, -a, adj. determinativo.
determinismo, s. m. FIL. determinismo.
determinista, adj. e s. 2 gén. determinista.
detersión, s. f. detersão; limpeza; mundificação.
detestable, adj. 2 gén. detestável; execrável.
detestación, s. f. detestação.
detestar, v. tr. detestar; aborrecer; odiar.
detonación, s. f. detonação.
detonador, s. m. detonador.
detonante, I. adj. 2 gén. detonante. **II.** s. m. detonador.
detonar, v. intr. detonar.
detractar, v. tr. detractar; difamar.
detractor, -a, adj. e s. detractor; difamador.
detraer, v. tr. subtrair; apartar, desviar; (fig.) infamar, denegrir, tirar a honra a.
detrás, adv. detrás; depois; posteriormente.
detrimento, s. m. detrimento; prejuízo.
detrito, s. m. detrito; resíduo.
detritus, s. m. vd. **detrito.**
deuda, s. f. dívida; débito; obrigação.
deudor, -a, adj. e s. devedor.
Deuteronomio, s. m. Deuteronómio.
devalimiento, s. m. destituição.

devaluación, s. f. desvalorização.
devaluar, v. tr. desvalorizar.
devanar, v. tr. dobar; enovelar.
devaneo, s. m. devaneio; delírio; fantasia, sonho; quimera; namorico.
devastación, s. f. devastação.
devastador, -a, adj. e s. devastador.
devastar, v. tr. devastar, assolar, destruir.
devengar, v. tr. merecer; adquirir direito; ganhar.
devenir, v. intr. sobrevir; acontecer, suceder.
devoción, s. f. devoção.
devocionario, s. m. devocionário.
devolución, s. f. devolução.
devolver, v. tr. devolver; restituir.
devorador, -a, adj. e s. devorador.
devorar, v. tr. devorar; engolir consumir.
devotería, s. f. falsa piedade; hipocrisia.
devoto, -a, adj. e s. devoto, beato; afeiçoado.
dextrina, s. f. dextrina.
dextrorso, -a, adj. dextorso.
dextrosa, s. f. dextrose.
deyección, s. f. GEOL. dejecção; MED. defecação.
deyector, s. m. ejector.
día, s. m. dia.
diabetes, s. f. diabetes.
diabético, -a, adj. MED. diabético.
diablear, v. intr. fazer diabruras.
diablesa, s. f. diaba.
diablillo, s. m. diabrete.
diablo, s. m. Diabo, Demo; Demónio; Satanás.
diablura, s. f. diabrura, travessura.
diabólico, -a, adj. diabólico; infernal.
diábolo, s. m. diábolo (brinquedo).
diaconado, s. m. diaconato; diaconado.
diaconal, adj. 2 gén. diaconal.
diaconato, s. m. vd. **diaconado.**
diácono, s. m. diácono
diacrítico, -a, adj. diacrítico.
diacrónico, -a, adj. diacrónico.
diadema, s. f. diadema; coroa.
diafanidad, s. f. diafanidade.
diáfano, -a, adj. diáfano.
diafragma, s. m. diafragma.
diagnosis, s. f. diagnose.
diagnosticar, v. tr. diagnosticar.
diagnóstico, s. m. diagnóstico.
diagonal, I. adj. 2 gén. diagonal. **II.** s. f. GEOM. diagonal.
diágrafo, s. m. diágrafo.

diagrama, s. m. diagrama.
dial, adj. 2 gén. dial; diario; cotidiano.
dialectal, adj. 2 gén. dialectal.
dialéctica, s. f. dialéctica; lógica.
dialecto, s. m. dialecto.
dialectologia, s. f. dialectologia.
diálisis, s. f. diálise.
dialogador, -a, adj. dialogante.
dialogar, v. intr. dialogar.
diálogo, s. m. diálogo.
diamante, s. m. diamante.
diamantino, -a, adj. diamantino.
diametral, adj. 2 gén. diametral.
diametralmente, adv. diametralmente.
diámetro, s. m. diâmetro.
diana, s. f. MIL. alvorada.
diantre, s. m. diacho.
diapasón, s. m. diapasão.
diapositiva, s. f. diapositivo.
diariamente, adv. diariamente.
diario, -a, adj. diário.
diarquía, s. f. diarquia.
diarrea, s. f. diarreia.
diáspora, s. f. diáspora.
diastasa, s. f. diástase.
diástole, s. f. diástole.
diátesis, s. f. MED. diátese.
diatónico, -a, adj. diatónico.
diatriba, s. f. diatribe.
diávolo, s. m. jogo de crianças.
dibujante, adj. e s. 2 gén. desenhista; desenhador.
dibujar, v. tr. desenhar, delinear, debuxar.
dibujo, s. m. desenho; padrão.
dicción, s. f. dicção; expressão; termo; vocábulo.
diccionario, s. m. dicionário.
dicha, s. f. dita; felicidade.
dicho, s. m. dito; palavra; máxima; sentença; expressão.
dichoso, -a, adj. ditoso.
diciembre, s. m. Dezembro.
dicotomía, s. f. dicotomia.
dicroísmo, s. m. dicroísmo.
dicromatismo, s. m. dicromatismo.
dictado, -a, I. adj. ditado. II s. m. ditado; pl. preceitos; ditames.
dictador, s. m. ditador.
dictadura, s. f. ditadura.
dictáfono, s. m. dictafone.
dictamen, s. m. ditame; opinião; juízo; regra.
dictar, v. tr. ditar, inspirar; sugerir; impor.
dictatorial, adj. 2 gén. ditatorial.
dicterio, s. m. ditério; chufa; dichote; motejo; insulto.

didáctica, s. f. didáctica.
diecinueve, num. dezanove.
dieciocho, num. dezoito.
dieciséis, num. dezasseis.
diecisiete, num. dezassete.
diente, s. m. dente.
diéresis, s. f. diérese; trema.
diestra, s. f. direita; destra.
diestramente, adv. com destreza.
diestro, -a, I. adj. destro; hábil; perito; astuto. II. s. m. diestro, matador de touros.
dieta, s. f. dieta.
dietética, s. f. dietética.
dietético, -a, adj. dietético.
dietista, s. 2 gén. dietista.
diez, adj. dez.
diezmar, v. tr. dizimar.
diezmilésimo, -a, I. num. décimo milésimo. II. s. f. uma décima milésima.
diezmo, s. m. décimo; dízimo; tributo.
difamación, s. f. difamação
difamador, -a, adj. e s. difamador; difamante.
difamar, v. tr. difamar; desacreditar; rebaixar.
difamatorio, -a, adj. difamatório.
diferencia, s. f. diferença; diversidade; distinção; excesso.
diferenciación, s. f. diferenciação.
diferencial, I. adj. 2 gén. diferencial. II. m. diferencial.
diferenciar, v. tr. diferenciar; diferençar; distinguir.
diferente, adj. 2 gén. diferente; diverso; distinto; desigual.
diferido, -a, adj. diferido.
diferir, v. tr. diferir; dilatar; demorar; retardar; prorrogar.
difícil, adj. 2 gén. difícil; custoso.
difícilmente, adv. dificilmente.
dificultad, s. f. dificuldade; embaraço; objecção.
dificultar, v. tr. e intr. dificultar.
dificultosamente, adv. com dificuldade.
dificultoso, -a, adj. dificultoso.
difteria, s. f. difteria.
diftérico, -a, adj. diftérico.
difuminar, v. tr. esfumar.
difumino, s. m. esfuminho.
difundir, v. tr. difundir; espalhar; derramar; divulgar.
difunto, -a, adj. e s. defunto, extinto; cadáver.

difusible, *adj.* 2 *gén.* difusível.
difusión, *s. f.* difusão; divulgação; prolixidade.
difuso, -a, *adj.* difuso; difundido; prolixo.
difusor, -a, *adj.* e s. *m.* difusor.
digerible, *adj.* 2 *gén.* digerível; digestível.
digerir, *v. tr.* digerir.
digestión, *s. f.* digestão.
digestivo, -a, *s. m.* digestivo.
digitado, -a, *adj.* digitado.
digital, *adj.* 2 *gén.* digital.
digitalizar, *v. tr.* digitalizar.
dígito, *adj.* e s. *m.* dígito.
dignamente, *adv.* dignamente.
dignarse, *v. refl.* dignar-se, condescender.
dignatario, *s. m.* dignitário.
dignidad, *s. f.* dignidade.
dignificante, *adj.* 2 *gén.* dignificante.
dignificar, *v. tr.* dignificar; engrandecer.
digno, -a, *adj.* digno; merecedor; honesto.
digresión, *s. f.* digressão.
dije, *s. m.* dixe.
dilaceración, *s. f.* dilaceração.
dilacerar, *v. tr.* dilacerar; desgarrar; despedaçar.
dilación, *s.f.* dilação; adiamento.
dilapidación, *s. f.* dilapidação, delapidação, dissipação.
dilapidar, *v. tr.* dilapidar, delapidar, dissipar.
dilatable, *adj.* 2 *gén.* dilatável.
dilatación, *s. f.* dilatação.
dilatadamente, *adv.* dilatadamente.
dilatado, -a, *adj.* dilatado.
dilatar, *v. tr.* dilatar; estender; prorrogar; retardar.
dilatoria, *s. f.* dilação, adiamento, demora.
dilatorio, -a, *adj.* dilatório.
dilección, *s. f.* afeição; afecto.
dilecto, -a, *adj.* dilecto; muito querido.
dilema, *s. m.* dilema.
diletante, *s.* 2 *gén.* diletante.
diletantismo, *s. m.* diletantismo.
diligencia, *s. f.* diligência; prontidão; zelo; carruagem.
diligenciar, *v. tr.* diligenciar; empenhar-se.
diligente, *adj.* 2 *gén.* diligente; cuidadoso; activo; expedito.
dilucidación, *s. f.* dilucidação; esclarecimento.
dilucidar, *v. tr.* dilucidar; esclarecer; elucidar.

dilución, *s. f.* diluição, diluimento; dissolução.
diluir, *v. tr.* diluir; dissolver.
diluvial, *adj.* 2 *gén.* diluvial.
diluviar, *v. intr.* diluviar; chover copiosamente.
diluvio, *s. m.* dilúvio.
diluyente, *adj.* 2 *gén.* diluente; dissolvente.
dimanación, *s. f.* dimanação.
dimanar, *v. intr.* dimanar; vir; correr; brotar.
dimensión, *s. f.* dimensão; medida; extensão.
dimensional, *adj.* 2 *gén.* dimensional.
dimensionar, *v. tr.* dimensionar.
diminutivo, -a, *adj.* diminutivo.
diminuto, -a, *adj.* diminuto.
dimisión, *s. f.* demissão; resignação.
dimisionario, -a, *adj.* e s. demissionário.
dimitir, *v. tr.* demitir, despedir; exonerar.
dimorfismo, *s. m.* dimorfia, dimorfismo.
dimorfo, -a, *adj.* dimorfo.
din, *s. m. (fam.)* dinheiro; *el din y el don,* o dinheiro e a posição.
dina, *s. f.* dine.
dinamarqués, -esa, *adj.* e s. dinamarquês.
dinámica, *s. f.* dinâmica.
dinámico, -a, *adj.* dinâmico.
dinamismo, *s. m.* dinamismo.
dinamita, *s. f.* dinamite.
dinamitar, *v. tr.* dinamitar.
dinamitero, -a, *adj.* e s. dinamitista.
dinamo, *s. m.* vd. **dínamo.**
dínamo, *s. f.* dínamo.
dinamometría, *s. f.* dinamometria.
dinamómetro, *s. m.* dinamómetro.
dinar, *s. m.* dinar.
dinastía, *s. f.* dinastia.
dinástico, -a, *adj.* dinástico.
dineral, *s. m.* dinheirame; fortuna.
dinerillo, *s. m.* um dinheirito.
dinero, *s. m.* dinheiro.
dinosaurio, *s. m.* dinossauro.
dinoterio, *s. m.* dinotério.
dintel, *s. m.* ARQ. dintel; lintel.
diocesano, -a, *adj.* e s. diocesano.
diócesi, *s. m.* vd. **diócesis.**
diócesis, *s. f.* diocese.
diodo, *s. m.* díodo.
dionisíaco, -a, *adj.* dionisíaco.
dioptría, *s. f.* dioptria.
dióptrica, *s. f.* dióptrica.

dióptrico, -a, adj. dióptrico.
diorama, s. m. diorama.
diorita, s. f. diorite, diorito.
Dios, s. m. Deus.
diosa, s. f. deusa.
dióxido, s. m. dióxido.
diplejía, s. f. MED. diplegia.
diplodoco, s. m. diplodoco.
diploma, s. m. diploma; título; credencial.
diplomacia, s. f. diplomacia.
diplomado, -a, adj. e s. diplomado.
diplomarse, v. refl. diplomar-se.
diplomática, s. f. diplomática.
diplomático, -a, adj. e s. diplomático.
díptero, -a, adj. e s. m. ZOOL./ARQ. díptero.
díptico, s. m. díptico.
diptongación, s. f. ditongação.
diptongar, v. tr. ditongar.
diptongo, s. m. ditongo.
diputación, s. f. deputação.
diputado, -a, s. m. e f. deputado.
dique, s. m. dique; represa; açude.
dirección, s. f. direcção; rumo; administração; endereço; gabinete; conselho.
directa, s. f. AUT. directa (velocidade).
directiva, s. f. directiva, directriz.
directivo, adj. directivo.
directo, -a, adj. direito; recto; directo; imediato.
director, -a, adj. e s. director; administrador; guia.
directorio, -a, I. adj. directório; directivo. **II.** s. m. directório, conselho directivo; direcção; preceitos regulamentares.
directriz, s. f. directiva; MAT. directriz; pl. normas, instruções.
dirigente, I. adj. 2 gén. dirigente, directivo. **II.** s. 2 gén. dirigente; director; gerente.
dirigible, I. adj. 2 gén. dirigível. **II.** s. m. dirigível (balão).
dirigir, v. tr. dirigir; guiar; administrar; enviar.
dirigismo, s. m. dirigismo.
dirimente, adj. 2 gén. dirimente; decisivo.
dirimir, v. tr. dirimir, anular, desfazer; resolver; decidir.
discernimiento, s. m. discernimento; critério.
discernir, v. tr. discernir; distinguir; discriminar.
disciplina, s. f. disciplina.

disciplinadamente, adv. disciplinadamente.
disciplinado, -a, adj. disciplinado.
disciplinar, v. tr. disciplinar.
disciplinario, -a, adj. disciplinar.
discípulo, -a, s. m. e f. discípulo; aluno.
disco, s. m. disco.
discóbolo, s. m. discóbolo.
discografía, s. f. discografia.
discográfica, s. f. discográfica; empresa discográfica.
discográfico, -a, adj. discográfico; de gravação de discos.
discoidal, adj. 2 gén. discóide.
discoideo, -a, adj. discóide.
discolo, -a, adj. e s. díscolo; desordeiro; insociável.
disconforme, adj. 2 gén. desconforme; contrário; oposto.
disconformidad, s. f. desconformidade.
discontinuar, v. tr. descontinuar; interromper.
discontinuo, -a, adj. descontínuo; interrompido.
discordancia, s. f. discordância, discrepância.
discordante, adj. 2 gén. discordante; MÚS. dissonante.
discordar, v. intr. discordar.
discorde, adj. 2 gén. discorde; MÚS. dissonante.
discordia, s. f. discórdia.
discoteca, s. f. discoteca.
discrasia, s. f. discrasia.
discrecional, adj. 2 gén. discricionário; à discrição.
discrecionalmente, adv. discricionariamente.
discrepancia, s. f. discrepância; divergência.
discrepar, v. intr. discrepar.
discreto, -a, adj. discreto.
discriminación, s. f. discriminação.
discriminar, v. tr. discriminar.
discriminatorio, -a, adj. discriminatório.
discromía, s. f. discromia.
disculpa, s. f. desculpa.
disculpable, adj. 2 gén. desculpável.
disculpar, v. tr. desculpar.
discurrir, v. **1.** intr. andar; caminhar; percorrer; decorrer; discorrer. **2.** tr. inventar.
discursivo, -a, adj. discursivo.
discurso, s. m. discurso; oração.

discusión, *s. f.* discussão.
discutible, *adj.* 2 *gén.* discutível.
discutid|o, -a, *adj.* discutido.
discutir, *v. tr.* discutir; debater.
disecación, *s. f.* dissecação.
disecar, *v. tr.* dissecar; ressecar.
disección, *s. f.* dissecação, dissecção.
diseminación, *s. f.* disseminação.
diseminar, *v. tr.* disseminar, semear, difundir, espalhar.
disensión, *s. f.* dissensão; discórdia; contradição.
disentería, *s. f.* disenteria.
disentimiento, *s. m.* dissensão; dissentimento.
disentir, *v. intr.* dissentir; discrepar; divergir.
diseñador, -a, *s. m.* e *f.* desenhador.
diseñar, *v. tr.* desenhar.
diseño, *s. m.* desenho; esboço.
disertación, *s. f.* dissertação.
disertar, *v. intr.* dissertar.
disert|o, -a, *adj.* diserto; fluente; eloquente.
disfasia, *s. f.* disfasia.
disforme, *adj.* 2 *gén.* disforme; monstruoso.
disfraz, *s. m.* disfarce; máscara; fingimento; *baile de disfraces,* baile de máscaras.
disfrazar, *v. tr.* disfarçar; mascarar; fingir.
disfrutar, *v. tr.* desfrutar.
disfrute, *s. m.* desfrute, desfruto.
disfunción, *s. f.* disfunção.
disgregación, *s. f.* desagregação.
disgregar, *v. tr.* desagregar; separar.
disgustad|o, -a, *adj.* desgostado; desgostoso.
disgustar, *v. tr.* desgostar; aborrecer; enfadar.
disgusto, *s. m.* desgosto; pesar; mágoa.
disidencia, *s. f.* dissidência.
disidente, *adj.* e *s.* 2 *gén.* dissidente.
disidir, *v. intr.* dissidir.
disimetría, *s. f.* dissimetria.
disimétric|o, -a, *adj.* dissimétrico.
disimilación, *s. f.* dissimilação.
disimilar, *v. tr.* dissimilar.
disimulación, *s. f.* dissimulação.
disimuladamente, *adv.* dissimuladamente.
disimulad|o, -a, *adj.* dissimulado.
disimulador, -a, *adj.* e *s.* dissimulador.

disimular, *v. tr.* dissimular; fingir; disfarçar.
disimulo, *s. m.* dissimulação.
disipación, *s. f.* dissipação.
disipad|o, -a, *adj.* dissipado.
disipador, -a, *adj.* e *s.* dissipador.
disipar, *v.* 1. *tr.* dissipar; desvanecer; desperdiçar. 2. *refl.* dissipar-se, desvanecer-se, evaporar-se.
dislate, *s. m.* dislate.
dislexia, *s. f.* dislexia.
dislocación, *s. f.* deslocação, desarticulação (de osso).
dislocar, *v. tr.* deslocar.
disloque, *s. m.* caos, barafunda; bagunça.
disminución, *s. f.* diminuição; subtracção.
disminuid|o, -a, *adj.* e *s.* diminuído; deficiente; inválido.
disminuir, *v. tr.* diminuir; subtrair; atenuar.
disociable, *adj.* 2 *gén.* dissociável.
disociación, *s. f.* dissociação; desagregação.
disociar, *v. tr.* dissociar; desagregar.
disolubilidad, *s. f.* solubilidade.
disoluble, *adj.* 2 *gén.* dissolúvel; solúvel.
disolución, *s. f.* dissolução; relaxação.
disolut|o, -a, *adj.* e *s.* dissoluto; devasso; libertino.
disolvente, *adj.* 2 *gén.* e *s. m.* dissolvente.
disolver, *v. tr.* dissolver; desagregar; desfazer.
disonancia, *s. f.* dissonância; discordância; desacorde; desafinação.
disonante, *adj.* 2 *gén.* dissonante.
disonar, *v. intr.* dissonar; destoar; MÚS. desafinar; estar em desacorde.
dispar, *adj.* 2 *gén.* díspar, desigual.
disparadero, *s. m.* gatilho.
disparad|o, -a, *adj.* disparado.
disparador, *s. m.* disparador.
disparar, *v. tr.* disparar; desfechar; arremessar.
disparatad|o, -a, *adj.* disparatado; tolo.
disparatar, *v. intr.* disparatar.
disparate, *s. m.* disparate; dislate; excesso.
disparej|o, -a, *adj.* diferente, desigual.
disparidad, *s. f.* disparidade.
disparo, *s. m.* descarga, disparo.
dispendio, *s. m.* dispêndio; gasto; despesa.
dispensa, *s. f.* dispensa; licença; isenção.
dispensar, *v. tr.* dispensar; dar; conceder; outorgar; eximir.

divisor

dispensario, *s. m.* dispensário.
dispersar, *v. tr.* dispersar; disseminar.
dispersión, *s. f.* dispersão.
disperso, -a, *adj.* disperso.
displasia, *s. f.* displasia.
displicencia, *s. f.* displicência; desgosto; tédio.
displicente, *adj. 2 gén.* displicente.
disponer, *v. tr.* dispor.
disponibilidad, *s. f.* disponibilidade.
disponible, *adj. 2 gén.* disponível.
disposición, *s. f.* disposição; tendência; inclinação; vocação.
dispositivo, *s. m.* dispositivo.
dispuesto, -a, *adj.* disposto.
disputa, *s. f.* disputa, contenda.
disputar, *v. tr.* disputar; altercar.
disquete, *s. m.* disquete.
distancia, *s. f.* distância, intervalo; afastamento.
distanciado, -a, *adj.* distanciado, distante.
distanciamiento, *s. m.* distanciamento.
distanciar, *v. tr.* distanciar; separar; afastar.
distante, *adj. 2 gén.* distante; remoto; afastado.
distar, *v. intr.* distar; divergir.
distender, *v. tr.* distender.
distensión, *s. f.* distensão.
distinción, *s. f.* distinção; diferença; honraria; elegância.
distingo, *s. m.* distinção.
distinguido, -a, *adj.* distinguido, distinto, ilustre, nobre.
distinguir, *v. tr.* distinguir; perceber; divisar.
distintivo, -a, *adj. e s. m.* distintivo; insígnia; emblema.
distinto, -a, *adj.* distinto; diferente; notável; inteligível.
distorsión, *s. f.* distorção.
distorsionar, *v. tr.* distorcer.
distracción, *s. f.* distracção; desatenção; divertimento.
distraer, *v. tr.* distrair; divertir; desviar.
distraído, -a, *adj.* distraído.
distribución, *s. f.* distribuição.
distribuidor, -a, I. *adj.* distribuidor. II. *s.* 1. *m. e f.* distribuidor, distribuidora. 2. *s. f.* distribuidora (empresa). 3. *s. m.* AUT. distribuidor.
distribuir, *v. tr.* distribuir.

distributivo, -a, *adj.* distributivo.
distrito, *s. m.* distrito.
distrofia, *s. f.* distrofia.
disturbar, *v. tr.* disturbar; perturbar.
disturbio, *s. m.* distúrbio; motim; tumulto.
disuadir, *v. tr.* dissuadir.
disuasión, *s. f.* dissuasão.
disuasivo, -a, *adj.* dissuasivo; dissuasório.
disuasorio, -a, *adj.* dissuasório, dissuasivo.
disuelto, -a, *adj.* dissolvido.
disyunción, *s. f.* disjunção.
disyuntiva, *s. f.* disjuntiva; alternativa.
disyuntivo, -a, *adj.* disjuntivo.
diuresis, *s. f.* diurese.
diurético, -a, *adj. e s. m.* diurético.
diurno, -a, *adj.* diurno.
diva, *s. f.* deusa, diva.
divagación, *s. f.* divagação.
divagar, *v. intr.* divagar.
diván, *s. m.* divã; sofá.
divergencia, *s. f.* divergência.
divergente, *adj. 2 gén.* divergente.
divergir, *v. intr.* divergir; discordar.
diversidad, *s. f.* diversidade; variedade.
diversificación, *s. f.* diversificação.
diversificar, *v. tr.* diversificar.
diversión, *s. f.* diversão.
diverso, -a, *adj.* diverso.
divertido, -a, *adj.* divertido; alegre; festivo.
divertimiento, *s. m.* diversão, divertimento; distracção.
divertir, *v. tr.* divertir; recrear; entreter; alegrar; distrair; afastar; desviar.
dividendo, *s. m.* dividendo.
dividir, *v. tr.* dividir; distribuir; repartir.
divieso, *s. m.* tumor; furúnculo.
divinamente, *adv.* divinamente.
divinatorio, -a, *adj.* divinatório.
divinidad, *s. f.* divindade.
divinización, *s. f.* divinização.
divinizar, *v. tr.* divinizar; exaltar.
divino, -a, *adj.* divino.
divisa, *s. f.* divisa; sentença; marca; emblema; lema; moeda.
divisar, *v. tr.* divisar; perceber; entrever; avistar.
divisibilidad, *s. f.* divisibilidade.
divisible, *adj. 2 gén.* divisível.
división, *s. f.* divisão; desunião; partilha.
divisor, -a, I. *adj.* divisor. II. *s. m.* divi-

sor; *máximo común divisor,* MAT. máximo divisor comum.

divisoria, *s. f.* divisória.

divisori|o, -a, *adj.* divisório.

div|o, -a, *adj.* divo; divino.

divorciad|o, -a, *adj.* divorciado.

divorciar, *v. tr.* divorciar.

divorcio, *s. m.* divórcio.

divulgación, *s. f.* divulgação; difusão.

divulgador, -a, *adj.* e *s.* divulgador.

divulgar, *v. tr.* divulgar; propalar.

do, *s. m.* MÚS. dó.

dobladillo, *s. m.* dobra; prega; franzido; bainha.

doblad|o, -a, *adj.* atarracado; dobrado, curvado; dobrado (filme); esgotado, exausto.

doblaje, *s. m.* dobragem (filme).

doblar, *v.* 1. *tr.* dobrar; enrolar; dobrar (filme). 2. *intr.* virar; dobrar (a finados).

doble, I. *adj.* 2 *gén.* doble; duplo; dobrado; fingido. II. *s. m.* duplicado; dobre (a finados); dobra; duplo.

doblegar, *v. tr.* dobrar; torcer.

doblemente, *adv.* duplamente.

doblez, *s. m.* doblez, dobrez; duplicidade; dobra; prega.

doblón, *s. m.* dobrão.

doce, *num.* doze.

doceav|o, -a, *adj.* décimo segundo.

docena, *s. f.* dúzia.

docencia, *s. f.* docência.

docente, *adj.* e *s.* 2 *gén.* docente.

dócil, *adj.* 2 *gén.* dócil; submisso; suave; obediente.

docilidad, *s. f.* docilidade.

doctamente, *adv.* doutamente.

doct|o, -a, *adj.* douto.

doctor, -a, *s. m.* e *f.* doutor.

doctorad|o, -a, *adj.* e *s.* doutorado.

doctoral, *adj.* 2 *gén.* doutoral.

doctoramiento, *s. m.* doutoramento.

doctorand|o, -a, *s. m.* e *f.* doutorando.

doctorar, *v. tr.* doutorar.

doctrina, *s. f.* doutrina.

doctrinal, *adj.* 2 *gén.* doutrinal.

doctrinar, *v. tr.* doutrinar.

doctrinari|o, -a, *adj.* doutrinário.

doctrino, *s. m.* órfão.

documentación, *s. f.* documentação.

documentad|o, -a, *adj.* documentado.

documental, *adj.* 2 *gén.* documental.

documentalista, *s.* 2 *gén.* documentarista.

documentar, *v. tr.* documentar.

documento, *s. m.* documento.

dodecaedro, *s. m.* dodecaedro.

dodecágon|o, -a, *adj.* e *s. m.* dodecágono.

dodecasílab|o, -a, *adj.* e *s. m.* dodecassílabo.

dogal, *s. m.* cabresto, cabeçada; corda de enforcado.

dogma, *s. m.* dogma.

dogmátic|o, -a, *adj.* dogmático; sentencioso.

dogmatismo, *s. m.* dogmatismo.

dogmatista, *s.* 2 *gén.* dogmatista.

dogmatizar, *v. tr.* dogmatizar.

dogo, *s. m.* dogue.

dólar, *s. m.* dólar (moeda).

dolencia, *s. f.* doença; achaque.

doler, *v. intr.* doer; padecer; sofrer.

dolid|o, -a, *adj.* dorido, dolorido.

doliente, *s.* 2 *gén.* dorido (parente próximo do defunto).

dolmen, *s. m.* dólmen.

dolo, *s. m.* dolo; fraude; engano, má-fé.

dolor, *s. m.* dor; mágoa; pena; pesar.

dolorid|o, -a, *adj.* dolorido; dorido; magoado.

doloros|o, -a, *adj.* doloroso; lamentável; lastimoso.

dolos|o, -a, *adj.* doloso, fraudulento.

doma, *s. f.* doma; domação.

domable, *adj.* 2 *gén.* domável.

domador, -a, *s. m.* e *f.* domador.

domar, *v. tr.* domar; amansar; domesticar.

domesticable, *adj.* 2 *gén.* domesticável.

domesticación, *s. f.* domesticação.

domesticar, *v. tr.* domesticar; domar; amansar.

doméstic|o, -a, *adj.* doméstico; familiar.

domiciliad|o, -a, *adj.* domiciliado, residente.

domiciliar, *v. tr.* domiciliar.

domiciliari|o, -a, *adj.* domiciliário.

domicilio, *s. m.* domicílio; residência, morada.

dominación, *s. f.* dominação; domínio; poder.

dominante, *adj.* 2 *gén.* dominante.

dominar, *v. tr.* dominar; sujeitar; conter; reprimir.

domingo, *s. m.* domingo.

dominguer|o, -a, *adj.* *(fam.)* domingueiro.

dominguillo, *s. m.* teimoso, brinquedo infantil.

dominical, *adj. 2 gén.* dominical.
dominicano, -a, *adj.* e s. dominicano.
dominico, -a, *adj.* e s. domínico, dominicano.
dominio, *s. m.* domínio; senhorio; posse.
dominó, *s. m.* dominó (jogo); dominó, disfarce de Carnaval.
don, *s. m.* dádiva; dom; presente; dotes.
don, *s. m.* dom (título que se antepõe ao nome).
donación, *s. f.* doação.
donaire, *s. m.* donaire; gentileza; graça.
donante, *s. 2 gén.* doador; dador.
donar, *v. tr.* doar.
donativo, *s. m.* donativo; dádiva; presente; oferta.
doncel, *s. m.* donzel; pajem.
doncella, *s. f.* donzela; empregada.
doncellez, *s. f.* donzelice, donzelia.
donde, *adv. rel.* onde; o lugar em que.
¿dónde?, *adv. interr.* onde?; em que lugar?.
dondequiera, *adv.* onde quer que; em qualquer parte.
dondiego, *s. m.* BOT. bons-dias.
donjuán, *s. m.* dom-joão.
donjuanesco, -a, *adj.* dom-joanesco.
donjuanismo, *s. m.* dom-joanismo.
donoso, -a, *adj.* donairoso, garboso.
donosura, *s. f.* donaire; gentileza; garbo.
doña, *s. f.* dona; senhora.
dopaje, *s. m.* dopagem; doping.
dopar, *v. tr.* dopar.
doping, *s. m.* doping, dopagem.
doquier, *adv. vd.* **dondequiera**.
doquiera, *adv. vd.* **dondequiera**.
dorada, *s. f.* ZOOL. dourada (peixe).
dorado, -a, I. *adj.* dourado. II. *s. m.* dourado (banho de ouro); cor de ouro.
dorador, *s. m.* dourador.
dorar, *v. tr.* dourar; CUL. dourar, alourar, gratinar.
dórico, -a, I. *adj.* dórico, dório. II. *s.* 1. *m. e f.* dório, dória. 2. *s. m.* dórico (idioma e estilo).
dormida, *s. f.* dormida; pousada.
dormidero, -a, *adj.* soporífero; indutor do sono.
dormilón, -ona, *adj.* dorminhoco.
dormir, *v. intr.* dormir.
dormitar, *v. intr.* dormitar; cochilar.
dormitorio, *s. m.* dormitório.
dorsal, *adj. 2 gén.* dorsal.
dorso, *s. m.* dorso; costas.
dos, *num.* dois.

dosañal, *adj. 2 gén.* bienal.
doscientos, -as, *adj. pl.* duzentos; ducentésimo.
dosel, *s. m.* dossel; baldaquino; sobrecéu.
dosificación, *s. f.* dosagem; doseamento.
dosificar, *v. tr.* dosar; dosear; dosificar.
dosis, *s. f.* dose; porção.
dossier, *s. m.* dossier.
dotación, *s. f.* dotação.
dotado, -a, *adj.* dotado, equipado; talentoso.
dotar, *v. tr.* dotar; equipar; prover.
dote, *m. e f.* dote (bens); dote (dom natural).
dracma, *s. f.* dracma.
draconiano, -a, *adj.* draconiano.
draga, *s. f.* draga.
dragado, *s. m.* dragagem.
dragaminas, *s. m.* draga-minas.
dragar, *v. tr.* dragar.
drago, *s. m.* BOT. dragoeiro.
dragón, *s. m.* dragão.
drama, *s. m.* drama.
dramático, -a, I. *adj.* dramático. II. *s. m. e f.* dramaturgo.
dramatismo, *s. m.* dramatismo.
dramatizar, *v. tr.* dramatizar.
dramaturgia, *s. f.* dramaturgia, dramática.
dramaturgo, -a, *s. m. e f.* dramaturgo.
dramón, *s. m.* dramalhão, melodrama.
drapeado, -a, *adj.* e s. m. drapeado.
drapear, *v. tr.* drapear.
drástico, -a, *adj.* drástico.
drenaje, *s. m.* drenagem; drainagem.
drenar, *v. tr.* drenar; drainar.
driblar, *v. tr.* driblar.
dribling, *s. m.* drible.
driza, *s. f.* NÁUT. adriça.
droga, *s. f.* droga; embuste.
drogadicción, *s. f.* toxicodependência.
drogadicto, -a, *adj.* e s. toxicodependente.
drogado, -a, *adj.* e s. drogado.
drogar, *v. tr.* drogar.
drogodependencia, *s. f.* toxicodependência.
drogodependiente, *s. 2 gén.* toxicodependente.
droguería, *s. f.* drogaria.
dromedario, *s. m.* ZOOL. dromedário.
druida, -esa, *s. m. e f.* druida.
dual, I. *adj. 2 gén.* dual. II. *s. m.* dual; *emisión en dual*, emissão bilingue.
dualidad, *s. f.* dualidade.

dualismo, s. m. dualismo.
dubitativo, -a, adj. dubitativo.
ducado, s. m. ducado (título e moeda).
ducal, adj. 2 gén. ducal.
ducentésimo, -a, adj. e s. ducentésimo.
ducha, s. f. ducha, duche.
duchar, v. tr. duchar.
ducho, -a, adj. hábil, prático.
dúctil, adj. 2 gén. dúctil.
ductilidad, s. f. ductilidade.
duda, s. f. dúvida.
dudar, v. intr. e tr. duvidar.
dudosamente, adv. duvidosamente.
dudoso, -a, adj. duvidoso.
duela, s. f. aduela.
duelo, s. m. dó; lástima; pena; luto; combate; peleja; luta; duelo.
duende, s. m. duende.
dueña, s. f. dona; senhora; governanta.
dueño, s. m. dono; amo.
dueto, s. m. dueto.
dulce, I. adj. 2 gén. doce. II. s. m. doce, manjar.
dulcería, s. f. confeitaria.
dulcero, -a, I. adj. guloso. II. s. m. e f. confeiteiro, doceiro.
dulcificación, s. f. dulcificação.
dulcificar, v. tr. dulcificar.
dulcinea, s. f. dulcineia.
dulzaina, s. f. MÚS. doçaina, dulçaína.
dulzaino, -a, adj. adocicado, açucarado.
dulzor, s. m. doçura.
dulzura, s. f. doçura; suavidade.
dumdum, s. m. dundum.

duna, s. f. duna.
dúo, s. m. MÚS. duo, dueto.
duodécimo, -a, adj. e s. duodécimo.
duodenal, adj. 2 gén. duodenal.
duodeno, s. m. ANAT. duodeno.
dúplex, I. adj. 2 gén. dúplex, dúplice. II. s. m. dúplex, apartamento dúplex.
duplicación, s. f. duplicação.
duplicado, -a, adj. e s. m. duplicado.
duplicar, v. tr. duplicar.
duplicidad, s. f. duplicidade; falsidade.
duplo, -a, adj. e s. m. duplo.
duque, s. m. duque.
duquesa, s. f. duquesa.
durabilidad, s. f. durabilidade.
durable, adj. 2 gén. durável.
duración, s. f. duração.
duradero, -a, adj. duradouro.
duramáter, s. f. ANAT. dura-máter.
duramen, s. m. BOT. durame, durâmen; cerne.
duramente, adv. duramente.
durante, adv. durante.
durar, v. intr. durar; resistir; subsistir.
durativo, -a, adj. duradouro; GRAM. de duração.
duraznero, s. m. BOT. pessegueiro.
durazno, s. m. pêssego.
dureza, s. f. dureza; calosidade; rijeza.
durmiente, adj. 2 gén. dormente.
duro, -a, I. adj. duro; rijo; firme; resistente; cruel. II. s. m. duro (moeda).
dux, s. m. doge.

E

e, I. *s. f.* e, quinta letra do alfabeto espanhol. II. *conj.* e (usada, em vez de *y*, antes das palavras começadas por i e hi, excepto nas iniciadas por *hie*: *peligroso e ilegal, avellanas e hijos,* mas *bronce y hierro*).

¡ea! *interj.* eia!

ebanista, *s.* 2 *gén.* ebanista; marceneiro; entalhador.

ebanistería, *s. f.* marcenaria.

ébano, *s. m.* BOT. ébano.

ebonita, *s. f.* ebonite.

ebriedad, *s. f.* embriaguez.

ebrio, -a, *adj.* e *s. m.* e *f.* ébrio; embriagado; bêbado.

ebullición, *s. f.* ebulição.

ebúrneo, -a, *adj.* ebúrneo.

eccema, *s. m.* eczema.

echada, *s. f.* lanço.

echadillo, -a, *adj.* e *s.* enjeitado, criança exposta.

echador, -a, *s. m.* e *f.* cartomante.

echar, *v. tr.* deitar; lançar; atirar; arrojar.

echarpe, *s. m.* echarpe; estola.

echazón, *s. f.* alijamento.

eclampsia, *s. f.* eclampsia.

eclecticismo, *s. m.* eclectismo.

ecléctico, -a, *adj.* e *s.* ecléctico.

eclesial, *adj.* 2 *gén.* eclesial.

eclesiástico, -a, I. *adj.* eclesiástico. II. *s. m.* padre.

eclipsar, *v. tr.* eclipsar; ocultar; *(fig.)* escurecer.

eclipse, *s. m.* eclipse.

eclíptica, *s. f.* eclíptica.

eclíptico, -a, *adj.* eclíptico.

eclosión, *s. f.* eclosão.

eclosionar, *v. intr.* eclodir.

eco, *s. m.* eco; repetição.

ecografía, *adj.* ecografia.

ecología, *s. f.* ecologia.

ecológico, -a, *adj.* ecológico.

ecologismo, *s. m.* ecologismo.

ecologista, *adj.* e *s.* 2 *gén.* ecologista.

ecólogo, -a, *s. m.* e *f.* ecólogo, ecologista.

economato, *s. m.* economato.

econometría, *s. f.* econometria.

economía, *s. f.* economia.

económicamente, *adv.* economicamente.

económico, -a, *adj.* económico.

economista, *adj.* e *s.* 2 *gén.* economista.

economizar, *v. tr.* economizar; poupar, forrar.

ecónomo, *s. m.* ecónomo.

ecosistema, *s. m.* ecossistema.

ectoplasma, *s. m.* ectoplasma.

ecu, *s. m.* ecu.

ecuación, *s. f.* equação.

ecuador, *s. m.* equador.

ecualizador, *s. m.* equalizador.

ecuánime, *adj.* 2 *gén.* equânime.

ecuanimidad, *s. f.* equanimidade.

ecuatorial, *adj.* 2 *gén.* equatorial.

ecuatoriano, -a, *adj.* e *s.* equatoriano.

ecuestre, *adj.* 2 *gén.* equestre.

ecuménico, -a, *adj.* ecuménico.

ecumenismo, *s. m.* ecumenismo.

eczema, *s. m.* eczema.

edad, *s. f.* idade.

edema, *s. m.* edema.

edén, *s. m.* éden; paraíso.

edición, *s. f.* edição.

edicto, *s. m.* édito; edicto, lei.

edificación, *s. f.* edificação.

edificador, -a, *adj.* edificador.

edificante, *adj.* 2 *gén.* edificante.

edificar, *v. tr.* edificar.

edificio, *s. m.* edifício; casa; construção.

edil, -a, *s. m.* e *f.* edil; vereador.

edilidad, *s. f.* edilidade.

editar, *v. tr.* editar; publicar.

editor, -a, *s. m.* e *f.* editor.

editorial, I. *adj.* 2 *gén.* editorial. II. *s.* 1. *f.* editora. 2. *m.* editorial (artigo).

editorialista, *s.* 2 *gén.* editorialista.

edredón, *s. m.* edredão.

educación, *s. f.* educação; instrução; cortesia.

educado, -a, *adj.* educado, polido.

educador, -a, *adj.* e *s.* educador.

educando, -a, *adj.* e *s.* educando.

educar, *v. tr.* educar; ensinar; instruir; aperfeiçoar.

educativo, -a, *adj.* educativo.

edulcorante, *s. m.* edulcorante.

edulcorar, *v. tr.* edulcorar.
efebo, *s. m.* efebo, mancebo.
efectivamente, *adv.* efectivamente.
efectividad, *s. f.* efectividade.
efectivo, -a, *adj.* efectivo; real; verdadeiro.
efecto, *s. m.* efeito; execução; realização; impressão; resultado.
efectuación, *s. f.* efectuação; realização.
efectuar, *v. tr.* efectuar; executar.
efeméride, *s. f.* efeméride.
efervescencia, *s. f.* efervescência, ebulição; fervura.
efervescente, *adj. 2 gén.* efervescente.
eficacia, *s. f.* eficácia.
eficaz, *adj. 2 gén.* eficaz; enérgico.
eficazmente, *adv.* eficazmente.
eficiencia, *s. f.* eficiência.
eficiente, *adj. 2 gén.* eficiente.
eficientemente, *adv.* eficientemente.
efigie, *s. f.* efígie; imagem.
efímero, -a, *adj.* efémero.
eflorescencia, *s. f.* eflorescência.
eflorescente, *adj. 2 gén.* eflorescente.
efluvio, *s. m.* eflúvio; emanação; aroma.
efusión, *s. f.* efusão.
efusivamente, *adv.* efusivamente.
efusividad, *s. f.* efusividade.
efusivo, -a, *adj.* efusivo.
égida, *s. f.* égide; protecção.
egipcio, -a, **I.** *adj.* egípcio, do Egipto. **II.** *s.* **1.** *m. e f.* egípcio (habitante, natural). **2.** *m.* egípcio (idioma).
egiptología, *s. f.* egiptologia.
egiptólogo, -a, *s. m. e f.* egiptólogo.
égloga, *s. f.* égloga, écloga.
ego, *s. m.* ego.
egocéntrico, -a, *adj.* egocêntrico.
egocentrismo, *s. m.* egocentrismo.
egoísmo, *s. m.* egoísmo.
egoísta, *adj. e s. 2 gén.* egoísta.
ególatra, *adj. 2 gén.*ególatra.
egolatría, *s. f.* egolatria.
egotismo, *s. m.* egotismo.
egotista, *adj. e s. 2 gén.* egotista.
egregio, -a, *adj.* egrégio, insigne, ilustre.
¡eh! *interj.* eh!
eider, *s. m.* ZOOL. êider.
einstenio, *s. m.* QUÍM. einstêinio.
eje, *s. m.* eixo.
ejecución, *s. f.* execução.
ejecutante, *adj. e s. 2 gén.* executante.
ejecutar, *v. tr.* executar; supliciar; MÚS. tocar; DIR. fazer entrar na posse legal de.

ejecutivo, -a, *adj.* executivo.
ejecutor, -a, *adj. e s.* executor.
ejecutorio, -a, *adj.* executório.
ejemplar, *adj. 2 gén.* exemplar.
ejemplaridad, *s. f.* exemplaridade.
ejemplarizar, *v. tr.* exemplificar.
ejemplificacion, *s. f.* exemplificação.
ejemplificar, *v. tr.* exemplificar.
ejemplo, *s. m.* exemplo.
ejercer, *v. tr. e intr.* exercer; praticar.
ejercicio, *s. m.* exercício; prática.
ejercitar, *v. tr.* exercitar; exercer.
ejército, *s. m.* exército.
éjido, *s. m.* baldio.
el, *art.* o.
él, *pron.* ele.
elaboración, *s. f.* elaboração.
elaborar, *v. tr.* elaborar.
elasticidad, *s. f.* elasticidade.
elástico, -a, *adj.* elástico.
elastina, *s. f.* elastina.
elección, *s. f.* eleição.
electivo, -a, *adj.* electivo.
electo, -a, *adj. e s. m.* eleito.
elector, -a, *adj. e s.* eleitor.
electorado, *s. m.* eleitorado.
electoral, *adj. 2 gén.* eleitoral.
electoralismo, *s. m.* (*pej.*) eleitoralista.
electoralista, *adj. 2 gén.* (*pej.*) eleitoralista.
electricidad, *s. f.* electricidade.
electricista, *adj. e s. 2 gén.* electricista.
eléctrico, -a, *adj.* eléctrico.
electrificar, *v. tr.* electrificar.
electrización, *s. f.* electrização.
electrizante, *adj. 2 gén.* electrizante.
electrizar, *v. tr.* electrizar.
electroacústica, *s. f.* electroacústica.
electrobomba, *s. f.* electrobomba.
electrocardiografía, *s. f.* electrocardiografia.
electrocardiógrafo, *s. m.* electrocardiógrafo.
electrocardiograma, *s. m.* electrocardiograma.
electrochoque, *s. m.* electrochoque.
electrocución, *s. f.* electrocussão.
electrocutar, *v. tr.* electrocutar.
electrodinámica, *s. f.* electrodinâmica.
electrodinámico, -a, *adj.* electrodinâmico.
electrodo, *s. m.* eléctrodo.

electrodoméstico, s. m. electrodoméstico.
electroencefalografía, s. f. electroencefalografia.
electroencefalógrafo, s. m. electroencefalógrafo.
electroencefalograma, s. m. electroencefalograma.
electrógeno, -a, I. adj. electrogéneo; electrógeno. II. s. m. gerador eléctrico.
electroimán, s. m. electroíman.
electrólisis, s. f. electrólise.
electrolito, s. m. vd. **electrólito**.
electrólito, s. m. electrólito.
electrolizar, v. tr. electrolisar.
electromagnético, -a, adj. electromagnético.
electromagnetismo, s. m. electromagnetismo.
electromecánica, s. f. electromecânica.
electrometalurgia, s. f. electrometalurgia.
electrometría, s. f. electrometria.
electromotor, -a, adj. electromotor.
electromotriz, adj. f. electromotriz.
electrón, s. m. electrão.
electronegativo, -a, adj. electronegativo.
electrónica, s. f. electrónica.
electrónico, -a, adj. electrónico.
electronvoltio, s. m. electrão-volt.
electropositivo, -a, adj. electropositivo.
electroquímica, s. f. electroquímica.
electroscopio, s. m. electroscópio.
electrostática, s. f. electrostática.
electrostático, -a, adj. electrostático.
electrotecnia, s. f. electrotecnia.
electroterapia, s. f. electroterapia.
electrotermia, s. f. electrotermia.
electuario, s. m. electuário.
elefancía, s. f. elefantíase.
elefante, s. m. elefante.
elefantíasis, s. f. elefantíase.
elegancia, s. f. elegância.
elegante, adj. 2 gén. elegante.
elegía, s. f. elegia.
elegíaco, -a, adj. elegíaco.
elegibilidad, s. f. elegibilidade.
elegible, adj. 2 gén. elegível.
elegido, -a, I. adj. eleito. II. s. m. eleito, predestinado.
elegir, v. tr. eleger; escolher.
elemental, adj. 2 gén. elementar.

elemento, s. m. elemento.
elenco, s. m. elenco; lista.
elevación, s. f. elevação; ascensão.
elevado, -a, adj. elevado, alto; nobre.
elevador, -a, adj. e s. m. elevador.
elevar, v. tr. elevar; elogiar.
elidir, v. tr. elidir; suprimir.
eliminación, s. f. eliminação.
eliminar, v. tr. eliminar; elidir; suprimir.
eliminatoria, s. f. eliminatória.
eliminatorio, -a, adj. eliminatório.
elipse, s. f. GEOM. elipse.
elipsis, s. f. GRAM. elipse.
elipsoidal, adj. 2 gén. elipsoidal.
elipsóide, s. m. elipsóide.
elíptico, -a, adj. elíptico.
elisión, s. f. elisão.
elite, s. f. elite.
élite, s. f. elite.
elitismo, s. m. elitismo.
elitista, adj. 2 gén. elitista.
élitro, s. m. élitro.
elixir, s. m. elixir.
elíxir, s. m. elixir.
ella, pron. ela.
ello, pron. isto, isso, aquilo.
ellos, ellas, pron. eles, elas.
elocución, s. f. elocução.
elocuencia, s. f. eloquência.
elocuente, adj. 2 gén. eloquente.
elogiar, v. tr. elogiar; louvar.
elogio, s. m. elogio, louvor.
elogiosamente, adv. elogiosamente.
elogioso, adj. elogioso.
elongación, s. f. elongação.
elucidación, s. f. elucidação.
elucidar, v. tr. elucidar.
elucubración, s. f. lucubração.
elucubrar, v. tr. lucubrar.
eludible, adj. 2 gén. enganável; evitável.
eludir, v. tr. eludir; evitar.
elusivo, -a, adj. elusivo; evasivo.
elzevirio, s. m. elzevir.
emanación, s. f. emanação.
emanar, v. intr. emanar, provir.
emancipación, s. f. emancipação.
emancipar, v. tr. emancipar.
emasculación, s. f. emasculação; castração.
emascular, v. tr. emascular; castrar.
embabiamiento, s. m. sonho; distracção; irrealismo.
embadurnar, v. tr. enlambuzar, besuntar.

embajada, s. f. embaixada.
embajador, -a, s. m. e f. embaixador; embaixadora, embaixatriz.
embalador, -a, s. m. embalador.
embalaje, s. m. embalagem.
embalar, v. tr. empacotar; encaixotar; enfardar.
embaldosado, -a, adj. e s. lajeado, ladrilhado.
embaldosar, v. tr. ladrilhar, lajear.
embalsadero, s. m. charco, atoleiro, pântano, lodaçal.
embalsamador, -a, adj. e s. embalsamador.
embalsamar, v. tr. embalsamar.
embalsar, v. tr. embalsar.
embalse, s. m. estagnação; represa artificial.
embanastar, v. tr. encanastrar.
embarazada, I. adj. f. grávida. **II.** s. f. mulher grávida.
embarazado, -a, adj. embaraçado, perturbado.
embarazar, v. tr. embaraçar; impedir, estorvar; engravidar.
embarazo, s. m. embaraço, estorvo, obstáculo; gravidez.
embarazoso, -a, adj. embaraçoso, perturbante.
embarcación, s. f. embarcação; barco.
embarcadero, s. m. cais; embarcadoiro; porto.
embarcador, -a, s. m. e f. carregador; embarcador.
embarcar, v. 1. tr. embarcar; carregar. 2. refl. embarcar.
embarco, s. m. embarque (de pessoas).
embargador, -a, adj. e s. embargador, embargante.
embargante, adj. 2 gén. embargante.
embargar, v. tr. embargar, impedir, deter.
embargo, s. m. indigestão; embargo; obstáculo.
embarnizar, v. tr. envernizar.
embarque, s. m. embarque.
embarrado, -a, adj. barrento, enlameado, lamacento.
embarrancar, v. intr. embarrancar.
embarrar, v. tr. embarrar; barrar; rebocar.
embarullar, v. tr. confundir, desordenar; atrapalhar.
embastar, v. tr. embastar; acolchoar; albardar.
embastecer, v. intr. nutrir, engordar.

embate, s. m. embate, choque.
embaucador, -a, adj. e s. enganador, trapaceiro.
embaucar, v. tr. embaucar, trapacear; enganar, iludir.
embaular, v. tr. embaular; emalar.
embausamiento, s. m. abstracção; arrebatamento.
embebecer, v. tr. entreter; encantar; embevecer; extasiar.
embeber, v. tr. embeber, absorver; empapar, ensopar.
embebido, -a, adj. e s. embelecador; impostor.
embelecar, v. tr. embelecar; enganar; iludir.
embeleco, s. m. embeleco; embuste; engano.
embelesar, v. tr. embelezar; encantar.
embeleso, s. m. embelezamento, embelezo, aformoseamento.
embellecer, v. tr. embelezar.
embellecimiento, s. m. embelezamento; alindamento.
emberrenchinarse, v. refl. zangar-se; amuar (diz-se geralmente das crianças).
emberrincharse, v. refl. vd. **emberrenchinarse.**
embestida, s. f. investida; assalto.
embestir, v. 1. tr. investir; acometer. 2. intr. arremeter.
embetunar, v. tr. betumar.
emblandecer, v. tr. embrandecer; amolecer.
emblanquecer, v. tr. embranquecer; branquear.
emblema, s. m. emblema; insígnia; símbolo.
emblemático, -a, adj. emblemático.
embobamiento, s. m. embevecimento; êxtase; enlevo.
embobar, v. tr. embevecer; cativar; enlevar.
embobecer, v. tr. entontecer; atoleimar.
embocadura, s. f. embocadura; boquilha; freio; sabor (falando de vinhos); foz.
embocar, v. tr. engolir; embocar; fazer o buraco (golfe).
embolado, -a, s. m. embevecido; extasiado; fascinado.
embolar, v. tr. embolar.
embolia, s. f. embolia.
émbolo, s. m. êmbolo.

embolsar, v. tr. embolsar.

emboquillad|o, -a, adj. com boquilha, com filtro.

emboquillar, v. tr. colocar boquilha ou filtro aos cigarros; preparar a entrada duma galeria (mina).

emborrachar, v. tr. emborrachar, embriagar, embebedar.

emborrascarse, v. refl. emborrascar-se; anuviar-se; toldar-se; carregar-se de nuvens.

emborricarse, v. refl. aturdir-se, atordoar-se.

emborronar, v. tr. borrar; rabiscar; garatujar.

emboscada, s. f. emboscada; cilada.

emboscar, v. tr. emboscar; esconder.

embotad|o, -a, adj. embotado; rombo; (fig.) insensibilizado.

embotadura, s. f. embotamento, embotadura.

embotar, v. tr. embotar; tornar rombo; (fig.) insensibilizar.

embotellad|o, -a, I. adj. engarrafado. **II.** s. m. engarrafamento.

embotellador, -a, s. m. e f. engarrafador; engarrafadeira (mulher ou máquina).

embotellamiento, s. m. engarrafamento.

embotellar, v. tr. embotelhar; engarrafar.

embotijar, v. **1.** tr. embotijar. **2.** refl. inchar; indignar-se.

embozar, v. tr. embuçar; disfarçar; dissimular.

embozo, s. m. embuço; disfarce; dobra do lençol de cima (cama).

embragar, v. tr. atar, amarrar (um fardo, etc.); MEC. engrenar.

embrague, s. m. embraçadura; MEC. embraiagem.

embravecer, v. tr. embravecer; irritar; enfurecer.

embravecimiento, s. m. embravecimento, irritação, furor.

embrear, v. tr. embrear, brear.

embriagad|o, -a, adj. embriagado; intoxicado.

embriagador, -a, adj. embriagador.

embriagar, v. tr. embriagar, emborrachar.

embriaguez, s. f. embriaguez; bebedeira; intoxicação; êxtase.

embridar, v. tr. embridar.

embriología, s. f. embriologia.

embrión, s. m. embrião; origem; princípio.

embrionari|o, -a, adj. embrionário.

embrolladamente, adv. embrulhadamente; confusamente.

embrollad|o, -a, adj. embrulhado; enredado; confuso.

embrollador, -a, adj. e s. embrulhador; enredador.

embrollar, v. tr. embrulhar; enredar.

embrollo, s. m. embrulhada; enredo; confusão.

embromar, v. tr. gracejar; troçar; enganar.

embrujad|o, -a, adj. enfeitiçado; assombrado.

embrujar, v. tr. embruxar, enfeitiçar; assombrar; fascinar.

embrujo, s. m. feitiço; encanto; atracção, fascinação.

embrutecer, v. tr. embrutecer.

embuchado, s. m. enchido (chouriço, linguiça, etc.).

embuchar, v. tr. embuchar.

embudar, v. tr. envasilhar (com o auxílio de funil).

embudo, s. m. funil; (fig.) partida; trapaça.

embuste, s. m. embuste, mentira.

embuster|o, -a, adj. e s. embusteiro; mentiroso; trapaceiro.

embutido, s. m. embutidura; embutido, tauxia; chouriço, enchido.

embutir, v. tr. embutir; marchetar; tauxiar.

emergência, s. f. emergência ocorrência; acidente.

emergente, adj. 2 gén. emergente.

emerger, v. tr. emergir.

emérit|o, -a, adj. emérito; reformado; aposentado; jubilado.

emersión, s. f. emersão.

emigración, s. f. emigração.

emigrad|o, -a, adj. e s. emigrado.

emigrante, adj. e s. 2 gén. emigrante.

emigrar, v. intr. emigrar.

emigratori|o, -a, adj. emigratório.

eminencia, s. f. eminência; superioridade; excelência.

eminente, adj. 2 gén. eminente; elevado; excelente.

eminentemente, adv. eminentemente.

emir, s. m. emir.

emirato, s. m. emirato, emirado.

emisario, -a, s. m. e f. emissário; mensageiro.

emisión, s. f. emissão; transmissão.
emisor, -a, adj. e s. emissor, emissora.
emitir, v. tr. emitir; exprimir; produzir.
emoción, s. f. emoção; comoção; abalo.
emocionad|o, -a, adj. emocionado; como-vido; impressionado.
emocionar, v. tr. emocionar; comover; tocar; impressionar.
emoliente, adj. 2 gén. e s. m. emoliente.
emolumento, s. m. emolumento.
emotividad, s. f. emotividade.
emotiv|o, -a, adj. emotivo.
empacadora, s. f. embaladeira; enfarda-deira.
empacar, v. tr. empacotar; embalar; enfar-dar; encaixotar.
empachad|o, -a, adj. tacanho, desajei-tado.
empachar, v. tr. estorvar, embaraçar; far-tar, empachar, empanturrar.
empacho, s. m. empacho, indigestão; embaraço; estorvo.
empachos|o, -a, adj. empachoso; tímido.
empadronamiento, s. m. recenseamento; censo.
empadronar, v. tr. recensear; inscrever; alistar.
empajar, v. tr. empalhar.
empalagamiento, s. m. indisposição; náu-sea; (fig.) aborrecimento; incómodo.
empalagar, v. tr. enjoar, enfastiar.
empalago, s. m. fastio; enjoo.
empalagos|o, -a, adj. e s. enjoativo; abor-recido; importuno.
empalar, v. tr. empalar.
empalizada, s. f. paliçada; estacada.
empalizar, v. tr. estacar.
empalmar, v. tr. juntar, ligar.
empalme, s. m. junção; entroncamento.
empanada, s. f. empada; empanada; pas-tel.
empanad|o, -a, adj. panado.
empanar, v. tr. panar (cobrir com pão ralado).
empantanar, v. tr. empantanar; alagar.
empañad|o, -a, adj. roufenho (voz).
empañar, v. tr. enfaixar (as crianças); em-panar; embaciar; deslustrar.
empapad|o, -a, adj. empapado, enso-pado, embebido.
empapar, v. tr. empapar; embeber.
empapelad|o, -a, adj. e s. empapelado.

empapelar, v. tr. empapelar; embrulhar; forrar.
empapuciad|o, -a, adj. empanturrado, enfartado.
empapuciar, v. tr. empanturrar, enfartar.
empapujad|o, -a, adj. vd. **empapuciado**.
empapujar, v. tr. vd. **empapuciar**.
empaque, s. m. embalagem; catadura; arrogância.
empaquetador, -a, s. m. e f. empacota-dor; enfardador.
empaquetadura, s. f. empacotamento; enfardamento.
empaquetar, v. tr. empacotar; enfardar; MIL. punir.
emparedad|o, -a, s. m. sanduíche.
emparedar, v. tr. emparedar; enclausu-rar.
emparejadura, s. f. emparelhamento.
emparejar, v. tr. emparelhar; igualar.
emparentad|o, -a, adj. aparentado.
emparentar, v. intr. aparentar.
emparrado, s. m. parreira; parreiral; latada.
emparrar, v. tr. pôr em latada (vinha).
emparrillado, s. m. travejamento; estaca-ria.
emparrillar, v. tr. grelhar.
empastar, v. tr. empestar.
empaste, s. m. empaste, empastamento.
empastelar, v. tr. empastelar.
empatar, v. tr. empatar.
empate, s. m. empate.
empatía, s. f. empatia.
empavesada, s. f. impermeável; ence-rado.
empavesad|o, -a, s. m. empavesamento; embandeiramento.
empavesar, v. tr. empavesar, embandei-rar; enfeitar, engalanar.
empecatado, -a, adj. incorrigível; tra-quina.
empecedero, -a, adj. empecível.
empecinad|o, -a, adj. obstinado.
empecinar, v. tr. empesgar, empezar.
empecinarse, v. refl. obstinar-se; enca-prichar-se; inveterar-se.
empedernid|o, -a, adj. empedernido; endurecido; inveterado.
empedrad|o, -a, I. adj. empedrado. II. s. m. empedrado; godos, pedras de calçada; calçamento; (fig., fam.) arroz com feijão.
empedrar, v. tr. empedrar; calcetar; pavi-mentar.

empeine, s. m. púbis, baixo-ventre; peito do pé.

empellar, v. tr. empurrar; impelir.

empeller, v. tr. vd. **empellar**.

empellón, s. m. empurrão.

empenachar, v. tr. empenachar.

empeñar, v. tr. empenhar; hipotecar.

empeño, s. m. empenho; determinação; penhor.

empeoramiento, s. m. deterioração; pioria; pioras.

empeorar, v. 1. tr. piorar. 2. intr. piorar, deteriorar-se.

empequeñecer, v. tr. minorar; minguar; diminuir.

empequeñecimiento, s. m. diminuição; redução.

emperador, s. m. imperador.

emperatriz, s. f. imperatriz.

emperchar, v. tr. pendurar no cabide.

emperejilarse, v. refl. enfeitar-se; aperaltar-se; embonecar-se.

emperezar, v. intr. preguiçar; mandriar.

empergaminar, v. tr. apergaminhar; cobrir ou forrar com pergaminho.

emperifollarse, v. refl. vd. **emperejilarse**.

empernar, v. tr. parafusar; atarraxar.

empero, conj. vd. **pero**.

emperramiento, s. m. (fam.) caturrice; teimosia; obstinação.

emperrarse, v. refl. (fam.) caturrar; teimar; obstinar-se.

empezar, v. tr. começar; iniciar; principiar.

empicarse, v. refl. afeiçoar-se; embeiçar-se.

empiece, s. m. (fam.) partida, começo.

empiema, s. m. empiema.

empiltrarse, v. refl. (fam.) meter-se na pildra; ir para a cama.

empinado, -a, adj. empinado; (fig.) orgulhoso.

empinar, v. tr. empinar; pôr a pino; erguer; aprumar.

empingorotarse, v. refl. envaidecer-se.

empírico, -a, I. adj. empírico. II. s. m. e f. empirista.

empirismo, s. m. empirismo.

empizarrado, s. m. telhado de lousa.

empizarrar, v. tr. enlousar; cobrir com telhas de lousa.

emplastar, v. tr. emplastrar, emplastar.

emplasto, s. m. emplastro, emplasto.

emplazamiento, s. m. DIR. emprazamento; localização; MIL. posicionamento.

emplazar, v. tr. emprazar, citar; intimar; aforar; localizar, situar; posicionar.

empleado, -a, adj. e s. empregado.

emplear, v. tr. empregar; colocar; gastar; ocupar.

empleo, s. m. emprego; ocupação; cargo; função.-

emplomado, s. m. chumbagem; cobertura de chumbo (em telhado); selo de chumbo.

emplomar, v. tr. chumbar.

emplumar, v. tr. emplumar.

empobrecer, v. tr. empobrecer; esgotar; arruinar.

empobrecimiento, s. m. empobrecimento.

empollar, v. tr. chocar (ovos), incubar; estudar, empinar.

empollón, -ona, s. m. e f. marrão (estudante).

empolvar, v. tr. cobrir de pó; polvilhar.

emponzoñamiento, s. m. envenenamento.

emponzoñar, v. tr. empeçonhar; envenenar; corromper.

emporcar, v. tr. emporcalhar.

emporio, s. m. empório.

empotrado, -a, adj. cravado; encravado; embutido.

empotrar, v. tr. cravar; encravar; embutir.

emprendedor, -a, adj. empreendedor.

emprender, v. tr. empreender.

empreñar, v. tr. e refl. emprenhar.

empresa, s. f. empresa; intento; desígnio; sociedade.

empresariado, s. m. empresariado.

empresarial, adj. 2 gén. empresarial.

empresario, -a, s. m. e f. empresário.

empréstito, s. m. empréstimo.

empujar, v. tr. empurrar; impelir; empuxar.

empuje, s. m. empurrão; empuxão.

empujón, s. m. empurrão; empuxão.

empuñadura, s. f. empunhadura; punho.

empuñar, v. tr. empunhar.

emú, s. m. ZOOL. ema.

emulación, s. f. emulação; estímulo; rivalidade.

emular, v. tr. emular; rivalizar; competir.

emulgente, adj. 2 gén. emulgente.

émulo, -a, *adj.* e *s.* émulo; rival; competidor.

emulsión, *s. f.* emulsão.

emulsionar, *v. tr.* emulsionar.

emulsivo, -a, *adj.* emulsivo.

en, *prep.* em; sobre; por.

enaceitar, *v. tr.* olear; lubrificar.

enagua, *s. f.* anágua, enágua; combinação (roupa interior).

enajenación, *s. f.* alienação; cessão de bens; loucura.

enajenamiento, *s. m.* vd. **enajenación.**

enajenar, *v. tr.* alienar; afastar; transferir; alucinar; extasiar, arrebatar.

enaltecer, *v. tr.* enaltecer; exaltar.

enamoradizo, -a, *adj.* namoradiço.

enamorado, -a, *adj.* e *s.* enamorado; namorado.

enamorar, *v.* 1. *tr.* enamorar; namorar. 2. *refl.* enamorar-se; apaixonar-se.

enanismo, *s. m.* nanismo.

enano, -a, *adj.* e *s.* anão; anã.

enarbolar, *v. tr.* arvorar; hastear; desfraldar.

enarcar, *v. tr.* arquear; curvar.

enardecedor, -a, *adj.* excitante; entusiasmante.

enardecer, *v. tr.* (fig.) excitar; acender; atiçar.

enardecimiento, *s. m.* excitação; entusiasmo.

enarenar, *v. tr.* arear; deitar areia.

enastar, *v. tr.* encabar.

encabalgamiento, *s. m.* suporte de trave mestra; MIL. peça de artilharia montada.

encaballar, *v. tr.* sobrepor; TIP. empastelarem-se as linhas duma composição.

encabestrar, *v. tr.* encabrestar; subjugar.

encabezamiento, *s. m.* encabeçamento; cabeçalho de correspondência; preâmbulo.

encabezar, *v. tr.* encabeçar; liderar; chefiar.

encabritarse, *v. refl.* encabritar-se (empinar-se o cavalo); NÁUT. ir a pique; AV. subir na vertical; (fig.) enojar.

encadenado, *s. m.* ARQ. contraforte; CIN. esbatimento e passagem de uma cena a outra.

encadenamiento, *s. m.* TÉC. conexão, ligação; LIT. encadeamento.

encadenar, *v. tr.* encadear.

encajar, *v. tr.* encaixar; entalhar; embutir.

encaje, *s. m.* encaixe; juntura; encaixe de renda.

encajonar, *v. tr.* encaixotar; apertar, comprimir; meter no curro (touro).

encalabrinar, *v.* 1. *tr.* atordoar, entontecer; irritar. 2. *refl.* obstinar-se; (fam.) enamorar-se.

encalado, *s. m.* caiadela; caiação.

encalar, *v. tr.* caiar; branquear.

encalladero, *s. m.* encalhe.

encallar, *v. intr.* encalhar.

encallecer, *v. intr.* encalecer; calejar.

encalmarse, *v. refl.* parar, serenar (o vento); acalmar, abonançar (o mar).

encalo, *s. m.* caiação.

encalvecer, *v. intr.* encalvecer.

encamar, *v. tr.* acamar; encamar.

encaminar, *v. tr.* encaminhar; conduzir a um fim.

encamisar, *v. tr.* encamisar.

encampanado, -a, *adj.* campanulado.

encanallarse, *v. refl.* acanalhar-se; aviltar-se.

encandecer, *v. tr.* encandecer, incandescer.

encandilado, -a, *adj.* encandeado; deslumbrado.

encandilar, *v. tr.* encandear; deslumbrar; ofuscar.

encanecer, *v. intr.* encanecer; envelhecer.

encanijarse, *v. refl.* definhar; enfraquecer.

encantado, -a, *adj.* encantado, deliciado; encantado, assombrado.

encantador, -a, *adj.* e *s.* encantador.

encantamiento, *s. m.* encantamento.

encantar, *v. tr.* encantar; seduzir; cativar.

encante, *s. m.* leilão; casa de leilões.

encanto, *s. m.* encanto; prazer; encantamento, feitiço.

encañada, *s. f.* desfiladeiro, garganta; ravina.

encañado, *s. m.* encanamento; aqueduto.

encañar, *v. tr.* encanar; encaniçar, estacar.

encañizada, *s. f.* caniçada.

encañonar, *v. tr.* encanar; canalizar; apontar armas de fogo.

encaperuzado, -a, *adj.* encapuzado.

encapirotado, -a, *adj.* encapuzado.

encapotado, -a, *adj.* encapotado.

encapotar, *v.* 1. *tr.* encapotar. 2. *refl.* franzir o sobrolho; toldar-se, anuviar-se (o tempo).

encaprichamiento, *s. m.* paixão, entusiasmo.

encapricharse, *v. refl.* encaprichar-se.

encapuchad|o, -a, *adj.* encapuchado.

encarad|o, -a, *adj.* encarado; *bien encarado,* bem-encarado; *mal encarado,* mal-encarado.

encaramar, *v. tr.* encarrapitar; empoleirar; elogiar em extremo.

encarar, *v. tr.* encarar; arrostar, afrontar.

encarcelación, *s. f.* encarceramento.

encarcelador, -a, *adj.* carcereiro.

encarcelamiento, *s. m.* encarceramento.

encarcelar, *v. tr.* encarcerar.

encarecer, *v.* 1. *tr.* encarecer; exaltar; exagerar. 2. *refl.* encarecer, ficar mais caro.

encarecimiento, *s. m.* encarecimento; instância; empenho.

encargad|o, -a, *adj. e s.* encarregado; gerente.

encargar, *v. tr.* encarregar; incumbir.

encargo, *s. m.* encargo, incumbência; obrigação.

encariñad|o, -a, *adj.* afeiçoado.

encariñarse, *v. refl.* afeiçoar-se.

encarnación, *s. f.* encarnação.

encarnad|o, -a, *adj. e s.* encarnado.

encarnadura, *s. f.* carnadura.

encarnar, *v.* 1. *intr.* encarnar. 2. *tr.* personificar o papel de.

encarnecer, *v. intr.* engordar; encorpar.

encarnizadamente, *adv.* encarniçadamente; cruelmente.

encarnizad|o, -a, *adj.* encarniçado; rubro.

encarnizamiento, *s. m.* encarniçamento.

encarnizar, *v. tr.* encarniçar; açular; irritar.

encarpetar, *v. tr.* arquivar.

encarrilar, *v. tr.* encarrilar; carrilar, encaminhar.

encartar, *v. tr.* proscrever; banir; incluir; recensear; envolver, implicar; encartar (no jogo de cartas).

encarte, *s. m.* folheto; suplemento.

encartonad|o, -a, *adj.* cartonado.

encartonar, *v. tr.* cartonar.

encasillar, *v. tr.* enquadrar; meter em quadrículas; classificar; caracterizar.

encasquetar, *v. tr.* encasquetar; fazer crer; impingir.

encasquillarse, *v. refl.* encravar; emperrar, ficar preso.

encastar, *v.* 1. *tr.* melhorar uma casta. 2. *intr.* procriar.

encastrar, *v. tr.* encastrar; engrenar; endentar.

encauchar, *v. tr.* cauchutar; impermeabilizar; revestir de borracha.

encausar, *v. tr.* processar; instaurar processo.

encáustic|o, -a, I. *adj.* encáustico; II. *m. e f.* encausto.

encauzamiento, *s. m.* canalização; direcção, orientação.

encantar, *v. tr.* canalizar; dirigir, orientar.

encebollad|o, -a, *s. m.* cebolada.

encebollar, *v. tr.* fazer de cebolada.

encefalitis, *s. f.* encefalite.

encéfalo, *s. m.* encéfalo.

encefalografía, *s. f.* encefalografia.

encefalograma, *s. m.* encefalograma.

enceguecer, *v. tr., intr. e refl.* cegar.

encelad|o, -a, *adj.* enciumado, com ciúmes.

encelar, *v.* 1. *tr.* enciumar. 2. *refl.* ter ciúmes; estar com cio.

encella, *s. f.* cincho.

encenagad|o, -a, *adj.* enlameado; (*fig.*) vicioso, depravado; aviltado.

encenagarse, *v. refl.* enlamear-se; (*fig.*) aviltar-se.

encendedor, *s. m. e f.* isqueiro.

encender, *v. tr.* acender; atear; incitar.

encendidamente, *adv.* ardentemente; apaixonadamente.

encendid|o, -a, *adj.* acendido, aceso; inflamado.

encenizar, *v. tr.* encinzar; cobrir com cinza.

encerado, *s. m.* encerado; oleado; quadro-preto.

encerar, *v. tr.* encerar.

encerradero, *s. m.* curral; estábulo; potreiro.

encerramiento, *s. m.* encerramento.

encerrar, *v. tr.* encerrar; fechar.

encerrona, *s. f.* (*fam.*) retiro voluntário.

encestar, *v. tr.* encestar.

enchapado, *s. m.* folheado.

enchapar, *v. tr.* chapear; folhear.

encharcado, -a, *adj.* encharcado, alagado.

encharcar, *v. tr.* encharcar; alagar; inundar; empanturrar.

enchinar, *v. tr.* calcetar, empedrar (com cascalho).

enchironar, *v. tr.* (*fam.*) encarcerar.

enchufad|o, -a, *adj.* bem ligado, bem ajustado, encaixado.

enchufar, *v. tr.* ajustar a boca de um cano com outro, encaixar; pôr na tomada, ligar.

enchufe, *s. m.* boca (de cano ou tubo);

ligação, encaixe; tomada eléctrica; *(fig.)* sinecura.

encía, s. *f.* gengiva.

encíclica, s. *f.* encíclica.

enciclopedia, s. *f.* enciclopédia.

enciclopédico, -a, *adj.* enciclopédico.

enciclopedismo, s. *m.* enciclopedismo.

encierro, s. *m.* encerro; touril; curro; clausura, recolhimento.

encima, *adv.* em cima; sobre; mais alto; demais.

encimar, v. *tr.* e *intr.* encimar; sobrepor.

encimera, s. *f.* prateleira.

encimero, -a, *adj.* encimado; cimeiro; sobreposto.

encina, s. *f.* azinheira, azinheiro, carvalho.

encinta, *adj.* embaraçada; grávida; prenhe.

encintar, v. *tr.* cintar; cingir; enfitar; laçar (bezerros).

encizañar, v. *tr.* semear cizânia ou discórdia.

enclaustrar, v. *tr.* enclaustrar; enclausurar.

enclavar, v. *tr.* cravar; pregar; encravar.

enclave, s. *m.* enclave; encrave.

enclenque, *adj.* e s. 2 *gén.* adoentado; fraco; débil.

enclítico, -a, *adj.* enclítico.

encocorar, v. *tr.* molestar; fatigar; importunar.

encofrado, v. *tr.* cofragem; travejamento.

encofrar, v. *tr.* cofrar; fazer o travejamento; escorar.

encoger, v. *tr.* encolher; contrair; diminuir; restringir.

encogido, -a, *adj.* encolhido; tímido; acabrunhado; em dificuldades.

encogimiento, s. *m.* encolhimento; acanhamento.

encolar, v. *tr.* encolar; colar; grudar.

encolerizar, v. *tr.* encolerizar; irar; irritar.

encomendar, v. *tr.* encomendar; incumbir; recomendar.

encomiar, v. *tr.* encomiar.

encomiástico, -a, *adj.* encomiástico.

encomienda, s. *m.* encargo, encomenda; comenda.

encomio, s. *m.* encómio; louvor; elogio.

enconado, -a, *adj.* MED. inflamado; *(fig.)* apaixonado; azedo; aceso (discussão).

enconar, v. *tr.* inflamar; irritar, exasperar.

encono, s. *m.* maus sentimentos; rancor.

encontradizo, -a, *adj.* encontradiço.

encontrado, -a, *adj.* contrário, oposto, desencontrado.

encontrar, v. *tr.* encontrar; achar; topar.

encontrón, s. *m.* encontrão; embate; empurrão.

encontronazo, s. *m.* vd. **encontrón.**

encopetado, -a, *adj.* presumido, afectado.

encorajar, v. *tr.* encorajar.

encorajinar, v. **1.** *tr.* irritar, zangar. **2.** *refl.* irritar-se, perder as estribeiras.

encorbatarse, v. *refl.* engravatar-se; aperaltar-se.

encorchar, v. *tr.* rolhar.

encordar, v. *tr.* encordoar (instrumento musical); atar com corda.

encordelar, v. *tr.* ligar, atar (com cordéis).

encordonar, v. *tr.* atar com corda.

encorralar, v. *tr.* encurralar.

encorsetado, -a, *adj.* preciso, rigoroso.

encorsetar, v. *tr.* espartilhar.

encorvadura, s. *f.* curvatura, encurvamento.

encorvamiento, s. *m.* vd. **encorvadura.**

encorvar, v. *tr.* encurvar, curvar; arquear.

encrespado, -a, *adj.* crespo, eriçado (cabelo); encrespado, revolto (mar).

encrespamiento, s. *m.* encrespamento, encrespadura.

encrespar, v. *tr.* encrespar; enrugar; riçar; enfurecer; irritar.

encristalar, v. *tr.* envidraçar.

encrucijada, s. *f.* encruzilhada.

encrudecer, v. *tr.* e *intr.* encruar, encruecer; irritar.

encuadernación, s. *f.* encadernação.

encuadernador, -a, s. *m.* e *f.* encadernador.

encuadernar, v. *tr.* encadernar.

encuadrar, v. *tr.* enquadrar, encerrar; emoldurar, encaixilhar.

encuadre, s. *m.* enquadramento.

encubar, v. *tr.* encubar; envasilhar.

encubierta, s. *f.* DIR. fraude.

encubiertamente, *adv.* fraudulentamente.

encubierto, -a, *adj.* encoberto; secreto; fraudulento.

encubridor, -a, *adj.* e s. encobridor.

encubrimiento, s. *m.* encobrimento; sonegação (de provas).

encubrir, v. *tr.* encobrir; ocultar; DIR. sonegar (provas).

encuentro, s. *m.* encontro; embate; empurrão; briga.

encuesta, *s. f.* indagação; averiguação, pesquisa.

encumbrad|o, -a, *adj.* eminente, distinto; da alta.

encumbramiento, *s. m.* elevação; altura; distinção; elevação social.

encumbrar, *v. tr.* encumear; elevar; levantar; exaltar.

encunar, *v. tr.* pôr (a criança) no berço.

encurtidos, *s. m. pl.* picles.

encurtir, *v. tr.* curtir, conservar legumes em vinagre.

endeble, *adj. 2 gén.* débil; frouxo.

endeblez, *s. f.* debilidade; frouxidão.

endécada, *s. f.* período de onze anos.

endecasílab|o, -a, *adj. e s. m.* hendecassílabo.

endemia, *s. f.* endemia.

endémic|o, -a, *adj.* endémico.

endemoniad|o, -a, *adj.* endemoninhado; diabólico; possesso; maldito.

endemoniar, *v. tr.* endemoninhar; encolerizar.

endentar, *v. tr.* endentar, engranzar, engrenar; dentear.

endentecer, *v. intr.* endentecer.

enderezamiento, *s. m.* endereço; direcção; correcção.

enderezar, *v. tr.* endireitar; dirigir; endereçar.

endeudamiento, *s. m.* endividamento.

endeudarse, *v. refl.* endividar-se; empenhar-se.

endiablad|o, -a, *adj.* endiabrado; diabólico; mau.

endiablar, *v. tr.* endemoninhar; corromper.

endibia, *s. f.* endívia.

endilgar, *v. tr. (fam.)* encaminhar; dirigir; acomodar.

endiosamiento, *s. f. (fig.)* endeusamento; altivez; vaidade.

endiosar, *v.* **1.** *tr.* endeusar; divinizar. **2.** *refl.* desvanecer-se; envaidecer-se.

endocardio, *s. m.* endocárdio.

endocarpio, *s. m.* endocarpio.

endocarpo, *s. m.* endocarpo.

endocrin|o, -a, *adj.* endócrino.

endocrinología, *s. f.* endocrinologia.

endocrinólog|o, -a, *s. m. e f.* endocrinologista.

endogamia, *s. f.* endogamia.

endomingarse, *v. refl.* endomingar-se.

endoplasma, *s. m.* endoplasma.

endosar, *v. tr.* endossar.

endoscopia, *s. f.* endoscopia.

endoscopio, *s. m.* endoscópio.

endoso, *s. m.* endosso.

endotérmic|o, -a, *adj.* endotérmico.

endovenos|o, -a, *adj.* endovenoso.

endrina, *s. f.* abrunho.

endrino, *s. m.* abrunheiro, ameixieira silvestre.

endulzar, *v. tr.* adoçar; suavizar; abrandar.

endurecer, *v. tr.* endurecer, endurar; robustecer.

endurecimiento, *s. m.* endurecimento.

enebrina, *s. f.* baga de zimbro.

enebro, *s. m.* zimbro.

eneldo, *s. m.* funcho.

enema, *s. m.* clister.

enemig|o, -a, *adj. e s.* contrário; inimigo.

enemistad, *s. f.* inimizade; aversão; ódio; hostilidade.

enemistar, *v.* **1.** *tr.* inimizar, inimistar. **2.** *refl.* inimistar-se.

energética, *s. f.* energética.

energétic|o, -a, *adj.* energético.

energía, *s. f.* energia.

enérgic|o, -a, *adj.* enérgico.

energúmen|o, -a, *s. m. e f.* energúmeno.

enero, *s. m.* Janeiro.

enervación, *s. f.* enervação, enervamento.

enervante, *adj. 2 gén.* enervante.

enervar, *v. tr.* enervar, debilitar.

enésim|o, -a, *adj.* enésimo.

enfadadiz|o, -a, *adj.* enfadadiço; rabugento; irascível.

enfadar, *v. tr.* enfadar; incomodar; aborrecer.

enfado, *s. m.* enfado, agastamento; zanga.

enfados|o, -a, *adj.* enfadonho; aborrecedor; irritante.

enfaenad|o, -a, *adj.* atarefado.

enfaldado, *adj. (fam.)* agarrado às saias da mãe.

enfangar, *v. tr.* enlamear, sujar.

enfardar, *v. tr.* enfeixar; enfardar, empacotar; enfardelar.

énfasis, *s. m. e f.* ênfase; afectação.

enfátic|o, -a, *adj.* enfático; empolado.

enfatizar, *v. tr.* enfatizar.

enfermar, *v. intr.* enfermar; adoecer.

enfermedad, *s. f.* enfermidade; doença.

enfermería, *s. f.* enfermaria.

enferme|ro, -a, *s. m. e f.* enfermeiro.

enfermiz|o, -a, *adj.* enfermiço; achacado.
enferm|o, -a, *adj.* e s. enfermo; doente.
enfervorizar, *v. tr.* afervorar; estimular.
enfilar, *v.* 1. *tr.* enfileirar, pôr em fila; seguir, caminhar por (rua); dirigir, orientar. 2. *intr.* seguir, ir, dirigir-se.
enfisema, *s. m.* enfisema.
enflaquecer, *v. tr.* e *intr.* enfraquecer; emagrecer.
enflaquecimiento, *s. m.* enfraquecimento; emagrecimento.
enfocar, *v. tr.* focar; pôr em foco.
enfoque, *s. m.* focagem.
enfrascad|o, -a, *adj.* (*fig.*) absorvido; embebido; engolfado; concentrado; mergulhado.
enfrascarse, *v. refl.* absorver-se; embeber-se; mergulhar-se; engolfar-se.
enfrenar, *v. tr.* enfrenar; enfrear; conter; sujeitar; refrear, reprimir.
enfrentamiento, *s. m.* confrontação.
enfrentar, *v. tr.* enfrentar, defrontar; confrontar.
enfrente, *adv.* em frente, defronte; diante.
enfriador, -a, I. *adj.* refrescante, refrigerante. II. *s. m.* refrigerador.
enfriamiento, *s. m.* esfriamento; MED. resfriado.
enfriar, *v.* 1. *tr.* esfriar; arrefecer. 2. *refl.* resfriar-se; constipar-se.
enfundar, *v. tr.* embainhar (espada); meter no coldre (pistola); encapar; enfronhar.
enfurecer, *v.* 1. *tr.* enfurecer. 2. *refl.* ficar furioso, perder a calma; encapelar-se (o mar).
enfurecimiento, *s. m.* enfurecimento; irritação; fúria.
enfurruñamiento, *s. m.* (*fam.*) enfado; mau humor.
enfurruñarse, *v. refl.* enfadar-se, zangar-se, ficar de mau humor.
engaitar, *v. tr.* enganar; iludir.
engalanad|o, -a, *adj.* engalanado.
engalanar, *v. tr.* engalanar.
engallad|o, -a, *adj.* direito, vertical; (*fig.*) arrogante; altivo.
engallarse, *v. refl.* ensoberbecer-se; tornar-se soberbo.
enganchad|o, -a, *adj.* enganchado; pendurado; atrelado; apanhado, drogado.
enganchar, *v.* 1. *tr.* enganchar; pendurar; atrelar; engatar; (*fig.*) atrair, engajar; prender, apanhar. 2. *refl.* prender-se, ficar

preso; MIL. alistar-se; ficar apanhado (drogado).
enganche, *s. m.* gancho; atrelagem; engate; MIL. alistamento; recrutamento.
enganchón, *s. m.* rasgão.
engañabobos, 1. *s.* 2 *gén.* (*fam.*) trapaceiro. 2. *s. m.* trapaça.
engañadiz|o, -a, *adj.* enganadiço.
engañar, *v. tr.* enganar; iludir burlar.
engañifa, *s. f.* falcatrua, burla.
engaño, *s. m.* engano; erro; falsidade.
engaños|o, -a, *adj.* enganoso; falaz.
engarce, *s. m.* enfiamento, enfiada (pérolas, contas); engaste, encastoamento (pedra); ligação, conexão; engrenagem; fio.
engarzar, *v. tr.* enfiar (pérolas, contas); engastar, encastoar (pedra); ligar; encandear; engrenar.
engastar, *v. tr.* engastar, encastoar.
engaste, *s. m.* engaste; encastoamento.
engatusar, *v. tr.* (*fam.*) bajular.
engendrar, *v. tr.* engendrar, gerar, procriar.
engendro, *s. m.* feto; ser informe; aborto; monstro.
englobar, *v. tr.* englobar.
engolad|o, -a, *adj.* pomposo, arrogante; empolado (estilo).
engolfarse, *v. refl.* absorver-se; engolfar-se.
engolletad|o, -a, *adj.* presumido, pretensioso.
engolosinar, *v. tr.* engulosinar.
engomad|o, -a, I. *adj.* engomado; gomoso. II. *s. m.* goma; cola.
engomar, *v. tr.* engomar; colar.
engordadero, *s. m.* montado.
engordar, *v. tr.* engordar; cevar; nutrir.
engorde, *s. m.* engorda.
engorro, *s. m.* embaraço; estorvo.
engorros|o, -a, *adj.* embaraçoso; dificultoso.
engranaje, *s. m.* engrenagem.
engranar, *v. intr.* engrenar; endentar.
engrandecer, *v. tr.* engrandecer.
engrandecimiento, *s. m.* engrandecimento.
engrasar, *v. tr.* engordurar; ensebar; lubrificar.
engrase, *s. m.* lubrificação, lubrificante.
engreíd|o, -a, *adj.* vaidoso, presumido.
engreimiento, *s. m.* desvanecimento, vaidade, presunção.

engreír, v. tr. envaidecer; presumir.

engrosar, v. tr. engrossar; engordar.

engrudar, v. tr. grudar; colar.

engrudo, s. m. grude, cola.

engrumecerse, v. refl. ganhar grumos; coalhar (leite); coagular (sangue).

enguantado, -a, adj. enluvado.

enguantarse, v. refl. calçar as luvas.

enguijarrado, -a, adj. e s. m. empedrado.

enguirnaldar, v. tr. engrinaldar.

engullir, v. tr. engolir; tragar; deglutir.

enharinar, v. tr. enfarinhar.

enhebrar, v. tr. enfiar; unir, estabelecer.

enhiesto, -a, adj. erecto; levantado; erguido.

enhilar, v. tr. enfiar; (fig.) ligar; dirigir, guiar.

enhorabuena, s. f. felicitações, parabéns.

enhoramala, adv. em má hora (com desgosto ou desaprovação).

enhornar, v. tr. enfornar.

enigma, s. m. enigma.

enigmático, -a, adj. enigmático.

enjabonar, v. tr. ensaboar.

enjaezar, v. tr. ajaezar; arrear.

enjalbegar, v. tr. caiar; branquear.

enjambrar, v. tr. enxamear.

enjambre, s. m. enxame; multidão.

enjarciar, v. tr. NÁUT. enxarciar; equipar.

enjaretar, v. tr. falar atrapalhadamente.

enjaular, v. tr. enjaular; engaiolar.

enjoyar, v. tr. enjoiar; cobrir de jóias.

enjuagadientes, s. m. bochecho.

enjuagar, v. tr. bochechar; enxaguar.

enjuague, s. m. enxaguadura.

enjugar, v. tr. enxugar, secar; esgotar.

enjuiciamiento, s. m. juízo, opinião; DIR. processo legal, julgamento.

enjuiciar, v. tr. ajuizar, julgar; processar.

enjundia, s. f. enxúndia; banha.

enjundioso, -a, adj. enxundioso.

enjuto, -a, adj. enxuto, seco; magro.

enlace, s. m. enlace; união.

enladrillado, -a, adj. e s. m. ladrilhado.

enladrillar, v. tr. entijolar; ladrilhar.

enlatado, -a, adj. e s. m. enlatado.

enlatar, v. tr. enlatar.

enlazar, v. 1. tr. enlaçar, laçar. 2. refl. casar (contrair matrimónio).

enlodar, v. tr. enlodar, enlamear.

enloquecer, v. tr. e intr. enlouquecer; endoidecer.

enloquecimiento, s. m. enlouquecimento, loucura.

enlosado, -a, adj. e s. m. enlousado, lajeado.

enlosar, v. tr. enlousar; lajear.

enlucido, s. m. estuque.

enlucir, v. tr. engessar; estucar; caiar; polir.

enlutar, v. tr. enlutar; consternar.

enmaderar, v. tr. emadeirar, madeirar.

enmadrado, -a, adj. agarrado às saias da mãe.

enmarañamiento, s. m. emaranhamento.

enmarañar, v. tr. emaranhar, enredar.

enmarcar, v. tr. enquadrar, emoldurar; situar, enquadrar (no tempo, lugar, etc.).

enmascarado, -a, adj. e s. m. mascarado.

enmascarar, v. tr. mascarar.

enmendadura, s. f. emenda, correcção.

enmendar, v. tr. emendar, corrigir.

enmienda, s. f. emenda, correcção.

enmohecer, v. tr. e refl. abolorecer; enferrujar.

enmoquetar, v. tr. alcatifar.

enmudecer, v. 1. tr. emudecer; fazer calar. 2. intr. ficar calado; calar-se; perder a voz.

ennegrecer, v. tr. enegrecer; escurecer.

ennoblecer, v. tr. enobrecer, nobilitar.

enojadizo, -a, adj. enojadiço.

enojar, v. tr. enojar; agastar, irritar.

enojo, s. m. enojo; nojo; enfado; zanga.

enojoso, -a, adj. enojadiço; aborrecido.

enología, s. f. enologia.

enólogo, -a, s. m. e f. enólogo.

enorgullecer, v. tr. orgulhar; ensoberbecer.

enorme, adj. 2 gén. enorme; desmedido; excessivo.

enormemente, adv. enormemente, tremendamente.

enormidad, s. f. enormidade; despropósito.

enquistamiento, s. m. enquistamento.

enquistarse, v. refl. enquistar-se.

enrabiarse, v. refl. enraivecer-se; ficar furioso.

enraizado, -a, adj. enraizado.

enraizar, v. 1. tr. enraizar. 2. refl. enraizar-se.

enramada, s. f. ramos, rama; ramo (adorno); caramanchel.

enramar, v. tr. enramar, enlaçar; entrelaçar.

enranciar, v. tr. enrançar; rançar; tornar rançoso.

enrarecer, v. tr., intr. e refl. enrarecer; rarear; escassear.

enrasar, v. tr. rasar; nivelar; igualar; arrasar.

enredadera, adj. BOT. trepadeira.

enredador, -a, adj. e s. enredador; mexeriqueiro.

enredar, v. tr. enredar, emaranhar, confundir.

enredo, s. m. enredo; intriga; confusão; entrecho.

enrejado, s. m. gradeamento.

enrejar, v. tr. gradear; engradar.

enrevesado, -a, adj. arrevesado.

enriar, v. tr. enriar, curtir (linho, cânhamo ou esparto).

enriquecer, v. tr. e intr. enriquecer.

enriquecimiento, s. m. enriquecimento.

enriscado, -a, adj. escarpado, fragoso.

enristrar, v. tr. enristar, acometer; enrestiar (alhos ou cebolas).

enrizar, v. tr. enriçar, riçar.

enrocar, v. tr. rocar (no xadrez).

enrojecer, v. tr. e refl. encandecer; avermelhar; enrubescer.

enrojecimiento, s. m. enrubescimento.

enrolar, v. 1. tr. arrolar; alistar. 2. refl. inscrever-se; MIL. alistar-se.

enrollar, v. tr. enrolar; encaracolar.

enronquecer, v. tr. e refl. enrouquecer.

enronquecimiento, s. m. enrouquecimento.

enroque, s. m. roque (no xadrez).

enroscar, v. tr. enroscar; torcer.

ensacar, v. tr. ensacar.

ensalada, s. f. salada.

ensaladera, s. f. saladeira.

ensaladilla, s. f. salada russa.

ensalivar, v. tr. salivar.

ensalmador, -a, s. m. e f. ensalmador; curandeiro.

ensalmar, v. tr. ensalmar.

ensalmo, s. m. ensalmo; encanto; rezas; benzeduras; bruxaria.

ensalzamiento, s. m. elogio, exaltação.

ensalzar, v. tr. elogiar; exaltar; louvar.

ensamblador, s. m. entalhador; INFORM. assembler.

ensambladura, s. f. ensambladura; entalhe.

ensamblaje, s. m. vd. **ensambladura**.

ensamblar, v. tr. ensamblar, entalhar, embutir.

ensanchamiento, s. m. alargamento.

ensanchar, v. tr. ensanchar, alargar; ampliar, dilatar.

ensanche, s. m. ensancha; alargamento; ampliação; desenvolvimento.

ensangrentad|o, -a, adj. ensanguentado.

ensangrentar, v. tr. ensanguentar.

ensañamiento, s. m. crueldade, brutalidade.

ensañar, v. 1. tr. assanhar; irritar; enfurecer. 2. refl. ser cruel, brutal.

ensartar, v. tr. ensartar, enfiar; engranzar.

ensayar, v. tr. ensaiar; exercitar; preparar.

ensaye, s. m. TEAT./MÚS./LIT. ensaio; prova; teste.

ensayista, s. 2 gén. ensaísta.

ensayo, s. m. ensaio; treino; prova.

ensebar, v. tr. ensebar; engordurar.

enseguida, adv. imediatamente; já; de seguida.

ensenada, s. f. enseada.

enseña, s. f. insígnia, bandeira.

enseñanza, s. f. ensinamento, ensino, lição.

enseñar, v. tr. ensinar, instruir; indicar; informar.

enseñorearse, v. refl. assenhorear-se.

enseres, s. m. pl. móveis, utensílios necessários; trastes.

ensilar, v. tr. ensilar.

ensillar, v. tr. selar (o cavalo).

ensimismad|o, -a, adj. ensimesmado; concentrado.

ensimismarse, v. refl. ensimesmar-se; concentrar-se.

ensoberbecer, v. tr. ensoberbecer.

ensombrecer, v. tr. escurecer, ensombrar, sombrear.

ensoñación, s. f. devaneio, fantasia.

ensoñador, s. m. sonhador.

ensoñar, v. tr. devanear, fantasiar.

ensopar, v. tr. ensopar.

ensordecedor, -a, adj. ensurdecedor.

ensordecer, v. tr. ensurdecer.

ensordecimiento, s. m. ensurdecimento.

ensortijad|o, -a, adj. crespo; frisado; encaracolado.

ensortijar, v. tr. encrespar, frisar, anelar.

ensuciar, v. tr. sujar, emporcalhar, manchar.

ensueño, s. m. sonho; ilusão; ficção.

entablado, *s. m.* tabuado; tablado; sobrado; soalho.

entablar, *v. tr.* entabuar, assobradar; entabular.

entablillado, *s. m.* tala.

entablillar, *v. tr.* CIR. entalar, encanar (um osso fracturado).

entalegar, *v. tr.* entaleigar; economizar; entesourar.

entallar, *v. tr.* entalhar; esculpir; gravar.

entallecer, *v. intr.* entalecer; grelar.

entarimado, *s. m.* soalho, tabuado.

entarimar, *v. tr.* sobradar, entabuar, soalhar; forrar.

entarugado, *s. m.* parquete.

entarugar, *v. tr.* pavimentar com tacos de madeira.

ente, *s. m.* ente, ser.

enteco, -a, *adj.* enfermiço; fraco; débil; acanhado.

entelequia, *s. f.* entelêquia.

entendederas, *s. f. pl.* (*fam.*) entendimento; compreensão.

entendedor, -a, *adj.* e *s.* entendedor.

entender, *v. tr.* entender; compreender; conhecer; julgar.

entendido, -a, *adj* e *s.* entendido; perito.

entendimiento, *s. m.* entendimento; inteligência; compreensão; miolos.

entenebrecer, *v. tr.* e *refl.* entenebrecer; escurecer.

entente, *s. f.* entente, acordo, convénio.

enterar, *v.* **1.** *tr.* inteirar, informar; instruir. **2.** *refl.* inteirar-se, averiguar, tomar conhecimento.

entercarse, *v. refl.* obstinar-se, teimar.

entereza, *s. f.* inteireza; integridade.

enterizo, -a, *adj.* inteiriço.

enternecedor, -a, *adj.* enternecedor.

enternecer, *v.* **1.** *tr.* enternecer; amolecer, abrandar; sensibilizar. **2.** *refl.* enternecer-se; comover-se.

enternecidamente, *adv.* enternecidamente.

enternecimiento, *s. m.* enternecimento.

entero, -a, *adj.* inteiro; cabal; íntegro.

enterocolitis, *s. f.* MED. enterocolite.

enterrador, *s. m.* coveiro.

enterramiento, *s. m.* enterro, funeral.

enterrar, *v. tr.* enterrar; sepultar.

entesar, *v. tr.* entesar; esticar; retesar.

entibiar, *v. tr.* entibiar; amornar.

entidad, *s. f.* entidade; ente, ser.

entierro, *s. m.* enterro; enterramento.

entintar, *v. tr.* tintar; tingir.

entoldar, *v.* **1.** *tr.* toldar. **2.** *refl.* toldar-se, anuviar-se (o céu).

entomología, *s. f.* entomologia.

entomológico, -a, *adj.* entomológico.

entomólogo, -a, *s. m.* e *f.* entomólogo, entomologista.

entonación, *s. f.* entonação, tom.

entonado, -a, *adj.* arrogante, presumido.

entonador, -a, *adj.* entoador.

entonar, *v.* **1.** *tr.* entoar, cantar; harmonizar. **2.** *refl.* ser arrogante, presumido.

entonces, *adv.* então; nesse caso; sendo assim.

entono, *s. m.* entono; arrogância.

entontecer, *v. tr.* entontecer; desvairar.

entorchado, *s. m.* galão; cordão ou bordado de ouro ou prata para fardas.

entorpecer, *v. tr.* entorpecer; perturbar.

entorpecimiento, *s. m.* entorpecimento.

entortar, *v. tr.* entortar.

entosigar, *v. tr.* intoxicar, envenenar.

entrada, *s. f.* entrada, introdução; início; ingresso.

entrado, -a, *adj.* entrado, avançado.

entramado, *s. m.* armação de madeira.

entrambos, -as, *adj. pl.* ambos, os dois.

entrampar, *v.* **1.** *tr.* apanhar, colher (no laço). **2.** *refl.* endividar-se.

entraña, *s. f.* entranha; víscera.

entrañable, *adj.* 2 *gén.* entranhável; íntimo; afectuoso.

entrañar, *v. tr.* entranhar, introduzir; arraigar.

entrapajar, *v. tr.* entrapar.

entrar, *v. intr.* entrar; penetrar; ser admitido.

entre, *prep.* entre; no meio de; dentro de.

entreabierto, -a, *adj.* entreaberto.

entreabrir, *v. tr.* entreabrir.

entreacto, *s. m.* entreacto; intervalo; intermédio teatral.

entrecano, -a, *adj.* grisalho (cabelo ou barba); meio encanecido.

entrecejo, *s. m.* espaço interciliar (entre as sobrancelhas); cenho, sobrecenho.

entrecerrar, *v. tr.* entrecerrar; semicerrar.

entrechocar, *v. tr.* entrechocar.

entreclaro, -a, *adj.* um tanto claro.

entrecó, *s. m.* entrecosto.

entrecoger, *v. tr.* pegar; agarrar; estreitar; apertar.

entrecomillado, -a, *adj.* entre comas.

entrecomillar, v. tr. pôr entre comas, entre aspas.

entrecortado, -a, adj. entrecortado.

entrecortar, v. tr. entrecortar.

entrecruzar, v. 1. tr. entrecruzar; entrelaçar. 2. refl. entrecruzar-se.

entrecubiertas, s. f. pl. entrecoberta; entreponte; espaços entre as cobertas do navio.

entredicho, s. m. interdição; proibição.

entredós, s. m. entremeio.

entrefino, -a, adj. de qualidade média.

entrega, s. f. entrega; distribuição; fascículo duma obra em distribuição; restituição (de propriedade); dedicação; DESP. passe; passagem.

entregar, v. 1. tr. entregar; dar. 2. refl. abandonar-se.

entrelazar, v. tr. entrelaçar.

entrelínea, s. f. entrelinha.

entrelinear, v. tr. entrelinhar.

entrelistado, -a, adj. listrado.

entrelucir, v. intr. entreluzir; tremeluzir.

entremedias, adv. entrementes, entretanto.

entremés, s. m. entremez; interlúdio; pl. acepipes, aperitivos.

entremeter, v. tr. intrometer.

entremezclar, v. tr. misturar, mesclar.

entrenador, -a, s. m. e f. treinador.

entrenamiento, s. m. preparação, treino, ensaio.

entrenar, v. tr. treinar, ensaiar, habituar.

entreno, s. m. treino.

entrenzar, v. tr. entrançar; trançar.

entreoír, v. tr. entreouvir.

entrepaño, s. m. entrepano.

entrepierna, s. f. entrepernas.

entreponer, v. tr. interpor.

entresacar, v. tr. escolher; separar; AGR. desbastar.

entresijo, s. m. (fig.) segredo, mistério.

entresuelo, s. m. sobreloja.

entretallar, v. tr. entretalhar; gravar; esculpir; recortar.

entretanto, adv. entretanto; contudo.

entretejer, v. tr. entretecer, entrelaçar; entremear.

entretela, s. f. entretela; reforço.

entretelar, v. tr. entretelar.

entretener, v. tr. entreter, divertir; demorar; distrair.

entretenido, -a, adj. divertido; alegre.

entretenimiento, s. m. entretimento, distracção.

entretiempo, s. m. meia estação (Primavera e Outono).

entrever, v. tr. entrever; conjecturar; pressentir.

entreverado, -a, adj. entremeado, misturado.

entreverar, v. tr. entremear, misturar.

entrevía, s. f. entrevia.

entrevista, s. f. entrevista.

entrevistador, -a, s. m. e f. entrevistador.

entrevistar, v. 1. tr. entrevistar. 2. refl. ter uma entrevista.

entristecedor, -a, adj. entristecedor.

entristecer, v. tr. entristecer; afligir.

entrometerse, v. refl. intrometer-se; interferir.

entrometido, -a, adj. intrometido.

entroncamiento, s. m. entroncamento, ligação.

entroncar, v. tr. entroncar.

entronización, s. f. entronização.

entronizar, v. tr. entronizar; exaltar, louvar.

entronque, s. m. entroncamento.

entropía, s. f. entropia.

entruchar, v. tr. (fam.) engodar; intrujar.

entubar, v. tr. colocar tubos.

entuerto, s. m. agravo, injúria.

entumecerse, v. refl. intumescer; entumecer.

entumecimiento, s. m. intumescimento, entumecimento.

entumirse, v. refl. entorpecer-se (membro ou músculo).

enturbiar, v. tr. turvar.

entusiasmar, v. tr. entusiasmar.

entusiasmo, s. m. entusiasmo; admiração; arrebatamento.

entusiasta, adj. 2 gén. entusiasta.

entusiástico, -a, adj. entusiástico.

enumeración, s. f. enumeração; cômputo, conta.

enumerar, v. tr. enumerar; enunciar.

enunciación, s. f. enunciação, expressão.

enunciado, s. m. enunciado, enunciação.

enunciar, v. tr. enunciar; declarar.

enunciativo, -a, adj. enunciativo; LING. declarativo.

envainar, v. tr. embainhar; abainhar; invaginar.

envalentonar, v. tr. infundir valor; alentar, dar coragem.

envanecer, *v. tr.* envaidecer, envaidar.
envarado, -a, *adj.* rígido, hirto; orgulhoso, vaidoso.
envaramiento, *s. m.* rigidez.
envarar, *v. tr.* entorpecer, entrevar.
envasado, -a, **I.** *adj.* engarrafado; enlatado; empacotado. **II.** *s. m.* engarrafamento; enlatamento; empacotamento.
envasar, *v. tr.* engarrafar; enlatar; empacotar.
envase, *s. m.* envasilhamento; vasilha, recipiente; envoltório.
envedijarse, *v. refl.* envencilhar-se; complicar-se; engalfinhar-se (em questões ou desordens).
envejecer, *v. tr.* envelhecer; avelhentar.
envejecido, -a, *adj.* envelhecido.
envejecimiento, *s. m.* envelhecimento.
envenenamiento, *s. m.* envenenamento.
envenenar, *v. tr.* envenenar; empeçonhar.
enverar, *v. intr.* amadurecer, amadurar (a uva).
enverdecer, *v. intr.* enverdecer; verdejar; verdecer.
envergadura, *s. f.* envergadura; capacidade; vigor.
envergar, *v. tr.* envergar, colocar as velas nas vergas.
enverjado, *s. m.* gradeamento.
envés, *s. m.* invés, avesso.
envestidura, *s. f.* investidura; inauguração.
enviado, -a, *s. m. e f.* enviado; mensageiro.
enviar, *v. tr.* enviar, mandar; dirigir; remeter.
enviciar, *v. tr.* viciar; corromper; depravar.
envidar, *v. tr.* convidar.
envidia, *s. f.* inveja, emulação.
envidiable, *adj 2 gén.* invejável.
envidiar, *v. tr.* invejar.
envidioso, -a, *adj. e s.* invejoso.
envigar, *v. tr. e intr.* travejar.
envilecer, *v.* **1.** *tr.* aviltar, envilecer. **2.** *refl.* degradar-se.
envilecimiento, *s. m.* aviltamento, envilecimento.
envinagrar, *v. tr.* avinagrar.
envite, *s. m.* invite (no jogo); aposta.
enviudar, *v. intr.* enviuvar.
envoltorio, *s. m.* envoltório, embrulho.
envoltura, *s. f.* envoltura; faixas.
envolver, *v. tr.* envolver; embrulhar; cobrir.

envuelto, -a, *adj.* envolvido, envolto.
enyesado, *s. m.* engessamento; MED. gesso.
enyesar, *v. tr.* engessar; MED. pôr gesso.
enzarzar, *v. tr.* ensilvar; enredar.
enzima, *s. f. e f.* enzima.
eoceno, *adj.* GEOL. eocénico; eoceno.
eólico, -a, *adj.* eólico.
eolito, *s. m.* eólito.
epéntesis, *s. f.* GRAM. epêntese.
épica, *s. f.* poesia épica.
epicarpio, *s. m.* BOT. epicárpio, epicarpo.
epiceno, *adj.* GRAM. epiceno.
épico, -a, *adj.* épico.
epicureísmo, *s. m.* epicurismo.
epicúreo, -a, *adj.* epicurista.
epidemia, *s. f.* epidemia.
epidémico, -a, *adj.* epidémico.
epidérmico, -a, *adj.* epidérmico.
epidermis, *s. f.* epiderme.
epifanía, *s. f.* Epifania.
epígono, *s. m.* epígono.
epígrafe, *s. m.* epígrafe.
epigrafía, *s. f.* epigrafia.
epigrama, *s. m.* epigrama.
epilepsia, *s. f.* MED. epilepsia.
epiléptico, -a, *adj. e s. m. e f.* MED. epiléptico.
epílogo, *s. m.* epílogo, remate.
episcopado, *s. m.* episcopado; bispado.
episcopal, *adj. 2 gén.* episcopal.
episodio, *s. m.* episódio.
epistaxis, *s. f.* MED. epistaxe.
epístola, *s. f.* epístola; carta.
epistolar, *adj. 2 gén.* epistolar.
epistolario, *s. m.* epistolário.
epitafio, *s. m.* epitáfio.
epitalamio, *s. m.* epitalâmio.
epitelial, *adj. 2 gén.* epitelial.
epitelio, *s. m.* ANAT. epitélio.
epíteto, *s. m.* epíteto; cognome, alcunha.
epítome, *s. m.* epítome; compêndio; resumo.
época, *s. f.* época; era.
epodo, *s. m.* LIT. epodo.
epónimo, -a, *adj. e s. m.* epónimo.
epopeya, *s. f.* epopeia.
épsilon, *s. m.* épsilon.
epsomita, *s. f.* epsomita.
equidad, *s. f.* equidade; igualdade; rectidão.
equidistancia, *s. f.* equidistância.
equidistante, *adj. 2 gén.* equidistante.
equidistar, *v. intr.* equidistar.
equilátero, -a, *adj.* GEOM. equilátero.

equilibrad|o, -a, *adj.* equilibrado; com bom senso.

equilibrar, *v. tr.* equilibrar; igualar.

equilibrio, *s. m.* equilíbrio.

equilibrismo, *s. m.* equilibrismo.

equilibrista, *adj.* e *s.* 2 *gén.* equilibrista.

equin|o, -a, *adj.* equino.

equino, *s. m.* ouriço-marinho.

equinoccio, *s. m.* equinócio.

equinodermo, *adj.* e *s. m.* equinoderme.

equipaje, *s. m.* bagagem; equipamento; equipagem.

equipar, *v. tr.* equipar; prover; aprestar.

equiparable, *adj.* 2 *gén.* equiparável; comparável.

equiparación, *s. f.* equiparação; comparação.

equiparar, *v. tr.* equiparar; comparar; igualar.

equipo, *s. m.* equipa; equipe.

equis, *s. f.* xis (letra x).

equitación, *s. f.* equitação.

equitativ|o, -a, *adj.* equitativo; justo; recto.

equivalencia, *s. f.* equivalência.

equivalente, *adj.* e *s.* 2 *gén.* equivalente.

equivaler, *v. intr.* equivaler.

equivocación, *s. m.* engano; mal-entendido.

equivocadamente, *adv.* por engano.

equivocad|o, -a, *adj.* equivocado, enganado.

equivocar, *v. tr.* e *refl.* equivocar, enganar, confundir.

equívoc|o, -a, *adj.* equívoco, ambíguo; equívoco; confusão; engano; trocadilho.

era, *s. f.* era; época; período; data; eira.

eral, *s. m.* novilho de dois anos.

erario, *s. m.* erário; tesouro público.

erbio, *s. m.* QUÍM. érbio.

erección, *s. f.* erecção.

eréctil, *adj.* 2 *gén.* eréctil.

erect|o, -a, *adj.* erecto.

eremita, *s. m.* eremita, ermita.

ergonomía, *s. f.* ergonomia.

ergonómic|o, -a, *adj.* ergonómico.

erguir, *v. tr.* erguer, levantar, alçar; endireitar.

erial, *adj.* 2 *gén.* e *s. m.* baldio.

erigir, *v. tr.* erigir; fundar; instituir; erguer.

erisipela, *s. f.* erisipela.

eritema, *s. m.* MED. eritema.

erizad|o, -a, *adj.* eriçado; encrespado; arrepiado.

erizar, *v. tr.* e *refl.* eriçar; encrespar; arrepiar.

erizo, *s. m.* ZOOL. ouriço-cacheiro; ouriço--do-mar, ouriço-marinho; BOT. ouriço.

ermita, *s. f.* ermida.

ermitañ|o, -a, *s. m.* e *f.* ermitão.

erogación, *s. f.* repartição, distribuição.

erogar, *v. tr.* distribuir; repartir.

erógen|o, -a, *adj.* erógeno.

erosión, *s. f.* erosão, corrosão.

erosionar, *v. tr.* erodir, provocar erosão.

erótic|o, -a, *adj.* erótico; lúbrico; sensual.

erotismo, *s. m.* erotismo.

erotizar, *v. tr.* erotizar.

errabund|o, -a, *adj.* errabundo; errante; vagabundo, vagamundo.

erradicación, *s. f.* erradicação.

erradicar, *v. tr.* erradicar, desarraigar, derraigar.

errad|o, -a, *adj.* errado.

errante, *adj.* 2 *gén.* errante, vagueante.

errar, *v.* 1. *tr.* errar, falhar (o alvo, o objectivo). 2. *intr.* errar, vaguear; errar, enganar-se.

errata, *s. f.* errata.

errátic|o, -a, *adj.* errático.

erróneamente, *adv.* erroneamente; erradamente.

erróne|o, -a, *adj.* erróneo.

error, *s. m.* erro; falta; culpa.

eructar, *v. intr.* arrotar; eructar.

eructo, *s. m.* eructação, arroto.

erudición, *s. f.* erudição.

eruditamente, *adv.* eruditamente.

erudit|o, -a, *adj.* e *s.* erudito.

erupción, *s. f.* erupção.

eruptiv|o, -a, *adj.* eruptivo.

esbatimento, *s. m.* esbatimento; sombreado.

esbeltez, *s. f.* esbeltez, esbelteza.

esbelt|o, -a, *adj.* esbelto; elegante.

esbirro, *s. m.* esbirro, beleguim.

esbozar, *v. tr.* esboçar; bosquejar.

esbozo, *s. m.* esboço; bosquejo.

escabechad|o, -a, *adj.* de escabeche.

escabechar, *v. tr.* escabechar; pôr de escabeche.

escabeche, *s. m.* escabeche.

escabechina, *s. f.* carnificina.

escabel, *s. m.* escabelo.

escabiosa, *s. f.* BOT. escabiosa.

escabrosamente, *adv.* escabrosamente.

escabrosidad, *s. f.* escabrosidade, aspereza.

escarlatina

escabroso, -a, *adj.* escabroso, áspero; pedregoso.

escabullirse, *v. refl.* escapulir-se; escapar-se.

escachar, *v. tr.* escachar; esmagar; quebrar.

escacharrar, *v. tr.* escacar, quebrar.

escafandra, *s. f.* escafandro.

escafandrista, *s. 2 gén.* escafandrista.

escafandro, *s. m.* escafandro.

escafoides, *s. m.* ANAT. escafóide.

escala, *s. f.* escada; escala, graduação.

escalada, *s. f.* escalamento, escalada.

escalador, -a, *adj. e s.* escalador; montanhista; alpinista.

escalafón, *s. m.* lista ou relação hierárquica; quadro.

escalar, *v. tr.* escalar, subir, trepar; estripar, amanhar (peixe).

escaldado, -a, *adj.* escaldado; escarmentado, receoso.

escaldadura, *s. f.* escaldadela, queimadela.

escaldar, *v. tr.* escaldar.

escaleno, I. *adj.* escaleno. **II.** *s. m.* triângulo escaleno.

escalera, *s. f.* escada.

escalfador, *s. m.* escalfador; escalfeta.

escalfar, *v. tr.* escalfar.

escalfeta, *s. f.* escalfeta.

escalinata, *s. f.* escadaria.

escalofriante, *adj. 2 gén.* escalafriante; arrepiante.

escalofriar, *v. tr. e refl.* escalafriar; arrepiar.

escalofrío, *s. m.* calafrio; arrepio.

escalón, *s. m.* escalão; grau; degrau.

escalonado, -a, *adj.* escalonado; espaçado; graduado; às escadinhas (cabelo).

escalonar, *v. tr.* escalonar; espaçar; graduar; cortar às escadinhas (cabelo).

escalope, *s. m.* escalope.

escalpelo, *s. m.* escalpelo; bisturi.

escama, *s. f.* escama.

escamado, -a, *adj.* descansado; desconfiado; suspeitoso.

escamar, *v. tr.* escamar; tornar desconfiado.

escamoso, -a, *adj.* escamoso; escamudo.

escamotear, *v. tr.* escamotear.

escamoteo, *s. m.* escamoteação.

escampada, *s. f. (fam.)* aberta (tempo).

escampar, *v. 1. tr.* escampar. **2.** *intr.* parar de chover; clarear (o tempo).

escanciador, *s. m.* escanção; copeiro.

escanciar, *v. 1. tr.* escançar (servir o vinho). **2.** *intr.* beber vinho.

escandalera, *s. f.* escandaleira.

escandalizar, *v. tr.* escandalizar; melindrar; maltratar.

escandallar, *v. tr.* NÁUT. sondar; tabelar os preços.

escandallo, *s. m.* sonda marinha; investigação; preço tabelado.

escándalo, *s. m.* escândalo; tumulto.

escandalosamente, *adv.* escandalosamente.

escandaloso, -a, *adj.* escandaloso.

escandinavo, -a, *adj. e s.* escandinavo.

escandio, *s. m.* QUÍM. escândio.

escantillón, *s. m.* escantilhão.

escaño, *s. m.* assento no parlamento.

escañuelo, *s. m.* escabelo.

escapada, *s. f.* escapada, escapadela.

escapar, *v. tr. e refl.* escapar, salvar, fugir.

escaparate, *s m.* escaparate; montra; vitrina.

escapatoria, *s. f.* escapatória, escapadela; *(fam.)* subterfúgio.

escape, *s. m.* escape, fuga.

escápula, *s. f.* omoplata.

escapulario, *s. m.* escapulário.

escaque, *s. m.* casa do tabuleiro do xadrez ou das damas.

escaqueado, -a, *adj.* quadriculado; aos quadrados; axadrezado.

escaquearse, *v. refl.* furtar-se, escapar-se, esquivar-se.

escara, *s. f.* MED. escara.

escarabajo, *s. m.* ZOOL. escaravelho.

escaramuza, *s. f.* escaramuça; rixa; contenda.

escarbadientes, *s. m.* palito.

escarbar, *v. tr.* escorvar; esgaravatar; corroer; palitar.

escarceo, *s. m.* escarcéu.

escarcha, *s. f.* geada.

escarchado, -a, *adj.* gelado; escarchado.

escarchar, *v. intr.* gear.

escarda, *s. f.* monda; sacho.

escardar, *v. tr.* mondar, sachar.

escardilla, *s. f.* sacho.

escardillo, *s. m.* sacho.

escariar, *v. tr.* escarear.

escarificar, *v. tr.* escarificar.

escarlata, *s. f.* escarlate; encarnado; vermelho.

escarlatina, *s. f.* MED. escarlatina.

escarmentar, v. tr. escarmentar; castigar.
escarmiento, s. m. escarmento; punição; castigo.
escarnecer, v. tr. escarnecer, zombar, troçar.
escarnecimiento, s. m. escarnecimento.
escarnio, s. m. escárnio.
escarola, s. f. escarola; chicória.
escarpa, s. f. escarpa.
escarpar, v. tr. escarpar.
escarpia, s. f. escápula; gancho, camarão.
escarpín, s. m. escarpim; chinelo.
escasear, v. 1. tr. dar pouco e de má vontade. 2. intr. escassear, rarear.
escasez, s. f. escassez; falta.
escaso, -a, adj. escasso; raro; mesquinho.
escatimar, v. tr. escatimar; defraudar; enganar.
escatimoso, -a, adj. mesquinho; malicioso; enganoso.
escatología, s. f. escatologia.
escatológico, -a, adj. escatológico.
escayola, s. f. estuque; gesso.
escayolar, v. tr. estucar.
escena, s. f. cena; palco.
escenario, s. m. palco, cenário.
escénico, -a, adj. cénico.
escenificar, v. tr. encenar.
escenografía, s. f. cenografia.
escenógrafo, -a, s. m. cenógrafo.
escepticismo, s. m. cepticismo.
escéptico, -a, adj. céptico.
escindible, adj. 2 gén. cindível; divisível.
escindir, v. tr. cindir; dividir.
escisión, s. f. cisão; dissidência; rompimento.
esclarecer, v. tr. esclarecer; iluminar; elucidar.
esclarecido, -a, adj. esclarecido.
esclarecimiento, s. m. esclarecimento.
esclava, s. f. escrava.
esclavina, s. f. esclavina, murça.
esclavista, adj. e s. 2 gén. escravista.
esclavitud, s. f. escravatura; escravidão; servidão, sujeição.
esclavizar, v. tr. escravizar; tiranizar.
esclavo, -a, adj. e s. escravo.
esclerosis, s. f. MED. esclerose.
esclerótica, s. f. ANAT. esclerótica.
esclusa, s. f. eclusa, comporta; represa, dique.
escoba, s. f. escova; vassoura.
escobajo, s. m. escovalho.

escobazo, s. m. vassourada; pancada com vassoura.
escobilla, s. f. escova; escovilha.
escobillón, s. m. escovilhão.
escobón, s. m. vasculho.
escocer, v. 1. intr. sentir ardor ou prurido. 2. refl. magoar-se, doer-se.
escocés, -esa, adj. escocés.
escoda, s. f. escoda, martelo de cantaria.
escofina, s. f. grosa; lima.
escofinar, v. tr. grosar; limar.
escoger, v. tr. escolher; preferir.
escogido, -a, adj. escolhido; seleccionado.
escogimiento, s. m. escolha; selecção.
escolanía, s. f. coro.
escolano, s. m. menino de coro.
escolar, adj. e s. 2 gén. escolar; estudante.
escolaridad, s. f. escolaridade.
escolarizar, v. tr. escolarizar.
escolástico, -a, adj. e s. escolástico.
escolio, s. m. escólio; comentário; anotação.
escoliosis, s. f. MED. escoliose.
escollera, s. f. dique; molhe.
escollo, s. m. escolho; recife; (fig.) perigo, risco; obstáculo.
escolopendra, s. f. ZOOL. escolopendra, centopeia.
escolta, s. f. escolta.
escoltar, v. tr. escoltar; guardar.
escombrar, v. tr. desentulhar.
escombrera, s. f. entulheira.
escombros, s. m. pl. entulho; escombros.
esconder, v. tr. esconder; encobrir; ocultar.
escondite, s. m. esconderijo; esconde--esconde (jogo).
escondrijo, s. m. esconderijo.
escopeta, s. f. escopeta; espingarda.
escopetazo, s. m. escopetada, descarga de escopeta.
escopeteado, -a, adj. disparado.
escopetear, v. tr. disparar.
escoplear, v. tr. entalhar (com escopro).
escoplo, s. m. escopro.
escora, s. f. escora; pontal; inclinação.
escorar, v. intr. NÁUT. inclinar-se, adornar.
escorbuto, s. m. MED. escorbuto.
escoria, s. f. escória, escuma; fezes, restos; ralé.
escoriación, s. f. escoriação.
escorial, s. m. escorial, escoiral.
escoriar, v. tr. escoriar.
escorificar, v. tr. escorificar.

escorpio, *s. m.* Escorpião (signo do zodíaco).

escorpión, *s. m.* escorpião.

escorzo, *s. m.* PINT. escorço.

escota, *s. f.* NÁUT. escota.

escotad|o, -a, **I.** *adj.* decotado. **II.** *s. m.* decote.

escotadura, *s. f.* decote; cava; talho.

escotar, *v. tr.* decotar; chanfrar; talhar; cotizar.

escote, *s. m.* decote; quota.

escotero, -a, *adj.* escoteiro.

escotilla, *s. f.* NÁUT. escotilha.

escotillón, *s. m.* TEAT. alçapão; NÁUT. escotilhão.

escozor, *s. m.* ardor, ardência.

escriba, *s. m.* escriba.

escribanía, *s. f.* cartório; escritório; escrivaninha.

escribano, *s. m.* escrivão; DIR. tabelião; notário.

escribiente, *s. 2 gén.* escrevente; copista.

escribir, *v. tr.* escrever; redigir.

escrit|o, -a, *s. m. e f.* escrito; carta; documento.

escritor, -a, *s. m. e f.* escritor.

escritorio, *s. m.* secretária (móvel); escritório.

escritura, *s. f.* escritura, escrita; bíblia.

escriturar, *v. tr.* escriturar, registar.

escrotal, *adj. 2 gén.* escrotal.

escroto, *s. m.* escroto.

escrúpulo, *s. m.* escrúpulo; susceptibilidade.

escrupulosamente, *adv.* escrupulosamente.

escrupulosidad, *s. f.* escrupulosidade.

escrupulos|o, -a, *adj. e s.* escrupuloso.

escrutador, -a, *adj.* escrutador, investigador; escrutinador.

escrutar, *v. tr.* escrutar, esquadrinhar; investigar; escrutinar.

escrutinio, *s. m.* escrutínio, indagação; apuramento.

escuadra, *s. f.* esquadro; esquadra.

escuadrar, *v. tr.* esquadrar, esquadriar.

escuadría, *s. f.* esquadria.

escuadrilla, *s. f.* esquadrilha.

escuadrón, *s. m.* esquadrão.

escuálido, -a, *adj.* esquálido; sujo, sórdido; macilento, fraco.

escualo, *s. m.* ZOOL. tubarão.

escucha, *s. f.* escuta; esculca, sentinela.

escuchar, *v. tr.* escutar.

escuchimizad|o, -a, *adj.* mirrado; seco; débil, fraco.

escudar, *v. tr. e refl.* escudar; amparar; proteger.

escudería, *s. f.* equipa de corridas.

escudero, *s. m.* escudeiro; pajem.

escudete, *s. m.* escudete.

escudilla, *s. f.* escudela.

escudo, *s. m.* escudo.

escudriñar, *v. tr.* esquadrinhar; inquirir, averiguar.

escuela, *s. f.* escola; método; experiência.

escuerzo, *s. m.* sapo.

escuet|o, -a, *adj.* desembaraçado; livre.

esculcar, *v. tr.* espiar.

esculpir, *v. tr.* esculpir; cinzelar; gravar.

escultor, -a, *s. m. e f.* escultor.

escultura, *s. f.* escultura.

escultural, *adj. 2 gén.* escultural.

esculturar, *v. tr.* esculturar.

escuna, *s. f.* escuna.

escupidera, *s. f.* cuspideira; escarradeira; escarrador.

escupidura, *s. f.* cuspo; saliva; escarro.

escupir, *v. intr.* cuspir; escarrar.

escupitajo, *s. m.* cuspidela; escarro.

escupitinajo, *s. m.* vd. **escupitajo**.

escurridiz|o, -a, *adj.* escorregadio.

escurridor, -a, *s. m.* coador; escorredor.

escurriduras, *s. f. pl.* escorreduras; borras.

escurrir, *v. tr.* escorrer; escorregar; enxugar.

esdrújul|o, -a, *adj. e s.* GRAM. exdrúxulo.

ese, esa, eso, esos, esas, *adj.* esse, essa, isso, esses, essas.

esencia, *s. f.* essência; substância.

esencial, *adj. 2 gén.* essencial; indispensável.

esfera, *s. f.* esfera.

esférico, -a, *adj.* esférico.

esferoidal, *adj. 2 gén.* esferoidal.

esferoide, *s. m.* esferóide.

esfinge, *s. f.* esfinge.

esfínter, *s. m.* ANAT. esfíncter.

esforzad|o, -a, *adj.* esforçado, valente.

esforzar, *v. tr.* esforçar; animar.

esfuerzo, *s. m.* esforco.

esfumación, *s. f.* PINT. esfumação.

esfumar, *v. tr.* esfumar, esfuminhar.

esfuminar, *v. tr.* esfumar, esfuminhar.

esfumino, *s. m.* PINT. esfuminho.

esgrima, *s. f.* esgrima.

esgrimidor, *s. m.* esgrimista.

esgrimir, *v. tr.* esgrimir.

182

esguince, s. m. entorse; distensão.

eslabón, s. m. elo, anel de cadeia; ZOOL. lacrau.

eslabonamiento, s. m. encadeamento, ligação.

eslabonar, v. tr. encadear, ligar.

eslovaco, -a, adj. eslovaco.

esmaltado, -a, I. adj. esmaltado. II. s. m. esmaltado.

esmaltador, -a, s. m. e f. esmaltador.

esmaltar, v. tr. esmaltar; matizar.

esmalte, s. m. esmalte; brilho; adorno.

esmeradamente, adv. com esmero, cuidadosamente.

esmerado, -a, adj. esmerado; cuidadoso.

esmeralda, s. f. esmeralda.

esmerar, v. 1. tr. esmerar, polir, limpar. 2. refl. esmerar-se, pôr todo o cuidado.

esmeril, s. m. esmeril.

esmerilar, v. tr. esmerilhar, esmerilar.

esmero, s. m. esmero.

esmorecer, v. intr. esmorecer; desfalecer.

esnifar, v. tr. snifar (droga).

esnob, adj. snobe.

esnobismo, s. m. snobismo.

eso, pron. isso.

esófago, s. m. ANAT. esófago.

esotérico, -a, adj. esotérico.

esoterismo, s. m. esoterismo.

esotro, -a, pron. essoutro.

espabilado, -a, adj. desperto; despachado.

espabilar, v. 1. tr. despertar, espevitar; tornar despachado. 2. refl. apressar-se; despachar-se.

espacial, adj. 2 gén. espacial.

espaciar, s. m. espaçar, espacejar; adiar.

espacio, s. m. espaço.

espacioso, -a, adj. espaçoso.

espada, s. 1. f. espada. 2. m. espada, matador de touros.

espadachín, s. m. espadachim, brigão.

espadaña, s. f. BOT. espadana.

espalda, s. f. ANAT. costas; costas (estilo de natação).

espaldar, s. m. espaldar; costas de cadeira.

espaldarazo, s. m. pancada nas costas.

espalderas, s. f. pl. DESP. espaldares.

espantadizo, -a, adj. espantadiço.

espantajo, s. m. espantalho.

espantar, v. 1. tr. espantar; assustar; amedrontar. 2. refl. admirar-se; espantar-se.

espanto, s. m. espanto, pavor, assombro.

espantoso, -a, adj. espantoso; assombroso.

español, -a, adj. e s. m. e f. espanhol.

esparadrapo, s. m. esparadrapo.

esparaván, s. m. gavião.

esparavel, s. m. esparavel, tarrafa.

esparcido, -a, adj. espargido, derramado; divertido; aberto, franco.

esparcimiento, s. m. abertura, franqueza; alegria; diversão.

esparcir, v. 1. tr. espargir; derramar; espalhar; (fig.) divulgar; divertir. 2. refl. espalhar-se; divulgar-se.

espárrago, s. m. BOT. espargo.

esparraguera, s. f. BOT. espargo.

esparrancarse, v. refl. escanchar-se, escarranchar-se.

esparto, s. m. BOT. esparto.

espasmo, s. m. espasmo.

espasmódico, -a, adj. espasmódico.

espástico, -a, adj. espástico.

espata, s. f. BOT. espata.

espato, s. m. espato.

espátula, s. f. espátula.

especia, s. f. especiaria.

especial, adj. 2 gén. especial; particular.

especialidad, s. f. especialidade, particularidade.

especialista, adj. e s. 2 gén. especialista.

especialización, s. f. especialização.

especializado, -a, adj. especializado.

especializar, v. 1. tr. especializar; 2. intr. e refl. especializar-se.

especie, s. f. espécie; qualidade, condição; condimento.

especiería, s. f. especiaria.

especificación, s. f. especificação.

especificar, v. tr. especificar; especializar.

especificativo, -a, adj. especificativo.

específico, -a, adj. específico.

espécimen, s. m. espécime; amostra.

especioso, -a, adj. especioso; ilusório.

espectacular, adj. 2 gén. espectacular.

espectacularidad, s. f. espectacularidade.

espectacularmente, adv. espectacularmente.

espectáculo, s. m. espectáculo; perspectiva; escândalo.

espectador, -a, adj. e s. espectador; testemunha.

espectral, adj. 2 gén. espectral.

espectro, s. m. espectro; imagem; sombra.

espectroscopia, s. f. espectroscopia.

espectroscopio, *s. m.* FÍS. espectroscópio.

especulación, *s. f.* especulação; exploração.

especulador, -a, *adj.* e s. especulador.

especular, *v. tr.* especular, observar, indagar; comerciar.

especulativo, -a, *adj.* especulativo.

espejear, *v. intr.* espelhar; reluzir; brilhar.

espejería, *s. f.* espelharia.

espejismo, *s. m.* miragem; ilusão.

espejo, *m.* espelho.

espeleología, *s. f.* espeleologia.

espeleólogo, -a, *s. m. e f.* espeleólogo.

espeluznante, *adj. 2 gén.* aterrorizante; de pôr os cabelos em pé.

espeluznar, *v. tr.* aterrorizar.

espera, *s. f.* espera; adiamento; dilação; expectativa.

esperanto, *s. m.* esperanto.

esperanza, *s. f.* esperança, confiança.

esperanzar, *v. tr.* esperançar.

esperar, *v.* **1.** *tr.* esperar, ter esperança; crer; aguardar; **2.** *intr.* esperar.

esperma, *s. f.* esperma, sémen.

espermaticida, *adj. 2 gén.* e s. m. espermicida.

espermático, -a, *adj.* espermático.

espermatozoide, *s. m.* espermatozóide.

esperpento, *s. m.* mamarracho, espantalho.

espesar, *v. tr.* espessar; condensar.

espeso, -a, *adj.* espesso; denso; compacto; cerrado.

espesor, *s. m.* espessura, grossura.

espetar, *v. tr.* espetar; atravessar; cravar; pregar.

espeto, *s. m.* espeto.

espetón, *s. m.* espeto.

espía, *s.* **1.** *2 gén.* espião, espia. **2.** *f.* NÁUT. espia (cabo).

espiar, *v. tr.* espiar, espionar, espreitar; NÁUT. espiar (pôr espias).

espichar, *v.* **1.** *tr.* picar. **2.** *intr.* espichar, morrer.

espiga, *s. f.* BOT. espiga; CARP. espiga, malhete.

espigado, -a, *adj.* espigado; sazonado; alto (pessoa).

espigar, *v. tr.* respigar; *(fig.)* compilar; coligir.

espigón, *s. m.* espigão; aguilhão, ferrão; pua.

espiguilla, *s. f.* espiguilha.

espina, *s. f.* espinho; pua; espinha dorsal.

espinaca, *s. f.* BOT. espinafre.

espinadura, *s. f.* picada (produzida por espinha).

espinal, *adj. 2 gén.* espinal, espinhal; *médula espinal*, medula espinal.

espinazo, *s. m.* coluna vertebral.

espineta, *s. f.* espineta.

espinilla, *s. f.* tíbia; borbulha da pele.

espinillera, *s. f.* caneleira.

espino, *s. m.* BOT. espinho, espinheiro.

espinoso, -a, *adj.* espinhoso; árduo, difícil.

espionaje, *s. m.* espionagem.

espionar, *v. tr.* espiar; espionar.

espira, *s. f.* ARQ. espira.

espiración, *s. f.* expiração, exalação.

espiral, *adj. 2 gén.* e s. f. espiral.

espirar, *v. tr.* espirar, exalar.

espiritar, *v. tr.* espiritar, endemoninhar.

espiritismo, *s. m.* espiritismo.

espiritista, *adj.* e s. 2 gén. espiritista, espírita.

espiritoso, -a, *adj.* espirituoso.

espiritu, *s. m.* espírito; alma; virtude; energia; graça; engenho.

espiritual, *adj. 2 gén.* espiritual.

espiritualidad, *s. f.* espiritualidade.

espiritualismo, *s. m.* espiritualismo.

espiritualista, *adj. 2 gén.* espiritualista.

espiritualizar, *v. tr.* espiritualizar.

espita, *s. f.* torneira (de pipa ou tonel).

esplender, *v. intr.* esplender, resplender, brilhar.

esplendidez, *s. f.* esplendidez; magnificência.

espléndido, -a, *adj.* esplêndido; ostentoso; magnífico.

esplendor, *s. m.* esplendor, fulgor.

esplendoroso, -a, *adj.* esplendoroso.

espliego, *s. m.* BOT. alfazema.

esplín, *s. m.* hipocondria; melancolia.

espolada, *s. f.* esporada.

espolear, *v. tr.* esporear, esporar.

espoleta, *s. f.* espoleta.

espolio, *s. m.* espólio.

espolón, *s. m.* esporão; paredão; *(fam.)* frieira.

espolvorear, *v. tr.* polvilhar, empoar.

esponja, *s. f.* esponja.

esponjar, *v.* **1.** *tr.* tornar fofo, tenro. **2.** *refl.* ficar fofo, tenro; envaidecer-se.

esponjoso, -a, *adj.* esponjoso.

esponsales, *s. m. pl.* esponsais.
espontaneidad, *s. f.* espontaneidade.
espontáneo, -a, *adj.* espontâneo.
espora, *s. f.* esporo.
esporádicamente, *adv.* esporadicamente.
esporádico, -a, *adj.* esporádico.
esposado, -a, *adj.* algemado.
esposar, *v. tr.* algemar.
esposas, *s. f. pl.* algemas.
esposo, -a, *s. m. e f.* esposo, cônjuge.
esprint, *s. m.* DESP. sprint.
esprinter, *s. m.* DESP. sprinter, corredor de velocidade.
espuela, *s. f.* espora.
espuerta, *s. f.* alcofa, seira.
espulgar, *v. tr.* espulgar; catar.
espuma, *s. f.* espuma, escuma.
espumadera, *s. f.* espumadeira; coador.
espumante, *s. m.* espumante.
espumar, *v.* 1. *tr.* espumar, escumar, coar; 2. *intr.* espumar, formar espuma; ferver (o vinho).
espumarajo, *s. m.* saliva (nos cantos da boca).
espumear, *v. tr. e intr.* vd. **espumar**.
espumillón, *s. m.* fio prateado (adornos de Natal).
espumoso, -a, *adj.* espumoso.
espurio, -a, *adj.* bastardo, espúrio.
espurrear, *v. tr.* borrifar (com a boca).
espurriar, *v. tr.* vd. **espurrear**.
esputar, *v. tr.* esputar; expectorar; cuspir.
esputo, *s. m.* saliva; cuspo; escarro.
esqueje, *s. m.* enxerto.
esquela, *s. f.* carta breve, bilhete.
esquelético, -a, *adj.* esquelético.
esqueleto, *s. m.* esqueleto.
esquema, *s. m.* esquema.
esquemático, -a, *adj.* esquemático.
esquematizar, *v. tr.* esquematizar.
esquí, *s. m.* esqui.
esquiador, -a, *s. m. e f.* esquiador.
esquiar, *v. intr.* esquiar.
esquifar, *v. tr.* esquipar; equipar; aparelhar.
esquife, *s. m.* esquife; batel.
esquijama, *s. m.* pijama de malha justo ao corpo.
esquila, *s. f.* campainha; chocalho; camarão; cebola.
esquilador, -a, *adj. e s.* tosquiador.
esquilas, *v. tr.* tosquiar.
esquileo, *s. m.* tosquia.

esquilmar, *v. tr.* ceifar; colher; esgotar; abusar de.
esquilón, *s. m.* sineta; chocalho grande.
esquimal, *adj. e s.* 2 *gén.* esquimó.
esquina, *s. f.* esquina, cunhal.
esquinar, *v. tr.* esquinar; esquadrar.
esquinazo, *s. m.* esquina; *dar esquinazo,* evitar encontrar-se com alguém.
esquirla, *s. f.* esquírola.
esquirol, *s. m.* fura-greves; (*gír.*) amarelo.
esquivar, *v. tr.* esquivar; recusar.
esquivez, *s. f.* esquiva; desagrado; recusa.
esquivo, -a, *adj.* esquivo.
estabilidad, *s. f.* estabilidade.
estabilización, *s. f.* estabilização.
estabilizador, -a, *adj. e s. m.* estabilizador.
estabilizar, *v. tr.* estabilizar.
estable, *adj.* 2 *gén.* estável; constante; firme.
establecer, *v. tr.* estabelecer; fundar; instituir; decretar.
establecimiento, *s. m.* lei; ordenança; estatuto; estabelecimento.
establo, *s. m.* estábulo, curral.
estabulación, *s. f.* estabulação.
estabular, *v. tr.* estabular.
estaca, *s. f.* estaca.
estacada, *s. f.* estacaria, estacada; liça.
estacazo, *s. m.* pancada, golpe.
estación, *s. f.* estação; temporada.
estacionamiento, *s. m.* estacionamento.
estacionar, *v. tr.* estacionar; demorar-se.
estacionario, -a, *adj.* (*fig.*) estacionário; imóvel.
estadía, *s. f.* estadia; estância; estada; demora.
estadio, *s. m.* estádio; fase, período.
estadista, *s.* 2 *gén.* estadista.
estadística, *s. f.* estatística.
estadístico, -a, *adj. e s.* estatístico.
estado, *s. m.* estado.
estadounidense, *adj. e s.* 2 *gén.* estado-unidense.
estafa, *s. f.* burla; fraude.
estafador, -a, *s. m. e f.* burlista; vigarista; larápio.
estafar, *v. tr.* burlar, vigarizar.
estafermo, *s. m.* estafermo; espantalho.
estafeta, *s. f.* estafeta, correio; recoveiro.
estafilococo, *s. m.* MED. estafilococo.
estalactita, *s. f.* estalactite.
estalagmita, *s. f.* estalagmite.
estallar, *v. intr.* estalar; estourar.

estallido, s. m. estalido; estouro.

estambre, s. m. estambre; BOT. estame.

estamento, s. m. classe, estrato social.

estameña, s. f. estamenha.

estampa, s. f. estampa; figura; impressão.

estampación, s. f. estampagem.

estampado, -a, adj. e s. m. estampado.

estampador, s. m. estampador.

estampar, v. tr. estampar; imprimir; gravar.

estampía, s. f., de estampía, de repente, com rapidez.

estampida, s. f. fuga em pânico (de pessoas ou animais); debandada.

estampido, s. m. estampido; detonação; estrondo.

estampilla, s. f. estampilha.

estampillado, s. m. carimbagem.

estampillar, v. tr. estampilhar.

estancado, -a, adj. parado, estagnado; cancelado; interrompido; perplexo, paralisado.

estancamiento, s. m. estancamento.

estancar, v. tr. estancar; deter; vedar.

estancia, s. f. estância; mansão; morada; estrofe.

estanco, s. m. estanco, tabacaria; depósito.

estándar, adj. 2 gén. standardizado.

estandardización, s. f. standardização.

estandardizar, v. tr. standardizar.

estandarte, s. m. estandarte; bandeira.

estanque, s. m. tanque, reservatório de água.

estanquero, s. m. e f. estanqueiro.

estanquidad, s. f. estanquidade.

estante, s. f. prateleira.

estantería, s. f. estante.

estañado, s. m. estanhagem; revestimento a estanho.

estañar, v. tr. estanhar; soldar.

estaño, s. m. estanho.

estaquilla, s. f. taco, cavilha; escora (de tenda), escápula; espigão, cravo.

estar, v. intr. estar; existir; permanecer.

estatal, adj. 2 gén. estadual; estatal.

estática, s. f. FÍS. estática.

estático, -a, adj. estático; imóvel; firme.

estatismo, s. m. estatismo.

estatua, s. f. estátua.

estatuaria, s. f. estatuária; escultura.

estatuario, -a, s. m. e f. estatuário; escultor.

estatuilla, s. f. estatueta.

estatuir, v. tr. estatuir; estabelecer, decretar.

estatura, s. f. estatura.

estatutario, -a, adj. estatutário.

estatuto, s. m. estatuto.

estay, s. m. NÁUT. estai.

este, s. m. leste, oriente, este, levante.

este, esta, adj. este, esta.

éste, ésta, esto, pron. este, esta, isto.

estearina, s. f. estearina.

estela, s. f. esteira, sulco, rasto (de navio); rasto (de avião); cauda (de cometa); (fig.) rasto.

estela, s. f. estela, monólito, marco.

estelar, adj. 2 gén. estelar.

estenocardia, s. f. MED. estenocardia.

estenografía, s. f. estenografia.

estenógrafo, -a, s. m. e f. estenógrafo.

estenotipia, s. f. estenotipia.

estentóreo, -a, adj. estentóreo.

estepa, s. f. estepe; BOT. esteva.

estera, s. f. esteira.

esterar, v. tr. esteirar.

estercolar, v. tr. e intr. estercar, estrumar.

estercolero, s. m. estrumeira; esterqueira.

estéreo, s. m. estere (medida).

estereofonia, s. f. estereofonia.

estereofónico, -a, adj. estereofónico.

estereografia, s. f. estereografia.

estereográfico, -a, adj. estereográfico.

estereógrafo, s. m. estereógrafo.

estereograma, s. m. estereograma.

estereometría, s. f. estereometria.

estereoscopia, s. f. estereoscopia.

estereoscopio, s. m. estereoscópio.

estereotipado, -a, adj. estereotipado.

estereotipar, v. tr. estereotipar.

estereotipia, s. f. estereotipia.

estereotipo, s. m. estereótipo.

estereotomía, s. f. estereotomia.

estéril, adj. 2 gén. estéril, árido, infecundo.

esterilete, s. m. esterilete.

esterilidad, s. f. esterilidade.

esterilización, s. f. esterilização.

esterilizador, -a, adj. esterilizador.

esterilizar, v. tr. esterilizar.

esterlina, I. adj. esterlina. II. s. f. libra esterlina.

esternocleidomastoideo, adj. e s. m. esternoclidomastóideo.

esternón, s. m. ANAT. esterno.

estero, s. m. NÁUT. esteiro, estuário.

esteroide, s. m. esteróide.

esterquero, s. m. esterqueira; esterquilínio.
estertor, s. m. MED. estertor.
esteta, s. 2 gén. esteta.
estética, s. f. estética.
estético, -a, adj. estético.
estetoscopia, s. f. MED. estetoscopia.
estetoscopio, s. m. MED. estetoscópio.
esteva, s. f. esteva, rabiça do arado.
estevado, -a, adj. e s. cambaio, zambro.
estiaje, s. m. estiagem.
estiba, s. f. estiva.
estibador, s. m. estivador.
estibar, v. tr. estivar.
estibina, s. f. estibina.
estiércol, s. m. esterco, estrume.
estigma, s. m. estigma; marca; sinal.
estigmatizar, v. tr. estigmatizar.
estilar, v. intr. usar; costumar.
estilete, s. m. estilete; MED. sonda.
estilista, s. 2 gén. estilista.
estilística, s. f. estilística.
estilístico, -a, adj. estilístico.
estilización, s. f. estilização.
estilizar, v. tr. estilizar.
estilo, s. m. estilo; ponteiro; costume; moda.
estilográfica, s. f. estilográfica; caneta de tinta permanente.
estilográfico, -a, adj. estilográfico.
estima, s. f. estima; apreço.
estimable, adj. 2 gén. estimável.
estimación, s. f. estimação; estima, apreço; valor.
estimado, -a, adj. estimado; estima, apreço; valor.
estimar, v. tr. estimar; avaliar, apreciado.
estimativa, s. f. estimativa.
estimular, v. tr. estimular; aguilhoar; incitar.
estimulante, adj. 2 gén. e s. m. estimulante.
estímulo, s. m. (fig.) estímulo; incentivo.
estío, s. m. Verão, Estio.
estipendio, s. m. estipêndio; salário; soldo.
estipulación, s. f. estipulação; contrato.
estipular, v. tr. estipular.
estirada, s. f. DESP. estirada, mergulho.
estirado, -a, adj. estirado; esticado; reteśado.
estirar, v. tr. estirar; esticar; retesar.
estirón, s. m. esticão, puxão.
estirpe, s f. estirpe; raiz; descendência.

estival, adj. 2 gén. estival.
esto, pron. isto.
estocada, s. f. estocada.
estofa, s. f. estofo; jaez; raça.
estofado, s. 1. m. estufado, guisado; 2. COST. estofado, acolchoado.
estofar, v. 1. tr. estufar, guisar. 2. estofar, acolchoar, chumaçar.
estofo, s. m. estofo.
estoicismo, s. m. estoicismo.
estoico, -a, adj. e s. estóico.
estola, s. f. estola.
estoma, s. m. estoma.
estomacal, adj. e s. 2 gén. estomacal.
estómago, s. m. estômago.
estomatología, s. f. estomatologia.
estomatólogo, -a, s. m. e f. estomatologista.
estonio, -a, I. adj. e s. estónio. II. s. m. estónio (idioma).
estopa, s. f. estopa, linhagem; estopa de acero, palha de aço.
estoque, s. m. estoque.
estoquear, v. tr. estoquear.
estor, s. m. estore.
estorbar, v. tr. estorvar, dificultar.
estorbo, s. m. estorvo.
estornino, s. m. ZOOL. estorninho.
estornudar, v. tr. espirrar; esternutar.
estornudo, s. m. espirro.
estos, estas, pron. estes, estas; vd. **este, esta**.
estotro, -a, pron. estoutro, estoutra.
estrabismo, s. m. estrabismo.
estrado, s. m. estrado; pl. tribunais.
estrafalario, -a, adj. estrafalário; extravagante.
estragar, v. tr. estragar; dissipar; corromper.
estrago, s. m. estrago; dano, ruína.
estragón, s. m. BOT. estragão.
estrambote, s. m. estrambote.
estrambótico, -a, adj. (fam.) estrambótico, extravagante.
estramonio, s. m. BOT. estramónio.
estrangulación, s. f. estrangulação, estrangulamento.
estrangulador, -a, adj. e s. estrangulador.
estrangular, v. tr. estrangular, sufocar.
estranguria, s. f. MED. estrangúria.
estraperlear, v. intr. fazer mercado-negro.
estraperlo, s. m. (fam.) mercado-negro.
estratagema, s. f. estratagema; astúcia, manha.

estratega, *s. 2 gén.* estrategista, estratega.
estrategia, *s. f.* estratégia.
estratégico, **-a,** *adj.* e *s. m.* e *f.* estratégico.
estratificación, *s. f.* GEOL. estratificação.
estratificar, *v. tr.* GEOL. estratificar.
estratigrafía, *s. f.* GEOL. estratigrafia.
estrato, *s. m.* GEOL. estrato social, classe.
estratosfera, *s. f.* estratosfera.
estraza, *s. f.* trapo, farrapo; *papel de estraza,* papel pardo, papel de embrulho.
estrechamiento, *s. m.* estreitamento.
estrechar, *v. tr.* estreitar; apertar; unir.
estrechez, *s. f.* estreiteza; escassez; aperto; necessidade.
estrecho, **-a,** **I.** *adj.* estreito, apertado; escasso, curto (de vistas). **II.** *s. m.* estreito (braço de mar).
estrechura, *s. f.* estreiteza; *(fig.)* intimidade.
estregadera, *s. f.* brossa.
estregar, *v. tr.* esfregar, friccionar.
estrella, *s. f.* estrela.
estrellado, **-a,** *adj.* estrelado.
estrellar, *v. tr.* estrelar.
estrellato, *s. m.* estrelato.
estremecer, *v. tr.* estremecer; comover; abalar; sacudir; assustar; tremer.
estremecimiento, *s. m.* estremecimento.
estrena, *s. f.* presente.
estrenar, *v. tr.* e *refl.* estrear.
estreno, *s. m.* estreia.
estreñido, **-a,** *adj.* obstipado, com prisão de ventre.
estreñimiento, *s. m.* obstipação, prisão de ventre.
estreñir, *v. tr.* obstipar.
estrépito, *s. m.* estrépito; estrondo; ruído.
estrepitoso, **-a,** *adj.* estrepitoso.
estreptococo, *s. m.* MED. estreptococo.
estrés, *s. m.* estresse.
estresado, **-a,** *adj.* estressado.
estría, *s. f.* ARQ. estria; sulco.
estriar, *v. tr.* estriar; canelar; sulcar.
estribación, *s. f.* contraforte; *pl.* sopé, faldas (de montanha).
estribar, *v. intr.* estribar-se; firmar-se; apoiar-se; assentar.
estribillo, *s. m.* estribilho.
estribo, *s. m.* estribo; apoio.
estribor, *s. m.* estibordo.
estricnina, *s. f.* estricnina.
estricto, **-a,** *adj.* estrito; exacto; preciso; rigoroso.

estridencia, *s. f.* estridência.
estridente, *adj. 2 gén.* estridente.
estro, *s. m.* estro, inspiração.
estrofa, *s. f.* estrofe.
estrógeno, *s. m.* estrógeno.
estroncio, *s. m.* QUÍM. estrôncio.
estropajo, *s. m.* trapos; esfregão, rodilha.
estropajoso, **-a,** *adj.* áspero, saburroso (língua); áspero, crespo (cabelo); andrajoso; gago, tartamudo, entaramelado.
estropear, *v. tr.* estropiar, aleijar, deformar.
estropicio, *s. m.* quebra, queda (com ruído); barulheira, confusão; aparato.
estructura, *s. f.* estrutura; composição.
estructuración, *s. f.* estruturação.
estructural, *adj. 2 gén.* estrutural.
estructuralismo, *s. m.* estruturalismo.
estructurar, *v. tr.* estruturar.
estruendo, *s. m.* estrondo, estampido.
estruendoso, **-a,** *adj.* estrondoso.
estrujar, *v. tr.* espremer; apertar.
estrujón, *s. m.* espremedura; apertão.
estuario, *s. m.* estuário.
estucador, *s. m.* estucador.
estucar, *v. tr.* estucar.
estuche, *s. m.* estojo.
estuchista, *s. 2 gén.* estojeiro.
estuco, *s. m.* estuque.
estudiante, *s. m.* e *f.* estudante.
estudiantil, *adj. 2 gén. (fam.)* estudantil.
estudiantina, *s. f.* estudantina.
estudiar, *v. tr.* estudar; aprender; decorar.
estudio, *s. m.* estudo; estúdio.
estudioso, **-a,** *adj.* estudioso.
estufa, *s. f.* estufa, fogão.
estulticia, *s. f.* estultícia.
estulto, **-a,** *adj.* estulto; néscio; tolo.
estupefacción, *s. f.* estupefacção, assombro, pasmo.
estupefaciente, *adj. 2 gén.* e *s. m.* estupefaciente.
estupefacto, **-a,** *adj.* estupefacto; atónito.
estupendo, **-a,** *adj.* estupendo, admirável.
estupidez, *s. f.* estupidez.
estúpido, **-a,** *adj.* e *s.* estúpido.
estupor, *s. m.* MED. estupor; assombro, pasmo.
estuprar, *v. tr.* estuprar; desflorar.
estupro, *s. m.* estupro.

estuquista

estuquista, s. 2 *gén.* estucador.
esturión, s. *m.* esturjão.
etapa, s. *f.* etapa; MIL. alto; paragem; período.
éter, s. *m.* éter.
etéreo, -a, *adj.* etéreo.
eternidad, s. *f.* eternidade.
eternizar, v. *tr.* eternizar.
eterno, -a, *adj.* eterno; imortal.
ética, s. *f.* ética.
ético, -a, *adj.* e s. ético.
etileno, s. *m.* etileno.
etílico, -a, *adj.* etílico.
etilo, s. *m.* etilo.
etimología, s. *f.* etimologia.
etimológico, -a, *adj.* etimológico.
etiología, s. *f.* etiologia.
etiope, *adj.* e s. 2 *gén.* vd. **etíope**.
etíope, I. *adj.* 2 *gén.* etíope. II. s. 1. 2 *gén.* etíope (o natural da Etiópia). 2. s. *m.* etíope (idioma).
etiqueta, s. *f.* etiqueta; rótulo; regra.
etmoides, s. *m.* ANAT. etmóide.
etnia, s. *f.* etnia, grupo étnico.
étnico, -a, *adj.* étnico.
etnografía, s. *f.* etnografia.
etnográfico, -a, *adj.* etnográfico.
etnología, s. *f.* etnologia.
etnológico, -a, *adj.* etnológico.
etnólogo, -a, s. *m.* e *f.* etnólogo, etnologista.
etrusco, -a, *adj.* e s. etrusco.
eucalipto, s. *m.* BOT. eucalipto.
eucaristía, s. *f.* eucaristia; comunhão.
eucarístico, -o, *adj.* eucarístico.
eufemismo, s. *m.* eufemismo, figura de estilo.
eufemístico, -a, *adj.* eufemístico.
eufonía, s. *f.* eufonia.
eufónico, -a, *adj.* eufónico.
euforia, s *f.* euforia.
eufórico, -a, *adj.* eufórico.
eunuco, s. *m.* eunuco.
euro, s. *m.* euro.
eurodiputado, -a, s. *m.* e *f.* eurodeputado.
europeísmo, s. *m.* europeísmo.
europeísta, *adj.* e s. 2 *gén.* europeísta.
europeización, s. *f.* europeização.
europeizar, v. *tr.* europeizar.
europeo, -a, *adj.* europeu.
euskera, s. *m.* vasco, língua vasca.
eusquera, s. *m.* vd. **euskera**.
eutanasia, s. *f.* eutanásia.

evacuación, s. *f.* evacuação, despejo; excreção.
evacuar, v. *tr.* evacuar, despejar.
evadir, v. 1. *tr.* fugir a. 2. *refl.* evadir-se; escapar-se.
evaluación, s. *f.* valorização; avaliação; exame.
evaluar, v. *tr.* valorizar; avaliar; apreciar.
evangélico, -a, *adj.* evangélico.
evangelio, s. *m.* evangelho.
evangelista, s. *m.* evangelista.
evangelización, s. *f.* evangelização.
evangelizador, -a, I. *adj.* evangelizador. II. s. *m.* e *f.* evangelista; evangelizador.
evangelizar, v. *tr.* evangelizar; missionar.
evaporación, s. *f.* evaporação.
evaporar, v. *tr.* evaporar; (fig.) dissipar, desvanecer.
evasión, s. *f.* evasão, fuga; *evasión de impuestos*, fuga aos impostos.
evasiva, s. *f.* evasiva, subterfúgio.
evasivo, -a, *adj.* evasivo.
evección, s. *f.* evecção.
evento, s. *m.* evento; acontecimento.
eventual, *adj.* 2 *gén.* eventual; casual; fortuito.
eventualidad, s. *f.* eventualidade.
eventualmente, *adv.* eventualmente.
evidencia, s. *f.* evidência.
evidenciar, v. *tr.* evidenciar.
evidente, *adj.* 2 *gén.* evidente, claro, patente.
evidentemente, *adv.* evidentemente.
evitable, *adj.* 2 *gén.* evitável.
evitar, v. *tr.* evitar, atalhar; desviar.
evocación, s. *f.* evocação.
evocador, -a, *adj.* evocador; evocativo.
evocar, v. *tr.* evocar, invocar.
evolución, s. *f.* evolução.
evolucionar, v. *intr.* evolucionar.
evolucionismo, s. *m.* evolucionismo.
evolucionista, *adj.* e s. 2 *gén.* evolucionista.
evolutivo, -a, *adj.* evolutivo.
exacción, s. *f.* exacção.
exacerbación, s. *f.* exacerbação.
exacerbante, *adj.* 2 *gén.* exacerbante; agravante.
exacerbar, v. *tr.* exacerbar; irritar; agravar.
exactamente, *adv.* exactamente.
exactitud, s. *f.* exactidão, pontualidade; perfeição.
exacto, -a, *adj.* exacto, perfeito, correcto; pontual.
exageración, s. *f.* exageração, exagero.

exageradamente, *adv.* exageradamente.
exagerad|o, -a, *adj.* exagerado; excessivo; exorbitante.
exagerar, *v. tr.* exagerar.
exaltación, *s. f.* exaltação, excitação, glorificação.
exaltad|o, -a, *adj. e s.* exaltado; apaixonado; extremista, fanático.
exaltar, *v.* 1. *tr.* exaltar, engrandecer, sublinhar; exaltar, realçar. 2. *refl.* excitar-se; exaltar-se.
examen, *s. m.* exame, análise, revista; investigação.
examinador, -a, *s. m. e f.* examinador.
examinand|o, -a, *s. m. e f.* examinando.
examinar, *v. tr.* examinar, interrogar, sondar, observar; inquirir, investigar.
exangüe, *adj.* 2 *gén.* exangue; exausto; débil; esvaído.
exánime, *adj.* 2 *gén.* exânime; *(fig.)* desfalecido, desmaiado.
exantema, *s. m.* exantema.
exasperación, *s. f.* exasperação, exacerbação.
exasperante, *adj.* 2 *gén.* exasperante.
exasperar, *v. tr.* exasperar, exacerbar, irritar.
excarcelar, *v. tr.* libertar, tirar da prisão.
excavación, *s. f.* escavação.
excavador, -a, I. *adj.* escavador. II. *s. f.* escavadora (máquina).
excavar, *v. tr.* escavar, cavar em roda.
excedencia, *s. f.* licença; dispensa.
excedente, I. *adj.* 2 *gén.* excedente; supranumerário; sobrante; dispensado; de licença. II. *s. m.* excedente.
exceder, *v. tr.* exceder, ultrapassar; superar.
excelencia, *s. f.* excelência; primazia.
excelente, *adj.* 2 *gén.* excelente; magnífico.
excelentísim|o, -a, *adj.* excelentíssimo.
excelsitud, *s. f.* excelsitude.
excels|o, -a, *adj.* excelso, eminente, sublime.
excentricidad, *s. f.* excentricidade.
excéntric|o, -a, I. *adj.* excêntrico, extravagante, original. II. *s. m.* artista (de circo).
excepción, *s. f.* excepção.
excepcional, *adj.* 2 *gén.* excepcional.
excepto, *adv.* excepto.
exceptuación, *s. f.* excepção, exclusão.
exceptuar, *v. tr.* exceptuar.
excesiv|o, -a, *adj.* excessivo.

exceso, *s. m.* excesso; desmando; violência.
excipiente, *s. m.* excipiente.
excisión, *s. f.* excisão.
excitabilidad, *s. f.* excitabilidade.
excitable, *adj.* 2 *gén.* excitável.
excitación, *s. f.* excitação.
excitante, I. *adj.* 2 *gén.* excitante. II. *s. m.* estimulante.
excitar, *v. tr.* excitar, estimular, activar; irritar.
exclamación, *s. f.* exclamação.
exclamar, *v. intr.* exclamar.
exclamativ|o, -a, *adj.* exclamativo.
exclamatori|o, -a, *adj.* exclamatório.
excluible, *adj.* 2 *gén.* excluível.
excluir, *v. tr.* excluir; eliminar; omitir.
exclusión, *s. f.* exclusão.
exclusivamente, *adv.* exclusivamente.
exclusive, *adj.* exclusive.
exclusividad, *s. f.* exclusividade.
exclusivismo, *s. m.* exclusivismo.
exclusivista, *adj. e s.* 2 *gén.* exclusivista.
exclusiv|o, -a, *adj.* exclusivo.
excombatiente, *s. m.* veterano, ex-combatente.
excomulgar, *v. tr.* excomungar.
excomunión, *s. f.* excomunhão.
excoriar, *v. tr.* escoriar, esfolar.
excrecencia, *s. f.* excrescência.
excreción, *s. f.* excreção.
excrementar, *v. intr.* defecar.
excremento, *s. m.* excremento.
excretar, *v. intr.* excretar.
excretor, -a, *adj.* excretor, excretório.
excretori|o, -a, *adj.* excretório.
excursión, *s. f.* excursão.
excursionismo, *s. m.* excursionismo.
excursionista, *s.* 2 *gén.* excursionista.
excusa, *s. f.* escusa, desculpa.
excusable, *adj.* 2 *gén.* escusável.
excusad|o, -a, I. *adj.* escusado; supérfluo. II. *s. m.* retrete, sentina.
excusar, *v. tr.* escusar, desculpar.
execrable, *adj.* 2 *gén.* execrável.
execración, *s. f.* execração, ódio, horror.
execrar, *v. tr.* execrar, amaldiçoar.
exégesis, *s. f.* exegese.
exégeta, *s. m.* exegeta.
exención, *s. f.* isenção.
exentar, *v. tr.* isentar, eximir.
exent|o, -a, *adj.* eximido, isento; livre.
exequias, *s. f. pl.* exéquias.
exfoliación, *s. f.* MED. esfoliação.
exfoliar, *v. tr.* esfoliar.

exhalación, *s. f.* exalação.
exhalar, *v. tr.* exalar.
exhaustivamente, *adv.* exaustivamente.
exhaustiv|o, -a, *adj.* exaustivo.
exhaust|o, a, *adj.* exausto, esgotado.
exheredar, *v. tr.* deserdar.
exhibición, *s. f.* exibição.
exhibicionismo, *s. m.* exibicionismo.
exhibicionista, *s. 2 gén.* exibicionista.
exhibir, *v. tr.* exibir.
exhortación, *s. f.* exortação.
exhortar, *v. tr.* exortar; persuadir, induzir.
exhortativ|o, -a, *adj.* exortativo.
exhumación, *s. f.* exumação.
exhumar, *v. tr.* exumar.
exigencia, *s. f.* exigência.
exigente, *adj. 2 gén.* exigente.
exigible, *adj. 2 gén.* exigível.
exigir, *v. tr.* exigir.
exigüidad, *s. f.* exiguidade.
exigu|o, -a, *adj.* exíguo, escasso.
exilad|o, -a, *adj. e s.* exilado, deportado.
exilar, *v.* **1.** *tr.* exilar; **2.** *refl.* exilar-se, ir para o exílio.
exiliad|o, -a, *adj. e s. vd.* **exilado.**
exiliar, *v. tr. vd.* **exilar.**
exilio, *s. m.* exílio; deportação; local de exílio.
eximi|o, -a, *adj.* exímio, insigne; eminente; excelente.
eximir, *v.* **1.** *tr.* eximir, isentar. **2.** *refl.* eximir-se; libertar-se.
exinanición, *s. f.* exinanição, prostração; esgotamento.
existencia, *s. f.* existência.
existencial, *adj. 2 gén.* existencial.
existencialismo, *s. m.* existencialismo.
existencialista, *adj. e s. 2 gén.* existencialista.
existente, *adj. 2 gén.* existente.
existir, *v. intr.* existir, ser; subsistir, viver.
éxito, *s. m.* êxito, fim; resultado; sucesso.
exocrin|o, -a, *adj.* exócrino.
éxodo, *s. m.* êxodo; emigração.
exogamia, *s. f.* exogamia.
exógam|o, -a, *adj.* exogâmico.
exógen|o, -a, *adj.* exógeno.
exoneración, *s. f.* exoneração; demissão, destituição; desobrigação.
exonerar, *v. tr.* exonerar; aliviar; destituir, demitir.
exorable, *adj. 2 gén.* exorável, compassivo.
exorar, *v. tr.* exorar, implorar.
exorbitancia, *s. f.* exorbitância; excesso.

exorbitante, *adj. 2 gén.* exorbitante, excessivo.
exorcismo, *s. m.* exorcismo, esconjuro.
exorcista, *s. 2 gén.* exorcista.
exorcizar, *v. tr.* exorcizar, exorcismar.
exordio, *s. m.* exórdio, preâmbulo, prefácio.
exornación, *s. f.* exornação, adorno, ornato.
exornar, *v. tr.* exornar, adornar, ornamentar, enfeitar.
exotéric|o, -a, *adj.* exotérico.
exotérmic|o, -a, *adj.* exotérmico.
exótic|o, -a, *adj.* exótico, estrangeiro, peregrino; esquisito.
exotismo, *s. m.* exotismo.
expandir, *v.* **1.** *tr.* expandir. **2.** *refl.* dilatar-se; divulgar-se.
expansible, *adj. 2 gén.* expansível.
expansión, *s. f.* expansão; (fig.) efusão de alegria ou de amizade; desabafo.
expansionarse, *v. refl.* dilatar-se; expandir-se, divertir-se; desabafar.
expansionismo, *s. m.* expansionismo.
expansionista, *adj. 2 gén.* expansionista.
expansiv|o, -a, *adj.* expansivo; franco, comunicativo.
expatriación, *s. f.* expatriação, exílio, desterro.
expatriar, *v. tr. e refl.* expatriar.
expectación, *s. f.* expectação; ansiedade.
expectante, *adj. 2 gén.* expectante.
expectativa, *s. f.* expectativa, expectação.
expectoración, *s. f.* expectoração.
expectorar, *v. tr.* expectorar, escarrar.
expedición, *s. f.* expedição.
expedicionari|o, -a, *adj. e s.* expedicionário.
expedidor, -a, *s. m. e f.* expedidor.
expediente, *s. m.* expediente; correspondência; meios; desembaraço.
expedir, *v. tr.* expedir, despachar, resolver; enviar, remeter.
expeditiv|o, -a, *adj.* expeditivo, activo, diligente.
expedit|o, -a, *adj.* livre; expedito, rápido.
expeler, *v. tr.* expelir, expulsar.
expendedor, -a, *adj. e s.* vendedor, vendedora.
expendeduría, *s. f.* tabacaria.
expender, *v. tr.* expender, gastar; vender a retalho ou de conta de outrem.
expensas, *s. f. pl.* despesas, gastos.
experiencia, *s. f.* experiência.

experimentación, s. f. experimentação.
experimentad|o, -a, adj. experiente; experimentado, testado.
experimental, adj. 2 gén. experimental.
experimentar, v. tr. experimentar, tentar; ensaiar.
experimento, s. m. experiência, ensaio.
expert|o, -a, I. adj. perito, experimentado. **II.** s. m. perito.
expiación, s. f. expiação, penitência.
expiar, v. tr. expiar, reparar; pagar, remir; sofrer.
expiración, s. f. expiração.
expirar, v. tr. expirar, morrer; findar.
explanada, s. f. esplanada.
explanar, v. tr. explanar, explicar.
explayar, v. **1.** tr. espraiar, alargar. **2.** refl. espraiar-se, alargar-se; (fig.) desabafar; divertir-se.
explicable, adj. 2 gén. explicável.
explicación, s. f. explicação.
explicar, v. tr. explicar, aclarar, ensinar; explanar.
explicativ|o, -a, adj. explicativo.
explicitar, v. tr. explicitar.
explícit|o, -a, adj. explícito, claro, expresso.
exploración, s. f. exploração; pesquisa, investigação.
explorador, adj. explorador; escoteiro, adueiro.
explorar, v. tr. explorar, pesquisar; registar.
exploratori|o, -a, adj. exploratório.
explosión, s. f. explosão.
explosionar, v. **1.** tr. fazer explodir. **2.** intr. explodir.
explosiva, s. f. LING. explosiva (consoante).
explosiv|o, -a, adj. e s. m. explosivo.
explotable, adj. 2 gén. explorável.
explotación, s. f. exploração; aproveitamento.
explotador, -a, adj. e s. explorador.
explotar, v. tr. explorar; especular; explodir, rebentar.
expoliación, s. f. espoliação, esbulho.
expoliar, v. tr. espoliar, esbulhar; extorquir.
expolio, s. m. espoliação; pilhagem; saque; despojos; (fam.) bronca, sururu.
exponente, I. adj. 2 gén. expoente, exponente. **II.** s. m. MAT. expoente.
exponer, v. tr. expor; mostrar; explicar.
exportable, adj. 2 gén. exportável.

exportación, s. f. exportação.
exportador, -a, adj. e s. exportador.
exportar, v. tr. exportar.
exposición, s. f. exposição; representação; exibição; declaração.
expositiv|o, -a, adj. expositivo.
expósit|o, -a, adj. e s. exposto, enjeitado.
expositor, -a, adj. e s. expositor.
exprés, adj. e s. m. expresso.
expresad|o, -a, adj. acima mencionado.
expresamente, adv. expressamente.
expresar, v. tr. expressar; exprimir.
expresión, s. f. expressão; gesto; carácter; viveza.
expresionismo, s. m. expressionismo.
expresionista, adj. e s. 2 gén. expressionista.
expresivamente, adv. expressivamente.
expresiv|o, -a, adj. expressivo; significativo; afectuoso.
expres|o, -a, adj. expresso, explícito.
exprimidera, s. f. espremedor.
exprimidero, s. m. espremedor.
exprimir, v. tr. espremer, apertar; (fig.) expressar, manifestar, exprimir.
expropiación, s. f. expropriação.
expropiar, v. tr. expropriar.
expuest|o, -a, adj. exposto; perigoso.
expugnar, v. tr. expugnar.
expulsar, v. tr. expulsar.
expulsión, s. f. expulsão.
expuls|o, -a, adj. expulso.
expurgación, s. f. expurgação, expurgo.
expurgar, v. tr. expurgar.
exquisitez, s. f. requinte, delicadeza; manjar, comida requintada.
exquisit|o, -a, adj. delicado, excelente, delicioso.
extasiad|o, -a, adj. extasiado.
extasiarse, v. tr. e refl. extasiar(-se), enlevar(-se).
éxtasis, s. m. êxtase, arrebatamento, enlevo, arroubo.
extemporáne|o, -a, adj. extemporâneo; inoportuno.
extender, v. tr. estender, alargar, dilatar; desenvolver.
extendid|o, -a, adj. difundido; estendido.
extensible, adj. 2 gén. extensível, estendível.
extensión, s. f. extensão, ampliação, aumento.
extensiv|o, -a, adj. extensivo.
extens|o, -a, adj. extenso, comprido.

extensor, -a, *adj.* extensor.

extenuación, *s. f.* extenuação, debilidade, prostração.

extenuad|o, -a, *adj.* extenuado.

extenuante, *adj. 2 gén.* extenuante.

extenuar, *v. tr.* extenuar, enfraquecer.

exterior, 1. *adj.* exterior. **2.** *s. m.* aparência.

exterioridad, *s. f.* exterioridade.

exteriorización, *s. f.* exteriorização.

exteriorizar, *v. tr.* exteriorizar, manifestar.

exteriormente, *adv.* exteriormente.

exterminable, *adj. 2 gén.* exterminável.

exterminación, *s. f.* exterminação.

exterminador, -a, *adj. e s.* exterminador.

exterminar, *v. tr.* exterminar, destruir, eliminar.

exterminio, *s. m.* extermínio, destruição.

externado, *s. m.* externato.

externamente, *adv.* externamente.

extern|o, -a, *adj. e s.* externo; do exterior, de fora.

extinción, *s. f.* extinção, supressão, destruição, extermínio.

extinguir, *v. tr.* extinguir, acabar, dissipar, apagar.

extint|o, -a, *adj.* extinto.

extintor, *s. m.* extintor.

extirpable, *adj. 2 gén.* extirpável.

extirpación, *s. f.* extirpação.

extirpar, *v. tr.* extirpar, arrancar; *(fig.)* destruir.

extorsión, *s. f.* extorsão, usurpação.

extorsionar, *v. tr.* usurpar, arrebatar, extorquir.

extra, I. *adj. 2 gén.* extra; supranumerário; de qualidade superior. **II. s. 1.** *m.* extra; bónus; paga adicional. **2.** *2 gén.* CIN. extra; figurante.

extracción, *s. f.* extracção.

extractar, *v. tr.* sumariar; resumir.

extracto, *s. m.* extracto; resumo; sumário.

extractor, *s. m.* extractor.

extradición, *s. f.* extradição.

extradir, *v. tr.* extraditar.

extraditar, *v. tr.* extraditar.

extrados, *s. m.* extradorso.

extraer, *v. tr.* extrair, extractar; colher; sugar; copiar.

extra-escolar, *adj. 2 gén.* extra-escolar.

extrafin|o -a, *adj.* extrafino; superfino.

extrajudicial, *adj. 2 gén.* extrajudicial.

extralimitación, *s. f.* excesso; abuso.

extralimitarse, *v. refl. (fig.)* exceder-se, exorbitar; passar dos limites, abusar.

extramuros, *adv.* extramuros.

extranjerismo, *s. m.* estrangeirismo.

extranjerizar, *v. tr.* estrangeirar.

extranjer|o, -a, *adj. e s.* estrangeiro.

extranjis, *de extranjis, loc. adv.* em segredo, sem ninguém saber, às escondidas.

extrañamiento, *s. m.* exílio, desterro; estranheza; surpresa.

extrañar, *v.* **1.** *tr.* surpreender; achar estranho; estranhar; exilar; desterrar. **2.** *refl.* exilar-se.

extrañeza, *s. f.* estranheza, admiração.

extrañ|o, -a, *adj. e s.* estranho; extravagante; esquisito; raro; singular.

extraordinari|o, -a, *adj. e s.* extraordinário.

extraoficial, *adj. 2 gén.* extra-oficial.

extraterritorial, *adj. 2 gén.* extraterritorial.

extraterrestre, *adj. e s. 2 gén.* extraterrestre.

extraterritorialidad, *s. f.* extraterritorialidade.

extravagancia, *s. f.* extravagância.

extravagante, *adj. e s. 2 gén.* extravagante.

extravasar, *v. tr. e refl.* extravasar; transbordar.

extraversión, *s. f.* extraversão.

extravertid|o, -a, *adj. e s. vd.* **extrovertido.**

extraviad|o, -a, *adj.* extraviado; perdido.

extraviar, *v. tr.* extraviar, desencaminhar; perder.

extravío, *s. m.* extravio; *(fig.)* desregramento.

extremadamente, *adv.* extremamente.

extremad|o, -a, *adj.* extremo.

extremar, *v. tr.* extremar, apurar; ultimar.

extremaunción, *s. f.* extrema-unção.

extremeñ|o, -a, *adj. e s.* estremenho.

extremidad, *s. f.* extremidade.

extremismo, *s. m.* extremismo.

extremista, *adj. e s. 2 gén.* extremista.

extrem|o, -a, I. *adj.* extremo, último; elevado **II.** *s. m.* apuro.

extremos|o, -a, *adj.* extremoso; carinhoso.

extrínsec|o, -a, *adj.* extrínseco.

exuberancia, *s. f.* exuberância.

exuberante, *adj. 2 gén.* exuberante, copioso, excessivo; pletórico.

exudación, *s. f.* exsudação, transpiração.

exudado, -a, *s. m.* exsudado.

exudar, *v. intr.* exsudar, exsuar.

exultación, *s. f.* exultação; júbilo.

exultante, *adj. 2 gén.* exultante.

exultar, *v. intr.* exultar.

exvoto, *s. m.* ex-voto.

eyaculación, *s. f.* ejaculação.

eyacular, *v. tr.* ejacular.

eyección, *s. f.* ejecção.

eyectable, *adj. 2 gén.* ejectável.

eyectar, *v. tr.* ejectar.

eyector, *s. m.* ejector.

F

f, *s. f.* f, sétima letra do alfabeto espanhol.
fa, *s. m.* MÚS. fá.
fábrica, *s. f.* fábrica; fabrico; ARQ. construção.
fabricación, *s. f.* fabricação; fabrico; produção.
fabricante, *s. 2 gén.* fabricante.
fabricar, *v. tr.* fabricar; produzir; construir.
fabril, *adj. 2 gén.* fabril.
fábula, *s. f.* LIT. fábula; ficção, mito, lenda: mentira.
fabular, *v. tr.* fabular; imaginar.
fabulista, *s. 2 gén.* fabulista.
fabuloso, -a, *adj.* fabuloso; (*fig.*) incrível.
faca, *s. f.* faca.
facción, *s. f.* facção; partido.
faccioso, -a, *adj. e s.* faccioso.
faceta, *s. f.* faceta; face.
facha, *s. f.* (*fam.*) cara; aspecto; figura.
fachada, *s. f.* fachada; frontaria; (*fig., fam.*) semblante; frontispício.
fachado, -a, *adj.*: *bien fachado,* bem-parecido; *mal fachado,* malparecido.
fachenda, *s. f.* (*fam.*) vaidade; jactância.
fachendear, *v. intr.* mostrar-se; exibir-se.
fachendoso, -a, *adj.* (*fam.*) vaidoso.
fachoso, -a, *adj.* de aspecto estranho.
facial, *adj. 2 gén.* facial.
fácil, *adj. 2 gén.* fácil; simples; acessível.
facilidad, *s. f.* facilidade.
facilitación, *s. f.* facilitação.
facilitar, *v. tr.* facilitar.
fácilmente, *adv.* facilmente.
facistol, *s. m.* facistol.
facsímil, *s. m.* fac-símile.
facsímile, *s. m.* fac-símile.
factible, *adj. 2 gén.* factível.
facticio, -a, *adj.* factício; artificial.
fáctico, -a, *adj.* factual.
factor, *s. m.* factor.
factoría, *s. f.* feitoria.
factótum, *s. m.* factótum.
factura, *s. f.* factura; conta.
facturación, *s. f.* facturação.
facturar, *v. tr.* facturar.

facultad, *s. f.* faculdade, capacidade; aptidão.
facultar, *v. tr.* facultar; proporcionar.
facultativo, -a, I. *adj.* facultativo. **II.** *s. m. e f.* facultativo, médico.
facundia, *s. f.* facúndia; eloquência.
facundo, -a, *adj.* fecundo. eloquente.
fado, *s. m.* fado.
faena, *s. f.* faina; tarefa; TAUR. lide.
faenar, *v. intr.* pescar; trabalhar.
fagocito, *s. m.* fagócito.
fagocitosis, *s. f.* fagocitose.
fagot, *s. m.* MÚS. fagote.
fagotista, *s. m.* MÚS. fagotista.
faisán, *s. m.* ZOOL. faisão.
faja, *s. f.* faixa.
fajar, *v. tr.* enfaixar; faixar.
fajín, *s. m.* faixa.
fajina, *s. m.* meda; feixe (de lenha).
fajo, *s. m.* feixe, atado, molho, braçada.
falacia, *s. f.* falácia; falacidade; hábito de mentir.
falange, *s. f.* falange.
falangeta, *s. f.* falangeta.
falangina, *s. f.* falanginha.
falangismo, *s. m.* falangismo.
falangista, *adj. e s. 2 gén.* falangista.
falaz, *adj. 2 gén.* falaz, enganoso.
falda, *s. m.* fralda; saia; cauda (do vestido); (*fig.*) falda, sopé.
faldero, -a, *adj.* fraldiqueiro; (*fig.*) efeminado.
faldillas, *s. f. pl.* fraldilhas.
faldón, *s. m.* fraldão; saia grande.
faldriquera, *s. f.* vd. **faltriquera.**
falibilidad, *s. f.* falibilidade.
falible, *adj. 2 gén.* falível.
fálico, -a, *adj.* fálico.
falisco, *s. m.* falisco.
falla, *s. f.* falta, defeito, falha.
fallar, *v.* **1.** *intr.* falhar; errar: avariar; **2.** *tr.* decidir, sentenciar; cortar, trunfar.
falleba, *s. f.* tranqueta.
fallecer, *v. intr.* falecer; morrer.
fallecido, -a, *adj.* falecido.
fallecimiento, *s. m.* falecimento, morte.
fallido, -a, *adj. e s.* falido; frustrado.

fallo, *s. m.* sentença; decisão; defeito, carência; corte (às cartas).
falo, *s. m.* falo; pénis.
falsari|o, -a, *adj.* e *s.* falsário; falsificador.
falseamiento, *s. m.* falsificação.
falsear, *v. tr.* falsear; falsificar; adulterar; atraiçoar.
falsedad, *s. f.* falsidade; mentira; calúnia.
falsete, *s. m.* MÚS. falsete.
falsía, *s. f.* falsidade; hipocrisia.
falsificación, *s. f.* falsificação.
falsificador, -a, *adj.* e *s.* falsificador.
falsificar, *v. tr.* falsificar; adulterar.
falsilla, *s. f.* pauta; pautado; folha pautada.
fals|o, -a, *adj.* falso; fingido; simulado.
falta, *s. f.* falta; defeito; privação; culpa.
faltante, *adj.* 2 *gén.* faltoso.
faltar, *v. intr.* faltar; falhar; acabar.
falt|o, -a, *adj.* falto; defeituoso; falho.
falt|ón, -ona, *adj.* sem palavra; desrespeitoso.
faltriquera, *s. f.* fraldiqueira; algibeira; bolso postiço.
falúa, *s. f.* falua.
falucho, *s. m.* falucho.
fama, *s. f.* fama, reputação; glória.
famélic|o, -a, *adj.* famélico; faminto.
familia, *s. f.* família.
familiar, *adj.* e *s.* 2 *gén.* familiar.
familiaridad, *s. f.* familiaridade.
familiarizar, *v. tr.* familiarizar; habituar.
familiarmente, *adv.* familiarmente.
famos|o, -a, *adj.* famoso; notável.
famúl|o, -a, *s. m.* e *f.* fâmulo.
fan, *s.* 2 *gén.* fã.
fanal, *s. m.* fanal; farol; facho; guia; redoma.
fanátic|o, -a, *adj.* e *s.* fanático.
fanatizador, -a, *adj.* e *s.* fanatizador.
fanatizar, *v. tr.* fanatizar.
fandango, *s. m.* fandango (dança).
fandanguer|o, -o, *s. m.* e *f.* fandangueiro.
fandanguillo, *s. m.* fandanguilho.
fanega, *s. f.* fanga (medida).
fanerógam|o, -a, **I.** *adj.* BOT. fanerogâmico. **II.** *s. m.* fanerogâmica.
fanfarria, *s. f. (fam.)* fanfarronice; bravata.
fanfarr|ón, -ona, *adj.* e *s.* fanfarrão; impostor.
fanfarronada, *s. f.* fanfarronada; bravata.
fanfarronear, *v. intr.* fanfarronar.
fanfarronería, *s. f.* fanfarronada.
fangal, *s. m.* charco, lodaçal.
fango, *s. m.* lama; lodo.

fangos|o, -a, *adj.* lamacento, lodoso.
fantasear, *v. intr.* e *tr.* fantasiar; inventar; imaginar.
fantasía, *s. f.* fantasia; imaginação.
fantasios|o, -a, *adj.* imaginativo; fantasioso.
fantasma, *s. m.* fantasma; espectro, sombra.
fantasmagoría, *s. f.* fantasmagoria.
fantasmagóric|o, -a, *adj.* fantasmagórico.
fantástic|o, -a, *adj.* fantástico; fingido; quimérico.
fantochada, *s. f. (fig.)* fantochada.
fantoche, *s. m.* fantoche; bonifrate.
faquir, *s. m.* faquir.
farad, *s. m.* FÍS. farad, farádio.
faradio, *s. m.* FÍS. farádio, farad.
farallón, *s. m.* farelhão; leixão; escolho.
faramalla, *s.* **1.** *f.* faramalha; bagatela. **2.** *m.* e *f. pl.* trapaceiros.
farándula, *s. f.* farândola.
faranduler|o, -a, *s. m.* e *f.* farandoleiro; comediante; cómico.
faraón, *s. m.* faraó.
faraónic|o, -a, *adj.* faraónico.
farda, *s. f.* fardo; embrulho; trouxa de roupa.
fardada, *s. f.* exibição, ostentação.
fardar, *v. intr.* exibir-se, mostrar-se; dar nas vistas.
fardel, *s. m.* fardel; saco; taleiga.
fardería, *s. f.* fardelagem; fardagem.
fardo, *s. m.* fardo; carga.
fard|ón, -ona, *adj.* de classe; superior; vistoso.
farer|o, -a, *s. m.* e *f.* faroleiro.
farfolla, *s. f.* maçaroca (das espigas do milho).
farfulla, *s. f.* balbúcio, balbúcie; gaguez.
farfullador, -a, *adj.* e *s.* balbuciante, balbuciente.
farfullar, *v. tr. (fam.)* balbuciar; gaguejar.
farfuller|o, -a, *adj.* gago; tartamudo; descuidado; atabalhoado.
farináce|o,-a, *adj.* farináceo.
faringe, *s. f.* ANAT. faringe.
fáringe|o, -a, *adj.* faríngeo, faríngico.
faringitis, *s. f.* MED. faringite.
farisaic|o, -a, *adj.* farisaico; hipócrita.
fariseísmo, *s. m.* farisaísmo.
farise|o, -a, *s. m.* fariseu; hipócrita.
farmacêutic|o, -a, *adj.* e *s.* farmacêutico.

farmacia, s. f. farmácia.
fármaco, s. m. fármaco, medicamento.
farmacología, s. f. farmacologia.
farmacológico, -a, adj. farmacológico.
farmacólogo, -a, s. m. e f. farmacologista.
farmacopea, s. f. farmacopeia.
faro, s. m. NÁUT. farol; (fig.) norte; rumo.
farol, s. m. lanterna; farol.
farola, s. f. lanterna grande; candeeiro.
farolear, v. intr. farolar; gabar-se; bazofiar.
farolero, -a, I. adj. (fig., fam.) vaidoso; jactancioso. II. s. m. faroleiro.
farolilla, s. m. balão de papel, farolim; BOT. campainhas.
farra, s. f. farra.
fárrago, s. m. forragem; mistura; miscelânea.
farragoso, -a, adj. confuso, desconexo.
farruco, -a, adj. repontão; refilão.
farsa, s. f. TEAT. farsa; enredo, trama.
farsante, adj. e s. 2 gén. farsante; comediante; impostor.
fascículo, s. m. fascículo, caderno.
fascinación, s. f. fascinação.
fascinador, -a, adj. fascinador.
fascinante, adj. 2 gén. fascinante.
fascinar, v. tr. fascinar; dominar; alucinar; enganar; deslumbrar.
fascismo, s. m. fascismo.
fascista, adj. e s. 2 gén. fascista.
fase, s. f. fase; aspecto.
fastidiado, -a, adj. enfastiado; fastidioso; estragado; deteriorado; adoentado, mal.
fastidiar, v. tr. enfastiar; enfadar.
fastidio, s. m. fastio; náusea; aversão; enfado.
fastidioso, -a, adj. fastiento; fastidioso, enfadonho.
fasto, s. m. fausto; pompa; luxo.
fastos, s. m. pl. fastos; anais.
fastuosamente, adv. faustosamente.
fastuoso, -a, adj. faustoso; luxuoso; pomposo.
fatal, adj. 2 gén. fatal; inevitável; irrevogável; funesto.
fatalidad, s. f. fatalidade; desgraça.
fatalismo, s. m. fatalismo.
fatalista, adj. e s. 2 gén. fatalista.
fatalmente, adv. fatalmente.
fatídicamente, adv. fatidicamente.
fatídico, -a, adj. fatídico; trágico; sinistro.
fatiga, s. f. fadiga; cansaço; faina.

fatigar, v. tr. fatigar; afadigar; molestar.
fatigosamente, adv. afadigadamente.
fatigoso, -a, adj. fatigoso; fatigante.
fatuidad, s. f. fatuidade; estultícia; vaidade ridícula.
fatuo, -a, adj. e s. fátuo; presumido; néscio.
fauces, s. f. pl. fauces; garganta.
fauna, s. f. fauna.
fauno, s. m. MIT. fauno.
fausto, -a, I. adj. fausto; feliz. II. s. m. fausto; luxo; pompa.
favor, s. m. favor; ajuda; honra; graça.
favorable, adj. 2 gén. favorável; propício.
favorablemente, adv. favoravelmente.
favorecedor, -a, adj. e s. favorecedor.
favorecer, v. tr. favorecer; ajudar; amparar; socorrer.
favorecido, -a, adj. favorecido; afortunado; prendado.
favoritismo, s. m. favoritismo.
favorito, -a, adj. e s. favorito; preferido; valido.
faz, s. f. rosto, cara, face; lado.
fe, s. f. fé; crença; confiança, afirmação; certidão.
fealdad, s. f. fealdade.
feble, adj. 2 gén. débil; fraco.
febrero, s. m. Fevereiro.
febrífugo, -a, adj. e s. m. febrífugo.
febril, adj. 2 gén. febril; ardoroso; exaltado.
febrilidad, s. f. febrilidade.
febrilmente, adv. febrilmente.
fecal, adj. 2 gén. fecal; excrementício.
fecha, s. f. data; actualidade.
fechador, s. m. datador.
fechar, v. tr. datar.
fechoría, s. f. malfeitoria; maldade.
fécula, s. f. fécula; amido.
feculento, -a, adj. feculento; feculoso.
fecundable, adj. 2 gén. fecundável.
fecundación, s. f. fecundação.
fecundar, v. tr. fecundar; desenvolver; fertilizar.
fecundidad, s. f. fecundidade; abundância; fertilidade.
fecundizar, v. tr. fecundizar; fecundar.
fecundo, -a, adj. fecundo; fértil; abundante; copioso.
federación, s. f. federação.
federado, -a, adj. federado.
federal, adj. 2 gén. federal.
federalismo, s. m. federalismo.

federalista, *adj.* e *s. 2 gén.* federalista.
federar, *v. tr.* federar; confederar.
federativo, -a, *adj.* federativo.
feérico, -a, *adj.* feérico; maravilhoso; fantástico.
fehaciente, *adj. 2 gén.* que faz fé, fidedigno.
feldespato, *s. m.* MIN. feldspato.
felicidad, *s. f.* felicidade; ventura; bem-estar.
felicitación, *s. f.* felicitação; congratulação, parabéns.
felicitar, *v. tr.* felicitar.
félido, -a, *adj.* e *s. m.* felídeo.
feligrés, -esa, *s. m.* e *f.* freguês; paroquiano.
feligresía, *s. f.* paróquia; freguesia.
felino, -a, *adj.* e *s. m.* felino.
feliz, *adj. 2 gén.* feliz; ditoso; afortunado.
felizmente, *adv.* felizmente.
felón, -ona, *adj.* e *s.* traidor; pérfido; desleal.
felonía, *s. f.* felonia.
felpa, *s. f.* felpa; carepa.
felpudo, -a, 1. *adj.* felpudo. **2.** *s. m.* capacho, esteira.
femenino, -a, *adj.* feminino.
femineidad, *s. f.* feminidade, feminilidade.
feminidad, *s. f.* feminidade; feminilidade.
feminismo, *s. m.* feminismo.
feminista, *adj.* e *s. 2 gén.* feminista.
femoral, *adj. 2 gén.* femoral.
fémur, *s. m.* ANAT. fémur.
fenda, *s. f.* fenda; frincha.
fenecer, *v. intr.* fenecer; morrer, falecer.
fenecimiento, *s. m.* fenecimento, morte.
fénix, *s. m.* fénix.
fenol, *s. m.* QUÍM. fenol.
fenomenal, *adj. 2 gén.* fenomenal.
fenómeno, *s. m.* fenómeno.
feo, -a, *adj.* feio; disforme; indecoroso.
feracidad, *s. f.* feracidade; fertilidade; fecundidade.
feraz, *adj. 2 gén.* feraz; fértil; fecundo.
féretro, *s. m.* féretro; ataúde; tumba.
feria, *s. f.* féria (folga); feira; mercado.
feriado, -a, *adj.* feriado; *dia feriado*, feriado.
ferial, *adj. 2 gén.* ferial, feiral.
feriante, *adj.* e *s. 2 gén.* feirante.
feriar, *v. tr.* feirar.
ferino, -a, *adj.* ferino; feroz; cruel; *tos ferina*, coqueluche, tosse convulsa, esgana.
fermentación, *s. f.* fermentação.
fermentar, *v. intr.* fermentar.

fermento, *s. m.* fermento.
fermio, *s. m.* QUÍM. fermento.
ferocidad, *s. f.* ferocidade; fereza; crueldade.
ferodo, *s. m.* férodo.
feroz, *adj. 2 gén.* feroz; bravio; cruel.
ferozmente, *adv.* ferozmente.
férreo, -a, *adj.* férreo; duro, tenaz; ferrenho.
ferrería, *s. f.* ferraria; forja.
ferrete, *s. m.* ferrete; ferro de marcar.
ferretería, *s. f.* ferrajaria; loja de ferragens.
ferretero, -a, *s. m.* e *f.* ferrageiro.
férrico, -a, *adj.* férrico.
ferrita, *s. f.* ferrite.
ferrocarril, *s. m.* caminho-de-ferro; via-férrea; comboio.
ferrohormigón, *s. m.* cimento armado.
ferroso, -a, *adj.* ferroso.
ferrovial, *adj. 2. gén.* ferroviário.
ferroviario, -a, *adj.* e *s. m.* ferroviário.
ferruginoso, -a, *adj.* ferruginoso.
fértil, *adj. 2 gén.* fértil; fecundo; produtivo.
fertilidad, *s. f.* fertilidade.
fertilizable, *adj. 2 gén.* fertilizável.
fertilización, *s. f.* fertilização.
fertilizante, I. *adj. 2 gén.* fertilizador, fertilizante. **II.** *s. m.* fertilizante.
fertilizar, *v. tr.* fertilizar.
férula, *s. f.* férula, palmatória; BOT. canafrecha.
férvido, -a, *adj.* férvido; ardente.
ferviente, *adj. 2 gén.* fervente.
fervor, *s. m.* fervor; ardor; ardência; actividade.
fervoroso, -a, *adj.* fervoroso; activo; diligente.
festejar, *v. tr.* festejar; celebrar; galantear.
festejo, *s. m.* festejo; festividade; galanteio; *pl.* festas públicas.
festín, *s. m.* festim.
festival, *s. m.* festival.
festividad, *s. f.* festividade; festa; solenidade.
festivo, -a, *adj.* festivo; alegre; agradável; jovial.
festón, *s. m.* festão; adorno; ornato.
festoneado, -a, *adj.* afestoado, ornado com festões.
festonear, *v. tr.* festoar; engrinaldar.
fetal, *adj. 2 gén.* fetal.
fetiche, *s. m.* feitiço; manipanso.
fetichismo, *s. m.* feiticismo.
fetichista, *adj.* e *s. 2 gén.* feiticista.

fetidez, s. f. fetidez; fedor.

fétido, -a, adj. fétido.

feto, s. m. feto; embrião.

feúcho, -a, adj. (fam.) feioso, feiarrão.

feudal, adj. 2 gén. feudal.

feudalismo, s. m. feudalismo.

feudo, s. m. feudo.

fez, s. m. fez.

fiabilidad, s. f. fiabilidade.

fiable, adj. 2 gén. fiável.

fiado, -a, adj. fiado (vendido a crédito).

fiador, -a, s. 1. m. e f. fiador. 2. m. cordão (da espada); descanso de espingarda.

fiambre, I. adj. 2 gén. frio, servido frio. II. s. m. fiambre.

fiambrera, s. f. fiambreira.

fianza, s. f. fiança; depósito; caução; abonação.

fiar, v. tr. fiar; afiançar; abonar; caucionar; vender a crédito; confiar.

fiasco, s. m. fiasco, mau êxito.

fibra, s. f. fibra; energia.

fibroma, s. m. fibroma.

fibrosis, s. f. fibrose.

fibroso, -a, adj. fibroso.

fibula, s. f. fíbula.

ficción, s. f. ficção; simulação.

ficha, s. f. ficha.

fichaje, s. m. fichagem.

fichar, v. tr. fichar, registar em fichas.

fichero, s. m. ficheiro; arquivo; INFORM. ficheiro.

ficticio, -a, adj. fictício; fingido; imaginário.

ficus, s. m. árvore da borracha.

fidedigno, -a, adj. fidedigno.

fideicomisario, -a, s. m. e f. fideicomissário.

fideicomiso, s. m. fideicomisso.

fidelidad, s. f. fidelidade; lealdade; firmeza.

fideo, s. m. macarrão; aletria; fidéus.

fiduciario, -a, adj. fiduciário.

fiebre, s. f. febre; exaltação.

fiel, I. adj. 2 gén. fiel; exacto; leal; firme. II. s. m. fiel; fiscal; recebedor (caixa); ponteiro, fiel (de balança).

fielmente, adv. fielmente.

fieltro, s. m. feltro.

fiera, s. f. fera.

fieramente, adv. feramente.

fiereza, s. f. fereza; ferocidade.

fiero, -a, adj. fero; agreste; indómito.

fiesta, s. f. festa; diversão; solenidade; comemoração.

figle, s. m. MÚS. figle; contrabaixo.

figón, s. m. tasca; taberna; baiuca.

figura, s. f. figura; cara; rosto.

figuración, s. f. figuração.

figurado, -a, adj. figurado; figurativo.

figurante, s. 2 gén. figurante; comparsa.

figurar, v. tr. e intr. figurar.

figurativo, -a, adj. figurativo; simbólico.

figurín, s. m. figurino; (fig.) janota.

figurinista, s. 2 gén. figurinista.

figurón, s. m. figurão.

fijacarteles, s. 2 gén. colador, afixador de cartazes.

fijación, s. f. fixação.

fijador, -a, adj. e s. m. fixador.

fijamente, adv. fixamente.

fijapelo, s. m. fixador do cabelo.

fijar, v. tr. fixar; pregar; firmar.

fijativo, -a, adj. fixativo.

fijeza, s. f. fixidez; firmeza.

fijo, -a, adj. fixo; firme; seguro.

fila, s. f. fila; fileira; enfiada.

filamento, s. m. filamento.

filantropía, s. f. filantropia.

filantrópico, -a, adj. filantrópico.

filántropo, -a, s. m. e f. filantropo.

filarmónico, -a, adj. filarmónico.

filatelia, s. f. filatelia.

filatélico, -a, adj. filatélico.

filatelista, s. 2 gén. filatelista.

filete, s. m. filete; ourela.

filiación, s. f. filiação; origem; conexão.

filial, adj. 2 gén. filial.

filiforme, adj. 2 gén. filiforme.

filigrana, s. f. filigrana.

filípica, s. f. filípica; invectiva.

filipino, -a, adj. e s. filipino.

filisteo, -a, I. adj. filisteu. II. s. m. homenzarrão.

film, s. m. filme.

filmación, s. f. filmagem.

filmar, v. tr. filmar.

filme, s. m. filme.

fílmico, -a, adj. fílmico.

filmina, s. f. transparência, diapositivo.

filmografía, s. f. filmografia.

filmoteca, s. f. cinemateca, filmoteca.

filo, s. m. fio; corte; gume.

filología, s. f. filologia.

filológico, -a, adj. filológico.

filólogo, -a, s. m. filólogo.

filón, s. m. filão; veio metalífero; fonte.

filosofal, *adj.* 2 *gén.* filosofal.
filosofar, *v. intr.* filosofar.
filosofia, *s. f.* filosofia.
filosófico, -a, *adj.* filosófico.
filósofo, -a, I. *adj.* filósofo, filosófico. **II.** *s. m. e f.* filósofo.
filoxera, *s. f.* filoxera.
filtración, *s. f.* filtração.
filtrador, *s. m.* filtrador; filtro.
filtrar, *v. tr.* filtrar; coar; escoar.
filtro, *s. m.* filtro; coador; poção, sortilégio; amavios.
fimbria, *s. f.* fímbria; franja, orla.
fimosis, *s. f.* fimose.
fin, 1. *m.* fim; final; termo; remate. **2.** *s. m.* motivo; causa.
finado, -a, *adj. e s.* finado; defunto.
final, *adj. e s.* 2 *gén.* final; remate.
finalidad, *s. f.* finalidade.
finalista, *adj. e s.* 2 *gén.* finalista.
finalizar, *v. tr.* finalizar, concluir.
finalmente, *adv.* finalmente.
finamente, *adv.* finamente.
financiero, -a, *adj. e s.* financeiro.
finanzas, *s. f.* finanças.
finar, *v. intr. e refl.* falecer; finar-se.
finca, *s. f.* quinta; herdade.
fineza, *s. f.* delicadeza; fineza; amabilidade.
fingido, -a, *adj.* fingido, falso; hipócrita.
fingimiento, *s. m.* fingimento.
fingir, *v. tr.* fingir; simular; imitar.
finible, *adj.* 2 *gén.* findável.
finiquitar, *v. tr.* liquidar, saldar uma conta; rematar.
finiquito, *s. m.* fecho, saldo de conta.
finito, -a, *adj.* finito.
finlandés, -esa, I. *adj.* finlandês, da Finlândia. **II. s. 1.** *m. e f.* finlandês (o natural da Finlândia). **2.** *s. m.* finlandês (idioma).
fino, -a, *adj.* fino; delicado; delgado; astuto.
finquero, *s. m.* fazendeiro (dono de *finca*).
finolis, *adj.* 2 *gén.* (*fam.*) fino, requintado; afectado.
finta, *s. f.* finta; simulação.
finura, *s. f.* finura; delicadeza; cortesia; astúcia.
fiordo, *s. m.* fiorde.
firma, *s. f.* firma, assinatura; casa comercial.
firmamento, *s. m.* firmamento; céu.
firmante, *adj. e s.* 2 *gén.* firmante; signatário.
firmar, *v. tr.* firmar; assinar; autenticar.
firme, I. *adj.* 2 *gén.* firme; estável; cons-

tante; resoluto. **II.** *s. m.* antiderrapante. **III.** *adv.* firme, com firmeza.
firmemente, *adv.* firmemente.
firmeza, *s. f.* firmeza; solidez.
fiscal, I. *adj.* 2 *gén.* fiscal, do fisco. **II.** *s.* 2 *gén.* fiscal; DIR. promotor público; (*fig.*) informador.
fiscalía, *s. f.* fiscalização.
fiscalización, *s. f.* fiscalização.
fiscalizar, *v. tr.* fiscalizar; vigiar.
fisco, *s. m.* fisco; erário.
fisga, *s. f.* fisga; arpão.
fisgar, *v. tr.* fisgar; bisbilhotar.
fisgón, -ona, *adj.* curioso, bisbilhoteiro.
fisgonear, *v. tr.* bisbilhotar.
fisgoneo, *s. m.* bisbilhotice.
física, *s. f.* física.
físicamente, *adv.* fisicamente.
físico, -a, *adj. e s.* físico, física.
fisiología, *s. f.* fisiologia.
fisiológico, -a, *adj.* fisiológico.
fisiólogo, *s. m.* fisiólogo, fisiologista.
fisión, *s. f.* fissão; cisão.
fisioterapeuta, *s.* 2 *gén.* fisioterapeuta.
fisioterapia, *s. f.* fisioterapia.
fisonomía, *s. f.* fisionomia.
fisonómico, -a, *adj.* fisionómico.
fisonomista, *adj. e s.* 2 *gén.* fisionomista.
fístula, *s. f.* fístula.
fisura, *s. f.* CIR. fissura; fenda; úlcera.
flaccidez, *s. f.* flacidez; relaxação; languidez.
fláccido, -a, *adj.* flácido; débil; lânguido; mole.
flacidez, *s. f.* vd. **flaccidez.**
flácido, -a, *adj.* vd. **fláccido.**
flaco, -a, *adj.* magro; débil; fraco; frouxo.
flacucho, -a, *adj.* magrito; magricela.
flacura, *s. f.* magreza.
flagelación, *s. f.* flagelação.
flagelar, *v. tr.* flagelar; açoitar.
flagelo, *s. m.* flagelo; chicote; azorrague; calamidade.
flagrante, *adj.* 2 *gén.* flagrante.
flamante, *adj.* 2 *gén.* flamante; brilhante.
flameado, -a, *adj.* flamejado.
flamear, *v. intr.* flamejar; flamear; ondear, drapejar ao vento.
flamenco, -a, *adj.* flamengo.
flámula, *s. f.* flâmula; galhardete.
flan, *s. m.* pudim de ovos e leite.
flanco, *s. m.* flanco; costado; lado.
flanquear, *v. tr.* flanquear.
flaquear, *v. intr.* fraquejar; enfraquecer.

flaqueza, s. f. fraqueza, debilidade; emagrecimento.
flato, s. m. flato; flatulência; ventosidade.
flatulencia, s. f. flatulência; ventosidade.
flatulento, -a, adj. e s. flatulento.
flauta, s. f. MÚS. flauta.
flautín, s. m. MÚS. flautim.
flautista, s. 2 gén. flautista.
flebitis, s. f. flebite.
flecha, s. f. frecha; flecha; seta.
flechar, v. tr. frechar; magoar.
flechazo, s. m. frechada.
flechero, s. m. frecheiro.
fleco, s. m. froco; franja.
fleje, s. m. aro de pipa.
flema, s. f. fleuma; paciência; calma; pachorra.
flemático, -a, adj. fleumático; pachorrento; impassível.
flemón, s. m. flegmão, fleimão.
flequillo, s. m. franja, melena.
fletador, -a, s. m. e f. fretador.
fletamiento, s. m. fretamento.
fletar, v. tr. fretar; alugar (uma embarcação).
flete, s. m. frete; aluguer (de embarcação); carga.
flexibilidad, s. f. flexibilidade.
flexible, adj. 2 gén. flexível.
flexión, s. f. flexão; curvatura.
flipado, -a, adj. flipado, drogado.
flipante, adj. 2 gén. incrível; extraordinário.
flipar, v. 1. tr. ser doido por. 2. intr. assombrar-se; entusiasmar-se. 3. refl. drogar-se.
flipe, s. m. flipe, viagem (dose de droga).
flirtear, v. intr. galantear; namoriscar.
flirteo, s. m. galanteio, namorisco.
flojear, v. intr. fraquejar; afrouxar.
flojedad, s. f. debilidade; fraqueza; frouxidão.
flojera, s. f. (fam.) debilidade, fraqueza.
flojo, -a, adj. e s. frouxo; débil; indolente.
flor, s. f. flor.
flora, s. f. flora.
floración, s. f. floração.
floral, adj. 2 gén. floral.
floreado, -a, adj. floreado, florido.
florar, v. intr. florescer; florir.
florear, v. tr. florescer; florejar; florir; florear.
florecer, v. intr. florescer; prosperar.
floreciente, adj. florescente.

florecimiento, s. m. florescimento.
floreo, s. m. floreio; conversa de passatempo; floreado.
florería, s. f. florista (estabelecimento).
florero, s. m. floreira.
florescencia, s. f. florescência.
floresta, s. f. floresta.
florete, s. m. florete.
floricultor, -a, s. m. e f. floricultor.
floricultura, s. f. floricultura.
florido, -a, adj. florido.
florilegio, s. m. florilégio; antologia.
florín, s. m. florim (moeda).
florista, s. 2 gén. florista.
floristería, s. f. florista (estabelecimento).
florituras, s. f. pl. floreados.
florón, s. m. ARQ. florão.
flota, s. f. frota; armada.
flotación, s. f. flutuação.
flotador, s. m. flutuador.
flotante, adj. 2 gén. flutuante.
flotar, v. intr. flutuar; boiar; pairar.
flote, a flote, à tona, à superfície da água; salir a flote, vir à tona, superar as dificuldades.
flotilla, s. f. flotilha.
fluctuación, s. f. flutuação.
fluctuante, adj. 2 gén. flutuante.
fluctuar, v. intr. flutuar; oscilar; ondular; hesitar.
fluencia, s. f. fluência.
fluente, adj. 2 gén. fluente.
fluidez, s. f. fluidez.
fluido, -a, adj. e s. m. fluido.
fluir, v. intr. fluir; manar.
flujo, s. m. fluxo; preia-mar; abundância.
flúor, s. m. flúor.
fluorescencia, s. f. fluorescência.
fluorescente, I. adj. 2 gén. fluorescente. II. s. m. luz fluorescente.
fluvial, adj. 2 gén. fluvial.
flux, s. m. fluxo.
fluxión, s. f. fluxão.
fobia, s. f. fobia.
foca, s. f. foca.
focal, adj. 2 gén. focal.
foco, s. m. foco; centro; sede.
fofo, -a, adj. fofo; macio; brando; esponjoso.
fogarada, s. f. fogueira.
fogata, s. f. fogueira.
fogón, s. m. fogão; fornalha.
fogonadura, s. f. enora.

fogonazo, *s. m.* fogacho; clarão (da pólvora, ao arder).

fogonero, *s. m.* fogueiro.

fogosamente, *adv.* fogosamente.

fogosidad, *s. f.* fogosidade.

fogoso, -a, *adj.* (fig.) fogoso; ardente; irrequieto.

foguear, *v. intr.* MIL. fazer treino de tiro, fazer fogos reais; (fig.) endurecer.

fogueo, *de fogueo*, sem projéctil, de pólvora seca (cartucho).

folclor, *s. m.* vd. **folclore**.

folclore, *s. m.* folclore.

folclórica, *s. f.* cantora de flamenco.

folclórico, -a, *adj.* folclórico.

folclorista, *s. 2 gén.* folclorista.

foliar, *v. tr.* numerar páginas de livro.

folicular, *adj. 2 gén.* folicular.

folículo, *s. m.* folículo.

folio, *s. m.* fólio; folha de livro.

folíolo, *s. m.* folíolo.

folklore, *s. m.* vd. **folclore**.

folklórico, *adj.* vd. **folclórico**.

folklorista, *s. 2 gén.* vd. **folclorista**.

follaje, *s. m.* folhagem.

folletín, *s. m.* folhetim.

folletinesco, -a, *adj.* folhetinesco; melodramático.

folletinista, *s. 2 gén.* folhetinista.

folleto, *s. m.* folheto.

follón, *s. m.* desordem; sururu; alvoroto.

follonero, -a, *adj. e s.* desordeiro.

fomentar, *v. tr.* fomentar.

fomento, *s. m.* fomento; abrigo; auxílio; protecção.

fonación, *s. f.* fonação.

fonda, *s. f.* hospedaria; estalagem.

fondeadero, *s. m.* fundeadouro; ancoradouro.

fondeado, -a, *adj.* fundeado; ancorado.

fondear, *v. tr.* sondar; fundear; ancorar.

fondeo, *s. m.* sondagem; pesquisa; ancoragem.

fondillos, *s. m. pl.* fundilhos.

fondista, *s. 2 gén.* estalajadeiro; DESP. fundista.

fondo, *s. m.* fundo; profundidade; âmago.

fondón, -ona, *adj.* gordote, gorducho.

fonema, *s. m.* fonema.

fonémico, -a, *adj.* fonémico.

fonendoscopio, *s. m.* fonendoscópio, auscultador.

fonética, *s. f.* fonética.

fonético, -a, *adj.* fonético.

fónico, -a, *adj.* fónico.

fonografía, *s. f.* fonografia.

fonográfico, -a, *adj.* fonográfico.

fonógrafo, *s. m.* fonógrafo.

fonología, *s. f.* fonologia; fonética.

fonológico, -a, *adj.* fonológico.

fonoteca, *s. f.* fonoteca, discoteca.

fontana, *s. f.* fonte; nascente.

fontanería, *s. f.* encanamento; canalização.

fontanero, -a, *s. m. e f.* canalizador.

foque, *s. m.* NÁUT. bujarrona.

forajido, -a, *adj. e s.* foragido.

foral, *adj. 2 gén.* foral; foreiro.

foráneo, -a, *adj.* forasteiro; estranho.

forastero, -a, *adj. e s.* forasteiro; estranho.

forcejear, *v. intr.* forcejar; esforçar-se.

forcejeo, *s. m.* forcejo; esforço.

fórceps, *s. m.* CIR. fórceps; fórcipe.

forense, *adj. 2 gén.* forense.

forestal, *adj. 2 gén.* florestal.

forfícula, *s. f.* forfícula.

forja, *s. f.* forjamento, forjadura; forja; frágua; ferraria.

forjado, -a, I. *adj.* forjado. **II.** *s. m.* ARQ madeiramento; armação.

forjar, *v. tr.* forjar.

forma, *s. f.* forma; figura; feitio; forma; molde.

formación, *s. f.* formação; constituição; forma; figura.

formal, *adj. 2 gén.* formal; preciso; positivo.

formalidad, *s. f.* formalidade; exactidão; compostura.

formalismo, *s. m.* formalismo.

formalista, *adj. e s. 2 gén.* formalista.

formalizar, *v. tr.* formalizar; concretizar.

formalmente, *adv.* formalmente.

formar, *v. tr.* formar; construir; instruir; estabelecer; criar; fabricar.

formatear, *v. tr.* formatar.

formativo, -a, *adj.* formativo.

formato, *s. m.* formato.

fórmico, -a, *adj.* fórmico.

formidable, *adj. 2 gén.* formidável.

formol, *s. m.* formol.

formón, *s. m.* formão.

fórmula, *s. f.* fórmula.

formulación, *s. f.* formulação.

formular, *v. tr.* formular; receitar; manifestar; expor.

formulario, -a, I. *adj.* de rotina. **II.** *s. m.* formulário; receituário.

fornicación, *s. f.* fornicação.

fornicador, -a, *adj.* e s. fornicador.
fornicar, *v. tr.* e *intr.* fornicar.
fornid|o, -a, *adj.* fornido; robusto.
foro, *s. m.* foro (tribunais); renda anual.
forof|o, -a, s. m. e f. fã.
forrad|o, -a, *adj.* forrado; *(fam.)* rico.
forraje, *s. m.* forragem.
forrajear, *v. tr.* forragear; colher e armazenar forragem.
forrajer|o, -a, *adj.* forrageiro.
forrar, *v. tr.* forrar.
forro, *s. m.* forro.
fortach|ón, -ona, *adj.* fortalhaço.
fortalecedor, -a, *adj.* fortalecedor.
fortalecer, *v. tr.* fortalecer; robustecer; fortificar.
fortalecimiento, *s. m.* fortalecimento.
fortaleza, *s. f.* fortaleza; força; fortificação; forte.
forte, *s. m.* forte.
fortificación, *s. f.* fortificação; forte; fortaleza.
fortificante, I. *adj.* 2 *gén.* fortificante, fortificador. II. *s. m.* fortificante.
fortificar, *v. tr.* fortificar.
fortín, *s. m.* fortim.
fortuit|o, -a, *adj.* fortuito; casual; inopinado.
fortuna, *s. f.* fortuna; sorte; riqueza.
forum, *s. m.* fórum.
forúnculo, *s. m.* furúnculo.
forzad|o, -a, *adj.* e s. forçado.
forzar, *v. tr.* forçar; violentar; violar; obrigar; constranger.
forzosamente, *adv.* forçosamente, necessariamente; inevitavelmente.
forzos|o, -a, *adj.* forçoso; inevitável.
forzud|o, -a, *adj.* robusto; forte; vigoroso.
fosa, *s. f.* fossa, cova.
fosfato, *s. m.* fosfato.
fosforecer, *v. intr.* fosforescer.
fosforera, *s. f.* fosforeira (fábrica); caixa de fósforos.
fosforer|o, -a, *adj.* fosforeiro.
fosforescencia, *s. f.* fosforescência.
fosforescente, *adj.* 2 *gén.* fosforescente.
fosforescer, *v. intr.* fosforescer.
fosfóric|o, -a, *adj.* fosfórico.
fosforita, *s. f.* fosforite.
fósforo, *s. m.* fósforo.
fósil, I. *adj.* 2 *gén.* fóssil; *(fam.)* antiquado; velho. II. *s. m.* fóssil.
fosilización, *s. f.* fossilização.
fosilizad|o, -a, *adj.* fossilizado.

fosilizarse, *v. refl.* fossilizar-se.
foso, *s. m.* fosso; poço.
foto, *s. f.* foto, fotografia.
fotocomposición, *s. f.* fotocomposição.
fotocopia, *s. f.* fotocópia.
fotocopiadora, *s. f.* fotocopiadora.
fotocopiar, *v. tr.* fotocopiar.
fotoeléctric|o, -a, *adj.* fotoeléctrico.
fotofobia, *s. f.* fotofobia.
fotogénic|o, -a, *adj.* fotogénico.
fotograbado, *s. m.* fotogravura.
fotograbar, *v. tr.* fotogravar.
fotografía, *s. f.* fotografia.
fotografiar, *v. tr.* fotografar.
fotográfic|o, -a, *v. tr.* fotográfico.
fotógrafo, *s. m.* fotógrafo.
fotolito, *s. m.* fotólito.
fotomecánica, *s. f.* fotomecânica.
fotometría, *s. f.* fotometria.
fotómetro, *s. m.* fotómetro.
fotomontaje, *s. m.* fotomontagem.
fotón, *s. m.* FÍS. fotão.
fotonovela, *s. f.* fotonovela.
fotosfera, *s. f.* fotosfera.
fotosíntesis, *s. f.* fotossíntese.
fototeca, *s. f.* fototeca.
frac, *s. m.* fraque.
fracasad|o, -a, *adj.* fracassado.
fracasar, *v. intr.* fracassar.
fracaso, *s. m.* fracasso; ruína; malogro.
fracción, *s. f.* fracção.
fraccionamiento, *s. m.* fraccionamento.
fraccionar, *v. tr.* fraccionar; dividir.
fraccionari|o, -a, *adj.* fraccionario.
fractura, *s. f.* fractura; ruptura.
fracturar, *v. tr.* fracturar; partir; quebrar.
fraga, *s. f.* fraga; brenha; penhasco; framboeseira.
fragancia, *s. f.* fragrância; aroma; perfume.
fragante, *adj.* 2 *gén.* fragrante; odorífero; aromático.
fraganti, *in fraganti,* em flagrante.
fragata, *s. f.* fragata.
frágil, *adj.* 2 *gén.* frágil; quebradiço.
fragilidad, *s. f.* fragilidade.
fragmentar, *v. tr.* fragmentar.
fragmentari|o, -a, *adj.* fragmentário.
fragmento, *s. m.* fragmento; pedaço.
fragor, *s. m.* fragor; ruído.
fragoros|o, -a, *adj.* fragoroso; ruidoso.
fragosidad, *s. f.* fragosidade.
fragos|o, -a, *adj.* fragoso; áspero; escabroso; ruidoso.

fragua, *s. f.* frágua; forja.

fraguado, *s. m.* endurecimento; têmpera.

fraguar, *v. tr.* fraguar; forjar; inventar; urdir, tramar.

fraile, *s. m.* frade; monge.

frailecillo, *s. m.* papagaio-do-mar.

frailesco, -a, *adj.* fradesco.

frambuesa, *s. f.* framboesa.

francachela, *s. f.* pândega; patuscada; comezaina.

francamente, *adv.* francamente.

francés, -esa, *adj. e s.* francês.

francio, *s. m.* QUÍM. frâncio.

franciscano, -a, *adj. e s.* franciscano.

francmasón, -ona, *s. m. e f.* franco-maçom; mação.

francmasonería, *s. f.* franco-maçonaria; maçonaria.

franco, -a, I. *adj.* franco; liberal; sincero; desembaraçado. **II.** *s. m.* franco (moeda).

francófilo, -a, *adj.* francófilo.

francófono, -a, *adj.* francófono.

francotirador, -a, *s. m. e f.* franco-atirador.

franela, *s. f.* flanela.

frangible, *adj. 2 gén.* frágil; quebradiço; frangível.

frangollón, -ona, *adj.* trapalhão.

franja, *s. f.* franja.

franquear, *v. tr.* franquear; libertar; isentar; conceder; desembaraçar; franquiar, selar correspondência.

franqueo, *s. m.* franquia.

franqueza, *s. f.* franqueza; generosidade; sinceridade.

franquicia, *s. f.* isenção (de impostos).

frasco, *s. m.* frasco.

frase, *s. f.* frase; locução.

fraseología, *s. f.* fraseologia.

fraternal, *adj. 2 gén.* fraternal.

fraternalmente, *adv.* fraternalmente.

fraternidad, *s. f.* fraternidade.

fraternización, *s. f.* fraternização.

fraternizar, *v. intr.* fraternizar.

fraterno, -a, *adj.* fraterno.

fratricida, *adj. e s. 2 gén.* fratricida.

fratricidio, *m.* fratricídio.

fraude, *s. m.* fraude; dolo; burla.

fraudulento, -a, *adj.* fraudulento.

fray, *s. m.* frei; frade.

frecuencia, *s. f.* frequência; aceleração; convivência.

frecuentado, -a, *adj.* frequentado.

frecuentar, *v. tr.* frequentar; conviver com; cursar.

frecuente, *adj. 2 gén.* frequente; continuado; assíduo.

frecuentemente, *adv.* frequentemente.

fregadero, *s. m.* pia; banca de cozinha.

fregado, *s. m.* esfrega; esfregação.

fregar, *v. tr.* esfregar; lavar com o esfregão; friccionar.

fregotear, *v. tr.* dar uma esfregadela a.

fregoteo, *s. m.* esfregadela.

freidora, *s. m.* fritadeira.

freír, *v. tr.* fritar; frigir.

frenado, *s. m.* travagem.

frenar, *v. tr.* travar; frear.

frenazo, *s. m.* travadela; travagem brusca.

frenesí, *s. m.* frenesi, frenesim; delírio; excitação.

frenéticamente, *adv.* freneticamente.

frenético, -a, *adj.* frenético.

frenillo, *s. m.* ANAT. freio (da língua).

freno, *s. m.* freio; travão; (*fig.*) sujeição.

frente, *s. f.* fronte; testa; frontaria; frente; fachada; vanguarda.

fresa, *s. f.* morangueiro; morango; TÉCN. fresa, máquina de desbastar; broca (de dentista).

fresal, *s. m.* morangal.

fresar, *v. tr.* franjar; fresar; brocar.

fresca, *s. f.* fresca; frescor; aragem; fresquidão; (*fam.*) impertinência; verdade.

fresco, -a, I. *adj.* fresco; recente. **II.** *s. m.* frescura; ar fresco.

frescor, *s. m.* frescor; fresquidão; frescura.

frescura, *s. f.* frescura; fresquidão; chocarrice.

fresno, *s. m.* froixo.

fresón, *s. m.* morango grande.

frialdad, *s. f.* frialdade; esterilidade; indiferença.

fríamente, *adv.* friamente.

fricandó, *s. m.* fricandó.

fricasé, *s. m.* fricassé.

fricativo, -a, *adj.* fricativo.

fricción, *s. f.* fricção; esfrega.

friccionar, *v. tr.* friccionar.

friega, *s. f.* esfrega; fricção.

frigidez, *s. f.* frigidez; frialdade.

frígido, -a, *adj.* frígido; álgido.

frigilo, -a, *adj. e s.* frígio.

frigorífico, -a, I. *adj.* frigorífico. **II.** *s. m.* frigorífico; refrigerador.

frijol, s. m. feijão.

fríjol, s. m. feijão.

frío, -a, adj. frio; indiferente.

friolera, s. f. frioleira; bagatela.

friolero, -a, adj. friorento.

frisa, s. f. frisa (estofo).

frisar, v. tr. frisar; encrespar.

friso, s. m. ARQ. friso; filete.

fritada, s. f. fritada.

fritanga, s. f. fritada.

frito, -a, I. adj. frito. **II.** s. m. fritada; frito; fritura.

fritura, s. f. fritada; fritura.

frivolidad, s. f. frivolidade.

frívolo, -a, adj. frívolo; vão; fútil; volúvel.

fria, s. f. BOT. flor da faia.

fronda, s. f. BOT. fronde; folhagem de fetos; CIR. ligadura; pl. ramagem.

frondosidad, s. f. frondosidade.

frondoso, -a, adj. frondoso; copado.

frontal, I. adj. 2 gén. frontal. **II.** s. m. ANAT. frontal.

frontera, s. f. fronteira; fachada; frontispício.

fronterizo, -a, adj. fronteiriço; raiano.

frontero, -a, adj. fronteiro.

frontis, s. m. fachada; frontão; frontispício.

frontispicio, s. m. frontispício; fachada; frontaria.

frontón, s. m. frontão (jogo ou recinto para o jogo da pelota); ARQ. frontão.

frotación, s. f. esfregação; fricção.

frotamiento, s. m. esfregação; esfrega.

frotar, v. tr. esfregar; friccionar; roçar.

frote, s. m. roçadura; atrito; esfregação.

fructífero, -a, adj. frutífero; útil; proveitoso.

fructificación, s. f. frutificação.

fructificar, v. intr. frutificar; ser útil.

fructuoso, -a, adj. frutuoso; proveitoso.

frugal, adj. 2 gén. frugal; parco; sóbrio.

frugalidad, s. f. frugalidade; sobriedade.

frugívoro, -a, adj. frugívoro.

fruición, s. f. fruição; gozo; posse.

fruir, v. intr. fruir; gozar; desfrutar.

frumentario, -a, adj. frumentário; frumentáceo.

frunce, s. m. franzido; ruga; engelha; prega.

fruncido, -a, adj. e s. m. franzido; pregueado.

fruncimiento, s. m. franzimento; enrugamento.

fruncir, v. tr. franzir; preguear; enrugar.

fruslería, s. f. bagatela; ninharia.

frustración, s. f. frustração.

frustrado, -a, adj. frustrado; mal sucedido.

frustrar, v. tr. frustrar; malograr; inutilizar.

frustre, s. m. frustração.

fruta, s. f. fruta.

frutal, I. adj. 2 gén. frutífero. **II.** s. m. árvore de fruto.

frutería, s. f. frutaria.

frutero, -a, I. adj. fruteiro. **II.** s. **1.** s. m. e f. vendedor ou vendedeira de fruta. **2.** s. m. fruteira (recipiente).

fruticultura, s. f. fruticultura.

fruto, s. m. fruto; lucro; resultado.

fu, ni fu ni fa, assim-assim.

fucsia, s. f. BOT. fúchsia.

fuego, s. m. fogo; lume; lareira; família; paixão; ardor.

fuel, s. m. fuelóleo.

fuelle, s. m. fole.

fuente, s. f. fonte; manancial; chafariz; nascente; travessa (para servir a comida); pia baptismal.

fueraborda, s. 1. m. NÁUT. motor (fora de bordo); **2.** f. embarcação com motor fora de bordo.

fuero, s. m. foro; jurisdição; privilégio; direito.

fuerte, I. adj. 2 gén. forte; possante; resistente. **II.** s. m. forte; fortaleza.

fuertemente, adv. fortemente.

fuerza, s. f. força; vigor; poder; ímpeto; resistência; motivo.

fuga, s. f. fuga; fugida.

fugacidad, s. f. fugacidade.

fugarse, v. refl. escapar-se; safar-se; fugir.

fugaz, adj. 2 gén. fugaz; rápido; veloz.

fugazmente, adv. fugazmente.

fugitivo, -a, adj. e s. fugitivo.

fulano, -a, s. m. e f. fulano.

fular, s. m. lenço do pescoço.

fulcro, s. m. fulcro; apoio; sustentáculo.

fulero, -a, adj. (fam.) atamancado, atabalhoado.

fúlgido, -a, adj. fulgente; fúlgido; brilhante.

fulgor, s. m. fulgor; esplendor; brilho.

fulguración, s. f. fulguração.

fulgurante, adj. 2 gén. fulgurante.

fulgurar, v. intr. fulgurar; fulgir; resplandecer.

fullería, s. f. fulharia, trapaça ao jogo.
fullero, -a, adj. e s. fulheiro; trapaceiro (no jogo).
fulminación, s. f. fulminação.
fulminado, -a, adj. fulminado.
fulminante, adj. 2 gén. fulminante.
fulminar, v. tr. fulminar; aniquilar; apostrofar.
fumada, s. f. fumaça; fumada.
fumadero, s. m. fumadouro.
fumador, -a, adj. e s. fumador.
fumar, v. intr. fumar.
fumarada, s. f. fumarada; fumaça.
fumigación, s. f. fumigação.
fumigar, v. tr. fumigar; defumar.
funámbulo, -a, s. m. e f. funâmbulo; equilibrista.
función, s. f. função; festa; espectáculo.
funcional, adj. 2 gén. funcional.
funcionamiento, s. m. funcionamento.
funcionar, v. intr. funcionar.
funcionario, -a, s. m. e f. funcionário.
funda, s. f. capa; coberta; estojo; invólucro; bolsa.
fundación, s. f. fundação; alicerce; instituição.
fundado, -a, adj. e s. fundado; baseado; justificado; firmado.
fundador, -a, adj. e s. fundador.
fundamental, adj. 2 gén. fundamental; essencial.
fundamentalismo, s. m. fundamentalismo.
fundamentalista, adj. e s. 2 gén. fundamentalista.
fundamentalmente, adv. fundamentalmente.
fundamentar, v. tr. fundamentar; alicerçar; cimentar.
fundamento, s. m. fundamento; alicerce; motivo; razão.
fundar, v. tr. fundar; edificar; construir; instituir; firmar; estabelecer; criar.
fundición, s. f. fundição.
fundidor, s. m. fundidor.
fundir, v. tr. fundir; derreter; liquefazer.
fundo, s. m. herdade; fazenda.
fúnebre, adj. 2 gén. fúnebre; lúgubre.
funeral, adj. 2 gén. e s. m. funeral.

funeraria, s. f. casa funerária.
funerario, -a, adj. casa funerária.
funesto, -a, adj. funesto; aziago; infausto; fatal.
fungicida, adj. 2 gén. e s. m. fungicida.
funicular, adj. 2 gén. e s. m. funicular.
furgón, s. m. furgão.
furia, s. f. fúria; ira; raiva.
furibundo, -a, adj. furibundo; irado; colérico.
furiosamente, adv. furiosamente.
furioso, -a, adj. furioso; enfurecido; irritado; raivoso.
furor, s. m. furor; ira; entusiasmo; frenesi; loucura.
furriel, s. m. MIL. furriel.
furtivamente, adv. furtivamente.
furtivo, -a, adj. furtivo.
furúnculo, s. m. tumor, furúnculo.
fusa, s. f. MÚS. fusa.
fuselaje, s. m. fuselagem.
fusibilidad, s. f. fusibilidade.
fusible, I. adj. 2 gén. fundível; fusível. **II.** s. m. fusível.
fusil, s. m. espingarda; fuzil.
fusilamiento, s. m. fuzilamento.
fusilar, v. tr. MIL. fuzilar.
fusilería, s. f. fuzilaria.
fusilero, adj. e s. m. fuzileiro.
fusión, s. f. fusão; mistura; união.
fusionar, v. tr. fusionar; fundir.
fusta, s. f. fusta (embarcação).
fuste, s. m. fuste; haste; de fuste, (fig.) importante.
fustigar, v. tr. fustigar; açoitar; vergastar.
fútbol, s. m. futebol.
futbolero, -a, adj. e s. adepto do futebol; doido pelo futebol.
futbolín, s. m. matraquilhos, matrecos.
futbolista, s. 2 gén. futebolista.
futbolístico, -a, adj. futebolístico.
fútbol-sala, s. m. futebol de salão.
futesa, s. f. bagatela; ninharia.
fútil, adj. 2 gén. fútil; frívolo.
futilidad, s. f. futilidade; ninharia; insignificância.
futura, s. f. (fam.) futura, noiva, prometida.
futuro, -a, I. adj. futuro; **II.** s. m. **1.** futuro; destino; **2.** (fam.) futuro (noivo).
futurología, s. f. futurologia.

G

g, *s. f.* g, sétima letra do alfabeto espanhol.
gabán, *s. m.* gabão, capote; sobretudo.
gabardina, *s. f.* gabardina.
gabarra, *s. f.* NÁUT. gabarra; barcaça.
gabinete, *s. m.* gabinete.
gacela, *s. f.* ZOOL. gazela.
gaceta, *s. f.* gazeta.
gacetilla, *s. f.* gazetilha.
gacetillero, *s. m.* gazetilheiro.
gachas, *s. f. pl.* papas (de farinha).
gachí, *s. f.* mulher, rapariga.
gacho, -a, *adj.* encurvado; curvado.
gachó, *s. m.* homem, rapaz.
gafa, *s. f.* gafa; *pl.* óculos.
gafar, *v. tr.* agarrar; (*fam.*) dar azar.
gafe, *adj.* 2 *gén.* de mau agouro.
gafete, *s. m.* colchete.
gafedad, *s. f.* gafeira.
gaita, *s. f.* gaita; pífaro.
gaitero, -a, I. *adj.* (*fam.*) gaiteiro; alegre.
II. *s. m. e f.* MÚS. gaiteiro.
gajes, *s. m. pl.* paga; custos; *son gajes del oficio,* são ossos do ofício.
gajo, *s. m.* gomo; galho; gaipa (de uvas).
gala, *s. f.* gala; pompa; solenidade.
galáctico, -a, *adj.* galáctico.
galán, I. *adj.* galante, galanteador. II. *s. m.* galã.
galancete, *s. m.* galã muito jovem.
galano, -a, *adj.* galante; gentil; elegante.
galante, *adj.* 2 *gén.* galante; atento; gentil.
galanteador, -a, *adj. e s.* galanteador.
galantear, *v. tr.* galantear; cortejar.
galanteo, *s. m.* galanteio; requebro.
galantería, *s. f.* galantaria; galanice.
galanura, *s. f.* gentileza; elegância; galantaria.
galápago, *s. m.* tartaruga; lingote; sela ligeira.
galardón, *s. m.* galardão; prémio.
galardonado, -a, *adj. e s.* galardoado, premiado.
galardonar, *v. tr.* galardoar; premiar.
galaxia, *s. f.* galáxia.
galayo, *s. m.* galaio; outeirinho.
galbana, *s. f.* preguiça; desleixo; apatia.
galena, *s. f.* galena.
galénico, -a, *adj.* galénico.
galeno, *s. m.* (*fam.*) galeno, médico.

galeón, *s. m.* NÁUT. galeão.
galeota, *s. f.* NÁUT. galeota.
galeote, *s. m.* galeote; galeriano.
galera, *s. f.* galera.
galería, *s. f.* galeria.
galés, -esa, *adj. e s.* galês.
galga, *s. f.* galga (pedra grande); erupção cutânea.
galgo, -a, *s. m. e f.* galgo (cão).
galicismo, *s. m.* galicismo.
galimatías, *s. m.* galimatias.
gallardear, *v. intr.* galhardear.
gallardete, *s. m.* galhardete.
gallardía, *s. f.* galhardia; bizarria, gentileza.
gallardo, -a, *adj.* galhardo; garboso; esforçado.
gallear, *v. intr.* mostrar-se, exibir-se.
gallego, -a, I. *adj. e s.* galego. II. *s. m.* galego (idioma).
galleta, *s. f.* bolacha; galheta, bofetada.
gallina, *s. f.* galinha.
gallinero, *s. m.* galinheiro, capoeira; TEAT. geral, galeria.
gallito, *s. m.* garnizé, presumido, convencido; desordeiro.
gallo, *s. m.* galo.
gallo, -a, *adj. e s.* galo, gaulês.
galocha, *s. f.* tamanco; galocha.
galón, *s. m.* galão (adorno, divisa, medida).
galopada, *s. f.* galopada.
galopante, *adj.* 2 *gén.* galopante.
galopar, *v. intr.* galopar.
galope, *s. m.* galope.
galopín, *s. m.* galopim; gaiato; patife; finório.
galvánico, -a, *adj.* galvânico.
galvanismo, *s. m.* galvanismo.
galvanización, *s. f.* galvanização.
galvanizado, -a, I. *adj.* galvanizado. II. *s. m.* galvanização.
galvanizar, *v. tr.* galvanizar.
galvanómetro, *s. m.* galvanómetro.
gama, *s. f.* gama, fêmea do gamo; escala musical; gradação de cores.
gamba, *s. f.* ZOOL. gamba; perna, pata.
gamberrada, *s. f.* acto de vandalismo.
gamberrismo, *s. m.* vandalismo.

gamberro, -a, *adj.* e *s.* libertino, dissoluto; vândalo.

gamella, *s. f.* gamela.

gameto, *s. m.* gâmeta.

gamma, *s. f.* gama (letra do alfabeto grego).

gamo, *s. m.* gamo.

gamuza, *s. f.* ZOOL. camurça; pele de camurça; pano de camurça.

gana, *s. f.* gana; apetite; desejo; vontade.

ganadería, *s. f.* rebanho; manada; récua; raça, criação; ganadería, rancho.

ganadero, -a, 1. *adj.* de gado. **2.** *s. m.* e *f.* ganadeiro, possuidor de gado; vaqueiro; zagal.

ganador, -a, *adj.* e *s.* ganhador, vencedor.

ganancia, *s. f.* ganancia; ganho; lucro.

ganancial, *adj.* 2 *gén.* lucrativo; rendoso.

ganancioso, -a, *adj.* ganancioso.

ganapán, *s. m.* ganhão; trabalhador do campo, jornaleiro.

ganar, *v. tr.* ganhar; vencer; lucrar.

ganchillo, *s. m.* croché.

gancho, *s. m.* gancho.

ganchudo, -a, *adj.* em forma de gancho, ganchoso.

gandul, -a, adj. e *s.* (*fam.*) gandulo; vadio; tunante.

gandulear, *v. intr.* vaguear, vadiar.

ganga, *s. f.* MIN. ganga; pechincha.

ganglio, *s. m.* gânglio.

ganglionar, *adj.* 2 *gén.* ganglionar.

gangoso, -a, *adj.* e *s. m.* e *f.* fanhoso; roufenho.

gangrena, *s. f.* gangrena.

gangrenarse, *v. refl.* gangrenar.

ganguear, *v. intr.* fanhosear, falar pelo nariz.

gangueo, *s. m.* fanhosice, roufenhice.

gansada, *s. f.* sandice; asneira; estupidez.

gansear, *v. intr.* fazer ou dizer asneiras; fazer maluquices.

ganso, -a, *s. m.* e *f.* ganso.

ganzúa, *s. f.* gazua, chave falsa; ladrão; adulador.

gañán, *s. m.* ganhão; moço de lavoura; jornaleiro.

gañido, *s. m.* ganido.

gañir, *v. intr.* ganir.

gañote, *s. m.* gasganete; garganta.

garabatear, *v. tr.* e *intr.* garatujar.

garabato, *s. m.* gancho; garatuja.

garaje, *s. m.* garagem.

garante, *adj.* e *s.* 2 *gén.* garante; abonador; fiador.

garantía, *s. f.* garantia; penhor; fiança; caução.

garantizado, -a, *adj.* garantido, afiançado.

garantizar, *v. tr.* garantir; abonar; afiançar.

garañón, *s. m.* garanhão.

garapiña, *s. f.* carapinhada.

garapiñar, *v. tr.* fazer carapinhada.

garbanzo, *s. m.* ervanço; gravanço; grão--de-bico.

garbearse, *v. refl.* dar um passeio.

garbeo, *s. m.* passeio.

garbo, *s. m.* garbo; elegância; gentileza.

garboso, -a, garboso.

gardenia, *s. f.* BOT. gardénia.

garduña, *s. f.* ZOOL. fuinha.

garduño, -a, *s. m.* e *f.* larápio, ladrão matreiro.

garfo, *s. f.* garra (de aves).

garfear, *v. intr.* fisgar; agatanhar.

garfio, *s. m.* gancho de ferro; garavato; fateixa.

gargajear, *v. intr.* escarrar; expectorar.

gargajo, *s. m.* escarro.

garganta, *s. f.* garganta; laringe; desfiladeiro.

gargantilla, *s. f.* gargantilha; colar.

gárgaras, *s. f. pl.* gargarejos.

gargarismo, *s. m.* gargarejos; líquido para gargarejar.

gargarizar, *v. intr.* gargarejar.

gárgola, *s. f.* ARQ. gárgula.

garguero, *s. m.* garganta; gargomilo.

gargüero, *s. m.* vd. garguero.

garita, *s. f.* guarita.

garito, *s. m.* casa de jogo; casa de tavolagem.

garlito, *s. m.* rede; (*fig.*) esparrela; *caer en el garlito,* cair na esparrela.

garlopa, *s. f.* garlopa.

garra, *s. f.* garra.

garrafa, *s. f.* garrafa.

garrafal, *adj.* 2 *gén.* garrafal (qualidade de cereja).

garrafón, *s. m.* garrafão.

garrapata, *s. f.* carrapato; carraça.

garrapatear, *v. intr.* garatujar, rabiscar.

garrapato, *s. m.* rabisco; garatuja.

garrapiñar, *v. tr.* vd. **garapiñar.**

garrido, -a, *adj.* garrido.

garrocha, s. f. garrocha.
garrochar, v. tr. garrochar.
garrochazo, s. m. garrochada.
garrotazo, s. m. arrochada; paulada.
garrote, s. m. garrote; arrocho; garrote (instrumento de execução de condenados); ligadura.
garrotillo, s. m. garrotilho.
garrucha, s. f. polé; roldana; garrucha.
garrulería, s. f. garrulice, tagarelice.
gárrulo, -a, adj. gárrulo; tagarela.
garza, s. f. ZOOL. garço, azul.
garzo, -a, adj. garça.
gas, s. m. gás.
gasa, s. f. gaze, gaza.
gaseoducto, s. m. gasoduto.
gaseosa, s. f. gasosa.
gaseoso, -a, adj. gaseiforme; gasoso.
gasificación, s. f. gaseificação, gasificação.
gasificar, v. tr. gaseificar, gasificar.
gasoducto, s. m. gasoduto.
gasógeno, s. m. gasogénio.
gasoil, s. m. vd. **gasóleo.**
gasóleo, s. m. gasóleo.
gasolina, s. f. gasolina.
gasolinera, s. f. bomba de gasolina; lancha a motor, gasolina (barco).
gasómetro, s. m. gasómetro.
gastado, adj. gasto; debilitado; cansado.
gastador, -a, adj. e s. gastador.
gastar, v. tr. gastar; despender; consumir.
gasterópodo, s. m. gástropode.
gasto, s. m. gasto; consumo; despesa.
gástrico, -a, adj. gástrico.
gastritis, s. f. gastrite.
gastroenteritis, s. f. gastrenterite.
gastronomía, s. f. gastronomia.
gastronómico, -a, adj. gastronómico.
gastrónomo, -a, s. m. e f. gastrónomo.
gata, s. f. gata.
gatada, s. f. ninhada; arranhadela.
gatas, s. a, a gatas, de gatas.
gatear, v. 1. intr. trepar (como os gatos); engatinhar. 2. tr. arranhar (o gato).
gatera, s. f. gateira.
gatillo, s. m. gatilho; percutidor; boticão.
gato, s. m. gato (animal); macaco (de automóvel).
gatuñar, v. tr. agatanhar, arranhar.
gatuperio, s. m. mistura; mixórdia; intriga.
gaucho, -a, adj. e s. gaúcho.
gaveta, s. f. gaveta.
gavia, s. f. NÁUT. gávea.

gavilán, s. m. gavião.
gavilla, s. f. gabela.
gaviota, s. f. gaivota.
gayo, -a, adj. gaio; alegre.
gazapo, s. m. caçapo; láparo; erro; engano; mentira.
gazmoñada, s. f. afectação ridícula de modéstia e devoção.
gazmoñería, s. f. vd. **gazmoñada.**
gazmoño, -a, adj. e s. vd. **gazmoñero.**
gazmoñero, -a, adj. e s. hipócrita; impostor.
gaznápiro, -a, adj. e s. palúrdio; boçal; lorpa.
gaznate, s. m. gasnete; garganta.
gazpacho, s. m. gaspacho.
gazuza, s. f. fome; (fam.) larica.
géiser, s. m. géiser.
geisha, s. f. gueixa.
gelatina, s. f. gelatina.
gelatinoso, -a, adj. gelatinoso.
gélido, -a, adj. gélido; gelado.
gema, s. f. gema (pedra preciosa); BOT botão, gomo; gema.
gemación, s. f. gemação.
gemebundo, -a, adj. gemebundo.
gemelo, -a, I. adj. gémeo. II. 1. s. m. e f. gémeo, gémea. 2. s. m. pl. abotoadura, botões (de punho).
gemido, s. m. gemido; lamentação.
geminación, s. f. geminação.
geminado, -a, adj. geminado.
gemir, v. intr. gemer; padecer.
gemologia, s. f. gemologia.
gen, s. m. gene.
genciana, s. f. genciana.
gendarme, s. m. gendarme.
gendarmería, s. f. gendarmaria.
genealogía, s. f. genealogia.
genealogista, s. 2 gén. genealogista.
generación, s. f. geração; casta; linhagem.
generador, -a, adj. e s. gerador.
general, I. adj. 2 gén. geral; comum. II. s. m. geral, prelado; general.
generala, s. f. generala.
generalato, s. m. generalato.
generalidad, s. f. generalidade.
generalísimo, s. m. generalíssimo.
generalización, s. f. generalização.
generalizado, -a, adj. generalizado.
generalizador, -a, adj. generalizador.
generalizar, v. tr. generalizar; divulgar; difundir.

generalmente, *adv.* geralmente.
generar, *v. tr.* gerar.
generativo, -a, *adj.* generativo.
generatriz, *s. f.* GEOM. geratriz.
genéricamente, *adv.* genericamente.
genérico, -a, *adj.* genérico; comum.
género, *s. m.* género; espécie; modo; classe; ordem.
generosamente, *adv.* generosamente.
generosidad, *s. f.* generosidade.
generoso, -a, *adj.* generoso; franco; leal.
génesis, 1. *s. m.* Génesis. 2. *s. f.* génese.
genética, *s. f.* genética.
genético, -a, *adj.* genético.
genial, *adj. 2 gén.* genial.
genialidad, *s. f.* genialidade.
genio, *s. m.* génio; carácter; índole; temperamento.
genital, *adj. 2 gén.* genital.
genitivo, *s. m.* genitivo.
geniudo, -a, *adj.* genioso.
genocidio, *s. m.* genocídio.
genoma, *s. m.* genoma.
genotipo, *s. m.* genótipo.
gente, *s. f.* gente; população; povo.
gentil, *adj. e s. 2 gén.* gentio; gentil; nobre.
gentileza, *s. f.* gentileza; delicadeza.
gentilhombre, *s. m.* gentil-homem.
gentilicio, -a, *adj.* gentilício; gentílico.
gentílico, -a, *adj.* gentílico; idólatra.
gentilmente, *adv.* gentilmente.
gentío, *s. m.* gentio; idólatra; multidão.
gentuza, *s. f.* gentalha; plebe; ralé.
genuflexión, *s. f.* genuflexão.
genuinamente, *adv.* genuinamente.
genuino, -a, *adj.* genuíno; puro; natural; legítimo.
geocéntrico, -a, *adj.* geocêntrico.
geodesia, *s. f.* geodesia.
geodésico, -a, *adj.* geodésico.
geofisica, *s. f.* geofísica.
geofísico, -a, *adj.* geofísico.
geografía, *s. f.* geografia.
geográfico, -a, *adj.* geográfico.
geógrafo, *s. m.* geógrafo.
geología, *s. f.* geologia.
geológico, -a, *adj.* geológico.
geólogo, *s. m.* geólogo.
geomagnético, -a, *adj.* geomagnético.
geomagnetismo, *s. m.* geomagnetismo.
geómetra, *s. 2 gén.* geómetra.
geometría, *s. f.* geometria.

geométrico, -a, *adj.* geométrico.
geomorfología, *s. f.* geomorfologia.
geonomía, *s. f.* geonomia.
geopolítica, *s. f.* geopolítica.
geoquímica, *s. f.* geoquímica.
geoquímico, -a, *adj.* geoquímico.
geotectónico, -a, *adj.* geotectónico.
geranio, *s. m.* gerânio.
gerencia, *s. f.* gerência; administração.
gerente, *s. 2 gén.* gerente; administrador.
geriatra, *s. 2 gén.* geriatra.
geriátrico, -a, *adj.* geriátrico.
gerifalte, *s. m.* gerifalte.
germanía, *s. f.* gíria, calão (dos ladrões).
germánico, -a, *adj. e s.* germânico.
germanio, *s. m.* germânio.
germanismo, *s. m.* germanismo.
germanista, *s. 2 gén.* germanista.
germen, *s. m.* germe, gérmen; embrião; causa.
germicida, *adj. e s. 2 gén.* germicida.
germinación, *s. f.* germinação.
germinal, *adj. 2 gén.* germinal.
germinar, *v. intr.* germinar; brotar.
gerontocracia, *s. f.* gerontocracia.
gerontología, *s. f.* gerontologia.
gerontólogo, -a, *s. m. e f.* gerontologista.
gerundio, *s. m.* gerúndio.
gesta, *s. f.* gesta; façanha; feito heróico; história.
gestación, *s. f.* gestação.
gestante, *adj. 2 gén. e s. f.* gestante.
gestar, *v. tr.* gerar.
gestatorio, -a, *adj.* gestatório; transportável.
gesticulación, *s. f.* gesticulação; gestos.
gesticular, *v. intr.* gesticular.
gestión, *s. f.* gestão; gerência.
gestionar, *v. intr.* diligenciar; negociar.
gesto, *s. m.* gesto; mímica.
gestor, -a, *adj. e s.* gestor.
gestual, *adj. 2 gén.* gestual.
ghanés, -esa, *adj.* ganês.
giba, *s. f.* giba; corcova; corcunda.
gibar, *v. tr.* corcovar.
gibón, *s. m.* gibão.
giboso, -a, *adj. e s. m. e f.* giboso, corcunda.
gigante, -a, *adj. e s. 2 gén.* gigante.
gigantea, *s. f.* BOT. girassol.
gigantesco, -a, *adj.* gigantesco.
gigantismo, *s. m.* gigantismo.
gigoló, *s. m.* gigolô.

gilí, *adj.* 2 *gén.* tonto; tolo.
gimnasia, *s. f.* ginástica.
gimnasio, *s. m.* ginásio.
gimnasta, *s.* 2 *gén.* ginasta.
gimnástico, -a, *adj.* ginástico.
gimnosperm|o, -a, I. *adj.* gimnospérmico. **II.** *s. f.* gimnospérmica.
gimotear, *v. intr.* gemicar; choramingar; lamuriar.
gimoteo, *s. m.* lamúria; choradeira.
gincana, *s. f.* gincana.
ginebra, *s. f.* genebra, gim.
gineceo, *s. m.* BOT. gineceu.
ginecologia, *s. f.* ginecologia.
ginecológico, -a, *adj.* ginecológico.
ginecólogo, *s. m. e f.* ginecologista.
gineta, *s. f.* gineta.
gingival, *adj.* 2 *gén.* gengival.
gingivitis, *s. f.* gengivite.
gira, *s. f.* giro, volta; excursão.
giradiscos, *s. m.* gira-discos.
girad|o, -a, *s. m. e f.* sacado.
girador, -a, *s. m. e f.* sacador.
giralda, *s. f.* cata-vento; grimpa.
girar, *v. intr.* girar; percorrer; sacar; lidar; negociar; transferir.
girasol, *s. m.* BOT. girassol.
giratori|o, -a, *adj.* giratório; circulatório.
giro, *s. m.* giro; rotação; circulação de letras, cheques, etc.; *giro postal,* vale postal.
girola, *s. f.* ambulatório.
gitanada, *s. f.* ciganada.
gitanear, *v. intr.* ciganar.
gitanería, *s. f.* ciganagem; ciganada; mesquinhez.
gitanismo, *s. m.* ciganismo (costumes, linguagem).
gitan|o, -a, *adj. e s.* cigano, gitano.
glaciación, *s. f.* glaciação.
glacial, *adj.* 2 *gén.* glacial; gelado.
glaciar, *s. m.* glaciar; geleira.
gladiador, *s. m.* gladiador.
gladíolo, *s. m.* gladíolo.
glande, *s. m.* glande.
glándula, *s. f.* glândula.
glandular, *adj.* 2 *gén.* glandular.
glasé, *s. m.* glacé; tafetá.
glasead|o, -a, *adj.* coberto com açúcar cristalizado.
glauc|o, -a, *adj.* glauco; verde-claro.
glaucoma, *s. m.* glaucoma.
gleba, *s. f.* gleba.
glicerina, *s. f.* glicerina.

glicina, *s. f.* glicínia.
global, *adj.* 2 *gén.* global; total.
globo, *s. m.* globo; esfera; bola.
globos|o, -a, *adj.* globoso.
globular, *adj.* 2 *gén.* globular.
globulina, *s. f.* globulina.
glóbulo, *s. m.* glóbulo.
gloria, *s. f.* glória; renome; esplendor; fama.
gloriar, *v.* 1. *tr.* glorificar. 2. *refl.* gloriar-se; jactar-se; comprazer-se.
glorieta, *s. f.* passeio público; praça pequena de jardim.
glorificación, *s. f.* glorificação.
glorificar, *v. tr.* glorificar.
gloriosamente, *adv.* gloriosamente.
glorios|o, -a, *adj.* glorioso; honroso.
glosa, *s. f.* glosa; comentário; interpretação.
glosar, *v. tr.* glosar; comentar; interpretar.
glosario, *s. m.* glossário.
glotis, *s. f.* glote.
glot|ón, -ona, *adj. e s.* glutão; comilão.
glotonear, *v. intr.* comer gulosamente.
glotonería, *s. f.* glutonaria.
glucemia, *s. f.* glicemia.
glúcido, *s. m.* glícido.
glucosa, *s. f.* glicose.
glúten, *s. m.* glúten.
glúte|o, -a, *adj. e s.* glúteo.
gneis, *s. m.* gneisse.
gnomo, *s. m.* gnomo.
gnosis, *s. f.* gnose.
gnosticismo, *s. m.* gnosticismo.
gnóstic|o, -a, *adj. e s.* gnóstico.
gobernación, *s. f.* governo; governação.
gobernador, -a, *s. m. e f.* governador.
gobernanta, *s. f.* governanta.
gobernante, *s.* 2 *gén.* governante.
gobernar, *v. tr.* governar; guiar; dirigir.
gobierno, *s. m.* governo.
gobio, *s. m.* ZOOL. gobião.
goce, *s. m.* gozo; utilidade; satisfação.
god|o,-a, I. *adj.* gótico, godo. **II.** s. **1.** *m. e f.* godo. **2.** *s. m.* gótico (estilo e idioma).
gol, *s. m.* DESP. golo.
gola, *s. f.* gola; colarinho; gorjal.
goleada, *s. f.* goleada.
goleador, -a, *s. m. e f.* goleador.
golear, *v. tr.* golear.
goleta, *s. f.* escuna; goleta.
golf, *s. m.* golfe.
golfa, *s. f.* (*fam.*) prostituta.
golfante, *adj.* 2 *gén.* baixo, vil, reles.
golfear, *v. intr.* vadiar; vagabundear.

grafía

golfería, s. f. patifaria; acto de vandalismo.
golfista, s. 2 gén. golfista.
golfo, -a, s. m. e f. vagabundo; vadio.
golfo, s. m. golfo.
golilla, s. f. golilha; cabeção.
gollete, s. m. gargalo.
golondrina, s. f. andorinha.
golondrino, s. m. cria de andorinha; furúnculo.
golosina, s. f. guloseima; gulosice.
golosinear, v. intr. gulosar.
goloso, -a, adj. e s. guloso.
golpe, s. m. golpe; pancada; choque; lance; crise.
golpear, v. tr. e intr. golpear; bater; espancar.
golpetear, v. tr. e intr. aplicar golpes continuados.
golpeteo, s. m. golpes continuados.
golpismo, s. m. golpismo.
golpista, s. 2 gén. golpista.
goma, s. f. goma; borracha; tumor sifilítico.
gomaespuma, s. f. espuma de borracha.
gomina, s. f. creme do cabelo.
gomoso, -a, I. adj. gomoso. II. s. m. janota.
gónada, s. f. gónada.
góndola, s. f. gôndola.
gondolero, s. m. gondoleiro.
gong, s. m. gongo; tantã.
gongo, s. m. gongo; tantã.
gongorino, -a, adj. e s. gongórico.
gongorismo, s. m. gongorismo.
gongorista, s. 2 gén. gongorista.
goniómetro, s. m. goniómetro.
gonococo, s. m. gonococo.
gonorrea, s. f. gonorreia.
gordiano, adj. górdio.
gordo, -a, adj. gordo.
gordura, s. f. gordura.
gorgojo, s. m. gorgulho.
gorgorito, s. m. garganteio.
gorgotear, v. intr. gorgolejar.
gorgoteo, s. m. gorgolejo.
gorguera, s. f. gorjeira.
gorigori, s. m. cantilena; cântico fúnebre.
gorjear, v. intr. gorjear; trinar; cantar.
gorjeo, s. m. gorjeio; trinado.
gorra, s. f. gorra; barrete; carapuça.
gorrear, v. intr. andar na pedinchice; pedinchar; cravar; parasitar.
gorrero, -a, s. m. e f. pedinchão; parasita.
gorrinada, s. f. golpe baixo; golpe sujo.

gorrino, -a, I. adj. sujo. II. s. m. e f. leitão; bácoro.
gorrión, s. m. gorrião; pardal dos telhados.
gorro, s. m. gorro; carapuça; barrete.
gorrón, -a, adj. e s. f. chupista; parasita.
gorronear, v. intr. ser pedinchão, cravar, parasitar.
gota, s. f. gota; pingo.
gotear, v. intr. gotejar.
goteo, s. m. gotejamento.
gotera, s. f. goteira.
gótico, -a, adj. gótico.
goyesco, -a, adj. goiesco, ao estilo de Goya.
gozada, s. f. gozo; maravilha.
gozar, v. tr. gozar; desfrutar; possuir.
gozne, s. m. gonzo; dobradiça.
gozo, s. m. gozo; alegria; júbilo; prazer.
gozoso, -a, adj. gozoso; alegre; contente.
grabación, s. f. gravação.
grabado, s. m. gravura.
grabador, -a, s. m. e f. gravador.
grabadora, s. f. gravador (de cassetes).
grabar, v. tr. gravar.
gracejar, v. intr. gracejar.
gracejo, s. m. gracejo; chiste; graça.
gracia, s. f. graça; atractivo; gracejo; perdão; indulto.
grácil, adj. 2 gén. grácil; subtil; delicado; fino.
gracilidad, s. f. gracilidade.
grácilmente, adv. gracilmente.
graciosidad, s. f. graciosidade.
gracioso, -a, adj. gracioso; engraçado; gratuito.
grada, s. f. degrau; pl. bancadas (de estádio).
gradación, s. f. gradação.
gradar, v. tr. gradar; esterroar.
grade, s. m. gradagem.
gradería, s. f. escadaria; degraus.
graderío, s. m. vd. **gradería**.
gradiente, s. m. gradiente.
grado, s. m. grau; vontade; gosto; grado.
graduable, adj. 2 gén. graduável.
graduación, s. f. graduação; classe, categoria.
graduado, -a, adj. graduado.
gradual, adj. 2 gén. gradual.
gradualmente, adv. gradualmente.
graduar, v. tr. graduar.
grafema, s. m. grafema.
grafía, s. f. grafia; ortografia.

gráfico, -a, *adj.* e *s. m.* gráfico.
grafismo, *s. m.* grafismo.
grafista, *s. 2 gén.* grafista.
grafito, *s. m.* grafite.
grafología, *s. f.* grafologia.
grafólogo, -a, *s. m.* e *f.* grafólogo.
gragea, *s. f.* grageia.
grajear, *v. intr.* grasnar; gralhar; crocitar.
grajilla, *s. f.* ZOOL. gralha.
grajo, -a, *s. m.* e *f.* gralha.
grama, *s. f.* BOT. grama; gramão.
gramática, *s. f.* gramática.
gramático, -a, *s. m.* e *f.* gramático.
gramíneo, -a, I. *adj.* gramíneo. **II.** *s. f.* gramínea.
gramo, *s. m.* grama.
gramófono, *s. m.* gramofone; fonógrafo.
gran, *adj.* grã; grão (apócope de grande).
grana, *s. f.* cochonilha (insecto); escarlate, carmesim; grão (semente).
granada, *s. f.* romã (fruto); MIL. granada.
granadero, *s. m.* granadeiro.
granado, *s. m.* romãzeira.
granar, *v. intr.* granar.
granate, *s. m.* granate, pedra fina.
grande, *adj. 2 gén.* grande; vasto; poderoso; notável.
grandeza, *s. f.* grandeza.
grandilocuencia, *s. f.* grandiloquência.
grandilocuente, *adj. 2 gén.* grandiloquente.
grandiosidad, *s. f.* grandiosidade.
grandioso, -a, *adj.* grandioso; notável; pomposo.
grandote, *adj. 2 gén.* grandote.
grandullón, -ona, *adj.* e *s.* grandalhão.
granel, *a granel, loc. adv.* a granel.
granero, *s. m.* celeiro; tulha.
granítico, -a, *adj.* granítico.
granito, *s. m.* granito; grânulo; rocha.
granívoro, -a, *adj.* granívoro.
granizada, *s. f.* granizada; saraivada.
granizar, *v. intr.* granizar; saraivar.
granizo, *s. m.* granizo; saraiva.
granja, *s. f.* granja; casal.
granjearse, *v. refl.* granjear; obter; adquirir.
granjero, -a, *s. m.* e *f.* rendeiro, agricultor.
grano, *s. m.* grão; semente; borbulha; espinha; furúnculo.
granoso, -a, *adj.* granuloso, granoso.
granuja, 1. *s. f.* grainha. **2.** *s. m.* malandro; pícaro; velhaco.

granujada, *s. f.* velhacaria.
granujería, *s. f.* velhacaria.
granulación, *s. f.* granulação.
granulado, -a, *adj.* granulado.
granular, I. *adj. 2 gén.* granulado, granular. **II.** *v. tr.* granular.
gránulo, *s. m.* granulo.
granuloso, -a, *adj.* granuloso.
grao, *s. m.* desembarcadouro (praia).
grapa, *s. f.* grampo; gancho; gato; prendedor.
grasa, *s. f.* gordura; pingue; banha; massa lubrificante.
grasiento, -a, *adj.* gordurento; gorduroso; ensebado.
graso, -a, *adj.* gordurento.
gratificación, *s. f.* gratificação; recompensa; gorjeta; espórtula.
gratificador, -a, *adj.* e *s.* gratificador.
gratificar, *v. tr.* gratificar; remunerar; recompensar.
gratis, *adv.* grátis.
gratitud, *s. f.* gratidão; reconhecimento.
grato, -a, *adj.* grato; agradecido; suave; agradável.
gratuidad, *s. f.* gratuitidade.
gratuitamente, *adv.* gratuitamente.
gratuito, -a, *adj.* gratuito.
grava, *s. f.* cascalho.
gravamen, *s. m.* gravame.
gravar, *v. tr.* oprimir; onerar; agravar.
grave, *adj. 2 gén.* grave; ponderoso; sério; perigoso; GRAM. paroxítono.
gravedad, *s. f.* gravidade.
gravemente, *adv.* gravemente.
grávida, *adj.* e *s. f.* grávida.
gravidez, *s. f.* gravidez; prenhez.
grávido, -a, *adj.* cheio.
gravilla, *s. f.* gravilha.
gravitación, *s. f.* gravitação.
gravitacional, *adj. 2 gén.* gravitacional.
gravitar, *v. intr.* gravitar.
gravitatorio, -a, *adj.* gravitatório.
gravoso, -a, *adj.* gravoso; oneroso.
graznar, *v. intr.* grasnar; palrar; crocitar.
graznido, *s. m.* grasnido; grasnada.
greba, *s. f.* greves.
greca, *s. f.* obra de talha.
grecolatino, -a, *adj.* greco-latino.
grecorromano, -a, *adj.* greco-romano.
greda, *s. f.* greda, argila.
gregario, -a, *adj.* gregário.

gregorian|o, -a, *adj.* gregoriano.
greguería, *s. f.* algazarra; algaravia.
grelo, *s. m.* grelo.
gremial, **I.** *adj.* 2 *gén.* gremial; agremiado.
II. *s. m.* agremiado.
gremio, *s. m.* grémio; corporação.
greña, *s. f.* grenha.
greñud|o, -a, *adj.* desgrenhado.
gres, *s. m.* grés.
gresca, *s. f.* barulho, algazarra.
grey, *s. f.* grei; rebanho; raça; povo.
grieg|o, -a, *adj. e s.* grego, da Grécia.
grieta, *s. f.* greta; fenda; racha.
grifa, *s. f.* marijuana.
grif|o, *s. m.* torneira, passador; grifo (animal).
grill, *s. m.* grelha; *al grill*, na grelha.
grilla, *s. f.* grila, fêmea do grilo.
grillete, *s. m.* grilheta.
grillo, *s. m.* grilo; *pl.* grilhões.
grima, *s. f.* desgosto; inquietação; horror.
gringo, -a, *adj. e s.* estrangeiro.
gripal, *adj.* 2 *gén.* gripal.
gripe, *s. f.* gripe; influenza.
gris, *adj. e s. m.* cinzento; gris.
grisáce|o, -a, *adj.* acinzentado; grisalho.
grisú, *s. m.* grisu.
gritar, *v. intr. e tr.* gritar.
griterío, *s. m.* gritaria; griteiro; algazarra; vozearia.
grito, *s. m.* grito; brado; clamor.
groenland|és, -esa, *adj. e s.* gronelandês, da Gronelândia.
grog, *s. m.* grogue, ponche.
grogui, *adj.* grogue, estonteado (no boxe).
grosella, *s. f.* groselha.
grosellero, *s. m.* groselheira.
grosería, *s. f.* grosseria.
groser|o, -a, *adj. e s.* grosseiro; malcriado; bruto.
grosor, *s. m.* grossura; corpulência; espessura.
grosura, *s. f.* gordura; sebo.
grotesc|o, -a, *adj.* grotesco; ridículo; caricato; exótico.
grúa, *s. f.* grua; guindaste.
gruesa, *s. f.* grosa (doze dúzias).
grues|o, -a, **I.** *adj.* grosso, corpulento. **II.** *s. m.* grossura; a parte mais importante.
grulla, *s. f.* grou (ave).
grull|o, -a, *adj.* pedinchão.
grumete, *s. m.* grumete.

grumo, *s. m.* coágulo; grumo.
grumos|o, -a, *adj.* grumoso.
gruñido, *s. m.* grunhido.
gruñir, *v. intr.* grunhir; rosnar; resmungar.
gruñ|ón, -ona, *adj.* resmungão.
grupa, *s. f.* garupa.
grupo, *s. m.* grupo; reunião.
gruta, *s. f.* gruta; caverna.
gua, *s. f.* berlinde.
guacamayo, *s. m.* arara.
guache, *s. m.* guache.
guadamecí, *s. m.* guadamecim.
guadaña, *s. f.* gadanha; gadanho; foice.
guadañar, *v. tr.* gadanhar; segar; ceifar.
guagua, *s. f.* autocarro.
guald|o, -a, *adj.* amarelo-dourado.
gualdrapa, *s. f.* gualdrapa; xairel.
guanaco, *s. m.* ZOOL. guanaco.
guano, *s. m.* guano.
guantada, *s. f.* bofetada.
guantazo, *s. m.* bofetada.
guante, *s. m.* luva.
guantelete, *s. m.* guante, manopla.
guantera, *s. f.* luveira.
guaperas, *adj.* 2 *gén.* elegante, bem-parecido, bem-apessoado, belo.
guapet|ón, -ona, *adj.* elegante, bem-apessoado, bem-parecido, belo.
guap|o, -a, *adj.* guapo; elegante; esbelto; valente.
guapot|e, -a, *adj.* bonachão, bonacheirão.
guapura, *s. f.* elegância; beleza.
guaraní, **1.** *adj. e s.* 2 *gén.* guarani. **2.** *s. m.* guarani (idioma).
guarda, *s.* 2 *gén.* guarda; vigilante.
guardabarrera, *s.* 2 *gén.* guarda-barreira.
guardabarros, *s. m.* guarda-lamas.
guardabosque, *s. m.* guarda-florestal; couteiro.
guardabosques, *s. m.* vd. **guardabosque**.
guardacoche, *s.* 2 *gén.* arrumador de carros.
guardacostas, *s. m.* guarda-costas, navio da guarda costeira.
guardaespaldas, *s.* 2 *gén.* guarda-costas.
guardafrenos, *s. m.* guarda-freio.
guardagujas, *s.* 2 *gén.* agulheiro.
guardameta, *s.* 2 *gén.* guarda-redes.
guardamuebles, *s. m.* guarda-móveis (armazém).

guardapelo, s. m. medalhão (ao pescoço).

guardapolvo, s. m. guarda-pó.

guardar, v. tr. guardar; custodiar, acautelar; reservar; conservar.

guardarropa, s. m. guarda-fato; guarda--roupa.

guardavía, s. m. guarda-linha.

guardería, s. f. coche, infantário.

guardia, s. 1. f. guarda; defesa; custódia. 2. m. guarda.

guardián, -ana, s. m. e f. guardião; guardiã.

guardilla, s. f. águas-furtadas.

guarecer, v. tr. guarecer; amparar; acolher.

guarida, s. f. guarida; abrigo; refúgio.

guarismo, s. m. algarismo.

guarnecer, v. tr. guarnecer.

guarnición, s. f. guarnição.

guarnicionería, s. f. correaria; selaria.

guarnicionero, s. m. correeiro; seleiro.

guarrada, s. f. patifaria; borrada; sujeira.

guarrear, v. tr. sujar.

guarreria, s. f. vd. **guarrada**.

guarro, -a, 1. adj. e s. porco, sujo; patife, velhaco. 2. s. m. e f. porco, suíno.

guasa, s. f. insipidez; sensaboria; chalaça; zombaria.

guasearse, v. refl. rir-se, escarnecer, fazer chacota.

guasón, -ona, adj. e s. insípido, sensaborão; chalaceador; caçoador.

guata, s. f. chumaço.

guatear, v. tr. enchumaçar, acolchoar.

guatemalteco, -a, adj. e s. guatemalteco, guatemalense, da Guatemala.

guateque, s. m. festa (em casa); reunião festiva.

guay, I. adj. (fam.) estupendo, formidável. II. adv. muito bem.

guayaba, s. f. goiaba; goiabada.

guayabo, s. m. goiabeira.

gubernamental, adj. 2 gén. governamental.

gubernativo, -a, adj. governativo.

gubia, s. f. goiva (formão).

guedeja, s. f. guedelha; melena.

guepardo, s. m. ZOOL. chita (espécie de leopardo).

guerra, s. f. guerra.

guerreador, -a, adj. e s. guerreador.

guerrear, v. intr. guerrear; fazer guerra.

guerrera, s. f. MIL. blusão.

guerrero, -a, adj. guerreiro.

guerrilla, s. f. guerrilha.

guerrillero, -a, s. m. e f. guerrilheiro.

gueto, s. m. gueto.

guia, s. 2 gén. guia.

guiar, v. tr. guiar; conduzir; ensinar; dirigir.

guija, s. f. seixo; calhau pequeno.

guijarral, s. m. seixal; pedregal.

guijarro, s. m. calhau; rebo; pedra.

guijo, s. m. cascalho.

guillarse, v. refl. fugir; endoidecer.

guillotina, s. f. guilhotina.

guillotinar, v. tr. guilhotinar.

guinda, s. f. ginja (fruto).

guindaleza, s. f. guindalete, guindareza.

guindar, v. tr. guindar; içar; levantar.

guindilla, s. f. malagueta.

guindo, s. m. ginjeira.

guiñapo, s. m. farrapo; andrajo.

guiñar, v. intr. piscar os olhos; NÁUT. guinar (o navio).

guiño, s. m. piscadela.

guiñol, s. m. teatro de fantoches, guinhol.

guión, s. m. guião, pendão; estandarte; apontamentos; hífen, travessão.

guionista, s. 2 gén. guionista.

guipar, v. tr. (fam.) ver, avistar; aperceber-se de.

guirigay, s. m. algaraviada; gritaria, berreiro.

guirlache, s. m. guirlache, doce de amêndoas e caramelo.

guirnalda, s. f. grinalda.

guisa, s. f. guisa; modo; forma; maneira.

guisado, -a, s. m. guisado; refogado.

guisante, s. m. ervilha.

guisar, v. tr. guisar.

guiso, s. m. guisado; refogado.

güisqui, s. m. uísque.

guita, s. f. guita; cordel; barbante; guita, dinheiro.

guitarra, s. f. viola; violão.

guitarrero, -ra, s. m. e f. guitarreiro, violeiro.

guitarrista, s. 2 gén. guitarrista.

gula, s. f. gula; glutonaria.

gulusmear, v. intr. gulosar.

gumía, s. f. agomia (arma mourisca).

gurú, s. m. guru.

gusanillo, s. m. vermezinho; espiral de encadernação; curiosidade; (fig.) bichinho.

gusano, s. m. verme; gusano; tavão.

gusarap|o, -a, *s. m.* e *f.* verme; bicho; gusano.

gustar, *v. tr.* e *intr.* gostar; desejar.

gustativ|o, -a, *adj.* gustativo.

gustazo, *s. m.* grande gosto; grande prazer.

gustillo, *s. m.* sabor, travo.

gusto, *s. m.* gosto; sabor; paladar; prazer.

gustosamente, *adv.* gostosamente.

gustos|o, -a, *adj.* gostoso; saboroso; agradável.

gutapercha, *s. f.* guta-percha.

gutural, *adj.* 2 *gén.* gutural.

guyan|és, -esa, *adj.* e *s.* guianense, guianês.

H

h, *s. f.* h, oitava letra do alfabeto espanhol.
haba, *s. f.* fava; empola (bolha).
habanera, *s. f.* habanera (dança e música)
habanero, -a, *adj.* e *s.* havanês, de Havana.
habano, -a, I. *adj.* havana; havanês. **II.** *s m.* havana (charuto).
habar, *s. m.* faval.
haber, *v. tr.* haver; ter; possuir.
haberes, *s. m. pl.* haveres; bens; fazenda.
habichuela, *s. f.* feijão.
hábil, *adj. 2 gén.* hábil; apto; destro.
habilidad, *s. f.* habilidade; capacidade.
habilidoso, -a, *adj.* habilidoso.
habilitación, *s. f.* habilitação.
habilitado, -a, I. *adj.* habilitado. **II.** *s. m e f.* pagador, tesoureiro.
habilitar, *v. tr.* habilitar; autorizar.
hábilmente, *adv.* habilmente.
habitable, *adj. 2 gén.* habitável.
habitación, *s. f.* habitação; residência aposento.
habitante, *adj.* e *s.* habitante; povoador morador.
habitar, *v. tr.* e *intr.* habitar; morar; residir
hábitat, *s. m.* habitat.
hábito, *s. m.* hábito; costume; insígnia vestuário.
habituación, *s. f.* hábito; uso; costume.
habituado, -a, *adj.* habituado, acostumado.
habitual, *adj. 2 gén.* habitual; usual; frequente.
habitualmente, *adv.* habitualmente.
habituar, *v. tr.* habituar; avezar; acostumar.
habla, *s. f.* fala; língua; voz; palavra; discurso.
hablado, -a, *adj.* falado, oral.
hablador, -a, *adj.* e *s.* falador.
habladurías, *s. f. pl.* tagarelice; falatório.
hablante, I. *adj. 2 gén.* falante. **II.** *s. 2 gén* a pessoa que fala, emissor.
hablar, *v. intr.* falar; dizer; discursar; proferir.
hablilla, *s. f.* mentira; balela; boato.
habón, *s. m.* inchaço, hematoma.

hacedero, -a, *adj. 2 gén.* factível; praticável.
hacedor, -a, 1. *adj.* e *s.* fazedor. **2.** *s. m.* feitor.
hacendado, -a, I. *adj.* com terras. **II.** *s. m.* e *f.* grande proprietário de terras.
hacendoso, -a, *adj.* laborioso; activo.
hacer, *v. tr.* fazer; criar; produzir; realizar; construir; fabricar; executar.
hacha, *s. f.* acha; machado; tocha; archote; brandão.
hachazo, *s. m.* machadada.
hachear, *v. tr.* e *intr.* machadar; cortar com machado.
hachís, *s. m.* haxixe.
hacia, *prep.* em direcção a; para; perto de.
hacienda, *s. f.* fazenda; herdade; capital; bens.
hacinamiento, *s. m.* amontoamento; empilhamento.
hacinar, *v. tr.* amontoar; empilhar.
hada, *s. f.* fada.
hadar, *v. tr.* fadar; vaticinar; predestinar.
hado, *s. m.* fado; destino; sorte; futuro.
hagiografía, *s. f.* hagiografia.
hagiógrafo, -a, *s. m.* e *f.* hagiógrafo.
haitiano, -a, *adj.* e *s.* haitiano, do Haiti.
hala!, *interj.* ala!, vamos!, fora!, embora!, rua!
halagador, -a, *adj.* adulador.
halagar, *v. tr.* afagar; acariciar; adular.
halago, *s. m.* afago; carícia; meiguice; adulação.
halagüeño, -a, *adj.* fagueiro; animador; acariciador; adulador.
halar, *v. tr.* NÁUT. alar; içar.
halcón, *s. m.* falcão (ave).
halconería, *s. f.* falcoaria.
halconero, -a, *s. m.* e *f.* falcoeiro.
halda, *s. f. vd.* falda.
haleche, *s. m.* biqueirão; enchova, anchova.
hálito, *s. m.* hálito; bafo; alento; fôlego.
halitosis, *s. f.* mau hálito.
hallado, -a, *adj.* achado.
hallar, *v. tr.* achar; encontrar; inventar; descobrir; supor.

hallazgo, s. m. achado.

halo, s. m. halo; auréola.

halógen|o, -a, I. adj. halógeno, halogéneo. **II.** s. m. QUÍM. halogéneo.

haloide|o, -a, adj. halóide.

haltera, s. f. haltere.

halterofilia, s. f. halterofilia.

hamaca, s. f. rede de balouço; cadeira de bordo.

hambre, s. f. fome; apetite.

hambrient|o, -a, adj. e. s. esfomeado; faminto; famélico.

hamburgu|és, -esa, adj. e s. hamburguês, de Hamburgo.

hamburguesa, s. f. hamburguer.

hamo, s. m. anzol de pescador.

hampa, s. f. submundo; marginalidade.

hampón, adj. e. s. vadio, marginal.

hámster, s. m. hámster, criceto.

hangar, s. m. hangar.

haragán, -ana, adj. e. s. mandrião; ocioso.

haraganear, v. intr. mandriar; preguiçar.

harakiri, s. m. haraquiri.

harapient|o, -a, adj. andrajoso; esfarrapado.

harapo, s. m. farrapo; andrajo.

haraquiri, s. m. haraquiri.

harem, s. m. harém.

harén, s. m. harém.

harina, s. m. farinha.

harinos|o, -a, adj. farinhento, farináceo.

harnero, s. m. crivo; peneira.

hartazgo, s. m. saciedade; fartadela.

hart|o, -a, adj. farto; saciado.

hartura, s. f. fartura; abundância.

hasta, prep. até.

hastiad|o, -a, adj. enfastiado; aborrecido.

hastiar, v. tr. enfastiar; aborrecer; enjoar.

hastío, s. m. fastio; aversão; tédio; desgosto.

hatajo, s. m. rebanho pequeno; bando; chorrilho; chuveiro; conjunto.

hatillo, s. m. pequena trouxa de roupa.

hato, s. m. fato (traje); fato (rebanho).

haxix, s. m. haxixe.

haya, s. f. faia (álamo).

hayal, s. m. faial.

hayedo, s. m. faial.

hayo, s. m. coca.

hayuco, s. m. fruto da faia.

haz, s. **1.** m. feixe, molho de varas. **2.** f. face; cara; rosto.

haza, s. f. terra arável.

hazaña, s. f. façanha; proeza.

hazmerreír, s. m. bobo; tolo; ridículo.

he, adv. eis; ei-lo.

hebdomadari|o, -a, adj. hebdomadário; semanal, semanário.

hebijón, s. m. fuzilhão.

hebilla, s. f. fivela.

hebra, s. f. linha; fio; fibra; febra.

hebraic|o, -a, adj. e s. hebraico; hebreu.

hebraísmo, s. m. hebraísmo.

hebraísta, s. 2 gén. hebraísta.

hebre|o, -a, adj. e s. hebreu; hebraico.

hecatombe, s. f. hecatombe.

hechicería, s. f. feitiçaria; bruxaria; bruxedo.

hechicer|o, -a, adj. e s. feiticeiro; bruxo; encantador.

hechizar, v. tr. enfeitiçar; encantar; seduzir.

hechizo, s. m. feitiço; bruxedo; sortilégio; encanto; fascinação.

hech|o, -a, I. adj. feito; maduro; perfeito. **II.** s. m. feito; acção; obra; facto; sucesso.

hechura, s. f. feitura; execução; feitio.

hectárea, s. f. hectare.

hectogramo, s. m. hectograma.

hectolitro, s. m. hectolitro.

hectómetro, s. m. hectómetro.

hectovatio, s. m. hectowatt, hectovátio.

hedentina, s. f. fedor; fedentina.

heder, v. intr. feder.

hediondez, s. f. hediondez; fedor.

hediond|o, -a, adj. hediondo; fedorento; imundo; nojento.

hedonismo, s. m. hedonismo.

hedonista, adj. e s. 2 gén. hedonista.

hedor, s. m. fedor.

hegemonía, s. f. hegemonia.

hégira, s. f. Hégira.

helada, s. f. geada.

heladera, s. f. geladeira, frigorífico.

heladería, s. f. geladaria.

helader|o, -a, s. m. sorveteiro.

helad|o, -a, s. e f. gelado, sorvete.

helador, -a, I. adj. gelador. **II.** s. f. sorveteira.

helar, v. tr., intr. e refl. gelar; congelar; assombrar; pasmar.

helechal, s. m. fetal.

helecho, s. m. BOT. feto.

helénic|o, -a, adj. helénico.

helenismo, s. m. helenismo.

helenista, *adj. e s. 2 gén.* helenista.
helenístico, -a, *adj.* helenístico.
helenizar, *v. tr.* helenizar.
heleno, -a, *adj. e s.* heleno; grego.
helíaco, -a, *adj.* helíaco.
hélice, *s. f.* hélice; hélix.
helicoidal, *adj. 2 gén.* helicoidal.
helicóptero, *s. m.* helicóptero.
helio, *s. m.* hélio.
heliocéntrico, -a, *adj.* heliocêntrico.
heliografía, *s. f.* heliografia.
heliógrafo, *s. m.* heliógrafo.
heliotropismo, *s. m.* heliotropismo.
helipuerto, *s. m.* heliporto.
helitransportado, -a, *adj.* helitransportado.
helminto, *s. m.* helminto.
helvético, -a, *adj.* helvético.
hematíe, *s. m.* hemácia.
hematites, *s. f.* hematite.
hematología, *s. f.* hematologia.
hematólogo, -a, *s. m. e f.* hematologista.
hematoma, *s. m.* hematoma.
hematosis, *s. f.* hematose.
hembra, *s. f.* fêmea.
hemeroteca, *s. f.* hemeroteca.
hemiciclo, *s. m.* hemiciclo; semicírculo.
hemiplejía, *s. f.* hemiplegia.
hemipléjico, -a, *adj.* hemiplégico.
hemíptero, *a**, *adj.* hemíptero.
hemisférico, -a, *adj.* hemisférico.
hemisferio, *s. m.* hemisfério.
hemistiquio, *s. m.* hemistíquio.
hemodiálisis, *s. f.* hemodiálise.
hemofilia, *s. f.* hemofilia.
hemoglobina, *s. f.* hemoglobina.
hemorragia, *s. f.* hemorragia.
hemorroide, *s. f.* hemorróide.
hemostático, -a, *adj. e s. m.* hemostático.
henar, *s. m.* lugar semeado de feno.
henchidura, *s. f.* enchimento; enchente.
henchir, *v. tr.* encher; preencher.
hendedura, *s. f.* vd. **hendidura**.
hender, *v. tr.* fender; rachar; grelar; sulcar.
hendidura, *s. f.* fenda; greta; racha; rachadela.
henificar, *v. tr.* forragear.
henil, *s. m.* palheiro; silo de feno.
heno, *s. m.* feno.
hepático, -a, *adj.* hepático.
hepatitis, *s. f.* hepatite.

hepatología, *s. f.* hepatologia.
heptaedro, *s. m.* heptaedro.
heptagonal, *adj. 2 gén.* heptagonal.
heptágono, -a, *adj.* heptágono.
heptarquía, *s. f.* heptarquia.
heptasílabo, -a, *adj. e s.* heptassílabo.
heráldica, *s. f.* heráldica.
heráldico, -a, *adj.* heráldico.
heraldo, *s. m.* arauto.
herbáceo, -a, *adj.* herbáceo.
herbaje, *s. m.* ervagem; erva; relva.
herbario, *s. m.* herbário.
herbicida, *s. m.* herbicida.
herbívoro, -a, *adj. e s.* herbívoro.
herbolario, -a, *s. m .* herbolário; ervanário.
herborizar, *v. intr.* herborizar.
hercúleo, -a, *adj.* hercúleo.
heredad, *s. f.* herdade; quinta; herança.
heredar, *v. tr.* herdar.
heredero, -a, *adj. e s.* herdeiro.
hereditario, -a, *adj.* hereditário.
hereje, *s. 2 gén.* herege.
herejía, *s. f.* heresia.
herencia, *s. f.* herança.
heresiarca, *s. m.* heresiarca.
herético, -a, *adj.* herético.
herida, *s. f.* ferida; golpe; chaga; úlcera.
herido, -a, *adj. e s.* ferido.
herir, *v. tr.* ferir.
hermafrodita, *adj. e s.* hermafrodita.
hermanable, *adj. 2 gén.* compatível.
hermanado, -a, *adj.* irmanado; igualado; igual; uniforme.
hermanar, *v. tr.* irmanar; igualar; uniformizar.
hermanastro, -a, *s. m. e f.* meio-irmão.
hermandad, *s. f.* irmandade; confraria.
hermano, -a, *s. m. e f.* irmão; irmã.
hermenéutica, *s. f.* hermenêutica.
herméticamente, *adv.* hermeticamente.
hermético, -a, *adj.* hermético.
hermetismo, *s. m.* hermetismo.
hermosear, *v. tr.* aformosear; embelezar.
hermoso, -a, *adj.* formoso; belo; perfeito.
hermosura, *s. f.* formosura; beleza.
hernia, *s. f.* hérnia.
herniado, -a, *adj.* herniado.
herniarse, *v. refl.* contrair hérnia.
héroe, *s. m.* herói.
heroicamente, *adv.* heroicamente.

heroicidad, s. f. heroicidade.
heroico, -a, adj. heróico.
heroína, s. f. heroína.
heroinómano, -a, s. m. e f. heroinómano.
heroísmo, s. m. heroísmo.
herpes, s. m. herpes.
herpético, -a, adj. e s. m. e f. herpético.
herrada, s. f. selha, balde de madeira.
herradero, s. m. ferra.
herrador, s. m. ferrador.
herradura, s. f. ferradura.
herraje, s. m. ferragem.
herramienta, s. f. ferramenta.
herrar, v. tr. ferrar.
herrería, s. f. ferraria; forja.
herrero, s. m. ferreiro.
herrete, s. m. agulheta.
herrín, s. m. ferrugem.
herrumbrar, v. tr. enferrujar; oxidar.
herrumbre, s. f. ferrugem.
herrumbroso, -a, adj. ferrugento; enferrujado.
hertziano, -a, adj. hertziano.
hervidero, s. m. fervedoiro, fervedouro;
fervura; fervor.
hervir, v. intr. ferver; (fig.) exaltar-se.
hervor, s. m. fervor; fervura; ardor; viveza;
zelo.
hetera, s. f. hetera, prostituta.
heteróclito, -a, adj. heteróclito; estranho; excêntrico.
heterodoxia, s. f. heterodoxia.
heterodoxo, -a, adj. heterodoxo.
heterogamia, s. f. heterogamia.
heterogeneidad, s. f. heterogeneidade.
heterogéneo, -a, adj. heterogéneo.
heterónimo, -a, adj. e s. m. heterónimo.
heteronomia, s. f. heteronomia.
heterosexual, adj. 2 gén. heterossexual.
heterosexualidad, s. f. heterossexualidade.
heurística, s. f. heurística.
heurístico, -a, adj. heurístico.
hexaedro, s. m. hexaedro.
hexagonal, adj. 2 gén. hexagonal.
hexágono, s. m. hexágono.
hexámetro, s. m. hexâmetro.
hez, s. f. fezes; sedimento; pé, borra; lia.
hialino, -a, adj. hialino; hialóide.
hiato, s. m. hiato.
hibernación, s. f. hibernação.
hibernar, v. tr. hibernar.

hibisco, s. m. hibisco.
hibridismo, s. m. hibridismo.
híbrido, -a, adj. híbrido.
hidalgo, -a, s. m. e f. fidalgo, fidalga.
hidalguía, s. f. fidalguia.
hidra, s. f. hidra.
hidrácido, s. m. hidrácido.
hidratación, s. f. hidratação.
hidratante, adj. 2 gén. hidratante.
hidratar, v. tr. hidratar.
hidrato, s. m. hidrato.
hidráulica, s. f. hidráulica.
hidráulico, -a, adj. hidráulico.
hídrico, -a, adj. hídrico.
hidroavión, s. m. hidravião, hidroavião.
hidrocarburo, s. m. hidrocarboneto.
hidrocefalia, s. f. hidrocefalia; hidropisia
cerebral.
hidrodinámica, s. f. hidrodinâmica.
hidrodinámico, -a, adj. hidrodinâmico.
hidroeléctrico, -a, adj. hidreléctrico,
hidroeléctrico.
hidrófilo, -a, adj. hidrófilo.
hidrofobia, s. f. hidrofobia.
hidrófobo, -a, adj. e s. hidrófobo.
hidrófugo, -a, adj. hidrófugo.
hidrogenar, v. tr. hidrogenar.
hidrógeno, s. m. hidrogénio.
hidrografía, s. f. hidrografia.
hidrográfico, -a, adj. hidrográfico.
hidrólisis, s. f. hidrólise.
hidrolizar, v. tr. hidrolisar.
hidrología, s. f. hidrologia.
hidrometría, s. f. hidrometria.
hidropesía, s. f. hidropisia.
hidrópico, -a, adj. hidrópico.
hidroplano, s. m. hidroplano; hidravião,
hidroavião.
hidrosfera, s. f. hidrosfera.
hidrosoluble, adj. 2 gén. hidrossolúvel.
hidrostática, s. f. hidrostática.
hidrostático, -a, adj. hidrostático.
hidroterapia, s. f. hidroterapia.
hidróxido, s. m. hidróxido.
hiedra, s. f. BOT. hera. ,
hiel, s. f. fel; bile, bílis; pesar; azedume.
hielo, s. m. gelo; frieza.
hiena, s. f. hiena.
hierático, -a, adj. hierático.
hierba, s. f. erva.
hierbabuena, s. f. hortelã-pimenta.
hierbajo, s. m. erva daninha.
hierro, s. m. ferro.

higa, s. f. figa; amuleto.
hígado, s. m. fígado.
higiene, s. f. higiene; limpeza; asseio.
higiénico, -a, adj. higiénico.
higienista, adj. e s. 2 gén. higienista.
higienizar, v. tr. higienizar.
higo, s. m. figo.
higrometría, s. f. higrometria.
higroscopio, s. m. higroscópio.
higuera, s. f. figueira.
hijastro, -a, s. m. e f. enteado, enteada.
hijo, -a, s. m. e f. filho, filha.
hijuelo, s. m. gomo, rebento, vergôntea.
hila, s. f. fileira; alinhamento; fila.
hilacha, s. f. fiapo.
hilacho, s. m. fiapo.
hilado, -a, s. m. fiado.
hilandería, s. f. fiação; arte de fiar.
hilandero, -a, s. m. e f. fiandeiro; fiadeiro.
hilar, v. tr. fiar.
hilariante, adj. 2 gén. hilariante.
hilaridad, s. f. hilaridade; alegria.
hilatura, s. f. fiação; fiadura.
hilaza, s. f. filaça, fio grosso.
hilera, s. f. fileira; fila; fieira.
hilo, s. m. fio.
hilván, s. m. alinhavo.
hilvanar, v. tr. alinhavar; (fig.) atabalhoar.
himen, s. m. hímen.
himeneo, s. m. himeneu.
himenóptero, -a, adj. himenóptero.
himno, s. m. hino.
hincapié, s. m. finca-pé; porfia.
hincar, v. tr. fincar; apoiar; cravar; firmar.
hincha, s. f. ódio, inimizade, rancor.
hinchado, -a, adj. inchado; presumido; empolado; enfatuado.
hinchar, v. tr. inchar; inflar; exagerar; envaidecer-se.
hinchazón, s. f. inchação; inchaço; presunção.
hindi, s. m. hindi.
hindú, adj. e s. 2 gén. hindu.
hinduismo, s. m. hinduísmo.
hiniesta, s. f. giesta.
hinojal, s. m. funchal.
hinojo, s. m. joelho; BOT. funcho, erva-doce; *de hinojos,* de joelhos;
hintero, s. m. masseira.
hioides, adj. e s. m. ANAT. hióide.
hipar, v. intr. soluçar; impar; arquejar.
hipérbaton, s. m. hipérbato, hipérbaton.
hipérbola, s. f. hipérbole.

hiperbóreo, -a, adj. hiperbóreo.
hipercrítico, -a, adj. hipercrítico.
hiperespacio, s. m. hiperespaço.
hiperglucemia, s. f. hiperglicemia.
hipermercado, s. m. hipermercado.
hipermetropía, s. f. hipermetropia.
hipersensible, adj. 2 gén. hipersensível.
hipertensión, s. f. hipertensão.
hipertenso, -a, adj. hipertenso.
hipertrofia, s. f. hipertrofia, hiperplasia.
hípica, s. f. hipismo.
hípico, -a, adj. hípico.
hipnosis, s. f. hipnose.
hipnótico, -a, adj. e s. hipnótico.
hipnotismo, s. m. hipnotismo.
hipnotizador, -a, I. adj. hipnotizador. II. s. m. e f. hipnotizador, hipnotista.
hipnotizar, v. tr. hipnotizar.
hipo, s. m. soluço; *quitar el hipo,* curar os soluços; (fig.) cortar a respiração.
hipocampo, s. m. hipocampo; cavalo-marinho.
hipocentro, s. m. hipocentro; cavalo-marinho.
hipocondría, s. f. hipocondria; melancolia.
hipocondrio, s. m. hipocôndrio.
hipocresía, s. f. hipocrisia.
hipócrita, adj. e s. 2 gén. hipócrita.
hipodermis, s. f. hipoderme.
hipódromo, s. m. hipódromo.
hipófisis, s. f. hipófise.
hipogeo, s. m. hipogeu.
hipomóvil, adj. 2 gén. hipomóvel.
hipónimo, s. m. hipónimo.
hipopótamo, s. m. hipopótamo.
hipoteca, s. f. hipoteca.
hipotecar, v. tr. hipotecar.
hipotecario, -a, adj. hipotecário.
hipotensión, s. f. hipotensão.
hipotenusa, s. f. hipotenusa.
hipótesis, s. f. hipótese.
hipotético, -a, adj. hipotético.
hirsuto, -a, adj. hirsuto.
hirviente, adj. 2 gén. fervente; ardente.
hisopo, s. m. hissope.
hispánico, -a, adj. hispânico; espanhol.
hispanidad, s. f. hispanidade.
hispanismo, s. m. hispanismo.
hispano, -a, adj. hispano.
hispanoamericano, -a, adj. hispano-americano.
hispanófono, -a, adj. e s. vd. **hispanohablante**.

hispanohablante, *adj.* e *s.* 2 *gén.* (pessoa) de língua espanhola.

histeria, *s. f.* vd. **histerismo.**

histérico, -a, *adj.* e *s.* histérico.

histerismo, *s. m.* histerismo.

histología, *s. f.* histologia.

historia, *s. f.* história; conto; patranha; fábula

historiador, -a, *s. m.* e *f.* historiador.

historial, *s. m.* historial; MED. história clínica; currículo; antecedente.

historiar, *v. tr.* historiar; expor.

histórico, -a, *adj.* histórico; certo.

historieta, *s. f.* historieta.

historiografía, *s. f.* historiografia.

historiógrafo, -a, *s. m.* e *f.* historiógrafo, historiador.

histrión, *s. m.* histrião; palhaço; farsista.

histriónico, -a, *adj.* histriónico.

hito, *s. m.* marco; alvo; mira; fito.

hocicada, *s. f.* focinhada.

hocicar, *v. tr.* e *intr.* foçar, afocinhar.

hocico, *s. m.* focinho.

hocicón, -ona *adj.* focinhudo; trombudo.

hocicudo, -a, *adj.* vd. **hocicón.**

hodómetro, *s. m.* hodómetro.

hogaño, *adv.* este ano; neste ano; nesta época.

hogar, *s. m.* lar; lareira.

hogareño, -a, *adj.* caseiro.

hogaza, *s. f.* fogaça.

hoguera, *s. f.* fogueira; labareda.

hoja, *s. f.* folha; lâmina; página; batente (porta ou janela).

hojalata, *s. f.* folheta, lata; folha-de-flandres.

hojalatería, *s. f.* latoaria.

hojalatero, *s. m.* latoeiro; funileiro.

hojaldre, *s. m.* folhado, massa folhada.

hojarasca, *s. f.* folhada; folhedo; folhagem; folhame.

hojear, *v. tr.* folhear.

hojoso, -a, *adj.* folhoso; frondoso; folhado.

¡hola!, *interj.* olá !

holandés, -esa, I. *adj.* e *s.* holandês, da Holanda. **II.** *s. f.* folha de papel de formato A4.

holgadamente, *adv.* folgadamente; confortavelmente.

holgado, -a, *adj.* folgado; largo; amplo; desafogado; confortável.

holganza, *s. f.* folgança; folguedo; diversão; descanso.

holgar, *v. intr.* folgar; descansar; divertir-se.

holgazán, -ana, *adj.* e *s.* mandrião; vadio; ocioso.

holgazanear, *v. tr.* mandriar; preguiçar; vadiar.

holgura, *s. f.* folguedo; folgança; folga; largura; largueza.

hollar, *v. tr.* pisar; calcar; humilhar.

hollejo, *s. m.* pele, casca (de frutas e legumes).

hollín, *s. m.* fuligem.

holocausto, *s. m.* holocausto.

holmio, *s. m.* hólmio.

holograma, *s. m.* holograma.

hombre, *s. m.* homem.

hombrear, *v. intr.* hombrear.

hombrera, *s. f.* ombreira; platinas.

hombría, *s. f.* honradez; hombridade.

hombro, *s. m.* ombro; espádua.

hombruno, -a, *adj.* masculino, homado.

homenaje, *s. m.* homenagem; preito.

homenajear, *v. tr.* homenagear.

homeópata, *adj.* e *s. gén.* homeopata.

homeopatía, *s. f.* homeopatia.

homicida, *adj.* e *s.* 2 *gén.* homicida.

homicidio, *s. m.* homicídio.

homilía, *s. f.* homilia, homília.

homófono, -a, *adj.* homófono.

homogeneidad, *s. f.* homogeneidade.

homogeneizar, *v. tr.* homogeneizar.

homogéneo, -a, *adj.* homogéneo.

homógrafo, -a, *adj.* homógrafo.

homologación, *s. f.* homologação.

homologar, *v. tr.* homologar.

homólogo, -a, *adj.* homólogo.

homónimo, -a, *adj.* e *s.* homónimo.

homosexual, *adj.* e *s.* 2 *gén.* homossexual.

honda, *s. f.* funda.

hondear, *v. tr.* sondar; fundear; descarregar (uma embarcação).

hondo, -a, *adj.* fundo; profundo; recôndito.

hondura, *s. f.* fundura; profundidade; dificuldade.

hondureño, -a, *adj.* e *s.* hondurenho, das Honduras.

honestidad, *s. f.* honestidade; probidade; pudor.

honesto, -a, *adj.* honesto.

hongo, *s. m.* cogumelo; fungão; fungo.

honor, *s. m.* honra; virtude; honestidade; dignidade.

honorabilidad, *s. f.* honorabilidade.

honorable, *adj. 2 gén.* honorável.

honorari|o, -a, **I.** *adj.* honorário; honorífico. **II.** *s. m. pl.* honorários.

honorífi|co, -a, *adj.* honorífico; honorário.

honra, *s. f.* honra; dignidade; virtude; mérito; probidade; honestidade.

honradez, *s. f.* honradez; pundonor; brio.

honrad|o, -a, *adj.* honrado; honesto.

honrar, *v. tr.* honrar; venerar; respeitar; distinguir.

honrilla, *s. f.* melindre; susceptibilidade.

honros|o, -a, *adj.* honroso.

hora, *s. f.* hora.

horadar, *v. tr.* perfurar; furar; esburacar.

horári|o, -a, *adj. e s. m.* horário.

horca, *s. f.* forca; patíbulo.

horcajadas (a), *loc. adv.* escarranchado.

horchata, *s. f.* orchata.

horda, *s. f.* horda; bando; tribo.

horizontal, *adj. 2 gén.* horizontal.

horizonte, *s. m.* horizonte.

horma, *s. f.* forma; molde.

hormiga, *s. f.* formiga.

hormigón, *s. m.* betão; *hormigón armado,* cimento armado.

hormigonera, *s. f.* betoneira.

hormiguear, *v. intr.* formigar; formiguejar (no corpo).

hormigueo, *s. m.* formigamento; comichão; formigueiro; prurido.

hormiguero, *s. m.* formigueiro.

hormona, *s. m.* hormona.

hormonal, *adj. 2 gén.* hormonal.

hornacina, *s. f.* fórnice; nicho.

hornada, *s. f.* fornada.

hornillo, *s. m.* fornilho; fogão.

horno, *s. m.* forno.

horóscopo, *s. m.* horoscópio, horóscopo.

horquilla, *s. f.* forqueta, forquilha; grampo.

horrend|o, -a, *adj.* horrendo; medonho.

hórreo, *s. m.* celeiro; espigueiro.

horrible, *adj. 2 gén.* horrível; horrendo.

horripilante, *adj. 2 gén.* horripilante.

horripilar, *v. tr.* horripilar; horrorizar.

horror, *s. m.* horror; aversão; terror.

horrorizar, *v. tr.* horrorizar; horripilar.

horros|o, -a, *adj.* horroroso.

hortaliza, *s. f.* hortaliça; legumes.

hortelan|o, -a, **I.** *adj.* hortense. **II.** *s. m.* hortelão.

hortense, *adj. 2 gén.* hortense.

hortensia, *s. f.* hortênsia; hidrângea.

hortera, *adj. e s.* vulgar, ordinário, de mau gosto; pessoa sem gosto.

horticultor, -a, *s. m. e f.* horticultor; jardineiro.

horticultura, *s. f.* horticultura.

hosc|o, -a, *adj.* fosco; fusco.

hospedaje, *s. m.* hospedagem.

hospedar, *v. tr.* hospedar; alojar.

hospedería, *s. f.* hospedaria; albergaria; estalagem.

hospician|o, -a, *s. m. e f.* asilado.

hospicio, *s. m.* hospício.

hospital, *s. m.* hospital.

hospitalari|o, -a, *adj.* hospitalário; hospitaleiro.

hospitalidad, *s. f.* hospitalidade.

hospitalización, *s. f.* hospitalização.

hospitalizar, *v. tr.* hospitalizar.

hostal, *s. m.* hospedaria; estalagem; pousada.

hosteler|o, -a, *s. m. e f.* hospedeiro; estalajadeiro.

hostería, *s. f.* hospedaria; estalagem; pousada.

hostia, *s. f.* hóstia.

hostigar, *v. tr.* fustigar; açoutar.

hostigo, *s. m.* açoute (com látego); vergastada; chicotada.

hostil, *adj. 2 gén.* hostil; adverso; agressivo.

hostilidad, *s. f.* hostilidade.

hostilizar, *v. tr.* hostilizar; prejudicar.

hotel, *s. m.* hotel.

hoteler|o, -a, *s. m. e f.* hoteleiro.

hoy, *adv.* hoje.

hoya, *s. f.* fossa; cova; vale.

hoyanca, *s. f.* vala comum (nos cemitérios).

hoyo, *s. m.* cova; sepultura; buraco (no golfe).

hoyuelo, *s. m.* covinha (do rosto).

hoz, *s. f.* fouce, foice; GEOG. desfiladeiro, garganta.

hozar, *v. tr.* foçar; focinhar.

hucha, *s. f.* arca; mealheiro.

huec|o, -a, **I.** *adj. e s.* oco; côncavo ou vazio. **II.** *s. m.* vão; buraco.

huelga, *s. f.* greve; folga; férias.

huelgo, *s. m.* fôlego; alento; respiração.

huelguista, *s. 2 gén.* grevista.

huella, *s. f.* pegada; vestígio; rasto.

huérfan|o, -a, *adj. e s.* órfão.

huero, -a, *adj.* chocho; goro (ovo); vazio; oco.

huerta, *s. f.* horta.

huerto, *s. m.* horto, pequena horta.

huesa, *s. f.* sepultura.

hueso, *s. m.* osso.

hueste, *s. f.* hoste; tropa.

hueva, *s. f.* mílharas (ovas de peixe).

huevera, *s. f.* oveira.

huevero, *s. m.* oveiro.

huevo, *s. m.* ovo.

huída, *s. f.* fuga; saída; folga; largueza.

huidero, -a, *adj.* fugidio; fugaz.

huidizo, -a, *adj.* fugidio; esquivo.

huir, *v. intr. e refl.* fugir; livrar-se; escapar-se.

hule, *s. m.* oleado, encerado.

hulla, *s. f.* hulha; carvão de pedra.

hullero, -a, *s.* **1.** *m.* operário das minas de hulha. **2.** *f.* hulheira.

humanidad, *s. f.* humanidade.

humanismo, *s. m.* humanismo.

humanista, *adj. e s.* 2 *gén.* humanista.

humanístico, -a, *adj.* humanístico.

humanitario, -a, *adj.* humanitário.

humanitarismo, *s. m.* humanitarismo.

humanización, *s. f.* humanização.

humanizar, *v. tr.* humanizar.

humano, -a, *adj.* humano.

humareda, *s. f.* fumarada.

humear, *v. intr.* fumegar; fumear.

humedad, *s. f.* humidade.

humedecer, *v. tr.* humedecer.

húmedo, -a, *adj.* húmido.

humeral, *adj.* 2 *gén.* umeral.

húmero, *s. m.* úmero.

humidificador, *s. m.* humidificador.

humidificar, *v. tr.* humidificar.

humildad, *s. f.* humildade.

humilde, *adj.* 2 *gén.* humilde; submisso.

humillación, *s. f.* humilhação.

humillante, *adj.* 2 *gén.* humilhante.

humillar, *v. tr.* humilhar; vexar.

humo, *s. m.* fumo, (fumaça); *pl.* fumos; vaidade, presunção.

humor, *s. m.* humor; génio; jovialidade.

humorada, *s. f.* gracejo; pilhéria.

humorado, -a, *adj.* humorado; *bien humorado,* bem-humorado; *mal humorado,* mal-humorado.

humorismo, *s. m.* humorismo.

humorista, *adj.* 2 *gén.* humorista.

humorístico, -a, *adj.* humorístico.

humus, *s. m.* húmus; humo.

hundible, *adj.* 2 *gén.* submergível; submersível.

hundimiento, *s. m.* afundamento; submersão.

hundir, *v. tr.* afundar; submergir; abater; oprimir; arruinar; destruir.

húngaro, -a, *adj. e s.* húngaro, da Hungria.

huracán, *s. m.* furacão; tufão; ciclone.

huracanado, -a, *adj.* ciclónico.

huraño, -a, *adj.* insociável; intratável.

hurgar, *v. tr.* remexer; esgaravatar.

hurgón, *s. m.* atiçador; remexedor; espevitador.

hurgonear, *v. tr.* revolver, remexer, atiçar o lume com o atiçador.

hurón, *s. m.* furão (mamífero); bisbilhoteiro; furão; homem activo, fura-vidas.

huronear, *v. intr.* afuroar; furoar; investigar.

huronera, *s. f.* covil, toca do furão; furoeira.

¡hurra!, *interj.* hurra!

hurraca, *s. f.* ZOOL. pega.

hurtadillas (a), *loc. adv.* às furtadelas; às escondidas; furtivamente.

hurtar, *v. tr.* furtar.

hurto, *s. m.* furto.

husada, *s. f.* fusada.

húsar, *s. m.* hussardo.

husillo, *s. m.* esgoto; sarjeta; fossa; parafuso.

husmeador, -a, *adj. e s. m. e f.* farejador.

husmear, *v. tr.* farejar; cheirar; fariscar.

huso, *s. m.* fuso.

¡huy!, *interj.* hui!

I

i, *s. f.* i, nona letra do alfabeto espanhol.
ibérico, -a, *adj.* ibérico; ibero.
ibero, -a, *adj. e s.* ibero; ibérico, da Ibéria.
Iberoamérica, *s. f.* América Latina.
iberoamericano, -a, *adj.* ibero-americano; latino-americano.
íbice, *s. m.* cabra-montês.
ibis, *s. f.* ZOOL. íbis.
iceberg, *s. m.* icebergue.
icono, *s. m.* ícone.
iconoclasta, *adj. e s. 2 gén.* iconoclasta.
iconografía, *s. f.* iconografia.
iconolatría, *s. f.* iconolatria.
iconología, *s. f.* iconologia.
icosaedro, *s. m.* icosaedro.
ictericia, *s. f.* icterícia.
ictiología, *s. f.* ictiologia.
ictiosauro, *s. m.* ictiossauro.
ida, *s. f.* ida; partida; viagem.
idea, *s. f.* ideia.
ideal, **I.** *adj. 2 gén.* ideal; quimérico. **II.** *s. m.* ideal; modelo.
idealismo, *s. m.* idealismo.
idealista, *adj. e s. 2 gén.* idealista.
idealización, *s. f.* idealização.
idealizar, *v. tr.* idealizar.
idear, *v. tr.* idear; delinear; fantasiar.
ideario, *s. m.* ideário.
idéntico, -a, *adj. e s.* idêntico.
identidad, *s. f.* identidade.
identificable, *adj. 2 gén.* identificável.
identificación, *s. f.* identificação.
identificar, *v. tr.* identificar.
ideograma, *s. m.* ideograma.
ideológico, -a, *adj.* ideológico.
ideólogo, -a, *s. m. e f.* ideólogo.
ideología, *s. f.* ideologia.
idílico, -a, *adj.* idílico; amoroso.
idilio, *s. m.* idílio.
idioma, *s. m.* idioma.
idiomático, -a, *adj. m.* idiomático.
idiosincrasia, *s. f.* idiossincrasia.
idiota, *adj. e s. 2 gén.* idiota.
idiotismo, *s. m.* idiotismo.
ido, -a, *adj.* louco; despistado, muito distraído.

idólatra, *adj. e s. 2 gén.* idólatra.
idolatrar, *v. tr.* idolatrar.
idolatría, *s. f.* idolatria.
ídolo, *s. m.* ídolo.
idoneidad, *s. f.* idoneidade.
idóneo, -a, *adj.* idóneo.
idus, *s. m. pl.* idos.
iglesia, *s. f.* igreja.
iglú, *s. m.* iglu.
ígneo, -a, *adj.* ígneo.
ignición, *s. f.* ignição.
ignominia, *s. f.* ignomínia.
ignominioso, -a, *adj.* ignominioso.
ignorancia, *s. f.* ignorância.
ignorante, *adj. e s. 2 gén.* ignorante.
ignorar, *v. tr.* ignorar.
igual, *adj. 2 gén.* igual; idêntico; uniforme.
iguala, *s. f.* ajuste; pacto; avença.
igualar, *v. tr.* igualar.
igualdad, *s. f.* igualdade; uniformidade; paridade.
igualitario, -a, *adj.* igualitário.
igualmente, *adv.* igualmente.
iguana, *s. f.* iguana.
ijada, *s. f.* ilharga; flanco; lado.
ilación, *s. f.* ilação; dedução; conclusão.
ilegal, *adj. 2 gén.* ilegal; ilícito.
ilegalidad, *s. f.* ilegalidade.
ilegible, *adj. 2 gén.* ilegível.
ilegitimidade, *s. f.* ilegitimidade.
ilegítimo, -a, *adj.* ilegítimo; bastardo.
íleon, *s. m.* íleo.
ileso, -a, *adj.* ileso; incólume.
iletrado, -a, *adj.* iletrado; analfabeto.
ilícito, -a, *adj.* ilícito; proibido.
ilion, *s. m.* ílio.
ilógico, -a, *adj.* ilógico; absurdo.
iluminación, *s. f.* iluminação.
iluminado, -a, *adj. e s.* iluminado.
iluminador, -a, **I.** *adj.* iluminador, iluminante. **II.** *s. m. e f.* iluminista.
iluminar, *v. tr.* iluminar; alumiar; inspirar; iluminar (com iluminuras).
ilusión, *s. f.* ilusão.
ilusionar, *v. tr.* iludir, criar ilusões em.
ilusionismo, *s. m.* ilusionismo.
ilusionista, *s. 2 gén.* ilusionista.

ilusorio, -a, *adj.* ilusório; enganoso; falso.
ilustración, *s. f.* ilustração; saber.
ilustrar, *v. tr.* ilustrar.
ilustrativo, -a, *adj.* ilustrativo.
ilustre, *adj.* 2 *gén.* ilustre; célebre; insigne.
ilustrísimo, -a, *adj.* ilustríssimo.
imagen, *s. f.* imagem.
imaginación, *s. f.* imaginação; fantasia.
imaginar, *v. intr.* imaginar; fantasiar; supor.
imaginario, -a, *adj.* imaginário; fantástico.
imaginativo, -a, *adj.* imaginativo.
imaginería, *s. f.* imaginária; estatuária.
imaginero, *s. m.* santeiro.
imán, *s. m.* RELIG. imã; FÍS. íman.
imanación, *s. f.* magnetização.
imanar, *v. tr.* imanar; magnetizar.
imantar, *v. tr.* imanar; magnetizar.
imbatible, *adj.* 2 *gén.* imbatível.
imbécil, *adj.* e *s.* 2 *gén.* imbecil; néscio.
imbecilidad, *s. f.* imbecilidade.
imberbe, *adj.* e *s. m.* imberbe.
imbibición, *s. f.* imbibição.
imborrable, *adj.* 2 *gén.* indelével.
imbricación, *s. f.* imbricação.
imbuir, *v. tr.* imbuir; infundir; persuadir.
imitable, *adj.* 2 *gén.* imitável.
imitación, *s. f.* imitação.
imitador, -a, *adj.* e *s.* imitador.
imitar, *v. tr.* imitar.
impaciencia, *s. f.* impaciência.
impacientar, *v. tr.* impacientar.
impaciente, *adj.* 2 *gén.* impaciente.
impacto, *s. m.* impacto.
impagable, *adj.* 2 *gén.* impagável.
impala, *s. f.* impala.
impalpable, *adj.* 2 *gén.* impalpável.
impar, *adj.* 2 *gén.* ímpar.
imparcial, *adj.* 2 *gén.* imparcial; recto.
imparcialidad, *s. f.* imparcialidade.
impartir, *v. tr.* ministrar (justiça); dar (aulas); *impartir la bendición*, dar a bênção.
impasibilidad, *s. f.* impassibilidade.
impasible, *adj.* 2 *gén.* impassível.
impávido, -a, *adj.* impávido; destemido.
impecabilidad, *s. f.* impecabilidade.
impecable, *adj.* 2 *gén.* impecável.
impedido, -a, *adj.* e *s.* impedido; inválido, paralítico.
impedimento, *s. m.* impedimento.

impedir, *v. tr.* impedir; estorvar; embaraçar; obstar.
impeler, *v. tr.* impelir; empurrar.
impenetrabilidad, *s. f.* impenetrabilidade.
impenetrable, *adj.* 2 *gén.* impenetrável.
impenitencia, *s. f.* impenitência.
impenitente, *adj.* e *s.* 2 *gén.* impenitente.
impensado, -a, *adj.* impensado, imprevisto.
impepinable, *adj.* 2 *gén.* indubitável; certo; inevitável.
imperar, *v. intr.* imperar; dominar.
imperativo, -a, I. *adj.* imperativo; arrogante; autoritário. II. *s. m.* GRAM. imperativo.
imperceptible, *adj.* 2 *gén.* imperceptível.
imperdonable, *adj.* 2 *gén.* imperdoável.
imperecedero, -a, *adj.* imperecedoiro; imorredoiro; perdurável.
imperfección, *s. f.* imperfeição; defeito.
imperfecto, -a, *adj.* imperfeito.
imperial, *adj.* 2 *gén.* imperial.
imperialismo, *s. m.* imperialismo.
imperialista, *adj.* e *s.* 2 *gén.* imperialista.
impericia, *s. f.* imperícia; inexperiência.
imperio, *s. m.* império; autoridade; altivez; orgulho.
imperioso, -a, *adj.* imperioso.
impermeabilidad, *s. f.* impermeabilidade.
impermeabilización, *s. f.* impermeabilização.
impermeabilizar, *v. tr.* impermeabilizar; impermear.
impermeable, I. *adj.* 2 *gén.* impermeável. II. *s. m.* impermeável; capa de borracha.
impersonal, *adj.* 2 *gén.* impessoal.
impersonalidad, *s. f.* impessoalidade; impersonalidade.
impertérrito, -a, *adj.* impertérrito; destemido; impávido.
impertinencia, *s. f.* impertinência; rabugice.
impertinente, I. *adj.* 2 *gén.* impertinente; despropositado. II. *s. m. pl.* lunetas, lornhão.
imperturbable, *adj.* 2 *gén.* imperturbável; impassível.
impétigo, *s. m.* impetigem, impetigo; impigem.
ímpetu, *s. m.* ímpeto; arrebatamento; impulso.

impetuosidad, s. f. impetuosidade; ímpeto.

impetuos|o, -a, adj. impetuoso; precipitado.

impiedad, s. f. impiedade; crueldade.

imp|ío, -a, adj. ímpio; cruel; desumano.

implacable, adj. 2 gén. implacável.

implantación, s. f. implantação.

implantar, v. tr. implantar.

implicación, s. f. implicação.

implicar, v. tr. implicar; enredar; embirrar.

implícitamente, adv. implicitamente.

implícit|o, -a, adj. implícito; subentendido.

imploración, s. f. imploração; rogo; súplica.

implorar, v. tr. implorar; rogar.

implosión, s. f. implosão.

implosiv|o, -a, adj. implosivo.

impolut|o, -a, adj. impoluto; imaculado.

imponderable, adj. 2 gén. imponderável.

imponente, adj. 2 gén. imponente.

imponer, v. tr. impor; imputar; atribuir.

impopular, adj. 2 gén. impopular.

impopularidad, s. f. impopularidade.

importación, s. f. importação.

importador, -a, adj. e s. importador.

importancia, s. f. importância; valor; utilidade; autoridade; prestígio.

importante, adj. 2 gén. importante; considerável.

importar, v. intr. e tr. importar.

importe, s. m. importe; custo.

importunar, v. tr. importunar; estorvar; enfadar.

importun|o, -a, adj. importuno; enfadonho; maçador.

imposibilidad, s. f. impossibilidade.

imposibilitad|o, -a, adj. impossibilitado.

imposibilitar, v. tr. impossibilitar.

imposible, adj. 2 gén. impossível.

imposición, s. f. imposição.

impositiv|o, -a, adj. impositivo.

impostor, -a, adj. e s. impostor.

impostura, s. f. impostura; embuste; fraude; hipocrisia.

impotencia, s. f. impotência.

impotente, adj. 2 gén. impotente.

impracticable, adj. 2 gén. impraticável; inexequível.

imprecación, s. f. imprecação; maldição; praga.

imprecar, v. tr. imprecar; praguejar.

imprecisión, s. f. imprecisão.

imprecis|o, -a, adj. impreciso; vago.

impredecible, adj. 2 gén. imprevisível.

impregnación, s. f. impregnação.

impregnar, v. tr. impregnar; embeber.

imprenta, s. f. imprensa.

imprescindible, adj. 2 gén. imprescindível.

impresentable, adj. inapresentável.

impresión, s. f. impressão.

impresionable, adj. 2 gén. impressionável.

impresionante, adj. 2 gén. impressionante.

impresionar, v. tr. impressionar.

impresionismo, s. m. impressionismo.

impresionista, adj. e s. 2 gén. impressionista.

impres|o, -a, adj. e s. m. impresso.

impresor, -a, adj. e s. impressor.

impresora, s. f. impressora, máquina de imprimir.

imprevisible, adj. 2 gén. imprevisível.

imprevisión, s. f. imprevisão.

imprevist|o, -a, adj. imprevisto; inopinado.

imprimar, v. tr. imprimar.

imprimir, v. tr. imprimir; gravar; estampar.

improbabilidad, s. f. improbabilidade; incerteza.

improbable, adj. 2 gén. improvável; incerto.

ímprob|o, -a, adj. ímprobo; árduo; laborioso.

improcedencia, s. f. improcedência.

improcedente, adj. 2 gén. improcedente.

improductiv|o, -a, adj. improdutivo; estéril.

improperio, s. m. impropério; injúria.

impropiamente, adv. impropriamente.

impropiedad, s. f. impropriedade.

impropi|o, -a, adj. impróprio; inconveniente.

improrrogable, adj. 2 gén. improrrogável.

improvisación, s. f. improvisação.

improvisad|o, -a, adj. improvisado.

improvisador, -a, adj. e s. improvisador.

improvisar, v. tr. improvisar.

improvis|o, -a, s. m. improviso; *de improviso*, loc. adv. de improviso, de repente.

imprudencia, *s. f.* imprudência.
imprudente, *adj. e s.* 2 *gén.* imprudente.
impúbero, -a, *adj. e s.* 2 *gén.* impúbere.
impudencia, *s. f.* impudência.
impudente, *adj.* 2 *gén.* impudente.
impúdico, -a, *adj.* impudico.
impudor, *s. m.* impudor; despudor; falta de modéstia.
impuesto, *s. m.* imposto; taxa; tributo.
impugnable, *adj.* 2 *gén.* impugnável.
impugnación, *s. f.* contestação.
impugnar, *v. tr.* impugnar; refutar; contestar.
impulsar, *v. tr.* impulsar; impelir.
impulsión, *s. f.* impulsão; impulso.
impulsivo, -a, *adj.* impulsivo.
impulso, *s. m.* impulso; ímpeto; estímulo.
impulsor, -a, *adj. e s.* impulsor.
impune, *adj.* 2 *gén.* impune.
impunidad, *s. f.* impunidade.
impureza, *s. f.* impureza.
impuro, -a, *adj.* impuro.
imputable, *adj.* 2 *gén.* imputável.
imputación, *s. f.* imputação; inculpação.
imputar, *v. tr.* imputar.
inabordable, *adj.* 2 *gén.* inabordável.
inacabable, *adj.* 2 *gén.* interminável.
inaccesible, *adj.* 2 *gén.* inacessível.
inacción, *s. f.* inacção; inércia.
inaceptable, *adj.* 2 *gén.* inaceitável.
inactividad, *s. f.* inactividade.
inactivo, -a, *adj.* inactivo; ocioso; inerte.
inadaptable, *adj.* 2 *gén.* inadaptável.
inadaptación, *s. f.* inadaptação.
inadaptado, -a, *adj.* inadaptado.
inadecuación, *s. f.* inadequação.
inadecuado, -a, *adj.* inadequado; impróprio.
inadmisible, *adj.* 2 *gén.* inadmissível.
inadvertencia, *s. f.* inadvertência.
inadvertido, -a, *adj.* inadvertido.
inagotable, *adj.* 2 *gén.* inesgotável.
inaguantable, *adj.* 2 *gén.* insofrível; insuportável.
inalcanzable, *adj.* 2 *gén.* inatingível; inalcançável.
inalienable, *adj.* 2 *gén.* inalienável.
inalterable, *adj.* 2 *gén.* inalterável.
inalterado, -a, *adj.* inalterado.
inamovible, *adj.* 2 *gén.* inamovível.
inane, *adj.* 2 *gén.* inane; inútil; vazio.
inanición, *s. f.* inanição.
inanidad, *s. f.* inanidade.

inanimado, -a, *adj.* inanimado; morto.
inapagable, *adj.* 2 *gén.* inextinguível.
inapelable, *adj.* 2 *gén.* inapelável.
inapetencia, *s. f.* MED. inapetência.
inaplicable, *adj.* 2 *gén.* inaplicável.
inapreciable, *adj.* 2 *gén.* inapreciável.
inapropriado, -a, *adj.* desapropriado.
inarmónico, -a, *adj.* inarmónico.
inarticulable, *adj.* 2 *gén.* inarticulável; impronunciável.
inarticulado, -a, *adj.* inarticulado; desarticulado.
inasequible, *adj.* 2 *gén.* inexequível; inexecutável.
inatacable, *adj.* 2 *gén.* inatacável.
inaudible, *adj.* 2 *gén.* inaudível.
inaudito, -a, *adj.* inaudito.
inauguración, *s. f.* inauguração.
insugural, *adj.* 2 *gén.* inaugural.
inaugurar, *v. tr.* inaugurar; começar; abrir.
inca, *adj. e s.* 2 *gén.* inca.
incalculable, *adj.* 2 *gén.* incalculável.
incalificable, *adj.* 2 *gén.* inqualificável; indigno.
incandescencia, *s. f.* incandescência.
incandescente, *adj.* 2 *gén.* incandescente.
incansable, *adj.* 2 *gén.* incansável; infatigável; laborioso.
incapacidad, *s. f.* incapacidade; inaptidão.
incapacitado, -a, *adj.* incapacitado.
incapacitar, *v. tr.* incapacitar.
incapaz, *adj.* 2 *gén.* incapaz.
incauto, -a, *adj.* incauto.
incendiar, *v. tr.* incendiar.
incendiario, -a, *adj. e s.* incendiário.
incendio, *s. m.* incêndio.
incensario, *s. m.* incensário, incensório; turíbulo.
incensurable, *adj.* 2 *gén.* incensurável.
incentivar, *v. tr.* incentivar.
incentivo, *s. m.* incentivo; estímulo.
incertidumbre, *s. f.* incerteza; dúvida.
incesante, *adj.* 2 *gén.* incessante.
incesantemente, *adv.* incessantemente.
incesto, *s. m.* incesto.
incestuoso, -a, *adj.* incestuoso.
incidencia, *s. f.* incidência.
incidental, *adj.* 2 *gén.* incidental.
incidente, I. *adj.* 2 *gén.* incidente, incidental. **II.** *s. m.* incidente.
incidir, *v. intr.* incidir; sobrevir; incorrer.

incienso, *s. m.* incenso.
inciert|o, -a, *adj.* incerto; duvidoso.
incineración, *s. f.* incineração.
incinerador, *s. m.* incinerador; incineradora.
incinerar, *v. tr.* incinerar.
incipiente, *adj. 2 gén.* incipiente; principiante.
incisión, *s. f.* incisão; cesura; corte.
incisiv|o, -a, *adj.* incisivo; mordaz; penetrante.
incis|o, -a, *adj.* inciso; cortado.
incitación, *s. f.* incitação; incitamento.
incitador, -a, *adj. e s.* incitador; instigador.
incitante, *adj. 2 gén.* incitante.
incitar, *v. tr.* incitar; instigar; animar; estimular.
incivil, *adj. 2 gén.* incivil; descortês.
incivilidad, *s. f.* incivilidade.
incivilizad|o, -a, *adj.* incivilizado.
inclasificable, *adj. 2 gén.* inclassificável, inqualificável.
inclemencia, *s. f.* inclemência.
inclemente, *adj. 2 gén.* inclemente; rigoroso.
inclinación, *s. f.* inclinação, propensão.
inclinad|o, -a, *adj.* em declive; inclinado.
inclinar, *v. tr.* inclinar; abaixar; abater.
ínclit|o, -a, *adj.* ínclito; egrégio; ilustre.
incluid|o, -a, *adj.* incluído; incluso; anexo.
incluir, *v. tr.* incluir; inserir; anexar; abranger.
inclusa, *s. f.* roda, hospício de enjeitados.
incluser|o, -a, *adj. e s.* enjeitado; criado na roda.
inclusión, *s. f.* inclusão.
inclusive, *adv.* inclusive.
inclusiv|o, -a, *adj.* inclusivo.
inclus|o, -a, *adj.* incluso; compreendido.
incoativ|o, -a, *adj.* incoativo.
incógnit|o, -a, *adj.* incógnito.
incoherencia, *s. f.* incoerência.
incoherente, *adj. 2 gén.* incoerente.
incolor|o, -a, *adj.* incolor.
incólume, *adj. 2 gén.* incólume; ileso; intacto.
incombustible, *adj. 2 gén.* incombustível.
incomible, *adj. 2 gén.* intragável, não comestível.
incomodar, *v. tr.* incomodar.

incomodidad, *s. f.* incomodidade.
incómod|o, -a, *adj.* incómodo.
incomparable, *adj. 2 gén.* incomparável; único.
incomparecencia, *s. f.* não comparência, falta de comparência.
incompatibilidad, *s. f.* incompatibilidade.
incompatible, *adj. 2 gén.* incompatível.
incompetencia, *s. f.* incompetência.
incompetente, *adj. 2 gén.* incompetente.
incomplet|o, -a, *adj.* incompleto.
incomprendid|o, -a, *adj.* incompreendido.
incomprensible, *adj. 2 gén.* incompreensível.
incomprensión, *s. f.* incompreensão.
incomunicación, *s. f.* falta de comunicação; isolamento.
incomunicad|o, -a, *adj.* sem poder comunicar; isolado.
incomunicar, *v. tr.* isolar; cortar as comunicações.
inconcebible, *adj. 2 gén.* inconcebível; inacreditável.
inconciliable, *adj. 2 gén.* inconciliável; incompatível.
inconclus|o, -a, *adj.* inconcluso.
incondicional, *adj. 2 gén.* incondicional; absoluto.
inconfesable, *adj. 2 gén.* inconfessável.
inconfes|o, -a, *adj.* inconfesso.
inconformismo, *s. m.* inconformismo.
inconformista, *adj. e s. 2 gén.* inconformista.
inconfundible, *adj. 2 gén.* inconfundível.
incongruencia, *s. f.* incongruência.
incongruente, *adj. 2 gén.* incongruente, inconveniente.
inconmensurable, *adj. 2 gén.* incomensurável.
inconquistable, *adj. 2 gén.* inconquistável.
inconsciencia, *s. f.* inconsciência.
inconsciente, *adj. 2 gén.* inconsciente.
inconsecuencia, *s. f.* inconsequência.
inconsecuente, *adj. e s. 2 gén.* inconsequente.
inconsideración, *s. f.* inconsideração; irreflexão.
inconsiderad|o, -a, *adj. e s. m. e f.* inconsiderado; imprudente; precipitado.
inconsistencia, *s. f.* inconsistência.

inconsistente, *adj. 2 gén.* inconsistente; precário.

inconsolable, *adj. 2 gén.* inconsolável.

inconstancia, *s. f.* inconstância; volubilidade.

inconstante, *adj. 2 gén.* inconstante; volúvel.

inconstitucional, *adj. 2 gén.* inconstitucional.

incontable, *adj. 2 gén.* incontável; numeroso.

incontaminad|o, -a, *adj.* incontaminado.

incontenible, *adj. 2 gén.* incontrolável, incontível.

incontestable, *adj. 2 gén.* incontestável.

incontinencia, *s. f.* incontinência.

incontinente, *adj. 2 gén.* incontinente; imoderado; sensual.

incontrolable, *adj. 2 gén.* incontrolável.

incontrolad|o, -a, *adj.* incontrolado.

incontrovertible, *adj. 2 gén.* incontrovertível; incontroverso.

inconveniencia, *s. f.* inconveniência; incomodidade; grosseria.

inconveniente, *adj. 2 gén. e s. m.* inconveniente.

incordiar, *v. tr.* molestar, aborrecer; desinquietar.

incorporación, *s. f.* incorporação.

incorporad|o, -a, *adj.* incorporado.

incorporar, *v. tr.* incorporar; juntar; reunir.

incorpóre|o, -a, *adj.* incorpóreo; imaterial; impalpável.

incorrección, *s. f.* incorrecção; erro.

incorrect|o, -a, *adj.* incorrecto; errado.

incorregible, *adj. 2 gén.* incorrigível; indócil.

incorruptible, *adj. 2 gén.* incorruptível; íntegro.

incorrupt|o, -a, *adj.* incorrupto.

incrédul|o, -a, *adj. e s.* incrédulo; ímpio, ateu.

increíble, *adj. 2 gén.* incrível.

incrementar, *v. tr.* incrementar.

incremento, *s. m.* incremento, aumento; desenvolvimento.

increpar, *v. tr.* increpar, repreender; acusar.

incriminación, *s. f.* incriminação.

incriminar, *v. tr.* incriminar.

incriminatori|o, -a, *adj.* incriminatório.

incruent|o, -a, *adj.* incruento.

incrustación, *s. f.* incrustação; embutido.

incrustar, *v. tr.* incrustar, tauxiar, embutir.

incubación, *s. f.* incubação.

incubadora, *s. f.* incubadora.

incubar, *v. intr.* incubar.

íncubo, *s. m.* íncubo.

incuestionable, *adj. 2 gén.* inquestionável; indiscutível.

inculcación, *s. f.* inculca, informação.

inculcar, *v. tr.* inculcar; informar; recomendar.

inculpación, *s. f.* inculpação; acusação.

inculpable, *adj. 2 gén.* inculpável.

inculpar, *v. tr.* inculpar; acusar.

incult|o, -a, *adj.* inculto; rude; simples; grosseiro.

incultura, *s. f.* incultura; rudeza.

incumbencia, *s. f.* incumbência; comissão; encargo.

incumbir, *v. intr.* incumbir.

incumplimiento, *s. m.* incumprimento; infracção; transgressão.

incumplir, *v. intr.* não cumprir; transgredir; infringir.

incunable, *s. m.* incunábulo.

incurable, *adj. 2 gén.* incurável; *(fig.)* irremediável.

incurrir, *v. intr.* incorrer; cometer falta.

incursión, *s. f.* incursão; invasão.

indagación, *s. f.* indagação; devassa.

indagar, *v. tr.* indagar; descobrir; investigar; pesquisar.

indebid|o, -a, *adj.* indevido; impróprio; injusto.

indecencia, *s. f.* indecência; obscenidade.

indecente, *adj. 2 gén.* indecente, indecoroso.

indecible, *adj. 2 gén.* indizível; inexprimível; indescritível.

indecisión, *s. f.* indecisão, irresolução; hesitação.

indecis|o, -a, *adj.* indeciso; irresoluto; perplexo.

indeclinable, *adj. 2 gén.* indeclinável; inevitável; irrecusável.

indecoros|o, -a, *adj.* indecoroso; indecente.

indefectible, *adj. 2 gén.* indefectível; infalível.

indefendible, *adj. 2 gén.* indefensável, indefendível.

indefensable, *adj.* indefensável, indefendível.

indefinible, *adj. 2 gén.* indefinível.

indefinid|o, -a, *adj.* indefinido, indeterminado.

indeformable, *adj. 2 gén.* indeformável.

indeleble, *adj. 2 gén.* indelével; indestrutível.

indelicadeza, *s. f.* indelicadeza.

indemne, *adj. 2 gén.* indemne; ileso; incólume.

indemnidad, *s. f.* indemnidade.

indemnización, *s. f.* indemnização; compensação.

indemnizar, *v. tr.* indemnizar; compensar, ressarcir.

indemostrable, *adj. 2 gén.* indemonstrável.

independencia, *s. f.* independência; isenção; autonomia.

independentismo, *s. m.* independentismo.

independentista, *adj. e s. 2 gén.* independentista.

independiente, *adj. 2 gén.* independente; autónomo.

independizarse, *v. refl.* tornar-se independente.

indescifrable, *adj. 2 gén.* indecifrável.

indescriptible, *adj. 2 gén.* indescritível.

indeseable, *adj. 2 gén.* indesejável.

indestructible, *adj. 2 gén.* indestrutível.

indeterminable, *adj. 2 gén.* indeterminável.

indeterminación, *s. f.* indeterminação; dúvida; incerteza.

indeterminad|o, -a, *adj.* indeterminado; indefinido; indeciso, irresoluto.

indexación, *s. f.* indexação.

indexar, *v. tr.* indexar.

indicación, *s. f.* indicação.

indicador, -a, *adj. e s. m.* indicador.

indicar, *v. tr.* indicar; designar; mencionar.

indicativ|o, -a, *adj.* indicativo.

índice, *s. m.* índice; relação; tabela; catálogo; lista.

indicio, *s. m.* indício; sinal; vestígio.

índic|o, -a, *adj.* índico, indiano.

indiferencia, *s. f.* indiferença; desinteresse.

indiferente, *adj. 2 gén.* indiferente; apático.

indígena, *adj. e s. 2 gén.* indígena.

indigencia, *s. f.* indigência; miséria.

indigente, *adj. e s. 2 gén.* indigente; mendigo.

indigerible, *adj. 2 gén.* indigerível.

indigestión, *s. f.* indigestão.

indigest|o, -a, *adj.* indigesto.

indignación, *s. f.* indignação; ira; repulsão.

indignar, *v.* **1.** *tr.* indignar. **2.** *refl.* revoltar-se.

indignidad, *s. f.* indignidade; afronta.

indign|o, -a, *adj.* indigno; desprezível; vil; indecoroso.

indi|o, -a, *adj. e s.* índio.

indirecta, *s. f.* indirecta; insinuação.

indirect|o, -a, *adj.* indirecto; oblíquo.

indisciplina, *s. f.* indisciplina; desobediência.

indisciplinad|o, -a, *adj.* indisciplinado.

indiscreción, *s. f.* indiscrição.

indiscret|o, -a, *adj. e s.* indiscreto; inconfidente.

indiscriminadamente, *adv.* indiscriminadamente.

indiscriminado, -a, *adj.* indiscriminado.

indisculpable, *adj. 2 gén.* indesculpável.

indiscutible, *adj. 2 gén.* indiscutível; incontestável.

indisolubilidad, *s. f.* indissolubilidade.

indisoluble, *adj. 2 gén.* indissolúvel.

indispensable, *adj. 2 gén.* indispensável.

indisponer, *v. tr.* indispor; malquistar.

indisposición, *s. f.* indisposição.

indispuest|o, -a, *adj.* indisposto; incomodado; desavindo.

indistinguible, *adj.* indistinguível.

indistintamente, *adv.* indistintamente.

indistint|o, -a, *adj.* indistinto; confuso vago.

individual, *adj. 2 gén.* individual.

individualidad, *s. f.* individualidade.

individualismo, *s. m.* individualismo.

individualista, *adj. e s. 2 gén.* individualista.

individualizar, *v. tr.* individualizar.

individualmente, *adv.* individualmente.

individu|o, -a, I. *adj.* indiviso; individual **II.** *s. m.* indivíduo.

indivisible, *adj. 2 gén.* indivisível.

indivisión, *s. f.* indivisão.

indivis|o, -a, *adj.* indiviso.

indócil, *adj. 2 gén.* indócil.
indocumentado, -a, *adj.* indocumentado.
indoeuropeo, -a, *adj. e s.* indo-europeu.
índole, *s. f.* índole; carácter; temperamento.
indolencia, *s. f.* indolência; preguiça; apatia; inércia.
indolente, *adj. 2 gén.* indolente; negligente; preguiçoso.
indomable, *adj. 2 gén.* indomável.
indomado, -a, *adj.* indomado; indómito.
indomesticable, *adj. 2 gén.* indomesticável.
indomesticado, -a, *adj.* indomesticado.
indómito, -a, *adj.* indómito.
indonesio, -a, *adj. e s.* indonésio.
indubitable, *adj. 2 gén.* indubitável.
inducción, *s. f.* indução.
inducir, *v. tr.* induzir; instigar; incitar; persuadir.
inductivo, -a, *adj.* indutivo.
inductor, -a, *adj. e s. m.* indutor.
indudable, *adj. 2 gén.* indubitável; incontestável; inquestionável; evidente.
indulgencia, *s. f.* indulgência; clemência.
indulgente, *adj. 2 gén.* indulgente; bom; clemente; humano.
indultar, *v. tr.* indultar; perdoar; comutar.
indulto, *s. m.* indulto; comutação da pena; graça; perdão.
indumentaria, *s. f.* indumentária; trajo.
industria, *s. f.* indústria; arte; engenho; habilidade.
industrial, *adj. 2 gén. e s. m.* industrial.
industrialismo, *s. m.* industrialismo.
industrialización, *s. f.* industrialização.
industrializar, *v. tr.* industrializar.
industrioso, -a, *adj.* industrioso; laborioso; astucioso.
inédito, -a, *adj.* inédito.
inefabilidad, *s. f.* inefabilidade.
inefable, *adj. 2 gén.* inefável; indizível; inebriante.
ineficacia, *s. f.* ineficácia.
ineficaz, *adj. 2 gén.* ineficaz.
ineficiencia, *s. f.* ineficiência.
ineficiente, *adj. 2 gén.* ineficiente.
inelegante, *adj. 2 gén.* deselegante.
ineludible, *adj. 2 gén.* iniludível.
inenarrable, *adj. 2 gén.* inenarrável; indizível.

ineptitud, *s. f.* ineptidão; inépcia.
inepto, -a, *adj. e s.* inepto; néscio; estúpido.
inequívoco, -a, *adj.* inequívoco; evidente.
inercia, *s. f.* inércia; inacção.
inerme, *adj. 2 gén.* inerme.
inerte, *adj. 2 gén.* inerte.
inesperado, -a, *adj.* inesperado.
inestabilidad, *s. f.* instabilidade.
inestable, *adj. 2 gén.* instável.
inestimable, *adj. 2 gén.* inestimável; inapreciável.
inevitable, *adj. 2 gén.* inevitável.
inexactitud, *s. f.* inexactidão; erro.
inexacto, -a, *adj.* inexacto.
inexcusable, *adj. 2 gén.* inescusável.
inexistencia, *s. f.* inexistência; carência.
inexistente, *adj. 2 gén.* inexistente.
inexorabilidad, *s. f.* inexorabilidade.
inexorable, *adj. 2 gén.* inexorável; implacável.
inexperiencia, *s. f.* inexperiência.
inexperto, -a, *adj. e s.* inexperto; inexperiente.
inexplicable, *adj. 2 gén.* inexplicável.
inexplorado, -a, *adj.* inexplorado.
inexplosible, *adj. 2 gén.* inexplosível.
inexpresable, *adj. 2 gén.* inexprimível.
inexpresivo, -a, *adj.* inexpressivo.
inexpugnable, *adj. 2 gén.* inexpugnável; invencível.
inextinguible, *adj. 2 gén.* inextinguível.
inextricable, *adj. 2 gén.* inextricável; enredado; confuso.
infalibilidad, *s. f.* infalibilidade.
infalible, *adj. 2 gén.* infalível; certo; seguro.
infamación, *s. f.* infamação; difamação.
infamar, *v. tr.* infamar, desacreditar, desonrar, difamar.
infame, *adj. e s. gén.* infame; vil; abjecto.
infamia, *s. f.* infâmia; desonra; vileza.
infancia, *s. f.* infância.
infanta, *s. f.* infanta.
infantado, *s. m.* infantado.
infante, -a, *s. m. e f.* infante, infanta.
infantería, *s. f.* infantaria.
infanticida, *adj. e s. 2 gén.* infanticida.
infanticidio, *s. m.* infanticídio.
infantil, *adj. 2 gén.* infantil; inocente.
infantilismo, *s. m.* infantilismo.
infarto, *s. m.* MED. enfarte; enfartamento; ingurgitamento; ingurgitação.
infatigable, *adj. 2 gén.* infatigável; incansável.

infausto, -a, *adj.* infausto; funesto, desgraçado.

infección, *s. f.* infecção; contágio.

infeccioso, -a, *adj.* infeccioso.

infectar, *v. tr.* infectar; contagiar.

infecto, -a, *adj.* infecto.

infecundidad, *s. f.* infecundidade; esterilidade.

infecundo, -a, *adj.* infecundo; estéril.

infelicidad, *s. f.* desgraça; infelicidade.

infeliz, *adj. e s. 2 gén.* desgraçado, infeliz; desventurado.

inferencia, *s. f.* inferência; ilação; dedução.

inferior, *adj. e s. 2 gén.* inferior.

inferioridad, *s. f.* inferioridade.

inferir, *v. tr.* inferir; deduzir; concluir.

infernal, *adj. 2 gén.* infernal; pernicioso; medonho.

infestar, *v. tr.* infestar; assolar; empestar; devastar.

infidelidad, *s. f.* infidelidade; deslealdade.

infiel, *adj. e s. 2 gén.* infiel.

infiernillo, *s. m.* fogão portátil.

infierno, *s. m.* inferno.

infijo, *s. m.* infixo.

infiltración, *s. f.* infiltração.

infiltrado, -a, *adj.* infiltrado.

infiltrar, *v. tr. e refl.* infiltrar; infundir.

ínfimo, -a, *adj.* ínfimo; inferior.

infinidad, *s. f.* infinidade.

infinitesimal, *adj. 2 gén.* infinitesimal.

infinitivo, -a, I. *adj.* infinitivo. **II.** *s. m.* GRAM. infinitivo.

infinito, -a, *adj. e s. m.* infinito.

inflación, *s. f.* inflação.

inflacionario, -a, *adj.* inflacionário.

inflacionismo, *s. m.* inflacionismo.

inflacionista, *adj. 2 gén.* inflacionista; inflacionário.

inflamable, *adj. 2 gén.* inflamável.

inflamación, *s. f.* inflamação.

inflamar, *v. tr.* inflamar.

inflamatorio, -a, *adj.* inflamatório.

inflar, *v. tr. e refl.* inflar; enfunar; inchar.

inflexibilidad, *s. f.* inflexibilidade.

inflexible, *adj. 2 gén.* inflexível; pertinaz; obstinado.

inflexión, *s. f.* inflexão.

infligir, *v. tr.* infligir.

inflorescencia, *s. f.* BOT. inflorescência.

influencia, *s. f.* influência; crédito; ascendente.

influenciable, *adj. 2 gén.* influenciável.

influenciar, *v. tr.* influenciar.

influir, *v. tr.* influir; influenciar; estimular.

influjo, *s. m.* influência; fluxo, preia-mar.

influyente, *adj. 2 gén.* influente.

información, *s. f.* informação; indagação.

informador, -a, *adj. e s.* informador.

informal, *adj. 2 gén.* inconveniente; incorrecto.

informalidad, *s. f.* informalidade; incorrecção.

informante, I. *adj. 2 gén.* informante. **II.** *s. 2 gén.* informador.

informar, *v. tr.* informar; comunicar; avisar.

informática, *s. f.* informática.

informático, -a, *adj.* informático.

informativo, -a, *adj.* informativo.

informatización, *s. f.* informatização.

informatizar, *v. tr.* informatizar.

informe, I. *adj. 2 gén.* informe; tosco. **II.** *s. m.* informação.

infortificable, *adj. 2 gén.* infortificável.

infortunado, -a, *adj. e s.* infortunado; desafortunado; infeliz.

infortunio, *s. m.* infortúnio; infelicidade; desgraça.

infracción, *s. f.* infracção; transgressão.

infractor, -a, *adj. e s.* infractor, transgressor.

infraestrutura, *s. f.* infra-estrura.

infrangible, *adj. 2 gén.* infrangível.

infranqueable, *adj. 2 gén.* infranqueável; intransponível.

infrarrojo, -a, *adj.* infravermelho.

infrecuente, *adj. 2 gén.* infrequente.

infringir, *v. tr.* infringir; transgredir.

infructuoso, -a, *adj.* infrutuoso; infrutífero.

infundado, -a, *adj.* infundado.

infundibuliforme, *adj. 2 gén.* BOT. infundibuliforme.

infundio, *s. m.* mentira, dito infundado.

infundir, *v. tr.* infundir; misturar; incutir, espalhar.

infusión, *s. f.* infusão.

infuso, -a, *adj.* infuso.

ingeniar, *v. tr.* engenhar; maquinar; inventar.

ingeniería, *s. f.* engenharia.

ingeniero, -a, *s. m. e f.* engenheiro, engenheira.

ingenio, *s. m.* engenho; talento; habilidade.
ingenioso, -a, *adj.* engenhoso.
ingente, *adj.* 2 *gén.* ingente.
ingenuidad, *s. f.* ingenuidade; inocência; simplicidade.
ingenuo, -a, *adj.* e *s.* ingénuo; cândido; simples.
ingerir, *v. tr.* ingerir.
ingestión, *s. f.* ingestão.
ingle, *s. f.* virilha.
inglés, -esa, I. *adj.* inglês. **II.** *s.* **1.** *m.* e *f.* inglês, inglesa. **2.** *s. m.* inglês (idioma).
ingobernable, *adj.* 2 *gén.* ingovernável.
ingratitud, *s. f.* ingratidão.
ingrato, -a, *adj.* ingrato.
ingrávido, -a, *adj.* leve; subtil; ténue.
ingrediente, *s. m.* ingrediente.
ingresar, *v. intr.* ingressar; entrar.
ingreso, *s. m.* ingresso; entrada; receita dinheiro.
inguinal, *adj.* 2 *gén.* inguinal.
inhábil, *adj.* 2 *gén.* inábil.
inhabilidad, *s. f.* inabilidade.
inhabilitación, *s. f.* inabilitação, desqualificação.
inhabilitar, *v. tr.* inabilitar; desqualificar.
inhabitable, *adj.* 2 *gén.* inabitável.
inhabitado, -a, *adj.* inabitado, desabitado.
inhalación, *s. f.* inalação.
inhalador, *s. m.* inalador.
inhalar, *v. tr.* inalar; aspirar.
inherente, *adj.* 2 *gén.* inerente.
inhibición, *s. f.* inibição.
inhibir, *v. tr.* inibir, proibir; impedir.
inhóspito, -a, *adj.* inóspito.
inhumación, *s. f.* inumação, enterramento.
inhumano, -a, *adj.* inumano; desumano; cruel.
inhumar, *v. tr.* inumar, enterrar, sepultar.
iniciación, *s. f.* iniciação.
iniciado, -a, *adj.* e *s.* iniciado.
iniciador, -a, *adj.* e *s.* iniciador.
inicial, I. *adj.* 2 *gén.* inicial, do início. **II.** *s. f.* inicial.
iniciar, *v. tr.* iniciar; começar; principiar; admitir.
iniciativa, *s. f.* iniciativa.
inicio, *s. m.* início; começo.
inicuo, -a, *adj.* iníquo; perverso; malvado.
inigualable, *adj.* 2 *gén.* inigualável.
inigualado, -a, *adj.* inigualado.

inimaginable, *adj.* 2 *gén.* inimaginável.
inimitable, *adj.* 2 *gén.* inimitável.
ininteligible, *adj.* 2 *gén.* ininteligível; obscuro; misterioso.
ininterrumpido, -a, *adj.* ininterrupto.
iniquidad, *s. f.* iniquidade; maldade.
injerencia, *s. f.* engerência.
injerir, *v. refl.* intrometer-se; imiscuir-se; injerir-se.
injertar, *v. tr.* enxertar.
injerto, *s. m.* enxerto; enxertia.
injuria, *s. f.* injúria; afronta; agravo; ultraje.
injurioso, -a, *adj.* injurioso, ofensivo.
injusticia, *s. f.* injustiça.
injustificado, -a, *adj.* injustificado.
injustificable, *adj.* 2 *gén.* injustificável.
injusto, -a, *adj.* injusto.
inmaculado, -a, *adj.* imaculado; puro; inocente.
inmadurez, *s. f.* imaturidade.
inmaduro, -a, *adj.* imaturo.
inmanencia, *s. f.* imanência.
inmanente, *adj.* 2 *gén.* imanente.
inmarcesible, *adj.* 2 *gén.* imarcescível.
inmaterial, *adj.* 2 *gén.* imaterial.
inmediaciones, *s. f. pl.* imediações, arredores, redondezas.
inmediato, -a, *adj.* imediato; contiguo; próximo; instantâneo.
inmemorial, *adj.* 2 *gén.* imemorial; imemorável.
inmensidad, *s. f.* imensidade; imensidão.
inmenso, -a, *adj.* imenso; infinito; ilimitado.
inmensurable, *adj.* 2 *gén.* imensurável.
inmerecido, -a, *adj.* imerecido.
inmersión, *s. f.* imersão.
inmerso, -a, *adj.* imerso.
inmigracion, *s. f.* imigração.
inmigrante, *adj.* e *s.* 2 *gén.* imigrante.
inmigrar, *v. intr.* imigrar.
inminencia, *s. f.* iminência.
inminente, *adj.* 2 *gén.* iminente.
inmiscuirse, *v. refl.* imiscuir-se; intrometer-se.
inmobiliaria, *s. f.* imobiliária.
inmobiliario, -a, *adj.* imobiliário.
inmoble, *adj.* 2 *gén.* imóvel; firme; inalterável.
inmoderado, -a, *adj.* imoderado; exagerado; descomedido.

inmodestia, s. f. imodéstia; orgulho; impudicícia.

inmolación, s. f. imolação; sacrifício cruento.

inmolar, v. tr. imolar.

inmoral, adj. 2 gén. imoral; desonesto.

inmoralidad, s. f. imoralidade; desregramento.

inmortal, adj. 2 gén. imortal.

inmortalidad, s. f. imortal.

inmortalizar, v. tr. imortalizar.

inmóvil, adj. 2 gén. imóvel, parado; estático.

inmovilidad, s. f. imobilidade.

inmovilismo, s. m. imobilismo.

inmovilista, adj. e s. 2 gén. imobilista; reaccionário.

inmovilización, s. f. imobilização.

inmovilizar, v. tr. imobilizar.

inmueble, adj. 2 gén. imóvel (bens).

inmundicia, s. f. imundície; sujidade; porcaria.

inmundo, -a, adj. imundo; sujo, asqueroso.

inmune, adj. 2 gén. imune; isento.

inmunidad, s. f. imunidade; isenção.

inmunitario, -a, adj. imunitário.

inmunizar, v. tr. imunizar.

inmunodeficiencia, s. f. imunodeficiência.

inmunodeficiente, adj. e s. 2 gén. imunodeficiente.

inmunología, s. f. imunologia.

inmunoterapia, s. f. imunoterapia.

inmutabilidad, s. f. imutabilidade.

inmutar, v. tr. emocionar; comover; perturbar.

innato, -a, adj. inato; congénito.

innecesario, -a, adj. desnecessário; dispensável.

innegable, adj. 2 gén. inegável; evidente; incontestável.

innoble, adj. 2 gén. ignóbil; vil; desprezível.

innovación, s. f. inovação.

innovador, -a, adj. e s. inovador.

innovar, v. tr. inovar.

innumerable, adj. 2 gén. inumerável.

inobservancia, s. f. inobservância.

inocentada, s. f. partida do dia dos Santos Inocentes (28 de Dezembro).

inocencia, s. f. inocência; candura.

inocente, adj. e s. 2 gén. inocente; cândido; ingénuo; puro.

inocuidad, s. f. inocuidade.

inoculación, s. f. inoculação.

inocular, v. tr. inocular.

inocuo, -a, adj. inócuo.

inodoro, -a, adj. e s. m. inodoro.

inofensivo, -a, adj. inofensivo.

inoficioso, -a, adj. inoficioso.

inolvidable, adj. 2 gén. inolvidável; inesquecível.

inoperancia, s. f. inoperância.

inoperante, adj. 2 gén. inoperante.

inopia, s. f. inópia; indigência; penúria.

inopinado, -a, adj. inopinado; imprevisto.

inoportuno, -a, adj. inoportuno.

inorgánico, -a, adj. inorgânico.

inoxidable, adj. 2 gén. inoxidável.

inquebrantable, adj. 2 gén. inquebrantável.

inquietante, adj. 2 gén. inquietante.

inquietar, v. tr. inquietar; perturbar.

inquieto, -a, adj. inquieto; desassossegado.

inquietud, s. f. inquietação; inquietude.

inquilino, -a, s. m. e f. inquilino; arrendatário.

inquina, s. f. aversão; antipatia; animosidade.

inquirir, v. tr. inquirir; indagar; investigar.

inquisición, s. f. inquisição.

inquisidor, 1. adj. inquiridor; inquisitivo. 2. s. m. inquisidor.

inquisitivo, -a, adj. inquisitivo; inquisitorial.

insaciable, adj. 2 gén. insaciável.

insalubre, adj. 2 gén. insalubre; doentio.

insalubridad, s. f. insalubridade.

insano, -a, adj. insano; louco; demente; árduo.

insatisfecho, -a, adj. insatisfeito.

inscribir, v. tr. inscrever; insculpir; gravar; registar.

inscripción, s. f. inscrição.

inscrito, -a, adj. inscrito; gravado; registado.

insecticida, I. adj. 2 gén. insecticida. II. s. m. insecticida.

insectívoro, -a, adj. insectívoro.

insecto, s. m. insecto.

inseguridad, s. f. insegurança.

inseguro, -a, adj. inseguro, falto de segurança.

inseminación, s. f. inseminação.

inseminar, v. tr. inseminar.
insensatez, s. f. insensatez.
insensato, -a, adj. e s. insensato.
insensibilidad, s. f. insensibilidade.
insensibilizar, v. tr. insensibilizar.
insensible, adj. 2 gén. insensível.
inseparable, adj. 2 gén. inseparável.
insepulto, -a, adj. insepulto.
inserción, s. f. inserção.
insertar, v. tr. inserir; incluir; enxertar.
inserto, -a, adj. inserto.
inservible, adj. 2 gén. inservível, imprestável; inútil.
insidia, s. f. insídia; cilada.
insidioso, -a, adj. e s. insidioso; pérfido.
insigne, adj. 2 gén. insigne; notável; eminente, célebre.
insignia, s. f. insígnia; venera.
insignificancia, s. f. insignificância;
  ninharia.
insignificante, adj. 2 gén. insignificante;
  reles.
insinuación, s. f. insinuação; remoque.
insinuante, adj. 2 gén. insinuante.
insinuar, v. tr. insinuar.
insipidez, s. f. insipidez.
insípido, -a, adj. insípido.
insistencia, s. f. insistência; perseverança.
insistente, adj. 2 gén. insistente.
insistir, v. intr. insistir; teimar; persistir;
  porfiar.
insociable, adj. 2 gén. insociável; intratável.
insolación, s. f. insolação.
insolencia, s. f. insolência; atrevimento.
insolente, adj. e s. 2 gén. insolente; atrevido; grosseiro.
insolidaridad, s. f. falta de solidariedade.
insolidario, -a, adj. não solidário.
insólito, -a, adj. insólito; extraordinário;
  incrível.
insoluble, adj. 2 gén. insolúvel.
insolvencia, s. f. insolvência.
insolvente, adj. 2 gén. insolvente.
insomne, adj. 2 gén. insone.
insomnio, s. m. insónia.
insondable, adj. 2 gén. insondável.
insonorización, s. f. insonorização.
insonorizar, v. tr. insonorizar.
insoportable, adj. 2 gén. insuportável;
  insofrível; intolerável.

insospechado, -a, adj. insuspeitado,
  insuspeito.
insostenible, adj. 2 gén. insustentável.
inspección, s. f. inspecção; exame; vistoria.
inspeccionar, v. tr. inspeccionar.
inspector, -a, s. m. e f. inspector, inspec-
  tora.
inspiración, s. f. inspiração.
inspirar, v. tr. inspirar; sugerir; incutir;
  insinuar.
instalación, s. f. instalação.
instalador, -a, adj. e s. m. e f. instalador.
instalar, v. tr. e refl. instalar; estabelecer.
instancia, s. f. instância.
instantánea, s. f. FOT. instantâneo.
instantáneo, -a, adj. instantâneo; súbito; rápido.
instante, I. adj. 2 gén. instante. **II.** s. m.
  instante; momento.
instar, v. intr. e tr. instar.
instauración, s. f. instauração.
instaurar, v. tr. instaurar.
instigación, s. f. instigação; incitação.
instigar, v. tr. instigar; incitar; açular.
instintivo, -a, adj. instintivo, espontâneo.
instinto, s. m. instinto.
institución, s. f. instituição.
institucional, adj. 2 gén. institucional.
institucionalización, s. f. institucionalização.
institucionalizar, v. tr. institucionalizar.
instituir, v. tr. instituir; fundar; criar; estabelecer.
instituto, s. m. instituto; regulamentação;
  regra.
institutriz, s. f. preceptora.
instrucción, s. f. instrução.
instructivo, -a, adj. instrutivo.
instructor, -a, adj. e s. instrutor.
instruir, v. tr. instruir; ensinar; adestrar.
instrumental, I. adj. 2 gén. instrumental.
  II. s. m. MÚS. instrumental.
instrumentar, v. tr. instrumentar.
instrumentista, s. 2 gén. instrumentista.
instrumento, s. m. instrumento; utensílio.
insubordinación, s. f. insubordinação.
insubordinado, -a, adj. e s. insubordinado.
insubordinar, v. tr. e refl. insubordinar.
insubstancial, adj. 2 gén. insubstancial.
insubstituible, adj. 2 gén. insubstituível.

insuficiencia, s. f. insuficiência.
insuficiente, adj. 2 gén. insuficiente.
insufrible, adj. 2 gén. insofrível; insuportável.
ínsula, s. f. ilha.
insular, adj. e s. 2 gén. insulina.
insulina, s. f. insulina.
insulso, -a, adj. insulso; insosso.
insultar, v. tr. insultar; ofender; injuriar; ultrajar.
insulto, s. m. insulto; injúria; afronta.
insumisión, s. f. insubmissão; rebeldia.
insuperable, adj. 2 gén. insuperável; invencível.
insurrección, s. f. insurreição, rebelião; revolta.
insurrecto, -a, adj. e s. insurrecto.
insustituible, adj. 2 gén. insubstituível.
intacto, -a, adj. intacto; puro; inteiro; ileso.
intangible, adj. 2 gén. intangível.
integérrimo, -a, adj. integérrimo.
integración, s. f. integração.
integral, adj. 2 gén. integral; total; completo, inteiro.
integralmente, adv. integralmente.
íntegramente, adv. integramente.
integrante, adj. 2 gén. integrante.
integrar, v. tr. integrar; completar.
integridad, s. f. integridade.
íntegro, -a, adj. íntegro; completo; perfeito; recto.
intelecto, s. m. intelecto; inteligência; entendimento.
intelectual, adj. e s. 2 gén. intelectual.
intelectualidad, s. f. intelectualidade.
inteligencia, s. f. inteligência.
inteligente, adj. e s. 2 gén. inteligente.
inteligibilidad, s. f. inteligibilidade.
inteligible, adj. 2 gén. inteligível.
intemperancia, s. f. intemperança; excesso.
intemperante, adj. 2 gén. intemperante.
intemperie, s. f. intempérie.
intempestivo, -a, adj. intempestivo; inoportuno.
intemporal, adj. 2 gén. intemporal.
intención, s. f. intenção; propósito; vontade.
intencionado, -a, adj. intencionado; deliberado, intencional; bien intencionado, bem-intencionado; mal intencionado, mal-intencionado.
intencional, adj. 2 gén. intencional.

intencionalidad, s. f. intencionalidade.
intendencia, s. f. intendência.
intendente, s. m. intendente; MIL. quartel-mestre.
intensidad, s. f. intensidade.
intensificar, v. tr. intensificar.
intensivo, -a, adj. intensivo.
intenso, -a, adj. intenso; enérgico.
intentar, v. tr. intentar; planear; projectar.
intento, s. m. intento; plano; propósito; desígnio.
intentona, s. f. intentona.
interacción, s. f. interacção.
interactivo, -a, adj. interactivo.
intercalar, v. tr. intercalar; inserir; interpor.
intercambio, s. m. intercâmbio.
interceder, v. intr. interceder; trocar; intervir.
interceptar, v. tr. interceptar; interromper.
intercesión, s. f. intercessão.
intercesor, adj. e s. intercessor.
intercomunicación, s. f. intercomunicação.
intercontinental, adj. 2 gén. intercontinental.
intercostal, adj. 2 gén. intercostal.
intercultural, adj. 2 gén. intercultural.
interdependencia, s. f. interdependência.
interdicción, s. f. interdição; proibição.
interés, s. m. interesse; proveito; vantagem; juros.
interesado, -a, adj. e s. interessado; interesseiro.
interesante, adj. 2 gén. interessante.
interesar, v. 1. intr. interessar. 2. tr. atrair.
interfaz, s. f. interface.
interfecto, -a, s. m. e f. DIR. vítima; (fam.) a pessoa em questão.
interferencia, s. f. interferência.
interferir, v. tr. interferir; intervir.
interfono, s. m. intercomunicador.
intergubernamental, adj. 2 gén. intergovernamental.
ínterin, I. s. m. interim; entrementes. **II.** adv. entretanto.
interinidad, s. f. interinidade.
interino, -a, adj. interino; provisório.
interior, adj. interior; íntimo; interno.
interioridad, s. f. interioridade.
interiorizar, v. tr. interiorizar.
interiormente, adv. interiormente.

intrínseco

interjección, *s. f.* interjeição.
interlocutor, -a, *s. m. e f.* interlocutor.
interludio, *s. m.* interlúdio.
intermediar, *v. intr.* mediar, servir de intermediário.
intermediario, -a, *adj. e s.* intermediário.
interminable, *adj. 2 gén.* interminável; demorado.
intermitencia, *s. f.* intermitência.
intermitente, *adj. 2 gén.* intermitente.
internacional, *adj. 2 gén.* internacional.
internado, -a, I. *adj. e s.* internado; interno. II. *s. m.* internato.
internamiento, *s. m.* internamento.
internar, *v. tr.* internar; introduzir.
internista, *s. 2 gén.* internista.
interno, -a, *adj. e s.* interno.
interpelación, *s. f.* interpelação.
interpelar, *v. tr.* interpelar.
interplanetario, -a, *adj.* interplanetário.
interponerse, *v. refl.* interpor-se; meter-se de permeio; interferir.
interposición, *s. f.* interposição, intervenção; mediação.
interpretación, *s. f.* interpretação.
interpretar, *v. tr.* interpretar; explicar; traduzir.
interpretativo, -a, *adj.* interpretativo.
intérprete, *s. 2 gén.* intérprete.
interpuesto, -a, *adj.* interposto.
interregno, *s. m.* interregno; interrupção.
interrelacionar, *v. tr.* inter-relacionar.
interrogación, *s. f.* interrogação; pergunta.
interrogar, *v. tr.* interrogar; inquirir; consultar; perguntar.
interrogativo, -a, *adj.* interrogativo.
interrogatorio, *s. m.* interrogatório.
interrumpir, *v. tr.* interromper; suspender; sustar; estorvar.
interrupción, *s. f.* interrupção, suspensão.
interruptor, *s. m.* interruptor.
intersección, *s. f.* intersecção.
intersticio, *s. m.* interstício; fenda.
interurbano, -a, *adj.* interurbano.
intervalo, *s. m.* intervalo.
intervención, *s. f.* intervenção; intercessão.
intervencionismo, *s. m.* intervencionismo.
intervencionista, *adj. e s. 2 gén.* intervencionista.

intervenir, *v. intr.* intervir; interromper; MED. ingerir-se; operar.
interventor, -a, *adj. e s.* interventor; interveniente.
interviú, *s. m.* entrevista.
intestado, -a, *adj. e s.* intestado.
intestinal, *adj. 2 gén.* intestinal.
intestino, -a, I. *adj.* intestino, interior; interno; íntimo. II. *s. m.* intestino.
intimidación, *s. f.* intimidação.
intimidad, *s. f.* intimidade.
intimidar, *v. tr. e refl.* intimidar; assustar; amedrontar.
intimismo, *s. m.* intimismo.
intimista, *adj. 2 gén.* intimista.
íntimo, -a, *adj.* íntimo.
intolerable, *adj. 2 gén.* intolerável.
intolerancia, *s. f.* intolerância; violência.
intolerante, *adj. e s. 2 gén.* intolerante.
intonso, -a, *adj.* intonso; hirsuto.
intoxicación, *s. f.* intoxicação; envenenamento.
intoxicar, *v. tr.* intoxicar; envenenar.
intraducible, *adj. 2 gén.* intraduzível.
intramuros, *adv.* intramuros.
intranquilo, -a, *adj.* intranquilo, inquieto.
intransferible, *adj. 2 gén.* intransferível.
intransigencia, *s. f.* intransigência; intolerância.
intransigente, *adj. 2 gén.* intransigente.
intransitable, *adj. 2 gén.* intransitável.
intransitivo, -a, *adj.* intransitivo.
intrascendente, *adj. 2 gén.* não transcendente; sem importância; insignificante.
intratable, *adj. 2 gén.* intratável; insociável.
intrauterino, -a, *adj.* intra-uterino.
intravenoso, -a, *adj.* intravenoso.
intrepidez, *s. f.* intrepidez; arrojo; coragem; audácia.
intrépido, -a, *adj.* intrépido; audaz.
intriga, *s. f.* intriga; enredo; bisbilhotice.
intrigante, *adj. e s. 2 gén.* intrigante.
intrigar, *v. intr.* intrigar.
intrincado, -a, *adj.* intrincado; obscuro; complicado.
intrincar, *v. tr.* intrinca; embaraçar; enredar; complicar.
intríngulis, *s. m. (fam.)* dificuldade, complicação.
intrínseco, -a, *adj.* intrínseco; íntimo; essencial.

introducción, s. f. introdução; prefácio.
introducir, v. tr. introduzir; meter.
introductor, -a, adj. e s. introdutor.
introductorio, -a, adj. introdutório.
intromisión, s. f. intromissão.
introspección, s. f. introspecção.
introspectivo, -a, adj. introspectivo.
introversión, s. f. introversão.
introvertido, -a, adj. e s. introvertido.
intrusión, s. f. intrusão.
intruso, -a, adj. e s. intruso.
intuición, s. f. intuição; pressentimento.
intuir, v. tr. intuir; sentir; captar.
intuitivo, -a, adj. intuitivo.
inundación, s. f. inundação.
inundar, v. tr. inundar; alagar.
inusitado, -a, adj. inusitado; desusado.
inusual, adj. 2 gén. não usual.
inútil, adj. 2 gén. inútil; desnecessário; vão.
inutilidad, s. f. inutilidade.
inutilizar, v. tr. inutilizar.
invadir, v. tr. invadir.
invalidación, s. f. invalidação.
invalidar, v. tr. invalidar; inutilizar.
invalidez, s. f. invalidez.
inválido, -a, adj. e s. inválido; inutilizado.
invariable, adj. 2 gén. invariável; constante; firme; imutável.
invasión, s. f. invasão.
invasor, -a, adj. e s. m. e f. invasor.
invectiva, s. f. invectiva.
invencible, adj. 2 gén. invencível; irresistível.
invención, s. f. invenção; engano; ficção; fábula.
invendible, adj. 2 gén. invendível.
inventar, v. tr. inventar; idear; urdir.
inventariar, v. tr. inventariar; relacionar.
inventario, s. m. inventário; relação.
inventiva, s. f. inventiva; imaginação.
invento, s. m. invento; invenção.
inventor, -a, adj. e s. inventor.
invernáculo, s. m. invernadouro; estufa.
invernada, s. f. invernada.
invernadero, s. m. invernadouro; inverneira, pastagem de Inverno.
invernal, adj. 2 gén. invernal.
invernar, v. intr. invernar.
inverosímil, adj. 2 gén. inverosímil.
inversión, s. f. inversão.
inverso, -a, adj. invertido; inverso; recíproco; oposto.
invertebrado, -a, adj. e s. m. invertebrado.

invertido, -a, I. adj. invertido; homossexual. II. s. m. e f. homossexual.
invertir, v. tr. inverter; alterar; investir, aplicar (capitais).
investidura, s. f. investidura.
investigación, s. f. investigação.
investigador, -a, adj. e s. investigador.
investigar, v. tr. investigar; inquirir; indagar.
investir, v. tr. investir; empossar.
inveterado, -a, adj. inveterado; entranhado.
inviable, adj. 2 gén. inviável.
invicto, -a, adj. invicto; invencível.
invidente, adj. e s. 2 gén. invisual, cego.
invierno, s. m. Inverno.
inviolable, adj. 2 gén. inviolável.
invisible, adj. 2 gén. invisível.
invitación, s. f. convite.
invitado, -a, adj. e s. convidado.
invitar, v. tr. convidar.
invocación, s. f. invocação.
invocar, v. tr. invocar; chamar.
involucrar, v. tr. envolver; embrulhar.
involuntario, -a, adj. involuntário.
involutivo, -a, adj. involutivo.
invulnerable, adj. 2 gén. invulnerável; inatacável.
inyección, s. f. injecção.
inyectable, adj. 2 gén. injectável.
inyectar, v. tr. injectar.
inyector, s. m. injector.
ión, s. m. íon, ião.
iónico, -a, adj. iónico.
ionizar, v. tr. ionizar.
ionosfera, s. f. ionosfera.
ipecacuana, s. f. BOT. ipecacuanha.
ir, v. intr. ir; marchar; seguir.
ira, s. f. ira; cólera; fúria; raiva.
iracundo, -a, adv. e s. iracundo; colérico; irascível.
iraní, adj. e s. 2 gén. iraniano.
iranio, -a, I. adj. e s. iraniano. II. s. m. iraniano (idioma).
iraquí, I. adj. e s. 2 gén. iraquiano. II. s. m. iraquiano (idioma).
irascibilidad, s. f. irascibilidade.
irascible, adj. 2 gén. irascível.
iridio, s. m. QUÍM. irídio.
iris, s. m. arco-íris; ANAT. íris.
irisación, s. f. irisação.
irisado, -a, adj. irisado; iridescente.
irisar, v. intr. irisar; iriar.

irland|és, -esa, I. *adj.* e s. irlandês, da Irlanda. II. *s. m.* irlandês (idioma).
ironía, *s. f.* ironia; sarcasmo; zombaria.
iróni|co, -a, *adj.* irónico; sarcástico.
ironizar, *v. tr.* ironizar.
irracional, *adj.* 2 *gén.* irracional.
irracionalidad, *s. f.* irracionalidade.
irradiación, *s. f.* irradiação; difusão.
irradiar, *v. tr.* irradiar.
irrazonable, *adj.* 2 *gén.* sem-razão, despropositado, inconveniente.
irreal, *adj.* 2 *gén.* irreal; imaginário.
irrealidad, *s. f.* irrealidade.
irrealizable, *adj.* 2 *gén.* irrealizável.
irrebatible, *adj.* 2 *gén.* irrefutável.
irreconciliable, *adj.* 2 *gén.* irreconciliável.
irreconocible, *adj.* 2 *gén.* irreconhecível.
irrecuperable, *adj.* 2 *gén.* irrecuperável.
irreemplazable, *adj.* 2 *gén.* insubstituível.
irreflexión, *s. f.* irreflexão.
irreflexiv|o, -a, *adj.* irreflexivo; irreflectido.
irrefrenable, *adj.* 2 *gén.* irrefreável.
irrefutable, *adj.* 2 *gén.* irrefutável.
irregular, *adj.* 2 *gén.* irregular.
irregularidad, *s. f.* irregularidade.
irrelevante, *adj.* 2 *gén.* irrelevante.
irremediable, *adj.* 2 *gén.* irremediável; inevitável.
irremisible, *adj.* 2 *gén.* irremissível; imperdoável.
irreparable, *adj.* 2 *gén.* irreparável; irremediável.
irreprimible, *adj.* 2 *gén.* irreprimível; irrepressível.
irreprochable, *adj.* 2 *gén.* irrepreensível; impecável.
irresistible, *adj.* 2 *gén.* irresistível.
irresponsable, *adj.* 2 *gén.* irresponsável.

irreverencia, *s. f.* irreverência; desacato.
irreverente, *adj.* 2 *gén.* irreverente.
irreversible, *adj.* 2 *gén.* irreversível.
irrigar, *v. tr.* irrigar.
irrisori|o, -a, *adj.* irrisório.
irritable, *adj.* 2 *gén.* irritável; irascível.
irritación, *s. f.* irritação.
irritar, *v. tr.* irritar; exacerbar; excitar.
irrompible, *adj.* 2 *gén.* inquebrável.
irrumpir, *v. intr.* irromper.
irrupción, *s. f.* irrupção.
isla, *s. f.* ilha.
islam, *s. m.* islão.
islámico, -a, *adj.* islâmico.
islamismo, *s. m.* islamismo.
islamita, *adj.* e s. 2 *gén.* islamita.
island|és, -esa, I. *adj.* e s. islandês, da Islândia. II. *s. m.* islandês (idioma).
isleñ|o, -a, *adj.* e s. islenho, isleno; insular; insulano; ilhéu.
isleta, *s. f.* ilhota.
islote, *s. m.* ilhéu.
isobara, *s. f.* isóbara, linha isobárica.
isósceles, *adj.* 2 *gén.* isósceles.
isotérmi|co, -a, *adj.* isotérmico.
israelita, *adj.* e s. 2 *gén.* israelita.
ístmi|co, -a, *adj.* ístmico.
istmo, *s. m.* istmo.
italian|o, -a, I. *adj.* e s. italiano. II. *s. m.* italiano (idioma).
itáli|co, -a, *adj.* itálico.
itinerante, *adj.* 2 *gén.* itinerante.
itinerario, *s. m.* itinerário.
itrio, *s. m.* QUÍM. ítrio.
izar, *v. tr.* içar; erguer; levantar.
izquierda, *s. f.* esquerda.
izquierdista, *adj.* e s. 2 *gén.* esquerdista.
izquierd|o, -a, I. *adj.* esquerdo. II. *s. m.* e *f.* canhoto, esquerdino.

J

j, *s. f.* j, décima letra do alfabeto espanhol.
jabalí, *s. m.* javali.
jabalina, *s. f.* javalina (fêmea do javali); dardo.
jabato, -a, *s. m.* e *f.* cria de javali.
jabón, *s. m.* sabão.
jabonada, *s. f.* ensaboadela.
jabonado, -a, *adj.* ensaboado.
jabonar, *v. tr.* ensaboar.
jaboncillo, *s. m.* sabonete; giz de alfaiate; BOT. saponária.
jabonera, *s. f.* saboneteira.
jaborandi, *s. m.* jaborandi.
jaca, *s f.* faca, cavalo ou égua pequenos.
jacaranda, *s. m.* BOT. jacarandá.
jacarandoso, -a, *adj.* donairoso; alegre; desenvolto.
jacinto, *s. m.* BOT. jacinto.
jacobino, -a, *adj.* e *s.* jacobino.
jactancia, *s. f.* jactância; vaidade; arrogância.
jactancioso, -a, *adj.* e *s.* jactancioso.
jactarse, *v. refl.* jactar-se; gabar-se; exaltar-se.
jaculatoria, *s. f.* jaculatória.
jade, *s. m.* MIN. jade.
jadeante, *adj.* 2 *gén.* arquejante; ofegante.
jadear, *v. intr.* arquejar; ofegar.
jaez, *s. m.* jaez, (adorno); índole; carácter; jaez.
jaguar, *s. m.* ZOOL. jaguar.
jalar, *v. tr.* atirar; atrair; puxar; (*fam.*) comer.
jalbegar, *v. tr.* caiar; branquear; empoar (o rosto).
jalea, *s. f.* geleia.
jalear, *v. tr.* animar; açular os cães; aplaudir.
jaleo, *s. m.* algazarra; animação; graça; viveza; aplausos; dança andaluza.
jaleoso, -a, *adj.* complicado, embrulhado, enredado.
jalón, *s. m.* baliza; bandeirola, estaca.
jalonar, *v. tr.* balizar; limitar.
jaloque, *s. m.* siroco (vento).
jamaicano, -a, *adj.* e *s.* jamaicano.

jamar, *v. tr.* (*fam.*) comer.
jamás, *adv.* jamais; nunca; em nenhum tempo.
jamba, *s. f.* ARQ. jamba.
jamelgo, *s. m.* rocinante; sendeiro.
jamón, *s. m.* presunto.
jamona, *adj.* e *s. f.* (*fam.*) durázia, mulher quarentona.
japonés, -esa, *adj.* e *s.* japonês.
jaque, *s. m.* xeque (no xadrez); *jaque mate*, xeque-mate.
jaquear, *v. tr.* xequear, dar xeque (no jogo do xadrez); fustigar o inimigo.
jaqueca, *s. f.* enxaqueca; hemicrania; hemialgia.
jara, *s. f.* BOT. esteva.
jarabe, *s. m.* xarope.
jarcia, *s. f.* enxárcia.
jardín, *s. m.* jardim.
jardinera, *s. f.* jardineira; floreira.
jardinería, *s. f.* jardinagem.
jardinero, *s. m.* jardineiro.
jareta, *s. f.* folho; pregueado; bainha.
jaro, -a, *adj.* ruivo.
jarra, *s. f.* jarra.
jarrete, *s. m.* VET. jarrete; curvejão.
jarretera, *s. f.* jarreteira.
jarro, *s. m.* jarro.
jarrón, *s. m.* jarrão; vaso artístico.
jaspe, *s. m.* MIN. jaspe.
jaspear, *v. tr.* jaspear.
jaula, *s. f.* gaiola; jaula.
jauría, *s. f.* matilha de cães.
javanés, -esa, *adj.* e *s.* javanês.
jazmín, *s. m.* jasmim.
jazz, *s. m.* jazz.
jefa, *s. f.* superiora; directora; chefe.
jefatura, *s. f.* chefatura; chefia.
jefe, *s. m.* chefe.
jengibre, *s. m.* gengibre.
jeque, *s. m.* xeque (chefe árabe).
jerarca, *s. m.* jerarca, hierarca.
jerarquía, *s. f.* jerarquia, hierarquia.
jerárquico, -a, *adj.* jerárquico, hierárquico.
jeremiada, *s. f.* jeremiada; lamúria.
jerez, *s. m.* (*fig.*) xerez (vinho).

jerga, *s. f.* xerga, espécie de burel; enxergão; colchão; geringonça; gíria; calão.

jergón, *s. m.* enxergão.

jerife, *s. m.* xerife.

jerigonza, *s. f.* geringonça; gíria; calão.

jeringa, *s. f.* seringa.

jeringar, *v. tr.* seringar; injectar.

jeringuilla, *s. f.* seringa hipodérmica.

jeroglífico, -a, I. *adj.* jeroglífico; hieroglífico. II. *s. m.* jeróglifo, hieróglifo.

jersey, *s. m.* casaquinho de malha.

jesuita, *adj.* 2 *gén.* jesuíta.

jeta, *s. f.* cara; lata, descaramento.

jetudo, -a, *adj.* beiçudo.

jibia, *s. f.* ZOOL. siba.

jícara, *s. f.* xícara, chávena.

jijallar, *s. m.* codessal.

jijona, *s. f.* nogado.

jilguero, *s. m.* ZOOL. pintassilgo.

jineta, *s. f.* ZOOL. gineta, gineto (gato-bravo).

jinete, *s. m.* ginete, cavaleiro.

jinetear, *v. tr.* ginetear; cavalgar.

jinglar, *v. intr.* gingar; bambolear-se.

jingoísmo, *s. m.* jingoísmo.

jipijapa, *s. f.* palhinha, panamá.

jirafa, *s. f.* ZOOL. girafa.

jirón, *s. m.* farrapo, trapo; LIT. fragmento, excerto.

jitomate, *s. m.* tomate.

jockey, *s. m.* jóquei.

jocosidad, *s. f.* jocosidade.

jocoso, -a, *adj.* jocoso; faceto; gracioso.

jocundo, -a, *adj.* jucundo; alegre, agradável.

jofaina, *s. f.* bacia (de lavatório).

jolgorio, *s. m.* pândega, patuscada, diversão; rixa.

jónico, -a, I. *adj.* jónico, jónio. II. *s.* 1. *m. e f.* jónico, jónio. 2. *m.* jónico (dialecto).

jordano, -a, *adj. e s. m.* jordano.

jornada, *s. f.* jornada.

jornal, *s. m.* jornal; salário; diário.

jornalero, -a, *s. m. e f.* jornaleiro.

joroba, *s. f.* corcunda, corcova; bossa.

jorobado, -a, *adj. e s.* corcovado.

jorobar, *v. tr.* (*fig.*) corcovar; importunar; molestar.

jota, *s.* 1. *f.* dança popular espanhola. 2. *m.* letra *j*.

joule, *s. m.* FÍS. joule.

joven, *adj. e s.* 2 *gén.* jovem.

jovial, *adj.* 2 *gén.* jovial.

jovialidad, *s. f.* jovialidade.

joya, *s. f.* jóia.

joyería, *s. f.* joalharia.

joyero, *s. m.* joalheiro; guarda-jóias.

juanete, *s. m.* joanete.

jubilación, *s. f.* aposentação; reforma; jubilação.

jubilado, -a, *adj.* jubilado.

jubilar, *v. tr.* jubilar; aposentar.

jubileo, *s. m.* jubileu; indulgência, perdão.

júbilo, *s. m.* júbilo; alegria; regozijo.

jubiloso, -a, *adj.* jubiloso.

jubón, *s. m.* gibão.

judaico, -a, *adj.* judaico.

judaísmo, *s. m.* judaísmo.

judas, *s. m.* (*fig.*) judas, traidor.

judería, *s. f.* judiaria.

judía, *s. f.* feijão.

judicial, *adj.* 2 *gén.* judicial; forense.

judiciario, -a, *adj.* judiciário.

judío, -a, *adj. e s.* hebreu; judeu, da Judeia; avarento.

judión, *s. m.* feijoca.

judo, *s. m.* judo.

judoca, *s.* 2 *gén.* judoca.

juego, *s. m.* jogo.

juerga, *s. f.* (*fam.*) borga; pândega; estroinice.

juerguista, *adj. e s.* 2 *gén.* boémio; estroina.

jueves, *s. m.* quinta-feira.

juez, -eza, *s. m. e f.* juiz, juíza; magistrado; árbitro; julgador.

jugada, *s. f.* jogada.

jugador, -a, *adj. e s.* jogador.

jugar, *v.* 1. *intr.* brincar; folgar; divertir-se; traquinar; retouçar. 2. *tr.* jogar.

jugarreta, *s. f.* jogada mal feita; (*fig.*) velhacada.

juglar, I. *adj.* truão; farsista; histrião. II. *s. m.* jogral.

juglaresco, -a, *adj.* jogralesco.

jugo, *s. m.* suco; seiva; sumo.

jugoslavo, -a, *adj. e s.* jugoslavo.

jugoso, -a, *adj.* sucoso; suculento; sumarento.

juguete, *s. m.* brinquedo; joguete; zombaria.

julguetear, *v. intr.* brincar; joguetear.

jugueteo, *s. m.* brincadeira, folguedo.

juguetería, *s. f.* bazar.

juguetón, -ona, *adj. e s.* brincalhão, brincalhona; folgazão, folgazona.

juicio, *s. m.* juízo.

juicioso, -a, *adj. e s.* judicioso.

julepe, *s. m.* julepe; julepo.

juliana, *s. f.* BOT. juliana.

julio, *s. m.* Julho; FÍS. joule.

jumento, -a, *s. m.* asno; burro; jumento.

jumera, *s. f. (fam.)* bebedeira.

juncal, *s. m.* juncal; junqueira.

juncia, *s. f.* BOT. junça.

junco, *s. m.* BOT. junco; NÁUT. junco, embarcação oriental.

junio, *s. m.* Junho.

júnior, *adj e s.* 2 *gén.* júnior; RELIG. noviço.

jungla, *s. f.* selva tropical.

junípero, *s. m.* BOT. junípero, zimbro.

junquillo, *s. m.* BOT. junquilho.

junta, *s. f.* junta; reunião; ligação.

juntar, *v. tr.* juntar; ajuntar; unir.

juntera, *s. f.* junteira; juntoura, juntoira (garlopa).

junto, -a, *adj.* junto; unido; pegado.

juntura, *s. f.* juntura; comissura; junção; articulação.

Júpiter, *s. m.* Júpiter.

jura, *s. f.* jura; juramento.

jurado, -a, I. *adj.* jurado. **II.** *s. m.* júri.

juramentar, *v. tr.* juramentar; ajuramentar.

juramento, *s. m.* juramento.

jurar, *v.* **1.** *tr.* jurar. **2.** *intr.* praguejar.

jurásico, -a, *adj.* GEOL. jurássico.

jurel, *s. m.* chicharro; cavala.

jurídico, -a, *adj.* jurídico.

jurisconsulto, *s. m.* jurisconsulto.

jurisdicción, *s. f.* jurisdição; alçada.

jurisdiccional, *adj.* 2 *gén.* jurisdicional.

jurispericia, *s. f.* jurisprudência.

jurisperito, -a, *s. m. e f.* jurisperito; jurisconsulto.

jurisprudencia, *s. f.* jurisprudência.

jurista, *s.* 2 *gén.* jurista; jurisconsulto.

justa, *s. f.* justa; peleja; torneio; competição.

justamente, *adv.* justamente; precisamente.

justeza, *s. f.* justeza.

justicia, *s. f.* justiça.

justiciero, -a, *adj.* justiceiro; imparcial.

justificable, *adj.* 2 *gén.* justificável.

justificación, *s. f.* justificação.

justificante, I. *adj.* 2 *gén.* justificante. **II.** *s. m.* prova escrita.

justificar, *v.* **1.** *tr.* justificar; provar; fundamentar. **2.** *refl.* justificar-se; ser justificado.

justificativo, -a, *adj.* justificativo.

justipreciación, *s. f.* avaliação.

justo, -a, *adj. e s.* justo.

juvenil, *adj.* 2 *gén.* juvenil.

juventud, *s. f.* juventude; adolescência; mocidade.

juzgado, *s. m.* julgado; tribunal; juízo; jurisdição.

juzgar, *v. tr.* julgar; deliberar; sentenciar; crer.

K

k, *s. f.* k, décima primeira letra do alfabeto espanhol.

kamikaze, *s. m.* kamikaze, guerreiro suicida (Japão).

kan, *s. m.* cão (chefe entre os Tártaros).

kárate, *s. m.* karaté.

kart, *s. m.* kart.

kayak, *s. m.* caiaque.

keniano, -a, *adj.* e s. queniano.

kermes, *s. f.* vd. **kermés.**

kermés, *s. f.* quermesse.

keroseno, *s. m.* queroseno.

khedive, *s. m.* quediva.

kilo, *s. m.* quilo; quilograma.

kilogramo, *s. m.* quilograma.

kilolitro, *s. m.* quilolitro.

kilometraje, *s. m.* quilometragem.

kilometrar, *v. tr.* quilometrar.

kilométrico, -a, *adj.* quilométrico.

kilómetro, *s. m.* quilómetro.

kilovatio, *s. m.* kilowatt, quilovátio.

kilowatt, *s. m.* kilowatt.

kimono, *s. m.* quimono.

kiosco, *s. m.* quiosque.

kurdo, -a, *adj.* e s. curdo.

L

l, *s. f.* l, décima segunda letra do alfabeto espanhol.

la, **I.** *art.* a; *la casa,* a casa. **II.** *pron. pess.* a; *no la he visto,* não a vi. **III.** *s. m.* MÚS. lá, sexta nota da escala musical.

laberíntico, -a, *adj.* labiríntico.

laberinto, *s. m.* labirinto; dédalo; enredo; complicação.

labia, *s. f.* lábia; manha.

labiado, -a, *adj.* BOT. labiado.

labial, *adj.* 2 *gén.* labial.

lábil, *adj.* 2 *gén.* lábil; escorregável; frágil; débil.

labio, *s. m.* lábio; beiço; lóbulo.

labiodental, *adj. e s. f.* labiodental.

labor, *s. f.* labor; trabalho.

laborable, *adj.* 2 *gén.* laborável; cultivável; arável.

laboratorio, *s. m.* laboratório.

labrado, -a, **I.** *adj.* lavrado. **II.** *s. m.* lavrado, obra de cantaria.

labrador, -a, *s. m. e f.* lavrador; agricultor.

labrantío, -a, *adj. e s. m.* lavradio; arável.

labranza, *s. f.* lavoura; agricultura; lavra.

labrar, *v. tr.* lavrar, arar; agricultar.

labriego, -a, *s. m. e f.* labrego, aldeão.

laca, *s. f.* laca; goma-laca.

lacar, *v. tr.* lacar.

lacayo, *s. m.* lacaio.

lacear, *v. tr.* enlaçar; laçar.

laceración, *s. f.* laceração; dilaceração.

lacerar, *v. tr.* lacerar; rasgar; dilacerar; ferir.

lacha, *s. f.* vergonha, embaraço.

lacio, -a, *adj.* murcho; desbotado; lasso; liso, escorrido (cabelo).

lacón, *s. m.* presunto.

lacónico, -a, *adj.* lacónico; conciso, breve.

laconismo, *s. m.* laconismo; concisão.

lacra, *s. f.* marca; cicatriz; sinal; imperfeição; vicio.

lacrar, *v. tr.* lacrar, fechar, selar com lacre.

lacre, *s. m.* lacre.

lacrimal, *adj.* 2 *gén.* lacrimal.

lacrimógeneo, -a, *adj. e s.* lacrimógeneo.

lacrimoso, -a, *adj.* lacrimoso.

lactación, *s. f.* lactação.

lactancia, *s. f.* lactação.

lactante, *adj. e s.* 2 *gén.* lactante.

lácteo, -a, *adj.* lácteo.

láctico, -a, *adj.* lácteo.

lactosa, *s. f.* lactose.

lacustre, *adj.* 2 *gén.* lacustre.

ladear, *v.* **1.** *tr.* ladear; torcer; desviar. **2.** *intr.* desviar.

ladeo, *s. m.* ladeamento.

ladera, *s. f.* ladeira, declive, encosta.

ladino, -a, *adj.* ladino; astuto; sagaz.

lado, *s. m.* lado; face; lugar; aspecto; banda; parte; sítio; ilharga.

ladrar, *v. intr.* ladrar; latir.

ladrido, *s. m.* ladrido; latido.

ladrillar, *v. tr.* ladrilhar.

ladrillero, -ra, *s. m. e f.* ladrilheiro.

ladrillo, *s. m.* ladrilho.

ladrón, -ona, *adj. e s.* ladrão, ladra.

lagar, *s. m.* lagar.

lagarta, *s. f.* lagarta.

lagartija, *s. f.* lagartixa.

lagarto, *s. m.* ZOOL. lagarto; sardão.

lago, *s. m.* lago.

lágrima *s. f.* lágrima.

lagrimal, *adj.* 2 *gén.* lacrimal.

lagrimear, *v. intr.* lagrimejar; lacrimejar.

lagrimoso, -a, *adj.* lagrimoso; lacrimoso; choroso.

laguna, *s. f.* lagoa.

laicado, *s. m.* laicado.

laicismo, *s. m.* laicismo.

laicizar, *v. tr.* laicizar.

laico, -a, *adj.* laico.

lama, *s.* **1.** *f.* lama, lodo. **2.** lama (sacerdote budista).

lamedura, *s. f.* lambedela.

lamentable, *adj.* 2 *gén.* lambedela.

lamentación, *s. f.* lamentação; lamento.

lamentar, *v. tr. e intr.* lamentar; deplorar; lastimar.

lamento, *s. m.* lamento; gemido; queixa.

lameplatos, *s.* 2 *gén.* lambaz, glutão.

lamer, *v. tr.* lamber.

lamido, -a, *adj.* lambido; gasto; usado.

lámina, *s. f.* lamina; estampa.

laminación, s. f. laminação.
laminad|o, -a, I. adj. laminado. **II.** s. m. laminação.
laminar, I. v. tr. laminar; lamelar. **II.** adj. 2 gén. laminar.
lámpara, s. f. lâmpada.
lamparilla, s. f. lamparina.
lampiñ|o, -a, adj. lampinho; imberbe.
lamprea, s. f. lampreia.
lana, s. f. lã.
lanar, adj. 2 gén. lanar; lanígero.
lance, s. m. lance; lanço; transe.
lanceolad|o, -a, adj. BOT. lanceolado.
lancero, s. m. lanceiro (soldado).
lancha, s. f. laja, laje, lájea, lancil (pedra plana); lancha (embarcação).
lanchón, s. m. lanchão.
landa, s. f. landa, charneca.
landó, s. m. landó.
langosta, s. f. ZOOL. gafanhoto; lagosta.
langostino, s. m. lagostim.
languidecer, v. intr. languescer; enfraquecer.
languidez, s. f. languidez; langor; apatia.
lánguid|o, -a, adj. lânguido; fraco; débil; frouxo.
lanífero, -a, adj. lanífero, lanígero.
lanilla, s. f. flanela; pelúcia.
lanosidad, s. f. lanugem, carepa (de frutos e folhas).
lanos|o, -a, adj. BOT. lanoso.
lanud|o, -a, adj. lanoso, lanudo.
lanza, s. f. lança.
lanzacohetes, s. m. lança-foguetes.
lanzadera, s. f. lançadeira.
lanzador, -a, adj. e s. lançador.
lanzagranadas, s. m. lança-granadas.
lanzallamas, s. m. MIL. lança-chamas.
lanzamiento, s. m. lançamento; arremesso.
lanzaminas, s. m. lança-minas.
lanzar, v. tr. lançar; arrojar; arremessar; brotar; deitar.
laña, s. f. grampo (gato de ferro); lanha, coco verde.
lapa, s. f. flor; ZOOL. lapa (molusco).
lapicero, s. m. lapiseira.
lápida, s. f. lápide.
lapidación, s. f. lapidação.
lapidar, v. tr. lapidar; apedrejar; talhar; desbastar.
lapidario, -a, adj. e s. m. lapidário; lapidador, joalheiro.

lapislázuli, s. m. lápis-lazúli; lazulite, lazulita.
lapiz, s. m. lápis.
lapo, s. m. bengalada; vergastada.
lap|ón, -ona, adj. e s. lapão, lapoa.
lapso, s. m. **1.** período (de tempo). **2.** erro, vd. **lapsus.**
lapsus, s. m. lapso; descuido; erro; equívoco.
laquear, v. tr. lacar.
lar, s. m. lar; lareira.
largar, v. tr. largar; soltar; deixar.
larg|o, -a, adj. comprido; longo; extenso; liberal.
largometraje, s. m. longa-metragem.
larguero, s. m. trave; travessão.
largueza, s. f. largueza.
larguirucho, -a, adj. esgrouviado.
largura, s. f. largura.
laringe, s. f. laringe.
larínge|o, -a, adj. laríngeo.
laringitis, s. f. laringite.
larva, s. f. larva; lagarta.
larvad|o, -a, adj. larvado.
las, art. e pron. pess. f. pl. vd. **la.**
lasaña, s. f. lasanha.
lasca, s. f. lasca; estilhaço.
lascivia, s. f. lascívia; luxúria.
lasciv|o, -a, adj. lascivo; sensual; libidinoso.
lasitud, s. f. lassitude; lassidão; cansaço.
lástima, s. f. lástima; pena; dor; compaixão
lastimar, v. tr. ferir; lamentar; deplorar.
lastimer|o, -a, adj. lastimoso; deplorável.
lastimos|o, -a, adj. lastimoso; deplorável.
lastrar, v. tr. NÁUT. lastrar.
lastre, s. m. lastro; balastro.
lata, s. f. lata; folha-de-flandres; caixa de lata; maçada.
latente, adj. 2 gén. latente.
lateral, adj. 2 gén. lateral.
latido, s. m. latido; ganido.
latifundio, s. m. latifúndio.
latifundista, adj. e s. 2 gén. latifundiário.
latigazo, s. m. lategada; chicotada; repreensão forte.
látigo, s. m. látego; chicote; azorrague.
latín, s. m. latim.
latinismo, s. m. latinismo.
latinizar, v. tr. latinizar.
latin|o, -a, adj. latino.

latinoamerican|o, -a, *adj.* e s. latino-
-americano.
latir, *v. intr.* latir; ladrar; ganir; latejar; pulsar.
latitud, *s. f.* latitude.
latitudinal, *adj.* e s. 2 *gén.* latitude.
lat|o, -a, *adj.* lato; largo; amplo.
latón, *s. m.* latão; bronze.
latos|o, -a, *adj.* maçador; enfadonho; pesado.
latrocinio, *s. m.* roubo, furto.
laúd, *s. m.* MÚS. alaúde.
laudable, *adj.* 2 *gén.* laudável; louvável.
láudano, *s. m.* láudano.
laudatori|o, -a, *adj.* laudatório.
laureada, *s. f.* MIL. insígnia, condecoração.
lauread|o, -a, *adj.* laureado.
laurear, *v. tr.* laurear; galardoar; premiar.
laurel, *s. m.* toureiro.
lava, *s. f.* lava.
lavable, *adj.* 2 *gén.* lavável.
lavabo, *s. m.* lavabo; lavatório.
lavacoches, *s. m.* lavador de carros.
lavada, *s. f.* lavagem; barrela.
lavadero, *s. m.* lavadouro.
lavad|o, -a, I. *adj.* lavado. **II.** *s. m.* lavagem, lavadela.
lavadora, *s. f.* máquina de lavar roupa.
lavamanos, *s. m.* lavatório, lavabo.
lavanda, *s. f.* lavanda, alfazema.
lavandera, *s. f.* lavadeira.
lavandería, *s. f.* lavandaria; lavadaria.
lavaplatos, *s. m.* lava-louça.
lavar, *v. tr.* lavar.
lavativa, *s. f.* clister; lavagem.
lavatorio, *s. m.* lavatório; lavabo.
lavavajillas, *s. m.* máquina de lavar louça.
lavoteo, *s. m.* lavagem mal feita e à pressa.
laxante, *adj.* 2 *gén.* e s. m. laxante, laxativo.
laxar, *v. tr.* taxar; afrouxar, alargar, atenuar.
laxativ|o, -a, *adj.* e s. m. laxativo; laxante.
laxitud, *s. f.* lassitude, lassidão.
laya, *s. f.* espécie, laia.
lazada, *s. f.* laçada; nó corredio.
lazareto, *s. m.* lazareto.
lazarillo, *s. m.* moço de cego; companheiro inseparável.
lazo, *s. m.* laço; laçada.
le, *pron.* lhe, o.
leal, *adj.* 2 *gén.* leal; fiel.

lealtad, *s. f.* lealdade.
lebrel, *adj.* e s. m. ZOOL. lebrel; lebréu.
lebrillo, *s. m.* alguidar.
lección, *s. f.* lição; leitura; exemplo.
leccionista, *s.* 2 *gén.* leccionador.
lechada, *s. f.* argamassa.
lechal, *adj.* 2 *gén.* mamão.
lechazo, *s. m.* cordeiro de mama.
leche, *s. f.* leite.
lechecillas, *s. f. pl.* fressura, miúdos.
lechera, *s. f.* leiteira.
lechería, *s. f.* leitaria.
lecher|o, -a, *adj.* e s. leiteiro.
lecho, *s. m.* leito; álveo.
lechón, *s. m.* leitão; bácoro.
lechos|o, -a, *adj.* leitoso; lácteo.
lechuga, *s. f.* alface.
lechuguino, *s. m.* elegante, janota.
lechuza, *s. f.* coruja.
lectiv|o, -a, *adj.* lectivo.
lector, -a, *adj.* e s. leitor.
lectorado, *s. m.* leitorado.
lectura, *s. f.* leitura.
led|o, -a, *adj.* ledo; alegre; contente, risonho.
leer, *v. tr.* ler.
legación, *s. f.* legação.
legado, *s. m.* legado.
legadura, *s. f.* atilho; ligadura.
legado, *s. m.* maço de papéis atados.
legajo, *s. m.* dossier.
legal, *adj.* 2 *gén.* legal.
legalidad, *s. f.* legalidade.
legalista, *adj.* e s. 2 *gén.* legalista.
legalización, *s. f.* legalização.
legalizar, *v. tr.* legalizar; autenticar.
légamo, *s. m.* lodo; lodaçal.
legaña, *s. f.* remela; ramela.
legaños|o, -a, *adj.* e s. remeloso; remelado.
legar, *v. tr.* legar.
legatari|o, -a, *s. m.* e f. legatário.
legendario, -a, *adj.* lendário.
legibilidad, *s. f.* legibilidade.
legible, *adj.* 2 *gén.* legível.
legión, *s. f.* legião; multidão.
legionario, -a, *adj.* e s. m. legionário.
legislación, *s. f.* legislação.
legislador, -a, *adj.* e s. legislador.
legislar, *v. intr.* e tr. legislar, dar ou estabelecer leis.
legislativ|o, -a, *adj.* legislativo.
legislatura, *s. f.* legislatura.

legitimación, *s. f.* legitimação.

legitimar, *v. tr.* legitimar.

legitimidad, *s. f.* legitimidade.

legítimo, -a, *adj.* legítimo; genuíno.

lego, -a, *adj.* e *s.* leigo.

legrado, *s. m.* CIR. raspagem.

legrar, *v. tr.* CIR. curetar; raspar.

legua, *s. f.* légua.

legumbre, *s. f.* legume.

leguminoso, -a, I. *adj.* leguminoso. **II.** *s. f.* BOT. leguminosa.

leíble, *adj.* 2 gén. legível.

leída, *s. f.* leitura.

leído, -a, *adj.* lido.

lejanía, *s. f.* lonjura, distância; afastamento; distanciamento.

lejano, -a, *adj.* distante; longínquo; remoto.

lejía, *s. f.* lixívia; barrela.

lejísimos, *adv.* muito longe.

lejitos, *adv.* um pouco longe.

lejos, *adv.* longe; distante.

lelo, -a, *adj.* e *s.* fátuo; simples; tolo.

lema, *s. m.* lema; divisa; mote; slogan.

lencería, *s. f.* roupa interior de senhora, lingerie; loja de roupa interior de senhora, boutique.

lengua, *s. f.* língua.

lenguado, *s. m.* ZOOL. linguado.

lenguaje, *s. m.* linguagem; fala; idioma.

lenguaraz, *adj.* e *s* 2 gén. linguareiro; linguarudo.

lengüeta, *s. f.* lingueta.

lengüetada, *s. f.* lambedela, lambedura.

lengüetazo, *s. m.* lambedela.

lenidad, *s. f.* lenidade; brandura; indulgência.

lenitivo, -a, *adj.* e *s. m.* lenitivo.

lenocinio, *s. m.* lenocínio.

lente, *s. m.* e *f.* lente (de cristal); *pl.* óculos.

lenteja, *s. f.* lentilha.

lentejuela, *s. f.* lentejoula.

lentilla, *s. f.* lente de contacto.

lentisco, *s. m.* lentisco; aroeira.

lentitud, *s. f.* lentidão; lenteza.

lento, -a, *adj.* lento, demorado; ronceiro.

lentor, *s. m.* saburra; crosta.

leña, *s. f.* lenha.

leñador, *s. m.* e *f.* lenhador; lenheiro.

leñazo, *s. m.* paulada; bordoada; pancada forte.

leñera, *s. f.* depósito de lenha.

leño, *s. m.* lenho; madeira.

leñoso, -a, *adj.* lenhoso.

león, *s. m.* ZOOL. leão.

leona, *s. f.* ZOOL. leoa.

leonado, -a, *adj.* leonado; aleonado.

leonera, *s. f.* jaula de leões.

leonino, -a, *adj.* leonino.

leopardo, *s. m.* leopardo.

leotardos, *s. m. pl.* meia-calça.

lepidóptero, -a, *adj.* e *s.* ZOOL. lepidóptero.

leporino, a, *adj.* leporino.

lepra, *s. f.* MED. lepra.

leprosería, *s. f.* leprosaria; gafaria.

leproso, -a, *adj.* e *s.* leproso.

lerdo, -a, *adj.* lerdo; pesado; vagaroso.

les, *pron.* lhes, lhas.

lesbiana, *s. f.* lesbiana, lésbica.

lesbianismo, *s. m.* lesbianismo.

lesbiano, -a, *adj.* lesbiano, lésbico.

lésbico, -a, *adj.* lésbico, lesbiano.

lesión, *s. f.* lesão.

lesionar, *v. tr.* lesar; ferir; contundir.

lesivo, -a, *adj.* lesivo; danoso; prejudicial.

letal, *adj.* 2 gén. letal; mortal; mortífero.

letanía, *s. f.* litania; ladainha.

letárgico, -a, *adj.* letárgico.

letargo, *s. m.* MED. letargo; letargia; apatia; torpor.

letra, *s. f.* letra.

letrado, -a, I. *adj.* letrado; douto. **II.** *s. m.* advogado.

letrero, *s. m.* letreiro; inscrição; rótulo.

letrina, *s. f.* latrina; sentina.

leucemia, *s. f.* leucemia.

leucocito, *s. m.* leucócito.

leucoma, *s. m.* MED. leucoma; albugem; belida.

leucorrea, *s. f.* MED. leucorreia.

leva, *s. f.* MIL. leva; recrutamento; NÁUT. leva (da âncora).

levadizo, -a, *adj.* levadiço.

levadura, *s. f.* levedura; fermento.

levantamiento, *s. m.* levantamento.

levantar, *v. tr.* levantar; elevar; edificar; estabelecer; amotinar.

levante, *s. m.* levante; nascente; oriente.

levantino, -a, *adj.* e *s.* levantino.

levantisco, -a, *adj.* rebelde, inquieto, turbulento.

leve, *adj.* 2 gén. leve; ligeiro.

levedad, *s. f.* leveza; ligeireza; leviandade.

levita, s. 1. m. levita; diácono; sacerdote. 2. f. sobrecasaca, labita.
levitación, s. f. levitação.
levitar, v. tr. levitar.
levítico, -a, adj. levítico.
lexema, s. m. lexema.
léxico, -a, I. adj. lexical. II. s. m. léxico, dicionário.
lexicografía, s. f. lexicografia.
lexicógrafo, s. m. lexicógrafo; dicionarista.
lexicología, s. f. lexicologia; lexicografia.
lexicólogo, s. m. lexicólogo.
lexicón, s. m. léxico.
ley, s. f. lei; religião; lealdade; fidelidade; regra.
leyenda, s. f. lenda; legenda.
lezna, s. f. sovela; furador.
liana, s. f. liana.
liar, v. tr. ligar; amarrar; atar.
libación, s. f. libação.
libanés, -esa, adj. e s. libanês.
libar, v. tr. libar; chupar.
libelo, s. m. libelo.
libélula, s. f. zool. libélula.
líber, s. m. bot. líber, floema.
liberación, s. f. libertação; emancipação; liberação; quitação.
liberal, adj. e s. 2 gén. liberal.
liberalidad, s. f. liberalidade.
liberalismo, s. m. liberalismo.
liberalista, adj. e s. 2 gén. liberalista.
liberalización, s. f. liberalização.
liberar, v. tr. libertar; desobrigar; emancipar; produzir (energia).
libertad, s. f. liberdade.
libertador, -a, adj. e s. libertador.
libertar, v. tr. libertar.
libertario, -a, adj. libertário.
libertinaje, s. m. libertinagem; devassidão.
libertino, -a, adj. e s. libertino; devasso.
liberto, -ta, s. m. liberto.
libidinoso, -a, adj. libidinoso; luxurioso; lascivo.
libido, s. f. libido.
líbido, s. f. libido.
libio, -a, I. adj. e s. líbio. II. s. m. líbio (idioma).
libra, s. f. libra; arrátel; libra esterlina, moeda.
libramiento, s. m. livrança, ordem de pagamento.

libranza, s. f. livrança, ordem de pagamento.
librar, v. tr. livrar; expedir; soltar.
libre, adj. 2 gén. livre; atrevido; isento; dispensado; solteiro; independente; desembaraçado.
librea, s. f. libré.
librecambio, s. m. livre-câmbio.
librepensador, -a, adj. e s. livre-pensador.
librepensamiento, s. m. livre-pensamento.
librería, s. f. livraria; biblioteca.
librero, s. m. e f. livreiro.
libreta, s. f. livrete; caderno; caderneta.
libreto, s. m. libreto.
libro, s. m. livro.
licencia, s. f. licença; permissão.
licenciado, -a, adj. e s. licenciado.
licenciamiento, s. m. licenciamento.
licenciar, v. tr. e refl. licenciar.
licenciatura, s. f. licenciatura.
licencioso, -a, adj. licencioso; dissoluto.
liceo, s. m. liceu; escola.
licitación, s. f. licitação.
licitar, v. tr. licitar.
lícito, -a, adj. lícito.
licitud, s. f. licitude; legalidade.
licor, s. m. licor.
licorera, s. f. licoreira, licoreiro.
licorista, s. 2 gén. licorista.
licuación, s. f. liquefacção.
licuadora, s. f. espremedor; máquina de sumos.
licuar, v. tr. liquefazer.
licuefacción, s. f. liquefacção.
lid, s. f. lide; combate; peleja; trabalho.
líder, s. m. líder.
liderar, v. tr. liderar.
lidia, s. f. lide, lida.
lidiar, v. intr. lidar; combater trabalhar; tourear.
liebre, s. f. lebre.
liendre, s. f. lêndea.
lienzo, s. m. tecido (tela); lenço; quadro; cortina, pano (lanço de muralha).
liga, s. f. liga; faixa; associação; aliança.
ligadura, s. f. ligadura; atadura; med. laqueação.
ligamento, s. m. ligamento; ligação.
ligar, v. tr. ligar; unir; enlaçar; atar.
ligazón, s. f. ligação, união.
ligereza, s. f. ligeireza; presteza; agilidade.

ligero, -a, *adj.* ligeiro; leve; ágil; veloz.
lignito, *s. m.* lenhite, lignite.
ligue, *s. m.* encontro, namoro, ligação passageira.
liguero, *s. m.* ligueiro.
lija, *s. f.* lixa (peixe); lixa (para polir).
lijadora, *s. f.* lixadora.
lijar, *v. tr.* lixar; polir.
lila, **1.** *adj.* 2 *gén.* e *s. f.* lilaz. **2.** *adj.* e *s.* 2 *gén.* tonto, bobo; (*fam.*) anjinho.
liliputiense, *adj.* e *s.* liliputiano; pigmeu; anão.
lima, *s. f.* BOT. lima; lima (ferramenta).
limadura, *s. f.* limadura, limagem; *pl.* granalha, limalhas.
limar, *v. tr.* limar; polir.
limbo, *s. m.* limbo; orla de vestido.
limitación, *s. f.* limitação; termo; fronteira.
limitar, *v. tr.* limitar; demarcar; estremar.
límite, *s. m.* limite; termo; fim.
limítrofe, *adj.* 2 *gén.* limítrofe; confinante.
limo, *s. m.* limo, lama, lodo, barro.
limón, *s. m.* limão.
limonada, *s. f.* limonada.
limonar, *s. m.* limoal.
limonero, *s. m.* BOT. limoeiro.
limosna, *s. f.* esmola.
limpia, *s. f.* limpeza.
limpiabotas, *s. m.* engraxador.
limpiacristales, *s. m.* limpa-vidros.
limpiador, -a, *adj.* e *s.* limpador.
limpiaparabrisas, *s. m.* limpa-pára-brisas.
limpiar, *v. tr.* limpar.
limpidez, *s. f.* limpidez.
límpido, -a, *adj.* límpido.
limpieza, *s. f.* limpeza; pureza.
limpio, -a, *adj.* limpo; puro.
linaje, *s. m.* linhagem; estirpe; genealogia.
linaza, *s. f.* linhaça.
lince, *s. m.* ZOOL. lince; (*fig.*) pessoa sagaz.
linchamiento, *s. m.* linchamento.
linchar, *v. tr.* linchar.
lindante, *adj.* 2 *gén.* confinante; limítrofe.
lindar, *v. intr.* confinar, ser limítrofe.
linde, *s. m.* e *f.* linda; limite; raia.
lindero, -a, *adj.* confinante, limítrofe.
lindeza, *s. f.* formosura; lindeza; perfeição; graça.
lindo, -a, *adj.* lindo; belo; formoso; agradável.
línea, *s. f.* linha; extensão.
lineal, *adj.* 2 *gén.* linear; lineal.

linfa, *s. f.* linfa.
linfático, -a, *adj.* e *s.* linfático.
linfatismo, *s. m.* linfatismo.
lingote, *s. m.* lingote.
lingual, *adj.* 2 *gén.* lingual.
lingüista, *s.* 2 *gén.* linguista.
lingüística, *s. f.* linguística.
lingüístico, -a, *adj.* linguístico.
linimento, *s. m.* linimento.
lino, *s. m.* linho.
linóleo, *s. m.* linóleo.
linotipia, *s. f.* linótipo.
linotipista, *s.* 2 *gén.* linotipista.
linterna, *s. f.* lanterna; lampião; clarabóia.
lío, *s. m.* pacote; embrulho; embrulhada, confusão.
liofilizado, -a, *adj.* liofilizado.
lioso, -a, *adj.* enredador.
liquen, *s. m.* BOT. líquen, líquene.
liquidación, *s. f.* liquidação.
liquidar, *v. tr.* liquefazer; liquidificar; derreter; liquidar, ajustar contas.
liquidez, *s. f.* liquidez.
líquido, -a, *adj.* líquido.
lira, *s. f.* MÚS. lira; lira (moeda).
liria, *s. f.* visgo; visco.
lírica, *s. f.* lírica, (poesia lírica).
lírico, -a, *adj.* e *s.* lírico.
lirio, *s. m.* BOT. lírio.
lirismo, *s. m.* lirismo.
lirón, *s. m.* ZOOL. leirão, arganaz.
lis, *s. f.* lírio; lis; flor-de-lis.
liso, -a, *adj.* liso; macio; franco; sincero; lhano.
lisonja, *s. f.* lisonja; adulação.
lisonjear, *v. tr.* lisonjear; adular.
lisonjero, -a, *adj.* e *s.* lisonjeiro; lisonjeador.
lista, *s. f.* lista; listra; catálogo; relação, rol.
listado, -a, *adj.* listado; riscado.
listel, *s. m.* listel; filete.
listo, -a, *adj.* lesto; rápido; sagaz; esperto.
listón, *s. m.* ARQ. listel; ripa; listado.
listura, *s. f.* sagacidade; esperteza.
lisura, *s. f.* lisura; polidez; franqueza; sinceridade.
litera, *s. f.* liteira.
literal, *adj.* 2 *gén.* literal.
literario, -a, *adj.* literário.
literato, -a, *adj.* e *s.* literato.
literatura, *s. f.* literatura.
litigación, *s. f.* litigação.
litigante, *adj.* e *s.* 2 *gén.* litigante.
litigar, *v. tr.* litigar; pleitear; contender.

litigio, s. m. litígio; pleito; questão.
litio, s. m. QUÍM. lítio.
litografía, s. f. litografia.
litografiar, v. tr. litografar.
litográfico, -a, adj. litográfico.
litógrafo, s. m. litógrafo.
litólogo, s. m. litólogo.
litoral, adj. litoral.
litosfera, s. f. litosfera.
litro, s. m. litro.
lituano, -a, I. adj. e s. lituano. II. s. m. lituano (idioma).
liturgia, s. f. liturgia; ritual.
litúrgico, -a, adj. litúrgico.
liviandad, s. f. leviandade; irreflexão.
liviano, -a, adj. leviano; ligeiro; leve.
lividez, s. f. lividez.
lívido, -a, adj. lívido; arroxeado; azulado.
liza, s. f. liça; luta; combate.
llaga, s. f. chaga.
llagar, v. tr. chagar; ulcerar.
llama, s. f. chama; labareda; ardor; paixão; charco; paul; ZOOL. lama.
llamada, s. f. chamada; chamamento.
llamador, s. m. batente.
llamamiento, s. m. chamamento; chamada.
llamar, v. tr. chamar; convocar; citar; invocar; atrair.
llamarada, s. f. labareda.
llamativo, -a, adj. garrido; atraente; vistoso.
llamear, v. intr. chamejar; arder.
llaneza, s. f. lhaneza; franqueza; simplicidade.
llano, -a, adj. lhano, plano, raso; lhano, franco; singelo.
llanta, s. f. jante.
llantina, s. f. choradeira, berreiro.
llanto, s. m. pranto; choro; lágrimas; gemido.
llanura, s. f. planura; planície; planura.
llave, s. f. chave; clave.
llavero, s. m. porta-chaves, chaveiro.
llegada, s. f. chegada; vinda.
llegar, v. intr. chegar; vir; aproximar-se; durar.
llenar, v. tr. encher.
lleno, -a, adj. cheio; completo; pleno; repleto.
llevadero, -a, adj. suportável; tolerável.
llevar, v. tr. levar, conduzir, transportar; tolerar, suportar; guiar, dirigir.

llorar, v. intr. e tr. chorar.
llorera, s. f. choradeira; berreiro.
lloriquear, v. intr. choramingar.
lloriqueo, s. m. choradeira.
lloro, s. m. choro; pranto.
llorón, -ona, adj. e s. chorão, chorona; chorinca.
lloroso, -a, adj. choroso.
llover, v. intr. chover.
llovizna, s. f. chuvisco; chuvisqueiro.
lloviznar, v. intr. chuviscar.
lluvia, s. f. chuva.
lluvioso, -a, adj. chuvoso, pluvioso.
lo, art. o.
loa, s. f. loa; apologia; louvor.
loable, adj. 2 gén. laudável; louvável.
loar, v. tr. louvar, elogiar.
lobanillo, s. m. cisto; lobinho, tumor superficial.
lobato, s. m. lobacho.
lobezno, s. m. lobinho.
lobo, -a, s. m. e f. lobo, loba.
lóbrego, -a, adj. lôbrego; sombrio; escuro; cavernoso.
lobulado, -a, adj. lobulado.
lóbulo, s. m. BOT./ANAT. lóbulo.
locación, s. f. locação; aluguer; arrendamento.
local, I. adj. 2 gén. local. II. s. m. local; lugar, sítio.
localidad, s. f. localidade; povoação; local; sítio.
localización, s. f. localização.
localizar, v. tr. localizar.
locativo, -a, adj. locativo.
loción, s. f. loção; ablução; lavagem.
loco, -a, adj. e s. doido; louco; insensato, alienado.
locomoción, s. f. locomoção.
locomotor, -a, I. adj. locomotor. II. s. f. locomotiva.
locomotriz, adj. locomotriz.
locuacidad, s. f. loquacidade; verbosidade.
locuaz, adj. 2 gén. loquaz; falador; verboso.
locución, s. f. locução; frase.
locura, s. f. loucura; demência.
locutor, -a, s. m. e f. locutor.
locutorio, s. m. locutório.
lodazal, s. m. lodaçal; atoleiro; lamaçal.
lodo, s. m. lodo; lama.
lodoso, -a, adj. lamacento; lodoso.

logaritmo, *s. m.* logaritmo.
logia, *s. f.* loja maçónica; ARQ. lógia.
lógica, *s. f.* lógica.
lógico, -a, *adj.* lógico.
logística, *s. f.* logística.
logístico, -a, *adj.* logístico.
logotipo, *s. m.* logótipo.
logrado, -a, *adj.* obtido; conseguido; feito com êxito.
lograr, *v. tr.* lograr; conseguir; gozar.
logro, *s. m.* lucro; ganho; usura.
loma, *s. f.* lomba; montículo.
lombriz, *s. f.* minhoca.
lomo, *s. m.* lombo; dorso; lombada; costas.
lona, *s. f.* lona.
loncha, *s. f.* talhada; fatia.
longaniza, *s. f.* linguiça.
longevidad, *s. f.* longevidade.
longevo, -a, *adj.* longevo.
longincuo, -a, *adj.* longínquo; distante.
longitud, *s. f.* longitude.
longitudinal, *adj. 2 gén.* longitudinal.
longui, *hacerse el longui*, fazer-se de novas, fazer-se de lorpa.
longuis, *s. m. (fam.)* vd. **longui**.
lonja, *s. f.* talhada, fatia; tirante (dos arreios).
lonja, *s. f.* mercado; lota; ARQ. átrio; pórtico.
lontananza, *s. f.* PINT. longes, fundo dum quadro; *en lontananza*, ao longe, à distância, em fundo.
loor, *s. m.* LIT. louvor; elogio.
lord, *s. m.* lorde.
loriga, *s. f.* loriga; couraça.
loro, *s. m.* papagaio; pessoa faladora; camafeu, mulher feia; cassete; *estar al loro*, estar a toques.
lorza, *s. f.* prega, macho (costura).
los, *art. m. pl.* os.
losa, *s. f.* lousa; laje.
losado, -da, *adj.* enlousado; lajeado.
losango, *s. m.* GEOM. losango, rombo.
lote, *s. m.* lote; porção; quinhão; prémio.
lotería, *s. f.* lotaria.
loto, *s. m.* loto; lótus.
loza, *s. f.* louça.
lozanía, *s. f.* louçania; viço; garridice.
lozano, -a, *adj.* loução; luxuriante; viçoso; garrido.
lubina, *s. f.* robalo.
lubricación, *s. f.* lubrificação.
lubricante, *adj. 2 gén.* e *s. m.* lubrificante.

lubricar, *v. tr.* lubrificar; untar.
lubricidad, *s. f.* lubricidade.
lúbrico, -a, *adj.* escorregadio; lúbrico; lascivo.
lubrificante, *adj. 2 gén.* e *s. m.* vd. **lubricante**.
lubrificar, *v. tr.* vd. **lubricar**.
lucera, *s. f.* clarabóia.
lucerna, *s. f.* candelabro; clarabóia; lucerna.
lucero, *s. m.* luzeiro, estrela; estrela (mancha branca na testa dos cavalos).
lucha, *s. f.* luta; lide; peleja; contenda.
luchador, -a, *s. m.* e *f.* lutador.
luchar, *v. intr.* lutar; combater; pelejar; disputar.
lucidez, *s. f.* lucidez.
lucido, -a, *adj.* luzido; pomposo; vistoso.
lúcido, -a, *adj.* lúcido; claro; brilhante.
luciérnaga, *s. f.* ZOOL. pirilampo; luze-cu; vaga-lume.
lucimiento, *s. m.* luzimento; brilho.
lucio, *s. m.* lúcio.
lucir, *v. intr.* luzir; brilhar; resplandecer; sobressair; avantajar.
lucrarse, *v. refl.* lucrar; ter proveito.
lucrativo, -a, *adj.* lucrativo.
lucro, *s. m.* lucro; proveito; ganho; benefício.
lucroso, -a, *adj.* lucroso; lucrativo.
luctuosa, *s. f.* lutuosa.
luctuoso, -a, *adj.* lutuoso.
lucubración, *s. f.* lucubração.
lucubrar, *v. tr.* lucubrar.
ludibrio, *s. m.* ludíbrio; escárnio; zombaria.
lúdico, -a, *adj.* lúdico.
luego, *adv.* logo, prontamente; portanto.
lugar, *s. m.* lugar; espaço; sítio; cidade; vila; aldeia; tempo; emprego; motivo.
lugareño, -a, *adj.* e *s.* aldeão.
lúgubre, *adj. 2 gén.* lúgubre; triste; funesto.
lujo, *s. m.* luxo, sumptuosidade.
lujoso, -a, *adj.* luxuoso.
lujuria, *s. f.* luxúria; sensualidade; lascívia.
lujuriante, *adj. 2 gén.* luxuriante; luxurioso.
lujuriar, *v. intr.* luxuriar.
lujurioso, -a, *adj.* e *s.* luxurioso.
lulú, *s. m.* lulu (raça de cães).
lumaquela, *s. f.* lumaquela.
lumbago, *s. m.* lumbago.
lumbar, *adj. 2 gén.* lombar.

lumbre, s. f. lume; fogo; claridade; pl.
pederneira; sílica, sílex.
lumbrera, s. f. lumieira; fogaréu.
luminaria, s. f. luminária; lamparina; lanterna; candeia.
luminiscencia, s. f. luminescência.
luminiscente, adj. luminescente.
luminosidad, s. f. luminosidade.
luminoso, -a, adj. luminoso.
Luna, s. f. Lua.
lunación, s. f. lunação.
lunar, adj. 2 gén. e s. m. lunar.
lunático, -a, adj. e s. lunático.
lunes, s. m. segunda-feira.
luneta, s. f. luneta; óculos.
lúnula, s. f. lúnula.

lupa, s. f. lupa.
lupanar, s. m. lupanar; alcouce.
lúpulo, s. m. lúpulo.
lustrar, v. tr. lustrar.
lustre, s. m. lustre; brilho; glória.
lustrina, s. f. lustrina.
lustro, s. m. lustro.
lustroso, -a, adj. lustroso.
luteranismo, s. m. luteranismo.
luterano, -a, adj. e s. luterano.
luto, s. m. luto.
lux, s. m. luxo.
luxación, s. f. luxação.
luxemburgués, -esa, adj. e s. luxemburguês.
luz, s. f. luz.

M

m, s. f. m, décima terceira letra do alfabeto espanhol.
maca, s. f. pisadura da fruta; nódoa; fraude.
macabro, -a, adj. macabro; fúnebre.
macaco, -a, s. m. e f. ZOOL. macaco, macaca.
macadán, s. m. macadame.
macanudo, -a, adj. formidável; enorme.
macarra, I. adj. de mau gosto; rufião. **II.** s. m. proxeneta, chulo.
macarrón, s. m. macarrão.
macarrónico, -a, adj. macarrónico.
macarse, v. refl. piorar.
macedonia, s. f. salada de fruta.
macedonio, -a, adj. e s. macedónio, da Macedónia.
maceración, s. f. maceração.
macerar, v. tr. macerar; amolecer.
maceta, s. f. vaso; floreira.
macetero, s. m. suporte para vasos.
machaca, s. f. pilão (do almofariz).
machacar, v. **1.** tr. pilar; triturar; machucar; moer; esmagar; pisar. **2.** intr. repisar; insistir.
machacón, -ona, adj. e s. maçador; importuno.
machada, s. f. fato (rebanho de bodes).
machado, s. m. machado.
machaqueo, s. m. machucação; machucadura, moedura.
machete, s. m. faca de mato.
machiembrar, v. tr. ensamblar; entalhar; emalhetar; embutir.
macho, s. m. macho; mulo; peça que encaixa noutra; safra (bigorna); *macho cabrio,* bode.
machón, s. m. ARQ. esporão.
machucar, v. tr. machucar; pisar; trilhar; esmagar.
machucho, -a, adj. machucho; prudente; astuto.
macilento, -a, adj. macilento; pálido; descarado.
macillo, s. m. baqueta, vareta.
macis, s. f. mácide, macis, arilo da noz--moscada; óleo de noz-moscada.

macizo, -a, I. adj. maciço, compacto, sólido. **II.** s. m. maciço (montanhoso); tufo (de plantas).
macro, s. f. INFORM. macro.
macrobiótica, s. f. macrobiótica.
macrocefalia, s. f. macrocefalia.
macrocosmo, s. m. macrocosmos.
macroeconomía, s. f. macroeconomia.
macroeconómico, -a, adj. macroeconómico.
mácula, s. f. mácula; nódoa, mancha.
macular, v. tr. macular; manchar; sujar; infamar.
macuto, s. m. MIL. mochila.
madeja, s. f. meada; madeixa.
madera, s. f. madeira.
maderero, adj. e s. m. madeireiro.
madero, s. m. madeiro; lenho; tronco; viga; trave.
madrastra, s. f. madrasta.
madraza, s. f. (*fam.*) mãe galinha; mãe babosa.
madre, s. f. mãe; madre.
madreperla, s. f. madrepérola.
madrépora, s. f. ZOOL. madrépora.
madreselva, s. f. BOT. madressilva.
madrigal, s. m. madrigal.
madriguera, s. f. madrigoa, madrigueira, cova, lura.
madrina, s. f. madrinha.
madroño, s. m. BOT. medronheiro (árvore); medronho (fruto).
madrugada, s. f. madrugada; alva; aurora.
madrugador, -a, adj. e s. madrugador.
madrugar, v. intr. madrugar.
madrugón, s. m. acto de madrugar.
maduración, s. f. maduração; maturação.
madurar, v. tr. madurar; amadurecer; maturar.
madurez, s. f. madureza.
maduro, -a, adj. maduro; sazonado; prudente; sábio.
maestra, s. f. mestra; professora.
maestral, adj. 2 gén. magistral.
maestranza, s. f. mestrança.
maestrazgo, s. m. mestrado.

maestre, *s. m.* mestre; superior.

maestresala, *s. m.* mestre-sala.

maestría, *s. f.* mestria; habilidade; perícia.

maestr|o, -a, I. *adj.* magistral; notável. **II.** *s. m.* e *f.* professor; mestre; prático; perito; compositor; regente.

mafia, *s. f.* máfia.

mafios|o, -a, *adj.* mafioso.

magacín, *s. m.* magazine.

magazine, *s. m.* vd. **magacín.**

magdalena, *s. f.* madalena (bolo).

magia, *s. f.* magia; encanto; feitiço.

magiar, *adj.* e *s.* 2 *gén.* magiar.

mágic|o, -a, *adj.* mágico; mago; feiticeiro.

magisterio, *s. m.* magistério.

magistrad|o, -a, *s. m.* magistrado; juiz.

magistral, *adj.* 2 *gén.* magistral; perfeito.

magistratura, *s. f.* magistratura.

magma, *s. m.* magma.

magnanimidad, *s. f.* magnanimidade.

magnánim|o, -a, *adj.* magnânimo; generoso.

magnate, *s.* 2 *gén.* magnata, magnate.

magnesia, *s. f.* magnésia.

magnesio, *s. m.* magnésio (metal).

magnétic|o, -a, *adj.* magnético.

magnetismo, *s. m.* magnetismo.

magnetita, *s. f.* magnetite.

magnetización, *s. f.* magnetização.

magnetizar, *v. tr.* magnetizar; atrair, encantar.

magneto, *s. m.* magnete; íman.

magnetoscopio, *s. m.* magnetoscópio.

magnificar, *v. tr.* magnificar; engrandecer; exaltar.

magnificencia, *s. f.* magnificência; ostentação; grandeza.

magnificente, *adj.* 2 *gén.* magnificente.

magnífic|o, -a, *adj.* magnífico; excelente; óptimo.

magnitud, *s. f.* magnitude; importância.

magn|o, -a, *adj.* magno; grande.

magnolia, *s. f.* magnólia.

mag|o, -a, *adj.* e *s.* mago; feiticeiro.

magrebí, *adj.* e *s.* 2 *gén.* magrebiano.

magrez, *s. f.* magreza.

magr|o, -a, I. *adj.* magro; descarnado; seco. **II.** *s. m.* (*fam.*) lombo de porco.

magulladura, *s. f.* machucadura; confusão.

magullar, *v. tr.* magoar; pisar; machucar.

mahometan|o, -a, *adj.* e *s.* maometano.

mahometismo, *s. m.* maometismo.

mahonesa, *s. f.* maionese.

maitines, *s. m. pl.* matinas.

maíz, *s. m.* maís, milho.

majada, *s. f.* malhada; redil; curral.

majadería, *s. f.* tolice; baboseira; asneira.

majader|o, -a, *adj.* e *s.* pateta; tolo.

majar, *v. tr.* pisar; esmagar.

majara, *adj.* e *s.* 2 *gén.* louco; doido; *majara perdido,* doido varrido.

majareta, *adj.* e *s.* 2 *gén.* vd. **majara.**

majestad, *s. f.* majestade.

majestuos|o, -a, *adj.* majestoso.

maj|o, -a, *adj.* simpático, agradável.

majoleta, *s. f.* pilrito, baga do pilriteiro.

majoleto, *s. m.* pilriteiro, espinheiro-alvar.

majuelo, *s. m.* espinheiro-alvar, pilriteiro; bacelo.

mal, I. *adj.* forma abreviada de **malo:** *mal tiempo,* mau tempo. **II.** *adv.* mal, incorrectamente, injustamente. **III.** *s. m.* o mal.

malabar, *adj.* 2 *gén.* malabar; *juegos malabares,* malabarismos.

malabarista, *s.* 2 *gén.* malabarista, prestidigitador.

malagueta, *s. f.* malagueta.

malaje, *adj.* e *s.* 2 *gén.* malvado; mal-intencionado.

malandr|ín, -ina, *adj.* e *s.* malandrim; perverso.

malaquita, *s. f.* malaquite.

malar, *adj.* 2 *gén.* malar.

malaria, *s. f.* malária; paludismo.

malasombra, I. *adj.* 2 *gén.* aborrecido, enfadonho. **II.** *s. f.* aborrecimento

malatería, *s. f.* leprosaria.

malavenid|o, -a, *adj.* desavindo; mal-avindo.

malaventura, *s. f.* desventura; infortúnio.

malaventurad|o, -a, *adj.* mal-aventurado; infeliz.

malay|o, -a, *adj.* e *s.* malaio.

malbaratador, -a, *adj.* e *s.* malbaratador.

malbaratar, *v. tr.* malbaratar; arruinar; dissipar.

malcasad|o, -a, *adj.* malcasado.

malcriad|o, -a, I. *adj.* mal-educado; mimado. **II.** *s. m.* e *f.* menino mimado.

malcriar, *v. tr.* mimar, não dar educação.

maldad, *s. f.* maldade.

maldecir, *v. tr.* amaldiçoar.

maldiciente, *adj.* e *s.* 2 *gén.* maldizente; difamador.

maldición, s. f. maldição; imprecação; praga.

maldito, -a, adj. e s. maldito; mau; perverso.

maleabilidad, s. f. maleabilidade.

maleable, adj. 2 gén. maleável; dúctil; flexível.

maleante, s. 2 gén. delinquente; criminoso.

malear, v. tr. danificar; estragar; perverter; viciar.

malecón, s. m. molhe; paredão; dique; represa.

maledicencia, s. f. maledicência.

maleducado, -a, adj. mal-educado.

maleficio, s. m. malefício; sortilégio.

maléfico, -a, adj. maléfico; malfazejo.

malencarado, -a, adj. e s. mal-encarado.

malentendido, s. m. mal-entendido.

malestar, s. m. mal-estar.

maleta, I. s. f. maleta. II. adj. e s. 2 gén. desajeitado, com pouco préstimo

maletero, s. m. mala (de carro); maleiro, carregador.

maletilla, s. m. jovem aprendiz de toureiro.

maletín, s. m. maleta pequena.

maletón, s. m. mala grande.

malevolencia, s. f. malevolência.

malévolo, -a, adj. e s. malévolo; malevolente.

maleza, s. f. maleza, vegetação selvagem.

malformación, s. f. malformação.

malgache, adj. e s. 2 gén. malgaxe, madagascarense.

malgastar, v. tr. malgastar; desbaratar; esbanjar; dissipar.

malhablado, -a, adj. e s. malcriado (no falar); que utiliza palavrões.

malhadado, -a, adj. malfadado; infeliz; desditoso.

malhecho, -a, adj. malfeito; imperfeito.

malhechor, -a, adj. e s. malfeitor; facínora.

malherir, v. tr. malferir.

malhumor, s. m. mau humor.

malhumorado, -a, adj. mal-humorado.

malicia, s. f. malícia; velhacaria; astúcia; ronha.

maliciar, v. tr. e refl. suspeitar; desconfiar.

malicioso, -a, adj. e s. malicioso.

malignar, v. tr. malignar; corromper; infeccionar.

malignidad, s. f. malignidade.

maligno, -a, adj. e s. maligno; pernicioso.

malla, s. f. malha; rede.

malmandado, -a, adj. desobediente.

malmeter, v. tr. intrigar; influenciar, desencaminhar.

malmirado, -a, adj. malquisto; malvisto.

malnacido, -a, adj. e s. desprezível, canalha.

malo, -a, adj. mau; má.

malograr, v. tr. malograr; inutilizar.

malogro, s. m. malogro.

maloliente, adj. 2 gén. fedorento, fétido.

malparado, -a, adj. maltratado.

malpensado, -a, adj. desconfiado, malicioso, mal-intencionado.

malqueda, s. 2 gén. não cumpridor da palavra.

malquerencia, s. f. malquerença; malevolência.

malsano, -a, adj. malsão; doentio; insalubre.

malsonante, adj. 2 gén. malsoante; ofensivo, grosseiro.

malta, s. f. malte.

maltés, -esa, adj. e s. maltês.

maltratar, v. tr. maltratar.

maltrato, s. m. maus tratos.

maltrecho, -a, adj. maltratado.

maltusianismo, s. m. malthusianismo.

maltusiano, -a, adj. malthusiano.

malva, s. f. bot. malva.

malvado, -a, adj. e s. malvado; perverso.

malvasía, s. f. malvasia.

malvavisco, s. m. malvaísco.

malvender, v. tr. vender ao desbarato.

malversación, s. f. malversação.

malversar, v. tr. malversar, dilapidar.

malvivir, v. intr. viver mal; viver na pobreza.

malvís, s. m. zool. malvis.

mama, s. f. mama, teta; (fam.) mamã (mãe).

mamá, s. f. (fam.) mamã, mãe.

mamar, v. tr. mamar; sugar; chupar.

mamario, -a, adj. mamário.

mamarracho, s. m. (fam.) mamarracho.

mambo, s. m. mambo.

mamífero, adj. e s. m. mamífero.

mampara, *s. f.* anteparo; biombo; guarda--vento.

mamporro, *s. m.* golpe, soco; encontrão.

mampostería, *s. f.* alvenaria (obra de pedreiro).

mamut, *s. m.* mamute.

maná, *s. m.* maná.

manada, *s. f.* manada; rebanho; matilha.

manantial, I. *adj.* 2 *gén.* manancial. II. *s. m.* manancial, nascente de água; origem.

manar, *v. intr.* manar; brotar.

manatí, *s. m.* ZOOL. manatim.

manaza, *s. f.* manápula; mãozorra, manzorra.

mancebo, *s. m.* mancebo; moço; jovem.

mancer, *s. m.* e *adj.* espúrio.

mancha, *s. f.* mancha; nódoa; desonra.

manchar, *v. tr.* manchar; enodoar.

mancilla, *s. f.* (*fig.*) mancha; desonra; desdouro.

mancillar, *v. tr.* manchar; desonrar; ofender.

manco, -a, *adj.* e *s.* manco; aleijado.

mancomunar, *v. tr.* mancomunar; combinar.

mancomunidad, *s. f.* associação.

mandado, -a, I. *adj.* e *s.* mandado; enviado. II. *s. m.* ordem; mandado; recado.

mandamás, *s. m.* chefe.

mandamiento, *s. m.* mandamento; mandado; preceito.

mandar, *v. tr.* mandar; ordenar; enviar.

mandarín, *s. m.* mandarim.

mandarina, *s. f.* tangerina.

mandarino, *s. m.* tangerineira.

mandatario, *s. m.* mandatário; procurador.

mandato, *s. m.* mandato; ordem; procuração.

mandíbula, *s. f.* mandíbula; maxila; queixada.

mandil, *s. m.* mandil; avental.

mandioca, *s. f.* mandioca.

mando, *s. m.* comando, mando; autoridade.

mandoble, *s. m.* golpe de espada empunhada com ambas as mãos.

mandolina, *s. f.* bandolim.

mandón, -ona, *adj.* e *s.* mandão.

mandrágora, *s. f.* BOT. mandrágora.

mandril, *s. m.* mandril (tarraxa); ZOOL. mandril.

manduca, *s. f.* comida.

manducar, *v. intr.* manducar; comer.

manecilla, *s. f.* ponteiro.

manejable, *adj.* 2 *gén.* manejável; maneável.

manejar, *v. tr.* manejar.

manejo, *s. m.* manejo.

manera, *s. f.* maneira; modo; feitio; feição.

manga, *s. f.* manga; mangueira; BOT. mangueira; manga (fruto).

manganeso, *s. m.* QUÍM. manganésio.

mangar, *v. tr.* enganar; lograr.

manglar, *s. m.* mangal.

mango, *s. m.* cabo (de ferramenta); BOT. mangueira; manga (fruto).

mangonear, *v. tr.* intrometer-se, imiscuir-se.

mangonero, -a, *adj.* intrometido.

mangosta, *s. f.* ZOOL. mangusto.

manguera, *s. f.* mangueira (tubo).

manguito, *s. m.* manguito; regalo (de peles).

manía, *s. f.* mania; capricho.

maníaco, -a, *adj.* e *s.* maníaco.

maniatar, *v. tr.* maniatar, manietar.

maniático, -a, *adj.* e *s.* maníaco.

manicomio, *s. m.* manicómio.

manicuro, -a, *s. m.* e *f.* manicuro, manicura.

manido, -a, *adj.* batido, estereotipado, que é lugar-comum (frase, tema, etc.); gasto, puído (pelo uso).

manierismo, *s. m.* maneirismo.

manifacero, -a, *adj.* e *s.* mexeriqueiro; metediço.

manifestación, *s. f.* manifestação.

manifestante, *s.* 2 *gén.* manifestante.

manifestar, *v. tr.* manifestar, declarar; apresentar.

manifiesto, -a, I. *adj.* manifesto, manifestado; patente; claro. II. *s. m.* manifesto.

manija, *s. f.* cabo, punho (de utensílios e ferramentas).

maniluvio, *s. m.* manilúvio.

manilla, *s. f.* algemas; argola de puxador de porta ou janela; ponteiro de relógio.

manillar, *s. m.* guiador.

maniobra, *s. f.* manobra.

maniobrar, *v. intr.* manobrar.

manipulación, *s. f.* manipulação.

manipulador, -a, *adj.* manipulador; transmissor.

manipular, v. tr. manipular.
maniquí, s. m. manequim.
manir, v. tr. macerar; abrandar; amolecer.
manirrot|o, -a, adj. e s. mãos-rotas; perdulário.
manitas, adj. e s. 2 gén. habilidoso de mãos.
manivela, s. f. manivela.
manjar, s. m. manjar.
mano, s. f. mão.
manojo, s. m. manelo; punhado; molho; feixe.
manómetro, s. m. manómetro.
manopla, s. f. manopla.
manosear, v. tr. manusear; folhear.
manoseo, s. m. manuseamento, manuseio.
manotada, s. f. palmada; bofetada.
manotazo, s. m. palmada, bofetada.
manotear, v. tr. gesticular (ao falar).
manoteo, s. m. gesticulação.
mansalva (a), loc. adv. sem risco; impunemente.
mansedumbre, s. f. mansidão; mansuetude.
mansión, s. f. mansão; morada.
mans|o, -a, adj. manso, plácido, dócil.
manta, s. 1. f. manta; cobertor. 2. s. 2 gén. pessoa desajeitada.
mantear, v. tr. mantear.
manteca, s. f. manteiga.
mantecado, s. m. espécie de gelado.
mantecos|o, -a, adj. manteigoso, amanteigado.
mantel, s. m. toalha de mesa.
mantelería, s. f. jogo de toalhas e guardanapos.
mantenencia, s. f. mantença; manutenção, alimento; sustento.
mantener, v. tr. manter; conservar; sustentar; amparar.
mantenimiento, s. m. manutenção; mantimento; alimento; sustento.
mantequilla, s. f. manteiga.
mantilla, s. f. mantilha.
mantillo, s. m. húmus.
mantis, s. f. ZOOL. louva-a-deus.
manto, s. m. manto.
mantón, s. m. mantão, xaile grande de abrigo.
manual, adj. 2 gén. manual.
manualidades, s. f. pl. trabalhos manuais.
manubrio, s. m. manivela.

manufactura, s. f. manufactura.
manufacturar, v. tr. manufacturar.
manufacturer|o, -a, adj. manufactureiro.
manuscrit|o, -a, I. adj. manuscrito. **II.** s. m. manuscrito.
manutención, s. f. manutenção.
manzana, s. f. maçã.
manzanilla, s. f. BOT. camomila; chá de camomila.
manzanillo, s. m. vd. **manzanilla.**
manzano, s. m. BOT. macieira.
maña, s. f. manha; destreza; astúcia.
mañana, s. f. manhã; amanhã.
mañaner|o, -a, adj. madrugador.
maños|o, -a, adj. manhoso, astuto.
mapa, s. m. mapa.
mapache, s. m. ZOOL. guaxinim.
mapamundi, s. m. mapa-múndi.
maqueta, s. f. maqueta.
maquiavélic|o, -a, adj. maquiavélico.
maquillaje, s. m. maquilhagem.
maquillar, v. tr. maquilhar.
máquina, s. f. máquina.
maquinación, s. f. maquinação; cilada; trama.
maquinal, adj. 2 gén. maquinal; automático.
maquinar, v. tr. maquinar; urdir; tramar.
maquinaria, s. f. maquinaria.
maquinilla, s. f. máquina de barbear.
maquinista, s. 2 gén. maquinista.
mar, s. m. e f. mar.
marabú, s. m. marabu.
marabonta, s. f. marabunta.
maraca, s. f. maraca.
maracuyá, s. m. maracujá.
marajá, s. m. marajá.
maraña, s. f. tojal; espinhal; maranha; enredo.
marasmo, s. m. marasmo; abatimento; apatia.
maratón, s. m. maratona.
maravedí, s. m. maravedi.
maravilla, s. f. maravilha.
maravillar, v. tr. maravilhar.
maravillos|o, -a, adj. maravilhoso; admirável.
marbete, s. m. rótulo, etiqueta (de papel); ourela.
marca, s. f. marca; estalão; sinal; classe.
marcad|o, -a, adj. marcado, assinalado; evidente; pronunciado.

marcador, -a, I. *adj.* marcador; marcante. II. *s. m.* marcador.

marcaje, *s. m.* DESP. marcação.

marcapasos, *s. m.* marca-passos.

marcar, *v. tr.* marcar.

marcha, *s. f.* marcha.

marchamo, *s. m.* selo de garantia; marca da alfândega.

marchante, *s.* 2 gén. negociante de arte.

marchar, *v. intr.* marchar; andar; caminhar.

marchitar, *v. tr.* murchar; murchecer; emurchecer.

marchitez, *s. f.* murchidão, desbotamento.

marchito, -a, *adj.* murcho; flácido.

marchoso, -a, *adj.* e *s.* alegre, divertido, borguista.

marcial, *adj.* 2 gén. marcial; bélico.

marciano, -a, *adj.* marciano.

marco, *s. m.* marco (moeda); moldura; DESP. poste da baliza.

marea, *s. f.* maré.

mareaje, *s. m.* rumo.

mareante, *adj.* 2 gén. que faz enjoar; tedioso.

marear, *v.* 1. *tr.* provocar enjoo; atordoar; aturdir; incomodar. 2. *refl.* enjoar; ourar; sentir tonturas; embriagar-se.

marejada, *s. f.* marulho; marulhada.

maremoto, *s. m.* maremoto.

marengo, -a, *adj.* gris *marengo,* cinzento-escuro.

mareo, *s. m.* mareação; enjoo; aturdimento; confusão, embrulhada.

marfil, *s. m.* marfim.

marfileño, -a, *adj.* ebúrneo, marfíneo.

marga, *s. f.* marga.

margarina, *s. f.* margarina.

margarita, *s. f.* margarita; pérola; molusco; BOT. margarida, malmequer.

margen, *s. m.* e *f.* margem; borda.

marginación, *s. f.* marginação.

marginado, -a, *adj.* marginado; posto à margem; discriminado.

marginal, *adj.* 2 gén. marginal.

marginar, *v. tr.* marginar; apostilhar.

maría, *s. f.* assunto banal; dona de casa; marijuana.

mariano, -a, *adj.* mariano.

marica, *s. m.* vd. **maricón**.

maricón, *s. m.* maricas; maricão; homossexual.

mariconera, *s. f.* bolsa de mão (usada pelos homens).

marido, *s. m.* marido.

marijuana, *s. f.* vd. **marihuana**.

marihuana, *s. f.* marijuana.

marimacho, *s. m.* maria-rapaz; marimacho.

marimandón, -ona, *s. m.* e *f.* mandão, mandona.

marimba, *s. f.* marimbo.

marimorena, *s. f.* rixa, contenda.

marina, *s. f.* marina; marinha, marinharia, náutica.

marinero, -a, I. *adj.* marinheiro. II. *s. m.* marinheiro; marujo.

marino, -a, I. *adj.* marinho. II. *s. m.* marinheiro; mareante; marítimo.

marioneta, *s. f.* marioneta.

mariposa, *s. f.* mariposa; borboleta; porca.

mariposear, *v. intr.* (fig.) borboletear; adejar.

mariquita, *s.* 1. *f.* ZOOL. joaninha. 2. *m.* maricas.

mariscada, *s. f.* mariscada.

mariscal, *s. m.* marechal.

mariscala, *s. f.* marechala.

mariscar, *v. tr.* mariscar.

marisco, *s. m.* marisco.

marisma, *s. f.* marisma.

marisquería, *s. f.* marisqueira.

marital, *adj.* 2 gén. marital.

marítimo, -a, *adj.* marítimo.

marketing, *s. m.* marketing, estudo de mercado.

marmita, *s. f.* marmita.

mármol, *s. m.* mármore.

marmolista, *s.* 2 gén. marmorista.

marmóreo, -a, *adj.* marmóreo.

marmota, *s. f.* marmota.

maroma, *s. f.* maroma; calabre; corda grossa.

marqués, *s. m.* marquês.

marquesa, *s. f.* marquesa.

marquesado, *s. m.* marquesado.

marquesina, *s. f.* marquesinha; toldo; alpendre.

marquetería, *s. f.* marchetaria.

marra, *s. f.* marra; clareira (nas vinhas e olivedos).

marrana, *s. f.* marrã, porca.

marranada, *s. f.* porcaria, borrada, sujeira; canalhada.

marrano, -a, I. *adj.* e *s.* porco; desavergonhado. II. *s. m.* porco, cevado.

marrar, *v. intr.* errar, falhar.

marras (de), *loc. adv. (fam.)* então; outrora; antanho.

marrasquino, *s. m.* marrasquino (licor).

marrón, *adj. e s. m.* castanho.

marroquí, *adj. e s. 2 gén.* marroquino.

marroquinaria, *s. f.* marroquinaria.

marrubio, *s. m.* BOT. marroio.

marrullería, *s. f.* batota.

marrullero, -a, *adj.* batoteiro.

marsellesa, *s. f.* marselhesa.

marsopa, *s. f.* ZOOL. golfinho.

marsupial, I. *adj.* 2 gén. marsupial. II. *s. m.* marsúpio, bolsa marsupial.

marta, *s. f.* marta.

marte, *s. m.* marte.

martellina, *s. f.* escada.

martes, *s. m.* terça-feira.

martillar, *v. tr.* martelar; atormentar.

martillazo, *s. m.* martelada.

martilleo, *s. m.* martelagem.

martillo, *s. m.* martelo.

martinete, *s. m.* martinete.

martingala, *s. f.* artimanha; artifício.

mártir, *s. 2 gén.* mártir.

martirio, *s. m.* martírio.

martirizar, *v. tr.* martirizar.

maruja, *s. f. (fam.)* dona de casa.

marxismo, *s. m.* marxismo.

marxista, *adj. e s. 2 gén.* marxista.

marzo, *s. m.* Março.

mas, *conj.* mas, porém, contudo, todavia.

más, *adv.* mais.

masa, *s. f.* massa.

masacrar, *v. tr.* massacrar.

masacre, *s. f.* massacre.

masaje, *s. m.* massagem.

masajista, *s. 2 gén.* massagista.

mascar, *v. tr.* mascar.

máscara, *s. f.* máscara.

mascarada, *s. f.* mascarada.

mascarilla, *s. f.* mascarilha; máscara de beleza; CIR. máscara.

mascarón, *s. m.* carranca; mascarão.

mascota, *s. f.* mascote.

masculinidad, *s. f.* masculinidade.

masculinizar, *v. tr.* masculinizar.

masculino, -a, *adj.* masculino.

mascullar, *v. tr.* resmungar; murmurar.

masía, *s. f.* casa de campo, quinta (Catalunha).

masilla, *s. f.* betume.

masón, -ona, I. *adj.* maçónico. II. *s. m. e f.* mação, maçónico.

masonería, *s. f.* maçonaria.

masónico, -a, *adj.* maçónico.

masoquismo, *s. m.* masoquismo, masochismo.

masoquista, *adj. e s. 2 gén.* masoquista, masochista.

mastaba, *s. f.* mastaba.

mastectomía, *s. f.* mastectomia.

master, *s. m.* EDUC. mestrado.

masticación, *s. f.* mastigação.

masticar, *v. tr.* mastigar.

mástil, *s. m.* mastro; mastaréu; pé; haste.

mastín, *s. m.* mastim.

mastitis, *s. f.* mastite.

mastodonte, *s. m.* mastodonte.

mastodóntico, -a, *adj.* mastodôntico.

mastoides, *s. m.* mastóide.

mastuerzo, *s. m.* BOT. mastruço.

masturbación, *s. f.* masturbação.

masturbarse, *v. refl.* masturbar-se.

mata, *s. f.* tufo de vegetação.

matachín, *s. m.* magarefe; provocador.

matadero, *s. m.* matadouro.

matador, -a, *adj. e s.* matador; assassino.

matadura, *s. f.* matadura, chaga nas cavalgaduras.

matamoscas, *s. m.* mata-moscas.

matanza, *s. f.* matança; mortandade; carnificina.

matar, *v. tr.* matar.

matarife, *s. m.* magarefe.

matasellos, *s. m.* carimbo dos correios.

mate, I. *adj.* 2 gén. mate; embaciado. II. *s. m.* mate (no xadrez); BOT. mate.

matemática, *s. f.* matemática.

matemático, -a, *adj.* matemático.

materia, *s. f.* matéria.

material, I. *adj.* 2 gén. material. II. material (escolar, de construção, etc.).

materialismo, *s. m.* materialismo.

materialista, *adj.* 2 gén. materialista.

materialización, *s. f.* materialização.

materializar, *v. tr.* materializar.

maternal, *adj.* 2 gén. maternal.

maternidad, *s. f.* maternidade.

materno, -a, *adj.* materno.

matinal, I. *adj.* 2 gén. matinal. II. *s. f.* matinée, sessão da tarde (cinema).

matinée, *s. f.* matiné, sessão da tarde (cinema).

matiz, *s. m.* matiz.

matizar, *v. tr.* matizar.

mato, *s. m.* mato, brenha, matagal.

matón, *s. m.* ferrabrás; brigão.

matorral, *s. m.* mato; matorral; moita.

matoso, -a, *adj.* matoso.
matraca, s. *f.* matraca.
matraqueo, s. *m.* (*fam.*) apupo; troça; zombaria.
matraz, s. *m.* matraz.
matrero, -a, *adj.* matreiro; astuto.
matricida, s. 2 *gén.* matricida.
matricidio, s. *m.* matricídio.
matrícula, s. *f.* matrícula.
matriculación, s. *f.* matriculação.
matricular, *v. tr.* matricular.
matrimonial, *adj.* 2 *gén.* matrimonial.
matrimonio, s. *m.* matrimónio; casamento; casal, os cônjuges.
matriz, s. *f.* matriz.
matrona, s. *f.* matrona; parteira; guarda prisional.
matusalén, s. *m.* matusalém.
matute, s. *m.* contrabando; mercadoria de contrabando; *de matute,* de contrabando.
matutino, -a, *adj.* matutino; matinal; madrugador.
maullar, *v. intr.* miar.
maullido, s. *m.* mio, miado.
mausoleo, s. *m.* mausoléu.
maxilar, I. *adj.* 2 *gén.* maxilar. II. s. *m.* maxilar.
máxima, s. *f.* máxima.
maximalismo, s. *m.* maximalismo.
maximalista, *adj.* e s 2 *gén.* maximalista.
máxime, *adv.* especialmente, sobretudo.
máximo, -a, *adj.* e s. *m.* máximo.
mayar, *v. intr.* miar.
mayestático, -a, *adj.* majestático.
mayido, s. *m.* mio, miado.
mayo, s. *m.* Maio.
mayólica, s. *f.* majólica.
mayonesa, s. *f.* maionese.
mayor, I. *adj.* maior; mais velho; *mayor de edad,* de maioridade. II. s. *m.* MÚS. (tom) maior; MIL. major; *pl.* os adultos ; os antepassados; *al por maior,* por grosso, por atacado.
mayoral, s. *m.* maioral; capataz.
mayorazga, s. *f.* morgada.
mayorazgo, s. *m.* morgadio; morgado.
mayordoma, s. *f.* mordoma.
mayordomía, s. *f.* mordomia.
mayordomo, s. *m.* mordomo.
mayoría, s. *f.* maioria; *mayoría de edad,* maioridade.

mayúscula, s. *f.* maiúscula.
mayúsculo, -a, *adj.* maiúsculo.
maza, s. *f.* maça; clava; maceta (do bombo).
mazacote, s. *m.* argamassa.
mazapán, s. *m.* maçapão.
mazmorra, s. *f.* masmorra.
mazo, s. *m.* maço.
mazorca, s. *f.* espiga, maçaroca (de milho).
mazurca, s. *f.* mazurca.
meada, s. *f.* mijada; mijadela.
meadero, s. *m.* urinol; mictório.
meado, s. *m.* mijadela; mijo.
meandro, s. *m.* meandro; sinuosidade.
mear, *v. intr.* mijar; urinar.
mecánica, s. *f.* mecânica.
mecanicismo, s. *m.* mecanicismo.
mecanicista, *adj.* e s. 2 *gén.* mecanicista.
mecánico, -a, *adj.* mecânico.
mecanismo, s. *m.* mecanismo.
mecanización, s. *f.* mecanização.
mecanizado, -a, *adj.* mecanizado.
mecanizar, *v. tr.* mecanizar.
mecanografía, s *f.* dactilografia.
mecanógrafo, -a, s. *m.* e *f.* dactilógrafo.
mecedora, s. *f.* cadeira de baloiço.
mecedura, s. *f.* baloiço; embalo; mexedura.
mecenas, s. *m.* (*fig.*) mecenas.
mecer, *v. tr.* mexer; mover; embalar; baloiçar.
mecha, s. *f.* mecha; torcida; rastilho; CUL. lardo, tiras de toucinho para lardear; *pl.* madeixas.
mechar, *v. tr.* lardear; entremear.
mechero, s. *m.* isqueiro; acendedor.
machinal, s. *m.* ARQ. agulheiro.
mechón, s. *m.* mecha.
meconio, s. *m.* BOT. mecónio.
medalla, s. 1. *f.* medalha. 2. 2 *gén.* medalhista, medalhado.
medallista, s. 2 *gén.* medalhista, medalhado.
medallón, s. *m.* medalhão.
médano, s. *m.* duna; medo, médão.
media, s. *f.* meia.
mediacaña, s. *f.* meia-cana; canelura.
mediación, s. *f.* mediação.
mediado, -a, *adj.* mediado; meado.
mediador, -a, *adj.* e s mediador; medianeiro.
mediana, s. *f.* mediana.
medianero, -a, *adj.* divisório; *pared medianera,* parede divisória.

melómano

medianía, s. f. mediania.
median|o, -a, adj. mediano; medíocre; meão.
medianoche, s. f. meia-noite.
mediante, adj. 2 gén. mediante.
mediar, v. intr. mediar.
mediastino, s. m. mediastino.
mediat|o, -a, adj. mediato.
mediatización, s. f. mediatização.
mediatizar, v. tr. mediatizar.
mediatriz, s. f. mediatriz.
médica, s. f. médica.
medicación, s. f. medicação.
medicamento, s. m. medicamento.
medicamentos|o, -a, adj. medicamentoso.
medicar, v. tr. medicar.
medicastro, s. m. medicastro; curandeiro.
medicina, s. f. medicina.
medicinal, adj. 2 gén. medicinal.
medición, s. f. medição.
médic|o, -a, adj. e s. m. médico; clínico.
medida, s. f. medida.
medidor, -a, adj. e s. medidor.
medieval, adj. 2 gén. medieval; medievo.
medievalismo, s. m. medievalismo.
medievalista, adj. e s. 2 gén. medievalista.
medina, s. f. medina.
medi|o, -a, adj. e s. m. meio; médio.
medioambiental, adj. 2 gén. do meio ambiente.
mediocampista, s. m. e f. centro-campista.
mediocre, adj. 2 gén. medíocre.
mediocridad, s. f. mediocridade.
mediodía, s. m. meio-dia.
mediofondista, s. 2 gén. meio-fundista, corredor(a) de meio-fundo.
medir, v. tr. medir.
meditabund|o, -a, adj. meditabundo.
meditación, s. f. meditação.
meditar, v. tr. meditar.
mediterráne|o, -a, adj. e s. m. mediterrâneo.
médium, s. m. médium.
medrar, v. intr. medrar; melhorar; prosperar.
medros|o, -a, adj. e s. medroso; timorato; receoso.
medula, s. f. medula; *médula espinal*, medula espinal; *médula óssea*, medula óssea.

medular, adj. 2 gén. medular.
medusa, s. f. medusa; alforreca.
mefistofélic|o, -a, adj. mefistofélico.
mefític|o, -a, adj. mefítico; pestilencial.
megaciclo, s. m. megaciclo.
megáfono, s. m. megafone.
megalític|o, -a, adj. megalítico.
megalito, s. m. megálito.
megalomanía, s. f. megalomania.
megalóman|o, -a, adj. megalomaníaco, megalómano.
megalópolis, s. f. megalópole.
meiosis, s. f. meiose.
mejican|o, -a, adj. e s. mexicano, do México.
mejilla, s. f. face, maçã do rosto.
mejillón, s. m. mexilhão.
mejor, adj. 2 gén. melhor.
mejora, s. f. melhora; melhoria.
mejoramiento, s. m. melhora, melhoramento.
mejorana, s. f. BOT. manjerona.
mejorar, v. tr. melhorar.
mejoría, s. f. melhoria; melhora.
melancolía, s. f. melancolia.
melancólic|o, -a, adj. melancólico.
melanina, s. f. melanina.
melar, v. intr. melar.
melaza, s. f. melaço.
melcocha, s. f. pasta de mel.
melena, s. f. melena; guedelha; MED. vómito-negro.
melenera, s. f. molhelha.
melenud|o, -a, adj. gadelhudo; cabeludo.
meliflu|o, -a, adj. melífluo.
melindre, s. m. melindre; susceptibilidade.
melindros|o, -a, adj. e s. melindroso.
melinite, s. f. melinite.
melisa, s. f. melissa, erva-cidreira.
mella, s. f. boca; falha; mossa.
mellad|o, -a, adj. e s. desdentado.
mellar, v. tr. fazer bocas ou mossas.
melliz|o, -a, adj. e s. gémeo.
melocotón, s. m. pêssego.
melocotonero, s. m. BOT. pessegueiro.
melodía, s. f. melodia.
melódic|o, -a, adj. melódico; melodioso.
melodios|o, -a, adj. melodioso.
melodrama, s. m. melodrama.
melodramátic|o, -a, s. f. melodramático.
melomanía, s. f. melomania.
melóman|o, -a, s. melómano.

melón, s. f. BOT. meloeiro (planta); melão (fruto).

melonar, s. m. meloal.

melopea, s. f. melopeia; toada.

melosidad, s. f. melosidade.

melos|o, -a, adj. meloso; doce; melifluo.

melote, s. m. melaço.

melsa, s. f. baço; (fig.) pachorra.

membrana, s. f. membrana.

membranos|o, -a, adj. membranoso.

membrete, s. m. anotação, lembrete; endereço; memorando; timbre.

membrillo, s. m. BOT. marmeleiro (arbusto); marmelo (fruto).

membrud|o, -a, adj. membrudo, vigoroso.

memento, s. m. memento.

mem|o, -a, adj. e s. parvo; estúpido; tonto.

memorable, adj. 2 gén. memorável.

memorando, s. m. memorando.

memorándum, s. m. memorando.

memoria, s. f. memória.

memorial, s. m. memorial.

memorización, s. f. memorização.

memorizar, v. tr. memorizar.

mena, s. f. minério.

menaje, s. m. alfaias; móveis; menaje de cocina, trem de cozinha.

mención, s. f. menção; referência; registo.

mencionar, v. tr. mencionar; referir; expor.

mendicante, adj. e s. 2 gén. mendicante; mendigo.

mendicidad, s. f. mendicidade.

mendigar, v. tr. mendigar.

mendig|o, -a, s. m. e f. mendigo; pedinte.

mendos|o, -a, adj. errado; equivocado.

meneador, -a, adj. e s. meneador.

menear, v. tr. e refl. menear; saracotear-se; (fig.) governar.

meneo, s. m. meneio.

menester, s. m. mister; necessidade; precisão.

menesteros|o, -a, adj. e s. necessitado; indigente.

menestra, s. f. guisado de carne com legumes.

menestral, -a, s. m. e f. mesteiral; operário.

mengan|o, -a, s. Beltrano.

mengua, s. f. míngua; escassez.

menguad|o, -a, adj. e s. minguado; escasso; cobarde.

menguante, adj. 2 gén. minguante.

menguar, v. intr. minguar; diminuir.

menhir, s. m. ARQ. menir.

menina, s. f. açafata; aia.

meninge, s. f. meninge.

meningitis, s. f. meningite.

menisco, s. m. menisco.

menopausia, s. f. menopausa.

menor, adj. e s. 2 gén. menor.

menoría, s. f. menoridade.

menorragia, s. f. menorragia.

menos, adv. menos; excepto; salvo.

menoscabar, v. tr. menoscabar; depreciar.

menoscabo, s. m. menoscabo; desprezo; desdém.

menospreciable, adj. 2 gén. menosprezável; desprezível.

menospreciar, v. tr. menosprezar; desprezar; depreciar.

menosprecio, s. m. menosprezo; desprezo; desdém.

menostasia, s. f. menostasia.

mensaje, s. m. mensagem; comunicação; recado.

mensajería, s. f. carro de carreira; recovagem.

mensajer|o, -a, s. m. e f. mensageiro; recoveiro.

menstruación, s. f. menstruação; mênstruo.

menstrual, adj. 2 gén. menstrual.

menstruante, adj. e s. f. menstruada.

menstruo, s. m. menstruação; mênstruo.

mensual, adj. 2 gén. mensal.

mensualidad, s. f. mensalidade; mesada.

ménsula, s. f. ARQ. mísula.

mensurable, adj. 2 gén. mensurável.

mensurar, v. tr. mensurar; medir.

menta, s. f. hortelã-pimenta; menta.

mentad|o, -a, adj. afamado; célebre; famoso.

mental, adj. 2 gén. mental.

mentalidad, s. f. mentalidade.

mentalización, s. f. mentalização.

mentalizar, v. tr. mentalizar.

mentar, v. tr. nomear; mencionar; indicar.

mente, s. f. mente; inteligência; intelecto; razão.

mentecat|o, -a, adj. e s. mentecapto; idiota.

mentir, v. intr. mentir.

mentira, s. f. mentira; falsidade.

mentirijillas, *s. f., de mentirijillas, loc. adv.*
de brincadeira.

mentirón, *s. m.* carapetão, mentira grande.

mentiroso, -a, *adj.* mentiroso; falso; fingido.

mentís, *s. m.* desmentido.

mentón, *s. m.* mento; queixo; maxilar inferior.

mentor, *s. m.* mentor; guia; conselheiro.

menú, *s. m.* minuta; ementa; lista.

menudear, *v. tr.* amiudar; repetir.

menudencia, *s. f.* minudência; pormenor; ninharia.

menudillos, *s. m. pl.* miúdos.

menudo, -a, *adj.* miúdo.

menuzo, *s. m.* miúdo; miúça; miuçalha.

meñique, *s. m.* mínimo; meiminho; dedo mínimo.

meollo, *s. m.* miolo; medula; cérebro.

melón, -ona, *adj. e s.* mijão.

mequetrefe, *s. m. (fam.)* melquetrefe.

merar, *v. tr.* diluir; destemperar.

mercachifle, *s. m.* vendedor ambulante.

mercadear, *v. intr.* mercadejar; comerciar.

mercader, *s. m.* mercador; negociante, vendedor; comerciante.

mercadería, *s. f.* mercadoria.

mercado, *s. m.* mercado.

mercancía, *s. f.* mercancia; mercadoria.

mercante, I. *adj. 2 gén.* mercante. **II.** *s. m.* mercador.

mercantil, *adj. 2 gén.* mercantil.

mercantilismo, *s. m.* mercantilismo.

mercantilista, *adj. e s. 2 gén.* mercantilista.

merced, *s. f.* mercê; graça.

mercenario, -a, *adj. e s.* mercenário.

mercería, *s. f.* loja e comércio de miudezas.

mercero, *s. m.* lojista de miudezas.

mercurio, *s. m.* mercúrio.

merecedor, -a, *adj.* merecedor.

merecer, *v. tr.* merecer; lograr.

merecido, -a, I. *adj.* merecido. **II.** *s. m.* mérito; recompensa.

merecimiento, *s. m.* merecimento; valor.

merendar, *v. intr.* merendar.

merendero, *s. m.* merendeiro.

merengue, *s. m.* merengue.

meretriz, *s. f.* meretriz.

meridiano, -a, I. *adj.* meridiano; *(fig.)* evidente; claro. **II.** *s. m.* GEOG. meridiano.

meridional, *adj. 2 gén.* meridional.

merienda, *s. f.* merenda.

merino, -a, *adj.* merino.

mérito, *s. m.* mérito; merecimento; aptidão.

meritorio, -a, *adj.* meritório.

merluza, *s. f.* pescada; *(fig.)* borracheira.

merluzo, -a, *adj. e s.* tonto, bobo, estúpido, imbecil.

merma, *s. f.* diminuição; quebra; redução.

mermar, *v. intr.* diminuir; minguar.

mermelada, *s. f.* marmelada.

mero, -a, I. *adj.* mero; puro; simples. **II.** *s. m.* garoupa.

merodeador, -a, *adj. e s.* saqueador.

merodear, *v. intr.* saquear, roubar; pilhar.

merodeo, *s. m.* saque; pilhagem.

merovingio, -a, *adj.* merovíngio.

mes, *s. m.* mês.

mesa, *s. f.* mesa.

mesana, *s. f.* mezena.

mesarse, *v. refl.* arrepelar, arrancar os cabelos.

mesenterio, *s. m.* mesentério.

meseta, *s. f.* patamar; meseta; planalto.

mesiánico, -a, *adj. e s. m.* messiânico.

mesianismo, *s. m.* messianismo.

mesías, *s. m.* messias.

mesilla, *s. f.* mesinha.

mesnada, *s. f.* mesnada.

mesnadero, *s. m.* mesnadeiro.

mesocarpio, *s. m.* BOT. mesocárpio, mesocarpo.

mesón, *s. m.* estalagem; hospedaria; pousada.

mesonero, -a, *s. m. e f.* estalajadeiro.

mester, *s. m.* mester; arte; ofício; mister.

mestizo, -a, *adj. e s.* mestiço.

mesto, *s. m.* vd. **aladierna.**

mesura, *s. f.* mesura; cortesia; reverência.

mesurado, -a, *adj.* moderado; modesto; regrado.

meta, *s. f.* meta; limite; termo; fim.

metabólico, -a, *adj.* metabólico.

metabolismo, *s. m.* metabolismo.

metacarpo, *s. m.* ANAT. metacárpio, metacarpo.

metafísica, *s. f.* metafísica.

metafísico, -a, *adj. e s. m.* metafísico.

metáfora, *s. f.* metáfora.

metafórico, -a, *adj.* metafórico.

metal, *s. m.* metal.

metalenguaje, s. m. metalinguagem.
metalepsis, s. f. metalepse.
metálico, -a, adj. metálico.
metalingüística, s. f. metalinguística.
metalingüístico, -a adj. metalinguístico.
metalización, s. f. metalização.
metalizar, v. tr. metalizar.
metaloide, s. m. metalóide.
metalurgia, s. f. metalurgia.
metalúrgico, -a, adj. e s. metalúrgico.
metamórfico, -a, adj. metamórfico.
metamorfismo, s. m. metamorfismo.
metamorfosear, v. tr. metamorfosear.
metamorfosis, s. f. metamorfose.
metano, s. m. QUÍM. metano.
metanol, s. m. QUÍM. metanol.
metástasis, s. f. metástase.
metatarso, s. m. ANAT. metatarso.
metátesis, s. f. metátese.
metempsicosis, s. f. metempsicose.
meteórico, -a, adj. meteórico.
meteoro, s. m. meteoro.
meteorología, s. f. meteorologia.
meteorológico, -a, adj. meteorológico.
meteorólogo, -a, s. m. e f. meteorologista.
meter, v. tr. meter; introduzir; incluir.
meticón, adj. e s. intrometido.
meticulosidad, s. f. meticulosidade.
meticuloso, -a, adj. meticuloso; escrupuloso.
metido, -a, adj. metido.
metijón, -ona, s. m. e f. intrometido.
metileno, s. m. QUÍM. metileno.
metílico, -a, adj. metílico.
metilo, s. m. QUÍM. metilo.
metódico, -a, adj. metódico; que usa de método.
metodismo, s. m. metodismo.
metodizar, v. tr. metodizar.
método, s. m. método.
metodología, s. f. metodologia.
metodológico, -a, adj. metodológico.
metonimia, s. f. metonímia.
metraje, s. m. metragem, comprimento; duração; corto metraje, curta-metragem; largo metraje, longa-metragem.
metralla, s. f. metralha.
métrica, s. f. métrica.
métrico, -a, adj. métrico.
metro, 1. s. m. metro (medida). **2.** metro, metropolitano.

metrónomo, s. m. metrónomo.
metrópoli, s. f. metrópole.
metrópolis, s. f. vd. **metrópoli.**
metropolitano, -a, adj. e s. m. metropolitano.
metrorragia, s. f. metrorragia.
mexicano, -a, adj. e s. mexicano.
mezcla, s. f. mistura; mescla.
mezclador, -a, adj. e s. misturador.
mezclar, v. tr. misturar; mesclar; ligar.
mezcolanza, s. f. miscelânea; misturada.
mezquindad, s. f. mesquinhez; mesquinharia; insignificância.
mezquino, -a, adj. mesquinho.
mezquita, s. f. mesquita.
mi, I. s. m. MÚS. mi. **II.** pron. mim; meu.
miaja, s. f. vd. **migaja.**
miasma, s. m. miasma.
miau, s. m. miau, voz do gato.
mica, s. f. MIN. mica; ZOOL. macaca.
micáceo, -a, adj. micáceo.
micción, s. f. micção.
mico, s. m. ZOOL. mico.
micra, s. f. micro, mícron.
microbio, s. m. micróbio.
microbiología, s. f. microbiologia.
microclima, s. m. microclina.
microcosmo, s. m. microcosmo.
microcosmos, s. m. microcosmo.
microelectrónica, s. f. microelectrónica.
microfilme, s. m. microfilme.
micrófono, s. m. microfone.
microondas, s. m. microondas.
microorganismo, s. m. microrganismo.
microprocesador, s. m. microprocesador.
microscópico, -a, adj. microscópico.
microscopio, s. m. microscópio.
miedo, s. m. medo; terror; receio; temor.
miedoso, -a, adj. e s. medroso; medricas.
miel, s. f. mel.
mielina, s. f. mielina.
mielitis, s. f. mielite.
miembro, s. m. membro.
miente, s. f. pensamento; mente.
mientras, adv. enquanto; entretanto.
miércoles, s. m. quarta-feira.
mierda, s. f. merda; trampa.
mies, s. f. messe; ceifa.
miga, s. f. migalha.
migaja, s. f. migalha.
migar, v. tr. migar; esfarelar.
migración, s. f. emigração; migração.
migraña, s. f. enxaqueca.

migrar, *v. intr.* migrar.
migratorio, -a, *adj.* migratório.
mijo, *s. m.* espécie de milho.
mil, I. *num.* mil; milésimo. II. *s. m.* mil, um milhar.
milagrero, -a, *adj.* milagreiro.
milagro, *s. m.* milagre.
milagroso, -a, *adj.* milagroso; maravilhoso.
milanés, -esa, *adj. e s.* milanês, de Milão.
milano, *s. m.* ZOOL. milhano; milhafre.
milenario, -a, *adj.* milenário.
milenio, *s. m.* milénio.
milésimo, -a, *adj.* milésimo.
milhojas, *s. m. 2 núm.* mil-folhas.
mili, *s. f.* serviço militar.
miliar, *adj. 2 gén.* miliar.
miliario, -a, *adj.* miliário, miliar.
milicia, *s. f.* milícia.
miliciano, -a, *adj. e s.* miliciano.
miligramo, *s. m.* miligrama.
mililitro, *s. m.* mililitro.
milímetro, *s. m.* milímetro.
militancia, *s. f.* militância.
militante, *adj. 2 gén.* militante.
militar, I. *adj. 2 gén.* militar. II. *s. m.* militar, soldado. III. *v. intr.* militar.
militarismo, *s. m.* militarismo.
militarista, *adj. e s. 2 gén.* militarista.
militarizar, *v. tr.* militarizar.
milla, *s. f.* milha.
millar, *s. m.* milhar; milheiro.
millón, *s. m.* milhão.
millonario, -a, *adj. e s.* milionário.
millonésimo, -a, *adj. e s.* milionésimo.
milonga, *s. f.* toada popular.
mimar, *v. tr.* amimar; mimar; afagar; acariciar.
mimbre, *s. m.* vimeiro, vime.
mimesis, *s. f.* mimese; imitação.
mimético, -a, *adj.* mimético.
mimetismo, *s. m.* mimetismo.
mímica, *s. f.* mímica; gesticulação.
mímico, -a, *adj.* mímico.
mimo, *s. m.* mimo; carinho; ternura; género teatral.
mimosa, *s. f.* BOT. mimosa.
mimoso, -a, *adj.* mimoso; delicado; sensível; meigo.
mina, *s. f.* mina.
minar, *v. tr.* minar.
minarete, *s. m.* minarete; almádena.
mineraje, *s. m.* mineração.

mineral, I. *adj. 2 gén.* mineral. II. *s. m.* mineral.
mineralización, *s. f.* mineralização.
mineralizar, *v. tr.* mineralizar.
mineralogía, *s. f.* mineralogia.
mineralógico, -a, *adj.* mineralógico.
minería, *s. f.* mineração.
minero, -a, *adj. e s.* mineiro.
mineromedicinal, *adj. 2 gén.* mineromedicinal.
mingitorio, *s. m.* mictório, urinol.
mingo, *s. m.* bola vermelha do jogo do bilhar.
miniar, *v. tr.* iluminar.
miniatura, *s. f.* miniatura; iluminura.
miniaturista, *s. 2 gén.* miniaturista; iluminista.
minibasket, *s. m.* minibásquete.
minifundio, *s. m.* minifúndio.
minigolf, *s. m.* minigolfe.
mínima, *s. f.* mínima.
minimizar, *v. tr.* minimizar.
mínimo, -a, *adj. e s. m.* mínimo.
minino, *s. m. (fam.)* gato.
minio, *s. m.* mínio; zarcão.
ministerial, *adj. 2 gén.* ministerial.
ministerio, *s. m.* ministério; cargo de ministro.
ministro, -a, *s. m. e f.* ministro, ministra.
minoría, *s. f.* minoria.
minorista, *s. 2 gén.* retalhista (comerciante).
minoritario, -a, *adj.* minoritário.
minucia, *s. f.* minúcia; ninharia.
minuciosidad, *s. f.* minuciosidade.
minucioso, -a, *adj.* minucioso.
minué, *s. m.* minuete.
minuendo, *s. m.* diminuendo.
minueto, *s. m.* minuete.
minúsculo, -a, *adj. e s.* minúsculo.
minusvalía, *s. f.* menor-valia; depreciação.
minusválido, -a, *adj. e s.* deficiente; inválido.
minuta, *s. f.* minuta; apontamento; rascunho.
minutero, *s. m.* ponteiro dos minutos.
minuto, *s. m.* minuto.
mío, mía, míos, mías, *pron.* meu, minha, meus, minhas.
miocardio, *s. m.* miocárdio.
miope, *adj. e s. 2 gén.* míope.
miopía, *s. f.* miopia.

mira, s. f. mira; intuito; intenção; interesse; alvo.

mirada, s. f. mirada; olhadela; lance de olhos.

miradero, s. m. miradouro; mirante.

mirador, s. m. miradouro; mirante.

miraguano, s. m. sumaúma.

miramiento, s. m. miramento.

mirar, v. tr. mirar; espiar; vigiar; olhar; atender; cuidar; mira!, olha!

miríada, s. f. miríade, miríada.

miriápodo, s. m. miriápode.

mirífico, -a, adj. mirífico, admirável.

miriñaque, s. m. merinaque, anquinhas, crinolina.

miriópodo, s. m. miriápode.

mirlo, s. m. melro.

mirón, -ona, adj. e s. curioso; mirone.

mirra, s. f. mirra.

mirto, s. m. mirto; murta.

misa, s. f. missa.

misal, s. m. missal.

misantropía, s. f. misantropia.

misántropo, -a, adj. e s. misantropo.

misario, s. m. acólito; ajudante.

miscelánea, s. f. miscelânea; mistura.

miserable, adj. 2 gén. miserável.

miseria, s. f. miséria; desgraça; sordidez.

misericordia, s. f. misericórdia; compaixão; perdão.

misericordioso, -a, adj. e s. misericordioso.

mísero, -a, adj. mísero; miserável.

misil, s. m. míssil.

misión, s. f. missão; incumbência.

misionero, -a, adj. e s. missionário.

misiva, s. f. missiva.

mismo, -a, adj. mesmo; semelhante; igual.

misoginia, s. f. misoginia.

misógino, -a, adj. e s. misógino.

miss, s. f. misse.

míster, s. m. míster.

misterio, s. m. mistério; enigma; segredo.

misterioso, -a, adj. misterioso.

mística, s. f. mística.

misticismo, s. m. misticismo.

místico, -a, adj. e s. místico.

mistral, s. m. mistral.

mitad, s. f. metade; meio.

mítico, -a, adj. mítico; fabuloso.

mitificación, s. f. mitificação.

mitificar, v. tr. mitificar.

mitigación, s. f. mitigação.

mitigador, -a, adj. mitigador, mitigante.

mitigar, v. tr. mitigar; moderar; suavizar.

mitin, s. m. comício, reunião, encontro.

mito, s. m. mito, fábula.

mitología, s. f. mitologia.

mitológico, -a, adj. mitológico.

mitomanía, s. f. mitomania.

mitón, s. m. mitene, luva.

mitosis, s. f. mitose.

mitra, s. f. mitra.

mitral, adj. 2 gén. mitral.

mixomatosis, s. f. mixomatose.

mixto, -a, I. adj. misto, misturado. II. s. m. tosta mista, sanduíche mista.

mixtura, s. f. mistura.

mnemotecnia, s. f. mnemotecnia, mnemónica.

mnemotécnico, -a, adj. mnemotécnico, mnemónico.

mobiliario, s. m. mobiliário.

moblaje, s. m. mobiliário; mobília; móveis.

moca, s. m. moca (café).

mocasín, s. m. mocassim, babucha, pantufa.

mocedad, s. f. mocidade; juventude.

mocetón, -ona, s. m. e f. mocetão, mocetona.

mochila, s. f. mochila.

mocho, -a, adj. e s. mocho (sem pontas); desmochado.

mochuelo, s. m. ZOOL. mocho.

moción, s. f. moção; proposta; comoção.

moco, s. m. monco; ranho.

mocoso, -a, adj. e s. moncoso, ranhoso.

mocosuelo, -a, adj. e s. rapazinho.

moda, s. f. moda.

modal, adj. 2 gén. modal; pl. modos, maneiras.

modalidad, s. f. modalidade.

modelado, -a, I. adj. modelado. II. s. m. modelação, modelado.

modelador, -a, adj. e s. m. modelador.

modelar, v. tr. modelar.

modélico, -a, adj. modelar, modelista.

modelismo, s. m. modelismo.

modelo, s. m. modelo.

modem, s. m. INFORM. modem.

moderación, s. f. moderação.

moderado, -a, adj. moderado.

moderador, -a, adj. e s. moderador.

moderar, *v. tr.* moderar; refrear; temperar.

modernidad, *s. f.* modernidade.

modernismo, *s. m.* modernismo.

modernista, *adj. e s. 2 gén.* modernista.

modernización, *s. f.* modernização.

modernizar, *v. tr.* modernizar.

modern|o, -a, *adj.* moderno.

modestia, *s. f.* modéstia; simplicidade; recato.

modest|o, -a, *adj. e s.* modesto.

módic|o, -a, *adj.* módico; moderado; limitado.

modificable, *adj. 2 gén.* modificável.

modificación, *s. f.* modificação.

modificador, -a, *adj. e s. m.* modificador.

modificar, *v. tr.* modificar.

modismo, *s. m.* modismo.

modisto, -a, *s. m. e f.* modista, costureira; costureiro.

modo, *s. m.* modo; maneira; forma; método.

modorra, *s. f.* modorra; sonolência.

modulación, *s. f.* modulação.

modulador, -a, *adj. e s.* modulador.

modular, *v. intr.* modular.

módulo, *s. m.* módulo.

mofa, *s. f.* mofa; motejo.

mofarse, *v. intr.* mofar; zombar; motejar, escarnecer.

mofeta, *s. f.* doninha.

moflete, *s. m.* bochecha grande e carnuda.

mofletud|o, -a, *adj.* bochechudo.

mogate, *s. m.* verniz de oleiro; camada; capa.

mogol, -a, *adj. e s.* mogol, mongol, mongólico, da Mongólia.

mogollón, I. *s. m.* **1.** montão, magote (de gente). **2.** alvoroto, algazarra, barulho. **II.** *adv.* muito, bastante.

mogón, -ona, *adj.* esmoucado.

mohín|o, -a, *adj. e s.* mofino; triste; desgostoso.

moho, *s. m.* mofo; bolor; ferrugem; verdete.

mohos|o, -a, *adj.* bolorento; mofento.

moisés, *s. m.* alcofa para bebés.

mojad|o, -a, *adj.* molhado, encharcado.

mojadura, *s. f.* molhadela.

mojama, *s. f.* moxama (atum seco).

mojar, *v. tr. e refl.* molhar; humedecer.

moje, *s. m.* molho.

mojiganga, *s. f.* mojiganga, dança burlesca.

mojigatería, *s. f.* dissimulação; hipocrisia.

mojigat|o, -a, *adj. e s.* hipócrita.

mojinete, *s. m.* palmadinha.

mojón, *s. m.* baliza; marco.

moka, *s. f.* moca (café).

molar, *adj. 2 gén.* molar.

molde, *s. m.* molde; modelo; forma; norma.

moldear, *v. tr.* moldar; fundir.

moldura, *s. f.* moldura.

mole, *s. f.* mole; volume; massa.

molécula, *s. f.* molécula.

molecular, *adj. 2 gén.* molecular.

moler, *v. tr.* moer; esmagar; importunar; massar.

molestar, *v. tr.* molestar; enfadar.

molestia, *s. f.* moléstia.

molest|o, -a, *adj.* molesto.

molicie, *s. f.* moleza; brandura; preguiça, ociosidade.

molid|o, -a, *adj.* moído, triturado.

molienda, *s. f.* moenda; moedura; moagem.

molificar, *v. tr.* molificar; amolecer; suavizar.

moliner|o, -a, *s.* moleiro.

molinete, *s. m.* molinete.

molinillo, *s. m.* moinho; vira-vento; *molinillo de café,* moinho de café.

molino, *s. m.* moinho.

molla, *s. f.* parte magra da carne; *pl.* pneus sobressalentes.

mollar, *adj. 2 gén.* mole; molar.

mollear, *v. intr.* amolecer; abrandar.

molleja, *s. f.* moleja, moela (das aves).

mollera, *s. f.* ANAT. moleirinha; moleira; fontanela; *(fig.)* entendimento; juízo.

moll|ón, -ona, *adj.* bonito, giro.

molusco, *s. m.* molusco.

momentáne|o, -a, *adj.* momentâneo; rápido.

momento, *s. m.* momento; instante.

momia, *s. f.* múmia.

momificación, *s. f.* mumificação.

momificar, *v. tr.* mumificar.

momio, *s. m.* mimo; achado, maravilha.

mona, *s. f.* mona; macaca; *(fig.)* bebedeira.

monacal, *adj. 2 gén.* monacal.

monacato, *s. m.* monacato.

monada, *s. f.* macacada.

monada, s. f. moeda.
mónada, s. f. mónade.
monaguillo, s. m. menino do coro.
monaquismo, s. m. vd. **monacato**.
monarca, s. m. monarca, rei.
monarquía, s. f. monarquia.
monárquico, -a, adj. e s. monárquico.
monarquismo, s. m. monarquismo.
monasterio, s. m. mosteiro; convento.
monástico, -a, adj. monástico; monacal.
monda, s. f. monda; alimpa; mondadura.
mondadientes, s. m. palito para dentes.
mondadura, s. f. mondadura; monda; alimpa.
mondar, v. tr. mondar; limpar; podar; descascar (frutas ou tubérculos).
mondo, -a, adj. limpo; puro; mondo y lirondo, limpo e relimpo.
mondongo, s. m. mondongo (vísceras).
monedero, s. m. porta-moedas.
monería, s. f. macaquice; momices; ninharia.
monetario, -ria, I. adj. monetário. **II.** s. m. monetário (colecção de moedas).
monetarismo, s. m. monetarismo.
monetarista, adj. e s. 2 gén. monetarista.
mongol, adj. e s. 2 gén. mongol.
mongólico, -a, adj. e s. mongólico.
mongolismo, s. m. mongolismo.
monigote, s. m. boneco ridículo (de trapo); imagem mal feita, mamarracho.
monitor, -a, s. 1. m. e f. monitor. 2. s. m. monitor, visor, ecrã.
monitoria, s. f. monitória; admoestação.
monja, s. f. monja; freira.
monje, s. m. monge, frade, anacoreta.
monjil, adj. 2 gén. monacal.
monjío, s. m. monacato.
monjita, s. f. freirinha.
mono, -a, I. adj. bonito; gracioso. **II.** s. m. e f. mono, macaco; macaco, fato-macaco.
monocarril, s. m. monocarril.
monocolor, adj. 2 gén. monocolor.
monocorde, adj. 2 gén. monocórdico, monótono.
monocotiledóneo, -a, I. adj. monocotiledóneo. **II.** s. f. BOT. monocotiledónea.
monocromático, -a, adj. monocromático.
monocular, adj. 2 gén. monocular.
monóculo, s. m. monóculo.
monocultivo, s. m. monocultura.
monódico, -a, adj. monódico.
monofásico, -a, adj. monofásico.

monogamia, s. f. monogamia.
monógamo, -a, I. adj. monogâmico, monógamo. **II.** s. m. e f. monógamo.
monografía, s. f. monografia.
monográfico, -a, adj. monográfico.
monograma, s. m. monograma.
monolingüe, adj. 2 gén. monolíngue.
monolítico, -a, adj. monolítico.
monolito, s. m. monólito.
monologar, v. intr. monologar.
monólogo, s. m. monólogo; solilóquio.
monomanía, s. f. monomania.
monomaníaco, -a, adj. monomaníaco.
monomio, s. m. monómio.
monoplano, s. m. monoplano.
monoplaza, adj. 2 gén. e s. m. monolugar.
monopolio, s. m. monopólio.
monopolista, adj. 2 gén. e s. m. monopolista.
monopolización, s. f. monopolização.
monopolizador, -a, adj. e s. monopolizador.
monopolizar, v. tr. monopolizar.
monorraíl, s. m. monocarril.
monosilábico, -a, adj. monossilábico.
monosílabo, -a, adj. e s. m. monossílabo.
monoteísmo, s. m. monoteísmo.
monoteísta, adj. e s. 2 gén. monoteísta.
monotonía, s. f. monotonia.
monótono, -a, adj. monótono.
monóxido, s. m. monóxido.
monseñor, s. m. monsenhor.
monserga, s. f. (fam.) pregação, sermão; despropósito.
monstruo, s. m. monstro.
monstruosidad, s. f. monstruosidade.
monstruoso, -a, adj. monstruoso.
monta, s. f. monta; soma; total.
montacargas, s. m. monta-cargas.
montado, -a, I. adj. montado, armado; montado (a cavalo); batido (natas, claras). **II.** s. m. bocado.
montador, -a, s. m. e f. cavaleiro.
montaje, s. m. montagem.
montaña, s. f. montanha.
montañés, -esa, adj. montanhês.
montañismo, s. m. montanhismo.
montañoso, -a, adj. montanhoso.
montaplatos, s. m. monta-pratos.
montar, v. intr. montar; armar; preparar.
montaraz, adj. 2 gén. montês; silvestre.
monte, s. m. monte.
montear, v. tr. montear.

montepío, *s. m.* montepio.

montera, *s. f.* monteira; carapuça.

montería, *s. f.* montaria (de caça grossa).

montero, -a, *s.* monteiro; couteiro.

montés, *adj.* 2 *gén.* montês; silvestre.

montículo, *s. m.* montículo.

monto, *s. m.* total.

montón, *s. m.* montão.

montura, *s. f.* montada; cavalgadura; arreios.

monumental, *adj.* 2 *gén.* monumental.

monumento, *s. m.* monumento.

monzón, *m.* monção.

moña, *s. f.* fita, laço; (*fam.*) bebedeira.

moño, *s. m.* rolo (de cabelo); puxo.

moqueo, *s. m.* monco.

moqueta, *s. m.* alcatifa.

moquillo, *s. m.* esgana (cães); pevide, gogo (aves).

moquita, *s. f.* coriza.

mora, *s. f.* amora (fruto).

morada, *s. f.* morada; residência.

morado, -a, *adj.* e *s.* morado, cor da amora, roxo.

morador, -a, *s. m.* e *f.* morador.

moradura, *s. f.* equimose, pisadura.

moral, I. *adj.* 2 *gén.* moral. II. 1. *s. f.* moral, regras morais. 2. amoreira.

moraleja, *s. f.* moralidade (duma fábula, conto, etc.).

moralidad, *s. f.* moralidade.

moralina, *s. f.* falsa moral.

moralista, *adj.* e *s.* 2 *gén.* moralista.

moralizar, *v. tr.* moralizar.

morar, *v. intr.* morar; habitar; residir.

moratón, *s. m.* equimose, pisadura.

moratoria, *s. f.* moratória.

morbidez, *s. f.* morbidez.

mórbido, -a, *adj.* mórbido; doentio.

morbo, *s. m.* doença, enfermidade; curiosidade mórbida.

morbosidad, *s. f.* morbidez; excitação, curiosidade mórbida.

morboso, -a, *adj.* morboso; mórbido.

morciguillo, *s. m.* morcego.

morcilla, *s. f.* morcela; moura; *meter morcilla,* TEAT. improvisar.

mordacidad, *s. f.* mordacidade.

mordaz, *adj.* 2 *gén.* mordaz; satírico.

mordaza, *s. f.* mordaça.

mordedor, -a, *adj.* mordedor.

mordedura, *s. f.* mordedura; mordedela.

morder, *v. tr.* morder.

mordida, *s. f.* mordedela; (*fam.*) suborno.

mordiente, *s. m.* mordente.

mordisco, *s. m.* mordedura, mordedela; dentada.

mordisquear, *v. tr.* mordiscar.

morena, *s. f.* moreia (peixe).

moreno, -a, I. *adj.* moreno. II. *s.* 1. *m.* e *f.* moreno, morena. 2. *m.* cor morena.

morera, *s. f.* amoreira.

morería, *s. f.* mouraria.

moretón, *s. m.* equimose, pisadura.

morfema, *s. m.* morfema.

morfina, *s. f.* morfina.

morfinomanía, *s. f.* morfinomania.

morfinómano, -a, *adj.* e *s.* morfinómano.

morfología, *s. f.* morfologia.

morfológico, -a, *adj.* morfológico.

morganático, -a, *adj.* morganático.

morgue, *s. f.* morgue.

moribundo, -a, *adj.* e *s.* moribundo.

morigeración, *s. f.* morigeração.

morigerar, *v. tr.* morigerar.

morir, *v. intr.* morrer; expirar; falecer.

morisco, -a, *adj.* e *s.* mouro.

morisma, *s. f.* mourisma, mourama.

morisqueta, *s. f.* careta; partida, patifaria.

mormón, -ona, *adj.* e *s.* mórmon.

moro, -a, *adj.* e *s.* mouro, da Mauritânia.

morosidad, *s. f.* morosidade, lentidão; demora.

moroso, -a, *adj.* moroso.

morrada, *s. f.* cabeçada; turra; (*fig.*) bofetada.

morral, *s. m.* bornal; mochila.

morralla, *s. f.* gentalha, chusma, malta; misturada.

morrazo, *s. m.* vd. **morrada.**

morrena, *s. f.* GEOL. morena, moreia.

morrillo, *s. m.* cachaço (das reses).

morriña, *s. f.* desalento, tristeza; melancolia.

morrión, *s. m.* morrião.

morro, *s. m.* morro; monte; outeiro.

morrón, I. *adj.* diz-se duma variedade de pimentos. II. *s. m.* cachaçada.

morrudo, -a, *adj.* beiçudo; focinhudo.

morsa, *s. f.* ZOOL. morsa.

mortadela, *s. f.* mortadela.

mortaja, *s. f.* mortalha.

mortal, *adj.* e *s.* 2 *gén.* mortal.

mortalidad, *s. f.* mortalidade.

mortandad, s. f. mortandade.
mortecin|o, -a, adj. moribundo; débil; apagado.
mortero, s. m. morteiro.
mortífer|o, -a, adj. mortífero.
mortificación, s. f. mortificação.
mortificante, adj. 2 gén. mortificante.
mortificar, v. tr. mortificar; afligir; atormentar.
mortuorio, -a, adj. mortuário.
morun|o, -a, adj. mouro, mourisco.
mosaico, s. m. mosaico; ladrilho.
mosca, s. f. mosca.
moscada, s. f. noz-moscada.
moscarda, s. f. moscardo.
moscardón, s. m. moscão; tavão.
moscatel, adj. 2 gén. e s. m. moscatel.
moscón, s. m. moscão, moscardo.
mosquear, v. tr. mosquear.
mosqueo, s. m. aborrecimento; suspeita.
mosquero, s. m. mosqueiro.
mosquete, s. m. mosquete.
mosquetero, s. m. mosqueteiro.
mosquetón, s. m. mosquetão.
mosquitera, s. f. mosquitera.
mosquitero, s. m. mosquiteiro.
mosquito, s. m. mosquito.
mostacho, s. m. bigode.
mostachón, s. m. macarrão.
mostaza, s. f. BOT. mostardeira; mostarda.
mosto, s. m. mosto.
mostrador, s. m. balcão.
mostrar, v. tr. mostrar; expor; indicar; apresentar.
mostrenco, s. m. mostrengo.
mota, s. f. partícula; mancha; esboço.
mote, s. m. alcunha.
motear, v. tr. mosquear; pintalgar, sarapintar.
motejador, -a, adj. e s. motejador.
motejar, v. tr. alcunhar.
motel, s. m. motel.
motilidad, s. f. motilidade.
motín, s. m. motim; tumulto.
motivación, s. f. motivação.
motivar, v. tr. motivar; causar.
motivo, s. m. motivo; causa; razão.
moto, s. f. mota, moto.
motocarro, s. m. triciclo motorizado.
motocicleta, s. f. motocicleta.
motociclismo, s. m. motoclismo.
motociclista, s. 2 gén. motociclista.
motociclo, s. m. motociclo.

motocross, s. m. motocrosse.
motocultivo, s. m. agricultura mecanizada.
motonáutica, s. f. motonáutica.
motor, -a, I. adj. motor, motora, motriz. **II.** s. m. motor.
motorismo, s. m. motorismo.
motorista, s. 2 gén. motorista.
motorizad|o, -a, adj. motorizado.
motorizar, v. tr. motorizar.
motosierra, s. f. moto-serra.
motricidad, s. f. motricidade.
motriz, adj. motriz; motora.
mover, v. tr. mover; alterar; mexer; deslocar.
movible, adj. 2 gén. movível, móvel.
movida, s. f. mexida, acção; animação, agitação; burburinho.
movid|o, -a, adj. ocupado, cheio, preenchido (tempo); activo (pessoa); animado, concorrido (reunião, festa); desfocado (foto).
móvil, I. adj. 2 gén. móvel; movediço. **II.** s. m. móbil; causa, motivo; FÍS. (corpo) móvel; móbile.
movilidad, s. f. mobilidade.
movilización, s. f. mobilização.
movilizar, v. tr. mobilizar.
movimiento, s. m. movimento; actividade (intelectual); operação (financeira); tráfico (de veículos).
moviola, s. f. CIN. moviola, projector.
moza, s. f. moça; criada; empregada.
mozalbete, s. m. mocinho.
mozallón, s. m. mocetão; moçalhão; rapagão.
mozambiqueñ|o, -a, adj. e s. moçambicano.
mozárabe, adj. e s. 2 gén. moçárabe.
moz|o, -a, I. adj. jovem; solteiro. **II.** s. **1.** m. moço; jovem, solteiro; servical; servente, criado. **2.** f. moça, rapariga; criada.
mozuel|o, -a, s. m. e f. mocinho, mocinha.
mu, s. m. mugido.
mucosa, s. f. mucosa.
muchachada, s. f. rapaziada.
muchach|o, -a, s. m. e f. rapaz; rapariga.
muchedumbre, s. f. multidão.
much|o, -a, I. pron. indef. muito; abundante; numeroso. **II.** adv. muito, em grande quantidade.
mucosa, s. f. mucosa.
mucosidad, s. f. mucosidade, muco.
mucos|o, -a, adj. mucoso.

muda, s. f. muda; mudança.

mudable, adj. 2 gén. mudável.

mudanza, s. f. mudança.

mudar, v. tr. mudar; deslocar; substituir; variar.

mudéjar, adj. e s. 2 gén. mudéjar.

mudez, s. f. mudez; silêncio.

mudo, -a, adj. e s. mudo; calado; silencioso.

mueble, s. m. móvel.

mueca, s. f. esgar, trejeito.

muela, s. f. mó; dente molar; pedra de amolar.

muelle, I. adj. 2 gén. mole; brando; delicado. **II.** s. m. mola; molhe.

muérdago, s. m. azevinho.

muermo, s. m. torpor, sonolência; aborrecimento.

muerte, s. f. morte.

muerto, -a, adj. e s. morto.

muesca, s. f. entalhe; encaixe.

muestra, s. f. amostra; tabuleta; sinal; rótulo; mostra, exposição.

muestrario, s. m. mostruário; colecção de amostras.

muestreo, s. m. amostragem.

muévedo, s. m. móvito; aborto.

muflón, s. m. ZOOL. muflão.

mugido, s. m. mugido.

mugir, v. intr. mugir.

mugre, s. f. imundície, porcaria; côdeo; fuligem.

mugriento, -a, adj. sujo; ensebado; fuliginoso.

muguet, s. m. vd. **muguete.**

muguete, s. m. lírio dos vales, lírio convale.

mujer, s. f. mulher.

mujercilla, s. f. mulherzinha.

mujeriego, -a, adj. e s. m. mulherengo.

mujeril, adj. 2 gén. mulheril.

mujerío, s. m. mulherio.

mujerona, s. f. mulheraça, mulherona.

mújol, s. m. muge, mugem (peixe).

mula, s. f. mula.

muladar, s. m. monturo; esterqueira.

mular, adj. 2 gén. muar.

mulato, -a, adj. e s. mulato.

mulero, s. m. muleteiro; arrieiro.

muleta, s. f. muleta.

muletón, s. m. baeta.

mullir, v. tr. afofar; amolecer; abrandar.

mulo, s. m. macho; mulo.

multa, s. f. multa; coima.

multar, v. tr. multar.

multicolor, adj. 2 gén. multicor.

multicopista, s. f. copiador.

multidisciplinar, adj. 2 gén. multidisciplinar.

multiforme, adj. 2 gén. multiforme.

multilateral, adj. 2 gén. multilátero.

multimedia, adj. 2 gén. multimédia.

multimillonario, -a, adj. multimilionário.

multinacional, adj. 2 gén. e s. f. multinacional.

multípara, adj. multípara.

múltiple, adj. 2 gén. múltiplo; multíplice; complexo.

multiplicable, adj. 2 gén. multiplicável.

multiplicación, s. f. multiplicação.

multiplicador, -a, adj. e s. multiplicador.

multiplicando, s. m. multiplicando.

multiplicar, v. tr. multiplicar.

multiplicidad, s. f. multiplicidade.

múltiplo, -a, adj. e s. múltiplo.

multirriesgo, adj. multirrisco.

multitud, s. f. multidão; vulgo.

multitudinario, -a, adj. multitudinário.

multiuso, adj. multiúso.

mundanal, adj. 2 gén. mundano.

mundano, -a, adj. mundano.

mundial, adj. 2 gén. mundial.

mundificar, v. tr. mundificar; purificar.

mundillo, s. m. ambiente, círculos, mundo; *el mundillo teatral,* os círculos teatrais, o mundo do teatro.

mundo, s. m. mundo.

munición, s. f. munição.

municipal, adj. 2 gén. municipal.

municipio, s. m. município.

munificencia, s. f. munificência; liberalidade.

muñeca, s. **1.** f. pulso. **2.** boneca; manequim.

muñeco, s. m. boneco; *(fig.)* marionete.

muñequera, s. f. pulseira.

muñidor, s. m. andador de confraria.

muñón, s. m. ANAT. coto.

mural, I. adj. 2 gén. mural; parietal. **II.** s. m. mural.

muralla, s. f. muralha.

murciélago, s. m. morcego.

murga, s. f. *(fam.)* banda desafinada; chinfrineira.

murmullo, s. m. murmúrio.

murmuración, s. f. murmuração; maledicência.
murmurador, -a, adj. e s. murmurador.
murmurar, v. intr. murmurar.
muro, s. m. muro; parede.
murria, s. f. melancolia; tristeza.
murrio, -a, adj. triste; melancólico.
musa, s. f. musa.
musaraña, s. f. musaranho.
musculación, s. f. musculação.
muscular, adj. 2 gén. muscular.
musculatura, s. f. musculatura.
músculo, s. m. músculo.
musculoso, -a, adj. musculoso; muscular.
muselina, s. f. musselina.
museo, s. m. museu.
musgo, s. m. musgo.
musgoso, -a, adj. musgoso.
música, s. f. música.
musical, adj. 2 gén. musical.
musicalidad, s. f. musicalidade.
musicar, v. tr. musicar.
músico, -a, adj. e s. músico.
musicología, s. f. musicologia.
musicólogo, -a, s. m. e f. musicólogo.

musitar, v. intr. sussurrar; cochichar.
muslamen, s. m. coxas; coxame.
muslo, s. m. coxa.
mustango, s. m. cavalo selvagem.
mustélido, adj. e s. m. mustelídeo.
mustio, -a, adj. melancólico; triste; murcho.
musulmán, -ana, adj. e s. muçulmano;
maometano.
muta, s. f. matilha.
mutabilidad, s. f. mutabilidade.
mutable, adj. 2 gén. mutável.
mutación, s. f. mutação.
mutante, adj. e s. 2 gén. mutante.
mutilación, s. f. mutilação.
mutilado, -a, adj. e s. mutilado.
mutilar, v. tr. mutilar.
mutis, s. m. TEAT. saída; hacer mutis,
calar.
mutismo, s. m. mutismo; mudez.
mutualidad, s. f. mutualidade.
mutualismo, s. m. mutualismo.
mutualista, adj. e s. 2 gén. mutualista.
mutuo, -a, adj. mútuo.
muy, adv. mui; muito.

N

n, s. f. n, décima quarta letra do alfabeto espanhol.
nabo, s. m. BOT. nabo.
nácar, s. m. nácar.
nacarado, -a, adj. nacarado.
nacarino, -a, adj. nacarado; róseo.
nacer, v. intr. nascer; brotar; principiar; surgir.
nacido, -a, adj. nascido.
naciente, I. adj. 2 gén. nascente; recente. II. s. m. oriente.
nacimiento, s. m. nascimento.
nación, s. f. nação.
nacional, adj. 2 gén. nacional.
nacionalidad, s. f. nacionalidade; naturalidade.
nacionalismo, s. m. nacionalismo.
nacionalista, adj. e s. 2 gén. nacionalismo.
nacionalización, s. f. nacionalização.
nacionalizar, v. tr. nacionalizar.
nacional-socialismo, s. m. nacional-socialismo.
nacional-socialista, adj. e s. 2 gén. nacional-socialista.
nada, I. pron. indef. nada. II. adv. nada; não. III. s. m. o nada.
nadador, -a, adj. e s. nadador.
nadar, v. intr. nadar; flutuar; abundar.
nadería, s. f. ninharia; bagatela.
nadie, pron. ninguém.
nadir, s. m. nadir.
nado, s. m., a nado, loc. adv. a nado.
nafta, s. f. nafta.
naftalina, s. f. naftalina.
nailon, s. m. nylon, náilon.
naipe, s. m. naipe; baralho.
nalga, s. f. nádega.
nana, s. f. nana, canção de embalar; saco de bebé.
nao, s. f. nau.
napa, s. f. napa.
napalm, s. m. napalm.
napia, s. f. vd. **napias.**
napias, s. f. pl. nariz grande, narigão.
naranja, s. f. laranja.
naranjada, s. f. laranjada (bebida).

naranjal, s. m. laranjal.
naranjera, s. f. trabuco.
naranjo, s. m. BOT. laranjeira.
narcisismo, s. m. narcisismo.
narcisista, adj. e s. 2 gén. narcisista.
narciso, s. m. BOT. narciso; narciso, homem vaidoso.
narcótico, -a, adj. e s. m. narcótico.
narcotizar, v. tr. narcotizar; anestesiar.
narcotraficante, s. 2 gén. traficante de drogas.
narcotráfico, s. m. narcotráfico, tráfico de drogas.
nardo, s. m. BOT. nardo.
narguile, s. m. narguilé (cachimbo turco).
narigón, -ona, I. adj. narigudo. II. s. m. narigão.
narigudo, -a, adj. e s. narigudo.
nariz, s. f. nariz.
narración, s. f. narração; narrativa.
narrador, -a, adj. e s. narrador.
narrar, v. tr. narrar; contar; relatar.
narrativa, s. f. narrativa; narração.
narrativo, -a, adj. narrativo; expositivo.
nártex, s. m. nártex.
narval, s. m. ZOOL. narval.
nasa, s. f. nassa (cesto de pesca).
nasal, adj. 2 gén. nasal.
nasalización, s. f. nasalização; nasalação.
nasalizar, v. tr. nasalizar.
nata, s. f. nata; creme; escol.
natación, s. f. natação.
natal, I. adj. 2 gén. natal, natalício. II. s. m. dia natalício.
natalicio, -a, I. adj. natalício; natal. II. s. m. dia natalício.
natalidad, s. f. natalidade.
natatorio, -a, adj. natatório.
naterón, s. m. requeijão.
natillas, s. f. pl. creme.
Natividad, s. f. Natividade; Natal.
nativo, -a, adj. e s. nativo.
nato, -a, adj. nato; nascido; nado.
natura, adj. natureza, natura.
natural, I. adj. 2 gén. natural, oriundo; ingénito; justo. II. s. m. índole, génio.
naturaleza, s. f. natureza.

naturalidad, s. f. naturalidade; simplicidade.

naturalismo, s. m. naturalismo.

naturalista, adj. e s. 2 gén. naturalista.

naturalización, s. f. naturalização; nacionalização.

naturalizar, v. tr. naturalizar, nacionalizar.

naturismo, s. m. naturismo.

naturista, adj. e s. 2 gén. naturista.

naufragante, adj. 2 gén. naufragante.

naufragar, v. intr. naufragar; soçobrar.

naufragio, s. m. naufrágio.

náufrago, -a, adj. e s. náufrago.

náusea, s. f. náusea; enjoo; ânsia.

nauseabundo, -a, adj. nauseabundo; nauseativo; repugnante.

náutica, s. f. náutica.

náutico, -a, adj. náutico.

navaja, s. f. navalha, faca; ZOOL. navalha, linguarão, lingueirão.

navajada, s. f. navalhada.

navajazo, s. m. navalhada.

naval, adj. 2 gén. naval.

navarro, -a, adj. e s. navarro, de Navarra.

nave, s. f. nave; nau; navio.

navegabilidad, s. f. navegabilidade.

navegable, adj. 2 gén. navegável.

navegación, s. f. navegação.

navegante, adj. e s. 2 gén. navegante.

navegar, v. intr. navegar.

Navidad, s. f. Natal; Natividade.

navideño, -a, adj. de Natal, natalício.

naviero, -a, I. adj. naval. II. s. 1. f. empresa naval. 2. m. armador.

navío, s. m. navio.

náyade, s. f. náiade.

nazareno, -a, adj. e s. nazareno, de Nazaré.

nazi, adj. e s. 2 gén. nazi.

nazismo, s. m. nazismo.

neblina, s. f. neblina; nevoeiro.

neblinoso, -a, adj. nebuloso.

nebulizador, s. m. nebulizador.

nebulosa, s. f. nebulosa.

nebulosidad, s. f. nebulosidade.

nebuloso, -a, adj. nebuloso.

necedad, s. f. necedade; estupidez; disparate.

necesario, -a, adj. necessário; inevitável.

neceser, s. m. estojo com objectos de toucador.

necesidad, s. f. necessidade.

necesitado, -a, adj. e s. necessitado.

necesitar, v. tr. e intr. necessitar.

necio, -a, adj. e s. néscio; ignorante; estúpido; teimoso.

necrofilia, s. f. necrofilia.

necrófilo, -a, adj. e s. necrófilo.

necrología, s. f. necrologia.

necrológico, -a, adj. necrológico.

necrópolis, s. f. necrópole; cemitério.

necroscopia, s. f. necroscopia.

necroscópico, -a, adj. necroscópico.

necrosis, s. f. necrose; gangrena.

néctar, s. m. néctar.

neerlandés, -esa, adj. neerlandês.

nefando, -a, adj. nefando.

nefasto, -a, adj. nefasto; funesto.

nefrítico, -a, adj. e s. nefrítico.

nefritis, s. f. nefrite.

negable, adj. 2 gén. negável.

negación, s. f. negação.

negador, -a, adj. e s. negador.

negar, v. tr. negar; recusar.

negativa, s. f. negativa.

negativo, -a, adj. negativo.

negligencia, s. f. negligência; preguiça; incúria.

negligente, adj. e s. 2 gén. negligente; desleixado.

negociable, adj. 2 gén. negociável; vendível.

negociación, s. f. negociação, negócio; comércio, ajuste.

negociado, -a, adj. e s. negociado.

negociador, -a, adj. e s. negociador.

negociante, adj. e s. 2 gén. negociador; negociante, comerciante.

negociar, v. intr. negociar; comerciar.

negocio, s. m. negócio; ocupação; trabalho; comércio.

negra, s. f. MÚS. semínima.

negrear, v. intr. negrejar.

negrero, -a, adj. e s. negreiro.

negrilla, s. f. negrito (tipo de letra).

negro, -a, adj. e s. negro, preto.

negror, s. m. negrura, negrume.

negrura, s. f. negrura; negridão.

negruzco, -a, adj. negrusco; anegralhado.

nene, -a, s. (fam.) nené, criancinha.

nenúfar, s. m. BOT. nenúfar.

neoclasicismo, s. m. neoclassicismo.

neoclásico, -a, adj. e s. neoclássico.

neófito, -a, adj. neófito.

neolatino, -a, adj. neolatino; novilatino.

neolítico, -a, adj. neolítico.

neologismo, s. m. neologismo.

neón, *s. m.* néon.
neonatal, *adj. 2 gén.* neonatal.
neoplasma, *s. m.* neoplasma.
nepalés, -esa, *adj.* e *s.* nepalês.
nepalí, *adj.* e *s. 2 gén.* nepalês.
nepotismo, *s. m.* nepotismo.
nereida, *s. f.* MIT. nereida.
nervadura, *s. f.* nervura.
nervino, *-a, adj.* nervino.
nervio, *s. m.* nervo; tendão; BOT. nervura, veia; ARQ. nervura; (*fig.*) vigor, energia, vitalidade.
nerviosidad, *s. f.* vd. **nerviosismo.**
nerviosismo, *s. m.* nervosismo.
nervioso, -a, *adj.* nervoso.
neto, -a, *adj.* líquido, limpo (peso, quantidade); claro; límpido.
neuma, *s. m.* neuma.
neumático, -a, I. *adj.* pneumático. **II.** *s. m.* pneumático, pneu (de veículo).
neumonía, *s. f.* pneumonia.
neumónico, -a, *adj.* e *s.* pneumónico.
neumotórax, *s. m.* pneumotórax.
neura, I. *s.* **1.** *f.* neura, obsessão. **2.** *2 gén.* neura, neurótico. **II.** *adj. 2 gén.* neurótico.
neuralgia, *s. f.* neuralgia; nevralgia.
neurálgico, -a, *adj.* nevrálgico.
neurastenia, *s. f.* neurastenia.
neurasténico, -a, *adj.* e *s.* neurasténico.
neurocirujano, -a, *s. m.* e *f.* neurocirurgião.
neurología, *s. f.* neurologia.
neurólogo, -a, *s. m.* e *f.* neurologista.
neuroma, *s. m.* neuroma.
neurona, *s. f.* neurónio.
neurosis, *s. f.* neurose.
neurótico, -a, *adj.* e *s.* neurótico.
neurovegetativo, -a, *s. m.* neurovegetativo.
neutral, *adj.* e *s. 2 gén.* neutral.
neutralidad, *s. f.* neutralidade.
neutralización, *s. f.* neutralização.
neutralizar, *v. tr.* neutralizar.
neutro, -a, *adj.* neutro.
nevada, *s. f.* nevada.
nevado, -a, *adj.* nevado; branqueado.
nevar, *v. intr.* nevar.
nevera, *s. f.* neveira; geleira; refrigerador.
nevería, *s. m.* neveiro, sorveteiro.
nevero, *s. m.* neveiro.
neviscar, *v. intr.* neviscar.
nevoso, -a, *adj.* nevoso; nevado.
nexo, *s. m.* nexo; ligação; vínculo; conexão.

ni, *conj.* nem.
nicaragüeño, -a, *adj.* e *s.* nicaraguano, da Nicarágua.
nicho, *s. m.* nicho; vão.
nicotina, *s. f.* nicotina.
nidación, *s. f.* nidação.
nidada, *s. f.* ninhada.
nidal, *s. m.* ninheiro; ninho.
nidificar, *v. intr.* nidificar.
nido, *s. m.* ninho.
niebla, *s. f.* névoa; nevoeiro.
nieto, -a, *s. m.* e *f.* neto, neta.
nieve, *s. f.* neve.
nigeriano, -a, *adj.* e *s.* nigeriano.
nigromancia, *s. f.* nigromancia.
nigromante, *s. 2 gén.* nigromante.
nigromántico, -a, *adj.* nigromântico.
nihilismo, *s. m.* niilismo.
nihilista, *adj.* e *s. 2 gén.* niilista.
nimbo, *s. m.* nimbo.
nimiedad, *s. f.* nimiedade.
nimio, -a, *adj.* nímio; prolixo; excessivo.
ninfa, *s. f.* ninfa.
ninfomania, *s. f.* ninfomania.
ningún, forma abreviada de **ninguno,** usada antes de substantivo masculino: *ningún sitio.*
ninguno, -a, *adj.* e *pron. indef.* nenhum.
niña, *s. f.* menina; *niña del ojo,* pupila; menina-do-olho.
niñada, *s. f.* criancice; infantilidade.
niñera, *s. f.* ama-seca.
niñería, *s. f.* criancice; ninharia.
niñero, -a, *adj.* amigo de crianças.
niñez, *s. f.* infância; meninice; puerícia; criancice.
niño, -a, *s. m.* e *f.* menino, menina, jovem.
niobio, *s. m.* nióbio (metal).
nipón, -ona, *adj.* e *s.* nipónico; japonês.
níquel, *s. m.* níquel (metal).
niquelado, -a, I. *adj.* niquelado. **II.** *s. m.* niquelado; niquelagem.
niquelar, *v. tr.* niquelar.
nirvana, *s. m.* nirvana.
níscalo, *s. m.* cogumelo, níscaro.
níspero, *s. m.* nespereira; nêspera.
nitidez, *s. f.* nitidez.
nítido, -a, *adj.* nítido.
nitrato, *s. m.* nitrato.
nítrico, -a, *adj.* nítrico.
nitrito, *s. m.* nitrito.
nitro, *s. m.* nitro; salitre.
nitrogenado, -a, *adj.* nitrogenado; azotado.

nitrógeno, s. m. nitrogénio.
nitroglicerina, s. f. nitroglicerina.
nitroso, -a, adj. nitroso; nitrado; salitroso.
nivel, s. m. nível.
nivelación, s. f. nivelação; nivelamento.
nivelador, -a, adj. e s. nivelador.
nivelar, v. tr. nivelar; igualar.
nivoso, -a, adj. e s. nivoso.
no, adv. não.
nobel, s. m. Nobel.
nobiliario, -a, adj. e s. 2 gén. nobiliário.
noble, adj. 2 gén. nobre; ilustre.
nobleza, s. f. nobreza.
noche, s. f. noite.
Nochebuena, s. f. noite de Natal.
Nochevieja, s. f. noite de Ano Novo.
noción, s. f. noção, ideia.
nocividad, s. f. nocividade.
nocivo, -a, adj. nocivo.
noctambulismo, s. m. noctambulismo.
noctámbulo, -a, adj. noctâmbulo; noctívago.
noctívago, -a, adj. noctívago, noctâmbulo.
nocturno, -a, adj. nocturno.
nodriza, **1.** s. f. nutriz, ama-de-leite. **2.**
adj. abastecedor, de abastecimento; avión
nodriza, avião de abastecimento.
nogal, s. m. BOT. nogueira.
nogueral, s. m. nogueiral; nogal.
nómada, adj. e s. 2 gén. nómada.
nomadismo, s. m. nomadismo.
nombradía, s. f. nomeada; fama.
nombrado, -a, adj. célebre; famoso.
nombramiento, s. m. nomeação.
nombrar, v. tr. nomear.
nombre, s. m. nome, fama.
nomenclador, s. m. nomenclador.
nomenclatura, s. f. nomenclatura.
nomeolvides, s. f. BOT. não-me-esqueças,
miosótis.
nómina, s. f. lista ou relação de pessoas;
nómina; relíquias de santos.
nominación, s. f. nomeação.
nominal, adj. 2 gén. nominal.
nominalismo, s. m. nominalismo.
nominalista, adj. e s. 2 gén. nominalista.
nominar, v. tr. nomear; propor.
nominativo, -a, adj. e s. m. nominativo.
non, **I.** adj. nones, nunes, ímpar. **II.** s. m.
número ímpar.
nonagenario, -a, adj. e s. nonagenário.
nonagésimo, -a, adj. e s. nonagésimo.
nonio, s. m. nónio.
nono, -a, adj. nono.

norcoreano, -a, adj. e s. norte-coreano.
nordeste, s. m. nordeste.
nórdico, -a, adj. nórdico.
noria, s. f. nora.
norma, s. f. norma; esquadria, regra; modelo.
normal, adj. 2 gén. normal.
normalidad, s. f. normalidade.
normalización, s. f. normalização.
normalizar, v. tr. normalizar.
normativa, s. f. normas; regulamentos.
normativo, -a, adj. normativo.
noroeste, s. m. noroeste.
nortada, s. f. nortada.
norte, s. m. norte; rumo; guia.
norteamericano, -a, adj. e s. norte-americano.
nortear, v. tr. nortear.
noruego, -a, adj. e s. norueguês, da No-
ruega.
nos, pron. nós.
nosotros, -as, pron. nós.
nostalgia, s. f. nostalgia.
nostálgico, -a, adj. nostálgico.
nota, s. f. nota.
notable, adj. 2 gén. notável.
notación, s. f. anotação; notação.
notar, v. tr. notar; marcar; reparar.
notaría, s. f. notariado; cartório.
notariado, s. m. notariado.
notarial, adj. 2 gén. notarial.
notario, -a, s. m. e f. notário; tabelião.
noticia, s. f. notícia; informação.
noticiar, v. tr. noticiar; comunicar.
notición, s. f. (fam.) noticia de grande impacto.
notificación, s. f. notificação.
notificar, v. tr. notificar; intimar; avisar.
noto, -a, adj. noto, conhecido.
notoriedad, s. f. notoriedade; fama.
notorio, -a, adj. notório.
novatada, s. f. praxe, partida pregada aos
caloiros; erro de principiante; pexotada.
novato, -a, adj. e s. novato; caloiro.
novecientos, -as, adj. novecentos.
novedad, s. f. novidade.
novel, adj. 2 gén. novel; inexperiente; novo.
novela, s. f. novela; conto.
novelesco, -a, adj. novelesco, romanesco.
novelista, s. 2 gén. novelista.
novelística, s. f. novelística.
novelístico, -a, adj. novelístico.
novena, s. f. RELIG. novena.
noveno, -a, adj. e s. noveno; nono.
noventa, num. noventa.

noventav|o, -a, *adj.* nonagésimo.
novia, *s. f.* noiva.
noviazgo, *s. m.* noivado.
noviciado, *s. m.* noviciado.
novici|o, -a, *s. m.* e *f.* principiante; RELIG. noviço.
noviembre, *s. m.* Novembro.
novier|o, -a, *adj.* tolo por raparigas; tola por rapazes.
novillada, *s. f.* novilhada.
novillero, *s. m.* novilheiro.
novill|o, -a, *s.* novilho, novilha.
novilunio, *s. m.* novilúnio, lua nova.
novio, *s. m.* noivo.
nubarrón, *s. m.* nuvem densa.
nube, *s. f.* nuvem.
núbil, *adj.* 2 *gén.* núbil; casadoiro.
nublad|o, -a, *adj.* nublado.
nublos|o, -a, *adj.* nubloso.
nuca, *s. f.* nuca.
nuclear, *adj.* 2 *gén.* nuclear.
núcleo, *s. m.* núcleo; centro.
nudillo, *s. m.* nó dos dedos, noca; malha, ponto, nó.
nudismo, *s. m.* nudismo.
nudista, *adj.* e *s.* 2 *gén.* nudista.
nud|o, -a, *s. m.* nó; laço; laçada.
nudosidad, *adj.* nodosidade.
nudos|o, -a, *adj.* nodoso, nodosidade.
nuera, *s. f.* nora.
nuestr|o, -a, -os, -as, *pron.* nosso, nossa, nossos, nossas.

nueva, *s. f.* nova, novidade, notícia.
nueve, *num.* nove.
nuev|o, -a, *adj.* novo.
nuez, *s. f.* BOT. noz; *nuez moscada,* noz--moscada.
nulidad, *s. f.* nulidade.
null|o, -a, *adj.* nulo; vão; inepto; nenhum.
numen, *s. m.* nume, númen.
numeración, *s. f.* numeração.
numerador, *s. m.* numerador.
numeral, *adj.* 2 *gén.* e *s. m.* numeral.
numerar, *v. tr.* numerar.
numerari|o, -a, *adj.* e *s. m.* numerário.
numéric|o, -a, *adj.* numérico.
número, *s. m.* número.
numeros|o, -a, *adj.* numeroso.
numismática, *s. f.* numismática.
numismátic|o, -a, *adj.* numismático.
nunca, *adv.* nunca; jamais.
nunciatura, *s. f.* nunciatura.
nuncio, *s. m.* núncio; mensageiro; *(fig.)* sinal.
nupcial, *adj.* 2 *gén.* nupcial.
nupcialidad, *s. f.* nupcialidade.
nupcias, *s. f. pl.* núpcias; esponsais; casamento; boda.
nutria, *s. f.* lontra.
nutrición, *s. f.* nutrição.
nutrid|o, -a, *adj.* nutrido.
nutriente, *adj.* 2 *gén.* e *s. m.* nutriente.
nutrir, *v. tr.* nutrir; alimentar; avigoràr.
nutritiv|o, -a, *adj.* nutritivo.

Ñ

ñ, *s. f.* décima quinta letra do alfabeto espanhol.

ñame, *s. m.* inhame.

ñandú, *s. m.* nandu.

ñoñería, *s. f.* tontaria; tontice.

ñoñez, *s. f.* sonsice, insipidez; palermice.

ñoño, -a, *adj.* sonso, insípido; néscio, palerma.

ñora, *s. f.* chíli, pimenta vermelha.

ñu, *s. m.* gnu (antílope).

O

o, *s. f.* o, décima sexta letra do alfabeto espanhol.

o, *conj.* ou.

oasis, *s. m.* oásis.

obcecación, *s. f.* obcecação; teimosia.

obcecad|o, -a, *adj.* obcecado; com uma ideia fixa.

obcecar, *v.* 1. *tr.* obcecar, cegar, desvairar. 2. *refl.* obstinar-se.

obedecer, *v. tr.* obedecer.

obediencia, *s. f.* obediência; submissão.

obediente, *adj.* 2 *gén.* obediente.

obelisco, *s. m.* obelisco.

obertura, *s. f.* MÚS. abertura.

obesidad, *s. f.* obesidade.

obes|o, -a, *adj.* obeso.

óbice, *s. m.* óbice; obstáculo.

obispado, *s. m.* bispado.

obispal, *adj.* 2 *gén.* episcopal.

obispo, *s. m.* bispo.

óbito, *s. m.* óbito.

obituario, *s. m.* obituário; necrologia.

objeción, *s. f.* objecção; contestação.

objetante, *adj.* 2 *gén.* objectante.

objetar, *v. tr.* objectar; opor.

objetivar, *v. tr.* objectivar.

objetividad, *s. f.* objectividade.

objetiv|o, -a, I. *adj.* objectivo. II. *s. m.* objectiva, lente; objectivo, fim; MIL. alvo.

objeto, *s. m.* objecto; matéria; assunto.

objetor, -a, *s. m. e f.* objector; *objetor de conciencia*, objector de consciência.

oblación, *s. f.* oblação.

oblata, *s. f.* oblata; oferenda.

oblato, *adj.* oblato.

oblea, *s. f.* obreia; hóstia.

oblicuidad, *s. f.* obliquidade.

oblicu|o, -a, *adj.* oblíquo.

obligación, *s. f.* obrigação; dever.

obligacionista, *s.* 2 *gén.* obrigacionista.

obligar, *v. tr.* obrigar; forçar; atrair.

obligatoriedad, *s. f.* obrigatoriedade.

obligatori|o, -a, *adj.* obrigatório, forçoso.

oblongo, -a, *adj.* oblongo; oval.

obnubilación, *s. f.* obnubilação.

obnubilad|o, -a, *adj.* obnubilado.

oboe, *s. m.* oboé.

óbolo, *s. m.* óbolo.

obra, *s. f.* obra; trabalho.

obraje, *s. m.* manufactura.

obrar, *v.* 1. *tr.* obrar; fazer; executar; construir. 2. *intr.* defecar.

obrer|o, -a, I. *adj.* e *s.* obreiro; trabalhador; operário. II. *s. f.* obreira (abelha).

obscenidad, *s. f.* obscenidade.

obscen|o, -a, *adj.* obsceno.

obscurantismo, *s. m.* obscurantismo.

obscurantista, *adj.* e *s.* 2 *gén.* obscurantista.

obscurecer, *v.* 1. *tr.* obscurecer; ofuscar; turvar. 2. *intr.* e *refl.* escurecer; tornar-se escuro; enublar-se.

obscurecimiento, *s. m.* obscurecimento.

obscuridad, *s. f.* obscuridade; escuridão; humildade.

obscur|o, -a, *adj.* obscuro; escuro; humilde; confuso.

obsecración, *s. f.* obsecração; prece; rogo.

obsequiar, *v. tr.* obsequiar.

obsequio, *s. m.* obséquio; favor; dádiva.

obsequios|o, -a, *adj.* obsequioso.

observable, *adj.* 2 *gén.* observável.

observación, *s. f.* observação.

observador, -a, *adj.* e *s.* observador.

observancia, *s. f.* observância; disciplina; uso.

observar, *v. tr.* observar; examinar; cumprir; estudar.

observatorio, *s. m.* observatório.

obsesión, *s. f.* obsessão.

obsesionar, *v. tr.* causar obsessão; preocupar.

obsesiv|o, -a, *adj.* obsessivo.

obses|o, -a, *adj.* maníaco, tarado; *obseso sexual,* tarado sexual.

obsidiana, *s. f.* MIN. obsidiana.

obsoleto, -a, *adj.* obsoleto.

obstaculizar, *v. tr.* obstruir; dificultar.

obstáculo, *s. m.* obstáculo, estorvo, embaraço.

obstante, *adj.* 2 *gén.* obstante.

obstar, *v. intr.* obstar; impedir; opor; estorvar.

obstetricia, *s. f.* obstetrícia.
obstétrico, -a, *adj.* obstétrico.
obstinación, *s. f.* obstinação; teima; pertinácia.
obstinado, -a, *adj.* obstinado.
obstinarse, *v. refl.* obstinar-se.
obstrucción, *s. f.* obstrução.
obstruccionismo, *s. m.* obstrucionismo.
obstruccionista, *s. f. 2 gén.* obstrucionista.
obstruir, *v. tr.* obstruir; tapar.
obtención, *s. f.* obtenção; aquisição; conquista.
obtener, *v. tr.* obter; conseguir; lograr.
obturación, *s. f.* obturação.
obturador, *s. m.* obturador.
obturar, *v. tr.* obturar; tapar.
obtusángulo, *adj.* obtusângulo.
obtuso, -a, *adj.* 1. GEOM. obtuso. 2. obtuso, boçal, rude.
obús, *s. m.* MIL. obus.
obviar, *v. tr.* obviar; evitar; afastar.
obvio, -a, *adj.* óbvio; patente, claro.
oca, *s. f. 2 gén.* ZOOL. ganso; jogo do ganso, jogo da glória.
ocapi, *s. m.* ZOOL. ocapi.
ocarina, *s. f.* MÚS. ocarina.
ocasión, *s. f.* ocasião.
ocasional, *adj. 2 gén.* ocasional; casual.
ocasionar, *v. tr.* ocasionar; causar.
ocaso, *s. m.* ocaso; ocidente.
occidental, *adj. 2 gén.* ocidental.
occidente, *s. m.* ocidente; poente; oeste.
occipital, *adj. 2 gén. e s. m.* occipital.
occipucio, *s. m.* occipício; nuca.
oceánico, -a, *adj.* oceânico.
océano, *s. m.* oceano; mar.
oceanografía, *s. f.* oceanografia.
oceanográfico, -a, *adj.* oceanográfico.
oceanógrafo, -a, *s. m. e f.* oceanógrafo.
ocelote, *s. m.* ZOOL. ocelote.
ochavado, -a, *adj.* oitavado.
ochenta, *num.* oitenta.
ocho, *num.* oito.
ochocientos, -as, *num.* oitocentos.
ocio, *s. m.* ócio.
ociosidad, *s. f.* ociosidade.
ocioso, -a, *adj. e s.* ocioso.
ocluir, *v. tr.* obstruir.
oclusión, *s. f.* oclusão, obstrução.
oclusiva, *s. f.* LING. oclusiva.
oclusivo, -a, *adj.* oclusivo.
ocre, *s. m.* ocra, ocre, oca.
octaédrico, -a, *adj.* octaédrico.

octaedro, *s. m.* octaedro.
octagonal, *adj. 2 gén.* octogonal.
octágono, *s. m.* octógono.
octano, *s. m.* QUÍM. octano.
octava, *s. f.* LIT./MÚS. oitava.
octavilla, *s. f.* panfleto.
octavo, -a, *adj. e s. m.* oitavo.
octogenario, -a, *adj. e s.* octogenário.
octogésimo, -a, *adj. e s.* octogésimo.
octogonal, *adj. 2 gén.* octogonal.
octógono, *s. m.* octógono.
octosílabo, -a, I. *adj.* octossílabo, octossilábico. II. *s. m.* octossílabo.
octubre, *s. m.* Outubro.
ocular, *adj. 2 gén.* ocular.
oculista, *s. 2 gén.* oftalmologista.
ocultar, *v. tr.* ocultar; esconder; sonegar; encobrir.
ocultismo, *s. m.* ocultismo.
ocultista, *adj. e s. 2 gén.* ocultista.
oculto, -a, *adj.* oculto.
ocupación, *s. f.* ocupação.
ocupado, -a, *adj.* ocupado, preenchido, ocupado, a trabalhar; ocupado, utilizado; ocupado, dominado.
ocupar, *v. tr.* ocupar.
ocurrencia, *s. f.* ocorrência; lembrança.
ocurrente, *adj. 2 gén.* ocorrente.
ocurrir, *v. intr.* ocorrer; acontecer; suceder.
oda, *s. f.* ode.
odalisca, *s. f.* odalisca.
odeón, *s. m.* odeão.
odiar, *v. tr.* odiar; detestar.
odio, *s. m.* ódio.
odioso, -a, *adj.* odioso.
odisea, *s. f. (fig.)* odisseia.
odontología, *s. f.* odontologia.
odontológico, -a, *adj.* odontológico.
odontólogo, -a, *s. 2 gén.* odontologista.
odorífero, -a, *adj.* odorífero.
odorífico, -a, *adj.* odorífico.
odre, *s. m.* odre.
oeste, *s. m.* oeste; poente; ocaso; ocidente.
ofender, *v. tr.* ofender; injuriar; melindrar.
ofendido, -a, *adj. e s.* ofendido.
ofensa, *s. f.* ofensa.
ofensiva, *s. f.* ofensiva; ataque.
ofensivo, -a, *adj.* ofensivo; agressivo.
ofensor, -a, *adj. e s.* ofensor.
oferente, *adj. e s. 2 gén.* oferente.
oferta, *s. f.* oferta; dádiva.
ofertar, *v. tr.* ofertar.

ofertorio, *s. m.* ofertório.

oficial, *adj.* 2 *gén.* e *s. m.* oficial.

oficiala, *s. f.* contramestra, assistente.

oficialidad, *s. f.* oficialidade.

oficializar, *v. tr.* oficializar.

oficiante, *s.* 2 *gén.* oficiante.

oficiar, *v. tr.* oficiar.

oficina, *s. f.* oficina; escritório; laboratório; repartição.

oficinista, *s. m.* funcionário público, funcionário de escritório.

oficio, *s. m.* ofício; cargo; dever; arte.

oficioso, -a, *adj.* oficioso; obsequioso.

ofidio, *s. m.* ofídio.

ofrecer, *v. tr.* oferecer; presentear; dar; dedicar.

ofrecimiento, *s. m.* oferecimento.

ofrenda, *s. f.* oferenda.

ofrendar, *v. tr.* oferendar.

oftalmía, *s. f.* oftalmia.

oftalmología, *s. f.* oftalmologia.

oftalmólogo, -a, *s. m.* e *f.* oftalmologista.

ofuscación, *s. f.* ofuscação.

ofuscar, *v. tr.* ofuscar; deslumbrar; obscurecer.

ogro, *s. m.* ogre; papão.

ohm, *s. m.* FÍS. ohm.

oíble, *adj.* 2 *gén.* audível.

oída, *s. f.* outiva; *de oídas,* de outiva, de ouvir dizer.

oído, *s. m.* ouvido.

oír, *v. tr.* ouvir; escutar; atender.

ojal, *s. m.* botoeira; casa (de botão).

¡ojalá!, *interj.* oxalá!; queira Deus!

ojeada, *s. f.* olhada, olhadela, espreitadela.

ojear, *v. tr.* olhar de passagem; dar uma vista de olhos; *(fig.)* bater, levantar (a caça).

ojeo, *s. m.* batida, montaria.

ojeras, *s. f.* olheiras.

ojeriza, *s. f.* ódio, aversão, antipatia.

ojeroso, -a, *adj.* olheirento.

ojiva, *s. f.* ogiva.

ojival, *adj.* 2 *gén.* ogival.

ojo, *s. m.* olho.

okapi, *s. m.* ZOOL. ocapi.

ola, *s. f.* onda; vaga (do mar).

¡ole!, *interj.* olé!

¡olé!, *interj.* olé!

oleada, *s. f.* vaga; vagalhão; onda (da multidão).

oleaginoso, -a, *adj.* oleaginoso.

oleaje, *s. m.* marulhada; marulho.

oleicultura, *s. f.* oleicultura.

óleo, *s. m.* óleo; azeite.

oleoducto, *s. m.* oleoduto.

oleoso, -a, *adj.* oleoso.

oler, *v. tr.* e *intr.* cheirar.

olfacción, *s. f.* olfacção; olfacto.

olfatear, *v. tr.* cheirar; farejar.

olfativo, -a, *adj.* olfactivo.

olfato, *s. m.* olfacto; faro.

oligarca, *s.* 2 *gén.* oligarca.

oligarquía, *s. f.* oligarquia.

oligárquico, -a, *adj.* oligárquico.

oligisto, *s. m.* oligisto.

oligofrenia, *s. f.* oligofrenia.

oligofrénico, -a, *adj.* oligofrénico.

olimpiada, *s. f.* olimpíada.

olímpico, -a, *adj.* olímpico; soberbo.

Olimpo, *s. m.* Olimpo.

oliscar, *v. tr.* vd. **olisquear.**

olisquear, *v. tr.* farejar.

oliva, *s. f.* azeitona.

oliváceo, -a, *adj.* oliváceo.

olivar, *s. m.* olival; olivedo.

olivarero, -a, I. *adj.* olivícola; da oliveira. **II.** *s. m.* e *f.* olivicultor.

olivicultura, *s. f.* olivicultura.

olivo, *s. m.* oliveira.

olla, *s. f.* panela.

olmedo, *s. m.* olmedal, olmedo.

olmo, *s. m.* olmeiro; olmo.

ológrafo, -a, *adj.* hológrafo.

olor, *s. m.* odor; aroma; cheiro.

oloroso, -a, *adj.* oloroso; aromático.

olvidadizo, -a, *adj.* esquecediço, esquecido.

olvidar, *v. tr.* olvidar; esquecer.

olvido, *s. m.* olvido; esquecimento.

ombligo, *s. m.* umbigo.

omega, *s. m.* ómega.

ominoso, -a, *adj.* detestável.

omisión, *s. f.* omissão; falta.

omiso, -a, *adj.* omisso.

omitir, *v. tr.* omitir; postergar; esquecer.

ómnibus, *s. m.* ónibus.

omnímodo, -a, *adj.* omnímodo, ilimitado.

omnipotencia, *s. f.* omnipotência.

omnipotente, *adj.* 2 *gén.* omnipotente.

omnipresencia, *s. f.* omnipresença.

omnipresente, *adj.* 2 *gén.* omnipresente.

omnisciencia, *s. f.* omnisciência.

omnisciente, *adj.* 2 *gén.* omnisciente.

omnívoro, -a, *adj.* e *s.* omnívoro.

omóplato, s. m. omoplata.
onanismo, s. m. onanismo.
once, num. onze.
onceavo, num. undécimo, onze avos.
oncen|o, -a, adj. undécimo.
onda, s. f. onda; vaga.
ondear, v. intr. ondear; frisar; ondular.
ondina, s. f. ondina.
ondulación, s. f. ondulação; ondeado.
ondulad|o, -a, adj. ondulado; ondeado.
ondulante, adj. 2 gén. ondulante.
ondular, v. intr. ondular; ondear.
ondulatori|o, -a, adj. ondulatório.
oneros|o, -a, adj. oneroso; pesado; gravoso.
ónice, s. m. ónix.
oníric|o, -a, adj. onírico.
ónix, s. m. ónix.
onomástica, s. f. onomástica.
onomástic|o, -a, adj. onomástico.
onomatopeya, s. f. onomatopeia.
onomatopéyic|o, -a, adj. onomatopeico.
ontogénesis, s. f. ontogénese.
ontología, s. f. ontologia.
ontológic|o, -a, adj. ontológico.
onza, s. f. onça (peso); ZOOL. onça.
opacidad, s. f. opacidade.
opac|o, -a, adj. opaco.
opalescencia, s. f. opalescência.
opalescente, adj. 2 gén. opalescente.
opalin|o, -a, adj. opalino.
ópalo, s. m. opala, ópalo.
opción, s. f. opção.
opcional, adj. 2 gén. opcional.
ópera, s. f. ópera.
operable, adj. 2 gén. operável.
operación, s. f. operação.
operador, -a, adj. e s. operador.
operando, s. m. operando.
operante, adj. 2 gén. operante, operativo.
operar, v. 1. tr. operar. 2. intr. obrar; realizar; negociar.
operari|o, -a, s. m. e f. operário; obreiro.
operativ|o, -a, adj. operativo.
opereta, s. f. opereta.
opiáce|o, -a, adj. opiáceo.
opinar, v. intr. opinar.
opinión, s. f. opinião; voto; parecer.
opio, s. m. ópio.
opióman|o, -a, adj. e s. opiómano.
opípar|o, -a, adj. opíparo; copioso; lauto; sumptuoso.
oponente, adj. e s. 2 gén. oponente.

oponer, v. tr. opor; impugnar, objectar.
oporto, s. m. vinho do Porto.
oportunidad, s. f. oportunidade.
oportunismo, s. m. oportunismo.
oportunista, adj. e s. 2 gén. oportunista.
oportun|o, -a, adj. oportuno; conveniente.
oposición, s. m. oposição; resistência.
opositor, -a, s. opositor; competidor.
opresión, s. f. opressão; vexame; tirania.
opresiv|o, -a, adj. opressivo.
opresor, -a, adj. e s. opressor; tirano.
oprimid|o, -a, adj. oprimido.
oprimir, v. tr. oprimir; tiranizar.
oprobio, s. m. opróbrio; afronta; desonra; ignomínia.
optar, v. tr. optar; escolher; preferir.
optativ|o, -a, adj. optativo, opcional. II. s. 1. m. LING. optativo. 2. f. EDUC. optativa, opcional (matéria, disciplina, cadeira).
óptica, s. f. óptica.
óptic|o, -a, adj. e s. óptico; oculista.
optimismo, s. m. optimismo.
optimista, adj. e s. 2 gén. optimista.
óptim|o, -a, adj. óptimo; excelente.
opuest|o, -a, adj. oposto; adverso; contrário.
opugnar, v. tr. opugnar; atacar; refutar; contradizer.
opulencia, s. f. opulência; magnificência; fausto.
opulent|o, -a, adj. opulento; rico; abundante.
opúsculo, s. m. opúsculo.
oquedad, s. f. vão, vazio (espaço oco).
ora, conj. agora; ora; ou; quer.
oración, s. f. oração; discurso; prece; proposição.
oráculo, s. m. oráculo.
orador, -a, s. orador; pregador.
oral, adj. 2 gén. oral, vogal; verbal.
orangután, s. m. orangotango.
orante, adj. 2 gén. orante.
orar, v. intr. orar, rezar; orar, falar em público.
orate, s. 2 gén. orate; louco; idiota.
oratoria, s. f. oratória; eloquência.
oratori|o, -a, I. adj. oratório, retórico. II. s. 1. m. RELIG. oratório; MÚS. oratória. 2. f. oratória, retórica.
orbe, s. m. orbe; mundo; esfera; globo.
órbita, s. f. órbita.
orbital, adj. 2 gén. orbital.
orca, s. f. ZOOL. orca.

orden, s. 1. *m.* ordem, arranjo, sequência; ordem, âmbito; BIOL. ordem (categoria sistemática); ARQ. ordem. 2. *f.* ordem, mandado; RELIG. ordem.

ordenación, s. *f.* ordenação; regulamento.

ordenada, s. *f.* MAT. ordenada.

ordenado, -a, *adj.* ordenado, organizado; limpo, arranjado; RELIG. ordenado.

ordenador, -a, I. *adj.* ordenador, organizador. **II.** s. *m.* computador.

ordenamiento, s. *m.* DIR. determinação legal; ordenação.

ordenanza, s. 1. *f.* ordenança; estatuto; mandato; disposição; lei. 2. *m.* ordenança.

ordenar, *v. tr.* ordenar; mandar; conferir.

ordeñador, -a, s. *f.* ordenhador.

ordeñar, *v. tr.* ordenhar; mungir.

ordeño, s. *m.* ordenha.

ordinal, *adj.* 2 *gén.* ordinal.

ordinariez, s. *f.* ordinarice.

ordinario, -a, *adj.* e s. ordinário; comum; usual; regular; inferior; vulgar.

orear, *v. tr.* arejar; refrescar.

orégano, s. *m.* orégão.

oreja, s. *f.* orelha.

orejera, s. *f.* orelheira.

orejero, s. *m.* cadeira de braços.

orejudo, -a, *adj.* orelhudo.

orfanato, s. *m.* orfanato.

orfandad, s. *f.* orfandade.

orfebre, s. *m.* ourives.

orfebrería, s. *f.* ourivesaria.

orfelinato, s. *m.* orfanato.

orfeón, s. *m.* orfeão.

orfeonista, s. 2 *gén.* orfeonista.

órfico, -a, *adj.* órfico.

organdí, s. *m.* organdi.

orgánico, -a, *adj.* orgânico.

organigrama, s. *m.* organograma.

organillero, -a, s. *m.* e *f.* tocador de realejo.

organillo, s. *m.* realejo.

organismo, s. *m.* organismo; constituição.

organista, s. 2 *gén.* organista.

organización, s. *f.* organização; constituição.

organizado, -a, *adj.* organizado.

organizador, -a, *adj.* e s. organizador.

organizar, *v. tr.* organizar; ordenar; dispor.

órgano, s. *m.* órgão.

orgasmo, s. *m.* orgasmo.

orgía, s. *f.* orgia; festim; bacanal.

orgullo, s. *m.* orgulho; arrogância; altivez.

orgulloso, -a, *adj.* orgulhoso; arrogante.

orientación, s. *f.* orientação; direcção.

orientador, -a, *adj.* orientador.

oriental, *adj.* 2 *gén.* oriental.

orientalismo, s. *m.* orientalismo.

orientalista, s. 2 *gén.* orientalista.

orientar, *v. tr.* orientar; dirigir; guiar.

oriente, s. *m.* oriente; este; levante; nascente.

orificio, s. *m.* orifício; buraco.

origen, s. *m.* origem; princípio; raiz.

original, *adj.* 2 *gén.* original.

originalidad, s. *f.* originalidade.

originar, *v. tr.* originar; motivar.

originario, -a, *adj.* originário.

orilla, s. *f.* borda, beira, limite; orla; ourela; margem de rio; beira-mar; brisa.

orillar, *v.* 1. *tr.* evitar, resolver (obstáculo ou dificuldade). 2. *refl.* abeirar-se; chegar-se para a margem.

orín, s. *m.* ferrugem, óxido; urina.

orina, s. *f.* urina.

orinal, s. *m.* bacio; urinol; mictório.

orinar, *v. intr.* urinar.

oriundo, -a, *adj.* oriundo; originário.

orla, s. *f.* orla; ourela; cercadura; margem.

ornamentación, s. *f.* ornamentação; adorno; decoração; enfeite.

ornamental, *adj.* 2 *gén.* ornamental.

ornamentar, *v. tr.* ornamentar; engalanar; decorar.

ornamento, s. *m.* ornamento.

ornar, *v. tr.* ornar; adornar.

ornato, s. *m.* ornato; decoração; atavio.

ornitología, s. *f.* ornitologia.

ornitológico, -a, *adj.* ornitológico.

ornitólogo, -a, s. *m.* e *f.* ornitólogo, ornitologista.

ornitorrinco, s. *m.* ZOOL. ornitorrinco.

oro, s. *m.* ouro, oiro.

orografía, s. *f.* orografia.

orográfico, -a, *adj.* orográfico.

orondo, -a, *adj.* bojudo.

oropel, s. *m.* ouropel.

oropéndola, s. *f.* verdelhão.

orquesta, s. *f.* orquestra.

orquestación, s. *f.* orquestração.

orquestal, *adj.* 2 *gén.* orquestral.

orquestar, *v. tr.* orquestrar.

orquídea, s. *f.* orquídea.

ortiga, s. f. BOT. urtiga.
ortigal, s. m. urtigal.
orto, s. m. ASTR. orto; nascimento.
ortodoncia, s. f. ortodontia.
ortodoxia, s. f. ortodoxia.
ortodoxo, -a, adj. e s. ortodoxo.
ortogonal, adj. 2 gén. ortogonal.
ortografía, s. f. ortografia.
ortográfico, -a, adj. ortográfico.
ortopedia, s. f. ortopedia.
ortopédico, -a, I. adj. ortopédico. **II.** s. m. e f. ortopedista.
oruga, s. f. ZOOL. lagarta; TÉC. lagarta (de escavadoras, etc.).
orujo, s. m. bagaço (de uva ou azeitona); bagaceira (aguardente).
orza, s. f. talha; orça; bolina.
orzuelo, s. m. terçogo, terçol, terçolho.
os, pron. vós; vos; os escucho, escuto-vos.
osa, s. f. ursa.
osadía, s. f. ousadia; audácia; atrevimento.
osado, -a, adj. ousado; audaz; atrevido; resoluto.
osamenta, s. f. ossamenta; ossada; esqueleto.
osar, v. intr. ousar, atrever-se.
osario, s. m. ossário; ossuário.
oscar, s. m. CIN. óscar.
oscilación, s. f. oscilação.
oscilador, s. m. oscilador.
oscilante, adj. 2 gén. oscilante.
oscilar, v. intr. oscilar.
oscilatorio, -a, adj. oscilatório; oscilante.
oscilógrafo, s. m. oscilógrafo.
ósculo, s. m. ósculo, beijo.
oscurantismo, s. m. obscurantismo.
oscurantista, adj. e s. 2 gén. obscurantista.
oscuras, f. pl., a oscuras, loc. adv. às escuras.
oscurecer, v. tr. e intr. obscurecer.
oscuridad, s. f. obscuridade.
oscuro, -a, adj. obscuro.
óseo, -a, adj. ósseo.
osera, s. f. covil de ursos.
osezno, s. m. ursozinho; ursinho.
osificación, s. f. ossificação.
osificar, v. tr. ossificar.
osito, s. m. ursinho; osito de peluche, ursinho de peluche.
osmio, s. m. QUÍM. ósmio.
osmosis, s. f. osmose.
oso, -a, adj. m. urso; oso hormiguero, urso-formigueiro.
ostensible, adj. 2 gén. ostensível.

ostensivo, -a, adj. ostensivo.
ostentación, s. f. ostentação.
ostentar, v. tr. ostentar; alardear; exibir.
ostentoso, -a, adj. ostentoso; pomposo.
osteomielitis, s. f. osteomielite.
osteópata, s. 2 gén. osteopata.
osteopatia, s. f. osteopatia.
osteopático, -a, adj. osteopático.
ostra, s. f. ostra.
ostracismo, s. m. ostracismo.
ostrogodo, -a, adj. e s. ostrogodo.
osuno, -a, adj. ursino.
otear, v. tr. observar; explorar.
otero, s. m. outeiro; colina.
otitis, s. f. otite.
otología, s. f. otologia.
otomana, s. f. otomana (cama).
otoñal, adj. outonal.
otoño, s. m. Outono.
otorgante, adj. e s. 2 gén. outorgante.
otorgar, v. tr. outorgar.
otorrino, s. m. otorrinolaringologista.
otorrinolaringología, s. f. otorrinolaringologia.
otorrinolaringólogo, -a, s. m. e f. otorrinolaringologista.
otro, -a, adj. e pron. indef. outro.
otrora, adv. outrora.
ovación, s. f. ovação; aplauso; aclamação.
ovacionar, v. tr. ovacionar.
oval, adj. 2 gén. oval.
ovalado, -a, adj. ovado; ovóide.
ovalar, v. tr. ovalar.
óvalo, s. m. oval.
ovante, adj. 2 gén. ovante; vitorioso.
ovario, s. m. ovário.
oveja, s. f. ovelha.
ovejuela, s. f. ovelhinha.
ovejuno, -a, adj. ovelhum; ovino.
ovillar, v. 1. intr. enovelar. 2. refl. encolher-se.
ovillo, s. m. novelo.
ovino, -a, adj. ovino.
ovíparo, -a, adj. e s. ovíparo.
ovulación, s. f. ovulação.
ovular, I. adj. 2 gén. ovular. **II.** v. tr. ovular.
óvulo, s. m. óvulo.
oxidable, adj. 2 gén. oxidável.
oxidación, s. f. oxidação.
oxidado, -a, adj. oxidado.
oxidante, adj. 2 gén. oxidante.
oxidar, v. tr. oxidar.

óxido, *s. m.* óxido.
oxigenación, *s. f.* oxigenação.
oxigenado, -a, *adj.* oxigenado.
oxigenar, *v. tr.* oxigenar; oxidar.

oxígeno, *s. m.* oxigénio.
oyente, *adj. e s. 2 gén.* ouvinte.
ozono, *s. m.* ozónio, ozono.
ozonosfera, *s. f.* ozonosfera.

P

p, *s. f.* p, décima sétima letra do alfabeto espanhol.
pabellón, *s. m.* pavilhão.
pabilo, *s. m.* pavio; torcida.
pábilo, *s. m.* pavio; torcida.
paca, *s. f.* ZOOL. paca.
pacato, -a, *adj. e s.* pacato, pacífico; bonacheirão.
pacer, *v. intr.* pastar; pascer.
pachá, *s. m.* paxá.
pachanga, *s. f.* ambiente de festa; música de festa.
pachanguero, -a, *adj.* festivo, de dança (música).
pachón, -ona, *adj.* lento, pachorrento; calmo.
pachucho, -a, *adj.* adoentado, enfermiço; murcho.
pachorra, *s. f.* fleuma; pachorra.
pachorrudo, -a, *adj.* pachorrento.
paciencia, *s. f.* paciência; resignação.
paciente, *adj. e s. 2 gén.* paciente; resignado.
pacientemente, *adv.* pacientemente.
pacificación, *s. f.* pacificação.
pacificador, -a, *adj. e s.* pacificador.
pacificar, *v. tr.* pacificar; apaziguar.
pacífico, -a, *adj.* pacífico.
pacifismo, *s. m.* pacifismo.
pacifista, *adj. e s. 2 gén.* pacifista.
pacotilla, *s. f., de pacotilha*, de pacotilha, sem qualidade.
pactar, *v. tr.* pactuar.
pacto, *s. m.* pacto; convenção; contrato.
padecer, *v. tr. e intr.* padecer; suportar; tolerar.
padecimiento, *s. m.* padecimento; sofrimento.
padrastro, *s. m.* padrasto; mau pai.
padrazo, *s. f. (fam.)* paizão, pai muito indulgente.
padre, *s. m.* pai; padre; autor.
padrear, *v. intr.* padrear; procriar (diz-se dos irracionais).
padrenuestro, *s. m.* padre-nosso (oração).
padrinazgo, *s. m.* apadrinhamento; protecção.

padrino, *s. m.* padrinho; protector.
padrón, *s. m.* padrão; recenseamento; marco; inscrição em pedra.
paduano, -a, *adj. e s.* paduano, de Pádua.
paella, *s. f.* paelha; hortaliças, etc.; arroz à valenciana.
paellera, *s. f.* utensílio de cozinha em que se faz a paelha.
paga, *s. f.* paga; retribuição; remuneração.
pagadero, -a, *adj.* pagável.
pagado, -a, *adj.* pago.
pagador, -a, *adj. e s.* pagador.
pagaduría, *s. f.* pagadoria.
paganismo, *s. m.* gentilidade; paganismo.
paganizar, *v. intr.* paganizar.
pagano, -a, *adj. e s.* pagão; idólatra; gentio.
pagar, *v. tr.* pagar.
pagaré, *s. m.* obrigação; promissória.
página, *s. f.* página.
paginación, *s. f.* paginação.
paginar, *v. tr.* paginar.
pago, *s. m.* pagamento; satisfação; prémio; recompensa.
pagoda, *s. f.* pagode.
paipái, *s. m.* abano, abanador.
paipay, *s. m.* abano, abanador.
país, *s. m.* país; região; pátria.
paisaje, *s. m.* paisagem.
paisajista, *s. 2 gén.* paisagista.
paisajístico, -a, *adj.* paisagístico.
paisano, -a, *adj. e s.* paisano; patrício; campesino.
paja, *s. f.* palha.
pajada, *s. f.* palhada.
pajar, *s. m.* palheiro.
pajarear, *v. intr.* passarinhar; vadiar.
pajarera, *s. f.* aviário.
pajarete, *s. m.* palheta.
pajarito, *s. m.* passarinho; passarito.
pájaro, *s. m.* pássaro; *pájaro bobo,* pinguim; *pájaro carpintero,* pica-pau.
pajarraco, *s. m.* passaroco.
paje, *s. m.* pajem.
pajita, *s. f.* palhinha.
pajizo, -a, *adj.* cor de palha.

pajolero, -a, *adj., no tener ni pajolera idea,* não fazer a mínima ideia.

pala, *s. f.* pá; raqueta; pá (do remo); pala (do calçado).

palabra, *s. f.* palavra; termo; vocábulo; *palabra de honor,* palavra de honra.

palabreja, *s. f.* palavra difícil.

palabrería, *s. m.* palavrório; palanfrório; palavreado.

palabrota, *s. f.* palavrão.

palacete, *s. m.* palacete.

palaciego, -a, *adj. e s.* palaciano.

palacio, *s. m.* palácio; solar.

palada, *s. f.* pazada.

paladar, *s. m.* paladar; palato; sabor; gosto.

paladear, *v. tr.* saborear; degustar.

paladín, *s. m.* paladino; defensor dedicado.

paladino, -a, *adj.* público; claro; evidente; notório; comum.

paladio, *s. m.* MIN. paládio.

palafito, *s. m.* palafita.

palafrén, *s. m.* palafrém (cavalo).

palafrenero, *s. m.* palafreneiro.

palanca, *s. f.* alavanca.

palangana, *s. f.* bacia.

palanquera, *s. f.* estacada; paliçada.

palanqueta, *s. f.* alavanca pequena.

palanquín, *s. m.* palanquim.

palatal, *adj.* 2 *gén.* palatal.

palatino, -a, *adj. e s.* palatino; palatal.

palco, *s. m.* TEAT. camarote; *palco escénico,* palco.

palear, *v. tr.* vd. **apalear.**

palenque, *s. m.* estacada; paliçada.

paleografía, *s. f.* paleografia.

paleógrafo, *s. m.* paleógrafo.

paleolítico, -a, *adj. e s. m.* paleolítico.

paleólogo, -a, *adj. e s.* paleólogo.

paleontología, *s. f.* paleontologia.

paleontólogo, *s. m.* paleontólogo, paleontologista.

palestino, -a, *adj. e s.* palestino, da Palestina.

palestra, *s. f.* palestra, arena.

paleta, *s. f.* pequena pala; paleta (de pintor); escumadeira; trolha, colher de pedreiro; raqueta; pá (de hélice, de ventoinha).

paletilla, *s. f.* ANAT. omoplata; CUL. pá.

paletó, *s. m.* paletó; sobretudo.

paliar, *v. tr.* paliar; dissimular; atenuar.

paliativo, -a, *adj. e s. m.* paliativo.

palidecer, *v. intr.* empalidecer.

palidez, *s. f.* palidez.

pálido, -a, *adj.* pálido; amarelento; descorado.

palillero, *s. m.* paliteiro.

palillo, *s. m.* baqueta de tambor; palito; *palillos chinos,* pauzinhos chineses.

palio, *s. m.* pálio.

palique, *s. m.* (*fam.*) cavaco; conversa; paleio.

palisandro, *s. m.* pau-rosa.

palitroque, *s. m.* pequeno pau; bandarilha.

paliza, *s. f.* sova; tunda; tareia.

palizada, *s. f.* paliçada.

palma, *s. f.* palma, palmeira, tamareira; palma da mão; palma, glória.

palmada, *s. f.* palmada.

palmar, **I.** *adj.* 2 *gén.* palmar; claro; patente. **II.** *s. m.* palmar, palmeiral. **III.** *v. intr. palmarla,* (*fam.*) morrer, expirar.

palmarés, *s. m.* palmarés; currículo.

palmario, -a, *adj.* claro; patente; manifesto.

palmatoria, *s. f.* palmatória; castiçal; férula.

palmeado, -a, *adj.* BOT. palmado; ZOOL. palmípede.

palmear, *v. intr.* aplaudir; palmear; bater as palmas.

palmera, *s. f.* BOT. palmeira, tamareira.

palmeral, *s. m.* palmeiral; palmar.

palmeta, *s. f.* palmatória, férula.

palmetazo, *s. m.* palmatoada.

palmípedo, -a, *adj. e s.* palmípede.

palmitas, *llevar alguién en palmitas,* trazer alguém nas palminhas.

palmito, *s. m.* palmito; (*fig., fam.*) palminho de cara, rosto bonito de mulher.

palmo, *s. m.* palmo.

palo, *s. m.* pau; bordão; cajado; mastro.

paloma, *s. f.* pomba.

palomar, *s. m.* pombal.

palomino, *s. m.* borracho.

palomo, *s. m.* pombo.

palotada, *s. f.* paulada.

palpable, *adj.* 2 *gén.* palpável.

palpación, *s. f.* palpação.

palpar, *v. tr.* palpar; apalpar.

palpitación, *s. f.* palpitação.

palpitante, *adj.* 2 *gén.* palpitante.

palpitar, *v. intr.* palpitar; latejar; pulsar.

pálpito, *s. m.* palpite.

palpo, *s. m.* palpo.

palúdico, -a, *adj.* palúdico; paludial; paludoso, pantanoso.

paludismo, *s. m.* paludismo.

palurdo, -a, adj. e s. palúrdio; pacóvio; palerma.
palustre, I. adj. 2 gén. palustre. **II.** s. m. pá (de trolha).
pampa, s. f. pampa.
pámpano, s. m. folha de videira.
pamplina, s. f. frioleira, despropósito.
pan, s. m. pão.
pana, s. f. bombazina.
panacea, s. f. panaceia.
panadería, s. f. padaria.
panadero, -a, s. m. e f. padeiro.
panadizo, s. m. panarício, panariz.
panado, -a, adj. panado.
panal, s. m. panal, favo de mel.
panamá, s. m. panamá, palhinha.
panameño, -a, adj. e s. panamense, do Panamá.
panamericano, -a, adj. pan-americano.
pancarta, s. f. cartaz, placard.
pancho, -a, adj. tranquilo, satisfeito.
páncreas, s. m. pâncreas.
pancreático, -a, adj. pancreático.
panda, s. 1. m. ZOOL. panda. 2. f. grupo, pandilha.
pandemónium, s. m. pandemónio.
pandereta, s. f. pandeireta; pandeiro.
pandero, s. m. pandeiro.
pandilla, s. f. grupo; pandilha.
panecillo, s. m. pãozinho; molete.
panegírico, -a, adj. e s. m. panegírico.
panel, s. m. painel.
panera, s. f. caixa do pão.
panero, s. m. canastra (para pão); esteira.
pánfilo, -a, adj. e s. tonto, atrasado, anormal.
panfletario, -a, adj. panfletário.
panfletista, s. 2 gén. panfletista.
panfleto, s. m. panfleto.
pangolín, s. m. pangolim.
pánico, -a, adj. e s. m. pânico.
panificadora, s. f. indústria de panificação.
panificar, v. tr. panificar.
panizo, s. m. painço.
panocha, s. f. maçaroca.
panoja, s. f. maçaroca.
panoli, adj. e s. 2 gén. simplório, bolas, bonacheirão.
panoplia, s. f. panóplia.
panorama, s. m. panorama.
panorámica, s. f. panorâmica.
panorámico, -a, adj. panorâmico.
panqueque, s. m. panqueca.

pantalla, s. f. pantalha; quebra-luz; CIN. tela, ecrã.
pantalón, s. m. calça, calças (de homem ou de mulher).
pantano, s. m. pântano; paul.
pantanoso, -a, adj. pantanoso; paludoso.
panteísmo, s. m. panteísmo.
panteísta, adj. e s. 2 gén. panteísta.
panteón, s. m. panteão.
pantera, s. f. pantera.
pantomima, s. f. pantomima.
pantorrilla, s. f. barriga da perna.
pantufla, s. f. pantufo; pantufa.
panza, s. f. pança, barriga.
panzada, s. f. pançada; barrigada.
panzudo, -a, adj. pançudo.
pañal, s. m. cueiro; fralda.
paño, s. m. pano, tecido.
pañol, s. m. paiol.
pañoleta, s. f. lenço triangular do pescoço.
pañuelo, s. m. lenço.
papa, I. s. f. papa; sopas moles. **II.** s. m. Papa, Sumo Pontífice.
papá, s. m. (fam.) papá, pai.
papada, s. f. papeira; papada.
papado, s. m. papado.
papafigo, s. m. papa-figo.
papagayo, s. m. papagaio.
papal, adj. 2 gén. papal.
papamoscas, s. m. papa-moscas.
papanatas, s. m. simplório; papalvo; papa-açorda.
papar, v. tr. comer.
paparrucha, s.f. (fam.) palermice; atoarda, boato falso.
papaya, s. f. papaia.
papel, s. m. papel; função; desempenho; pl. documentos.
papeleo, s. m. (fam.) burocracia, papelada.
papelera, s. f. papeleira, cesto dos papéis.
papelería, s. f. papelaria.
papelero, -a, adj. papeleiro; la industria papelera, a indústria papeleira.
papeleta, s. f. papeleta; cédula; boletim; pauta.
papelón, s. m. papelão; cartão.
papelote, s. m. papelucho.
paperas, s. f. pl. papeira; trasorelho.
papila, s. f. BOT./ZOOL. papila.
papilla, s. f. papa (dos bebés).
papiro, s. m. papiro.
papista, adj. e s. 2 gén. papista.
papo, s. m. papo.
paquebote, s. m. paquete; navio.

pardillo

paquete, s. m. maço; pacote, conjunto; (fig.) troixa, empecilho; (fam.) órgãos sexuais masculinos.

paquetería, s. f. empacotamento, embalagem.

paquidermo, s. m. paquiderme.

paquistaní, adj. e s. 2 gén. paquistanês.

par, I. adj. 2 gén. par, igual. II. s. m. par; casal.

para, prep. para.

parabién, s. m. parabém, felicitação.

parábola, s. f. parábola.

parabólico, -a, adj. parabólico.

parabrisas, s. m. pára-brisas.

paracaídas, s. m. pára-quedas.

paracaidismo, s. m. pára-quedismo.

paracaidista, s. 2 gén. pára-quedista.

parachoques, s. m. pára-choques.

parada, s. f. parada; paragem; redil.

paradero, s. m. paradeiro.

paradigma, s. m. paradigma.

paradigmático, -a, adj. paradigmático.

paradisíaco, -a, adj. paradisíaco.

parado, -a, adj. parado; tímido; desempregado, desocupado.

paradoja, s. f. paradoxo.

paradójico, -a, adj. paradoxal.

parador, s. m. estalagem; pousada.

paraestatal, adj. 2 gén. paraestatal; do sector público.

parafernalia, s. f. parafernália, bens parafernais.

parafina, s. f. parafina.

parafrasear, v. tr. parafrasear.

paráfrasis, s. f. paráfrase.

parágrafo, s. m. parágrafo.

paraguas, s. m. guarda-chuva.

paraguayo, -a, adj. e s. paraguaio, do Paraguai.

paragüero, s. m. porta-guarda-chuvas; bengaleiro.

paraíso, s. m. paraíso, céu; TEAT. geral, galinheiro; (fig.) lugar aprazível, ameno.

paraje, s. m. sítio, lugar, paragem (sobretudo no campo).

paralela, s. f. paralela.

paralelepípedo, s. m. GEOM. paralelepípedo.

paralelismo, s. m. paralelismo.

paralelo, -a, adj. e s. m. paralelo.

paralelogramo, s. m. GEOM. paralelogramo.

parálisis, s. f. paralisia.

paralítico, -a, adj. e s. paralítico.

paralización, s. f. paralisação; COM. estagnação.

paralizar, v. tr. paralisar; deter, interromper (negociações).

paramecio, s. m. paramécia.

paramentar, v. tr. paramentar; adornar.

paramento, s. m. paramento; adorno.

parámetro, s. m. parâmetro.

paramilitar, adj. 2 gén. paramilitar.

páramo, s. m. páramo.

parangón, s. m. comparação; semelhança.

parangonar, v. tr. parangonar; comparar; assemelhar.

paraninfo, s. m. salão nobre nas universidades.

paranoia, s. f. paranóia.

paranoico, -a, adj. paranóico.

parapente, s. m. parapente.

parapetarse, v. refl. proteger-se; resguardar-se; barricar-se, refugiar-se.

parapeto, s. m. parapeito; resguardo; barricada.

paraplejia, s. f. paraplegia.

parapléjico, -a, adj. paraplégico.

parapsicología, s. f. parapsicologia.

parapsicológico, -a, adj. parapsicológico.

parapsicólogo, -a, s. m. e f. parapsicólogo.

parar, v. 1. tr. parar, deter. 2. intr. parar; estacionar; habitar.

pararrayos, s. m. pára-raios.

parasitario, -a, adj. parasitário.

parásito, adj. e s. m. parasita.

parasol, s. m. guarda-sol.

parca, s. f. parca; (fig.) a morte.

parcela, s. f. parcela.

parcelación, s. f. parcelamento.

parcelar, v. tr. parcelar.

parche, s. m. emplastro; remendo; (fig.) remedeio.

parchear, v. tr. remendar.

parchís, s. m. ludo (jogo).

parcial, I. adj. 2 gén. parcial, parcelar; parcial, arbitrário; faccioso; injusto. II. s. m. parcial, exame de parte de uma cadeira.

parcialidad, s. f. parcialidade; facciosismo.

parcialmente, adv. parcialmente.

parco, -a, adj. parco, escasso; frugal.

pardo, -a, adj. pardo.

pardillo, -a, I. adj. simplório. II. s. 1. m. e f. anjinho, simplório. 2. s. m. pintarroxo.

pardusco, -a, adj. pardacento.

parecer, I. *s. m.* parecer, opinião; parecer, semblante; aparência. II. *v.* 1. *intr.* aparecer. 2. *refl.* assemelhar-se; parecer-se.

pared, *s. f.* parede, muro; morada, lar, residência.

pareja, *s. f.* parelha; par.

parejo, -a, *adj.* semelhante, parecido, igual.

parentela, *s. f.* parentela; parentes.

parentesco, *s. m.* parentesco; vínculo; conexão, ligação.

paréntesis, *s. m.* parêntese, parênteses, parêntesis.

pareo, *s. m.* emparelhamento.

paria, *s.* 2 *gén.* pária.

parida, *s. f.* tolice, idiotice.

paridad, *s. f.* paridade.

pariente, -a, *adj.* e *s.* parente.

parietal, *s.* 2 *gén.* e *s. m.* parietal.

parietaria, *s. f.* BOT. parietária.

parihuela, *s. f.* padiola; maca.

parir, *v. tr.* parir.

parking, *s. m.* estacionamento.

parlamentar, *v. intr.* parlamentar.

parlamentario, -a, *adj.* e *s.* parlamentar.

parlamento, *s. m.* parlamento.

parlanchín, -a, *adj.* e *s.* paroleiro; lingua-reiro; tagarela.

parlante, *adj.* 2 *gén.* falante.

parlar, *v. tr.* parlar; tagarelar; palrar (algumas aves).

parlatorio, *s. m.* parlatório; falatório; locu-tório.

parlotear, *v. intr.* (*fam.*) tagarelar, paro-lar.

parloteo, *s. m.* tagarelice.

parnaso, *s. m.* (*fig.*) parnaso.

parné, *s. m.* (*fam.*) dinheiro, moeda.

paro, *s. m.* (*fam.*) paragem; suspensão; interrupção; desemprego.

parodia, *s. f.* paródia.

parodiar, *v. tr.* parodiar.

paroxismo, *s. m.* paroxismo.

paroxístico, -a, *adj.* paroxístico.

paroxítono, -a, *adj.* paroxítono.

parpadear, *v. intr.* pestanejar; tremeluzir, cintilar.

parpadeo, *s. m.* pestanejo; cintilação.

párpado, *s. m.* pálpebra.

parque, *s. m.* parque.

parqué, *s. m.* parqué.

parquímetro, *s. m.* parquímetro, parcó-metro.

parra, *s. f.* parreira; videira; cepa.

parrafada, *s. f.* conversa demorada; (*fig.*) sermão.

párrafo, *s. m.* parágrafo.

parragón, *s. m.* prata de toque.

parral, *s. m.* parreiral.

parranda, *s. f.* (*fam.*) pândega; folia; borga.

parrandear, *v. intr.* pandegar.

parricida, *adj.* e *s.* 2 *gén.* parricida.

parricidio, *s. m.* parricídio.

parrilla, *s. f.* grelha; churrascaria; chur-rasco; *parrilla de salida,* AUT. grelha de par-tida.

párroco, *s. m.* pároco; cura; abade.

parroquia, *s. f.* paróquia.

parroquiano, -a, *adj.* e *s.* paroquiano; freguês.

parsimonia, *s. f.* parcimónia; temperança.

parsimonioso, -a, *adj.* parcimonioso; poupado.

parte, *s. f.* parte.

partera, *s. f.* parteira.

partero, *s. m.* parteiro (médico).

parterre, *s. m.* jardim relvado; canteiro.

partesana, *s. f.* partasana (alabarda).

partible, *adj.* 2 *gén.* divisível.

partición, *s. f.* partição; partilha; MAT. divi-são.

participación, *s. f.* participação.

participante, *adj.* e *s.* 2 *gén.* participante.

participar, *v.* 1. *intr.* participar, tomar parte; FIN. ter parte, fazer parte. 2. *tr.* par-ticipar, comunicar, notificar.

partícipe, *adj.* e *s.* 2 *gén.* partícipe; parti-cipante.

participio, *s. m.* particípio.

partícula, *s. f.* partícula.

particular, I. *adj.* 2 *gén.* particular; pri-vado; privativo; especial. II. *s. m.* parti-cular (pessoa, assunto).

particularidad, *s. f.* particularidade; sin-gularidade.

particularización, *s. f.* particularização.

particularizar, *v. tr.* particularizar.

partida, *s. f.* partida; certidão do registo civil; COM. partida, lote; DESP. partida, jogo; MIL. grupo, esquadrão.

partidario, -a, *adj.* e *s.* partidário; adepto.

partido, -a, I. *adj.* partido; dividido. II. *s. m.* facção, partido; partida, jogo; desafio.

partija, *s. f.* partilha, partição.

partir, *v.* 1. *tr.* partir; dividir; repartir; distribuir; fender, rachar. 2. *intr.* partir, ir; proceder, ter origem.

partitiv|o, -a, *adj.* partitivo.

partitura, *s. f.* MÚS. partitura.

parto, *s. m.* parto; (*fig.*) produto.

parturienta, *adj.* e *s. f.* parturiente.

parv|o, -a, *adj.* pequeno; escasso.

párvul|o, -a, *adj.* e *s.* pequeno; inocente; criança.

pasa, *s. f.* passa, uva seca.

pasacalle, *s. m.* MÚS. marcha popular.

pasada, *s. f.* passagem; passadela; demão; servidão; exagero, maravilha.

pasadizo, *s. m.* passadiço, corredor.

pasad|o, -a, **I.** *adj.* passado, ido; último (ano, mês, etc.); gasto; estragado. **II.** *s. m.* o passado; GRAM. passado, pretérito.

pasador, *s. m.* passador; alisador de cabelo; alfinete de gravata; tranca; coador.

pasaje, *s. m.* passagem.

pasajer|o, -a, *adj.* e *s.* passageiro; transitório.

pasamanería, *s. f.* passamanaria; sirgaria.

pasamanero, *s. m.* passamaneiro; sirgueiro.

pasamano, *s. m.* corrimão.

pasamanos, *s. m.* corrimão.

pasante, *s.* 2 *gén.* DIR. assistente, estagiário (de advogado).

pasaporte, *s. m.* passaporte.

pasapurés, *s. m.* passador.

pasar, *v. tr., intr.* e *refl.* passar; trasladar; trespassar; atravessar; penetrar; avantajar; sofrer; tolerar.

pasarela, *s. f.* passarela.

pasatiempo, *s. m.* passatempo; entretenimento.

Pascua, *s. f.* Páscoa.

pascual, *adj.* 2 *gén.* pascal.

pase, *s. m.* passe, licença.

paseante, *adj.* e *s.* 2 *gén.* passeante.

pasear, *v. intr.* passear.

paseata, *s. f.* passeata.

paseíllo, *s. m.* entrada dos toureiros e das suas quadrilhas na praça.

paseo, *s. m.* passeio.

pasillo, *s. m.* corredor.

pasión, *s. f.* paixão.

pasionaria, *s. f.* BOT. maracujá, martírio.

pasividad, *s. f.* passividade.

pasiv|o, -a, **I.** *adj.* passivo. **II.** *s. m.* COM. passivo (dívidas).

pasmar, *v. tr.* e *refl.* esfriar muito; (*fig.*) pasmar, assombrar; espantar.

pasmo, *s. m.* esfriamento; (*fig.*) pasmo; assombro.

pasm|ón, -ona, *s.* paspalhão.

paso, *s. m.* passo, passada; passagem; situação; caso.

pasodoble, *s. m.* passo doble.

pasota, *adj.* e *s.* 2 *gén.* apático; despreocupado.

pasquín, *s. m.* pasquim.

pasta, *s. f.* pasta, massa.

pastadero, *s. m.* pastagem; pascigo.

pastar, *v. tr.* e *intr.* pastar; pascer.

pastel, *s. m.* pastel.

pastelería, *s. f.* pastelaria.

pasteler|o, -a, *adj.* e *s.* 2 *gén.* pasteleiro.

pastelón, *s. m.* pastelão, empadão.

pasteurización, *v. tr.* pasteurização.

pasteurizad|o, -a, *adj.* pasteurizado.

pasteurizar, *v. tr.* pasteurizar.

pastiche, *s. f.* pastiche.

pastilla, *s. f.* pastilha.

pastizal, *s. m.* pastio; pasto.

pasto, *s. m.* pasto; pastagem.

pastor, -a, *s.* **1.** *m.* e *f.* pastor, zagal, pegureiro. **2.** *m.* prelado, pároco, pastor.

pastoral, **I.** *adj.* 2 *gén.* pastoral; pastoril. **II.** *s. f.* pastoral.

pastorear, *v. tr.* pastorear; apascentar.

pastoreo, *s. m.* pastoreio, pastorícia.

pastoril, *adj.* 2 *gén.* pastoril; rústico; bucólico.

pastosidad, *s. f.* pastosidade.

pastos|o, -a, *adj.* pastoso; viscoso; saburroso.

pata, *s. f.* pata.

patada, *s. f.* patada.

patalear, *v. intr.* pernear, espernear; patear.

pataleo, *s. m.* pateada.

pataleta, *s. f.* mau humor; arrogância.

patán, *s. m.* (*fam.*) aldeão; campónio; rústico; grosseiro.

patata, *s. f.* batata.

patater|o, -a, *adj.* batateiro; (*fig.*) lateiro, tarimbeiro.

patatús, *s. m.* (*fam.*) faniquito, chilique, ligeiro desmaio.

patear, *v. tr.* patear.

patena, *s. f.* patena.

patentad|o, -a, *adj.* patenteado, registado.

patentar, *v. tr.* patentear; registar.

patente, **I.** *adj.* 2 *gén.* patente; evidente; claro. **II.** *s. f.* patente, registo.

patentizar, *v. tr.* patentear; evidenciar.

pateo, *s. m.* pateada.

paternal, *adj.* 2 *gén.* paternal.

paternalismo, s. m. paternalismo.
paternalista, adj. 2 gén. paternalista
paternidad, s. f. paternidade.
patern|o, -a, adj. paterno; paternal.
patétic|o, -a, adj. patético.
patibulari|o, -a, adj. patibular.
patíbulo, s. m. patíbulo; cadafalso.
patilla, s. f. patilhas, suíças.
patín, s. m. patiozinho; patim.
pátina, s. f. pátina.
patinador, -a, adj. e s. patinador.
patinajo, s. m. patinagem.
patinar, v. intr. patinar; patinhar.
patio, s. m. pátio; plateia (nos teatros).
patizamb|o, -a, adj. e s. zambro, cambaio.
pato, s. m. pato.
patochada, s. f. pachouchada, tolice; despropósito.
patógen|o, -a, adj. patogénico.
patología, s. f. patologia.
patológic|o, -a, adj. patológico.
patos|o, -a, adj. desajeitado, grosseiro, tosco.
patraña, s. f. patranha; mentira; peta.
patrañuela, s. f. pequena mentira.
patria, s. f. pátria.
patriarca, s. m. patriarca.
patriarcal, adj. 2 gén. patriarcal.
patrici|o, -a, adj. e s. patrício.
patrimonial, adj. 2 gén. patrimonial.
patrimonio, s. m. património.
patri|o, -a, adj. pátrio.
patriota, s. 2 gén. patriota.
patriotismo, s. m. patriotismo.
patrocinar, v. tr. patrocinar; proteger; amparar.
patrocinio, s. m. patrocínio; protecção.
patr|ón, -ona, s. patrono, padroeiro; protector; defensor; patrão (amo).
patronad|o, -a, adj. padroado.
patronato, s. m. padroado; patronato; patrocínio.
patronazgo, s. m. patrocínio.
patronímic|o, -a, adj. patronímico.
patron|o, -a, s. m. e f. patrono; protector; padroeiro; orago.
patruco, s. m. carapim; escarpim.
patrulla, s. f. patrulha.
patrullar, v. intr. e tr. patrulhar.
patrullera, s. f. (barco) patrulheiro; (avião) patrulha.
patulea, s. f. (fam.) soldadesca, tropa desordenada.

paulatin|o, -a, adj. paulatino; gradual.
pausa, s. f. pausa.
pausad|o, -a, adj. pausado; cadenciado; lento.
pausar, v. intr. pausar; demorar; descansar.
pauta, s. f. pauta; modelo.
pautad|o, -a, adj. pautado.
pautar, v. tr. pautar; dirigir; regular.
pava, s. f. perua; fole grande.
pavada, s. f. bando de perus.
pavana, s. f. pavana (dança).
pavesa, s. f. faúlha, faísca, fagulha.
pavía, s. f. pavia, casta de pêssego.
pavimentación, s. f. pavimentação.
pavimentar, v. tr. pavimentar.
pavimento, s. m. pavimento.
pavo, s. m. peru; pavo real, pavão.
pavonearse, v. refl. pavonear-se.
pavoneo, s. m. pavonada; ostentação.
pavor, s. m. pavor; temor; terror.
pavoros|o, -a, adj. pavoroso.
payasada, -a, s. f. palhaçada.
payas|o, s. m. e f. palhaço.
paz, s. f. paz.
pazguat|o, -a, adj. e s. simplório; papalvo.
pazo, s. m. palácio; paço.
peaje, s. m. peagem, portagem.
peana, s. f. peanha; base; pedestal.
peatón, s. m. peão; transeunte; viandante.
peatonal, adj. 2 gén. pedestre.
pebete, s. m. pivete.
peca, s. f. sarda, mancha na pele.
pecado, s. m. pecado.
pecador, -a, adj. e s. pecador.
pecaminos|o, -a, adj. pecaminoso.
pecar, v. intr. pecar; errar.
pecarí, s. m. pecari.
pecera, s. f. aquário.
pechera, s. f. peitilho (da camisa).
pecho, s. m. peito; seio.
pechuga, s. f. peituga, titela, peito de ave.
pechug|ón, -ona, adj. peitudo.
peciolo, s. m. pecíolo.
pecíolo, s. m. pecíolo.
pecos|o, -a, adj. sardento.
pectoral, I. adj. 2 gén. peitoral. **II.** s. m. peitoral (músculo, medicamento, cruz).
pecuari|o, -a, adj. pecuário.
peculiar, adj. 2 gén. peculiar, próprio.
peculiaridad, s. f. peculiaridade.
peculio, s. m. pecúlio.
pecuniari|o, -a, adj. pecuniário.

pedagogía, s. f. pedagogia.
pedagógico, **-a**, adj. pedagógico.
pedagogo, **-a**, s. m. e f. pedagogo.
pedal, s. m. pedal.
pedalada, s. f. pedalada.
pedalear, v. intr. pedalar.
pedaleo, s. m. pedalagem.
pedáneo, adj. pedâneo, municipal.
pedante, adj. e s. 2 gén. pedante.
pedantería, s. f. pedantaria; pedantismo.
pedazo, s. m. pedaço; porção.
pederasta, s. m. pederasta.
pedernal, s. m. pedernal, pederneira.
pedestal, s. m. pedestal.
pedestre, adj. 2 gén. pedestre.
pediatra, s. 2 gén. pediatra.
pediatría, s. f. pediatria.
pedicuro, s. m. calista, pedicuro.
pedida, s. f. pedido (de casamento).
pedido, s. m. pedido; rogo, petição.
pedigüeño, **-a**, adj. e s. pedinchão.
pedir, v. tr. pedir; rogar; esmolar; solicitar.
pedo, s. m. peido, traque.
pedofilia, s. f. pedofilia.
pedófilo, adj. e s. m. pedófilo.
pedrada, s. f. pedrada.
pedrea, s. f. apedrejamento.
pedregal, s. m. pedregal.
pedregoso, **-a**, adj. pedregoso.
pedrera, s. f. pedreira.
pedrería, s. f. pedraria; jóias (pedras).
pedrero, s. m. pedreiro.
pedrisco, s. m. pedrisco, saraiva miúda.
pedrusco, s. m. pedra tosca.
pega, s. f. dificuldade, obstáculo, inconveniente.
pegadizo, **-a**, adj. peganhento, pegajoso.
pegajoso, **-a**, adj. pegajoso, peganhento; viscoso; contagioso.
pegamento, s. m. cola, grude.
pegar, v. tr. pegar, colar, grudar; contagiar, comunicar.
pegatina, s. f. autocolante.
pegote, s. m. emplastro; parche.
peinado, **-a**, adj. penteado.
peinador, s. m. penteador; roupão.
peinadura, s. f. penteadela.
peinar, v. tr. pentear.
peinazo, s. m. pinázio.
peine, s. m. pente.
peineta, s. f. pente convexo usado como adorno, travessa.
pejiguera, s. f. empecilho, embaraço.

peladilla, s. f. amêndoa coberta com açúcar; pedra, calhau.
pelado, **-a**, adj. pelado; nu; liso.
pelagatos, s. m. pobre diabo.
pelaje, s. m. pelagem.
pelambre, s. m. pelame; courama; cabelame; pelada.
pelambrera, s. f. cabeleira.
pelanas, s. 2 gén. vd. **pelagatos.**
pelandusca, s. f. prostituta.
pelar, v. tr. pelar; cortar o cabelo; depenar; descascar.
pelazga, s. f. briga.
peldaño, s. m. degrau de escada.
pelea, s. f. briga; rixa.
pelear, v. intr. pelejar, lutar, brigar.
pelele, s. m. boneco de palha ou de trapos; néscio.
pelón, **-ona**, adj. briguento, quezilento.
peletería, s. f. pelaria.
peletero, s. m. peleiro.
peliagudo, **-a**, adj. complicado, arrevesado.
pelícano, s. m. pelicano, ave.
película, s. f. película; filme.
peligrar, v. intr. perigar.
peligro, s. m. perigo; contingência.
peligroso, **-a**, adj. perigoso.
pelillo, s. m. (fam.) cabelo; ninharia, bagatela.
pelirrojo, **-a**, adj. e s. ruivo.
pella, s. f. massa compacta arredondada, protuberância; grelo da couve-flor; *hacer pellas*, faltar às aulas, fazer gazeta.
pellejo, s. m. pel; odre; *jugarse el pellejo*, arriscar a pele.
pelliza, s. f. peliça; samarra.
pellizcar, v. tr. beliscar.
pellizco, s. m. beliscão, beliscadura.
pelma, s. 2 gén. maçador, chato; molenga, lesma.
pelmazo, s. m. e f. vd. **pelma.**
pelo, s. m. pêlo, cabelo; penugem.
pelón, **-ona**, adj. e s. pelado, calvo, careca.
pelota, s. **1.** f. pelota; bola. **2.** 2 gén. bajulador; em pelotas, em pelote, nu; *hacer la pelota*, bajular.
pelotari, s. 2 gén. jogador de pelota.
pelotazo, s. m. bolada.
pelotear, v. intr. jogar a pelota; treinar com bola (futebol).
peloteo, s. m. treino com bola (futebol); aquecimento (ténis).
pelotera, s. f. briga, rixa; discussão.

pelotilla, s. f. bolinha; borboto; *hacer la pelotilla*, bajular.

pelotón, s. m. pelotão.

peltre, s. m. peltre.

peluca, s. f. peruca.

peludo, -a, adj. peludo.

peluquera, s. f. cabeleireira.

peluquería, s. f. barbearia; salão de cabeleireiro.

peluquero, s. m. cabeleireiro; barbeiro.

peluquín, s. m. capachinho, chinó; *ni hablar del peluquín!*, nem falar nisso!

pelusa, s. f. penugem; cotão; *(fam.)* ciúmes.

pelvis, s. f. pelve, pélvis.

pena, s. f. pena, castigo; aflição, dor, tormento.

penacho, s. m. penacho; poupa.

penado, -a, s. m. e f. condenado (preso).

penal, I. adj. 2 gén. penal; criminal. II. s. m. penitenciária.

penalidad, s. f. penalidade.

penalización, s. f. penalização.

penar, v. 1. tr. punir, castigar; condenar; 2. intr. penar, padecer.

penates, s. m. pl. penates.

penca, s. f. talo.

pendencia, s. f. pendência; briga.

pendenciero,-a, adj. brigão, quezilento.

pender, v. intr. pender; depender.

pendiente, I. adj. 2 gén. pendente; dependurado, suspenso. II. s. 1. m. brinco, pingente, arrecada; inclinação. 2. f. ladeira, declive.

pendón, s. m. pendão; estandarte; bandeira.

pendular, adj. 2 gén. pendular.

péndulo, s. m. pêndulo.

pene, s. m. pénis.

penetración, s. f. penetração.

penetrante, adj. 2 gén. penetrante.

penetrar, v. tr. penetrar; compreender.

penicilina, s. f. penicilina.

península, s. f. península.

peninsular, adj. e s. 2 gén. peninsular.

penique, s. m. péni (moeda inglesa).

penitencia, s. f. penitência.

penitenciaría, s. f. penitenciária.

penitenciario, -a, adj. penitenciário; prisional.

penitente, adj. e s. 2 gén. penitente.

penoso, -a, adj. penoso; dificultoso.

pensador, -a, s. m. e f. pensador.

pensamiento, s. m. pensamento.

pensante, adj. 2 gén. pensante, pensador.

pensar, v. tr. pensar, discorrer; reflectir, imaginar; pensar, dar a ração ao gado.

pensativo, -a, adj. pensativo.

pensil, adj. 2 gén. pênsil, suspenso.

pensión, s. f. pensão.

pensionado, -a, s. 1. m. e f. pensionista. 2. m. pensionato; colégio interno.

pensionista, s. 2 gén. pensionista.

pentagonal, adj. 2 gén. pentagonal.

pentágono, s. m. pentágono.

pentagrama, s. m. MÚS. pentagrama; pauta.

pentasílabo, -a, adj. e s. pentassílabo.

penúltimo, -a, adj. e s. penúltimo.

penumbra, s. f. penumbra.

penuria, s. f. penúria.

peña, s. f. penha; penhasco; fraga; grupo de amigos; associação; clube.

peñasco, s. m. penhasco.

peñazo, s. m. *(fam.)* chatice; frete.

peñón, s. f. rochedo; *el Peñón de Gibraltar*, o Rochedo de Gibraltar.

peón, s. m. peão, trabalhador não especializado; peão (xadrez); pião (jogo); *peón caminero*, peão, caminhante, viandante.

peonía, s. f. BOT. peónia.

peonza, s. f. pião, pitorra.

peor, adj. 2 gén. pior.

pepino, s. m. BOT. pepineiro; pepino.

pepita, s. f. pevide, semente; pepita (de ouro).

pepona, s. f. boneco.

pequeñez, s. f. pequenez, pequeneza.

pequeño, -a, adj. pequeno.

pera, s. f. pêra (fruto); pêra (barba).

peral, s. m. BOT. pereira.

perca, s. f. ZOOL. perca.

percal, s. m. percal.

percance, s. m. percalço.

percatarse, v. refl. precatar-se, acautelar-se.

percebe, s. m. ZOOL. perceba.

percepción, s. f. percepção.

perceptible, adj. 2 gén. perceptível.

perceptivo, -a, adj. perceptivo.

percha, s. f. cabide (de parede ou de pé); *(fig.)* figura, corpo.

perchero, s. m. cabides; bengaleiro, guarda-roupa.

percibir, v. tr. perceber, notar; receber.

percusión, s. f. percussão.

percusionista, s. 2 gén. percussionista.

percusor, s. m. percussor, percutor.

percutir, v. tr. ferir.

percutor, s. m. percussor, percutor.

perder, v. 1. tr. perder; gastar; dissipar;

arruinar. **2.** *intr.* perder, sair vencido. **3.** *refl.* perder-se, extraviar-se, perder o fio à meada.

perdición, *s. f.* perdição.

pérdida, *s. f.* perda; prejuízo, dano.

perdid|o, -a, *adj.* perdido.

perdigón, *s. m.* grão de chumbo; ZOOL. perdigoto, perdiz jovem.

perdigonada, *s. f.* chumbada (tiro de chumbo).

perdiguer|o, -a, *adj. e s.* perdigueiro.

perdiz, *s. f.* ZOOL. perdiz.

perdón, *s. m.* perdão; desculpa; indulto.

perdonar, *v. tr.* perdoar.

perdonavidas, *s. 2 gén.* fanfarrão, valentão.

perdulari|o, -a, *adj. e s.* perdulário.

perdurable, *adj. 2 gén.* perdurável, perpétuo.

perdurar, *v. intr.* perdurar; desculpar; indultar.

pereceder|o, -a, *adj.* perecedouro.

perecer, *v. intr.* perecer, acabar, morrer.

peregrinación, *s. f.* peregrinação.

peregrinaje, *s. m.* peregrinação.

peregrinar, *v. intr.* peregrinar.

peregrin|o, -a, *adj. e s.* peregrino.

perejil, *s. m.* salsa.

perengan|o, -a, *s. m. e f.* fulano.

perenne, *adj. 2 gén.* perene, incessante; vivaz.

perentori|o, -a, *adj.* peremptório; terminante.

pereza, *s. f.* preguiça; lentidão, indolência.

perezos|o, -a, I. *adj. e s.* preguiçoso; molengão; dorminhoco. **II.** *s. m.* ZOOL. preguiça.

perfección, *s. f.* perfeição.

perfeccionamento, *s. m.* aperfeiçoamento.

perfeccionar, *v. tr.* aperfeiçoar; melhorar.

perfeccionismo, *s. m.* perfeccionismo.

perfeccionista, *adj. e s. 2 gén.* perfeccionista.

perfectamente, *adv.* perfeitamente; muito bem; de acordo.

perfect|o, -a, *adj.* perfeito; primoroso.

perfidia, *s. f.* perfídia; deslealdade.

pérfid|o, -a, *adj. e s.* pérfido; desleal; infiel.

perfil, *s. m.* perfil; contorno, silhueta.

perfilar, *v. tr.* perfilar, contornar; retocar, rematar.

perforación, *s. f.* perfuração.

perforador, -a, I. *adj.* perfurador. **II.** *s.* **1.** *m.* furador. **2.** *f.* perfuradora.

perforar, *v. tr.* perfurar; esburacar.

perfumador, *s. m.* perfumador.

perfumar, *v. tr.* perfumar, aromatizar.

perfume, *s. m.* perfume.

perfumería, *s. f.* perfumaria.

perfumista, *s. 2 gén.* perfumista.

pergamino, *s. m.* pergaminho.

pérgola, *s. f.* pérgula.

pericardio, *s. m.* pericárdio.

pericarpio, *s. m.* pericárpio, pericarpo.

pericia, *s. f.* perícia; experiência.

pericial, *adj. 2 gén.* pericial.

periferia, *s. f.* periferia; contorno.

periféric|o, -a, *adj.* periférico.

perifollo, *s. m.* BOT. cerefolho, cerefólio.

perífrasis, *s. f.* perífrase.

perifrástic|o, -a, *adj.* perifrástico.

perilla, *s. f.* perinha; pêra (barbicha).

perímetro, *s. m.* perímetro.

perindola, *s. f.* piorra; piasca; rapa.

periné, *s. m.* períneo, perineu.

perineo, *s. m.* períneo, perineu.

periodicidad, *s. f.* periodicidade.

periódic|o, -a, *adj.* periódico.

periodismo, *s. m.* jornalismo.

periodista, *s. 2 gén.* jornalista.

periodístic|o, -a, *adj.* jornalístico.

periodo, *s. m.* vd. **período.**

período, *s. m.* período.

peripatétic|o, -a, *adj.* peripatético.

peripecia, *s. f.* peripécia, incidente.

periplo, *s. m.* périplo.

peripuest|o, -a, *adj.* peralta, janota.

periquete, *s. m.* instante; *en un periquete,* num credo, num fósforo.

periquito, *s. m.* periquito.

periscopio, *s. m.* periscópio.

peristáltic|o, -a, *adj.* peristáltico.

peristilo, *s. m.* peristilo; átrio.

peritaje, *s. f.* peritagem.

perit|o, -a, *adj. e s.* perito; experimentado.

peritoneo, *s. m.* ANAT. peritoneu.

peritonitis, *s. f.* peritonite.

perjudicad|o, -a, *adj. e s.* prejudicado, lesado.

perjudicar, *v. tr.* prejudicar, lesar.

perjudicial, *adj. 2 gén.* prejudicial.

perjuicio, *s. m.* prejuízo.

perjurar, *v. intr.* perjurar.

perjurio, *s. m.* perjúrio.

perjur|o, -a, *adj.* e s. perjuro.
perla, s. *f.* pérola.
perlad|o, -a, *adj.* perlado; *perlado de sudor,* perlado de suor.
permanecer, *v. intr.* permanecer.
permanencia, s. *f.* permanência.
permanente, I. *adj.* 2 *gén.* permanente. II. s. *f.* permanente (penteado).
permanentemente, *adv.* permanentemente.
permanganato, s. *m.* permanganato.
permeabilidad, s. *f.* permeabilidade.
permeable, *adj.* 2 *gén.* permeável.
permisible, *adj.* 2 *gén.* permissível.
permisividad, s. *f.* permissividade.
permisiv|o, -a, *adj.* permissivo.
permiso, s. *m.* licença, consentimento.
permitir, *v. tr.* permitir, autorizar.
permuta, s. *f.* permuta.
permutable, *adj.* 2 *gén.* permutável.
permutar, *v. tr.* permutar; trocar.
pernicios|o, -a, *adj.* pernicioso, nocivo.
pernil, s. *m.* pernil.
pernio, s. *m.* dobradiça, gonzo.
perno, s. *m.* perno.
pernocta, s. *f.* *pase de pernocta,* dispensa de recolher.
pernoctar, *v. intr.* pernoitar.
pero, I. *conj.* mas, porém. II. s. *m.* defeito, senão; objecção.
perogrullada, s. *f.* calinada.
perol, s. *m.* tacho; caçarola.
perola, s. *f.* caçarola.
peroné, s. *m.* perónio.
perorar, *v. intr.* perorar.
perorata, s. *f.* peroração; arenga.
perpendicular, *adj.* 2 *gén.* perpendicular.
perpendicularidad, s. *f.* perpendicularidade.
perpetrar, *v. tr.* perpetrar.
perpetuación, s. *f.* perpetuação.
perpetuar, *v. tr.* perpetuar.
perpetu|o, -a, *adj.* perpétuo.
perplejidad, s. *f.* perplexidade.
perplej|o, -a, *adj.* perplexo.
perquirir, *v. tr.* perquirir, investigar.
perra, s. *f.* cadela; perrice (de criança); mania; cobres, massa.
perrera, s. *f.* canil.
perrería, s. *f.* cachorrada, partida suja.
perrito, s. *m.* cachorro-quente.
perr|o, -a, *adj.* e s. cão, cadela; cachorro.
perrun|o, -a, *adj.* canino.

persa, *adj.* e s. 2 *gén.* persa, da Pérsia.
persecución, s. *f.* persecução, perseguição.
pesecutori|o, -a, *adj.* persecutório.
perseguidor, -a, *adj.* e s. perseguidor.
perseguir, *v. tr.* perseguir.
perseverancia, s. *f.* perseverança.
perseverar, *v. intr.* perseverar.
persiana, s. *f.* persiana.
pérsic|o, -a, *adj.* pérsico.
persignarse, *v. refl.* persignar-se.
persistencia, s. *f.* persistência.
persistente, *adj.* 2 *gén.* persistente.
persistir, *v. intr.* persistir.
persona, s. *f.* pessoa.
personaje, s. *m.* personagem.
personal, *adj.* e s. 2 *gén.* pessoal.
personalidad, s. *f.* personalidade.
personalizar, *v. tr.* personalizar, personificar.
personarse, *v. refl.* avistar-se, apresentar-se pessoalmente.
personificación, s. *f.* personificação.
personificar, *v. tr.* personificar.
perspectiva, s. *f.* perspectiva.
perspicacia, s. *f.* perspicácia.
perspicaz, *adj.* 2 *gén.* perspicaz.
persuadir, *v. tr.* e *refl.* persuadir; induzir.
persuasión, s. *f.* persuasão.
pertenecer, *v. intr.* pertencer.
perteneciente, *adj.* 2 *gén.* pertencente.
pértiga, s. *f.* vara; *salto de pértiga,* DESP. salto à vara.
pertinacia, s. *f.* pertinácia; teimosia; obstinação.
pertinaz, *adj.* 2 *gén.* pertinaz, teimoso.
pertinencia, s. *f.* pertinência, conveniência.
pertinente, *adj.* 2 *gén.* pertinente; relativo; concernente; conveniente.
pertrechar, *v. tr.* apetrechar, equipar.
pertrechos, s. *m. pl.* petrechos.
perturbación, s. *f.* perturbação.
perturbad|o, -a, *adj.* e s. perturbado, transformado.
perturbador, -a, *adj.* perturbador, perturbante.
perturbar, *v. tr.* perturbar; transtornar; alterar; interromper.
peruan|o, -a, *adj.* e s. peruano, do Peru.
perversidad, s. *f.* perversidade.
perversión, s. *f.* perversão.
pervers|o, -a, *adj.* e s. perverso.

pervertir, *v. tr.* perverter; viciar, depravar, corromper.

pervivencia, *s. f.* sobrevivência.

pervivir, *v. intr.* sobreviver.

pesa, *s. f.* peso (de balança).

pesadez, *s. f.* peso, pesadume; obesidade; carga, excesso; fadiga.

pesadilla, *s. f.* pesadelo.

pesado, -a, *adj.* pesado; obeso; maçador.

pesadumbre, *s. f.* pesar; remorso.

pésame, *s. m.* pêsames; condolências.

pesar, I. *v.* **1.** *intr.* pesar, ter peso; sentir pesar; ter influência. **2.** *tr.* pesar, avaliar o peso de. **II.** *s. m.* pesar; tristeza; arrependimento.

pesario, *s. m.* pessário.

pesaroso, -a, *adj.* pesaroso; magoado, triste.

pesca, *s. f.* pesca; pescaria.

pescada, *s. f.* pescada.

pescadería, *s. f.* peixaria.

pescadero, -a, *s. m.* e *f.* peixeiro.

pescadilla, *s. f.* pescadinha, marmota.

pescado, *s. m.* pescado, peixe.

pescador, -a, *adj.* e *s.* pescador.

pescar, *v.* **1.** *intr.* ir à pesca. **2.** *tr.* pescar; apanhar; conseguir; atender.

pescozón, *s. m.* cachaço, cachaçada; pescoçada.

pescuezo, *s. m.* pescoço.

pesebre, *s. m.* pesebre, presépio; estábulo.

peseta, *s. f.* peseta (moeda).

pesimismo, *s. m.* pessimismo.

pesimista, *adj.* e *s.* 2 *gén.* pessimista.

pésimo, -a, *adj.* péssimo.

peso, *s. m.* peso.

pespunte, *s. m.* pesponto.

pespuntear, *v. tr.* pespontar.

pesquero, -a, *adj.* e *s. m.* pesqueiro.

pesquisa, *s. f.* pesquisa; indagação.

pestaña, *s. f.* pestana.

pestañear, *v. intr.* pestanejar.

pestañeo, *s. m.* pestanejo.

peste, *s. f.* peste.

pesticida, *s. m.* pesticida.

pestilencia, *s. f.* pestilência.

pestilente, *adj.* 2 *gén.* pestilento.

pestilencial, *adj.* 2 *gén.* pestilencial.

pestillo, *s. m.* fecho, aldrava; tranqueta.

petaca, *s. f.* arca de couro; charuteira, tabaqueira.

pétalo, *s. m.* pétala.

petardo, *s. m.* petardo; calote, vigarice.

petate, *s. m.* esteira de folhas de palmeira.

petición, *s. f.* petição.

peticionario, -a, *adj.* e *s.* peticionário.

petimetre, *s. m.* petimetre, janota ridículo.

petirrojo, *s. m.* pintarroxo.

pétreo, -a, *adj.* pétreo.

petrificación, *s. f.* petrificação.

petrificar, *v. tr.* petrificar; empedernir.

petrodólar, *v. tr.* petrodólar.

petróleo, *s. m.* petróleo.

petrolero, -a, *adj.* petroleiro. **II.** *s. m.* petroleiro (navio).

petrolífero, -a, *adj.* petrolífero.

petroquímica, *s. f.* petroquímica.

petroquímico, -a, *s.* petroquímico.

petulancia, *s. f.* petulância; insolência.

petulante, *adj.* 2 *gén.* petulante.

petunia, *s. f.* petúnia.

peyorativo, -a, *adj.* pejorativo.

pez, *s.* **1.** *m.* peixe. **2.** *f.* pez, breu, piche.

pezón, *s. m.* mamilo (bico do peito).

pezuña, *s. f.* úngula.

piada, *s. f.* pio, piado.

piadoso, -a, *adj.* piedoso.

pianista, *s.* 2 *gén.* pianista.

pianístico, -a, *adj.* pianístico.

piano, *s. m.* piano; *piano de cola,* piano de cauda.

pianola, *s. f.* pianola.

piar, *v. intr.* piar.

piara, *s. f.* piara, vara de porcos.

piastra, *s. f.* piastra (moeda).

pibe, *s. m.* puto, garoto, guri.

pica, *s. f.* pique, lança.

picacho, *s. m.* pico; cume; cimo.

picada, *s. f.* picada, picadela; bicada; mordedura.

picadero, *s. m.* picadeiro.

picadillo, *s. m.* picado.

picado, -a, I. *adj.* picado; furado. **II.** *s. m.* picado, guisado.

picador, *s. m.* picador.

picadora, *s. f.* picadora.

picadura, *s. f.* picada; picadela; bicada; mordedura.

picaflor, *s. m.* pica-flor, beija-flor, colibri.

picajoso, -a, *adj.* e *s.* melindroso; susceptível.

picamaderos, *s. m.* peto; pica-pau.

picante, I. *adj.* 2 *gén.* picante. **II.** *s. m.* pico, acidez; sal, graça, chiste.

picapedrero, *s. m.* canteiro; pedreiro.

picapica, *s. m.* pó esternutatório.

picaporte, s. m. aldraba, batente.
picar, v. tr. picar, ferir, furar; bicar; morder (o peixe); esporear.
picardía, s. f. picardia, velhacada, vileza.
picardías, s. m. négligée, penteador.
picaresco, -a, adj. picaresco.
pícaro, -a, adj. e s. pícaro, astuto, patife; maroto, tratante.
picatoste, s. m. fatia de pão frita.
picaza, s. f. pega.
picazón, s. m. comichão; prurido.
pichi, s. m. vestido sem mangas e decotado.
pichichi, s. m. o melhor marcador (futebol).
pichón, s. m. borracho.
picnic, s. m. piquenique.
pico, s. m. bico (de ave); bico, pico.
picor, s. m. ardor (paladar).
picota, s. f. pelourinho; picota; nariz.
picotazo, s. m. bicada; picada; ferroada.
picotear, v. tr. bicar, picar (as aves).
pictórico, -a, adj. pictórico.
picudo, -a, adj. bicudo, pontiagudo.
pie, s. m. pé.
piedad, s. f. piedade; devoção; compaixão.
piedra, s. f. pedra.
piel, s. f. pele.
piélago, s. m. LIT. pélago, oceano.
pienso, s. m. penso, alimentação para o gado.
pierna, s. f. perna.
pieza, s. f. peça; parte; divisão (de casa); moeda; móvel; obra teatral.
piezgo, s. m. pernil (de odre).
pifia, s. f. disparate, palermice, asneira.
pifiar, v. intr., pifiarla, meter o pé na poça, fazer asneira.
pigmentación, s. f. pigmentação.
pigmento, s. m. pigmento.
pigmeo, -a, adj. e s. pigmeu, pigmeia.
pijada, s. f. banalidade; tolice; disparate.
pijama, s. m. pijama.
pijo, -a, I. adj. elegante, na moda. **II.** s. m. e f. menino rico, menina rica.
pijota, s. f. marmota (peixe).
pijotada, s. f. vd. **pijada.**
pijotera, s. f. os meninos ricos; banalidade; comentário estúpido.
pijotero, -a, adj. enfadonho; maçador.
pila, s. f. pia, pia baptismal; ELECT. pilha; montão, rima, grande quantidade.

pilar, s. m. baliza, marco; ARQ. pilar.
pilastra, s. f. pilastra.
píldora, s. f. pílula.
pileta, s. f. piscina.
pillaje, s. m. pilhagem.
pillar, v. tr. pilhar, roubar.
pillería, s. f. travessura.
pillo, -a, adj. travesso, astuto, finório.
pilón, s. m. pia grande; tanque; pilão.
pilongo,-a, adj. murcho, enrugado; queimado do sol; castaña pilonga, castanha pilada.
píloro, s. m. ANAT. piloro.
piloso, -a, adj. piloso; peludo.
pilotaje, s. m. pilotagem; condução.
pilotar, v. tr. pilotar; conduzir.
pilote, s. m. estaca para alicerces.
piloto, s. m. piloto; condutor.
piltra, s. f. pildra, cama.
piltrafa, s. f. pelanga, pelanca.
pimental, s. m. pimental.
pimentero, s. m. pimenteiro.
pimentón, s. m. pimentão.
pimienta, s. f. pimenta.
pimiento, s. m. pimenteiro, pimento.
pimpinela, s. f. pimpinela.
pimplar, v. intr. beberricar.
pimpollo, s. m. pimpolho, pinheiro novo; sarmento, rebento, grelo.
pimpón, s. m. pingue-pongue.
pinacoteca, s. f. pinacoteca.
pináculo, s. m. pináculo.
pinar, s. m. pinhal; pinheiral.
pincel, s. m. pincel.
pincelada, s. f. pincelada.
pinchadiscos, s. 2 gén. discjockey.
pinchar, v. tr. e refl. picar, ferir com objecto pontiagudo; perfurar, furar; estimular.
pinchazo, s. m. picada.
pinche, s. m. moço de cozinha.
pincho, s. m. aguilhão, ferrão.
pineal, adj. 2 gén. pineal.
pineda, s. f. pinhal, pinheiral.
pingajo, s. m. farrapo, trapo.
pingar, v. intr. pingar, gotejar.
pingo, s. m. vd. **pingajo.**
ping-pong, s. m. pingue-pongue.
pingüe, adj. 2 gén. pingue, gordo; rendoso; substancial.
pingüino, s. m. pinguim.
pinito, s. m. pino; hacer pinitos, dar os primeiros passos (bebé).

pino, s. m. pinheiro; pinho (madeira).

pinsapo, s. m. pinheiro (da Andaluzia).

pinta, s. f. pinta, mancha, sinal; aspecto.

pintada, s. f. graffiti.

pintado, -a, adj. pintado.

pintalabios, s. m. cosmético para os lábios.

pintamonas, s. m. pinta-monos.

pintar, v. tr. pintar.

pintarrajear, v. tr. (fam.) pintalgar, borrar, sujar.

pintarrajo, s. m. mamarracho, pintura mal feita.

pintaúñas, s. m. verniz das unhas.

pintor, -a, s. m. e f. pintor.

pintoresco, -a, adj. pitoresco, pinturesco.

pintorrear, v. tr. borrar, pintar sem gosto, pintalgar.

pintura, s. f. pintura; quadro, tela.

pinza, s. f. pinça; mola de roupa; pl. pinça (de depilar, de gelo, etc.).

pinzón, s. m. tentilhão.

piña, s. f. pinha; ananás (planta e fruto).

piñón, s. m. pinhão.

pío, -a, I. adj. pio, devoto. **II.** s. m. pio (das aves), piado.

piojo, s. m. piolho.

piojoso, -a, adj. e s. piolhoso; piolhento.

pionero, -a, adj. e s. pioneiro.

piorrea, s. f. piorreia.

pipa, s. f. **1.** cachimbo. **2.** semente de girassol.

pipermín, s. m. menta.

pipeta, s. f. pipeta.

pipí, s. m. chichi.

pipiolo, s. m. novato, inexperiente.

pique, s. m. ressentimento, melindre; rivalidade; a pique de, cerca de; irse a pique, ir a pique, afundar-se.

piqué, s. m. piqué.

piqueta, s. f. picareta; alvião.

piquete, s. m. piquete.

pira, s. f. pira.

piragua, s. f. canoa.

piragüismo, s. m. canoagem.

piragüista, s. 2 gén. canoísta.

piramidal, adj. 2 gén. piramidal.

pirámide, s. f. pirâmide.

piraña, s. f. piranha.

pirarse, v. refl. pirar-se, ir-se embora.

pirata, s. m. pirata; pirata aéreo, pirata do ar.

piratear, v. intr. piratear, exercer a pirataria.

piratería, s. f. pirataria, piratagem.

piripi, adj. (fam.) embriagado.

pirita, s. f. pirite.

piro, s. m. dar-se el piro, pirar-se, esgueirar-se.

piromanía, s. f. piromania.

pirómano, -a, adj. e s. pirómano.

piropear, v. tr. dizer piropos.

piropo, s. m. piropo.

pirotecnia, s. f. pirotecnia.

pirotécnico, -a, adj. e s. pirotécnico.

pirrar, v. **1.** intr. gostar muito, adorar. **2.** refl. ser doido por.

pirueta, s. f. pirueta, cabriola.

pirula, s. f. partida, patifaria.

piruleta, s. f. chupa-chupa.

pirulí, s. m. chupa-chupa.

pis, s. m. chichi, urina.

pisada, s. f. pisada; pegada; patada.

pisapapeles, s. m. pisa-papéis.

pisar, v. tr. pisar, calcar; machucar; moer.

piscicultura, s. f. piscicultura.

piscifactoría, s. f. viveiro de peixes.

piscina, s. f. piscina.

Piscis, s. m. Peixes (constelação).

piscolabis, s. m. merenda, refeição ligeira.

pisiforme, adj. 2 gén. pisiforme.

piso, s. m. pisada, pisadela, pisadura; soalho, solo, piso; pavimento, andar; sola (do sapato).

pisotear, v. tr. calcar, pisar; espezinhar.

pisotón, s. m. calcadela, pisadela.

pista, s. f. pista, rasto; pista, recinto para corridas.

pistacho, s. m. pistácio.

pistilo, s. m. BOT. pistilo.

pisto, s. m. espécie de guisado; confusão, baralhada; darse pisto, dar-se ares.

pistola, s. f. pistola.

pistolera, s. f. coldre.

pistolero, s. m. pistoleiro.

pistoletazo, s. m. tiro de pistola.

pistolete, s. m. pistolete.

pistón, s. m. MEC. pistão, êmbolo; cápsula fulminante (armas); MÚS. pistão, chave.

pistonudo, -a, adj. muito bom, magnífico, superior.

pita, s. f. BOT. piteira; apitadela, assobiadela.

pitada, s. f. apitadela, assobiadela; buzinadela.

pitanoso, -a, adj. remeloso, remelado.

pitar, v. intr. apitar, assobiar; buzinar.
pitido, s. m. assobio; silvo; buzinadela.
pitillera, s. f. cigarreira.
pitillo, s. m. cigarro.
pitiminí, s. m., de pitiminí, pequeno e delicado; rosal de pitiminí, rosa-de-toucar.
pito, s. m. assobio, apito; buzina, cláxon; cigarro.
pitón, s. 1. m. pitão, ponta do corno (do touro); gargalo. 2. f. pitão (cobra).
pitonisa, s. f. pitonisa, adivinha.
pitorrear-se, v. refl. ir-se, troçar, caçoar.
pitorreo, s. m. risota, troça, caçoada, chacota.
pitorro, s. m. gargalo.
pitote, s. m. alvoroto, algazarra, confusão.
pituitaria, s. f. pituitária.
pivot, s. m. pivô, centro, eixo.
pivotar, v. intr. girar, rodar.
pivote, s. m. vd. **pivot**.
pizarra, s. f. ardósia, lousa; quadro-preto.
pizarrín, s. m. lápis de lousa.
pizca, s. f. bocadinho, migalha.
pizpireta, adj. (fam.) pispirreta, espirituosa, viva (mulher).
pizza, s. f. piza.
pizzería, s. f. pizaria.
placa, s. f. placa, lâmina, chapa; venera, condecoração.
placaje, s. m. placagem.
placenta, s. f. placenta.
placentero, -a, adj. prazenteiro; alegre.
placer, I. s. m. prazer; contentamento; alegria; diversão. II. v. tr. aprazer, prazer, agradar, comprazer.
placidez, s. f. placidez.
plácido, -a, adj. plácido; tranquilo; sossegado.
plaga, s. f. praga, grande calamidade; flagelo.
plagado, -a, adj. cheio, infestado, invadido.
plagiar, v. tr. plagiar.
plagio, s. m. plagiato, plágio.
plan, s. m. plano, nível; intento; projecto; planta.
plana, s. f. página, lauda; lhanura, planície.
plancha, s. f. prancha, lâmina; ferro de engomar; NÁUT. prancha; pranchão.
planchado, -a, adj. passado a ferro; surpreendido, sem fala. II. s. m. passadela a ferro; brunidela; engomadela.

planchar, v. tr. passar a ferro; engomar (roupa).
planchazo, s. m. equívoco, erro; pranchada, barrigada (na água).
plancton, s. m. plâncton.
planeador, s. m. planador.
planear, v. 1. tr. planear, planejar, projectar. 2. intr. planar.
planeta, s. m. planeta.
planetario, -a, adj. e s. m. planetário.
planicie, s. f. planície.
planificación, s. f. planificação.
planificar, v. tr. planificar.
planisferio, s. m. planisfério.
plano, I. adj. plano, chão, liso. II. s. m. superfície plana.
planta, s. f. planta, parte inferior do pé; BOT. planta; ARQ. planta, projecto.
plantación, s. f. plantação; plantio.
plantado, -a, adj. plantado.
plantar, v. tr. plantar, cultivar; fincar, fixar.
plantamiento, s. m. formulação (de um problema); exposição (de uma teoria); fundamentação.
plantear, v. tr. delinear, traçar, propor, expor.
plantel, s. m. viveiro de plantas; conjunto, quadro (de pessoas).
plantígrado, -a, adj. e s. ZOOL. plantígrado.
plantilla, s. f. palmilha de sapato; remendo de meia; molde; quadro de pessoal.
plantío, s. m. plantio, plantação.
plantón, s. m. plantão, espera (a que se obriga alguém); rebento, planta para transplantar.
plañidera, s. f. carpideira.
plañidero, -a, adj. lastimoso, lamentoso.
plañido, -a, s. m. pranto, lamento, gemido.
plañir, v. intr. e tr. carpir, chorar, gemer.
plaqueta, s. f. plaqueta.
plasma, s. m. plasma.
plasmar, v. tr. plasmar.
plasta, s. 1. f. pasta, massa mole. 2. 2 gén. pessoa muito pesada.
plastelina, s. f. plasticina.
plástica, s f. plástica; artes plásticas.
plasticidad, s. f. plasticidade.
plástico, -a, adj. plástico, dúctil, mole; formativo.
plastificar, v. tr. plastificar.
plastilina, s. f. plasticina.
plata, s. f. prata; moeda, dinheiro.
plataforma, s. f. plataforma.

platanal, s. m. platanal.

platanar, s. m. bananal.

platanero, -a, I. adj. bananeiro. **II.** s. **1.** m. ou f. bananeira. **2.** m. e f. bananeiro, bananeira (negociante).

plátano, s. m. bananeira; banana (fruto).

platea, s. f. plateia.

plateado, -a, adj. prateado.

platear, v. tr. pratear.

plateresco, -a, adj. ARQ./ESC. plateresco.

platería, s. f. ourivesaria; joalharia.

platero, -a, s. m. prateador; ourives.

plática, s. f. conversa, palestra; prática.

platicar, v. tr. e intr. praticar, conversar.

platija, s. f. ZOOL. solha.

platillo, s. m. pratinho; prato de balança; pl. MÚS. pratos; platillo volante, platillo volador, disco voador.

platina, s. f. platina (de microscópio).

platinar, v. tr. platinar.

platino, s. m. platina (metal).

platinado, -a, adj. platinado, louro.

plato, s. m. prato; iguaria.

platónico, -a, adj. e s. platónico.

platonismo, s. m. platonismo.

plausible, adj. 2 gén. plausível; atendível, admissível.

playa, s. f. praia.

plaza, s. f. praça; lugar fortificado, praça--forte.

plazo, s. m. prazo; prestação.

plazoleta, s. f. praceta.

pleamar, s. f. preia-mar; maré cheia.

plebe, s. f. plebe, povo, gente comum e humilde.

plebeyo, -a, adj. e s. plebeu.

plebiscito, s. m. plebiscito.

plegable, adj. 2 gén. dobrável.

plegamiento, s. m. dobra, enrugamento.

plegar, v. tr. e refl. dobrar; enrugar; preguear; enrolar.

plegaria, s. f. prece, rogo, súplica; oração.

pleitear, v. tr. pleitear, litigar, demandar.

pleitesía, s. f. preito, homenagem.

pleito, s. m. pleito.

plenario, -a, adj. plenário, pleno, completo.

plenilunio, s. m. plenilúnio.

plenipotenciario, -a, adj. e s. plenipotenciário.

plenitud, s. f. plenitude.

pleno, -a, adj. pleno, cheio, inteiro, completo.

pleonasmo, s. m. pleonasmo.

pletina, s. f. porta-cassetes.

plétora, s. f. pletora.

pletórico, -a, adj. pletórico.

pleura, s. f. pleura.

pleural, adj. 2 gén. pleural.

pleuresía, s. f. pleurisia.

plexo, s. m. plexo.

pléyade, s. f. (fig.) plêiada, plêiade.

plica, s. f. carta-de-prego.

pliego, s. m. folha de papel (dobrada ao meio); carta, ofício, documento.

pliegue, s. m. dobra, prega, vinco, ruga.

plinto, s. m. plinto.

plisado, -a, adj. plissado, pregueado.

plisar, v. tr. preguear.

plomada, s. f. prumo, prumada; sonda; chumbada, chumbeira.

plomizo, -a, adj. plúmbeo.

plomo, s. m. chumbo; chumbada (das redes); ELECT. fusível; (fig.) chumbada, chatice; a plomo, a prumo, verticalmente.

pluma, s. f. pluma, pena.

plumaje, s. m. plumagem.

plumazo, s. m. penada; de un plumazo, de uma penada.

plumcake, s. m. bolo de frutas.

plumero, s. m. espanador; penacho de capacete.

plumier, s. m. porta-lápis.

plumilla, s. f. bico, aparo.

plumín, s. m. vd. **plumilla**.

plumón, s. m. penugem (de ave).

plural, adj. 2 gén. e s. m. plural.

pluralidad, s. f. pluralidade.

pluralista, adj. 2 gén. pluralista.

pluralizar, v. tr. pluralizar.

pluriempleo, s. m. pluriemprego.

plus, s. m. gratificação ocasional; bónus.

pluscuamperfecto, adj. e s. GRAM. mais--que-perfeito.

plusmarca, s. f. recorde.

plusmarquista, s. 2 gén. recordista.

plusvalía, s. f. mais-valia.

plúteo, s. m. prateleira (de estante de livros); gaveta de biblioteca; plúteo.

plutocracia, s. f. plutocracia.

plutócrata, s. 2 gén. plutocrata.

plutonio, . m. QUÍM. plutónio.

pluvial, adj. 2 gén. e s. m. pluvial.

pluviómetro, s. m. pluviómetro.

pluviosidad, s. f. pluviosidade.

pluvioso, -a, adj. pluvioso.

población, s. f. povoado, povoação; população.
poblado, s. m. povoado, povoação.
poblador, -a, adj. e s. povoador.
poblamiento, s. m. povoamento.
poblar, v. tr. povoar; ocupar; habitar.
pobre, adj. e s. 2 gén. pobre, pedinte; necessitado; infeliz.
pobretón, -ona, adj. e s. pobretão, pobretona; pobretana.
pobreza, s. f. pobreza, necessidade, falta.
pocero, s. m. poceiro.
pocho, -a, adj. murcho; deteriorado; indisposto; descolorido, pálido.
pocilga, s. f. pocilga.
pócima, s. f. porção, beberagem.
poción, s. f. poção.
poco, -a, I. adj. e s. m. pouco, escasso. II. adv. pouco.
poda, s. f. poda.
podadera, s. f. podadeira, podoa, podão.
podar, v. tr. podar.
podenco, s. m. podengo.
poder, I. v. tr. e intr. poder, ser capaz; poder, estar autorizado; ser possível, poder acontecer; dever; superar. II. s. m. poder, possessão, posse.
poderhabiente, s. m. e f. procurador; mandatário.
poderío, s. m. poderio.
poderoso, -a, adj. e s. poderoso.
podio, s. m. pódio.
podium, s. m. pódio.
podómetro, s. m. podómetro; conta-passos; hodómetro.
podredumbre, s. f. podridão.
podrido, -a, adj. apodrecido.
podrir, v. tr. e refl. apodrecer.
poema, s. m. poema.
poesía, s. f. poesia.
poeta, s. m. poeta.
poetastro, s. m. poetastro.
poético, -a, adj. poético.
poetisa, s. f. poetisa.
poetizar, v. tr. poetar; poetizar.
polaco, -a, adj. e s. polaco, polónio, da Polónia.
polaina, s. f. polaina.
polar, adj. 2 gén. polar.
polaridad, s. f. polaridade.
polarización, s. f. polarização.
polarizar, v. tr. polarizar.
polca, s. f. polca, polaca, polonesa.

polea, s. f. polé, roldana.
polémica, s. f. polémica, controvérsia.
polémico, -a, adj. polémico, controverso.
polemizar, v. tr. polemizar, debater.
polen, s. m. BOT. pólen.
poleo, s. m. BOT. poejo.
poliandria, s. f. poliandria.
poliarquía, s. f. poliarquia.
pólice, s. m. polegar, dedo.
policía, s. f. polícia.
policíaco, -a, adj. policial.
policial, adj. 2 gén. policial.
policlínica, s. f. policlínica.
policromía, s. f. policromia.
policromo, -a, adj. policromo.
polideportivo, -a, s. m. polidesportivo (pavilhão).
poliedro, adj. e s. m. poliedro.
poliéster, s. m. poliéster.
polietileno, s. m. polietileno.
polifacético, -a, adj. polifacetado.
polifásico, -a, s. f. adj. polifásico.
polifonía, s. f. polifonia.
polfónico, -a, adj. polifónico.
poligamia, s. f. poligamia.
polígamo, -a, adj. e s. polígamo.
polígloto, -a, adj. e s. poliglota.
poligonal, adj. 2 gén. poligonal.
polígono, s. m. polígono.
polígrafo, s. m. polígrafo.
polilla, s. f. traça, polilha; caruncho.
polimorfismo, s. m. polimorfia, polimorfismo.
polimorfo, -a, adj. polimorfo.
polinización, s. f. polinização.
polinizar, v. tr. polinizar.
polinomio, s. m. polinómio.
polio, s. f. polio(mielite).
poliomielitis, s. f. poliomielite.
pólipo, s. m. pólipo.
polis, s. f. pólis.
polisemia, s. f. polissemia.
polisémico, -a, adj. polissémico.
polisílabo, -a, I. adj. polissilábico, polissílabo. II. s. m. polissílabo.
polisintético, -a, adj. polissintético.
polisón, s. m. anquinhas.
politécnico, -a, adj. politécnico.
politeísmo, s. m. politeísmo; paganismo.
politeísta, adj. e s. 2 gén. politeísta.
política, s. f. política.
político, -a, adj. e s. político.
politiqueo, s. m. politiquia.
politizar, v. tr. politicizar, politizar.

polivalente, *adj.* 2 *gén.* polivalente.
póliza, *s. f.* apólice.
polizón, *s. m.* vagabundo; vadio; passageiro clandestino.
polizonte, *s. m.* (*fam.*) polícia.
polla, *s. f.* franga.
pollada, *s. f.* criação, ninhada.
pollera, *s. f.* saia, falda.
pollero, -a, *s. m. e f.* avicultor.
pollino, -a, *s. m. e f.* burrico; jumento.
pollo, *s. m.* pinto, frango.
polluelo, -a, *s. m. e f.* pintainho, franguinho.
polo, *s. m.* pólo.
poltrón, -ona, I. *adj.* poltrão, covarde.
II. *s. f.* poltrona.
poltronería, *s. f.* poltronice, covardia.
polución, *s. f.* poluição; polução.
polucionar, *v. tr.* poluir.
polvareda, *s. f.* poeirada.
polvera, *s. f.* caixa de pó-de-arroz; borla de pó-de-arroz.
polvo, *s. m.* pó, poeira.
pólvora, *s. f.* pólvora.
polvoriento, -a, *adj.* poeirento, empoeirado.
polvorín, *s. m.* polvorim; polvorinho; paiol.
polvoroso, -a, *adj.* poeirento.
pomada, *s. f.* pomada.
pomelo, *s. m.* toranja (árvore e fruto).
pómez (piedra), *s. f.* pedra-pomes.
pomo, *s. m.* puxador (de porta); botão (do punho da espada).
pompa, *s. f.* pompa, ostentação, fausto, vaidade; *pompas de jabón,* bolas de sabão.
pompi(s), *s. m.* (*fam.*) cu, traseiro.
pompo, -a, *adj.* rombo, embotado.
pompón, *s. m.* pompom.
pomposo, -a, *adj.* pomposo, ostentoso.
pómulo, *s. m.* pómulo; maçã do rosto.
ponche, *s. m.* ponche.
poncho, *s. m.* poncho.
ponderación, *s. f.* ponderação.
ponderado, a, *adj.* ponderado.
ponderar, *v. tr.* pesar; ponderar; examinar com cuidado; exagerar; equilibrar.
ponedero, *s. m.* ninheiro, poedouro, poedoiro.
ponencia, *s. f.* exposição; comunicação; depoimento.
ponente, *s.* 2 *gén.* relator, deponente.
poner, *v. tr.* pôr, colocar.
póney, *s. m.* pónei.
poniente, *s. m.* poente, ocidente.

pontificado, *s. m.* pontificado.
pontificar, *v. tr.* pontificar.
pontífice, *s. m.* pontífice.
pontificio, -a, *adj.* pontifício.
ponzoña, *s. f.* peçonha, veneno.
ponzoñoso, -a, *adj.* peçonhento, venenoso.
popa, *s. f.* popa.
pope, *s. m.* pope (sacerdote de rito grego).
popelín, *s. m.* popelina.
populacho, *s. m.* populacho, populaça.
popular, *adj.* 2 *gén.* popular.
popularidad, *s. f.* popularidade.
popularización, *s. f.* popularização.
popularizar, *v. tr.* popularizar.
populista, *adj.* 2 *gén.* populista.
populoso, -a, *adj.* populoso.
popurrí, *s. m.* miscelânea.
póquer, *s. m.* póquer.
poquito, -a, *adj.* pouquito.
por, *prep.* por.
porcelana, *s. f.* porcelana; esmalte de ourives.
porcentaje, *s. m.* percentagem.
percentual, *adj.* 2 *gén.* percentual.
porche, *s. m.* pórtico; varanda.
porcino, -a, *adj.* porcino.
porción, *s. f.* porção; ração.
pordiosero, -a, *adj.* e *s.* mendigo.
porfía, *s. f.* porfia; teima.
porfiar, *v. intr.* porfiar, disputar.
pormenor, *s. m.* pormenor.
pormenorizar, *v. tr.* pormenorizar.
porno, *adj.* porno(gráfico).
pornografía, *s. f.* pornografia.
pornográfico, -a, *adj.* pornográfico.
poro, *s. m.* poro.
porosidad, *s. f.* porosidade.
poroso, -a, *adj.* poroso.
porque, *conj.* porque.
porqué, *s. m.* porquê, causa.
porquería, *s. f.* porcaria.
porqueriza, *s. f.* pocilga.
porquerizo, -a, *s. m. e f.* porqueiro.
porquero, -a, *s. m. e f.* porqueiro.
porra, *s. f.* cacete, cacheira, moca.
porrada, *s. f.* cacetada; montão (de coisas).
porrazo, *s. m.* cacetada.
porrillo, -a, *loc. adv.* aos montes, às mãos-cheias.
porro, *m.* (*fam.*) charro.
porrón, *s. m.* botija; porrão.
portada, *s. f.* ARQ. fachada; portada, frontispício.

portador, -a, adj. e s. portador.
portaequipaje(s), s. m. porta-bagagens.
portaestandarte, s. m. porta-estandarte.
portafolios, s. m. pasta, dossier.
portaje, s. m. portagem.
portal, s. m. portal; pórtico.
portalón, s. m. NÁUT. portaló.
portamaletas, s. m. porta-bagagens.
portaminas, s. m. lapiseira.
portamonedas, s. m. porta-moedas.
portar, v. **1.** tr. levar ou trazer. **2.** refl. comportar-se, portar-se.
portátil, adj. 2 gén. portátil.
portaviandas, s. m. porta-comidas.
portavoz, s. m. porta-voz.
portazo, s. m. batimento de uma porta; no des portazos, não batas com a porta.
porte, s. m. porte.
porteador, -a, s. m. e f. carregador.
portear, v. **1.** tr. levar, conduzir, transportar, carregar. **2.** refl. emigrar (as aves). **3.** intr. bater (portas e janelas).
portela, s. f. portela.
portento, s. m. portento, prodígio.
portentoso, -a, adj. portentoso.
portería, s. f. portaria.
portero, -a, s. m. e f. porteiro; guarda-redes.
pórtico, s. m. pórtico.
portillo, s. m. portilha, seteira.
portuario, -a, adj. portuário.
portugués, -esa, adj. e s. português, de Portugal.
porvenir, s. m. porvir, futuro.
pos, prep. pós, detrás, depois.
posada, s. f. pousada, estalagem.
posaderas, s. f. pl. nádegas.
posadero, -a, s. m. e f. estalajadeiro, hospedeiro.
posar, v. **1.** intr. pousar, alojar-se, hospedar-se; descansar, repousar. **2.** refl. depositar-se, sedimentar-se, precipitar-se (líquidos).
posdata, s. f. pós-escrito (P. S.).
pose, s. f. pose.
poseedor, -a, adj. e s. possuidor, possessor.
poseer, v. tr. possuir; fruir.
posesión, s. f. possessão, posse.
posesivo, -a, adj. possessivo.
poseso, -a, adj. possesso.
posguerra, s. f. após-guerra.
posibilidad, s. f. possibilidade.
posibilitar, v. tr. possibilitar.

posible, adj. 2 gén. possível.
posición, s. f. posição.
positivismo, s. m. positivismo.
positivo, -a, adj. positivo.
pósito, s. m. depósito (de trigo e outros cereais).
posma, s. f. (fam.) fleuma, pachorra.
poso, s. m. borra; sedimento.
posología, s. f. posologia.
posponer, v. tr. pospor; pôr; preterir, postergar.
postal, adj. 2 gén. e s. m. postal.
poste, s. m. poste.
póster, s. m. póster.
postergación, s. f. postergação, preterição.
postergar, v. tr. postergar, preterir; atrasar.
posteridad, s. f. posteridade.
posterior, adj. 2 gén. posterior.
posteriormente, adv. posteriormente.
postgrado, s. m. curso após-graduação.
postigo, s. m. postigo; porta falsa.
postilla, s. f. crosta, bostela (nas chagas).
postín, s. m. (fam.) importância; darse postín, dar-se ares, fazer-se importante.
postizo, -a, adj. postiço.
postoperatorio, -a, adj. pós-operatório.
postor, s. m. licitador.
postración, s. f. prostração.
postrar, v. tr. prostrar; debilitar, abater.
postre, s. m. sobremesa.
postrero, -a, adj. último.
postrimería, s. f. últimos anos, finais; en las postrimerías del siglo, nos finais do século.
postulación, s. f. postulação.
postulado, s. m. postulado; princípio.
postulante, adj. 2 gén. postulante.
postular, v. tr. postular, pedir, solicitar.
póstumo, -a, adj. póstumo.
postura, s. f. postura, atitude, posição.
potable, adj. 2 gén. potável.
potaje, s. m. caldo, sopa; guisado de legumes; miscelânea, caldeirada.
potasa, s. f. potassa.
potasio, s. m. potássio.
pote, s. m. pote, cântaro grande.
potencia, s. f. potência, vigor; força; estado soberano; MAT. potência.
potencial, I. adj. 2 gén. potencial. **II.** s. m. **1.** potencial, capacidade. **2.** GRAM. condicional.
potenciar, v. tr. potenciar.

potentado, *s. m.* potentado.
potente, *adj.* 2 *gén.* potente; poderoso.
potestad, *s. f.* potestade.
potingue, *s. m.* cosméticos; mistela, beberagem.
potra, *s. f.* sorte; potra, poldra.
potro, *s. m.* potro, poldro; potro (tortura); cavalo (ginástica).
poyo, *s. m.* poial; banco de pedra.
poza, *s. f.* charco, poça; pego.
pozo, *s. m.* poço; pego; manancial.
práctica, *s. f.* prática, uso, experiência.
practicable, *adj.* 2 *gén.* praticável.
practicante, I. *adj.* 2 *gén.* praticante. **II.** *s.* 2 *gén.* enfermeiro, enfermeira.
practicar, *v.* **1.** *tr.* praticar, exercitar; jogar. **2.** *intr.* praticar, adquirir prática, treinar-se.
práctico, -a, I. *adj.* prático, experimentado. **II.** *s. m.* NÁUT. piloto.
pradera, *s. f.* pradaria.
prado, *s. m.* prado.
pragmático, -a, *adj.* pragmático.
pragmatismo, *s. m.* pragmatismo.
preámbulo, *s. m.* preâmbulo, prefácio.
preaviso, *s. m.* pré-aviso.
prebenda, *s. f.* prebenda.
precalentamiento, *s. m.* pré-aquecimento.
precariedad, *s. f.* precariedade.
precario, -a, *adj.* precário.
precaución, *s. m.* precaução, prevenção.
precaver, *v. tr.* precaver, acautelar.
precavido, -a, *adj.* precavido, prevenido.
precedencia, *s. f.* precedência; primazia.
precedente, *adj.* 2 *gén.* e *s. m.* precedente.
preceder, *v. tr.* preceder, anteceder.
preceptivo, -a, *adj.* preceitual, compulsivo.
precepto, *s. m.* preceito, mandato.
preceptor, -a, *s. m.* e *f.* preceptor, mentor, mestre.
preceptuar, *v. tr.* preceituar.
preces, *s. f. pl.* preces, orações.
preciado, -a, *adj.* prezado, estimado; precioso, valioso.
preciarse, *v. refl.* envaidecer-se; orgulhar-se; gabar-se.
precintar, *v. tr.* cintar; selar.
precinto, *s. m.* cinta; selo.
precio, *s. m.* preço.
preciosidad, *s. f.* preciosidade.
precioso, -a, *adj.* precioso, excelente.
precipicio, *s. m.* precipício, despenhadeiro.

precipitación, *s. f.* precipitação.
precipitado, -a, *adj.* precipitado.
precipitar, *v. tr.* e *refl.* precipitar, despenhar.
precisamente, *adv.* precisamente; exactamente.
precisar, *v. tr.* precisar; necessitar; precisar; especificar; explicitar.
precisión, *s. f.* precisão, exactidão.
preciso, -a, *adj.* necessário; fixo, exacto.
preclaro, -a, *adj.* preclaro, ilustre.
precocidad, *s. f.* precocidade.
precolombino, -a, *adj.* pré-colombiano.
preconcebido, -a, *adj.* preconcebido.
preconización, *s. f.* preconização.
preconizar, *v. tr.* preconizar; advogar; aconselhar.
precoz, *adj.* 2 *gén.* precoce; prematuro, antecipado.
precursor, -a, *adj.* e *s.* precursor.
predador, -a, *adj.* e *s.* predador.
predecesor, -a, *s. m.* e *f.* predecessor, antecessor.
predecir, *v. tr.* predizer, prognosticar.
predestinación, *s. f.* predestinação.
predestinado, -a, *adj.* e *s.* predestinado.
predestinar, *v. tr.* predestinar.
predeterminación, *s. f.* predeterminação.
predeterminar, *v. tr.* predeterminar.
prédica, *s. f.* prédica, pregação; sermão.
predicación, *s. f.* pregação, prédica.
predicado, *s. m.* predicado.
predicador, *s. m.* e *f.* pregador.
predicar, *v. tr.* pregar.
predicativo, -a, *adj.* predicativo.
predicción, *s. f.* predição.
predilección, *s. f.* predilecção.
predilecto, -a, *adj.* predilecto, preferido.
predio, *s. m.* prédio.
predisponer, *v. tr.* predispor.
predisposición, *s. f.* predisposição.
predispuesto, -a, *adj.* predisposto.
predominante, *adj.* 2 *gén.* predominante.
predominar, *v. intr.* predominar.
predominio, *s. m.* predomínio.
preeminencia, *s. f.* preeminência.
preeminente, *adj.* 2 *gén.* preeminente, superior.
preescolar, *adj.* 2 *gén.* pré-escolar.
preestablecer, *v. tr.* preestabelecer.
preestablecido, -a, *adj.* preestabelecido.

prefabricad|o, -a, *adj.* pré-fabricado.
prefacio, *s. m.* prefácio; prólogo.
prefecto, *s. m.* prefeito.
prefectura, *s. f.* prefeitura.
preferencia, *s. f.* preferência, primazia.
preferente, *adj. 2 gén.* preferencial.
preferible, *adj. 2 gén.* preferível.
preferiblemente, *adv.* preferivelmente, de preferência.
preferid|o, -a, *adj.* preferido, favorito.
preferir, *v. tr.* preferir.
prefijo, *s. m.* prefixo; indicativo.
pregón, *s. m.* pregão, divulgação; proclamas de casamento.
pregonar, *v. tr.* apregoar; anunciar; proclamar.
pregonero, *s. m.* pregoeiro.
pregunta, *s. f.* pergunta.
preguntar, *v. tr.* perguntar.
prehistoria, *s. f.* pré-história.
prehistóric|o, -a, *adj.* pré-histórico.
prejuicio, *s. m.* preconceito.
prejuzgar, *v. tr.* prejulgar, ter juízo formado sobre.
prelación, *s. f.* prelação.
prelado, *s. m.* prelado.
preliminar, *adj. 2 gén.* e *s. m.* preliminar.
preludiar, *v. tr.* preludiar; anunciar; iniciar.
preludio, *s. m.* prelúdio; iniciação; introdução.
prematrimonial, *adj. 2 gén.* pré-matrimonial.
prematur|o, -a, *adj.* prematuro, temporão, precoce.
premeditación, *s. f.* premeditação.
premeditad|o, -a, *adj.* premeditado.
premiar, *v. tr.* premiar, galardoar.
premio, *s. m.* prémio; recompensa.
premios|o, -a, *adj.* vagaroso; lento; tardo.
premisa, *s. f.* premissa.
premonición, *s. f.* premonição.
premonitori|o, -a, *adj.* premonitório.
premura, *s. f.* pressa, urgência, apuro.
prenatal, *adj. 2 gén.* pré-natal.
prenda, *s. f.* prenda, penhor, garantia; presente, dádiva; predicado; qualquer peça do vestuário.
prendar, *v.* **1.** *tr.* penhorar, empenhar; agradar. **2.** *refl.* afeiçoar-se; enamorar-se.
prendedor, *s. m.* alfinete; broche.
prender, *v. tr.* prender, agarrar, sujeitar, segurar; capturar, encarcerar.
prendimiento, *s. m.* prisão, captura.

prensa, *s. f.* prensa, prelo; imprensa.
prensad|o, -a, *adj.* prensado.
prensar, *v. tr.* prensar.
prensil, *adj. 2 gén.* preênsil.
preñad|o, -a, *adj.* prenhe, prenha.
preñez, *s. f.* prenhez, gravidez.
preocupación, *s. f.* preocupação.
preocupad|o, -a, *adj.* preocupado.
preocupar, *v.* **1.** *tr.* preocupar. **2.** *refl.* preocupar-se; ocupar-se; cuidar.
preparación, *s. f.* preparação.
preparad|o, -a, *adj.* e *s. m.* preparado.
preparador, -a, *s. m.* e *f.* preparador.
preparar, *v. tr.* preparar, prevenir, dispor.
preparativos, *s. m. pl.* preparativos.
preparatori|o, -a, *adj.* preparatório.
preponderancia, *s. f.* preponderância.
preponderante, *adj. 2 gén.*
preponderar, *v. intr.* preponderar.
preposición, *s. f.* preposição.
preposicional, *adj. 2 gén.* preposicional.
prepotencia, *s. f.* prepotência.
prepotente, *adj. 2 gén.* prepotente.
prepucio, *s. m.* prepúcio.
prerrogativa, *s. f.* prerrogativa, privilégio.
presa, *s. f.* presa; represa; açude; garra; *ave de presa,* ave de rapina.
presagiar, *v. tr.* pressagiar, vaticinar.
presagio, *s. m.* presságio, vaticínio, agouro.
presbicia, *s. f.* presbitia.
presbiterianismo, *s. m.* presbiterianismo.
presbiterian|o, -a, *adj.* e *s.* presbiteriano.
presbiterio, *s. m.* presbitério; capela-mor.
presbítero, *s. m.* presbítero, sacerdote.
prescindir, *v. intr.* prescindir.
prescribir, *v.* **1.** *tr.* prescrever, preceituar. **2.** *intr.* prescrever; perder validade; extinguir-se.
prescripción, *s. f.* prescrição; preceito, receita; extinção.
presencia, *s. f.* presença.
presencial, *adj. 2 gén.* presencial; *testigo presencial,* testemunha presencial.
presenciar, *v. tr.* presenciar.
presentable, *adj. 2 gén.* apresentável.
presentación, *s. f.* apresentação.
presentador, -a, *s. m.* e *f.* apresentador.
presentar, *v. tr.* apresentar, manifestar, exibir.
presente, *adj.* e *s. m.* presente.
presentimiento, *s. m.* pressentimento.
presentir, *v. tr.* pressentir, prever.
preservación, *s. f.* preservação.

preservar, *v. tr.* preservar, defender, resguardar.

preservativo, *s. m.* preservativo.

presidencia, *s. f.* presidência.

presidente, -a, *s. m. e f.* presidente.

presidiario, -a, *s. m. e f.* presidiário.

presidio, *s. m.* presídio; penitenciária.

presidir, *v. tr.* presidir.

presilla, *s. f.* presilha.

presión, *s. f.* pressão.

presionar, *v. tr.* pressionar.

preso, -a, *adj. e s.* preso.

prestación, *s. f.* empréstimo; prestação, tributo.

prestado, -a, *adj.* emprestado.

prestamista, *s. 2 gén.* prestamista, penhorista.

préstamo, *s. m.* empréstimo.

prestancia, *s. f.* elegância.

prestar, *v. tr.* emprestar; prestar, ajudar.

presteza, *s. f.* presteza, prontidão, ligereza.

prestidigitación, *s. f.* prestidigitação.

prestidigitador, -a, *s. m. e f.* prestidigitador.

prestigio, *s. m.* prestígio; fascínio; ascendente, influência.

prestigioso, -a, *adj.* prestigioso.

presto, -a, *adj.* presto, prestes, diligente.

presumido, -a, *adj. e s.* presumido; afectado.

presumir, I. *v. tr.* presumir, conjecturar. II. *v. intr.* ter presunção.

presunción, *s. f.* presunção, suspeita; vaidade.

presuntivo, -a, *adj.* presuntivo, presumível, provável.

presunto, -a, *adj.* presumido.

presuntuosidad, *s. f.* presunção, vaidade.

presuntuoso, -a, *adj.* presunçoso, presumido.

presuponer, *v. tr.* pressupor.

presuposición, *s. f.* pressuposição.

presupuesto, -a, I. *adj.* pressuposto. II. *s. m.* motivo, pretexto; suposição; orçamento; *los presupuestos generales del Estado*, o orçamento geral do Estado.

presuroso, -a, *adj.* pressuroso; veloz.

pretencioso, -a, *adj.* pretensioso, afectado.

pretender, *v. tr.* pretender.

pretendiente, *adj. e s. 2 gén.* pretendente.

pretensión, *s. f.* pretensão, solicitação.

pretérito, -a, *adj.* pretérito, passado. II. *s. m.* GRAM. pretérito.

pretextar, *v. tr.* pretextar.

pretexto, *s. m.* pretexto.

pretil, *s. m.* parapeito, varandim, peitoril.

pretor, *s. m.* pretor.

pretoriano, -a, *adj. e s.* pretoriano.

prevalecer *v. intr.* prevalecer.

prevalerse, *v. refl.* aproveitar-se, tirar vantagem de.

prevaricación, *s. f.* prevaricação.

prevaricar, *v. intr.* prevaricar.

prevención, *s. f.* prevenção.

prevenido, -a, *adj.* prevenido, avisado; acauetlado; provido.

prevenir, *v. tr.* prevenir; advertir, avisar.

preventivo, -a, *adj.* preventivo.

prever, *v. tr.* prever, pressupor.

previo, -a, *adj.* prévio.

previsible, *adj. 2 gén.* previsível.

previsiblemente, *adv.* previsivelmente.

previsión, *s. f.* previsão.

previsor, -a, *adj.* previdente, prudente.

previsto, -a, *adj.* previsto.

prieto, -a, *adj.* apertado.

prima, *s. f.* prima; matéria-prima; bónus, prémio de seguro; luvas, gratificação.

primacía, *s. f.* primazia.

primado, *s. m.* primaz.

primar *v.* 1. *tr.* recompensar; dar preferência a. 2. *intr.* predominar, sobressair.

primario, -a, *adj.* primário.

primavera, *s. f.* Primavera, estação do ano; primavera (planta); *(fig.)* juventude.

primaveral, *adj. 2 gén.* primaveril.

primer, *adj.* vd. **primero**.

primerizo, -a, *adj. e s.* novato, aprendiz; primípara.

primero, -a, *adj. e s.* primeiro.

primicia, *s. f.* primícia, primícias.

primípara, *s. f.* primípara.

primitivismo, *s. m.* primitivismo.

primitivista, *adj. e s. 2 gén.* primitivista.

primitivo, -a, *adj. e s.* primitivo.

primo, -a, I. *adj.* primo, primeiro; excelente. II. *s. m.* primo (parente); simplório, anjinho.

primogénito, -a, *adj. e s.* primogénito.

primor, *s. m.* primor.

primordial, *adj. 2 gén.* primordial, primitivo.

primoroso, -a, *adj.* primoroso, excelente, perfeito.

princesa, *s. f.* princesa.

principado, s. m. principado.
principal, adj. 2 gén. principal.
príncipe, s. m. príncipe.
principesco, -a, adj. principesco.
principiante, adj. e s. 2 gén. principiante.
principiar, v. tr. principiar, começar, iniciar.
principio, s. m. princípio.
pringado, -a, adj. sujo, manchado; anjinho, simplório, lorpa; implicado, encalacrado.
pringar, v. 1. tr. besuntar, untar; (fig.) ferir; infamar. 2. intr. estar implicado, ser conivente.
pringoso, adj. gordurento; ensebado.
pringue, m. pingue, banha, gordura.
prior, s. m. prior.
priora, s. f. prioresa, abadessa.
priorato, s. m. priorado.
prioridad, s. f. prioridade, primazia; precedência.
prisa, s. f. pressa, prontidão, rapidez.
prisión, s. f. prisão.
prisionero, -a, s. m. e f. prisioneiro.
prisma, s. m. prisma.
prismático, -a, adj. e s. prismático.
prístino, -a, adj. prístino, antigo, primitivo.
privación, s. f. privação.
privado, -a, adj. privado, particular; *en privado,* em privado, em particular.
privar, v. 1. tr. privar; despojar. 2. intr. ser da predilecção; estar na moda.
privativo, -a, adj. privativo; peculiar, próprio.
privatización, s. f. privatização.
privatizar, v. tr. privatizar.
privilegiado, -a, adj. privilegiado.
privilegiar, v. tr. privilegiar.
privilegio, s. m. privilégio.
pro, I. s. m. prol, proveito. II. *prep.* pro.
proa, s. f. proa.
probabilidad, s. f. probabilidade;
probable, adj. 2 gén. provável, verosímil.
probado, -a, adj. provado.
probador, s. m. gabinete de provas.
probar, v. tr. provar.
probeta, s. f. proveta.
probidad, s. f. probidade; honradez; honestidade.
problema, s. m. problema.
problemática, s. f. problemática.
problemático, -a, adj. problemático; duvidoso.

probo, -a, adj. probo.
procaz, adj. 2 gén. procaz, procace, insolente, petulante.
procedencia, s. f. procedência, proveniência; origem.
procedente, adj. 2 gén. procedente.
proceder, I. v. intr. proceder, agir; obrar. II. s. m. procedimento, comportamento;
procedimiento, s. m. procedimento; processo.
proceloso, -a, adj. proceloso.
prócer, s. m. prócere; magnate.
procesado, -a, adj. INFORM. processado; acusado, indiciado. II. s. m. e f. o acusado.
procesamiento, s. m. processamento.
procesar, v. tr. processar.
procesión, s. f. processão, procedência; procissão.
procesionaria, s. f. processionária (lagarta).
proceso, s. m. processo.
proclama, s. f. proclama.
proclamación, s. f. proclamação.
proclamar, v. tr. proclamar.
proclítico, -a, adj. proclítico.
proclive, adj. 2 gén. inclinado, propenso.
proclividad, s. f. proclividade.
procónsul, s. m. procônsul.
procreación, s. f. procriação.
procrear, v. tr. procriar.
procurador, -a, s. m. e f. procurador; mediador.
procurar, v. tr. procurar, investigar, buscar.
prodigalidad, s. f. prodigalidade.
prodigar, v. tr. prodigalizar.
prodigio, s. m. prodígio; maravilha; milagre.
prodigioso, -a, adj. prodigioso, maravilhoso; excelente, admirável.
pródigo, -a, adj. e s. pródigo, dissipador; generoso.
producción, s. f. produção.
producir, v. tr. produzir, procriar, criar; originar, ocasionar.
productividad, s. f. produtividade.
productivo, -a, adj. produtivo, rendoso, fértil.
producto, s. m. produto, resultado; lucro.
productor, -a, adj. e s. produtor.
proeza, s. f. proeza, façanha.
profanación, s. f. profanação.
profanamiento, s. m. profanação.

profanar, *v. tr.* profanar; macular, desonrar.

profano, -a, *adj. e s.* profano; libertino.

profecía, *s. f.* profecia.

proferir, *v. tr.* proferir, dizer.

profesar, *v. tr.* professar; exercer.

profesión, *s. f.* profissão.

profesional, I. *adj. 2 gén.* profissional, laboral. II. *s. 2 gén.* profissional.

profesionalidad, *s. f.* profissionalismo.

profesionalizar, *v. tr.* profissionalizar.

profesor, -a, *s. m. e f.* professor, mestre.

profesorado, *s. m.* professorado.

profeta, *s. m.* profeta.

profético, -a, *adj.* profético.

profetisa, *s. f.* profetisa.

profetizar, *v. tr.* profetizar; vaticinar.

profiláctico, -a, I. *adj.* profiláctico. II. *s. m.* preservativo.

profilaxis, *s. f.* profilaxia.

prófugo, -a, I. *adj.* prófugo, fugitivo. II. 1. *s. m. e f.* fugitivo. 2. *s. m.* MIL. desertor, refractário.

profundidad, *s. f.* profundidade.

profundizar, *v. tr. e intr.* aprofundar; meditar, concentrar-se.

profundo, -a, *adj.* profundo.

profusión, *s. f.* profusão, excesso, exuberância.

profuso, -a, *adj.* profuso, exuberante.

progenie, *s. f.* progénie, origem, prole.

progenitor, -a, *s. m. e f.* progenitor.

progesterona, *s. f.* progesterona.

prognosis, *s. f.* prognóstico.

programa, *s. m.* programa.

programación, *s. f.* programação.

programador, -a, *adj. e s.* programador.

programar, *v. tr.* programar.

progresar, *v. intr.* progredir.

progresión, *s. f.* progressão.

progresismo, *s. m.* progressismo.

progresista, *adj. e s. 2 gén.* progressista.

progresivo, -a, *adj.* progressivo.

progreso, *s. m.* progresso.

prohibición, *s. f.* proibição.

prohibicionista, *adj. 2 gén.* proibicionista.

prohibido, -a, *adj.* proibido.

prohibir, *v. tr.* proibir.

prohibitivo, -a, *adj.* proibitivo.

prohijamiento, *s. m.* perfilhação, adopção.

prohijar, *v. tr.* perfilhar; adoptar.

prójimo, *s. m.* próximo.

prolapso, *s. m.* prolapso.

prole, *s. f.* prole, progénie.

prolegómenos, *s. m. pl.* prolegómenos.

proletariado, *s. m.* proletariado.

proletario, -a, *adj. e s.* proletário, proletária.

proliferación, *s. f.* proliferação.

proliferar, *v. intr.* proliferar.

prolífico, -a, *adj.* prolífico.

prolijidad, *s. f.* prolixidade.

prolijo, -a, *adj.* prolixo, difuso.

prólogo, *s. m.* prólogo, prefácio; proémio.

prolongación, *s. f.* prolongação; prolongamento.

prolongado, -a, *adj.* prolongado.

prolongar, *v. tr. e refl.* prolongar, dilatar; estender.

promedio, *s. m.* média.

promesa, *s. f.* promessa.

prometedor, -a, *adj.* prometedor.

prometer, *v.* 1. *tr.* prometer. 2. *intr.* prometer, ser prometedor.

prometida, *s. f.* prometida, noiva.

prometido, -a, I. *adj.* prometido. II. *s. m.* prometido, noivo.

prominencia, *s. f.* proeminência, saliência.

prominente, *adj. 2 gén.* proeminente.

promiscuidad, *s. f.* promiscuidade.

promiscuo, -a, *adj.* promíscuo; indistinto.

promoción, *s. f.* promoção.

promocionar, *v. tr.* promover.

promontorio, *s. m.* promontório.

promotor, -a, *adj. e s.* promotor.

promover, *v. tr.* promover, fomentar; elevar.

promulgación, *s. f.* promulgação.

promulgar, *v. tr.* promulgar.

pronombre, *s. m.* pronome.

pronominal, *adj. 2 gén.* pronominal.

pronosticar, *v. tr.* prognosticar; predizer; prever.

pronóstico, *s. m.* prognóstico; previsão.

prontitud, *s. f.* prontidão, presteza; rapidez.

pronto, -a, I. *adj.* pronto, veloz, rápido. II. *s. m.* impulso. III. *adv.* depressa; cedo.

pronunciación, *s. f.* pronúncia, pronunciação.

pronunciado, -a, *adj.* pronunciado; acentuado, marcado.

pronunciamiento, s. m. pronunciamento; rebelião, levantamento.

pronunciar, v. tr. pronunciar, proferir, articular.

propagación, s. f. propagação.

propagar, v. tr. propagar, espalhar; difundir.

propalar, v. tr. propalar.

propano, s. m. propano (gás).

propasarse, v. refl. exceder-se, ir longe de mais.

propender, v. intr. propender.

propensión, s. f. propensão, tendência.

propenso, -a, adj. propenso.

propiciar, v. tr. propiciar.

propiciatorio, -a, adj. propiciatório.

propicio, -a, adj. propício, oportuno.

propiedad, s. f. propriedade.

propietario, -a, adj. e s. proprietário.

propina, s. f. gratificação, gorjeta.

propinar, v. tr. dar, ministrar, aplicar.

propio, -a, adj. próprio, peculiar.

proponer, v. tr. propor; alvitrar.

proporción, s. f. proporção.

proporcionado, -a, adj. proporcionado.

proporcional, adj. 2 gén. proporcional.

proporcionar, v. tr. proporcionar.

proposición, s. f. proposição.

propósito, s. m. propósito, intenção.

propuesta, s. f. proposta; moção; consulta.

propuesto, -a, adj. proposto.

propugnación, s. f. propugnação.

propugnar, v. tr. propugnar; advogar.

propulsar, v. tr. propulsionar; impulsionar.

propulsión, s. f. propulsão.

propulsor, -a, adj. e s. propulsor.

prórroga, s. f. prorrogação.

prorrogación, s. f. prorrogação.

prorrogar, v. tr. prorrogar.

prorrumpir, v. intr. prorromper, irromper.

prosa, s. f. prosa.

prosador, -a, s. m. e f. prosador, prosista.

prosaico, -a, adj. prosaico.

proscenio, s. m. proscénio.

proscribir, v. tr. proscrever, banir, desterrar, expulsar; abolir.

proscripción, s. f. proscrição; desterro.

proscripto, -a, adj. e s. proscrito.

proseguir, v. tr. prosseguir, continuar.

proselitismo, s. m. proselitismo.

prosélito, s. m. prosélito.

prosista, s. 2 gén. prosador.

prosodia, s. f. prosódia.

prosódico, -a, adj. prosódico.

prosopopeya, s. f. prosopopeia.

prospección, s. f. prospecção.

prospectar, v. tr. prospectar.

prospecto, s. m. prospecto, programa.

prosperar, v. intr. prosperar.

prosperidad, s. f. prosperidade, fortuna.

próspero, -a, adj. próspero, afortunado.

próstata, s. f. próstata.

prosternación, s. f. prosternação; prostração.

prosternarse, v. refl. prosternar-se; prostrar-se.

prostíbulo, s. m. prostíbulo, bordel, lupanar.

prostitución, s. f. prostituição; devassidão.

prostituir, v. tr. prostituir.

prostituta, s. f. prostituta, rameira.

protagonista, s. 2 gén. protagonista.

protagonizar, v. tr. protagonizar.

protección, s. f. protecção, amparo, auxílio.

proteccionismo, s. m. proteccionismo.

proteccionista, adj. e s. 2 gén. proteccionista.

protector, -a, adj. e s. protector.

protectorado, s. m. protectorado.

proteger, v. tr. proteger, defender, amparar.

protegido, -a, adj. e s. protegido.

proteico, -a, adj. proteico; proteiforme.

proteína, s. f. proteína.

prótesis, s. f. prótese.

protesta, s. f. protesto.

protestante, adj. e s. 2 gén. protestante.

protestantismo, s. m. protestantismo.

protestar, v. tr. protestar.

protocolario, -a, adj. protocolar; formal.

protocolo, s. m. protocolo.

protón, s. m. protão.

protoplasma, s. m. protoplasma.

prototipo, s. m. protótipo.

protozoo, s. m. protozoário.

protráctil, adj. 2 gén. protraível, protráctil.

protuberancia, s. f. protuberância.

protuberante, adj. 2 gén. protuberante.

provecho, s. m. proveito, benefício; utilidade.

provechoso, -a, adj. proveitoso.

proveedor, -a, s. m. e f. provedor.

proveer, v. tr. prover; dispor; conferir.

proveniente, *adj. 2 gén.* proveniente.
provenir, *v. intr.* provir, nascer, derivar.
proverbial, *adj. 2 gén.* proverbial.
proverbio, *s. m.* provérbio, adágio; rifão.
providencia, *s. f.* providência.
providencial, *adj. 2 gén.* providencial.
próvido, -a, *adj.* provido.
provincia, *s. f.* província.
provincial, *adj. 2 gén. e s. m.* provincial.
provinciala, *s. f.* provincial.
provincianismo, *s. m.* provincianismo.
provinciano, -a, *adj. e s.* provinciano.
provisión, *s. f.* provisão, fornecimento; despacho.
provisional, *adj. 2 gén.* provisório.
provocación, *s. f.* provocação.
provocador, -a, *adj. e s.* provocador.
provocar, *v. tr.* provocar, incitar, irritar.
provocativo, -a, *adj.* provocativo.
próximamente, *adv.* proximamente.
proximidad, *s. f.* proximidade.
próximo, -a, *adj.* próximo, vizinho, imediato.
proyección, *s. f.* projecção.
proyectar, *v. tr.* projectar, lançar, arremessar; projectar, planear.
proyectil, *s. m.* projéctil.
proyecto, *s. m.* projecto, plano, planta; intenção, desígnio.
proyector, *s. m.* projector.
prudencia, *s. f.* prudência, precaução, cautela.
prudencial, *adj. 2 gén.* prudente, conveniente.
prudente, *adj. 2 gén.* prudente.
prueba, *s. f.* prova, testemunho; argumento; ensaio.
prurito, *s. m.* MED. prurido, pruído.
psicoanálisis, *s. m.* psicanálise.
psicoanalista, *s. 2 gén.* psicanalista.
psicoanalítico, -a, *adj.* psicanalítico.
psicología, *s. f.* psicologia.
psicológico, -a, *adj.* psicológico.
psicólogo, -a, *s. m. e f.* psicólogo.
psicópata, *s. 2 gén.* psicopata.
psicopatía, *s. f.* psicopatia.
psicopático, -a, *adj.* psicopático.
psicopatología, *s. f.* psicopatologia.
psicosis, *s. f.* psicose.
psicosomático, -a, *adj.* psicossomático.
psicoterapeuta, *s. 2 gén.* psicoterapeuta.
● **psicoterapia,** *s. f.* psicoterapia.

psicótico, -a, *s. f.* psicótico.
psique, *s. f.* psique.
psiquiatra, *s. 2 gén.* psiquiatra.
psiquiatría, *s. f.* psiquiatria.
psiquiátrico, -a, *adj.* psiquiátrico.
psíquico, -a, *adj.* psíquico.
psoriasis, *s. f.* psoríase.
pterodáctilo, *s. m.* pterodáctilo.
púa, *s. f.* pua; aguilhão, farpa; enxerto; dente de pente.
púber, *f. adj. 2 gén.* púbere, pubescente. II. *s. 2 gén.* adolescente.
pubertad, *s. f.* puberdade.
púbico, -a, *adj.* púbico.
pubis, *s. m.* pube, púbis.
publicable, *adj. 2 gén.* publicável.
publicación, *s. f.* publicação.
públicamente, *adv.* publicamente.
publicar, *v. tr.* publicar.
publicidad, *s. f.* publicidade.
publicista, *s. 2 gén.* publicista.
publicitario, -a, *adj. e s.* publicitário.
público, -a, *adj. e s. m.* público.
pucherazo, *s. m.* fraude eleitoral.
puchero, *s. m.* panela, caçarola; cozido; beicinho, caramunha.
pudibundo, -a, *adj.* pudibundo.
pudicia, *s. f.* pudicícia.
púdico, -a, *adj.* pudico; casto.
pudiente, *adj. e s. 2 gén.* poderoso, rico.
pudim, *s. m.* pudim.
pudín, *s. m.* pudim.
pudor, *s. m.* pudor, vergonha; recato.
pudoroso, -a, *adj.* pudibundo.
pudrición, *s. f.* putrefacção.
pudrir, *v. tr. e refl.* apodrecer.
pueblo, *s. m.* povo; povoação; plebe.
puente, *s. m.* ponte.
puerco, -a, *s. m. e f.* porco; porca.
puericia, *s. f.* puerícia.
puericultor, -a, *s. m. e f.* puericultor.
puericultura, *s. f.* puericultura.
pueril, *adj. 2 gén.* pueril; fútil, trivial.
puerilidad, *s. f.* puerilidade, futilidade.
puerperal, *adj. 2 gén.* puerperal.
puérpera, *s. f.* puérpera, parturiente.
puerperio, *s. m.* puerpério.
puerro, *s. m.* BOT. porro, alho-porro.
puerta, *s. f.* porta.
puerto, *s. m.* porto.
pues, *conj.* pois.
puesta, *s. f.* colocação, posição; pôr (do Sol); postura (de ovos).

puesto, -a, I. adj. posto; colocado; vestido; trajado. II. s. m. posto, lugar, emprego.

pufo, s. m. brincadeira, partida.

púgil, s. m. pugilista.

pugilato, s. m. pugilato, boxe.

pugna, s. f. pugna; briga.

pugnar, v. intr. pugnar, pelejar, brigar.

pujante, adj. 2 gén. pujante, possante.

pujanza, s. f. pujança.

pujar, v. tr. esforçar-se; procurar suplantar; licitar (em leilão).

pujo, s. m. puxo, tenesmo.

pulcritud, s. f. pulcritude, beleza.

pulcro, -a, adj. pulcro, asseado.

pulga, s. f. pulga.

pulgada, s. f. polegada.

pulgar, s. m. polegar.

pulgón, s. m. pulgão.

pulgoso, -a, adj. pulguento, pulgoso.

pulido, -a, I. adj. polido, delicado, educado. II. s. m. polimento.

pulimentar, v. tr. polir, brunir; lustrar.

pulimento, s. m. polimento (substância para polir).

pulir, v. tr. polir, brunir; adornar; civilizar.

pulla, s. f. piada, gracejo, sarcasmo.

pulmón, s. m. pulmão.

pulmonar, adj. 2 gén. pulmonar.

pulmonía, s. f. pneumonia.

pulpa, s. f. polpa.

púlpito, s. m. púlpito.

pulpo, s. m. polvo.

pulsación, s. f. pulsação; palpitação.

pulsador, s. m. botão, interruptor; comutador.

pulsar, v. 1. tr. carregar em, pressionar (botão, tecla, etc.). 2. intr. pulsar, bater (coração).

pulsátil, adj. 2 gén. pulsátil.

pulsera, s. f. pulseira.

pulso, s. m. pulso; força, vigor.

pulular, v. intr. pulular, brotar; abundar.

pulverización, s. f. pulverização.

pulverizador, s. m. pulverizador.

pulverizar, v. tr. pulverizar.

puma, s. m. ZOOL. puma.

punción, s. f. punção.

puncionar, v. tr. punçar, puncionar, punçoar.

pundonor, s. m. pundonor, decoro, brio.

punible, adj. 2 gén. punível.

punición, s. f. punição, castigo.

punitivo, -a, adj. punitivo.

punta, s. f. ponta, extremo; vértice, extremidade afiada; esquina; ponta, tacha; GEOGR. ponta, cabo.

puntada, s. f. ponto (furo de agulha); alinhavo.

puntal, s. m. pontalete, espeque; pontal; esteio, apoio.

puntapié, s. m. pontapé; chuto.

punteado, -a, I. adj. ponteado, pontoado. II. s. m. MÚS. dedilhação.

puntear, v. tr. pontoar, pontear; granir, pontilhar; alinhavar; MÚS. dedilhar.

punteo, s. m. MÚS. dedilhação.

puntera, s. f. ponteira, biqueira; pontapé.

puntería, s. f. pontaria.

puntero, -a, I. adj. da vanguarda, de cartaz. II. s. m. ponteiro.

puntiagudo, -a, adj. pontiagudo.

puntilla, s. f. espiguilha (renda), pontilha; choupa.

puntilloso, -a, adj. irritadiço, susceptível; escrupuloso, cuidadoso.

punto, s. m. ponto.

puntuable, adj. 2 gén. pontuável.

puntuación, s. f. pontuação.

puntual, adj. 2 gén. pontual.

puntualidad, s. f. pontualidade.

puntualizar, v. tr. pormenorizar; especificar.

puntuar, v. 1. tr. pontuar; atribuir pontos; pôr os sinais gráficos. 2. intr. valer para a pontuação.

punzada, s. f. pontada; dor forte.

punzante, adj. 2 gén. pungente.

punzar, v. tr. punçar; afligir, pungir.

punzón, s. m. punção; buril.

puñado, s. m. punhado; mão-cheia.

puñal, s. m. punhal.

puñalada, s. f. punhalada.

puñeta, s. f. bordado nas mangas; (fig.) coisa aborrecida; chatice.

puñetazo, s. m. punhada, murro, soco.

puñetero, -a, adj. chato; malicioso; mal-intencionado; complicado, difícil.

puño, s. m. punho.

pupa, s. f. erupção nos lábios.

pupila, s. f. pupila (órfã a cargo de tutor); aluna, discípula; pupila, menina-do-olho.

pupilo, s. m. pupilo (órfão a cargo de tutor); aluno, discípulo.

pupitre, s. m. carteira (mesa escolar).

purasangre, s. m. puro-sangue.
puré, s. m. puré.
purera, s. f. charuteira.
pureza, s. f. pureza; virgindade; castidade.
purga, s. f. purga, purgante.
purgante, adj. 2 gén. e s. m. purgante.
purgar, v. tr. purgar, limpar; expiar; padecer; evacuar; (fig.) purificar, acrisolar.
purgatorio, s. m. Purgatório.
purificación, s. f. purificação.
purificador, -a, I. adj. e s. purificador. II. s. m. RELIG. sanguinho.
purificante, adj. 2 gén. purificante.
purificar, v. tr. purificar.
purismo, s. m. purismo.
purista, adj. e s. 2 gén. purista.
puritanismo, s. m. puritanismo.
puritan|o, -a, adj. e s. puritano; (fig.) rígido, austero.

pur|o, -a, I. adj. puro, genuíno; casto. II. s. m. charuto.
púrpura, s. f. púrpura; ZOOL. cochinilha.
purpúre|o, -a, adj. purpúreo.
purpurina, s. f. purpurina.
purulent|o, -a, adj. purulento.
pus, s. m. pus.
pusilánime, adj. e s. 2 gén. pusilânime, covarde.
pusilanimidad, s. f. pusilanimidade, cobardia.
pústula, s. f. pústula.
putrefacción, s. f. putrefacção.
putrefact|o, -a, adj. putrefacto, corrompido.
pútrid|o, -a, adj. pútrido, corrupto, podre.
puya, s. f. pua, aguilhão; pampilho; dito mal-intencionado, dichote.
puyazo, s. m. aguilhoada.
puzzle, s. m. quebra-cabeças.

Q

q, *s. f.* q, décima oitava letra do alfabeto espanhol.

que, *pron. e conj.* que, o qual.

quebrada, *s. f.* quebrada; depressão; passo, ravina.

quebradizo, -a, *adj.* quebradiço; frágil.

quebrado, -a, I. *adj. e s.* quebrado, falido; herniado; quebrantado, debilitado; **II.** *s. m.* MAT. quebrado.

quebradura, *s. f.* fissura; rotura; hérnia; quebrada, depressão; passo, ravina.

quebrantado, -a, *adj.* alquebrado, debilitado.

quebrantahuesos, *s. m.* ZOOL. brita-ossos.

quebrantamiento, *s. m.* quebrantamento; debilitação; violação (de uma lei).

quebrantar, *v. tr.* quebrar; quebrantar; alquebrar.

quebranto, *s. m.* (fig.) quebranto, desalento; prostração; fraqueza; dano.

quebrar, *v. tr.* quebrar.

quechua, *adj. e s. 2 gén.* quíchua.

quedar, *v. intr. e refl.* ficar, estar, quedar; permanecer; restar, sobrar; parar.

quedo, -a, *adj.* sossegado; baixa (voz).

quehacer, *s. m.* ocupação, trabalho.

queja, *s. f.* queixa.

quejarse, *v. refl.* queixar-se, lamentar-se.

quejica, *adj. e s. 2 gén.* queixinhas.

quejicoso, -a, *adj.* chorinca.

quejido, *s. m.* queixume, queixa, gemido.

quejigo, *s. m.* BOT. azinheira, azinho, azinheiro.

quejigueta, *s. f.* carrasqueiro.

quejoso, -a, *adj.* queixoso.

quejumbre, *s. f.* queixume, lamúria.

quejumbroso, -a, *adj.* lamuriento.

quelonio, *s. m.* quelónio.

quema, *s. f.* queima.

quemadero, *s. m.* incineradora.

quemado, *adj. e s. m.* queimado.

quemador, *s. m.* queimador, boca (de fogão a gás).

quemadura, *s. f.* queimadura.

quemar, *v. tr.* queimar.

quemarropa, *s. f., a quemarropa,* à queima-roupa.

quemazón, *s. f.* queimação, queima, queimadura; canícula; comichão.

quepis, *s. m.* quépi.

queratina, *s. f.* queratina, ceratina.

querella, *s. f.* querela; queixa, acusação.

querellante, *adj. e s. 2 gén.* querelante.

querellarse, *v. refl.* queixar-se; promover querela.

querencia, *s. f.* querença.

querer, I. *v. tr.* querer, desejar, amar. **II.** *s. m.* querer, carinho, afecto.

querido, -a, *adj. e s.* querido; amante.

quermes, *s. m.* quermes.

quermés, *s. f.* quermesse, arraial; bazar.

querubín, *s. m.* querubim.

quesada, *s. f.* queijada.

quesadilla, *s. f.* queijada.

quesera, *s. f.* queijeira.

quesería, *s. f.* queijaria.

quesero, -a, *adj. e s.* queijeiro, queijeira.

queso, *s. m.* queijo.

quevedos, *s. m. pl.* lunetas.

¡quia!, *interj.* (fam.) qual!

quichua, *adj. e s. 2 gén.* quíchua.

quicial, *s. m.* couceira, coiceira (da porta).

quicio, *s. m.* quício, quiço, gonzo (de porta ou janela).

quid, *s. m.* quid, motivo.

quiebra, *s. f.* quebra, rotura; bancarrota, falência; colapso.

quiebro, *s. m.* TAUR. quiebro; requebro; MÚS. trilo, trinado.

quien, *pron.* quem.

quienquiera, *pron.* qualquer, quem quer.

quieto, -a, *adj.* quieto; sossegado.

quietud, *s. f.* quietude, quietação; sossego.

quijada, *s. f.* queixada, queixo.

quijera, *s. f.* faceira (dos arreios).

quijotada, *s. f.* quixotada.

quijote, *s. m.* quixote.

quijotesco, -a, *adj.* quixotesco.

quijotismo, *s. m.* quixotismo.

quilate, *s. m.* quilate.

quilífero, -a, *adj.* quilífero.

quilificación, *s. f.* quilificação.

quilificar, *v. tr.* e *refl.* quilificar.
quilla, *s. f.* quilla.
quilo, *s. m.* quilo; quilograma.
quilogramo, *s. m.* quilograma.
quimbambas, *s. f. pl.* quintos, Cascos de Rolha.
quimera, *s. f.* quimera; utopia.
quimérico, -a, *adj.* quimérico, fabuloso.
química, *s. f.* química.
quimioterapia, *s. f.* quimioterapia.
quimo, *s. m.* quimo.
quimono, *s. m.* quimono.
quina, *s. f.* quina (no jogo); BOT. quina-quina.
quinario, *adj.* quinário.
quincalla, *s. f.* quinquilharia, miudezas de pouco valor.
quincallería, *s. f.* fábrica, loja ou comércio de quinquilharias.
quincallero, -a, *s. m.* e *f.* quinquilheiro.
quince, *num.* quinze.
quincena, *s. f.* quinzena.
quincenal, *adj. 2 gén.* quinzenal.
quincuagenario, -a, *adj.* e *s.* quinquagenário.
quincuagésima, *s. f.* Quinquagésima.
quincuagésimo, -a, *adj.* e *s.* quinquagésimo.
quingentésimo, -a, *num.* quingentésimo.
quinientos, -as, *num.* quinhentos.
quinina, *s. f.* quinina.
quino, *s. m.* BOT. quina.
quinqué, *s. m.* lamparina de azeite.
quinquenal, *adj. 2 gén.* quinquenal.
quinquenio, *s. m.* quinquénio.
quinqui, *s. 2 gén.* (*fam.*) delinquente juvenil.
quinta, *s. f.* quinta (casa de campo); sorteio militar.

quintal, *s. m.* quintal (peso).
quintar, *v. tr.* quintar; sortear (sorteio militar).
quinteto, *s. m.* quinteto.
quintilla, *s. f.* quintilha.
quinto, -a, **I.** *adj.* e *s.* quinto. **II.** *s. m.* o sorteado para o serviço militar.
quintuplicación, *s. f.* quintuplicação.
quintuplicar, *v. tr.* e *refl.* quintuplicar.
quíntuplo, -a, *adj.* e *s. m.* quíntuplo.
quiñón, *s. m.* quinhão.
quiosco, *s. m.* quiosque.
quiquiriquí, *s. m.* cocorocó.
quiragra, *s. f.* quiragra.
quirófano, *s. m.* sala de operações.
quiromancía, *s. f.* quiromancia.
quiromántico, -a, *s. m.* e *f.* quiromante.
quiróptero, -a, *adj.* e *s.* quiróptero.
quirúrgico, -a, *adj.* cirúrgico.
quisicosa, *s. f.* enigma.
quisquilla, *s. f.* frioleira, bagatela; camarão (crustáceo).
quisquilloso, -a, *adj.* e *s.* impertinente, rabugento.
quiste, *s. m.* quisto.
quita, *s. f.* quitação, quita, quitança.
quitación, *s. f.* renda, ordenado, salário.
quitamanchas, *s. m.* tira-nódoas.
quitamiedos, *s. m.* rails de protecção.
quitanieves, *s. m.* limpa-neves.
quitar, *v. tr.* tirar; resgatar; furtar; roubar; usurpar, arrebatar; desobrigar.
quitasol, *s. m.* guarda-sol; sombrinha.
quite, *s. m.* estorvo, embaraço.
quitina, *s. f.* quitina.
quitinoso, -a, *adj.* quitinoso.
quito, -a, *adj.* quite, livre; pago, saldado.
quizás, *adv.* quiçá; talvez.
quórum, *s. m.* quórum.

R

r, *s. f.* r, décima nona letra do alfabeto espanhol.
rabadilla, *s. f.* rabadilha, rabadela; rabada; uropígio.
rabanera, *s. f.* desavergonhada, sem-vergonha.
rabanillo, *s. m.* rabanete.
rábano, *s. m.* rábano, rabanete.
rabear, *v. intr.* rabear.
rabel, *s. m.* arrabil.
rabera, *s. f.* rabeira, traseira.
rabí, *s. m.* rabi.
rabia, *s. f.* raiva, hidrofobia; (*fig.*) ira, cólera.
rabiar, *v. intr.* raivar; (*fig.*) enfurecer-se, rabiar; padecer; zangar-se.
rabiatar, *v. tr.* amarrar pelo rabo.
rábico, -a, *adj.* rábico.
rabieta, *s. f.* amuo, perrice; zanga.
rabilar, *v. tr.* peneirar.
rabilargo, -a, *adj. e s. m.* rabilongo.
rabillo, *s. m.* rabinho; BOT. pecíolo, pedúnculo.
rabinismo, *s. m.* rabinismo.
rabino, *s. m.* rabino.
rabión, *s. m.* rápido (dum rio).
rabioso, -a, *adj. e s.* raivoso; colérico.
rabo, *s. m.* rabo, cauda.
rabón, -ona, *adj.* rabão.
raboseada, *s. f.* amarrotadela.
rabosear, *v. tr.* amarrotar.
racanear, *v. intr.* poupar; ser mesquinho, ser forreta; fugir ao trabalho; vadiar.
racaneo, *s. m.* vd. **racanería.**
racanería, *s. f.* tacanhez, mesquinhez; preguiça, ociosidade.
rácano, -a, *adj.* tacanho, mesquinho, forreta; preguiçoso, malandro.
racha, *s. f.* rajada, pé-de-vento; (*fig.*) período; série.
racheado, -a, *adj.* de rajada (vento).
racial, *adj. 2 gén.* racial.
racimo, *s. m.* racimo (cacho de uvas).
raciocinar, *v. tr.* raciocinar, ponderar.
raciocinio, *s. m.* raciocínio.
ración, *s. f.* ração.
racional, *adj. 2 gén.* racional.
racionalidad, *s. f.* racionalidade.

racionalismo, *s. m.* racionalismo.
racionalista, *adj. e s. 2 gén.* racionalista.
racionalización, *s. f.* racionalização.
racionalizar, *v. tr.* racionalizar.
racionalmente, *adv.* racionalmente.
racionamiento, *s. m.* racionamento.
racionar, *v. tr.* racionar.
racismo, *s. m.* racismo.
racista, *adj. e s. 2 gén.* racista.
rada, *s. f.* rada, enseada.
radar, *s. m.* radar.
radiación, *s. f.* radiação.
radiactividad, *s. f.* radiactividade, radioactividade.
radiactivo, -a, *adj.* radiactivo, radioactivo.
radiado, -a, *adj. e s.* radiado.
radiador, *s. m.* radiador.
radial, *adj. 2 gén.* radial.
radián, *s. m.* radiano.
radiante, *adj. 2 gén.* radiante.
radiar, *v. intr.* radiar, irradiar.
radicación, *s. f.* radicação.
radical, I. *adj. 2 gén.* radical. II. *s. m.* GRAM./MAT. radical.
radicalismo, *s. m.* radicalismo.
radicalizar, *v. tr.* radicalizar.
radicando, *s. m.* MAT. radicando.
radicar, *v.* 1. *intr.* estar, encontrar-se; consistir; radicar. 2. *refl.* radicar; estabelecer-se; arraigar-se; firmar-se.
radio, *s.* 1. *m.* raio; rádio (osso); rádio (metal). 2. *f.* radiodifusão; radioemissor.
radioactividad, *s. f.* radioactividade.
radioaficionado, -a, *s. m. e f.* radioamador.
radiobiología, *s. f.* radiobiologia.
radiocasete, *s. f.* audiocassete, radiocassete.
radiocontrol, *s. m.* radiocontrol.
radiocomunicación, *s. f.* radiocomunicação.
radiodifusión, *s. f.* radiodifusão.
radioelectricidad, *s. f.* radioelectricidade.
radiofónico, -a, *adj.* radiofónico.
radiofotografía, *s. f.* radiofotografia.

radiofrecuencia, s. f. radiofrequência.
radiografía, s. f. radiografia.
radiografiar, v. tr. radiografar.
radiología, s. f. radiologia.
radiólogo, -a, s. m. e f. radiologista.
radiometría, s. f. radiometria.
radionovela, s. f. radionovela.
radiorreceptor, s. m. radiorreceptor.
radioscopia, s. f. radioscopia.
radiotaxi, s. m. radiotáxi.
radiotecnia, s. f. radiotecnia.
radiotelefonía, s. f. radiotelefonia.
radioteléfono, s. f. radiotelefone.
radiotelegrafía, s. f. radiotelegrafia.
radiotelegráfico, -a, s. f. radiotelegráfico.
radiotelegrafista, s. 2 gén. radiotelegrafista.
radiotelescopio, s. m. radiotelescópio.
radiotelevisión, s. f. radiotelevisão.
radioterapia, s. f. radioterapia.
radiotransmisión, s. f. radiemissão, radioemissão.
radiotransmisor, s. m. radiemissor, radioemissor.
radioyente, s. 2 gén. radiouvinte.
radón, s. m. radão.
raedura, s. f. raspaduras.
raer, v. tr. raspar, rapar; raer.
ráfaga, s. f. rajada, lufada, pé-de-vento.
ragú, s. m. ragu, guisado.
raid, s. m. raid, expedição, percurso.
raído, -a, adj. raspado, coçado, rafado.
raigambre, s. f. raizame; (fig.) as raízes, as origens.
rail, s. m. carril, trilho, rail.
raíz, s. f. raiz.
raja, s. f. racha, fenda; lasca; fatia.
rajá, s. m. rajá.
rajado, -a, adj. falso, desleal, covarde.
rajar, v. 1. tr. rachar, quebrar; cortar às fatias; (gír.) anavalhar. 2. intr. gabar-se; falar muito, tagarelar. 3. refl. partir-se; (fam.) desistir; acobardar-se.
rajatabla, s. f. a rajatabla, tintim por tintim; exactamente; à letra.
ralea, s. f. classe, espécie, jaez, laia; gente de la misma ralea, gente da mesma laia.
rallador, s. m. ralador.
ralladura, s. f. raladura, raspadura.
rallar, v. tr. ralar; importunar.
rallo, -a, adj. ralo, raro.

rama, s. f. BOT. rama; ramo; galho; ramificação.
ramadán, s. m. Ramadã, Ramadão.
ramaje, s. m. ramagem; ramaria, rama; ramada.
ramal, s. m. ramal; derivação, desvio; (fig.) ramificação.
ramalazo, s. m. ataque; modos efeminados.
ramalear, v. intr. cabrestear.
ramazón, s. f. ramalhada; ramalhos.
rambla, s. f. leito de águas pluviais; margem arenosa dos rios; avenida.
ramera, s. f. rameira; prostituta.
ramificación, s. f. ramificação.
ramificarse, v. refl. ramificar-se, dividir-se em ramos.
ramillete, s. m. ramilhete, ramalhete.
ramiza, s. f. ramalhada, ramalhos.
ramo, s. m. ramo, ramalhete (de flores); ramo, galho (de árvore); sector, especialidade.
ramojo, s. m. ramalhada, ramalhos.
ramoso, -a, adj. ramoso, ramalhudo.
rampa, s. f. rampa, ladeira, declive.
rampante, adj. 2 gén. HERÁLD. rampante.
ramplón, -ona, adj. tosco, grosseiro; vulgar, corriqueiro.
ramplonería, s. f. vulgaridade; grosseria.
rana, s. f. ZOOL. rã.
ranchero, s. m. rancheiro.
rancho, s. m. MIL. rancho, quinta, granja.
rancidez, s. f. rancidez, ranço.
ranciedad, s. f. rancidez, ranço.
rancio, -a, adj. rançoso; (fig.) velho, antigo.
randa, s. 1. f. renda. 2. m. ladrão, carteirista.
rango, s. m. classe, categoria, posto.
ranura, s. f. ranhura, encaixe, entalhe.
rapacidad, s. f. rapacidade.
rapapolvo, s. m. (fam.) repreensão, reprimenda.
rapar, v. tr. e refl. rapar, barbear; rapar o cabelo; (fig., fam.) furtar.
rapavelas, s. m. (fam.) sacristão.
rapaz, I. adj. 2 gén. rapaz, rapace; rapinante. II. s. 1. f. pl. ZOOL. rapaces, rapinas 2. s. m. rapaz.
rapaza, s. f. rapariga.
rape, s. m. (fam.) corte de barba ou cabelo; peixe-diabo.
rapé, adj. e s. rapé.

rapidez, s. f. rapidez, velocidade.
rápido, -a, adj. rápido, veloz, impetuoso.
rapiña, s. f. rapina, roubo, saque.
rapiñar, v. tr. rapinar.
raposa, s. f. raposa.
raposeo, s. m. raposice, malícia, astúcia.
raposera, s. f. raposeira; toca de raposa.
raposo, s. m. raposo.
rapsodia, s. f. rapsódia.
raptar, v. tr. raptar.
rapto, s. m. rapto; impulso; rapina; êxtase, arroubo.
raptor, -a, adj. e s. raptor, raptador.
raqueta, s. f. raqueta.
raquídeo, -a, adj. raquidiano.
raquis, s. m. ráquis.
raquítico, -a, adj. e s. raquítico; exíguo; débil.
raquitismo, s. m. raquitismo.
rareza, s. f. rareza, raridade.
rarificar, v. tr. rarefazer.
raro, -a, adj. raro; extravagante; rarefeito.
ras, s. m. al ras, rente, curto; *a ras de*, ao nível de, rente a.
rasante, I. adj. 2 gén. rasante. II. s. f. inclinação.
rasar, v. tr. rasar, rasourar; rasar, nivelar, igualar; roçar, raspar.
rascacielos, s. m. arranha-céus.
rascador, s. m. rascador; debulhador (de milho); raspador, lixa.
rascar, v. tr. e refl. rascar, coçar; arranhar; limpar com rascador.
rascón, -ona, adj. rascante, carrascão.
rasero, s. m. rasoura, rasoira, rasa; *por el mismo rasero*, pela mesma rasa, imparcialmente, sem fazer distinção.
rasgado, -a, adj. rasgado, aberto, espaçoso.
rasgador, -a, adj. rasgador.
rasgadura, s. f. rasgão.
rasgar, v. tr. e refl. rasgar; romper; lacerar.
rasgo, s. m. rasgo, traço de pena ou de pincel; expressão feliz; acção notável.
rasgón, s. m. rasgão, rasgadela.
rasguear, v. 1. tr. zangarrear. 2. intr. fazer letra floreada.
rasgueo, s. m. rasgadura, rasgamento; zangarreado.
rasguñar, v. tr. arranhar; rascunhar; esboçar.

rasguño, s. m. arranhadela; rascunho; esboço.
rasilla, s. f. sarja; ladrilho.
raso, -a, I. adj. raso, plano, liso; claro, limpo; sem graduação, raso. II. s. m. cetim.
raspa, s. f. espinha (de peixe); aresta, pragana (cereais).
raspado, -a, adj. raspado; arranhado.
raspador, s. m. raspador; raspadeira.
raspadura, s. f. raspagem; raspas.
raspar, v. tr. raspar; rapar, picar (o vinho); roçar.
raspilla, s. f. miosótis.
rasposo, -a, adj. áspero.
rastra, s. f. rasto, vestígio; ancinho; grade, instrumento agrícola; réstia; rede de arrasto.
rastreador, -a, adj. rastejador; rastreador, detector.
rastrear, v. 1. tr. rastear, rastrear; detectar; dragar; indagar (por sinais). 2. intr. trabalhar com o ancinho ou a grade; voar baixo.
rastreo, s. m. rastreio; rocega.
rastrero, -a, adj. rasteiro, rastejante; vil, desprezível.
rastrillar, v. tr. rastelar (o linho ou o cânhamo); recolher o feno (com o ancinho); gradar, esterroar.
rastrillo, s. m. rastelo; ancinho; comporta; feira da ladra.
rastro, s. m. rastro, ancinho; rasto, vestígio; feira da ladra.
rastrojar, v. tr. restolhar.
rastrojera, s. f. restolhal, restolha.
rastrojo, s. m. restolho; resteva.
rasurar, v. tr. barbear.
rata, s. f. ZOOL. rata, ratazana; pessoa má; adj. e s. 2 gén. pessoa tacanha.
ratafía, s. f. ratafia (licor).
rataplán, s. m. rataplã, rufo.
ratear, v. 1. tr. ratear; furtar, surripiar. 2. intr. rastejar.
rateo, s. m. ZOOL. rateio; divisão proporcional.
ratería, s. f. ratonice, ladroeira, gatunice; vileza.
ratero, -a, s. m. e f. ratoneiro.
raticida, s. m. raticida.
ratificación, s. f. ratificação.
ratificar, v. tr. e refl. ratificar, validar, confirmar.

ratio, *s. f.* rácio.

rato, *s. m.* momento, bocado.

ratón, *s. m.* ZOOL. rato; *ratón de biblioteca,* rato de biblioteca.

ratona, *s. f.* rata.

ratonar, *v. tr.* ratar, roer (o rato).

ratonera, *s. f.* ratoeira.

ratoner|o, -a, I. *adj.* rateiro. II. *s. m.* milhafre.

raudal, *s. m.* torrente, caudal de água; *(fig.)* abundância.

raud|o, -a, *adj.* impetuoso, violento, precipitado.

rauta, *s. f.* rota, caminho.

raya, *s. f.* raia, risca; raia, termo, fronteira; estria; GRAM. travessão; ZOOL. raia (peixe).

rayadillo, *s. m.* riscado (tecido de algodão).

rayad|o, -a, *adj.* e *s. m.* raiado, riscado.

rayan|o, -a, *adj.* limítrofe, confinante; fronteiriço; raiano.

rayar, *v.* 1. *tr.* raiar, riscar, sublinhar. 2. *intr.* confinar; alvorecer, amanhecer.

rayo, *s. m.* raio.

raza, *s. f.* raça, casta, origem, estirpe; geração; qualidade; greta, fenda, racha.

razia, *s. f.* razia, incursão, raid.

razón, *s. f.* razão.

razonable, *adj.* 2 *gén.* razoável, aceitável; regular.

razonad|o, -a, *adj.* razoado, razoável.

razonamiento, *s. m.* razoamento; raciocínio, arrazoado; argumentação.

razonar, *v. intr.* raciocinar, arrazoar, razoar.

razzia, *s. f.* razia, saque, destruição.

re, *s. m.* MÚS. ré.

reacción, *s. f.* reacção, resistência.

reaccionar, *v. intr.* reagir, resistir.

reaccionari|o, -a, *adj.* e *s.* reaccionário.

reaci|o, -a, *adj.* renitente, obstinado.

reactiv|o, -a, *adj.* e *s. m.* reactivo, reagente.

readmisión, *s. f.* readmissão.

reafirmar, *v. tr.* reafirmar.

reagravación, *s. f.* reagravação.

reagravar, *v. tr.* e *refl.* reagravar, exacerbar.

real, *adj.* 2 *gén.* real, verdadeiro; real, relativo ao rei ou à realeza; régio; sumptuoso.

realce, *s. m.* realce, relevo, distinção.

realeng|o, -a, *adj.* realengo, régio, real.

realeza, *s. f.* realeza.

realidad, *s. f.* realidade; verdade, sinceridade.

realismo, *s. m.* realismo.

realista, *adj.* e *s.* 2 *gén.* realista.

realizable, *adj.* 2 *gén.* realizável.

realización, *s. f.* realização.

realizador, -a, *s. m.* e *f.* realizador.

realizar, *v. tr.* realizar, efectuar.

realquilar, *v. tr.* realugar.

realzar, *v. tr.* realçar, salientar; bordar em relevo, recamar.

reanimar, *v. tr.* e *refl.* reanimar, confortar.

reanudar, *v. tr.* renovar, repetir, relembrar; retomar; reatar.

reaparecer, *v. intr.* reaparecer.

reaparición, *s. f.* reaparição.

reapertura, *s. f.* reabertura.

rearmar, *v. tr.* rearmar.

rearme, *s. m.* rearme.

reaseguro, *s. m.* resseguro.

reasumir, *v. tr.* reassumir.

reasunción, *s. f.* reassunção.

reata, *s. f.* reata, arreata.

reatadura, *s. f.* reatamento.

reatar, *v. tr.* reatar.

reavivar, *v. tr.* e *refl.* reavivar, estimular.

rebaba, *s. f.* rebarba; aresta.

rebaja, *s. f.* abatimento, desconto; *pl.* saldos.

rebajar, *v. tr.* rebaixar; humilhar, abater.

rebajo, *s. m.* rebaixo.

rebanada, *s. f.* rabanada, fatia (de pão).

rebanar, *v. tr.* esfatiar, fatiar; talhar.

rebaño, *s. m.* rebanho.

rebasar, *v. tr.* trasbordar, transbordar, ultrapassar.

rebatible, *adj.* 2 *gén.* rebatível.

rebatimiento, *s. m.* rebatimento.

rebatir, *v. tr.* rebater, repetir, rechaçar; impugnar, refutar.

rebato, *s. m.* rebate, alarme.

rebautizar, *v. tr.* rebaptizar.

rebeco, *s. m.* camurça.

rebelarse, *v. refl.* rebelar-se.

rebelde, *adj.* e *s.* 2 *gén.* rebelde, rebel; indócil, desobediente.

rebeldía, *s. f.* rebeldia.

rebelión, *s. f.* rebelião, revolta, sublevação.

reblandecer, *v. tr.* amolecer, abrandar.

reblandecimiento, *s. m.* amolecimento, abrandamento.

rebobinad|o, -a, *adj.* rebobinado.

rebobinar, *v. tr.* rebobinar.

rebordante, *adj.* 2 *gén.* desbordante, cheio, a tansbordar.

reborde, *s. m.* rebordo, ressalto, moldura.

rebosadura, *s. f.* trasbordamento, transbordamento.

rebosamiento, *s. m.* vd. **rebosadura.**

rebosar, *v. intr. e refl.* trasbordar, transbordar.

rebotación, *s. f.* sufocação, exasperação.

rebotadura, *s. f.* rechaço, repulsão.

rebotar, *v.* **1.** *intr.* ressaltar; ricochetear. **2.** *tr.* revirar, rebater, arrebitar; cardar.

rebote, *s. m.* repulsão, rebote.

rebotica, *s. f.* laboratório.

rebozad|o, -a, *adj.* CUL. panado.

rebozar, *v. tr. e refl.* rebuçar, embuçar.

rebozo, *s. m.* rebuço; disfarce, pretexto.

rebujad|o, -a, *adj.* emaranhado, enredado; desordenado.

rebujar, *v. tr.* vd. **arrebujar.**

rebujiña, *s. f.* alvoroto, alvoroço.

rebullir, *v. intr. e refl.* reanimar-se; bulir.

rebumbar, *v. tr.* zunir, sibilar (a bala do canhão).

rebuscad|o, -a, *adj.* rebuscado; afectado.

rebuscamiento, *s. m.* rebusca; amaneiramento, arrebique.

rebuscar, *v. tr.* rebuscar, esquadrinhar.

rebuznar, *v. intr.* zurrar; ornear.

rebuzno, *s. m.* zurro, orneio, ornejo.

recadar, *v. tr.* alcançar, obter.

recader|o, -a, *s. m. e f.* recadeiro, recadista.

recado, *s. m.* recado, mensagem.

recaer, *v. intr.* recair, incidir.

recaída, *s. f.* recaída.

recalar, *v.* **1.** *tr.* embeber, encharcar. **2.** *intr.* NÁUT. atracar; mostrar-se, aparecer. **3.** *refl.* penetrar a pouco e pouco (um líquido), infiltrar-se.

recalcar, *v. tr.* recalcar; ajustar; sublinhar.

recalcitrante, *adj. 2 gén.* recalcitrante.

recalcitrar, *v. intr.* recalcitrar, obstinar-se.

recalentamiento, *s. m.* reaquecimento.

recalentar, *v. tr.* requentar, reaquecer; sobreaquecer, aquecer demasiado.

recamado, *s. m.* recamo.

recamar, *v. tr.* recamar.

recámara, *s. f.* recâmara; guarda-roupa; câmara (de arma de fogo).

recambiar, *v. tr.* trocar, devolver; COM. recambiar.

recambio, *s. m.* recâmbio.

recamo, *s. m.* recamo.

recapacitar, *v. tr. e intr.* reflectir, meditar, pensar bem.

recapitulación, *s. f.* recapitulação.

recapitular, *v. tr.* recapitular.

recarga, *s. f.* recarga.

recargar, *v. tr.* recarregar; sobrecarregar; exagerar.

recargo, *s. m.* sobrecarga.

recatad|o, -a, *adj.* recatado; reservado; honesto; modesto.

recatar, *v.* **1.** *tr.* recatar, ocultar, esconder, acautelar. **2.** *refl.* recatar-se, precaver-se; ser prudente.

recato, *s. m.* recato, cautela, reserva; modéstia.

recauchutad|o, -a, *adj.* recauchutado.

recauchutar, *v. tr.* recauchutar.

recaudación, *s. f.* recebimento; recebedoria, tesouraria de finanças.

recaudador, *s. m.* recebedor.

recaudamiento, *s. m.* recebimento.

recaudar, *v. tr.* cobrar, receber, arrecadar, guardar; acautelar.

recaudo, *s. m.* recebimento; recebedoria; precaução; recato.

recelar, *v. tr.* recear, temer, suspeitar.

recelo, *s. m.* receio, temor.

recelos|o, -a, *adj.* receoso.

recensión, *v. tr.* recensão, crítica, resenha.

recental, *adj. 2 gén.* de mama, mamão.

recepción, *s. f.* recepção.

receptáculo, *s. m.* receptáculo.

receptar, *v. tr.* receptar.

receptiv|o, -a, *adj.* receptivo.

receptor, -a, *adj. e s.* receptor.

recesión, *s. f.* recessão.

recesiv|o, -a, *adj.* recessivo.

receso, *s. m.* recesso, retiro.

receta, *s. f.* MED. receita, prescrição; CUL. receita; fórmula.

recetar, *v. tr.* receitar, prescrever; aconselhar.

recetario, *s. m.* MED. receituário; CUL. livro de receitas.

rechace, *s. m.* DESP. rechaço; defesa.

rechazar, *v. tr.* rechaçar, afastar; defender; MED. rejeitar.

rechazo, *s. m.* recusa; MED. rejeição; nega; negativa; *de rechazo,* de ricochete.

rechinar, *v. intr.* rechinar; ranger.

rechistar, *v. intr.* replicar, respingar, tergiversar.

rechonch|o, -a, *adj.* rechonchudo, reboludo.

rechupete, *de rechupete,* de chupeta, magnífico.

recibidor, *s. m.* antessala.

recibiente, *adj. 2 gén.* recebedor.

recibimiento, *s. m.* recebimento, recepção; acolhida, acolhimento; antessala.

recibir, *v. tr.* receber, aceitar.

recibo, *s. m.* recepção; recibo, quitação.

reciclado, -a, *adj.* reciclado.

reciclaje, *s. m.* reciclagem.

reciclar, *v. tr.* reciclar.

reciedumbre, *s. f.* força, fortaleza, vigor.

recién, *adv.* recém, recentemente.

reciente, *adj. 2 gén.* recente.

recincho, *s. m.* cinto de esparto.

recinto, *s. m.* recinto.

recio, -a, *adj.* rijo, forte; gordo; áspero; grave.

recipiente, *s. m.* receptáculo; recipiente.

reciprocidad, *s. f.* reciprocidade.

recíproco, -a, *adj.* recíproco, mútuo.

recitación, *s. f.* recitação.

recitado, *s. m.* recitativo, recitação.

recitar, *v. tr.* recitar, declamar.

recitativo, *s. m.* recitativo.

reclamación, *s. f.* reclamação.

reclamar, *v.* **1.** *tr.* reclamar, exigir. **2.** *intr.* protestar.

reclamo, *s. m.* reclamo, chamariz.

reclinar, *v. tr. e refl.* reclinar, encostar.

reclinatorio, *s. m.* genuflexório.

recluir, *v. tr.* prender; encerrar; internar (manicómio).

reclusión, *s. f.* reclusão, cárcere.

recluso, -a, *adj. e s.* recluso.

recluta, *s.* **1.** *f.* recruta, recrutamento. **2.** *m. e f.* recruta.

reclutamiento, *s. m.* recrutamento.

reclutar, *v. tr.* recrutar.

recobrar, *v. tr.* recobrar; recuperar; readquirir; reparar.

recocer, *v. tr. e refl.* recozer.

recochinearse, *v. refl.* rir-se (de), escarnecer, troçar (de).

recochineo, *s. m.* troça, escárnio, risota, galhofa.

recocido, -a, *s. m.* recozimento; recozido, recocto.

recodar, *v. intr. e refl.* recostar-se; formar cotovelo (um rio, caminho, etc.).

recodo, *s. m.* ângulo, cotovelo, volta, curva (duma rua, caminho, rio, etc.).

recogedor *s. m.* apanhador.

recoger, *v. tr.* recolher, apanhar, guardar.

recogido, -a, 1. *adj.* recolhido, retraído. **II.** *s. m.* apanhado, tomado (vestuário, penteado).

recogimiento, *s. m.* recolhimento.

recolección, *s. f.* recompilação, resumo; recolecção; ceifa, colheita.

recolectar, *v. tr.* reunir; recolher, colher (os produtos agrícolas).

recomendable, *adj. 2 gén.* recomendável.

recomendación, *s. f.* recomendação.

recomendado, -a, *adj. e s.* recomendado; protegido.

recomendar, *v. tr.* recomendar.

recomenzar, *v. tr.* recomeçar.

recompensa, *s. f.* recompensa, prémio.

recompensar, *v. tr.* recompensar, premiar.

recomponer, *v. tr.* recompor, reparar.

recomposición, *s. f.* recomposição.

recompuesto, -a, *adj.* recomposto.

reconcentrar, *v. tr.* reconcentrar.

reconciliable, *adj. 2 gén.* reconciliável.

reconciliación, *s. f.* reconciliação.

reconciliar, *v. tr.* reconciliar, congraçar.

reconcomerse, *v. refl.* roer-se, remorder-se; *reconcomerse de invidia,* roer-se de inveja.

reconcomio, *s. m.* receio, suspeita; rancor, ressentimento.

recóndito, -a, *adj.* recôndito.

reconfortar, *v. tr.* reconfortar; animar.

reconocer, *v. tr.* reconhecer.

reconocible, *adj. 2 gén.* reconhecível.

reconocido, -a, *adj.* reconhecido.

reconocimiento, *s. m.* reconhecimento; gratidão.

reconquista, *s. f.* reconquista.

reconquistar, *v. tr.* reconquistar; readquirir; recuperar.

reconsiderar, *v. tr.* reconsiderar.

reconstitución, *s. f.* reconstituição.

reconstituir, *v. tr.* reconstituir, refazer.

reconstituyente, *adj. 2 gén.* reconstituinte.

reconstrucción, *s. m.* reconstrução.

reconstruir, *v. tr.* reconstruir.

recontar, *v. tr.* recontar.

reconvención, *s. f.* recriminação.

reconvenir, *v. tr.* recriminar.

reconversión, *s. f.* reconversão.

reconvertir, *v. tr.* reconverter.

recopilación, *s. f.* recompilação, resumo.
recopilador, *s. m.* recompilador.
recopilar, *v. tr.* recompilar, compendiar.
récord, *s. m.* recorde.
recordar, *v. tr.* recordar, lembrar.
recordatorio, *s. m.* recordação, lembrança; RELIG. memento.
recorrer, *v. tr.* recorrer, percorrer.
recorrido, *s. m.* trajecto, percurso; itinerário, caminho.
recortar, *v. tr.* recortar.
recorte, *s. m.* recorte.
recostar, *v. tr.* recostar, reclinar.
recoveco, *s. m.* voltas e reviravoltas (ruas, becos, etc.); rodeios, artifícios.
recrear, *v.* 1. *tr.* recrear; entreter; recriar, reproduzir. 2. *refl.* recrear-se, divertir-se.
recreativo, -a, *adj.* recreativo.
recreo, *s. m.* recreio, diversão, divertimento.
recriar, *v. tr.* reproduzir.
recriminación, *s. f.* recriminação.
recriminar, *v. tr.* recriminar, censurar, acusar.
recriminatorio, -a, *adj.* recriminatório.
recrudecer, *v. intr.* recrudescer; aumentar, agravar-se.
recrudecimiento, *s. m.* recrudescimento.
rectangular, *adj.* 2 *gén.* rectangular.
rectángulo, -a, I. *adj.* rectangular. II. *s. m.* rectângulo.
rectificación, *s. f.* rectificação.
rectificar, *v. tr.* rectificar; corrigir, purificar.
rectilíneo, -a, *adj.* rectilíneo.
rectitud, *s. f.* rectidão.
recto, -a, I. *adj.* recto, direito; justo. II. *s. m.* ANAT. recto.
rector, -a, I. *adj.* regente, dirigente. II. *s. m.* e *f.* reitor, reitora.
rectorado, *s. m.* reitoria; reitorado.
rectoral, *adj.* 2 *gén.* reitoral.
rectoria, *s. f.* reitoria.
rectriz, *s. f.* rectriz.
recua, *s. f.* récua.
recuadro, *s. m.* ARQ. cercadura; TIP. caixa; quadratura.
recubierto, -a, *adj.* recoberto.
recubrimiento, *s. m.* recobrimento.
recubrir, *v. tr.* recobrir.
recudir, *v.* 1. *tr.* pagar o que se deve, solver, liquidar. 2. *intr.* voltar ao ponto de partida.

recuelo, *s. m.* barrela, lixívia, decoada.
recuento, *s. m.* contagem; apuramento de resultados.
recuerdo, *s. m.* recordação, lembrança, memória; presente; *pl.* cumprimentos.
reculada, *s. f.* recuo.
recular, *v. intr.* recuar.
recuperable, *adj.* 2 *gén.* recuperável.
recuperación, *s. f.* recuperação.
recuperar, *v. tr.* recuperar, readquirir; recobrar.
recurrible, *adj.* 2 *gén.* recorrível, apelável.
recurrente, *adj.* 2 *gén.* recorrente.
recurrir, *v. intr.* recorrer, apelar.
recurso, *s. m.* recurso, meio, expediente; petição.
recusable, *adj.* 2 *gén.* recusável.
recusación, *s. f.* recusa, rejeição.
recusar, *v. tr.* recusar.
red, *s. f.* rede; ardil; vias de comunicação.
redacción, *s. f.* redacção.
redactar, *v. tr.* redigir, escrever, redactar.
redactor, -a, *s. m.* e *f.* redactor.
redada, *s. f.* redada.
redaño, *s. m.* redenho.
redar, *v. tr.* redar.
redargución, *s. f.* redarguição.
redargüir, *v. tr.* redarguir, replicar.
redecilla, *s. f.* rodinha; rede do cabelo; segundo estômago dos ruminantes.
rededor, *s. m.* arredores; *al rededor,* ao redor.
redención, *s. f.* redenção.
redentor, -a, *adj.* e *s.* redentor.
redentorista, *s. m.* e *f.* redentorista.
redicho, -a, *adj.* e *s.* presumido, pedante.
redil, *s. m.* redil, curral.
redimible, *adj.* 2 *gén.* redimível.
redimir, *v. tr.* e *refl.* redimir, remir, resgatar.
redingote, *s. m.* sobrecasaca.
rédito, *s. m.* rédito, lucro, juro, renda.
redoblar, *v.* 1. *tr.* redobrar; repetir, reiterar. 2. *intr.* rufar o tambor.
redoma, *s. f.* redoma.
redomado, -a, *adj.* refinado. consumado.
redondear, *v. tr.* arredondar, redondear.
redondel, *s. m.* círculo; arena, redondel.
redondez, *s. f.* redondeza; curvatura.
redondilla, *s. f.* redondilha.
redondo, -a, *adj.* redondo; curvo.
reducción, *s. f.* redução.
reducido, -a, *adj.* reduzido.

reducir, *v. tr.* reduzir, resumir; diminuir, retrair.

reductible, *adj. 2 gén.* redutível.

reducto, *s. m.* reduto, baluarte.

reductor, -a, *adj.* redutor.

redundancia, *s. f.* redundância, pleonasmo.

redundante, *adj. 2 gén.* redundante, excessivo.

redundar, *v. intr.* trasbordar; abundar; redundar, sobejar; resultar.

reduplicación, *s. f.* reduplicação.

reduplicar, *v. tr.* reduplicar, repetir, redobrar.

reedición, *s. f.* reedição.

reedificación, *s. f.* reedificação.

reedificar, *v. tr.* reedificar, reconstruir.

reeditar, *v. tr.* reeditar.

reelección, *s. f.* reeleição.

reelecto, -a, *adj.* reeleito.

reelegible, *adj. 2 gén.* reelegível.

reelegir, *v. tr.* reeleger.

reembolsable, *adj. 2 gén.* reembolsável.

reembolsar, *v. tr.* reembolsar.

reembolso, *s. m.* reembolso.

reemplazable, *adj. 2 gén.* substituível.

reemplazar, *v. tr.* substituir.

reemplazo, *s. m.* substituição; MIL. recrutamento.

reemprender, *v. tr.* retomar; recomeçar.

reencarnación, *s. f.* reencarnação.

reencarnarse, *v. refl.* reencarnar.

reencuentro, *s. m.* reencontro, recontro.

reengancharse, *v. refl.* realistar-se.

reestrenar, *v. tr.* CIN. reestrear, repor.

reestreno, *s. m.* CIN. reestreia, reposição.

reestructuración, *s. f.* reestruturação.

reestructurar, *v. tr.* reestruturar.

reexpedir, *v. tr.* reexpedir.

reexportar, *v. tr.* reexportar.

regajo, *s. m.* saiote.

relectorio, *s. m.* refeitório.

referencia, *s. f.* referência, alusão.

referendo, *s. m.* referendo.

referéndum, *s. m.* referendo.

referente, *adj. 2 gén.* referente.

referir, *v. tr.* referir, aludir, narrar.

refilón, *de refilón, loc. adv.* de soslaio.

refinado, -a, **I.** *adj.* refinado; delicado; invulgar; selecto; elegante. **II.** *s. m.* refinação.

refinador, *s. m.* refinador.

refinamiento, *s. m.* refinamento, esmero; astúcia.

refinar, *v.* **1.** *tr.* refinar; aperfeiçoar; polir. **2.** *refl.* refinar-se, polir-se.

refinería, *s. f.* refinaria.

reflectante, *adj. 2 gén.* e *s. m.* reflector.

reflector, -a, *adj.* e *s. m.* reflector.

reflejar, *v. tr.* reflectir (luz); mostrar, manifestar.

reflejo, -a, **I.** *adj.* reflectido; reflexo; ponderado; reflexo; reflexivo. **II.** *s. m.* reflexo.

reflexión, *s. f.* reflexão; prudência, meditação.

reflexionar, *v. tr.* reflectir, ponderar.

reflexivo, -a, *adj.* reflexivo.

reflorecer, *v. intr.* reflorescer; rejuvenescer, remoçar.

reflujo, *s. m.* refluxo.

reforma, *s. f.* reforma.

reformable, *adj. 2 gén.* reformável.

reformador, -a, *adj.* e *s.* reformador.

reformar, *v. tr.* reformar, restaurar, modificar, emendar.

reformatorio, *s. m.* reformatório.

reformismo, *s. m.* reformismo.

reformista, *adj.* e *s. 2 gén.* reformista.

reforzado, -a, *adj.* reforçado.

reforzar, *v. tr.* reforçar, engrossar.

refracción, *s. f.* refracção.

refractar, *v. tr.* refractar, refranger.

refractario, -a, *adj.* refractário.

refractivo, -a, *adj.* refractivo.

refrán, *s. m.* rifão, adágio, anexim, refrão.

refranero, *s. m.* adagiário.

refrangibilidad, *s. f.* refrangibilidade.

refrangible, *adj. 2 gén.* refrangível.

refregar, *v. tr.* esfregar, roçar, friccionar.

refreír, *v. tr.* tornar a frigir ou a fritar.

refrenar, *v. tr.* refrear, sofrear; reprimir.

refrendación, *s. f.* referenda, aval.

refrendar, *v. tr.* referendar, avalizar.

refrescante, *adj. 2 gén.* refrescante.

refrescar, *v. tr.* refrescar, refrigerar.

refresco, *s. m.* refresco; refrigério.

refriega, *s. f.* refrega, recontro.

refrigeración, *s. f.* refrigeração; refrigério.

refrigerado, -a, *adj.* refrigerado.

refrigerador, *s. m.* refrigerador.

refrigerante, *adj. 2 gén.* e *s. m.* refrigerante.

refrigerar, *v. tr.* refrigerar; refrescar.

refrigerio, *s. m.* refrigério; consolação, alívio.

refringente, *adj.* 2 *gén.* refringente, refractivo.

refuerzo, *s. m.* reforço.

refugiado, -a, *adj.* e *s.* refugiado.

refugiar, *v. tr.* e *refl.* refugiar, abrigar, esconder.

refugio, *s. m.* refúgio, abrigo; amparo; asilo.

refulgencia, *s. f.* refulgência, resplendor.

refulgente, *adj.* 2 *gén.* refulgente.

refulgir, *v. intr.* refulgir, resplandecer; brilhar.

refundición, *s. f.* refundição.

refundir, *v. tr.* refundir.

refunfuñar, *v. intr.* resmungar; resmonear.

reunfuñón, -ona, *adj.* e *s.* resmungão, resmungona; rezingão, rezingona.

refutable, *adj.* 2 *gén.* refutável.

refutación, *s. f.* refutação.

refutar, *v. tr.* refutar, rebater, desmentir.

regadera, *s. f.* regador.

regadío, -a, *adj.* e *s. m.* regadio.

regala, *s. f.* bordo da amurada.

regalado, -a, *adj.* oferecido; barato; grátis; delicado; agradável, regalado, confortável.

regalar, *v. tr.* presentear; dar; oferecer; bajular; deleitar.

regalía, *s. f.* regalia; privilégio.

regaliz, *s. m.* alcaçuz.

regalo, *s. m.* presente; brinde; regalo, prazer; comodidade.

regañadientes, *a regañadientes*, contra vontade.

regañar, *v. intr.* rosnar (o cão); gretar (a fruta); ralhar, repreender.

regañina, *s. f.* repreensão; quezília, disputa.

regaño, *s. m.* arreganho.

regañón, -ona, *adj.* e *s.* rabugento; rezingão, rezingona.

regar, *v. tr.* regar; espargir.

regata, *s. f.* regata; canal de irrigação.

regate, *s. m.* furtadela; escapatória, subterfugio.

regateador, *s. m.* e *f.* regateador.

regatear, *v. tr.* regatear.

regateo, *s. m.* regateio.

regato, *s. m.* charco; regato, ribeirinho.

regatón, *s. m.* ponteira, conto (de lança, bengala, etc.); NÁUT. croque.

regazo, *s. m.* regaço.

regencia, *s. f.* regência.

regeneración, *s. f.* regeneração.

regenerador, -a, *adj.* e *s.* regenerador.

regenerar, *v. tr.* e *refl.* regenerar, melhorar.

regenta, *s. f.* regente (professora).

regente, -a, *s. m.* e *f.* regente.

regicida, *adj.* e *s.* 2 *gén.* regicida.

regicidio, *s. m.* regicídio.

regidor, -a, I. *adj.* regedor. II. *s. m.* vereador.

régimen, *s. m.* regime, regímen; dieta.

regimentar, *v. tr.* arregimentar.

regimiento, *s. m.* regimento.

regio, -a, *adj.* régio, real, sumptuoso.

región, *s. f.* região, território, lugar.

regional, *adj.* 2 *gén.* regional.

regionalismo, *s. m.* regionalismo.

regionalista, *adj.* 2 *gén.* regionalista.

regir, *v. tr.* reger, dirigir.

registrado, -a, *adj.* registado.

registrador, -a, *adj.* e *s.* registador, registrador.

registrar, *v. tr.* registar, registrar.

registro, *s. m.* registo, registro.

regla, *s. f.* régua; regra, lei; menstruação; norma.

reglado, -a, *adj.* regrado, sóbrio; pautado.

reglaje, *s. m.* regulação, ajustamento.

reglamentación, *s. f.* regulamentação.

reglamentar, *v. tr.* regulamentar.

reglamentario, -a, *adj.* regulamentar, regulamentário.

reglamento, *s. m.* regulamento, regra.

reglar, I. *adj.* 2 *gén.* regular. II. *v. tr.* regrar, pautar; sujeitar a regras; regular.

regleta, *s. f.* faia, entrelinha, regreta; espaço.

regocijar, *v. tr.* regozijar, alegrar, festejar.

regocijo, *s. m.* regozijo, júbilo; festa.

regodearse, *v. refl.* (*fam.*) regozijarse, deleitar-se, recrear-se.

regodeo, *s. m.* regozijo; deleite, delícia.

regoldar, *v. intr.* arrotar, eructar.

regordete, -a, *adj.* (*fam.*) gorducho, reboludo, rechonchudo.

regresar, *v. intr.* regressar, retroceder.

regresión, *s. f.* regressão, retrocesso.

regresivo, -a, *adj.* regressivo.

regreso, *s. m.* regresso.

regruñir, *v. intr.* grunhir de novo.

regüeldo, *s. m.* eructação; arroto.

reguera, *s. f.* rego, canal de irrigação.

reguero, *s. m.* regueiro, regueira; canal de irrigação.

regulable, *adj. 2 gén.* regulável.
regulación, *s. f.* regulação.
regulador, -a, *s. m.* regulador.
regular, I. *adj. 2 gén.* regulado, ajustado; regular; medido. **II.** *v. tr.* regular, regulamentar; medir, ajustar.
regularidad, *s. f.* regularidade.
regularizador, -a, *adj. e s.* regularizado.
regularizar, *v. tr.* regularizar, ajustar.
regulativo, -a, *adj. e s.* regulador.
regurgitar, *v. intr.* regurgitar.
regusto, *s. m.* ressaibo.
rehabilitación, *s. f.* reabilitação.
rehabilitar, *v. tr. e refl.* reabilitar.
rehacer, *v. tr.* refazer, corrigir, consertar.
rehacimiento, *s. m.* refazimento.
rehecho, -a, *adj.* refeito.
rehén, *s. m.* refém.
rehilete, *s. m.* farpa, bandarilha.
rehogar, *v. tr.* refogar.
rehuir, *v. tr.* afastar, evitar (um perigo, pessoa, etc.).
rehusar, *v. tr.* recusar, rejeitar.
reidor, -a, *adj.* risonho.
reimplantar, *v. tr.* reimplantar.
reimportar, *v. tr.* reimportar.
reimpresión, *s. f.* reimpressão; reedição.
reimprimir, *v. tr.* reimprimir; reeditar.
reina, *s. f.* rainha, soberana; rainha (peça do xadrez).
reinado, *s. m.* reinado.
reinante, *adj. 2 gén.* reinante.
reinar, *v. intr.* reinar.
reincidencia, *s. f.* reincidência.
reincidente, *adj. e s. 2 gén.* reincidente.
reincidir, *v. intr.* reincidir.
reincorporación, *s. f.* reincorporação.
reincorporarse, *v. refl.* reincorporar-se.
reineta, *s. f.* reineta (maçã).
reingresar, *v. intr.* reingressar.
reingreso, *s. m.* reingresso.
reino, *s. m.* reino.
reinserción, *s. f.* reinserção, reintegração.
reintegrable, *adj. 2 gén.* reintegrável.
reintegración, *s. f.* reintegração.
reintegrar, *v. tr.* reintegrar; restituir; reconduzir.
reintegro, *s. m.* reintegração, reinserção.
reír, *v. intr.* rir, gracejar; troçar.
reiteración, *s. f.* reiteração.
reiterar, *v. tr. e refl.* reiterar, repetir, renovar.
reiterativo, -a, *adj.* reiterativo.

reivindicación, *s. f.* reivindicação.
reivindicar, *v. tr.* reivindicar.
reja, *s. f.* relha (do arado); grade, gradeamento.
rejilla, *s. f.* ralo; grelha; rede (cabide nas carruagens dos comboios); palhinha para cadeiras.
rejón, *s. m.* rojão, pique, garrocha.
rejoneador, *s. m.* rojoneador.
rejonear, *v. tr.* rojonear.
rejuvenecer, *v. tr. e refl.* rejuvenescer, remoçar.
rejuvenecimiento, *s. m.* rejuvenescimento.
relación, *s. f.* relação.
relacionado, -a, *adj.* relacionado.
relacionar, *v. tr.* relacionar.
relajación, *s. f.* relaxação.
relajado, -a, *adj.* relaxado; imoral, dissoluto.
relajante, *adj. 2 gén.* relaxante.
relajar, *v. tr.* relaxar; afrouxar; depravar.
relamer, *v. tr.* relamber, delamber.
relamido, -a, *adj.* relambido; afectado; delambido.
relámpago, *s. m.* relâmpago.
relampagueante, *adj. 2 gén.* relampejante, relampagueante.
relampaguear, *v. intr.* relampaguear.
relanzamiento, *s. m.* relançamento.
relanzar, *v. tr.* repetir, rechaçar.
relatar, *v. tr.* relatar, referir, mencionar.
relatividad, *s. f.* relatividade.
relativismo, *s. m.* relativismo.
relativista, *adj. e s. 2 gén.* relativista.
relativizar, *v. tr.* relativizar.
relativo, -a, *adj.* relativo.
relato, *s. m.* relato.
relator, -a, *s. m. e f.* relator.
relax, *s. m.* relax, relaxamento.
releer, *v. tr.* reler.
relegación, *s. f.* relegação; desterro.
relegar, *v. tr.* relegar, desterrar; apartar.
relente, *s. m.* relento; sereno.
relevación, *s. f.* relevamento, relevação.
relevancia, *s. f.* relevância.
relevante, *adj. 2 gén.* relevante.
relevar, *v. tr.* relevar; MIL. render.
relevista, *s. 2 gén.* DESP. corredor de estafeta.
relevo, *s. m.* rendição (de sentinela, etc.); DESP. estafeta.
relicario, *s. m.* relicário.

relieve, *s. m.* relevo; saliência.
religión, *s. f.* religião.
religiosidad, *s. f.* religiosidade.
religioso, -a, *adj.* e *s.* religioso.
relinchar, *v. tr.* rinchar; relinchar.
relincho, *s. m.* rincho, relincho.
reliquia, *s. f.* relíquia.
rellano, *s. m.* patamar (de escada).
rellenar, *v. tr.* reencher; rechear.
relleno, -a, *s. m.* recheado (picado para rechear), recheio.
reloj, *s. m.* relógio.
relojería, *s. f.* relojoaria.
relojero, -a, *s. m.* e *f.* relojoeiro.
reluchar, *v. intr.* (fig.) relutar, resistir.
reluciente, *adj. 2 gén.* reluzente.
relucir, *v. intr.* reluzir, resplandecer.
reluctancia, *s. f.* relutância.
reluctante, *adj. 2 gén.* relutante, oposto.
relumbrante, *adj. 2 gén.* reluzente, resplandecente.
relumbrar, *v. intr.* relumbrar, cintilar.
relumbrón, *s. m.* clarão; relâmpago; (fig.) ostentação.
relumbroso, -a, *adj.* reluzente.
remachadora, *s. f.* rebitadora.
remachar, *v. tr.* arrebitar, rebitar.
remache, *s. m.* rebite.
remanente, *adj. 2 gén.* e *s. m.* remanescente; resíduo.
remangar, *v. tr.* remangar, arremangar; arregaçar.
remansarse, *v. refl.* remansar (torrente de água).
remanso, *s. m.* remanso, estagnação; quietação.
remante, *adj.* e *s.* remador.
remar, *v. intr.* remar; esforçar.
remarcable, *adj. 2 gén.* notável, assinalado.
remarcar, *v. tr.* remarcar, sublinhar, assinalar.
rematado, -a, *adj.* rematado; concluído.
rematante, *s. 2 gén.* arrematante, arrematador.
rematar, *v. tr.* arrematar, rematar; concluir; pôr fim.
remate, *s. m.* remate, conclusão; adjudicação (em leilão); ARQ. remate.
rembolsar, *v. tr.* vd. **reembolsar**.
rembolso, *s. m.* vd. **reembolso**.
remecedor, *s. m.* varejador.
remedar, *v. tr.* arremedar, imitar.
remediable, *adj. 2 gén.* remediável.

remediar, *v. tr.* remediar; corrigir; obstar.
remedio, *s. m.* remédio, medicamento; emenda; recurso; auxílio; refúgio.
remedo, *s. m.* arremedo.
remembranza, *s. f.* lembrança.
rememoración, *s. f.* rememoração.
rememorar, *v. tr.* rememorar.
remendar, *v. tr.* remendar.
remendón, -ona, *adj.* e *s.* remendão.
remera, *s. f.* rémige.
remero, -ra, *s. m.* e *f.* remador.
remesa, *s. f.* remessa.
remeter, *v. tr.* remeter.
remiendo, *s. m.* remendo; reparação, emenda.
remilgado, -a, *adj.* afectado.
remilgo, *s. m.* afectação; melindre.
reminiscencia, *s. f.* reminiscência.
remirado, -a, *adj.* muito prudente.
remirar, *v. tr.* remirar.
remisión, *s. f.* remissão, remitência, perdão.
remisivo, -a, *adj.* remissivo.
remiso, -a, *adj.* remisso, indolente, descuidado.
remisorio, -a, remissório.
remite, *s. m.* remetente.
remitente, *adj.* e *s. 2 gén.* remetente.
remitir, *v. tr.* remeter, enviar; remitir, perdoar, eximir.
remo, *s. m.* remo.
remodelación, *s. f.* remodelação.
remodelar, *v. tr.* remodelar.
remojar, *v. tr.* demolhar; empapar, embeber.
remojo, *s. m.* remolho.
remojón, *s. m.* molhadela.
remolacha, *s. f.* beterraba.
remolar, *v. tr.* remolar.
remolcador, -a, *adj.* e *s. m.* rebocador.
remolcar, *v. tr.* rebocar.
remolinar, *v. intr.* e *refl.* remoinhar.
remolino, *s. m.* remoinho, redemoinho; corropio; multidão.
remolón, -ona, *adj.* e *s.* molengão, molengona; mandrião, mandriona.
remoloncar, *v. intr.* mandriar.
remolque, *s. m.* reboque.
remontar, *v. tr.* subir; superar; transpor.
remonte, *s. m.* subida, ascensão; ascensor.
remoquete, *s. m.* remoque, dito; (fig.) alcunha.
rémora, *s. f.* ZOOL. rémora.
remorder, *v. tr.* remorder; inquietar.

remordimiento, *s. m.* remordimento, remorso.

remoto, -a, *adj.* remoto, distante, afastado.

remover, *v. tr. e refl.* remover.

remozar, *v. tr.* remoçar.

remplazar, *v. tr.* vd. **remplazar.**

remplazo, *s. m.* vd. **remplazo.**

remuneración, *s. f.* remuneração.

remunerado, -a, *adj.* remunerado.

remunerar, *v. tr.* remunerar; recompensar; gratificar.

renacentista, *adj. e s. 2 gén.* renascentista.

renacer, *v. intr.* renascer; ressurgir.

renacimiento, *s. m.* renascimento; renascença.

renacuajo, *s. m.* girino (da rã); *(fam.)* rãzinha, termo de carinho para as crianças que ainda gatinham.

renal, *adj. 2 gén.* renal.

rencilla, *s. f.* rixa, desordem.

rencilloso, -a, *adj.* rixoso, desordeiro, brigão; quezilento.

renco, -a, *adj. e s.* derreado; coxo.

rencor, *s. m.* rancor, ódio.

rencoroso, -a, *adj.* rancoroso.

rendición, *s. f.* rendição, rendimento.

rendido, -a, *adj.* rendido; submisso, obsequioso.

rendija, *s. f.* fenda, racha, greta, frincha.

rendimiento, *s. m.* fadiga, cansaço; rendimento; submissão.

rendir, *v. tr.* render, vencer; submeter; entregar, restituir; render, dar lucro.

renegado, -a, *adj.* renegado.

renegar, *v.* **1**. *tr.* renegar; arrenegar; abominar. **2.** *intr.* abjurar descrer, blasfemar.

renegociar, *v. tr.* renegociar.

renegón, -ona, *adj. e s.* blasfemador, praguejador.

renegrido, -a, *adj.* denegrido, enegrecido.

renglón, *s. m.* regra, linha escrita ou impressa.

reniforme, *adj. 2 gén.* reniforme.

rénio, *s. m.* QUÍM. rénio.

reno, *s. m.* ZOOL. rena.

renombrado, -a, *adj.* célebre, famoso, de renome.

renombre, *s. m.* renome, fama, prestígio.

renovación, *s. f.* renovação, renovamento.

renovar, *v. tr.* renovar; recomeçar; repetir.

renquear, *v. intr.* coxear, claudicar.

renta, *s. f.* renda; rendimento; dívida pública.

rentabilidad, *s. f.* rendibilidade.

rentabilizar, *v. tr.* rendibilizar.

rentable, *adj. 2 gén.* rendível.

rentar, *v. tr.* render, dar juros.

rentero, -a, *s. m. e f.* rendeiro.

rentista, *s. 2 gén.* financeiro, economista; capitalista.

renuencia, *s. f.* renitência, relutância, repugnância.

renuente, *adj. 2 gén.* relutante, renitente, indócil, teimoso.

renuevo, *s. m.* renovo, vergôntea.

renuncia, *s. f.* renúncia.

renunciar, *v. tr.* renunciar.

renuncio, *s. m.* renúncia.

reñir, *v. intr.* renhir, altercar; desavir-se; repreender.

reo, -a, *adj. e s.* réu, ré; criminoso, culpado.

reojo, *s. m., mirar de riojo,* olhar de través, de soslaio.

reordenar, *v. tr.* reordenar.

reorganización, *s. f.* reorganização.

reorganizador, -a, *adj. e s.* reorganizador.

reorganizar, *v. tr.* reorganizar.

reorientar, *v. tr.* reorientar.

reostato, *s. m.* vd. **reóstato.**

reóstato, *s. m.* reóstato.

repajo, *s. m.* sebe.

repantigarse, *v. refl.* refastelar-se, repoltrear-se.

repantingarse, *s. refl.* vd. **repantigarse.**

reparable, *adj. 2 gén.* reparável, remediável.

reparación, *s. f.* reparação, conserto; desagravo.

reparar, *v. tr.* reparar, desagravar.

reparo, *s. m.* advertência; objecção.

repartición, *s. f.* repartição, partilha.

repartidor, -a, *adj e s.* distribuidor.

repartimiento, *s. m.* repartição, partilha; distribuição; contribuição.

repartir, *v. tr.* repartir; dividir; entregar, distribuir.

reparto, *s. m.* distribuição; entrega; CIN./ /TEAT. genérico.

repasar, *v. tr. e intr.* rever; reler; reverificar; reexplicar; tornar a passar por.

repasata, *s. f.* repreensão.

repaso, *s. m.* revisão, revista; reverificação.

repatriación, *s. f.* repatriação.

repatriado, -a, *adj. e s.* repatriado.

repatriar, *v. tr.* repatriar.

repecho, *s. m.* ladeira, encosta, declive.

repelar, *v. tr.* arrepelar, repelar; cortar rente (cabelo).

repelente, *adj. 2 gén.* repelente.

repeler, *v. tr.* repelir, recusar.

repelús, *s. m.* calafrio.

repeluzno, *s. m.* calafrio, arrepio.

repensar, *v. tr.* repensar, reconsiderar.

repente, *s. m.* (*fam.*) repente, movimento súbito.

repentino, -a, *adj.* repentino; súbito, inopinado.

repentista, *s. 2 gén.* improvisador, repentista.

repentizar, *v. intr.* improvisar.

repercusión, *s. f.* repercussão.

repercutir, *v. intr.* repercutir, ressoar, reproduzir sons.

repertorio, *s. m.* repertório.

repesca, *s. f.* repescagem.

repescar, *v. tr.* repescar.

repetición, *s. f.* repetição.

repetido, -a, *adj.* repetido.

repetidor, -a, *s. m. e f.* repetidor; explicador.

repetir, *v. tr.* repetir, repisar.

repetitivo, -a, *adj.* repetitivo.

repicar, *v. tr.* repicar; repenicar.

repintar, *v. tr.* repintar, avivar.

repique, *s. m.* repique.

repiquete, *s. m.* repique.

repiquetear, *v. tr.* repicar (os sinos).

repiqueteo, *s. m.* repiquete; repique; rebate.

repisa, *s. f.* mísula, estante; suporte, sapata.

replantar, *v. tr.* replantar, transplantar.

replantear, *v. tr.* repensar, reconsiderar, rever.

repleción, *s. f.* repleção.

replegarse, *v. refl.* MIL. retirar (em ordem, estrategicamente).

repleto, -a, *adj.* repleto, abarrotado, farto.

réplica, *s. f.* réplica.

replicar, *v. intr.* replicar.

repliegue, *s. m.* prega dupla, refego; MIL. retirada; (*fig.*) recesso, recanto.

repoblación, *s. f.* repovoação.

repoblar, *v. tr.* repovoar.

repollo, *s. m.* repolho.

reponer, *v. tr.* repor; restituir substituir.

reportaje, *s. m.* reportagem.

reportar, *v. tr.* proporcionar, dar; refrear, reprimir, moderar.

reporte, *s. m.* notícia, informação; relato.

repórter, *s. m.* repórter.

reportero, -a, *adj. e s.* repórter.

reposacabezas, *s. m. 2 núm.* apoio de cabeça.

reposado, -a, *adj.* repousado, tranquilo.

reposapiés, *s. m. 2 núm.* descanso para os pés.

reposar, *v. intr.* repousar, descansar; jazer; depositar.

reposición, *s. f.* reposição.

repositorio, *s. m.* repositório.

reposo, *s. m.* repouso.

repostar, *v. tr.* reabastecer.

repostería, *s. f.* confeitaria, pastelaria; doçaria.

repostero, -a, *s. m. e f.* confeiteiro, pasteleiro.

reprender, *v. tr.* repreender, censurar, corrigir.

reprensible, *adj. 2 gén.* repreensível, censurável.

reprensión, *s. f.* repreensão.

represa, *s. f.* represa, comporta, açude.

represalia, *s. f.* represália.

represar, *v. tr.* represar.

representación, *s. f.* representação.

representante, *s. 2 gén.* representante, mandatário; actor, actriz.

representar, *v. tr.* representar; significar; aparentar.

representativo, -a, *adj.* representativo.

represión, *s. f.* repressão.

represivo, -a, *adj.* repressivo.

reprimenda, *s. f.* reprimenda; censura.

reprimido, -a, *adj.* reprimido.

reprimir, *v. tr.* reprimir, conter, coibir.

reprís, *s. m.* aceleração.

reprise, *s. f.* reposição.

reprivatización, *s. f.* reprivatização.

reprivatizar, *v. tr.* reprivatizar.

reprobable, *adj. 2 gén.* reprovável.

reprobación, *s. f.* reprovação.

reprobado, -a, *adj.* reprovado.

reprobador, -a, *adj. e s.* reprovador.

reprobar, *v. tr.* reprovar, desaprovar, rejeitar, condenar.

réprobo, -a, *adj. e s.* réprobo.

reprochable, *adj. 2 gén.* reprovável, censurável.

reprochador, -a, *s. m. e f.* reprovador, censurador.

reprochar, *v. tr.* reprovar, desaprovar; censurar; exprobrar.

reproche, *s. m.* reprovação, censura, reprimenda.

reproducción, s. f. reprodução.
reproducir, v. tr. reproduzir.
reproductor, -a, adj. e s. reprodutor.
reptar, v. intr. reptar.
reps, s. m. repes (tecido).
reptil, adj. 2 gén. e s. m. réptil.
república, s. f. república.
republicanismo, s. m. republicanismo.
republicano, -a, adj. e s. republicano.
repudiar, v. tr. repudiar.
repudio, s. m. repúdio.
repudrir, v. tr. e refl. apodrecer muito.
repuesto, -a, I. adj. reposto; refeito; recuperado. **II.** s. m. reserva; provisão; sobresselente.
repugnancia, s. f. repugnância, aversão.
repugnante, adj. 2 gén. repugnante, repulsivo.
repugnar, v. tr. repugnar, recusar; contradizer.
repujado, s. m. repuxado; gravação em relevo.
repujar, v. tr. repuxar; gravar em relevo.
repulir, v. tr. açacalar; arrebicar.
repulsa, s. f. repulsa, repulsão; recusa.
repulsar, v. tr. repulsar, repelir; desprezar; recusar.
repulsión, s. f. repulsão, repulsa; aversão.
repulsivo, -a, adj. repulso; repelente, repugnante.
repuntar, v. intr. NÁUT. repontar.
reputación, s. f. reputação, fama.
reputado, -a, adj. reputado, considerado.
reputar, v. tr. reputar, estimar, considerar, avaliar.
requebrador, -a, adj. e s. requebrador, galanteador.
requebrar, v. tr. adular; lisonjear; galantear.
requemado, -a, adj. requeimado.
requemar, v. tr. requeimar, crestar.
requerimiento, s. m. requerimento.
requerir, v. tr. requerer, exigir, solicitar.
requesón, s. m. requeijão.
requiebro, s. m. requebro, galanteio, piropo; corte, namoro.
requisa, s. f. revista, inspecção; requisição, embargo.
requisar, v. tr. MIL. requisitar.
requisito, s. m. requisito, condição.
res, s. f. rês, cabeça de gado.
resabiar, v. 1. tr. ressabiar. 2. refl. melindrar-se.
resabido, -a, adj. ressabido.

resabio, s. m. ressaibo, mau gosto; mau hálito.
resaca, s. f. ressaca.
resalado, -a, adj. engraçado, chistoso.
resalir, v. intr. ARQ. ressair, sobressair, ressaltar.
resaltar, v. 1. intr. ressaltar, sobressair; distinguir-se. 2. tr. fazer ressaltar; pôr em evidência, salientar.
resalte, s. m. ressalto, saliência.
resalto, s. m. ressalto, saliência, relevo.
resarcir, v. tr. e refl. ressarcir, indemnizar, reparar.
resbaladizo, -a, adj. resvaladiço, escorregadio.
resbalar, v. intr. resvalar, deslizar, escorregar.
resbalón, s. m. resvalo, escorregão.
resbaloso, -a, adj. resvaladiço, escorregadio.
rescatador, -a, s. m. e f. resgatador, resgatante.
rescatar, v. tr. resgatar, remir; trocar, cambiar; recuperar, redimir, libertar.
rescate, s. m. resgate.
rescindible, adj. 2 gén. rescindível.
rescindir, v. tr. rescindir, invalidar.
rescisión, s. f. rescisão, anulação.
rescoldo, s. m. rescaldo.
resecar, v. tr. ressecar; dissecar.
resección, s. f. ressecção.
reseco, -a, adj. resseco; magro.
reseda, s. f. BOT. reseda.
resentido, adj. ressentido, melindrado.
resentimiento, s. m. ressentimento, melindre.
resentirse, v. refl. ressentir-se; melindrar-se.
reseña, s. f. resenha; descrição; relato; MIL. revista.
reseñar, v. tr. fazer a resenha de; criticar, descrever; narrar.
reserva, s. f. reserva, guarda, prevenção; discrição.
reservación, s. f. reserva.
reservar, v. tr. reservar, guardar.
reservista, adj. e s. 2 gén. reservista.
resfriado, s. m. resfriado, resfriamento.
resfriar, v. 1. tr. resfriar. 2. intr. arrefecer. 3. refl. resfriar-se, constipar-se.
resfrío, s. m. resfriado, resfriamento.
resguardar, v. 1. tr. resguardar, defender, amparar. 2. refl. resguardar-se; acautelar-se.

resguardo, *s. m.* resguardo.
residencia, *s. f.* residência.
residencial, *adj. 2 gén.* residencial.
residente, *adj. e s. 2 gén.* residente.
residir, *v. intr.* residir, morar, habitar.
residual, *adj. 2 gén.* residual.
residuo, *s. m.* resíduo; resto.
resignación, *s. f.* resignação.
resignado, -a, *adj.* resignado.
resignar, *v.* 1. *tr.* resignar, renunciar. 2. *refl.* resignar-se, conformar-se.
resina, *s. f.* resina.
resinoso, -a, *adj.* resinoso, resinífero.
resistencia, *s. f.* resistência, oposição, recusa.
resistente, *adj. 2 gén.* resistente.
resistir, *v. intr.* resistir; aguentar; suportar; opor-se; contrariar.
resma, *s. f.* resma.
resmilla, *s. f.* pacote de 20 cadernos de papel de carta.
resol, *s. m.* reflexo do Sol; brilho do Sol.
resollar, *v. intr.* respirar; ofegar; arfar; resfolegar.
resolución, *s. f.* resolução, deliberação.
resolutivo, -a, *adj.* resolutivo.
resoluto, -a, *adj.* resolvido, resoluto, decidido.
resolutorio, -a, *adj.* resolutório.
resolver, *v. tr.* resolver, deliberar.
resonancia, *s. f.* ressonância.
resonante, *adj. 2 gén.* ressonante.
resonar, *v. intr.* ressoar, repercutir; ecoar.
resoplar, *v. intr.* soprar, bufar; resfolegar, arfar.
resoplido, *s. m.* bufo, sopro; ofego.
resoplo, *s. m.* sopro, bufo, ofego.
resorte, *s. m.* mola.
respaldar, *s. m.* espaldar, encosto; costas (de cadeira).
respaldar, *v. tr.* suportar; apoiar.
respaldo, *s. m.* respaldo, respaldar; costas (de cadeira).
respectar, *v. intr.* respeitar, dizer respeito; pertencer, referir-se a.
repectivamente, *adv.* respectivamente.
respectivo, -a, *adj.* respectivo.
respecto, *s. m.* respeito, relação.
respetabilidad, *s. f.* respeitabilidade.
respetable, *adj. 2 gén.* respeitável.
respetar, *v. tr.* respeitar; honrar; acatar.
respeto, *s. m.* respeito, acatamento; reverência.

respetuoso, -a, *adj.* respeitoso, reverente.
respingar, *v. intr.* respingar, escoucinhar (a besta); resmungar, rezingar, respingar.
respingo, *s. m.* respingo.
respingón, -ona, *adj.* (*fam.*) arrebitado; *nariz respingona*, nariz arrebitado.
respirable, *adj. 2 gén.* respirável.
respiración, *s. f.* respiração.
respiradero, *s. m.* respiradouro.
respirar, *v. intr.* respirar.
respiratorio, -a, *adj.* respiratório.
respiro, *s. m.* respiro; (*fig.*) descanso; alívio.
resplandecer, *v. intr.* resplandecer, rutilar.
resplandeciente, *adj. 2 gén.* resplandecente.
resplandor, *s. m.* resplendor.
responder, *v. tr.* responder, retorquir.
respondón, -ona, *adj. e s.* respondão; respingão; rezingão.
responsabilidad, *s. f.* responsabilidade.
responsabilizar, *v. tr.* responsabilizar.
responsable, *adj. 2 gén.* responsável.
responso, *s. m.* responso; (*fig., fam.*) repri- menda.
responsorio, *s. m.* responsório.
respuesta, *s. f.* resposta, réplica.
resquebrajadura, *s. f.* fenda, greta, racha.
resquebrajar, *v. tr. e refl.* rachar, gretar.
resquemor, *s. m.* mágoa, desgosto, inquie- tação.
resquicio, *s. m.* resquício; fenda.
resta, *s. f.* subtracção, diminuição; resto.
restablecer, *v. tr.* restabelecer, restaurar.
restablecimiento, *s. m.* restabeleci- mento.
restallar, *v. intr.* estalar (o chicote); ranger.
restante, I. *adj. 2 gén.* restante. II. *s. m.* resto, restante, resíduo.
restañar, *v. tr.* estancar; deter.
restar, *v.* 1. *tr.* subtrair, diminuir, cercear. 2. *intr.* faltar; ficar; devolver (a bola).
restauración, *s. f.* restauração; restabele- cimento.
restaurador, -a, *adj. e s.* restaurador.
restaurante, *s. m.* restaurante.
restaurar, *v. tr.* restaurar, recuperar; repa- rar.
restitución, *s. f.* restituição.
restituir, *v. tr.* restituir, repor, devolver.
resto, *s. m.* resto, resíduo.
restregar, *v. tr.* esfregar com força; friccio- nar.
restricción, *s. f.* restrição, limitação.
restrictivo, -a, *adj.* restritivo.

restricto, -a, *adj.* restrito, limitado, preciso.

restringir, *v. tr.* restringir, estreitar, apertar.

resucitar, *v. tr.* ressuscitar.

resudar, *v. intr.* ressuar.

resuello, *s. m.* respiração, anélito.

resuelto, -a, *adj.* resolvido.

resulta, *s. f.* resultado.

resultado, -a, *s. m.* resultado; consequência.

resultante, *adj.* 2 gén. e *s. f.* resultante.

resultar, *v. intr.* resultar; ser, tornar-se; sair, acontecer; convir, ser conveniente; dizer, combinar; custar.

resumen, *s. m.* resumo; recapitulação.

resumir, *v. tr.* resumir; abreviar.

resurgimiento, *s. m.* ressurgimento.

resurgir, *v. intr.* ressurgir; ressuscitar.

resurrección, *s. f.* ressurreição.

retablo, *s. m.* retábulo, painel.

retacear, *v. tr.* recortar.

retaco, *s. m.* espingarda curta; (*fig.*) taco, pessoa atarracada.

retador, -a, *adj.* e *s. m.* reptador, desafiador.

retaguardia, *s. f.* retaguarda.

retahíla, *s. f.* enfiada, fileira.

retal, *s. m.* retalho.

retallar, *v. tr.* sulcar.

retallecer, *v. intr.* rebentar, abrolhar.

retallo, *s. m.* pimpolho, rebento; talo; ARQ. ressalto.

retama, *s. f.* retama, giesta.

retamal, *s. m.* giestal.

retamar, *s. m.* giestal.

retar, *v. tr.* reptar, desafiar.

retardado, -a, *adj.* retardado.

retardar, *v. tr.* retardar, demorar, diferir.

retardo, *s. m.* demora.

retazo, *s. m.* retalho (de tecido); fracção.

retemblar, *v. intr.* vibrar, estremecer.

retén, *s. m.* retém.

retención, *s. f.* retenção, demora.

retener, *v. tr.* reter; guardar; conservar.

retentiva, *s. f.* retentiva.

reticencia, *s. f.* reticência.

reticente, *adj.* 2 gén. reticente.

retícula, *s. f.* retícula.

reticular, *adj.* 2 gén. reticular, reticulado.

retículo, *s. m.* retículo.

retina, *s. f.* retina.

retintín, *s. m.* retintim.

retinto, -a, *adj.* retinto.

retirada, *s. f.* retirada; retiro; recolha.

retirado, -a, *adj.* e *s.* retirado, distante, separado; reformado, jubilado.

retirar, *v. tr.* retirar; remover; retractar, desdizer; retirar de circulação (moeda); abolir (lei); reformar; jubilar.

retiro, *s. m.* reforma, jubilação; pensão; retiro, lugar isolado; retiro, exercício espiritual, recolhimento.

reto, *s. m.* repto, desafio.

retocar, *v. tr.* retocar.

retoñar, *v. intr.* tornar a brotar, rebentar ou abrolhar.

retoño, *s. m.* rebento, renovo, vergôntea.

retoque, *s. m.* retoque.

retorcer, *v. tr.* retorcer.

retorcido, -a, *adj.* retorcido.

retorcimiento, *s. m.* retorcedura.

retórica, *s. f.* retórica.

retórico, -a, *adj.* e *s.* retórico.

retornamiento, *s. m.* retorno.

retornar, *v. tr.* e *refl.* retornar, devolver, restituir; voltar à primitiva situação.

retornelo, *s. m.* ritornelo.

retorno, *s. m.* retorno; volta, troco.

retorta, *s. f.* retorta.

retortero, *s. m.* volta; *al retortero*, em desordem, numa barafunda.

retortijón, *s. m.* cólica.

retostar, *v. tr.* torrar.

retozar, *v. intr.* traquinar, brincar; cabriolar.

retozo, *s. m.* brincadeira; cabriola.

retozón, -ona, *adj.* brincalhão, galhofeiro.

retracción, *s. f.* retracção.

retractable, *adj.* 2 gén. retractável.

retractación, *s. f.* retractação.

retractarse, *v. tr.* e *refl.* retractar-se, desdizer-se.

retráctil, *adj.* 2 gén. retráctil.

retraer, *v.* 1. *tr.* retrair. 2. *refl.* retrair-se; retirar-se, retroceder.

retraído, -a, *adj.* retraído; tímido; solitário; introvertido.

retraimiento, *s. m.* retraimento; timidez.

retranca, *s. f.* retranca.

retransmisión, *s. f.* retransmissão.

retransmisor, *s. m.* retransmissor.

retransmitir, *v. tr.* retransmitir.

retrasado, -a, I. *adj.* atrasado; em débito; subdesenvolvido. II. *s. m.* e *f.* atrasado (mental).

retrasar, *v. tr.* atrasar, demorar.

retraso, *s. m.* atraso, demora.

retratar, *v. tr.* retratar; fotografar; revelar.

retratista, s. 2 *gén.* retratista.
retrato, s. *m.* retrato.
retrechar, v. *intr.* retroceder.
retrechero, -a, *adj.* enganoso; encantador, atractivo.
retreparse, v. *refl.* recostar-se, deitar-se para trás.
retreta, s. *f.* toque de retirada.
retrete, s. *m.* retrete.
retribución, s. *f.* retribuição; recompensa.
retribuir, v. *tr.* retribuir, recompensar; corresponder.
retributivo, -a, *adj.* retributivo.
retroactividad, s. *f.* retroactividade.
retroactivo, -a, *adj.* retroactivo.
retroceder, v. *intr.* retroceder, recuar.
retroceso, s. *m.* retrocesso.
retrocohete, *adj.* retrofoguetão.
retrógrado, -a, *adj.* e s. retrógrado.
retronar, v. *intr.* retroar, retumbar.
retrospección, s. *f.* retrospecção.
retrospectiva, s. *f.* retrospectiva.
retrospectivo, -a, *adj.* retrospectivo.
retrotraer, v. *tr.* retrotrair.
retrovisor, s. *f.* retrovisor.
retumbante, *adj.* 2 *gén.* retumbante, ostentoso.
retumbar, v. *intr.* retumbar, estrondear.
reuma, s. *m.* reumatismo.
reúma, s. *m.* reumatismo.
reumático, -a, *adj.* e s. reumático.
reumatismo, s. *m.* reumatismo.
reumatología, s. *f.* reumatologia.
reunificación, s. *f.* reunificação.
reunificar, v. *tr.* reunificar.
reunión, *f.* reunião.
reunir, v. *tr.* e *refl.* reunir, juntar, agrupar.
reuntar, v. *tr.* tornar a untar.
revacunación, s. *f.* revacinação.
revacunar, v. *tr.* e *refl.* revacinar; revacinar-se.
reválida, s. *f.* exame final.
revalidación, s. *f.* revalidação.
revalidar, v. *tr.* revalidar, ratificar, confirmar.
revancha, s. *f.* vingança, represália; revindicta.
revanchismo, s. *m.* revanchismo.
revanchista, *adj.* e s. 2. *gén.* revanchista.
revelación, s. *f.* revelação.
revelado, -a, I. *adj.* revelado. II. s. *m.* FOT. revelação.
revelador, -a, I. *adj.* e s. revelador, reveladora. II. s. *m.* FOT. revelador.

revelar, v. *tr.* revelar.
revendedor, -a, *adj.* e s. revendedor.
revender, v. *tr.* revender.
revenido, -a, *adj.* mole como borracha (pão); azedo, avinagrado (vinho).
revenirse, v. *refl.* tornar-se mole (pão); azedar (vinho).
reventa, s. *f.* revenda.
reventado, -a, *adj.* rebentado; estafado, exausto.
reventar, v. **1.** *tr.* rebentar; furar; esvaziar; estragar, avariar; fazer fracassar. **2.** *intr.* enfastiar-se; aborrecer-se; rebentar, desfazer-se; estar morto por; rachar, fender-se.
reventón, s. *m.* arrebentamento; furo (de pneu).
reverberación, s. *f.* reverberação.
reverberar, v. *intr.* reverberar, resplandecer, brilhar.
reverbero, s. *m.* reverberação; revérbero; reflexo.
reverdecer, v. *intr.* reverdecer.
reverencia, s. *f.* reverência, respeito, veneração.
reverencial, *adj.* 2 *gén.* reverencial.
reverenciar, v. *tr.* reverenciar; venerar; respeitar.
reverendo, -a, *adj.* e s. reverendo.
reverente, *adj.* 2 *gén.* reverente; venerador.
reversible, *adj.* 2 *gén.* reversível, reversivo, revertível.
reversión, s. *f.* reversão.
reverso, -a, s. *m.* costas; reverso.
revertir, v. *intr.* reverter.
revés, s. *m.* revés, reverso; costas; revés; desgraça.
revesado, -a, *adj.* arrevesado; complicado.
revestimiento, s. *m.* revestimento; cobertura.
revestir, v. *tr.* revestir, cobrir; dissimular; apresentar, mostrar.
revigorizar, s. *m.* revigorar.
revisar, v. *tr.* rever.
revisión, s. *f.* revisão.
revisionismo, s. *m.* revisionismo.
revisionista, *adj.* e s. 2 *gén.* revisionista.
revisor, -a, *adj.* e s. revisor; verificador.
revista, s. *f.* revista, inspecção; inspecção em formatura; publicação periódica; espectáculo teatral.
revistar, v. *tr.* revistar; inspeccionar.
revistero, s. *m.* suporte para revistas.
revisto, -a, *adj.* revisto, revisado.
revitalizar, v. *tr.* revitalizar.

revivificar, v. tr. revivificar; reavivar.

revivir, v. tr. reviver, ressuscitar; reanimar-se.

revocable, adj. 2 gén. revogável.

revocar, v. tr. revogar, anular, desfazer, derrogar; rebocar (as paredes).

revolcar, v. **1.** tr. derrubar, maltratar; revolver. **2.** refl. espojar-se, rebolar-se.

revolcón, s. m. queda, trambolhão; cambalhota; falha.

revolotear, v. intr. revolutear, esvoaçar, voejar.

revoltijo, s. m. confusão, embrulhada.

revoltillo, s. m. confusão, embrulhada.

revoltoso, -a, adj. e s. revoltoso, revoltado, sublevado; enredador; travesso.

revolución, s. f. revolução; sedição.

revolucionar, v. tr. revolucionar, revoltar, amotinar.

revolucionario adj. e s. revolucionário.

revolver, v. tr. revolver, remexer, agitar, confundir; desordenar.

revólver, s. m. revólver.

revoque, s. m. reboco, reboque; argamassa.

revuelo, s. m. perturbação; movimento confuso.

revuelta, s. f. sedição, revolta, revolução; reviravolta, pirueta; segunda volta.

revuelto, -a, adj. revolto, revolvido; revoltoso.

revulsión, s. f. revulsão.

revulsivo, -a, adj. e s. m. revulsivo.

revulsorio, -a, adj. e s. m. revulsivo.

rey, s. m. rei, monarca.

reyerta, s. f. rixa, contenda, briga.

rezagar, v. **1.** tr. deixar para trás; atrasar, suspender, protelar. **2.** refl. ficar para trás; atrasar-se.

rezar, v. tr. e intr. rezar.

rezmila, s. f. ZOOL. fuinha.

rezo, s. m. reza, oração.

rezongar, v. intr. resmungar, rezingar.

rezongón, -ona, adj. e s. resmungão, rezingão.

rezumar, v. tr. ressumbrar, ressumar, ressudar, verter, gotejar.

ría, s. f. ria; foz.

riacho, s. m. riacho, ribeiro, regato.

riachuelo, s. m. riacho, ribeiro, regato.

riada, s. f. cheia, inundação.

ribazo, s. m. outeiro; encosta.

ribera, s. f. ribeira.

ribereño, -a, adj. e s. ribeirinho.

ribete, s. m. ribete, debrum, orla, acréscimo, aumento.

ribeteado, -a, adj. orlado, debruado.

ribetear, v. tr. debruar, orlar.

ricacho, -a, s. m. e f. ricaço.

ricachón, -a, s. m. e f. ricaço.

ricino, s. m. BOT. rícino.

rico, -a, adj. nobre; rico, opulento; fértil; delicioso.

rictus, s. m. ricto; contracção.

ricura, s. f. riqueza.

ridiculez, s. f. ridicularia.

ridiculizar, v. tr. ridicularizar, ridicularizar, escarnecer.

ridículo, -a, adj. ridículo; irrisório; insignificante.

riego, s. m. rega.

riel, s. m. trilho, carril.

rielar, v. intr. tremeluzir, bruxulear.

rielera, s. f. lingoteira (molde).

rienda, s. f. rédea.

riesgo, s. m. risco, perigo.

rifa, s. f. rifa, sorteio, rixa.

rifar, **I.** v. tr. rifar, sortear. **II.** refl. ser disputado.

rifle, s. m. rifle, espingarda curta.

rigidez, s. f. rigidez; austeridade.

rígido, -a, adj. rígido inflexível; teso, hirto.

rigor, s. m. rigor, dureza; força; rigidez; precisão.

rigurosidad, s. f. rigorismo, rigor.

riguroso, -a, adj. rigoroso; inclemente.

rija, s. f. rixa, briga; barulho; sururu.

rijoso, -a, adj. rixoso, brigão; saído, com o cio (animal).

rima, s. f. rima, consonância; rimas, versos.

rimar, v. intr. e tr. rimar.

rimbombante, adj. 2 gén. ribombante, retumbante.

rimero, s. m. montão, rima, pilha.

rincón, s. m. rincão, canto, ângulo; lugar afastado.

rinconada, s. f. esquina, canto, ângulo.

rinconera, s. f. cantoneira.

ringlera, s. f. fileira, fila, enfiada.

ringorrango, s. m. traço de pena, enfeite supérfluo, floreado.

rinitis, s. f. rinite.

rinoceronte, s. m. rinoceronte.

riña, s. f. rixa, briga.

riñón, s. m. rim.

riñonada, s. f. rilada.

río, s. m. rio.

riqueza, s. f. riqueza; fertilidade.

risa, *s. f.* riso, risada.

risco, *s. m.* penhasco alto e escarpado; filhó.

risible, *adj.* 2 *gén.* risível; ridículo.

risilla, *s. f.* risadinha, risinho.

risotada, *s. f.* risada, gargalhada.

ristra, *s. f.* réstia de alhos, cabo de cebolas.

ristre, *s. m.* riste.

risueño, -a, *adj.* risonho; alegre.

rítmico, -a, *adj.* rítmico.

ritmo, *s. m.* ritmo.

rito, *s. m.* rito, culto, seita.

ritual, *adj.* 2 *gén.* e *s. m.* ritual.

ritualismo, *s. m.* ritualismo.

ritualista, *s* 2 *gén.* ritualista.

rival, *s.* 2 *gén.* rival, competidor.

rivalidad, *s. f.* rivalidade, inimizade.

rivalizar, *v. intr.* rivalizar, competir.

rizado, -a, *adj.* riçado.

rizar, *v. tr.* riçar, frisar, ondear, encaracolar (o cabelo).

rizo, *s. m.* onda, caracol (de cabelo), ondulação (água); felpo (tecido); AV. voo em espiral.

rizoma, *s. m.* rizoma.

rizoso, -a, *adj.* encrespado, encaracolado.

rob, *s. m.* arrobe (xarope).

robador, -a, *adj.* e *s.* roubador.

robaliza, *s. f.* fêmea do robalo.

robalo, *s. m.* ZOOL. robalo.

róbalo, *s. m.* ZOOL. robalo.

robar, *v. tr.* roubar; furtar.

roble, *s. m.* roble, carvalho.

robledal, *s. m.* robledo, carvalhal.

robledo, *s. m.* robledo, carvalhal.

roblizo, -a, *adj.* forte, duro, rijo.

roblón, *s. m.* rebite.

robo, *s. m.* roubo.

robot, *s. m.* robô.

robótica, *s. f.* robótica.

robótico, -a, *adj.* robótico.

robotizar, *v. tr.* robotizar.

robustecer, *v. tr.* robustecer.

robustecimiento, *s. m.* robustecimento.

robustez, *s. f.* robustez.

robusto, -a, *adj.* robusto, vigoroso.

roca, *s. f.* roca, rocha, rochedo.

rocalla, *s. f.* cascalho; rocalha.

rocambolesco, -a, *adj.* rocambolesco.

roce, *s. m.* roçadura, fricção, atrito.

rociada, *s. f.* rociada, orvalhada.

rociador, *s. m.* borrifador.

rociar, *v.* **1.** *intr.* rociar, cair orvalho. **2.** *tr.* orvalhar, borrifar.

rocín, *s. m.* rocim, pileca.

rocío, *s. m.* rocio, orvalho.

rococó, *adj.* rococó.

rocoso, -a, *adj.* rochoso.

roda, *s. f.* NÁUT. roda, peça curva da proa.

rodaballo, *s. f.* rodovalho.

rodada, *s. f.* marca dos pneus, sulco, rodado.

rodado, -a, *adj.* rodado, com rodas; rodoviário; polida, rolada (pedra); (*fig.*) rodado, experimentado.

rodaja, *s. f.* rodela.

rodaje, *s. m.* rodagem.

rodamiento, *s. m.* rolamento.

rodapié, *s. m.* rodapé; friso.

rodar, *v.* **1.** *intr.* rodar, girar; rolar. **2.** *tr.* rodar, fazer dar voltas; rodar (filme); percorrer.

rodeador, -a, *adj.* rodeador.

rodear, *v.* **1.** *intr.* rodear. **2.** *tr.* cercar uma coisa, rodear, circundar.

rodela, *s. f.* rodela, escudo.

rodenal, *s. m.* pinheiral.

rodeno, -a, *adj.* vermelho.

rodeo, *s. m.* rodeio, subterfúgio, evasiva; rodeo (competição de vaqueiros).

rodeón, *s. m.* volta em círculo, reviravolta.

rodete, *s. m.* rolete, trança de cabelo; rodilha, sogra.

rodilla, *s. f.* joelho; rótula; rodilha, esfregão.

rodillada, *s. f.* joelhada.

rodillazo, *s. m.* joelhada.

rodillera, *s. f.* joelheira.

rodillo, *s. m.* rolão; cilindro, rolo.

rodio, *s. m.* QUÍM. ródio (metal).

rododendro, *s. m.* BOT. rododendro.

rodrigón, *s. m.* rodriga, empa, estaca.

roedor, -a, *adj.* e *s.* roedor.

roedura, *s. f.* roedura.

roela, *s. f.* rodela; disco de moeda, antes de cunhado.

roer, *v. tr.* roer, cortar e triturar; corroer; atormentar interiormente.

rogación, *s. f.* rogo, rogativa.

rogador, -a, *adj.* e *s.* rogador.

rogante, *adj.* 2 *gén.* rogante.

rogar, *v. tr.* rogar; suplicar.

rogativa, *s. f.* rogativa, rogo.

roído, -a, *adj.* roído; escasso, mesquinho.

rojear, *v. tr.* avermelhar.

rojete, *s. m.* vermelhão.

rojez, *s. f.* vermelhidão, rubor.

rojizo, -a, *adj.* avermelhado.

rojo, -a, *adj.* vermelho.

rol, *s. m.* rol, lista, catálogo.

rollista, *adj.* e *s.* 2 *gén.* falador, chato, aborrecido.

rollizo, -a, *adj.* roliço, robusto.

rollo, *s. m.* rolo.

romana, *s. m.* romana (balança).

romance, *s. m.* romance.

romancero, *s. m.* romanceiro, colecção de romances.

romancillo, *s. m.* romance curto.

romancista, *s.* 2 *gén.* romancista.

romanear, *v. tr.* pesar com a balança romana.

romanero, *s. m.* fiel da balança romana.

romaní, *s.* 2 *gén.* cigano.

románico, -a, *adj.* românico.

romanista, *adj.* e *s.* 2 *gén.* romanista.

romanización, *s. f.* romanização.

romanizar, *v. tr.* romanizar.

romano, -a, *adj.* romano, de Roma.

romanticismo, *s. m.* romantismo, romanticismo.

romántico, -a, *adj.* e *s.* romântico.

romanza, *s. f.* romança.

rómbico, -a, *adj.* rômbico.

rombo, *s. m.* rombo, losango.

romboedro, *s. m.* romboedro.

romboide, *s. m.* rombóide.

romería, *s. f.* romaria, peregrinação.

romero, -a, I. *adj.* romeiro. **II.** *s. m.* alecrim.

romo, -a, *adj.* rombo, rombudo; achatado (nariz).

rompecabezas, *s. m.* quebra-cabeças.

rompedero, -a, *adj.* quebradiço, frágil.

rompedura, *s. f.* rompimento.

rompehielos, *s. m.* quebra-gelo.

rompeolas, *s. m.* quebra-mar.

romper, *v. tr.* quebrar, partir; romper; gastar; usar; sulcar.

rompible, *adj.* 2 *gén.* quebrável, quebradiço; rasgável.

rompiente, *s. m.* escolho, baixio.

rompimiento, *s. m.* rompimento, quebra; fractura.

ron, *s. m.* rum.

roncador, -a, *adj.* e *s.* roncador.

roncar, *v. intr.* ressonar, roncar.

roncha, *s. f.* vergão, equimose; rodela, fatia redonda.

ronco, -a, *adj.* rouco.

ronda, *s. f.* ronda.

rondalla, *s. f.* conto, patranha, historieta; serenata.

rondar, *v. intr.* e *tr.* rondar, vigiar.

rondel, *s. m.* rondó.

rondó, *s. m.* rondó.

rondón, *de rondón, loc. adv.* de roldão, de rompante.

ronquear, *v. intr.* rouquejar.

ronquera, *s. f.* rouquidão, ronqueira.

ronquido, *s. m.* ronco, roncadura; ruído áspero.

ronronear, *v. intr.* ronronar.

ronroneo, *s. m.* ronrom.

ronzal, *s. m.* cabresto.

ronzar, *v. tr.* trincar; NÁUT. içar, levantar (com alavanca).

roña, *s.* **1.** *f.* ronha (sarna); cascão, sujidade; manha; mesquinhez. **2.** 2 *gén.* tacanho, mesquinho.

roñería, *s. f.* miséria; mesquinhez, tacanhez.

roñoso, -a, *adj.* ronhento, ronhoso; porco, sujo; oxidado, enferrujado; mesquinho, tacanho.

ropa, *s. f.* roupa.

ropaje, *s. m.* roupagem.

ropavejero, -a, *s. m.* e *f.* adeleiro.

ropería, *s. f.* alfaiataria; rouparia.

ropero, -a, *s. m.* roupeiro; guarda-roupa, guarda-fato, roupeiro.

roque, I. *s. m.* roque (no xadrez). **II.** *adj.* 2 *gén.* adormecido.

roqueda, *s. f.* penhascal, penedia.

roquedo, *s. m.* rochedo, penedo.

roqueño, -a, *adj.* rochoso.

roquero, -a, *adj.* roqueiro.

rorcual, *s. m.* rorqual, baleia.

rorro, *s. m.* nené, bebé.

rosa, *s. f.* BOT. rosa.

rosáceo, *adj.* rosáceo.

rosado, -a, *adj.* rosado, róseo.

rosal, *s. m.* roseira.

rosaleda, *s. f.* roseiral.

rosario, *s. m.* rosário; *(fig.)* enfiada, chorrillo.

rosbif, *s. m.* rosbife.

rosca, *s. f.* rosca.

rosco, *s. m.* rosca de pão, regueifa.

roscón, *s. m.* rosca (bolo); folar (Páscoa).

róseo, -a, *adj.* róseo, rosado.

roséola, *s. f.* roséola.

roseta, *s. f.* roseta (das faces); roseta (laço); raro (de regador); *pl.* pipocas.

rosetón, s. m. rosácea.

rosquilla, s. f. rosquilha, rosquinha doce.

rostrad|o, -a, adj. rostrado.

rostrillo, s. m. rostozinho.

rostrituert|o, -a, adj. carrancudo, trombudo.

rostro, s. m. rosto, face; rostro, bico; (fig.) lata, descaramento.

rota, s. f. rota, tribunal pontifício.

rotación, s. f. rotação.

rotante, adj. 2 gén. rotante, rolante.

rotar, v. intr. rodar; eructar, arrotar.

rotativa, s. f. rotativa.

rotativ|o, -a, I. adj. rotativo. II. s. 1. m. jornal. 2. f. rotativa (impressora).

rotatori|o, -a, adj. e rotativo.

rot|o, -a, adj. e s. roto; esfarrapado; libertino.

rotonda, s. f. rotunda.

rótula, s. f. ANAT. rótula.

rotulación, s. f. rotulagem.

rotulador, -a, I. adj. e s. rotulador. II. s. m. marcador.

rotulata, s. f. rotulagem; rótulo, letreiro, dístico, título.

rotular, v. tr. rotular.

rótulo, s. m. rótulo, inscrição, letreiro, título.

rotunda, s. f. rotunda.

rotund|o, -a, adj. rotundo, redondo; terminante.

rotura, s. f. rotura, ruptura; MED. fractura.

roturación, s. f. arroteamento.

roturar, v. tr. arrotear, rotear, lavrar.

roya, s. f. míldio; ferrugem (dos cereais).

rozadura, s. f. roçadura, roçadela, fricção, atrito.

rozagante, adj. 2 gén. roçagante.

rozamiento, s. m. atrito; fricção.

rozar, v. tr. roçar; raspar; aflorar; abordar.

rúa, s. f. rua.

rubefacción, s. f. rubefacção.

rúbe|o, -a, adj. rúbeo, avermelhado.

rubéola, s. f. rubéola.

rubí, s. m. rubi.

rubia, s. f. (fam.) peseta (moeda).

rubiales, adj. e s. 2 gén. e 2 núm. loiro, loira.

rubicund|o, -a, adj. rubicundo.

rubidio, s. m. rubídio (metal).

rubi|o, -a, adj. e s. loiro, loira.

rublo, s. m. rublo (moeda).

rubor, s. m. rubor, vermelhidão; vergonha, pejo.

ruborizarse, v. refl. ruborizar-se.

rúbrica, s. f. rubrica.

rubricar, v. tr. rubricar; firmar, assinar.

rubr|o, -a, adj. rubro, encarnado.

rucar, v. tr. e intr. trincar, mastigar coisas duras.

ruci|o, I. adj. ruço. **II.** s. m. asno.

ruda, s. f. BOT. arruda.

rudeza, s. f. rudeza.

rudimentari|o, -a, adj. rudimentar.

rudimento, s. m. pl. rudimentos; conhecimentos básicos; princípios.

rud|o, -a, adj. 2 gén. rude; descortês; áspero.

rueca, s. f. roca.

rueda, s. f. roda.

ruedo, s. m. redondel; arena; rebordo, contorno; roda de pessoas.

rufián, s. m. rufião, canalha; proxeneta.

rufianesc|o, -a, adj. rufianesco.

rugby, s. m. râguebi.

rugeo, s. m. pândega, borga.

rugido, s. m. rugido, bramido.

ruginos|o, -a, adj. enferrujado, oxidado.

rugir, v. intr. rugir, urrar.

rugosidad, s. f. rugosidade.

rugos|o, -a, adj. rugoso, encarquilhado.

ruibarbo, s. m. BOT. ruibarbo.

ruido, s. m. ruído, rumor.

ruidos|o, -a, adj. ruidoso.

ruin, adj. ruim, mau, vil.

ruina, s. f. ruína, perda, destruição.

ruindad, s. f. ruindade; acção má.

ruinos|o, -a, adj. ruinoso.

ruiseñor, s. m. rouxinol.

rular, v. tr. rodar, funcionar.

ruleta, s. f. roleta.

rulo, s. m. rolo, cilindro; pedra cónica que faz de mó nos lagares.

ruman|o, -a, I. adj. e s. romeno. **II.** s. m. romeno (idioma).

rumba, s. f. rumba.

rumbear, v. intr. rumbar.

rumbo, s. m. rumo, direcção; (fig.) fausto, pompa; (fam.) generosidade.

rumbos|o, -a, adj. pomposo, faustoso; generoso.

rumia, s. f. ruminação.

rumiante, adj. 2 gén. e s. m. ruminante.

rumiar, v. 1. intr. ruminar, remoer. 2. tr. mascar.

rumor, s. m. rumor, boato.

rumorearse, *v. refl.* rumorejar-se, dizer-se, constar, correr o boato.

rumoroso, -a, *adj.* rumorejante, rumoroso.

rundel, *s. m.* espécie de mantilha comprida e debruada.

runrún, *s. m. (fam.)* rumor, boato, zunzum.

rupestre, *adj. 2 gén.* rupestre.

rupia, *s. f.* rupia (moeda).

ruptura, *s. f.* rotura, fractura; rompimento, desavença.

rural, *adj. 2 gén.* rural, agrícola, rústico.

ruso, -a, *adj. e s.* russo, da Rússia.

rústico, -a, I. *adj.* rústico, rural, rude; tosco; grosseiro. II. *s. m.* rústico, camponês, campónio.

rustro, *s. m.* rombo, losango.

ruta, *s. f.* rota, rumo; itinerário, roteiro.

rutenio, *s. m.* ruténio (metal).

rutilante, *adj. 2 gén.* rutilante.

rutilar, *v. intr.* rutilar, brilhar.

rutina, *s. f.* rotina.

rutinario, -a, *adj. e s.* rotineiro.

S

s, *s. f.* s, vigésima letra do alfabeto espanhol.
sábado, *s. m.* sábado.
sábalo, *s. m.* ZOOL. sável.
sabana, *s. f.* savana.
sábana, *s. f.* lençol.
sabandija, *s.* **1.** *f.* sevandija. **2.** 2 *gén.* *(fig.)* sevandija, parasita.
sabañón, *s. m.* frieira.
sabático, -a, *adj.* sabático.
sabatina, *s. f.* sabatina.
sabedor, -a, *adj.* sabedor; instruído; conhecedor.
sabelotodo, *s.* 2 *gén.* sabichão, sabichona.
saber, I. *v.* **1.** *tr.* saber; ser capaz de; tomar conhecimento de. **2.** *intr.* ter sabor. II. *s. m.* saber, sabedoria.
sabidillo, -a, *adj. e s.* sabichão, sabichona.
sabido, -a, *adj.* sabido, sábio.
sabidor, -a, *adj. e s.* sabedor.
sabiduría, *s. f.* sabedoria; prudência.
sabiendas, *a sabiendas,* às sabidas, com conhecimento.
sabihondo, -a, *adj. e s.* sabichão, sabichona.
sabio, -a, *adj.* sábio.
sablazo, *s. m.* sabrada; *(fam.)* tiro, calote.
sable, *s. m.* sabre.
sableador, -a, *s. m. e f.* chupista, crava.
sablear, *v. intr.* cravar, pedir dinheiro.
sablista, *adj. e s.* 2 *gén.* crava, chupista.
sabor, *s. m.* sabor, gosto.
saborear, *v. tr.* saborear.
saboreo, *s. m.* saborear.
sabotaje, *s. m.* sabotagem.
saboteador, -a, *s. m. e f.* sabotador.
sabotear, *v. tr.* sabotar.
sabroso, -a, *adj.* saboroso; delicioso, gostoso.
saca, *s. f.* saca, saco grande.
sacabocado, *s. m.* saca-bocados, alicate de furar.
sacaclavos, *s. m.* arranca-pregos.
sacacorchos, *s. m.* saca-rolhas.
sacacuartos, *s. m.* bugiganga.

sacamuelas, *s. m. e f.* tira-dentes, mau dentista; aldrabão, embusteiro.
sacapuntas, *s. m.* aguça.
sacar, *v. tr.* tirar (para fora), extrair, sacar; arrancar.
sacarificar, *v. tr.* sacarificar.
sacarina, *s. f.* sacarina.
sacarino, -a, *adj.* sacarino.
sacaroideo, -a, *adj.* sacarídeo.
sacarosa, *s. f.* sacarose.
sacerdocio, *s. m.* sacerdócio.
sacerdotal, *adj.* 2 *gén.* sacerdotal.
sacerdote, *s. m.* sacerdote, padre; homem dedicado ao bem.
sacerdotisa, *s. f.* sacerdotisa.
sachar, *v. tr.* sachar.
saciable, *adj.* 2 *gén.* saciável.
saciar, *v. tr. e refl.* saciar, fartar, satisfazer.
saciedad, *s. f.* saciedade.
saco, *s. m.* saco.
sacralizar, *v. tr.* sacralizar.
sacramentado, -a, *adj.* sacramentado.
sacramental, *adj.* 2 *gén.* sacramental.
sacramentar, *v. tr.* sacramentar.
sacramento, *s. m.* sacramento.
sacrificado, -a, *adj.* sacrificado.
sacrificar, *v. tr.* sacrificar, imolar; renunciar; resignar.
sacrificio, *s. m.* sacrifício.
sacrilegio, *s. m.* sacrilégio.
sacrílego, -a, *adj.* sacrílego.
sacrismoche, *s. m.* sacristão.
sacristán, *s. m.* sacristão.
sacristana, *s. f.* sacristã.
sacristía, *s. f.* sacristia.
sacro, -a, I. *adj.* sacro, sagrado. II. *s. m.* ANAT. sacro.
sacrosanto, -a, *adj.* sacrossanto.
sacudida, *adj.* sacudidela; abanão, abanadela.
sacudidura, *s. f.* sacudidura, sacudidela.
sacudir, *v. tr.* sacudir, abanar.
sádico, *adj.* sádico.
sadismo, *s. m.* sadismo.
sadomasoquismo, *s. m.* sadomasoquismo.

sadomasoquista, *adj.* e *s. 2 gén.* sadomasochista.

saeta, *s. f.* seta, flecha; ponteiro (de relógio); agulha (de bússola); copla breve.

saetada, *s. m.* setada, frechada.

saetera, *s. f.* seteira.

safari, *s. m.* safari.

saga, *s. f.* saga.

sagacidad, *s. f.* sagacidade.

sagaz, *adj. 2 gén.* sagaz, avisado, astuto.

sagrado, -a, *adj.* sagrado.

sagrario, *s. m.* sacrário.

sagú, *s. m.* BOT. sagueiro; sagu.

saharaui, *adj.* e *s. 2 gén.* saraui.

sahariano, -a, *adj.* e *s.* sariano.

saín, *s. m.* banha, gordura, sebo (de animal).

sainete, *s. m.* TEAT. sainete.

sajadura, *s. f.* incisão, escarificação.

sajar, *v. tr.* lancetar, escarificar, golpear.

sajón, -ona, *adj.* saxão, saxónio.

sal, *s. f.* sal; (*fig.*) chiste, graça; malícia.

sala, *s. f.* sala; tribunal.

saladero, *s. m.* salgadeira.

salado, -a, *adj.* salgado; (*fig.*) chistoso, gracioso.

saladura, *s. f.* salga.

salamanca, *s. f.* gruta natural.

salamandra, *s. f.* salamandra.

salamanquesa, *s. f.* ZOOL. osga.

salame, *s. m.* salame.

salami, *s. m.* salame.

salar, *v. tr.* salgar.

salarial, *adj. 2 gén.* salarial.

salario, *s. m.* salário; remuneração.

salaz, *adj. 2 gén.* salaz, devasso, impudico.

salazón, *s. f.* salgadura, salga.

salchicha, *s. f.* salsicha.

salchichería, *s. f.* salsicharia.

salchichón, *s. m.* salsichão, salsicha, salpicão.

salcochar, *v. tr.* cozer alimentos só com água e sal.

saldar, *v. tr.* saldar, liquidar; saldar, vender por baixo preço.

saldo, *s. m.* saldo, liquidação; diferença; resto.

salero, *s. m.* saleiro; (*fig.*) sal, graça, donaire.

saleroso, -a, *adj.* (*fig.*) engraçado, gracioso, donairoso.

salesiano, -a, *adj.* e *s.* salesiano.

saleta, *s. f.* saleta.

salida, *s. f.* saída; partida; nascimento (de um astro).

salido, -a, *adj.* saído; saliente.

saliente, **I.** *adj.* saliente; cessante. **II.** *s. m.* projecção, saliência.

salífero, -a, *adj.* salino.

salificar, *v. tr.* salificar.

salina, *s. f.* salina.

salinidad, *s. f.* salinidade.

salino, -a, *adj.* salino.

salir, *v. intr.* sair; partir; desviar-se, afastar-se.

salitre, *s. m.* salitre.

saliva, *s. f.* saliva, cuspo.

salivación, *s. f.* salivação.

salival, *adj. 2 gén.* salivar.

salivar, *v. intr.* salivar; cuspir.

salivazo, *s. m.* cuspidela.

salmo, *s. m.* salmo.

salmodia, *s. f.* salmodia.

salmodiar, *v. intr.* e *tr.* salmodiar, salmear.

salmón, *s. m.* ZOOL. salmão.

salmonado, -a, *adj.* salmonado.

salmonella, *s. f.* salmonela.

salmonelosis, *s. f.* salmonelose.

salmonete, *s. m.* ZOOL. salmonete.

salmuera, *s. f.* salmoira.

salobre, *adj. 2 gén.* salobre, salobro.

salobridad, *s. f.* salobridade.

salón, *s. m.* salão.

salpicadero, *s. m.* mostrador; painel de comandos.

salpicadura, *s. f.* salpicadura, salpico.

salpicar, *v. tr.* salpicar, manchar, borrifar.

salpicón, *s. m.* salpico; coquetel de marisco.

salpimentar, *v. tr.* salpimentar, condimentar.

salpullido, *s. m.* erupção cutânea, prurido, fogagem.

salsa, *s. f.* molho, salsa; aperitivo.

salsera, *s. f.* molheira.

saltador, -a, *adj.* e *s.* saltador.

saltamontes, *s. m.* gafanhoto, saltão.

saltaojos, *s. m.* BOT. peónia.

saltar, *v.* **1.** *intr.* saltar, pular; sobressair. **2.** *tr.* saltar, transpor; arrancar; omitir.

saltarín, -ina, *adj.* e *s.* bailarino.

salteado, *adj.* e *s. m.* salteado.

salteador, -a, *s. m.* e *f.* salteador; bandoleiro.

saltear, *v. tr.* saltear; assaltar.

salterio, *s. m.* saltério.

saltimbanqui, *s. 2 gén.* saltimbanco.

salto, *s. m.* salto, pulo; espaço que se salta;

despenhadeiro; cachoeira, catadupa; omissão.

salt|ón, -ona, *adj.* saltão, saltador.

saltuario, *adj.* 2 *gén.* morgado.

salubre, *adj.* 2 *gén.* saudável, salubre, salutar.

salubridad, *s. f.* salubridade.

salud, *s. f.* saúde.

saludable, *adj.* 2 *gén.* saudável.

saludar, *v. tr.* saudar, cumprimentar; aclamar, proclamar; benzer; brindar.

saludo, *s. m.* saudação, cortesia, cumprimento.

salutación, *s. f.* saudação.

salva, *s. f.* prova (de corridas); salva.

salvable, *adj.* 2 *gén.* salvável.

salvación, *s. f.* salvação.

salvad|o, -a, I. *adj.* salvo. **II.** *s. m.* farelo, sêmea, casca.

salvador, -a, I. *adj.* e *s.* salvador. **II. Salvador,** *s. m.* o Salvador, Jesus Cristo.

salvaguarda, *s. f.* vd. **salvaguardia.**

salvaguardar, *v. tr.* salvar, proteger.

salvaguardia, *s. f.* salvaguarda; salvo-conduto; custódia, amparo, garantia.

salvajada, *s. f.* selvajaria; barbaridade.

salvaje, *adj.* e *s.* 2 *gén.* selvagem, inculto; bravio.

salvajismo, *s. m.* selvagismo, selvajaria.

salvamento, *s. m.* salvamento, salvação.

salvar, *v. tr.* salvar.

salvavidas, *s. m.* salva-vidas.

salve, *interj.* salve!

salvedad, *s. f.* salvaguarda; ressalva; excepção.

salv|o, -a, *adj.* salvo, ileso; exceptuado; omitido.

salvoconducto, *s. m.* salvo-conduto.

samba, *s. m.* samba.

sambenito, *s. m.* sambenito, escapulário; *(fig.)* estigma, ferrete.

samorar, *s. m.* samorar.

sampán, *s. m.* sampana, embarcação chinesa.

samurai, *s. m.* samurai.

san, *adj.* são, santo.

sanable, *adj.* 2 *gén.* sanável; remediável; curável.

sanador, -a, *adj.* e *s.* sanador.

sanar, *v. tr.* sanar, curar.

sanatorio, *s. m.* sanatório.

sanción, *s. f.* sanção, estatuto ou lei; sanção, penalidade; aprovação.

sancionable, *adj.* 2 *gén.* sancionável.

sancionar, *v. tr.* sancionar.

sancochar, *v. tr.* aferventar.

sandalia, *s. f.* sandália.

sándalo, *s. m.* BOT. sândalo.

sandez, *s. f.* sandice, tolice.

sandía, *s. f.* melancia (planta e fruto).

sandí|o, -a, *adj.* e *s.* sandeu, sandia, néscio.

sandunga, *s. f.* garbo, graça, donaire.

sandungue|ro, -a, *adj.* garboso, gracioso, gentil.

saneamiento, *s. m.* saneamento.

sanear, *v. tr.* sanear; reparar, remediar; sanar.

sanedrín, *s. m.* sanedrim, sinédrio.

sangradera, *s. f.* lanceta; sangradouro, acéquia; comporta.

sangrado, *s. m.* indentação.

sangrador, *s. m.* sangrador.

sangradura, *s. f.* MED. incisão, corte.

sangrante, *adj.* 2 *gén.* sangrante; *(fig.)* flagrante; evidente.

sangrar, *v.* **1.** *tr.* sangrar. **2.** *intr.* sangrar, deitar sangue.

sangre, *s. f.* sangue; casta, raça, geração, linhagem.

sangría, *s. f.* sangria, sangradouro; sangria (bebida); *(fig.)* gasto de dinheiro; indentação.

sangrient|o, -a, *adj.* sangrento, sanguinolento; ensanguentado.

sanguijuela, *s. f.* sanguessuga.

sanguina, *s. f.* sanguina, lápis vermelho; sanguínea.

sanguinaria, *s. f.* hematite.

sanguinari|o, -a, *adj.* sanguinário.

sanguíne|o, -a, *adj.* sanguíneo.

sanguin|o, -a, *adj.* sanguíneo.

sanguinolencia, *s. f.* sanguinolência.

sanguinolent|o, -a, *adj.* sanguinolento, sangrento.

sanidad, *s. f.* sanidade; salubridade.

sanitari|o, -a, I. *adj.* sanitário. **II.** *s. m.* sanitário, quarto de banho.

san|o, -a, *adj.* são; sã; sadio; recto.

sánscrit|o, -a, *adj.* e *s. m.* sânscrito.

sanseacabó, *y sanseacabó,* e ponto final!

sansón, *s. m.* sansão.

santabárbara, *s. f.* NÁUT. santa-bárbara.

santería, *s. f.* santidade.

sante|ro, -a, *adj.* beato, santeiro.

santidad, *s. f.* santidade.

santificación, *s. f.* sentificação.

santificar, *v. tr.* santificar.

santiguar, *v. tr.* santigar, benzer-se.

santísimo, -a, I. *adj.* santíssimo. **II.** *s. m.* o Santíssimo.

santo, -a, *adj.* e s. santo.

santón, *s. m.* asceta; santão; santarrão, homem hipócrita.

santoral, *s. m.* santoral, hagiológio.

santuario, *s. m.* santuário.

santurrón, -ona, *adj.* santarrão, santão, beato.

santurronería, *s. f.* beatice.

saña, *s. f.* cólera, ira, sanha, raiva.

sañudo, -a, *adj.* sanhudo, sanhoso.

sapiencia, *s. f.* sabedoria.

sapiente, *adj. 2 gén.* sapiente.

sapo, *s. m.* ZOOL. sapo.

saponificación, *s. f.* saponificação.

saponificar, *v. tr.* saponificar.

saque, *s. m.* serviço (ténis); pontapé livre (futebol); *saque de esquina,* pontapé de canto; *saque inicial,* pontapé de saída.

sarampión, *s. m.* sarampão, sarampo.

sarao, *s. m.* sarau.

sarasa, *s. m.* (*fam.*) maricas.

sarcasmo, *s. m.* sarcasmo.

sarcástico, -a, *adj.* sarcástico.

sarcófago, *s. m.* sarcófago, sepulcro, féretro.

sarcoma, *s. m.* sarcoma.

sardina, *s. f.* sardinha.

sardinal, *s. m.* sardinheira (rede).

sardinero, -a, *adj.* e s. sardinheiro.

sardón, *s. m.* mata de azinheiros.

sardonal, *s. m.* azinhal.

sardónico, -a, *adj.* sardónico.

sarga, *s. f.* sarja; tapeçaria.

sargazo, *s. m.* sargaço.

sargento, *s. m.* sargento.

sari, *s. m.* sari.

sarmentoso, -a, *adj.* sarmentoso.

sarmiento, *s. m.* sarmento.

sarna, *s. f.* sarna.

sarnoso, -a, *adj.* e s. sarnoso, sarnento.

sarpullido, *s. m.* erupção cutânea, prurido.

sarraceno, -a, *adj.* e s. sarraceno, árabe, mouro.

sarracina, *s. f.* tumulto, rixa, briga, arruaça; massacre.

sarracino, -a, *adj.* e s. vd. **sarraceno.**

sarro, *s. m.* sarro, borra, sedimento; tártaro, sarro dos dentes; saburra da língua; ferrugem dos cereais.

sarta, *s. f.* enfiada, fiada, fileira, fila; série, chorrilho.

sartén, *s. f.* sertã, frigideira larga; vasilha de ferro de pouco fundo.

sartenada, *s. f.* fritada.

sarteneja, *s. f.* sertãzinha.

sastra, *s. f.* CIN./TEAT. costureira; encarregada do guarda-roupa.

sastre, *s. m.* alfaiate.

sastrería, *s. f.* alfaiataria.

Satán, *s. m.* Satã.

Satanás, *s. m.* vd. **Satán.**

satánico, -a, *adj.* satânico; diabólico.

satanismo, *s. m.* satanismo.

satélite, *s. m.* satélite.

satén, *s. m.* cetim.

satinado, -a, *adj.* acetinado.

satinar, *v. tr.* acetinar.

sátira, *s. f.* sátira.

satírico, -a, *adj.* satírico, mordaz.

satirizar, *v. intr.* satirizar; motejar, ridicularizar, causticar.

sátiro, *s. m.* MIT. sátiro.

satisfacción, *s. f.* satisfação; reparação; confiança e segurança.

satisfacer, *v. tr.* satisfazer; bastar.

satisfactorio, -a, *adj.* satisfatório; aceitável.

satisfecho, -a, *adj.* satisfeito; saciado; contente.

sátrapa, *s. m.* sátrapa.

saturación, *s. f.* saturação.

saturar, *v. tr.* saturar, saciar, fartar; locupletar; impregnar.

saturnino, -a, *adj.* saturnino.

saturnismo, *s. m.* saturnismo.

saturno, *s. m.* Saturno, planeta; QUÍM. saturno, antiga designação do chumbo.

sauce, *s. m.* BOT. salgueiro.

saúco, *s. m.* BOT. sabugueiro.

saudade, *s. f.* saudade.

saudí, *adj.* e s. 2 gén. saudita.

saudita, *adj.* e s. 2 gén. vd. **saudí.**

sauna, *s. f.* sauna.

sauquillo, *s. m.* espécie de sabugueiro.

saurio, -a, *adj.* e s. ZOOL. sáurio.

savia, *s. f.* seiva, suco; seiva, energia, alento.

saxo, *s. m.* vd. **saxofón.**

saxofón, *s. m.* saxofone.

saxofonista, *s. 2 gén.* saxofonista.

saxófono, *s. m.* saxofone.

saya, *s. f.* saia.

sayo, *s. m.* saio.

sazón, *s. f.* madureza, maturação; sabor, aroma; sazão, ocasião, tempo oportuno.

sazonado, -a, *adj.* sazonado, amadurecido, maduro; expressivo, substancial (estilo ou frase).

sazonador, -a, *adj.* que sazona.

sazonar, *v. tr.* sazonar, sazoar; amadurecer; temperar.

scout, *s. m.* escuteiro.

se, *pron.* se.

sebáceo, -a, *adj.* sebáceo; sebento.

sebo, *s. m.* sebo.

seborrea, *s. f.* seborreia.

seboso, -a, *adj.* seboso.

secador, *s. m.* secador (do cabelo).

secadora, *s. f.* secadora (de roupa).

secano, *s. m.* sequeiro; terra de sequeiro.

secante, **I.** *adj. 2 gén.* **1.** GEOM. secante. **2.** secante, que seca. **II.** *s.* **1.** *f.* GEOM. secante. **2.** *m.* secante (produto); mata-borrão.

secar, *v.* **1.** *tr.* secar; murchar. **2.** *intr.* secar, evaporar-se; enfraquecer.

sección, *s. f.* secção, corte, perfil dum edifício, terreno, máquina, etc.; MIL. secção de um pelotão.

seccionar, *v. tr.* seccionar, dividir em secções.

secesión, *s. f.* secessão.

secesionismo, *s. m.* secessionismo.

secesionista, *adj. e s. 2 gén.* secessionista.

seco, -a, *adj.* seco; árido; murcho; magro; descarnado; áspero; insensível.

secreción, *s. f.* secreção.

secreta, *s. f. (fam.)* polícia secreta.

secretar, *v. tr.* segregar.

secretaría, *s. f.* secretariado, secretaria.

secretario, -a, *s. m.* secretário.

secretear, *v. intr. (fam.)* segredar, cochichar.

secreteo, *s. m. (fam.)* cochicho, murmúrio.

secreter, *s. m.* secretária (móvel).

secreto, -a, **I.** *adj.* secreto, oculto, escondido, ignorado; calado, reservado. **II.** *s. m.* segredo, secreto; silêncio, reserva, discrição, sigilo; confidência; esconderijo.

secretorio, -a, *adj.* secretor; secretório.

secta, *s. f.* seita.

sectario, -a, *adj. e s.* sectário; sequaz, fanático.

sectarismo, *s. m.* sectarismo.

sector, *s. m.* sector.

sectorial, *adj. 2 gén.* sectorial.

secuaz, *adj. e s. 2 gén.* sequaz.

secuela, *s. f.* sequela, consequência.

secuencia, *s. f.* sequência.

secuestrador, -a, *adj. e s.* sequestrador.

secuestrar, *v. tr.* sequestrar.

secuestro, *s. m.* sequestração, sequestro; bens sequestrados.

secular, *adj. 2 gén.* secular, mundano, leigo.

secularidad, *s. f.* secularidade.

secularización, *s. f.* secularização.

secularizar, *v. tr.* secularizar.

secundar, *v. tr.* secundar, auxiliar, ajudar, favorecer.

secundaria, *s. f.* ensino secundário.

secuoya, *f.* sequóia.

sed, *s. f.* sede, secura; *(fig.)* desejo ardente.

seda, *s. f.* seda; cerda.

sedal, *s. m.* sedela, fio de pesca.

sedante, *adj. 2 gén.* sedante, sedativo, calmante.

sedar, *v. tr.* sedar, acalmar, moderar, sossegar.

sedativo, -a, *adj.* sedativo.

sede, *s. f.* sede; sé.

sedentario, -a, *adj.* sedentário.

sedeño, -a, *adj.* sedoso.

sedera, *s. f.* escovinha, broxa de cerdas.

sedería, *s. f.* sedas; comércio da seda; loja ou fábrica de artigos de seda.

sedero, -a, *adj.* da seda.

sedición, *s. f.* sedição, sublevação, revolta.

sedicioso, -a, *adj. e s.* sedicioso, rebelde.

sediento, -a, *adj. e s.* sedento, sedente, sequioso.

sedimentación, *s. f.* sedimentação.

sedimentar, *v. tr.* sedimentar.

sedimentario, -a, *adj.* sedimentar.

sedimento, *s. m.* sedimento.

sedoso, -a, *adj.* sedoso.

seducción, *s. f.* sedução.

seducir, *v. tr.* seduzir.

seductor, -a, *adj. e s.* sedutor.

sefardí, *adj. e s.* sefardi, sefardita.

sefardita, *adj. e s. 2 gén.* vd. **sefardí.**

segador, -a, *s. m. e f.* segador, segadora, ceifeiro, ceifeira.

segar, *v. tr.* segar, ceifar.

seglar, *adj. e s. 2 gén.* secular, mundano; secular, leigo. •

segmentación, *s. f.* segmentação.

segmentar, *v. tr.* segmentar.

segmento, s. m. segmento.

segregación, s. f. segregação.

segregacionismo, s. m. segregacionismo.

segregacionista, adj. e s. 2 gén. segregacionista.

segregar, v. tr. segregar, separar; secretar.

segregativo, -a, adj. segregativo.

segueta, s. f. serra (surda) para marchetaria.

seguida, s. f. seguida, seguimento; ritmo.

seguidero, s. m. pauta (para escrever).

seguidilla, s. f. MÚS. seguidilha.

seguido, -a, adj. seguido, contínuo, consecutivo.

seguido, adv. de seguida.

seguidor, -a, adj. e s. seguidor.

seguimiento, s. m. seguimento.

seguir, v. 1. tr. seguir. 2. refl. inferir-se.

según, prep. segundo, conforme.

segunda, s. f. dupla volta (chave); segunda classe (transportes); segunda velocidade (automóvel).

segundero, s. m. ponteiro dos segundos (no relógio).

segundo, -a, num. segundo.

seguramente, adv. seguramente, com toda a certeza.

seguridad, s. f. segurança, protecção; certeza; *Seguridad Social*, Segurança Social.

seguro, -a, adj. seguro, livre, isento de dano ou perigo; seguro, firme; certo; segurança, certeza, confiança; garantia; contrato.

seis, num. seis; sexto.

seisavo, -a, adj. sexto.

seiscientos, -as, adj. seiscentos.

seismo, s. m. sismo, terramoto, tremor de terra.

selección, s. f. selecção; escolha.

seleccionador, -a, s. m. e f. seleccionador.

seleccionar, v. tr. seleccionar, eleger, escolher.

selectividad, s. f. selectividade.

selectivo, -a, adj. selectivo.

selecto, -a, adj. selecto.

selector, s. m. selector.

selenio, s. m. selénio.

selenita, 1. s. 2 gén. selenita. 2. s. f. selenite.

sellar, v. tr. selar, estampilhar; estampar, imprimir; selar, carimbar; pôr marca; fechar, tapar, selar.

sello, s. m. selo, sinete, carimbo, chancela; fecho, selo; estampilha, selo postal.

selva, s. f. selva, matagal, bosque.

selvático, -a, adj. selvático; rústico.

semáforo, s. m. semáforo.

semana, s. f. semana; (fig.) féria, salário.

semanada, s. f. semanada.

semanal, adj. 2 gén. semanal.

semanario, -a, I. adj. semanário. II. s. m. semanário.

semántica, s. f. semântica.

semántico, -a, adj. semântico.

semblante, s. m. semblante; cara, rosto, fisionomia; aparência.

semblanza, s. f. esboço biográfico.

sembrado, -a, I. adj. semeado. II. s. m. sementeira, campo semeado.

sembrador, -a, adj. semeador.

sembrar, v. tr. semear; espalhar, propalar, difundir.

semejante, I. adj. 2 gén. semelhante; análogo. II. s. m. o semelhante.

semejanza, s. f. semelhança; parecença.

semejar, v. 1. intr. semelhar. 2. refl. assemelhar-se, parecer-se.

semen, s. m. sémen; BOT. semente.

semental, adj. 2 gén. e s. semental.

sementera, s. f. semeadura; sementeira.

sementero, s. m. saco da semente.

semestral, adj. 2 gén. semestral.

semestre, s. m. semestre.

semicircular, adj. 2 gén. semicircular.

semicírculo, s. m. semicírculo.

semicircunferencia, s. f. semicircunferência.

semiconductor, s. m. semicondutor.

semiconsciente, adj. 2 gén. semiconsciente.

semiconsonante, adj. 2 gén. e s. f. semiconsoante.

semicorchea, s. f. semicolcheia.

semidesierto, -a, adj. semideserto.

semidesnudo, -a, adj. seminu.

semidiós, s. m. semideus.

semidiosa, s. f. semideusa.

semidirecto, -a, adj. semidirecto.

semieje, s. m. semieixo.

semiesférico, -a, adj. hemisférico.

semifinal, s. f. semifinal.

semifinalista, adj. 2 gén. semifinalista.

semifondo, s. m. meio-fundo.

semifusa, s. f. semifusa.

semilla, s. f. semente.

semillero, s. m. viveiro de plantas, seminário.

seminal, adj. 2 gén. seminal.

seminario, s. m. seminário, viveiro de plantas; RELIG. seminário.

seminarista, s. m. seminarista.

seminifero, -a, adj. seminífero.

semínima, s. f. semínima.

semiótica, s. f. semiótica.

semiprecioso, -a, adj. semiprecioso.

semita, adj. e s. 2 gén. semita.

semítico, -a, adj. semítico.

semitismo, s. m. semitismo.

semitono, s. m. MÚS. semitom.

semivocal, s. f. semivogal.

sémola, s. f. sêmola.

senado, s. m. senado.

senador, -a, s. m. e f. senador.

senatorial, adj. 2 gén. senatorial; senatório.

sencillez, s. f. singeleza, simplicidade.

sencillo, -a, adj. simples, singelo, incauto.

senda, s. f. senda, atalho; vereda.

sendero, s. m. vd. **senda**.

sendos, -as, num. distributivo: um ou uma para cada um ou uma (pessoas ou coisas); cada um o seu.

senectud, s. f. senectude, senilidade, decrepitude.

senegalés, -esa, adj. e s. senegalês.

senescal, s. m. senescal.

senil, adj. 2 gén. senil.

senilidad, s. f. senilidade.

sénior, adj. 2 gén. sénior.

seno, s. m. seio, curvatura, volta; seio, ventre materno; seio, peito da mulher; regaço; seio, enseada; (fig.) centro, coração, âmago; seno.

sensación, s. f. sensação; emoção.

sensacional, adj. 2 gén. sensacional.

sensatez, s. f. sensatez; juízo, bom-senso; prudência.

sensato, -a, adj. sensato, sisudo, prudente, cordato.

sensibilidad, s. f. sensibilidade.

sensibilización, s. f. sensibilização.

sensibilizar, v. tr. sensibilizar.

sensible, adj. 2 gén. sensível.

sensiblería, s. f. sentimentalismo exagerado.

sensiblero, -a, adj. sentimentalista.

sensitivo, -a, adj. sensível, sensitivo.

sensorial, adj. 2 gén. sensorial.

sensorio, -a, adj. sensório.

sensual, adj. sensual, sensitivo; lúbrico.

sensualidad, s. f. sensualidade; volúpia; sensualismo.

sensualismo, s. m. sensualismo.

sentada, s. f. de uma sentada, de uma assentada.

sentado, -a, adj. sentado; assentado; discreto, judicioso, assisado, prudente.

sentar, v. 1. tr. sentar, assentar. 2. intr. assentar, cair bem ou mal (falando-se de vestes). 3. refl. sentar-se.

sentencia, s. f. sentença, ditame, parecer; sentença, decisão; despacho.

sentenciar, v. tr. sentenciar; condenar.

sentencioso, -a, adj. sentencioso.

sentido, -a, I. adj. sentido. II. s. m. sentido, senso.

sentimental, adj. 2 gén. sentimental.

sentimentalismo, s. m. sentimentalismo.

sentimentaloide, adj. 2 gén. (fam.) sentimentalóide, sentimentalão.

sentimiento, s. m. sentimento; pena, mágoa, desgosto, pesar, dor; opinião, parecer; ressentimento.

sentina, s. f. NÁUT. cavidade inferior dos navios; lugar imundo.

sentir, v. tr. sentir, perceber.

seña, s. f. senha, sinal; indício, aceno, gesto.

señal, s. f. sinal, marca; baliza, limite; indício; nota; distintivo; cicatriz, dinheiro adiantado; prodígio; coisa extraordinária.

señalado, -a, adj. assinalado, insigne, famoso, memorável.

señalar, v. tr. assinalar; rubricar, assinar; anunciar; indicar; marcar; apontar (com o dedo); sublinhar; assinalar, fazer uma ferida que deixe cicatriz; sinalizar, fazer sinal.

señalización, s. f. sinalização.

señalizar, v. tr. sinalizar.

señero, -a, adj. solitário, só, único.

señolear, v. intr. caçar com negaça.

señor, -a, s. m. senhor; dono; nobre; amo; patrão.

señora, s. f. senhora; esposa, ama, dona de casa.

señorear, v. tr. senhorear; dominar, mandar.

señoría, s. f. senhoria, tratamento que se dá a pessoas de primeira nobreza.

señorial, adj. 2 gén. senhorial; senhoril; distinto.

señorío, s. m. senhorio; domínio.

señorita, s. f. senhorita, menina (tratamento dado à mulher solteira); ama, senhora (em relação aos criados).

señorito, *s. m.* senhorito; *(fam.)* senhor, amo (em relação aos criados); jovem rico e ocioso.

señorón, -ona, *adj.* e *s.* grande senhor.

señuelo, *s. m.* negaça, chamariz, isca.

sépalo, *s. m.* BOT. sépala.

separable, *adj. 2 gén.* separável.

separación, *s. f.* separação; desunião; divisão.

separador,-a, *adj.* e *s.* separador.

separar, *v. tr.* separar, apartar; destituir.

separatismo, *s. m.* separatismo.

separatista, *adj. 2 gén.* separatista.

sepelio, *s. m.* enterro; enterramento; inumação.

sepia, **I.** *s.* **1.** *f.* ZOOL. siba (molusco). **2.** *m.* sépia (corante). **II.** *adj. 2 gén.* sépia.

septena, *s. f.* septena.

septenario, -a, *adj.* e *s.* septenário.

septenio, *s. m.* septénio.

septentrión, *s. m.* setentrião, norte; Ursa Maior.

septentrional, *adj. 2 gén.* setentrional.

septicemia, *s. f.* MED. septicemia.

séptico, -a, *adj.* séptico.

septiembre, *s. m.* Setembro.

séptimo, -a, *adj.* e *s.* sétimo.

septuagenario, -a, *adj.* e *s.* septuagenário.

septuagésimo, -a, *adj.* e *s.* septuagésimo.

septuplicar, *v. tr.* septuplicar.

sepulcral, *adj. 2 gén.* sepulcral.

sepulcro, *s. m.* sepulcro, sepultura; jazigo, túmulo.

sepultar, *v. tr.* sepultar, enterrar, inumar; ocultar, esconder.

sepultura, *s. f.* sepultura; sepulcro; cova.

sepulturero, *s. m.* coveiro.

sequedad, *s. f.* secura.

sequía, *s. f.* seca, estiagem; sede.

séquito, *s. m.* séquito, cortejo, comitiva.

sequizo, -a, *adj.* que tende a secar.

ser, **I.** *v. intr.* ser, existir, haver; estar. **II.** *s. m.* ser, ente, criatura; natureza; essência.

sera, *s. f.* seira, alcofa.

seráfico, -a, *adj.* seráfico.

serafín, *s. m.* serafim.

serbal, *s. m.* BOT. sorveira.

serena, *s. f.* serenata.

serenar, *v. tr.* serenar; aclarar; sossegar, acalmar.

serenata, *s. f.* serenata.

serenidad, *s. f.* serenidade.

sereno, **I.** *adj.* claro; limpo; sereno, calmo,

tranquilo. **II.** *s. m.* sereno, guarda-nocturno; sereno, orvalho, relento.

serial, *s. m.* TEL. série, produção em episódios.

seriar, *v. tr.* seriar.

serie, *s. f.* serie; sucessão.

seriedad, *s. f.* seriedade; rectidão.

serigrafía, *s. f.* serigrafia.

serijo, *s. m.* seirinha.

serio, -a, *adj.* sério, grave; severo; sisudo; importante.

sermón, *s. m.* sermão, prédica.

sermonear, **1.** *v. intr.* pregar, fazer sermões. **2.** *tr.* pregar um sermão a; repreender.

serología, *s. f.* serologia.

seropositivo, -a, *adj.* seropositivo.

serosidad, *s. f.* serosidade.

seroso, -a, *adj.* seroso.

serpentear, *v. intr.* serpear, serpentear.

serpenteo, *s. m.* serpenteado, traçado sinuoso (de caminho, rio, etc.); sinuosidades; meandros.

serpentín, *s. m.* serpentina (do alambique).

serpentina, *s. f.* serpentina (de papel, mineral).

serpiente, *s. f.* serpente, cobra.

serpol, *s. m.* serpão, serpilho.

serrado, -a, *adj.* serrado, serrilhado, denteado.

serraduras, *s. f. pl.* serradura, serrim.

serrallo, *s. m.* serralho, harém.

serranía, *s. f.* serrania; cordilheira.

serranilla, *s. f.* LIT. serrana, serranilha.

serrano, -a, *adj.* e *s.* serrano, serrana; montanhês; montesino.

serrar, *v. tr.* serrar.

serrín, *s. m.* serradura, serrim.

serrucho, *s. m.* serrote.

serventesio, *s. m.* LIT. sirventês.

servible, *adj. 2 gén.* utilizável; útil; prestadio.

servicial, *adj. 2 gén.* serviçal; diligente.

servicio, *s. m.* serviço; serviço militar; utilidade; bacia grande; clister; talher, baixela.

servidor, -a, *s. m.* e *f.* servidor, servo, criado, servente.

servidumbre, *s. f.* servidão; criadagem; obrigação; sujeição.

servil, *adj. 2 gén.* servil; baixo, humilde; subserviente.

servilismo, *s. m.* servilismo; subserviência.

servilleta, s. f. guardanapo.
servilletero, s. m. argola de guardanapo.
servio, -a, adj. e s. sérvio, da Sérvia.
servir, v. **1.** tr. servir; ministrar. **2.** intr. servir; ser útil; prestar; fazer o serviço militar. **3.** refl. servir-se; usar; dignar-se.
servodirección, s. f. direcção assistida.
servofreno, s. m. servofreio.
sésamo, s. m. sésamo.
sesenta, num. sessenta.
sesentavo, -a, adj. e s. sexagésimo.
sesentón, -ona, adj. e s. (fam.) sexagenário, sessentão.
sesera, s. f. crânio; cérebro; mioleira, miolos.
sesgado, -a, adj. sesgado, enviesado, esguelhado, oblíquo, sesgo.
sesgadura, s. f. esguelha.
sesgar, v. tr. enviesar, esguelhar; obliquar.
sesgo, s. m. desvio, mudança de direcção; al sesgo, em viés, a sesgo.
sesión, s. f. sessão.
seso, s. m. miolo, cérebro; (fig.) prudência, sisudez.
sestear, v. intr. sestear, dormir a sesta.
sestercio, s. m. sestércio (moeda).
sesudez, s. f. sisudez, sisudeza, seriedade, sensatez.
sesudo, -a, adj. sisudo, sensato.
seta, s. f. BOT. cogumelo, míscaro.
setal, s. m. lugar onde abundam cogumelos.
setecientos, -as, adj. setecentos.
setenta, num. setenta; septuagésimo.
setentavo, -a, adj. e s. septuagésimo.
setentón, -ona, adj. e s. septuagenário, setentão.
setiembre, s. m. Setembro.
seto, s. m. sebe, estacada, caniço.
seudónimo, s. m. pseudónimo.
severidad, s. f. severidade.
severo, -a, adj. severo, rigoroso, áspero; pontual; grave, sério.
sevicia, s. f. sevícia, crueldade; pl. sevícias, maus tratos.
sexagenario, -a, adj. e s. sexagenário.
sexagesimal, adj. 2 gén. sexagesimal.
sexagésimo, -a, adj. e s. sexagésimo.
sexenio, s. m. sexénio.
sexi, adj. 2 gén. séxi.
sexismo, s. m. sexismo; chauvinismo; machismo.
sexista, adj. e s. 2 gén. sexista, chauvinista, machista.

sexo, s. m. sexo.
sexologia, s. f. sexologia.
sexólogo, -a, s. m. e f. sexólogo.
sextante, s. m. sextante.
sexteto, s. m. sexteto.
sextilla, s. f. sextilha.
sexto, -a, adj. e s. m. sexto.
sextuplicar, v. tr. sextuplicar.
séxtuplo, -a, adj. e s. sêxtuplo.
sexuado, -a, adj. sexuado.
sexual, adj. 2 gén. sexual.
sexualidad, s. f. sexualidade.
sexy, adj. 2 gén. séxi.
shas, s. m. xá.
sheriff, s. m. xerife.
si, **I.** s. m. MÚS. si. **II.** pron. si. **III.** adv. sim. **IV.** conj. se.
sialismo, s. m. sialismo.
siamés, -esa, adj. e s. siamês, do Sião.
sibarita, adj. e s. 2 gén. sibarita.
sibaritismo, s. m. sibaritismo.
sibila, s. f. sibila, profetisa, pitonisa.
sibilante, adj. 2 gén. e s. f. sibilante.
sibilino, -a, adj. sibilino.
sicalíptico, -a, adj. sugestivo; erótico; pornográfico.
sicario, s. m. sicário.
sicoanálisis, s. f. psicanálise.
sicoanalista, s. 2 gén. psicanalista.
sicoanalítico, -a, adj. psicanalítico.
sicoanalizar, v. tr. psicanalizar.
sicofanta, s. m. sicofanta, caluniador; impostor.
sicología, s. f. psicologia.
sicológico, -a, adj. psicológico.
sicólogo, -a, s. m. e f. psicólogo.
sicomoro, s. m. sicómoro.
sicómoro, s. m. BOT. sicómoro.
sicópata, s. 2 gén. psicopata.
sicopatia, s. f. psicopatia.
sicopático, -a, adj. psicopático.
sicopatología, s. f. psicopatologia.
sicosis, s. f. psicose.
sicosomático, -a, adj. psicossomático.
sicoterapeuta, s. 2 gén. psicoterapeuta.
sicoterapia, s. f. psicoterapia.
sicótico, -a, adj. psicótico.
sida, s. m. MED. sida.
sidecar, s. m. sidecar.
sideral, adj. 2 gén. sideral.
siderita, s. f. siderite.
siderurgia, s. f. siderurgia.
siderúrgico, -a, adj. siderúrgico.

sidra, s. f. sidra.
siega, s. f. sega, ceifa, segada.
siembra, s. f. semeadura, sementeira.
siempre, adv. sempre.
siempreviva, s. f. BOT. sempre-viva.
sien, s. f. têmpora, fonte (da cabeça).
siena, adj. 2 gén. siena.
sienita, s. f. MIN. sienito.
sierpe, s. f. serpente, cobra.
sierra, s. f. serra (instrumento); serra, cordilheira.
siervo, -a, s. m. e f. servo.
sieso, s. m. sesso, esfíncter anal.
siesta, s. f. sesta.
siete, num. sete.
sietemesino, -a, adj. e s. sete-mesinho.
sífilis, s. f. MED. sífilis.
sifilítico, -a, adj. e s. sifilítico.
sifón, s. m. sifão.
sigilo, s. m. sigilo, segredo; selo, sinete.
sigiloso, -a, adj. secreto, calado.
sigla, s. f. sigla.
siglo, s. m. século.
sigma, s. f. sigma.
sigmoideo, -a, adj. sigmóideo, sigmóide.
signáculo, s. m. selo, sinal num escrito.
signar, v. tr. assinar, firmar, subscrever;
marcar; persignar.
signatario, -a, adj. e s. signatário.
signatura, s. f. assinatura, firma.
significación, s. f. significação.
significado, -a, I. adj. significado. II. s. m.
significado; significação.
significante, s. m. significante.
significar, v. tr. significar, representar.
significativo, -a, adj. significativo.
signo, s. m. signo; sinal, indício.
siguiente, adj. 2 gén. seguinte, imediato;
ulterior, posterior.
sílaba, s. f. sílaba.
silabario, s. m. silabário.
silabear, v. intr. e tr. soletrar; silabar.
silábico, -a, adj. silábico.
silba, s. f. assobiadela; apupo; pateada; vaia.
silbar, v. intr. assobiar, apitar; silvar, sibilar;
(fig.) patear.
silbato, s. m. assobio, apito.
silbido, s. m. assobio, silvo; som agudo.
silbo, s. m. assobio, silvo; som agudo.
silenciador, s. m. silenciador.
silenciar, v. tr. calar, silenciar.
silencio, s. m. silêncio.
silencioso, -a, adj. silencioso.
sílex, s. m. sílex.

sílfide, s. f. sílfide.
silicato, s. m. silicato.
sílice, s. f. sílica.
silícico, -a, adj. silícico.
silicio, s. m. silício.
silicona, s. f. silicone.
silicosis, s. f. silicose.
silla, s. f. cadeira, assento; sela.
sillar, s. m. silhar (pedra lavrada em esquadria); silha.
sillería, s. f. cadeirado, cadeiral; cadeiras;
ARQ. silhar.
sillín, s. m. selim; sela.
sillón, s. m. cadeirão, poltrona; silhão,
sela grande com braços.
silo, s. m. silo.
silogismo, s. m. silogismo.
silogístico, -a, adj. silogístico.
silogizar, v. tr. silogizar.
silueta, s. f. silhueta, perfil.
silva, s. f. LIT. silva (colectânea, poema).
silvestre, adj. 2 gén. silvestre; inculto,
rústico.
silvicultor, -a, s. m. e f. silvicultor.
silvicultura, s. f. silvicultura.
sima, s. f. furna, abismo, antro, cova.
simbiosis, s. f. simbiose.
simbiótico, -a, adj. simbiótico.
simbólico, -a, adj. simbólico.
simbolismo, s. m. simbolismo.
simbolista, s. 2 gén. simbolista.
simbolizar, v. tr. simbolizar.
símbolo, s. m. símbolo.
simetría, s. f. simetria.
simétrico, -a, adj. simétrico, pertencente
à simetria.
simiente, s. f. semente.
simiesco, -a, adj. simiesco.
símil, I. adj. 2 gén. símil, similar. II. s. m.
símile; analogia.
similar, adj. 2 gén. similar.
similitud, s. f. similitude, semelhança.
similitudinario, -a, adj. similitudinário.
similor, s. m. ouro falso, pechisbeque.
simio, s. m. símio, macaco.
simonía, s. f. simonia.
simoníaco, -a, adj. e s. simoníaco.
simpatía, s. f. simpatia.
simpático, -a, adj. simpático.
simpatizante, adj. e s. 2 gén. simpatizante.
simpatizar, v. intr. simpatizar.
simple, I. adj. 2 gén. simples, mero. II. s.
2 gén. simples, tonto.

simplemente, *adv.* simplesmente, somente, apenas.

simpleza, *s. f.* simpleza, parvoíce.

simplicidad, *s. f.* simplicidade.

simplificación, *s. f.* simplificação.

simplificar, *v. tr.* simplificar.

simplismo, *s. m.* simplismo.

simplista, *adj.* e *s.* 2 *gén.* simplista; simplicista.

simplón, -ona, *adj.* e *s.* mentecapto; simplório.

simposio, *s. m.* simpósio.

simulación, *s. f.* simulação, fingimento.

simulacro, *s. m.* simulacro.

simulado, -a, *adj.* simulado.

simulador, -a, **I.** *adj.* e *s.* simulador. **II.** *s. m.* TÉCN. simulador.

simular, *v. tr.* simular; fingir.

simultanear, *v. tr.* acumular.

simultaneidad, *s. f.* simultaneidade.

simultáneo, -a, *adj.* simultâneo; sincrónico.

simún, *s. m.* simum (vento).

sin, *prep.* sem.

sinagoga, *s. f.* sinagoga.

sinalefa, *s. f.* sinalefa.

sinapismo, *s. m.* sinapismo.

sincerarse, *v. refl.* desculpar-se; abrir-se, confessar-se; desabafar.

sinceridad, *s. f.* sinceridade; franqueza.

sincero, -a, *adj.* sincero, ingénuo, verdadeiro; franco.

sinclinal, *s. m.* sinclinal.

síncopa, *s. f.* síncope, metaplasmo; síncopa.

sincopado, -a, *adj.* sincopado.

sincopar, *v. tr.* sincopar; abreviar, encurtar.

síncope, *s. m.* síncope.

sincretismo, *s. m.* sincretismo.

sincronía, *s. f.* sincronia.

sincrónico, -a, *adj.* sincrónico; simultâneo.

sincronismo, *s. m.* sincronismo.

sincronización, *s. f.* sincronização.

sincronizar, *v. tr.* sincronizar.

sindicación, *s. f.* sindicância.

sindical, *adj.* 2 *gén.* sindical.

sindicalismo, *s. m.* sindicalismo.

sindicalista, *adj.* e *s.* 2 *gén.* sindicalista.

sindicar, *v.* **1.** *tr.* sindicalizar. **2.** *refl.* sindicalizar-se; formar um sindicato.

sindicato, *s. m.* sindicato.

síndico, *s. m.* síndico; liquidatário.

síndrome, *s. m.* síndrome, síndroma, síndromo.

sinécdoque, *s. f.* sinédoque.

sinecura, *s. f.* sinecura.

sinéresis, *s. f.* sinérese.

sinergia, *s. f.* sinergia.

sinestesia, *s. f.* sinestesia.

sinfín, *s. m.* sem-fim, infinidade.

sinfonía, *s. f.* sinfonia.

sinfónico, -a, *adj.* sinfónico.

single, *s. m.* (ténis) jogo de singulares; (disco) single.

singular, **I.** *adj.* 2 *gén.* singular, único, só; raro, excelente. **II.** *s. m.* GRAM. singular.

singularidad, *s. f.* singularidade.

singularizar, *v. tr.* singularizar; privilegiar; distinguir; especializar.

siniestra, *s. f.* mão esquerda.

siniestrado, -a, *adj.* sinistrado.

siniestro, -a, **I.** *adj.* sinistro, esquerdo; funesto; fatal, aziago. **II.** *s. m.* sinistro, desastre.

sinnúmero, *s. m.* sem-número.

sino, **I.** *s. m.* sina, destino, sorte, fado. **II.** *conj.* senão, mas, somente.

sínodo, *s. m.* sínodo, concílio.

sinología, *s. f.* sinologia.

sinonimia, *s. f.* sinonímia.

sinónimo, -a, *adj.* e *s.* sinónimo.

sinopsis, *s. f.* sinopse.

sinóptico, -a, *adj.* sinóptico.

sinovia, *s. f.* sinóvia.

sinovial, *adj.* 2 *gén.* sinovial.

sinrazón, *s. f.* sem-razão; injustiça.

sinsabor, *s. m.* sensaboria, insipidez; (*fig.*) pesar, desgosto.

sintáctico, -a, *adj.* sintáctico.

sintaxis, *s. f.* sintaxe.

síntesis, *s. f.* síntese; resumo, sinopse.

sintético, -a, *adj.* sintético.

sintetizador, *s. m.* sintetizador.

sintetizar, *v. tr.* sintetizar; resumir, abreviar.

sintoísmo, *s. m.* xintoísmo.

sintoísta, *s.* 2 *gén.* xintoísta.

síntoma, *s. m.* sintoma; indício, prenúncio.

sintomático, -a, *adj.* sintomático; característico.

sintomatología, *s. f.* sintomatologia.

sintonía, *s. f.* sintonia.

sintonización, *s. f.* sintonização.

sintonizador, *s. m.* sintonizador.

sintonizar, *v. tr.* sintonizar, regularizar.

sinuosidad, *s. f.* sinuosidade.

sinuoso, -a, adj. sinuoso, ondulado, tortuoso.

sinusitis, s. f. sinusite.

sinvergüencería, s. f. desfaçatez, sem-vergonha.

sinvergüenza, adj. e s. 2 gén. sem-vergonha, patife.

sionismo, s. m. sionismo.

sionista, adj. e s. 2 gén. sionista.

sique, s. f. psique.

siquiatra, s. 2 gén. psiquiatra.

siquiatría, s. f. psiquiatria.

siquiátrico, -a, adj. psiquiátrico.

síquico, -a, adj. psíquico.

siquier, conj. sequer, pelo menos, ao menos.

sirena, s. f. sereia.

sirga, s. f. NÁUT. sirga.

sirgar, v. tr. NÁUT. sirgar.

siriaco, -a, adj. e s. sírio, da Síria.

sirimiri, s. m . chuvisco, chuva miudinha.

siringa, s. f. siringa.

sirio, -a, adj. e s. sírio.

siroco, s. m . siroco, vento sueste.

sirope, s. m. xarope.

sirte, s. f. sirtes, baixios, recifes.

sirviente, -a, adj. e s. 2 gén. servente, serviçal, criado.

sisa, s. f. pequena quantia furtada nas compras; COST. cava.

sisal, s. m. sisal.

sisar, v. tr. furtar (nas compras); COST. cavear.

sisear, v. intr. ciciar.

siseo, s. m. cício.

sísmico, -a, adj. sísmico.

sismógrafo, s. m. sismógrafo.

sismología, s. f. sismologia.

sismológico, -a, adj. sismológico.

sismómetro, s. m. sismómetro.

sistema, s. m. sistema.

sistemático, -a, adj. sistemático; metódico, ordenado.

sistematización, s. f. sistematização.

sistematizar, v. tr. sistematizar, organizar.

sístole, s. f. sístole.

sitiado, -a, adj. e s. sitiado, cercado.

sitiar, v. tr. sitiar; cercar; assediar.

sitio, s. m. sítio, lugar, espaço; cerco.

sito, -a, adj. sito, situado, colocado.

situación, s. f. situação; disposição.

situado, -a, adj. situado.

situar, v. tr. situar.

slalom, s. m. slálom, gincana.

slogan, s. m. slogan.

snob, adj. e s. 2 gén. snob.

snobismo, s. m. snobismo.

soba, s. f. sova, tunda, surra.

sobaco, s. m. sovaco, axila.

sobado, -a, adj. sovado, desgastado; amachucado; manuseado.

sobajanero, s. m. moço de recados, nas herdades da Andaluzia.

sobajar, v. tr. amarrotar, enxovalhar, amachucar, amarfanhar.

sobaquera, s. f. cava (das vestes); reforço sob as axilas.

sobaquina, s. f. sovaquinho.

sobar, v. tr. sovar, amassar, manusear; surrar, machucar (as peles); sovar, bater.

soberanía, s. f. soberania; domínio.

soberano, -a, adj. e s. soberano.

soberbia, s. f. soberba, soberbia, orgulho.

soberbio, -a, adj. soberbo; altivo, arrogante; orgulhoso; magnífico.

sobón, -ona, adj. enfadonho, maçador.

sobornable, adj. 2 gén. subornável.

sobornado, -a, adj. subornado, peitado.

sobornar, v. tr. subornar, corromper, peitar.

soborno, s. m. suborno.

sobra, s. f. sobra, demasia, excesso; agravo; pl. sobras, restos, sobejos.

sobradamente, adv. sobejamente.

sobradillo, s. m. alpendre.

sobrado, -a, I. adj. audaz e licencioso; abastado, rico. **II.** s. m. desvão, sótão. **III.** adv. demasiado.

sobrante, I. adj. 2 gén. sobrante, sobejo; restante. **II.** s. m. sobra; excesso, resto.

sobrar, 1. v. tr. sobrar, exceder, sobejar. **2.** intr. ficar; restar.

sobre, I. prep. sobre. **II.** s. m. sobre, sobrescrito, envelope.

sobreabundancia, s. f. superabundância.

sobreabundante, adj. 2 gén. superabundante.

sobreabundar, v. intr. superabundar; sobejar.

sobrealimentación, s. f. superalimentação, sobrealimentação.

sobrealimentar, v. tr. superalimentar, sobrealimentar.

sobrecalentar, v. tr. e refl. sobreaquecer.

sobrecarga, s. f. sobrecarga.

sobrecargar, v. tr. sobrecarregar; (fig.) acabrunhar.

sobrecargo, *s. m.* supercargo, comissário de bordo encarregado da carga.

sobreceja, *s. f.* sobrolho.

sobrecogedor, -a, *adj.* comovente, dramático; assustador.

sobrecoger, *v. tr.* surpreender.

sobrecubierta, *s. f.* sobrecoberta.

sobredicho, -a, *adj.* sobredito; acima mencionado; supracitado.

sobredorar, *v. tr.* sobredourar, sobredoirar.

sobredosis, *s. f.* sobredose, overdose.

sobreentender, *v. tr.* compreender; deduzir, subentender.

sobreestimar, *v. tr.* sobrestimar.

sobreexceder, *v. tr.* sobreexceder.

sobreexcitación, *s. f.* sobreexcitação, superexcitação.

sobreexcitar, *v. tr. e refl.* sobreexcitar, superexcitar.

sobrefalda, *s. f.* sobressaia.

sobrehilado, -a, I. *adj.* alinhavado. **II.** *s. m.* alinhavo na ourela.

sobrehilar, *v. tr.* alinhavar na ourela.

sobrehumano, -a, *adj.* sobre-humano.

sobreimpresión, *s. f.* sobreimpressão.

sobrellenar, *v. tr.* encher até trasbordar.

sobremanera, *adv.* sobremaneira; muitíssimo.

sobremesa, *s. f.* tempo que se está à mesa após a refeição; tarde.

sobremodo, *adv.* sobremodo, sobremaneira.

sobrenadar, *v. intr.* sobrenadar; boiar.

sobrenatural, *adj. 2 gén.* sobrenatural.

sobrenombre, *s. m.* alcunha; sobrenome.

sobrentender, *v. tr.* compreender; deduzir, subentender.

sobrepaga, *s. f.* sobrepaga; gratificação.

sobreparto, *s. m.* sobreparto.

sobrepasar, *v. tr.* exceder, ultrapassar, avantajar.

sobrepelliz, *s. f.* sobrepeliz.

sobrepeso, *s. m.* excesso de peso.

sobrepoblación, *s. f.* superpovoamento.

sobreponer, *v. tr.* sobrepor, acrescentar; *refl.* sobrepor-se.

sobreprecio, *s. m.* aumento de preço.

sobreproducción, *s. f.* superprodução.

sobrepujar, *v. tr.* sobrepujar, ultrapassar.

sobresaliente, I. *adj. 2 gén.* sobresselente. **II.** *s.* **1.** *m.* distinção (nos exames). **III.** *2 gén.* suplente, substituto.

sobresalir, *v. intr.* sobressair, avantajar, avultar.

sobresaltar, *v. tr.* sobressaltar, assustar.

sobresalto, *s. m.* sobressalto.

sobresdrújulo, -a, *adj.* GRAM. bisesdrúxulo.

sobreseer, *v. tr.* demitir, despedir, suspender.

sobreseimiento, *s. m.* demissão, despedimento, suspensão.

sobrestante, *s. m.* capataz, apontador.

sobrestimar, *v. tr.* sobrestimar.

sobresueldo, *s. m.* gratificação, bónus.

sobretasa, *s. f.* sobretaxa.

sobretenajón, *s. f.* ELECT. sobretensão, aumento de tensão.

sobretodo, *s. m.* sobretudo (casacão); guarda-pó.

sobrevalorar, *v. tr.* sobrevalorizar.

sobrevenir, *v. intr.* sobrevir, suceder, vir, ocorrer; chegar subitamente.

sobreviviente, *adj. e s. 2 gén.* sobrevivente.

sobrevivir, *v. intr.* sobreviver.

sobrevolar, *v. tr.* sobrevoar.

sobrexceder, *v. tr.* sobreexceder, ultrapassar.

sobrexcitación, *s. f.* sobreexcitação.

sobrexcitar, *v. tr.* sobreexcitar.

sobrino, -a, *s. m. e f.* sobrinho.

sobrio, -a, *adj.* sóbrio, parco, frugal.

socaire, *s. m.* NÁUT. sotavento; *al socaire,* para sotavento.

socaliña, *s. f.* ardil para furtar.

socapa, *s. f.* pretexto; evasivo; *a socapa,* à socapa.

socarrar, *v. tr.* chamuscar.

socarrón, -ona, *adj. e s.* socarrão, astuto, dissimulado; burlão.

socarronería, *s. f.* astúcia, velhacaria; ironia, sarcasmo.

socavar, *v. tr.* socavar, solapar.

socavón, *s. m.* buraco, cova; escavação; galeria; túnel.

sociabilidad, *s. f.* sociabilidade.

sociable, *adj. 2 gén.* sociável.

social, *adj. 2 gén.* social; sociável.

socialdemocracia, *s. f.* social-democracia.

socialdemócrata, *adj. e s. 2 gén.* social-democrata.

socialismo, *s. m.* socialismo.

socialista, *adj. e s. 2 gén.* socialista.

socialización, *s. f.* socialização.

socializar, *v. tr.* socializar.

socialmente, *adv.* socialmente.

sociedad, *s. f.* sociedade.

socio, -a, *s. m. e f.* sócio; accionista; *(fam.)* amigo, parceiro.

socioeconómico, -a, *adj.* socioeconómico.

sociología, *s. f.* sociologia.

sociológico, -a, *adj.* sociológico.

sociólogo, -a, *s. m. e f.* sociólogo.

socorrer, *v. tr.* socorrer, auxiliar, ajudar.

socorrido, -a, *adj.* socorrido, ajudado, auxiliado.

socorrismo, *s. m.* socorrismo.

socorrista, *s. 2 gén.* socorrista.

socorro, *s. m.* socorro, protecção, auxílio; dinheiro, alimento.

socrático, -a, *adj.* e s. socrático.

soda, *s. f.* soda (bebida); QUÍM. soda.

sódico, -a, *adj.* sódico.

sodio, *s. m.* sódio.

sodomía, *s. m.* sodomia.

sodomizar, *v. tr.* sodomizar.

soez, *adj. 2 gén.* soez, vil, torpe, grosseiro.

sofá, *s. m.* sofá.

sofisma, *s. m.* sofisma.

sofista, *adj.* e s. 2 gén. sofista.

sofisticación, *s. f.* sofisticação.

sofisticado, -a, *adj.* sofisticado.

sofisticar, *v. tr.* sofisticar, sofismar.

sofocación, *s. f.* sufocação.

sofocante, *adj. 2 gén.* sufocante, asfixiante.

sofocar, *v. tr.* sufocar; apagar, dominar, extinguir; importunar; envergonhar.

sofoco, *s. m.* sufocação; sufoco.

sofocón, *s. m.* grande desgosto; abalo.

sofoquina, *s. f.* afogueamento; desgosto.

sofreír, *v. tr.* frigir levemente; aloirar.

sofrenada, *s. f.* sofreamento.

sofrenar, *v. tr.* sofrear (a cavalgadura); *(fig.)* repreender asperamente; sofrear, refrear, reprimir.

sofrito, *s. m.* refogado de tomate e cebola.

soga, *s. f.* soga, corda.

soja, *s. f.* BOT. soja.

sol, *s. m.* Sol; sol, dia, luz; MÚS. sol.

solado, *s. m.* pavimentação; lajedo; soalho.

solamente, *adv.* só, somente.

solana, *s. f.* soalheiro; galeria própria para tomar o sol.

solanera, *s. f.* insolação; lugar exposto, sem resguardo, aos raios solares.

solano, *s. m.* vento quente de leste; BOT. erva-moira.

solapa, *s. f.* lapela; badana, orelha (de livro); pretexto, manha.

solapado, -a, *adj.* solapado, dissimulado, fingido.

solapar, *v. tr.* pôr lapela no casaco; sobrepor, cruzar, imbricar; solapar, ocultar, dissimular.

solar, I. *adj. 2 gén.* solar, relativo ao Sol. II. *s. m.* solar (habitação). III. *tr.* assoalhar, soalhar, ladrilhar, lajear; solar, pôr solas no calçado.

solariego, -a, *adj.* e s. solarengo.

solario, *s. m.* solário.

solárium, *s. m.* solário.

solaz, *s. m.* descanso; consolação, distracção, prazer, divertimento.

solazar, *v. tr.* consolar, alegrar, divertir.

solazo, *s. m.* sol forte e ardente.

soldada, *s. f.* soldo, soldada, salário; pré.

soldadesca, *s. f.* profissão de soldado; soldadesca, os soldados.

soldadesco, -a, *adj.* militar, soldadesco.

soldado, *s. m.* soldado.

soldador, -a, *s.* 1. *m. e f.* soldador, soldadora. 2. *s. m.* soldador, ferro de soldar.

soldadura, *s. f.* soldadura, soldagem; solda (material).

soldar, *v. tr.* soldar, pegar, unir com solda.

soleado, -a, *adj.* soalheiro.

solear, *v. tr.* e *refl.* soalhar, assoalhar.

solecismo, *s. m.* solecismo.

soledad, *s. f.* soledade; solidão, tristeza.

solemne, *adj. 2 gén.* solene; pomposo; grave; majestoso.

solemnidad, *s. f.* solenidade.

solemnizar, *v. tr.* solenizar.

solenoide, *s. m.* solenóide.

soler, *v. intr.* ser costume; costumar, ter por hábito.

solera, *s. f.* soleira, frechal; pouso, mó de baixo (do moinho); lar do forno; borras do vinho.

solevantar, *v. tr.* solevantar, soerguer.

solfatara, *s. f.* sulfatara; enxofreira.

solfear, *v. tr.* solfejar; *(fig., fam.)* sovar; criticar.

solfeo, *s. m.* solfejo.

solicitación, *s. f.* solicitação.

solicitador, *s. m. e f.* agente, solicitador.

solicitante, *adj. 2 gén.* solicitante.

solicitar, *v. tr.* solicitar.

solícit|o, -a, *adj.* solícito, cuidadoso, diligente.
solicitud, *s. f.* solicitude; diligência.
solidaridad, *s. f.* solidariedade.
solidari|o, -a, *adj.* solidário.
solidarizarse, *v. refl.* solidarizar-se.
solideo, *s. m.* solidéu.
solidez, *s. f.* solidez, resistência, segurança.
solidificación, *s. f.* solidificação.
solidificar, *v. tr.* solidificar.
sólid|o, -a, I. *adj.* sólido, firme, maciço. **II.** *s. m.* sólido.
soliloquio, *s. m.* solilóquio; monólogo.
solimán, *s. m.* solimão, sublimado corrosivo.
solio, *s. m.* sólio (trono).
solista, *s. 2 gén.* solista.
solitaria, *s. f.* solitária, bicha-solitária, ténia.
solitari|o, -a, *adj.* solitário, desamparado, deserto, só; solitário, diamante.
sólit|o, -a, *adj.* sólito, acostumado, usado, habitual.
sollad|o, *s. m.* NÁUT. porão; coberta inferior.
sollastre, *s. m.* ajudante de cozinha; velhaco, maroto.
sollozar, *v. intr.* soluçar, chorar.
sollozo, *s. m.* soluço.
soll|o, -a, I. *adj.* só, isolado, sozinho; abandonado, desamparado. **II.** *s. m.* solo, jogo de cartas; MÚS. solo.
sólo, *adv.* só, somente.
solomillo, *s. m.* acém.
solsticio, *s. m.* solstício.
soltar, *v. tr.* soltar, desprender, desatar, alargar; libertar.
soltería, *s. f.* celibato.
solter|o, -a, *adj.* solteiro; celibatário, solteiro.
solter|ón, -ona, *adj. e s.* solteirão; solteirona.
soltura, *s. f.* agilidade, prontidão; segurança, confiança; facilidade, fluência; descaramento.
solubilidad, *s. f.* solubilidade.
soluble, *adj. 2 gén.* solúvel.
solución, *s. f.* solução; conclusão; decisão; soluto; desfecho; satisfação.
solucionar, *v. tr.* solucionar.
solvencia, *s. f.* solvência, solvibilidade.
solventar, *v. tr.* solucionar, resolver; tirar (dúvidas); consertar, remediar.

solvente, I. *adj. 2 gén.* solvente. **II.** *s. m.* QUÍM. solvente.
soma, *s. f.* rolão (da farinha).
somanta, *s. f.* surra, sova, tunda.
somarro, *s. m.* carne fresca assada nas brasas.
somatar, *v. tr.* dar uma sova, surrar.
somatén, *s. m.* milícia civil.
somátic|o, -a, *adj.* somático.
somatología, *s. f.* somatologia.
sombra, *s. f.* sombra, obscuridade; imagem escura; espectro, aparição fantástica.
sombraje, *s. m.* lugar abrigado do sol; resguardo (contra o sol).
sombrajo, *s. m.* vd. **sombraje.**
sombread|o, -a, *adj.* sombreado.
sombrear, *v. tr.* sombrear.
sombrerera, *s. f.* chapeleira.
sombrerería, *s. f.* chapelaria.
sombrerero, -a, *s. m. e f.* chapeleiro.
sombrilla, *s. f.* sombrinha.
sombrillazo, *s. m.* pancada vibrada com uma sombrinha.
sombrí|o, -a, *adj.* sombrio; triste, melancólico.
someramente, *adv.* sumariamente, superficialmente, ligeiramente.
somer|o, -a, *adj.* sumário, superficial, ligeiro.
someter, *v. tr.* submeter, sujeitar, subjugar, humilhar.
sometimiento, *s. m.* submetimento.
somier, *s. m.* colchão de rede, colchão de molas.
somnambulismo, *s. m.* sonambulismo.
somnámbul|o, -a, *adj. e s.* sonâmbulo.
somnífer|o, -a, *adj.* sonífero.
somnolencia, *s. f.* sonolência.
somnolient|o, -a, *adj.* sonolento.
son, *s. m.* som.
sonadero, *s. m.* lenço (para assoar).
sonad|o, -a, *adj.* famoso, afamado; falado; badalado; louco, maluquinho; aturdido, grogue (pugilista).
sonador, *adj. e s.* sonoro, soante, ruidoso.
sonaja, *s. f.* soalha (cada um dos discos metálicos do pandeiro).
sonajero, *s. m.* guizo, chocalho para crianças.
sonambulismo, *s. m.* sonambulismo.
sonámbul|o, -a, *adj. e s.* sonâmbulo.
sonar, *v. intr.* soar, ecoar.
sónar, *s. m.* NÁUT. sonar.
sonata, *s. f.* MÚS. sonata.

sonatina, s. f. MÚS. sonatina.
sonda, s. f. sonda; cateter.
sondar, v. tr. sondar.
sondear, v. tr. sondar.
sondeo, s. m. sondagem.
sonetista, s. 2 gén. sonetista.
soneto, s. m. soneto.
sónico, -a, adj. sónico.
sonido, s. m. som; sonido.
soniquete, s. m. matraqueado; cantilena; lenlalenga; tom irónico.
sonoridad, s. f. sonoridade.
sonorización, s. f. sonorização.
sonorizar, v. tr. sonorizar.
sonoro, -a, adj. sonoro; harmonioso.
sonreír, v. intr. e refl. sorrir.
sonriente, adj. 2 gén. sorridente, risonho, alegre.
sonrisa, s. f. sorriso.
sonrojar, v. tr. e refl. envergonhar, ruborizar, corar.
sonrojear, v. tr. e refl. vd. **sonrojar**.
sonrojo, s. m. rubor; vergonha.
sonrosado, -a, adj. rosado, róseo, cor-de--rosa.
sonrosar, v. 1. tr. tornar cor-de-rosa. 2. refl. rosar-se, corar, ruborizar-se.
sonsacar, v. tr. furtar com destreza; surripiar; solicitar secretamente; induzir com manha.
sonsonete, s. m. vd. **soniquete**.
soñado, -a, adj. sonhado; maravilhoso.
soñador, -a, adj. e s. sonhador.
soñar, v. tr. sonhar; fantasiar; soñar despierto, sonhar acordado; ¡ni soñarlo!, nem por sonhos!, nem pensar nisso!
soñarrera, s. f. sono pesado; sonolência.
soñera, s. f. soneira; sonolência.
soñoliento, -a, adj. sonolento.
sopa, s. f. sopa.
sopapo, s. m. sopapo; bofetada, bofetão.
sopar, v. tr. vd. **sopear**.
sopear, v. tr. ensopar; mergulhar; fazer sopas de; sopetear.
sopera, s. f. terrina da sopa, sopeira.
sopero, -a, I. adj. sopeiro, da sopa. II. s. m. prato sopeiro.
sopesar, v. tr. sopesar.
sopetón, s. m. bofetão, sopapo; fatia de pão torrado molhada em azeite; de sopetón, de sopetão.
sopladero, s. m. respiradouro.
soplador, -a, s. m. e f. assoprador de vidro (nas fábricas).

soplamocos, s. m. bofetão.
soplar, v. 1. intr. assoprar, soprar; respirar. 2. tr. soprar; sugerir; acusar, denunciar, delatar.
soplete, s. m. maçarico.
soplido, s. m. sopro, assopro.
soplillo, s. m. abano; abanador; orejas de soplillo, orelhas de abano.
soplo, s. m. sopro, assopro.
soplón, -ona, adj. e s. (fam.) delator, denunciante; acusa-cristos; acusa-pilatos.
soponcio, s. m. desmaio, fanico, chilique.
sopor, s. m. MED. torpor, modorra; sopor; adormecimento, sonolência.
soporífero, -a, adj. soporífero.
soporífico, -a, adj. 2 gén. soporífico.
soportable, adj. 2 gén. suportável.
soportador, -a, adj. e s. suportador.
soportal, s. m. átrio; pórtico; pl. arcada.
soportar, v. tr. suportar; sofrer, tolerar.
soporte, s. m. suporte, apoio, sustentáculo; soporte de datos, INFORM. base de dados.
soprano, s. m. MÚS. soprano.
sopuntar, v. tr. pontear; sublinhar.
sor, s. f. soror, sóror, sor, irmã (freira professa).
sorber, v. tr. sorver, beber aspirando; absorver; chupar, sugar; tragar; engolir.
sorbete, s. m. sorvete.
sorbible, adj. 2 gén. sorvível.
sorbo, s. m. sorvo; gole, trago.
sordera, s. f. surdez.
sordidez, s. f. sordidez; imundície; mesquinhez.
sórdido, -a, adj. sórdido, sujo, imundo; impuro; repugnante; sórdido, mesquinho, avarento.
sordina, s. f. surdina.
sordino, s. m. espécie de violino.
sordo, -a, adj. e s. surdo.
sordomudez, s. f. surdimutismo.
sordomudo, -a, adj. e s. surdo-mudo.
sordón, s. m. MÚS. espécie de fagote.
sorgo, s. m. sorgo.
soriasis, s. f. psoríase.
sorites, s. m. sorites.
sorna, s. f. sorna, indolência, preguiça, inércia; sorna, velhacaria, sornice.
sorprendente, adj. 2 gén. surpreendente; maravilhoso; raro, estranho, magnífico.
sorprender, v. tr. surpreender, sobressaltar; espantar, maravilhar.
sorpresa, s. f. surpresa; espanto, pasmo.

sorrostrada, s. f. insolência, descaramento.

sorteable, adj. 2 gén. sorteável.

sorteador, -a, adj. e s. sorteador.

sorteamiento, s. m. sorteio, sorteamento.

sortear, v. tr. sortear.

sorteo, s. m. sorteio.

sortija, s. f. anel (jóia); anel de cabelo, caracol.

sortilegio, s. m. sortilégio; bruxedo.

sosa, s. f. QUÍM. soda; BOT. soda, barrilheira.

sosaina, s. 2 gén. sonso, sonsa; caldinho sem sal.

sosar, s. m. terreno onde abunda a barrilheira ou soda (planta).

sosegad|o, -a, adj. sossegado; quieto, pacífico.

sosegador, -a, adj. e s. sossegador.

sosegar, v. tr. sossegar, aplacar, pacificar; descansar, dormir, repousar.

sosera, s. f. sensaboria, insipidez; baboseira.

sosería, s. f. vd. **sosera**.

sosiega, s. f. sossego, descanso (depois duma tarefa).

sosiego, s. m. sossego, quietude, tranquilidade.

soslayar, v. tr. esguelhar.

soslay|o, -a, adj. esguelhado, oblíquo; al soslayo, de soslayo, de soslaio.

sos|o, -a, adj. insosso, insulso, insípido.

sospecha, s. f. suspeita.

sospechable, adj. suspeitoso.

sospechar, I. v. tr. suspeitar, conjecturar, supor. II. intr. desconfiar, duvidar.

sospechos|o, -a, adj. suspeitoso; suspeito.

sosquín, s. m. pancada dada à traição.

sostén, s. m. sustentamento, sustentação, arrimo, amparo; sustento; apoio, esteio.

sostenedor, -a, adj. e s. sustentador.

sostener, v. tr. e refl. suster, sustentar.

sostenid|o, -a, I. adj. sustentado; constante; MÚS. sustenido. II. s. m. MÚS. sustenido.

sostenimiento, s. m. sustentação, sustento; manutenção.

sota, s. f. sota, dama (naipe); mulher desavergonhada.

sotabanco, s. m. águas-furtadas; ARQ. imposta.

sotabarba, s. f. papada; duplo-queixo.

sotana, s. f. sotaina.

sótano, s. m. cave.

sotavento, s. m. sotavento.

sotechado, s. m. telheiro, alpendre.

soterrar, v. tr. soterrar, enterrar.

soterrad|o, -a, adj. enterrado; (fig.) escondido; oculto.

soto, s. m. bosque denso, matagal.

soufflé, s. m. soufflé.

souvenir, s. m. lembrança, souvenir.

soviet, s. m. soviete.

soviétic|o, -a, adj. soviético.

sovietización, s. f. sovietização.

sovietizar, v. tr. sovietizar.

sprint, s. m. sprint.

sprintar, v. intr. sprintar.

sprinter, s. m. sprinter, velocista.

squash, s. m. squash.

stand, s. m. stand.

standard, adj. 2 gén. standard, estandardizado.

standardizar, v. tr. estandardizar.

stárter, s. m. starter.

status, s. m. status.

stick, s. m. stick, aléu.

stock, s. m. stock, estoque.

stop, s. m. stop.

su, pron. seu, sua.

suasori|o, -a, adj. suasório, suasivo, persuasivo.

suave, adj. 2 gén. suave, macio; aprazível; tranquilo, manso.

suavidad, s. f. suavidade.

suavizante, adj. 2 gén. e s. m. amaciador.

suavizar, v. tr. e refl. suavizar.

subacuátic|o, -a, adj. subaquático.

subafluente, s. m. subafluente.

subalimentación, s. f. subalimentação.

subalimentad|o, -a, adj. subalimentado.

subalimentar, v. tr. subalimentar.

subaltern|o, -a, adj. e s. subalterno; subordinado; secundário.

subarrendamiento, s. m. subarrendamento, sublocação.

subarrendar, v. tr. subarrendar, sublocar.

subarrendatari|o, -a, s. m. e f. subarrendatário; sublocatário.

subarriendo, s. m. subarrendamento, sublocação.

subasta, s. f. leilão, arrematação; adjudicação.

subastar, v. tr. leiloar; arrematar.

subatómic|o, -a, adj. subatómico.

subcampe|ón, -ona, s. m. e f. vice-campeão, vice-campeã.

subcomisión, s. f. subcomissão.
subconsciencia, s. f. semiconsciência; subconsciente.
subconsciente, adj. 2 gén. e s. m. subconsciente.
subcontratista, s. 2 gén. subcontratante.
subcontrato, s. m. subcontrato.
subcutáneo, -a, adj. subcutâneo.
subdelegación, s. f. subdelegação.
subdelegado, -a, adj. e s. subdelegado.
subdelegar, v. tr. subdelegar.
subdesarrollado, -a, adj. subdesenvolvido.
subdesarrollo, s. m. subdesenvolvimento.
subdirector, -a, s. m. e f. subdirector.
súbdito, -a, adj. e s. súbdito, vassalo.
subdividir, v. tr. e refl. subdividir.
subdivisión, s. f. subdivisão.
subempleo, s. m. subemprego.
suberoso, -a, adj. suberoso.
subespecie, s. f. subespécie.
subestación, s. f. subestação.
subestimar, v. tr. subestimar.
subexponer, v. tr. subexpor.
subexposición, s. f. subexposição.
subgénero, s. m. subgénero.
subida, s. f. subida, ascensão, escalada; ladeira, rampa; subida, aumento (preço, salário, temperatura, águas).
subido, -a, adj. subido; elevado, alto.
subir, v. intr. subir, elevar, levantar; subir, ascender; escalar; subir, aumentar (preço, salários, temperatura, nível das águas); crescer; montar.
súbitamente, adv. subitamente.
súbito, -a, adj. súbito, imprevisto, repentino.
subjefe, s. m. subchefe.
subjetividad, s. f. subjectividade.
subjetivismo, s. m. subjectivismo.
subjetivo, -a, adj. subjectivo.
subjuntivo, -a, adj. e s. subjuntivo; conjuntivo.
sublevación, s. m. sublevação, rebelião, motim, levantamento.
sublevamiento, s. m. vd. sublevación.
sublevar, v. tr. e refl. sublevar, revoltar, amotinar.
sublimación, s. f. sublimação; volatilização.
sublimado, s. m. sublimado.
sublimar, v. tr. e refl. sublimar; engrandecer, exaltar.

sublime, adj. 2 gén. sublime, excelso; magnífico, esplêndido.
subliminal, adj. 2 gén. subliminar.
submarinismo, s. m. escafandrismo.
submarinista, s. 2 gén. escafandrista, mergulhador, homem-rã.
submarino, -a, adj. e s. m. submarino.
submaxilar, adj. 2 gén. submaxilar.
submúltiplo, -a, adj. e s. m. submúltiplo.
subnormal, adj. e s. 2 gén. subnormal, atrasado mental.
suboficial, s. m. oficial subalterno.
suborden, s. m. subordem.
subordinación, s. f. subordinação.
subordinado, -a, adj. e s. subordinado, subalterno.
subordinante, adj. 2 gén. subordinante.
subordinar, v. tr. e refl. subordinar.
subproducto, s. m. subproduto.
subrayar, v. tr. sublinhar; (fig.) enfatizar.
subreino, s. m. sub-reino.
subrepticiamente, adv. sub-repticiamente.
subrepticio, -a, adj. sub-reptício.
subrogación, s. f. sub-rogação.
subrogar, v. tr. sub-rogar.
subsanar, v. tr. desculpar, escusar; reparar; sanar, emendar.
subscribir, v. tr. subscrever, assinar.
subscripción, s. f. subscrição.
subscriptor, -a, s. m. e f. subscritor.
subscrito, -a, adj. subscrito, assinado.
subsecretaría, s. f. subsecretaria.
subsecretario, -a, s. m. e f. subsecretário.
subsidiar, v. tr. subsidiar.
subsidiario, -a, adj. subsidiário; auxiliar.
subsidio, s. m. subsídio; ajuda.
subsiguiente, adj. 2 gén. subsequente.
subsistencia, s. f. subsistência, estabilidade; subsistência, sustento, alimentos.
subsistente, adj. 2 gén. subsistente.
subsistir, v. intr. subsistir, permanecer, manter-se; sobreviver.
subsónico, -a, adj. subsónico.
substancia, s. f. substância; suco; ser, essência das coisas; bens.
substancial, adj. 2 gén. substancial; nutritivo.
substanciar, v. tr. consubstanciar; condensar; resumir.
substancioso, -a, adj. substancioso.
substantivar, v. tr. substantivar.
substantivo, -a, adj. e s. m. substantivo.

substitución, *s. f.* substituição.
substituible, *adj. 2 gén.* substituível.
substituidor, -a, *adj.* e *s.* substituidor, substituinte.
substituir, *v. tr.* substituir.
substitutivo, -a, *adj.* substitutivo.
substituto, -a, I. *adj.* substituto. II. *s. m.* e *f.* substituto; pessoa que faz as vezes de outra.
substracción, *s. f.* subtracção; diminuição.
substraendo, *s. m.* subtraendo, diminuendo.
substraer, *v. tr.* subtrair; furtar, roubar fraudulentamente; diminuir.
substrato, *s. m.* substrato
subsuelo, *s. m.* subsolo.
subteniente, *s. m.* subtenente.
subterfugio, *s. m.* subterfúgio, escapatória, ardil, evasiva.
subterráneo, -a, *adj.* subterrâneo.
subtipo, *s. m.* subtipo.
subtítulo, *s. m.* subtítulo.
subtropical, *adj. 2 gén.* subtropical.
suburbano, -a, *adj.* e *s.* suburbano.
suburbial, *adj. 2 gén.* dos subúrbios; suburbano.
suburbio, *s. m.* subúrbio, bairro, arrabalde.
subvalorar, *v. tr.* subvalorizar, depreciar.
subvención, *s. f.* subvenção, subsídio; socorro.
subvencionar, *v. tr.* subvencionar; subsidiar.
subvenir, *v. tr.* socorrer, ajudar, amparar, auxiliar.
subversión, *s. f.* subversão; ruína, destruição.
subversivo, -a, *adj.* subversivo.
subvertir, *v. tr.* subverter, destruir; corromper moralmente, perverter.
subyacente, *adj. 2 gén.* subjacente.
subyacer, *v. intr.* subjazer.
subyugable, *adj. 2 gén.* subjugável.
subyugación, *s. f.* subjugação.
subyugar, *v. tr.* e *refl.* subjugar; submeter, sujeitar.
succión, *s. f.* succção.
sucedáneo, -a, *adj.* e *s.* sucedâneo.
suceder, *v. intr.* suceder; acontecer; seguir-se.
sucedido, -a, I. *adj.* sucedido, acontecido. II. *s. m.* (*fam.*) sucesso, acontecimento, facto; caso, êxito.

sucesión, *s. f.* sucessão, herança.
sucesivamente, *adv.* sucessivamente.
sucesivo, -a, *adj.* sucessivo.
suceso, *s. m.* sucesso; acontecimento; crime.
sucesor, -a, *adj.* e *s.* sucessor.
suciedad, *s. f.* sujidade.
sucintamente, *adv.* sucintamente.
sucinto, -a, *adj.* sucinto, breve, conciso, abreviado.
sucio, -a, *adj.* sujo; (*fig.*) maculado; desonesto, obsceno.
suculento, -a, *adj.* suculento, substancioso.
sucumbir, *v. intr.* sucumbir, ceder, render-se; morrer, perecer.
sucursal, *s. f.* sucursal.
sud, *s. m.* sul.
sudación, *s. f.* sudação.
sudafricano, -a, *adj.* e *s.* sul-africano.
sudamericano, -a, *adj.* sul-americano.
sudanés, -esa, *adj.* e *s.* sudanês, do Sudão.
sudar, *v. intr.* suar; transpirar.
sudario, *s. m.* sudário.
sudeste, *s. m.* sueste.
sudista, *adj.* e *s. 2 gén.* sulista.
sudoeste, *s. m.* sudoeste.
sudor, *s. m.* suor.
sudorífero, -a, *adj.* e *s.* sudorífero, sudorífico.
sudorífico, -a, *adj.* e *s.* sudorífero, sudorífico.
sudoríparo, -a, *adj.* sudoríparo.
sudoroso, -a, *adj.* suado, suarento.
sueco, -a, *adj.* e *s.* sueco, da Suécia.
suegra, *s. f.* sogra.
suegro, *s. m.* sogro.
suela, *s. f.* sola; couro; ponta (do taco de bilhar).
sueldo, *s. m.* soldo; salário; ordenado; *estar a sueldo*, estar a soldo; *sueldo base*, ordenado base; *sueldo mínimo*, salário mínimo.
suelo, *s. m.* solo, chão; soalho; sedimento, pé; fundo, base.
suelta, *s. f.* solta, soltura; liberdade.
suelto, -a, I. *adj.* solto, desatado, desapertado; a granel; desemparelhado; trocado em miúdos (dinheiro); livre; desagregado; com diarreia; solto, fluente (estilo); ágil, veloz; (*fig.*) atrevido. II. *s.* 1. *m.* artigo, local (imprensa). 2. *f.* solta, lançamento; liberdade.

sueño, s. m. sono; sonho; (fig.) ilusão.

suero, s. m. soro.

suerte, s. f. sorte; felicidade; azar; destino, fado; estado, condição; tipo, espécie.

suertudo, -a, adj. sortudo, cheio de sorte.

suficiencia, s. f. suficiência, capacidade, aptidão.

suficiente, adj. 2 gén. suficiente; apto, capaz, idóneo.

suficientemente, adv. suficientemente.

sufijo, -a, adj. e s. m. sufixo.

sufragar, v. tr. custear; financiar; ajudar, auxiliar.

sufragio, s. m. sufrágio, ajuda, auxílio; voto.

sufragismo, s. m. sufragismo.

sufragista, s. 2 gén. sufragista.

sufrible, adj. 2 gén. sofrível.

sufrido, -a, adj. sofrido.

sufridor, -a, adj. e s. sofredor.

sufrimiento, s. m. sofrimento, padecimento, dor.

sugerente, adj. 2 gén. inspirador, sugestivo.

sugeridor, -a, adj. inspirador, sugestivo.

sugerir, v. tr. sugerir, inspirar, lembrar, advertir, seduzir, instigar.

sugestión, s. f. sugestão.

sugestionable, adj. 2 gén. sugestionável; impressionável; influenciável.

sugestionar, v. tr. sugestionar; impressionar; influenciar.

sugestivo, -a, adj. sugestivo.

suicida, adj. e s. 2 gén. suicida.

suicidarse, v. refl. suicidar-se.

suicidio, s. m. suicídio.

suizo, -a, adj. e s. suíço, da Suíça.

sujeción, s. f. sujeição.

sujetador, s. m. soutien.

sujetar, v. tr. sujeitar, dominar; segurar; firmar.

sujeto, -a, I. adj. sujeito, submetido; atado, agarrado. **II.** GRAM. sujeito; indivíduo.

sulfamida, s. f. sulfamida.

sulfatación, s. f. sulfatagem.

sulfatar, v. tr. sulfatar.

sulfato, s. m. sulfato.

sulfhídrico, -a, adj. sulfídrico.

sulfito, s. m. sulfito.

sulfurar, v. tr. sulfurar.

sulfúrico, -a, adj. sulfúrico.

sulfuro, s. m. sulfureto.

sulfuroso, -a, adj. sulfuroso.

sultán, s. m. sultão.

sultana, s. f. sultana.

sultanato, s. m. sultanato.

suma, s. m. soma; suma.

sumadora, s. f. máquina de calcular.

sumamente, adv. sumamente.

sumando, s. m. adenda.

sumar, v. tr. somar, adicionar.

sumariar, v. tr. sumariar.

sumario, -a, I. adj. sumário, abreviado; resumido, breve. **II.** s. m. sumário, resumo; processo sumário.

sumergible, I. adj. submergível, submersível. **II.** s. m. submersível, submarino.

sumergir, v. tr. submergir, mergulhar; afundar.

sumersión, s. f. submersão.

sumidero, s. m. sumidouro, sumidoiro; sarjeta.

sumiller, s. m. camareiro, sumilher.

suministración, s. f. subministração.

suministrador, -a, s. m. e f. subministrador.

suministrar, v. tr. subministrar, fornecer, ministrar.

suministro, s. m. subministração; provisão.

sumir, v. tr. e refl. sumir; (fig.) submergir, abismar.

sumisamente, adv. submissamente.

sumisión, s. f. submissão, sujeição, acatamento.

sumiso, -a, adj. submisso, obediente, subordinado, dócil.

sumista, s. m. sumista, autor de sumas ou compêndios.

súmmum, s. m. o máximo; o cume; o topo; o cúmulo.

sumo, -a, adj. sumo, supremo, máximo.

sunita, s. 2 gén. sunita.

sunna, s. f. suna.

suntuario, -a, adj. sumptuário.

suntuosidad, s. f. sumptuosidade.

suntuoso, -a, adj. sumptuoso, magnífico.

supeditación, s. f. sujeição, opressão.

supeditar, v. **1.** tr. sujeitar, oprimir. **2.** refl. submeter-se, sujeitar-se.

súper, I. adj. 2 gén. súper, grande. **II.** s. **1.** f. súper (gasolina). **2.** m. supermercado.

superable, adj. 2 gén. superável.

superabundancia, s. f. superabundância.

superabundante, adj. 2 gén. superabundante.

superabundar, v. intr. superabundar.
superación, s. f. superação.
superad|o, -a, adj. superado; ultrapassado; antiquado, obsoleto.
superalimentar, v. tr. superalimentar, sobrealimentar.
superante, adj. 2 gén. superante.
superar, v. tr. e refl. superar, sobrepujar, exceder, vencer.
superávit, s. m. superavit.
supercarburante, s. m. supercarburante.
superchería, s. f. embuste, engano, dolo, fraude.
superciliar, adj. 2 gén. superciliar, supraciliar.
supercondutividad, s. f. supercondutividade.
superconductor, s. m. supercondutor.
superdotad|o, -a, adj. e s. sobredotado.
superestructura, s. f. superstrutura.
superficial, adj. 2 gén. superficial; aparente; frívolo.
superficialidad, s. f. superficialidade.
superficie, s. f. superfície.
superfin|o, -a, adj. superfino.
superfluidad, s. f. superfluidade.
superflu|o, -a, adj. supérfluo, desnecessário.
superhombre, s. m. super-homem.
superintendencia, s. f. superintendência.
superintendente, s. 2 gén. superintendente.
superior, adj. 2 gén. e s. m. superior.
superiora, s. f. superiora.
superioridad, s. f. superioridade.
superlativ|o, -a, I. adj. superlativo, excelente. II. s. m. superlativo.
supermercado, s. m. supermercado.
supermujer, s. f. supermulher.
supernumerari|o, -a, adj. e s. supranumerário, supernumerário.
superorden, v. tr. superordem.
superpetrolero, s. m. superpetroleiro.
superpoblad|o, -a, adj. superpovoado.
superponer, v. tr. sobrepor.
superposición, s. f. sobreposição.
superpotencia, s. f. superpotência.
superproducción, s. f. superprodução.
superpuest|o, -a, adj. sobreposto.
superrealismo, s. m. super-realismo, surrealismo.
supersecret|o, -a, adj. supersecreto.
supersóni|co, -a, adj. supersónico.
superstición, s. f. superstição.

supersticios|o, -a, adj. e s. supersticioso.
supervalorar, v. tr. sobrevalorizar.
supervisar, v. tr. supervisionar.
supervisión, s. f. supervisão.
supervisor, -a, s. m. e f. supervisor.
supervivencia, s. f. supervivência, sobrevivência.
superviviente, adj. e s. 2 gén. sobrevivente, supervivente.
supervivir, v. intr. sobreviver.
superyó, s. m. superego.
supin|o, -a, I. adj. supino; absoluto, total. II. s. m. LING. supino.
suplantación, s. f. suplantação.
suplantador, -a, adj. e s. suplantador, usurpador; falsificador.
suplantar, v. tr. suplantar; adulterar, falsificar.
suplementari|o, -a, adj. suplementar, suplementário, supletivo.
suplemento, s. m. suplemento.
suplencia, s. f. substituição.
suplente, adj. e s. 2 gén. suplente, supletivo.
supletori|o, -a, adj. supletório, supletivo, suplente.
súplica, s. f. súplica.
suplicante, adj. e s. 2 gén. suplicante.
suplicar, v. tr. suplicar, rogar; apelar.
suplicatoria, s. f. precatória.
suplicio, s. m. suplício; tortura; castigo.
suplir, v. tr. suprir.
suponer, v. tr. supor.
suposición, s. f. suposição; hipótese.
supositorio, s. m. supositório.
suprarrenal, adj. 2 gén. supra-renal.
supremacía, s. f. supremacia.
suprem|o, -a, adj. supremo; altíssimo; último.
supresión, s. f. supressão.
suprimir, v. tr. suprimir, omitir.
supuest|o, -a, I. adj. suposto, hipotético. II. s. m. suposição, hipótese.
supuración, s. f. supuração.
supurar, v. intr. supurar.
sur, s. m. sul.
suramerican|o, -a, adj. vd. sudamericano.
surcad|o, -a, adj. sulcado, enrugado (rosto).
surcar, v. tr. sulcar, riscar; enrugar.
surco, s. m. sulco, rego; ruga.
surf, s. m. surf.
surfista, s. 2 gén. surfista.
surgir, v. intr. surgir; irromper; nascer, emergir; ancorar (o navio).

suripanta, *s. f.* corista.
surmenaje, *s. m.* esgotamento.
surrealismo, *s. m.* surrealismo, super-realismo.
surrealista, *adj. e s. 2 gén.* surrealista, super-realista.
surtido, -a, I. *adj.* sortido, variado; previsto. **II.** *s. m.* sortido; equipamento.
surtir, *v.* **1.** *tr.* sortir, prover, abastecer, fornecer. **2.** *intr.* brotar (a água), esguichar, repuxar.
surto, -a, *adj.* surto, fundeado, ancorado.
susceptibilidad, *s. f.* susceptibilidade.
susceptible, *adj. 2 gén.* susceptível.
suscitar, *v. tr.* suscitar, levantar, promover.
suscribir, *v. tr.* subscrever, assinar
suscripción, *s. f.* subscrição.
suscriptor, -a, *s. m. e f.* subscritor.
suscrito, -a, *adj.* subscrito.
susidio, *s. m.* inquietação, angústia.
susodicho, -a, *adj.* sobredito, acima mencionado.
suspender, *v. tr.* suspender, pendurar; deter, parar, sustar; suspender temporariamente; reprovar em exame.
suspense, *s. m.* suspense, expectativa.
suspensión, *s. f.* suspensão.
suspensivo, -a, *adj.* suspensivo.
suspenso, -a, I. *adj.* suspenso, pendurado; interrompido; admirado, perplexo. **II.** *s. m.* reprovado em exame.
suspensorio, -a, I. *adj.* suspensor, suspensivo. **II.** *s. m.* trusse.
suspicacia, *s. f.* desconfiança, suspeição.
suspicaz, *adj. 2 gén.* desconfiado, suspeitoso.
suspirado, -a, *adj.* suspirado.
suspirar, *v. intr.* suspirar; *suspirar por,* suspirar por, desejar.
suspiro, *s. m.* suspiro.
sustancia, *s. f.* substância; essência
sustancial, *adj. 2 gén.* substancial; fundamental; importante.
sustanciar, *v. tr.* condensar, resumir.
sustancioso, -a, *adj.* substancioso; nutritivo; *(fig.)* com conteúdo.

sustantivar, *v. tr.* substantivar.
sustantivo, -a, *adj. e s. m.* substantivo.
sustentable, *adj. 2 gén.* sustentável, defensável.
sustentación, *s. f.* sustentação, sustento, sustentamento; sustentáculo; apoio, amparo.
sustentáculo, *s. m.* sustentáculo, apoio, amparo.
sustentar, *v. tr. e refl.* sustentar, manter; suster, subsidiar.
sustento, *s. m.* sustento, alimento, mantimento; amparo, apoio.
sustitución, *s. f.* substituição.
sustituible, *adj. 2 gén.* substituível.
sustituir, *v. tr.* substituir; fazer as vezes de.
sustitutivo, -a, *adj.* substitutivo.
sustituto, -a, *s. m. e f.* substituto.
susto, *s. m.* susto, choque.
sustracción, *s. f.* subtracção.
sustraendo, *s. m.* diminuendo.
sustraer, *v. tr.* subtrair; furtar, roubar fraudulentamente; diminuir.
sustrato, *s. m.* substrato.
susurrante, *adj. 2 gén.* sussurrante.
susurrar, *v.* **1.** *tr.* sussurrar, murmurar. **1.** *refl.* soar, espalhar-se.
susurrido, *s. m.* sussurro, murmúrio, zumbido.
susurro, *s. m.* sussurro, murmúrio, zumbido.
sutil, *adj. 2 gén.* subtil, ténue, fino, delicado; ligeiro; *(fig.)* agudo, perspicaz.
sutileza, *s. f.* subtileza.
sutilizar, *v. tr.* adelgaçar; *(fig.)* limar, aperfeiçoar.
sutura, *s. f.* CIR. sutura.
suturar, *v. tr.* CIR. suturar.
suya, *pron.* sua; dela.
suyo, *pron.* seu, dele.
suyas, *pron.* suas, delas; as suas.
suyos, *pron.* seus, deles; os seus.
svástica, *s. f.* suástica.
swing, *s. m.* swing.

T

t, s. f. t, vigésima terceira letra do alfabeto espanhol.

taba, s. f. ANAT. astrágalo; tornozelo; pl. ganizes (jogo).

tabacal, s. m. tabacal.

tabacalero, -a, I. adj. tabaqueiro, do tabaco. II. s. m. e f. tabaqueiro (cultivador, industrial, vendedor).

tabaco, s. m. tabaco.

tabal, s. m. atabal, tambor.

tabalear, v. 1. tr. mexer, mover, menear. 2. intr. tamborilar.

tabaleo, s. m. o rufar, o tamborilar.

tábano, s. m. ZOOL. tavão, moscardo.

tabaquera, s. f. tabaqueira.

tabaquero, -a, adj. e s. tabaqueiro.

tabaquismo, s. m. tabaquismo, tabagismo.

tabardillo, s. m. (fam.) insolação.

tabardo, s. m. tabardo.

tabarra, s. f. maçada.

tabarro, s. m. tavão, moscardo.

tabasco, s. m. tabasco.

taberna, s. f. bar, pub; taberna.

tabernáculo, s. m. tabernáculo.

tabernario, -a, adj. taberneiro; tabernário, tabernal; baixo, reles, grosseiro.

tabernera, s. f. taberneira.

tabernero, s. m. taberneiro.

tabicar, v. tr. tabicar; (fig.) fechar; tapar.

tabique, s. m. tabique.

tabla, s. f. tábua; banca, mesa, balcão.

tablado, s. m. tablado, estrado; tabuado; sobrado; soalho; palco.

tablaje, s. m. tabuado; tábuas, pranchas; tabulagem, casa de jogo.

tablao, s. m. tablado, palco (para espectáculos de flamenco).

tablazón, s. f. tabuado; madeiramento.

tableado, -a, s. m. COST. pregueado.

tablear, v. tr. dividir em canteiros ou tabuleiros; dividir (a madeira) em tábuas; COST. preguear.

tablero, s. m. tabuleiro; painel; ELECT. quadro; INFORM. teclado; painel de comandos.

tableta, s. f. tablete; barra; pastilha.

tabletear, v. intr. matraquear, chocalhar.

tableteo, s. m. matraqueamento, chocalhada.

tablilla, s. f. tabuinha; tabela, tabuleta; tala.

tablón, s. m. tabuão; pranchão, prancha; (fam.) bebedeira.

tabú, s. m. tabu.

tabuco, s. m. cubículo.

tabulación, s. f. tabulação.

tabulador, s. m. tabulador.

tabuladora, s. f. tabulador.

tabular, I. adj. 2 gén. tabular. II. v. tr. tabular.

taburete, s. m. tamborete.

tac, s. m. tiquetaque (ruído cadenciado).

tacada, s. f. tacada; série de carambolas.

tacañear, v. intr. ser tacanho, ser mesquinho.

tacañería, s. f. tacanhice, tacanhez.

tacaño, -a, adj. tacanho; sovina, avarento, mesquinho.

tacatá, s. m. voador.

tacataca, s. m. voador.

tacha, s. f. defeito, mácula; tacha (prego).

tachar, v. tr. eliminar, apagar, riscar.

tacho, s. m. tacho; caldeiro grande.

tachón, s. m. penada, traço, risco; borrão; tachão (tacha grande).

tachuela, s. f. tachinha; percevejo.

tácito, -a, adj. tácito; implícito, subentendido; secreto.

taciturno, -a, adj. taciturno, tristonho; melancólico.

taco, s. m. taco, tarugo; cacete, toco; taco (de bilhar); bloco de notas; calendário de folha diária; toro de madeira; bucha de arma de fogo; vareta de espingarda; CUL. taco.

tacógrafo, s. m. tacógrafo.

tacómetro, s. m. tacómetro.

tacón, s. m. tacão, salto (de sapato).

taconazo, s. m. pancada com o tacão.

taconear, v. intr. bater com os tacões.

taconeo, s. m. batimento dos tacões.

táctica, s. f. táctica.

táctico, -a, adj. e s. m. táctico.

táctil, adj. 2 gén. táctil.

tacto, s. m. tacto.

tafetán, *s. m.* tafetá.

tafilete, *s. m.* couro fino, marroquim, tafilete.

tahona, *s. f.* atafona, azenha; padaria.

tahúr, -ura, *s. m.* e *f.* jogador trapaceiro; batoteiro.

taifa, *s. f.* taifa; facção; bando.

taiga, *s. f.* taiga.

tailandés, -esa, *adj.* e *s.* tailandês.

taima, *s. f.* velhacaria, malícia, astúcia.

taimado, -a, *adj.* e *s.* taimado; malicioso, astuto, velhaco.

taimería, *s. f.* velhacaria, malícia, astúcia.

tajada, *s. f.* talhada; fatia; facada; corte; *(fam.)* borracheira.

tajado, -a, *adj.* talhado, cortado; *(fig.)* borracho.

tajamar, *s. m.* NÁUT. talha-mar.

tajante, *adj. 2 gén.* talhante, cortante; enfático, categórico.

tajar, *v. tr.* talhar, cortar, dividir.

tajea, *s. f.* bueiro.

tajo, *s. m.* talho, corte; cutilada; tarefa; talho, fio, gume; tábua de picar a carne; cepo.

tal, **I.** *adj. 2 gén.* tal; tão grande; igual; semelhante; certo, determinado. **II.** *pron.* alguém, alguma coisa. **III.** *adv.* de tal maneira, de tal modo.

tala, *s. f.* tala; corte de árvores.

talabarte, *s. m.* talabarte, boldrié, cinturão, talim.

taladrador, -a, *adj.* e *s. m.* perfurador.

taladradora, *s. f.* perfuradora.

taladrar, *v. tr.* perfurar, brocar; verrumar; atroar, ferir (os ouvidos).

taladro, *s. m.* trado, broca; verruma.

tálamo, *s. m.* tálamo, leito nupcial, leito conjugal; BOT. tálamo, receptáculo.

talán, *s. m.* tlão (som do sino).

talanquera, *s. f.* tranqueira, valo, paliçada.

talante, *s. m.* talante, arbítrio; desejo, vontade, gosto.

talar, **I.** *v. tr.* talar, destruir, assolar, devastar; cortar, abater (árvores). **II.** *adj. 2 gén.* talar (veste).

talasocracia, *s. f.* talassocracia.

talasoterapia, *s. f.* talassoterapia.

talco, *s. m.* talco.

talega, *s. f.* taleiga; taleigada; coifa, touca; bolsa, dinheiro.

talego, *s. m.* taleigo.

talento, *s. m.* talento; dotes intelectuais; entendimento; inteligência.

talentoso, -a, *adj.* talentoso.

talio, *s. m.* QUÍM. tálio.

talión, *s. m.* talião.

talismán, *s. m.* talismã.

talla, *s. f.* talho, corte; talha, escultura (madeira); corte, medida (roupa); estatura (física); envergadura, valor; talhe, corte (diamantes).

tallado, -a, **I.** *adj.* cortado (pedra); talhado, entalhado (madeira); gravado (metal). **II.** *s. m.* corte (pedra); talha, entalhamento (madeira); gravação (metal).

tallador, *s. m.* talhador; entalhador; gravador.

tallar, *v. tr.* cortar; talhar, entalhar; esculpir; gravar; cortar (cartas).

tallarín, *s. m.* talharim.

talle, *s. m.* talhe, feitio, corte; estatura.

taller, *s. m.* oficina, atelier.

tallo, *s. m.* talo, caule; renovo, rebento.

talludo, -a, *adj.* taludo; crescido; alto.

Talmud, *s. m.* Talmude.

talón, *s. m.* talão, calcanhar; canhoto, talão (de recibo); padrão monetário.

talonario, *s. m.* talonário, livro de talões.

talud, *s. m.* talude.

tamaño, -a, **I.** *adj.* tamanho, tão grande. **II.** *s. m.* tamanho, grandeza, volume.

tamarindo, *s. m.* BOT. tamarindo.

tamarisco, *s. m.* tamargueira; tamarisco.

tambaleante, *adj. 2 gén.* cambaleante.

tambalearse, *v. refl.* cambalear.

tambor, *s. m.* tambor.

tamboril, *s. m.* tamboril, tamborete.

tamborilear, *v. intr.* tamborilar.

tamborilero, *s. m.* tamborileiro.

tamiz, *s. m.* tamis (peneira).

tamizar, *v. tr.* tamisar, peneirar, limpar, depurar.

tampoco, *adv.* tão-pouco, nem sequer, também não.

tampón, *s. m.* almofada de carimbo; tampão.

tam-tam, *s. m.* tantã, gongo.

tan, *adv.* tão, tanto.

tanatorio, *s. m.* capela funerária.

tanda, *s. f.* alternativa, turno, vez; tarefa, trabalho; camarada; turma (de trabalhadores); partida de bilhar.

tándem, *s. f.* tandem, bicicleta de dois assentos.

tanga, s. f. tanga.
tangencial, adj. 2 gén. tangencial.
tangente, adj. 2 gén. e s. f. tangente.
tangible, adj. 2 gén. tangível, sensível, palpável.
tango, s. m. tango.
tanque, s. m. tanque, reservatório; tanque (carro blindado); camião-cisterna.
tanqueta, s. f. blindado ligeiro.
tantalio, s. m. tantálio, tântalo (metal).
tantán, s. m. tantã, gongo.
tantarán, s. m. rataplã.
tantarantán, s. m. rataplã.
tantear, v. tr. medir; tentear, calcular, ensaiar.
tanteo, s. m. cálculo; estimativa; sondagem; avaliação; resultado.
tanto, -a, adj., adv. e s. m. tanto.
tanzano, -a, adj. e s. tanzaniano.
tañer, v. tr. tanger.
tañido, -a, s. m. toque.
taoísmo, s. m. tauismo.
taoísta, s. 2 gén. tauista.
tapa, s. f. tampa.
tapabarro, s. m. guarda-lama.
tapabocas, s. m. tapa-boca.
tapacubos, s. m. tampão (de roda).
tapadera, s. f. tampa; capa; cobertura; disfarce.
tapadillo, s. m., de tapadillo, às escondidas.
tapar, v. tr. tapar, tampar; abrigar.
taparrabo, s. m. tanga (dos índios).
tapete, s. m. tapete pequeno; alcatifa; pano de mesa, toalha.
tapia, s. f. taipa, taipal, muro, cerca; adobe.
tapiar, v. tr. taipar, murar; entaipar, fechar.
tapicería, s. f. tapeçaria; fábrica ou loja de tapetes.
tapicero, -a, s. m. tapeceiro.
tapioca, s. f. tapioca.
tapir, s. m. ZOOL. tapir.
tapiz, s. m. tapete, tapeçaria, alcatifa.
tapizar, v. tr. atapetar.
tapón, s. m. tampão, tampa, rolha; tampão (penso); engarrafamento (trânsito).
taponamiento, s. m. CIR. tamponamento.
taponar, v. tr. tamponar.
taponazo, s. m. estalo produzido pelo saltar de uma rolha; (fam.) pancada, golpe.
tapujo, s. m. rebuço, embuço, bioco; hipocrisia, dissimulação, rebuço.

taquicardia, s. f. MED. taquicardia.
taquigrafía, s. f. taquigrafia.
taquigrafiar, v. tr. taquigrafar.
taquigráfico, -a, adj. taquigráfico.
taquígrafo, -a, s. m. e f. taquígrafo, estenógrafo.
taquilla, s. f. estante; armário para bilheteira, papeleira, secretária; bilheteira.
taquillero, -a, s. m. e f. bilheteiro.
taquillón, s. m. contador.
taquimetría, s. f. taquimetria.
taquímetro, s. m. taquímetro.
tara, s. f. tara, embalagem; tara, defeito, desarranjo mental.
tarabilla, s. f. taramela, cravelho; travelho.
tarabita, s. f. fuzilhão; calabre, maroma.
taracea, s. f. marchetaria.
taracear, v. tr. marchetar, tauxiar.
tarado, -a, adj. tarado; defeituoso; mentalmente desequilibrado.
tarambana, s. m. e f. doidivanas; taramela (porta ou cancela).
tarantela, s. f. MÚS. tarantela.
tarántula, s. f. ZOOL. tarântula.
tarar, v. tr. tarar.
tarara, s. f. tarara.
tararear, v. tr. cantarolar, trautear.
tararira, I. s. f. vozearia, gritaria alegre, gralhada. II. adj. 2 gén. atoleimado; bêbado.
tarasca, s. f. tarasca.
tarascada, s. f. dentada, mordedura, mordedela.
tarascar, v. tr. morder, ferir com os dentes.
tardanza, s. f. tardança, demora, atraso.
tardar, v. intr. tardar, atrasar; demorar, adiar.
tarde, I. s. f. tarde. II. adv. tarde, a hora avançada do dia ou da noite.
tardíamente, adv. tardiamente.
tardío, -a, adj. tardio, serôdio; tardo, tardego, tardeiro, pausado, lento.
tardo, -a, adj. tardo, vagaroso, lento.
tardón, -ona, adj. vagaroso, pachorrento; tardo.
tarea, s. f. tarefa; empreitada.
tarifa, s. f. tarifa, tabela; pauta.
tarifar, v. 1. tr. tarifar; pautar. 2. intr. ralhar; inimizar-se.
tarima, s. f. tarima; tarimba.
tarjeta, s. f. cartão-de-visita; tarjeta postal, bilhete-postal.

tarjetero, s. m. carteira para cartões-de--visita.

tarlatana, s. f. tarlatana.

tarquín, s. m. nateiro.

tarrina, s. f. pacote, embalagem.

tarro, s. m. tarro (vaso), boião.

tarso, s. m. ANAT. tarso.

tarta, s. f. torta, bolo; *tarta de manzana,* torta de maçã.

tartaja, adj. e s. 2 gén. tartamudo; gago.

tartajear, v. intr. tartamudear; gaguejar.

tartajeo, s. m. tartamudez; gaguez.

tartajoso, -a, adj. e s. gago, tartamudo.

tartamudear, v. intr. tartamudear; gaguejar.

tartamudeo, s. m. gaguejo; gaguez.

tartamudez, s. f. tartamudez, gaguez.

tartamudo, -a, adj. e s. tartamudo, gago.

tartán, s. 1. m. tartan. 2. f. pista de tartan.

tartana, s. f. tartana; (fam.) carripana.

tartarizar, v. tr. tartarizar.

tártaro, s. m. tártaro, sarro.

tartera, s. f. torteira; fiambreira.

tarugo, s. m. toro de madeira, cepo; tarolo; pedaço de pão, naco; (fig., fam.) cepo, estúpido.

tarumba, adj. 2 gén. louco, maluco, doido.

tas, s. m. tás (bigorna de ourives).

tasa, s. f. taxa, preço fixo; preço legal; imposto; percentagem; índice; limite.

tasación, s. f. taxação, taxa, avaliação.

tasador, -a, s. m. e f. taxador; avaliador oficial.

tasar, v. tr. taxar; avaliar; fixar preços; agravar; regular, racionar, limitar.

tasca, s. f. tasca, taberna, bar.

tatarabuelo, -a, s. m. e f. tataravô, tetravô.

tataranieto, -a, s. m. e f. tataraneto, tetraneto.

¡tate!, I. interj. tate!; cuatela!; cuidado! II. s. m. haxixe (droga).

tatuaje, s. m. tatuagem.

tatuar, v. tr. e refl. tatuar; marcar.

tau, s. f. tau, letra grega.

taumaturgia, s. f. taumaturgia.

taumaturgo, -a, s. m. e f. taumaturgo.

taurino, -a, adj. taurino, toureiro.

Tauro, s. m. Tauro, Touro, signo do Zodíaco.

tauromaquia, s. f. tauromaquia.

tautología, s. f. tautologia.

taxativo, -a, adj. taxativo, limitativo, restritivo.

taxi, s. m. (fam.) táxi.

taxidermia, s. f. taxidermia.

taxidermista, s. 2 gén. taxidermista.

taxímetro, s. m. taxímetro.

taxista, s. 2 gén. taxista.

taxonomía, s. f. taxinomia, taxionomia.

taxonómico, -a, adj. taxinómico, taxionómico.

taza, s. f. taça, xícara, chávena.

tazón, s. m. taça grande; malga, tigela.

te, s. f. te, nome da letra **t.**

te, pron. te, a ti.

té, s. m. chá.

tea, s. f. archote; *cogerse una tea,* apanhar uma bebedeira.

teatral, adj. 2 gén. teatral; espalhafatoso.

teatralidad, s. f. teatralidade.

teatralizar, v. tr. teatralizar, representar, dramatizar.

teatro, s. m. teatro.

tebeo, s. m. histórias para crianças.

teca, s. f. teca (árvore, madeira); relicário; ANAT./BOT. teca (invólucro).

techado, s. m. telhado, tecto.

techar, v. tr. telhar; cobrir com telhado.

techo, s. m. tecto; tejadilho; (fig.) tecto, casa, lar; AV. tecto; (fig.) limite; ECON./FIN. tecto.

techumbre, s. f. tecto.

tecla, s. f. tecla; (fig.) ponto fraco, corda sensível.

teclado, s. m. teclado.

teclear, v. intr. bater as teclas; tamborilar.

teclista, s. 2 gén. teclista.

técnica, s. f. técnica.

técnicamente, adv. tecnicamente.

tecnicidad, s. f. tecnicidade.

tecnicismo, s. m. tecnicismo.

técnico, -a, adj. e s. m. técnico.

tecnocracia, s. f. tecnocracia.

tecnócrata, s. 2 gén. tecnocrata.

tecnocrático, -a, adj. tecnocrático.

tecnología, s. f. tecnologia.

tecnológico, -a, adj. tecnológico, tecnologista.

tecnólogo, -a, s. m. e f. tecnólogo.

tectónica, s. f. tectónica.

tectónico, -a, adj. tectónico.

tedéum, s. m. RELIG. Te Deum.

tediar, v. tr. aborrecer, abominar, odiar.

tedio, s. m. tédio, fastio, aborrecimento; repugnância.

tedioso, -a, *adj.* tedioso, enfadonho, aborrecido.

tegumento, *s. m.* BOT. tegumento; ZOOL. membrana.

teína, *s. f.* teína.

teísmo, *s. m.* teísmo.

teísta, *adj.* e *s.* 2 *gén.* teísta.

teja, *s. f.* telha.

tejadillo, *s. m.* tejadilho.

tejado, *s. m.* telhado.

tejar, I. *s. m.* telheira. II. *v. tr.* telhar, cobrir com telhas.

tejedor, -a, *adj.* e *s.* tecedor, tecelão; tecedeira, teceloa.

tejemaneje, *s. m.* destreza, agilidade; sagacidade; *(fam.)* intriga, enredo, manobra.

tejer, *v. tr.* tecer; entrelaçar; tramar; discorrer; compor; cruzar; *(fam.)* planear, tramar.

tejido, -a, *s. m.* tecido; textura dum tecido; ANAT. tecido; *(fig.)* teia, enredo, trama.

tejo, *s. m.* malha; patela; chinquilho; BOT. teixo.

tejuelo, *s. m.* rótulo na lombada de um livro.

tela, *s. f.* teia, tela, tecido, pano, quadro; teia, enredo, trapaça.

telar, *s. m.* tear.

telaraña, *s. f.* teia de aranha.

tele, *s. f. (fam.)* televisão.

telecomunicación, *s. f.* telecomunicação.

telediario, *s. m.* telejornal.

teledifusión, *s. f.* teledifusão.

teledinámico, -a, *adj.* teledinâmico.

teledirigido, -a, *adj.* telecomandado, teleguiado.

teledirigir, *v. tr.* telecomandar, teleguiar.

telefax, *s. m.* fax, telefax.

teleférico, *s. m.* teleférico.

telefilm, *s. m.* telefilme.

telefilme, *s. m.* telefilme.

telefonazo, *s. m.* telefonema.

telefonear, *v. tr.* telefonar.

telefonía, *s. f.* telefonia.

telefónico, -a, *adj.* telefónico.

telefonista, *s.* 2 *gén.* telefonista.

teléfono, *s. m.* telefone.

telegrafía, *s. f.* telegrafia.

telegrafiar, *v. tr.* telegrafar.

telegráfico, -a, *adj.* telegráfico.

telegrafista, *s.* 2 *gén.* telegrafista.

telégrafo, *s. m.* telégrafo.

telegrama, *s. m.* telegrama.

teleimpresor, *s. m.* teleimpresssor.

telele, *s. m.* desmaio, chilique; aflição.

telemando, *s. m.* telecomando.

telemanía, *s. f.* telemania.

telemática, *s. f.* telemática.

telemático, -a, *adj.* telemático.

telemetría, *s. f.* telemetria.

telemétrico, -a, *adj.* telemétrico.

telémetro, *s. m.* telémetro.

telenovela, *s. f.* telenovela.

teleobjetivo, *s. m.* teleobjectiva.

teleología, *s. f.* teleologia.

teleológico, -a, *adj.* teleológico.

telepatía, *s. f.* telepatia.

telepático, -a, *adj.* telepático.

teleprocesar, *v. tr.* teleprocessar.

teleproceso, *s. m.* teleprocessamento.

telequinesia, *s. f.* telecinesia.

telescópico, -a, *adj.* telescópico.

telescopio, *s. m.* telescópio.

telespectador, *s. m.* telespectador.

telesqui, *s. m.* telesqui.

teletexto, *s. m.* teletexto.

teletipo, *s. m.* telétipo.

televidente, *s.* 2 *gén.* telespectador.

televisar, *v. tr.* televisionar.

televisión, *s. f.* televisão.

televisivo, -a, *adj.* televisivo.

televisor, *s. m.* televisor.

télex, *s. m.* telex.

telón, *s. m.* cortina; *telón de boca,* TEAT. pano de boca.

telúrico, -a, *adj.* telúrico.

telurio, *s. m.* QUÍM. telúrio.

tema, *s. m.* tema, assunto; matéria (de exame); MÚS./GRAM. tema.

temario, *s. m.* programa.

temática, *s. f.* temática.

temático, -a, *adj.* temático.

tembladal, *s. m.* atoleiro, tremedal, lameiro.

temblar, *v. intr.* tremer, vacilar; *(fig.)* tremer, assustar-se.

tembleque, *s. m.* tremor, tremideira.

temblequear, *v. intr. (fam.)* tremelicar; fingir tremor.

temblón, -ona, *adj.* tremedor, trémulo, tremente.

temblor, *s. m.* tremor; terramoto, tremor de terra.

tembloroso, -a, *adj.* trémulo, tremente, tremedor, tremelicante.

tembloso, *adj.* vd. **tembloroso.**

temer, *v.* **1.** *tr.* temer. **2.** *intr.* temer, sentir temor.

temerario, -a, *adj.* temerário, imprudente.

temeridad, *s. f.* temeridade.

temeroso, -a, *adj.* temeroso, pavoroso, tremendo; temeroso, medroso, irresoluto.

temible, *adj.* 2 *gén.* temível, digno de ser temido.

temor, *s. m.* temor, medo, receio; presunção, suspeita.

témpano, *s. m.* massa de gelo.

temperación, *s. f.* moderação, acalmação.

temperado, -a, *adj.* temperado, moderado.

temperamento, *s. m.* tempérie, temperatura; temperamento; têmpera.

temperancia, *s. f.* 2 *gén.* temperança, moderação.

temperante, *adj.* 2 *gén.* temperante, calmante.

temperar, *v. tr.* moderar, temperar.

temperatura, *s. f.* temperatura.

temperie, *s. f.* o tempo (atmosférico); temperamento.

tempestad, *s. f.* tempestade; tormenta; *(fig.)* discussão violenta; agitação dos ânimos.

tempestear, *v. intr.* descarregar (a tormenta); irritar-se, irar-se.

tempestivo, -a, *adj.* tempestivo.

tempestuoso, -a, *adj.* tempestuoso.

templado, -a, *adj.* temperado, moderado, sóbrio; temperado, tépido; temperado, suave, ameno; temperado, com têmpera (metal); MÚS. afinado, harmónico.

templanza, *s. f.* temperança, moderação; amenidade (do clima).

templar, *v. tr.* temperar, moderar, suavizar; temperar, amornar; temperar, dar têmpera (metais, cristais, etc.); casar, ligar (cores); MÚS. afinar, harmonizar.

templario, *s. m.* templário.

temple, *s. m.* têmpera; temperamento; carácter, génio, índole, feitio; valentia, coragem; moderação, equilíbrio; MÚS. afinação, harmonia.

templete, *s. m.* nicho; coreto; pavilhão, quiosque.

templo, *s. m.* templo.

tempo, *s. m.* MÚS. tempo, andamento.

temporada, *s. f.* temporada.

temporal, I. *adj.* 2 *gén.* transitório, temporário; ANAT. temporal. **II.** *s. m.* temporal; tempestade, tormenta.

temporalidad, *s. f.* temporalidade.

temporalizar, *v. tr.* temporalizar; secularizar.

temporalmente, *adv.* temporariamente, provisoriamente.

temporario, -a, *adj.* temporário, temporal, transitório.

temporero, -a, I. *adj.* interino; provisório, sazonal. **II.** *s. m. e f.* tarefeiro.

temporizar, *v. intr.* contemporizar.

tempranal, *adj.* 2 *gén.* temporão.

tempranamente, *adv.* cedo, prematuramente.

tempranero, -a, *adj.* prematuro, antecipado, temporão.

temprano, -a, I. *adj.* temporão; antecipado, prematuro, adiantado; precoce. **II.** *s. m.* sementeira de frutos temporões. **III.** *adv.* cedo (nas primeiras horas do dia ou da noite).

tenacidad, *s. f.* tenacidade; persistência, contumácia, pertinácia.

tenacillas, *s. f. pl.* tenazes; pinças; espevitador (do lume).

tenaz, *adj.* 2 *gén.* tenaz; *(fig.)* pertinaz; firme; persistente; constante; obstinado.

tenazmente, *adv.* tenazmente.

tenca, *s. f.* ZOOL. tenca.

tendal, *s. m.* tendal, toldo, estendal; estendedoiro.

tendalera, *s. f. (fam.)* estendal; desarrumação.

tendedero, *s. m.* estendedoiro, estendal.

tendedor, *s. m.* estendedor, estendal.

tendencia, *s. f.* tendência, inclinação, propensão.

tendenciosidad, *s. f.* tendenciosidade.

tendencioso, -a, *adj.* tendencioso.

tendente, *adj.* 2 *gén.* tendente, inclinado a; propenso.

tender, *v. tr.* tender, desdobrar, estender, desenrolar; propender.

tenderete, *s. m.* estenderete (jogo de cartas).

tendero, -a, *s. m. e f.* tendeiro, lojista.

tendezuela, *s. f.* tendinha, lojeca.

tendido, -a, I. *adj.* estendido; colocado; estendido, pendurado (roupa); estendido, caído. **II.** s. m. lanço (de estrada, de ponte); roupa estendida; lugares de sol (nas touradas).

tendón, s. m. ANAT. tendão.

tenebrismo, s. m. tenebrismo.

tenebrista, adj. 2 gén. tenebrista, tenebroso.

tenebrosidad, s. f. tenebrosidade; escuridão.

tenebroso, -a, adj. tenebroso, escuro.

tenedor, s. m. detentor; possuidor; garfo (de trinchar).

teneduría, s. f. cargo e escritório de guarda-livros.

tenencia, s. f. posse, possessão; cargo de substituto de alcaide.

tener, v. tr. ter, deter; agarrar, pegar; ter, possuir, gozar.

tenería, s. f. fábrica de curtumes.

tenesmo, s. m. tenesmo, puxo.

tenia, s. f. ténia; bicha-solitária.

teniente, s. m. MIL. tenente; substituto de alcaide.

tenis, s. m. ténis; pl. ténis (calçado).

tenista, s. 2 gén. tenista.

tenor, s. m. MÚS. tenor.

tensión, s. f. tensão.

tenso, -a, adj. tenso, esticado; estirado; retesado.

tensor, -a, I. adj. tensor. **II.** s. m. tensor; extensor.

tentación, s. f. tentação.

tentáculo, s. m. ZOOL. tentáculo.

tentador, -a, adj. tentador.

tentalear, v. tr. tentear; tentar repetidas vezes.

tentar, v. tr. tactear, apalpar; tentar, instigar; seduzir, atrair.

tentativa, s. f. tentativa.

tentempié, s. m. (fam.) merenda, lanche; teimoso (boneco).

tentetieso, s. m. teimoso (boneco).

tenue, adj. 2 gén. ténue, delicado, delgado.

teñido, I. adj. tingido, tinto; pintado (cabelo). **II.** s. m. tingimento, tinto, acção de tingir.

teñir, v. tr. tingir; pintar (o cabelo).

teocracia, s. f. teocracia.

teocrático, -a, adj. teocrático.

teodicea, s. f. teodiceia.

teodolito, s. m. teodolito.

teologal, adj. 2 gén. teologal.

teología, s. f. teologia.

teológico, -a, adj. teológico.

teologizar, v. tr. teologizar.

teólogo, -a, s. m. e f. teólogo.

teorema, s. m. teorema.

teoría, s. f. teoria.

teórica, s. f. teoria.

teóricamente, adv. teoricamente.

teórico, -a, adj. teórico.

teorizar, v. tr. teorizar.

teosofía, s. f. teosofia.

tequila, s. f. tequila.

terapeuta, s. 2 gén. terapeuta.

terapéutica, s. f. terapêutica.

terapéutico, -a, adj. terapêutico.

terapia, s. f. terapia.

teratología, s. f. teratologia.

teratológico, -a, adj. teratológico.

terbio, s. m. QUÍM. térbio.

tercamente, adv. teimosamente, obstinadamente.

tercer, adj. terceiro.

tercero, -a, adj. e s. terceiro.

terceto, s. m. POES. terceto; MÚS. trio.

terciado, -a, adj. mascavado (açúcar).

terciana, s. f. MED. terçã (febre).

terciar, v. tr. terçar, atravessar, cruzar.

terciario, -a, adj. terciário; terceiro.

tercio, -a, s. m. terço; terça-feira.

terciopelo, s. m. terciopelo, veludo.

terco, -a, adj. teimoso, obstinado.

tergiversación, s. f. tergiversação.

tergiversar, v. tr. tergiversar.

termal, adj. 2 gén. termal.

termas, s. f. pl. termas, caldas, banhos quentes.

termes, m. térmite.

termia, s. f. FÍS. termia.

térmico, -a, adj. térmico.

termidor, s. m. termidor.

terminación, s. f. terminação; conclusão.

terminado, adj. terminado, acabado, completo.

terminal, I. adj. 2 gén. terminal; final, último. **II.** s. m. terminal.

terminante, adj. 2 gén. terminante, categórico, conclusivo.

terminantemente, adv. 2 gén. terminantemente.

terminar, v. 1. *tr.* terminar, concluir; rematar. **2.** *intr.* terminar, acabar.

término, s. *m.* término, termo, fim, limite, marca, baliza; prazo; termo, palavra, expressão, vocábulo.

terminología, s. *f.* terminologia; nomenclatura.

terminológico, -a, s. *m.* terminológico.

termita, s. *f.* térmite.

termite, s. *f.* térmite.

termitero, s. *m.* termiteira.

termo, s. *m.* termo, garrafa térmica; termossifão.

termoaislante, adj. 2 gén. termoisolador.

termodinámica, s. *f.* termodinâmica.

termodinámico, adj. termodinâmico.

termoelectricidad, s. *f.* termoelectricidade.

termoeléctrico, -a, adj. termeléctrico, termoeléctrico.

termometría, s. *f.* termometria.

termométrico, -a, adj. termométrico.

termómetro, s. *m.* termómetro.

termonuclear, adj. 2 gén. termonuclear.

termoquímica, s. *f.* termoquímica.

termoquímico, -a, adj. termoquímico.

termosifón, s. *m.* termossifão.

termostato, s. *m.* termóstato.

ternario, -a, adj. e s. *m.* ternário.

ternera, s. *f.* vitela.

ternero, s. *m.* vitelo, novilho.

terneza, s. *f.* ternura, meiguice.

ternilla, s. *f.* cartilagem.

ternilloso, -a, adj. cartilaginoso, cartilagíneo.

terno, s. *m.* terno, trio.

ternura, s. *f.* ternura; carinho, afeição.

terquedad, s. *f.* teimosia, teima; obstinação.

terracota, s. *f.* terracota.

terrado, s. *m.* terraço, terrado; açoteia.

terraplén, s. *m.* terrapleno.

terráqueo, -a, adj. terráqueo; terrestre.

terrateniente, s. 2 gén. latifundiário; fazendeiro.

terraza, s. *f.* terraço; varanda; esplanada.

terremoto, s. *m.* terramoto, tremor de terra; sismo.

terrenal, adj. 2 gén. terreal, terrenal, terrestre.

terreno, -a, I. adj. terreno, terrestre, terreal; terroso. **II.** s. *m.* terreno; campo; (fig.) campo, esfera de acção.

térreo, -a, adj. térreo.

terrestre, adj. 2 gén. terrestre.

terrible, adj. 2 gén. terrível; temível; áspero de génio; atroz; extraordinário, desmesurado.

terrícola, adj. e s. 2 gén. terrícola.

terrígeno, -a, adj. terrígeno.

territorial, adj. 2 gén. territorial.

territorialidad, s. *f.* territorialidade.

territorio, s. *m.* território.

terrón, s. *m.* torrão, terrão.

terror, s. *m.* terror, medo, pavor; horror.

terrorífico, -a, adj. terrífico, terrificante.

terrorismo, s. *m.* terrorismo.

terrorista, s. 2 gén. terrorista.

terroso, -a, adj. terroso, térreo.

terruño, s. *m.* torrão (de terra); torrão natal.

terso, -a, adj. terso, puro, limpo; polido; puro, correcto.

tersura, s. *f.* polimento, lustre, limpeza.

tertulia, s. *f.* tertúlia.

tesis, s. *f.* tese; conclusão.

tesitura, s. *f.* MÚS. tessitura.

tesón, s. *m.* determinação; empenho; perseverança.

tesorería, s. *f.* tesouraria.

tesorero, -a, s. *m.* e *f.* tesoureiro.

tesoro, s. *m.* tesouro; erário público; abundância de valores.

test, s. *m.* teste.

testa, s. *f.* testa, fronte, frente.

testado, adj. testado.

testador, -a, s. *m.* e *f.* testador.

testaferro, s. *m.* testa-de-ferro.

testamentaría, s. *f.* testamentaria.

testamentario, -a, I. adj. testamentário. **II.** s. *m.* e *f.* testamenteiro.

testamento, s. *m.* testamento.

testar, v. *intr.* testar; safar, riscar.

testarada, s. *f.* testada; obstinação, teimosia.

testarazo, s. *m.* cabeçada, testada.

testarudez, s. *f.* teimosia; teimosice; pertinácia.

testarudo, -a, adj. e s. cabeçudo, teimoso.

testículo, s. *m.* testículo.

testificación, s. *f.* testificação.

testifical, adj. 2 gén. testemunhal.

testificante, *adj.* 2 *gén.* testificante.

testificar, *v. tr.* testificar, assegurar; testemunhar.

testigo, *s.* 2 *gén.* testemunha.

testimonial, *adj.* 2 *gén.* testemunhal.

testimoniar, *v. tr.* testemunhar.

testimonio, *s. m.* testemunho.

testón, *s. m.* tostão.

testosterona, *s. f.* testosterona.

testuz, *s. m.* e *f.* testa, fronte; cachaço, nuca.

teta, *s. f.* teta; úbere; mama; mamilo.

tetánico, -a, *adj.* MED. tetânico.

tétano, *s. m.* MED. tétano.

tetera, *s. f.* chaleira.

tetilla, *s. f.* mamilo; tetina; chupeta.

tetina, *s. f.* tetina; chupeta.

tetona, *adj.* (*fam.*) mamuda.

tetraedro, *s. m.* tetraedro.

tetragonal, *adj.* 2 *gén.* tetragonal.

tetralogía, *s. f.* tetralogia.

tetrarquia, *s. f.* tetrarquia.

tetrasílabo, -a, *adj.* e *s. m.* tetrassílabo.

tétrico, -a, *adj.* tétrico, triste, grave, melancólico.

tetuda, *adj.* tetuda, mamuda.

teutón, -ona, *adj.* e *s.* teutão, teutónico; alemão.

textil, *adj.* 2 *gén.* e *s. m.* têxtil.

texto, *s. m.* texto.

textual, *adj.* 2 *gén.* textual.

textura, *s. f.* textura; estrutura; trama.

tez, *s. f.* tez, cútis.

ti, *pron.* te, a ti.

tía, *s. f.* tia.

tiara, *s. f.* tiara.

tiberio, *s. m.* (*fam.*) ruído, confusão.

tibetano, -a, *adj.* e *s.* tibetano, do Tibete.

tibia, *s. f.* ANAT. tíbia.

tibio, -a, *adj.* tíbio, tépido, morno; (*fig.*) frouxo, mole.

tiburón, *s. m.* ZOOL. tubarão.

tic, *s. m.* tique.

tictac, *s. m.* tiquetaque.

tiempo, *s. m.* tempo; época; estação do ano; idade; oportunidade.

tienda, *s. f.* tenda; barraca; loja.

tienta, *s. f.* TAUR. tenta; sagacidade, esperteza.

tientaguja, *s. f.* sonda para terrenos.

tiento, *s. m.* tento, tino; pulso; firmeza; tento, maromba.

tierno, -a, *adj.* terno, afectuoso, carinhoso.

tierra, *s. f.* Terra (planeta); terra, solo; terreno para lavoura; pátria; país, região; povoação.

tieso, -a, *adj.* teso, rijo, duro, firme; robusto, de saúde; teso, esticado, rígido.

tiesto, *s. m.* vaso de flores; caco.

tifoideo, -a, *adj.* MED. tifóide.

tifón, *s. m.* tufão; tromba de água.

tifus, *s. m.* MED. tifo.

tigras, *s. f.* tigre fêmea.

tigre, *s. m.* ZOOL. tigre.

tigresa, *s. f.* tigre fêmea; (*fig.*) mulher fatal.

tijera, *s. f.* tesoura.

tijereta, *s. f.* tesourinha; ZOOL. bicha-cadela; *pl.* DESP. golpe-de-tesoura.

tijeretada, *s. f.* tesourada.

tijeretazo, *s. m.* vd. **tijeretada.**

tijeretear, *v. tr.* tesourar, tesoirar.

tijereto, *s. m.* tesourada, tesoirada.

tila, *s. f.* BOT. tília.

tílburi, *s. m.* tílburi.

tildar, *v. tr.* pontuar; virgular; notar.

tilde, *s. f.* til, sinal diacrítico; (*fig.*) labéu, censura, falta.

timador, -a, *s. m.* e *f.* vigarista.

timar, *v.* **1.** *tr.* vigarizar, surripiar, tirar, furtar com manha; enganar, iludir (com promessas). **2.** *refl.* (*fam.*) entender-se com o olhar, piscar os olhos (os namorados).

timba, *s. f.* (*fam.*) partida; jogo; casa de jogo; tabulagem.

timbal, *s. m.* timbale, atabale; tamboril.

timbalero, *s. m.* timbaleiro.

timbrado, *adj.* timbrado; selado.

timbrar, *v. tr.* timbrar; selar; carimbar.

timbrazo, *s. m.* campainhada forte.

timbre, *s. m.* campainha (da porta); selo; estampilha; selo fiscal; MÚS. timbre.

timidez, *s. f.* timidez, acanhamento.

tímido, -a, *adj.* tímido, acanhado, apoucado; timorato.

timo, *s. m.* conto-do-vigário, vigarice; ANAT. timo.

timón, *s. m.* temão; leme; direcção.

timonear, *v. intr.* timonar, dirigir o leme; governar o navio.

timonel, *s. m.* timoneiro.

timorato, -a, *adj.* temente; timorato; tímido; indeciso, medroso.

tímpano, *s. m.* atabale, timbale, tamboril;

tímpano; marimba, xilofone; ANAT. tímpano.

tina, s. f. tina; cuba; banheira; balsa.

tinaja, s. f. talha; tinalha; tina, dorna; tinada.

tinglado, s. m. alpendre, telheiro, coberto; tabuado ligeiro; enredo, trama, artifício.

tiniebla, s. f. treva; pl. (fig.) trevas, ignorância, cegueira; trevas.

tino, s. m. pontaria; cálculo; tino, senso comum; prudência, moderação.

tinta, s. f. tinta; tintura; *medias tintas,* meias-tintas,

tintar, v. tr. e refl. tingir.

tinte, s. m. tinto; tintura, tingidura; tinturaria; (fig.) disfarce, tom, matiz.

tintero, s. m. tinteiro.

tintillo, adj. e s. m. e f. palhete.

tintín, s. m. tintim (som da campainha ou de copo).

tintinar, v. intr. tilintar, tinir, tintinar.

tintinear, v. intr. vd. **tintinar.**

tintineo, s. m. tilintar.

tinto, -a, I. adj. tinto, tingido. II. s. m. vinho tinto.

tintóreo, -a, adj. tintório.

tintorera, s. f. tintureira, tubarão azul.

tintorería, s. f. tinturaria.

tintorero, -a, s. m. e f. tintureiro.

tintorro, s. m. vinho tinto.

tintura, s. f. tintura.

tiña, s. f. traça, lagarta (das colmeias); MED. tinha; (fam.) miséria, mesquinhez.

tiñoso, -a, adj. e s. tinhoso; (fam.) mesquinho, miserável.

tío, s. m. tio.

tiovivo, s. m. carrossel; roda de cavalinhos.

tipa, s. f. tipa (mulher, rapariga).

tiparraco, s. m. (fam.) idiota, camelo, gajo.

tipejo, s. m. vd. **tiparraco.**

típico, -a, adj. típico; característico.

tipificación, s. f. tipificação.

tipificar, v. tr. tipificar.

tiple, s. m. tiple; s. 2 gén. soprano; guitarrista.

tipo, s. m. tipo.

tipografía, s. f. tipografia.

tipográfico, -a, adj. tipográfico.

tipógrafo, s. m. e f. tipógrafo.

tique, s. m. bilhete.

tíquet, s. m. bilhete.

tiquete, s. m. bilhete.

tiquismiquis, s. m. pl. escrúpulos ridículos; questiúnculas.

tira, s. f. tira, faixa, banda, lista, ourela, filete.

tirabeque, s. m. BOT. ervilha-molar.

tirabotas, s. m. calçadeira.

tirabrasas, s. m. barra de ferro para mexer as brasas nos fornos.

tirabuzón, s. m. saca-rolhas; (fig.) caracol de cabelo.

tirachinas, s. m. fisga, funda; catapulta.

tirada, s. f. arremesso; jacto, lançamento; TIP. tiragem; tirada (distância); série.

tiradera, s. f. frecha, flecha, seta.

tiradero, s. m. tocaia, espera.

tirado, -a, I. adj. atirado; dado, muito barato; facílimo. II. s. m. tiragem.

tirador, -a, s. 1. m. e f. atirador. 2. m. estirador; puxador de gaveta, porta, etc.; cordão de campainha ou sineta; fisga, funda; TIP. impressor.

tiragomas, s. m. fisga, funda.

tiraje, s. m. tiragem; circulação, distribuição.

tiralíneas, s. m. tira-linhas.

tiranía, s. f. tirania; opressão, despotismo; violência.

tiránico, -a, adj. tirânico.

tiranización, s. f. tiranização.

tiranizar, v. tr. tiranizar.

tirano, -a, adj. e s. tirano.

tirante, I. adj. 2 gén. tirante. II. s. m. correia; viga; suspensórios.

tirantez, s. f. tensão; comprimento, extensão.

tirar, v. 1. tr. atirar, arremessar, arrojar, lançar, jogar; atirar, derrubar, disparar. 2. intr. esticar, estender, estirar; tirar; ganhar; (fig.) esbanjar; puxar.

tirilla, s. f. tirinha; cabeção.

tiritar, v. intr. tiritar.

tiritera, s. f. arrepio, tremor, tremura (de frio).

tiritona, s. f. arrepio, tremura.

tiro, s. m. tiro; explosão, estampido, disparo.

tiroideo, -a, adj. ANAT. tiróideo.

tiroides, s. m. tiróide.

tirón, s. m. puxão; esticão, estirão.

tiroteo, s. m. tiroteio.

tirria, s. f. birra, teima, mania; zanga; ódio.

tisana, *s. f.* tisana.

tísico, -a, *adj.* e *s.* tísico.

tisis, *s. f.* tísica; caquexia, consumpção.

titán, *s. m.* titã.

titánico, -a, *adj.* titânico.

titanio, *s. m.* titânio (metal).

títere, *s. m.* títere; fantoche.

tití, *s. m.* ZOOL. mico.

titilante, *adj.* 2 *gén.* titilante.

titilar, *v. intr.* titilar; palpitar.

titiritar, *v. intr.* tiritar.

titiritero, -ra, *s. m.* e *f.* titereiro, titeriteiro, saltimbanco, palhaço.

tito, -a, *s. m.* e *f.* *(fam.)* tio, tia.

titubeante, *adj.* 2 *gén.* titubeante.

titubear, *v. intr.* titubear; vacilar.

titubeo, *s. m.* cambaleio; titubeação; *(fam.)* hesitação, vacilação.

titulación, *s. f.* título, qualificações, habilitações.

titulado, -a, *adj.* intitulado, chamado; formado, licenciado, diplomado.

titular, I. *v.* 1. *tr.* intitular, chamar. 2. *refl.* intitular-se, chamar-se; diplomar-se. II. *adj.* 2 *gén.* titular; regular. III. *s.* 1. 2 *gén.* titular, detentor; professor catedrático. 2. *s. m.* linha titular, título.

titulillo, *s. m.* TIP. cabeça, cabeçalho.

título, *s. m.* título; dignidade; licenciatura; diploma; certificado; documento; *pl.* qualificações.

tiza, *s. f.* giz.

tiznar, *v. tr.* tisnar, tostar; enfarruscar; mascarrar, enegrecer, sujar.

tizne, *s. m.* fuligem.

tiznón, *s. m.* farrusca, mascarra.

tizón, *s. m.* tição.

toalla, *s. f.* toalha.

toallero, *s. m.* toalheiro.

toba, *s. f.* tufo, pedra calcária; tártaro, sarro dos dentes; crosta, casca.

tobillera, *s. f.* protecção do tornozelo.

tobillo, *s. m.* tornozelo.

tobogán, *s. m.* tobogã.

toca, *s. f.* touca.

tocadiscos, *s. m.* gira-discos.

tocado, -a, *adj.* tocado, meio ébrio; perturbado; amachucado (fruta); DESP. lesionado.

tocador, *s. m.* toucador.

tocante, *adj.* 2 *gén.,* *tocante a,* tocante a, relativo a, referente a.

tocar, *v.* 1. *tr.* tocar, palpar; tocar, fazer soar; tocar, avisar. 2. *intr.* pertencer; caber em sorte; toucar; NÁUT. tocar, fazer escala (o navio). 3. *refl.* toucar-se.

tocata, *s. f.* MÚS. tocata.

tocateja, *a tocateja, loc. adv.* a pronto, a dinheiro.

tocayo, -a, *s. m.* homónimo.

tocho, *s. m.* lingote de ferro; *(fam.)* tijolo, calhamaço (livro).

tocinería, *s. f.* toucinharia; salsicharia.

tocino, *s. m.* toucinho.

tocología, *s. f.* tocologia; obstetrícia.

tocólogo, -a, *s. m.* tocologista, obstetra.

tocón, *s. m.* toco; coto, cepo, raizeiro.

todavía, *adv.* ainda, todavia, contudo, não obstante, porém; apesar de tudo; então, nesse caso.

todo, -a, I. *s. m.* *adj.* todo, toda, cada; exactamente igual; verdadeiro. II. *pron.* tudo, todos, quem quer que. III. *s. m.* o todo, a totalidade. IV. *adv.* totalmente, completamente.

todopoderoso, -a, I. *adj.* todo-poderoso. II. *s. m.* o Omnipotente.

tofe, *s. m.* caramelo.

toga, *s. f.* toga.

togado, -a, *adj.* e *s.* togado.

toisón, *s. m.* velo, tosão; *toisón de oro,* tosão de ouro.

tojo, *s. m.* tojo.

toldo, *s. m.* toldo; coberto.

tole, *s. m.* gritaria, balbúrdia.

tolerable, *adj.* 2 *gén.* tolerável.

tolerancia, *s. f.* tolerância.

tolerante, *adj.* 2 *gén.* tolerante.

tolerar, *v. tr.* tolerar, sofrer, suportar; dissimular, consentir.

tolondro, -a, I. *adj.* atordoado, estouvado. II. *s. m.* galo, inchaço na cabeça.

tolondrón, -ona, *adj.* vd. **tolondro.**

tolueno, *s. m.* QUÍM. tolueno.

tolva, *s. f.* tremonha, canoura do moinho.

tolvanera, *s. f.* remoinho de pó, poeirada.

toma, *s. f.* tomada, conquista; ELECT. tomada; MED. toma, dose; canalização (de ar, água); gravação (som); filtragem.

tomado, -a, *adj.* tomado, agarrado.

tomador, -a, *adj.* e *s.* tomador, pegador; COM. tomador.

tomadura, *s. f. tomadura de pelo, (fam.)* partida, brincadeira, chacota.

tomar, *v. tr.* tomar, pegar, agarrar; conquistar; ocupar; receber, aceitar; comer ou beber; adoptar, pôr em prática.

tomate, *s. m.* tomate.

tomatera, *s. f.* tomateiro, tomateira.

tomavistas, *s. m.* CIN. câmara para tomada de vistas.

tômbola, *s. f.* tômbola.

tomillo, *s. m.* BOT. tomilho.

tomo, *s. m.* tomo; volume.

ton, *s. m.* forma abreviada de **tono**: *sin ton ni son*, sem tom nem som.

tonada, *s. f.* toada.

tonadilla, *s. f.* modinha.

tonadillero, -a, *s. m. e f.* cantor ou cantora de modinhas; cantador, cantadeira.

tonal, *adj. 2 gén.* tonal.

tonalidad, *s. f.* tonalidade.

tonante, *adj. 2 gén.* tonante, que troveja.

tonar, *v. intr.* trovejar.

tonel, *s. m.* tonel.

tonelada, *s. f.* tonelada.

tonelaje, *s. m.* tonelagem.

tonelería, *s. f.* tanoaria, tonelaria.

tonelero, -a, *s. m.* tanoeiro.

tongada, *s. f.* capa, camada.

tongo, *s. m.* batota, trapaça, vigarice.

tónico, -a, I. *adj.* tónico. II. *s. m.* tónico.

tonificante, *adj. 2 gén.* tonificante.

tonificar, *v. tr.* tonificar, fortalecer, revigorar.

tonillo, *s. m.* tom monótono.

tono, *s. m.* tom; tono; tonicidade.

tonsura, *s. f.* tonsura.

tonsurar, *v. tr.* tonsurar.

tontada, *s. f.* tontice, tolice, tontaria.

tontaina, *s. 2 gén.* tolo, tonto.

tontear, *v. intr.* tontear; disparatar.

tontería, *s. f.* tonteira, tontice; tontaria.

tonto, -a, *adj.* tonto, parvo, idiota, doido.

tontuna, *s. f.* tontaria, idiotice, parvoíce.

toña, *s. f.* murro, punhada; bebedeira.

topacio, *s. m.* topázio.

topar, *v. tr.* topar; esbarrar, bater, tropeçar.

tope, I. *s. m.* tope; topo; limite; o máximo; (caminho-de-ferro) amortecedor de choques; TÉCN. espera, batente; NÁUT. topo do mastro. II. *adj. 2 gén.* fantástico, formidável, súper, máximo. III. *adv.* realmente, absolutamente.

topetada, *s. f.* topetada, marrada; cabeçada; choque; embate.

topetar, *v. tr.* topetar, marrar; topar, embater.

topetazo, *s. m.* cabeçada; marrada; choque.

topetón, *s. m.* encontrão, embate, choque.

tópico, -a, I. *s. m.* MED. tópico, de uso externo. II. *s. m.* tópico, lugar-comum.

topo, *s. m.* ZOOL. toupeira.

topografía, *s. f.* topografia.

topográfico, -a, *adj.* topográfico.

topógrafo, -a, *s. m. e f.* topógrafo.

topología, *s. f.* topologia.

toponimia, *s. f.* toponímia.

toponímico, -a, *adj.* toponímico.

topónimo, *s. m.* topónimo.

toque, *s. m.* toque; contacto.

toquetear, *v. tr.* tocar repetidamente; dedilhar; acariciar.

toqueteo, *s. m.* manuseamento, dedilhação; carícias, afagos.

toquilla, *s. f.* véu à roda dum chapéu; lenço da cabeça; xaile.

tora, *s. f.* Tora.

torácico, -a, *adj.* torácico.

tórax, *s. m.* tórax.

torbellino, *s. m.* torvelinho, redemoinho, remoinho, pé-de-vento, turbilhão.

torcecuello, *s. m.* ZOOL. torcicolo.

torcedura, *s. f.* torcimento, torcedura; entorse.

torcer, *v.* 1. *tr.* torcer; dobrar; fazer empenar; desviar; distorcer; contorcer; torcer, fazer entorse. 2. *intr.* virar, volver. 3. *refl.* torcer-se; dobrar-se; empenar; contrair entorse; piorar.

torcida, *s. f.* torcida, pavio.

torcido, -a, *adj.* torcido; torto, curvo, oblíquo.

tordo, *s. m.* ZOOL. tordo.

torear, *v. tr. e intr.* tourear.

toreo, *s. m.* toureio, lide; tauromaquia.

torero, -a, *adj. e s.* toureiro.

toril, *s. m.* touril.

tormenta, *s. f.* tormenta, trovoada, tempestade.

tormento, *s. m.* tormento; tortura; pena, dor.

tormentoso, -a, *adj.* tormentoso.

tormera, *s. f.* penhascal, fraguedo.

tormo, *s. m.* penedo.

torna, s. f. torna, tornada, volta, regresso.

tornado, s. m. tornado, furacão.

tornar, v. **1**. tr. tornar, volver, restituir. **2**. intr. regressar, voltar.

tornasol, s. m. BOT. girassol; furta-cor; QUÍM. tornassol.

tornasolad|o, -a, adj. iridescente, cambiante, furta-cor.

tornead|o, I. adj. torneado, feito ao torno; torneado, benfeito (corpo). **II**. s. m. torneado, trabalho executado ao torno.

tornear, v. tr. tornear.

torneo, s. m. torneio; justa.

torner|o, -a, s. m. e f. torneiro.

tornillo, s. m. parafuso; *faltar un tornillo*, (fam.) ter um parafuso a menos.

torniquete, s. m. torniquete.

torno, s. m. torno; sarilho; roda de oleiro; roda (de convento).

toro, s. m. touro.

toronja, s. f. BOT. toranja, toronja.

toronjina, s. f. erva-cidreira.

torpe, adj. 2 gén. torpe; desonesto, lascivo; ignominioso, infame.

torpedear, v. tr. torpedear.

torpedero, s. m. torpedeiro.

torped|o, -a, s. m. MIL. torpedo; ZOOL. torpedo, raia, tremelga.

torpeza, s. f. lentidão, vagar; torpor, inércia, entorpecimento; rudeza, estupidez, parvoíce; torpeza, desvergonha; ignomínia; infâmia.

torp|ón, -ona, adj. desajeitado; tolo, estúpido.

torrar, v. tr. torrar, tostar.

torre, s. f. torre.

torrefact|o, -a, adj. torrado.

torrencial, adj. 2 gén. torrencial.

torrente, s. m. torrente.

torreón, s. m. torreão.

torrero, s. m. faroleiro.

torreta, s. f. torreão; MIL. torre (tanque); torre de comando (submarino).

torrezno, s. m. torresmo.

tórrid|o, -a, adj. tórrido.

torrija, s. f. rabanada.

torsión, s. f. torção, torcedura.

torso, s. m. torso; busto.

torta, s. f. torta; golpe, pancada; bofetada; (fam.) bebedeira.

tortada, s. f. empadão.

tortazo, s. m. bofetada; chapada; pancada.

tortícolis, s. m. torcicolo.

tortilla, s. f. tortilha; panqueca; omeleta.

tortita, s. f. tortilha; panqueca.

tórtola, s. f. ZOOL. rola.

tórtolo, s. m. ZOOL. macho da rola; pl. pombinhos (namorados).

tortuga, s. f. ZOOL. tartaruga.

tortuosidad, s. f. tortuosidade.

tortuos|o, -a, adj. tortuoso, sinuoso.

tortura, s. f. tortura.

torturador, -a, adj. torturador.

torturar, v. tr. torturar; atormentar.

torv|o, -a, adj. torvo, iracundo, irado.

torzadillo, s. m. espécie de torçal de seda.

torzal, s. m. torçal.

tos, s. f. tosse.

tosca, s. f. tufo calcário; tufo vulcânico.

tosc|o, -a, adj. e s. tosco, grosseiro; inculto, rústico.

toser, v. intr. tossir.

tosquedad, s. f. rusticidade.

tostada, s. f. torrada.

tostad|o, -a, adj. tostado; torrado; bronzeado, moreno; castanho.

tostador, -a, s. m. e f. torrador, torradeira.

tostar, v. tr. tostar, alourar; bronzear.

tostón, s. m. grão-de-bico torrado; pão frito; (fig., fam.) maçada, sensaboria; chatice.

total, **I**. adj. 2 gén. total, geral, universal. **II**. adj. e s. m. total; soma. **III**. adv. em conclusão, ao fim e ao cabo.

totalidad, s. f. totalidade.

totalitari|o, -a, adj. totalitário.

totalitarismo, s. m. totalitarismo.

totalitarista, adj. 2 gén. totalitarista.

totalizar, v. tr. totalizar; somar; ascender a.

totalmente, adv. totalmente.

tótem, s. m. tótem.

toxicidad, s. f. toxicidade.

tóxic|o, -a, adj. e s. m. tóxico.

toxicología, s. f. toxicologia.

toxicológic|o, -a, adj. toxicológico.

toxicólog|o, -a, s. m. e f. toxicólogo.

toxicóman|o, -a, s. m. e f. toxicómano.

toxina, s. f. toxina.

tozudez, s. f. teimosia, obstinação.

tozud|o, -a, adj. teimoso, obstinado.

traba, s. f. trava, peia; travação, trava; calço de rodas; entrave, estorvo.

trabajado, -a, *adj.* trabalhado; aperfeiçoado; elaborado.

trabajador, -a, *adj.* e *s.* trabalhador.

trabajar, *v. intr.* trabalhar.

trabajo, *s. m.* trabalho, labor; ocupação, exercício; obra, produção; *pl.* trabalhos, desgostos, dificuldades.

trabajoso, -a, *adj.* trabalhoso, custoso, difícil.

trabalenguas, *s. m.* trava-língua.

trabar, *v. tr.* travar; trocar (ideias); estabelecer (relações); impedir.

trabazón, *s. f.* travação, travamento.

trabilla, *s. f.* presilha.

trabucar, *v. tr.* transtornar, atrapalhar; confundir.

trabucazo, *s. m.* trabucada.

trabuco, *s. m.* trabuco.

traca, *s. f.* salva de fogo-de-artifício.

tracción, *s. f.* tracção.

tractor, *s. m.* tractor.

tractorista, *s. 2 gén.* tractorista.

tradición, *s. f.* tradição.

tradicional, *adj. 2 gén.* tradicional.

tradicionalismo, *s. m.* tradicionalismo.

tradicionalista, *adj.* e *s. 2 gén.* tradicionalista.

tradicionalmente, *adv.* tradicionalmente.

traducción, *s. f.* tradução; versão; obra traduzida.

traducible, *adj. 2 gén.* traduzível.

traducir, *v. tr.* traduzir; interpretar.

traductor, -a, *adj.* e *s.* tradutor.

traedor, -a, *adj.* e *s.* trazedor.

traer, *v. tr.* trazer; transportar, levar consigo; vestir, usar; atrair; acarretar, causar; conter.

traficante, *adj.* e *s. 2 gén.* traficante, negociante.

traficar, *v. intr.* traficar, comerciar, negociar; trafegar, transitar, transportar mercadorias.

tráfico, *s. m.* traficância; tráfico; negociação, comércio; trânsito, tráfego.

tragacanto, *s. m.* BOT. tragacanto.

tragaderas, *s. f. pl.* garganta; (*fig.*) boa-fé; tolerância excessiva.

tragadero, *s. m.* faringe, garganta.

tragador, -a, *adj.* e *s.* devorador; comilão.

tragahombres, *s. m.* (*fam.*) fanfarrão, mata-sete, valentão, ferrabrás.

tragaldabas, *s. 2 gén.* e *2 núm.* comilão, glutão.

tragaleguas, *s. 2 gén.* papa-léguas, andarilho.

tragaluz, *s. m.* clarabóia.

tragar, *v. tr.* tragar, devorar, engolir.

tragedia, *s. f.* tragédia, obra dramática; tragédia, desastre.

trágicamente, *adv.* tragicamente.

trágico, -a, *adj.* e *s.* trágico.

tragicomedia, *s. f.* tragicomédia.

tragicómico, -a, *adj.* tragicómico.

trago, *s. m.* trago, gole, sorvo.

tragón, -ona, *adj.* e *s.* glutão, comilão.

traición, *s. f.* traição, perfídia.

traicionar, *v. tr.* trair, atraiçoar.

traicionero, -a, *adj.* traiçoeiro.

traído, -a, *adj.* trazido; gasto, usado.

traidor, -a, *adj.* e *s.* traidor.

traílla, *s. f.* trela; cordel, guita, barbante; nivelador.

traína, *s. f.* traina.

trainera, *adj.* traineira.

traje, *s. m.* traje, trajo, fato; vestes.

trajearse, *v. refl.* vestir, trajar.

trajín, *s. m.* tráfego, transporte (de mercadorias); faina, azáfama, lide.

trajinar, *v.* **1.** *tr.* transportar, carregar (mercadorias). **2.** *intr.* trafegar, lidar, azafamar-se.

tralla, *s. f.* corda; soga; látego, azorrague.

trallazo, *s. m.* chicotada; estalo de chicote; (*fig.*) repreensão severa.

trama, *s. f.* trama, tecido; confabulação, artifício, trama.

tramar, *v. tr.* tramar; intrigar, enredar, tecer, urdir.

tramitación, *s. f.* trâmite, senda, via; trâmites, diligências.

tramitar, *v. tr.* negociar, gerir; tramitar; despachar.

trâmite, *s. m.* trâmite, direcção, expediente; trâmite, meio apropriado; via.

tramo, *s. m.* lote de terreno; tramo, lanço de escada; troço de uma via.

tramontana, *s. f.* tramontana, norte; vaidade, soberba, altivez.

tramoya, *s. f.* tramóia, máquina de teatro; tramóia, enredo.

tramoyista, *s. 2 gén.* TEAT. maquinista; trapaceiro, enredador.

trampa, s. f. armadilha; alçapão; ardil, tramóia, enredo, trapaça, cilada; dívida atrasada.

trampear, v. tr. trampear, trapacear; enganar.

trampilla, s. f. alçapão.

trampolín, s. m. trampolim.

tramposo, -a, adj. e s. trampolineiro, embusteiro.

tranca, s. f. tranca, varapau, cacete; tranca de porta.

trancazo, s. m. trancada; (fig.) gripe.

trance, s. m. transe, momento crítico.

tranco, s. m. passo largo, salto; umbral, limiar de porta; (fam.) pontos largos, ao passajar a roupa.

tranquera, s. f. tranqueira, paliçada, estacada.

tranquilamente, adv. tranquilamente, calmamente.

tranquilidad, s. f. tranquilidade, quietação, serenidade.

tranquilizador, -a, adj. tranquilizador, tranquilizante.

tranquilizante, I. adj. 2 gén. tranquilizante. II. s. m. tranquilizante.

tranquilizar, v. tr. tranquilizar, sossegar; pacificar.

tranquillo, s. m. (fig.) jeito, maneira.

tranquilo, -a, adj. tranquilo; sereno, quieto, sossegado.

transacción, s. f. transacção; convénio, negócio, ajuste, contrato.

transalpino, -a, adj. transalpino.

transandino, -a, adj. transandino.

transatlántico, -a, adj. e s. m. transatlântico.

transbordador, s. m. barco costeiro, barco de transbordo.

transbordar, v. 1. tr. trasbordar; transferir. 2. intr. fazer trasbordo.

transbordo, s. m. trasbordamento, trasbordo, baldeação.

transcendencia, s. f. transcendência; penetração; perspicácia; resultado, consequência.

transcendental, adj. 2 gén. transcendente.

transcendente, adj. 2 gén. transcendente.

transcender, v. intr. rescender; transcender; transparecer; mostrar-se.

transcontinental, adj. 2 gén. transcontinental.

transcribir, v. tr. transcrever, copiar.

transcripción, s. f. transcrição.

transcrito, -a, adj. transcrito.

transcurrir, v. intr. transcorrer, decorrer, passar.

transcurso, s. m. transcurso, decurso, o passar (do tempo).

transeúnte, adj. e s. 2 gén. transeunte; transitório, temporal.

transexual, adj. e s. 2 gén. transexual.

transexualismo, s. m. transexualismo.

transferencia, s. f. transferência.

transferible, adj. 2 gén. transferível.

transferir, v. tr. transferir.

transfiguración, s. f. transfiguração.

transfigurar, v. tr. e refl. transfigurar, transformar.

transfixión, s. f. transfixão.

transformable, adj. 2 gén. transformável.

transformación, s. f. transformação.

transformador, -a, I. adj. transformador, transformante. II. s. m. transformador.

transformar, v. tr. transformar, modificar.

transformismo, s. m. transformismo.

transformista, adj. e s. 2 gén. transformista.

tránsfuga, s. 2 gén. trânsfuga; desertor.

transfundir, v. tr. transfundir, derramar; (fig.) difundir.

transfusión, s. f. transfusão; transfusão de sangue.

transgredir, v. tr. transgredir, infringir.

transgresión, s. f. transgressão, infracção.

transgresor, -a, adj. transgressor; infractor.

transiberiano, -a, adj. transiberiano.

transición, s. f. transição.

transido, -a, adj. transido; repassado, tolhido; angustiado.

transigencia, s. f. transigência, condescendência, tolerância.

transigente, adj. 2 gén. transigente, condescendente, tolerante.

transigir, v. intr. transigir, consentir, ceder, condescender, convir.

transistor, s. m. transistor.

transistorizado, -a, adj. transistorizado.

transitable, adj. 2 gén. transitável.

transitar, v. intr. transitar.

transitivo, -a, *adj.* transitivo.

tránsito, s. *m.* trânsito; marcha, trajecto, paragem; *(fig.)* morte.

transitoriedad, *adj.* transitoriedade.

transitorio, -a, *adj.* transitório, passageiro, temporal.

translación, s. *f.* translação, trasladação.

translimitar, *v. tr.* ultrapassar os limites morais ou materiais.

translúcido, -a, *adj.* translúcido; transluzente.

transmigración, s. *f.* transmigração.

transmigrar, *v. intr.* transmigrar.

transmisible, *adj.* 2 *gén.* transmissível.

transmisión, s. *f.* transmissão; propagação; transferência; emissão; TÉCN. transmissão.

transmisor, -a, *adj.* e s. transmissor.

transmitir, *v. tr.* transmitir, expedir, enviar; alienar, trasladar, transferir, ceder.

transmudar, *v. tr.* transmutar, trasladar.

transmutación, s. *f.* transmutação.

transmutar, *v. tr.* transmutar.

transoceánico, -a, *adj.* transoceânico, ultramarino.

transpacífico, -a, *adj.* transpacífico.

transparencia, s. *f.* transparência, diafanidade.

transparentarse, *v. refl.* ser transparente; deixar ver à transparência; revelar os seus sentimentos.

transparente, I. *adj.* 2 *gén.* transparente; diáfano. **II.** s. *m.* transparente, cortina; transparência.

transpiración, s. *f.* transpiração.

transpirar, *v. intr.* transpirar, suar.

transpirenaico, -a, *adj.* transpirenaico.

transplantar, *v. tr.* transplantar.

transplante, s. *m.* transplante, transplantação.

transponer, *v.* **1.** *tr.* transpor. **2.** *refl.* ocultar-se, desaparecer.

transportador, -a, I. *adj.* transportador. **II.** *m.* transferidor.

transportar, *v. tr.* transportar; *(fig.)* transportar-se, enlevar-se.

transporte, s. *m.* transporte, transportação, transportamento.

transportista, s. 2 *gén.* transportador.

transposición, s. *f.* transposição.

transpuesto, -a, *adj.* transposto.

transvasar, *v. tr.* trasfegar, transvasar.

transvase, s. *m.* transvasamento, transvase.

transversal, *adj.* e s. 2 *gén.* transversal; atravessado; colateral.

transverso, -a, *adj.* transverso, oblíquo.

tranvía, s. *m.* carro eléctrico, tranvia.

tranviario, -a, I. *adj.* ferroviário. **II.** s. *m.* condutor de carro eléctrico.

trapacería, s. *f.* trapaça, burla, dolo, chicana; engano.

trapacero, -a, *adj.* e s. *m.* e *f.* trapaceiro, aldrabão, trampolineiro; *(fig.)* vigarista, velhaco.

trapajoso, -a, *adj.* esfarrapado, roto, esfrangalhado; entaramelado.

trápala, s. **1.** *f.* trapaça, engano, embuste, ardil; tagarelice. **2.** *m.* tagarela, conversador; parlapatão, impostor; ruído, barulho, estrépito, balbúrdia.

trapatiesta, s. *f.* alvoroto, rixa, desordem.

trapecio, s. *m.* DESP. trapézio (aparelho); GEOM. trapézio; ANAT. trapézio (osso e músculo).

trapecista, s. 2 *gén.* trapezista.

trapense, *adj.* 2 *gén.* e s. *m.* trapista.

trapería, s. *f.* traparia, trapagem; loja de adelo.

trapero, -a, s. *m.* e *f.* farrapeiro, farrapeira; adelo.

trapezoide, s. *m.* trapezóide, trapézio.

trapichear, *v. intr.* fazer batota; cometer ilegalidades.

trapicheo, s. *m.* batotice; ilegalidade.

trapío, s. *m.* elegância, charme.

trapisonda, s. *f. (fam.)* balbúrdia, barulho, rixa, briga.

trapisondear, *v. intr. (fam.)* meter brigas, armar barulhos.

trapisondista, s. *m.* e *f.* trapaceiro, enredador, intriguista.

trapo, s. *m.* trapo, farrapo, rodilha; cortina; *(fam.)* capa de toureiro.

traque, s. *m.* estouro de foguete; *(fig., fam.)* traque, ventosidade.

tráquea, s. *f.* traqueia.

traqueal, *adj.* 2 *gén.* traqueal.

traqueotomía, s. *f.* traqueotomia.

traquetear, *v.* **1.** *intr.* estralejar, estalar. **2.** *tr.* agitar, sacudir, vascolejar.

traqueteo, s. *m.* estalo, estouro.

traquido, s. *m.* estampido, tiro; estalido da madeira.

tras, *prep.* atrás, trás, detrás, após, depois de.

trasalpino, -a, *adj.* transalpino.

trasatlántico, -a, *adj.* e *s. m.* transatlântico.

trasbordar, *v. tr.* trasbordar.

trasbordo, *s. m.* transbordo, trasbordo.

trascendencia, *s. f.* transcendência, penetração, perspicácia; resultado, consequência.

trascendental, *adj.* 2 *gén.* transcendente, transcendental.

trascendentalismo, *s. m.* transcendentalismo.

trascendente, *adj.* 2 *gén.* transcendente.

trascender, *v. intr.* rescender; transcender; transparecer, mostrar-se, manifestar-se (o que estava oculto).

trascribir, *v. tr.* transcrever, copiar.

trascripción, *s. f.* transcrição.

trascrito, -a, *adj.* transcrito.

trascurrir, *v. intr.* transcorrer, decorrer, passar.

trascurso, *s. m.* transcurso, decurso, volver do tempo.

trasegar, *v. tr.* mudar de um lugar para outro; misturar; decantar, trasfegar; (*fig.*) beber muito.

trasero, -a, *adj.* traseiro; parte posterior.

trasferencia, *s. f.* transferência.

trasferible, *adj.* 2 *gén.* transferível.

trasferir, *v. tr.* transferir.

trasfiguración, *s. f.* transfiguração.

trasfigurar, *v. tr.* transfigurar, transformar.

trasfixión, *s. f.* transfixão.

trasfondo, *s. m.* fundo, tom; laivo.

trasformable, *adj.* 2 *gén.* transformável.

trasformación, *s. f.* transformação.

trasformador, -a, *adj.* e *s.* transformador.

trasformar, *v. tr.* transformar, modificar.

trasformista, *adj.* e *s.* 2 *gén.* transformista.

trasfregar, *v. tr.* esfregar uma coisa com outra.

trasfretar, *v. tr.* e *intr.* transfretar, atravessar o mar; estender-se, dilatar-se.

trasfuego, *s. m.* guarda-fogo.

trásfuga, *s. m.* e *f.* trânsfuga, desertor.

trásfugo, *s. m.* vd. **trásfuga.**

trasfundición, *s. f.* transfusão.

trasfundir, *v. tr.* transfundir; derramar.

trasfusión, *s. f.* transfusão; transfusão de sangue.

trasgo, *s. m.* trasgo, duende, diabrete.

trasgredir, *v. tr.* transgredir, infringir.

trasgresión, *s. f.* transgressão, infracção.

trasgresor, -a, *adj.* e *s. m.* e *f.* transgressor; infractor.

trashumancia, *s. f.* transumância.

trashumante, *adj.* 2 *gén.* transumante.

trashumar, *v. intr.* transumar.

trasiego, *s. m.* trasfega, trasfego.

traslación, *s. f.* translação, trasladação, traslação; metáfora.

trasladar, *v. tr.* trasladar; copiar; traduzir.

traslado, *s. m.* traslado; cópia, tradução.

traslapar, *v. tr.* sobrepor-se a; imbricar; cobrir parcialmente.

traslúcido, -a, *adj.* translúcido, transluzente.

trasluciente, *adj.* 2 *gén.* vd. **traslúcido.**

traslucirse, *v. refl.* transluzir.

trasluz, *s. m.* luz difusa.

trasmallo, *s. m.* tresmalho (rede de pesca).

trasmano, *s. m.* segunda mão.

trasmigración, *s. f.* transmigração.

trasmigrar, *v. intr.* transmigrar.

trasmisión, *s. f.* transmissão.

trasmisor, -a, *adj.* e *s. m.* transmissor.

trasmitir, *v. tr.* transmitir, expedir, enviar; alienar, transladar, transferir; ceder.

trasmudar, *v. tr.* transmudar, transladar.

trasmutación, *s. f.* transmutação.

trasmutar, *v. tr.* transmutar.

trasnochada, -a, *adj.* fora de moda; obsoleto.

trasnochador, -a, *adj., s. m.* e *f.* noctívago, tresnoitado.

trasnochar, *v. intr.* tresnoitar; pernoitar.

traspapelarse, *v. tr.* e *refl.* confundir-se, perder-se um papel entre outros.

trasparencia, *s. f.* transparência, diafanidade.

trasparentar, *v. tr.* transparecer.

trasparente, I. *adj.* 2 *gén.* transparente, diáfano. **II.** *s. m.* e *f.* transparente, cortina; cortinado.

traspasar, *v. tr.* traspassar, trespassar.

traspaso, *s. m.* traspasso; trespasse; (*fig.*) aflição, angústia.

traspié, *s. m.* escorregadela; cambapé, rasteira.

traspiración, *s. f.* transpiração.

traspirar, *v. intr.* transpirar, suar.

traspirenaico, -a, *adj.* transpirenaico.

trasplantar, *v. tr.* transplantar.

trasplante, *s. m.* transplantação, transplante.

trasponer, *v. tr.* transpor.

trasportador, -a, adj. e s. transportador.
trasportar, v. tr. transportar; (fig.) transportar-se; enlevar-se.
transporte, s. m. transporte.
trasportista, s. 2 gén. transportador, carregador.
trasposición, s. f. transposição.
traspuesto, -a, adj. transposto.
trasquilado, -a, adj. tosquiado, tosado.
trasquilar, v. tr. tosquiar, tosar.
trasquilón, s. m. (fam.) tosquiadela (ao cabelo).
trastabillar, v. tr. tropeçar, cambalear; tartamudear.
trastada, s. f. tratantada, fraude.
trastazo, s. m. (fam.) cacetada.
traste, s. m. trasto.
trastear, v. 1. tr. MÚS. tocar (instrumento de corda); revolver, remexer, esquadrinhar; lidar (o touro) com a capa; manobrar, fazer gato-sapato de. 2. intr. revolver, remexer; andar de um lado para o outro.
trastera, s. f. sótão, trapeira; quarto de arrumos.
trastero, s. m. vd. **trastera.**
trastienda, s. f. quarto das traseiras da loja; astúcia, cautela; por trastienda, por baixo de mão.
trasto, s. m. traste, móvel.
trastocar, v. 1. tr. transtornar, alterar. 2. refl. transtornar-se, perturbar-se.
trastornado, -a, adj. transtornado; preocupado, desatinado.
trastornar, v. tr. transtornar; perturbar; inquietar; desatinar.
trastorno, s. m. transtorno, contrariedade; perturbação; desequilíbrio psíquico.
trastrocar, v. tr. e refl. trocar, inverter a ordem de, subverter, confundir.
trasunto, s. m. cópia; representação.
trasvasar, v. tr. transvasar, trasfegar.
trasvase, s. m. transvase.
trasversal, adj. 2 gén. transversal, atravessado; colateral.
trasverso, -a, adj. transverso, oblíquo.
trata, s. f. tráfico de escravos.
tratable, adj. 2 gén. tratável, lhano, afável.
tratadista, s. 2 gén. tratadista.
tratado, s. m. tratado, ajuste, convénio.
tratamiento, s. m. tratamento, trato; tratamento, método terapêutico.
tratante, s. 2 gén. negociante, comerciante.
tratar, v. 1. tr. tratar, manejar; tratar, proceder, dar tratamento; abordar, discutir;

considerar; classificar; INFORM. processar; QUÍM. tratar. 2. intr. relacionar-se; negociar, ter relações comerciais; dizer respeito. 3. refl. relacionar-se; chamar-se; referir-se.
trato, s. m. trato, ajuste; tratamento; negócio, comércio.
trauma, s. m. trauma.
traumático, -a, adj. traumático.
traumatismo, s. m. traumatismo.
traumatizar, v. tr. traumatizar.
traumatología, s. f. traumatologia.
traumatólogo, -a, s. m. e f. traumatologista.
través, s. m. inclinação; travessa (de madeira); viga; NÁUT. vaus; (fig.) revés, fatalidade, desgraça.
travesaño, s. m. trave, travessa, travessão; DESP. barra transversal.
travesía, s. f. travessa (rua); travessia, viagem por mar.
travesti, s. m. travesti.
travestido, -a, adj. travestido, disfarçado, encoberto.
travestirse, v. refl. travestir-se; disfarçar-se.
travesura, s. f. travessura, traquinice; vivacidade.
traviesa, s. f. travessa; travessia, distância; aposta; travessa de linha-férrea, chulipa; ARQ. trave, viga (de telhado).
travieso, -a, adj. fino, esperto; traquinas, travesso, turbulento.
trayecto, s. m. trajecto.
trayectoria, s. f. trajectória.
traza, s. f. traçado, traça, planta; plano; figura, aspecto.
trazado, s. m. plano; traçado; esboço; projecto; curso, percurso, rota.
trazar, v. tr. traçar, riscar; descrever, delinear; desenhar, projectar.
trazo, s. m. traço; risco, traçado.
trebejo, s. m. instrumento, ferramenta, utensílio.
trébol, s. m. BOT. trevo.
trece, num. treze.
treceavo, -a, adj. e s. décimo terceiro.
trecho, s. m. trecho, espaço, distância, intervalo.
tregua, s. f. trégua; descanso.
treinta, num. trinta.
treintañero, -a, adj. e s. trintão, trintona.
treintavo, -a, adj. e s. trigésimo.

treintena, *s. f.* trintena; trigésima parte.
tremebundo, -a, *adj.* tremebundo.
tremendista, *adj. 2 gén.* sensacionalista.
tremendo, -a, *adj.* tremendo; terrível, formidável.
trementina, *s. f.* terebentina.
tremolar, *v. tr. e intr.* tremular.
tremolina, *s. f.* movimento ruidoso do ar; *(fig.)* bulha, confusão.
trémolo, *s. m.* MÚS. trémulo.
trémulo, -a, *adj.* tremulante, trémulo.
tren, *s. m.* trem; comboio; ritmo, estilo; *tren de vida*, estilo de vida.
trena, *s. f. (fam.)* grades, prisão.
trenca, *s. f.* casacão com capuz; anoraque.
trencilla, *s. f.* trancelim; fita entrançada.
trenza, *s. f.* trança.
trenzadera, *s. f.* trançadeira.
trenzado, *s. m.* entrançado.
trenzar, *v. tr.* trançar, entrançar.
trepa, *s. 2 gén. (pej.)* furão, fura-vidas; *(fig.)* trepador.
trepador, -a, **I.** *adj.* trepador; BOT. trepadeira; *ave trepadora*, ave trepadora; *planta trepadora*, planta trepadeira. **II.** *s. m. e f.* vd. **trepa**.
trepanación, *s. f.* trepanação.
trepanar, *v. tr.* trepanar.
trépano, *s. m.* trépano.
trepar, *v.* **1.** *tr.* trepar a; escalar; verrumar, perfurar; guarnecer, adornar. **2.** *intr.* trepar (as plantas); escalar.
trepidación, *s. f.* trepidação.
trepidante, *adj. 2 gén.* trepidante.
trepidar, *v. intr.* trepidar, tremer, estremecer.
tres, *num.* três.
trescientos, -as, *num.* **1.** *card.* trezentos. **2.** *ord.* trecentésimo.
tresillo, *s. m.* voltarete; terno (de maples); MÚS. tresquiáltera.
treta, *s. f.* treta, manha, ardil, astúcia.
tríada, *s. f.* tríade, tríada.
trial, *s. m.* DESP. trial.
triangular, *adj. 2 gén.* triangular.
triángulo, *s. m.* triângulo; MÚS. ferrinhos.
tribal, *adj. 2 gén.* tribal.
tribu, *s. f.* tribo.
tribulación, *s. f.* tribulação, aflição, adversidade.
tribuna, *s. f.* tribuna; galeria; púlpito; eloquência.

tribuno, *s. m.* tribuno, magistrado romano; orador político.
tributable, *adj. 2 gén.* tributável.
tributación, *s. f.* tributação, tributo.
tributante, *adj. e s. 2 gén.* que tributa.
tributar, *v. tr.* tributar; contribuir; prestar; dedicar.
tributario, -a, *adj. e s.* tributário.
tributo, *s. m.* tributo, imposto; homenagem.
tricéfalo, -a, *adj.* tricéfalo.
tricentenario, *s. m.* tricentenário.
tríceps, *s. m.* ANAT. tricípite.
triciclo, *s. m.* triciclo.
tricolor, *adj. 2 gén.* tricolor.
tricornio, *s. m.* tricórnio; *(fam.)* guarda- -civil espanhol.
tricot, *s. m.* tricô.
tricotar, *v. tr. e intr.* tricotar.
tricotosa, *s. f.* máquina de tricotar.
tridente, *s. m.* tridente.
tridimensional, *adj. 2 gén.* tridimensional.
triedro, *adj.* triedro.
trienal, *adj. 2 gén.* trienal.
trienio, *s. m.* triénio.
trifásico, -a, *adj.* ELECT. trifásico.
trifulca, *s. f.* rixa, pega, discussão.
trifurcarse, *v. refl.* triturar-se.
trigal, *s. m.* trigal.
trigémino, -a, *adj. e s. m.* trigémino.
trigésimo, -a, *adj. e s.* trigésimo.
tríglifo, *s. m.* ARQ. tríglifo.
trigo, *s. m.* BOT. trigo.
trigonometría, *s. f.* trigonometria.
trigonométrico, -a, *adj.* trigonométrico.
trigueño, -a, *adj.* trigueiro.
triguero, -a, *adj.* do trigo, triguenho.
trilateral, *adj. 2 gén.* trilateral.
trilátero, -a, *adj.* trilateral, trilátero.
trilingüe, *adj. 2 gén.* trilingue, trilíngue.
trilita, *s. f.* trotil; TNT.
trilla, *s. f.* debulha.
trillado, -a, *adj.* trilhado; *(fig.)* comum, sabido, notório, gasto, estafado.
trilladora, *s. f.* debulhadora.
trilladura, *s. f.* trilhadura, trilha.
trillar, *v. tr.* debulhar; *(fig.)* trilhar, seguir.
trillo, *s. m.* trilho, debulhador.
trillón, *s. m.* trilião.
trimestral, *adj. 2 gén.* trimestral.
trimestre, *s. m.* trimestre.
trimotor, *s. m.* trimotor.

trinar, *v. intr.* trinar, cantar (os pássaros); MÚS. trilar.

trinca, *s. f.* terno, trio; trindade; NÁUT. trinca.

trincar, *v. tr.* roubar; apanhar, deter, prender; beber (bebidas alcoólicas).

trinchante, *s. m.* trinchante (garfo, faca).

trinchar, *v. tr.* trinchar.

trinchera, *s. f.* trincheira.

trinchero, *s. m.* aparador.

trineo, *s. m.* trenó.

trinidad, *s. f.* trindade.

trino, -a, *adj.* trino; ternário; trinado, trino, gorjeio; MÚS. trilo.

trinomio, *s. m.* trinómio.

trinquete, *s. m.* NÁUT. traquete; lingueta, trinco de porta.

trío, *s. m.* MÚS. trio.

tripa, *s. f.* tripa, intestino; ventre, barriga.

tripartido, -a, *adj.* tripartido.

triple, I. *adj. 2 gén.* triplo, tríplice. II. *s. m.* triplo.

triplicado, *s. m.* triplicado.

triplicar, *v. tr.* treplicar.

triplicidad, *s. f.* triplicidade.

tripode, *s. m.* tripé.

tripón, -ona, *m. e f.* barrigudo, pançudo.

tríptico, *s. m.* tríptico.

triptongo, *s. m.* tritongo.

tripudo, -a, *adj.* barrigudo, pançudo.

tripulación, *s. f.* tripulação.

tripulante, *s. m.* tripulante.

tripular, *v. tr.* tripular.

triquina, *s. f.* triquina.

triquinosis, *s. f.* triquinose.

triquiñuela, *s. f.* rodeio, subterfúgio, evasiva.

triquitraque, *s. m.* triquetraque.

tris, *s. m.* triz; *por un tris*, por um triz; *estar en un tris*, estar a ponto de, estar quase a.

trisca, *s. f.* ruído; estrondo; bulha.

triste, *adj. 2 gén.* triste.

tristeza, *s. f.* tristeza.

tristón, -ona, *adj.* tristonho.

tritón, *s. m.* tritão.

trituración, *s. f.* trituração.

triturado, -a, *adj.* triturado.

triturador, -a, I. *adj.* triturador, triturante. II. *s.* 1. *m.* triturador. 2. *f.* trituradora.

triturar, *v. tr.* triturar, esmagar; moer, esmiuçar; (*fig.*) maltratar.

triunfador, -a, *adj. e s.* triunfador.

triunfal, *adj. 2 gén.* triunfal.

triunfalismo, *s. m.* triunfalismo.

triunfalista, *adj. 2 gén.* triunfalista.

triunfalmente, *adv.* triunfalmente.

triunfar, *v. intr.* triunfar; vencer.

triunfo, *s. m.* triunfo; vitória; trunfo (no jogo).

triunvirato, *s. m.* triunvirato; triunvirado.

triunviro, *s. m.* triúnviro.

trivalente, *adj. 2 gén.* trivalente.

trivial, *adj. 2 gén.* trivial, vulgar.

trivialidad, *s. f.* trivialidade.

triza, *s. f.* pedacinho, migalha, fragmento.

trocar, *v. tr.* trocar, permutar; mudar.

trocear, *v. tr.* trociscar.

trochemoche, *s. m.* a trouxe-mouxe; à toa.

trofeo, *s. m.* troféu.

troglodita, *adj. 2 gén.* troglodita.

trola, *s. f.* engano, mentira.

trole, *s. m.* trólei.

trolebús, *s. m.* trólei, troleibus.

trolero, -a, *adj. e s.* mentiroso.

tromba, *s. f.* METEOR. tromba.

trombo, *s. m.* trólei, trombo.

trombón, *s.* 1. *m.* trombone. 2. *2 gén.* trombonista.

trombosis, *s. f.* trombose.

trompa, *s.* 1. *f.* trompa; tromba (de elefante); sugadouro (insectos); ANAT. trompa; (*fam.*) ventas, nariz; (*fam.*) bebedeira. 2. *2 gén.* MÚS. trompista.

trompada, *s. f.* (*fam.*) vd. **trompazo**.

trompazo, *s. m.* trombada, encontrão, trompaço, trompázio, murro.

trompeta, *s.* 1. *f.* trompeta. 2. *2 gén.* trompetista.

trompetazo, *s. m.* cornetada.

trompetilla, *s. f.* corneta acústica; espécie de charuto.

trompetista, *s. 2 gén.* trompetista.

trompicar, *v. intr.* tropicar, tropeçar.

trompicón, *s. m.* tropeção.

trompis, *s. m.* (*fam.*) soco, murro.

trompo, *s. m.* pião.

tronada, *s. f.* trovoada.

tronado, -a, *adj.* gasto, coçado; arruinado.

tronar, *v. intr.* trovejar, troar; trovoar; estrondear, detonar, estourar.

tronchar, *v. tr.* tronchar, truncar; mutilar.

troncho, *s. m.* talo das hortaliças.

tronco, *s. m.* tronco, troncho; caule, haste; tronco (dos vertebrados); tronco, ascendência.

tronera, *s. f.* canhoneira; portaló; vigia; ventana (bilhar); libertino; mulher dissoluta.

tronido, s. m. trovão, ribombo, estampido.
tronitoso, -a, adj. (fam.) trovejante, troante, estrondoso, retumbante.
trono, s. m. trono, sólio real; tabernáculo; autoridade.
tronzar, v. tr. dividir, quebrar, destroçar, despedaçar.
tropa, s. f. tropa.
tropel, s. m. tropel; tumulto.
tropelía, s. f. tropelia; violência; arte mágica; engano.
tropezar, v. intr. tropeçar; esbarrar.
tropezón, s. m. tropeção; erro, estenderete; trancanaz, pedaço de comida.
tropical, adj. 2 gén. tropical.
trópico, s. m. trópico.
tropiezo, s. m. tropeço, estorvo; falta, culpa, deslize.
tropismo, s. m. tropismo.
tropo, s. m. tropo.
troquel, s. m. molde; cunho; cortante.
troquelar, v. tr. cunhar, amoedar; moldar.
trotar, v. intr. trotar; cavalgar a trote.
trote, s. m. trote.
trotón, -ona, adj. trotão; troteiro.
trova, s. f. trova.
trovador, -a, s. m. e f. trovador.
trovadoresco, -a, adj. trovadoresco.
trovar, v. intr. trovar.
trovera, s. f. troveira.
trovero, s. m. troveiro.
troyano, -a, adj. e s. troiano, de Tróia.
trozo, s. m. troço, pedaço, parte, fragmento.
trucaje, s. m. FOT. trucagem.
trucar, v. intr. trucar, fazer trucagem; fazer truques.
trucha, s. f. truta.
truco, s. m. truque (nos jogos); truque, ardil, tramóia.
truculencia, s. f. truculência.
truculento, -a, adj. truculento, atroz, cruel, ferino.
trueno, s. m. trovão.
trueque, s. m. troca, permutação.
trufa, s. f. truta, túbera; mentira, pata.
trufar, v. 1. tr. trufar. 2. intr. dizer petas.
truhán, -ana, adj. e s. trapaceiro, impostor; truão, palhaço, bobo.
trulla, s. f. barulho, algazarra, vozearia; trolha, colher de pedreiro.
tu, adj. teu, tua.
tú, pron. pess. tu.
tuba, s. f. tuba, trompa.
tuberculina, s. f. tuberculina.

tubérculo, s. m. BOT. tubérculo; MED. tubérculo, tumor.
tuberculosis, s. f. MED. tuberculose; tísica.
tuberculoso, -a, adj. e s. m. e f. tuberculoso.
tubería, s. f. tubagem.
tuberosidad, s. f. tuberosidade.
tuberoso, -a, adj. tuberoso.
tubo, s. m. tubo; cano.
tubular, adj. 2 gén. tubular, tubiforme.
tucán, s. m. ZOOL. tucano.
tuerca, s. f. porca (de parafuso).
tuerto, -a, I. adj. torto; vesgo, zarolho. II. s. m. agravo, injúria, injustiça.
tuétano, s. m. tutano, medula.
tufarada, s. f. baforada.
tufo, s. m. vapor, exalação; cheiro activo e desagradável; tufo de cabelo; tufo calcário.
tugurio, s. m. tugúrio.
tul, s. m. tule (tecido leve).
tulipa, s. f. BOT. túlipa pequena; túlipa de candeeiro, quebra-luz.
tulipán, s. m. BOT. túlipa.
tullecer, v. tr. tolher, paralisar.
tullidez, s. f. tolhimento, paralisia.
tullido, -a, adj. e s. tolhido, paralítico, entrevado.
tullidura, s. f. excremento das aves de rapina.
tullimiento, s. m. tolhimento; paralisia.
tullir, v. 1. intr. expelir o excremento (as aves de rapina). 2. tr. tolher, paralisar. 3. refl. ficar paralítico, tolher-se, entrevar-se.
tumba, s. f. rumba, túmulo, sepulcro; essa, catafalco.
tumbar, v. tr. tombar, derrubar.
tumbo, s. m. vaivém, balanço violento, solavanco; tombo, queda; tombo, livro de registo dos privilégios, etc.
tumbona, s. f. cadeira de braços; cadeira de bordo.
tumefacción, s. f. tumefacção.
tumefacto, -a, adj. tumefacto, túmido, inchado.
tumor, s. m. tumor.
túmulo, s. m. túmulo; sepulcro, essa.
tumulto, s. m. tumulto, motim.
tumultuoso, -a, adj. vd. **tumultuario**.
tuna, s. f. tuna, estudantina.
tunante, -a, adj. e s. (fam.) vadio, tunante, pícaro, patife.
tunantear, v. intr. tunantear, tunar, vadiar.

tunda, s. f. tosadura (do pano ou tecido); (fam.) tunda, sova.

tundear, v. tr. tundar, sovar, espancar.

tundir, v. tr. tosar (panos ou tecidos); (fig.) sovar, surrar, espancar.

tundra, s. f. tundra.

tunear, v. intr. tunantear, tunar, vadiar.

túnel, s. m. túnel.

tungsteno, s. m. QUÍM. tungsténio, volfrâmio.

túnica, s. m. túnica.

tuno, -a, I. adj. tunante; malandro; patife. **II.** s. m. BOT. figo-do-inferno; membro de tuna.

tuntún, al buen tuntún, loc. adv. (fam.) sem reflectir; por mero palpite.

tupé, s. m. topete; (fig., fam.) atrevimento, desfaçatez.

tupí, adj. e s. 2 gén. tupi.

tupido, -a, adj. espesso, denso; curto (de inteligência).

tupinambo, s. m. BOT. tupinambo, planta e fruto.

tupir, v. tr. tupir.

turba, s. **1.** f. turfa, turfeira. **2.** turba, multidão.

turbación, s. f. turbação; confusão; desordem.

turbado, -a, adj. turbado, alterado, preocupado; confuso, desconcertado.

turbador, -a, adj. perturbante, preocupado, desconcertante.

turbamulta, s. f. (fam.) turbamulta; tropel.

turbante, s. m. turbante.

turbar, v. tr. e refl. turbar, toldar, alterar, torvar; atordoar.

turbina, s. f. turbina.

turbio, -a, adj. turvo, toldado, embaciado; duvidoso, agitado, confuso.

turboalternador, s. m. turboalternador.

turbocompressor, s. m. turbocompressor.

turbodinamo, s. m. turbodínamo.

turbogenerador, s. m. turbogerador.

turbonada, s. f. forte aguaceiro com vento e trovões.

turborreactor, s. m. turborreactor.

turbulencia, s. f. turbulência.

turbulento, -a, adj. turvo; turbulento, agitado; duvidoso; embaciado; confuso.

turca, s. f. (fam.) bebedeira, borracheira, turca.

turco, -a, adj. e s. turco, da Turquia.

turgencia, s. f. turgência, turgescência, turgidez.

turgente, adj. 2 gén. turgente, turgescente, túrgido.

túrgido, -a, adj. túrgido.

turismo, s. m. turismo.

turista, s. 2 gén. turista.

turístico, -a, adj. turístico.

turmalina, s. f. turmalina.

turnar, v. intr. revezar, alternar.

turno, s. m. turno.

turón, s. m. ZOOL. toirão, marta.

turquesa, I. adj. 2 gén. turquesa. **II.** s. **1.** f. MIN. turquesa. **2.** m. turquesa (cor).

turrar, v. tr. torrar, tostar.

turrón, s. m. nogado; torrão.

turulato, -a, adj. (fam.) estonteado.

tururú, interj. de maneira nenhuma!, nem pensar!

tute, s. m. espécie de bisca (cartas); (fig.) trabalheira; muito uso.

tutear, v. tr. tutear; tratar por tu.

tutela, s. f. tutela.

tutelar, adj. tutelar.

tuteo, s. m. tuteamento; tratamento por tu.

tutiplén, a tutiplén, loc. adv. em abundância.

tutor, -a, s. m. e f. tutor, tutora.

tutoría, s. f. tutoria; tutela.

tuya, s. f. BOT. tuia.

tuyo, -a, adj. teu, tua.

U

u, I. *s. f.* u, vigésima quarta letra do alfabeto espanhol. II. *conj.* ou (emprega-se em vez de o para evitar hiato: *siete u ocho*).

¡uau!, *interj.* uau!

ubérrimo, -a, *adj.* ubérrimo.

ubicación, *s. f.* ubiquação.

ubicar, *v. intr.* e *refl.* ficar, situar-se.

ubicuidad, *s. f.* ubiquidade, ubiquação; omnipresença.

ubicuo, -a, *adj.* ubíquo; omnipresente.

ubre, *s. f.* úbere.

ucraniano, -a, *adj.* e *s.* ucraniano, da Ucrânia.

ucranio, -a, I. *adj.* e *s.* vd. **ucraniano.** II. *s. m.* ucraniano (idioma).

¡uf! *interj.* ufa!

ufanarse, *v. refl.* ufanar-se, vangloriar-se.

ufanía, *s. f.* ufania, vanglória, vaidade.

ufano, -a, *adj.* ufano, vaidoso, arrogante.

ufología, *s. f.* ovnilogia.

ugandés, -esa, *adj.* e *s.* ugandês.

¡uh! *interj.* uh!

ujier, *s. m.* porteiro; arrumador.

úlcera, *s. f.* úlcera.

ulceración, *s. f.* ulceração.

ulcerar, *v. tr.* e *refl.* ulcerar; chagar.

ulceroso, -a, *adj.* ulceroso.

ulmáceas, *s. f. pl.* ulmáceas.

ulterior, *adj.* 2 *gén.* ulterior.

ulteriormente, *adv.* ulteriormente.

ultimación, *s. f.* ultimação; acabamento; conclusão; fim.

últimamente, *adv.* ultimamente.

ultimar, *v. tr.* ultimar; concluir; terminar.

ultimátum, *s. m.* ultimato.

último, -a, *adj.* último, derradeiro.

ultra, *adv.* ultra; além de; demais.

ultraconservador, -a, *adj.* ultraconservador.

ultracorrección, *s. f.* ultracorrecção.

ultracorto, -a, *adj.* ultracurto.

ultraderecha, *s. f.* extrema direita.

ultraderechista, *adj.* e *s.* 2 *gén.* da extrema direita.

ultrajante, *adj.* 2 *gén.* ultrajante; injurioso, afrontoso.

ultrajar, *v. tr.* ultrajar; insultar; difamar.

ultraje, *s. m.* ultraje, afronta; injúria, insulto.

ultraligero, -a, *adj.* e *s. m.* ultraligeiro.

ultramar, *s. m.* ultramar.

ultramarino, -a, *adj.* ultramarino.

ultramicroscopio, *s. m.* ultramicroscópio.

ultramoderno, -a, *adj.* ultramoderno.

ultranza, -a, *loc.* de morte: até à morte; a todo o transe.

ultrapasar, *v. tr.* ultrapassar, exceder.

ultrarrápido, -a, *adj.* ultra-rápido.

ultrarrojo, -a, *adj.* ultravermelho.

ultrasensible, *adj.* 2 *gén.* ultra-sensível, hipersensível.

ultrasónico, -a, *adj.* ultra-sónico.

ultrasonido, *s. m.* ultra-som.

ultratumba, *adv.* além da morte; além--túmulo.

ultravioleta, *adj.* 2 *gén.* ultravioleta.

ulular, *v. intr.* ulular, uivar; bramar.

umbilical, *adj.* 2 *gén.* umbilical.

umbral, *s. m.* umbral, ombreira (de porta), soleira, limiar.

umbrela, *s. f.* guarda-chuva.

umbría, *s. f.* umbria, lugar sombrio.

umbrío, -a, I. *adj.* umbroso, sombrio. II. *s. m.* sombrio, lugar sombrio.

umbroso, -a, *adj.* umbroso, sombrio, copado; escuro; frondoso.

un, -a, I. *art.* um, uma. II. *num.* um, uma. III. *pron.* um, uma.

unánime, *adj.* 2 *gén.* unânime; geral.

unanimidad, *s. f.* unanimidade.

unción, *s. f.* unção; extrema-unção; devoção e recolhimento.

uncir, *v. tr.* jungir.

undante, *adj.* 2 *gén.* undante; ondulante; undoso.

undulación, *s. f.* ondulação.

undular, *v. intr.* ondular, ondear; serpear.

ungir, *v. tr.* ungir; untar, olear.

ungüento, *s. m.* unguento.

unguiculado, -a, *adj.* e *s.* ZOOL. unguiculado.

unguis, *s. m.* ANAT. úngue, únguis.

ungulado, -a, *adj.* e *s.* ZOOL. ungulado.

únicamente, adv. unicamente.
unicameral, adj. 2 gén. unicameral.
unicelular, adj. 2 gén. unicelular.
unicidad, s. f. unicidade.
único, -a, adj. único; singular.
unicolor, adj. 2 gén. unicolor.
unicornio, s. m. unicórnio.
unidad, s. f. unidade.
unidimensional, adj. 2 gén. unidimensional.
unidireccional, adj. 2 gén. unidireccional.
unido, -a, adj. unido, junto, ligado, íntimo.
unificación, s. f. unificação.
unificador, adj. unificador.
unificar, v. tr. unificar.
uniformado, -a, adj. uniformizado; fardado.
uniformar, v. tr. uniformizar; fardar.
uniforme, I. adj. 2 gén. uniforme; semelhante. II. s. m. uniforme, farda.
uniformidad, s. f. uniformidade.
uniformizar, v. tr. uniformizar.
unigénito, -a, adj. unigénito.
unilateral, adj. 2 gén. unilateral.
unión, s. f. união; casamento, matrimónio; união, aliança.
unionismo, s. m. unionismo.
unionista, adj. 2 gén. unionista.
uníparo, -a, adj. uníparo.
unipersonal, adj. 2 gén. unipessoal.
unir, v. tr. unir, unificar; misturar, achegar, acercar.
unisex, adj. 2 gén. unissexo.
unisexual, adj. 2 gén. unissexual.
unisón, adj. uníssono.
unisonancia, s. f. unissonância; monotonia.
unísono, -a, adj. uníssono.
unitario, -a, adj. unitário.
univalvo, -a, adj. univalve.
universal, adj. 2 gén. universal.
universalidad, s. f. universalidade.
universalización, s. f. universalização.
universalizar, v. tr. universalizar.
universalmente, adv. universalmente.
universidad, s. f. universidade.
universitario, -a, adj. e s. universitário.
universo, s. m. universo.
unívoco, -a, adj. e s. unívoco.
uno, -a, adj. uno, singular, único; unido.
untadura, s. f. untadura, untura, untadela.
untar, v. tr. untar, besuntar; engordurar.

unto, s. m. unto, untura, banha, gordura, enxúndia.
untuosidad, s. f. untuosidade.
untuoso, -a, adj. untuoso, escorregadio, untado, pingue; pegajoso.
untura, s. f. untadura, untura, untadela.
uña, s. f. unha.
uñada, s. f. unhada; arranhadela.
uñero, s. m. MED. unheiro, panarício.
¡upa!, interj. upa!
upar, v. tr. upar.
uperización, s. f. pasteurização.
uperizar, v. tr. pasteurizar.
uralita, s. f. uralite.
uranio, s. m. urânio (metal).
Urano, s. m. ASTR. Urano.
urbanidad, s. f. urbanidade, civilidade; cortesia.
urbanismo, s. m. urbanismo.
urbanista, s. 2 gén. urbanista.
urbanístico, -a, adj. urbanístico.
urbanización, s. f. urbanização.
urbanizar, v. tr. urbanizar, civilizar.
urbano, -a, adj. urbano; cortês, afável, delicado.
urbe, s. f. urbe, cidade.
urca, s. f. NÁUT. urca; ZOOL. orca.
urdir, v. tr. urdir; intrigar.
urea, s. f. ureia.
uremia, s. f. MED. uremia.
uréter, s. m. uréter.
uretra, s. f. uretra.
urgencia, s. f. urgência; aperto; pressa; necessidade; emergência.
urgente, adj. 2 gén. urgente; expresso (correio).
urgentemente, adv. urgentemente.
urgir, v. intr. urgir.
úrico, -a, adj. úrico.
urinal, adj. 2 gén. vd. **urinario**.
urinario, -a, I. adj. urinário. II. s. m. urinol, mictório.
urna, s. f. urna.
uro, s. m. ZOOL. uro; auroque.
urogallo, s. m. galo silvestre.
urogenital, adj. 2 gén. urogenital.
urología, s. f. urologia.
urólogo, -a, s. m. e f. urologista.
urraca, s. f. ZOOL. pega.
urticáceas, -a, s. f. pl. urticáceas.
urticaria, s. f. urticária.
uruguayo, -a, adj. e s. uruguaio, do Uruguai.

usado, -a, *adj.* usado, deteriorado; gasto; habituado, exercitado.

usanza, *s. f.* usança, uso, costume, moda.

usar, *v. tr.* usar, utilizar, empregar, praticar; usar, trajar, vestir.

uso, *s. m.* uso; moda; costume, jeito; uso, exercício; continuação, manuscrito; hábito.

usted, *s. m. e f.* contracção de *vuestra merced,* você, o senhor.

usual, *adj.* 2 *gén.* usual; ordinário, habitual.

usualmente, *adv.* usualmente.

usuario, -a, *adj. e s.* usuário; utente.

usufructo, *s. m.* usufruto; fruição; lucro, proveito.

usufructuar, *v. tr.* usufruir, usufrutuar.

usufructuario, -a, *adj. e s.* usufrutuário.

usura, *s. f.* usura; agiotagem.

usurario, -a, *adj.* usurário.

usurero, -a, *s. m. e f.* usurário.

usurpación, *s. f.* usurpação.

usurpador, -a, *adj. e s.* usurpador.

usurpar, *v. tr.* usurpar.

utensilio, *s. m.* utensílio, ferramenta.

uterino, -a, *adj.* uterino.

útero, *s. m.* útero.

útil, I. *adj.* 2 *gén.* útil, proveitoso; útil, rendoso; frutífero. **II.** *s. m.* instrumento, ferramenta.

utilería, *s. f.* TEAT. adereços, acessórios.

utilidad, *s. f.* utilidade; serventia; préstimo.

utilitario, -a, I. *adj.* utilitário. **II.** *s. m.* utilitário (automóvel).

utilitarismo, *s. m.* utilitarismo.

utilitarista, *adj. e s.* 2 *gén.* utilitarista.

utilizable, *adj.* 2 *gén.* utilizável.

utilización, *s. f.* utilização.

utilizar, *v. tr. e refl.* utilizar.

utillaje, *s. m.* ferramenta.

útilmente, *adv.* utilmente.

utopía, *s. f.* utopia.

utópico, -a, *adj.* utópico.

utopista, *adj. e s.* 2 *gén.* utópico; utopista.

utrero, -a, *s. m. e f.* novilho.

utrículo, *s. m.* utrículo.

uva, *s. f.* uva, bago.

úvula, *s. f.* úvula.

uvular, *adj.* 2 *gén.* uvular.

uxoricida, *adj. e s.* 2 *gén.* uxoricida.

uxoricidio, *s. m.* uxoricídio.

V

v, *s. f.* v, vigésima terceira letra do alfabeto espanhol.

vaca, *s. f.* ZOOL. vaca.

vacaciones, *s. f. pl.* férias, descanso.

vacada, *s. f.* vacada.

vacante, **I.** *adj. 2 gén.* vacante, vago. **II.** *s. f.* vacatura, vacância.

vacar, *v. tr.* vagar, cessar.

vaciadero, *s. m.* vertedouro, esgoto, vazadouro.

vaciado, *s. m.* moldagem; vazamento, vazadura.

vaciante, *s. f.* maré baixa, vazante, refluxo, baixa-mar.

vaciar, *v. tr.* esvaziar, vazar; despejar, verter; vazar, fundir, moldar; amolar, afiar.

vacilación, *s. f.* vacilação; (*fig.*) perplexidade, irresolução, hesitação.

vacilante, *adj. 2 gén.* vacilante, oscilante, perplexo; instável.

vacilar, *v. intr.* vacilar, oscilar, cambalear; (*fig.*) vacilar, titubear.

vacilón, -ona, *s. m. e f.* arreliador, trocista; brincalhão.

vacío, -a, *adj.* vazio, oco.

vacuidad, *s. f.* vacuidade, inanidade.

vacuna, *s. f.* vacina.

vacunación, *s. f.* vacinação, vacina.

vacunar, *v. tr. e refl.* vacinar.

vacuno, -a, *adj.* vacum; bovino.

vacuo, -a, **I.** *adj.* vácuo, vazio, vago, vagante. **II.** *s. m.* vácuo, vazio.

vacuola, *s. f.* vacúolo.

vadeable, *adj. 2 gén.* vadeável; (*fig.*) superável.

vadear, *v. tr.* vadear, passar a vau.

vademécum, *s. m.* vade-mécum.

vado, *s. m.* vau.

vagabundear, *v. intr.* vagabundear, vadiar.

vagabundeo, *s. m.* vadiice, vadiagem, vagabundagem.

vagabundo, -a, *adj. e s.* vagabundo, vadio.

vagancia, *s. f.* vacância, vagância.

vagante, *adj. 2 gén.* vagante, vacante, que vaga.

vagar, **I.** *s. m.* vagar, descanso; lentidão, pausa. **II.** *v. intr.* vagar, estar vago; vaguear.

vagido, *s. m.* vagido, gemido.

vagina, *s. f.* vagina.

vaginal, *adj. 2 gén.* vaginal.

vaginitis, *s. f.* vaginite.

vago, -a, **I.** *adj.* vago, desocupado; errante, vadio; vazio. **II.** *s.* **1.** *m.* DIR. baldio. **2.** *m. e f.* preguiçoso, ocioso; vadio.

vagón, *s. m.* carruagem; vagão; *vagón cama*, carruagem-cama; *vagón restaurante*, vagão-restaurante.

vagoneta, *s. f.* vagoneta.

vaguada, *s. f.* talvegue, linha de água.

vaguear, *v. intr.* vaguear, devanear; divagar; andar errante.

vaguedad, *s. f.* vacuidade; expressão ou frase vaga.

vaharada, *s. f.* baforada.

vaharina, *s. f.* (*fam.*) vapor.

vahído, *s. m.* vertigem, desmaio.

vaho, *s. m.* vapor, exalação; alento; *pl.* inalação.

vaina, *s.* **1.** *f.* bainha; BOT. vagem; aborrecimento, maçada. **2.** *2 gén.* pessoa inútil, zé-ninguém.

vainazas, *s. m.* (*fam.*) pessoa mole ou negligente.

vainica, *s. f.* COST. ponto aberto.

vainilla, *s. f.* baunilha.

vaivén, *s. m.* vaivém, balanço; aborrecimento; vaivém, idas e vindas; mudança, flutuação; intercâmbio.

vajilla, *s. f.* baixela; louça.

vale, *s. m.* recibo; promissória.

valedero, -a, *adj.* válido.

valedor, -a, *s. m. e f.* protector, patrono.

valencia, *s. f.* valência.

valentía, *s. f.* valentia, valor, esforço, alento, vigor; façanha, arrojo.

valentón, -ona, *adj. e s.* valentão, fanfarrão.

valentonada, *s. f.* fanfarronada, bravata.

valer, *v.* **1.** *tr.* valer; proteger; custar. **2.** *intr.* equivaler.

valeriana, *s. f.* BOT. valeriana.

valeroso, -a, *adj.* valoroso, valente, corajoso, esforçado; eficaz; valioso.

valía, s. f. valia; valor, preço; valimento; poderio.

validar, v. tr. validar, legalizar, legitimar.

validez, s. f. validade.

valido, -a, adj. e s. valido, favorito.

válido, -a, adj. válido, firme, robusto; legítimo.

valiente, adj. e s. 2 gén. valente, forte, esforçado.

valija, s. f. mala de mão, maleta; mala de correio; valija diplomática, mala diplomática.

valimiento, s. m. valimento.

valioso, -a, adj. valioso.

valla, s. f. valo, muro defensivo; vala, fosso; valado.

valladar, s. m. valado, estacada, sebe; obstáculo; defesa.

vallado, s. m. sebe, cerca; MIL. estacada.

vallar, v. tr. valar, tapar, cercar.

valle, s. m. vale.

vallista, s. 2 gén. DESP. barreirista.

valor, s. m. valor; mérito; coragem; talento; MAT. valor; MÚS. duração.

valoración, s. f. avaliação; apreciação; valorização.

valorar, v. tr. avaliar; apreciar; valorizar.

valorizar, v. tr. avaliar; valorizar.

valquiria, s. f. valquíria.

vals, s. m. valsa.

valuar, v. tr. avaliar.

valva, s. f. valva.

válvula, s. f. válvula; válvula de seguridad, válvula de segurança.

vampiresa, s. f. vampe, mulher fatal.

vampirismo, s. m. vampirismo.

vampiro, s. m. vampiro; (fig.) sanguessuga, parasita.

vanadio, s. m. vanádio (metal).

vanagloria, s. f. vanglória, vaidade, jactância.

vanagloriarse, v. refl. vangloriar-se.

vanamente, adv. baldadamente, em vão.

vandalismo, s. m. vandalismo.

vándalo, -a, adj. e s. m. vândalo.

vanguardia, s. f. vanguarda, dianteira, frente.

vanguardismo, s. m. vanguardismo.

vanguardista, adj. e s. 2 gén. vanguardista.

vanidad, s. f. vaidade, presunção.

vanidoso, -a, adj. e s. vaidoso, presunçoso.

vanilocuencia, s. f. verbosidade, verborreia.

vano, -a, I. adj. vão, inexistente; oco, vazio; inútil. II. s. m. vão; en vano, em vão.

vapor, s. m. vapor.

vaporización, s. f. vaporização.

vaporizador, s. m. vaporizador; atomizador.

vaporizar, v. tr. e refl. vaporizar.

vaporoso, -a, adj. vaporoso.

vapulear, v. tr. açoitar, chicotear.

vapuleo, s. m. açoitamento, tunda, sova.

vaquería, s. f. vacaria; leitaria.

vaqueriza, s. f. vacaria.

vaquerizo, -a, adj. e s. vaqueiro.

vaquero, -a, adj. e s. vaqueiro.

vaqueta, s. f. vaqueta (couro).

vaquilla, s. f. vitela.

vara, s. f. vara.

varadero, s. m. NÁUT. varadouro, varadoiro.

varado, -a, adj. NÁUT. varado, ancorado; encalhado; (fig.) estaca (pessoa).

varal, s. m. varal; TEAT. gambiarra.

varapalo, s. m. varapau.

varar, v. intr. NÁUT. varar, encalhar.

varazo, s. m. varada.

varear, v. tr. varejar; golpear; picar (o touro).

vareo, s. m. varejo, varejamento (fruta).

vareta, s. f. varinha, vareta.

variabilidad, s. f. variabilidade.

variable, adj. 2 gén. variável; instável, inconstante.

variación, s. f. variação.

variado, -a, adj. variado, misturado; sortido.

variante, I. adj. 2 gén. variável. II. s. f. variante.

variar, v. tr. e intr. variar.

varice, s. f. variz.

varicela, s. f. varicela.

varicoso, -a, adj. e s. varicoso.

variedad, s. f. variedade; pl. TEAT. variedades.

varilla, s. f. vareta, varinha.

vario, -a, adj. vário, diferente; inconstante.

variopinto, -a, adj. variado, variegado; misturado, mesclado; distinto, diverso.

varita, s. f. varinha; varita mágica, varinha mágica.

variz, s. f. variz.

varón, s. m. varão.

varonil, adj. 2 gén. varonil, forte; valoroso.

vasallaje, s. m. vassalagem.

vasallo, -a, adj. e s. vassalo.

vasar, s. m. prateleira; cantareira; poial.

vascular, adj. 2 gén. vascular.

vascularización, s. f. vascularização.

vasectomia, s. f. vasectomia.

vaselina, s. f. vaselina.

vasija, s. f. vasilha; vasilhame.

vaso, s. m. vaso; copo; navio; bacio, bispote, urinol; jarrão; vaso, artéria, veia.

vasoconstricción, s. f. vasoconstrição.

vasodilatación, s. f. vasodilatação.

vástago, s. m. vergôntea, rebentão; rebento; (fig.) descendência; TÉCN. haste, tirante.

vastedad, s. f. vastidão, amplidão, imensidade.

vasto, -a, adj. vasto, amplo, imenso.

vate, s. m. vate, poeta; profeta; adivinho.

váter, s. m. quarto de banho.

vaticinador, -a, adj. e s. vaticinador, profeta.

vaticinante, adj. 2 gén. vaticinante.

vaticinar, v. tr. vaticinar, profetizar.

vaticinio, s. m. vaticínio, profecia.

vatio, s. m. FÍS. watt, vátio.

¡vaya!, interj. que!, quanto!, que grande! vaya enfado!, que maçada!

vecinal, adj. 2 gén. vicinal; local.

vecindad, s. f. vizinhança.

vecindaria, s. f. os habitantes; população residente.

vecindario, s. m. vizinhança; comunidade.

vecino, -a, adj. e s. vizinho.

vector, s. m. vector.

vectorial, adj. 2 gén. vectorial.

veda, s. f. proibição; defeso.

vedado, -a, I. adj. vedado. **II.** s. m. coutada.

vedar, v. tr. impedir; proibir; vetar.

vedette, s. f. vedeta, estrela.

vega, s. f. veiga, várzea.

vegetal, adj. e s. m. vegetal.

vegetante, adj. 2 gén. vegetante.

vegetar, v. intr. vegetar.

vegetarianismo, s. m. vegetarismo, vegetarianismo.

vegetariano, -a, adj. e s. vegetarista, vegetariano.

vegetativo, -a, adj. vegetativo.

vehemencia, s. f. veemência, vigor; energia.

vehemente, adj. 2 gén. veemente.

vehículo, s. m. veículo.

veinte, num. vinte.

veinteavo, -a, adj. e s. f. vigésimo.

veintena, s. f. vintena.

veinticinco, num. vinte e cinco.

veinticuatro, num. vinte e quatro.

veintidós, num. vinte e dois.

veintinueve, num. vinte e nove.

veintiocho, num. vinte e oito.

veintiséis, num. vinte e seis.

veintisiete, num. vinte e sete.

veintitrés, num. vinte e três.

veintiún, num. vinte e um.

veintiuno, -a, num. vinte e um.

vejación, s. f. vexação; vexame.

vejamen, s. m. vexame, afronta.

vejar, v. tr. vexar, humilhar, envergonhar.

vejatorio, -a, adj. vexatório; humilhante.

vejestorio, s. m. velhote.

vejete, s. m. velhote.

vejez, s. f. velhice.

vejiga, s. f. bexiga; vejiga de la bilis, vesícula (biliar).

vela, s. f. vela, vigília; serão; vigia, sentinela; círio, vela; NÁUT. vela; (fig.) embarcação.

velada, s. f. serão; sarau musical.

velado, -a, adj. oculto, escondido; desfocado, esbatido.

velador, s. m. mesa com um só pé; velador, castiçal de madeira.

veladura, s. f. esbatimento.

velaje, s. m. NÁUT. velame.

velamen, s. m. NÁUT. velame.

velar, I. v. **1.** intr. velar, vigiar. **2.** tr. assistir a, velar; cobrir com véu; (fig.) atenuar. **II.** adj. 2 gén. palatal.

velatorio, s. m. vela, vigília.

veleidad, s. f. veleidade, capricho; inconstância.

veleidoso, -a, adj. volúvel, inconstante.

velero, -a, adj. e s. veleiro.

veleta, s. **1.** f. cata-vento. **2.** 2 gén. cata-vento, pessoa volúvel.

vello, s. m. pêlo; penugem, lanugem dos frutos.

vellocino, s. m. velocino, velo.

vellón, s. m. tosão, velo.

vellosidad, s. f. vilosidade.

velloso, -a, adj. veloso, felpudo; penugento, cabeluda.

velludillo, s. m. veludilho.

velludo, -a, adj. veloso; peludo.

velo, s. m. véu.

velocidad, s. f. velocidade.

velocímetro, s. m. velocímetro.

velocípedo, s. m. velocípede.
velocista, s. 2 gén. velocista.
velódromo, s. m. velódromo.
velomotor, s. m. velomotor.
velón, s. m. candeia de azeite.
velonero, s. m. fabricante ou vendedor de candeeiros.
velorio, s. m. sarau (particular); velório, velada.
veloz, adj. 2 gén. veloz, rápido, ágil, ligeiro.
vena, s. f. veia, vaso sanguíneo; veia, filão; veia, veio.
venable, adj. 2 gén. venal, subornável, corrupto.
venablo, s. m. dardo.
venado, s. m. ZOOL. veado, cervo, gamo.
venal, adj. 2 gén. venal, venoso, relativo às veias; venal, subornável, corrupto.
venalidad, s. f. venalidade.
venatorio, -a, adj. e s. venatório.
vencedor, -a, adj. vencedor.
vencejo, s. m. vencelho, vencilho; ZOOL. gaivão, andorinhão, ferreiro.
vencer, v. 1. tr. vencer; derrotar; conquistar; exceder, ultrapassar; dominar. 2. intr. ganhar, vencer; vencer-se (dívida); expirar (prazo). 3. refl. quebrar-se, dobrar-se; (fig.) dominar-se, controlar-se.
vencimiento, s. m. vencimento, prazo.
venda, s. f. venda, faixa, ligadura, atadura.
vendaje, s. m. venda, ligadura.
vendar, v. tr. vendar, atar, ligar.
vendaval, s. m. vendaval, temporal.
vendedor, -a, adj. e s. vendedor.
vender, v. tr. vender.
vendible, adj. 2 gén. vendível.
vendimia, s. f. vindima.
vendimiador, -a, s. m. e f. vindimador.
vendimiar, v. tr. vindimar.
veneno, s. m. veneno; tóxico; (fig.) rancor.
venenoso, -a, adj. venenoso.
venera, s. f. venera, vieira, concha de romeiro; venera, insígnia; fonte; ZOOL. vieira, molusco.
venerable, adj. 2 gén. venerável.
veneración, s. f. veneração, respeito, culto.
venerar, v. tr. venerar, respeitar, reverenciar.
venéreo, -a, adj. e s. m. venéreo.
venero, s. m. nascente, fonte; (fig.) origem; veio, mina.
vengador, -a, adj. e s. vingador.
venganza, s. f. vingança, desforra; represália; desafronta, desforço.

vengar, v. tr. e refl. vingar, desforrar, desagravar.
vengativo, -a, adj. vingativo.
venia, s. f. vénia, desculpa, perdão; vénia, licença.
venial, adj. 2 gén. venial.
venialidad, s. f. venialidade.
venida, s. f. vinda, chegada; regresso; idas y venidas, idas e vindas.
venidero, -a, adj. vindouro, vindoiro.
venir, v. intr. vir, chegar; concordar; ajustar-se.
venoso, -a, adj. venoso.
venta, s. f. venda; estalagem.
ventaja, s. f. vantagem; proveito; benefício.
ventajista, adj. e s. 2 gén. oportunista.
ventajoso, -a, adj. vantajoso.
ventana, s. f. janela, venta, narina.
ventanal, s. m. janela grande.
ventanilla, s. f. janelinha, postigo; bilheteira, guiché; narina, venta.
ventanillo, s. m. postigo; ralo de porta ou janela.
ventarrón, s. m. ventania, vento forte.
ventear, v. 1. intr. ventar, soprar (o vento). 2. tr. expor ao vento; farejar; (fig.) indagar.
ventero, -a, s. m. e f. hospedeiro, estalajadeiro.
ventilación, s. f. ventilação.
ventilador, s. m. ventilador.
ventilar, v. tr. e refl. ventilar, arejar; expor ao vento; discutir, debater.
ventisca, s. f. nevada.
ventiscar, v. intr. nevar com vento forte.
ventisquero, s. m. nevada.
ventolera, s. f. lufada, rajada de vento; (fig., fam.) vaidade, soberba; veneta, capricho.
ventorro, s. m. hospedaria pequena ou má.
ventosa, s. f. ventosa.
ventosidad, s. f. ventosidade, flatulência.
ventoso, -a, adj. ventoso.
ventrículo, s. m. ventrículo.
ventrílocuo, -a, adj. e s. ventríloquo.
ventriloquia, s. f. ventriloquia.
ventrudo, -a, adj. barrigudo.
ventura, s. f. ventura, felicidade; risco, perigo.
venturoso, -a, adj. venturoso, ditoso, afortunado.
ver, I. s. m. sentido da visão, vista. II. tr. ver, conhecer ou perceber (pelos olhos); examinar; julgar.

vera, *s. f.* borda, beira; *a mi vera*, à minha beira, próximo de mim.

veracidad, *s. f.* veracidade, verdade.

veranda, *s. f.* varanda, sacada, terraço.

veraneante, *adj.* e *s.* 2 *gén.* veraneante.

veranear, *v. intr.* veranear.

veraneo, *s. m.* veraneio.

veraniego, -a, *adj.* estival, estivo.

veranillo, *s. m.* verão de S. Martinho.

verano, *s. m.* Verão; Estio.

veras, *s. f., de veras*, deveras, verdadeiramente, realmente.

veraz, *adj.* 2 *gén.* veraz, verídico, verdadeiro.

verbal, *adj.* 2 *gén.* verbal, oral.

verbalismo, *s. m.* verbalismo.

verbalmente, *adv.* verbalmente, oralmente.

verbena, *s. f.* BOT. verbena; arraial nocturno.

verbo, *s. m.* verbo.

verborrea, *s. f.* *(fam.)* verborreia, verbosidade.

verbosidad, *s. f.* verbosidade, loquacidade.

verdad, *s. f.* verdade, veracidade.

verdadero, -a, *adj.* verdadeiro, verídico, real, exacto, autêntico.

verdal, *adj.* 2 *gén.* verdeal.

verde, *adj.* 2 *gén.* e *s. m.* verde (cor).

verdear, *v. refl.* verdejar, verdecer, esverdear.

verdecer, *v. intr.* verdecer, reverdecer, verdejar.

verdecillo, *s. m.* ZOOL. verdelhão, verdelha.

verdemar, *adj.* e *s. m.* verde-mar.

verderón, *s. m.* ZOOL. verdelhão, verdelha.

verdín, *s. m.* cor esverdeada; limo (das algas); musgo; verdete; mancha verde.

verdinegro, -a, *adj.* verde-negro, verde--escuro.

verdor, *s. m.* verdor.

verdoso, -a, *adj.* verdoso, esverdeado, esverdinhado.

verdugo, *s. m.* verdugo, algoz; azorrague, chicote; vergão.

verdugón, *s. m.* vergão.

verduguillo, *s. m.* navalha de barba; TAUR. estoque.

verdulera, *s. f.* hortaliceira.

verdulería, *s. f.* loja de hortaliças.

verdura, *s. f.* verdura, verdor; verdura, hortaliça.

vereda, *s. f.* vereda, senda, caminho estreito.

veredicto, *s. m.* veredicto; parecer, ditame.

verga, *s. f.* verga, pénis; verga, vara; NÁUT. verga.

vergel, *s. m.* vergel, horto.

vergonzante, *adj.* 2 *gén.* vergonhoso, envergonhado.

vergonzoso, -a, *adj.* e *s.* vergonhoso; envergonhado, tímido.

vericueto, *s. m.* despenhadeiro, anfractuosidade.

verídico, -a, *adj.* verídico, verdadeiro.

verificación, *s. f.* verificação.

verificador, -a, *adj.* e *s.* verificador.

verificar, *v. tr.* verificar, examinar, comprovar.

verificativo, -a, *adj.* verificativo.

verja, *s. f.* grade, gradil (de porta ou janela).

vermú, *s. m.* vermute.

vermut, *s. m.* vermute.

vernáculo, -a, *adj.* vernáculo, nacional, nativo, pátrio.

vernal, *adj.* 2 *gén.* vernal.

verónica, *s. f.* BOT. verónica; TAUR. verónica, passe de muleta.

verosímil, *adj.* 2 *gén.* verosímil, crível, provável.

verosimilitud, *s. f.* verosimilitude, verosimilhança.

verraco, *s. m.* varrasco, varrão.

verruga, *s. f.* verruga; defeito.

versal, *adj.* 2 *gén.* e *s. f.* TIP. versal, letra maiúscula.

versalita, *adj.* e *s. f.* TIP. versalete.

versátil, *adj.* 2 *gén.* versátil; *(fig.)* volúvel, inconstante.

versatilidad, *s. f.* versatilidade, inconstância.

versículo, *s. m.* versículo.

versificación, *s. f.* versificação.

versificador, -a, *adj.* e *s.* versificador.

versificar, *v.* **1.** *tr.* versificar. **2.** *intr.* escrever em verso.

versión, *s. f.* versão, tradução.

verso, *s. m.* verso (de uma folha); LIT. verso; *(fam.)* poema.

vértebra, *s. f.* vértebra.

vertebrado, -a, **I.** *adj.* vertebrado. **II.** *s. m.* vertebrado; *pl.* os vertebrados.

vertebral, *adj.* 2 *gén.* vertebral.

vertedera, *s. f.* aiveca.

vertedero, s. m. desaguadoiro, desaguadouro, vazadoiro, vazadouro.
verter, v. tr. e refl. verter, derramar; despejar, esvaziar; traduzir.
vertical, adj. 2 gén. e s. f. vertical.
vértice, s. m. vértice.
vertiente, s. f. vertente.
vertiginoso, -a, adj. vertiginoso.
vértigo, s. m. vertigem, tontura, desmaio.
vesania, s. f. vesânia, demência, loucura, fúria.
vesícula, s. f. vesícula, bolha; vesícula biliar.
vesicular, adj. 2 gén. vesicular.
vespertino, -a, I. adj. vespertino. **II.** s. m. vespertino (jornal).
vestal, adj. 2 gén. e s. f. vestal.
vestíbulo, s. m. vestíbulo, átrio; ANAT. vestíbulo (ouvido interno).
vestido, -a, s. m. vestido.
vestidor, s. m. quarto de vestir; TEAT. camarim.
vestidura, s. f. roupas, vestes; RELIG. paramentos.
vestigio, s. m. pegada; vestígio; sinal, indício, rasto.
vestimenta, s. f. vestidos, roupas.
vestir, v. **1.** tr. vestir. **2.** intr. vestir-se, trajar.
vestuario, s. m. vestuário; traje, vestido.
veta, s. f. beta, lista; veia, veio, filão mineral.
vetado, -a, adj. betado, listrado.
vetar, v. tr. vetar.
veteado, -a, adj. betado.
vetear, v. tr. betar, listrar.
veteranía, s. f. veterania.
veterano, -a, adj. veterano.
veterinaria, s. f. veterinária.
veterinario, s. m. veterinário.
vetiver, s. m. BOT. vetiver.
veto, s. m. veto; proibição; recusa.
vetustez, s. f. vetustez.
vetusto, -a, adj. vetusto, antigo.
vez, s. f. vez (turno, época, tempo, ocasião).
vía, s. f. via, rota; carril.
viabilidad, s. f. viabilidade.
viable, adj. 2 gén. viável, possível.
via crucis, s. m. via-sacra.
viaducto, s. m. viaduto, pontão.
viajante, s. m. caixeiro-viajante.
viajar, v. intr. viajar.
viajata, s. f. (fam.) viajata.
viaje, s. m. viagem.

viajero, -a, adj. e s. viageiro; viajante.
vial, I. adj. 2 gén. viatório. **II.** s. m. alameda, avenida.
vianda, s. f. vianda, sustento, alimento.
viandante, s. 2 gén. viandante, caminhante.
viario, -a, adj. viário; red viaria, rede viária.
viático, s. m. viático; farnel.
víbora, s. f. ZOOL. víbora.
vibración, s. f. vibração.
vibrador, -a, adj. e s. m. vibrátil, vibrador.
vibrante, adj. 2 gén. vibrante, vigoroso.
vibrar, v. tr. vibrar, arremessar, arrojar.
vibrátil, adj. 2 gén. vibrátil.
vibratorio, -a, adj. vibratório.
vibrión, s. m. vibrião.
vicaria, s. f. vigária.
vicaría, s. f. vigararia; vicariato.
vicario, -a, adj. e s. vicário, vigário.
vicealmirante, s. m. vice-almirante.
vicecanciller, s. m. vice-chanceler.
vicecónsul, s. m. vice-cônsul.
vicegobernador, s. m. vice-governador.
vicepresidencia, s. f. vice-presidência.
vicepresidente, -a, s. m. e f. vice-presidente.
vicerrector, -a, s. m. e f. vice-reitor.
vicesecretario, -a, s. m. e f. vice-secretário.
vicetiple, s. f. menina de coro.
viceversa, adv. vice-versa.
viciado, -a, adj. viciado, contaminado; corrupto.
viciar, v. tr. viciar, contaminar, corromper.
vicio, s. m. vício.
vicioso, -a, adj. e s. vicioso.
vicisitud, s. f. vicissitude, revés.
víctima, s. f. vítima.
victoria, s. f. vitória, triunfo; vitória, espécie de carruagem.
victorioso, -a, adj. vitorioso.
vicuña, s. f. ZOOL. vicunha.
vid, s. f. BOT. vide, videira.
vida, s. f. vida, existência; essência.
vidente, s. 2 gén. vidente, profeta.
vídeo, s. m. vídeo.
videocámera, s. f. câmara de vídeo.
videocasete, s. f. videocassete.
videoclub, s. m. videoclube.
videoteca, s. f. videoteca.
videoteléfono, s. m. videotelefone.
videotexto, s. m. videotexto.

vidorra, s. f. (fam.) vida regalada.

vidriad|o, -a, adj. vidrado.

vidriar, v. **1.** tr. vidrar. **2.** refl. (fig.) vidrar-se, vitrificar-se.

vidriera, s. f. vidraça; vitral; vitrina; escaparate.

vidriería, s. f. vidraçaria; vidraria.

vidrier|o, -a, s. m. e f. vidreiro; vidraceiro.

vidrio, s. m. vidro.

vidrios|o, -a, adj. vidrento, vidroso, quebradiço; (fig.) resvaladiço; susceptível.

vieira, s. f. vieira.

viej|o, -a, adj. e s. velho, idoso; antigo; estragado, usado.

viento, s. m. vento.

vientre, s. m. ventre, abdómen, barriga.

viernes, s. m. sexta-feira.

vietnamita, adj. e s. 2 gén. vietnamês, vietnamita.

viga, s. f. viga, trave; prensa para espremer a azeitona.

vigencia, s. f. vigência.

vigente, adj. 2 gén. vigente.

vigésim|o, -a, adj. e s. vigésimo.

vigía, s. f. vigia, atalaia, sentinela.

vigiar, v. tr. vigiar, velar, cuidar.

vigilancia, s. f. vigilância, cuidado.

vigilante, I. adj. 2 gén. vigilante, atento. **II.** 2 gén. vigilante, guarda.

vigilar, v. intr. vigilar, vigiar.

vigilia, s. f. vigília, vela; serão; insónia.

vigor, s. m. vigor, força.

vigorizador, -a, adj. vigorante; fortificante.

vigorizar, v. tr. vigorizar, vigorar; fortalecer; encorajar.

vigoros|o, -a, adj. vigoroso, robusto.

vigueta, s. f. vigote, viga, barrote; barra de ferro.

vihuela, s. f. MÚS. viola, banza.

viking|o, -a, adj. e s. viking.

vil, adj. e s. 2 gén. vil, reles, baixo, desprezível.

vileza, s. f. vileza.

vilipendiar, v. tr. vilipendiar, aviltar.

vilipendio, s. m. vilipêndio, desprezo.

vilipendios|o, -a, adj. vilipendioso.

villa, s. f. vila; casa de campo.

villanía, s. f. vilania.

villan|o, -a, adj. e s. vilão, plebeu; (fig.) rústico, descortês; indigno.

villorrio, s. m. vilório, vilória, aldeola.

vinagre, s. m. vinagre.

vinagrera, s. f. vinagreira; pl. galheteiro.

vinagreta, s. f. vinagreta (molho).

vinajera, s. f. galheta para a missa; pl. galhetas.

vinatería, s. f. taberna, venda.

vinater|o, -a, I. adj. vinhateiro. **II.** s. m. e f. vinhateiro, negociante de vinhos.

vinaza, s. f. vinhaça, vinho fraco, zurrapa.

vinculación, s. f. vinculação.

vincular, v. tr. e refl. vincular; ligar, perpetuar.

vínculo, s. m. vínculo, união; morgadio.

vindicación, s. f. vindicação, vingança; defesa.

vindicar, v. tr. vindicar, vingar.

vindicativ|o, -a, adj. vindicativo, vingativo; defensivo.

vindicatori|o, -a, adj. vindicativo.

vinícola, adj. 2 gén. vinícola.

vinicultor, -a, s. m. e f. vinicultor.

vinicultura, s. f. vinicultura.

vinificación, s. f. vinificação.

vinílic|o, -a, adj. vinílico.

vino, s. m. vinho.

viña, s. f. vinha.

viñador, -a, s. m. e f. vinhateiro; viticultor.

viñedo, s. m. vinhedo.

viñeta, s. f. vinheta, estampa.

viñuela, s. f. vinhola.

viola, s. **1.** f. viola. **2.** 2 gén. tocador de viola.

violáce|o, -a, adj. violáceo.

violación, s. f. violação; estupro.

violad|o, -da, adj. e s. violáceo.

violador, -a, adj. e s. violador.

violar, v. tr. violar; profanar.

violencia, s. f. violência.

violentar, v. tr. violentar, forçar, constranger, violar.

violent|o, -a, adj. violento.

violeta, I. adj. 2 gén. violeta, roxo. **II.** s. **1.** f. BOT. violeta. **2.** m. violeta, cor roxa.

violetera, s. f. vendedeira de violetas.

violín, s. 1. m. violino. **2.** s. 2 gén. violinista.

violinista, s. 2 gén. violinista.

violón, s. m. rabecão grande; violão, contrabaixo.

violoncelista, s. 2 gén. violoncelista.

violoncelo, s. m. violoncelo.

violonchelista, s. 2 gén. violoncelista.

violonchelo, s. m. violoncelo.

viperin|o, -a, adj. viperino.

vira, s. f. dardo; vira do calçado; franja dos vestidos.

virada, s. f. NÁUT. viragem de bordo.

virago, s. f. virago.

viraje, s. m. viragem, volta.

virar, v. tr. e intr. virar, voltar; NÁUT. virar de bordo; FOT. reforçar.

viratón, s. m. virotão, virote.

virgen, adj. e s. m. virgem.

virginal, adj. 2 gén. virginal.

virginidad, s. f. virgindade.

virgo, s. m. virgindade; ANAT. hímen.

vírgula, s. f. vírgula.

virgulilla, s. f. vírgula; acento; cedilha; apóstrofo; pl. comas.

vírico, -a, adj. vírico, viral.

viril, adj. 2 gén. viril; varonil, forte; valoroso.

virilidad, s. f. virilidade.

virreina, s. f. vice-rainha.

virreinato, s. m. vice-reinado.

virrey, s. m. vice-rei.

virtual, adj. 2 gén. virtual.

virtualidad, s. f. virtualidade.

virtud, s. f. virtude.

virtuosismo, s. m. virtuosismo.

virtuoso, -a, adj. e s. virtuoso.

viruela, s. f. varíola, bexigas; *picado de viruelas,* picado das bexigas.

virulé, *tener un ojo a la virulé,* ter um olho negro.

virulencia, s. f. virulência.

virulento, -a, adj. virulento, venenoso, purulento.

virus, s. m. MED. vírus.

viruta, s. f. apara, fita (de plaina).

visado, -a, adj. visado.

visaje, s. m. careta, esgar.

visar, v. tr. visar, pôr o visto em; visar, mirar, apontar.

víscera, s. f. víscera; pl. vísceras, entranhas.

visceral, adj. 2 gén. visceral.

visco, s. m. BOT. visgo, visco.

viscosidad, s. f. viscosidade.

viscoso, -a, adj. viscoso, pegajoso.

visera, s. f. viseira.

visibilidad, s. f. visibilidade.

visible, adj. 2 gén. visível.

visigodo, -a, I. adj. visigodo, visigótico. **II.** s. m. e f. visigodo.

visigótico, -a, adj. visigótico.

visillo, s. m. cortina pequena.

visión, s. f. visão; fantasma.

visionario, -a, adj. e s. m. e f. visionário.

visir, s. m. vizir; *gran visir,* grão-vizir.

visita, s. f. visita.

visitación, s. f. visitação, visita.

visitador, -a, adj. e s. visitador.

visitante, adj. e s. 2 gén. visitante.

visitar, v. tr. visitar.

vislumbrar, v. tr. vislumbrar.

vislumbre, s. f. vislumbre.

viso, s. m. resplendor; brilho; reflexo; aspecto; aparência.

visón, s. m. ZOOL. visão.

visor, s. m. visor.

víspera, s. f. véspera.

vista, s. f. vista.

vistazo, s. m. lance, vista de olhos.

visto, -a, adj. e s. m. visto.

vistoso, -a, adj. vistoso, aparatoso.

visual, adj. 2 gén. e s. f. visual.

visualizar, v. tr. visualizar.

vital, adj. 2 gén. vital.

vitalicio, -a, adj. vitalício.

vitalidad, s. f. vitalidade.

vitalismo, s. m. vitalismo.

vitamina, s. f. vitamina.

vitaminado, -a, adj. vitaminado.

vitamínico, -a, adj. vitamínico.

vitícola, I. adj. 2 gén. vitícola. **II.** s. 2 gén. viticultor.

viticultor, -a, s. m. e f. viticultor.

viticultura, s. f. viticultura.

vitola, s. f. bitola, padrão; cinta (de charuto); (fig.) aparência.

vítor, I. s. m. aclamação. **II.** interj. bravo!

vitorear, v. tr. vitoriar, aplaudir.

vitral, s. m. vitral.

vítreo, -a, adj. vítreo.

vitrificar, v. tr. vitrificar.

vitrina, s. f. vitrina, escaparate.

vitriolo, s. m. vitríolo.

vitualla, s. f. vitualha, provisão.

vituperable, adj. 2 gén. vituperável.

vituperación, s. f. vituperação.

vituperar, v. tr. vituperar, injuriar.

vituperio, s. m. vitupério.

viuda, s. f. viúva.

viudedad, s. f. viuvez.

viudez, s. f. viuvez.

viudo, -a, adj. e s. viúvo, viúva.

vivac, s. m. bivaque.

vivacidad, s. f. vivacidade, viveza, perspicácia, esperteza.

vivalavirgen, s. 2 gén. não-te-rales.

vivales, *s. 2 gén. e 2 núm.* vivaço, fura-vidas.

vivaque, *s. m.* bivaque.

vivaquear, *v. intr.* bivacar.

vivar, *s. m.* coelheira, toca; viveiro de peixes.

vivaracho, -a, *adj. (fam.)* vivo, vivaço, traquina, alegre.

vivaz, I. *adj. 2 gén.* vivaz; eficaz. **II.** *s. m.* BOT. vivaz.

vivencia, *s. f.* vivência.

víveres, *s. m. pl.* víveres, provisões.

vivero, *s. m.* viveiro.

viveza, *s. f.* viveza, vivacidade.

vívido, -a, *adj. (poét.)* vívido, agudo, perspicaz, esperto, vigoroso.

vividor, -a, *adj. e s. m. e f.* vivedor, videiro, fura-vidas.

vivienda, *s. f.* vivenda, morada.

viviente, *adj. e s. 2 gén.* vivente.

vivificación, *s. f.* vivificação.

vivificador, -a, *adj.* vivificador.

vivificante, *adj. 2 gén.* vivificante.

vivificar, *v. tr.* vivificar.

vivíparo, -a, *adj. e s.* ZOOL. vivíparo.

vivir, I. *v. intr.* viver. **II.** *s. m. a* vida.

vivisección, *s. f.* vivissecção.

vivo, -a, *adj. e s. m. e f.* vivo.

vizcondado, *s. m.* viscondado.

vizconde, *s. m.* visconde.

vizcondesa, *s. f.* viscondessa.

vocablo, *s. m.* vocábulo, termo.

vocabulario, *s. m.* vocabulário.

vocación, *s. f.* vocação.

vocacional, *adj. 2 gén.* vocacional.

vocal, I. *adj. 2 gén.* vocal. **II.** *s.* **1.** *f.* vogal (letra). **2.** *2 gén.* vogal (membro de elenco directivo).

vocálico, -a, *adj.* vocálico.

vocalismo, *s. m.* vocalismo.

vocalista, *s. 2 gén.* vocalista.

vocalización, *s. f.* MÚS. vocalização.

vocalizar, *v. intr.* MÚS. vocalizar, solfejar.

vocativo, *s. m.* vocativo.

voceador, -a, *adj. e s.* vozeador.

vocear, *v. intr.* vozear, gritar.

vocejón, *s. m.* vozeirão.

voceras, *s. 2 gén.* linguareiro.

vocerío, *s. m.* vozearia, gritaria.

vociferador, -a, *adj. e s.* vociferador.

vociferante, *adj. 2 gén.* vociferante.

vociferar, *v. tr.* vociferar; berrar.

vocinglero, -a, *adj. e s.* loquaz, palrador.

voladizo, -a, *adj.* projectado, saliente.

volador, -a, *adj. e s. m.* voador; veloz.

voladura, *s. f.* demolição; explosão, rebentamento.

volandas, *en volandas,* em bolandas.

volandero, -a, *adj.* volante.

volante, I. *adj. 2 gén.* voador; volante. **II.** *s. m.* volante (de automóvel); tira de pano franzido, fita; folha solta de papel; guia, requisição; (badmínton) volante.

volar, *v. intr.* voar.

volatería, *s. f.* volataria, altanaria.

volátil, *adj. 2 gén.* volátil.

volatilidad, *s. f.* volatilidade.

volatilización, *s. f.* volatilização.

volatín, *s. m.* acrobacia, acrobata.

volatinero, -a, *s. m. e f.* acrobata.

volcán, *s. m.* vulcão.

volcánico, -a, *adj.* vulcânico.

volcar, *v. tr.* voltar, tombar, virar; capotar.

volea, *s. f.* vólei.

volear, *v. tr.* voltear; girar; semear.

voleibol, *s. m.* voleibol.

volframio, *s. m.* volfrâmio; tungsténio.

volitivo, -a, *adj.* volitivo.

volquete, *s. m.* camião de carroçaria basculante.

volt, *s. m.* vóltio, volt.

voltaje, *s. m.* voltagem.

voltear, *v. tr.* voltear, voltar; girar.

voltereta, *s. f.* cambalhota.

voltímetro, *s. m.* voltímetro.

voltio, *s. m.* vóltio, volt.

volubilidad, *s. f.* volubilidade.

voluble, *adj. 2 gén.* volúvel, inconstante.

volumen, *s. m.* volume.

volumetría, *s. f.* volumetria.

volumétrico, -a, *adj.* volumétrico.

voluminoso, -a, *adj.* volumoso.

voluntad, *s. f.* vontade.

voluntariado, *s. m.* voluntariado.

voluntariedad, *s. f.* voluntariedade.

voluntario, -a, *adj. e s.* voluntário.

voluntarioso, -a, *adj.* voluntarioso.

voluptuosidad, *s. f.* voluptuosidade.

voluptuoso, -a, *adj. e s.* voluptuoso.

voluta, *s. f.* ARQ. voluta.

volver, *v. tr.* voltar, girar, volver.

vomitar, *v. tr.* vomitar.

vomitivo, -a, *adj. e s. m.* vomitivo.

vómito, *s. m.* vómito.

voracidad, *s. f.* voracidade, sofreguidão.

vorágine, *s. f.* voragem, redemoinho, sorvedouro.

voraz, *adj.* 2 *gén.* voraz; destruidor.

vórtice, *s. f.* vórtice, turbilhão, voragem.

vosotros, -as, *pron. pl.* vós.

votación, *s. f.* votação.

votada, *s. f.* votação, escrutínio.

votador, -ra, *adj.* votante.

votante, *s.* 2 *gén.* votante.

votar, *v. intr.* votar.

voto, *s. m.* voto, promessa; sufrágio.

voz, *s. f.* voz.

vuelco, *s. m.* tombo.

vuelo, *s. m.* voo, voadura.

vuelta, *s. f.* giro, volta, circuito.

vuelto, -a, *adj.* voltado.

vuestro, -a, *pron.* vosso; vossa.

vulcanismo, *s. m.* vulcanismo.

vulcanista, *adj.* e s. 2 *gén.* vulcanista.

vulcanita, *s. f.* vulcanite; ebonite.

vulcanización, *s. f.* vulcanização.

vulcanólogo, -a, *s. m.* e *f.* vulcanólogo.

vulgar, *adj.* 2 *gén.* vulgar, comum; trivial.

vulgaridad, *s. f.* vulgaridade.

vulgarismo, *s. m.* vulgarismo.

vulgarización, *s. f.* vulgarização.

vulgarizar, *v. tr.* vulgarizar.

vulgata, *s. f.* vulgata.

vulgo, *s. m.* vulgo, povo, plebe.

vulnerabilidad, *s. f.* vulnerabilidade.

vulnerable, *adj.* 2 *gén.* vulnerável.

vulneración, *s. f.* vulneração; violação; ofensa (à dignidade).

vulnerar, *v. tr.* (*fig.*) vulnerar, ferir, ofender.

vulva, *s. f.* vulva.

W

w, s. f. w, vigésima quarta letra do alfabeto espanhol.
wáter, s. m. (fam.) quarto de banho.
waterpolo, s. m. pólo aquático.
watt, s. m. watt, vátio.
W.C., abrev. W.C., retrete.

whisky, s. m. uísque.
windsurf, s. m. windsurf.
windsurfing, s. m. windsurfing.
windsurfista, s. 2 gén. windsurfista.
wolfram, s. m. volfrâmio.
wolframio, s. m. volfrâmio.

X

x, s. f. x, vigésima quinta letra do alfabeto espanhol.
xara, s. f. lei dos Maometanos.
xenofilia, s. f. xenofilia.
xenófilo, -a, adj. e s. xenófilo.
xenofobia, s. f. xenofobia.
xenófobo, -a, adj. e s. xenófobo.
xenón, s. m. xénon.

xerografía, s. f. xerografia.
xileno, s. m. xileno.
xilófago, -a, adj. e s. ZOOL. xilófago.
xilofonista, s. 2 gén. xilofonista.
xilófono, s. m. xilofone.
xilografía, s. f. xilografia.
xilográfico, -a, adj. xilográfico.
xilógrafo, -a, s. m. e f. xilógrafo.

Y

y, *s. f.* y, vigésima sexta letra del alfabeto español.
ya, *adv.* já; depois, mais tarde; agora.
yac, *s. m.* iaque.
yacaré, *s. m.* ZOOL. jacaré, crocodilo.
yacente, *adj. 2 gén.* jacente.
yacer, *v. intr.* jazer.
yaguar, *s. m.* ZOOL. jaguar.
yámbico, -a, *adj.* ZOOL. jâmbico.
yambo, *s. m.* jambo.
yanqui, *adj. e s. 2 gén.* ianque.
yantar, *v. intr.* comer.
yarda, *s. f.* jarda.
yaro, *s. m.* BOT. jarro, arão.
yate, *s. m.* iate.
yayo, -a, *s. m. e f.* avô, avó.
yedra, *s. f.* hera.
yegua, *s. f.* ZOOL. égua.
yeguada, *s. f.* eguada.
yeguar, *adj. 2 gén.* eguariço.
yegüero, *s. m.* eguariço.
yelmo, *s. m.* elmo.
yema, *s. f.* BOT. gema, renovo, olho, botão; gema (do ovo).
yemení, *adj. e s. 2 gén.* iemenita.
yen, *s. m.* yen, iene.
yerba, *s. f.* erva.
yermo, -a, *adj. e s. m.* ermo.
yerno, *s. m.* genro.
yernocracia, *s. f.* nepotismo.
yerro, *s. m.* erro.
yerto, -a, *adj.* hirto, teso, rígido.
yesal, *s. m.* gessal, gesseira.
yesar, *s. m.* gessal, gesseira.
yesca, *s. f.* isca, mecha (para fogo).
yesería, *s. f.* gesseira.
yesero, -a, **I.** *adj.* gípseo. **II.** *s. m.* gesseiro.
yeso, *s. m.* gesso.
yesón, *s. m.* caliça.
yesoso, -a, *adj.* gípseo; gipsífero.
yeyuno, *s. m.* ANAT. jejuno.
yiu-yitsu, *s. m.* jiujitsu, judo.
yo, *pron.* eu.
yodado, -a, *adj.* iodado.
yodo, *s. m.* iodo.
yoduro, *s. m.* iodeto.
yoga, *s. m.* ioga.
yogi, *s. m. e f.* jogue, jógui.
yogur, *s. m.* iogurte.
yogurtera, *s. f.* iogurteira.
yola, *s. f.* NÁUT. iole.
yoquei, *s. m.* jóquei.
yoyó, *s. m.* ioió.
yuca, *s. f.* BOT. iúca.
yudo, *s. m.* judo.
yudoka, *s. 2 gén.* judoca.
yugo, *s. m.* jugo, canga.
yugular, *adj. 2 gén. e s. f.* ANAT. jugular.
yunque, *s. m.* bigorna.
yunta, *s. f.* junta, parelha, jugo.
yuntero, *s. m.* jugadeiro, jugueiro.
yute, *s. m.* juta.
yuxtaponer, *v. tr.* justapor.
yuxtaposición, *s. f.* justaposição.

z

z, *f.* vigésima sétima e última letra do alfabeto espanhol.

zafarrancho, s. m. NÁUT. armação, apresto; MIL. limpeza geral; desordem, confusão, balbúrdia.

zafarse, *v. refl.* libertar-se, safar-se, escapar.

zafiedad, *s. f.* rusticidade, incultura.

zafio, -a, *adj.* rústico, tosco, inculto.

zafiro, *s. m.* safira.

zagal, *s. m.* rapaz, jovem; zagal, pastor.

zagala, *s. f.* rapariga, jovem; pastora.

zaguán, *s. m.* saguão.

zaguero, -a, *s. m. e f.* DESP. defesa.

zaherir, *v. tr.* ofender, ferir (sentimentos).

zahones, *s. m. pl.* safões.

zahorí, *s. m.* vidente; adivinho; vedor.

zahúrda, *s. f.* pocilga, chiqueiro.

zaino, -a, *adj.* zaino, traidor, falso, traiçoeiro.

zaireño, -a, *adj. e s.* zairense.

zalamería, *s. f.* salamaleque, bajulação.

zalamero, -a, *adj. e s.* zumbaieiro, bajulador.

zalema, *s. f.* reverência em prova de submissão; *pl.* salamaleques.

zamarra, *s. f.* samarra; pele de carneiro.

zambiano, -a, *adj. e s.* zambiano.

zambo, -a, *adj. e s.* zambro, cambaio.

zamboa, *s. f.* BOT. zamboa.

zambomba, *s. f.* MÚS. cuíca, ronca.

zambombazo, *s. m.* pancada, cacetada.

zambra, *s. f.* zambra, dança e música mourisca; algazarra, barulho.

zambullida, *s. f.* mergulho.

zambullir, *v. tr.* mergulhar.

zambullirse, *v. refl.* mergulhar na água; dar um mergulho.

zampabollos, *s. 2 gén.* glutão, comilão.

zampar, *v. tr. e refl.* empanturrar-se, comer vorazmente, devorar.

zampatortas, *s. 2 gén.* glutão, comilão.

zampoña, *s. f.* MÚS. flauta de Pã.

zampuzar, *v. tr.* mergulhar com ímpeto.

zampuzo, *s. m.* mergulho.

zanahoria, *s. f.* BOT. cenoura.

zanca, *s. f.* sanca, perna de ave; perna alta e delgada.

zancada, *s. f.* pernada, passada larga.

zancadilla, *s. f.* engano, partida, rasteira.

zanco, *s. m.* andas, pernas de pau.

zancudas, *s. f. pl.* ZOOL. pernaltas.

zancudo, -a, I. *adj.* pernalta, pernilongo. II. *s. m.* mosquito.

zanganear, *v. intr.* vadiar.

zángano, -a, I. *adj.* mandrião, vadio, preguiçoso. II. *s. m.* ZOOL. zângão.

zangolotear, *v. intr.* vadiar; vaguear; bater (porta).

zanja, *s. f.* cabouco; sanja; vala; valeta.

zanjar, *v. tr.* solucionar, resolver, acabar com.

zanjón, *s. m.* sanja; vala grande e profunda.

zanqueador, -a, *adj. e s.* andarilho, andejo.

zanquear, *v. intr.* torcer as pernas ao andar; andar muito e depressa.

zanquilargo, -a, *adj. e s.* pernalto, pernilongo, pernegudo.

zapa, *s. f.* sapa; pá.

zapador, -a, *s. m. e f.* sapador.

zapata, *s. f.* calço (de travões); cunha, calço; botim.

zapatazo, *s. m.* sapatada.

zapateado, *s. m.* sapateado.

zapatear, *v. tr.* sapatear.

zapateo, *s. m.* sapateado.

zapatería, *s. f.* sapataria.

zapatero, -a, *s. m. e f.* sapateiro.

zapatiesta, *s. f.* discussão; balbúrdia; confusão.

zapatilla, *s. f.* chinelo; ténis (sapatos); *zapatilla de ballet*, sapato de balé.

zapato, *s. m.* sapato.

zar, *s. m.* czar.

zarabanda, *s. f.* MÚS. sarabanda; confusão, balbúrdia.

zaragata, *s. f.* zaragata, desordem.

zaragüelles, *s. m. pl.* calções; bragas.

zaranda, *s. f.* ciranda.

zarandajas, *s. f. pl.* bagatelas, ninharias.

zarandear, v. tr. cirandar, crivar, peneirar, joeirar.

zarapito, s. m. ZOOL. maçarico-real.

zarcero, s. m. ZOOL. pintarroxo.

zarcillo, s. m. argolas, arrecadas, pingentes.

zarço, -a, adj. zarco, garço.

zarigüeya, s. f. ZOOL. sarigueia.

zarina, s. f. czarina.

zarismo, s. m. czarismo.

zarpa, s. f. ARQ. sapata; garra.

zarpar, v. tr. e intr. NÁUT. sarpar, zarpar.

zarpazo, s. m. marca de garras.

zarrapastroso, -a, adj. e s. maltrapilho, andrajoso, esfarrapado.

zarza, s. f. BOT. sarça, silva.

zarzal, s. m. sarçal; silvado.

zarzamora, s. f. silvado; amora.

zarzaparrilla, s. f. BOT. salsaparrilha.

zarzuela, s. f. zarzuela.

zarzuelero, -a, adj. 2 gén. ao estilo da zarzuela.

zarzuelista, s. 2 gén. zarzuelista.

zarzuelístico, -a, adj. zarzuelístico.

zascandil, s. m. enredador.

zascandilear, v. intr. mexericar; enredar.

zenit, s. m. zénite.

zepelín, s. m. zepelim.

zigzag, s. m. ziguezague.

zigzaguear, v. intr. ziguezaguear.

zimbabwense, adj. e s. 2 gén. zimbabwense, do Zimbabwe.

zinc, s. m. zinco.

zíngaro, -a, adj. e s. zíngaro, cigano.

zipizape, s. m. contenda ruidosa; briga.

zócalo, s. m. ARQ. soco; friso; base de pedestal; peanha, supedâneo.

zocato, -a, adj. e s. canho, canhoto, esquerdo.

zoco, s. m. mercado (em Marrocos).

zodíaco, s. m. zodíaco.

zombi, s. m. zumbi.

zonzo, -a, adj. zonzo, tolo, pateta, atoleimado.

zoo, s. m. zoo, jardim zoológico.

zoología, s. f. zoologia.

zoológico, -a, adj. zoológico.

zoólogo, -a, s. m. zoólogo, zoologista.

zoom, s. m. zoom (lente).

zopenco, -a, adj. e s. abrutalhado; bronco.

zoquete, adj. e s. m. (fam.) simplório, palerma.

zorra, s. f. ZOOL. raposa; (fam.) prostituta; (fig.) mulher astuta.

zorrera, s. f. raposeira, toca de raposa.

zorrería, s. f. astúcia, cautela; manha.

zorro, s. m. raposo; pele de raposa; indivíduo astuto; pl. pano do pó.

zorrupia, s. f. mulher desmazelada; prostituta.

zorzal, s. m. ZOOL. estorninho; homem astuto.

zote, adj. e s. 2 gén. ignorante.

zozobra, s. f. soçobro; inquietação, aflição, angústia.

zozobrar, v. intr. soçobrar, afundar-se.

zueco, s. m. tamanco, soco.

zulú, adj. e s. 2 gén. zulo.

zumaya, s. f. mocho-real.

zumbado, -a, adj. louco, pirado, apanhado.

zumbar, v. intr. zumbir, zumbar.

zumbido, s. m. zumbido.

zumbón, -ona, adj. zombador, chocarreiro.

zumo, s. m. sumo, suco.

zuño, s. m. vd. ceño.

zupia, s. f. borras do vinho; vinho turvo; refugo, rebotalho.

zurano, -na, adj. bravo, do mato.

zurcidera, s. f. cerzidor.

zurcido, -a, adj. e s. m. cerzido.

zurcir, v. tr. cerzir.

zurda, s. f. mão esquerda.

zurdo, -a, adj. e s. m. e f. canho, canhoto, esquerdo.

zurear, v. intr. arrulhar.

zureo, s. m. arrulho.

zurra, s. f. surra, sova, tunda, coça.

zurrapa, s. f. fezes, lia, borras dum líquido.

zurrar, v. tr. surrar, curtir peles; surrar, sovar, zurzir.

zurriagazo, s. m. azorragada, chicotada.

zurriago, s. m. azorrague, chicote, látego.

zurriburri, s. m. homem vil, desprezível.

zurrón, s. m. surrão, bolsa de pastor; bolsa de couro.

zutano, -a, s. m. e f. (fam.) beltrano.

Diccionarios de lengua portuguesa

VOX

- Dicionário Geral Português-Espanhol
- Dicionário Geral Español-Portugués
- Diccionario Esencial
  Português-Espanhol / Español-Portugués
- Diccionario Micro
  Español-Portugués / Português-Espanhol

Además, Vox dispone de una completa gama de diccionarios en lengua española, catalana, gallega, vasca, inglesa, francesa, alemana, italiana y en lenguas clásicas; así como diccionarios enciclopédicos, temáticos y una gran variedad de títulos especializados en filología española.

Si desea obtener más información sobre las obras del fondo Vox o hacer alguna consulta o sugerencia, no dude en ponerse en contacto con nosotros:

**SPES EDITORIAL, S.L.
Aribau, 197-199, 3ª planta
08021 Barcelona**

Tel. 93 241 35 05

o bien en Internet: **http://www.vox.es**
                    e-mail: vox@vox.es